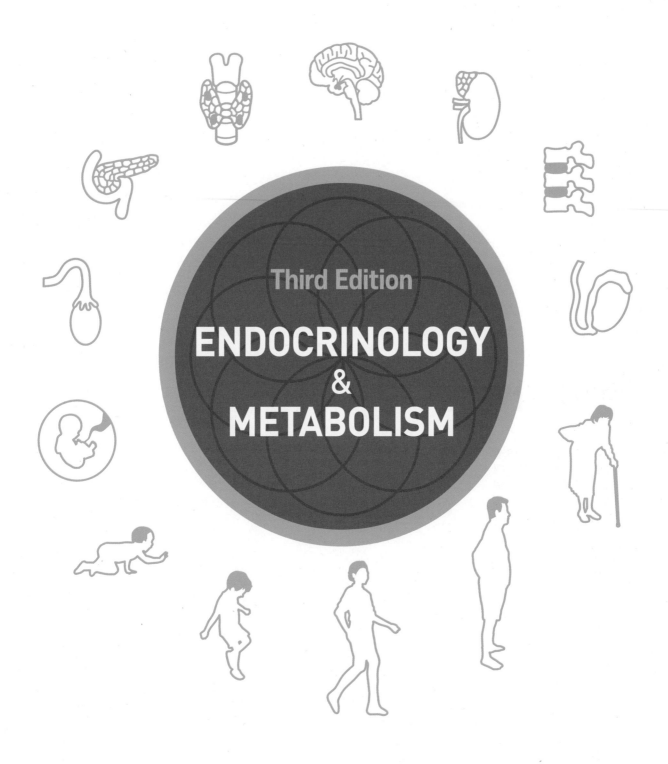

Third Edition

ENDOCRINOLOGY
&
METABOLISM

표지디자인 아이디어 출처: 서미혜(순천향의대)

<내분비대사학 3판>의 표지는 **대한내분비학회 표지디자인 아이디어 공모전에서 1위로 선정된 서미혜 교수의 아이디어**를 토대로 작업되었습니다.

내분비대사학의 중심인 호르몬과 내분비선의 서로 연관된 작용을 원(circle) 모양으로 형상화하였으며,
호르몬의 영향과 그 질병에 따른 사람의 일생을 표현한 디자인입니다.

내분비대사학 3판

첫째판 1쇄 발행 | 1999년 11월 05일
둘째판 1쇄 발행 | 2011년 01월 20일
셋째판 1쇄 인쇄 | 2022년 11월 28일
셋째판 1쇄 발행 | 2022년 12월 23일

지 은 이 대한내분비학회
발 행 인 장주연
출 판 기 획 김도성
책 임 편 집 이민지
출 판 편 집 강미연 박슬기 김지현 김지수 김슬기
편 집 디 자 인 양은정
표 지 디 자 인 김재욱
일 러 스 트 신윤지
제 작 담 당 이순호
발 행 처 군자출판사(주)
　　　　　 등록 제4-139호(1991. 6. 24)
　　　　　 본사 (10881) 파주출판단지 경기도 파주시 회동길 338(서패동 474-1)
　　　　　 전화 (031) 943-1888　　팩스 (031) 955-9545
　　　　　 홈페이지 | www.koonja.co.kr

ISBN 979-11-5955-930-3

정가 180,000원

내분비대사학 3판

Textbook of Endocrinology & Metabolism

Third Edition

내분비대사학 3판 E-book

모바일, 테블릿, PC와 함께하는 군자출판사 E-book 시스템.
도서를 구매하시면 무료로 E-book을 이용하실 수 있습니다.

군자출판사 E-book을 이용해보세요.

1. www.koonja.co.kr 혹은 QR코드로 접속해주세요.
2. 회원가입 혹은 로그인을 합니다.
3. 마이페이지에 E-book을 클릭 후 도서 등록하기 버튼을 누릅니다.
4. 구매하신 도서의 표지를 선택하신 후 제공된 코드번호를 입력합니다.
5. 서재목록에서 등록된 도서를 선택하면 내용을 보실 수 있습니다.
6. 본 도서 및 E-book에 수록된 모든 내용은 복제 또는 배포가 불가능하며,
   무단 배포 시에는 처벌을 받을 수 있습니다.

E-book 코드

DMX4-4Q61-H2EV

DIGITAL VERSION

대한내분비학회가 탄생한 지 40주년을 기념하며 내분비대사학 3판 출판을 격려하게 됨을 감개무량하게 생각합니다.

그동안 이 학회를 책임지고 발전할 수 있도록 지원하신 역대 회장님들과 이사장님들을 위시하여 내분비학회 임원과 회원 여러분께 축하의 인사와 그 노고에 대하여 진심으로 사의(謝意)를 표합니다.

돌아보면 40년 전 우리 의학계는 많이 후진적이었고 선진국의 의학 발전 속도에 민감하지도 못했습니다. 우리 의학, 특히 내과는 전통적인 관찰의학 수준을 벗어나지 못했고 증거에 기초한 의학의 선진화된 면모를 따라가지 못하고 있었습니다.

내분비학회는 의학의 선진화, 현대화라는 공동 책임의식을 가지고 출발했습니다.
초기 내분비학회는 내분비질환뿐 아니라 아직까지 우리나라에서 경험하지 못했던 각종 새로운 질환까지 포함하여 그 범위가 넓었습니다.

그리고 역대 임원들의 불굴의 노력으로 마침내 SCOPUS, SCIE에 등재된 공식 한국 내분비학회지를 발간하는 진일보된 학회로 발전하였으며, 또한 최신 지견을 체계화하여 오늘 내분비대사학 3판까지 출판하는 뜻깊은 기회를 가지게 되었습니다.

다시 한번 내분비대사학 3판 출판에 힘을 모으시고 노력하신 정재훈 회장님, 김인주 회장님, 유순집 이사장, 권혁상 총무이사 및 홍은경 교과서개정위원회 이사님을 위시하여 많은 저자들에게 심심한 경의를 표합니다.

대한내분비학회 제4–5대 회장
최영길

내분비대사학 교과서 제3판 발간에 즈음하여

1982년 대한내분비학회가 창립된 이후 올해로 40년을 맞이하였습니다. 학회 회원 수는 1,640명 이상으로 증가하였고, 학술지인 *Endocrinology & Metabolism* (EnM)은 Impact factor가 2019년 3.25에서 2020년 4.01을 거쳐 2021년 3.60으로 성장하였습니다. 이 모든 성장은 회원 여러분들의 적극적인 참여와 헌신적인 봉사로 이루어낸 결과라고 생각합니다.

학술행사와 더불어 학회의 큰 사업 중의 하나가 교과서 간행입니다. 1999년 내분비대사학 교과서 제1판이 처음 간행된 이후 2판을 거쳐 금년에 제3판이 제작, 출간되었습니다. 교과서 간행 작업은 지난(至難)한 사업 중의 하나입니다. 각 분야 최고 전문가를 선발하고, 수많은 용어를 통일하고, 여러 차례의 원고 요청 끝에 원고를 간신히 수집하고, 마지막으로 여러 차례의 수정을 거쳐야 훌륭한 교과서를 간행할 수 있습니다. 이렇게 힘든 과정을 거쳐 만든 교과서는 지금까지 많은 회원들의 지식을 함양하고, 언제든지 믿고 찾아볼 수 있는 지식의 보고(寶庫) 역할을 해왔습니다. 또한 새로 내분비 분야에 첫걸음을 내딛는 입문자에게는 좋은 길잡이가 되어 왔습니다.

새롭게 개정된 교과서를 읽어보시면 과거의 외국 교과서를 베끼는 수준을 넘어, 우리나라 고유의 자료를 원고에 삽입하였고, 우리나라 내분비질환의 특징을 부각시키는 등의 괄목할 만한 성장을 이루었다는 자부심이 드실 것으로 기대합니다. 이러한 경험이 축적되어 우리나라 내분비질환의 고유의 특징을 구체적으로 기술하는 교과서가 계속해서 나오리라 믿어 의심치 않습니다. 이렇게 심혈을 기울여 교과서를 출판하여도 무엇인가 부족함을 느끼게 되고 미련이 남으리라 생각합니다. 부족한 부분은 앞으로 학회를 이끌어 나갈 후학들이 채워주시리라 믿습니다.

힘든 교과서 개정 작업을 마다하지 않고 적절한 시기에 시작하고 지원해 주신 김인주 회장님, 유순집 이사장님, 그리고 권혁상 총무이사님, 교과서 제작에 주도적인 역할을 자청하신 홍은경 교과서개정위원회 이사님과 교과서 제작에 관여하신 회원 여러분들께 지면을 빌려 진심으로 경의를 표하고, 심심한 감사의 말씀을 드립니다. 개정된 교과서가 국내 내분비학 발전의 토대가 될 것이라 확신합니다. 수고하셨습니다.

2022년 11월

대한내분비학회 제31대 회장 **정재훈**

내분비대사학 제3판, 학회 50주년의 머릿돌

'함께 이룬 40년, 새로운 도약으로!'라는 기치로 힘차게 닻을 올렸던 2022년도 막바지입니다.
잔잔하지만 뜨겁게 시작한 대한내분비학회 40주년, 이제 그 결실을 정리하는 시기인 가을을 보내며 내분비대사학 교과서 제3판 발간이라는 기쁜 소식을 함께 나누게 되어 가슴 벅찹니다.

무릇 교과서란 특정한 주제에 대하여 설명하고 교육하기 위해서 해당 학문 분야에 대한 내용을 종합적이고 체계적으로 정리한 교육목적의 도서를 칭합니다. 시대를 관통하며 변하지 않는 기본 원리는 물론이고 최신 첨단 지식과 미래의 발전 방향에 대한 사항도 포함되어야 하겠지만 우리의 상황과 실정에 맞는 내용을 담은 교과서가 더욱 의미 있다고 생각합니다.

지난 40년 동안 대한내분비학회가 성취한 괄목상대한 비약적인 발전과 획득한 높은 위상이 내분비대사학 3판에 고스란히 녹아 있음을 자부합니다. 요람에서 무덤에 이르기까지 건강과 삶에 지대한 영향을 미치는 호르몬과 대사의 중요성을 함축한 책 표지로 시작해서 가능한 국내 자료를 적용하여 구성한 본문 등이 바뀌고 더해져 발간되는 내분비대사학 제3판은 의과대학 학생을 포함하여 내분비대사를 전공하는 전문의들도 기본적으로 사용할 교과서를 만들겠다는 편집의도가 잘 구현된 우리의 자랑스럽고 독자적인 교과서로 한걸음 더 발전하였습니다. 내분비대사학 교과서의 창간과 제2판 발간으로 기틀을 다져 주신 모든 분들, 학회를 창립하여 오늘을 가능하게 하신 역대 회장, 이사장, 임원들과 모든 회원들께 머리 숙여 감사를 드립니다.

'조화와 항상성'은 내분비대사학의 특성을 가장 잘 나타내는 말입니다. 다양한 세부 분야의 집필을 맡아 수고하신 분들께 감사드리고, 개별 옥고를 취합하고 편집 의도 방향으로 조정하는 노고를 마다하지 않은 모든 편집위원들, 확고한 편집 의도로 교과서 개정위원회를 이끈 홍은경 이사님과 서성환, 최윤미 간사님 및 위원님들의 열정과 헌신에 경의를 표합니다.

내분비대사학 제3판의 순조로운 출간을 위해 내내 지지해 주신 정재훈 전 회장님, 유순집 이사장님, 권혁상 총무이사님을 비롯한 학회 모든 임직원들과 군자출판사에도 감사를 드립니다.

교과서는 50주년의 비전 '세계적인 수준의 대한내분비학회'를 위한 머릿돌이 될 것입니다.

2022년 11월
대한내분비학회 회장 **김인주**
이사장 **유순집**

2019년 12월 처음 시작된 신종 팬데믹과 함께 학회 학술행사를 포함한 우리 일상생활에 많은 변화들이 있었습니다. 2022년도는 이런 어려운 상황 속에서 대한내분비학회가 창립 40주년이라는 매우 뜻깊은 시간을 맞게 되었을 뿐 아니라, 약 12년 만에 제3판 내분비대사학 교과서가 새롭게 개정 및 출판되어 더욱 감회(感懷)가 큽니다.

의학의 빠른 발전과 변화만큼 내분비대사 분야에도 많은 변경된 내용들과 추가된 분야들이 있습니다. 이번 개정 교과서는 이러한 부분들을 최대한 반영하여 서론에 해당하는 내분비계와 호르몬, 그리고 각론으로 시상하부와 뇌하수체, 갑상선, 부신, 생식, 발달과 성장, 노화, 기타 내분비질환, 당대사질환, 지단백질대사와 이상, 골·무기질대사, 내분비교란물질 등 총 12개 분야로 구성하였습니다. 각 분야에는 일부 추가되거나 변경된 챕터들이 있으며 내용은 의과대학 학생을 포함하여 내분비대사를 전공하는 전문의들 또한 기본 교과서로 사용할 수 있는 수준으로 폭넓게 준비하고자 하였습니다. 각 챕터별 전개는 기초 분야를 포함한 호르몬 개론에 대해서는 서론(개요), 본론(종류 및 역할, 조절), 최신정보 및 전망 등의 순으로 그리고 각 분야별 질환은 서론(개요), 역학, 임상특성, 진단, 감별진단, 치료, 예후, 최신정보 및 전망의 순으로 기술하였습니다.

특히 제3판 내분비학 교과서에는 기존 자료 또는 참고문헌들의 그림을 그대로 사용하지 않고 전면 새롭게 그리는 작업을 진행하였으며, 환자 사진 또한 국내 사례를 사용하고자 노력하였습니다. 교과서와 함께 내분비대사학 용어집도 약 16년 만에 개정 작업이 진행되며 일부 용어들은 변경되어 개정 교과서에 반영되었습니다.

세월이 유수(流水)와 같다는 말이 무색할 정도로 2년이란 시간이 정말 빠르게 지나갔습니다. 처음에 생각했던 것보다 훨씬 힘들고 어려웠던 교과서와 용어집 개정 작업이 이처럼 가능할 수 있었던 배경에는 두 위원회의 간사인 서성환, 김경수, 최윤미 교수님과 교과서 대표 편집위원님들 그리고 분야별 담당위원님들의 큰 도움이 있으며, 이 지면을 빌어 진심으로 감사의 인사를 드립니다.
하지만 모든 분들이 최선을 다했음에도 불구하고 여전히 부족한 면들이 있을 것으로 생각됩니다. 이 부분들은 다음 개정판에서 더욱 보완되고 추가될 것으로 기대하며, 해당 분야 전문가들에 의해 만들어진 이 옥고(玉稿)는 내분비대사를 공부하고 연구하려는 분들께 많은 도움이 될 것을 저는 믿어 의심치 않습니다.

시작부터 지금까지 이 모든 과정이 잘 진행될 수 있도록 묵묵히 도움을 주신 학회 직원들과 군자출판사 담당자분들께 감사드립니다. 끝으로 이 영예로운 작업을 믿고 맡겨 주신 유순집 이사장님, 항상 큰 지지와 도움 및 조언을 아끼지 않으신 원로 교수님들, 정재훈 회장님과 김인주 회장님, 그리고 부회장님과 감사님, 이사님들 모든 분들께 진심으로 감사의 인사를 올립니다.

2022년 11월

대한내분비학회 교과서개정위원회 이사 **홍은경**

대한내분비학회 자문위원회의 논의를 거쳐 결정되고, 당시 편찬위원장을 맡으신 이태희 전 회장님과 편찬위원회 여러분들의 노고에 의해 내분비학 교과서가 처음으로 발간된 지도 어언 10여 년이 지났다. 그간 내분비대사 분야의 학문적 진보는 내분비대사학을 전공하는 전문가조차도 뒤따라가기가 벅찰 정도로 눈부신 발전을 거듭해 왔다. 분자생물학적 실험 기법들이 내분비대사학 연구를 위한 기본적인 술기로 자리매김하였고, 다양한 내분비대사질환 관련 유전자 변형 동물모델(Transgenic mice 및 Knock out mice)들이 용이하게 만들어지면서 내분비대사질환들을 보다 상세하게 이해할 수 있게 되었다. 임상에서는 분자유전학 기법이 광범위하게 활용되고 있고, 영상기술의 발달로 보다 선명하게 내분비기관의 병변을 관찰할 수 있게 되었다. 또한 다양한 재조합 단백질, 면역항체 및 다양한 방법으로 발굴된 신약들이 하루가 멀다 하고 출시되어 임상에 활용되고 있다. 이에 따라 학회에서는 수년 전부터 우리말로 된 교과서의 개정 출간 필요성이 제시되었지만, 워낙 방대한 일이어서 엄두를 내지 못하고 있던 중, 이사회의 중지를 모아 금번에 부족하나마 개정판을 출간하게 되었다.

초기 의도는 내분비대사학을 전공하는 분들에게 우리나라 현실에 적당하고 또 진료 현장에 즉시 활용될 수 있는 참고서로 본 책자를 출간하려 하였지만, 논의를 거듭하는 과정에서 내분비대사학을 전공하는 분은 물론 내분비학을 전공하지 않는 분들까지도 폭넓게 또 중도의 심도로 갖고 참고해 볼 수 있는 책자를 만드는 것을 목표로 하여 집필하게 되었다. 다소 아쉬운 점은 그동안 내분비대사 관련 분야의 저변이 크게 확대되고 많은 전문가들이 양성되었지만, 아직도 모든 분야의 국내 전문가가 본인의 연구자료와 진료자료를 토대로 교과서를 집필할 정도는 이르지 못하였다는 점이다. 그러나 이런 문제들도 향후 개정을 거듭하면서 자연스럽게 극복될 수 있을 것으로 기대한다.

금번에 개정한 "내분비대사학" 책자는 우리나라 최고의 편집진이 지난 10여 년간의 내분비대사 분야의 발전을 가능한 한 충분히 담고자 한 각고의 결과이기에 이 책을 공부하거나 참고하시는 모든 분들에게 진료 및 연구에 많은 도움이 될 것이라고 믿어 의심하지 않는다. 다소 미흡한 부분들이 여럿 눈에 띄지만 이런 것들은 추후 차차 수정 보완하여야 할 것이며, 독자들의 날카로운 지적 또한 이 책을 거듭 수정 보완하여 나가는 데 큰 도움이 될 것으로 생각된다.

지난해부터 시작하여 올 한 해 내내 편집장을 맡아 수고하여 주신 송영기 교수와 정윤석 총무를 포함한 편집진 여러분들께 깊은 감사를 드리며 바쁜 시간을 내어 귀한 원고를 보내주신 집필진 여러분들의 노고에 감사를 드린다. 또한 출판을 맡아 애써 주신 군자 출판사의 여러분들께도 지면을 빌어 감사를 드린다.

2010년 11월
대한내분비학회 회장 **김용기**
대한내분비학회 이사장 **임승길**

내분비계는 체내 항상성 유지에 중요한 역할을 하며 내분비학 연구는 체내에서 일어나는 여러 가지 생명현상을 해명하기 위하여 그리고 질병이 일어나는 기전을 이해하기 위하여 매우 중요하다.

최근 내분비학은 눈부신 발전을 하였으며 새로운 호르몬이 발견되고 호르몬전구체나 호르몬수용체의 구조와 기능이 밝혀지고 있고, 유전자 공학을 이용하여 합성한 호르몬의 임상응용이 가능하게 되었다. 특히 분자생물학의 급진적인 발전으로호르몬의 분비와 작용 및 유전성 내분비질환의 본태 등이 많이 밝혀지고 있다.

이와 더불어 임상적인 면에서도 새로운 검사 방법의 개발이나 유전성의 검사, 그리고 영상 진단 방법의 개선 등 많은 기술적 변화가 향상됨으로써 질병의 진단이 용이하게 되었을 뿐만 아니라 이제치료에서 예방의 방법 모색에까지 이르게 되었다.

이제 우리나라에서도 대한내분비학회 창립 18년째를 맞으면서 드물고 어렵게만 여겨졌던 내분비학 분야가 진료와 연구면에서도 많은 발전을 가져왔으며 「내분비학」을 이해하는 데 지침서가 될 내분비학을 편찬케 됨을 매우 기쁘게 생각한다.

이 책의 제작은 1998년 11월 14일 본 학회 자문위원회에서 토론되어 결정되었고 편찬위원회를 구성하여 시작되었다. 성원하여 주신 민헌기 창립 회장님과 최영길 전 회장님을 비롯한 자문위원 여러분과 허갑범 전 회장님께 깊은 감사를 드리며, 내분비학의 교육과 진료 및 연구의 일선에서 분망하심에도 집필을 승낙하시어 옥고를 보내주신 집필진 여러분께도 심심한 사의를 표한다. 편찬 과정에서 이현철 소위원장과 유형준 실무 간사를 비롯한 모든 실무 위원 여러분의 희생적인 노고에 치하를 드리며 출판을 맡으 「고려의학」에도 감사를 드린다.

끝으로 이 책이 의과대학생과 전공의 그리고 관심있는 의료인 여러분이 내분비학을 이해하는데 넓게 이용되기를 바라며, 내분비학의 발전과 더불어 판을 거듭해가며 보완되어 무궁한 발전이 있기를 바라는 바이다.

1999년 11월
편찬위원장 **이태희**

편찬위원회

집필진

(가나다 순)

강현재 | 서울의대 순환기내과
강호철 | 전남의대 내분비대사내과
고정민 | 울산의대 내분비내과
구철룡 | 연세의대 내분비내과
권혁상 | 가톨릭의대 내분비내과
김경수 | 차의과학대 내분비내과
김경아 | 동국의대 내분비내과
김난희 | 고려의대 내분비내과
김대중 | 아주의대 내분비대사내과
김덕윤 | 경희의대 내분비대사내과
김동선 | 한양의대 내분비대사내과
김두만 | 한림의대 내분비내과
김미경 | 인제의대 내분비대사내과
김민선 | 울산의대 내분비내과
김병준 | 가천의대 내분비대사내과
김보현 | 부산의대 내분비대사내과
김상수 | 부산의대 내분비대사내과
김상완 | 서울의대 내분비대사내과
김상현 | 서울의대 순환기내과
김선욱 | 성균관의대 내분비대사내과
김수경 | 차의과학대 내분비내과
김원배 | 울산의대 내분비내과
김인주 | 부산의대 내분비대사내과
김재범 | 서울대 생명과학부
김재택 | 중앙의대 내분비대사내과
김재현 | 성균관의대 내분비대사내과
김정희 | 서울의대 내분비대사내과
김지원 | 국민건강보험 일산병원 내분비내과
김철식 | 연세의대 내분비내과

김하영 | 울산의대 내분비내과
김호성 | 연세의대 소아내분비과
김효정 | 을지의대 내분비내과
남홍우 | 국립중앙의료원 내분비내과
노 은 | 한림의대 내분비내과
류옥현 | 한림의대 내분비내과
문성대 | 가톨릭의대 내분비내과
박경수 | 서울의대 내분비대사내과
박규형 | 서울의대 안과
박근규 | 경북의대 내분비대사내과
박도준 | 서울의대 내분비대사내과
박미정 | 박미정 성장클리닉의원
박영주 | 서울의대 내분비대사내과
박정현 | 인제의대 내분비대사내과
박철영 | 성균관의대 내분비대사내과
박태선 | 전북의대 내분비대사내과
백기현 | 가톨릭의대 내분비내과
백세현 | 고려의대 내분비내과
백자현 | 고려대 생명과학부
변동원 | 순천향의대 내분비대사내과
서미혜 | 순천향의대 내분비대사내과
성연아 | 이화의대 내분비내과
손현식 | 가톨릭의대 내분비내과
신찬수 | 서울의대 내분비대사내과
신충호 | 서울의대 소아청소년과
안유배 | 가톨릭의대 내분비내과
안철우 | 연세의대 내분비내과
우정택 | 경희의대 내분비대사내과
원규장 | 영남의대 내분비대사내과

원종철 | 인제의대 내분비내과

유순집 | 가톨릭의대 내분비내과

유 진 | 가톨릭의대 내분비내과

윤건호 | 가톨릭의대 내분비내과

윤진숙 | 연세의대 안과

이가희 | 서울의대 내분비대사내과

이관우 | 아주의대 내분비대사내과

이기형 | 고려의대 소아청소년과

이덕희 | 경북의대 예방의학과

이명식 | 순천향의생명연구원

이문규 | 을지의대 내분비내과

이상학 | 연세의대 심장내과

이승훈 | 울산의대 내분비내과

이시훈 | 가천의대 내분비대사내과

이원영 | 성균관의대 내분비대사내과

이유미 | 연세의대 내분비내과

이은정 | 성균관의대 내분비대사내과

이은직 | 연세의대 내분비내과

이종민 | 가톨릭의대 내분비내과

이지영 | 건국의대 산부인과

이지현 | 대구가톨릭의대 내분비대사내과

이형우 | 영남의대 내분비대사내과

이혜진 | 이화의대 내분비내과

임성희 | 한림의대 내분비내과

임정수 | 연세원주의대 내분비대사내과

임창훈 | 차의과학대 내분비내과

장학철 | 서울의대 내분비대사내과

전 숙 | 경희의대 내분비대사내과

전현정 | 충북의대 내분비내과

정동진 | 전남의대 내분비대사내과

정우식 | 이화의대 비뇨기과

정윤석 | 아주의대 내분비대사내과

정인경 | 경희의대 내분비대사내과

정재훈 | 성균관의대 내분비대사내과

정혜원 | 이화의대 산부인과

정호연 | 경희의대 내분비대사내과

조남한 | 아주의대 예방의학과

조영석 | 연세의대 내분비내과

조용욱 | 차의과학대 내분비내과

진상만 | 성균관의대 내분비대사내과

진상욱 | 경희의대 내분비대사내과

차봉수 | 연세의대 내분비내과

최경묵 | 고려의대 내분비내과

최영식 | 고신의대 내분비내과

최제용 | 경북의대 생화학·세포생물학과

최진호 | 울산의대 소아청소년과

최한석 | 동국의대 내분비내과

함종렬 | 경상의대 내분비내과

허규연 | 성균관의대 내분비대사내과

홍상모 | 한양의대 내분비대사내과

홍성빈 | 인하의대 내분비내과

홍순준 | 고려의대 순환기내과

홍준화 | 을지의대 내분비내과

황성순 | 연세의대 의생명과학부

황윤아 | 연세의대 내분비내과

황일태 | 한림의대 소아청소년과

황진순 | 아주의대 소아청소년과

목차

내분비계와 호르몬

내분비학의 원리

노 은

I. 서론

'내분비(endocrine)'란 용어는 생물학적 활성이 있는 물질을 내부로 분비한다는 의미이며, '호르몬(hormone)'은 '자극하다' 또는 '박차를 가하다'란 의미를 가지는 그리스어에서 유래하였는데 세포반응을 유발하고 생리기능을 조절하는 호르몬의 작용을 적절히 표현하고 있다. 약 100년 전에 Starling은 췌장 분비를 자극하기 위해 소장에서 혈류로 분비되는 물질인 세크레틴을 설명하기 위해 호르몬이라는 용어를 만들었다. Starling은 내분비계와 신경계를 기관기능의 조정 및 제어를 위한 두 가지 별개의 기전으로 간주했다. 따라서 호르몬은 포유류 생리학분야에서 처음 발견되었다. 그 후 수십 년 동안 생화학자, 생리학자, 임상연구자들은 별개의 내분비선이나 다른 기관에서 혈류로 분비되는 펩타이드와 스테로이드호르몬을 특성화했다. 갑상선기능저하증과 당뇨병과 같은 질병은 특정 호르몬을 대체함으로써 처음으로 성공적으로 치료될 수 있었다. 이러한 초기발견의 승리는 내분비학의 임상전문분야의 기초를 형성했다.

내분비학은 호르몬을 생성하는 기관과 호르몬의 작용에 관하여 연구하는 생명과학의 한 분야이고, 내분비학의 영역에는 내분비기관의 해부 및 생리적 기전, 호르몬작용의 기전, 내분비기관의 질환에 대한 연구 등이 포함된다. 몇 년 동안 세포생물학, 분자생물학 및 유전학의 발전으로 내분비질환

병인, 호르몬 분비 및 작용의 기저기전이 밝혀지기 시작했다. 내분비계는 신경계 및 면역계와 밀접하게 연결되어 있다. 신경계는 호르몬을 분비하거나 내분비기관에 직접 자율신경계가 작용함으로써 내분비기능을 조절한다. 중추신경계는 시상하부의 분비인자를 생산하여 뇌하수체호르몬 분비를 조절하며 자율신경계는 부신수질, 췌장췌도를 자극한다. 또한 호르몬이 중추신경계에 작용하기도 한다. 렙틴이 식욕을 조절하고 호르몬의 과잉 혹은 결핍 시에 이차적으로 기분장애가 나타나는 것이 그 예이다. 면역계는 내분비계와 신경계의 조절을 받으며 내분비질환을 유발하기도 한다. 부신의 글루코코티코이드는 강력한 면역억제제이고, 자가면역갑상선질환, 1형낭뇨병, 다분비기능저하, 자가면역부신염, 림프구뇌하수체염 등은 면역계의 이상과 관계가 있다. 이 장에서 우리는 내분비계를 이해하기 위해 사용하는 다양한 접근방식을 뒷받침하는 일반적인 주제와 원칙을 다루려고 한다.

II. 호르몬의 종류 및 기능

1. 호르몬의 종류

호르몬은 5가지 종류로 나누어져 있다. (1) 도파민, 카테콜라민, 갑상선호르몬과 같은 아미노산유도체(amino acid derivatives), (2) 성선자극호르몬방출호르몬(gonadotropin-releasing hormone, GnRH), 갑상선자극호르몬방출호르몬(thyrotropin-releasing hormone, TRH), 성장호르몬억제인자(somatostatin), 바소프레신과 같은 작은 신경펩타이드(neuropeptides), (3) 인슐린, 황체형성호르몬(luteinizing hormone, LH), 부갑상선호르몬(parathyroid hormone, PTH)과 같은 큰 단백질, (4) 콜레스테롤기반전구체에서 합성되는 코티솔, 에스트로젠과 같은 스테로이드호르몬, (5) 레티노이드(비타민A), 비타민D와 같은 비타민유도체가 있다. 펩타이드성장인자들은 대개 국소적으로 작용하면서, 호르몬과 작용을 공유한다. 일반적으로 아미노산유도체와 펩타이드호르몬은 세포표면막수용체와 상호작용한다. 스테로이드, 갑상선호르몬, 비타민D와 레티노이드는 지용성으로 대개 세포내 핵수용체와 상호작용하지만 막수용체 또는 세포내 신호전달단백질과도 상호작용할 수 있다.

2. 호르몬의 기능

호르몬의 생리적 기능은 크게 세 가지로 나누어져 있다. (1) 성장(growth)과 분화(differentiation), (2) 항상성(homeostasis) 유지, 그리고 (3) 생식(reproduction)이다.

1) 성장과 분화
여러 호르몬과 영양학적 요소들이 복잡한 성장과정을 매개한다. 성장호르몬 결핍, 갑상선기능저하증, 쿠싱증후군, 성조숙, 영양실조, 만성질환 또는 뼈끝성장판에 영향을 주는 유전이상[예: FGFR3 (fibroblast growth factor receptor 3)와 SHOX (short stature homeobox)돌연변이] 등이 저신장을 초래한다. 성장호르몬(growth hormone, GH), 인슐린유사성장인자-1 (insulin-like growth factor type 1, IGF-1), 갑상선호르몬은 성장을 촉진하고 성스테로이드는 성장판 폐쇄를 유도한다. 이러한 호르몬들의 상호작용을 이해하는 것은 성장질환을 진단하고 치료하는 데 중요하다. 예를 들어, 높은 농도의 성스테로이드에의 노출을 늦추는 것은 GH 치료의 효과를 향상시킬

수 있다.

2) 항상성 유지
거의 모든 호르몬들이 항상성에 영향을 주지만 가장 중요한 호르몬들은 아래와 같다.

(1) 갑상선호르몬: 대부분의 조직에서 기초대사의 약 25%를 조절한다.
(2) 코티솔: 그 자체의 직접적인 효과에 더해 글루카곤, 카테콜라민과 같은 호르몬에 허용작용(permissive action)을 한다.
(3) PTH: 칼슘과 인의 수치를 조절한다.
(4) 바소프레신: 신장 유리수분청소율(free water clearance)을 조절하여 혈청삼투압을 조절한다.
(5) 무기질부신피질호르몬: 혈관부피 및 혈청전해질 농도를 조절한다.
(6) 인슐린: 식후 및 공복상태에서 정상혈당을 유지한다.

저혈당에 대한 방어는 통합된 호르몬작용의 중요한 예이다. 공복상태와 혈당강하에 대응하여 인슐린 분비가 억제되고, 결과적으로 포도당 흡수를 감소시키고 당원분해(glycogenolysis), 지방분해(lipolysis), 단백질분해(proteolysis) 및 포도당신생성(gluconeogenesis)을 향상시켜 연료원으로 이용한다. 만약 인슐린 투여나 설포닐유레아 사용 등에 의해 저혈당이 발생한다면, 통합된 대응조절(counterregulatory)반응(글루카곤과 에피네프린이 급격하게 당원분해와 포도당신생성을 촉진하고 GH와 코티솔은 수시간에 걸쳐 포도당수치를 올리고 인슐린작용을 대항하는 반응)이 발생한다.

비록 유리수청소율이 일차로 바소프레신에 의해 조절받으나, 코티솔과 갑상선호르몬 역시 바소프레신에 대한 신세관반응을 촉진하는 데 중요하다. PTH와 비타민D기능은 칼슘대사를 조절하는 데 독립적인 작용을 한다. PTH는 신장에서 1,25-dihydroxyvitamin D를 촉진하여 위장관에서

칼슘흡수를 증가시키고 뼈에서 PTH작용을 촉진한다. 칼슘의 증가는 비타민D와 함께 PTH를 억제하는 피드백작용을 통해 칼슘균형을 유지한다.

특정 스트레스의 정도와 스트레스가 급성인지 만성인지에 따라 여러 내분비 및 사이토카인경로가 활성화되어 적절한 생리학적 반응을 일으키게 된다. 트라우마, 쇼크 등의 심한 급성스트레스에서는 교감신경이 활성화되고 카테콜라민이 분비되어 심박출량 증가와 프라이밍된 근골격계를 유도한다. 카테콜라민은 또한 평균 혈압을 증가시키고 포도당 생성을 촉진한다. 여러 스트레스유발경로가 시상하부에 수렴하여 바소프레신과 부신피질자극호르몬방출호르몬(corticotropin-releasing hormone, CRH)을 포함한 여러 호르몬들을 촉진한다. 이 호르몬들은 종양괴사인자-α (tumor necrosis factor-α, TNF-α), 인터루킨-6 (interleukin-6, IL-6)와 같은 사이토카인과 함께 부신피질자극호르몬(adrenocorticotropic hormone, ACTH)과 GH 생성을 증가시킨다. ACTH는 부신을 자극하여 코티솔 분비를 증가시켜 혈압을 유지하고 염증반응을 약화시킨다. 증가한 바소프레신은 유리수를 보존하는 역할을 한다.

3) 생식

생식의 단계는 (1) 태아발달과정에서 성결정(sex determination), (2) 사춘기 동안 성발달(sexual maturation), (3) 수태(conception), 임신, 수유, 아이양육(rearing), (4) 폐경에서의 생식능력의 정지를 포함한다. 이 단계들 각각은 여러 호르몬의 조직화된 상호작용인 28일의 월경주기 초기에 일어나는 역동적인 호르몬 변화 현상을 포함한다. 초기 난포단계에서 LH와 난포자극호르몬(follicle-stimulating hormone, FSH)의 박동성 분비는 난포의 성숙을 촉진한다. 에스트로겐과 프로게스테론수치가 점진적으로 상승하면서 GnRH의 뇌하수체 분비를 촉진하여 LH 분비폭발(surge)과 성숙난포의 파열을 유발한다. 과립층세포(granulosa cell)에서 분비되는 단백질인 인히빈(inhibin)은 난포의 성장을 촉진하고 LH에 영향을 미치지 않고 FSH를 선택적으로 억제하기 위해 뇌하수체에 피드백작용을 한다. 표피성장인자(epidermal growth factor, EGF) 및 IGF-1과 같은 성장인자는 성선자극호르몬(gonadotropin)에 대한 난포반응을 조절한다. 혈관내피성장인자(vascular endothelial growth factor, VEGF)와 프로스타글랜딘은 난포 혈관 형성 및 파열에 역할을 한다.

임신 동안, 프로락틴 분비의 증가는 태반에서 분비되는 스테로이드(에스트로겐과 프로게스테론)와 함께 수유를 위해 유방을 준비시킨다. 에스트로겐은 프로게스테론수용체의 생성을 유도하여 프로게스테론에 대한 반응을 증가시킨다. 수유와 관련된 이러한 호르몬들과 함께 신경계와 옥시토신은 젖을 빠는 반응과 젖분비를 매개한다.

3. 수용체를 통한 호르몬작용

호르몬의 수용체는 막수용체(membrane receptor)와 핵수용체(nuclear receptor)의 두 가지 종류로 나눌 수 있다. 막수용체는 주로 펩타이드호르몬과 카테콜라민에 결합한다. 핵수용체는 스테로이드나 비타민D와 같은 작은 분자에 결합하여 세포막 내로 퍼져 들어간다. 수용체의 종류에 관계없이 호르몬수용체 상호작용에는 일반적인 원칙이 적용된다. 호르몬은 순환하는 호르몬 농도의 동적범위와 일반적으로 일치하는 특이도와 친화력(affinity)을 가지고 수용체에 결합한다. 낮은 농도의 유리호르몬(보통 10^{-12}–10^{-9} M)은 이분자반응(bimolecular reaction)에서 빠르게 수용체와 결합 및 분해를 하는데, 주어진 순간에 호르몬과 수용체의 결합은 호르몬 농도와 호르몬에 대한 수용체의 친화력의 함수가 된다. 수용체의 수는 표적장기마다 크게 변동하고 순환하는 호르몬에 대한 특정 조직반응의 주요 결정요인 중 하나이다. 예를 들어, ACTH수용체는 거의 대부분 부신피질에 존재하고, FSH수용체는 주로 성선에 존재한다. 반면, 인슐린수용체와 갑상선호르몬수용체는 널리 분포되어 있어 모든 조직에서 대사반응에 중요함을 반영한다. 따라서 호르몬의 작용을 조절하는 기전에는 세포당

수용체의 수를 조절하는 방법도 있다. 수용체세포내섭취(receptor endocytosis), 수용체수송(receptor trafficking), 수용체탈민감(receptor desensitization)을 통해 수용체기능을 조절한다. 수용체세포내섭취는 세포표면수용체를 내재화(internalization)하여 호르몬-수용체복합체가 분리되며 호르몬신호가 폐기된다. 수용체수송은 수용체를 다시 세포표면으로 보내거나 내재화된 수용체를 리소좀이 분해하기도 한다. 두 가지 기전 모두 수용체의 하향조절을 일으켜 호르몬신호전달에 장애를 초래한다. 에피네프린은 수용체탈민감을 통해서 호르몬신호전달이 하향조절된다. 탈민감은 수용체의 리간드에 의해 활성화될 수도 있고(동종탈민감화), 다른 신호에 의해 활성화될 수도 있어서(이종 탈민감화) 리간드가 지속적으로 존재하는 상태에서도 수용체신호를 약화시킬 수 있다. 수용체구조의 돌연변이는 호르몬작용을 변화시킨다. 활성화돌연변이(activating mutation)는 수용체를 활성화시켜서 호르몬이 없는 상태에서도 기능항진을 일으키며, 수용체를 불활성화시키는 돌연변이는 기능저하를 유발한다.

III. 호르몬의 분비조절

1. 호르몬의 합성

펩타이드호르몬과 그들의 수용체의 합성은 전형적인 유전자발현 경로에 의해 합성되는데, 전사(transcription) → mRNA → 단백질 → 전사후공정(posttranscriptional processing) → 세포내분류(intracellular sorting) → 막통합(membrane integration)과 분비과정을 거친다. 예를 들어, 프로오피오멜라노코틴(proopiomelanocortin, POMC) → ACTH, 프로글루카곤 → 글루카곤, 프로인슐린 → 인슐린, pro-PTH → PTH 등이 이러한 과정을 밟는다. POMC와 프로글루카곤과 같은 다양한 전구체들은 각각의 생물학적활성 펩타이드를 생성한다. 프로호르몬 전환은 펩타이드호르몬뿐 아니라 몇 가지 스테로이드(테스토스테론 → 다이하이드로테스토스테론)와 갑상선호르몬($T_4 → T_3$)에서도 있다.

펩타이드전구체 처리는 단백질을 적절한 소포(vesicle)와 효소에 전달하는 세포내 분류경로와 밀접하게 연결되어 있어, 단백질접힘(folding) 및 분비소포로의 전이(translation)가 뒤따르는 특정 분할(cleavage) 단계가 뒤따른다. 분비를 목적으로 하는 호르몬은 아미노종말(amino-terminal) 신호서열(signal sequence)의 안내하에 세포질세망(endoplasmic reticulum)을 가로질러 전위되고, 이후 절단된다. 세포표면수용체는 지질이중층 내에 묻혀 있는 소수성 아미노산의 짧은 부분을 통해 막에 삽입된다. 골지와 세포질세망을 통한 전위(translocation) 동안, 호르몬과 수용체가 당화 및 인산화와 같은 다양한 전사 후 변형을 겪고, 이는 단백질 입체형태를 변형하고 순환반감기를 변경하며 생물학적 활성을 변경할 수 있다.

대부분의 스테로이드호르몬의 합성은 전구체인 콜레스테롤의 변형에 의한다. 테스토스테론, 에스트라다이올, 코티솔과 비타민D의 합성에 다중효소 조절 단계가 필요하다. 여러 단계를 거치는 합성 단계는 스테로이드생성(steoidogenesis)의 여러 유전 및 후천장애를 일으키는 경향이 있다.

내분비유전자는 다른 많은 유전자에서 발견되는 것과 유사한 조절DNA요소를 포함하지만 호르몬에 의한 정교한 제어는 특정 호르몬반응요소의 존재를 반영한다. 예를 들어, 갑상선자극호르몬(thyroid stimulating hormone, TSH)유전자는 핵수용체계열인 갑상선호르몬수용체(TR)를 통해 작용하는 갑상선호르몬에 의해 직접 억제된다. 스테로이드생성효소(steroidogenic enzyme)의 유전자발현은 자극호르몬에 의해 전달되는 신호와 함께 작용하는 steroidogenic factor-1 (SF-1)과 같은 특정 전사인자가 필요하다. 일부 호르몬의 경우 번역효율성 수준에서 실질적인 조절이 발생한다. 인슐린생합성은 포도당과 아미노산의 상승에 반응하여 주로 번역과 분비 단계에서 조절된다.

2. 호르몬의 분비, 이동과 분해

호르몬의 수치는 분비속도와 순환반감기에 의해 결정된다. 단백질 합성과정 후 펩타이드호르몬(예: GnRH, 인슐린, 성장호르몬)은 분비과립(secretoray granule)에 저장된다. 이 과립들이 성숙함에 따라 원형질막 아래에 위치하여 순환계로 즉시 방출된다. 대부분의 경우 호르몬 분비에 대한 자극은 세포내 칼슘 농도의 급격한 변화를 유도하는 방출인자 또는 신경신호로 분비과립이 원형질막과 융합되고 그 내용물이 세포외환경 및 혈류로 방출된다. 대조적으로 스테로이드호르몬은 합성되면서 순환계로 확산된다. 따라서 스테로이드호르몬의 분비속도는 합성속도와 밀접하게 연관된다. 예를 들어, ACTH와 LH는 콜레스테롤을 사립체로 운반하는 steroidogenic acute regulatory (StAR) 단백질과 함께 다른 속도제한 단계[예: 콜레스테롤측연쇄분해효소(cholesterol side-chain cleavage enzyme, CYP11A1]를 촉진하여 스테로이드 생성을 유도한다.

호르몬수송 및 분해는 호르몬신호가 감소하는 속도를 결정한다. 성장호르몬억제인자와 같은 일부 호르몬신호는 빠르게 사라지는 반면, TSH와 같은 다른 호르몬신호는 더 오래 지속된다. 성장호르몬억제인자는 거의 모든 조직에 영향을 미치기 때문에 짧은 반감기로 농도와 작용을 국소적으로 제어할 수 있다. 성장호르몬억제인자 분해를 손상시키는 구조변형은 옥트레오타이드와 같은 장기간 작용하는 치료 유사체를 생성하는 데 유용하다. 반면에, TSH의 작용은 갑상선조직에 매우 특이적이다. TSH의 연장된 반감기는 TSH가 개별박동으로 분비되더라도 상대적으로 일정한 혈청 수준을 유지할 수 있게 한다.

투여빈도와 정상상태에 도달하는 데 필요한 시간은 호르몬붕괴속도와 밀접한 관련이 있기 때문에 순환호르몬반감기에 대한 이해는 생리학적 호르몬대체를 달성하는 데 중요하다. 예를 들어, T_4는 7일의 순환반감기를 가진다. 결과적으로 새로운 정상상태에 도달하려면 1개월을 초과한 기간이 필요하며 일정한 호르몬수치를 달성하려면 하루에 한 번만 투여해도 충분하다. 반면 T_3는 1일의 반감기를 가진다. 이 약의 투여는 보다 역동적인 혈청 수준과 관련이 있으며 하루에 2-3회 투여해야 한다. 유사하게, 합성당질부신피질호르몬은 반감기가 매우 다양하여 반감기가 긴 덱사메타손은 시상하부–뇌하수체–부신축의 억제와 연관이 있다. 대부분의 단백질호르몬(예: ACTH, GH, 프로락틴, PTH, LH)은 20분 미만의 상대적으로 적은 반감기를 가져, 급격한 분비와 붕괴로 이어진다. 이러한 호르몬의 맥박주파수와 진폭을 프로파일링하는 유일한 정확한 방법은 8-24시간의 장기간에 걸쳐 매 10분 이하의 간격으로 자주 샘플링된 혈액에서 수치를 측정하는 것이다. 그러나 이는 임상에서 실용적이지 못하기 때문에 대안 전략은 약 30분 간격으로 추출된 3-4개의 샘플을 풀링하거나 비교적 넓은 정상범위의 맥락에서 결과를 해석하는 것이다. 급격한 호르몬붕괴는 특정 임상환경에서 유용하다. 예를 들어, PTH의 짧은 반감기는 수술 중 PTH 측정을 사용하여 부갑상선선종의 성공적인 제거를 확인하는 데 활용할 수 있다. 이것은 다발내분비선 종양, 신부전 또는 부갑상선증식의 가능성이 있는 경우 특히 진단적으로 가치가 있다.

많은 호르몬들은 혈청결합단백질과 연관되어 순환한다. 예를 들어 (1) T_4와 T_3는 타이록신결합글로불린(thyroxine-binding globulin, TBG), 알부민, 전알부민(prealbumin), (2) 코티솔은 코티솔결합글로불린(cortisol-binding globulin, CBG)과, (3) 안드로젠과 에스트로젠은 성호르몬결합글로불린(sex hormone-binding globulin, SHBG)과, (4) IGF-I과 IGF-II는 여러 IGF-결합단백질(IGF binding protein, IGFBP)과, (5) GH는 GH결합단백질(growth hormone binding protein, GHBP)과, (6) 액티빈(activin)은 폴리스타틴(follistatin)과 결합한다. 이러한 상호작용은 호르몬저장소를 제공하고 그렇지 않으면 결합되지 않은 호르몬의 급속한 분해를 방지하고 특정 부위에 대한 호르몬접근을 제한하며, 결합되지 않은 또는 유리(free)호르몬 농도를 조절한다. 다양한 결합단백질이

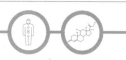
상이 확인되었지만 대부분은 임상결과를 초래하지 않는다. 예를 들어 TBG 결핍은 총 갑상선호르몬수치를 크게 감소시킬 수 있지만 T_4 및 T_3의 유리 농도는 정상으로 유지된다. 또한 간질환 및 특정 약물은 결합단백질 수준에 영향을 미치거나 결합단백질에서 호르몬의 변위를 유발할 수 있다. 예를 들어 에스트로겐은 TBG를 증가시키고 salsalate는 TBG에서 T_4를 전위시킨다. 일반적으로 결합되지 않은 호르몬만이 수용체와 상호작용하여 생물학적 반응을 이끌어낼 수 있다. 결합단백질의 단기변동은 자유호르몬 농도를 변화시켜 되먹임고리(feedback loop)를 통해 보상적적응을 유도한다. 여성의 SHBG 변화는 이러한 자가교정기전의 예외이다. 인슐린저항성이나 안드로겐 과잉으로 인해 SHBG가 감소하면 결합되지 않은 테스토스테론 농도가 증가하여 잠재적으로 다모증을 유발할 수 있다. 테스토스테론이 아닌 에스트로겐이 생식축의 주요 조절자이기 때문에 비결합테스토스테론수치의 증가에 대한 보상적되먹임기전은 일어나지 않는다.

호르몬 분해는 국소적으로 농도를 조절하는 중요한 기전이 될 수 있다. 11β-하이드록시스테로이드탈수소효소(hydroxysteroid dehydrogenase)는 신세뇨관세포에서 당질부신피질호르몬(glucocorticoid)을 불활성화하여 무기질부신피질호르몬(mineralocorticoid)수용체를 통한 작용을 방지한다. 갑상선호르몬 deiodinase는 T_4를 T_3로 전환하고 T_3를 불활성화할 수 있다. 발달 중에 CYP26B1에 의한 레티노산의 분해는 여성의 난소에서 발생하는 것처럼 남성의 원시생식세포가 감수분열에 들어가는 것을 방지한다.

3. 호르몬 되먹임 조절기전

내분비계의 두드러진 특징은 호르몬 생산이 피드백기전에 의하여 조절된다는 것이다. 음성되먹임과 양성되먹임 조절 모두 내분비계의 기본 양상이다. 뇌하수체-시상하부-호르몬축 각각은 음성되먹임에 의해 조절되어, 상대적으로 좁은 범위 내에서 호르몬수치를 유지하도록 한다(그림 1-1-1). 뇌

하수체-시상하부 음성되먹임은 (1) TRH-TSH축의 갑상선호르몬, (2) CRH-ACTH축의 코티솔, (3) GnRH-LH/FSH축의 성선스테로이드, (4) GHRH (growth hormone-releasing hormone)-GH축의 IGF-1 등을 포함한다. 예를 들어, 갑상선호르몬이 조금 감소하면 TRH와 TSH 분비의 급격한 증가를 유도하여 갑상선을 자극하고 갑상선호르몬 생성이 증가한다. 갑상선호르몬이 정상치에 도달하면 피드백을 통해 TRH와 TSH를 억제하고 새로운 정상상태에 도달한다. 되먹임 조절은 또한 PTH에 대한 칼슘되먹임, 인슐린 분비에 대한 포도당의 억제, 시상하부에 대한 렙틴되먹임과 같이 뇌하수체를 포함하지 않는 내분비계에 대해서도 발생한다. 양성되먹임 조절에 대해서는 더 이해가 필요하다. 주요한 예로는 에스트로겐에 의해 매개되는 LH 분비폭발이 있다. 만성적으로 낮은 레벨의 에스트로겐은 억제작용을 함에도 불구하고, 점진적인 에스트로겐의 상승은 LH

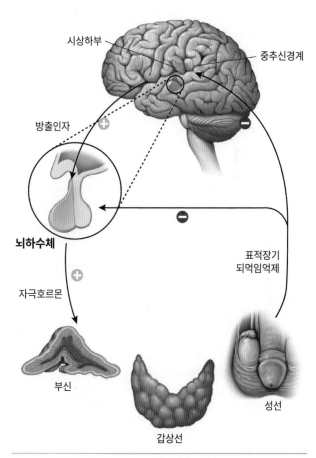

그림 1-1-1. 시상하부-뇌하수체-표적기관축의 피드백 조절

분비를 촉진한다. 이러한 작용은 내분비리듬의 예시이기도 하여, 시상하부 GnRH박동 발생을 활성화시킨다. 이러한 되먹임기전의 이해는 내분비기관의 동적기능검사의 해석뿐만 아니라 내분비질환을 평가하고 이해하는 데 중요하다.

4. 호르몬의 주변분비와 자가분비조절

내분비기관에서 합성된 호르몬은 혈류를 통해 멀리 떨어져 있는 표적기관의 수용체에 결합하여 작용하는 내분비(endocrine)방식뿐만 아니라 인접세포에 작용하는 주변분비(paracrine)방식과 분비세포 자체의 수용체에 작용하는 자가분비(autocrine)방식으로 작용한다(그림 1-1-2). 주변분비 조절은 한 세포에서 방출된 인자가 같은 조직의 인접한 세포에 작용하는 것을 말한다. 예를 들어, 췌장 췌도 δ세

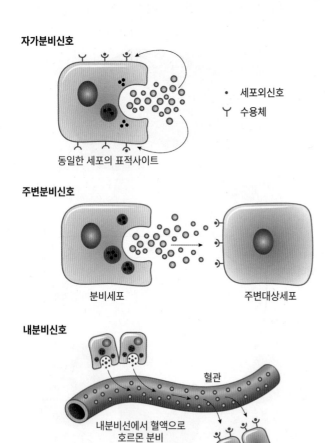

자가분비신호

• 세포외신호
Y 수용체

동일한 세포의 표적사이트

주변분비신호

분비세포　　　　　주변대상세포

내분비신호

혈관

내분비선에서 혈액으로 호르몬 분비

먼 표적세포

그림 1-1-2. **자가분비신호, 주변분비신호, 내분비신호의 비교**

포에 의한 성장호르몬억제인자 분비는 인근 β세포에서 인슐린 분비를 억제한다. 자가분비조절은 특정 인자가 한 세포에서 생성되어 같은 세포에 작용하는 것을 설명한다. IGF-1은 연골세포, 유방 상피 및 생식세포를 포함하여 IGF-1을 생성하는 많은 세포에 작용한다. 내분비작용과 달리 주변분비 및 자가분비조절은 국소 성장인자 농도를 쉽게 측정할 수 없어 상세히 기록하기 힘들다. 또한 선 체계의 해부학적 관계는 호르몬 노출에 큰 영향을 미친다. 췌도세포의 물리적 구성은 세포간 통신을 향상시키며, 시상하부-뇌하수체계의 문맥맥관구조는 뇌하수체를 시상하부방출인자의 고농도에 노출시킨다. 고환정세관은 맞물린 라이디히(Leydig)세포에 의해 생성된 높은 테스토스테론수치에 노출되고, 췌장은 위장관에서 영양정보와 펩타이드호르몬(인크레틴)에 대한 국소 노출을 받는다. 간은 췌장에서 문맥배액에 인해 인슐린작용의 근위표적장기이다.

5. 호르몬 리듬

위에서 설명한 되먹임 조절계는 환경에 적응하는 데 사용되는 호르몬 리듬에 중첩된다. 계절적 변화, 매일의 명암주기, 수면, 식사 및 스트레스는 호르몬 리듬에 영향을 미치는 많은 환경사건의 예이다. 월경주기는 난포성숙 및 배란에 필요한 시간을 반영하여 평균 28일마다 반복된다. 기본적으로 모든 뇌하수체호르몬 리듬은 수면과 24시간 주기로 반복되는 재현가능한 패턴을 생성하는 하루주기(circadian cycle)에 동반된다. 예를 들어, 시상하부-뇌하수체-부신(hypothalamic-pituitary-adrenal, HPA)축의 ACTH와 코티솔생산은 이른 아침에 특징적인 정점을 나타내고 밤에 최저점을 나타낸다. 이러한 리듬의 인식은 내분비검사 및 치료에 중요하다. 쿠싱증후군 환자는 정상인에 비해 특징적으로 자정코티솔수치가 증가한다. 반면, 아침 코티솔수치는 두 그룹에서 비슷한데 코티솔은 보통 이 시간에 정상인에서 높기 때문이다. HPA축은 밤에 투여되는 당질부신피질호르몬에 의해 잘 억제되는데 이는 ACTH의 이른 아침 상승을 둔화시키기 때문이다. 이러한 리듬을 이해하면 오전에 오후

보다 더 많은 당질부신피질호르몬 양을 투여함으로써 글루코코티코이드의 일중(diurnal) 생산을 모방하여 대체가 가능하다. 수면리듬이 방해를 받으면 호르몬 조절이 변경될 수 있다. 예를 들어, 수면부족은 경미한 인슐린저항성, 음식에 대한 갈망, 고혈압을 유발하고 이는 적어도 단기적으로는 가역적이다. 하루주기 시계경로는 수면각성주기를 조절할 뿐만 아니라 거의 모든 세포유형에서 중요한 역할을 한다. 예를 들어, 시계유전자의 조직특이적 결실은 리듬과 유전자발현 수준을 변화시킬 뿐 아니라 간, 지방 및 기타 조직의 대사반응을 변화시킨다.

다른 내분비리듬은 더 빠른 시간 규모로 발생한다. 많은 펩타이드호르몬은 몇 시간마다 분리된 방출로 분비된다. LH와 FSH의 분비는 GnRH박동빈도에 정교하게 민감하다. GnRH의 간헐적 박동은 뇌하수체감수성을 유지하는 데 필요하나 GnRH에의 지속적 노출은 뇌하수체 성선자극호르몬의 탈민감을 유도한다. 시상하부–뇌하수체–성선자극축의 이러한 특징은 지속성GnRH작용제를 사용하여 중추성조숙을 치료하거나 전립선암 치료에서 테스토스테론수치를 감소시키는 기초를 형성한다. 혈청호르몬 측정값을 정상값과 연관시킬 때 호르몬 분비의 박동성과 호르몬생산의 리듬패턴을 인식하는 것이 중요하다. 일부 호르몬의 경우 호르몬 변동을 피하기 위해 표지자가 개발되었다. 예로는 코티솔에 대한 24시간소변수집, GH작용의 생물학적 지표인 IGF-1, 장기간 혈당조절지표인 당화혈색소(hemoglobin A1c)가 있다.

종종 다른 호르몬의 맥락에서 내분비자료를 해석해야 한다. 예를 들어, PTH 수준은 일반적으로 혈청칼슘 농도와 함께 평가된다. 높은 PTH와 관련된 높은 혈청칼슘수치는 부갑상선기능항진증을 암시하는 반면, 이 상황에서 억제된 PTH는 악성고칼슘혈증 또는 고칼슘혈증의 다른 원인에 의한 가능성이 더 높다. 유사하게 T_4 및 T_3 농도가 낮을 때 TSH는 증가되어야 하며, 이는 감소된 되먹임 억제를 반영한다. 그렇지 않은 경우 뇌하수체 수준의 결함으로 인해 발생하는 이차갑상선기능저하증을 고려하는 것이 중요하다.

IV. 호르몬의 측정

내분비기능은 혈중 기저호르몬 농도, 억제 또는 유발시킨 호르몬 농도, 호르몬결합단백질 등을 측정함으로써 평가할 수 있다. 시상하부–뇌하수체축과 표적장기 사이에 되먹임고리가 존재할 경우에는 TSH, ACTH와 같은 뇌하수체의 자극호르몬의 혈중 수치는 갑상선 또는 부신피질의 과다한 기능을 반영하는 민감한 지표이다. 의미있는 호르몬측정법은 각 내분비계마다 다양하다. 갑상선호르몬, 프로락틴, IGF-1과 같이 금식, 환경 스트레스, 연령, 성별에 대해 표준화되어 있고 호르몬 농도의 변동폭이 크지 않을 경우에는 무작위로 채혈을 하여 혈중 호르몬을 측정하면 실제 호르몬 농도를 반영할 수 있다. 호르몬 분비가 일시적인 경우에는 호르몬의 생체이용률이 반영될 수 있도록 채혈시간을 조정해야 한다. 코티솔 측정은 이른 아침과 늦은 저녁이 가장 적절하다. 성장호르몬을 24시간 동안 매 2, 10 또는 20분마다 측정하는 것은 검사비가 비싸고 시행하기가 어렵지만 가치 있는 진단정보를 얻을 수 있다. 무작위샘플은 분비정점(peak)이나 최저점(nadir)이 반영될 수 있어서 결과의 해석에 혼동을 준다.

내분비선 기능부전은 일반적으로 자극을 가하여 호르몬 분비를 유발시킴으로써 확진할 수 있다. 뇌하수체호르몬은 적절한 시상하부방출호르몬을 투여함으로써 이루어지는데, TSH와 ACTH를 포함한 자극호르몬을 투여하여 특정 표적호르몬 분비를 유발시키는 방법으로 갑상선과 부신의 기능을 평가한다. 반대로, 호르몬 과다분비는 분비선기능을 억제함으로써 진단할 수 있다. 포도당부하 후에도 성장호르몬의 분비가 억제되지 않는다면 이는 성장호르몬 과다분비를 의미한다. 저혈당 중에도 인슐린의 분비가 억제되지 않는다면 인슐린의 부적절한 분비를 의미하므로 인슐린분비종양과 같은 적절한 원인을 찾아야 한다.

방사면역측정(radioimmunoassay)은 특정 호르몬 또는 호르몬분획에 특이성이 매우 높은 항체를 사용하여 호르몬 농도를 정량하는 기술이다. 효소결합면역흡착측정(enzyme-linked immunosorbent assay, ELISA)은 방사성호르몬표지자 대신 효소결합한 항체를 사용하고 효소의 활성이 호르몬의 농도를 반영하여 생리적인 호르몬 농도를 매우 정밀하게 측정할 수 있다.

V. 내분비질환

내분비질환은 4개의 영역으로 나눈다. 즉 (1) 호르몬 과다, (2) 호르몬 부족, (3) 호르몬에 대한 조직반응의 변화, (4) 내분비기관의 종양으로 분류된다.

1. 호르몬 과다

유전이상에 의해 호르몬 생성 또는 분비의 조절에 문제가 발생할 경우 호르몬 과다를 유발할 수 있다. 예를 들어 비정상적인 염색체 교차로 인해 알도스테론생성효소(aldosterone synthase)가 ACTH에 의한 11β-수산화효소촉진자(11β-hydroxylase promoter)의 조절을 받게 되어 알도스테론 분비가 증가된 병이 당질부신피질호르몬억제알도스테론증(glucocorticoid-remediable hyperaldosteronism)이다. 이 경우 당질부신피질호르몬을 투여하여 ACTH를 억제함으로써 치료하게 된다. 호르몬을 합성하는 세포수의 증가로 인해 호르몬이 과다생산될 수 있다. 대표적인 경우는 그레이브스병(Graves' disease)으로 TSH와 유사한 자가항체가 갑상선세포의 TSH수용체를 활성화시키고 이에 따라 갑상선세포의 증식과 갑상선호르몬 합성 및 분비의 증가가 일어나 갑상선기능항진증이 나타난다. 부신피질의 선종이나 악성종양이 쿠싱증후군을 일으키는 예와 같이 악성 혹은 양성종양이 호르몬 과다생산을 유발할 수 있다.

2. 호르몬 부족

호르몬의 과소생성은 여러 가지 원인에 의해 발생하는데 수술에 의해 부갑상선이 제거된 경우부터 결핵으로 부신이 파괴된 경우, 혈색소증에서 β세포에 철이 축적된 경우까지 다양하다. 호르몬 분비세포 파괴의 흔한 원인은 자가면역기전이다. 1형당뇨병에서 췌장 β세포의 자가면역기전에 의한 파괴나 하시모토갑상선염에서 갑상선세포의 자가면역기전에 의한 파괴가 가장 흔한 예이다. 최근 생쥐에서 췌장 췌도에서 림프조직으로의 세포외배출(exocytosis)을 통한 인슐린의 직접적인 전달이 자가면역질환을 유발한다는 연구결과가 있다. 여러 유전이상이 호르몬 부족을 유발할 수 있다. 호르몬을 생산하는 세포의 비정상적인 발달[예: KAL유전자 돌연변이에 의한 저성선자극호르몬성선저하증(hypogonadotropic hypogonadism)], 호르몬의 비정상적인 합성(예: 성장호르몬유전자의 결손), 또는 비정상적인 호르몬 분비의 조절[예: 부갑상선세포의 칼슘감지수용체(calcium sensing receptor, CaSR)의 돌연변이에 의한 부갑상선저하증] 등에 의해 호르몬 부족질환이 발생할 수 있다. 면역관문억제제(immune checkpoint inhibitors)와 같은 약물 역시 다발내분비병증을 유발하는 내분비선기능장애의 중요한 원인이다.

3. 말단조직반응의 변동

호르몬에 대한 저항성은 다양한 유전자이상에 의해 발생될 수 있다. 그 예로 Laron저신장증은 성장호르몬수용체의 돌연변이에 의하고 가성부갑상선저하증 1A형은 Gsα유전자의 돌연변이에 의한다. 2형당뇨병의 중심적 병태생리인 근육과 간의 인슐린저항성은 여러 유전자와 관련이 있다. 2형당뇨병은 타 기관의 신호에 의해 말초기관의 저항성이 심화되는 경우의 대표적인 예로 지방세포에서의 신호가 저항성을 심화시킨다. 다른 경우로 신부전으로 인해 발생하는 부갑상선호르몬 저항과 같이 호르몬작용의 표적기관이 더 직접적으로 비정상적이다. 신호의 수용과 전파에 돌연변이가

생겨서 표적기관의 기능이 증가될 수 있다. 예를 들어 TSH, LH, PTH수용체의 활성화돌연변이는 리간드가 없이도 갑상선세포, 라이디히세포, 조골세포를 활성화시킬 수 있다.

4. 내분비기관의 종양

내분비기관의 종양은 종종 호르몬 과다를 초래한다. 일부 내분비선의 종양은 호르몬을 거의 분비하지 않으나 국소적인 압박증상이나 원격전이에 의한 질환을 유발할 수 있다. 예를 들면, 비기능뇌하수체종양은 대부분 양성이지만 주변 구조물들을 압박하여 다양한 증상을 일으킬 수 있고 갑상선암은 갑상선기능항진증을 일으키지는 않으나 타 기관으로의 전이가 가능하다.

은 많은 어린이가 성인이 되었을 때 이 질환이 "사라진다"는 것은 우리가 그 어린 시절 결핍의 원인/병인을 거의 이해하지 못하거나 오늘날 우리의 진단도구가 많은 위양성결과를 산출한다는 것을 의미한다. 내분비학자들은 많은 질병에 대해 논리적인 치료법을 가지고 있다고 자부하지만 이러한 치료법은 근본적인 원인을 거의 다루지는 않는다. 자가면역 내분비결핍증을 예방할 수 있거나 호르몬 과잉을 특징으로 하는 많은 질병의 기저에 있는 양성종양을 예방하기 위한 만족스러운 도구는 없는 실정이다. 1형당뇨병과 같은 질병에 대한 치료는 매우 효과적임에도 불구하고, 여전히 이 질병을 앓고 있는 환자의 삶에 매우 방해가 된다. 당뇨병, 쿠싱병과 같이 심각한 이환율을 갖는 만성내분비질환은 여전히 상당한 진단 및 치료문제를 유발한다.

VI. 미래 전망

내분비학의 원리에 대한 소개는 이 분야에서의 발견의 급격한 변화를 강조하고 발견이 필요한 부분을 인지하는 것이다.

신진대사와 인산염 항상성의 주요 조절인자[예: fibroblast growth factor 19 (FGF19), FGF21, FGF23]에 대한 최근의 연구에서부터 희귀 핵수용체 및 G단백연결수용체에 대한 리간드를 식별하기 위한 지속적인 탐구에 이르기까지 새로운 호르몬들이 지속적으로 발견되고 있고, 아마도 똑같이 중요한 다른 호르몬들이 지속적으로 발견되어야 할 것이다. 대부분의 전사인자와 마찬가지로 핵수용체는 세포핵 내의 수천 개의 특정 부위에 결합하고, 이러한 관찰은 우리가 호르몬작용에 대해 얼마나 적게 이해하는지를 알게 한다. 핵수용체의 핵외에서의 신속한 작용에 대한 인식이 증가하고 있기 때문에 "핵수용체"라는 이름조차 미래에는 오해의 소지가 있는 것으로 간주될 수 있다. 우리의 진단테스트의 많은 부분은 기술적인 부분과 새로운 진단대상을 예측할 수 없다는 점에서 심각하게 제한적이다. 예를 들어, 단독성장호르몬결핍증(isolated GH deficiency)을 진단받

참 / 고 / 문 / 헌

1. Degirolamo C, Sbba C, Moschetta A. Therapeutic potential of the endocrine fibroblast growth factors FGF19, FGF21 and FGF23. Nat Rev Drug Discov 2016;15:51-69.

2. Evans RM, Mangelsdorf DJ. Nuclear Receptors, RXR, and the Big Bang. Cell 2014;157:255-66.

3. Gamble KL, Berry R, Frank SJ, Young ME. Circadian clock control of endocrine factors. Nat Rev Endocrinol 2014;10:466-75.

4. Gardner D, Shoback D. Greenspan's basic and clinical endocrinology. 10th ed. Mcgraw-Hill; 2012.

5. Golden SH, Brown A, Cauley JA, Chin MH, Gary-Webb TL, Kim C, et al. Health disparities in endocrine disorders: biological, clinical, and nonclinical factors--an Endocrine Society scientific statement. J Clin Endocrinol Metab 2012;97:E1579-639.

6. Jameson JL, Fauci AS, Kasper DL, Hauser SL, Longo DL, Loscalzo J. Harrison's principles of internal medicine. 20th ed. Mcgraw-Hill; 2018.

7. Loriaux DL. A Biographical History of Endocrinology. Hoboken: Wiley-Blackwell; 2016.

8. Melmed S, Auchus RJ, Goldfine AB, Koenig RJ, Rosen CJ. Williams textbook of endocrinology. 14th ed. Philadelphia: Elsevier; 2020.

9. Melmed S. The immuno-neuroendocrine interface. J Clin Invest 2001;108:1563-6.

10. Melmed S. The pituitary. 4th ed. Elsevier; 2016.

펩타이드호르몬의 생성 및 작용기전

백자현

I. 서론

폴리펩타이드호르몬은 내분비세포나 기관 사이에서 정보를 전달하는 매우 중요한 조절단백질로서, 3개의 아미노산으로 이루어진 갑상선자극호르몬방출호르몬(thyrotropin-releasing hormone, TRH)으로부터 191개의 아미노산으로 이루어진 성장호르몬(growth hormone, GH)까지 그 크기가 다양하다. 폴리펩타이드호르몬은 인간의 성장, 발달, 생식, 신진대사 조절 및 항상성 조절 등을 비롯한 여러 생리기능에 중요한 역할을 한다. 폴리펩타이드호르몬의 생산은 생체 요구에 반응하여 유전자발현 단계에서부터 조절되고, 생성된 호르몬은 분비과립에 저장된 후 생리적 자극에 의해서 빠르게 혈중으로 분비된다. 폴리펩타이드호르몬은 혈중으로 매우 소량 분비되어 표적기관의 수용체에 작용하며, 분비 후 멀리 있는 표적기관에 작용하는 내분비양식, 신경세포에서 분비되는 신경내분비양식, 가까이 접해있는 세포 사이에서 작용하는 주변분비(paracrine)양식 등에 의하여 작동된다.

이 장에서는 폴리펩타이드호르몬의 생성과정 및 폴리펩타이드호르몬의 수용체결합과 작용에 있어서 기초의학적인 면을 살펴보고자 한다.

II. 폴리펩타이드호르몬의 생성

대부분의 펩타이드호르몬은 단일아미노산사슬로 구성되어 있거나 혹은 단일유전자에 의해 합성되는 두 개 이상의 펩타이드소단위체가 연결된 것으로 구성되어 있다. 그러나 난포자극호르몬(follicle-stimulating hormone, FSH), 황체형성호르몬(luteinizing hormone, LH), 융모성선자극호르몬(human chorionic gonadotropin, hCG), 혹은 갑상선자극호르몬(thyroid-stimulating hormone, TSH) 등의 일부 당단백질펩타이드호르몬의 경우는 서로 다른 염색체에 존재하는 다른 유전자로 부호화된 두 개의 소단위체가 서로 비공유결합으로 구성되어 있다. 폴리펩타이드호르몬의 합성은 폴리펩타이드호르몬유전자의 전사(transcription), 전사후공정(posttranscriptional processing), 번역(translation), 그리고 번역후공정(post-translational processing)의 단계를 거쳐 생성된다.

1. 폴리펩타이드호르몬의 유전자발현 및 단백질 합성

1) 폴리펩타이드호르몬의 유전자전사

다른 유전자들과 마찬가지로 펩타이드호르몬의 유전자는 실제 단백질로 발현되는 부호화(coding)영역과 유전자발현을 조절하는 조절부위를 가지고 있다. 부호화영역은 성숙된(mature) mRNA에서도 보존되어 실제 단백질 발현에 참여하는 엑손(exon)과 전사후공정(post-transcriptional modifications)에서 잘려져 나가는 인트론(intron)부위를 포함한다. 폴리펩타이드호르몬유전자의 조절부위는 주로 전사시작부위로부터 5' 쪽 상류에 위치하여, 조절부위의 기능에 따라 촉진자(promoter)가 있으며, 좀 더 먼 상류에 증강인자(enhancer) 혹은 침묵인자(silencer) 등의 전사조절부위가 존재한다.

촉진자영역에는 전사개시요소로서 전사개시부위(transcription initiation site)와 전사개시부위의 상류에 위치하며 25-35개의 뉴클레오타이드로 이루어진 TATA box가 있다. 증강인자는 주로 50-1,500 bp의 DNA서열로 이루어진 부위로 전사활성 단백질이 결합하여 mRNA의 전사를 증가시키고, 침묵인자는 전사억제 단백질이 결합하여 전사를 억제하는 부위이다. 이 외에도 여러 자극에 의해 조절되는 반응요소(response elements, REs)가 있는데, 이들 반응요소는 짧은 길이의 특정 DNA염기서열로서 특정 자극에 의해 활성화된 전사인자가 결합하여 유전자전사를 촉진한다(그림 1-2-1). 유전자마다 다양한 반응요소를 가질

수 있으며, 이는 전사의 수준과 속도에 대해 복잡한 조절을 할 수 있게 한다.

펩타이드호르몬의 합성의 첫 단계는 유전자의 전사(transcription)로써 DNA에 포함된 유전정보가 RNA중합효소(RNA polymerase) II에 의해 단일가닥의 전구체 RNA로 생성이 된다. 유전자전사를 위해서 TATA box에 특정 전사인자들(TFIIA, TFIIB, TFIID, TFIIE, TFIIF, TFIIH, TFIIJ)이 결합하여 RNA 중합효소 II와 함께 전사개시를 정확히 조절할 수 있는 복합체를 형성한다. 일단 전사개시 복합체에 의해 전사가 시작되면 RNA중합효소복합체가 폴리펩타이드유전자에 결합하여 유전정보를 읽는 것으로 시작된다. DNA이중나선 중 주형(template)가닥만이 전사되며, RNA중합효소가 DNA주형가닥을 따라서 3'-5' 방향으로 이동하고, 중합효소가 전진하면서 5'-3' 방향으로 RNA의 상보적인 가닥이 조립된다. 폴리펩타이드호르몬을 부호화하고 있는 유전자가 전사되면 폴리펩타이드호르몬의 주형 mRNA가 생성된다. 전사종료는 mRNA 3' 말단이 잘리며 해당 부위에 폴리아데닐화(polyadenylation)가 일어나면서 진행된다.

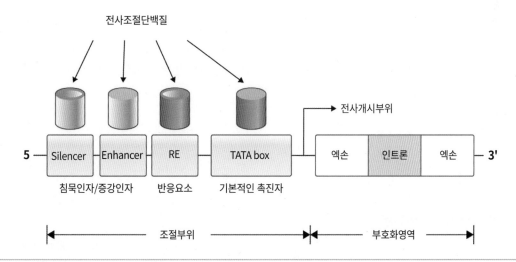

그림 1-2-1. 폴리펩타이드호르몬유전자의 기본 구조

폴리펩타이드호르몬유전자의 조절부위는 주로 전사개시부위로부터 5' 쪽 상류에 위치하여, 조절부위의 기능에 따라 촉진자(promoter)가 있으며, 좀 더 먼 상류에 증강인자(enhancer) 혹은 침묵인자(silencer) 등의 특정 DNA염기서열을 가진 전사조절부위가 존재한다. 이들 전사조절부위에는 전사인자 등의 전사조절단백질들이 결합하여 전사를 촉진하거나 혹은 억제할 수 있다.

2) 폴리펩타이드호르몬의 유전자 전사후공정 (Posttranscriptional processing)

합성된 mRNA는 즉각적인 분해를 방지하기 위해 전사후공정을 거치게 되는데 이러한 공정에는 잘라이음(splicing), 캡핑(capping) 및 폴리아데닐화가 포함된다.

– 잘라이음(splicing): 핵에서 합성된 폴리펩타이드호르몬의 mRNA전구체는 잘라이음을 통해 성숙한 mRNA를 만들어내게 되는데, 이 잘라이음은 스플라이소좀(spliceosome)이라고 불리는 RNA–단백질복합체에 의해 매개된다. 스플라이소좀은 주로 핵 내의 작은핵RNA(small nuclear RNA)가 특정 단백질에 결합하여 형성한 작은 핵리보핵단백질(small nuclear ribonucleoprotein, snRNP)들의 복합체이다. 스플라이소좀은 일차로 전사된 전구체 mRNA에서 인트론의 5'쪽 GU와 3'쪽 AG 염기를 인식하여 인트론을 잘라내고 엑손끼리 연결시키는 과정을 반복하여 엑손만으로 이루어진 성숙 mRNA를 형성한다(그림 1-2-2).

– 캡핑: 메틸화된 구아노신(m7G)이 mRNA의 5' 말단에 첨가되어 mRNA가 분해되는 것을 막아 생성된 mRNA를 보호하는 역할을 하는 것으로 알려져 있다. 또한 핵에서 세포질로 mRNA의 이동 및 mRNA를 리보소체(ribosome)에 결합하여 번역을 시작하는 것을 촉진시킨다(그림 1-2-3).

– 폴리아데닐화: 폴리아데닐화는 mRNA전사체에 다수의 아데노신 일인산으로 구성된 폴리(A) 꼬리가 추가된 것으로 폴리아데닐화과정은 유전자의 전사가 끝나면서 시작된다. 새로 만들어진 전구체 mRNA의 3' 말단 미번역부위(untranslated region, UTR)가 먼저 일련의 단백질에 의해 절단된 후 폴리아데닐화가 진행되며 mRNA의 핵으로부터의 이동, 번역 및 안정성에 중요하다고 알려져 있다(그림 1-2-3).

3) 폴리펩타이드 유전자번역(Translation)

핵에서 세포질로 운반된 폴리펩타이드호르몬 mRNA는 세포질에서 DNA에서 부호화된 유전정보에 따라 해당 아미노산서열로 번역되어 단백질 합성이 진행된다. mRNA에서 3개의 염기로 이루어진 각 그룹은 유전자부호(codon)를 구성하고, 각 유전자부호는 특정 아미노산을 지정한다. 따라서 mRNA 서열은 단백질을 형성하는 아미노산의 사슬을 조립하는 템플릿으로 사용된다. 폴리펩타이드호르몬의 단백질로의 번역을 시작하기 위해서는 mRNA, 리보소체

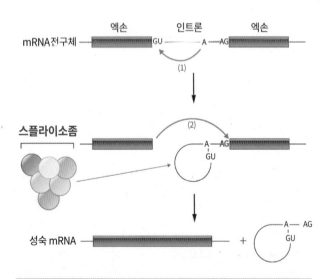

그림 1-2-2. 폴리펩타이드호르몬 mRNA전구체의 잘라이음

스플라이소좀은 일차로 전사된 전구체 mRNA에서 인트론의 5'쪽 GU와 3'쪽 AG 염기를 인식하여 인트론을 잘라내고 엑손끼리 연결시키는 과정을 반복하여 엑손만으로 이루어진 성숙 mRNA를 형성한다.

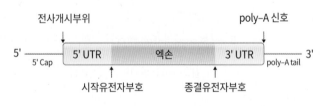

그림 1-2-3. 폴리펩타이드호르몬 mRNA의 구조

합성된 mRNA는 즉각적인 분해를 방지하기 위해 전사후공정을 거쳐 성숙한 mRNA가 형성되는데 이러한 공정에는 그림 1-2-2에서 설명한 잘라이음(splicing) 외에도, mRNA의 5' 말단에 메틸화된 구아노신(m7G)이 추가된 캡핑(그림의 5'Cap) 및 mRNA의 3' 말단 미번역부위에 폴리아데닐화(그림의 poly-A tail)가 포함된다.

및 전달RNA (transfer RNA, tRNA) 등이 필요하다. 리보소체는 단백질과 RNA(리보소체 RNA, rRNA)로 구성되어 있으며 두 개의 크고 작은 소단위체(60S 및 40S)가 mRNA분자에 함께 결합한다. 전달RNA 또는 tRNA의 한쪽 끝에는 대응유전자부호(anticodon)라고 불리는 3개의 뉴클레오타이드가 있으며, 이는 특정 mRNA유전자부호에 결합할 수 있다. tRNA의 다른 쪽 끝은 유전자부호에 의해 지정된 아미노산을 운반한다. 리보소체 내에서 mRNA와 아미노아실-tRNA복합체는 서로 밀착되어 염기쌍을 이루도록 하고 rRNA는 각각의 새로운 아미노산을 성장사슬에 부착시키는 것을 촉매한다

번역이 시작되면 리보소체가 시작유전자부호(AUG)와 일치하는 아미노산메싸이오닌을 운반하는 첫 번째 tRNA와 mRNA 주위에 결합된다. mRNA는 한 번에 한 유전자부호씩 읽히고, 각 유전자부호와 일치하는 아미노산은 성장하는 단백질사슬에 추가된다. 새 유전자부호가 노출될 때마다 일치하는 tRNA가 유전자부호에 결합한다. 리보소체는 mRNA유전자부호에 대한 상보적인 tRNA대응유전자

부호의 결합을 유도하여 아미노산 사이에 펩타이드결합이 형성되는 것을 도와 단백질로의 번역을 진행시킨다고 할 수 있다. 이후 mRNA의 종결유전자부호에 도달하면 리보소체는 더 이상의 번역을 중단하고 마지막 tRNA와 결합된 폴리펩타이드를 방출한다. 리보소체복합체는 그대로 유지되며, 번역될 다음 mRNA로 이동한다.

펩타이드호르몬의 번역은 세포질 내에 위치한 리보소체에서 시작되지만 세포 밖으로 분비되기 위해 신생펩타이드호르몬사슬은 여전히 번역이 진행되는 동안(co-translational pathway) 조면세포질세망(rough endoplasmic reticulum, RER)막에 존재하는 단백질채널을 통해 조면세포질세망 내강으로 이동된다. 이때 분비단백질은 아미노말단부위에 신호펩타이드(signal peptide)라고 부르는 부위를 가지고 있으며 해당 부위는 합성되는 펩타이드에서 가장 먼저 만들어지는 부위로서 세포질리보소체에서 조면세포질세망로 이동 후 폴리펩타이드호르몬 합성이 끝나면 신호펩타이드가 조면세포질세망의 막에 존재하는 신호펩타이드 가수분해효소에 의해 제거된다(그림 1-2-4).

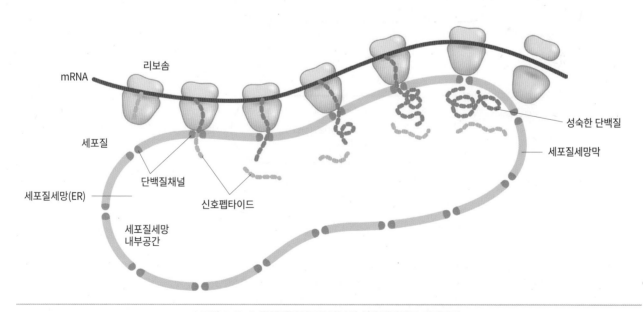

그림 1-2-4. 폴리펩타이드호르몬의 신호펩타이드 제거과정
신생펩타이드호르몬사슬은, 여전히 번역이 진행되는 동안(co-translational pathway) 조면세포질세망막에 존재하는 단백질채널을 통해 조면세포질세망 내강으로 전달된다. 분비단백질은 아미노말단부위에 신호펩타이드(signal peptide)를 포함하며 세포질리보소체에서 단백질채널을 통해 조면세포질세망 내강으로 전달된다. 폴리펩타이드호르몬 합성이 끝나면 신호펩타이드가 조면세포질세망의 막에 존재하는 신호펩타이드 가수분해효소에 의해 제거된다.

4) 펩타이드호르몬의 번역후공정(Post-translational processing)

펩타이드호르몬이 아직 신호펩타이드를 포함하고 있는 경우는 호르몬전구체인 시초전구호르몬(pre-prohormones 혹은 pre-hormones)으로 정의된다. 신호펩타이드가 제거된 후에는 호르몬이나 전구호르몬(prohormone)이 형성되는 것이고 성숙한 단백질을 형성하기 위해서는 세포질세망 및 골지체에서의 추가적인 공정을 필요로 한다. 세포질세망에서 합성된 펩타이드호르몬은 좀 더 안정적이고 최적화된 단백질접힘(folding)을 통한 3차원적 구조형성을 위해 세포질세망 및 골지체에서 추가적인 공정이 진행된다. 여기에는 세린 및 트레오닌잔기(O-결합), 또는 아스파라긴잔기(N-결합)에 대한 소당곁사슬(글리코실화)이 추가되거나 이황화물(disulfide) 결합형성 및 3차원적 단백질접힘 및 단백질 간의 집합 등이 포함된다(그림 1-2-5).

2. 폴리펩타이드호르몬의 수송 및 분비

일단 번역이 종료되고 단백질의 적절한 접힘과 조립이 이루어지면, 새로 합성된 호르몬은 소포(vesicle) 등을 통해 세포질세망에서 골지체로 전달된다. 세포질세망과 소포(vesicle) 등을 통해 서로 상호작용하는 골지체는 세포내 막성구조물의 하나로서 서로 연결되어 있으며 디스크가 쌓여 있는 모양의 시스터네(cisternae)형태를 가지고 있으며 시스터네 주변 관 모양의 부위에 많은 소포들이 역동적으로 분포하는 것을 볼 수 있다. 골지체는 위치 및 기능에 따라 핵막 또는 세포질세망과 관계하는 골지그물들부분(cis-Golgi network, CGN), 그리고 분비과립을 형성하는 골지그물날부분(trans-Golgi network, TGN)으로 나눈다.

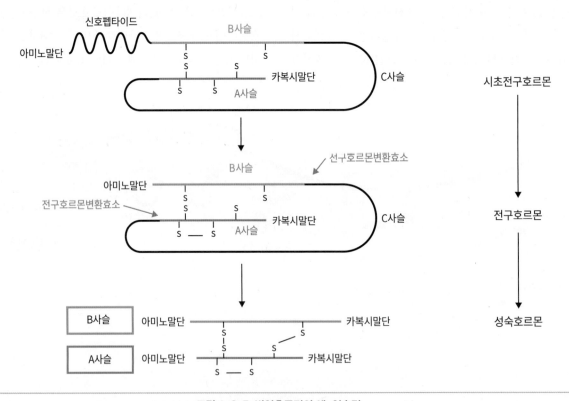

그림 1-2-5. 번역후공정의 예-인슐린

시초전구호르몬(프리프로호르몬)의 신호펩타이드가 제거된 후, 시초전구호르몬은 번역후공정을 통해 전구호르몬(프로호르몬)으로 전환된다. 이후 전구호르몬은 전구호르몬변환효소(prohormone convertase 1, PC1) 및 PC2, 또한 펩타이드카복시말단분해효소 H (carboxypeptidase H, CPH)에 의해 C사슬(C-펩타이드)이 잘려지면서 성숙한 인슐린이 생성된다.

세포질세망에서 비롯된 펩타이드호르몬을 포함한 소포들은 일차로 골지그물들부분(CGN)과 융합되고 이 부위에서 추가적인 펩타이드분해 및 N-결합글리코실화 등이 진행될 수 있으며 이들 공정은 골지그물날부분(TGN)에서 마무리된다. 골지체에서 일어나는 다른 종류의 번역후공정은 인산화, 아세틸화 및 아실화를 포함할 수 있다. 공정이 마무리된 펩타이드호르몬은 TGN에서 분비과립(secretory granule)에 저장된다. 많은 경우 펩타이드호르몬은 분비과립에 비활성전구호르몬 형태로 저장되며, 전구호르몬변환효소(pro-hormone convertase)에 의해 골지후(post-Golgi)영역, 즉 TGN 이후의 엔도솜(endosome) 등에서 이루어지는 단백질 분해에 의해 활성을 가진 호르몬으로 변환된다. 활성을 가진 펩타이드호르몬은 분비과립에 저장되어 있다가 신경이나 호르몬신호를 포함한 적절한 세포외자극에 의해 분비과립과 세포막의 융합에 의해 방출된다(그림 1-2-6).

3. 폴리펩타이드호르몬 분비 및 혈액내 수송

내분비세포에서 펩타이드호르몬의 분비는 지속적으로 분비되는 것이 아니라 자극에 반응해 분비되며, 내분비계 및 신경내분비세포에서 펩타이드호르몬이 특정 자극에 의해 조절되어 분비하는 경로를 조절분비경로(regulated secretory pathway)라고 한다. 분비자극이 없으면 내분비세포는 고농도의 펩타이드호르몬을 포함한 성숙한 과립을 저장할 수 있다. 적절한 신호가 발생하면 내분비세포는 분비신호에 반응하여 새로운 합성에 의존하는 경우보다 더 많은 양의 호르몬을 신속하게 방출할 수 있다. 세포 밖에서 폴리펩타이드호르몬 분비를 자극하는 신호가 오면, 분비과립이 세포표면으로 이동하고, 분비과립과 세포막이 융합하여 폴리펩타이드호르몬의 세포외방출(exocytosis)이 일어난다(그림 1-2-6).

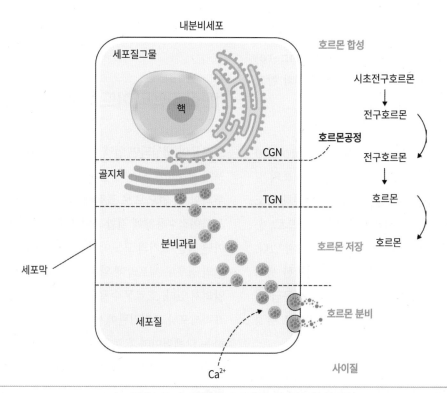

그림 1-2-6. **펩타이드호르몬의 세포내수송과 분비**

세포질세망에서 비롯된 펩타이드호르몬을 포함한 소포들은 일차로 골지그물들부분(CGN)과 융합되고 이 부위에서 추가적인 공정이 이루어지며 골지그물날부분(TGN)에서 마무리된다. 공정이 마무리된 펩타이드호르몬은 TGN에서 분비과립(secretory granule)에 저장된다. 많은 경우 펩타이드호르몬은 분비과립에 비활성전구호르몬 형태로 저장되며, 전구호르몬 변환효소(convertase)에 의해 골지후(post-Golgi)영역, 즉 TGN 이후의 엔도솜(endosome) 등에서 이루어지는 단백질분해에 의해 활성을 가진 호르몬으로 변환된다. 활성을 가진 펩타이드호르몬은 분비과립에 저장되어 있다가 신경이나 호르몬신호를 포함한 적절한 세포외자극에 의해 분비과립과 세포막의 융합에 의해 방출된다.

펩타이드호르몬 분비는 항상성 변화에 따라 방출되는 대사물, 호르몬, 신경펩타이드를 포함한 여러 자극인자에 의해 조절될 수 있다. 예를 들어, 인슐린과 부갑상선호르몬과 같은 호르몬은 각각 혈액의 포도당과 칼슘의 증가에 반응하여 분비되며 해당 수치가 정상범위로 돌아오면 인슐린과 부갑상선호르몬 분비도 감소한다. 또 다른 예로는 시상하부호르몬 분비의 경우 스트레스 및 신경펩타이드 등의 여러 자극에 의한 중추신경계와의 상호작용에 의해 조절되는 것으로 알려져 있다. 일단 시상하부호르몬이 분비되면 뇌하수체호르몬의 분비를 유발하고, 이는 다시 각각의 표적선(gland)에서 말초호르몬의 분비를 조절한다. 인슐린 및 글루카곤과 같은 펩타이드호르몬의 분비는 교감신경을 통해 자율신경계에 의해 직접 조절될 수 있다.

대부분의 펩타이드호르몬은 수용성용매에 용해되며 혈류 내 운반을 위해 운반단백질을 필요로 하지 않는다. 하지만 성장호르몬(GH), 인슐린유사성장인자(IGF-1 및 IGF-2), 및 부신피질자극호르몬방출호르몬(corticotropin-releasing hormone, CRH) 등의 경우 결합단백질과 함께 수송된다.

성장호르몬결합단백질인 GHBP (GH-binding protein)는 세포막에 위치한 성장호르몬수용체(GHR)의 세포외 영역이 단백질분해효소 중의 하나인 금속단백질분해효소(metalloproteinase)에 의해 잘려져서 생성된 것으로, 순환되는 성장호르몬의 약 50%를 결합한다고 알려져 있다. 그러나 아직까지도 성장호르몬결합단백질의 정확한 생체기능은 잘 알려져 있지 않으며 성장호르몬의 수송, 공급 및 성장호르몬수용체의 기능조절에도 관여하는 것으로 추정된다.

인슐린유사성장인자(insulin-like growth factor, IGF)의 경우 98% 정도가 매우 높은 친화력으로 인슐린유사성장인자결합단백질(IGF-binding proteins, IGFBP)에 의해 수송되는 것으로 알려 있으며 6개의 결합단백질 종류가

알려져 있다. IGFBP-6을 제외한 모든 IGFBP는 IGF-1과 IGF-2에 유사한 친화력으로 결합하며 IGFBP-6은 IGF-1보다 40배 높은 친화력으로 IGF-2를 결합하는 것으로 알려져 있다. IGFBP-3는 혈장에서 가장 많이 분포하는 IGFBP로 알려져 있는데. IGF-1과 IGFBP-3의 결합은 호르몬의 반감기 연장 및 안정적으로 혈류에 수송될 수 있는 역할을 하며, 특정 생리적인 상황에서 IGF-1신호를 조절하는 것으로 알려져 있다.

부신피질자극호르몬방출호르몬결합단백질(CRHBP)은 부신피질자극호르몬방출호르몬과 결합하여 실제 호르몬수용체와 결합하기 위한 호르몬의 가용성을 감소시킴으로써 궁극적으로 호르몬작용을 감소시킬 수 있다고 알려져 있다. 또한 CRHB가 호르몬에 결합하여 생리적인 상황에 따라 CRH의 제거 혹은 분해로부터의 보호 등의, 혹은 호르몬이 표적세포에 운반되어 작용하는 데 기여를 한다고 알려져 있다.

III. 폴리펩타이드호르몬수용체

호르몬이 생성되면 혈액 내로 분비되어 순환하다가 표적세포에 작용하게 되는데 펩타이드호르몬의 경우는 세포막을 투과할 수 없으므로 표적세포의 세포막에 존재하는 호르몬특이적수용체에 결합하여 작용을 하게 된다. 펩타이드가 아닌 작은 크기의 모노아민(monoamine)계열 신경전달물질의 경우도 세포막에 위치하는 수용체에 결합하는 것으로 알려져 있다. 호르몬수용체는 호르몬을 인지하고 결합하여 표적세포나 표적기관에서 호르몬의 생물학적 기능을 매개하는 단백질이며 호르몬과 결합 후 하위 효소나 다른 물질 등을 조절하여 특정 신호전달경로를 유도하면서 생리적인 반응을 매개하게 된다. 이를 위해 대표적으로 세 부분의 구조적인 특징을 가지고 있다.

– 세포외 영역: 세포 외부에 노출된 부위 중 특정 아미노산

을 포함한 영역이 호르몬과 상호작용하고 결합한다.

- 막관통영역(transmembrane domain): 수용체부위 중 소수성(hydrophobicity)을 가진 아미노산영역이 주로 막관통영역에 속하여 수용체를 세포막에 위치하도록 하는 구조이다.

- 세포내 영역: 세포질 내에 있는 수용체의 카복시말단 꼬리 부분이나 세포내 고리(loop)영역은 세포내 다른 분자와 상호작용함으로써 호르몬결합 후 이차전달자(second messenger)를 생성하여 신호전달을 활성화한다.

이들 중에서도 펩타이드호르몬수용체로는 많은 펩타이드 호르몬들이 7개의 막관통영역을 가진 G단백연결수용체 (G protein-coupled receptors)를 수용체로 가지고 있으며, 인슐린수용체와 같은 수용체타이로신인산화효소(receptor tyrosine kinase) 또한, 성장호르몬, 프로락틴, 렙틴 등의 수용체형태인 사이토카인수용체(cytokine recep-

tors) 그룹이 알려져 있다. 본 장에서는 이들 세 가지 대표적 수용체에 대해 좀더 자세히 알아보고자 한다(그림 1-2-7).

1. G단백연결수용체(G protein-coupled receptors, GPCRs)

G단백연결수용체는 세포막수용체 중 가장 큰 수용체그룹 으로 효모에서 포유동물까지 모든 진핵생물에 존재한다. 이 거대한 수용체그룹은 빛의 광자(photon), 냄새 분자들 (odorants), 모노아민(monoamine), 아미노산, 뉴클레오 시드 등의 신경전달물질, 지질 그리고 펩타이드와 단백질호 르몬 등 다양한 리간드에 반응할 수 있다. 인간에게는 약 800개 이상의 G단백연결수용체가 있는 것으로 알려져 있 다. 이러한 G단백연결수용체는 공통적으로 세포막을 7회 통과하는 막관통영역을 가지고 있고 신호를 세포 내로 전 달하는 데 G단백질을 사용한다(그림 1-2-8).

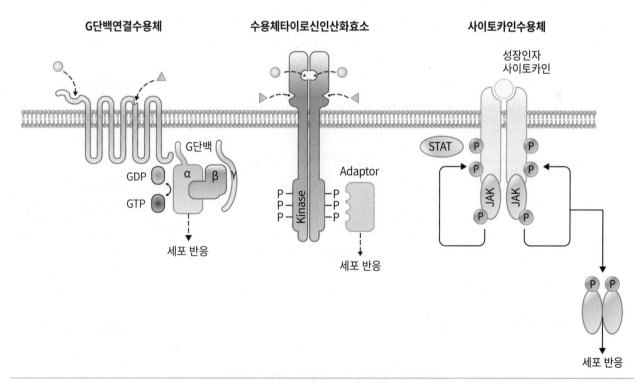

그림 1-2-7. 펩타이드호르몬 세포막수용체의 종류
대표적인 펩타이드호르몬수용체 종류로 G단백연결수용체, 수용체타이로신인산화효소 및 사이토카인수용체 등이 존재한다.

1) 구조

G단백연결수용체는 400개에서 600개의 아미노산기로 구성된 단일사슬로 이루어져 있으며 리간드를 인식하는 부위와 특이G단백질을 인식하는 부위를 가지고 있다. 아미노말단(N-terminal)은 N-당화(glycosylation)를 위한 부위를 포함하고 있고 카복시말단(C-terminal)은 단백질인산화효소(protein kinase)에 의해 인산화되는 부위를 가지고 있다. G단백연결수용체의 가장 큰 특징 중의 하나는 22-28개의 소수성 잔기로 이루어진 알파나선(α-helices)구조를 가진 7개의 막관통영역인데 이들 영역은 세 개의 세포바깥 고리(extracellular loops)와 세 개의 세포내 고리(intracellular loops) 부분과 연결되어 있다. 세포바깥 고리는 아미노말단부위와 함께 주로 리간드결합에 관여하고 세포내 고리는 G단백질과 하위신호전달경로의 효과기(effector)

분자들과 상호작용하는 것으로 알려져 있다(그림 1-2-8).

G단백연결수용체는 아미노산서열 유사성 및 진화적 보존에 기초하여 클래스 A(로돕신 유사), 클래스 B1[시크레틴(secretin)수용체 유사], 클래스 B2 (adhesion receptor, 접착수용체 유사), 클래스 C[메타보트로픽 글루탐산수용체(metabotropic glutamate receptor) 유사], 클래스 D(페로몬수용체), 클래스 E (cAMP수용체) 및 클래스 F[프리즐드(frizzled) 유사] 등으로 나누어져 있다(GPCR Database, https://gpcrdb.org/ 참고)(그림 1-2-8). 가장 많은 수용체가 포함된 그룹은 클래스 A로 클래스 A, B, C, F수용체는 포유류에서 발현되며 클래스 D수용체는 곰팡이류에서, 클래스 E수용체는 단세포 아메바(Dictyostelium discoideum)종에서만 발견된다.

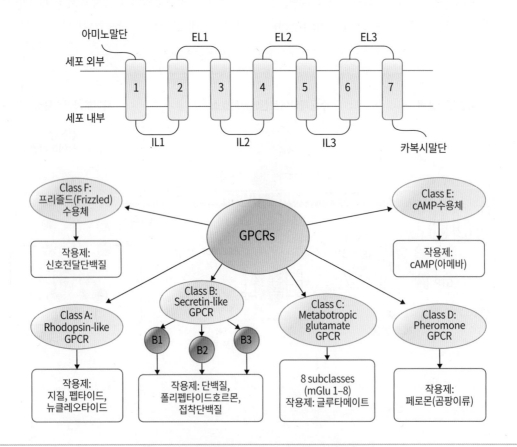

그림 1-2-8. G단백연결수용체의 도식적인 구조 및 종류

G단백연결수용체는 7개의 막관통영역과 세 개의 세포바깥 고리(extracellular loops, EL1, 2, 3)와 세 개의 세포내 고리(intracellular loops, IL1, 2, 3) 부분과 연결되어 있다. G단백연결수용체는 아미노산서열 유사성 및 진화적 보존에 기초하여 크게 여섯 개 그룹으로 나누어진다.

그룹 A는 로돕신과 아드레날린수용체와 후각수용체 등을 포함한 대부분의 G단백연결수용체 유형을 포함한다. 그룹 B는 위장펩타이드호르몬계열수용체[세크레틴, 글루카곤, 혈관작용장폴리펩타이드(VIP) 및 성장호르몬방출호르몬], 코티코트로핀방출호르몬, 칼시토닌 등의 수용체를 포함한다. 대부분의 그룹 B수용체는 주로 G단백질 Gαs를 통해 효과기인 아데닐사이클라아제의 활성화를 유도하는 것으로 보인다. 그룹 C는 대사성(metabotropic) 글루탐산염수용체군, GABA수용체 B형, 칼슘감지수용체 및 일부 미각수용체를 포함한다. 모든 그룹 C의 G단백연결수용체들은 리간드 결합과 활성화에 중요한 것으로 보이는 매우 큰 세포외 아미노말단영역을 가지고 있다.

2) 수용체 활성화

호르몬이 G단백연결수용체의 세포바깥 고리를 포함하는 결합부위에 결합하면 수용체의 구조의 변화가 일어나고 수용체의 세포내 영역이 G단백질과 상호작용하여 G단백질을 활성화시킨다. 활성화된 G단백질은 수용체에서 해리되어 효소나 이온통로와 같은 세포내 표적에 신호를 전달한다.

G단백질은 세포막의 내측 표면에 위치하고 있으며 α, β 그리고 γ의 세 개의 소단위로 이루어진 이종삼합체G단백질(heterotrimeric G protein)이다. 이러한 세포막의 내측 표면에 위치하는 G단백질구조는 따라서 지질그룹이 추가된 구조를 가지고 있으며, 주로 마이리스토일그룹(myristoylation), 팔미토일그룹(palmitoylation) 혹은 프레닐그룹(prenylattion)이 추가되어 있다. 호르몬이 결합되지 않은 상태에서는 Gα 소단위는 GDP (Guanosine diphosphate)와 결합하여 있으며 Gβγ와 함께 복합체를 형성하고 있다. 호르몬이 G단백연결수용체에 결합하면 구조변화를 일으키면서 Gα 소단위는 GTP (Guanosine triphosphate)와 결합하게 되고, GTP와 결합한 Gα 소단위는 Gβγ로부터 분리되어 활성화된다(그림 1-2-9). Gα 소단위나 Gβγ 모두 각각 서로 다른 효과기를 활성화시킬 수 있어 하위신호전달경로가 활성화된다고 볼 수 있다.

Gα 소단위는 GTP의 가수분해효소 활성화를 가지고 있어서 결합된 GTP를 GDP로 가수분해할 수 있으며 GDP가 결합된 Gα 소단위는 다시 Gβγ와 결합하여 기저상태로 돌

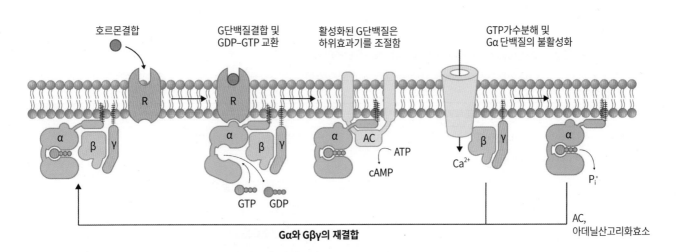

그림 1-2-9. G단백연결수용체의 활성화기작

호르몬이 결합되지 않은 상태에서는 Gα 소단위는 GDP (Guanosine diphosphate)와 결합하여 있으며 Gβγ와 함께 복합체를 형성하고 있다. 호르몬이 G단백연결수용체에 결합하면 구조변화를 일으키면서 Gα 소단위는 GTP (Guanosine triphosphate)와 결합하게 되고, GTP와 결합한 Gα 소단위는 Gβγ로부터 분리되어 활성화된다. Gα 소단위는 GTP의 가수분해효소 활성화를 가지고 있어서 결합된 GTP를 GDP로 가수분해할 수 있으며 GDP가 결합된 Gα 소단위는 다시 Gβγ와 결합하여 기저상태로 돌아갈 수 있다. Gα 소단위나 Gβγ 모두 각각 서로 다른 효과기를 활성화시킬 수 있어 하위신호전달경로가 활성화된다고 볼 수 있다.

아갈 수 있다(**그림 1-2-9**). 현재까지 20여 개의 알파소단위와 5개의 베타소단위, 11개의 감마소단위가 밝혀져 있고 이러한 소단위의 다양한 구성에 따라 G단백질이 다양한 수용체와 효과기에 특이적으로 반응할 수 있게 된다.

3) 세포내신호전달

(1) 고리일인산아데노신(cyclic AMP)

많은 호르몬리간드는 G단백연결수용체에 결합 후 아데닐산고리화효소(adenyl cyclase)의 활성화를 통하여 ATP로부터 cyclic AMP (adenosine 3',5'-monophosphate, cAMP)를 합성하여 세포내 cAMP 농도를 증가시킨다(**표 1-2-1**). Cyclic AMP는 주로 cAMP의존단백질인산화효소(cyclic-AMP-dependent protein kinase, PKA)를 통해 여러 가지 하위신호전달경로를 활성화시킨다. 이 인산화효소는 세포내 신호단백질이나 효과기단백질과 같은 표적단백질의 세린이나 트레오닌을 인산화시켜 표적단백질의 활성을 조절한다. 불활성상태에서 PKA는 실제 인산화효소의 활성화영역을 가지고 있는 두 개의 촉매소단위와 cAMP 결합부위를 가지고 있는 두 개의 조절소단위로 복합체를 이루고 있으며 이들 조절소단위와의 결합이 인산화효소 활성을

억제하고 있다. cAMP가 조절소단위에 결합하면 조절소단위의 입체구조가 변하여 조절소단위가 복합체로부터 분리된다. 그 결과 유리된 촉매소단위가 활성화되어 특정 표적단백질을 인산화시킨다.

(2) 이노시톨인지질 신호전달경로(inositol phospholipid signaling pathway)

G단백연결수용체가 Gq G단백질과 결합하는 경우 원형질막에 결합된 효소인 인지질(지방)분해효소 C-β (phospholipase C-β, PLCβ)를 활성화시켜 하위신호전달을 활성화시킨다. 활성화된 인지질(지방)분해효소는 세포막 안쪽 지질층에 존재하는 phosphatidylinositol 4, 5-bisphosphate [PI(4, 5)P2, 혹은 PIP]를 인산화시켜서 inositol 1, 4, 5_triphosphate (IP3)와 디아실글리세롤(diacylglycerol)로 분해한다. 분해된 IP3와 디아실글리세롤은 서로 다른 신호전달경로를 활성화시킨다.

IP3는 세포질로 확산되어 세포질세망에 위치한 IP3 작동(-gated) 칼슘방출채널(Ca^{2+}-released channels, IP3 channels)을 활성화시킨다. 세포질세망 내의 칼슘이온이 채널을 통하여 방출되고 이에 따라 세포질내 칼슘이온의 농

표 1-2-1. 고리일인산아데노신(cyclic AMP)에 의해 매개되는 호르몬반응의 예

조직	호르몬	반응
간	에피네프린, 글루카곤	당원분해, 글루카곤 합성, 당원 합성 억제
골격근	에피네프린	당원분해, 당원 합성 억제
심근	에피네프린	수축력 증가
지방세포	에피네프린, 부신피질자극호르몬, 글루카곤	트리아실글리세롤 이화작용
신장	바소프레신	상피세포에서 물에 대한 투과성을 증가시킴
갑상선	갑상선자극호르몬	갑상선호르몬 분비
뼈	부갑상선호르몬	칼슘 흡수 증가
난소	황체형성호르몬	스테로이드호르몬 분비 증가
부신피질	부신피질자극호르몬	당질부신피질호르몬 분비 증가

도가 증가하게 된다. 증가된 세포내 칼슘 농도는 칼슘을 매개로 하는 여러 생리적 신호전달을 활성화시킬 수 있다. 또한 증가된 세포내 칼슘과 디아실글리세롤은 단백질인산화효소C (protein kinase C, PKC)라고 불리는 세린/트레오닌 단백질인산화효소를 활성화시킨다고 알려져 있다. 활성화된 단백질인산화효소C는 세포막쪽으로 이동하여 다양한 표적 단백질을 인산화시킨다. 세포막에 남아있는 디아실글리세롤은 아라키돈산으로 형성되고, 아라키돈산은 프로스타글랜딘이나 류코트리엔과 같이 염증신호에 중요한 신호전달물질인 아이코사노이드(eicosanoid)의 합성에 사용된다.

4) 호르몬작용의 종료
G단백연결수용체의 기능은 세포표면에 존재하는 수용체의 수를 조절하고 세포표면에 존재하는 수용체의 신호효율을 조절함으로써 수용체 자체의 수준에서 조절된다. 따

라서 이후에 일어날 수용체 활성화를 위해, 일단 활성화된 수용체는 세포표면에서 세포 내로 내재화(internalization)되어 세포표면의 수용체 수가 감소하게 된다.

이러한 수용체내재화를 유도하게 되는 것은 결국 수용체 활성화의 종료과정으로 G단백연결수용체 탈민감화(desensitization)에 의해 진행된다. 세포표면의 활성화된 G단백연결수용체의 세 번째 세포내 고리나 혹은 카복시터미널 부위의 세린/트레오닌아미노산이 G단백연결수용체인산화효소(G protein-coupled receptor kinase, GRK)에 의해 인산화되면 인산화된 G단백연결수용체에는 아레스틴(arrestin)이 결합한다. G단백연결수용체에 결합한 아레스틴은 클라트린(clathrin)과 결합하고 결국 수용체–아레스틴 복합체는 클라트린으로 형성된 클라트린피복소낭(clathrin–coated pit)에 싸여져 세포 안으로 유입된다. 세포 내

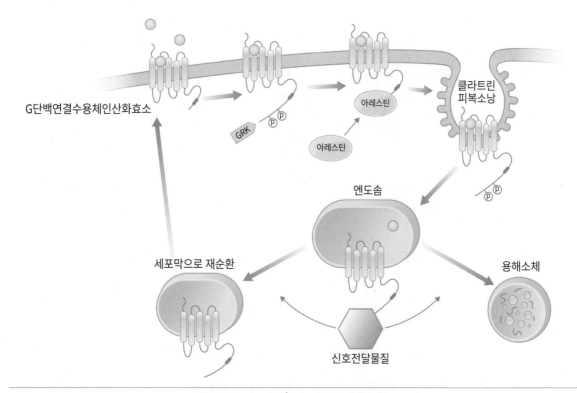

그림 1-2-10. G단백연결수용체의 탈민감(Desensitization)
세포표면의 활성화된 G단백연결수용체의 세 번째 세포내 고리나 혹은 카복시터미널부위의 세린/트레오닌아미노산이 G단백연결수용체인산화효소(G protein-coupled receptor kinase, GRK)에 의해 인산화되면 인산화된 G단백연결수용체에는 아레스틴(arrestin)이 결합한다. G단백연결수용체에 결합한 아레스틴은 클라트린(clathrin)과 결합하고 결국 수용체-아레스틴 복합체는 클라트린으로 형성된 클라트린피복소낭(clathrin-coated pit)에 싸여져 세포 내로 유입된다. 세포 내로 유입된 복합체는 수용체의 탈인산화를 거쳐 다시 세포막 표면으로 재활용되거나 세포내 용해소체에서 분해된다.

로 유입된 복합체는 수용체의 탈인산화를 거쳐 다시 세포막 표면으로 재활용되거나 세포내 용해소체(lysosome)에서 분해된다. 이러한 현상은 장기적인 수용체 자극은 결국 G단백연결수용체의 활성화를 감소 혹은 종료할 수 있게 하는 것이다(그림 1-2-10).

흥미로운 것은 이 과정에서 아레스틴은 다른 여러 신호전달인자들과 상호작용하여 세포 내에서 결국 G단백연결수용체가 아레스틴을 통해 새로운 신호전달경로를 활성화시킬 수 있다는 것이다. 예를 들어 아레스틴이 세포 내에서 비수용체 타이로신인산화효소인 c-SRC, Akt 혹은 유사분열촉진제활성단백질인산화효소(mitogne-activated protein kinase, MAP kinase) 등과 상호작용하여 해당 인자들을 통한 신호를 활성화시킬 수 있는 것이 밝혀졌다. 따라서 리간드를 통한 G단백연결수용체의 활성화가 고전적인 G단백질 활성화를 통해 신호경로를 활성화시킬 수도 있지만, 이렇게 세포 내로 내재화되어 아레스틴에 의해 전혀 다른 신호전달경로를 활성화시킬 수 있는 신호경로가 존재하여 그만큼 G단백연결수용체의 신호전달이 복잡하다고 할 수 있을 것이다(그림 1-2-11).

2. 수용체타이로신인산화효소 (Receptor tyrosine kinase)

1) 구조
단백질의 타이로신을 인산화시키는 효소인 타이로신인산화효소는 수용체타이로신인산화효소와 비수용체(non-receptor)단백질타이로신인산화효소로 나뉜다. 사람의 유전

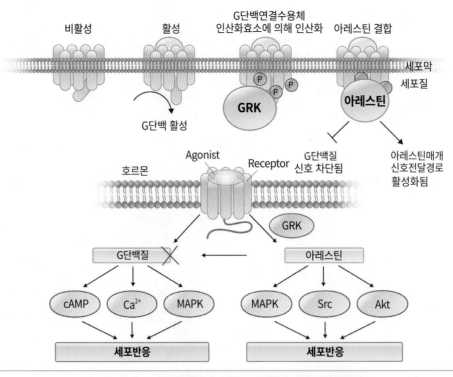

그림 1-2-11. G단백연결수용체의 신호종료-새로운 신호전달?
호르몬 결합으로 활성화된 수용체는 G단백질의 활성화를 통하여 하위신호전달을 또한 활성화한다. 호르몬이 수용체에 결합되어 있는 한 이 활성화된 수용체는 G단백질을 계속 활성화시킬 수 있는데, 활성화된 G단백연결수용체는 G단백연결수용체인산화효소(G protein-coupled receptor kinase, GRK)에 의해 인산화되면 인산화된 G단백연결수용체에는 아레스틴(arrestin)이 결합한다. G단백연결수용체에 결합한 아레스틴은 클라트린(clathrin)과 결합하고 결국 수용체-아레스틴 복합체는 클라트린으로 형성된 클라트린피복소낭(clathrin-coated pit)에 싸여져 세포 안으로 유입된다. 아레스틴은 다른 여러 신호전달인자들과 상호작용할 수 있고 세포 내에서 결국 G단백연결수용체가 아레스틴을 통해 G단백질과는 독립적으로 다른 신호전달경로를 활성화시킬 수 있다.

체에는 60여 개의 수용체타이로신인산화효소와 약 30여 개의 비수용체단백질타이로신인산화효소가 포함되어 있는 것으로 알려져 있다. 기본적으로 수용체타이로신인산화효소는 3개의 영역으로 구성되어 결합물질을 인식하는 세포외 영역 및 단일 막통과영역과 타이로신인산화효소 활성화를 촉매하는 부위와 수용체 활성화를 조절하는 조절부위를 포함하고 있는 한 개의 세포질영역으로 구성되어 있다. 여러 수용체 타이로신인산화효소 간의 타이로신인산화효소 촉매부위는 32-95%의 상동성을 가진 보존된 구조를 가지고 있다. 수용체 활성화를 조절하는 조절부위에는 타이로신 잔기들이 위치해 있고 이들은 호르몬이 수용체에 결합하는 경우 인산화된다. 이러한 세포내 영역에 비해 세포외 영역의 염기서열은 매우 다양하여 실제 서로 다른 리간드에 의해 선택적으로 활성화될 수 있는 구조를 가지고 있다.

이러한 세포외 영역의 구조적 특징에 따라 수용체타이로신인산화효소는 크게 두 그룹으로 나뉜다. 첫 번째 그룹은 표피성장인자(epidermal growth factor, EGF), 혈소판유래성장인자(platelet derived growth factor, PDGF), 혈관내피세포유래성장인자(vascular endothelial growth factor, VEGF) 및 섬유모세포성장인자(fibroblast growth factor receptor, FGF)의 수용체들로 리간드가 없는 상태에서 단량체(monomer)로 존재한다. 이들 수용체의 세포외 영역은 또한 시스테인이 풍부한 두 부위의 반복된 도메인(EGF수용체) 혹은 면역글로불린유사도메인 등(PDGF, VEGF수용체 및 FGF수용체 등) 사이에 시스테인 잔기가 위치한 구조를 가지고 있다. 두 번째 그룹의 경우는 인슐린 및 IGF-1수용체 등 소수의 수용체타이로인산화효소로서 다른 수용체타이로인산화효소와 달리 비활성상

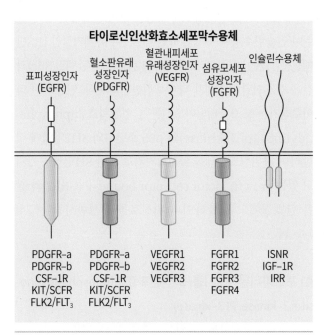

그림 1-2-12. 수용체타이로신인산화효소의 구조

수용체타이로신인산화효소는 크게 두 그룹으로 나뉜다. 첫 번째 그룹은 표피성장인자(epidermal growth factor, EGF), 혈소판유래성장인자(platelet derived growth factor, PDGF), 혈관내피세포유래성장인자(vascular endothelial growth factor, VEGF) 및 섬유모세포성장인자(fibroblast growth factor receptor, FGF)수용체들로 리간드가 없는 상태에서 단량체(monomer)로 존재한다. 두 번째 그룹의 경우는 인슐린 및 IGF-1수용체 등 소수의 수용체타이로신인산화효소로서 다른 수용체타이로신인산화효소와 달리 비활성상태에서도 이합체(dimer)로 존재한다.

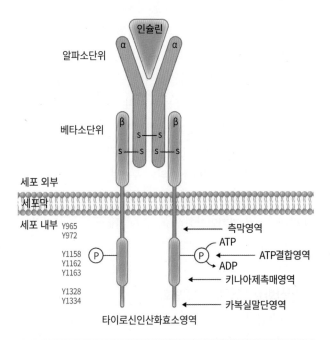

그림 1-2-13. 인슐린수용체의 구조

인슐린수용체는 세포외 영역에 위치한 2개의 알파소단위와 세포막을 통과하여 세포 내까지 위치하는 2개의 베타소단위체로 구성되어 있다. 인슐린이 알파소단위에 결합하면 베타소단위의 구조변화가 일어나 베타소단위의 타이로신인산화효소의 활성화가 일어나 베타소단위의 세포질내 부위의 여러 타이로신을 자기인산화(autophosphorylation)시킨다. 수용체의 측막영역(Y965, Y972), 수용체촉매영역(Y1158, Y1162, Y1163) 및 카복실말단영역(Y1328, Y1334) 등에서 인산화된다.

ATP, 아데노신삼인산; ADP, 아데노신이인산.

태애서도 이합체(dimer)로 존재한다. 인슐린수용체의 경우 알파소단위는 리간드 결합부위를 가지고 있고 베타소단위는 세포막통과영역과 타이로신인산화효소영역을 가지고 있으며 α2β2 이질사합체(heterotetramer)로 존재하며 소단위 간에는 이황화 결합이 이루어져 안정화되어 있다(그림 1-2-12, 1-2-13).

2) 수용체 활성화

(1) 이합체화(dimerization)

수용체에 리간드가 결합하면 수용체이합체화가 일어나며 자세한 분자기전은 수용체마다 다르지만 수용체이합체화는 수용체타이로신인산화효소가 활성화되는데 매우 중요하다. 예를 들어 PDGF와 VEGF는 하나의 리간드가 하나의 수용체에 결합한 후 이 두 수용체분자가 결합하여 수용체 이합체를 이루게 된다. 이를 통해 각 수용체의 세포질 내에 위치하는 부위의 타이로신이 이합체 중의 다른 수용체에 의해 인산화가 되고 이것이 수용체타이로신인산화효소의 신호전달을 시작하게 되는 것이다. 인슐린수용체는 리간드 없이도 이합체로 존재하는데 이미 이합체(실제로는 단량체의 이합체인 사합체)로 존재함에도 불구하고 리간드 없이는 수용체가 활성화되지 않는다. 여기에 인슐린이 알파소단위에 결합하면 베타소단위의 구조변화가 일어나 베타소단위의 타이로신인산화효소의 활성화가 일어나 수용체의 타이로신을 자기인산화(autophosphorylation)시킨다 (그림 1-2-13).

(2) 인산화효소영역의 구조변화

인슐린수용체의 경우 인슐린이 결합하면 베타소단위에서 특정 타이로신의 자기인산화(autophosphorylation)를 일으키게 된다. 해당 타이로신은 인접 막영역의 Tyr965, Tyr972, 인산화효소영역의 Tyr1158, Tyr1162 및 Tyr1163, 카복시 말단영역의 Tyr1328 및 Tyr1334 등이다 (그림 1-2-13). 이 중 Tyr1162와 Tyr1163의 인산화는 타이로신인산화효소의 촉매활성을 자극하고, 인산화 Tyr972,

pTyr1158 및 pTyr1162는 하위신호전달단백질의 도킹사이트 역할을 하는 것으로 알려져 있다.

이렇게 인산화된 타이로신기에는 SH2 (Src homology2) 영역이나 PTB (phosphotyrosine-binding)영역을 가지고 있는 단백질들이 결합하여 하위신호전달경로를 활성화시킬 수 있다. 예를 들어 인슐린수용체기질(insulin receptor substrate, IRS) 단백질은 PTB영역을 가지고 있어 PTB영역이 인산화된 타이로신기에 결합하여 활성화될 수 있다.

3) 하위신호전달

수용체타이로신인산화효소는 매우 다양한 세포에서 매우 다양한 리간드의 활성을 매개한다. 따라서 수용체타이로신인산화효소에 의해 많은 하위신호체계가 조절된다. 본 장에서 이러한 많은 하위신호전달경로 중에서 인슐린수용체에서 내려오는 신호전달경로에 초점을 두어 설명하겠다. 인슐린이 인슐린수용체에 결합하면 인슐린수용체기질인 IRS단백질군(IRS 1-4) 등과 또 다른 SH2영역함유단백질(Shc)과 같은 신호전달매개체가 타이로신인산화된다. 인산화된 타이로신기는 포스파티딜이노시톨-3-인산화효소(phosphatidylinositol 3-kinase)의 p85 소단위의 SH2영역에 결합하여 하위신호전달을 활성화시키고 또한 SH영역을 가지고 있는 growth factor receptor bound-2 (GRB2)와 같은 단백질에도 결합하여 하위신호를 활성화시킨다 (그림 1-2-14).

(1) 포스파티딜이노시톨-3-인산화효소(phosphatidylinositol 3-kinase, PI 3-kinase)

포스파티딜이노시톨-3-인산화효소의 신호전달경로는 인슐린에 의해 활성화되는 신호경로 중에서 가장 상위에 위치하며 중요한 신호경로라고 할 수 있다. 포스파티딜이노시톨-3-인산화효소는 두 개의 소단위로 구성되어 있으며 촉매소단위(p110)와 조절소단위(p85)로 구성되어 있다. 조절소단위 p85는 두 개의 SH2영역을 가지고 있으며 이 SH2영

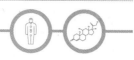

역이 IRS단백질의 인산화된 타이로신기와 상호작용하는 것으로 알려져 있다. 이렇게 p85 조절소단위단백질이 IRS의 인산화된 타이로신기와 상호작용하면 p110 촉매소단위가 활성화되어 결국 포스파티딜이노시톨-3-인산화효소가 활성화된다. 포스파티딜이노시톨-3-인산화효소가 활성화되면 p110 촉매소단위가 포스파티딜이노시톨(4,5)-이인산(PIP2)을 인산화시켜 포스파티딜이노시톨(3,4,5)-삼인산(PIP3)을 형성한다. 실제로 포스파티딜이노시톨-3-인산화효소를 억제하면 인슐린에 의한 포도당 운반, 글리코겐 및

지질 합성 등이 억제되어, 인슐린의 대사작용에 있어 포스파티딜이노시톨-3-인산화효소가 매우 중요한 것을 알 수 있다. 포스파티딜이노시톨-3-인산화효소의 하위신호전달인자로는 포스포이노시타이드의존인산화효소(phosphinositide-dependent kinase, PDK) 1과 2를 시작으로 하여 포스포이노시타이드의존인산화효소는 Akt로 불리는 단백질인산화효소B (PKB)와 단백질인산화효소C 등과 같은 다양한 하위단백질인산화효소를 인산화시키고 활성화시킨다(그림 1-2-14).

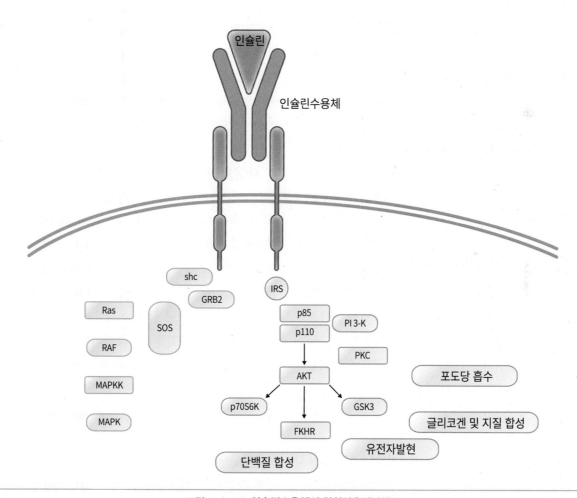

그림 1-2-14. 인슐린수용체의 하위신호전달체계

인슐린이 인슐린수용체에 결합하여 수용체가 활성화되면 수용체의 타이로신기가 인산화되고 인슐린수용체기질인 IRS단백질군(IRS 1-4) 등과 또 다른 SH2함유단백질(Shc)과 같은 신호전달매개체가 타이로신인산화되어 이들 단백질들을 활성화시킨다. IRS/PI3-K경로는 PIP3의 생성과 PIP3 의존적인 산화효소의 활성화를 유도한다. 포스파티딜이노시톨-3-인산화효소의 하위신호전달인자로는 포스포이노시타이드의존인산화효소(phosphinositide-dependent kinase, PDK) 1과 2를 시작으로 하여 Akt로 불리는 단백질인산화효소B (PKB)와 단백질인산화효소C 등과 같은 다양한 하위단백질인산화효소가 인산화되고 활성화된다. 해당 경로는 인슐린에 의한 포도당 운반, 글리코겐 및 지질 합성, 유전자발현 등 인슐린의 대사작용에 중요한 역할을 한다. Ras/MAPK경로는 교환인자 SOS와 성장인자수용체결합단백질 2 (GRB2) 사이의 복합체의 형성을 통해 인슐린에 의해 활성화될 수 있으며, 성장과 증식에 대한 인슐린의 작용을 자극하는 역할을 할 수 있다.

(2) GRB2와 Ras의 활성화

GRB2는 1개의 SH2영역과 2개의 SH3 (Src homology3) 영역을 각각 아미노터미널 혹은 카복시터미널 쪽에 가지고 있다. SH2는 인산화된 타이로신부위에 결합할 수 있고 SH3는 주로 프롤린이 많이 포함된 부위에 결합한다. GRB2의 SH2영역은 두 개의 SH3영역의 측면에 위치하며 SH3영역은 특히 하위신호인자 중의 하나인 Sos (son-of sevenless)단백질의 프롤린이 많이 포함된 부위에 결합한다. Sos는 구아닌뉴클레오티드교환인자(guanine nucleotide exchange factor)의 하나로서 구아노신삼인산(GTP)의 결합을 허용하기 위해 구아노신이인산(GDP)의 방출을 자극하여 단량체(monomeric)G단백질(GTPase)을 활성화하는 단백질이다. Sos단백질은 단량체(monomeric) G단백질 중의 하나인 Ras의 구아닌뉴클레오티드 결합부위에서 GTP가 GDP로 교환되는 것을 촉매하여 Ras G단백질을 활성화시킨다. Ras의 활성화는 이후 유사분열 촉진제활성단백질인산화효소(mitogne-activated protein kinase, MAPK) 신호경로를 활성화시키는데 이 경로는 세포성장을 유도하고 다양한 유전자의 발현을 조절하는 것으로 알려져 있다.

다른 수용체타이로신인산화효소의 하위신호전달체계도 인슐린수용체와 유사하지만 인슐린수용체는 인슐린수용체기질(IRS)단백질을 통하여 SH2영역을 가지고 있는 단백질(예: PI 3-kinase, GRB2)을 인산화하는 것과는 달리 다른 수용체타이로신인산화효소들은 수용체 세포내 영역에 SH2영역의 결합부위를 직접 가지고 있다.

4) 호르몬작용 종료

수용체타이로신인산화효소에 의한 신호전달은 주로 수용체의 내재화에 의해 종료되며 대부분은 클라트린(clathrin)단백질에 의한 내포작용에 의해 이루어지나 일부는 카베올린(caveolin)에 의한 내재화도 이루어지는 것으로 알려져 있다.

클라트린에 의한 내재화는 주로 클라트린, 어댑터단백질 2 (AP2)복합체 및 클라트린관련정렬단백질(clathrin-associated sorting proteins, CLASP)에 의해 매개되는데 AP2는 수용체 및 클라트린과에 결합하며 수용체내재화를 돕는 역할을 한다. CLASP는 내재화될 물질을 인지하고 분류하는 역할을 하는 단백질로 알려져 있다.

인슐린-인슐린수용체복합체의 세포 내로의 내재화는 인슐린 신호전달의 강도와 지속시간을 조절하는 핵심기전이라고 할 수 있다. 실제로 지속적인 고인슐린혈증은 인슐린-인슐린수용체 복합체의 세포 내로의 내재화를 가속화하여 세포막에 위치하는 인슐린수용체 수를 감소시킨다. 생화학 및 면역조직화학연구에 따르면 당뇨병 환자에서 세포막에 위치하는 인슐린수용체 수가 감소되어 있으며 이러한 세포막의 인슐린수용체 감소가 인슐린저항성에 기여하는 요인이 될 수 있음을 시사하고 있다.

3. 사이토카인수용체(Cytokine receptor)

사이토카인수용체는 신진대사 조절, 신경줄기세포 활성화, 염증반응, 뼈의 발달, 그리고 혈액세포와 면역세포의 발달과 성장 및 생식, 수유, 산후성장, 신체구성을 포함한 광범위한 생리기능을 조절하는 신호전달경로를 활성화시킨다. 이 수용체그룹의 가장 큰 특징 중 하나는 신호전달을 시작하기 위해 타이로신인산화효소의 하나인 야누스인산화효소(Janus kinase, JAK)를 활성화한다는 것이다. 사이토카인수용체는 아미노산서열 및 구조특징에 따라 두 부류로 분류된다. 클래스I 사이토카인수용체군은 적혈구형성호르몬(erythropoietin), 트롬보포이에틴(thrombopoietin), 프로락틴, 성장호르몬, 렙틴 등의 내분비계 호르몬을 포함하여 과립구대식세포집락자극인자(granulocyte-macrophage colony-stimulating factor, GM-CSF), 백혈병억제인자(leukemia inhibitory factor, LIF), 인터루킨-3 (IL-3), IL-5, IL-7 및 IL-6 등의 수용체가 포함된다. 클래스II 수용체는 처음에는 인터페론수용체와 IL-10 수용체를 포함하였으나, 추가적인 사이토카인 및 이들의 수용체가 발견됨에 따라 IL-19, IL-20, IL-22, IL-24, IL-26, IL-29 등의 수용체도 포함이 된다(그림 1-2-15).

1) 구조

사이도카인수용체는 아미노터미널영역은 세포 외부에 위치하고 카복시터미널 영역은 세포 내에 위치하며 단일세포막통과 영역을 가지고 있는 구조로 이루어져 있다.

클래스 I 사이토카인수용체의 세포외 영역은 리간드결합영역을 구성하는 약 200개의 아미노산으로 구성된 사이토카인수용체호몰로지(CRH) 영역을 가지고 있다. CRH모듈에는 링커영역을 통해 연결된 두 개의 섬유결합소 유형 III (FNII)영역이 있다. CRH(상부 FNII)의 아미노터미널 부위 근처에는 2개의 이황화 결합을 형성하는 4개의 보존된 시스테인이 있으며 세포막쪽에 근접하는 하위FNII영역부위에는 WSXWS (Trp-Ser-X-Trp-Ser, X는 가능한 모든

아미노산)모티프가 보존되어 있다. WSXWS모티프는 리간드결합에는 필요하지 않지만, 수용체 발현과 안정성, 그리고 수용체 활성화 시 구조변화 조절 등에 중요하다고 알려져 있다. 적혈구형성호르몬(erythropoietin), 프로락틴, 성장호르몬수용체는 단일 CRH를 가지고 있어 사이토카인결합과 수용체 활성화를 매개하기에 충분한 반면, 클래스 I 사이토카인수용체 중 일부는 추가적인 세포막-근접 FNII도메인이나 면역글로불린III (Ig III)도메인을 가지고 있으며 둘 이상의 CRH영역을 가지고 있는 수용체도 있다. 2개의 CRH를 가지는 클래스 I 사이토카인수용체는 렙틴수용체, 트롬보포이에틴수용체 등이 있다.

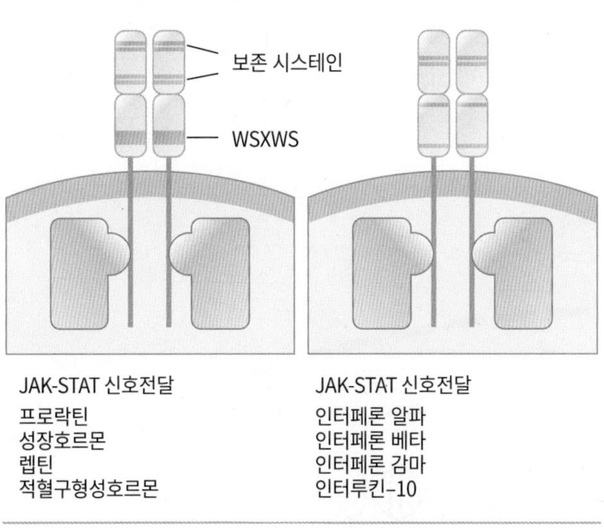

적혈구형성호르몬, 프로락틴, 성장호르몬, 렙틴수용체들은 리간드가 결합하면 동종이합체(homodimer)를 이룬다. 다른 수용체들은 리간드결합 시 서로 수용체소단위구조를 공유하는데 공유하는 수용체소단위로는 GP130(일명 CD130, IL-6ST, IL-6β), 공통 베타체인(βc), 공통 감마체인(γc) 등 세 가지가 있다. 이들 수용체들은 리간드결합 시 2개의 수용체 하위단위 및 3개의 수용체 하위단위로 이루어진 복합체를 형성하며, 서로 다른 사이토카인수용체복합체들 간에 하나의 하위단위를 공유한다.

클래스 II 수용체는 클래스 I 수용체와 유사한 구조를 가졌으나 CRH(상부 FNII)영역의 시스테인 위치가 다르며 특히 클래스I수용체의 특징인 'WSXWS' 모티프가 존재하지 않고 다양한 아미노산서열로 대체된 것을 볼 수 있다. 클래스 II수용체에는 인터페론 알파, 인터페론 베타, 인터페론 감마, 인터루킨-10 등의 수용체가 존재한다. 이 외에도 넓은 범위의 사이토카인수용체 종류로는 종양괴사인자(tumor necrosis factor, TNF)수용체 그룹, 수용체세포외 영역이 면역글로불린구조와 유사성을 사진 면역글로불린(immunoglobulin)-타입수용체그룹 및 G단백연결수용체와 유사한 구조를 가진 케모카인(chemokine)수용체그룹 등이 있다.

클래스 I 사이토카인수용체   **클래스 II 사이토카인수용체**

보존 시스테인

WSXWS

JAK-STAT 신호전달
프로락틴
성장호르몬
렙틴
적혈구형성호르몬

JAK-STAT 신호전달
인터페론 알파
인터페론 베타
인터페론 감마
인터루킨-10

그림 1-2-15. 사이토카인수용체그룹

사이토카인수용체그룹은 크게 클래스 I 및 클래스 II의 사이토카인수용체로 나누어지며 세포외 영역에 2개의 이황화결합을 형성하는 4개의 보존된 시스테인이 있으며 세포막 쪽에 근접하는 영역부위에는 WSXWS (Trp-Ser-X-Trp-Ser, X는 가능한 모든 아미노산) 모티프가 보존되어 있다. 클래스 II 수용체는 클래스 I 수용체와 유사한 구조를 가졌으나 시스테인 위치가 다르며 'WSXWS' 모티프가 존재하지 않는다.

2) 수용체 활성화

사이토카인수용체는 리간드와 결합하면 수용체구조변화를 일으키면서 수용체끼리 서로 교차결합하게 된다. 이때 각 수용체에 결합하고 있던 세포 내의 Janus kinases (JAKs)라고 불리는 비수용체타이로신인산화효소를 활성화시킨다. 현재까지 JAK1, JAK2, JAK3, TYK2 (tyrosine-protein kinase 2)로 구성된 4개의 JAK가 알려져 있다. 리간드가 사이토카인수용체에 결합하여 수용체의 구조가 변화되면 JAK가 서로 가까워지면서 서로 인산화되고 인산화된 JAK에 의해 수용체의 세포내 영역의 타이로신기가 인산화된다. 이렇게 JAK의 활성화로 인산화된 타이로신에는 SH2영역을 가지고 있는 단백질들이 결합할 수 있으며 이들

단백질을 다시 JAK에 의해 인산화되면 핵내로 이동하여 여러 가지 유전자발현을 조절할 수 있다(그림 1-2-16). 사이토카인수용체의 JAK의 하위신호 중 대표적인 단백질이 STAT (signal transducer and activator of transcription)이다. 30여 종류에 해당하는 사이토카인 및 호르몬이 사이토카인수용체와 결합하면 이렇게 JAK–STAT 신호경로를 활성화시키는 것으로 알려져 있다.

현재까지 최소 7개의 STAT가 알려져 있는데 각각의 STAT은 SH2영역을 가지고 있으며 두 가지 기능을 수행할 수 있다. 첫째는 활성화된 사이토카인수용체의 특정 인산화된 타이로신을 인지하고 결합하는 것으로, 일단 결합하면 JAK

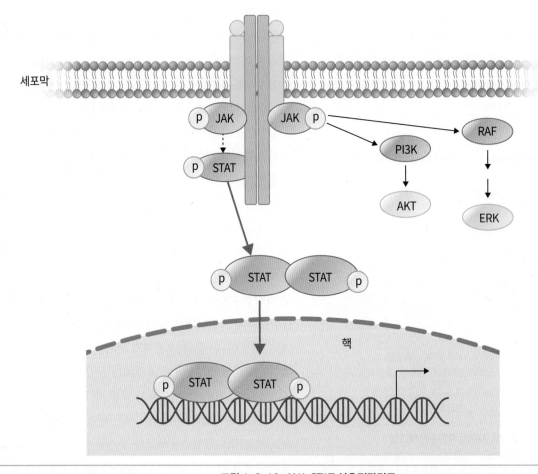

그림 1-2-16. JAK–STAT 신호전달경로

사이토카인수용체에 결합하는 리간드는 수용체의 이합체화(dimerization)를 유도한다. SH2도메인을 통해 수용체에 결합하는 JAK는 인산화를 거쳐 STAT을 인산화하고 활성화된 STATs는 이합체화하여 표적유전자프로모터를 활성화하거나 억제하기 위해 핵으로 이동한다. 사이토카인수용체는 JAK 및 STAT 외에도 Akt 및 ERK와 같은 추가적인 신호전달경로를 활성화할 수 있다.

이 STAT의 타이로신을 인산화시키고 수용체로부터 분리하게끔 된다. 두 번째 기능은 이렇게 분리된 STAT은 SH2영역을 통하여 다른 STAT분자의 인산화된 타이로신에 결합하여 동종(homo-) 혹은 이종(hetero) STAT이합체를 형성될 수 있게 한다. 이렇게 형성된 STAT이합체는 핵 내로 이동하여 다른 유전자조절단백질과 함께 여러 유전자의 특정 조절염기서열에 결합하여 특정 유전자발현을 활성화시킨다고 알려져 있다.

3) 수용체작용의 억제 및 조절

사이토카인수용체를 통한 JAK-STAT 신호전달을 억제하는 인자로는 세 가지의 주요인자를 들 수 있다. Suppressor of cytokine signaling (SOCS), 단백질타이로신인산분해효소(protein tyrosine phosphatases, PTP), 활성 STAT단백질억제제(protein inhibitors of activated STATs, PIAS) 등이다. SOCS는 STAT에 의해 직접 발현이 유도되므로 음성되먹임고리를 제공하는 인자로서, SH2영역을 통해 수용체의 인산화된 타이로신에 결합하고 추가신호전달분자들이 결합하는 것을 차단하여 신호전달을 차단할 수 있다. 또한 JAK 인산화효소영역에 직접 결합함으로써 JAK 신호전달을 직접적으로 억제할 수 있으며, 또한 유비퀴틴을 통한 단백질분해경로(ubiquitin-proteasomal degradation pathway)를 유도할 수 있다. 단백질타이로신인산염분해효소(PTP)는 SHP-1 혹은 SHP-2 (Src homology region 2 domain-containing phosphatase-1, 2) 또는 CD45 등을 포함하는데 이들은 모든 종류의 JAK에 결합하여 인산기를 분해하여 결국 하위신호전달을 억제하는 역할을 한다. 활성STAT단백질억제제인 PIAS (protein inhibitor of activated STAT)단백질은 활성화된 STAT이합체에 결합하여 STAT이 DNA의 특정 염기서열에 결합하는 것을 방해하여 궁극적으로 STAT매개유전자발현을 억제하는 것으로 알려져 있다.

IV. 세포막수용체와 내분비질환

내분비질환의 가장 단순한 형태는 호르몬 결핍 혹은 과다에 의한 것이나 수용체 수준에서의 내분비질환 원인으로는 특정 호르몬에 대한 세포수용체 수의 변화와 기능이상이 중요한 이유가 될 수 있다. 호르몬수용체 수가 변하는 경우 해당 세포의 호르몬에 대한 민감도를 현저하게 변화시킬 수 있다. 수용체 농도가 감소하면 해당 호르몬에 대한 세포의 민감도가 감소하고 증가하는 경우는 그 반대의 현상이 나타날 수 있다. 특정 호르몬에 대한 수용체의 수는 생리상태에 따라 상당히 달라질 수 있으며, 호르몬의 농도 자체가 대상 세포에 대한 자체 수용체의 농도를 조절할 수 있다. 이미 앞에서 언급한 것처럼 많은 수용체가 호르몬 농도 증가나 자극이 장기화되는 경우 세포막표면수용체가 세포 내부 쪽으로 내재화 및 탈민감화 등을 거치면서 가용한 수용체의 수가 감소하게 된다. 이 과정은 호르몬 과잉의 잠재적 독성효과로부터 세포를 보호하는 중요한 항상성 조절기전 중 하나이기도 하지만 호르몬 농도나 수용체 수가 비정상적으로 조절되는 호르몬질환에서 중요하게 조절되는 기전이기도 하다. 또한 수용체를 통한 신호전달체계의 이상도 결국은 호르몬기능이상질환을 유발하며 수용체 및 신호전달체계에 관여하는 단백질의 유전자에 돌연변이가 생겨서 호르몬 활성에 문제가 발생한다. 세포막수용체에 작용하는 자가항체에 의해서 나타나는 질환도 있다.

1. 수용체기능의 유전결함

1) G단백연결수용체

(1) 기능손실(loss-of-function)돌연변이

G단백연결수용체돌연변이는 G단백연결수용체와 삼량체로 이루어지고 GTP분해효소기능을 가진 G단백질 중 다양한 부분에서 문제를 일으킬 수 있다. 여기에는 G단백연결수용체단백질이 합성되지 않는 것에서부터 합성된 G단백연결수용체가 세포막에 도달하지 못하는 경우, G단백결합수용

체가 호르몬과 결합하지 못하거나 호르몬과 결합을 했으나 활성화되지 않는 경우, 혹은 G단백질결수용체가 G단백질과 결합하지 못하거나 G단백질을 활성화시키지 못하는 경우 등이 있을 수 있다. 내분비학에서 기능손실돌연변이로 인한 G단백연결수용체기능의 상실은 해당 세포나 조직의 전반적인 기능저하형질(hypophenotype)을 보여준다. 예를 들어 갑상선기능저하증, 생식기능저하증, 단신, 당뇨병 및 부신부전(hypoadrenocorticism)(표 1-2-2) 등이다. 일반적인 기능상실돌연변이질환과 같이, 해당 표현형은 주로 보통염색체열성 또는 X염색체-연계 열성 특성으로 전달되지만 질환의 심각도는 돌연변이가 동형(homozygotes)

으로 존재하는가 혹은 이형(heterozygotes)으로 존재하는가에 따라 다르고 남아 있는 대립유전자의 활성정도에 따라 광범위한 범위에 걸쳐 확장될 수 있다.

또한 G단백연결수용체가 이합체나 소중합체로 기능을 할 수 있어서 일부 이형접합체 돌연변이를 가진 경우라도 우성음성(dominant-negative) 효과가 나타날 수 있다. 이러한 효과는 비만을 유발하는 멜라노코틴-4수용체(MC4R)를 암호화하는 유전자에 돌연변이가 있는 비만 환자에게서 보고되었으며, 내분비질환은 아니지만 로돕신을 암호화하는 유전자의 돌연변이에 의해 야기되는 색소망막염(retini-

표 1-2-2. G단백연결수용체의 기능손실돌연변이에 의한 질환

수용체	질병	유전방식
바소프레신제2수용체	신성요붕증(nephrogenic diabetes insipidus)	X염색체연관열성
부신피질자극호르몬(ACTH)수용체	가족성부신피질자극호르몬결핍증 (familial glucocorticoid deficiency type 1)	보통염색체열성
성장호르몬방출호르몬(GHRH)수용체	성장호르몬결핍증(growth hormone deficiency)	보통염색체열성
성선자극호르몬방출호르몬(GnRH)수용체	저성선자극호르몬성선저하증 (central hypogonadotropic hypogonadism)	보통염색체열성
키스펩틴수용체(GPR54)	저성선자극호르몬성선저하증 (central hypogonadotropic hypogonadism)	보통염색체열성
난포자극호르몬(FSH)수용체	과성선자극호르몬 정자관련생식능력저하증(Sperm-related hypofertility)(남성) 난소발육부전(여성)	보통염색체열성
황체형성호르몬(LH)수용체	라이디히세포형성부전(Leydig cell hypoplasia)(남성) 일차무월경(primary amenorrhea)(여성)	보통염색체열성
갑상선자극호르몬(TSH)수용체	갑상선혈증(euthyroid hyperthyrotropinemia) 선천갑상선기능저하증	보통염색체열성
칼슘감지수용체 (Calcium-sensing receptor)	가족성저칼슘뇨과칼슘혈증 (benign familial hypocalciuric hypercalcemia) 신생아중증일차부갑상선항진증 (neonatal severe primary hyperparathyroidism)	보통염색체우성 보통염색체열성
멜라노코틴제4수용체	중증비만	보통염색체우성 및 열성(공동우성)
부갑상선호르몬/부갑상선호르몬관련단백질 (PTH/PTHrP)수용체	블로스트란드연골형성장애(blomstrand chondrodysplasia)	보통염색체열성

tis pigmentosa)의 경우에서도 보고되었다. 그럼에도 불구하고, 소수의 예외를 제외하고, 이형 개인에서 질병의 발현은 보통 경미하거나 적다고 할 수 있다. 예를 들어, TSH 수치는 TSH수용체의 돌연변이를 이형으로 가진 환자에서 아주 경미하게 증가하거나 산발적으로 관찰되며 황체형성호르몬, 성장호르몬방출호르몬(GHRH), 성선자극호르몬방출호르몬(gonadotropin-releasing hormone, GnRH), 갑상선자극호르몬방출호르몬(TRH) 등의 수용체 이형 돌연변이 경우도 거의 증상이 없다.

TSH수용체의 기능상실돌연변이의 경우 '보상갑상선기능저하증(compensated hypothyroidism)' 즉, 정상 갑상선과 T_3, T_4의 정상수치를 가졌으나 만성적으로 혈장TSH가 상승한 가족에서 처음 보고되었고 보통염색체 열성모드로 전달되는 것으로 보고되었다. 보고된 돌연변이의 경우 동종돌연변이거나 복합이형접합체(compound heterozygotes)의 경우였으며 돌연변이의 위치는 모두 아미노터미널 부분의 세포외 영역인 호르몬 결합부위로 밝혀졌다. GnRH수용체나 GPR54 등의 기능손실돌연변이는 저성선자극호르몬성선저하증(hypogonadotropic hypogonadism)을 유발하는 것으로 알려져 있다.

GnRH수용체의 경우 대부분 과오돌연변이(missense mutation)로 대부분의 환자가 복합이형돌연변이가 보고되었고 가장 일반적인 GnRH돌연변이는 첫 번째 세포외 고리(Q106R, 106번째 아미노산글루타민이 아르지닌으로) 및 세 번째 세포내 고리(R262Q, 262번째 아미노산아르지닌이 글루타민으로)에 존재하는 것으로 보고되었는데, 각각 호르몬결합 및 세포내신호전달에 관여하는 아미노산으로 추정되고 있다. GPR54의 기능손실돌연변이는 저성선자극호르몬성선저하증을 유발하는데, 다섯 번째 세포막관통영역의 C223R(223번째 아미노산시스테인이 아르지닌으로) 및 여섯 번째 세포막관통영역의 F272S(272번째 아미노산페닐알라닌이 세린으로)돌연변이는 수용체 신호전달 및 수용체 세포내이동 등을 저해하는 것으로 알려졌다.

신성요붕증(nephrogenic diabetes insipidus)은 X염색체에 위치해 있는 바소프레신제2수용체유전자의 기능손실돌연변이에 의해 나타나, 대부분의 경우 남성에서 질환이 발현된다. 현재 300개가 넘는 신성요붕증가계에서 250개 이상의 서로 다른 바소프레신수용체유전자의 기능손실돌연변이가 보고되었다. 이들 돌연변이의가 결과적으로 유발하는 형질은 크게 세 가지인데, 첫째, 수용체의 단백질생성 및 발현문제, 둘째, 수용체의 세포내수송 및 이동문제, 셋째, 수용체의 기능장애 등이다. 가장 흔한 것은 수용체의 세포내이동 문제로 최대 신성요붕증의 70%에서 발생한다. 이 때문에 바소프레신제2수용체돌연변이에 의한 신성요붕증을 folding disease(단백질접힘 구조이상과 연관된 질환)라고 부르는 경우가 많다. 수용체의 첫 번째 또는 두 번째 세포외 고리의 돌연변이는 리간드 결합을 방해하지만 단백질접힘장애를 일으키는 것으로 보고되었고, 두 번째 세포외 고리의 G201D(201번째 아미노산글라이신이 아스파르트산으로)돌연변이의 경우 단백질접힘은 문제가 있지만 거의 정상적인 리간드 결합과 G단백질 활성화를 보이기도 한다. 세포내 두 번째 고리의 R137H(137번째 아미노산아르지닌이 히스티딘으로)돌연변이는 베타-아레스틴매개의 세포내재화와 세포내 단백질접힘 등이 모두 문제가 되어 결국 수용체가 세포표면에 발현이 되지 않게 되는 경우이다.

이 외에도 칼슘감지수용체(calcium sensing receptor)는 부갑상선호르몬의 체내순환 수준을 조절하여 혈중 칼슘농도를 유지하는 데 중요한 역할을 하며 이 수용체의 기능손실돌연변이는 가족성저칼슘뇨고칼슘혈증(benign familial hypocalciuric hypercalcemia) 및 신생아중증일차부갑상선항진증(neonatal severe primary hyperparathyroidism) 등을 일으킨다. 칼슘이온감지수용체 기능손실돌연변이 중 수용체의 이형성 불활성화돌연변이에 의해 발생하는 보통염색체우성질환이 가족성저칼슘뇨과칼슘혈증으로, 증상이 없는 가벼운 고칼슘혈증이며 PTH수치가 높지 않고 정상범위내 요 칼슘배설이 부적절한 것이 특징이다. 또 다른 질환은 신생아중증일차부갑상선항진증으로, 칼슘감지수용체유전자의 동종 또는 복합이형접합체(compound heterozygotes)변이의 결과로 매우 심한 고칼슘혈증, 심각한 부갑상선항진증, 골격탈회, 호흡곤란 등을 수반한다.

(2) 기능획득(gain-of-function)돌연변이

G단백연결수용체의 기능획득돌연변이 역시 질병의 중요한 원인으로서, 기능손실돌연변이보다는 적은 수가 보고되었지만 100여 건 정도로 보고되었고 그중 70여 건이 칼슘감지수용체의 기능획득돌연변이에 해당된다. 기능획득돌연변이는 리간드 비의존적 수용체활성화(constitutive activation), 수용체의 통상적인 작용제에 대한 민감도 증가, 알로스테릭 조절자에 대한 새로운 민감도 증가, 또는 수용체 특이성 범위의 확대 등을 유발할 수 있다. 이 경우 수용체의 과도한 활성화 등 정상적인 리간드 결합에 의한 조절을 벗어난 여러 가지 비정상적인 결과를 초래할 수 있다(표 1-2-3).

G단백연결수용체의 기능획득돌연변이는 주로 보통염색체우성이나 X염색체 연관으로 내분비질환을 유발한다. 아르지닌바소프레신수용체2유전자의 과오돌연변이(missense mutation)에 의한 기능획득돌연변이는 신성부적절항이뇨증후군(nephrogenic syndrome of inappropriate antidiuresis, NSIAD)을 유발하는 것으로 나타났는데, 이 질환은 상대적으로 낮은 혈중 바소프레신 및 저나트륨혈증을 보이는데, 이는 리간드 없이도 수용체가 활성화되는 수용체활성화(constitutive activation)가 일어났기 때문이다. 칼슘감지수용체의 기능획득돌연변이는 보통염색체우성부갑상선저하증(autosomal dominant hypoparathyroidism)을 유발하며 저칼슘혈증, 고인산혈증 및 정상 혹은 낮은 부갑상선호르몬수치와 함께 고칼슘뇨를 보인다. 이 외에도 일부 돌연변이 환자에서는 바터증후군(Bartter syndrome)의 증상인 신장에서의 염화나트륨 결핍 및 빈뇨증 등을 보이게 되는데 이것은 돌연변이에 따른 과도한 수용체 활성으로 인한 칼슘 항상성의 이상증상으로 설명할 수 있다.

갑상선자극호르몬(TSH)수용체기능획득돌연변이는 갑상선기능항진증을 유발하는 것으로 알려져 있는데 주로 가족성 비자가면역갑상선기능항진증 또는 산발성 선천비자가면역갑상선기능항진증을 유발한다. 또한 유전생식세포돌연변

표 1-2-3. G단백연결수용체 기능획득돌연변이와 관련된 질환

수용체	질병	유전방식
바소프레신제2수용체	신성부적절항이뇨증후군 (nephrogenic syndrome of inappropriate antidiuresis)	X염색체연관우성
난포자극호르몬(FSH)수용체	자발적 난소과다자극증후군 (spontaneous ovarian hyperstimulation syndrome)	보통염색체우성
황체형성호르몬(LH)수용체	남성성조숙	보통염색체우성
갑상선자극호르몬(TSH)수용체	가족성비자가면역갑상선기능항진증 (nonautoimmune familial hyperthyroidism)	보통염색체우성
칼슘감지수용체(calcium-sensing receptor)	가족성저칼슘혈고칼슘뇨증 (familial hypocalcemic hypercalciuria) 바터증후군(Bartter syndrome type V)	보통염색체우성
PTH/PTHrP	얀센골간단연골이형성증 (Jansen metaphyseal chondrodysplasia)	보통염색체우성

이가 아닌 체세포돌연변이에 의한 갑상선자극호르몬(TSH) 수용체기능획득돌연변이는 자율성갑상선선종(autonomous thyroid adenomas)의 원인으로 알려져 있으며 갑상선암 발생과도 관계가 있는 것으로 알려져 있다.

황체형성호르몬수용체의 기능획득 돌연변이는 황체형성호르몬 비의존적 신호활성에 의해 비정상적인 라이디히세포 성장 및 남성성조숙을 유발하는 것으로 알려져 있고 체세포 돌연변이에 의한 황체형성호르몬수용체 기능획득돌연변이는 국소적인 라이디히세포선종(Leydig cell adenomas)을 일으킬 수 있다.

2) 수용체타이로신인산화효소

수용체타이로신인산화효소의 대표적인 예로 인슐린수용체의 경우를 살펴보면 인슐린수용체유전자의 돌연변이는 요정증(leprechaunism), 랍슨-멘덴홀증후군(Rabson-Mendenhall syndrome) 또는 인슐린저항성 A형증후군을 포함한 몇 가지 드문 형태의 심각한 인슐린저항성에서 확인되었다. 이러한 환자들은 흔히 전형적인 당뇨병 환자보다 100배 이상의 인슐린을 필요로 한다. 이러한 환자의 대부분은 인슐린수용체의 세포외 리간드결합도메인 또는 세포내 타이로신인산화효소도메인에서 무의미돌연변이(nonsense mutation) 혹은 과오(missense)돌연변이를 가지고 있으며, 이것은 심각한 인슐린결합 감소 및 타이로신인산화효소 활성 감소로 이어진다.

사람의 인슐린수용체유전자의 돌연변이는 다섯 가지 종류로 나눌 수 있는데 첫 번째 돌연변이그룹은 수용체 mRNA를 생성하기 위한 유전자전사, mRNA의 성숙번역 등에 영향을 미치는 것으로 알려져 있다. 두 번째 돌연변이 종류는 세포 내에서 만들어진 수용체단백질이 세포막으로 제대로 운송되지 않아 세포표면의 기능수용체 수준을 감소시키는 것으로 N15K(15번째 아미노산아스파라긴이 라이신으로), H209R(209번째 아미노산 히스티딘이 아르지닌으로), F382V(382번째 아미노산 페닐알라닌이 발린으로) 등의 돌

연변이가 보고되었다. 세 번째 돌연변이는 수용체의 인슐린결합 친화력에 영향을 미치는 것으로 N15K(15번째 아미노산아스파라긴이 라이신으로) 및 R735S(735번째 아미노산 아르지닌이 세린으로) 등의 돌연변이가 관련된 것으로 알려졌다. 네 번째 돌연변이는수용체타이로신인산화효소 활성의 변화에 의해 수용체의 신호전달 및 하위신호전달에 관여하는 단백질과의 상호작용에도 영향을 미치는 것으로, F382V(382번째 아미노산페닐알라닌이 발린으로), G1008V(1008번째 아미노산 글라이신이 발린으로), A1134T(1134번째 아미노산알라닌이 트레오닌으로), A1135E(1135번째 아미노산알라닌이 글루탐산으로), M1153I(1153번째 아미노산메싸이오닌이 아이소류신으로), W1220S(1220번째 아미노산트립토판이 세린으로) 등의 돌연변이가 보고되었다. 이들 돌연변이는 주로 흑색가시세포증(acanthosis nigricans) 환자에게서 보고되었다. 다섯 번째 그룹의 돌연변이는 수용체의 세포내재화 및 세포내 순환 및 분해 등에 영향을 미쳐 궁극적으로 세포표면의 수용체 수에 영향을 미친다. K460E(460번째 아미노산라이신이 글루탐산으로)돌연변이는 요정증 환자에서 보고되었으며, N462S(462번째 아미노산아스파라긴이 세린으로)돌연변이도 유사한 결과를 초래하는 것으로 보고되었다.

2. 세포막수용체에 대한 자가항체

세포막수용체에 대한 자가항체 자가면역반응에 의해 생성되며 일부 자가항체들은 큰 손상을 주지 않을 수도 있지만 호르몬수용체에 대한 자가항체들은 매우 심각한 생리적인 결과를 초래할 수 있다. 세포막수용체에 대한 자가항체에 의해 일어나는 내분비질환 중 대표적인 것이 그레이브스갑상선기능항진증으로 이 경우 TSH수용체에 대한 항체가수용체에 결합하여 만성적으로 수용체를 자극한다. 그 결과 갑상선세포기능을 자극시켜, 갑상선세포의 크기, 수를 증가시키고, 갑상선호르몬의 혈중 수치 증가와 다양한 징후의 '갑상선독증' 또는 갑상선기능항진증의 임상증후군을 보인다. 인슐린저항성과 관련된 당뇨병을 앓고 있는 환자들에게

는 인슐린수용체에 반응하는 자가항체가 존재하는 것으로 알려져 있다. 주로 포도당불내성(glucose intolerance) 및 고인슐린혈증 등을 나타내며 많은 경우 흑색가시세포증과 연관되어 있는 B형인슐린저항성증후군에서 인슐린 활성을 억제하는 인슐린수용체에 대한 자가항체가 밝혀졌다. 이 자가항체는 인슐린수용체에 결합하고, 인슐린결합을 차단하며, 인슐린작용을 모방한다. 결과적으로는 실제 인슐린에는 수용체의 둔감화가 일어나며 결국 고인슐린혈증과 중증의 인슐린저항성을 초래한다. 또한 일부 경우는 자가항체가 수용체를 과잉으로 자극하여 심각한 저혈당을 나타내기도 한다. 정확한 항원결정부위는 잘 알려져 있지 않지만 인슐린수용체의 인슐린결합부위가 자가항체에 의해 인식되어 결합되는 것으로 알려져 있다.

참 / 고 / 문 / 헌

1. Brooks AJ, Dehkhoda F, Kragelund BB. Cytokine receptors. In: Belfiore A., LeRoith D eds. Principles of endocrinology and hormone action. Springer Cham; 2018. pp. 157-85.

2. Hadley ME, Levine JE. Endocrinology. 6th ed. Benjamin Cummings; 2006.

3. Kronenberg HM, Melmed S, Polonsky KS, Reed Larsen P. Williams textbook of endocrinology. 11th ed. Saunders; 2007.

4. Nebes V, Wall J. Membrane Receptor-Linked Disease States. In: Terjung R, American Physiological Society eds. Comprehensive physiology. New York: John Wiley & Sons Inc; 2011.

5. Malandrino N, Smith R.J. Synthesis, Secretion, and Transport of Peptide Hormones. In: Belfiore A., LeRoith D eds. Principles of endocrinology and hormone action. Springer Cham; 2018.

6. Pincas H., González-Maeso J., Ruf-Zamojski F, Sealfon SC. G Protein-coupled receptors. In: Belfiore A., LeRoith D eds. Principles of Endocrinology and Hormone Action. Springer Cham; 2018.

7. Vassart, G., Costagliola, S. G protein-coupled receptors: mutations and endocrine diseases. Nat Rev Endocrinol 2011;7:362-72.

8. White MF. Receptor tyrosine kinases and the insulin signaling system. In: Belfiore A., LeRoith D eds. Principles of endocrinology and hormone action. Springer Cham; 2018.

CHAPTER 3

핵수용체작용호르몬

황성순

I. 서론

1. 핵수용체 정의

동물의 성장, 발생, 분화 및 항상성 유지 등에는 세포핵 내의 유전자발현이 필수적이며 따라서 핵수용체에 의한 유전자발현 조절은 인체호르몬과 호르몬작용에 매우 중요하다. 현재 인간게놈의 서열분석결과 48개의 핵수용체를 확인하였는데, 이러한 핵수용체는 DNA-결합전사인자(DNA-binding 전사인자) 또는 리간드에 의해 활성화되는 전사인자로서 세포의 성장, 분화, 발생, 항상성 같은 수많은 생물학적 기능과 관련이 있다.

2. 핵수용체의 구조와 기능

핵수용체는 N-종말활성기능-1 (N-terminal activation function-1, AF-1), DNA결합영역(DNA-binding domain, DBD), 리간드결합영역(ligand-binding domain, LBD), C-종말활성기능-2 (C-terminal activation function-2, AF- 2)의 공통적인 구조를 가진다. AF-1은 리간드와 관계없이 독립적으로 활성화가 가능한 부분이고, DNA결합영역은 특정 DNA서열(AGGTCA)로 이루어진 호르몬반응요소(hormone response element, HRE)에 특이적으로 결합하는 부분이며, 리간드결합영역은 호르몬을 직접 인식하는 부분이고, AF-2는 리간드에 의해 활성화되며 보조인자(cofactor)와 상호작용하는 기능을 담당한다. 핵수용체는 DNA결합영역을 통해서 특정 표적유전자에 단량이형체(homodimer) 혹은 이질이합체(heterodimer)의 형태로 결합하는데 이질이합체의 경우에는 대부분 레티노이드X수용체(retinoid X receptor, RXR)와 결합한다(그림 1-3-1).

3. 핵수용체의 종류

핵수용체는 리간드와 기능에 따라 크게 세 종류로 나누어진다. 첫째, 내분비수용체는 지용성호르몬과 비타민에 대한 수용체로 리간드에 친화도가 높은 것이 특징이다. 둘째, 생체내 리간드가 밝혀진 고아핵수용체(adopted orphan receptor)는 최초 발견 시에는 기능과 리간드를 알지 못하여 고아핵수용체로 분류되었으나 나중에 천연화합물, 내생대사산물로 동정된 리간드를 발견하게 되어 생체내 리간드가 밝혀진 고아핵수용체라고 불리며 지질 및 약물에 대한 친화도가 낮은 것이 특징이다. 셋째, 아직까지 정확하게 리간드가 밝혀지지 않은 수용체군들은 고아핵수용체로 분류된다(그림 1-3-2).

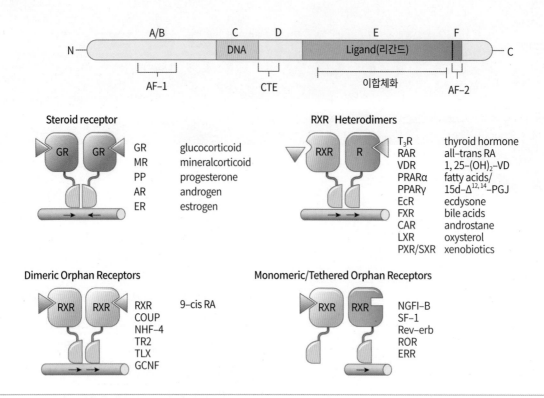

그림 1-3-1. 핵수용체의 구조와 예

A/B: N-종말활성기능-1 (N-terminal activation function-1, AF-1), C: DNA결합영역(DNA-binding domain, DBD), D: 이음새(hinge), E: 리간드결합영역(ligand-binding domain, LBD), F: C-종말활성기능-2 (C-terminal activation function-2, AF-2)

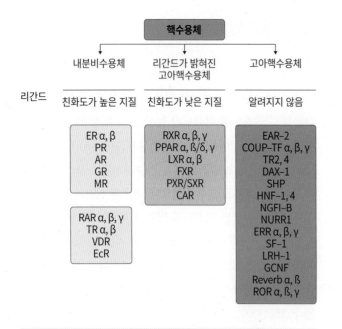

그림 1-3-2. 각 리간드의 특성에 따른 핵수용체의 분류

II. 핵수용체리간드

핵수용체리간드는 내인호르몬, 비타민A 및 D, 생체이물질(xenobiotics)에 대한 내분비교란물질(endocrine disruptor)과 같은 지방친화적(lipophilic)물질로 이루어져 있다.

1. 리간드에 의한 핵수용체 활성기전

리간드에 의한 핵수용체의 활성모델은 쥐덫의 구조와 비슷하다(그림 1-3-3). 리간드가 정전위(electrostatic potential)에 의해서 쥐덫에 들어오면 수용체는 구조변화를 일으켜 리간드가 빠져나가는 것을 막는다. 핵수용체의 리간드 결합부위에 리간드가 결합한 수용체는 리간드가 결합하지 않은 수용체보다 그 구조가 안정화된다.

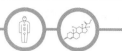

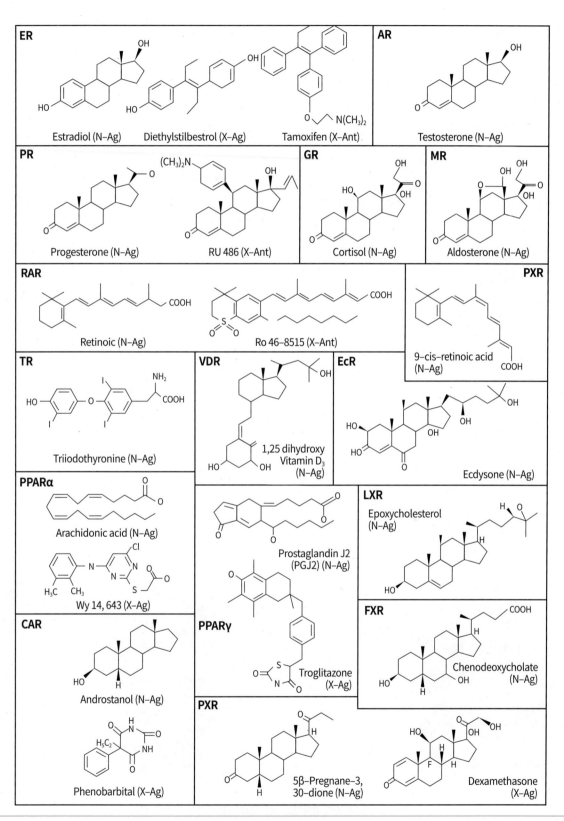

그림 1-3-3. 핵수용체리간드

2. 핵수용체리간드의 종류

핵수용체리간드는 기존에 알려진 핵수용체들만큼이나 다양하지만 몇 가지 일반화된 공통점들도 존재한다. 모든 리간드들은 지방친화성이며 이들은 쉽게 세포막뿐만 아니라 핵막을 통과할 수 있다(그림 1-3-3).

3. 작용제(Agonist)와 대항제(Antagonist)

1) 작용제
리간드가 핵수용체에 결합하면 유전자발현이 증가하는데 이를 작용제반응이라고 한다. 호르몬의 작용제 효과는 다른 합성리간드에 의해서도 가능하다.

2) 대항제
합성핵수용체리간드가 핵수용체의 결합부위에서 작용제와 경쟁하여 작용제의 기능을 억제하는 경우 대항제라고 부른다.

3) 역작용제(Inverse agonists)
핵수용체의 기초전사활성을 감소시키는 합성리간드를 역작용제라고 부른다.

4) 선택수용체조절제(Selective receptor modulators, SRM)
핵수용체를 통하여 작동하는 많은 약들은 다른 조직에서는 길항반응을 일으키는 반면 몇몇 조직에서는 촉진반응을 일으킨다. 이러한 현상은 부작용을 최소화하는 반면 약의 효능을 유지하는 데 많은 이점이 있다. 이런 복합작용제/대항제기능을 가진 약을 선택수용체조절제라고 부른다. SRMs의 작용기전은 리간드의 화학구조와 그 수용체에 따라 다양하지만 많은 SRMs가 수용체의 구조변화를 일으켜서 작용제와 대항제 사이에서 균형을 이룬다고 생각된다. 예를 들어 보조억제제보다 보조활성제의 발현이 더 높은 조직에서는 작용제의 기능을 하게 되고, 보조억제제가 많이 발현되는 조직에서는 대항제의 기능을 하게 된다(그림 1-3-4).

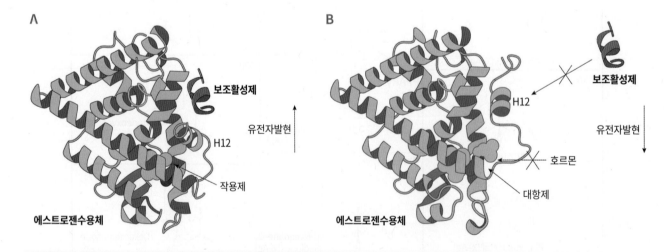

그림 1-3-4. 핵수용체의 작용제와 대항제의 기전에 대한 구조적 원리
A: 에스트로젠수용체에 작용제인 디에틸스틸베스트롤(diethylstilbestrol)이 결합하면 리간드결합영역의 카복시말단 알파나선의 위치가 변경되어 보조활성제가 리간드결합영역에 결합할 수 있게 된다. B: 에스트로젠수용체에 대항제인 4-하이드록시펜(4-hydroxyfen)이 결합하면 곁사슬로 인하여 공간이 사라져서 보조활성제가 리간드결합 영역에 결합하지 못한다.

III. 고아핵수용체(Orphan nuclear receptor, ONR)

1. 정의와 분류

수용체와 그 리간드가 알려진 것을 핵수용체라고 하며, 리간드가 알려지지 않은 수용체를 고아핵수용체라고 한다. 고아핵수용체는 모두 전사인자이며, 세포의 발생, 성장, 분화 및 노화 등에 관련된 유전자의 발현을 조절한다. 구조적으로 DNA결합영역과 리간드결합영역의 구조의 차이에 따라 6개의 하위가족(subfamily)으로 분류되며 DNA결합영역과 리간드결합영역 두 가지 중 1개만으로 이루어진 것은 따로 하위가족 0으로 명명하였다.

2. 고아핵수용체의 중요성

고아핵수용체의 중요성은 모든 기능영역을 소유한다는 것으로 핵수용체군은 DNA결합영역이나 리간드결합영역을 갖고 있지만, 고아핵수용체는 이와 관련되지 않은 분자영역을 이용해서 DNA나 리간드와 결합할 수 있다.

3. 고아핵수용체의 종류

1) 일반적인 호르몬 반응체계: 레티노이드 X수용체와 이량이합체

(1) 레티노이드X수용체(retinoid X receptor)

① 레티노이드수용체는 스테로이드/티로이드호르몬/비타민D수용체 family, 리간드에 의해 번역되는 전사인자로 작용한다. 레티노이드핵수용체는 레티노이드A수용체와 레티노이드X수용체가 있으며 각각 α, β, γ의 3가지의 유형이 있다.

② 레티노이드X수용체는 발달과정과 성인세포에서 자유롭게 발현된다.

(2) 과산화소체증식활성화수용체(peroxisome proliferation-activated receptor, PPAR)

① PPAR은 지질, 포도당대사, 에너지항상성과 관련된 유전자를 조절하는 전사인자로 PPARα, $-\beta$, $-\gamma$의 세 가지 종류로 구분된다.

② PPAR는 지질 및 지단백질대사에 관여하는 유전자를 조절하고 PPARγ는 생식세포 및 신경세포의 분화와 에너지항상성에 영향을 주며 PPARβ는 세포분화와 지방조직 생성, 인슐린작용에서 중요한 역할을 한다.

(3) 프레그난X수용체(pregnane X receptor, PXR)

① 프레그난X수용체는 간과 장에서 발현되어 약물대사에 관여하며 리간드 결합부위가 유연하여 수많은 약물과 결합할 수 있다.

② 특히 고농도의 이차담즙산에 의해 활성화되며 주로 약물대사효소 및 약물수송단백질 발현조절에 역할을 한다(표 1-3-2).

(4) 상시활성수용체(constitutively active receptor, CAR)

CAR은 세포막에 결합된 인산화효소의 신호전달체계를 통해 약물이 활성화되어 핵내로 유입되어 작용하게 한다. 또한 체외에서 흡수된 약물뿐 아니라 스테로이드호르몬이나 체내에 축적된 빌리루빈이나 콜레스테롤대사물 제거에도 관여하며, 간세포 내에서 phenobarbital의 매개체로도 작용한다(표 1-3-2).

(5) 간X수용체(liver X receptor, LXR)

LXR, FXR, RXR은 콜레스테롤대사에 관여하는 유전자와 관련이 깊은데, LXR은 옥시스테롤에 반응하여 담즙산생성경로의 주요 조절효소인 콜레스테롤 7α-수산화효소(cholesterol 7α-hydroxylase, CYP7A1)의 전사유도에 관여한다. LXRα는 간, 지방조직, 장, 대식세포, 신장에서 발현되고 LXRβ는 모든 장기에서 발현된다(그림 1-3-5).

표 1-3-1. 인간의 고아핵수용체

군 (groups)	가족 (families)	아형 (subtypes)	명명 (nomenclatures)	이름 (trivial names)
I	PPAR	α	NR1C1	PPARα
		β	NR1C2	PPARβ, PPARδ, NUC1, FAAR
		γ	NR1C3	PPARγ
	Rev-Erb	α	NR1D1	RevErbAα, EAR-1
		β	NR1D2	RVR, RevErbAβ, BD73, HZF2
	ROR	α	NR1F1	RORα, RZRα
		γ	NR1F3	RORγ, TOR
	LXR	α	NR1H3	LXRα, RLD1
		β	NR1H2	LXRβ, UR, NER, RIP15, OR1
	FXR		NR1H4	FXR, RIP14, HRR1
	PXR		NR1I2	PXR.1, PXR.2, SXR, ONR1, xOR6, EXR
	CAR		NR1I3	hCAR1, MB67
II	HNF4	α	NR2A1	HNF4
		γ	NR2A2	HNF4γ
	RXR	α	NR2B1	RXRα
		β	NR2B2	RXRβ, H2RIIBP
		γ	NR2B3	RXRγ
	TR2	α	NR2C1	TR2, TR2-11, xDOR2, aDOR1
		β	NR2C2	TR4, TAK1, TR2R1
	TLX		NR2E1	T1x, TLL, xTLL
	COUP-TF	α	NR2F1	COUP-TFI, COUPTFA, EAR3, SVP44
		β	NR2R2	COUP-TFII, COUPTFB, ARP1, SVP40
		γ	NR2F6	EAR2
III	ERR	α	NR3B1	ERRα, ERR1
		β	NR3B2	ERRβ, ERR2
		γ	NR3B3	ERRγ
IV	NGFI-B	α	NR4A1	NGFI-B, NUR77, N10, TR3, NAK1, TIS1
		β	NR4A2	NURR1, NOT, RNR1, HZF-3, TINUR, TR3β
		γ	NR4A3	NOR-1, MINOR, TEC, CHN
V	TFZ-F1	α	NR5A1	FTZ-F1, SF1, ELP, AD4BP
		β	NR5A2	FTF, LRH1, PHR1, CPF, FFLR, FF1rA
IV	GCNF		NF6A1	GCNF, RTR
0	DAX		NR0B1	DAX1, AHCH
	SHP		NR0B2	SHP

표 1-3-2. PXR/AR의 표적유전자

핵수용체	유전자	발현	조절되는 유전자	조절요소
PXR	NR112 3q13–q21	Liver Small intenstine Colon Lymphocytes	Aldh1a1, Aldh1a7 CYP1A2 CYP2B6, Cyp2b10 CYP2C9, CYP2C19 CYP3A4, CYP3A7 Cyp3a11, Cyp3a13 Cyp3a23, CYP7A1 SULT2A1 UGT1A1, UGT1Ae UGT1A4	DR–3, DR–4, ER–6
CAR	NR113 1q23.1	Liver	CYP2A6, CYP2B1 Cyp2b2, Cyp3b10 CYP2C9, CYP2C19 Cyp2c29, CYP3A4 SULT1A1 SULT2A1, SULT2A9 UGT1A1 Mrp3, Mrp4 ALAS	DR–3, DR–4 ER–6

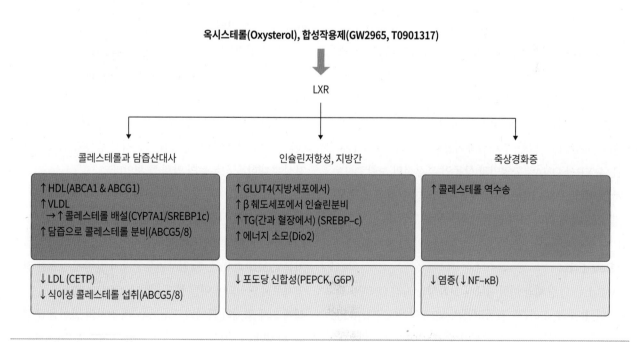

그림 1-3-5. LXR에 의한 대사조절

(6) 파네소이드X수용체(farnesoid X receptor, FXR)

FXR은 담즙산에 대한 수용체로 장간순환계, 신장, 부신에서 발현되고, 담즙산에 의해 활성화되며, 담즙산을 생산을 담당하는 콜레스테롤 7α-수산화효소(cholesterol-7α-hydroxylase, Cyp7α)의 전사를 억제함과 동시에 대장에서 담즙산의 재흡수를 담당하는 회장-담즙산결합단백질과 담즙산염수출펌프(bile salt export pump, BSEP)단백질의 생산을 촉진한다.

2) 리간드가 밝혀지지 않은 고아핵수용체

(1) 간세포핵인자4 (hepatocyte nuclear factor 4, HNF4)

① HNF4는 간-특이유전자발현에 요구되는 전사인자로 사람에서는 HNF4α-γ로 분류된다. HNF4α는 간, 신장, 창자, 이자에서 높은 수준으로 발현되지만 정소에서는 낮다. 하지만 HNF4β와 γ는 간에서는 발현되지 않고 신장, 창자, 이자에서는 낮게 발현된다.

② HNF4는 DR-1 HRE와 동형이합체로 결합하고 지질과 탄수화물대사, 아미노산대사와 콜레스테롤과 관련된 유전자, 다양한 간특이유전자의 발현을 조절한다.

(2) 푸시 타라주인자 1 (fushi tarazu-factor 1, FTZ-T1): 스테로이드호르몬 합성과 성분화

FTZ-Fk는 스테로이드수산화효소 CYP11A, CYP11B2, CYP21유전자의 프로모터의 AGGTCA와 일치한 모티프 영역과 결합할 수 있는 부신선특이인자(SF-1)이다. FTZ-F1는 RXR산 DNA결합영역과 상동인 부신선의 보합 DNA 라이브러리(cDNA libraries)에서 복제되며 분할과 프로모터를 이용하여 여러 가지 독특한 이성체를 만든다.

(3) Rev-Erb

Rev-Erb는 단량체와 이합체로서 친화성을 가진 DNA와 결합한다. Rev-Erb리간드결합영역은 AF-2영역에 결함이 있고 이것은 유전자전사의 억제자와 관련이 있을 것이다. Rev-Erb의 전사적인 억제는 핵수용체보조억제자 N-CoR,

SMRT (silencing mediator for RAR and thyroid hormone receptor), SUN-CoR와의 직접적인 상호작용을 통해서 매개된다.

(4) ROR: 신경계 발달과 T세포 선택

ROR family는 RORα, -β, -γ의 3가지 유전자를 포함하고 있다. 사람 RORα유전자는 적어도 4가지 독특한 이성체 (RORα1, -2, -3, -4)를 암호화하며, 이들은 단지 그들의 아미노말단영역에서만 차이가 있다. ROR alpha 1과 -4의 이성체는 생쥐의 뇌와 근육 cDNA libraries에서 분리할 수 있으며, ROR-γ의 흉선특이성이성체는 끝이 잘린 불완전한 아미노말단영역을 가지고 있다. 세 가지 ROR단백질은 서로 DBD와 LBD가 매우 관련되어 있지만, 특히 RORγ가 진화적으로 가장 독특하다.

(5) TR2: 정소수용체

TR2는 정소에서의 높은 수준으로 발현되기 때문에 정소수용체로 불려지게 되었다. TR2는 DNA에 상동이합체나 이질이합체로 결합한다.

(6) TLX: 전뇌발달

TLX는 발달상의 전뇌에서 뛰어난 발현을 보이고, 생쥐에서 유전자목적실험의 결과로 전뇌에서 유래된 구조, 후신경, infrarhinal과 entorhinal 피질, 편도선, 뇌회전의 아류형 부전발달을 나타내는 TLX의 분해가 일어난다. 수컷과 암컷의 동물 모두에서 비정상적인 공격적 행동과 암컷생쥐의 자식에 대한 모성본능의 약화를 보인다.

(7) COUP-TF: 신경 발생, 혈관 형성, 심장발달

COUP-TF(닭알부민상류프로모터전사요인)군의 구성원은 처음 COUP-TRα는 닭알부민유전자의 발현에 필요한 전사인자로서 인식되어 이름 붙게 되었다. COUP-TFβ는 상동 검색에 의해 일제히 복제되고 apoA-I유전자의 발현을 조절한다. 하지만 COUP-TFγ는 더 독특하여 cDNA libraries의 낮은 결핍성검사에 의해 분류되며, 설치류의 발달과정 동안에 COUP-TF는 중심신경계에서와 중간엽, 특히 중간엽과 다른 상피층 사이의 상호작용에 의존적으로 발달하는 기관에서 선택적으로 발현된다.

(8) ERR: 태반발달과 에너지대사 조절

① ERR family는 세 가지로 구성되어 있다. ERRα와 β는 첫 번째 고아핵수용체로 에스트로젠수용체와 관련된 유전자를 찾으면서 발견되었고, 계속해서 척추동물단백질로 분류되었다. 그리고 세 번째 구성원인 ERRγ는 염색체 lq41에 위치한 Usher증후군에서 발견된 유전자이다.

② 배아 ERRα의 발현은 뇌와 등뼈, 뇌하수체, 심장, 내장과 갈색지방세포에서도 감지되며, 모든 ERR이성체는 에너지대사를 조절하는 역할을 한다.

(9) GCNF (germ cell nuclear factor)

GCNF는 근본적으로 낮은 결핍상태 조사에서 복제되며 이들은 다른 핵수용체와도 깊게 연관되어 있지 않다. 생쥐와 사람 GCNFs는 매우 높은 수준의 발달과정에 있는 수컷정모세포와 암컷동물의 난모세포에서 발현되어, 선호적으로

DNA와 상동이합체로 DR0요소에 결합하여 추정되는 리간드가 존재할 때 전사를 억제한다.

(10) NGFI-B: 시상하부-뇌하수체축, T세포, 도파민신경

NGFI-B는 초기에 NGF-자극 PC12 크롬친화성세포종세포에서 발현을 조절하는 인자로 인식되었고 이들 NGFI-B family는 다양한 이름으로 알려져 있다. NGFI-B와 이와 관련된 family 구성원은 성장인자, 세포막탈분극, 발작과 같은 자극에 대한 빠른 반응의 매개체의 소단위 유도되는 성인신경계에서 매우 높게 발현된다.

(11) DAX-1: 부신발달과 성결정

DAX-1은 비정형고아핵수용체의 보존된 LBD를 소유하지만 핵수용체와 다른 DBD를 암호화하고, 대안적인 기전을 통해서 DNA에 결합하므로 DNA헤어핀구조로 인식된다.

(12) SHP: 간, 췌장에서 대사를 조절

SHP은 RXR, RAR, TR, PPAR, HNF4, ER 등의 핵수용체와 리간드의존방법에 의해 이질이합체화한다. 또한

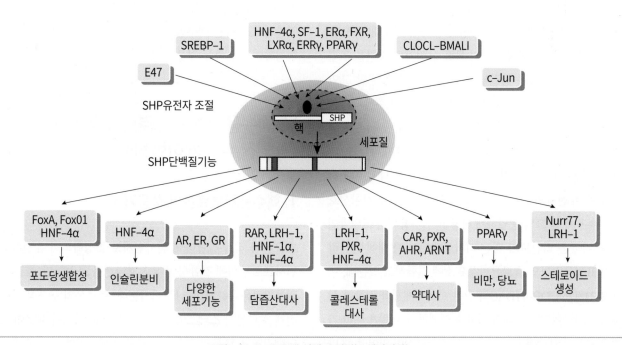

그림 1-3-6. SHP에 의해 조절되는 생리적기능

LRH-1, Nur77, HNF4와 같은 다른 고아핵수용체와 직접 이성체를 형성하여 결합하고, 표적유전자의 전사활성도를 조절하는 기능(주로 다른 핵수용체를 억제하는 작용)을 한다. SHP는 DNA결합영역이 없고 리간드결합영역만을 가진 특이구조의 전사보조조절자로 호르몬 결합부위는 다른 수용체인 DAX-1과 유사한 아미노산배열을 보인다. 그리고 인체의 간, 췌장, 심장에서 특이적으로 발현되며, SHP에 의해 조절되는 다양한 대사질환관련 유전자들의 조절을 통해 당, 지질, 담즙산대사 조절에 중요한 인자로 작용한다(그림 1-3-6).

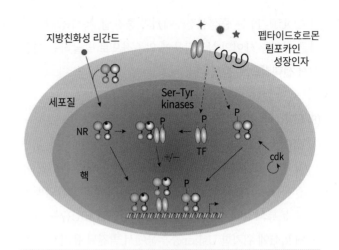

그림 1-3-7. 핵수용체의 유전자 활성을 조절하는 신호체계

IV. 핵수용체 신호전달

핵수용체는 일종의 전사인자로 리간드-수용체반응에 의해 활성화된다. 펩타이드리간드에 의해 반응하는 세포외 수용체와는 달리, 세포기질이나 핵 속에 수용체가 존재하기 때문에 세포 내로 들어온 지용성호르몬 혹은 리간드와 직접 결합하여 핵 내에 위치한 목표 유전자까지 이동하고 전사기전을 조절하여, 해당 유전자의 발현을 조절하게 된다.

핵수용체는 다음의 두 가지 방법을 통하여 세포내 목표 유전자의 전사활성도를 변화시켜 목표 유전사의 발현을 조절한다. 첫 번째 방법은 당질부신피질호르몬수용체 및 그와 동일하게 작용하는 수용체의 조절방법이다. 이 수용체들은 리간드가 없을 때 열충격단백질(heat shock protein) 등과 결합하여 불활성화상태로 세포질 내에 존재하다가, 리간드가 결합하면 열충격단백질과 분리되어 핵 내로 이동하여 목표 유전자의 전사를 활성화한다. 다음으로, 갑상선호르몬수용체 및 그와 동일하게 작용하는 수용체의 조절방법이다. 이들은 리간드가 없는 기저상태에서 핵 내에 존재하면서 표적유전자의 호르몬반응요소에 결합하고 있는데, 이때 SMRT/NCOR-HDAC와 같은 보조억제제와 결합한 상태를 유지하여 기저상태의 전사를 억제한다. 이렇게 여러 가지 인자들과 핵수용체의 작용으로 전사조절이 일어날 때 다른 인자들의 활성뿐만 아니라 핵수용체 또한 활성이 조절되어야 한다. 핵수용체의 활성을 조절하는 방법에는 크게 세 가지가 있다. (1) 작은 지방친화성리간드와 결합하거나 동반자와 결합하여 이형이합체를 만들어 작용하는 방법, (2) 공유결합성변형을 통하여 작용하는 방법, (3) 단백질-단백질 결합을 통하여 작용하는 방법이 그것이다. 공유결합성 변형은 보통 인산화에 의하며, 이것은 주로 세포막에서 세포주기 동안에 사용하고, 단백질-단백질 결합을 통한 작용은 일반적으로 다른 핵수용체와 결합하거나 스스로 이합체를 형성하여 작용하는 것을 말한다(그림 1-3-7).

V. 핵수용체호르몬 결합/표적유전자 인식/수용체이합체화

1. 핵수용체호르몬의 작용기전

호르몬과 직접 결합하여 전사인자로 활성화되어 유전자의 전사조절부위에 결합하여 유전자발현을 조절한다. 호르몬 작용기전은 두 가지로 나누어지는데, 호르몬의 구조상 단백질계 호르몬과 스테로이드계 호르몬으로 나뉘기 때문이다. 단백질계 호르몬의 경우 표적기관의 세포막에 있는 수용체

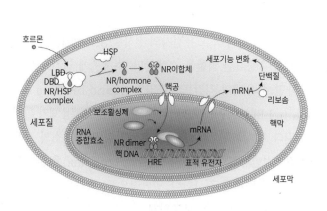

그림 1-3-8. 핵수용체의 작용기전 1

이 그림은 리간드 없이 세포질 내에 위치하는 제군 핵수용체의 작용기전을 나타낸 그림이다. 핵수용체에 결합한 호르몬은 열충격단백질(HSP) 분리되고 이합체화되어 핵 안으로 전위된다. 핵 안에서 핵수용체는 호르몬 조절인자라고 알려진 DNA특이염기서열에 결합한다. 핵수용체DNA복합체는 DNA를 mRNA로 전사하는 데 필요한 다른 단백질들과 함께 단백질을 번역하고 그 결과 세포기능이 변하게 된다.

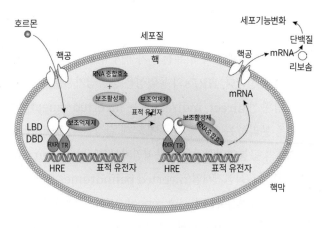

그림 1-3-9. 핵수용체의 작용기전 2

제II형 핵수용체의 경우에는 리간드결합에 상관없이 핵에 위치하여 DNA에 결합되어 있다. 이 그림에서는 갑상선호르몬수용체가 레티노이드X수용체와 이합체화되어 있다. 리간드가 없으면 갑상선수용체는 보조억제제와 결합하고 있다. 갑상선호르몬수용체에 결합한 리간드는 보조억제제와 분리되고 보조활성제와 RNA중합효소와 같은 다른 단백질들과 함께 DNA를 RNA로 전환하고 결국 단백질을 번역하여 세포기능을 변화시킨다.

에 붙어서 세포 내의 물질대사를 조절하여 효과가 빠르게 나타나는 반면, 스테로이드계 호르몬은 세포막을 통과할 수 있으므로 표적기관의 세포로 들어가서 세포질에서 수용체단백질과 결합하고, 이 호르몬–수용체복합체는 핵 내로 들어가 유전자기능을 활성화하기 때문에 효과가 천천히 나타난다(그림 1-3-8, 1-3-9). 호르몬 활성에 대한 두 가지 기전은 호르몬이 특이적 수용체 분자의 리간드로 작용하고 결합한다는 점에서 흥미롭다. 이것이 바로 호르몬의 특이성, 즉, 호르몬은 특정 수용체를 갖고 있는 세포에서만 효과를 발휘할 수 있음을 설명해준다.

핵수용체의 활성은 비유전적으로 이루어질 수 있고 유전자억제를 중재할 수 있다. 따라서 핵수용체는 신호전달경로들이 특정 유전자발현을 조절하기 위해 어떻게 통합될 수 있는지 이해할 수 있는 흥미로운 모델을 제공한다. 핵수용체는 리간드의존성 또는 비의존성 기전을 통해 세포신호에 반응하는 보조조절자가 핵수용체의 세포특이적 전사활성

에 관여하기 때문에 핵수용체신호전달은 복잡하고 특이적인 전달체계를 통해 목표 유전자의 활성을 조절한다.

2. 표적유전자인식

핵수용체는 목적 유전자의 조절서열에 결합하여 전사를 조절한다. 조절서열은 목적 유전자의 5' 인접부위(5-flanking region)에 위치하며, 핵수용체는 보통 조절서열의 호르몬반응요소(hormone response element, HRE)로 알려져 있는 특정 DNA서열과 결합한다. 이 결합부위에서는 AGAACA와 AGG/TCA, 두 개의 일치하는 모티프가 확인된다. AGAACA는 스테로이드그룹 I수용체에 의해 인식되고, AGG/TCA는 이 외의 다른 수용체에 의해 인식되는 이상화된 공통염기서열(consensus)이다. 이 공통염기서열이 자연적으로 발생하는 HREs에 상당한 다양성을 나타낼 수 있다는 것에 주목해야 한다.

3. 수용체이합체화

HREs는 수용체와 목적 유전자 가까이 유인된 전사복합체의 위치를 정한다. HREs의 동일성은 공통염기서열의 반복되는 방향성(direct, indirect 또는 inverted repeat)과 그것을 분리하는 염기쌍의 수에 의해 결정된다. Dimeric HREs의 공통염기서열은 회문식염기서열(palindromes, Pal), 역회문식염기서열(inverted palindromes, IPs) 또는 직접반복염기서열(direct repeat, DRs)로 배열되며, 이 공통염기서열에 핵수용체가 단량이형체 또는 이질이합체로 결합한다(그림 1-3-10). 스테로이드호르몬수용체는 전형적으로 AGAACA를 공통으로 하는 회문식염기서열에 거의 결합하지만, 비스테로이드계 수용체들은 다른 배열을 가진 HREs에도 결합할 수 있다. 그렇지만 비스테로이드계 수용체에 대한 가장 강력한 HREs는 직접 반복염기서열형태이고, 반복되는 염기서열의 연결부위(spacer region)의 길이가 호르몬수용체에 대한 특이성을 나타내는 중요한 요소이다. 그러므로 3, 4 그리고 5 bp (DR3, DR4, DR5)에 의해 구분되는 직접반복염기서열을 가지는 반응요소는 비타민 D, 갑상선호르몬, 레티노익산이 우선적으로 결합한다.

VI. 핵수용체리간드의 전사조절

핵수용체에 의한 목표 유전자의 전사활성 조절에는 리간드의 결합이 중요한 역할을 수행한다. 수용체에 리간드가 결합하면 수용체의 리간드결합영역(ligand binding domain, LBD)의 구조적인 변화가 일어나서 핵수용체가 활성화 된다. 활성화된 핵수용체는 크로마틴 변형효소와 같은 보조조절인자복합체(coregulatory complex)를 끌어들여 목적 유전자를 전사한다. 일반적으로, 리간드가 결합하지 않는 핵수용체들은 보조억제자와 상호작용하여 유전자 전사를 억제하고, 반면에 리간드가 결합한 수용체들은 보조활성자와 상호작용하여 전사를 활성화시킨다.

1. 보조활성자(Coactivator)와 보조억제자 (Corepressor)

1) 보조활성자

보조활성자의 종류는 매우 다양해서 현재 100개 이상 확인되었다. p160단백질가족(p160 family), cAMP반응부분결합단백질(CBP), p300단백질은 활성화된 핵수용체에 결

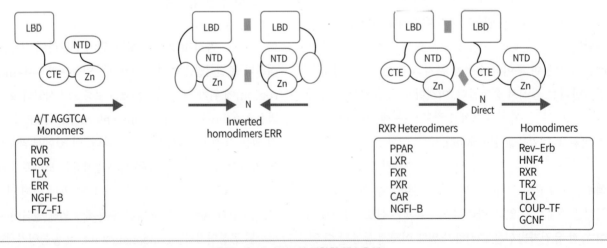

그림 1-3-10. DNA와 결합한 핵수용체

핵수용체는 단량체, 단량이형체, 그리고 RXR과 결합한 이량이형체상태로 유전자의 반응요소와 결합한다. 핵수용체와 결합하는 반응요소는 보통 AGGTCA 혹은 A/T가 풍부한 염기서열(A/T rich sequences)을 가지고 있으며, A/T가 풍부한 염기서열은 첫 번째 아연모듈과 CTE에 의해 인식된다. 분자내 혹은 분자 사이의 단백질 상호작용은 유전자결합과 수용체의 이형체형성에 영향을 미친다.

LBD, ligand-binding domain; CTE, carboxyterminal extension; Zn, zinc-finger module; NTD, N-terminal domain.

합하는 보조활성자로서 보조활성자복합체(coactivator complex)를 형성한다. p160단백질가족은 핵수용체상자(nuclear receptor box, NR box)라는 공통염기서열모티프(consensus motif)를 가지고 있으며, 이 부분은 핵수용체에 결합한 리간드와 상호작용한다. 핵수용체상자와 리간드의 상호작용은 핵수용체의 활성이 리간드에 의해 조절되는 것을 가능하게 한다. CBP와 p300은 히스톤아세틸전이효소(histone acetyltransferase, HAT)로 작용하여 히스톤의 아세틸화를 일으키며, 히스톤의 아세틸화는 염색질의 유전자부위를 노출시켜서 유전자 활성이 가능하게 한다. 새롭게 발견된 보조조절인자로는 스테로이드수용체–RNA 활성체–1보조활성자(steroid receptor RNA activator–1 coactivator), E1A단백질에 결합하고 있는 NAD/NADH 감지 C–종말(NAD/NADH sensor C–terminal), 액틴결합단백질(actin–binding protein) 등이 있다.

리간드와 결합하지 않은 이질이합체의 핵수용체는 보조억제자 복합체와 결합한 상태이며, 핵수용체에 리간드가 결합하면 보조억제자복합체는 분리되고 p160, CBP/p300, PCAF를 포함한 보조활성자복합체가 핵수용체에 결합한다. 핵수용체와 보조활성자는 여러 개의 도메인을 가지고 있어서 한 도메인에 특정인자가 결합한다. 예를 들어 CBP/p300는 핵수용체, p160, PCAF가 결합하는 각각의 도메인을 가지고 있다(그림 1–3–10).

2) 보조억제자

핵수용체는 끊임없이 목적 유전자의 촉진자에 결합하여 유전자의 전사를 억제하는 기능을 보인다. 핵수용체의 이러한 기능은 리간드가 결합하지 않는 레티노산수용체(retinoic acid receptor, RAR)와 갑상선호르몬수용체(thyroid hormone receptor, TR)에서 핵수용체보조억제물질(nuclear receptor corepressor, NCoR), 침묵매개체(silencing mediator for retinoid and thyroid hormone receptors, SMRT)와 보조억제자의 상호작용을 통해 이해할 수 있다. NCoR과 SMRT의 C–종말은 리간드가 결합하지 않은 RAR, TR의 LBD의 소수성부위(hydrophobic groove)를 특이적으로 인식하여 결합한 후, 히스톤탈아세틸화효소(histone deacetylase, HDAC)를 포함하는 고분자전사인자복합체를 유도하여 히스톤의 탈아세틸화를 일으키게 한다. 히스톤이 탈아세틸화되면 염색질이 밀착되어 유전자부위가 노출되지 않아 전사 활성이 억제된다(그림 1–3–11).

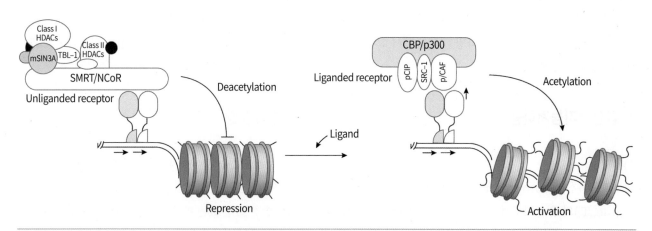

그림 1–3–11. 보조활성자와 보조억제자에 의한 히스톤아세틸화의 조절

보조활성자와 보조억제자에 의한 히스톤아세틸화의 조절리간드와 결합하지 않은 이량이형체의 핵수용체는 보조억제자복합체와 결합한다. 핵수용체와 결합해 있는 보조억제자들(SMRT/NCoR)은 히스톤탈아세틸화효소(histone deacetylase, HDACX)를 끌어들여 히스톤을 탈아세틸화시킨다. 히스톤이 탈아세틸화된 상태에서는 염색질이 밀착(compaction)된 상태가 되어 전사가 억제된다. 리간드가 핵수용체와 결합하면 수용체에서 보조억제자가 분리되고 p160, CBP/p300, 그리고 PCAF가 보조활성자복합체를 형성하여 수용체에 결합한다. 보조활성자는 히스톤아세틸전이효소(histone acetyltransferase, HAT)기능을 가지고 있어서 히스톤의 아세틸화를 일으키며, 보조활성자 간에 다양한 단백질–단백질상호작용이 일어난다.

2. 대체기전 (Alternative mechanism)

어떤 핵수용체는 다른 전사인자의 활성을 억제하여 전사를 방해한다. 예를 들어, 핵수용체인 SHP (small heterodimer partner)는 일반적인 핵수용체와 달리 유전자결합도메인(DNA-binding domain, DBD)이 없으며 다양한 핵수용체들의 초기 파트너로 작용한다. SHP는 보조활성자와 경쟁적으로 핵수용체에 결합하며, 이 결합은 SHP의 Leu-Xaa-Xaa-Leu-Leu (LxxLL)과 관련된 모티프를 통해 일어난다.

VII. 핵수용체를 타겟으로 하는 신약개발 동향

핵수용체는 다양한 유전자를 제어하여 생리적 항상성을 제어하는 기능을 담당하고 있기에 다양한 질환에서 핵수용체를 표적으로 하는 신약개발이 활발히 진행되고 있다. 핵수용체는 리간드결합부위(ligand binding domain, LBD)를 지니고 있으며, 리간드의 결합형태에 따라 핵수용체의 유전자전사조절기능이 변화하기 때문에, 약물의 다양한 구조변화에 따라 다양한 생리적 반응이 나타날 수 있다. 따라서 핵수용체를 타겟으로 하는 신약개발이 활발히 이루어지고 있으며 대사질환 및 암 등의 다양한 질환에서 핵수용체를 타겟으로 하고 있다.

1. 갑상선기능저하증

1) TR

레보타이록신(levothyroxine)은 합성된 타이록신(thyroxine, T_4)의 유사체로서 갑상선호르몬수용체와 결합하여 다양한 생리적 기전을 제어할 수 있다. 레보타이록신은 갑상선기능저하증 치료에 주로 사용되는 합성갑상선호르몬제제로 사용되어 왔으나, 최근 갑상선기능저하증에 동반되는 질환에 따라 호르몬대체요법의 개선혜택이 다르게 나타

난다는 연구보고가 있다.

2. 당뇨병

1) PPARγ

당뇨병 치료를 위해 인슐린저항성을 개선하는 약물로서 핵수용체를 타겟으로 하는 약물이 개발되었다. Thiazolidinediones (TZDs)는 핵수용체 PPARγ을 활성화시키는 약물로 알려져 있으며 2형당뇨병 환자의 인슐린저항성을 개선시킬 수 있는 약물로 승인받았다. 특히 TZD는 1997년 미국 FDA 승인을 받았으나, 독성이 보고되면서 2000년에 시장에서 철수하였다. 뒤이어 rosiglitazone 및 pioglitazone이 1999년 미국 FDA로부터 승인받고 현재까지 인슐린저항성 개선약물로 사용되고 있다.

PPARγ를 활성화할 경우, 다양한 조직에서 생리변화가 나타나는데, 지방조직의 리모델링이 일어나면서 지방분화를 촉진하여 혈중에 있는 포도당의 흡수를 증가시킬 수 있다. 따라서 PPARγ를 활성화하는 약물을 투여할 경우 혈중의 포도당이 지방조직으로 흡수되지만, 그에 따라 체중이 증가한다는 부작용이 보고되고 있다. 또한 PPARγ는 염증반응을 억제할 수 있는 기능이 있기에 다양한 조직에서 나타나는 염증반응 억제에 따라 세포 및 조직의 생리기능이 회복됨으로써 혈당을 낮추고 인슐린저항성을 개선하는 효과가 있을 것으로 여겨지고 있다.

3. 지방간질환

지방간질환은 전문의약품이 없는 질환이며 특히 지방간질환 중 지방간염은 간조직의 섬유화로 인하여 간경화 및 간암으로 발전할 수 있는 매우 위험한 질환이다. 현재까지 지방간질환, 특히 지방간염은 대부분 비타민E 또는 2형당뇨병 치료제로 증상을 개선하고 있으며, 지방간질환을 치료할 수 있는 신약 개발이 절실하다.

1) PPARα/β

젠핏(Genfit)에서 개발한 엘라피브라노(elafibranor)는 PPARα/β를 동시에 표적으로 하여 활성화시키는 이중작용제로서 지방간염치료제 개발에서 선두그룹에 있는 약물로 평가받았다. PPARα/β 핵수용체의 기능이 강화되면 세포의 대사기전이 활발해지고, 염증반응이 억제된다는 연구결과가 보고되었으며 엘라피브라노가 가장 앞서가는 약물이었다. 그러나 2020년 임상3상결과에 따르면 위약그룹에 비해 엘라피프라노의 섬유화 및 지방간염 증상개선에 실패했다고 보고되었다. 현재 지방간염 실험동물모델 및 지방간염 환자의 병기를 정밀하게 디자인하여 엘라피브라노의 약물효과를 입증하는 연구들이 보고되고 있다.

2) FXR

담즙산 핵수용체인 FXR은 위장관에 집중되어 있는 핵수용체로서, 콜레스테롤 및 담즙산대사를 제어한다. 최근 연구결과에 따르면 FXR기능이 활성화되었을 때 간의 섬유화를 억제한다는 연구결과가 보고되었다. 인터셉트(Intercept)사에서 개발한 오칼리바(obeticholic acid, 오베티콜산), 그리고 길리어드 및 노바티스 등에서도 FXR의 기능을 활성화하는 작용제를 개발하여 지방간염치료제로 임상시험을 진행하고 있다. 다만 FXR작용체를 기반으로 한 지방간염치료제가 LDL수치가 증가하는 등의 부작용이 보고되고 있기에, 이와 같은 부작용을 피할 수 있는 신약개발이 절실하다. 최근 오칼리바는 간 섬유화 개선효과와 더불어 LDL수치 상승 및 pruritus가 나타남에 따라 FDA 승인이 거절되었다.

3) TR β

매드리갈파마슈티컬스(Madrigal Pharmaceuticals)는 TRβ작용제인 레즈메티롬(resmetirom)을 개발하여 지방간염치료제로 개발하고 있다. 레즈메티롬은 간에 존재하는 갑상선호르몬수용체를 활성화시킴으로써 지방간 축적 및 간의 섬유화를 억제하는 것으로 알려지고 있다.

4. 암

핵수용체는 다양한 암에서 암세포의 분열 및 사멸을 제어하고 있으며, 핵수용체를 표적으로 하는 약물을 이용하여 항암제로 개발한 사례가 많다.

1) ER

타목시펜(tamoxifen)은 유방암 치료를 위한 항암제로 개발되었으며, 에스트로겐수용체를 제어함으로써 유방암을 치료하는 약물로 개발되었다. 에스트로겐수용체의 기능이 활성화될 경우, 조직 및 세포의 분열과 성장을 촉진시킬 수 있으므로 타목시펜 등을 이용하여 에스트로겐수용체의 기능을 억제함으로써 항암효과를 유도할 수 있다. 타목시펜 이후 토레미펜(toremifene), 랄록시펜(raloxifene), 풀베스트란트(fulvestrant) 등의 다양한 약물이 에스트로겐수용체를 제어하는 약물로서 유방암항암제로 개발되었다. 특히 랄록시펜은 골다공증을 예방하는 약물로도 사용되고 있다.

2) AR

안드로젠수용체는 전립선암 등에서 매우 좋은 항암표적으로 잘 알려져 있다. 엔잘루타마이드(enzalutamide)는 비스테로이드항안드로젠약물로서, 전립선암 치료에 사용되고 있다. 안드로젠수용체가 활성화될 경우, 조직의 분열 및 성장을 촉진시키기 때문에 엔잘루타마이드를 이용하여 안드로젠수용체의 기능을 억제하여 전립선암의 치료효과를 보이고 있다. 엔잘루타마이드 이후 아팔루타마이드(apalutamide) 등이 개발되었다.

3) RAR

레티노익산수용체(RAR)는 백혈병 치료표적으로 잘 알려져 있으며, 트레티노인(tretinoin)은 모든 트랜스레티노산으로 알려져 있으며 급성전골수구백혈병치료제로 많이 사용된다. 또한 염증반응을 억제할 수 있기에 피부 연고형태로 여드름치료제로 사용되기도 한다. 알리트레티노인(alitretinoin)은 9-시스-레티노산으로 비타민A의 유도체 구조를 가지고 있는 약물로서 항암제로 사용되고 있다. 그 외에도 만성중증습진 등에도 효과가 있다는 연구결과가 보고되었다.

참 / 고 / 문 / 헌

1. 이은경, 박영주. 핵수용체의 대사조절. 대한내분비학회지 2008;23:155-64.

2. Alkhouri N. NASH and NAFLD: emerging drugs, therapeutic targets and translational and clinical challenges. Expert Opin Investig Drugs 2020;29:87.

3. Aranda A, Pascual A. Nuclear hormone receptor and gene expression. Physiol Rev 2001;81:1269-304.

4. Berger J, Moller DE. The mechanisms of action of PPARs. Annu Rev Med 2002;53:409-35.

5. Chanda D, Park JH, Choi HS. Molecular basis of endocrine regulation by orphan nuclear receptor Small Heterodimer Partner. Endocr J 2008;55:253-68.

6. Chawla A, Repa JJ, Evans RM, Mangelsdorf DJ. Nuclear receptors and lipid physiology: opening the X-files. 2001;294:1866-70.

7. Fraile JM, Palliyil S, Barelle C, Porter AJ, Kovaleva M. Non-Alcoholic Steatohepatitis (NASH)-A review of a crowded clinical landscape, driven by a complex disease. Drug Des Devel Ther 2021;15:3997-4009.

8. Germain P, Staels B, Dacquet C, Spedding M, Laudet V. Overview of nomenclature of nuclear receptors. Pharmacol Rev 2006;58:685-704.

9. Glass CK, Rosenfeld MG. The coregulator exchange in transcriptional function of nuclear receptor. Genes Dev 2000;14:121-41.

10. Gronemeyer H, Gustafsson JA, Laudet V. Principles for modulation of the nuclear receptor superfamily. Nat Rev Drug Discov 2004;3:950-64.

11. Moon JH, Han JW, Oh TJ, Choi SH, Lim S, Kim KW, et al. Effect of increased levothyroxine dose on depressive mood in older adults undergoing thyroid hormone replacement therapy. Clin Endocrinol (Oxf) 2020;93:196-203.

12. Rau M, Geier A. An update on drug development for the treatment of nonalcoholic fatty liver disease-from ongoing clinical trials to future therapy. Expert Rev Clin Pharmacol 2021;14:333-340.

13. Shah RA, Alkhouri N, Kowdley KV. Emerging drugs for the treatment of non-alcoholic steatohepatitis: a focused review of farnesoid X receptor agonists. Expert Opin Emerg Drugs 2020;25:251-60.

14. Zhao L, Zhou S, Gustafsson J-A. Nuclear receptors: Recent drug discovery for cancer therapies. Endocr Rev 2019;40:1207-49.

내분비 환자와 평가

전현정

I. 서론

내분비질환은 호르몬 과다 혹은 호르몬 부족에 의한 것으로 증상이 한 기관에 국한되어 있지 않고 동시에 여러 기관에 걸쳐 나타나는 것이 특징적이다.

호르몬 검출방법과 영상기법의 발달에 따라 1970년대 이전에는 내분비질환의 진단은 호르몬 과다 또는 부족에 의한 특징적인 임상소견이 확연하게 나타난 상태에서 진료를 수행하기 때문에 진단이 상대적으로 쉽게 이루어졌다. 최근에는 호르몬 검출 및 영상기법의 발달에 의해 임상적으로 증상이 심한 내분비질환의 유병률이 낮아지고 증상이 상대적으로 경한 유병률이 급속하게 증가하고 있다. 호르몬 분비 기능에 의한 임상증상은 잘 나타나지 않고 검사에 의한 이상소견만을 바탕으로 진단을 해야 하는 경우가 증가하는 것을 의미하고 있다. 이러한 내분비질환의 패턴변화는 환자에게 질환의 중요성을 설명하고 교육하는 시간이 늘어나는 즉, 진료시간 패턴의 변화 역시 가져오고 있다.

내분비질환에서 병력청취 중 반드시 확인해야 하는 사항 중의 하나는 바로 내분비기관에 영향을 미치는 약물조사이다. 면역억제제, 마취유발인자, 면역관문억제제(immune check point inhibitor), 표적치료제, 항바이러스제 등 여러 약물이 각각 뇌하수체, 갑상선, 부신, 췌장 등 다양한 내분비기관과 연관되어 내분비질환을 유발할 수 있으므로 이에 대한 평가를 잊지 않도록 한다.

일부 내분비질환의 증상은 흔히 접하는 질환과 중복되는 경우가 많기 때문에 간과하기가 쉽다. 따라서 내분비 환자 평가를 위해서는 내분비질환의 특성에 대한 이해와 주도면밀한 병력청취 및 신체검사를 바탕으로 전체적인 시각을 갖는 안목이 필요하다.

II. 내분비질환의 특징

1. 호르몬 양적변화 이상

내분비질환은 병태생리학적으로 호르몬 과다, 호르몬 부족, 호르몬저항성으로 크게 세 가지로 분류할 수 있으며 임상증상은 호르몬 과다, 호르몬 부족에 의해 나타난다. 그러나, 내분비질환은 발열과 염증반응을 유발하는 감염질환처럼 체내에 없는 증상이 새로 발생하는 것이 아니라는 점에서 진단이 쉽지 않다. 호르몬의 양적변화에 의한 증상은 체중, 체모, 식욕 및 성격, 행동변화 등으로 우리 몸의 구성비율 변화로 인해 조기진단이 어렵고 특히 호르몬 부족이나 과잉이 부분적으로만 있는 경우, 환자는 증상을 인지하기 어려우며 치료자 역시 환자의 증상에 주의를 기울이기가 어렵다.

2. 비내분비질환 증상과의 중복현상

피로감, 복통, 식욕 부진, 쇠약감, 멍 등은 내분비질환 이외의 질환에서도 흔히 나타나는 증상이다. 스테로이드 장기복용에 의해 발생한 이차부신부전에서는 앞서 언급한 증상이 모두 나타날 수 있다. 체중증가 및 감소 역시 질환 없이 생활습관의 변화에 의해서도 일어날 수 있기 때문에 내분비질환에 대한 의심이 없으면 진단이 어려울 수 있다. 예를 들어, 비만한 사람에서는 쿠싱증후군 발생 여부를 조기에 발견하기 어렵고 당뇨병과 고혈압 등은 비교적 흔한 질환이기 때문에 이차원인에 대한 생각을 하지 않는 경우가 많다. 우울증 역시 노인 환자에서 흔히 발생하기 때문에, 체중감소 및 체중증가가 우울증에 의한 것으로만 생각하고 면밀한 병력청취를 하지 못하는 경우 진단을 놓칠 수 있는 여지가 많다.

3. 선별검사에서 우연히 발견되는 무증상내분비질환

내분비질환 이외의 질환 및 건강검진의 영상검사 시행이 증가하면서 우연히 발견되는 우연종이 함께 증가하고 있다. 뇌자기공명촬영, 복부전산화단층촬영에서 뇌하수체우연종, 부신우연종은 각각 10-20%, 3-5%의 유병률을 보이며 연령이 증가할수록 우연종의 유병률은 증가한다. 폐전산화단층촬영에서 관찰되는 갑상선우연종은 5-6%, PET-CT에서는 0.1-4.3% 정도로 보고되고 있다. 따라서, 각 내분비기관별 우연종에 대한 선별검사법을 숙지하고 있는 것이 필요하다. 혈액검사에서 우연히 발견되는 대표적인 내분비질환으로는 부갑상선항진증과 무증상갑상선기능저하증, 무증상갑상선기능항진증이 있다. 부갑상선항진증은 부갑상선호르몬 과잉분비에 의한 것으로 초기에 칼슘수치가 매우 높지 않은 경우에는 증상이 없는 경우가 많고 신체소견에서 특이사항이 관찰되지 않는다. 무증상갑상선기능이상 역시 증상이 없는 경우가 대부분이며 우연히 시행한 혈액검사를 통해 진단되는 경우가 대부분이다.

무증상내분비질환 환자는 증상이 없어 치료의 필요성에 대한 인식이 낮기 때문에 환자에게 조기진단의 중요성과 추적검사 필요성을 이해시키는 것이 중요하다.

III. 병력청취 및 신체진찰

병력청취와 신체진찰은 내분비질환의 진단과정에 있어 매우 중요하다. 호르몬 분비이상에 따른 노출기간 정도에 따라 증상의 심한 정도와 변화가 유발될 수 있어 충분한 병력청취는 내분비질환 진단에 있어 매우 유용하다. 과거병력, 사회력, 가족력 역시 진단 및 치료계획 수립에 유용한 정보를 제공하게 된다. 대표적인 예로 다발내분비선종양(multiple endocrine neoplasia)은 보통염색체 우성유전의 병태생리가 알려져 있어 갑상선수질암이나 갈색세포종으로 진단된 환자에서는 반드시 가족력을 조사하여 선별검사 여부를 결정하는 것이 필요하다.

병력청취 시, 폐쇄형 질문보다는 개방형 질문을 이용하는 것이 좋으며 이때 환자가 편안히 대답을 할 수 있도록 주의 깊게 경청하는 자세도 잊지 말아야 한다. "체중이 늘었습니까?"라는 질문은 환자의 대답이 "예, 아니오"로만 국한되기 때문에 폐쇄형 질문은 환자에게 얻는 정보는 상대적으로 적다. 이에 반해 "체중이 얼마나 증가했습니까?", "언제부터 체중이 증가했습니까?" 등의 개방형 질문은 환자가 가지고 있는 증상을 자세하게 얻을 수 있다. 이와 함께 세부사항을 구체적으로 질문하여 보다 많은 정보를 얻도록 노력해야 한다.

1. 병력청취

내분비질환은 비내분비질환에 의한 증상과 중복되어 호소하는 경우가 많다(표 1-4-1). 따라서, 비내분비증상을 호소하는 경우 이를 간과하지 않고 내분비질환과 연계되어 발생하지 않았는지 반드시 확인하고 평가하는 것을 잊지 않도록 한다.

표 1-4-1. 내분비질환의 임상증상과 신체소견

임상증상 및 신체소견	내분비질환
체중감소	범뇌하수체저하증, 갑상선기능항진증, 당뇨병, 부신부전, 갈색세포종, 신경성식욕부진
체중증가	중추신경계 질환, 뇌하수체종양, 갑상선기능저하증, 인슐린종, 쿠싱증후군
쇠약감 및 피로	범뇌하수체저하증, 갑상선기능항진증, 갑상선기능저하증, 부갑상선항진증, 당뇨병, 쿠싱증후군, 일차알도스테론증, 갈색세포종, 일차부신부전
피부변화	과다색소침착: 일차부신부전, 넬슨증후군 색소침착 감소: 범뇌하수체저하증 피부건조: 갑상선기능저하증 다혈, 멍, 반상출혈, 선조: 쿠싱증후군 백반증: 자가면역갑상선질환, 일차부신부전 흑색가시세포증(acanthosis nigricans): 비만, 다낭난소증후군, 심한 인슐린저항성, 쿠싱증후군, 말단비대증 여드름: 안드로젠과잉
모발변화	체모 감소: 갑상선기능항진증, 갑상선기능저하증, 뇌하수체기능저하증 다모증: 안드로젠 과잉상태, 쿠싱증후군, 말단비대증
두통	뇌하수체종양, 갈색세포종의 고혈압발작, 저혈당
복통	부신위기, 당뇨병성케토산증, 부갑상선항진증
무월경 또는 희발월경	신경성 식욕부진, 고프로락틴혈증, 뇌하수체기능저하증, 갑상선기능항진증, 부신성기증후군, 폐경, 난소부전, 다낭난소증후군, 거짓남녀한몸증
빈혈	범뇌하수체기능저하증, 갑상선기능저하증, 부갑상선항진증, 성선기능저하증, 부신부전
식욕부진	범뇌하수체기능저하증, 당뇨병케토산증, 갑상선기능저하증, 부신부전, 고칼슘혈증
변비	당뇨병신경병증, 고칼슘혈증, 갑상선기능저하증, 갈색세포종
우울	부신부전, 쿠싱증후군, 고칼슘혈증, 저혈당, 갑상선기능저하증
설사	갑상선기능항진증, 전이유암종종양, 전이갑상선수질암
발열	부신부전, 갑상선기능항진증, 시상하부질환
저체온	저혈당, 갑상선기능저하증
성욕변화	부신부전, 쿠싱증후군, 고칼슘혈증, 고프로락틴혈증, 갑상선기능항진증, 갑상선기능저하증, 저칼륨혈증, 뇌하수체기능저하증, 혈당조절이 불량한 당뇨병
신경질	쿠싱증후군, 갑상선기능항진증
다뇨	당뇨병, 요붕증, 고칼슘혈증, 저칼륨혈증

1) 쇠약감과 피로

쇠약감과 피로는 다양한 만성질환에서 흔히 나타나는 증상 중의 하나이다. 건강에 이상이 없는 경우에도 쇠약감과 피로를 호소할 수 있다. 부신부전, 뇌하수체저하증, 갑상선기능항진증, 갑상선기능저하증, 혈당조절이 잘 되지 않는 당뇨병 등에서 많이 호소한다. 이 외에도 부갑상선항진증, 쿠싱증후군, 알도스테론증에서도 나타날 수 있다. 안드로젠 결핍이 있는 경우 이차로 발생한 빈혈에 의해 쇠약감 및 피로가 발생할 수 있다.

2) 체중변화

체중증가는 체지방 증가 또는 체액축적에 의해 발생한다. 체액축적에 의한 체중증가는 심부전을 동반한 말단비대증 또는 심부전을 동반한 갑상선기능항진증에서 나타날 수 있으며 갑상선기능저하증에도 나타날 수 있다. 체지방 증가에 의한 경우는 쿠싱증후군, 인슐린종, 일부 시상하부질환에서 나타날 수 있다. 그러나 생활습관 변화에 의해서도 단순 비만이 나타날 수 있으므로 병력청취 시에 반드시 생활습관에 대한 평가도 함께 하는 것이 필요하다.

체중감소는 식욕변화 유무에 따라 구분을 할 수 있다. 식욕부진이 동반된 체중감소는 부신부전, 이소성 부신피질자극호르몬(ACTH)증후군, 범뇌하수체저하증에서 흔하게 나타날 수 있다. 일부 1형당뇨병 환자에서도 식욕부진이 동반된 체중감소가 나타날 수 있다. 식욕부진이 없는 체중감소는 갑상선기능항진증, 갈색세포종, 조절되지 않는 당뇨병, 장흡수장애가 발생하는 당뇨병자율신경병증 등에서 나타난다.

3) 체온변화

발열은 감염질환의 주요 증상이지만 내분비질환에서 발열은 응급상황에서 나타날 수 있으므로 주의를 요한다. 부신위기, 갑상선중독위기 등 매우 심각한 상황이므로 발열 환자에 감염질환 여부를 확인하면서 반드시 부신부전 및 갑상선기능항진증에 대한 세밀한 병력청취를 수행하는 것이 필요하다.

체온저하는 갑상선기능저하증과 알코올에 의한 저혈당에서 나타날 수 있다.

4) 두통

두통의 양상에 따라 일시적인 두통은 갈색세포종의 고혈압성 발작과 저혈당에서 흔히 나타나며 지속적인 재발두통은 뇌하수체종양에서 유발되는 경우가 많다.

5) 소화기증상

복통, 오심, 구토, 변비, 설사, 삼킴곤란 등은 소화기질환에서 흔히 나타나는 증상이다. 따라서 소화기증상은 흔히 내분비질환을 제외하고 소화기질환의 진단에만 초점을 맞추는 경우가 많다.

내분비질환에서 복통은 주로 급성복통이 많으며 응급상황에서 나타날 수 있다. 대표적인 질환으로는 당뇨병케토산증, 급성부신부전(위기), 갑상선중독위기 등이 있다. 급성복통을 주소로 응급실에 내원한 환자에서는 위장관계에 특별한 소견이 관찰되지 않는 경우 혈당, 부신기능, 갑상선기능에 대한 평가를 반드시 하도록 한다.

변비는 내분비질환과 연관되어 가장 흔히 호소하는 증상이다. 변비는 당뇨병자율신경병증, 고칼슘혈증, 저칼륨혈증, 갑상선기능저하증, 갈색세포종에서 나타난다. 이와는 반대로 설사는 갑상선기능항진증, 갑상선수질암, 전이카시노이드종양에서 나타날 수 있다.

6) 다뇨와 야간뇨

다뇨와 야간뇨는 당뇨병과 요붕증에서 전형적인 임상증상이다. 부갑상선항진증에 의한 심한 고칼슘혈증과 일차고알도스테론증의 저칼륨혈증에서도 나타날 수 있다.

7) 월경이상

월경이상은 다양한 내분비질환에서 동반되는 임상증상으로 주로 무월경 또는 희발월경 양상을 띠는 경우가 많다. 부신부전, 뇌하수체저하증, 쿠싱증후군, 고프로락틴혈증, 갑상선기능항진증, 갑상선기능저하증 등 여러 내분비질환에서 나타날 수 있으므로 월경이상이 있는 여성 환자에서는 반드시 내분비질환에 대한 면밀한 병력청취가 필수이다.

8) 성욕변화

성욕변화는 주로 성기능 저하로 나타나며 갑상선기능항진증, 뇌하수체저하증, 성선저하증, 쿠싱증후군 및 혈당조절이 불량한 당뇨병에서 유발되고 있다.

9) 정신증상

내분비질환과 관련된 정신증상은 우울증과 순환기분장애 등이 있다. 부신부전, 쿠싱증후군, 고칼슘혈증 및 갑상선기능항진증은 우울증을 동반할 수 있으며 기분의 순환변화 폭이 큰 경우는 갑상선기능항진증과 쿠싱증후군에서 나타날 수 있다. 쿠싱증후군은 우울증 및 순환기분장애 등 다양한 정신증상이 유발될 수 있다.

10) 피부 및 체모변화

호르몬 분비이상은 다양한 피부와 체모변화를 유발할 수 있다. 흑색극세포증은 인슐린저항성증후군, 심한 비만, 다낭난소증후군, 쿠싱증후군 및 말단비대증에서 관찰된다. 안드로젠 과잉분비에 의한 여드름은 안드로젠생성종양, 다낭난소증후군, 쿠싱증후군에서 주로 나타난다. 전신의 과다 색소침착은 일차부신부전인 애디슨병과 넬슨증후군에서 나타난다. 건조한 피부는 갑상선기능저하증 환자의 대부분에서 나타나며 범뇌하수체저하증 환자에서도 나타날 수 있다. 이와는 반대로 갑상선기능항진증, 말단비대증, 저혈당 및 갈색세포종 환자에서는 발한 증가로 인해 피부의 수분 함량이 증가되어 축축한 느낌이 든다. 쿠싱증후군에서는 특징적으로 다모증, 자색선조, 얼굴 다혈색, 피부 얇아짐과 쉽게 멍이 드는 피부변화가 보인다. 백반증은 자가면역의 병태생리를 가지고 있는 자가면역갑상선질환과 애디슨병에서 주로 관찰된다. 안드로젠 과잉분비와 연관성이 없는 전반적 탈모는 갑상선기능저하증, 뇌하수체저하증 및 갑상선중독증에서 나타난다. 남성형탈모는 다모증, 쿠싱증후군, 말단비대증에서 나타날 수 있다.

11) 다양한 임상증상

호르몬은 체순환을 통해 여러 장기에 작용하는 특성으로 인해 내분비질환은 하나의 장기에 국한되어 증상이 나타나는 경우는 매우 드물다. 여러 장기에 영향을 미쳐 호르몬의 과잉 또는 부족에 의해 다양한 증상이 발현되는 경우가 대부분이다. 따라서, 각 내분비질환별로 나타날 수 있는 증상을 유기적으로 연관지어 평가하는 것이 중요하다(표 1-4-2, 1-4-3). 내분비질환은 전신쇠약감, 피로, 식욕변화 등 비특이적인 전신증상이 흔하므로 이와 연결하여 각 내분비질환에서 나타나는 임상증상을 종합적으로 평가하면 진단의 정확성을 높일 수 있다.

12) 약물복용

병력청취에 있어 약물 복용력은 필수이다. 최근 개발된 여러 약물들이 내분비기관에 영향을 미쳐 다양한 내분비질환을 유발할 수 있음을 잊지 말아야 한다. 또한 약물에 의해 내분비질환의 임상증상을 약화시킬 수도 있으며 이와는 반대로 임상증상을 악화시킬 수도 있다. 베타차단제 복용은 심박동수를 줄여 갑상선기능항진증의 가슴두근거림을 약화시킬 수 있다. 싸이아자이드계이뇨제는 부갑상선항진증의 고칼슘혈증을 악화시킬 수도 있다.

진단을 위해 시행하는 검사에 약물이 영향을 미칠 수 있는데 일차고알도스테론증의 이뇨제 복용, 갈색세포종의 항고혈압제 복용 등이 그 예이다. 이러한 약물은 정확한 진단을 위해서는 일시적인 복용중단이 필요하다.

아미오다론은 요오드가 고용량이 함유되어 있어 갑상선기능항진증, 저하증을 유발할 수 있으며, 리튬 역시 갑상선기능에 영향을 미칠 수 있다. 표적치료제, 면역관문억제제 및 일부 항바이러스약물은 갑상선, 부신 및 뇌하수체에 영향을 미쳐 다양한 내분비질환을 유발할 수 있다. 일부 면역억제제는 혈당을 상승시킬 수 있다.

2. 신체진찰

신체진찰은 상세한 병력청취를 통해 얻은 환자의 임상증상을 확인하는 과정으로 환자의 진단에 있어 매우 중요하다. 정확한 진단을 위해서는 상세하고 세밀한 병력청취와 신체진찰이 가장 중요한 밑바탕임을 잊어서는 안 된다.

표 1-4-2. 특정 내분비질환에서 관찰되는 증상 조합

내분비질환	증상
뇌하수체저하증	체중감소, 식욕부진, 음모와 겨드랑이털 소실
프로락틴선종	유루증, 무월경, 두통
갑상선기능항진증	체중감소, 식욕 증가, 두근거림, 떨림, 발한, 감정불안정, 광범위 머리가 늘어짐
갑상선기능저하증	체중증가, 추위 못견딤, 마른 피부, 변비
부신부전	쇠약, 피로, 식욕부진, 입맛 없음, 자세에 따른 혈압변화
쿠싱증후군	체중증가, 피로, 자색선조, 몸쪽 근육쇠약, 중심비만, 고혈압, 여드름
유암종증후군	일시적인 홍조, 두근거림, 복통, 설사
갈색세포종	두근거림, 떨림, 불안, 두통, 발한, 체중감소

표 1-4-3. 특정 내분비질환에서 관찰되는 신체소견 조합

내분비질환	신체소견
일차부신부전	손바닥, 편쪽 피부, 입안 점막 등의 과다색소침착
쿠싱증후군	얼굴 다혈색, 월상안, 자색선조
말단비대증	쥐젖, 말단비대, 턱나옴증, 치아부정교합
그레이브스병	안구돌출, 눈꺼풀내림지체, 대칭적인 갑상선비대, 반사항진
당뇨병망막병증	망막 미세동맥꽈리, 황반부종
터너증후군	작은 키, 물갈퀴 목, 눈물 소실
일차난소부전	가림막 모양 가슴, 작은 네 번째 척추

1) 피부

피부의 시진과 촉진은 내분비질환 진단에 많은 도움을 줄 수 있으므로 반드시 확인하도록 한다.

색소침착은 일차부신부전에서 관찰되며 손금과 유두 및 편쪽 피부에 특징적으로 나타난다. 쿠싱증후군은 얼굴 다혈색, 여드름, 복부와 겨드랑이에 자색선조가 관찰되며 피부가 얇아지고 멍이 쉽게 드는 현상을 확인할 수 있다. 말단비대증에서는 시간에 따라 쥐젖(skin tag)의 수가 증가할 수 있으며 이는 대장종양과의 연관성이 있어 자세한 신체진찰이 필요하다. 피부섬유종 및 지방종과 같은 다양한 종류의 양성피부종양이 나타날 수 있다. 이 외에도 손등의 피부 두께가 두껍고 손바닥의 피하지방이 증가된 양상이 관찰된다. 갑상선기능저하증은 피부를 만져보면 거친 느낌이 들 정도로 건조한 경우가 많으며 일부 환자에서는 한쪽에 과다각화증(hyperkeratosis)이 관찰되기도 한다. 장기간의 심한 갑상선기능저하증에서는 점액다당류 침착에 의해 진피와 표피가 두꺼워지는 팔다리의 점액부종(myxedema)이 나타날 수 있다. 갑상선기능항진증에서는 발한이 동반되어 피부가 촉촉하고 따뜻한 느낌이 있다. 백반증은 자가면역질환의 병태생리를 가진 부신부전, 갑상선기능저하증 또는 갑상선기능항진증에서 모두 관찰될 수 있다. 위장관에서 발생한

유암종은 심한 홍조 및 설사와 함께 피부에서는 20분 정도 지속되는 자색변화가 관찰될 수 있다. 손발톱박리증은 오랜 시간 동안 갑상선기능항진증이 지속된 경우에 나타나기도 한다.

체모변화는 깁상선질환, 성선기능이상에서 관찰되는데 갑상선기능저하증에서는 머리카락이 거칠고 갑상선기능항진증에서는 머리카락이 전반적으로 얇아지는 경향이 있다. 일부 갑상선기능저하증이 오랜 기간 동안 노출된 경우, 눈썹의 바깥쪽 1/3 정도가 빠지는 경우가 있다. 성선기능이상, 다낭난소증후군 및 안드로젠생성종양에 의해 공통적으로 안드로젠과잉증이 유발된 경우에는 젖꽃판(areola)과 백선을 따라 체모가 자라는 남성형다모증을 확인할 수 있다. 반대로 뇌하수체저하증에서는 겨드랑이 체모와 음모가 감소한다.

2) 눈

그레이브스안병증은 환자의 40%에서 관찰되며 양측 또는 편측 눈 돌출이 나타날 수 있다. 뇌하수체종양에서는 종양의 침습에 의해 3, 4, 6차 뇌신경 손상 시에 바깥눈근육 운동에 영향을 미칠 수 있으므로 눈근육운동검사를 시행하도록 한다. 종양이 시각로를 압박하는 경우에는 특징적인 양측두측반맹이 나타날 수 있으므로 시야검사도 확인하는 것이 좋다.

당뇨병 환자의 안저검사를 통해 미세동맥꽈리 등 당뇨병망막증 여부를 확인하는 것은 질병의 경과를 예측하고 치료계획 수립에 중요하다. 일부 당뇨병에서는 삼차신경마비가 오는 경우가 있어 눈근육운동에 대한 평가가 필요하다.

3) 목

목부위에서 갑상선종이 관찰되는 경우 대칭성을 확인하고 통증 여부를 확인하는 것이 필요하다. 갑상선결절은 주위 조직에 고정 및 딱딱한 성상 여부를 확인하는 것이 중요하다.

4) 심혈관계

고칼슘혈증, 부갑상선항진증, 말단비대증, 당뇨병, 비만, 쿠싱증후군, 일차알도스테론증 및 갈색세포종은 고혈압을 유발할 수 있으므로 반드시 혈압 측정을 하도록 한다. 갈색세포종은 기립저혈압이 동반될 수 있으므로 혈압 측정 시 반드시 자세변화에 따른 혈압 측정을 시행하여 기립 시에 20 mmHg 이상의 혈압 감소가 있는지 확인하도록 한다. 난소부전이 동반된 터너증후군에서는 대동맥축착(aortic coarctation)과 같은 기형이 동반될 수 있으므로 혈압 측정 시에는 반드시 상지와 하지혈압 측정을 시행하여 상하지혈압 차이 여부를 확인하도록 한다.

갑상선기능항진증의 오랜 유병기간에 따라 심혈관 합병증이 유발될 수 있다. 따라서 갑상선기능항진증의 유병기간이 긴 경우에는 반드시 심혈관계를 확인하도록 한다. 장기간 갑상선기능항진증에 노출된 경우, 교감신경계 활성화로 인한 빈맥, 넓은 맥박압, 심박출량 증가가 발생하여 심잡음이 들릴 수 있다. 갑상선기능저하증과 애디슨병은 이와는 반대의 현상이 관찰된다.

5) 근골격계

성인말단비대증인 경우 손과 발이 두꺼워지고 크기가 커지면서 반지가 잘 맞지 않거나 신발이 작아지는 등 이러한 증상은 병력청취에서 쉽게 확인할 수 있다. 얼굴변화는 과거 사진과 비교해보면 쉽게 파악할 수 있다. 갑상선기능항진증에서는 손떨림이 있을 수 있으며 젊은 남성에서는 하지 마비가 발생하여 감각기능은 정상이나 운동기능은 일시적으로 감소하는 현상을 관찰할 수 있다. 쿠싱증후군에서는 염류축적으로 인해 하지부종이 발생하는 경우도 있다. 일차성선기능이상에서는 상체와 하체의 비율 측정을 통해 사춘기 시작 및 증상의 심한 정도를 평가할 수 있다. 거짓부갑상선저하증에서는 중수지단축(3, 4, 5번째 중수골이 짧음), 짧은 손발가락이 관찰된다.

6) 골반 및 유방

골반진찰은 다양한 난소질환을 감별하는 데 중요하다. 자궁이 없는 경우는 거짓남녀한몸증을 감별하는 데 필수이며 외부생식기는 선천부신증식증의 진단에 중요하다. 에스트로젠 결핍이 심한 경우에는 유방위축과 함께 질이 건조해져 있는 것을 확인할 수 있다. 고프로락틴혈증에서는 유루증이 나타날 수 있다.

7) 신경계

의식변화는 내분비질환의 응급상황으로 고혈당위기, 저혈당, 급성부신부전(위기), 갑상선중독위기, 심한 고칼슘혈증에서 나타날 수 있다.

당뇨병성신경병증은 모노필라멘트검사 및 진동감각검사를 통해 평가할 수 있다. 갑상선기능저하증에서는 이완기가 지연되는 심부건반사저하가 나타날 수 있으며 갑상선기능항진증에서는 이와는 반대의 현상이 나타난다. 쿠싱증후군과 유병기간이 긴 갑상선기능항진증에서는 몸쪽 근육쇠약이 관찰될 수 있다.

IV. 검사를 이용한 내분비질환의 평가

1. 검사실검사

검사실검사는 체내호르몬 양을 측정함으로써 내분비질환의 확진 및 영상검사 시행 여부를 결정하는 데 있어 중요한 역할을 담당한다. 호르몬의 기본적인 체내 분비양상에 따라 무작위 또는 기저상태, 정밀하게 한정한 상황, 약물을 통한 자극 또는 억제상태에서 실시한다(표 1-4-4). 혈액을 이용한 호르몬검사는 무증상내분비질환에서 진단에 매우 유용하다.

호르몬 측정방법은 면역측정법과 비면역측정법이 있으며 면역측정법이 보다 많이 사용되고 있다. 비면역측정법에는 수용체결합측정법, 화학적 측정법, 생물학적 측정법이 있다. 수용체결합측정법은 호르몬수용체 또는 혈장결합단백질에 높은 친화성을 갖고 있는 호르몬을 측정하며 생물학적 측정법은 시료를 시험관 내에서 세포 또는 조직과 배양 혹은 시료를 동물에 직접 투여하여 평가하는 방법이다. 그러나 실제로 임상에서는 많이 사용되고 있지 않다. 면역측정법은 항체를 이용하여 호르몬 농도를 측정하는 검사법으로 호르몬에 대한 높은 친화성을 갖는 항체를 동물에서 제조하여 사용하고 있다. 사용되는 항체는 단일클론 또는 다클론항체이다. 단일클론항체는 마우스 또는 생쥐를 이용하거나 시험관내 세포와 반응시켜 제조할 수 있다. 그러나 생성된 항체의 대부분이 호르몬에 대한 친화성이 낮아, 여러 번의 선별과정이 있어야만 고친화항체를 얻을 수 있다는 단점이 있다. 이에 반해 다클론항체는 토끼, 기니피그, 양, 염소 등 여러 종류의 서로 다른 항체를 만들 수 있는 동물을 이용하여 제조하며 단일클론항체에 비해 비교적 높은 민감도를 보인다.

현재 호르몬 농도 측정 시 가장 많이 사용되고 있는 방법은 방사선면역측정법(radioimmunoassay)이다. 시료와 항체를 반응시킨 후 항원-항체복합체의 생성정도 측정을 통해 호르몬 농도를 측정하는 방법이다.

대부분의 호르몬은 혈액에서 유리형과 결합형으로 존재하고 있고, 이중 유리형이 생물학적활성을 가지고 체내 여러 가지 작용을 하고 있다. 결합형과 유리형을 모두 포함한 총호르몬 농도는 약물이나 혈액내 단백질 농도에 영향을 줄 수 있는 동반질환 등에 의해 결합단백질이 영향을 받게 되어 정확한 호르몬 평가가 이루어질 수 없다. 유리호르몬을 측정하는 대표적인 호르몬은 갑상선호르몬과 테스토스테론이 있다. 그러나 유리호르몬 측정의 단점은 재현성이 낮을 수 있어 각각의 임상상황에 따라 적합한 방법을 선택해야 할 수도 있다.

일중변동에 따라 분비되는 호르몬은 하루 중 일정한 시간에 호르몬상태를 평가하는 것이 도움이 될 수 있다. 부신부

표 1-4-4. 성인내분비질환의 유병률과 선별검사

내분비질환	유병률(성인)	선별검사
비만	36% BMI ≥ 30 70% BMI ≥ 25	체질량지수(body mass index, BMI) 측정 허리둘레 측정 이차원인 배제 비만연관 동반합병증 확인
2형당뇨병	> 8%	40세부터 매년 혈당검사 시행 고위험군은 45세 이전부터 시행 공복혈당 > 126 mg/dL, 무작위혈당 > 200 mg/dL, 당화혈색소(HbA1c) 상승 당뇨병동반합병증 확인
고지혈증	20-25%	콜레스테롤 매 5년마다 시행 고위험군은 5년 이내의 주기로 시행 콜레스테롤이 증가한 환자, 심혈관질환, 당뇨병 환자는 저밀도콜레스테롤(low density choleterol, LDL-C) 측정 이차고지혈증 원인 확인
대사증후군	35%	허리둘레 측정 공복혈당, 혈압, 혈중 지질 측정
갑상선기능저하증	5-10%, 여성 0.5-2%, 남성	갑상선자극호르몬(유리 갑상선호르몬 측정하여 확진하도록 한다.) 여성에서는 35세 이후 매 5년마다 시행
그레이브스병	1-3%, 여성 0.1%, 남성	갑상선자극호르몬, 유리 갑상선호르몬
골다공증	5-10%, 여성 2-5%, 남성	65세 이상 여성 또는 폐경여성, 고위험군의 남성에서 골밀도 측정
부갑상선항진증	0.1-0.5%, 여성 > 남성	혈중 칼슘, 부갑상선호르몬(혈중 칼슘 증가 시에 측정) 동반합병증 여부 확인
불임	10%	남성-정액검사 여성-배란여부검사 필요시 기저질환에 따라 검사
다낭난소증후군	5-10%, 여성	유리테스토스테론, DHEAS* 동반질환 여부 확인
다모증	5-10%	유리테스토스테론, DHEAS* 이차원인 배제 필요시 기저질환에 따라 검사
폐경기	평균 51세	여포자극호르몬(follicle-stimulating hormone, FSH)
고프로락틴혈증	15%	프로락틴, 약물복용 과거력이 없는 경우 뇌자기공명촬영
발기장애	10-25%	병력청취, 프로락틴, 테스토스테론, 이차원인 확인
여성형유방	15%	클라인펠터증후군 고려, 약물, 성선저하증, 간질환 여부 확인
클라인펠터증후군	0.2%	염색체검사, 테스토스테론
터너증후군	0.03%	염색체검사

DHEA-S*: Dehydroepiandrosterone

전이 의심되는 경우 이른 아침 혈청코티솔을 측정하는 경우가 대표적이다. 그러나 일중변동에 의해 분비되는 호르몬은 자극 또는 억제검사를 통해 정확한 평가를 시행하는 것이 중요하다.

카테콜라민 및 코티솔호르몬은 혈액에서 농도를 측정하는 것보다 24시간뇨채집을 통해 호르몬 분비능을 평가하는 것이 더 정확하다. 코티솔은 부신에서 분비된 후 1–3%만이 뇨로 배설되지만 24시간뇨코티솔 측정은 코티솔 분비에 대한 통합적 평가에 있어서는 혈액에 비해 훨씬 우수하다. 쿠싱증후군에서 혈액내 코티솔 분비는 발작적으로 이루어질 수 있어 채혈시점에 따라 변동이 크므로 정확도가 떨어진다. 갈색세포종 역시 호르몬 분비가 갑자기 발작적으로 일어나며 질환의 위험으로 인해 유발검사가 매우 위험하다. 주로 카테콜라민대사물질(바닐릴만델산, 메타네프린)을 측정하여 호르몬 분비과잉 여부를 정확하게 확인할 수 있다. 부갑상선항진증에서도 24시간뇨채집을 통해 소변 칼슘양을 측정하고 간접적으로 부갑상선호르몬 분비능을 확인할 수 있다.

말단비대증에서는 과잉분비되는 호르몬 자체를 측정하는 것보다 호르몬 과잉에 의한 활성물질을 간접적으로 측정하고 있다. 성장호르몬 과잉분비를 평가하기 위해 인슐린유사성장인자-1 (insulin–like growth factor, IGF-1)을 측정하는 것이 대표적인 예이다. 당뇨병 역시 장기간의 혈당상태를 파악하기 위해 당화혈색소(HbA1c)를 측정하는 것도 이 원리에 입각한다.

호르몬 과잉 또는 결핍을 평가하는 데 있어 자극과 표적관계 또는 피드백관계에 있는 두 가지 이상의 물질을 측정하는 방법을 사용하고 있다. 대표적인 예가 부갑상선항진증에서 부갑상선호르몬과 혈청칼슘 그리고 인슐린종에서 혈장포도당과 인슐린 동시 측정 등이 있다.

2. 영상검사

영상검사는 내분비질환의 진단과 추적관찰에 있어 매우 유용하다. 자기공명영상촬영, 전산화단층촬영의 해상도 개선으로 뇌하수체와 부신영상을 효과적으로 얻을 수 있어 진단에 큰 도움을 주고 있다. 영상검사를 이용하여 특정 부위에서 혈액을 채취할 수 있어 직접 호르몬 농도를 측정함으로써 또 다른 진단방법을 제공하고 있다. 쿠싱병이 의심되는 환자에서 뇌하수체선종이 확인되지 않는 경우 정맥도자술을 통해 하추체정맥동채혈을 시행함으로써 뇌하수체미세선종 여부와 위치를 추정할 수 있으며 부신정맥채혈을 통해 부신선종과 부신증식증을 감별진단할 수 있어 환자에게 적합한 치료를 제공하는 데 도움을 주고 있다. 갑상선초음파의 경우 만져지지 않는 결절을 발견할 수 있으며 초음파유도하 세침흡인세포검사를 시행할 수 있어 크기가 작은 결절의 진단에 매우 중요한 역할을 하고 있다. 이 외에도 초음파를 이용하여 고주파열 치료를 시행할 수 있다.

영상기법의 발전은 우연히 발견되는 무증상의 내분비기관의 우연종을 찾아내게 되었고 이에 대한 평가 및 치료 필요성에 대한 문제가 제기되었다. 우연히 발견되어 증상이 없는 경우가 대부분이고 호르몬 분비능이상이 없는 경우가 많으나 반드시 기능종양 여부에 대한 평가는 일차로 시행되어야 한다. 뇌하수체종양의 경우 기저혈청프로락틴을 측정하고 의심되는 증상이 있는 경우 24시간뇨유리코티솔 또는 포도당부하후 혈청성장호르몬 측정이 필요할 수 있다. 부신우연종은 악성종양과 기능종양 평가가 필요하다. 영상학적으로 악성소견 여부를 확인하면서 부신피질 및 부신수질호르몬 과잉분비에 대한 선별검사가 함께 시행되어야 한다.

3. 조직검사

조직검사는 내분비종양에서는 진단의 정확도를 높이는 데 있어 유용한 검사이지만 실제 임상에서는 많이 사용되고 있지 않다. 갑상선결절의 세침흡인세포검사는 악성 여부를 확

인하는 데 있어 유용하게 사용되고 있다. 금식 및 마취가 필요 없어 외래에서 가장 많이 수행되고 있는 검사이다. 그러나 이 외에의 내분비종양에서는 조직검사는 많이 사용하지 않고 있다.

4. 유전자검사

유전자검사기술의 발달로 내분비질환과 연관된 유전자가 꾸준히 밝혀지고 검사비용이 이전과 비교하여 낮아지면서 유전자검사의 유용성 및 필요성이 증가되고 있다.

가족력에 대한 정확한 평가가 유전자검사의 필요 여부를 결정하며 가족에 대한 선별검사 결정에 있어 많은 도움을 주고 있다.

유전자변이검사는 질병의 감별진단, 예후 예측, 치료방법의 결정과 가족들의 선별검사 필요성 여부를 확인하는 데 있어 역할이 커지고 있다. 성숙기발병당뇨병(maturity-onset diabetes of the young, MODY), 갑상선수질암, 글루코코티코이드치료가능알도스테론증(glucocorticoid re-mediable aldosteronism, GRA) 등 다양한 질환에서 유전자검사가 진단에 도움을 주고 있다.

5. 내분비검사결과의 임상평가

내분비검사결과를 기반으로 내분비질환을 진단할 때에는 아래의 사항을 고려하도록 한다.

1) 호르몬검사와 영상검사의 모든 결과는 환자의 병력청취, 신체소견을 종합하여 해석하는 과정이 필요하다.

2) 호르몬의 기저 농도와 호르몬이 체내에 미치는 효과는 해당 호르몬 분비양상과 분비조절기전을 고려하여 해석하도록 한다.

3) 측정한 호르몬수치는 환자의 다른 검사결과로부터 얻은 정보와 연관성을 고려하여 해석하는 것이 필요하다. 부갑상선호르몬은 혈청칼슘수치와 혈청알도스테론은 혈청레닌수치와 혈청성선자극호르몬수치는 혈청에스트라디올 또는 테스토스테론과 연관하여 해석하면 진단에 많은 도움을 얻을 수 있다.

4) 호르몬 분비 및 측정방법은 분비되는 호르몬의 특성에 따라 선별하여 검사하는 것이 필요하다. 호르몬 분비능은 주로 혈액 내에 분비된 호르몬 측정방법이 많이 사용되기는 하지만, 일부 내분비질환에서는 뇨로 배출되는 호르몬대사산물 측정이 혈중 호르몬 측정보다 전체적인 체내 분비되는 호르몬을 잘 반영할 수 있다. 예시로는 갈색세포종에서 카테콜라민대사산물 측정이 있다.

5) 호르몬의 검사치는 검사 측정방법에 따라 다르므로 호르몬 검사치의 단위를 주의해서 확인하도록 한다. 호르몬의 정상 검사치는 반드시 해당 검사실의 정상범위를 기준으로 해석하도록 한다.

6) 호르몬결과는 검사의 민감도, 특이도를 고려하여 해석하도록 한다. 호르몬수치 측정방법의 민감도는 정확하게 검출할 수 있는 호르몬의 가장 낮은 수치를 의미한다. 측정방법의 특이도는 호르몬 측정 시 교차반응성을 가진 다른호르몬에 의해 영향받지 않는 정도를 의미한다. 따라서 검사실에서 보고한 해당 호르몬의 정상참고치를 절대적인 기준으로 참고하기보다는 임상상황과 연결하여 해석하는 것이 필요하다.

7) 호르몬 측정은 오염물질 또는 다른 물질에 의해 검사결과에 영향을 받을 수 있다. 전신질환이 있는 경우 혈청지질은 갑상선호르몬결합능 측정에 간섭을 일으킬 수 있으며 인슐린주사를 맞고 있는 상황에서는 투여한 인슐린에 대한 항체가 생성되면 혈장인슐린수치가 실제보다 높게 측정될 수 있음을 기억하도록 한다.

8) 호르몬유발검사는 호르몬 분비가 일중변동이 있는 경우 또는 일부 내분비질환에서 호르몬의 예비력을 확인하기 위해 시행할 수 있다. 내인쿠싱증후군을 확인하기 위해 밤사이(overnight), 저용량 및 고용량덱사메타손억제검사를 시행해야 한다. 부신부전을 확인하기 위해서는 급속부신피질자극호르몬검사가 필요하며 뇌하수체저하증에서는 전엽기능 및 예비능을 평가하기 위해 성선자극호르몬유리호르몬, 갑상선자극호르몬과 인슐린을 동시에 투여하는 자극검사가 필요하다. 레닌 분비 자극을 하는 유발하는 이뇨제투여, 안지오텐신전환효소억제제 투여 등은 일차알도스테론증 진단에서 시행한다.

9) 영상검사는 주로 호르몬 과잉분비를 유발하는 종양의 위치를 확인하는 데 중요하다.

V. 내분비질환의 치료

1. 호르몬 결핍에 대한 치료

내분비질환 중 호르몬 결핍에 의한 경우는 호르몬대체요법(replacement)을 통해 교정한다. 호르몬 복용용량은 연관호르몬 측정을 통해 적정성을 평가한나. 갑상선기능저하증에서는 유리갑상선호르몬과 갑상선자극호르몬 측정을 하여 갑상선호르몬 용량조정을 하도록 한다. 일차부신부전에서는 부신피질자극호르몬을 측정하여 당질부신피질호르몬 용량 조정을 한다. 하지만, 단순히 호르몬수치뿐만 아니라 반드시 환자의 임상증상, 신체소견 및 각각의 호르몬과 연관된 대사지표와 혈청전해질 등을 측정하여 통합적으로 호르몬유지용량의 적정성을 평가하는 것이 필요하다.

합성호르몬을 이용한 대체요법은 해당 약물의 약리학적인 특성을 확인하는 것이 중요하다. 이와 함께 합성호르몬대사에 영향을 미칠 수 있는 타 질환에서 사용되는 약물의 약리학적 특성도 파악하는 것이 필요하다. 합성당질부신피질호

르몬 경우 약물에 따라 반감기가 매우 다양하고 이에 따른 임상효능에 차이가 있어 용량 및 투여시기 조정이 필요하다.

뇌하수체저하증은 최소 두 가지 이상의 호르몬대체요법이 필요하며 각각의 호르몬이 서로 영향을 미칠 수 있다. 글루코코티코이드 용량은 갑상선호르몬 용량에 의존적인 상황이 발생할 수 있다. 특히, 초기에 두 가지 이상의 호르몬대체요법이 필요한 경우에는 호르몬 투여 순서 역시 중요하다. 당질부신피질호르몬 투여를 먼저 시작하고 난 후 갑상선호르몬 투여를 시작해야 한다.

2. 호르몬 과잉에 대한 치료

호르몬 과잉에 의한 내분비질환은 주로 내분비종양에 의한 경우가 많아 수술치료가 적응증이 되는 경우에는 일차로 수술적으로 제거해야 한다. 수술치료 후에는 정기적인 추적관찰이 중요하다. 종양제거가 잘 되어 유지가 잘되고 있는지에 대한 평가가 있어야 하며 잔여병소에 대한 평가가 중요하다. 특히 종양제거가 완전히 되지 않았거나 완치되지 못했을 경우 재수술 또는 수술 이외의 치료 필요성에 대한 평가를 위해서이다.

호르본 과잉에 대해 약물을 이용하여 호르몬 생성을 억제하는 방법이 있다. 프로락틴분비뇌하수체선종에서 도파민작용제인 브로모크립틴을 투여하여 증가된 프로락틴을 억제시킬 수 있다. 성장호르몬 과다분비 시에는 장시간작용성장호르몬억제인자유도체를 투여해 성장호르몬 분비 억제를 유발할 수 있다. 코티솔 합성억제제인 케토코나졸은 수술적으로 종양이 완전히 제거되지 않아 혈중 코티솔이 증가되어 있는 경우 효과적으로 사용할 수 있다.

일부 호르몬 과잉증상은 호르몬 생성을 직접적으로 억제하지 않고 보조적인 약물요법에 의해 완화시킬 수 있다. 갑상선기능항진증에서 베타차단제 사용 시 가슴두근거림을 호전시킨다. 갈색세포종에서 혈압강하를 위해 투여하는 알파

차단제 또는 베타차단제 사용, 일차알도스테론증에서 고혈압과 저칼륨혈증을 조절하기 위해 무기질부신피질호르몬수용체차단제 사용이 대표적인 예이다.

3. 비내분비질환의 호르몬 치료

호르몬 치료는 비내분비질환의 치료에도 사용되고 있는데, 비내분비질환에서 호르몬 치료는 결과적으로 생리적 요구량 이상의 호르몬이 투여되는 경우 호르몬과잉증후군을 유발하기도 한다. 가장 많이 사용되는 호르몬은 스테로이드제제로 자가면역질환, 악성림프종, 고형암 치료에서 보조요법, 장기이식 후 면역 억제에 매우 효과적이지만 의인쿠싱증후군을 유발하는 경우가 많다. 부갑상선저하증이 없는 골다공증 환자에서 뼈의 합성대사작용 촉진을 위해 PTH를 투여하고 있으며, 신경내분비종양의 소화기증상 완화를 위해 장시간 작용 성장호르몬억제인자유사체를 사용하고 있다. 피임역시 체내의 생리적 요구량 이상의 프로제스테론을 투여하는 대표적인 비내분비질환의 호르몬 치료요법이다.

호르몬대항제는 내분비질환뿐만 아니라 비내분비질환에서도 유용한 치료제로 사용하고 있다. 유방암에서 에스트로젠수용체대항제, 전립선암에서 안드로젠수용체대항제 사용이 대표적인 예이다. 뼈로 전이된 전립선암에서는 성선자극호르몬방출호르몬(gonadotropin–releasing hormone, GnRH)작용제를 사용할 수 있다. 급·만성염증질환에 프로스타글랜딘대항제를 사용하고 고혈압 치료에 안지오텐신수용체대항제와 레닌대항제를 사용하고 있다. 선택에스트로젠수용체조절제(selective estrogen receptor modulator, SERM) 약물은 유방암 발생위험을 증가시키지 않으면서 골다공증 치료에 유용하게 사용하고 있다. 다양한 호르몬의 작용에 대한 이해는 내분비질환 치료뿐만 아니라 비내분비질환의 치료에도 적절한 치료법을 제시할 수 있음을 알 수 있다.

참 / 고 / 문 / 헌

1. Freda PU, Beckers AM, Katznelson L, Molitch ME, Montori VM, Post KD, et al. Pituitary incidentaloma: an Endocrine Society clinical practice guideline. J Clin Endocrinol Metab 2011;96:894-904.

2. Gilbert HD. Clinical endocrinology: A personal view. In: Melmed S, Polonsky KS, Larsen PR, Kronenberg HM. William's textbook of cndocrinology. 12th ed. Philadelphia: Elsevier; 2011. pp.13-29.

3. Golden SH, Robinson KA, Saldanha I, Anton B, Ladenson PW. Clinical review: prevalence and incidence of endocrine and metabolic disorders in the United States: a comprehensive review. J Clin Endocrinol Metab 2009;94: 1853-78.

4. Golden SH, Brown A, Cauley JA, Chin MH, Gary-Webb TL, Kim C, et al. Health disparities in endocrine disorders: biological, clinical, and nonclinical factors--an Endocrine Society scientific statement. J Clin Endocrinol Metab 2012;97:E1579-639.

5. Larry J. Approach to the patient with Endocrine disorders. In: Jameson JL, Fauci AS, Kasper DL, Hauser SL, Longo DL, Loscalzo J. Harrison's principles of internal medicine. 20th ed. New York: McGraw Hill Edcuation; 2018. pp. 2649-52.

6. Nieman LK, Biller BM, Findling JW, Murad MH, Newell-Price J, Savage MO, et al. Treatment of Cushing's syndrome: an Endocrine Society clinical practice guideline. J Clin Endocrinol Metab 2015;100:2807-31.

7. Sherlock M, Scarsbrook A, Abbas A, Fraser S, Limumpornpetch P, Dineen R, et al. Adrenal incidentaloma. Endocr Rev 2020;41:775-820.

8. Trohman RG, Sharma PS, McAninch EA, Bianco AC. Amiodarone and thyroid physiology, pathophysiology, diagnosis and management. Trends Cardiovasc Med 2019;29: 285-95.

9. Villa NM, Farahmand A, Du L, Yeh MW, Smooke-Praw S, Ribas A, et al. Endocrinopathies with use of cancer immunotherapies. Clin Endocrinol (Oxf) 2018;88:327-32.

10. Zhai Y, Ye X, Hu F, Xu J, Guo X, Zhuang Y, et al. Endocrine toxicity of immune checkpoint inhibitors: a real-world study leveraging US Food and Drug Administration adverse events reporting system. J Immunother Cancer 2019;7:286.

시상하부와 뇌하수체

신경내분비 및 시상하부

구철룡 김민선 허규연

I. 신경내분비/시상하부호르몬

구철룡

1. 서론

체내 항상성의 유지, 성장 및 발달 그리고 생식기능의 조절에는 내분비계 및 신경계의 밀접한 상호작용이 필요하다. 우리 몸에서 분비되는 대부분의 호르몬은 뇌에 의한 직접 혹은 간접적인 영향을 받으며, 뇌의 기능 역시 호르몬의 영향을 받는다. 이처럼 신경계 및 내분비계의 상호작용을 연구하는 분야를 신경내분비학이라고 하며 과거에는 시상하부에 의한 뇌하수체호르몬의 조절이라는 좁은 관점의 학문이었으나 현재는 체내 항상성과 외부자극에 대한 생리반응을 조절하기 위한 중추신경계와 내분비계의 상호작용을 포함하는 보다 넓은 의미의 학문으로 확대되었다. 시상하부와 뇌하수체의 연관성에 관하여는 이미 기원 후 2세기 때부터 인식이 되었는데 고대 그리스의 의학자이자 철학자인 Claudius Galen은 시상하부 제3뇌실의 깔때기(infundibulum)와 뇌하수체 사이의 연결구조 및 그 주위의 혈관망에 대해 de usu partium과 anatomicae administrations에 저술하였다. 하지만, Galen은 뇌하수체를 뇌의 불순물이 비강을 통해 배출되기 전에 걸러지는 여과망으로 인식하였고, 이러한 과학적 인식은 천 년 이상 지속되었다.

이후 뇌하수체라는 개념은 1893년에 스위스의 해부학자 Wilhelm His에 의해 소개되었고, 19세기 후반부터 20세기까지 시상하부에 의한 호르몬 조절과 체내 항상성에 대해 많은 발견이 있었다. 1928년 Ernst Scharrer은 어류 및 포유류에서의 형태학적 연구를 통해 신경뇌하수체의 분비물들이 뇌하수체줄기의 절단근위부에 축적된다는 사실을 발표하였고, 그에 의해 신경내분비의 개념이 처음으로 성립되었다. 또한, 신경내분비학의 아버지로 불리는 Geoffrey Harris (1913–1971)는 포유류 뇌하수체전엽호르몬의 합성 및 분비는 시상하부신경세포에서 시상하부–뇌하수체문맥계로 분비되는 어떤 인자에 의한 조절을 받는 반면, 뇌하수체후엽호르몬은 시상하부신경세포의 말단에서 직접 분비된다는 사실을 밝혔다. 처음으로 알려진 시상하부의 인자는 갑상선자극호르몬방출호르몬과 성선자극호르몬방출호르몬이었으며 Roger Huillemin과 Andrew Schally는 양과 돼지의 시상하부에서 이들 인자를 분리하고 그 구조를 밝혀내어 1977년도 노벨의학상을 수상하였다. 1952년에는 Andor Szentivanyi와 Geza Fillip에 의하여 면역기능이 시상하부를 통해 조절됨이 처음으로 보고되었다.

신경내분비학은 특히 지난 수십 년 동안 많은 발전이 있었다. 시상하부방출호르몬에서 사용되는 특정 G단백연결수용체의 복제는 방출호르몬의 신호전달체계를 이해하는 데 도움을 주었고, 1994년에는 지방조절호르몬인 렙틴이 발견되었다. 이후 위에서 분비되는 식욕조절호르몬인 그렐린이 발견되어 렙틴과 그렐린 모두 다양한 신경내분비축에 작용한다는 사실이 밝혀졌다. 전통적으로 방출인자(releasing factor)의 유전자발현과 방출인자신경세포(releasing factor neuron)는 적은 양과 넓은 분포 때문에 연구가 어렵다고 여겨져 왔으나, 최근 연구기술의 발달로 인하여 시상하부 신경세포의 생체내, 외의 연구가 모두 가능해졌다. 신경내분비계를 이해하기 위한 기초 연구인 신경펩타이드의 구조, 기능, 작용기전, 신경계 분비, 시상하부-신경계 해부학, G단백연결수용체의 구조, 신호전달, 뇌에서의 호르몬작용 등 많은 연구가 현재 활발히 이루어지고 있으며 체내 항상성 유지를 위한 내분비계 호르몬의 이해는 물론, 자율신경계 및 행동반응에 관한 폭넓은 연구까지도 이루어지고 있다. 즉, 신경내분비학의 영역은 전통적인 신경계와 내분비계 사이의 상 연관성에 관한 연구뿐만 아니라, 혈액을 통한 호르몬 이동이나 신경내분비계의 조절기전에 관한 연구를 모두 포함하고 있다. 이 장에서는 시상하부-뇌하수체의 신경해부학, 시상하부호르몬의 종류 및 기능, 시상하부에 의해 조절되는 체내 항상성의 기전에 대해 주로 다룰 예정이다.

2. 해부학

1) 시상하부의 구조 및 신경 연결

시상하부는 제3뇌실의 하부에 위치하고 있으며, 간뇌의 기저부를 이루고 있는 기관으로 생명현상을 유지하는 데 중요한 역할을 하는 자율신경계의 중추이다. 시상하부는 여러 종류의 핵과 핵영역(nuclear area)으로 구분한다.

전핵군은 시각로위핵(supraoptic nucleus), 시교차전핵(preoptic nucleus) 및 실방핵(paraventricular nucleus), 중앙핵군으로는 융기핵(tuberal nucleus), 배내측핵(dorsomedial nucleus) 및 복내측핵(ventromedial nucleus), 외측핵군으로는 외측핵(lateral nucleus), 그리고 후핵군으로 후방핵(posterior nucleus) 및 유두체(mammillary body)로 구분된다.

시상하부와 뇌하수체 간의 신경적인 연결은 뇌하수체후엽에만 국한되어 있다. 즉, 시상하부의 시각로위핵과 실방핵으로부터 시작된 섬유들은 시상하부-뇌하수체 신경회로를 따라 뇌하수체후엽으로 연결된다. 특히 뇌하수체후엽호르몬인 항이뇨호르몬은 주로 시각로위핵에서, 옥시토신은 주로 실방핵에서 생성된 다음 이 경로를 따라 이동하여 뇌하수체후엽에 있는 이들 섬유의 종말에 저장되었다가 신경자극에 의해 유리된다.

한편 시상하부와 뇌하수체전엽 사이는 신경으로 직접 연결되어 있지 않고, 체액(humoral)으로 연결되어 있으며 이 혈관계를 시상하부-뇌하수체 문맥계라고 한다. 이 계통의 구조는 그림 2-1-1과 같이 내경동맥의 작은 가지가 결절부에 들어가 정중융기(median eminance)에서 모세혈관총을 만들어 이 모세혈관총에서 나온 혈관이 깔때기와 정중융기에 들어가 고리(loop)를 형성한다. 이 모세혈관총은 문맥계와 연결되며 이는 뇌하수체전엽에서 정맥동(sinus)이

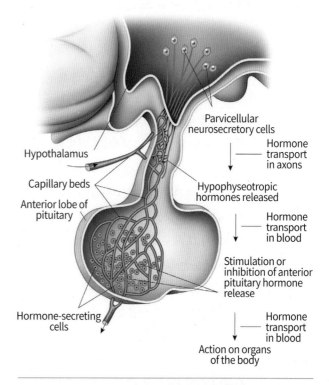

그림 2-1-1. **뇌하수체호르몬의 분비조절**

된다. 또한, 이 혈관내피세포들은 작은 틈새를 가지고 있어 펩타이드방출인자가 확산되어 뇌하수체전엽에 작용할 수 있도록 한다.

2) 뇌하수체의 구조

뇌하수체는 뇌의 시신경교차의 후방과 제3뇌실의 하부에 위치한 내분비선으로 터키안장(sella turcica) 내에 매몰되어 있으며, 시상하부의 기저를 이루고 시상하부와 뇌하수체줄기로 연결되어 있다. 뇌하수체는 크게 전엽, 중엽, 후엽으로 구분할 수 있다. 이 중 뇌하수체전엽은 또다시 원위부위, 중간부위, 융기부위로 나눌 수 있는데, 원위부위가 전엽의 대부분을 차지하며 모든 호르몬 분비세포가 위치한 장소이기도 하다. 전엽은 발생학적으로 인두상피(pharyngeal epithelium)로 구성된 라트게낭(Rathke's pouch)에서 파생되며, 후엽은 시상하부로부터 유래한다. 그리고 중엽은 발생학적으로 전엽에 속하는데, 하등동물에서는 남아 있으나 사람에서는 거의 퇴화되어 있다.

3. 신경내분비/시상하부호르몬의 종류 및 기능

우리 몸은 항상성을 유지하기 위하여 수많은 화학전달계가 서로 밀접한 상호작용을 하고 있으며, 세포들의 활성은 다음과 같은 여러 종류의 전달계를 통해 조절된다. 내분비세포는 순환혈액 내로 호르몬을 분비하여 신체의 다른 곳에 있는 세포의 기능에 영향을 미친다. 신경내분비세포는 신경호르몬을 순환혈액으로 분비하여 신체의 다른 곳에 있는 세포의 기능에 영향을 미친다. 주변분비(paracrine)세포는 세포바깥액으로 화학물질을 분비하고 이것이 이웃하고 있는 세포로 확산되어 그 세포의 기능에 영향을 미치며, 자가분비(autocrine)세포는 분비한 화학물질이 자신의 세포 표면에 있는 수용체에 결합하여 자신의 기능에 영향을 미친다. 신경세포는 신경전달물질을 시냅스로 유리하여 국소적으로 세포의 기능을 조절하게 된다. 신경자극에 반응하여 부신수질과 뇌하수체는 각각 호르몬을 분비하는데, 시상하부에 있는 신경내분비세포들은 뇌하수체후엽과 정중융

기로 뻗어 있는 축삭을 통하여 항이뇨호르몬 및 옥시토신을 분비하고, 한편으로는 뇌하수체 조절인자들을 분비하여 뇌하수체전엽호르몬의 분비를 조절한다. 항이뇨호르몬 및 옥시토신을 합성하는 신경세포의 몸체는 각각 시각로위핵 및 실방핵에 위치해 있고, 이 신경세포들의 전기적 활성도는 다른 뇌부위로부터 구심성신경경로(afferent synaptic inputs)에 의해 조절된다. 반면에 뇌하수체전엽에서 분비되는 호르몬(부신피질자극호르몬, 황체형성호르몬, 난포자극호르몬, 갑상선자극호르몬, 프로락틴, 성장호르몬)은 직접적인 시상하부의 신경지배를 받지는 않지만, 여전히 뇌의 영향하에 있다고 할 수 있다. 즉 이 호르몬들의 분비는 시상하부 신경세포에서 합성되어 정중융기 부분의 혈관으로 분비되는 분비촉진인자 및 분비억제인자에 의해 조절된다. 이 혈관계를 시상하부–뇌하수체문맥계라 부르며, 시상하부의 여러 조절인자들은 이 문맥계를 통하여 뇌하수체전엽으로 이동하여 특정한 수용체와 만나 작용을 나타낸다. 예를 들면, 성장호르몬의 분비는 그 분비를 증가시키는 성장호르몬방출호르몬신경세포와 분비를 억제하는 성장호르몬억제인자신경세포로 구성된 신경내분비계에 의해 조절된다. 성장호르몬방출호르몬신경세포가 궁상핵(arcuate nucleus)에 위치하는 반면 성장호르몬억제인자신경세포가 뇌실주위핵(periventricular nucleus)에 위치한다. 이 두 신경세포들은 정중융기로 축삭을 뻗어 문맥계로 펩타이드를 분비한다. 성장호르몬방출호르몬신경세포와 성장호르몬억제인자신경세포가 상호작용을 통해 성장호르몬방출호르몬과 성장호르몬억제인자를 교대로 분비하여 성장호르몬의 박동성 분비를 일으킨다. 이제 각각의 시상하부에서 분비되는 방출호르몬과 억제호르몬에 대해 살펴보겠다.

1) 갑상선자극호르몬방출호르몬

갑상선자극호르몬방출호르몬은 갑상선자극호르몬의 분비를 증가시켜 혈청갑상선호르몬(T_3, T_4)의 증가를 일으키며, 증가된 갑상선호르몬은 다시 갑상선자극호르몬방출호르몬이 뇌하수체에 작용하여 갑상선자극호르몬의 분비를 억제하는 음성되먹임을 한다. 갑상선자극호르몬방출호르몬은

프로락틴방출인자로 작용하기도 하나, 갑상선자극호르몬 방출호르몬이 없는 생쥐에서 정상적인 프로락틴 분비세포와 프로락틴수치를 보였던 것으로 미루어 보아 갑상선자극호르몬방출호르몬은 프로락틴 분비의 주 조절인자는 아닌 것으로 생각된다. 건강한 사람에서는 갑상선자극호르몬방출호르몬은 갑상선자극호르몬과 프로락틴의 분비만을 조절하나 말단비대증 또는 쿠싱병 환자에서는 성장호르몬과 부신피질자극호르몬의 분비를 증가시키기도 한다. 또한, 갑상선자극호르몬방출호르몬은 뇌의 다양한 부위에 신경전달물질로 작용하여 갑상선자극호르몬의 분비조절 외에도 식욕조절, 불안 감소, 항간질 효과, 체온조절, 자율신경계조절에도 관여한다. 갑상선자극호르몬방출호르몬은 망막, 갑상선의 부여포세포, 부신수질 등의 뇌실질 밖과 뇌하수체전엽의 성장호르몬 분비세포에서 발견되기도 하였는데, 이는 갑상선자극호르몬방출호르몬이 주변분비기전을 통해 갑상선자극호르몬 분비에 관여하기 때문으로 생각된다.

2) 부신피질자극호르몬방출호르몬

부신피질자극호르몬방출호르몬은 부신피질자극호르몬의 즉각적인 분비를 일으켜 결과적으로 코티솔과 알도스테론을 포함한 부신스테로이드의 분비를 증가시키는 역할을 한다. 이렇게 분비된 코티솔은 다시 부신피질자극호르몬방출호르몬을 억제하는 음성되먹임기전을 통해 체내 항상성을 유지한다. 부신피질자극호르몬방출호르몬은 뇌하수체의 부신피질자극호르몬 분비세포의 CRH-1수용체와 결합하여 아데닐산고리화효소(adenyl cyclase)를 활성화시킴으로써 부신피질자극호르몬을 조절하고, 부신피질자극호르몬의 전구체인 프로오피오멜라노코틴(proopiomelano-cortin, POMC)의 mRNA 전사율을 증가시키기도 한다. 그 외에도 부신피질자극호르몬방출호르몬은 뇌하수체 외의 중추신경계에 작용하여 불안감, 기분, 각성, 식이조절에도 영향을 미치며 시상하부–뇌하수체–부신축과 무관하게 교감신경계를 활성화시키기도 한다. 또한, 면역반응, 심장기능, 위장기능 및 생식기능 등의 말초기관에도 영향을 미치는 등 체내 항상성 유지를 위해 다양한 역할을 한다.

3) 성장호르몬방출호르몬/성장호르몬억제인자

정상 뇌하수체를 가진 사람에게 성장호르몬방출호르몬을 정맥투여하면 성장호르몬이 즉각적으로 증가하여 15-45분 후에 최고조에 달하고, 90-120분 후에는 기저상태로 다시 돌아온다. 성장호르몬방출호르몬을 반복적으로 투여하거나 몇 시간 동안 지속적으로 주입하는 경우에는 이후에 성장호르몬방출호르몬을 투여 시 성장호르몬의 분비반응이 다소 둔화된다. 하지만 지속적인 성선자극호르몬방출호르몬의 노출로 인해 성선자극호르몬방출호르몬수용체가 탈민감되어 성선자극호르몬 분비가 감소하는 것과는 다르게 성장호르몬방출호르몬은 일정 수준의 성장호르몬의 박동성 분비와 인슐린유사성장인자 생산을 유지시킨다. 성장호르몬방출호르몬의 뇌하수체에 대한 효과는 거의 성장호르몬 분비에만 특이적이며, 성장호르몬방출호르몬에 의한 성장호르몬의 분비반응은 에스트로겐 투여, 그렐린, 글루코코티코이드, 기아상태 등에 의해 증가하고 성장호르몬억제인자, 비만, 고인슐린혈증, 고혈당, 고령 등에 의해 감소한다. 성장호르몬방출호르몬의 뇌하수체 외의 기능은 거의 알려져 있지 않으나, 중요한 기능 중 하나는 수면활동을 조절하고 세포증식 및 상처치유를 촉진하는 것이다. 이와 반대로 성장호르몬의 분비를 억제하는 펩타이드가 1973년도에 Brazeau 연구진에 의해 발견되었는데, 이 성장호르몬억제인자를 성장호르몬억제인자라고 부른다. 성장호르몬억제인자는 뇌하수체에 작용하여 성장호르몬과 갑상선자극호르몬의 분비를 억제하며 특정 조건에서는 프로락틴과 부신피질자극호르몬의 분비도 감소시킨다. 또한, 췌장, 장, 담낭 등 거의 모든 내분비선과 외분비선에 억제작용을 하고, 많은 내분비종양에서 호르몬 방출을 차단하기도 하여 최근에는 성장호르몬억제인자유사체가 내분비종양의 치료제로 사용되기도 한다.

4) 도파민

거의 모든 뇌하수체전엽호르몬들이 시상하부방출호르몬에 의해 분비되는 것과는 달리 프로락틴은 시상하부억제호르몬인 도파민에 의해 주로 조절된다. 뇌하수체줄기를 절단하였을 때 성장호르몬, 갑상선자극호르몬, 부신피질자극호르몬, 사람융모성선자극호르몬은 감소한 것에 반하여 프로락틴은 현저히 증가하여 프로락틴은 시상하부억제호르몬인 도파민이 주요 조절인자임을 알아냈다. 도파민신경세포가 시상하부의 궁상핵에 위치하여 결절누두경로(tuberoinfundibular pathway)를 통하여 정중융기로 연결되며, 뇌하수체의 프로락틴 분비세포의 D2수용체와 결합하여 프로락틴 분비를 억제한다. 이 도파민신경세포가 아세틸콜린과 글루탐산에 의해 자극되고, 히스타민과 아편유사제 펩타이드에 의해 억제된다. 이렇듯 도파민에 의한 억제 작용이 프로락틴 조절의 주요기전이지만 그 외에 프로락틴 분비를 자극하는 인자들도 있다. 프로락틴 분비촉진인자에는 갑상선자극호르몬방출호르몬, 옥시토신, 혈관작용장폴리펩타이드(vasoactive intestinal polypeptide, VIP), 항이뇨호르몬, 세로토닌 등이 있다. 실방핵신경세포에서 옥시토신, 항이뇨호르몬, 혈관작용장폴리펩타이드가 생성되어 정중융기로 이동한다. 또한, 뇌간의 배측봉선핵(dorsal raphe nucleus)신경세포로부터 생성된 세로토닌은 실방핵신경세포를 직접 자극하여 프로락틴 분비를 증가시키고, 궁상핵에 위치한 도파민신경세포를 억제함으로써 프로락틴 분비를 증가시키기도 한다.

5) 성선자극호르몬방출호르몬

성선자극호르몬방출호르몬은 10개의 신경펩타이드로 구성된 시상하부호르몬으로 생식기능의 조절에 관여한다. 성선자극호르몬방출호르몬신경세포가 별개의 핵에 존재하지 않고 널리 퍼져 존재하는 작은 세포로 성선자극호르몬방출호르몬은 뇌하수체의 성선자극세포의 세포막수용체에 결합하여 황체형성호르몬과 난포자극호르몬의 합성과 분비를 자극한다. 뇌간, 변연계, 시상하부의 여러 부위로부터 신경전달물질을 통해 많은 정보가 성선자극호르몬방출호르몬방출신경세포에 전달되는데, 글루탐산, 노르에피네프린, 키셉틴신경세포가 성호르몬축을 자극하며, 반대로 감마아미노뷰티르산(γ-aminobutyric acid, GABA)과 내인아편유사제 펩타이드는 성선자극호르몬방출호르몬신경세포

를 억제한다. 난소의 생식주기는 시상하부–뇌하수체–난소축에 의해 조절되는데 사람의 월경주기 1일 차에는 난소에 존재하는 작은 난포가 적은 양의 에스트라다이올을 생성하기 때문에, 시상하부–뇌하수체축의 되먹임기전에 영향을 줘서 난포자극호르몬과 황체형성호르몬이 다소 증가한다. 증가한 난포자극호르몬은 난포발육을 촉진하고 에스트라다이올 생성을 더욱 증가시켜 에스트라다이올에 의한 양성되먹임기전을 촉발해 성선자극호르몬방출호르몬의 증가 및 황체형성호르몬–난포자극호르몬 파동(surge)을 일으킨다. 황체형성호르몬–난포자극호르몬 파동은 성숙한 난자의 배란을 일으키고, 배란 후 난포벽의 세포들은 증식하고 비대해지면서 황체화되어 많은 양의 프로게스테론과 에스트라다이올을 분비한다. 이 많은 양의 프로게스테론과 에스트라다이올에 의해 다시 시상하부–뇌하수체축은 음성되먹임기전을 받아 황체형성호르몬의 분비는 감소한다. 황체는 사람융모성선자극호르몬의 추가적인 자극이 없으면 14일 후에는 자연적으로 퇴화하게 되어 프로게스테론과 에스트라다이올의 분비는 감소하고, 이로 인해 시상하부–뇌하수체축의 음성되먹임신호가 약해지면서 난포자극호르몬과 황체형성호르몬의 분비는 다시 증가한다. 이때 프로게스테론의 감소는 자궁내막의 탈락을 일으켜 출혈이 발생하며 새로운 월경 사이클이 시작된다.

4. 호르몬의 분비조절

1) 신경내분비 되먹임기전

다양한 자극들에 의해 여러 호르몬들의 혈장 농도가 변동함에도 불구하고 거의 모든 호르몬들은 그 분비가 매우 면밀하게 조절된다. 대부분의 경우에서 이 조절은 표적조직에서 호르몬의 적합한 활성 수준을 유지하게 해주는 음성되먹임기전을 통하여 일어난다. 어떤 자극이 호르몬의 분비를 유도한 후에 호르몬 활성의 결과로 초래되는 변동이나 결과들은 이 호르몬이 더 이상 분비되는 것을 억제하려는 경향이 있다. 다시 말하면 호르몬이나 호르몬작용의 결과물은 표적조직에서 호르몬의 과도한 분비나 이에 따른 과잉활성을 방

지하는 음성되먹임 효과를 보이게 된다. 경우에 따라서는 호르몬의 분비속도가 아닌 표적조직의 활성도가 제어변수로 작용할 수도 있다. 즉, 표적조직의 활성도가 적절한 수준까지 상승했을 때만 내분비선에 되먹임신호를 전달하게 되고 이에 따라 호르몬의 분비를 감소시키게 된다. 호르몬의 되먹임 조절은 호르몬의 합성과 관련되는 유전자전사와 해독과정 그리고 호르몬의 생산공정 또는 저장된 호르몬의 분비와 관련된 과정들을 포함하는 모든 단계에서 일어날 수 있다.

시상하부–뇌하수체호르몬축은 음성되먹임기전에 의해서 통제되어 비교적 협소한 범위의 호르몬 농도를 유지하게 한다. 시상하부–뇌하수체되먹임기전의 예는 다음과 같다. (1) 갑상선호르몬, 갑상선자극호르몬방출호르몬–갑상선자극호르몬축, (2) 코티솔, 부신피질자극호르몬방출호르몬–부신피질자극호르몬축, (3) 성선스테로이드, 성선자극호르몬방출호르몬–황체형성호르몬/난포자극호르몬축, (4) 인슐린유사성장인자–1, 성장호르몬방출호르몬–성장호르몬축, 이러한 조절고리는 갑상선호르몬의 경우 자극(갑상선자극호르몬방출호르몬, 갑상선자극호르몬)과 억제(T_4, T_3)에 의하여 호르몬 농도를 정확하게 조절한다. 갑상선호르몬의 미세한 감소는 갑상선자극호르몬방출호르몬과 갑상선자극호르몬의 급격한 증가를 유발하여 갑상선을 자극하고 갑상선호르몬의 생성을 증가시킨다. 갑상선호르몬이 정상 농도로 돌아오면 이것은 갑상선자극호르몬방출호르몬과 갑상선자극호르몬의 분비를 억제하여 새로운 평형상태에 도달하게 된다. 되먹임 조절기전은 뇌하수체를 포함하지 않는 내분비계에서도 일어날 수 있다. 예를 들면 칼슘은 부갑상선호르몬을 되먹이고, 포도당은 인슐린 분비, 렙틴은 시상하부에 대한 되먹임을 한다. 되먹임 조절을 이해하는 것은 내분비검사를 해석하는 데 매우 중요하다.

드물기는 하지만 호르몬의 작용이 더 많은 다른 호르몬의 분비를 야기할 때 이를 양성되먹임이라고 한다. 가장 대표적인 예는 앞에서 설명한 배란 전에 에스트라다이올이 뇌하수체전엽에 촉진적으로 작용하여 나타나는 황체형성호르몬의 파동을 들 수 있다. 이렇게 분비된 황체형성호르몬은 난소에 작용하여 에스트라다이올의 분비를 더 자극하고, 이는 황체형성호르몬의 분비를 더욱 증가시키는 요인이 된다. 그 이후에는 호르몬 분비의 전형적인 음성되먹임 조절기전이 작동하게 된다. 호르몬 분비는 되먹임기전의 조절 외에 주기적인 변동을 나타내는 경우가 있다. 즉, 호르몬의 분비는 계절적으로 변화할 수 있으며, 발달 및 노화과정의 여러 단계에서 변화를 보일 수도 있고, 그림 2-1-2와 같이 하루를 주기로 하여 변화하거나, 또는 수면에 의한 영향을 받을 수도 있다. 예를 들면 성장호르몬 분비는 수면초기에 현저히 증가하나 나중 단계의 수면 동안에는 감소한다. 많은 경우에서 호르몬 분비의 이러한 주기적 변동은 호르몬 분비를 조절하는 데 관련된 신경로활성의 변화에 기인하는 것으로 여겨진다.

2) 시상하부–뇌하수체호르몬의 분비조절

뇌하수체로부터 분비되는 거의 모든 호르몬은 시상하부의 호르몬 혹은 신경신호에 따라 조절되고 있다. 실제로 뇌하수체를 시상하부 아래의 정상적인 위치에서 절제하여 신체의 다른 부분에 이식하였을 경우, 프로락틴을 제외한 여러 호르몬들의 분비속도가 매우 낮은 수준으로 감소하는 것을 볼 수 있다.

뇌하수체후엽호르몬의 분비는 시상하부에서 시작되어 뇌하수체후엽에서 끝나는 신경신호에 의해서 조절된다. 그림 2-1-1에서 보는 바와 같이 뇌하수체전엽호르몬의 분비는 시상하부 자체에서 분비되는 시상하부방출호르몬과 시상하부억제호르몬이 시상하부–뇌하수체문맥계를 통하여 뇌하수체전엽으로 운반되어 작용함으로써 조절된다. 뇌하수체전엽에서 이들 방출 및 억제호르몬은 직접 선세포에 작용하여 분비활동을 조절한다.

시상하부는 신경계의 많은 부분으로부터 신호를 받는다. 사람이 고통을 받을 때 고통신호의 일부분이 시상하부로 전달된다. 비슷하게 사람이 심하게 우울하거나 흥분할 때도 신호

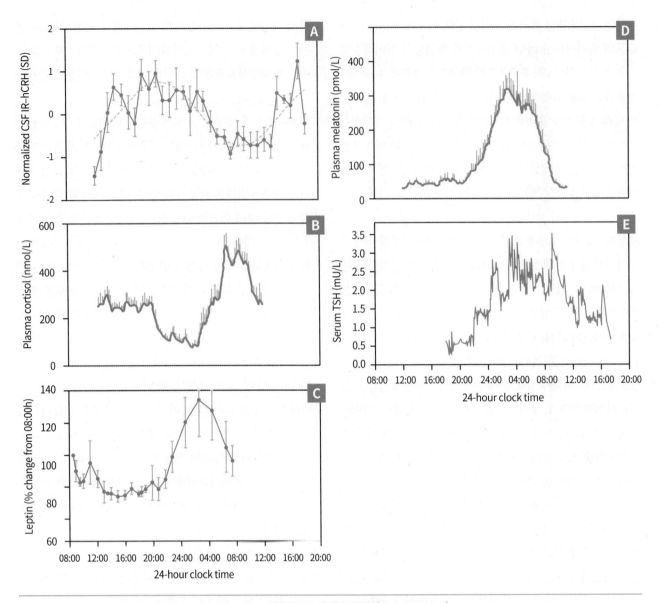

그림 2-1-2. 체내 호르몬의 일주기리듬(diurnal rhythm)
부신피질자극호르몬방출호르몬(A), 코티솔(B), 렙틴(C), 멜라토닌(D), 갑상선자극호르몬(E)

의 일부분이 시상하부로 전달된다. 향기로운 혹은 좋지 않은 냄새 등의 후각자극은 편도핵(amygdaloid nuclei)을 통해 시상하부로 신호를 전달한다. 혈액 내에 있는 영양분, 전해질, 수분 및 여러 호르몬의 농도는 시상하부의 여러 부위의 신경세포를 흥분 혹은 억제시킨다. 따라서 시상하부는 신체의 내부를 원만하게 잘 유지시키는 데 관련되는 정보를 수집하는 중추이며 이러한 정보의 상당 부분은 여러 중요한 뇌하

수체호르몬들의 분비를 조절하는 데 사용된다.

뇌하수체전엽은 많은 모세혈관정맥동이 선세포를 둘러싸고 있는 혈관분포가 많은 기관이다. 이들 정맥동으로 들어온 대부분의 혈액은 먼저 시상하부정중융기에 있는 다른 모세혈관망을 통과한 것들이다. 그런 다음 혈액은 작은 시상하부–뇌하수체문맥계를 통하여 뇌하수체전엽의 정맥동

으로 흘러 들어간다. 소동맥들은 정중융기 내부로 들어가고 있으며 추가적으로 소혈관들이 그 표면으로 돌아 나와 있어 시상하부-뇌하수체 문맥계 혈관 형성을 위해 유합되어 있다. 그리고 이것들은 뇌하수체전엽 정맥동에 혈액을 공급하기 위하여 뇌하수체줄기를 따라 아래로 지나간다.

시상하부의 특정 신경세포들은 뇌하수체전엽호르몬의 분비를 조절하는 시상하부방출호르몬과 억제호르몬을 합성 및 분비하고 있다. 이들 신경세포들은 시상하부의 여러 부위에서 기원하여 신경섬유가 정중융기와 시상하부조직이 뇌하수체줄기로 나와 있는 구조물인 회색융기(tuber cinereum)로 뻗어 있다. 신경섬유의 끝은 신호를 하나의 신경세포에서 다른 신경세포로 전달하기보다는 시상하부 분비 혹은 억제호르몬을 조직액으로 분비하기 때문에 기능적인 측면에서 중추신경계의 말단부분과 다르다. 이들 호르몬은 즉시 시상하부-뇌하수체문맥계로 흡수되어 바로 뇌하수체전엽의 정맥동으로 운반된다.

시상하부분비호르몬과 억제호르몬의 기능은 뇌하수체전엽호르몬의 분비를 조절하는 것이다. 대부분의 경우 뇌하수체전엽호르몬의 분비조절에 있어서 분비호르몬이 중요하지만, 앞서 설명하였듯이 프로락틴의 경우 억제호르몬이 더 중요한 역할을 한다. 주요한 시상하부분비호르몬과 억제호르몬에는 다음과 같은 호르몬들이 있다. 갑상선자극호르몬의 분비를 유발하는 갑상선자극호르몬방출호르몬, 부신피질자극호르몬의 분비를 유발하는 부신피질자극호르몬방출호르몬, 성장호르몬의 분비를 증가시키는 성장호르몬방출호르몬과 억제시키는 성장호르몬억제인자, 황체형성호르몬과 난포자극호르몬의 분비를 증가시키는 성선자극호르몬방출호르몬, 프로락틴의 분비를 억제하는 프로락틴억제호르몬 등이다. 이외에도 프로락틴의 분비를 자극하는 호르몬과 뇌하수체전엽호르몬의 분비를 억제하는 몇 가지의 시상하부호르몬들이 더 있으리라 여겨진다.

시상하부호르몬의 대부분은 뇌하수체전엽으로 이동되기

전에 정중융기에 있는 신경말단에서 분비된다. 따라서 이 부분을 전기적으로 자극하면 신경말단에서 모든 시상하부 호르몬의 분비를 유발할 수 있다. 그러나 정중융기에 신경말단을 두고 있는 신경세포의 세포체는 시상하부의 어떤 독립된 부위나 혹은 뇌기저부와 밀접하게 관련된 부위에 존재한다. 각각의 시상하부 분비호르몬이나 억제호르몬을 합성하는 신경세포의 세포체가 정확하게 어디에 위치하고 있는지는 아직 확실히 알려져 있지 않다.

5. 뇌실주위기관(Circumventricular organs, CVO)

시상하부를 포함한 뇌는 혈액뇌장벽을 통해 체액신호(humoral signal)로부터 보호되는 환경에 놓여있다. 혈장단백과 결합하는 조영제를 주사하면 많은 조직이 염색되지만 뇌는 거의 염색이 되지 않는다는 사실로부터 혈액뇌장벽의 개념이 알려지게 되었는데, 뇌혈관내피세포는 단단한 접합부를 가지기 때문에 펩타이드호르몬을 포함한 고분자물질이 자유롭게 통과할 수 없다. 하지만 체내 항상성 유지를 위해 뇌는 반드시 호르몬, 대사산물, 독소 등의 체내신호를 감지해야 하므로 이 체내신호를 감지하는 창문 역할을 하는 뇌실주위기관이 제3뇌실과 제4뇌실을 따라 뇌의 정중선에 위치하고 있다. 뇌간 주변의 네 개의 작은 구역에서는 뇌의 외부와 마찬가지로 조영제가 염색되는 양상을 보이는데, 이들은 뇌활밑기관(subfornical organ), 종말판혈관기관(organum vasculosum of the lamina terminalis, OVLT), 뇌하수체후엽 및 정중융기, 그리고 맨아래구역(area postrema) 등이며, 이들을 합쳐서 뇌실주위기관이라고 부른다(그림 2-1-3).

뇌실주위기관들에는 창문모세혈관이 존재하여 혈액뇌장벽이 불완전한 상태하에 있기 때문에 단백질, 펩타이드호르몬 등의 분자가 상대적으로 자유롭게 통과할 수 있다. 따라서 뇌실주위기관 내에 있는 신경세포가 혈액 내의 여러 물질, 특히 펩타이드호르몬의 농도를 직접적으로 감지할 수

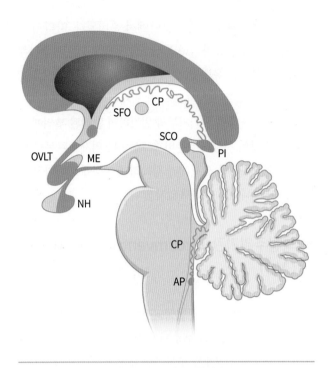

그림 2-1-3. 뇌실주위기관

OVLT, organum vasculosum of the lamina terminalis; SCO, subcommisural organ; SFO, subfornical organ; AP, area postrema. ME, median eminence; CP, choroid plexus; PI, pars intermedia; NH, neurohypophysis.

있는 특성을 지니고 있다. 또한, 이곳에 존재하는 신경세포가 혈액 내로 폴리펩타이드를 분비하는 신경분비세포로써의 역할을 하는데, 즉, 예를 들면 옥시토신과 항이뇨호르몬은 뇌하수체후엽에서 전신혈액으로 분비되고, 시상하부성 뇌하수체 조절호르몬은 정중융기에서 뇌하수체문맥계로 분비된다. 다른 뇌실주위기관은 다양한 펩타이드나, 다른 물질에 대한 수용체를 포함하며, 화학수용체영역으로서의 역할을 하는데, 즉, 이곳에서는 혈액 내를 순환하는 물질이 혈액뇌장벽을 통과할 필요 없이 뇌기능을 변화시킬 수 있다. 다음으로는 각 뇌실주위기관을 하나씩 살펴보겠다.

종말판혈관기관(OVLT)은 제3뇌실의 배쪽 경계에 위치해 있으며, 시상하부의 시각앞구역(preoptic area)세포로 둘러싸여 있다. OVLT신경세포가 시교차전핵, 뇌활밑기관, 궁상핵, 시각로위핵, 내측시상하부(medial thalamus), 변연계 등 뇌의 많은 영역으로 뻗어 있어 혈류를 통해 얻은 정보를 뇌의 특정 영역에 전달하는 역할을 한다. OVLT는 발열반응의 주요한 조절장소이기도 한데 이는 내인발열원으로 생각되는 프로스타글랜딘 E2의 수용체가 이곳에 위치해 있기 때문이다. 또한, OVLT는 항이뇨호르몬의 분비를 조절하는 삼투수용체(osmoreceptor)가 위치한 장소로 혈장 삼투압을 인지하고 안지오텐신II (angiotensin II)에 반응하여 수분 섭취를 증가시키기도 한다.

체액 항상성을 유지하고 혈압을 조절하는 또 다른 주요기관 중 하나는 뇌활밑기관(SFO)으로, 이곳에는 안지오텐신 II 및 심방나트륨배설펩타이드(atrial natriuretic peptide, ANP)수용체가 위치해 있다. 뇌활밑기관신경세포가 뇌하수체후엽에서 항이뇨호르몬 분비를 일으키고 교감신경계 중추인 척수로 연결되는 시상하부의 실방핵신경세포를 활성화시킴으로써 혈관수축과 체액 균형을 조절한다.

맨아래구역(AP)은 제4뇌실의 미측 종말부에 자리 잡고 있으며 고립로핵(solitary nucleus)과 인접해있다. 맨아래구역에는 글루카곤유사펩타이드, 아밀린 등 다양한 신경펩타이드수용체와 삼투수용체가 있으며 혈장내 화학적 변화에 의해 구토가 시작되는 화학수용체방아쇠영역(chemoreceptor trigger zone)이기도 하다. 또한, 맨아래구역은 심혈관계 조절과도 관련이 있는데 안지오텐신II가 작용하여 혈압을 증가시킨다.

맞교차밑기관(subcommisural organ, SCO)은 송과선과 밀접한 관련이 있으며 조직학적으로는 뇌실주위기관과 유사한 점이 많다. 그러나 이곳에는 창문모세혈관이 없으며, 투과성이 낮고, 현재 기능은 거의 알려진 바가 없다. 다만 모노아민(monoamine)을 포함한 여러 물질을 뇌척수액에서 제거하는 기능을 하는 것으로 추정하고 있다. 송과선과 뇌하수체전엽에도 창문모세혈관이 있고 혈액뇌장벽밖에 존재하지만 이들 기관은 내분비선으로 분류된다.

II. 신경내분비/시상하부의 대사조절

김민선

1. 서론

전 세계적으로 비만의 발생이 급증함에 따라 당뇨병, 고혈압을 비롯한 여러 합병증의 동반 상승이 사회적으로 큰 문제가 되고 있다. 에너지섭취와 에너지 소모 사이에 균형이 깨질 때 비만이 초래되는 것은 매우 단순한 원리 같지만, 에너지균형은 매우 복잡한 과정을 통해 조절되고 있다. 에너지섭취는 신경, 내분비학적 요소 및 사회적 요소, 감정, 음식물 접근용이성, 인지능력을 통한 음식물에 대한 정보 등에 의해 결정되며, 에너지 소모는 추위나 기초대사량, 신체활동량에 의해서 영향을 받는다. 이 장에서는 신체의 에너지 섭취와 소모 사이의 균형, 즉 "에너지 항상성"을 유지하기 위해 시상하부를 중심으로 이루어지고 있는 다양한 조절작용에 관하여 살펴보고자 한다.

2. 중추신경계에 의한 에너지섭취 조절

1) 섭식조절부위

시상하부는 오래 전부터 섭식 및 에너지 균형을 조절하는 중추로 알려져 있다. 시상하부가 섭식 및 체중조절에 있어서 필수적인 역할을 한다는 사실은 20세기 중반에 Hetherington과 Ranso의 실험을 통해 처음으로 알려지게 되었다. 그들은 쥐의 시상하부 복내측(vetromedial)부위를 파괴하면 심각한 비만이 초래되고 신경내분비학적인 이상이 생긴다는 것을 관찰하였다. 이후 시상하부 외측(lateral)부위를 파괴하면 반대로 체중이 감소한다는 것이 보고되었으며 이를 바탕으로 시상하부 외측은 섭식중추로, 복내측은 포만중추로 알려지게 되었다.

시상하부는 포유동물의 진화과정에서 잘 보존된 기관으로 생존에 필수적인 역할을 한다. 시상하부는 외부 및 내부환경으로부터 섭식과 에너지대사에 관련된 정보를 받아서 이를 종합적으로 해석하고 뇌하수체전엽과 후엽, 대뇌 피질, 뇌간, 척수, 자율신경절 등으로 투사되는 원심성회로를 통하여 대사조절신호를 전달한다. 이러한 과정을 거쳐서 궁극적으로 에너지 균형 및 항상성을 유지하기 위한 내분비계, 자율신경계, 행동 등에 변화가 일어난다. 시상하부의 구조 중 내측에 위치한 궁상핵(arcuate nucleus), 복내측핵(ventromedial nucleus), 배내측핵(dorsomedial nucleus), 실방핵(paraventricular nucleus)은 포만중추로써 반면 외측에 위치한 외측시상하부(lateral hypothalamic area)는 섭식중추로써의 역할을 담당하고 있다(그림 2-1-4).

뇌간의 여러 부위도 섭식행동 조절에 중요한 역할을 한다. 뇌간의 고립로핵(nucleus tractus solitarius, NTS)은 미주신경이나 교감신경을 통하여 위장관을 포함한 내장기관에서 발생한 다양한 대사신호를 받는다. 즉 맛, 위 팽만, 간문맥의 포도당 및 지질 농도 등 다양한 대사정보는 혀인두신경 및 미주신경에 의해 전달되는 구심성 감각신경경로를 통하여 고립로핵으로 전달된다. 이외에도 뇌의 다양한 부위들이 섭식행동 조절에 관여하는 것이 점차 밝혀지고 있다.

(1) 시상하부

① 궁상핵

궁상핵(arcuate nucleus, ARC)은 에너지 균형을 조절하는 시상하부부위 중 가장 많이 연구된 부위로 제3뇌실의 아랫부분을 감싸고 있다. 궁상핵에는 존재하는 두 종류의 신경세포가 신체의 에너지상태와 관련된 신호를 받는데 있어서 일차적인 역할을 하는데, 식욕을 촉진하는 신경펩타이드 Y (neuropeptide Y, NPY) 및 아구티관련단백질(agouti-related protein, AGRP)을 동시에 생산하는 신경세포와 식욕을 억제하는 알파-멜라닌세포자극호르몬(α-melanocyte stimulating hormone, αMSH)의 전구물질인 프로오피오멜라노코틴(proopiomelanocortin, POMC)을 생산하는 신경세포가 그것이다. 알파-멜라닌세포자극호르몬은 멜라노코틴-4수용체(melanocortin-4-re-

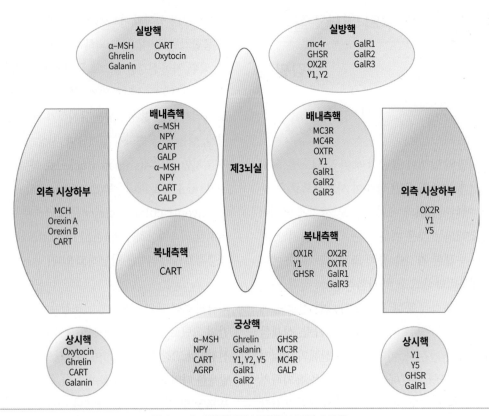

그림 2-1-4. 시상하부의 신경펩타이드와 수용체
왼쪽은 신경펩타이드를 분비하는 신경세포 몸체의 위치를, 오른쪽은 신경펩타이드수용체를 발현하는 신경세포 몸체의 위치를 나타내고 있다.
α-MSH, 알파-멜라닌세포자극호르몬; CART, 코카인암페타민조절전사물; MCH, 멜라닌농축호르몬; NPY, 신경펩타이드Y; GALP, 갈라닌유사펩타이드; AGRP, 아구티관
련단백질; MC4R, 멜라노코틴-4수용체; MC3R, 멜라노코틴-3수용체; OX1R, 오렉신-1수용체; OX2R, 오렉신-2수용체; GHSR, 성장호르몬분비촉진인자수용체; GalR1,
갈라닌수용체-1; GalR2, 갈라닌수용체-2; GalR3, 갈라닌수용체-3; OXTR, 옥시토신수용체.

ceptor, MC4R)에 결합하여 섭식을 억제하고 아구티관련
단백질은 멜라노코틴-4수용체의 내인성 대항제로 작용하
여 알파-멜라닌세포자극호르몬의 작용을 방해함으로써
섭식을 촉진한다. 한편 NPY/AGRP신경세포는 POMC신경
세포로 신경돌기를 뻗어 억제시냅스를 이루고 있어서
POMC신경세포의 흥분을 직접 억제함으로써 섭식을 촉진
시키기도 한다. 렙틴, 그렐린, 세로토닌 등 다양한 섭식조절
인자들은 POMC신경세포와 NPY/AGRP신경세포의 활성
조절을 통하여 섭식을 조절한다.

② **실방핵**
동물에서 시상하부실방핵(paraventricular nucleus,
PVN)을 파괴하면 비만이 발생하므로 실방핵도 섭식조절

의 중요한 부위로 생각된다. 실방핵에는 부실피질자극호르
몬방출호르몬, 갑상선자극호르몬방출호르몬, 옥시토신 등
다양한 신경펩타이드를 생산하는 신경세포와 교감신경계
를 조절하는 상위신경세포가 존재한다. 궁상핵의 신경세포
가 생산한 알파-멜라닌세포자극호르몬, 아구티관련단백
질, 신경펩타이드Y 등은 실방핵에 뻗친 신경말단에서 분비
되어 실방핵신경세포들의 활성을 조절한다. 특히 실방핵은
알파-멜라닌세포자극호르몬에 의한 식욕조절에 있어서 중
요한 부위로 생각된다. 알파-멜라닌세포자극호르몬의 수
용체인 멜라노코틴-4수용체의 유전자돌연변이는 사람에
서 단일유전자이상에 의한 비만의 가장 흔한 원인인데, 멜
라노코틴-4수용체가 결핍된 비만생쥐의 실방핵에 멜라노
코틴-4수용체를 선택적으로 발현시키면 과식증과 비만이

현저하게 호전된다. 이러한 사실로부터 실방핵의 멜라노코틴-4수용체의 정상적인 발현이 섭식과 체중 유지에 중요함을 알 수 있다.

③ 복내측핵

설치류에서 복내측핵(ventromedial nucleus, VMN)을 파괴하면 과식증을 동반한 심한 비만이 유발되므로 복내측핵은 오래 전부터 포만중추(satiety center)로 알려져 있다. 복내측핵은 시상하부의 중앙에 위치하고 있어 실방핵, 외측시상하부, 시신경전핵과 밀접하게 정보를 주고받는다. 심복내측핵에서 생산되는 섭식조절에 관여하는 신경펩타이드로 뇌유래신경영양인자(brain-derived neurotrophic factor)가 있다. 또한 복내측핵에 신경펩타이드Y, 갈라닌(galanin), 베타-엔도르핀(β-endorphin)을 투여하면 섭식이 증가하고 렙틴을 투여하면 섭식이 억제되므로 복내측핵은 이들 신경펩타이드의 주요한 작용부위로 생각된다. 복내측핵에는 포도당 농도에 따라 민감하게 반응하는 신경세포가 존재하며, 복내측핵을 파괴하면 고인슐린혈증이 유발된다. 이는 복내측핵이 탄수화물 대사조절에 밀접하게 연관되어 있음을 시사한다. 복내측핵을 손상시킨 설치류에서는 렙틴에 대해 식욕 억제 작용이 나타나지 않으므로 복내측핵이 궁상핵과 더불어 렙틴의 주요한 작용부위로 생각된다.

④ 외측시상하부

외측시상하부(lateral hypothalamic area, LH)를 자극하면 섭식이 증가하고, 이 부분을 파괴하면 섭식 및 체중이 감소하기 때문에 외측시상하부는 섭식중추(feeding center)로 생각되고 있다. 외측시상하부에는 멜라닌농축호르몬(melanin concentrating hormone, MCH)과 오렉신(orexin)을 생산하는 신경세포체가 존재하며, 이들의 축삭(axon) 말단은 외측시상하부뿐만 아니라 대뇌피질, 편도체, 뇌간, 척수 등 넓은 영역에 걸쳐 분포한다. 멜라닌농축호르몬과 오렉신은 음식 섭취, 지방량, 포도당항상성 유지에 중요한 역할을 하는 것으로 알려졌다. 이들의 정확한 작용부위와 기전은 아직 밝혀져 있지 않지만, 뇌간의 씹기, 핥기, 삼키기를 관장하는 뇌신경의 운동핵들에 작용하고 연수와 척수의 교감 및 부교감신경회로를 통해 자율신경계를 조절하는 역할을 수행하는 것으로 추측하고 있다. 최근 뇌신경회로 연구를 통하여 공포와 보상을 조절하는 BNST (bed nucleus of the stria terminalis)에서 외측시상하부로 오는 억제신호가 섭식행동을 촉진하는 데 매우 중요함이 밝혀졌다. 또한 BNST로부터 직접 혹은 외측시상하부를 거쳐서 복외측 중심회백질(periaqueductal gray)로 전달되는 억제성 신경회로가 섭식을 촉진시키는 데 중요하다는 것이 알려졌다.

(2) 뇌간

① 고립로핵

고립로핵(solitary tract nucleus, NTS)은 식사 중 위장관에 분포하는 미주신경 및 위장관펩타이드를 통한 포만신호를 감지하여 식사를 종료시키는 단기간 섭식조절의 중추로서 역할을 한다. 고립로핵은 장기간 섭식조절중추인 시상하부와 긴밀한 교류를 통하여 매 식사량을 결정한다. 고립로핵은 위장관으로부터 오는 대사신호를 미주신경을 통하여 받는다. 한편 고립로핵신경세포들은 혈관-뇌장벽의 안쪽에 위치하므로 직접적으로 혈액에 순환하는 호르몬들과 접촉하지 않지만, 고립로핵 바로 위에 위치한 맨아래구역(area postrema)의 신경세포들은 혈액뇌장벽 바깥에 위치하여 혈액 내의 콜레시스토키닌, 글루카곤유사펩타이드-1, 펩타이드YY, 아밀린 등과 같은 위장관호르몬의 농도를 직접 감지하여 고립로핵으로 위장관에서 발생한 대사신호를 전달한다.

② 복측피개영역

중뇌에 위치한 복측피개영역(ventral tegmental area)에는 도파민을 생산하는 신경세포가 존재하여 맛있는 음식을 섭취하고자 하는 동기를 부여한다. 복측피개영역은 위장관에서 오는 대사신호를 받아서 도파민 생산 및 분비를 조절한다. 예를 들면 위에서 분비되는 호르몬인 그렐린은 복측피개영역에 분포하는 도파민신경세포체에 존재하는 그렐린 수용체에 결합하여 측중격핵(nucleus accumbens)으로 투사된 축삭 말단에서 도파민 분비를 촉진함으로써 맛있는 음식 섭취에 대한 동기를 부여하고, 설탕(sucrose) 섭취를 증가시킨다. 또한 복측피개영역 도파민신경세포 활성은 에너지저장량의 변화에 대해 민감하게 반응한다. 이 과정의 주요 매개체는 렙틴이다. 렙틴은 복측피개영역에 직접 작용하여 도파민분비신경세포를 과분극시켜 섭식에 대한 동기를 감소시킨다. 또한 복측피개영역에는 인슐린수용체가 존재하며, 인슐린신호에 의해 맛있는 음식 섭취가 억제된다. 임상에서 사용 중이거나 개발 중인 비만치료제들은 복측피개영역에 영향을 준다. 리라글루타이드와 엑세나타이드와 같은 글루카곤유사펩타이드-1작용제, 메트리렙틴(metreleptin)과 같은 렙틴작용제, 로카세린(lorcaserin)과 같은 세로토닌작용제 등도 복측피개영역에 영향을 미치는 것으로 알려져 있다.

③ 팔곁핵

팔곁핵(parabrachial nucleus)은 1971년에 설치류에서 미각신호전달경로를 연구하는 중에 발견되었다. 연수에 위치하며, 구강에서 오는 미각정보와 위장관에서 온 섭식정보가 고립로핵을 거쳐 전달되는 곳이다. 팔곁핵은 외측 및 내측으로 구분하는데, 내측팔곁핵은 시상과 전뇌 복측으로 맛에 대한 정보를 전달하고, 외측팔곁핵은 시상하부로 섭식정보를 전달한다. 팔곁핵에 병변이 생기면 독성물질이나 해로운 물질을 섭취하지 않도록 하는 일종의 보호기전인 조건반사적먹이회피현상(conditioned taste aversion)기능이 상실된다. 팔곁핵은 미각을 단순히 전달하는 부분이 아니라 섭식을 관장하는 중요부위로 인정받고 있으며 팔곁핵은 시상하부와 긴밀한 교류를 통하여 섭식을 조절한다.

2) 중추신경계의 섭식조절에 관여하는 인자

(1) 말초에서 유래된 인자

① 렙틴

ob유전자의 산물인 렙틴은 지방조직에 저장되어 있는 에너지저장량에 대한 정보를 뇌에 전달시켜주는 대표적인 호르몬이다. 렙틴은 그리스어로 "여윈, 마른(thin)"을 의미한다. 렙틴유전자는 진화과정에서 잘 보존되어 있으며, 생쥐와 사람의 렙틴 간에 84% 정도의 상동성을 보인다. 렙틴은 167개의 아미노산으로 구성되어 있으며 혈액의 렙틴 농도는 지방축적량에 비례하여 증가한다. 렙틴은 일차로 지방세포에서 분비되지만 골격근, 태반, 위 등에서도 소량 생산되며, 렙틴의 생리작용은 상당 부분 뇌에 작용하여 이루어진다고 알려져 있다.

혈액뇌장벽을 통과한 후 렙틴은 시상하부와 뇌간에 있는 렙틴수용체에 결합한다. 렙틴수용체는 class I cytokine receptor family에 속하며 지금까지 다섯 종류의 아형이 알려져 있다. 렙틴수용체는 특히 시상하부궁상핵에서 강하게 발현되며 이 외에도 배내측핵, 복내측핵, 고립로핵, 흑질(substantia nigra), 복측피개영역에도 발현된다. 신경세포에 발현하는 활성형 렙틴수용체 아형인 OB-Rb에 렙틴이 결합하면 JAK2-STAT3 신호전달계가 활성화되어 섭식조절작용을 가진 신경펩타이드들의 분비나 발현 혹은 신경세포의 전기활성도를 조절을 통하여 섭식 감소나 에너지대사 촉진을 유도하여 증가한 체지방량을 줄인다(그림 2-1-5).

렙틴이 부족하면 심한 비만과 이 외에 광범위한 신경내분비 변화가 초래되며, 이러한 변화는 렙틴을 투여하면 정상화된다. 금식을 하면 시상하부-뇌하수체-부신축이 활성화되며, 반대로 성장호르몬, 갑상선호르몬 및 성호르몬축은 활성이 감소하는데, 렙틴이 결핍되면 금식상태에서 관찰된 것과 유사한 호르몬 변화가 나타난다. 렙틴을 보충하면 이러한 반응들은 소실되므로 금식 동안 관찰되는 호르몬들의 변화는 렙틴 저하와 밀접한 연관이 있다고 생각된다.

대부분의 비만한 사람에서 혈중 렙틴 농도는 오히려 증가되어 있다. 이는 사람의 비만은 렙틴 부족보다는 렙틴작용의 저하가 원인임을 시사한다. 비만한 사람에서 뇌척수액 렙틴 농도와 혈액의 렙틴 농도의 비가 감소되어 있어, 혈액의 렙틴이 중추신경계로 유입되는 단계에 장애가 있을 것으로 생각

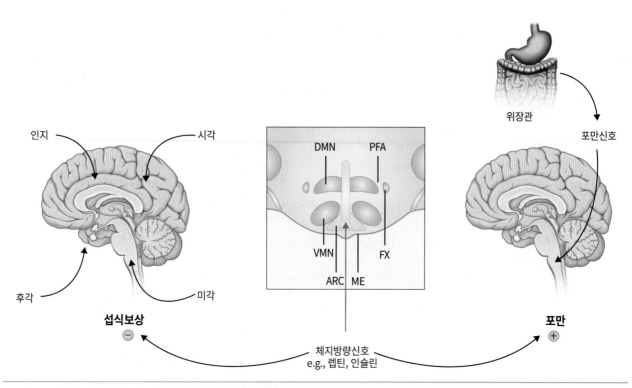

그림 2-1-5. 체지방량 변화에 따른 섭식조절의 음성되먹임기전

렙틴과 인슐린은 체지방량에 비례하여 생산이 증가하며, 중추신경계에 작용하여 섭식을 억제한다. ARC, 궁상핵; DMN, 배내측핵; FX, 뇌활; ME, 정중융기; PFA, 뇌활주위영역; VMN, 복내측핵.

된다. 이 외에도 비만한 생쥐에서 시상하부에 렙틴수용체 발현이 감소되어 있거나, 렙틴의 신호전달을 방해하는 sup-pressor of cytokine signaling (SOCS)-3 혹은 protein-tyrosine phosphatase (PTP)-1B 발현이 증가되어 있어서 비만증에서 렙틴의 신호전달에 장애가 발생할 가능성이 제시되었다.

② 인슐린

인슐린은 말초조직에 작용하여 혈당을 낮추는 작용 이외에 중추신경계에 작용하여 섭식과 에너지대사를 조절한다. 시상하부 신경세포에 인슐린수용체가 발현하며, 뇌로 인슐린을 투여하면 음식 섭취가 감소한다. 뇌에 인슐린수용체 혹은 인슐린신호전달 물질인 insulin receptor substrate-2 (IRS-2)를 제거한 생쥐에서 섭식과 체중이 증가하였다. 이러한 사실을 통해 인슐린이 생리적 섭식 억제 작용을 가지고 있음을 알 수 있다. 혈액의 인슐린 농도는 체지방량에 비

례하여 증가하므로, 인슐린은 렙틴과 유사하게 체지방량의 정보를 뇌에 전달하여 섭식을 조절하는 생리적 인자로 생각된다.

③ 위장관 펩타이드

음식 섭취 후 위장관에서 분비되는 호르몬들은 일차로 뇌간에 작용하여 포만감을 조절한다. 뇌간으로 전달된 신호는 시상하부와 신경연결을 통하여 매일 섭취하는 음식의 양과 횟수 및 장기간에 걸친 체중변화를 조절한다. 일부 위장관 호르몬들은 시상하부에 직접 작용하여 섭식을 조절한다(그림 2-1-6).

가. 콜레시스토키닌

콜레시스토키닌(cholecystokinin)은 음식을 섭취하면 십이지장 I세포로부터 분비되어 췌장효소 분비와 장운동을 자극하고 위장의 운동을 억제한다. 복강으로 콜레시스토키

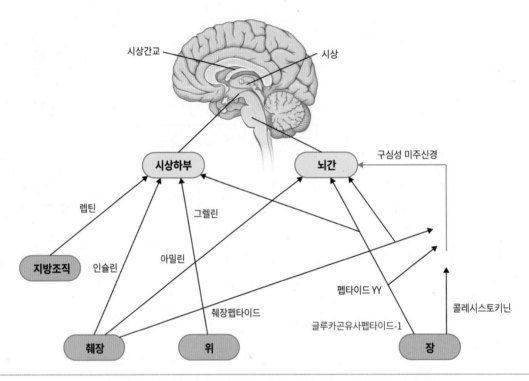

그림 2-1-6. 시상하부와 뇌간에 작용하여 섭식조절에 관여하는 위장관 펩타이드
렙틴과 인슐린은 장기간의 에너지 저장에 관여하며, 위장관 펩타이드호르몬은 단기간의 영양소신호에 관여한다. 위에서 분비되는 그렐린은 공복상태에서 분비되는 유일한 위장관호르몬으로 강력한 섭식 촉진인자이다.

닌을 주입하면 30분 이내에 섭식이 강하게 억제되나, 이 효과는 1-2시간 후면 사라지므로 콜레시스토키닌은 매 식사 후 포만감형성에 관여한다고 생각된다. 콜레시스토키닌을 반복주입 시 체중은 전혀 줄어들지 않으므로 콜레시스토키닌은 장기간에 걸쳐 체지방량을 조절하지는 못한다. 콜레시스토키닌수용체는 CCK-A수용체, CCK-B수용체 두 가지가 있는데, 콜레시스토키닌 효과는 구심성 미주신경에 존재하는 CCK-A수용체를 통하여 이루어진다고 알려져 있다. 콜레시스토키닌을 말초로 주입하면 뇌간의 고립로핵과 맨아래구역에서 신경세포를 활성화시키고 이러한 신호는 팔결핵을 거쳐서 시상하부실방핵으로 전달된다.

나. 그렐린

그렐린(ghrelin)은 위에서 주로 분비되는 장호르몬으로 처음 발견될 당시에는 성장호르몬분비촉진인자수용체의 리간드인 성장호르몬분비촉진인자로 알려졌으나, 그 후 그렐

린이 시상하부에 작용하여 강력한 섭식촉진작용을 한다는 것이 밝혀졌다.

혈액의 그렐린 농도는 식사 직후 급격히 감소하였다가 다음 식사 직전까지 점차 상승한다. 밤 사이 긴 공복 동안에는 낮보다 혈중 그렐린 농도가 훨씬 증가한다. 설치류실험에서 식사량과 같은 부피의 식염수를 주입하면 혈중 그렐린 농도가 변하지 않으므로, 식후의 그렐린 분비 억제는 위장팽창보다는 섭취한 영양소에 반응하는 것으로 보인다. 설치류에 그렐린을 투여하면 궁상핵의 신경펩타이드Y분비신경에서 신경활성도의 지표인 c-fos가 활성화되고 식이 섭취를 증가하며, 이러한 작용은 렙틴을 함께 투여하면 상쇄된다. 외과적 또는 화학적으로 미주신경을 절제한 뒤 그렐린을 말초로 투여하면 궁상핵에서 c-fos활성화와 섭식촉진 작용이 억제되었다. 따라서 그렐린은 구심성 미주신경을 통해 궁상핵으로 섭식조절신호를 전달하는 것으로 보인다. 사람에서도 그렐

린 주입 후 약 4–5시간 동안 식욕증진 효과가 나타난다. 식후에 분비되는 다른 위장관펩타이드들과 달리 그렐린은 공복상태에서 분비되어 음식 섭취를 유도하는 공복호르몬(hunger hormone)으로 생각된다. 공복상태에서 측정한 혈중 그렐린 농도는 체지방량에 반비례한다. 즉 비만 환자에서 감소하며, 거식증 환자에서 증가한다. 또한, 제중감소 시기에 증가하며, 체중증가 시기에 감소한다. 비만한 사람에서 혈중 그렐린 농도의 감소는 그렐린이 비만의 원인으로 작용하기 보다는 비만을 보상하기 위한 이차변화로 생각된다. 예외적으로 유전성 비만질환인 프라더–빌리증후군에서는 그렐린이 증가되어 있다.

다. 글루카곤유사펩타이드–1

글루카곤유사펩타이드–1 (glucagon–like peptide–1, GLP–1)은 소장과 대장의 L세포에서 분비되는 장호르몬으로 식욕억제 작용을 가지며, 글루카곤유사펩타이드–1 유사체들이 당뇨병과 비만의 치료약물로 개발되어 임상에서 사용하고 있다. 글루카곤유사펩타이드–1의 식욕억제 효과는 뇌간의 운동성 미주신경에 작용하여 음식물의 위배출시간을 지연시키고, 시상하부에 직접적으로 작용하여 포만감을 유도하고, 미각변화를 유도하기 때문으로 생각된다. 위장관호르몬인 글루카곤유사펩타이드–1은 중추신경계 내에서도 뇌간 고립로핵의 꼬리 부분에서 한정적으로 생산된다. 고립로핵 꼬리 부분의 신경은 흉부 및 복부의 내장기관으로부터 감각신경정보를 받아 처리하는 곳이다. 고립로핵 신경에서 글루카곤유사펩타이드–1은 혈중의 렙틴이나 포도당 농도의 변화나 궁상핵의 POMC 신경 등 뇌의 여러 부위에서 오는 신경자극에 반응하여 빠르게 분비됨으로써 섭식행동을 조절한다. 고립로핵의 글루카곤유사펩타이드–1 신경의 축삭돌기는 시상하부실방핵, 궁상핵, 외측시상하부를 포함한 광범위한 뇌영역으로 뻗쳐 있다. 고립로핵에서 글루카곤유사펩타이드–1을 분비하는 신경의 위치와 광범위한 뇌영역으로 축삭투사는 뇌간에서 생산된 글루카곤유사펩타이드–1이 다양한 생리과정을 조절하는 데 관여할 가능성을 시사한다.

④ 성호르몬과 당질부신피질호르몬

당질부신피질호르몬과 성선스테로이드가 중추에서 작용하여 에너지대사를 조절한다는 사실은 잘 알려져 있다. 설치류에서 고환을 절제하면 식이 섭취가 감소하고, 난소를 절제하면 반대의 결과가 초래된다. 폐경여성에 에스트로젠을 보충해 주면 체중증가를 억제할 수 있나. 에스트로젠수용체는 궁상핵에 높은 수준으로 발현하고 있으며, 에스트로젠은 POMC와 NPY/AGRP 신경에 작용하여 섭식을 억제하고, 복내측핵신경에 작용하여 에너지소모를 촉진시킨다. 한편 에스트로젠은 미주신경에 작용하여 콜레시스토키닌과 같은 포만인자에 대한 반응성을 변화시킨다. 에스트로젠수용체–알파가 결핍된 생쥐에서 내장지방 증가, 고인슐린혈증, 포도당불내성이 발생하나, 심한 비만이 유발되지는 않았다. 에스트로젠수용체–알파를 복내측핵에서만 선택적으로 제거해도 비슷한 현상이 관찰되었다.

당질부신피질호르몬은 음식 섭취와 체중증가를 촉진한다. 과도하게 섭취할 경우, 쿠싱증후군처럼 과도한 이소성 지방 축적이 발생한다. 당질부신피질호르몬수용체는 중추신경계와 말초조직에 걸쳐 광범위하게 분포하며, 다양한 생리조절에 관여한다. 중추에서는 항염증작용 및 시상하부–뇌하수체–부신축의 되먹임기전에 관여하고, 이러한 기전을 통해 이차적으로 에너지대사에 영향을 미친다.

⑤ 영양소
가. 포도당

혈중 포도당 농도가 변하면 뇌에서 신경을 통해 인지한다. 특정 신경은 혈당이 올라가면 활성화되고, 특정 신경은 혈당이 감소할 때 활성화되는데, 이 중 혈당이 증가할 때 활성화되는 신경은 췌장의 베타세포와 매우 유사한 기전을 통하여 고혈당을 감지한다. 중추신경계에서 혈당의 변화를 감지하는 신경들은 다양한 뇌영역에 분포하나 시상하부나 뇌간 등 섭식과 에너지대사를 조절하는 부위에 특히 많이 분포한다. 포도당 상승을 감지하는 신경은 주로 섭식 억제 작용을 가지며 저혈당을 감지하는 신경은 저혈당상태에서 섭식을 촉진하는 작용을 가진다.

나. 지방산

긴사슬불포화지방산(polyunsaturated fatty acids, PUFA)은 n-3 및 n-6 지방산으로 분류하며, 항비만 효과를 가지고 있다. PUFA는 지방산합성효소와 stearoyl-CoA desaturase-1과 같은 지질 합성을 담당하는 효소 활성을 억제하고, 지방산 산화 및 열 발산을 촉진함으로써 비만을 억제하는 작용이 있으나, 시상하부를 통한 체중조절작용은 분명하지 않다. 올리브유, 카놀라유, 해바라기씨유에 많이 함유된 단일불포화지방산(monounsaturated fatty acids, MUFA)의 일종인 올레산(oleic acid)을 설치류의 시상하부로 투여 시 ATP의존적 칼륨채널의 활성화를 통하여 먹이 섭취를 억제하였다. 팔미트산(palmitic acid)으로 대표되는 포화지방산(saturated fatty acid)은 설치류에 장기간 투여하면 비만을 초래하며, 식이유발비만 설치류모델을 만드는 데 흔히 사용된다. 포화지방산은 시상하부에서 면역세포의 일종인 소교세포와 교세포의 일종인 성상세포의 활성화를 통하여 염증반응을 일으키고, 그 결과 시상하부궁상핵 신경에 염증신호전달계를 활성화시키거나 소포체 스트레스를 일으켜서 렙틴과 인슐린의 신호전달을 방해함으로써 섭식과 에너지대사의 조절장애를 초래하여 비만을 유발한다.

다. 아미노산

일반적으로 고단백식이는 칼로리 섭취를 낮추는 결과를 초래한다. 반면에 저단백식이를 하면 영양소 종류에 상관없이 칼로리 과잉 섭취가 일어난다. 고단백식이를 했을 때 섭식이 감소하는 것은 위장관 내의 단백질이 콜레시스토키닌을 분비하여 구심성 미주신경을 통하여 고립로핵에서 포만회로를 자극하고 이 신호가 시상하부로 전달되는 데에 기인하는 것으로 보인다. 그 외에도 고단백식이는 노르아드레날린 분비신경을 활성화시키고 오렉신-1수용체 발현을 감소시켜 포만신호를 증가시킨다. 고단백식이로 포만중추를 활성화시키면 공복감과 섭식이 감소하는데, 고단백식이는 단기간

의 음식 섭취 감소뿐만 아니라, 장기적으로도 포만감을 증가시키고 공복감을 감소시켜 체중과 지방량을 감소시키는 효과가 있다.

(2) 중추신경계에서 생산되는 섭식조절인자

포유동물의 게놈에는 70개 이상의 신경펩타이드유전자가 코딩되어 있다. 신경펩타이드와 신경전달물질은 섭식을 조절하는 방식에 있어서 차이가 있다. 신경펩타이드는 전통적인 신경전달물질에 비해 분자가 크고 수용체에 대한 결합력이 커서 더욱 낮은 농도에서도 생물학적 효과를 나타낼 수 있다. 또한 신경전달물질을 분비하는 신경과 시냅스를 이루는 신경에만 작용하는 데 반해, 신경펩타이드는 원거리에 있는 신경에도 작용을 나타낼 수 있다. 많은 신경펩타이드들이 중추신경계에서 뇌척수액 내로 분비되고, 다른 뇌 영역으로 퍼진다.

① 식욕조절에 관여하는 신경펩타이드

식욕조절에 관여하는 인자들은 **표 2-1-1**에 정리되어 있다. 또한 식욕조절에 관여하는 신경펩타이드와 각각의 수용체가 분포하는 시상하부영역은 **그림 2-1-4**에 제시되어 있다.

가. 알파-멜라닌세포자극호르몬

알파-멜라닌세포자극호르몬(α-melanocyte stimulating hormone, αMSH)은 전구물질인 POMC가 분해되어 생산되며 궁상핵에 있는 신경에서 생산되어 배내측핵, 실방핵, 궁상핵 및 뇌간의 고립로핵으로 뻗은 축삭말단에서 분비된다. 알파-멜라닌세포자극호르몬을 생산하는 신경이 고립로핵에도 일부 존재한다. 알파-멜라닌세포자극호르몬을 상기 뇌부위와 뇌실로 주입하면 식이 섭취가 억제된다. 뇌에 발현되는 알파-멜라닌세포자극호르몬수용체 아형에는 멜라노코틴-3수용체와 멜라노코틴-4수용체가 있다. 멜라노코틴-4수용체는 시상하부, 편도핵, 시상, 대뇌피질, 선조체, 해마, 뇌간에 널리 분포하는 반면, 멜라노코틴-3수용체는 시상, 해마 및 시상하부의 궁상핵과 배내측핵에서 제한적으로 발현된다. 두 수용체가 모두 체중조절에 관여하

표 2-1-1. 섭식조절에 관여하는 인자들

섭식촉진인자
• 신경펩타이드Y
• 아구티관련단백질
• 오렉신A, B
• 갈라닌
• 노르아드레날린(알파2)
• 아세틸콜린
• 도파민
• 그렐린
• 당질부신피질호르몬

섭식억제인자
• 알파-멜라닌세포자극호르몬
• 부신피질자극호르몬방출호르몬
• 갑상선자극호르몬방출호르몬
• 옥시토신
• 코카인암페타민조절전사물
• 인터루킨-1베타, 인터루킨-6
• 노르아드레날린(알파1, 베타2)
• 세로토닌
• 도파민
• 렙틴
• 유로코틴
• 펩타이드YY
• 콜레시스토키닌
• 글루카곤유사펩타이드-1

는데, 멜라노코틴-4수용체가 멜라노코틴-3수용체보다 좀 더 중요한 역할을 수행한다. 멜라노코틴-3수용체를 결핍시킨 생쥐는 체중과 지방량이 약간 증가하지만 먹이 섭취에는 큰 변화가 없었다. 이에 반해 멜라노코틴-4수용체가 결핍된 생쥐에서는 멜라노코틴수용체작용제의 식이섭취 효과가 현저하게 감소하고 과식증과 비만이 발생하였다. 중추신경계의 멜라노코틴계는 포도당항상성 유지에도 중요한 역할을 한다. 혈당이 증가하면 POMC신경세포의 활성이 증가하여 간으로 가는 부교감신경계 조절을 통하여 간에서 포도당 생성을 억제하고, 교감신경계를 통하여 갈색지방조직에서 포도당 섭취 및 소모를 촉진한다. 따라서 멜라노코틴-4수용체작용제를 투여하면 포도당감수성이 증가하고, 반대로

멜라노코틴-4수용체를 제거한 생쥐는 비만해지기 전부터 인슐린저항성이 발생한다. 멜라노코틴-4수용체작용제를 투여하면 췌장으로 가는 교감신경계를 활성화시켜 췌장에서 인슐린 분비를 억제하는데, 알파-아드레날린수용체를 차단하면 이러한 효과가 없어진다.

나. 신경펩타이드Y

신경펩타이드Y (neuropeptide-Y, NPY)는 36개의 아미노산으로 이루어진 펩타이드로 뇌 전체에 걸쳐 넓게 분포하며, 특히 궁상핵의 신경에서 아구티관련단백질과 함께 생산된다. 신경펩타이드Y는 수유상태와 같이 에너지섭취 증가가 필요한 상황에서는 배내측핵에서도 발현된다. 뇌 및 뇌실 내로 신경펩타이드Y를 주입하면 식이 섭취를 강력하게 증가시킨다. 궁상핵에서 신경펩타이드Y 발현은 금식상태에서 증가한다. 따라서 신경펩타이드Y의 생산은 에너지가 부족한 상황에서 섭식을 증가시킬 필요가 있을 때 증가한다. 흥미롭게도 NPY신경의 흥분성은 공복상태에서 증가하지만 음식을 발견하면 섭취 전부터 감소하기 시작한다. 따라서 NPY신경은 에너지가 부족한 상황에서 음식을 찾는 행동을 촉진시키는 작용을 하는 것으로 생각된다. 신경펩타이드Y수용체 계열에 5종류의 수용체가 발견되었는데, 이 중 뇌하수체, 편도, 해마, 뇌간에 존재하는 Y1수용체와 Y5수용체가 신경펩타이드Y의 식욕촉진작용을 매개할 것으로 생각된다. 신경펩타이드Y는 Y1수용체와 Y5수용체를 활성화시켜서 먹이를 찾고 에너지를 비축하는 촉진하고, 에너지를 소비를 억제한다.

다. 아구티관련단백질

중추신경계에서 아구티관련단백질(agouti-related peptide, AGRP)은 주로 궁상핵신경에서 NPY와 함께 생산된다. 신경펩타이드Y와 마찬가지로 아구티관련단백질도 뇌실 내로 주입하거나 실방핵이나 배내측핵으로 직접적으로 주입했을 때 식욕을 촉진하는데, 이러한 작용은 NPY보다 서서히 나타나고 오래 지속된다. 아구티관련단백질은 멜라노코틴-3수용체와 멜라노코틴-4수용체의 대항제로 알파-멜

라닌세포자극호르몬과 경쟁적으로 결합하여 알파–멜라닌세포자극호르몬작용을 방해한다. 또한 아구티관련단백질은 알파–멜라닌세포자극호르몬이 없는 상태에서도 멜라노코틴–4수용체에 결합하여 역작용제(inverse agonist)로 작용할 수 있다. 생쥐에 아구티관련단백질을 과발현시키면 비만이 유발된다. 궁상핵에서 아구티관련단백질 발현은 공복이나 임신이나 수유와 같이 에너지요구가 높은 상황에서 증가한다.

라. 옥시토신

옥시토신(oxytocin)은 실방핵과 시각로위핵에 발현되며 뇌실 내로 주입했을 때 식욕억제 효과를 보인다. 옥시토신수용체는 편도체, 배내측핵, 복내측핵, 고립로핵 등 중추신경계에 널리 분포한다. 옥시토신이 식욕을 억제하는 정확한 기전은 알려져 있지 않으나 고립로핵이 주요 작용부위로 생각된다. 실방핵의 옥시토신 분비신경은 고립로핵으로 투사되는데, 옥시토신수용체대항제를 제4뇌실에 주입하면 식이 섭취가 촉진되고 고립로핵의 옥시토신수용체를 발현하는 신경을 파괴하면 옥시토신수용체대항제의 효과가 사라진다. 따라서 옥시토신은 주로 고립로핵을 통해서 식욕억제 작용을 나타낸다는 것을 알 수 있다. 옥시토신은 음식의 선호도에 영향을 미치는데, 옥시토신은 탄수화물 섭취를 선택적으로 억제하는 것으로 보인다. 옥시토신이 없는 생쥐에서 탄수화물 섭취가 증가하고, 반대로 옥시토신수용체 대항제는 탄수화물 소비를 증가시킨다. 또한 지방을 섭취했을 때보다 탄수화물을 섭취했을 때 옥시토신 분비신경이 더욱 활성화된다.

마. 멜라닌농축호르몬

멜라닌농축호르몬(melanin concentrating hormone, MCH)은 외측시상하부와 불확정구역(zona incerta)에서 주로 생산되며, 중추신경계 내로 주입하면 식욕을 촉진한다. 멜라닌농축호르몬을 결핍시킨 생쥐는 체중이 감소하고, 반대로 멜라닌농축호르몬을 과발현시킨 생쥐는 식이 섭취량과 체중이 증가한다. 멜라닌농축호르몬수용체인

MCHR1과 MCHR2는 중추신경계에서 발현되는데 흥미롭게도 MCHR1이 결핍된 생쥐는 식이 섭취량이 증가하나, 신체활동량 증가로 인해 체지방량은 감소했다. 섭식과 관련되어 있는 말초기관인 저작근육, 침샘, 혀와 중추신경 간에 시냅스연결을 확인하기 위해 역행성 추적방법을 이용한 연구가 있었고, 이 연구에서 외측시상하부의 멜라닌농축호르몬을 분비하는 신경이 저작근육과 침샘으로 투사하고 있음이 확인되었다. 이는 멜라닌농축호르몬 분비신경이 저작작용에 관여하는 신경경로를 활성화시켜서 섭식에 영향을 줄 수 있음을 시사한다.

바. 오렉신

오렉신(orexin, hypocretin)은 멜라닌농축호르몬과 유사하게 외측시상하부에서 주로 생산된다. 오렉신A 및 오렉신B는 같은 전구체로부터 생산되고, 중추신경계 내로 주입하면 식이 섭취를 촉진하는 효과를 나타낸다. 오렉신수용체는 OX1R 및 OX2R 두 가지가 있으며, 오렉신A는 두 수용체에 모두 강하게 결합하는 반면에 오렉신B는 주로 OX2R에 결합한다. 생쥐에 오렉신유전자를 제거하면 식이 섭취가 감소하고, 기면증이 유발된다. 이러한 이유로 오렉신이 각성상태를 유지시켜 먹이 섭취를 증가시킬 가능성이 제기되었다. 제4뇌실에 오렉신A를 주입하면 섭식이 증가되는데, 이는 후뇌 쪽에도 오렉신 작용부위가 있음을 암시한다. 오렉신은 보상적 섭식행동에도 영향을 미친다. 코카인이나 모르핀이나 맛있는 음식에 대한 보상행동을 연구하는 조건장소선호도(conditioned place preference) 실험에서 보상이 클수록 오렉신 분비신경의 활성도가 증가한다. 또한 OX1R 대항제를 투여하면 조건장소 선호도가 감소하지만, OX2R 대항제는 효과가 없었다. 이 연구결과로부터 섭식에 대한 동기부여과정에 오렉신A와 OX1R이 관여할 가능성이 제시되었다.

② 식욕조절 관여 신경전달물질
가. 노르아드레날린

노르아드레날린(noradrenalin)을 생산하는 신경은 뇌간에 존재하며 대뇌피질, 시상, 시상하부, 해마를 포함한 다양

한 뇌영역으로 광범위하게 투사된다. 노르아드레날린을 시상하부의 실방핵이나 뇌활주위영역(perifornical area)으로 주입하면 섭식이 촉진된다. 실방핵에는 알파2-아드레날린수용체가 존재하고, 노르아드레날린의 식욕촉진 효과는 이수용체를 통해 이루어진다. 실방핵에서 알파2-아드레날린수용체의 수는 일중변동양상을 보이는데, 설치류에서 섭식이 주로 이루어지는 암주기(dark phase)의 시작지점에서 크게 증가한다. 알파2-아드레날린수용체를 매개로 하는 노르아드레날린의 식욕촉진 효과는 실방핵으로부터 하행으로 포만신호를 전달하는 신경경로를 억제하는 데서 기인한다고 생각된다. 알파1-및 알파2-아드레날린수용체는 일반적으로 반대적 생리작용을 나타내는데, 실방핵에도 이 두 가지 수용체가 모두 존재한다. 알파1-아드레날린수용체 작용제를 투여하면 실방핵의 노르아드레날린에 반응하는 신경세포들이 활성화되고, 이로 인해 식욕억제 효과가 나타나는 것이 알려져 있다. 노르아드레날린과 세로토닌의 재흡수를 억제하여 포만감을 증가시키는 기전을 통해 비만치료제로 사용되었던 시부트라민(sibutramine)은 내측 시상하부와 대뇌피질의 노르아드레날린 농도를 증가시키는데, 알파1수용체 대항제를 미리 처리하면 시부트라민의 식욕억제 효과가 나타나지 않는다. 이러한 사실로부터 노르아드레날린 재흡수억제제의 식욕억제 효과는 알파1-아드레날린수용체를 매개로 이루어진다는 것을 알 수 있다.

나. 도파민

도파민은 뇌 내에서 주로 흑질과 시상하부에서 생산된다. 도파민수용체는 D1-D5까지 알려져 있으며, D1-및 D2수용체가 주로 섭식조절에 관여한다. 도파민의 식욕조절 효과는 뇌부위와 수용체 종류에 따라 다양한 양상을 나타낸다. 아포모르핀과 같은 D1/D2수용체작용제를 말초에서 투여하면 섭식이 억제된다. 시상하부의 외측시상하부의 일부인 뇌활주위영역에는 D2수용체가 주로 발현하며, 시상하부에 D2수용체작용제를 주입하면 식욕억제 효과를 보인다. 반대로 측좌핵(nucleus accumbens)에 있는 D2수용체를 활성화시키면 식욕이 촉진된다.

다. 세로토닌

세로토닌은 음식 섭취를 억제하고, 체중감량을 유도하는 효과를 가지고 있다. 세로토닌 분비를 촉진하는 약물을 시상하부실방핵, 복내측핵, 배내측핵에 주입하면 섭식이 감소한다. 실방핵에 주입하면 음식 섭취가 감소할 뿐만 아니라 에너지대사가 증가한다. 강력한 섭식억제호르몬인 렙틴은 세로토닌의 생성 및 분비를 촉진시키고, 시냅스에서 재흡수를 감소시킴으로써, 결과적으로 시냅스의 세로토닌 농도를 증가시킨다. 따라서 렙틴의 섭식억제 효과는 부분적으로 세로토닌에 의하여 매개되는 것으로 보인다. 세로토닌은 세로토닌-2C수용체(5-HT$_{2C}$)를 통하여 시상하부 POMC신경을 자극하여 섭식을 억제한다. 설치류에서 5-HT$_{B1}$와 5-HT$_{1C/2C}$는 섭식 감소와 관련이 있고, 대조적으로 5-HT$_{1A}$는 섭식 증가에 관여한다. 세로토닌의 강력한 식욕억제 작용 때문에 세로토닌수용체작용제들이 비만치료제로 개발되었다가 부작용 때문에 사용이 중단되었다. 펜플루라민(fenfluramine)은 세로토닌 분비를 증가시키는 약물로 체중감량 및 대사증후군의 위험인자를 감소시키는 효과가 있었으나, 폐동맥고혈압 및 심장판막질환과 같은 심각한 부작용이 발생하여 1997년에 시장에서 철수되었다. 시부트라민(sibutramine)은 세로토닌과 노르아드레날린 재흡수억제제로써 섭식 감소 및 에너지소비 증가를 통해 체중감량을 유도하여 비만치료제로 사용되었으나, 심혈관질환 발생의 위험도를 높일 수 있다는 이유로 2010년 시장에서 철수하였다. 5-HT$_{2C}$작용제인 로카세린(lorcaserin) 역시 식욕억제제로 개발되었다가 암발생이 증가하여 2020년에 미국 FDA에서 사용 중단이 권고되었다.

라. 엔도카나비노이드

엔도카나비노이드(endocannabinoids)는 아라키돈산유도체인 칸나비노이드수용체-1 (CB1) 및 칸나비노이드수용체-2 (CB2)의 생리적 리간드이다. 칸나비노이드는 주로 CB-1을 통해 중추신경계와 말초신경계에서 흥분성 및 억제성 신경신호전달과 에너지대사 조절에 관여한다. 중추신경계에서 엔도카나비노이드신호는 시상하부의 식욕조절영역을 활성화시켜 식욕을 촉진한다. 또한 섭식에 동기를 부여하고, 섭식에 대한 즐거움을 느끼도록 하여 식욕을 촉진한다. 엔도카나비노이드가 시상하부실방핵과 외측시상하부에 작용하여 섭식을 조절하는 것으로 추측된다. 또한, 뇌간의 고립핵과 연결된 구심성 및 원심성 미주신경에 CB1이 존재하는 점으로 볼 때, 엔도카나비노이드는 위장관펩타이드 조절을 통하여 섭식에 영향을 줄 수도 있다. 비만증에서 엔도칸나비노이드와 그 수용체 발현이 증가되어 있기 때문에, 엔도카나비노이드활성을 억제시키는 약물이 비만과 그에 동반된 대사합병증치료제로 개발되었다. CB-1대항제인 리모나반트(rimonabant)는 우수한 식욕 억제, 체중감량, 혈당 및 지질개선 효과에도 불구하고, 우울증과 자살의 위험 증가 등의 신경정신과적인 부작용 문제로 사용이 금지되었다. CB-1은 중추뿐만 아니라 말초에서 지방산산화 및 에너지대사 조절을 통하여 체중감량 효과를 나타낼 수 있기 때문에, 혈액뇌장벽을 통과하지 못하는 CB-1대항제를 개발하면 신경정신과적 부작용 없이 체중감량 효과를 가져올 수 있을 것으로 기대된다.

3. 시상하부에 의한 에너지소비 조절

1) 서론
뇌, 특히 시상하부는 열발생(thermogenesis), 보행활동(locomotor activity), 골격근에서 지방산산화와 같은 다양한 에너지소비과정을 조절한다. 이 장에서는 에너지소비를 조절함에 있어서 시상하부의 역할에 대해 살펴보고자 한다.

2) 열발생 조절

(1) 갈색지방조직(brown adipose tissue)과 베이지지방조직(beige adipose tissue)에서 열발생
열발생(thermogenesis)은 체온을 유지하거나 혹은 음식 섭취 후 과도한 에너지를 열로 발산시키기 위하여 우리 몸에서 열을 발생시키는 작용을 일컫는다. 설치류에서 떨림(shivering)을 동반하지 않는 열발생은 주로 갈색지방조직에서 일어난다. 사람에서 갈색지방조직은 유아기에만 존재하는 것으로 과거에는 생각되었으나, 최근 들어 ^{18}F-fluorodeoxyglucose (FDG) 양전자방출단층촬영(PET-CT)을 통하여 성인에서도 갈색지방조직과 유사한 지방조직이 존재함이 발견되었다. 갈색지방세포와 유사한 소위 "베이지"지방세포는 설치류의 사타구니 피하에서 발견되며 사람에서는 쇄골 상부, 신장 주변, 심장 및 대동맥 주변 부위와 췌장, 신장 주변에서 발견된다. 베이지지방세포는 열발생이 필요하지 않는 상황에서는 백색지방세포처럼 보이나, 열발생을 증가시켜야 하는 상황에서는 갈색지방세포로 전환된다. 이를 백색지방세포의 갈색지방세포화(browning)라고 부른다. 사람에서 FDG-PET-CT로 측정한 베이지지방조직의 활성은 실외온도, 연령, 성별, 체질량지수 및 당뇨병의 동반 여부에 영향을 받는다.

시상하부는 추위, 호르몬, 영양소 등과 같은 대사신호에 반응하여 갈색지방조직 혹은 베이지지방조직에 분포하는 교감신경의 활성을 조절한다. 열발생에 필수적인 사립체단백질인 uncoupling protein-1 (UCP-1)의 발현은 갈색지방조직에서는 높게 나타나며, 베이지지방세포에서 상대적으로 낮게 발현되지만, 저온노출 등 열발생이 증가해야 하는 상황에서 갈색지방조직과 베이지지방조직 모두에서 UCP-1 발현이 유도된다. 그림 2-1-7은 교감신경계에 의한 지방조직의 열발생 조절을 보여준다. 교감신경의 말단에서 방출된 노르에피네프린은 갈색지방조직과 베이지지방세포에 분포하는 β3-아드레날린수용체에 결합하여 작용한다. 아드레날린수용체의 활성화는 cAMP 신호전달을 촉발하고, 이는 사립체에서 UCP-1 발현을 증가시킨다. 열발생은 추위에 노출되었을 때 체온을 유지하거나 고칼로리 섭취 후 과도한 에너지를 발산하는 데 중요하다. 열발생 동안 포도당 및 지방산이 연료로 소비되기 때문에 열발생은 체중, 체지방량 및 당대사에 영향을 미칠 수 있다. 설치류에서 백색지방조직을 갈색지방조직으로 전환을 유도하면 에너지소비가 증가하고, 고지방식이 섭취로 유도한 비만발생이 억제된다. 반대로 갈색지방세포의 발달에 중요한 전사인자인 Prdm16유전자를 제거하여

갈색지방조직의 발달을 차단하면 비만이 유발된다.

(2) 열발생 조절에 관여하는 시상하부부위와 열발생 조절 인자

열발생 조절에서 있어서 시상하부는 체온감각을 전달하는 구심성 정보를 받아서 열발생을 조절하는 원심성 교감신경 방출(efferent sympathetic outflow)을 조절한다. 시상하부 여러 영역 즉, 시교차전영역(POA), 배내측핵(DMN), 복내측핵(VMH), 외측시상하부(LH), 궁상핵(ARC) 및 실방핵(PVN)이 열발생 조절에 관여한다(그림 2-1-8).

시교차전영역(POA)은 체온조절에 가장 중요한 영역으로, 이 부위에는 추위나 더위를 감지하는 신경세포들이 존재한다. 시교차전영역 신경세포의 축삭돌기는 뇌간의 rostral raphe pallidus (rRPa)에 존재하는 교감신경전운동신경세포에 직접 투사되거나, 배내측핵에 투사된 뒤 배내측핵 신경세포가 다시 rRPa신경세포로 열발생 정보를 전달한다. 그 다음 단계로 척추의 intermediolatral column에 존재하는 교감신경운동신경세포로 정보가 전달되어 최종적으로 갈색지방조직이나 베이지지방조직으로 가는 교감신경 유출이 조절된다. 감염증으로 인한 고열반응은 발열물질이 POA신경세포에서 프로스타글랜딘 E2 (PGE2)의 생산을 증가시키고, PGE2는 PGE2수용체의 아형인 EP3수용체를 통한 신호전달과정을 거쳐서 rRPa신경회로를 경유하여 고열을 발생시킨다.

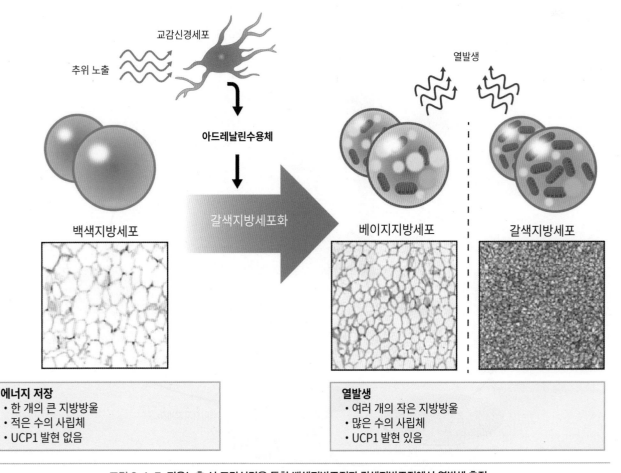

그림 2-1-7. 저온노출 시 교감신경을 통한 백색지방조직과 갈색지방조직에서 열발생 촉진

BAT, brown adipose tissue; UCP1, uncoupling protein-1; WAT, white adipose tissue; wBAT, WAT-derived brown-like adipose tissue.

렙틴은 시교차전영역에 존재하는 prolactin–releasing peptide (PrRP)신경세포를 활성화하여 열발생을 조절하는 것으로 밝혀졌다. PrRP신경세포에서 선택적으로 렙틴수용체를 제거하면 렙틴 투여로 유도된 열발생이 차단되고 비만이 유도되었다.

배내측핵은 열발생 조절에 있어서 시교차전영역 다음으로 중요한 부위로, 열발생이 필요하지 않는 상황에서는 시교차전영역신경세포가 억제성GABA신호에 의하여 억압을 받고 있다가 열발생의 필요성이 증가하면 시교차전영역신경세포로 가는 억제신호가 감소하면서 시교차전영역신경세포가 활성화되어서 배내측핵을 경유하며 rRPa신경세포로 흥분신호를 보내서 열발생을 촉진한다.

복내측핵신경세포 역시 열발생 조절에 관여하는 것으로 알려져 있다. 복내측핵신경세포를 광유전학방법으로 자극하면 갈색지방조직에서 열발생이 증가한다. 여성호르몬인 에스트라디올은 복내측핵신경세포에 ERα수용체를 통하여 AMPK 활성을 억제함으로써 갈색지방조직의 열발생을 증가시킨다. 장호르몬인 GLP–1 역시 복내측핵신경세포의 AMPK 활성을 억제함으로써 열발생을 증가시킨다. Bone morphogenetic protein (BMP)들은 갈색지방조직 분화에 조절하며, 특히 BMP8b는 갈색지방조직에서 직접 작용하여 UCP–1 발현을 증가시키고, 사립체 생성과 사립체에서 지방산산화를 촉진시킴으로써 열발생을 촉진한다. 한편 시상하부 복내측핵에 BMP8b수용체가 높은 수준으로 발현하고 있어 BMP8b는 복내측핵신경세포의 AMPK 신호전달경로를 통하여 중추신경계경로를 통하여 열발생을 촉진시킬 수 있다.

식욕조절에 중요한 궁상핵의 POMC신경세포와 NPY/AGRP신경세포 역시 열발생 조절에 관여하는 것으로 알려

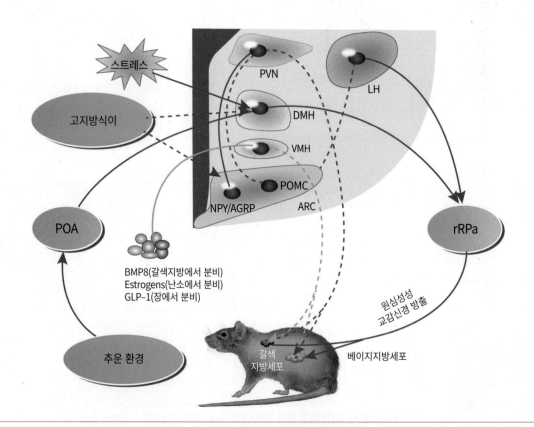

그림 2-1-8. 갈색지방조직과 베이지지방조직의 열발생을 조절하는 시상하부영역과 각각의 시상하부영역에 작용하는 열발생 조절인자들

져 있다. POMC신경세포의 흥분성이 올라가면 열발생이 증가하고, NPY/AGRP신경세포의 흥분성이 올라가면 열발생은 감소한다. 인슐린과 렙틴은 POMC신경세포에서 작용하여 POMC신경세포의 흥분성을 증가시켜서 백색지방조직의 갈색지방화를 촉진하고 열발생과 에너지소비를 증가시킨다(그림 2-1-8). 시상하부 POMC신경세포에서 인슐린과 렙틴신호전달을 방해하는 protein tyrosine phosphatase인 PTP-1B 및 TCP-TP의 결손을 유도하면 인슐린과 렙틴신호전달이 활성화되어서 베이지지방조직이 증가하고, 에너지소비를 증가시켜 식이유발 비만을 예방하였다. 따라서 렙틴과 인슐린의 열발생을 통한 에너지소비를 촉진 작용이 POMC신경세포를 통하여 이루어진다고 할 수 있다. 즉 체지방량이 증가하면 과다한 에너지비축량에 대한 정보가 렙틴과 인슐린을 통하여 시상하부 POMC신경세포에 전달되고, POMC신경세포가 갈색지방화를 촉진하고 열발생을 증가시켜 과도한 에너지비축량을 줄여주는 방향으로 작용한다. 이러한 기전은 시상하부에 의한 열발생과 갈색지방화 조절이 식이유발비만을 억제하는 데 중요함을 시사한다. 한편 NPY/AGRP신경세포들의 활성은 음식물 섭취가 제한적인 상황에서 증가하여 열발생을 감소시켜 에너지소비를 감소시키는데 기여하며, 이러한 작용은 실방핵을 경유하여 일어난다.

외측시상하부(LH)신경세포에서 생산되는 식욕촉진물질인 멜라닌농축호르몬을 제거한 생쥐에서 갈색지방조직의 열발생과 에너지대사가 증가하므로 멜라닌농축호르몬은 열발생을 억제하는 작용을 가진다. 이와는 반대로 외측시상하부에서 생산되는 오렉신은 갈색지방조직으로 가는 교감신경방출을 높여서 열발생을 증가시킨다.

실방핵이 열발생 조절에 관여한다는 증거들도 존재한다. 궁상핵의 NPY신경세포에 의한 열발생 조절은 실방핵의 타이로신수산화효소를 발현하는 신경세포에 의하여 매개된다. 또한 실방핵에 직접 멜라노코틴수용체작용제인 MT-II를 투여하면 열발생과 에너지소모가 증가하므로 멜라노코틴

이 실방핵에 있는 멜라노코틴-4수용체발현신경세포를 통하여 열발생을 조절한다고 볼 수 있다. 실방핵 멜라노코틴-4수용체발현신경세포가 멜라노코틴의 식욕 억제 작용을 매개하는 신경세포로 알려져 있다.

생리적으로 열발생은 3가지 상황 즉, 추위에 노출되거나 음식을 섭취하거나 스트레스를 받은 뒤에 일어난다. 추위노출 시 열발생은 POA → DMN → rRPa → 교감신경계경로를 거쳐서 일어난다. 음식물 섭취 후 열발생은 추위노출에 의한 열발생보다 그 기전이 명확히 밝혀져 있지 않으나, 음식섭취신호가 시상하부 → rRPa → 교감신경계경로를 통하여 열발생을 촉진시키거나, 장 → 미주신경 → 뇌간 → 고립로핵 → 교감신경계경로를 통하여 갈색지방조직의 교감신경활성을 증가시킨다. 한편 섭취하는 영양소의 종류가 열발생에 영향을 미칠 수 있다. 포도당 투여, 저단백식이와 고지방식이가 열발생을 증가시킨다. 반복적으로 정신적인 스트레스를 주면 열발생이 일어나서 추위에 대한 내성이 증가한다. 정신적인 스트레스에 의한 열발생에 DMN → rRPa경로가 관여하며, rRPa의 글루타메이드신경세포와 세로토닌신경세포가 관여한다. 또한 오렉신결핍생쥐에서 스트레스에 의한 열발생이 감소하므로 오렉신생산신경세포가 스트레스에 의하여 유발된 열발생에 관여하는 것 같다.

3) 보행활동 조절

보행활동과 기타 행동의 24시간 일주기리듬을 조절하는 시계신경세포가 시상하부의 시교차상핵(SCN)에 존재하는 것으로 알려져 있지만 구체적인 분자기전은 아직 잘 알려져 있지 않다. SCN의 일주기시계는 시상하부 내에서 국소적으로 작용하는 인자를 분비하여 일상적인 행동리듬을 유도하는 것으로 생각된다. TGF-α는 SCN의 보행활동 조절에 있어서 중요한 억제인자로 작용한다. SCN에서 TGF-α 발현은 일주기 동안 역동적으로 변하며, 제3뇌실에 주입되면 보행활동을 억제하고, 수면각성주기를 방해한다. 이러한 작용은 SCN 인접부위인 subparaventricular zone (SPZ)신경세포의 표피성장인자(epidermal growth factor, EGF)수

용체를 통하여 일어난다(그림 2-1-9). EGF수용체의 돌연변이가 있는 생쥐는 수면시기인 주간(daytime)에 과도한 보행활동을 보였고, 빛에 노출되었을 때 활동을 억제하지 못했다. 이러한 결과는 EGF수용체 신호전달경로가 설치류에서 비활동시기인 주간의 보행활동을 억제하는 데 관여함을 시사한다.

외측시상하부에 생산되는 오렉신은 보행활동과 각성조절에 중요하다. 오렉신A는 오렉신-1수용체와 오렉신-2수용체를 통해 보행활동과 각성을 촉진한다. 오렉신A를 뇌실 내로 투여하면 렘수면(REM)을 억제하고 보행활성을 증가시켰다. 시상하부에서 오렉신 발현은 에너지가 부족한 상황에서 증가하며, 오렉신을 투여하면 보행행동의 증가와 더불어 음식 섭취가 증가한다. 따라서 음식이 부족한 상황에서 음식을 찾기 위한 보행활동 증가에 오렉신이 관여할 가능성이 제시되었다.

렙틴은 시상하부궁상핵에 작용하여 자발적인 보행활동을 조절한다. 렙틴수용체가 결핍된 생쥐에 시상하부궁상핵의 POMC신경세포에만 국한하여 렙틴수용체를 발현시키면 렙틴수용체 결핍에 의하여 감소되었던 보행활동이 정상화되었다. 이러한 결과를 통해 시상하부궁상핵이 보행활동에 대한 렙틴 효과를 매개하는 핵심부위로 간주된다.

4) 골격근의 지방산산화 조절

골격근은 포도당 및 지방산을 가장 많이 소모하는 부위이며, 비만과 2형당뇨병에서 인슐린저항성을 유발하는 주요 조직 중 하나이다. 시상하부는 교감신경계를 통하여 골격근 대사를 조절할 수 있다. 항비만작용을 가지는 렙틴은 시상하부에 작용하여 골격근으로 가는 교감신경계를 활성화시켜서 골격근의 AMPK 활성을 증가시킨다. 활성화된 AMPK는 acetyl CoA가 malonyl-CoA로 전환되는 것을 촉진하는 효소인 acetyl CoA carboxylase (ACC)를 인산화시켜서 활성을 억제함으로써 세포 내의 malonyl-CoA의 양을 감

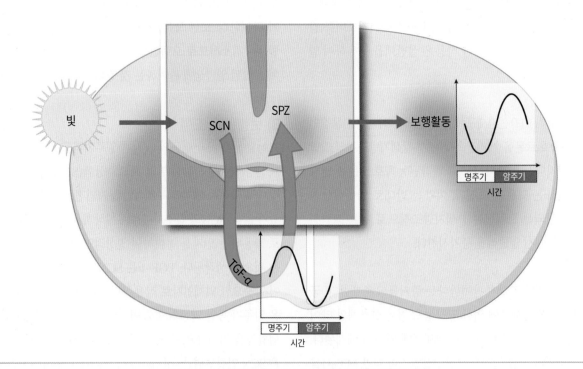

그림 2-1-9. **생쥐에서 시상하부의 보행활동의 일주기리듬 조절**
SCN, suprachiasmatic nucleus; SPZ, subparaventricular zone; TGF-α, tumor growth factor-α.

소시킨다. Malonyl-CoA의 지방산산화를 강력하게 억제하는 작용을 가지므로 malonyl-CoA의 감소는 지방산산화의 증가를 유도한다. 한편 렙틴은 골격근에 직접 작용하여 지방산산화를 촉진시키는 작용도 가지고 있다. 이처럼 시상하부는 대사조절호르몬들에 의한 말초조직의 지방대사 조절에도 관여한다.

III. 신경내분비/시상하부질환

허규연

1. 서론

성인에서 시상하부(hypothalamus)의 크기는 대략 1.5 × 1.5 × 1.3 cm 정도이다. 시상하부질환은 뇌하수체부전 (pituitary insufficiency), 신경정신질환, 행동장애, 자율신경 및 대사조절장애를 일으킬 수 있다. 시상하부 혹은 뇌하수체질환을 진단하거나 치료할 때, 병변의 범위, 생리학적 영향, 특정한 원인 그리고 심리사회학적상황 등을 고려해야 한다. 시상하부 기원의 신경내분비질환들을 원인에 따라 **표 2-1-2**와 같이 정리해 볼 수 있다.

2. 시상하부 혹은 뇌하수체줄기 손상으로 발생한 이차뇌하수체부전의 임상양상

시상하부 혹은 뇌하수체줄기 손상에 의해 발생한 이차뇌하수체부전의 임상증상은 일차뇌하수체부전과 동일하지는 않다. 시상하부의 손상은 대부분의 뇌하수체호르몬 분비 감소를 야기하나 정상적인 상황에서 시상하부가 억제하고 있던 호르몬들의 분비는 오히려 과분비된다. 가령, 뇌하수체줄기 손상 시 프로락틴이 과분비될 수도 있고, 정상적으로 성선자극호르몬 성숙의 억제가 이루어지지 않아 성조숙이 발생할 수도 있다. 신경뇌하수체의 손상으로 호르몬 분비 억제 조절이 안 될 경우 부적절항이뇨호르몬분비증후군

표 2-1-2. 시상하부 기원의 내분비장애를 일으키는 원인들

뇌하수체자극호르몬 결핍
• 외과적 뇌하수체줄기절단
• 염증질환들: 기저수막염, 육아종, 유육종증, 결핵, 나비골수염, 호산구육아종
• 두개인두종
• 시상하부 종양: 깔때기종, 기형종, 별아교세포종
• 모성박탈증후군, 정신사회학적 왜소증
• 고립성장호르몬방출호르몬 결핍
• 시상하부갑상선저하증
• 범뇌하수체자극호르몬 부전

성선자극호르몬방출호르몬 분비조절장애	
여성	남성
• 성조숙: 성선자극호르몬방출호르몬분비과오종, 사람융모성선자극호르몬분비종자세포종 • 사춘기지연 • 신경성무월경 • 거짓임신 • 신경성 식욕부진 • 기능무월경/희발월경 • 약물유발무월경 • 칼만증후군 • GPR54 (KISS1R)돌연변이	• 성조숙 • 신경성 식욕부진 • Frohlich증후군 • 약물유발성선저하증 • 칼만증후군 • GPR54 (KISS1R)돌연변이

유즙분비호르몬 조절인자 조절장애
• 종양
• 유육종증
• 약물유발
• 반사
• 흉곽대상포진
• 유두자극
• 척수종양
• 심인성
• 갑상선기능저하증
• 이산화탄소혼수

부신피질자극호르몬방출호르몬 조절장애
• 돌발성부신피질자극호르몬방출(Wolff증후군)
• 하루주기변이 소실
• 우울
• 부신피질자극호르몬방출호르몬분비 신경절세포종

(syndrome of inappropriate antidiuretic hormone, SIADH)이 발생한다.

호르몬 분비의 미묘한 이상은 컨트롤체계에 그 원인이 있을 수 있다. 예를 들어, 부신피질자극호르몬 분비의 정상적인 하루주기리듬(circadian rhythm)의 소실이 뇌하수체–부신예비량(pituitary–adrenal reserve)이 소실되기 전에 먼저 일어날 수 있다. 이 경우 생리자극에 대해서 역설적으로 반응한다. 뇌하수체자극호르몬수치는 직접 측정할 수 없고 뇌하수체호르몬 분비는 복합적이고 여러 단계의 조절을 받기 때문에, 혈중 뇌하수체호르몬 측정으로 시상하부나 혹은 그 상위레벨에서 일어나는 일들의 의미를 설명하기는 어렵다. 또 드물지만 종양에서 방출펩타이드가 과도하게 분비될 경우 뇌하수체호르몬이 과하게 분비되기도 한다.

시상하부–뇌하수체 단위의 질환들은 여러 단계에서 병변이 발생할 수 있다. 종양이나 허혈, 염증반응 및 면역질환으로 인해 뇌하수체가 손상될 수 있으며, 뇌하수체호르몬들과 관련된 유전자의 돌연변이로 인해 특정 뇌하수체호르몬의 선천적인 결핍이 발생할 수도 있다. 갑상선호르몬수용체의 결함이 있을 경우 과도한 갑상선자극호르몬(thyroid-stimulating hormone, TSH) 분비로 인해 갑상선기능항진증(thyrotoxicosis)이 발생할 수 있고 성선자극호르몬방출호르몬(gonadotropin-releasing hormone, GnRH)수용체의 결함이 있을 경우에는 저성선자극호르몬성선저하증(hypogonadotropic hypogonadism)이 발생할 수 있다. 수술로 인해 뇌하수체줄기가 손상되거나 종양이나 전이가 뇌하수체줄기를 침범하는 경우, 뇌하수체줄기와 정중융기(median eminence)가 맞닿아 있는 구역, 뇌하수체줄기 자체, 융기깔때기시스템(tuberoinfundibular system)의 신경종말(nerver terminal) 등에 유육종증(sarcoidosis)이나 뇌하수체신경염 등의 염증질환이 발생하여 손상을 야기시킬 때 문제가 된다.

좀 더 상위부위의 손상은 하루주기리듬을 소실시키거나 성

조숙 등을 유발시킬 수도 있다. 심리적인 스트레스나 정신질환은 뇌하수체–부신반응을 활성화시키고 성선자극호르몬 분비를 억제하여 무월경을 유발할 수 있다. 또한 성장호르몬을 억제하여 심리사회학적 왜소증을 일으키기도 한다.

3. 질환

1) 뇌하수체분리증후군(Pituitary isolation syndrome)

두부 손상이나 수술적 절단, 종양, 혹은 육아종에 의해 뇌하수체줄기가 손상되면 뇌하수체기능부전의 특징적인 패턴이 나타난다. 많은 경우에서 중추요붕증이 발생하게 되는데 이는 뇌하수체줄기가 손상된 위치에 따라서 좀 다를 수 있다. 가령 시상하부에서 가까운 상위에서 뇌하수체줄기가 절단이 일어나면 중추요붕증은 반드시 발생하지만 다소 하위에서 일어나면 중추요붕증 발생위험이 좀 더 낮아진다. 뇌하수체줄기 상위레벨부위의 신경종말들이 얼마나 보존되어 있느냐에 따라 임상양상이 결정된다. 환자들 중, 약 절반 이하에서는 다뇨–정상뇨–아르지닌바소프레신(arginine vasopressin, AVP) 결핍으로 인한 요붕증발생이라는 전형적인 3단계 증상이 약 7–10일의 기간에 걸쳐 일어나기도 한다. 이런 과정은 초기 신경엽(neural lobe)의 신경조절의 소실, 이후 신경엽의 자가용해(autolysis)로 인해 혈중으로 아르지닌바소프레신의 방출, 그리고 마침내는 아르지닌바소프레신이 완전히 결핍되는 과정에 기인한다. 주의해야 할 점은 코티솔 분비가 충분해야만 다뇨증상이 분명히 나타난다. 만일 코티솔 결핍이 있다면 실제로 다뇨증상이 경미하게 나타날 수도 있다. 두부 손상이나 수술 후에 중추요붕증이 발생한 경우, 그 회복되는 기간은 수개월 혹은 수년에 걸쳐서 일어나는 등 다양하다. 뇌하수체 손상으로 인한 중추요붕증과 달리 신경뇌하수체나 뇌하수체줄기의 비파괴성손상은 때로는 일시적으로 혹은 뒤늦게 부적절항이뇨호르몬분비증후군을 야기하기도 한다.

뇌하수체절제 시와는 달리 뇌하수체줄기 절단 시에는 성선자극호르몬이 혈중에서 탐지됨에도 불구하고 생리가 중단

될 수 있다. 뇌하수체절제나 뇌하수체줄기 절단 시에 모두 혈장당질부신피질호르몬레벨과 소변코티솔 분비가 감소하지만 그 변화는 뇌하수체줄기절단의 경우가 좀 늦다. 뇌하수체절단 후 일시적으로 코티솔이 상승하는 경우가 있는데 이는 이미 만들어져 저장된 부신피질자극호르몬이 방출된 것이라고 생각된다. 코티솔이 낮아졌을 때 부신피질자극호르몬의 반응은 상당히 둔화되어 있으나 스트레스 후 부신피질자극호르몬방출은 정상일 수가 있는데 이는 아마도 부신피질호르몬방출호르몬 비의존적인 기전에 기인한 것으로 생각된다. 줄기절단 후 갑상선기능저하는 뇌하수체절제 때와 유사하다. 성장호르몬 저하는 뇌하수체줄기 손상의 가장 민감한 지표이다.

뇌하수체줄기 절단 혹은 뇌하수체줄기 근처의 종양은 다양한 정도의 고프로락틴혈증을 나타낼 수 있고 유즙 분비를 야기할 수도 있다. 저혈당 및 갑상선자극호르몬방출호르몬에 대한 프로락틴반응이 무뎌져 있을 수 있는데 이는 시상하부와의 신경연결이 소실된 것도 일부 원인이 될 수 있다. 뇌하수체분리증후군 환자에서 도파민항진제나 대항제에 대한 프로락틴반응은 프로락틴선종 때와 유사하다. 흥미롭게도 시상하부–뇌하수체단절을 가진 환자나 미세프로락틴선종에서 프로락틴 분비는 여전히 일중변동을 보인다.

공터키안증후군(empty sella syndrome)이나 안장내낭종(intrasellar cysts) 혹은 뇌하수체선종(pituitary adenoma)에서 불완전한 뇌하수체분리증후군이 나타나기도 한다. 뇌하수체 절단 후 뇌하수체전엽부전이 발생하기도 하는데 특정 신경이나 혈관이 시상하부와 단절되거나 혹은 뇌하수체경색 때문일 수 있다.

2) 뇌하수체자극호르몬 결핍(Hypophysiotropic hormone deficiency)

뇌하수체의 특정 호르몬부전은 뇌하수체의 특정 세포의 문제이거나 시상하부호르몬 중 하나 혹은 다수 호르몬의 부전 때문일 수 있다. 뇌하수체자극로호르몬결핍 중 가장 흔

한 것은 성선자극호르몬방출호르몬(GnRH) 단독결핍이다. X연관칼만증후군(성선자극호르몬 결핍과 후각저하를 흔히 동반)과 같은 경우, 후각엽(olfactory lobe)이 유전적으로 무발생(agenesis)된 것이다. 성선자극호르몬방출호르몬 체계의 비정상적인 발달은 초기 배아시기에 후각비강상피에서 성선자극호르몬방출호르몬함유신경세포가 이동하는 과정의 결함에 기인한다.

성선자극호르몬방출호르몬자극검사는 저성선자극호르몬성선저하증을 감별하는 데 별로 도움이 안 된다. 성선자극호르몬방출호르몬 결핍이 있는 대부분의 환자들은 처음 검사에서는 반응이 거의 없거나 아예 없는데 성선자극호르몬방출호르몬작용제를 반복적으로 주입하면 정상반응을 나타낸다. 이렇게 늦게 반응이 나타나는 것은 장기간 성선자극호르몬방출호르몬 결핍상태에서 성선자극호르몬방출호르몬수용체가 하향조절되어 있었기 때문일 것으로 생각된다. 뇌하수체에 문제가 있는 환자에서 성선자극호르몬방출호르몬에 대한 반응은 없을 수도 있고 정상일 수도 있다. 따라서 성선자극호르몬방출호르몬작용제를 단 한 번 주입하는 자극검사로는 시상하부가 문제인지 뇌하수체가 문제인지 구별할 수 없다. 칼만증후군 여성이 임신을 원할 경우 호르몬대체요법 시동 후에 성선자극호르몬방출호르몬작용제를 지속적으로 혹은 반복적으로 주입하는 것은 진단이나 치료의 옵션이 될 수도 있다.

갑상선자극호르몬방출호르몬 분비의 결핍은 시상하부 기원의 갑상선기능저하증, 일명 삼차갑상선기능저하증에서 나타나는데 시상하부질환이나 혹은 단독 결함에 의해 일어날 수 있다. 시상하부 기원의 갑상선기능저하증의 원인이 되는 갑상선자극호르몬방출호르몬 및 갑상선자극호르몬방출호르몬수용체유전자에 있는 드문 보통염색체열성돌연변이를 분자유전 분석을 통해 밝혀낼 수 있다. 갑상선자극호르몬 결핍의 원인이 시상하부인지 뇌하수체인지는 영상에 의해 가장 쉽게 구별될 수 있다. 이론적으로는 갑상선자극호르몬방출호르몬자극검사를 사용하여 시상하부질

환과 뇌하수체질환을 감별할 수 있을 것으로 여겨지지만, 사실 이 검사법의 가치는 제한적이다. 갑상선자극호르몬방출호르몬 결핍이 있는 환자에게 갑상선자극호르몬방출호르몬을 주입하면 뇌하수체에서 갑상선자극호르몬반응이 나타나되 피크는 다소 늦게 나타나는 경향을 보이는 것이 전형적인 반응이다. 그러나 뇌하수체기능부전인 경우에는 갑상선자극호르몬반응이 없거나 불충분하게 나타난다. 시상하부 문제로 인한 갑상선자극호르몬방출호르몬 결핍은 성장호르몬 결핍과 관련이 있을 수도 있다. 성장호르몬이 결핍되면 갑상선자극호르몬방출호르몬에 대한 뇌하수체의 반응이 민감해진다. 또한 성장호르몬이 T_4대사에도 영향을 주어 뇌하수체의 반응이 달라질 수 있다. 따라서 실제로는 시상하부질환이나 뇌하수체질환에서 갑상선자극호르몬방출호르몬에 대한 반응은 상당히 겹치기 때문에 갑상선자극호르몬방출호르몬자극검사로는 갑상선기능저하증의 기원이 시상하부인지 뇌하수체인지 쉽게 감별할 수가 없다. 갑상선자극호르몬방출호르몬자극검사에서 지속적으로 반응이 없다면 뇌하수체기원으로 판단해도 되지만, 반응이 있다고 해서 뇌하수체가 정상이라고 판단해서는 안된다. 갑상선자극호르몬방출호르몬 분비결핍은 뇌하수체에서 글라코실레이션의 부실 등 갑상선자극호르몬 합성의 변형을 초래한다. 제대로 글라이코실레이션이 되지 않은 갑상선자극호르몬은 생물학적활성도는 낮음에도 불구하고 면역반응성은 높을 수 있어서 시상하부 기원의 갑상선기능저하에서 갑상선자극호르몬이 정상이거나 높게 측정되는 역설적인 상황이 야기될 수도 있다.

성장호르몬방출호르몬 결핍은 특발왜소증을 가진 아이들에서 나타나는 성장호르몬 결핍의 주요원인일 것으로 생각된다. 이 경우 인과관계는 명확하지 않으나 뇌파도(electro-encephalograms, EEGs)에서 비정상적인 반응, 출생 시 외상, 둔위분만(breech delivery) 등과 종종 연관성이 있다. 단독의 특발성장호르몬 결핍이 있는 대부분의 아이들은 자기공명영상에서 정상크기 혹은 약간 감소된 뇌하수체전엽을 가지고 있는 것으로 보인다. 간혹 드물게 이소성 뇌하수체후엽이나 뇌하수체전엽형성저하증 혹은 공터키안증후군의 소견을 보이기도 한다. 이와 대조적으로 특발복합뇌하수체호르몬 결핍을 보이는 아이들은 중등도 내지 중증의 뇌하수체전엽형성저하증이나 이소성 뇌하수체후엽, 뇌하수체줄기 완전무발생(신경 및 혈관 부분 모두) 그리고 다양한 뇌기형에 기인한 것일 가능성이 유의하게 높다. 뇌하수체전엽호르몬 중 뇌하수체줄기 손상에 가장 영향을 받기 쉽고 취약한 호르몬은 성장호르몬이다. 성장호르몬 분비능을 평가하는 표준테스트로는 성장호르몬의 결핍이 뇌하수체의 문제인지 성장호르몬방출호르몬 결핍의 문제인지 감별하기 어렵다.

부신부전은 시상하부질환의 또 하나의 징후인데 부신피질자극호르몬방출호르몬 결핍이 원인이 되는 것은 매우 드물다. 부신피질자극호르몬방출호르몬자극검사로 부신피질자극호르몬 결핍의 원인이 시상하부의 문제인지 뇌하수체기능부전으로 인한 것인지 감별하기가 쉽지 않다. 시상하부의 종양이나 육아종과 같은 질환 이외에도 자동차사고나 두개강내항암화학요법이나 방사선요법의 후유증으로도 중추뇌하수체자극호르몬 결핍이 발생할 수 있다. 혼수상태 및 중추악성종양과 관련된 머리부상에서 회복된 사람들에서 장기적인 신경내분비계이상의 유병률이 증가되었다.

3) 뇌하수체자극호르몬의 과다분비
뇌하수체 과다분비는 간혹 시상하부종양에 의해 발생하기도 한다. 시상하부에 성선자극호르몬방출호르몬분비과오종(GnRH-secreting hamartomas)은 성조숙을 일으킬 수 있고, 부신피질자극호르몬방출호르몬분비 신경절세포종(gangliocytomas)은 쿠싱증후군, 성장호르몬방출호르몬분비신경절세포종(GHRH-secreting gangliocytomas)은 말단비대증을 유발할 수 있다. 그러나 시상하부 원인이 아님에도 불구하고, 기관지나 췌장 이자샘의 유암종에서 부신피질자극호르몬방출호르몬이나 성장호르몬방출호르몬 분비에 의한 부종양증후군(paraneoplastic syndrome)으로 인해 뇌하수체호르몬 과분비가 일어날 수도 있다.

4) 두개인두종(Craniopharyngioma)

뒤에 별도로 다루기로 한다.

5) 시상하부질환에서 나타나는 기타 증상

시상하부는 다양한 기능과 행동을 조절하는 데 관여한다. 따라서 내분비계 증상 이외의 타 증상들도 동반될 수 있다. 시상하부질환으로 인한 심리학적 이상으로는 반사회적 행동, 갑작스러운 분노, 웃음, 울음, 수면패턴의 변화, 과도한 성욕, 환각 등이 있다. 졸음이나 병적인 각성, 폭식증이나 심각한 거식증이 일어날 수도 있다. 시상하부 손상은 고체온증이나 저체온증, 설명할 수 없는 체온의 변동이나 변온성(poikilothermy)을 일으킬 수 있고, 땀, 말단청색증(acrocyanosis), 괄약근통제 소실, 간뇌뇌전증(diencephalic epilepsy) 등이 때때로 동반되기도 한다. 시상하부 손상은 최근의 기억력 손실을 일으킬 수 있는데 뇌하수체종양의 안장위확장(suprasellar extension)이나 시상하부방사선조사 혹은 안장곁종양들(parasellar tumors)을 제거하는 수술 중 시상하부가 손상될 경우에는 심각한 기억력 손상, 비만, 성격변화(예: 무관심, 집중능력의 손실, 공격적인 반사회적 행동, 심한 음식갈망, 직장 또는 학교에 다니기 어려움)까지도 나타날 수 있다. 시상하부종양이 천천히 자라서 그 크기가 상당히 커진 후에 행동이나 항상성의 장애가 미미하게 나타날 수 있지만, 제한된 범위의 수술일지라도 수술 이후에는 매우 급격한 기능장애가 나타날 수 있다. 따라서 이러한 잠재적인 결과를 고려하여 수술 등의 치료를 보수적으로 접근할 것인지 고민해야 하며 신경외과의, 환자 그리고 환자의 가족들과 함께 신중히 치료계획을 세워야 한다.

4. 두개인두종(Craniopharyngioma)

두개인두종은 라트케주머니의 잔여부위로부터 발생한 고형 혹은 고형/낭성혼합종양으로 코인두에서 간뇌를 따라 존재하는 드문 질환이다.

1) 역학

미국의 경우 두개인두종으로 새로 진단되는 건수는 매년 약 350건으로 추정한다. 두개인두종은 모든 뇌종양의 약 1-3% 정도, 그리고 어린이 뇌종양의 약 5-10%를 차지한다. 그러나 일본과 아프리카의 일부 지역에서는 두개인두종이 좀 더 흔한 것으로 보고되어 있다. 두개인두종은 남성과 여성에서 거의 동등하게 발생하고 5-14세 사이의 어린이와 50-75세 사이의 성인에서 호발하는 경향을 보인다. 사기질 두개인두종(adamantinomatous craniopharyngioma)은 주로 어린이에게서, 유두모양두개인두종(papillary craniopharyngioma)은 주로 성인에서 더 우세하다.

2) 병태생리

두개인두종은 시신경교차와 인접해 있는 안장위지역의 뇌하수체줄기를 따라 발생한다. 낮은 비율이기는 하지만 안장이나 시신경 혹은 제3뇌실 내에서 발생하기도 한다. 비록 조직학적으로는 양성이나 수명을 단축시키는 경우가 종종 있어서 저등급(low-grade)의 악성질환으로 간주해야 한다. 대부분의 두개인두종은 고형과 낭요소를 모두 포함하고 있다. 낭종은 콜레스테롤결정들로 이루어진 혼탁유체로 채워져 있다. 두개인두종은 상피종양이다. 중추신경계 종양에 대한 WHO분류에 따르면, 두개인두종은 사기질과 유두모양의 두 가지 종류로 나눈다. 이 두 가지 형태의 두개인두종은 조직학적뿐만 아니라 분자유전학적으로도 명백히 다르다. 사기질두개인두종은 Wnt신호경로의 활성화에 의한 것이 특징이며 대부분 베타카테닌(β-catenin)을 인코딩하는 유전자인 CTNNB1에 활성화돌연변이를 포함하고 있다. 대조적으로, 유두모양두개인두종은 흔히 BRAF종양유전자에 돌연변이를 갖고 있다. 종양의 유형에 따라 예후가 달라지는지는 아직 불분명하다. 과거 연구에 따르면 조직학적 차이에 따른 두 가지 유형의 종양들 간에 수술적 절제 가능성, 방사선요법에 대한 민감성, 그리고 전반적인 생존의 관점에서 차이는 없는 것으로 보인다.

3) 임상특성

두개인두종은 천천히 자라서 진단시점보다 1년 혹은 그 이전부터 증상이 존재하는 경우가 흔하다. 증상은 종양의 위치와 인접한 정상구조들 사이의 관계에 따라 다양하게 나타난다.

(1) 시각증상

시각증상은 빈번히 발생하며 대부분의 환자에서 안과검진상 결함이 발견된다. 시신경교차나 시신경을 압박하여 발생하며 종양의 성장패턴에 따라 특정한 결함이 나타날 수 있다.

(2) 내분비이상

정상적인 구조를 직접적으로 손상시키거나 압박함으로써 내분비이상이 발생할 수 있다. 주로 요붕증(75%)이나 성장호르몬(40%), 갑상선자극호르몬(25%), 부신피질자극호르몬(2%) 등의 호르몬 결핍이 종종 관찰된다. 어린이에서는 갑상선기능저하증이나 성장호르몬 결핍으로 인한 성장부전이 가장 흔하다. 성인에서는 성기능장애가 가장 흔한 내분비계 증상이다. 남성에서는 발기장애, 여성에서는 무월경이 가장 흔한 증상이다.

(3) 두통

진단시점에서 약 50%의 환자는 매일 중등도–중증의 두통이 있다. 두통은 종양이 고통에 민감한 구조물들을 견인하거나 종양이 제3심실을 압박하여 발생한 폐쇄수두증 때문에, 혹은 낭성에서 새어 나온 물질들이 수막을 자극하는 경우 발생할 수 있다.

(4) 기타 다른 증상들

두개인두종은 호르몬 결핍과 무관하게 우울과 같은 일반적인 증상도 일으킬 수 있다. 아마도 종양이 전두엽, 줄무늬(striatal), 시상부위 혹은 변연계까지 광범위하게 뻗쳐있기 때문일 것으로 추정한다. 메스꺼움, 구토 및 무기력증 등은 압력관련 두통을 동반할 수 있다.

4) 진단 및 감별진단

진단 시 두개인두종은 작고 단단하며 경계가 명확한 덩어리에서부터 터키안장을 침범하고 주변 구조물들을 대체하는 거대 다중막낭종에 이르기까지 매우 다양하다.

(1) 신경영상검사들

자기공명영상이나 컴퓨터단층촬영에서 안장위종괴가 있을 경우 두개인두종을 고려하게 된다. 두개인두종 환자의 60-80%에서 안장위부위에 석회화가 보이고 약 75% 정도의 환자에서는 한 개 이상의 낭종이 발견된다. 안장곁부위의 낭성석회화병변이 있다면 두개인두종일 가능성이 매우 높다. 컴퓨터단층촬영이나 일반 두개골방사선사진으로 사기질두개인두종과 비석회화안장위질환을 구별할 수 있다. 유두두개인두종은 종종 석회화가 없다.

두개인두종은 안장곁지역의 다른 종양(뇌하수체대선종, 수막종, 시신경교종, 종자세포종, 기형종, 림프종, 전이 등)이나 비종양낭종들(라트케낭종, 거미막낭종), 그리고 침윤성 질환들(유육종증 및 전신조직구증 등)과 감별해야 한다.

(2) 치료 전 평가

대부분의 두개인두종 환자에서 적어도 부분적인 뇌하수체저하증을 동반하고 있기 때문에 내분비검사, 특히 부신이나 갑상선기능을 수술 전에 평가해야 한다. 수술 전에 시야검사 등 신경–안과학적 평가를 하는 것은 시신경경로를 압박하는 중증도 및 수술 전 기저상태를 파악해 두는 데 도움이 된다.

5) 치료

두개인두종의 최적의 치료를 위해서는 두 가지 접근방법이 있다. 하나는 진단 시 종양을 완전히 제거하는 것을 목표로 하는 적극적 수술과 다른 하나는 잔여 종양에 대해 방사선치료를 고려하는 보존수술이 있다. 이 두 가지 치료에 대해서는 과거로부터 지금까지 여전히 논란의 여지가 있다. 신경외과 기술의 주요 발전으로 인해 더 많은 경우에서 적극적인 수술적 제거를 하면서도 수술적 절제와 관련된 이환율과 사망률은 크게 감소되었다. 그와 동시에, 방사선기술의 발전으로 종양목표에 방사선을 더 정확하게 조사하면서도 정상 구조물의 손상은 최소화하는 것이 가능하게 되었다. 두개인두종을 가진 소아 및 성인 환자의 최적의 치료를 위해서는 숙련된 다학제진료(신경외과, 방사선종양학, 신경종양학, 내분비학, 안과, 신경방사선학 및 신경병리학)가 필수적이다.

(1) 수술

거의 대부분의 두개인두종 환자에게 수술치료가 필요하다. 수술의 목적은 진단을 정확하게 하고 종괴와 관련된 증상을 경감시키며 가능한 안전한 범위 내에서 최대한 많은 부위를 제거하는 것이다. 어떤 신경외과의는 신경압박을 경감할 목적으로 낭종에서는 배수하고 고형종양은 제한적으로 제거하되, 잔여종양이 있을 경우에는 방사선조사를 하는 것을 옹호한다. 그러나 많은 신경외과의들은 신경 손상을 최소화하면서 종양을 완전히 제거하는 것이 첫 번째 수술로 완치를 기대할 수 있는 최적의 치료라고 주장한다.

질환과 관련된 합병증들은 수술관련 위험성을 증가시키므로 수술 전 관리 시 질환과 관련된 합병증들에 대한 치료가 반드시 포함되어 있어야 한다.

① 내분비기능을 평가해야 하며 가능하면 수술 전에 중요한 이상들을 교정하도록 한다.
② 종양부위의 부종은 반드시 치료해야 하고 상승된 두개내 압력은 반드시 낮추어야 한다.
③ 수두증은 외부심실배수를 통해 일시적인 뇌척수액 전환이 필요할 수 있고 영구적인 션트가 필요할 수도 있다.
④ 큰 낭성분을 가진 환자들에서는 종괴 효과 혹은 폐쇄성 수두증을 감소시키고자 수술 전에 낭배액이 필요할 수도 있다.

(2) 방사선요법

방사선요법은 부분제거 후에 잔여 종양이나 완전제거 후 재발한 종양을 치료하기 위해 사용된다. 현대 방사선기술의 발전으로 치료정밀도와 적합성이 더 향상되어 이온화 방사선 조사가 주변 정상조직에 노출되는 것을 제한하여, 장기 부작용이 상당히 감소되었다. 정위방사선요법(stereotactic radiotherapy), 강도변조방사선요법(intensity-modulated radiotherapy), 양성자방출요법(proton beam therapy)이 있다.

(3) 질병관리

완전한 수술적 절제가 초기치료의 목표이며, 수술법의 개선으로 과도한 이환율이나 사망률 없이 완전한 수술적 절제를 성취할 수 있는 빈도가 증가되었다. 그러나 수술적 절제는 치료관련 이환율을 고려하여 위험편익의 균형을 고려해야 한다.

방사선요법은 종양을 완전히 다 제거하지는 못했을 때 보조적으로 사용될 수 있으며 국소재발의 위험을 감소시킨다. 수술 후 보조요법으로 방사선요법이 전반적인 생존에 미치는 영향에 대해서는 아직 알려진 바가 없다. 부분절제 후 보조요법으로서의 방사선요법과 완전절제 후 재발에 따른 구제요법으로서의 방사선요법을 비교한 무작위대조군연구는 아직 없다.

6) 치료합병증

(1) 내분비

두개인두종 치료에 따른 광범위한 내분비계합병증이 관찰되는데 이런 것들이 두개인두종 환자들의 사망률을 증가시키는 데 영향을 미친다. 내분비이상은 사실 부분적으로는 종양에서 기원하지만 치료에 의해 악화될 수 있다. 범뇌하수체저하증, 즉 성호르몬, 갑상선호르몬, 부신피질호르몬, 성장호르몬 결핍 등 범뇌하수체저하증이 거의 모든 환자들에게 나타난다. 어린 시절에 성장호르몬요법을 시작하면 키 성장을 하는데, 성장호르몬요법을 받지 않은 어린이와 비교 시 전반적인 생존이나 질환 악화 없는 생존에 성장호르몬이 미치는 영향은 없었다. 진단받은 후 3년이 경과된 시점에서 삶의 질을 측정하여 보니, 질환을 진단받고 1년 후부터 성장호르몬을 투여할 경우 초기에 삶의 질이 개선되는 효과가 있는 것으로 보인다. 시상하부기능장애는 비만, 체온조절장애, 수면장애, 요붕증 등을 일으킬 수 있다. 비만과 관련된 질환들, 즉 대사증후군, 2형당뇨병, 비알코올성지방간 등이 동반될 수 있다.

(2) 신경

일반적인 신경학적 합병증으로는 시상하부 기원의 비만, 수면장애와 생체리듬장애, 그리고 행동장애가 있을 수 있다. 특히 시상하부에 문제가 있는 환자에서 신경인지기능장애가 있을 수 있다.

(3) 시각

대부분 환자가 치료 전부터 시각문제들을 갖고 있다. 이 문제들은 수술이나 방사선요법으로 더 악화되기도 한다.

(4) 혈관이상

치료의 결과로 뇌혈관질환에 대한 위험이 증가할 수 있다. 특히 어린이에게서 두개인두종에 대해 방사선요법 후 다양한 혈관이상이 발생할 수 있다.

(5) 이차악성종양

두개인두종에 대한 방사선 치료가 수막종이나 악성교세포종들이 이차적으로 발생과 관련 있을 수 있다.

7) 예후

(1) 재발

대부분의 종양재발은 국소적이다. 조직학적으로 악성변환은 드물지만 수차례 재발과 방사선요법을 받은 경우에서 주로 보고되었다. 원격전이는 수술 중 뇌척수액을 통한 파종의 결과로 발생할 수도 있다. 이환율과 사망률은 초기치료보다는 재발에 따른 치료 시에 더 높다.

(2) 치료 후 추적관찰

초기치료 후 어떻게 추적관찰해야 하는가에 대한 근거중심의 진료지침은 없다. 그러나 환자 관리의 핵심사항들은 다음과 같다.

① 영상추적관찰을 해야 하는 기간은 초기수술의 범위, 잔여종양 유무, 증상에 따라 다를 수 있으나 수십 년 후에 재발되는 경우도 있어서 장기 추적관찰은 필요할 것으로 보인다.
② 필요에 따라 호르몬 치료와 내분비기능에 대한 모니터링을 시행한다.
③ 수술 후 그리고 매년 시야검사를 포함한 시각기능을 공식적으로 평가한다.

(3) 예후

치료 후 장기예후는 종양을 제어하는 능력과 치료관련 합병증 발생과 관련 있다. 121명의 케이스시리즈에서 비종양 관련 사망을 제외하면 10년 생존율은 90%였다. 또 다른 대규모시리즈에서는 10년간 질환의 진행이 없는 생존율은 48%, 전체 생존율은 80%에 각각 해당하였다. 이러한 생존율을 보여줌에도 불구하고 특히 두개인두종 소아에서는 종양의 진행이 아니라 치료관련 합병증으로 인해 후기 사망률이 증가하는 것으로 보인다. 두개인두종을 연구한 한 관찰연구결과에 따르면 두개인두종 환자들의 예상 사망률은 일반 인구집단에 비해 3-5배 높다. 높은 사망률의 주원인은 뇌혈관질환[standardized mortality ratio (SMR 5.1)], 2형당뇨병(SMR 5.6), 심근경색(SMR 2.1), 그리고 중증 감염(SMR 5.9)으로 알려져 있다. 보고된 연구들은 주로 단기간 추적만 하였기에 장기간 추적연구결과가 필요하다. 게다가 지금까지 보고된 장기간 연구결과들은 주로 오래 전 수술기법이나 방사선 치료기술을 적용한 환자들의 결과인데 최신의 의료기술들로 치료받은 환자들의 예후는 다소 향상되었을 가능성도 있다.

8) 최신정보 및 미래 전망

(1) 표적요법

재발성 또는 진행성두개인두종에서 표적요법을 고려하기 위해서는 면역조직화학검사 또는 염기서열분석으로 *BRAF* *V600E* 돌연변이를 테스트하여야 한다. 거의 모든 유두모양두개인두종은 *BRAF* *V600E* 돌연변이가 있다. 표준요법에도 불구하고 재발하거나 진행한 두개인두종 환자를 대상으로 BRAF 및/또는 mitogen–activated protein kinase kinase (MEK)억제제를 투여하였을 때 임상반응에 대해 보고된 바 있다.

참 / 고 / 문 / 헌

I.

1. Arzt E, Bronstein M, Guitelman M. Pituitary today: molecular, physiological and clinical aspects. Basel, Switzerland: S. Karger; 2006.

2. Barrett KE, Barman SM, Brooks HL, Yuan J. Ganong's review of medical physiology. 26th ed. New York: McGraw-Hill Education LLC; 2019.

3. Conn PM, Freeman ME. Neuroendocrinology in physiology and medicine. Totowa, New Jersey: Humana Press; 2000.

4. Hall JE, Hall ME, Guyton and hall textbook of medical physiology. 14th ed. Philadelphia: Elsevier; 2020.

5. Lovejoy DA. Neuroendocrinology: an integrated approach. Hoboken: Wiley; 2005.

6. Martini L, Chrousos G, Labrie F, Pacek K, Pfaff D. Neuroendocrinology: pathological situations and diseases: volume 182 (progress in brain research). Elsevier, 2010.

7. Melmed S, Koenig R, Rosen C, Auchus R, Goldfine A. Williams textbook of endocrinology. 14th ed. Philadelphia: Elsevier; 2020.

8. Wilkinson M, Brown RE. An introduction to neuroendocrinology, 2nd ed. Cambridge: Cambridge University Press; 2015.

II.

1. Cannon B, Nedergaard J. Brown adipose tissue: function and physiological significance. Physiol Rev 2004;84:277-359.

2. Kramer A, Yang FC, Snodgrass P, Li X, Scammell TE, Davis FC, et al. Regulation of daily locomotor activity and sleep by hypothalamic EGF receptor signaling. Science 2001;294:2511-5.

3. Morton GJ, Cummings DE, Baskin DG, Barsh GS, Schwartz MW. Central nervous system control of food intake and body weight. Nature 2006;443:289-95.

4. Spiegelman BM, Flier JS. Obesity and the regulation energy balance. Cell 2001;104:531-43.

5. Zhang W, Bi S. Hypothalamic regulation of brown adipose tissue thermogenesis and energy homeostasis. Front Endocrinol 2015:6:136.

III.

1. Ahmet A, Blaser S, Stephens D, Guger S, Rutkas JT, Hamilton J. Weight gain in craniopharyngioma: a model for hypothalamic obesity. J Pediatr Endocrinol Metab 2006;19:121-7.

2. Boekhoff S, Bogusz A, Sterkenburg AS, Eveslage M, Müller HL. Long-term effects of growth hormone replacement therapy in childhood-onset craniopharyngioma: results of the german craniopharyngioma registry (HIT-Endo). Eur J Endocrinol 2018;179:331-41.

3. Brastianos PK, Shankar GM, Gill CM, Taylor-Weiner A, Nayyar N, Panka DJ, et al. Dramatic response of BRAF V600E mutant papillary craniopharyngioma to targeted therapy. J Natl Cancer Inst 2015;108:310.

4. Bunin GR, Surawicz TS, Witman PA, Preston-Martin S, Davis F, Bruner JM. The descriptive epidemiology of craniopharyngioma. J Neurosurg 1998;89:547-51.

5. Cohen M, Bartels U, Branson H, Kulkarni AV, Hamilton J. Trends in treatment and outcomes of pediatric craniopharyngioma, 1975-2011. Neuro Oncol 2013;15:767-74.

6. Combs SE, Thilmann C, Huber PE, Hoess A, Debus J, Schulz-Ertner D. Achievement of long-term local control in patients with craniopharyngiomas using high precision stereotactic radiotherapy. Cancer 2007;109:2308-14.

7. de Divitiis E, Cappabianca P, Cavallo LM, Esposito F, de Divitiis O, Messina A. Extended endoscopic transsphenoidal approach for extrasellar craniopharyngiomas. Neurosurgery 2007;61:219-27.

8. Duff J, Meyer FB, Ilstrup DM, Laws ER Jr, Schleck CD, Scheithauer BW. Scheithauer BW. Long-term outcomes for surgically resected craniopharyngiomas. Neurosurgery 2000;46:291-302.

9. Elowe-Gruau E, Beltrand J, Brauner R, Pinto G, Samara-Boustani D, Thalassinos C, et al. Childhood craniopharyngioma: hypothalamus-sparing surgery decreases the risk of obesity. J Clin Endocrinol Metab 2013;98:2376-82.

10. Enchev Y, Ferdinandov D, Kounin G, Encheva E, Bussarsky V. Radiation-induced gliomas following radiotherapy

for craniopharyngiomas: a case report and review of the literature. Clin Neurol Neurosurg 2009;111:591-6.

11. Fjalldal S, Holmer H, Rylander L, Elfving M, Ekman B, Osterberg K, et al. Hypothalamic involvement predicts cognitive performance and psychosocial health in long-term survivors of childhood craniopharyngioma. J Clin Endocrinol Metab 2013;98:3253-62.

12. Garrè ML, Cama A. Craniopharyngioma: modern concepts in pathogenesis and treatment. Curr Opin Pediatr 2007;19:471-9.

13. Habrand JL, Ganry O, Couanet D, Rouxel V, Levy-Piedbois C, Pierre-Kahn A, et al. The role of radiation therapy in the management of craniopharyngioma: a 25-year experience and review of the literature. Int J Radiat Oncol Biol Phys 1999;44:255-63.

14. Himes BT, Ruff MW, Van Gompel JJ, Park SS, Galanis E, Kaufmann TJ, et al. Recurrent papillary craniopharyngioma with BRAF V600E mutation treated with dabrafenib: case report. J Neurosurg 2018:1-5.

15. Hoffmann A, Bootsveld K, Gebhardt U, Daubenbüchel AM, Sterkenburg AS, Müller HL. Nonalcoholic fatty liver disease and fatigue in long-term survivors of childhood-onset craniopharyngioma. Eur J Endocrinol 2015;173:389-97.

16. Honegger J, Tatagiba M. Craniopharyngioma surgery. Pituitary 2008;11:361-73.

17. Jalali R, Gupta T, Goda JS, Goswami S, Shah N, Dutta D, et al. Efficacy of stereotactic conformal radiotherapy vs conventional radiotherapy on benign and low-grade brain tumors: a randomized clinical trial. JAMA Oncol 2017;3:1368-76.

18. Jane JA Jr, Laws ER. Craniopharyngioma. Pituitary 2006; 9:323-6.

19. Juratli TA, Jones PS, Wang N, Subramanian M, Aylwin SJB, Odia Y, et al. Targeted treatment of papillary craniopharyngiomas harboring BRAF V600E mutations. Cancer 2019;125:2910-4.

20. Karavitaki N, Brufani C, Warner JT, Adams CB, Richards P, Ansorge O, et al. Craniopharyngiomas in children and adults: systematic analysis of 121 cases with long-term follow-up. Clin Endocrinol (Oxf) 2005;62:397-409.

21. Kobayashi T. Long-term results of gamma knife radiosurgery for 100 consecutive cases of craniopharyngioma and a treatment strategy. Prog Neurol Surg 2009;22:63-76.

22. Komotar RJ, Starke RM, Raper DM, Anand VK, Schwartz TH. Endoscopic endonasal compared with microscopic transsphenoidal and open transcranial resection of craniopharyngiomas. World Neurosurg 2012;77:329-41.

23. Lo AC, Howard AF, Nichol A, Sidhu K, Abdulsatar F, Hasan H, et al. Long-term outcomes and complications in patients with craniopharyngioma: the British Columbia Cancer Agency experience. Int J Radiat Oncol Biol Phys 2014;88:1011-8.

24. Louis DN, Ohgaki H, Wiestler OD, Cavenee WK. WHO classification of tumours of the central nervous system. 4th ed. Lyon: IARC; 2016.

25. Melmed S, Koenig R, Rosen C, Auchus R, Goldfine A. Williams textbook of endocinology. 14th ed. Elsevier; 2020. pp. 173-83.

26. Minniti G, Esposito V, Amichetti M, Enrici RM. The role of fractionated radiotherapy and radiosurgery in the management of patients with craniopharyngioma. Neurosurg Rev 2009;32:125-32.

27. Niranjan A, Kano H, Mathieu D, Kondziolka D, Flickinger JC, Lunsford LD. Radiosurgery for craniopharyngioma. Int J Radiat Oncol Biol Phys 2010;78:64-71.

28. Olsson DS, Andersson E, Bryngelsson IL, Nilsson AG, Johannsson G. Excess mortality and morbidity in patients with craniopharyngioma, especially in patients with childhood onset: a population-based study in Sweden. J Clin Endocrinol Metab 2015;100:467-74.

29. Özyurt J, Müller HL, Thiel CM. A systematic review of cognitive performance in patients with childhood craniopharyngioma. J Neurooncol 2015;125:9-21.

30. Petito CK, DeGirolami U, Earle KM. Craniopharyngiomas: a clinical and pathological review. Cancer 1976; 37:1944-52.

31. Regine WF, Kramer S. Pediatric craniopharyngiomas: long term results of combined treatment with surgery and radiation. Int J Radiat Oncol Biol Phys 1992;24:611-7.

32. Stiller CA, Nectoux J. International incidence of childhood brain and spinal tumours. Int J Epidemiol 1994;23: 458-64.

33. Visser J, Hukin J, Sargent M, Steinbok P, Goddard K, Fryer C. Late mortality in pediatric patients with craniopharyngioma. J Neurooncol 2010;100:105-11.

34. Weiner HL, Wisoff JH, Rosenberg ME, Kupersmith MJ, Cohen H, Zagzag D, et al. Craniopharyngiomas: a clinicopathological analysis of factors predictive of recurrence and functional outcome. Neurosurgery 1994;35:1001-10.

35. Wisoff JH. Surgical management of recurrent craniopharyngiomas. Pediatr Neurosurg 1994;21:108-13.

36. Yamada S, Fukuhara N, Yamaguchi-Okada M, Nishioka H, Takeshita A, Takeuchi Y, et al. Therapeutic outcomes of transsphenoidal surgery in pediatric patients with craniopharyngiomas: a single-center study. J Neurosurg Pediatr 2018;21:549-62.

뇌하수체전엽

김병준 이은직 김난희 김동선

I. 뇌하수체전엽호르몬

김병준

1. 서론

뇌하수체전엽은 시상하부와 더불어 여러 내분비기관의 기능을 조절하는 중요한 역할을 한다. 뇌하수체전엽에서는 5가지 내분비세포인 성장호르몬분비세포(somatotrope), 프로락틴분비세포(lactotrope), 부신피질자극호르몬분비세포(corticotrope), 갑상선자극호르몬분비세포(thyrotrope)와 성선자극세포(gonadotrope)로부터 6가지 호르몬인 성장호르몬, 프로락틴, 부신피질자극호르몬, 갑상선자극호르몬, 황체형성호르몬과 난포자극호르몬이 생성되며 시상하부의 특정한 방출호르몬에 의해 분비가 자극 혹은 억제된다(표 2-2-1). 분비된 각각의 뇌하수체전엽호르몬은 연계된 표적기관에서 호르몬의 생성 및 분비를 자극하여 체내에 특정한 반응을 이끌어 낸다. 표적기관에서 분비된 호르몬은 시상하부 및 뇌하수체에서 음성되먹임제어를 통해 뇌하수체의 분비기능을 조절한다(그림 2-2-1). 이 장에서는 뇌하수체전엽의 구조적인 특징과 분비하는 호르몬의 조절에 대해 살펴보기로 한다.

2. 뇌하수체전엽의 구조

1) 뇌하수체전엽의 발생

뇌하수체는 구강외배엽에서 유래된 전엽(adenohypophysis)과 신경외배엽에서 유래된 후엽(neurohypophysis)으로 이루어진 기관이다. 태아발달 4주차에 구강외배엽의 세포가 두꺼워지면 뇌하수체기원판(hypophyseal placode)이 발달하고, 위쪽의 신경외배엽 쪽으로 올라가는 라트케낭(Rathke's pouch)이 형성된다. 발달 6–8주차에 위로 올라간 라트케낭이 구강상피와 분리된 후 추후에 전엽이 된다. 동시에 복부간뇌(ventral diencephalon)가 아래쪽으로 내려와 뇌하수체후엽을 만든다(그림 2-2-2).

라트케낭에서 시작되는 뇌하수체의 발생은 만능전구세포(pluripotent precursor cells)에서 발현되는 계통특이전사인자와 국소적으로 분비된 성장인자의 복잡한 상호작용에 의한다. 전사인자 Prop-1은 Pit-1이 발현되는 계통의세포와 성선자극세포의 분화를 유도한다. 전사인자 Pit-1은 성장호르몬분비세포, 프로락틴분비세포 및 갑상선자극호르몬분비세포로부터 성장호르몬, 프로락틴 및 갑상선자극호르몬을 세포특이적으로 발현시킨다. Pit-1을 발현하는 세포에서 에스트로젠수용체의 강한 발현은 프로락틴의 발현을 유도하고, 갑상선자극호르몬분비세포태아인자(thyrotrope embryonic factor, TEF)의 발현은 TSH의 발현

표 2-2-1. **뇌하수체전엽호르몬 생산 및 분비조절**

	부신피질자극호르몬 분비세포	성장호르몬분비세포	프로락틴분비세포	갑상선자극호르몬 분비세포	성선자극호르몬분비세포	
조직특이전사인자	T-Pit	Prop-1, Pit-1	Prop-1, Pit-1	Prop-1, Pit-1, TEF	SF-1, DAX-1	
태내발생시기(주)	6	8	12	12	12	
분비호르몬	POMC	성장호르몬	프로락틴	갑상선자극호르몬	황체형성 호르몬	난포자극 호르몬
유전자위치	2p	17q	6	α-6q; β-1p	α-11p; β-19q	
단백질	폴리펩타이드	폴리펩타이드	폴리펩타이드	당단백질 α, β subunit	당단백질 α, β subunit	
아미노산숫자	266 (ACTH 1-39)	191	199	211	210	204
자극인자	CRH, AVP, gp-130 cytokines	GHRH, Ghrelin	Estrogen, TRH, VIP	TRH	GnRH, activin, estrogen	
억제인자	당질부신피질호르몬	성장호르몬억제인자, IGF-1	도파민	T_3, T_4, 도파민, 성장호르몬억제인자, 당질부신피질호르몬	Sex stroids, inhibin	
표적선	부신	간, 기타 조직	유방, 기타 조직	갑상선	난소, 고환	
자극효과	스테로이드생성	IGF-1 생성 성장유도, 인슐린길항작용	유즙 생성	T_4 합성 및 분비	성스테로이드생성, 난포성장, 생식세포성숙	
정상치	ACTH, 4-22 pg/L	< 0.5 μg/L	M < 15; F < 20 μg/L	0.1-5 mU/L	M, 5-20 IU/L, F (basal), 5-20 IU/L	

을 유도한다. 성선자극세포의 발달은 핵수용체스테로이드 생성인자(steroidogenic factor, SF-1)와 DAX-1 (dos-age-sensitive sex reversal, adrenal hypoplasia crit-ical region, on chromosome X, gene 1)이 발현되어 이루어진다. 프로오피오멜라노코틴(proopiomelanocor-tin, POMC)유전자를 발현하는 부신피질자극호르몬분비세포의 발달에도 T-Pit 전사인자의 발현이 필요하다(그림 2-2-3). Pit-1, Prop-1, SF-1, DAX-1과 T-Pit의 돌연변이는 뇌하수체 발달이상을 가져와 선택적인 혹인 전반적인 뇌하수체호르몬결핍증후군을 유발한다.

2) 뇌하수체전엽의 해부학

뇌하수체는 가로 약 12 mm, 전후 약 8 mm의 타원형 장기로 무게는 약 500 mg이다. 뇌하수체의 전엽은 일반적으로 여성보다 남성에서, 경산부보다는 미산부에서 크기가 작

다. 임신 중에는 프로락틴분비세포의 비후로 인해 전체 크기가 약 30% 증가할 수 있다. 뇌하수체는 시상하부의 정중 융기와 회색융기(tuber cinereum)에서 생겨난 뇌하수체 줄기(infundibular stalk, infundibulum)를 통해 시상하부와 연결된다. 뇌하수체는 접형골의 터키안장(sella turcica, pituitary fossa) 위에 위치하며, 위쪽에는 경막인 안장가로막(diaphragma sellae)이, 전방 위쪽에는 시신경교차가, 옆쪽으로는 해면정맥동의 한쪽 내측 벽이, 전방 아래쪽은 접형동의 뒤쪽 벽으로 둘러싸여 있다(그림 2-2-4). 이러한 구조학적 이유로 뇌하수체에 생긴 큰 종양으로 인해 양측두엽반맹이 나타날 수 있고, 뇌하수체종양의 수술 시 접형동을 경유하여 뇌하수체에 접근하는 나비굴경유수술(transsphenoidal adenectomy, TSA)을 표준경로로 사용한다. 시상하부와 뇌하수체전엽은 뇌하수체 문맥계(hypophyseal portal system)를 통하여 연결되

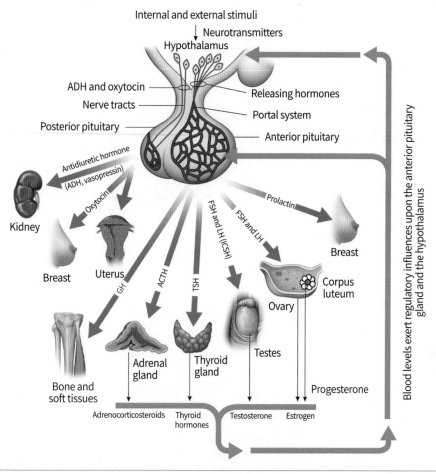

그림 2-2-1. 시상하부-뇌하수체-표적기관 호르몬축

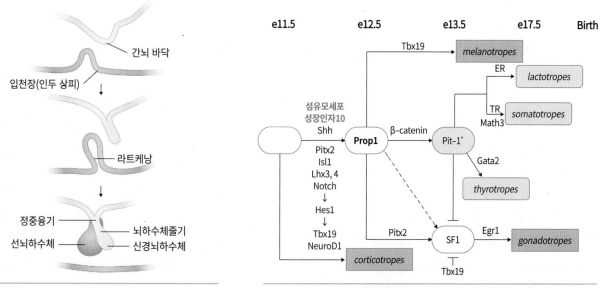

그림 2-2-2. 뇌하수체의 태생기 발달과정

그림 2-2-3. 뇌하수체의 발생에 관련된 전사인자

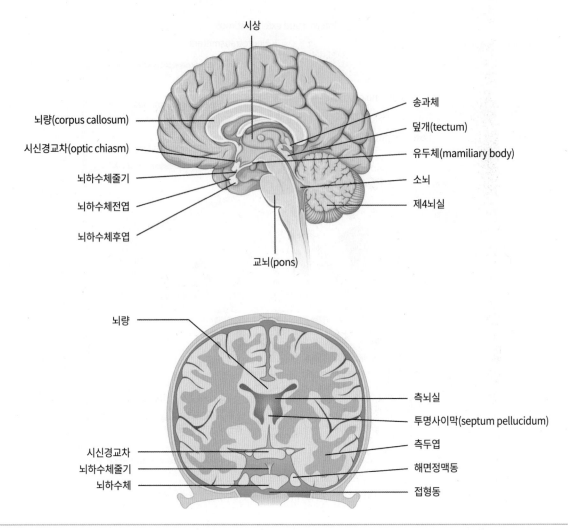

그림 2-2-4. 뇌하수체의 주변 구조

고 뇌하수체후엽은 신경다발에 의해 시상하부와 직접적으로 연결된다.

3) 뇌하수체전엽의 혈액공급
뇌하수체전엽은 시상하부정중융기와 뇌하수체전엽을 연결하는 문맥순환으로부터 혈액공급(0.8 mL/g/min)을 받고 있는 혈관이 가장 잘 발달된 조직 중 하나이다. 동맥혈 공급은 내경동맥에서 분지된 상, 중, 하뇌하수체동맥을 통하여 이루어진다. 상뇌하수체동맥은 뇌하수체자극신경세포가 존재하는 시상하부의 신경다발이 끝나는 시상하부정중융기에서 모세혈관망을 형성한 후 긴 뇌하수체문맥계를 형성하며 뇌하수체줄기를 따라 전엽에 이르고, 다시 한번 모세혈관망으로 펼쳐진 후 정맥으로 모인다. 모세혈관에 분비된 뇌하수체전엽호르몬은 결국 해면정맥동, 상하추체정맥동을 거쳐서 경정맥을 통해 전신순환에 들어가게 된다. 뇌하수체 문맥계를 이루는 모세혈관은 시상하부 복부 및 정중융기와 뇌하수체전엽 사이를 짧고 직접적으로 연결하게 되어 시상하부의 뇌하수체자극호르몬이 시상하부–뇌하수체문맥계를 통해 뇌하수체전엽기능을 조절한다. 뇌하수체와 시상하부 사이에는 역행하는 혈액순환이 있어 뇌하수체와 시상하부 간의 음성되먹임 조절의 수단이 될 수 있다. 뇌하수체줄기와 후엽은 중, 하 뇌하수체동맥의 분지로부터 직접 혈액공급을

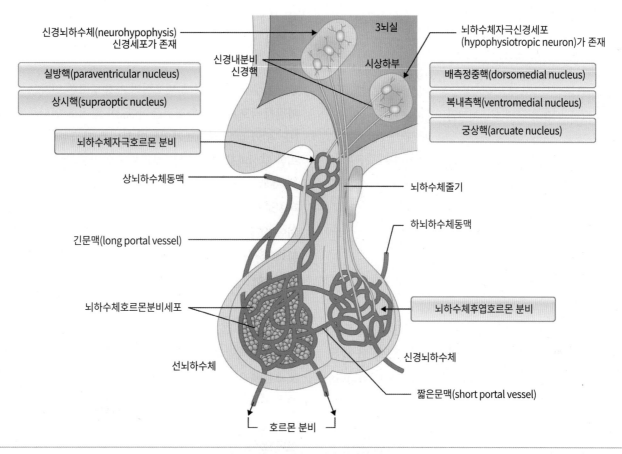

그림 2-2-5. **시상하부-뇌하수체의 문맥계**

받는다. 뇌하수체후엽의 호르몬은 시상하부의 실방핵과 시각로위핵에서 생산되어 신경다발을 통해 전달되어 뇌하수체후엽의 모세혈관에서 끝나게 되고, 후엽정맥, 해면정맥동을 거쳐 전신순환을 하게 된다(그림 2-2-5).

3. 뇌하수체전엽호르몬의 분비조절

뇌하수체전엽호르몬은 시상하부로부터 분비되는 방출 또는 억제호르몬, 표적장기호르몬, 그리고 뇌하수체전엽호르몬 자체에 의해서 분비가 결정된다(그림 2-2-6). 시상하부에서 생산된 뇌하수체분비조절호르몬은 문맥순환을 통해 뇌하수체전엽에 도달한 후 특정 G단백연결수용체에 결합하여 호르몬의 분비를 조절한다. 뇌하수체전엽호르몬에 의해 분비량이 결정되는 표적장기호르몬은 되먹임기전에 의한

뇌하수체 혹은 시상하부에 영향을 주고, 뇌하수체 주변세포에서 분비되는 호르몬에 의한 영향이 복합적으로 뇌하수체전엽에서 호르몬의 분비량을 결정하게 된다. 이 외에도 아민(예: 도파민), 신경전달물질(예: 아세틸콜린), 신경펩타이드[예: 혈관작용장폴리펩타이드(vasoactive intestinal polypeptide, VIP)] 등 여러 인자에 의해서도 직접 혹은 간접적으로 영향을 준다.

1) 부신피질자극호르몬

부신피질자극호르몬은 39개의 아미노산으로 이루어진 펩타이드호르몬으로 부신의 크기와 구조, 기능을 유지하는 데 중요한 역할을 하며 부신피질세포에 위치한 수용체를 자극하여 스테로이드의 생성을 유도한다.

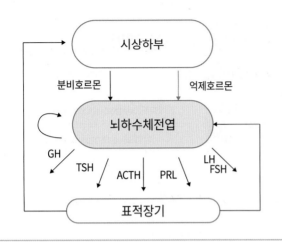

그림 2-2-6. **뇌하수체전엽호르몬 조절모식도**

(1) 생합성

부신피질자극호르몬분비세포는 뇌하수체전엽의 20%를 차지하며 POMC유전자로부터 부신피질자극호르몬을 만든다. 266개 아미노산의 전전구호르몬(prepro-hormone)에서 만들어진 241개 아미노산의 전구호르몬인 POMC는 부신피질자극호르몬(1-39), γ-LPH (lipotropin), MSH, 베타 엔도르핀(β-endorphin)을 생산한다. POMC유전자 발현은 부신피질자극호르몬방출호르몬, 바소프레신, 카테콜라민, VIP, 사이토카인 등에 의해 증가되고, 당질부신피질호르몬에 의해 감소한다. POMC에서 생산된 부신피질자극호르몬은 부신피질에 있는 제2형멜라노코틴수용체(melanocortin receptor type 2, MC2R)라고도 알려진 ACTH수용체(ACTHR)에 결합 후 cAMP를 매개하여 당질부신피질호르몬, 안드로젠스테로이드, 무기질부신피질호르몬 생산을 자극한다. 부신피질자극호르몬과 MSH는 MC1R을 통해 멜라닌분비세포를 자극할 수 있기에 애디슨병(Addison's disease)에서 피부색소침착의 원인이 된다.

(2) 기능과 분비조절

부신피질자극호르몬은 시상하부-뇌하수체-부신축은 몸의 항상성을 유지하고 체내, 체외의 스트레스에 적절히 반응하는 데 매우 중요한 역할을 담당한다. 운동, 외상, 수술, 저혈당 등의 상황에서 분비가 증가되어 시상하부-뇌하수체-부신축을 활성화시켜 당질부신피질호르몬의 생산을 증가시켜 스트레스로부터 회복할 수 있게 한다.

부신피질자극호르몬 분비조절의 가장 중요한 인자는 부신피질자극호르몬방출호르몬이다. 이 외에도 인터루킨-6 (IL-6)와 같은 사이토카인들이 분비를 자극한다. CRH에 의한 부신피질자극호르몬 분비자극은 박동성이며, 아침 기상 시에 가장 높고 낮에는 낮아지는 일중변동이 있다. 또한 부신피질자극호르몬의 분비는 운동, 외상, 수술, 통증, 염증, 저혈당 등과 같은 상황에 증가하며, 미주신경, 카테콜라민 활성화, 사이토카인 분비 등과 연계되어 부신피질호르몬을 분비시키고 당질부신피질호르몬의 반응성을 높인다.

부신피질자극호르몬분비세포 내의 예민한 신호전달체계를 통해 지속적인 과잉분비를 제어하며, 말초의 당질부신피질호르몬에 의한 음성되먹임기전을 통하여 분비와 유전자발현을 억제한다.

2) 성장호르몬

성장호르몬은 소마토트로핀(somatotropin)이라고도 알려져 있으며, 중요한 기능은 성장과 대사이다. 지방, 당, 단백질대사에 밀접히 연관되어 있으며, 성장은 주로 간에 작용하여 인슐린유사성장인자-1 (insulin like growth factor-1, IGF-1)을 증가시켜 일어난다.

(1) 생합성

성장호르몬은 뇌하수체전엽세포의 약 50%를 차지하는 호산성 성장호르몬분비세포에서 분비되는 191개 아미노산으로 구성된 단일사슬폴리펩타이드단백질이다. 5개의 다른 유전자가 성장호르몬 및 이와 관계된 단백질의 생산에 관여하며, 이 중 뇌하수체성장호르몬유전자(hGH-N)는 유사한 생물학적 활성을 가지는 많은 양의 22 kDa 성장호르몬(191개 아미노산)과 적은 양의 20 kDa 성장호르몬을 생산한다. 태반융합영양막세포는 성장호르몬변이체(hGH-V)유전자를 발현시켜 사람융모성선자극호르몬을 분비한다.

(2) 기능과 분비조절

성장호르몬의 중요한 기능은 성장과 대사이다. 성장호르몬의 기본적인 대사효과는 지방, 당, 단백질대사에 인슐린과 밀접히 연관되어 있다. 성장호르몬은 지방분해 및 지방산 산화를 촉진시킴으로써 공복상태에서 에너지원으로 지방산을 사용하게 함으로써 단백질 이화작용을 억제시킨다. 또한 성장호르몬은 IGF-1을 매개로 아미노산 섭취를 증가시키고, mRNA의 전사해독을 직접적으로 항진시켜 단백질 합성을 증가시킨다. 간의 포도당 신합성을 촉진하여 인슐린과 길항작용을 함으로써 저혈당에 대비하게 한다.

성장호르몬 분비는 박동성으로 분비되며 연령 및 수면에 의해 많은 영향을 받는다. 성장호르몬은 태아기에 매우 높으며 혈중 농도가 약 150 μg/L에 달한다. 신생아기 약 30 μg/L로 감소하며, 유아기에 더 낮은 농도로 유지되다가 사춘기에 도달하면 2-3배 이상 상승한다. 사춘기가 끝나면 성장호르몬은 약 1/4로 급격히 감소한 후 10년에 14.4%씩 서서히 감소한다. 젊은 성인의 경우 성장호르몬 분비는 수면주기에 따라 일중변동이 뚜렷하고 수면 중 분비가 증가한다. 성장호르몬 분비는 수면시작 1-4시간 후 최고치에 이르며, 야간 수면(특히 서파수면) 중에 방출하는 것이 하루 성장호르몬 분비의 70% 정도를 차지한다.

탄수화물, 단백질, 지방 등의 모든 영양소도 성장호르몬 분비에 영향을 준다. 저혈당은 성장호르몬 분비를 자극한다. 혈중 포도당 농도뿐만 아니라 혈당변화속도가 성장호르몬 분비자극에 중요하다. 단백질 식사나 아미노산 투여(예: 아르지닌)는 성장호르몬 분비를 일으키나, 공교롭게도 단백질 영양결핍 때에도 성장호르몬이 증가하는데, 이는 영양결핍에 의한 IGF-1 생산이 감소하여 음성되먹임에 의해서 나타나는 것으로 생각되고 있다. 지방산은 아르지닌, 운동, 수면 등의 자극에 의한 성장호르몬 분비 증가를 억제시킨다. 운동이나 외상, 패혈증, 쇼크 등의 신체 스트레스상황에서 성장호르몬의 혈중 농도는 높아지고, 반면에 비만 시에는 기저치나 자극 시 성장호르몬 혈중 농도가 낮아진다.

성장호르몬의 분비조절은 시상하부 및 말초에서 분비되는 호르몬의 수용체에 의해 복잡하게 조절된다. 성장호르몬 분비세포에는 직접적으로 분비에 관여하는 성장호르몬방출호르몬수용체, 성장호르몬분비촉진제수용체(growth hormone secretagogue receptor, GHS-R)와 성장호르몬억제인자수용체(somatostatin receptor 2형과 5형)를 가지고 있다. 성장호르몬방출호르몬은 44개 아미노산을 가진 시상하부 펩타이드로 성장호르몬의 합성 및 방출을 자극한다. 시상하부 및 위 점막에서 생성되는 그렐린과 성장호르몬분비촉진제수용체에 대한 합성대항제는 성장호르몬방출호르몬 및 성장호르몬의 분비를 자극한다.

노르에피네프린은 알파-아드레날린수용체를 통해 성장호르몬의 분비를 증가시키지만 베타-아드레날린수용체를 통해서는 성장호르몬방출을 억제한다. 이외에도 저혈당, 운동, 항이뇨호르몬, 아르지닌 등이 알파-아드레날린을 통해 성장호르몬을 분비시킨다. 베타수용체차단제는 뇌하수체에 직접 작용 또는 시상하부의 성장호르몬억제인자 분비를 억제하는 기전으로 성장호르몬방출호르몬을 증가시키는 것으로 알려져 있다. 이 외에 뉴로텐신, 혈관활성 장폴리펩타이드, 모틸린, 콜레시스토키닌, 글루카곤 등의 신경펩타이드도 성장호르몬의 분비를 자극한다. 포만중추를 자극하고 에너지소비를 조절하여 체지방 조절에 결정적인 역할을 하는 렙틴 또한 성장호르몬 조절에 관여하는데 성장호르몬이 결핍된 성인에서는 혈중 렙틴의 농도가 기대치보다 높다는 보고가 있다. 신경펩타이드, 신경전달물질, 아편유도체도 시상하부를 자극하여 성장호르몬방출호르몬과 성장호르몬억제인자의 분비를 조절한다. 도파민작용제는 성장호르몬 분비를 촉진시킨다.

다른 호르몬들에 의해서도 다양하게 분비가 조절되는데, 갑상선호르몬은 성장호르몬을 억제하고 에스트로젠과 테스토스테론은 성장호르몬 분비를 자극하는 것으로 알려져 있다. 당질부신피질호르몬의 경우 초기에는 성장호르몬 분비를 자극하지만 만성적으로는 억제효과를 가진다.

3) 프로락틴

(1) 생합성

프로락틴은 198개의 아미노산으로 이루어진 폴리펩타이드이다. 혈중 프로락틴은 분자량 23 kd의 단량체(monomer)부터 48, 56 kd 프로락틴("big prolactin") 등 다양한 크기의 프로락틴이 발견되고, 100 kd 이상의 다량체(polymer) 프로락틴("big big prolactin")이 발견되기도 하나 단량체로 존재하는 프로락틴이 가장 생활성이 높다.

(2) 기능과 분비조절

프로락틴은 출산 후에 유즙 분비를 자극한다. 임신 중 증가하는 프로락틴은 유즙 생성에 대비하여 유방발달을 촉진시킨다. 임신 중 증가된 에스트로젠 역시 유방발달을 촉진시킨다. 출산 후 에스트로젠과 프로제스테론이 감소하면서 프로락틴 효과가 증가하여 유즙 분비가 시작된다. 출산 후 기저프로락틴 분비는 감소하지만, 지속적인 수유는 프로락틴의 분비를 유지하여 유즙 생산을 유지시킬 수 있다.

생리적으로는 성선기능 조절에 프로락틴의 뚜렷한 역할은 없으나, 사람에서 고프로락틴혈증은 성선저하증을 유발한다. 여성의 경우 초기에는 황체기의 단축이 오고, 점진적으로 무배란, 희발월경, 무월경이 나타난다. 남성에서 테스토스테론 합성 및 정자형성을 감소시키며, 임상적으로는 성욕감소, 발기불능, 불임으로 나타난다. 프로락틴이 성선기능을 억제하는 것은 프로락틴의 수용체가 있는 키셉틴(kisspeptin)신경세포에서 키셉틴을 감소시키고, 이를 통해 성선자극호르몬방출호르몬의 분비가 억제되어, 황체형성호르몬 및 난포자극호르몬의 간헐적 분비가 감소하는 것이 원인이라고 여겨진다(그림 2-2-7).

프로락틴의 분비는 일중변동성을 가지는데, 혈중 농도는 늦은 오전이나 정오 사이에 낮아지고 수면 중 상승한다. 비급속안구운동(non-rapid eye movement) 수면기에 분비가 증가된다. 갑상선자극호르몬방출호르몬, 성선자극호르

몬방출호르몬 등이 프로락틴의 분비를 자극하며, 유두의 자극이나 수유 중에도 혈중 프로락틴이 상승할 수 있다. 고용량의 성장호르몬방출호르몬 투여는 중증도의 고프로락틴혈증을 초래하는 것으로 알려져 있고 에스트로젠도 프로락틴의 합성 분비를 촉진한다는 사실이 이미 많은 연구를

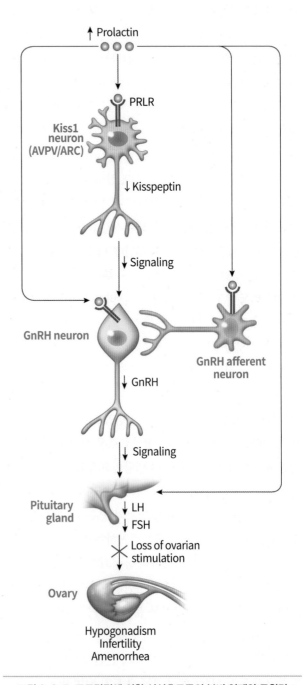

그림 2-2-7. **프로락틴에 의한 성선호르몬의 분비 억제와 무월경**

통하여 밝혀졌다. 정상적으로 프로락틴의 분비는 도파민에 의해 강력하게 억제된다. 도파민은 융기깔때기세포에서 분비되어 시상하부뇌하수체문맥을 통해 유즙호르몬분비세포에 도달한 후 도파민수용체(D2 receptor)에 작용하여 프로락틴의 합성과 분비를 억제한다. 이 외에도 혈관내피인자-1 (endothelin-1), 전환성장인자(TGF-β), 칼시토닌 등이 프로락틴의 분비 억제를 담당한다.

임신을 하지 않은 여성에서도 유두자극은 프로락틴 농도를 상승시킨다. 흉곽 손상에 의해 유발되는 신경성반사, 수술, 운동, 저혈당, 급성심근경색증 등의 스트레스도 프로락틴 농도를 상승시킨다. 이 외 많은 약물이 프로락틴 분비를 변화시킨다. 도파민작용제(예: 브로모크립틴)는 프로락틴 분비를 감소시켜서 프로락틴과잉 시에 약물로 사용된다. 반대로 도파민대항제(예: 페노티아진)는 프로락틴 분비를 증진시킨다. 세로토닌작용제는 프로락틴 분비를 촉진시키고, 세로토닌수용체차단제는 스트레스나 수유와 관련된 프로락틴 분비를 억제한다.

4) 갑상선자극호르몬

(1) 생합성
갑상선자극호르몬분비세포는 기능뇌하수체전엽세포의 약 5%를 차지하며, 갑상선자극호르몬을 분비한다. 갑상선자극호르몬은 당단백질호르몬으로써 알파, 베타소단위로 구성되어 있다. 갑상선자극호르몬의 알파소단위는 황체형성호르몬, 난포자극호르몬, 사람융모성선자극호르몬과 동일하며 갑상선자극호르몬의 독특한 생물학적, 면역학적 활성은 베타소단위에 의해 나타난다. 이들 소단위 펩타이드는 각각 따로 합성되어 비공유결합으로 연결된 후 분비되는데, 이때 소량의 비결합소단위도 분비된다.

(2) 기능과 분비조절
갑상선자극호르몬은 갑상선세포의 G단백연결수용체에 결합하여 갑상선호르몬의 생성을 자극한다. 아데닐산고리화

효소(adenylate cyclase)를 활성화시켜 cAMP를 증가시킴으로써 요오드 섭취, 호르몬 합성, T_4, T_3방출을 모두 자극한다. 또한 갑상선세포 내의 단백질 합성을 증가시켜 갑상선 크기 및 혈관화를 증가시킨다.

태아는 12주부터 뇌하수체에서 갑상선자극호르몬을 만들 수 있다. 출생 직후 갑상선자극호르몬 분비량이 상승하여 약 5일간 지속되었다가 이후 안정화된다. 갑상선자극호르몬 분비는 밤 11시부터 오전 5시까지 분비량이 많은 일중변동을 보인다. 또한 갑상선자극호르몬 역시 2-3시간의 주기를 갖는 박동성 분비를 보이는데, 이러한 일중변동과 박동성 분비는 갑상선자극호르몬방출호르몬 분비양상에 의해 결정된다.

갑상선자극호르몬은 말초의 갑상선호르몬에 의해 가장 민감하게 조절된다. 말초의 활성형 갑상선호르몬인 T_3는 갑상선자극호르몬을 직접적으로 억제하고 동시에 시상하부의 갑상선자극호르몬방출호르몬을 억제하고 뇌하수체의 갑상선자극호르몬방출호르몬수용체를 감소시켜 강력한 갑상선자극호르몬 저해효과를 나타낸다. 갑상선자극호르몬을 자극하는 대표적인 호르몬은 시상하부에서 분비되는 갑상선자극호르몬방출호르몬이다. 갑상선자극호르몬방출호르몬은 시상하부의 신경세포에서 분비되어 시상하부-뇌하수체문맥을 통해 뇌하수체전엽에 위치한 갑상선자극호르몬방출호르몬수용체에 작용하여 TSH의 분비를 자극한다. 성장호르몬억제인자는 갑상선자극호르몬 분비를 저해하고 시상하부의 갑상선자극호르몬방출호르몬도 억제하는 것으로 생각된다. 도파민은 갑상선자극호르몬의 베타소단위 유전자발현을 낮춰 호르몬 분비를 억제한다. 그 외에 글루코코르티코이드, 비스테로이드소염제(meclofenamate, fenclofenac)가 갑상선자극호르몬의 혈중 농도를 낮추는 것으로 알려져 있다. 특히 과잉의 당질부신피질호르몬은 갑상선자극호르몬방출호르몬에 대한 뇌하수체 감수성을 떨어뜨려 TSH를 측정되지 않는 정도까지 감소시킬 수 있다.

5) 성선자극호르몬: 황체형성호르몬, 난포자극호르몬

(1) 생합성

성선자극호르몬분비세포는 뇌하수체전엽세포의 10-15%를 차지하며 황체형성호르몬과 난포자극호르몬을 분비한다. 황체형성호르몬과 난포자극호르몬은 당단백질호르몬으로써 알파, 베타소단위로 구성되어 있는데, 갑상선자극호르몬, 사람융모성선자극호르몬과 마찬가지로 독특한 생물학적 활성은 베타소단위에 의하여 나타난다. 각각의 소단위는 서로 다른 유전자에 의해 만들어지는데, 알파소단위의 경우 6번 염색체의 유전자에 부호화되어 있고, 베타소단위의 황체형성호르몬은 11번 염색체, 난포자극호르몬은 19번 염색체의 유전자에 의해 부호화되어 있다. 황체형성호르몬과 난포자극호르몬은 성선자극호르몬방출호르몬에 의해 합성속도가 결정되지만, 두 호르몬의 전사조절은 별개로 이루어진다.

(2) 기능과 분비조절

시상하부에서 분비되는 성선자극호르몬방출호르몬은 황체형성호르몬과 난포자극호르몬을 모두 분비시키는데 1-2시간 간격의 박동성을 가지고 분비되며, 성선자극호르몬방출호르몬의 양과 주기에 의해 성선호르몬의 분비를 주기적으로 유발한다. 성선자극호르몬방출호르몬이 지속적으로 분비될 경우 오히려 성선자극호르몬이 억제되게 되는데 이러한 현상에 근거하여 전립선암 등에서 지속형작용제로 성선호르몬을 억제하는 치료에 사용된다. 황체형성호르몬과 난포자극호르몬은 난소와 고환의 수용체와 결합하여 성선호르몬 생성 및 생식발생(gametogenesis)을 통하여 성기능을 조절한다. 남성에서 황체형성호르몬은 고환 라이디히세포에서 테스토스테론 생산을 자극한다. 그러나 정자성숙을 위해서는 황체형성호르몬과 난포자극호르몬이 모두 필요하다. 난포자극호르몬은 세르톨리세포에 작용하여 정자성숙에 중요한 역할을 할 것으로 생각되는데, 정확한 기전은 아직 밝혀지지 않았다. 여성에서 황체형성호르몬은 난소에서의 에스트로젠과 프로제스테론 합성을 자극한다. 월경 중기 황체형성호르몬의 급격한상승(LH surge)은 배란을 유도하고, 이후의 지속적 황체형성호르몬 분비가 황체에서 콜레스테롤로부터 프레그네놀론으로의 변환을 증진시켜서 프로제스테론을 생성케 한다. 난포발달은 대부분 난포자극호르몬에 의하며 난포로부터의 에스트로젠 분비는 황체형성호르몬과 난포자극호르몬 모두에 의존한다.

시상하부의 방출호르몬이 성선자극호르몬을 주로 조절한다. 시상하부의 상위에서 키셉틴신경세포는 키셉틴을 분비하여 성선자극호르몬방출호르몬분비세포에서 성선자극호르몬방출호르몬 분비를 자극하여 성선자극호르몬 분비를 증가시킨다. 성선자극호르몬방출호르몬분비세포에는 렙틴수용체도 존재하여, 우리 몸의 체지방, 에너지상태에 대한 정보를 렙틴을 통하여 성선자극호르몬방출호르몬분비세포에 전달할 수 있다.

난포자극호르몬의 합성은 생식펩타이드인 인히빈(inhibin)과 액티빈(activin)에 의해서도 독립적으로 조절된다. 남성 세정관(seminiferous tubule)의 세르톨리세포에서 여성의 과립층세포(granulosa cell)에서 분비되는 폴리펩타이드인 인히빈은 난포자극호르몬을 선택적으로 억제하고 성선과 뇌하수체에서 분비되는 액티빈은 반대로 합성을 촉진하게 된다.

에스트로젠 또한 시상하부와 뇌하수체에 작용하여 성선자극호르몬 분비를 조절하는 역할을 한다. 지속적인 에스트로젠의 노출은 주로 억제효과를 나타내지만 배란 직전에 에스트로젠의 일시적 상승은 양성되먹임기전으로 작용하여 성선호르몬 분비를 증강시킨다. 프로제스테론은 시상하부의 방출호르몬의 생성빈도를 늦추지만, 이에 대한 성선자극호르몬의 반응은 항진시키게 된다.

II. 뇌하수체종양

이은직

1. 서론

뇌하수체종양은 성인에서 뇌하수체호르몬 과분비 혹은 저분비를 유발하는 가장 흔한 원인이다. 영상의학검사기술의 발전 및 기타 의료검사의 발달로 뇌하수체종양의 발생빈도는 증가하고 있으며, 최근 대규모 사체연구를 통해 크기 10 mm 이하의 뇌하수체미세선종이 전체 검체 25%가량에서 존재함이 보고되었다. 또한, 건강한 성인을 대상으로 뇌하수체부위의 자기공명영상검사를 시행한 결과, 전체 대상자의 10%가량에서 뇌하수체선종이 발견되었다.

뇌하수체종양의 발병원인에 대해서는 아직 명확히 밝혀진 바가 없으나, 현재 몇 가지 유전자돌연변이가 이와 연관된 것으로 알려져 있다. 1형다발내분비선종양(multiple endocrine neoplasm 1, MEN1), 구아닌뉴클레오티드자극단백질(guanine nucleotide stimulatory protein, Gsα gene), pituitary tumor transforming gene (PTTG), 섬유모세포성장인자(fibroblast growth factor, FGF)수용체-4 등의 유전자변이와 관련되어 있으며, 대체로 유전질환과 연관된 뇌하수체종양의 경우 더욱더 침습적이고 예후가 좋지 않은 것으로 알려져 있다.

뇌하수체종양은 발생기원세포의 종류와 종양의 크기에 따라 분류할 수 있다. 크기 10 mm 이하의 종양은 미세선종으로, 10 mm 이상의 종양은 대선종으로 분류한다. 방사선적 분류는 종양의 위치, 크기 및 주변조직 침습정도에 기반하여 분류한다. 종양은 뇌하수체를 구성하는 모든 세포에서 발생할 수 있으며, 종양발생세포에 의한 호르몬 과다분비, 혹은 종양에 의한 다른 뇌하수체세포의 기능저하로 인한 호르몬분비저하증이 임상양상으로 발생할 수 있다. 부신피질자극호르몬분비세포, 성장호르몬분비세포, 프로락틴분비세포 및 갑상선자극호르몬분비세포에서 기원한 종양은 호르몬을 과분비하나 성선자극세포종양은 일반적으로 임상증상이 나타나지 않는다.

뇌하수체선종 세포내 호르몬 종류와 미세구조에 따라 분류되었으나 2017년 WHO에서는 전사인자 발현 및 세포계통에 기반을 두어 분류하는 새로운 뇌하수체종양 분류를 공표하였다. 각각의 뇌하수체종양은 면역염색을 통해 확인되는 뇌하수체호르몬 종류에 따라 세분화하였다(표 2-2-2).

2. 프로락틴선종

1) 원인 및 빈도

프로락틴선종은 뇌하수체선종 중 가장 흔한 종양으로 일반적으로 양성이며, 보통 크기에 따라 1 cm 미만이면 미세선종, 1 cm 이상이면 대선종으로 분류한다. 부검 시 뇌하수체미세선종이 10.9%에서 발견되며, 그중 44%가 프로락틴선종으로 보고되고 있다. 인구 100,000명당 약 30명의 연간 발생률로 발생하며, 미세프로락틴선종의 여성:남성 비는 20:1이지만 대선종의 경우 남녀 성비는 거의 동일하다. 유전적으로 생기는 경우는 드물지만 1형다발내분비선종증의 일환으로 생길 수 있다. 보통은 산발적(sporadic)으로 생기는데, 아직 프로락틴선종의 위험인자에 대해 밝혀진 바는 없다.

2) 임상양상

여성에서 고프로락틴혈증에 의한 증상 및 징후로 희발월경, 무월경, 불임, 유즙 분비가 나타날 수 있다. 또한, 치료받지 않은 프로락틴선종 환자에서 무월경이 지속될 경우, 에스트로겐 결핍에 의한 골밀도 저하 및 골절의 위험성이 증가할 수 있다. 남성에서 고프로락틴혈증에 의한 증상으로는 성욕 감소, 정자과소증, 무정자증, 발기장애, 불임, 여성형유방, 드물게 유즙 분비가 나타날 수 있으며, 테스토스테론 감소로 인한 골밀도 저하 및 빈혈이 생길 수 있다. 여성에서는 주로 미세선종으로 진단되는 경우가 많은 것과 달리, 남성

표 2-2-2. **2017년 WHO pathological classification of pituitary adenomas**

분류	형태학적 분류	면역염색	전사인자 및 보조인자
성장호르몬분비세포	Densely granulated	GH, α–subunit	Pit1
	Sparsely granulated	GH	Pit1
	Mammosomatotroph	GH + PRL (in same cell) ± α–subunit	Pit1, ERα
	Mixed somatotroph-lactotroph	GH + PRL (in different cell) ± α–subunit	Pit1, ERα
프로락틴분비세포	Densely granulated	PRL	Pit1, ERα
	Sparsely granulated	PRL	Pit1, ERα
	Acidophil stem cell	PRL, GH (focal and variable)	Pit1, ERα
갑상선자극호르몬분비세포		βTSH, α–subunit	Pit1, GATA2
부신피질자극호르몬분비세포	Densely granulated	ACTH	Tpit
	Sparsely granulated	ACTH	Tpit
	Crooke cell	ACTH	Tpit
성선자극세포		βFSH, βLH, α–subunit	SF–1, GATA2, ERα
Null cell		None	None
Plurihormonal	Pit–1–양성	GH, PRL, βTSH ± α–subunit	Pit–1
	비정상적인 면역조직화학염색 조합	다양하게 발현	

에서는 대선종이 많아, 종괴 자체의 압박에 의한 두통, 시력 장애 등이 더 자주 생긴다. 대선종의 경우 종양에 의한 시야 장애, 두통 등이 생길 수 있으며 종양이 해면정맥동을 침범할 수 있지만 뇌신경마비는 드물다.

3) 검사 및 진단

고프로락틴혈증이 확인된 경우, 여성에서는 임신 등을 포함한 생리적인 원인을 먼저 감별해야 한다. 출산 후 고프로락틴혈증은 출산 후 얼마나 시간이 지났는지와 수유를 했는지 아닌지에 따라 해석이 달라질 수 있다. 보통 수유를 할 때는 출산 후 약 6개월 후, 수유하지 않을 때는 수주 이내에 프로락틴수치가 정상화된다. 신부전이나 간부전, 갑상선기능저하증, 흉벽 손상 및 유두자극 시에도 프로락틴혈증수치가 올라갈 수 있다. 프로락틴 분비는 시상하부의 도파민에 의해 억제된다. 따라서, 고프로락틴혈증은 프로락틴선종

외에도 림프구뇌하수체염 같은 염증질환이나, 라트케낭종 등 뇌하수체줄기를 통한 도파민 이동을 막는 모든 종양에 의해서 발생할 수 있으며, 정상도파민의 분비를 방해하는 모든 약물(예: 항우울제, 향정신성약물, 일부 항고혈압제, H2 차단제, 메토클로프라마이드)에 의해서도 프로락틴수치가 상승할 수 있다. 리스페리돈과 같은 향정신성약물이나 메토클로프라마이드를 복용하는 경우 프로락틴수치가 200 μg/L를 넘기도 한다. 하지만 500 μg/L보다 높은 수치는 프로락틴선종에서만 관찰되며, 대선종 환자에서 뇌하수체줄기 압박에 의한 프로락틴수치 상승은 200 μg/L를 거의 넘지 않는다.

혈중 프로락틴수치를 상승시킬 수 있는 생리적인 원인이나 약물이 없다면, 프로락틴 상승폭이 크지 않더라도 뇌하수체줄기나 터키안장에 존재하는 종양의 유무 및 크기를 확인

하기 위해서 자기공명영상을 시행해야 한다. 뇌하수체기능검사는 미세선종인 경우, 보통 정상이기 때문에 일반적으로 필요 없다. 무월경이 있는 여성에서는 난소부전의 여부를 알기 위해 난포자극호르몬을 검사하고, 고프로락틴혈증이 있는 남성에서는 혈중 테스토스테론수치를 검사해야 한다. 성선저하증이 있는 경우 골밀도를 검사하고, 종양이 시신경교차를 누르고 있거나, 가까이 위치하고 있을 경우는 시야검사를 시행한다.

4) 치료

모든 프로락틴선종이 치료를 요하는 것은 아니지만, 대선종이거나 선종의 크기가 증가하는 미세선종일 경우, 고프로락틴혈증에 의한 증상(예: 불임, 유즙 분비, 무월경, 여성형유방, 테스토스테론 감소, 골다공증, 다모증)이 있는 경우 치료가 필요하다. 따라서 이런 사항이 없는 미세선종일 경우, 증상과 프로락틴수치를 관찰하면서 자기공명영상으로 종양의 크기변화를 지켜볼 수도 있다.

프로락틴선종의 치료목표는 프로락틴수치의 정상화, 관련징후 및 증상호전, 그리고 종양제거 내지는 축소이다. 도파민작용제를 이용한 약물치료는 프로락틴선종 환자의 대부분에서 효과가 좋으므로 미세선종과 대선종 모두에서 치료를 해야 하는 환자의 가장 중요한 치료근간이 되고 있다. 브로모크립틴과 카버골린 모두 도파민수용체작용제로 프로락틴 분비를 억제하여 프로락틴수치를 정상화시키며, 종양크기도 감소시킨다. 카버골린은 브로모크립틴보다 작용지속시간이 더 길어 주 1–2회 투여하며, 부작용이 적어 임신을 원하는 경우가 아니면 브로모크립틴보다 우선적으로 고려될 수 있다. 브로모크립틴은 1.25 mg/일로 시작하며 카버골린은 0.25 mg/주로 시작하며 내약성에 따라 점진적으로 증량한다. 약물은 취침 전 음식과 함께 복용하는 것을 권고한다. 시야장애가 있는 환자의 경우 도파민수용체작용제의 증량을 더 빨리하고, 시야검사를 2–4주 간격으로 시행한다. 또한, 자기공명영상에서 시신경교차 압박이 호전되었지만, 시야장애가 지속되면 시야손실이 영구적일 수도 있다.

도파민수용체작용제로 치료를 했는데도 여성에서 고프로락틴혈증이 지속되거나, 남성에서 성호르몬이 낮을 경우, 성호르몬보충요법이 필요할 수도 있다.

도파민수용체작용제는 소화장애, 기립저혈압 등의 부작용이 흔하므로 소량으로 시작해서 천천히 증량해야 한다. 메스꺼움은 환자 중 절반에서 발생한다. 투약초기에는 말초혈관 확장을 유발하는 활동(예: 뜨거운 목욕)을 피하여 기립저혈압의 위험을 줄여야 한다. 그 외 코막힘, 우울증 및 말초혈관경련 등이 발생할 수 있으며, 고용량에서 더 자주 발생한다. 정신증 또는 기존 정신병의 악화는 브로모크립틴을 투여받는 환자의 최대 1.3%에서 발생할 수 있으며, 뇌척수액 비루는 대선종 환자의 최대 6.1%에서 도파민수용체작용제치료 중에 발생한다는 보고가 있다. 드물게 보고된 기타 심각한 부작용으로는 간기능장애 및 심장부정맥이 있으며, 고용량의 브로모크립틴을 복용하는 환자에서 후복막섬유증, 흉막 삼출 및 비후, 제한적 승모판역류가 보고된 바 있다. 일부 연구에서 카버골린 치료를 받은 환자에서 삼천판역류발생 연관성을 보고한 바 있으나, 아직 장기간의 전향연구 결과가 부족한 상태이다. 부작용이 문제가 되면 용량을 절반으로 줄인 뒤 점진적으로 용량을 다시 증량해볼 수 있으며, 한 약물에서 다른 약물로 전환하는 것 또한 도움이 될 수 있다. 약물 중단은 최소 2년 이상 치료하였으며 영상검사에서 종양의 증거가 없는 환자에서 시도해 볼 수 있다.

수술치료는 약물치료에 반응하지 않거나, 약물치료를 못 견디는 경우, 뇌하수체졸증 등에서 시행한다. 시야장애가 지속되거나, 자기공명영상에서 시신경교차압박의 호전이 없다면 수술치료를 고려한다. 수술적 완치율은 종양의 해부학적 위치나 신경외과의의 숙련도에 따라 크게 달라지는데, 미세선종의 경우 80–90%에 이르지만, 대선종의 경우 50% 미만이다. 재발도 미세선종의 경우 흔하지 않으나, 대선종의 경우 약 80%까지 고프로락틴혈증이 재발한다고 보고되고 있다. 프로락틴선종이 임신 중 시야장애를 유발할 위험이 있는 여성의 경우 임신 전 예방으로 수술치료를 해 볼 수 있다. 방사선 치료는 더 이상 수술이 힘든 크기가 큰 대선종이거나 약물치료에 반응이 없거나, 불내성이 있는 환자에게 시행될 수 있다.

5) 임신

임신을 원하는 환자에서 프로락틴수치를 정상화시키는 것이 권고된다. 치료 시작 후 충분한 기간(3-4개월) 동안 월경주기가 돌아온 것을 확인하여 환자가 생리를 하지 않는 것이 임신을 시사하는 것을 알 수 있게 하는 것이 좋으며, 이 기간에는 콘돔과 같은 피임법이 권장된다. 만약 사람융모성선자극호르몬(human chorionic gonadotropin, hCG)검사에서 양성반응을 보이면, 일주일 이내 약물을 중단하도록 해야 한다. 간혹 고프로락틴혈증이 있는 여성에서 임신이 되기도 하는데, 임신이 확인되면 약물은 일단 중지해야 한다. 일반적으로 생리가 중단되고 임신이 확인되면 환자들은 도파민수용체작용제를 중단하기 때문에 태아에 도파민수용체작용제가 노출되는 기간은 4-5주 정도이며, 이 기간에 태아와 관련된 기형이나 합병증의 위험은 증가하지 않는다고 보고되었다. 임신 중 브로모크립틴 치료는 일반 임신인구와 비교하여 낙태, 유산, 미숙아, 다태아 또는 영아기형의 증가와 연관이 없었다. 임신한 환자에서 다른 도파민수용체작용제는 연구가 부족한 상황이다.

임신이 확인된 프로락틴선종 환자들은 약을 끊게 되기 때문에, 임신기간 동안 종양크기 증가에 대한 염려가 있다. 또한, 임신 중 증가하는 에스트로겐은 프로락틴 합성과 분비를 자극하기 때문에 임신 그 자체가 종양의 성장을 자극할 수 있다. 임신 중 시야장애가 유발될 정도로 크기가 커지는 경우는 미세선종의 경우 1.4%, 대선종의 경우 16%로 추정된다. 프로락틴선종 환자들은 정상산모와는 다르게 임신 중 혈중 프로락틴수치가 항상 올라가는 것은 아니며, 종양의 크기 증가와 상관없이 수치가 올라가지 않을 수도 있으므로 규칙적으로 혈중 프로락틴수치를 검사하는 것은 권유되지 않는다. 특히, 미세선종일 경우 임신 중 크기증가가 드물기에 주기적인 프로락틴수치검사, 자기공명영상, 시야검사는 추천되지 않고 새로 생긴 증상(시야장애나 두통)이 있을 때만 시행하도록 한다. 대선종인 경우 1-3개월마다 시야측정검사를 하는 것이 추천된다. 크기증가로 인한 시야장애나 압박 증상이 생긴 경우 수술보다는 도파민수용체작용제를 투여하는 것이 산모와 태아를 위해서 더 안전하다. 하지만 도파민수용체작용제에 효과가 없고 시야장애가 악화될 때에는 수술적 처치가 필요하다.

3. 성장호르몬분비선종

1) 원인 및 빈도

성장호르몬 과다분비는 대부분 뇌하수체의 성장호르몬분비선종이 원인이며 백만 명당 3-4명의 비율로 발병한다. 성장호르몬분비선종은 호르몬을 분비하는 기능뇌하수체선종의 1/3을 차지하며, 전체 성장호르몬분비선종의 약 40%에서 Gsα유전자의 활성화돌연변이가 발견된다. Gsα유전자의 변이는 아데닐산고리화효소의 활성화를 통해 세포분열 및 성장호르몬 분비를 촉진한다. 말단비대증 환자의 95% 이상이 성장호르몬을 분비하는 뇌하수체선종에 의한 것이며 드물게 이소성 성장호르몬분비종양, 성장호르몬방출호르몬분비종양 등에 의해 발생할 수 있다.

2) 임상양상

성장호르몬 과다분비에 의한 임상양상은 성장호르몬과 인슐린유사성장인자-1에 의해 발생한다. 두 물질의 과다분비는 체성 및 대사효과에 영향을 미친다.

성장호르몬분비선종은 느리게 임상양상이 진행하기 때문에 자각하기 어려워 진단이 지연되는 경우가 많고 10년 혹은 그 이상 지나도 임상적으로 진단되지 않는 때도 있다. 진단 시 대선종(> 65%)이 많아 두통과 같은 국소징후가 중요하다. 말단골 과성장의 결과로 이마뼈돌기, 손과 발의 크기 증가, 위턱돌출증이 동반된 '아래턱'의 확대, 그리고 '아래 앞니' 사이 공간의 확장이 생긴다(그림 2-2-8). 혀, 뼈, 침샘, 갑상선, 심장, 간 및 비장과 같은 내장기관의 비대도 관찰된

다. 환자의 약 70%에서 관절부종, 연골 비후와 같은 관절병증을 호소하며 절반 정도의 환자에서 신경비대 및 손목조직부종으로 인한 손목굴증후군이 동반된다. 또한, 척추골절의 빈도가 증가하며 골증식체가 지골의방(pharyngeal tufts)과 척추의 전방에서 흔히 관찰된다.

성장호르몬 과잉은 심혈관계에도 영향을 미치며 사망률과도 연관이 있다. 관상동맥질환, 부정맥이 동반된 심근병증, 좌심실 비대, 확장기 기능저하, 그리고 고혈압이 약 30%의 환자에게서 발생한다. 일부 환자에서 대동맥 근부직경 증가 및 대동맥확장증이 확인되었다는 보고도 있다. 당뇨병은 전체 환자의 25%에서 발견되며, 대부분의 환자는 진단 당시 당부하에 불내성을 보인다. 말단비대증 남성 환자에서 주간 졸음을 동반한 폐쇄수면무호흡증이 잘 동반되며, 저산소혈증과 함께 환기-관류결함이 있을 수도 있다. 그 외 연조직부종, 상기도폐쇄 등과 같은 호흡기질환의 유병률이 증가한다. 담낭용종 및 양성전립선비대의 발병률 증가가 보고된 바 있으며, 대장용종의 경우 전체 환자 1/3에서 진단된다. 대장암의 위험도 증가하여 모든 환자에서 진단 시 대장내시경검사를 수행해야 한다.

16개의 연구를 메타분석하였을 시 말단비대증의 환자의 표준화 사망비는 1.72로 말단비대증 환자에서 사망률이 증가하였다. 마찬가지로 2020년 박 등이 대한민국 국민건강보험공단자료를 이용하여 분석하였을 시 한국에서 말단비대증 환자의 사망률은 일반인구집단에 비해 1.65배 증가하였다.

사망원인으로는 심혈관질환, 호흡기질환, 뇌혈관질환 순이나, 최근 들어 사망원인이 심혈관질환에서 암으로 변화하고 있는 추세이다. 말단비대증이 완치되면 사망률은 정상인에 비슷한 정도로 회복된다.

유아기와 청소년기의 긴뼈의 뼈끝폐쇄보다 선행하는 성장호르몬 과분비는 거인증과 관련이 있다. 거인증은 성장호르몬을 분비하는 뇌하수체종양 외에도 성장호르몬분비세포증식증, 뇌하수체선종을 동반한 매큔-올브라이트증후군(McCune-Albright syndrome)을 비롯한 여러 특정 증후군에서 발생할 수 있다. 연령별 평균 키보다 3표준편차 이상 또는 평균 부모 키보다 2표준편차를 초과하는 소아에서 거인증의 진단을 고려해봐야 하며, 생화학진단은 말단비대증의 진단과 유사하다.

3) 검사 및 진단

성장호르몬분비선종의 선별검사는 연령과 성별에 따른 혈청 인슐린유사성장인자-1의 농도를 측정한다. 성장호르몬은 박동성 분비를 하므로 무작위로 측정한 단일 성장호르

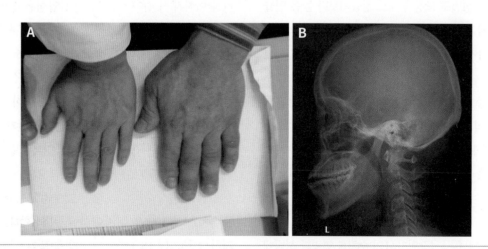

그림 2-2-8. 성장호르몬분비선종 환자의 근골격계 변화
A: 일반인의 손(좌)과 비교한 성장호르몬분비선종 환자의 손(우), B: 성장호르몬분비선종 환자의 머리 엑스선 사진. 하악선단부 비대를 확인할 수 있다.

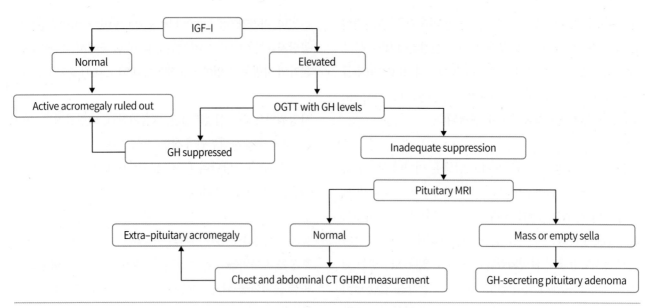

그림 2-2-9. 성장호르몬분비선종의 진단알고리듬

몬수치는 진단에 유용하지 않다. 선별검사를 통해 성장호르몬분비선종이 의심될 경우 75g경구포도당내성검사를 통해 1-2시간 이내 성장호르몬이 1 μg/L 미만으로 감소하지 않으면 확진할 수 있다(그림 2-2-9). 건강한 성인의 경우 혈청 성장호르몬 수준은 경구포도당 투여 후 초기에 떨어졌다가 이후 혈장포도당이 감소함에 따라 증가하지만, 말단비대증 환자에서 성장호르몬이 억제되지 않는다. 성장호르몬 수치는 환자의 약 1/3에서 증가하거나 변하지 않거나 약간 떨어질 수 있다. 연령, 성별로 보정 후에도 정상치보다 높은 인슐린유사성장인자-1수치는 말단비대증에 매우 특이적이고 질병활동의 임상지표와 상관관계가 있다.

모든 말단비대증 환자의 일괄적인 복부 또는 흉부영상촬영은 이소성 종양의 발생률이 매우 낮으므로 권장되지 않고 매우 드문 매큔-올브라이트증후군은 뇌하수체 및 뇌하수체외(extra-pituitary) 종양을 완전히 배제한 후에 고려한다.

4) 치료

치료목적은 인슐린유사성장인자-1의 수치를 연령과 성별에 따른 정상수치로 낮추고, 75g경구포도당내성검사에서 최저

성장호르몬수치를 1 μg/L 미만으로 억제하는 데 있다.

성장호르몬분비선종의 일차치료는 수술적 절제이다. 1년에 50례 이상의 접형동경유절제를 시행하는 경험있는 신경외과의에 의한 외과적 절제술은 미세선종과 대선종 모두에서 일차치료로 선호된다. 미세선종의 경우 70-90%, 대선종의 경우 50% 미만에서 수술치료로 완치된다는 보고들이 있다. 성공적인 절제 후 2시간 이내 연부조직부종 및 대사장애가 좋아지기 시작하며 성장호르몬수치는 수술 한 시간 이내에 정상화되고 인슐린유사성장인자-1의 수치는 수술 후 3일에서 1주일 이내에 정상화된다. 인슐린유사성장인자-1수치가 정상이며, 75g경구포도당내성검사에서 최저 성장호르몬수치가 0.4 μg/L 이하이거나 무작위 측정한 성장호르몬수치가 1 μg/L일 때 관해됐다고 판단한다. 수술 합병증으로는 영구적인 요붕증, 뇌척수액 누출, 출혈 및 수막염이 발생할 수 있다.

수술치료 후 10%의 환자에서 재발할 수 있으며, 뇌하수체 저하증은 최대 15%에서 발생할 수 있다. 수술적 완전절제를 못한 경우, 수술위험도가 높거나 환자가 수술을 거부한

경우, 수술적 절제가 불가능한 경우에는 약물요법과 방사선치료를 시행할 수 있다.

가장 흔히 사용되는 약물은 성장호르몬억제호르몬인 성장호르몬억제인자유사체이다. 옥트레오타이드(octreotide)는 천연성장호르몬억제인자보다 45배 더 강력한 효능으로 성장호르몬분비를 억제한다. 산도스타틴라르(sandostatin LAR®)는 서방형옥트레오타이드제제로 매달 20–30 mg을 근주하며 투여 후 28일째 최고 혈중 농도에 도달한다. 성장호르몬은 최대 49일 동안 억제된다. 란레오타이드(lanreotide)의 지속형제제인 소마툴린오토젤(somatuline auto-gel®)은 매달 피하주사로 투여되며 28–42일마다 투여하게 된다. 3개월 뒤 성장호르몬수치를 보고 약물용량을 조절하게 된다(그림 2-2-10).

한 약물에 효과가 없는 경우 다른 약물로 변경해 볼 수 있다. 옥트레오타이드라르에서 란레오타이드오토젤로 전환하는 경우 란레오타이드오토젤은 옥트레오타이드라르 용량과 상관없이 60, 90, 또는 120 mg으로 투여할 수 있으나, 란레오타이드 오토젤에서 옥트레오타이드라르로 전환할 때는 옥트레오타이드라르 20 mg으로 시작해야 한다(그림 2-2-11).

파시레오타이드(pasireotide)는 성장호르몬억제인자 유사 활성도를 갖는 지속성펩타이드로 대부분의 성장호르몬억제인자수용체에 대한 효능이 확인되었다. 혈청인슐린유사성장인자–1수치의 측정은 성장호르몬억제인자유사체의 투여효과를 평가하는 데 가장 유용하였으며 성장호르몬억제인자유사체를 투여하는 동안 종양은 거의 자라지 않거나 상당한 크기 감소가 보고되었다. 연조직부종은 약물치료 시작 후 수일 내 호전되며, 수개월 후에는 수면무호흡증이 개선된다. 또한, 심박수 및 좌심실 벽두께의 감소, 전신동맥저항의 감소는 확인되었으나 고혈압, 관절공간협착, 척추골절은 개선되지 않았다. 성장호르몬억제인자유사체는 일반적으로 안전하나, 환자의 약 1/3에서 위장 부작용(일시적인 묽은 변, 메스꺼움, 가벼운 흡수장애 등)이 보고되었다. 저혈당이나 고혈당은 일반적으로 발생하지 않으며 말단비대증이 있는 당뇨병 환자의 인슐린요구량은 옥트레오타이드를 투여한 후 몇 시간 이내에 감소하였다. 그러나 파시레오타이드는 약 50%의 환자에서 고혈당 및 당뇨병발생과 연관이 있었다. 성장호르몬억제인자유사체는 담낭의 수축기능을 약화시켜 담즙 배출을 지연시키고 담낭 암금(sludge)을 형성할 수 있으나 담낭염은 아주 드물게 보고된다.

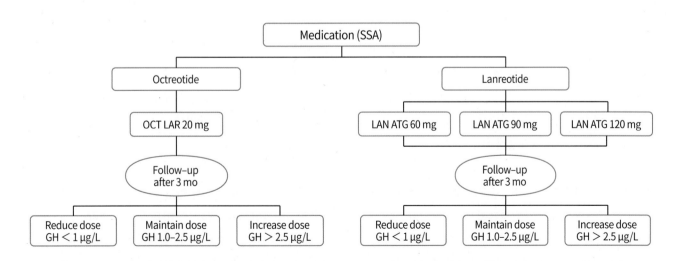

그림 2-2-10. 말단비대증 환자에서 성장호르몬억제인자유사체 초기용량 및 용량적정알고리듬

SSA, 성장호르몬억제인자유사체; OCT, 옥트레오타이드; LAN, 란레오타이드; GH, 성장호르몬; LAR, 라르; ATG, 오토젤(출처: Endocrinol Metab 2019;34:53-62)

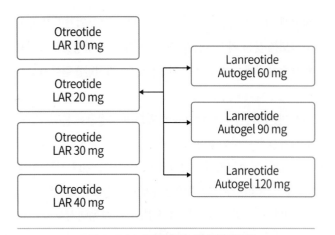

**그림 2-2-11. 말단비대증 환자 치료에서
옥트레오타이드라르와 란레오타이드오토젤 전환방법**

LAR, 옥트레오타이드 라르; ATG, 란레오타이드 오토젤(출처: Melmed S, Koenig R, Rosen C, Auchus R, Goldfine A. Williams textbook of endocrinology. 14th ed. Elsevier; 2016. pp. 277).

그 외에 성장호르몬수용체대항제인 페그비소만트(pegvisomant)가 사용 가능하다. 페그비소만트는 성장호르몬의 변형체로 성장호르몬수용체에 결합하여 신체에서 분비된 성장호르몬이수용체에 결합하는 것을 억제하고 인슐린유사성장인자-1의 생성을 차단한다. 하지만, 성장호르몬분비뇌하수체종양에 직접 작용하는 약물이 아니기에 종양의 크기가 증가할 수 있어 매년 자기공명영상을 통해 종양을 확인해야 한다. 이 약물을 사용하면 뇌하수체에 대한 인슐린유사성장인자-1의 음성되먹임이 사라져 성장호르몬수치가 상승하기에, 이 약물을 사용할 때는 인슐린유사성장인자-1수치로 약물반응을 평가해야 한다. 성장호르몬수용체대항제는 인슐린민감성을 향상하므로 특히 당뇨병이 있는 환자에게 적합하다. 간효소수치가 3배 이상 증가한 부작용이 보고된 바 있어 간기능검사를 6개월마다 측정해야 하며, 그 외 국소 주사부위 염증 및 지방이상증이 보고되었다.

도파민수용체작용제인 카버골린은 성장호르몬분비를 억제하는 효과가 있으나 성장호르몬억제인자유사체보다 효과는 낮다. 하지만, 경구투여라는 장점이 있으며 주사제인 성장호르몬억제인자유사체와 병합투여 시 병합효과를 기대할 수 있다. 이 약물의 부작용으로는 위장증상, 어지럼, 두통, 기분장애 등이 있으며, 드물게 심장판막질환을 유발할 수 있는 것으로 알려져 있다.

방사선 치료의 경우 관련 기술 및 기구의 발달로 치료성적이 나아지고 있으나, 아직은 방사선 치료는 수술이나 약물치료로 조절되지 않는 환자 또는 이러한 요법에 동의하지 않는 환자에게 보조치료로 권고된다. 일반적으로 고식적 방사선 치료를 시행할 경우, 다른 치료법에 비해 호르몬 정상화되기까지 3년에서 10년 정도 오랜 시간이 필요하므로 방사선 치료 시행 후 일정기간 성장호르몬분비뇌하수체종양 치료를 위한 약물치료를 병행해야 한다. 뇌하수체호르몬기능저하가 합병증으로 동반될 수 있는데, 한 연구에서는 방사선 치료 시행 10년 후 약 절반의 환자에서 뇌하수체호르몬 결핍이 발생하였다(40%: 부신기능저하증, 11%: 갑상선기능저하증, 13%: 성선저하증, 6%: 성장호르몬결핍증).

4. 부신피질자극호르몬분비선종(쿠싱병)

1) 원인 및 빈도
쿠싱증후군에서 의인성원인을 제외하면 가장 흔한 원인은 뇌하수체부신피질자극호르몬분비선종으로, 이로 인한 쿠싱증후군을 쿠싱병이라고 한다. 부신피질자극호르몬분비선종은 내인쿠싱증후군의 약 70%를 차지하며, 모든 뇌하수체종양의 약 10-15%를 차지한다. 쿠싱증후군은 임상양상 때문에 비교적 조기진단이 가능해서 작은 미세선종이 많으나, 일부에서는 증상이 없는 부신피질자극호르몬분비선종도 있으며, 대선종으로 발견되기도 한다. 여성에서 남성보다 5-10배 정도 많이 발생한다.

2) 임상양상
만성적인 코티솔의 과다는 얇고 윤기 없는 피부, 중심비만, 고혈압, 월상안, 자주색 선조, 멍들기 쉬운 경향, 당뇨, 성선장애, 골다공증, 근위부 근육 약화, 고안드로젠증의 징후(예: 여드름, 다모증) 및 정신과적문제(예: 우울증, 조증, 신경증)를 일으킨다. 혈액검사상 백혈구증가증, 림프구감소증,

호산구감소증이 나타날 수 있다. 사망의 가장 중요한 원인은 심혈관질환이나, 감염이나 자살의 위험 또한 증가하고 있다.

쿠싱병과 감별해야 할 질환으로는 이소성 부신피질자극호르몬, 이소성 부신피질자극호르몬방출호르몬, 그리고 대결절부신증식(macronodular adrenal hyperplasia, MAH)이 있다. 이소성 부신피질자극호르몬의 경우 쿠싱증후군의 15%를 차지하며, 악성종양과 양성종양 모두 가능하다. 발병에서 발현까지의 증상지속기간은 약 3개월 미만으로 짧고, 코티솔 과분비와 관련된 피부의 색소침착이나 심한 근병증이 빠르게 진행하며 저칼륨알칼리증 및 말초부종이 동반되는 경우가 많다. 뇌하수체선종으로부터의 부신피질자극호르몬 분비와 대조적으로 이소성 부신피질자극호르몬 생산은 정상적인 당질부신피질호르몬 되먹임에 반응하지 않는다. 이소성 부신피질자극호르몬방출호르몬은 부신피질자극호르몬의존쿠싱병의 매우 드문 원인으로, 기관지유암종, 갑상선수질암, 또는 전립선암종 등에서 부신피질자극호르몬방출호르몬을 단독으로 또는 부신피질자극호르몬과 병용하여 분비하는 것으로 보고된 사례들이 있다. 이소성 부신피질자극호르몬증후군 환자와 같이 정상적인 당질부신피질호르몬 음성되먹임에 반응하지 않는다.

3) 검사 및 진단

부신피질자극호르몬을 분비하는 뇌하수체종양의 진단은 억제되지 않은 혈청부신피질자극호르몬수치와 함께 코티솔 과다를 증명함으로써 이뤄진다. 24시간소변유리코티솔 측정 및 하룻밤1mg덱사메타손억제검사(overnight 1 mg dexamethasone suppression test)가 기본 선별검사이며, 저용량덱사메타손억제검사로 확진할 수 있다. 쿠싱병 환자의 50%에서 정상범위(9–52 pg/mL) 이내의 부신피질자극호르몬수치를 보이며, 나머지 환자에서는 중증도의 상승을 보인다. 이소성 부신피질자극호르몬증후군의 경우에는 보통 90 pg/mL 이상 상승한다.

혈액검사에서 쿠싱병이 의심될 때는 뇌하수체 자기공명영상을 시행하여 뇌하수체부신피질자극호르몬분비선종(민감도 70%, 특이도 87%)을 진단할 수 있다. 뇌하수체부신피질자극호르몬분비선종은 90%에서 미세선종이며, 조영제 투여 후 저증강소견을 보인다. 대부분의 부신피질자극호르몬을 분비하는 뇌하수체종양은 직경이 5 mm 미만이고, 절반 정도에서는 자기공명영상을 통해서 발견되지 않으므로 이소성 부신피질자극호르몬분비종양과 감별하기가 쉽지 않다.

이소성 부신피질자극호르몬분비종양과 뇌하수체부신피질자극호르몬분비선종을 감별하는 가장 중요한 검사는 하추체정맥동채혈(inferior petrosal sinus sampling, IPSS)이다. 부신피질자극호르몬방출호르몬을 주입하기 전과 후에 양쪽 하추체정맥동과 말초혈관에서 동시에 부신피질자극호르몬을 측정하여 이 두 질환을 감별할 수 있다. 뇌하수체분비선종의 경우, 하추체정맥동과 말초혈액에서 부신피질자극호르몬 농도의 비가 2 이상으로 증가되어 있는 반면, 이소성 부신피질자극호르몬분비종양의 경우 그 비가 1.4 이하이다. 이 방법을 이용하여 부신피질자극호르몬방출호르몬 투여 후 부신피질자극호르몬의 하추체정맥동과 말초혈액의 비율이 3보다 큰 경우 민감도 97%, 특이도 100%로 쿠싱병을 진단할 수 있다. 이 검사는 또한 영상에서 미세선종이 보이지 않는 경우 그 위치를 결정하는 데도 도움이 될 수 있다.

4) 치료

뇌하수체 부신피질자극호르몬분비선종의 치료는 접형골을 통한 선택적 수술적 절제이다. 완치율은 미세선종의 경우 80–90%, 대선종의 경우 50% 정도이다. 수술 후 뇌하수체기능저하증이나 영구적 요붕증의 발생률은 신경외과의가 얼마나 뇌하수체조직을 제거한 경험이 있는지에 따라 달라질 수 있다. 수술 직후 코티솔수치가 3 μg/dL 미만이면 5년 동안 95%의 관해율을 기대할 수 있으나, 장기간의 추적관찰에서 미세선종 및 대선종 환자의 최대 20–30%에서 재발이 발생할 수 있다.

성장호르몬억제인자유사체인 파시레오타이드는 쿠싱병과 관련된 부신피질자극호르몬 과분비를 치료하기 위해 사용해 볼 수 있으며, 환자의 약 20%가 개선된 임상특징과 정상 회복된 소변유리코티솔수지를 보였다. 마이토테인(mitotane)은 11β-수산화효소와 콜레스테롤 측쇄절단효소를 억제하고 부신피질세포를 파괴함으로써 코티솔의 과다분비를 막는다. 부작용으로 소화기증세, 어지러움, 여성형유방, 고지혈증, 발진, 간효소 상승, 저알도스테론증이 있다. 항진균제인 케토코나졸은 여러 P450효소를 억제하고 하루에 두 번 투여 시, 쿠싱병이 있는 환자 대부분에서 코티솔 감소를 보인다. 메티라폰(metyrapone)은 11β-수산화효소를 효과적으로 억제하여 75% 이상의 환자에게서 혈장코티솔을 정상화시킨다. 이 외에 치료가능한 약물로는 아미노글루테티미드(aminoglutethimide), 트릴로스탄(trilostane), 사이프로헵타딘(cyproheptadine), 에토미데이트가 있다.

방사선 치료는 일차치료로 권장되지 않지만, 수술에 반응하지 않는 환자, 양측부신절제를 받은 환자 및 확립된 넬슨증후군이 있는 환자에게 고려해 볼 수 있다. 스테로이드 생성을 억제하는 약물을 투여함으로써 양측부신절제의 필요성을 줄일 수 있다.

현재 양측부신절제는 뇌하수체수술이 실패했거나 재발한 쿠싱병 환자에게 고려해 볼 수 있다. 양측부신절제는 코티솔수치를 정상화하지만, 감염 등 심각한 질병이환율을 증가시키고 영구적으로 당질부신피질호르몬과 무기질부신피질호르몬를 투여해야 한다. 뇌하수체선종조직이 남아 있는 상황에서 부신을 절제하면 뇌하수체종양이 빠르게 커지고 부신피질자극호르몬이 증가하여 착색을 동반하는 특징적인 넬슨증후군이 유발될 수 있다.

5. 비기능뇌하수체종양

1) 원인 및 빈도
비기능뇌하수체선종은 호르몬을 너무 적게 생산해서 임상증세를 인식할 수 없는 종양뿐 아니라 뇌하수체호르몬을 거의 생산하지 않는 종양을 포함한다. 뇌하수체선종 중 약 25-35%를 차지하며 진단 당시에 대개 대선종으로 발견된다. 이는 종양의 종괴 효과가 나타날 때까지 임상증상이 불분명하기 때문이다. 면역조직화학검사상 대부분의 임상적인 비기능뇌하수체종양은 성선자극호르몬분비세포에서 기원하며 드물게 부신피질자극호르몬이나 갑상선자극호르몬분비세포에서 기원하기도 한다. 성선자극호르몬분비세포에서 기원한 종양은 전형적으로 결합하지 않은 알파소단위와 황체형성호르몬 베타소단위, 난포자극호르몬 베타소단위뿐만 아니라 드물게 적은 양의 완전한 성선자극호르몬(대개 난포자극호르몬)을 생산한다.

2) 임상양상
임상적으로 비기능뇌하수체종양은 시신경교차의 압박과 부분적인 팽창에 의한 증상들을 보인다. 또한, 다른 목적으로 시행한 자기공명영상에서 우연히 발견되는 수가 있다. 난포자극호르몬과 황체형성호르몬을 생성하는 거대종양을 가진 여성에서 생리불순이나 난소 과자극은 드물게 일어난다. 선종이 뇌하수체줄기나 주위의 조직을 압박해서 황체형성호르몬을 감소시키고 성선저하증의 증상을 보이는 경우가 더 흔하다. 줄기압박 효과로 프로락틴수치는 보통보다 약간 증가한다. 프로락틴선종과 비기능뇌하수체종양의 감별진단이 중요한데, 대부분의 비기능종양은 도파민수용체자극제에 반응을 잘 하지 않는다.

3) 검사 및 진단
임상적으로 비기능인 뇌하수체종양에서 검사를 하는 이유는 종양의 종류구분, 종양활성호르몬 표지확보, 그리고 뇌하수체저하증 여부를 진단하기 위함이다. 자기공명검사 및 시야검사, 그리고 뇌하수체호르몬검사가 시행되어야 한다.

유리알파소단위수치는 비기능종양이 있는 10–15%의 환자에서 증가될 수 있다. 여성 환자에서 폐경주위 혹은 폐경 후의 난포자극호르몬 농도의 증가는 종양에 의한 난포자극호르몬 증가와 구별하기 어렵다. 폐경전여성은 주기적인 난포자극호르몬 농도변화를 보이므로, 종양유래난포자극호르몬과 구분해야 한다. 남성에서는 성선자극호르몬분비종양에서 분비된 약간 증가된 성선자극호르몬(난포자극호르몬 > 황체형성호르몬) 농도로 진단할 수 있다. 황체형성호르몬수치는 정상 또는 증가되어 있지만 테스토스테론수치는 보통 낮다. 이는 황체형성호르몬 활동성이 감소하거나 정상적인 황체형성호르몬 박동성 분비가 소실됨을 반영하는 것으로 생각된다. 이러한 호르몬검사의 양상은 일차성선기능부전에서도 보이며, 또한 어느 정도는 연령이 증가함에 따라서도 나타나기 때문에 성선자극호르몬이 단독으로 증가된 것만으로는 성선자극호르몬분비종양을 진단하기에는 불충분하다. 비기능성선자극호르몬분비종양은 대부분 면역조직화학 분석으로 이루어진다.

4) 치료

우연히 발견된 미세선종의 경우 10%에서만 크기가 증가하였다는 보고가 있어 증상이 없고 시력 상실의 위협이 없는 작은 비기능뇌하수체종양은 정기적인 자기공명영상과 시야검사로 추적관찰한다. 그러나 대선종의 경우에는 경접형골수술이 종양의 크기를 줄이고 종괴 효과를 줄일 수 있는 유일한 효과적인 방법이다. 모든 선종조직을 수술적으로 절제할 수는 없어도 수술 전에 시각장애가 있었던 환자는 70%에서 개선이 되며, 종양의 종괴 효과 때문에 유발된 뇌하수체저하증은 대개 치료된다. 수술 후 6개월 이후부터는 종양재발을 발견하기 위해 자기공명영상을 매년 시행해야 한다(그림 2-2-12). 경접형골수술 뒤 잔존종양이 있는 경우 보조방사선 치료를 해 볼 수 있으나 수술 시 완전 절제가 된 경우에는 시행하지 않는다.

일부 비기능뇌하수체종양에서 카버골린 사용 시 종양 크기가 줄어든다는 보고가 있다. 선택적인 성선자극호르몬방출

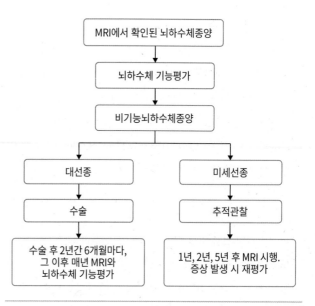

그림 2-2-12. 비기능뇌하수체종양의 치료

(출처: Melmed S, Koenig R, Rosen C, Auchus R, Goldfine A. Williams textbook of endocrinology. 14th ed. Elsevier; 2016. pp. 277.)

호르몬억제제인 Nal–Glu 성선자극호르몬방출호르몬은 난포자극호르몬의 과분비를 억제하지만, 선종크기에는 영향이 없다.

6. 갑상선자극호르몬분비선종

1) 원인 및 빈도

갑상선자극호르몬분비선종은 갑상선기능항진증의 드문 원인이며 모든 기능뇌하수체선종 혹은 갑상선기능항진증의 1% 미만으로 발생한다. 하지만, 모든 갑상선기능항진증 환자에서 갑상선자극호르몬분비선종의 가능성을 무시해서는 안되며, 특히 그레이브스병의 갑상선외 임상양상을 동반하지 않는 미만성갑상선종 환자에서는 발병가능성을 염두에 두어야 한다. 대개 종양의 크기가 크고 주변조직으로 침습하는 특성을 갖는다.

2) 임상양상

갑상선자극호르몬분비선종 환자의 발병 평균연령은 41세이며, 55% 정도가 여성이다. 대부분 환자는 갑상선기능항

진증의 전형적인 증상을 보이나, 증상이 없는 예도 있다. 대부분의 갑상선자극호르몬분비선종은 크기가 커서 종양의 크기에 의한 증상(예: 시야이상, 뇌신경마비, 두통)을 호소하기도 한다. 증상발현에서 뇌하수체선종 진단까지 평균 1–27년의 기간이 소요되며, 정확한 진단이 늦어지는 경우 대부분의 환자들이 갑상선 억제치료를 최소한 한 차례 이상 시행받은 것으로 보고되었다.

3) 검사 및 진단

갑상선호르몬검사에서 혈청유리T_4의 상승과 부적절하게 정상이거나 증가되어 있는 갑상선자극호르몬 분비가 확인되면 의심해 볼 수 있다. 이러한 검사결과는 갑상선호르몬저항증후군이 있는 환자에게도 보일 수 있어 갑상선자극호르몬분비선종 환자와 갑상선호르몬저항증후군이 있는 환자를 구분하는 것은 치료계획 설정에 있어 매우 중요하다. 갑상선호르몬저항증후군은 갑상선호르몬수용체–β의 유전자변이로 인해 갑상선호르몬에 대한 반응성이 감소되어 있다. 비록 대다수의 장기에서 갑상선호르몬에 대한 저항성이 발견되지만, 일부 갑상선호르몬저항증후군 환자에서는 빈맥, 과활동성, 갑상선종 등의 갑상선기능항진증 임상양상을 보인다.

갑상선자극호르몬분비선종의 약 85% 환자에서 알파소단위수치가 증가하며 알파소단위/갑상선자극호르몬 비율이 평균 3.2 이상으로 증가되어 있다. 자기공명검사에서 뇌하수체종양이 확인된 경우 갑상선자극호르몬분비선종을 더 시사한다. 갑상선자극호르몬분비종양은 성장호르몬, 프로락틴, 드물게 부신피질자극호르몬을 포함한 다른 호르몬을 같이 분비하는 경우가 있어 다른 뇌하수체호르몬검사가 진단에 도움이 된다. 갑상선자극호르몬분비선종 환자에서 갑상선자극호르몬방출호르몬자극검사 시행 시 갑상선자극호르몬방출호르몬에 대한 갑상선자극호르몬반응이 둔감해져 있으나, 갑상선호르몬저항증후군 환자와 건강한 사람에서는 갑상선자극호르몬방출호르몬에 반응하여 갑상선자극호르몬이 증가한다. 삼요오드타이로닌(triiodothyronine, T_3)억제검사 시 갑상선자극호르몬분비선종의 경우 갑상선자극호르몬의 완전한 억제가 일어나지 않는 점이 특징적이다.

4) 치료

초기치료는 경접형골 또는 전두골 아래로 접근하여 수술적으로 종괴를 제거하는 것이다. 대부분의 이러한 선종들은 크고 국소적으로 침윤해 있어 완전한 절제는 종종 이루어질 수 없다. 하지만 대부분의 미세선종 환자는 수술로 완치되며 대선종 환자의 약 60%에서 수술 후 순환 갑상선호르몬 수치가 정상화된다. 도파민수용체작용제는 갑상선자극호르몬의 분비를 억제하는 데 효과적이지 않다. 그러나 성장호르몬억제인자유사체 치료는 효과적으로 갑상선자극호르몬과 알파소단위의 과분비를 정상화시켜 갑상선자극호르몬분비선종으로 약물치료제로 사용해 볼 수 있다. 옥트레오타이드는 50%의 환자에서 종양의 크기를 감소시키며, 75%의 환자에서 시야장애를 개선시켰으며, 환자 대부분의 갑상선기능을 정상으로 회복시켰다. 방사선 치료는 주로 수술에 대한 보조요법으로 사용된다.

그 외 갑상선기능항진증의 증상을 조절하기 위해 프로프라놀롤, 방사성요오드갑상선절제술, 갑상선절제술, 항갑상선약물(메티마졸 포함)을 사용해 볼 수 있으나 방사성요오드와 항갑상선약물은 모두 뇌하수체질환이 아닌 갑상선을 표적으로 한다는 한계점이 있다.

7. 기타 뇌하수체종양

1) 양성종양

두개인두종은 라트케낭에서 발생한다. 뇌하수체줄기 근처에서 발생하며 터키안장 상부로 확장된다. 일부에서 크고 낭성이며 국소적으로 침습적인 특징을 갖는다. 두개골 단순 X선과 컴퓨터단층촬영에서 특징적인 모습을 보이며 많은 경우 부분적으로 석회화소견을 보인다. 전체 환자의 절반에서 두통, 구토, 유두부종, 수두증의 증상을 포함하는 두개내압상승의 증상을 동반하고 20세 이전에 발병한다. 치료는 보통 경두개 또는 경접형의 외과적 절제 후 잔존종양의 수술 후 방사선 치료이다. 시상하부를 침범한 경우 수술 후 중증도의 비만이 오는 경우가 많으며, 이 경우 심혈관계 위험도가 증가한다. 그 외 요붕증이나 뇌하수체호르몬 결핍이 동반되는 경우 평생 뇌하수체호르몬 보충요법을 필요로 한다.

2) 악성종양

악성종양은 터키안장 내에서 일차로 발생할 수 있으며 다른 곳으로부터 전이되어 발생할 수도 있다. 터키안장 상부에서 발생할 수 있는 악성종양에는 생식세포종양(germ cell tumor), 육종, 척삭종(chordoma), 림프종 등이 있다. 원발성 뇌하수체악성암종은 매우 드물다. 생식세포종양은 20대에 주로 발병하며 두통, 오심, 구토, 무기력감, 복시, 뇌하수체저하증, 요붕증 등을 유발할 수 있다. 영상검사에서 제3뇌실의 종괴를 확인할 수 있고 혈청학적검사에서 사람융모성선자극호르몬, 알파태아단백질이 상승할 수 있다. 대개 악성도가 높고 전이를 잘하나, 방사선 치료에 효과가 있다. 척삭종은 대개 주위조직으로 침윤하는 특성이 있고 전이가 가능하다. 경사대(clivus)에서 발생하며 두통, 시야장애, 뇌하수체저하증을 유발한다. 뇌하수체에 발생하는 원발림프종은 최근 발병률이 증가하고 있으며, 자기공명영상검사에서 흔히 터키안장과 외부로 침윤하는 종괴 특성을 갖는다.

3) 전이종양

터키안장 종괴의 1–2%는 다른 종양에서 전이된 경우이며 암 환자 중 3.5% 보고된 바가 있다. 뇌하수체후엽이 내경동맥을 통해 혈류를 공급받기 때문에 뇌하수체후엽에서 발견되는 경우가 많다. 폐암, 유방암, 신장암 순으로 흔하지만, 다른 악성종양에서도 전이할 수 있다. 요붕증, 뇌하수체저하증, 시야장애, 후안구통증 등이 발생할 수 있다. 평균 6개월의 예상수명을 기대할 수 있다는 보고가 있다.

4) 라트케낭종

발생학적으로 라트케낭 소실부진으로 편평상피에 의해 둘러싸인 작은 낭종을 형성한다. 부검 시 전체 대상자의 20%에서 발견된 보고가 있다. 비록 라트케낭종은 일반적으로 크기가 자라는 것은 아니며 우연히 발견되는 경우가 많지만, 줄기압박으로 인한 압박증세, 요붕증, 그리고 고프로락틴혈증을 갖는 성인의 약 1/3에서 발견된다. 드물게 범뇌하수체기능저하증이나 수두증이 나타난다. 진단은 자기공명영상검사에서 낭종벽을 관찰함으로써 수술 전에 의심할 수 있다. 낭종 함유물은 뇌척수액과 같은 물질에서 점액질까지 다양하다.

5) 림프구뇌하수체염

임신 후기 혹은 출산 후 주로 발병하는 것으로 알려져 있으나 드물게 임신과 상관없이 발생하는 수도 있으며, 남성에서도 발병한다. 병변의 크기와 상관없이 심한 두통을 수반하는 경우가 흔하며 시야장애, 고프로락틴혈증, 뇌하수체저하증을 동반한다. 다른 원인에 의한 뇌하수체저하증과 비교하여 특징적으로 부신기능저하를 유발하는 경우가 가장 흔하다. 자기공명영상에서 뇌하수체 종괴가 확인되며 뇌하수체 줄기가 두꺼워진 경우도 있다. 고용량스테로이드요법을 시행할 수 있으며, 필요하면 수술적 절제술이 도움이 된다.

III. 뇌하수체호르몬의 검사방법 및 해석

김난희

1. 서론

뇌하수체전엽에서는 6가지 주요 호르몬인 프로락틴, 성장호르몬, 부신피질자극호르몬, 황체형성호르몬, 난포자극호르몬 및 갑상선자극호르몬을 생성한다. 뇌하수체종양에서는 특정 호르몬의 과분비를 유발할 수 있으며, 호르몬 결핍 증상은 선천 혹은 후천에 의하여 발생한다. 이러한 호르몬 과분비 혹은 결핍은 종종 애매하고 진단이 어려운 경우가 있어 정확한 검사시행과 해석이 필요하다.

2. 복합뇌하수체자극검사

뇌하수체전엽의 기능을 알기 위하여 가장 흔히 사용되는 방법으로 복합뇌하수체기능검사법이 있는데, 이 검사법의 원칙은 호르몬결핍증 환자에서는 자극검사를, 호르몬과잉증 환자에서는 억제검사를 하는 것이다. 복합뇌하수체기능검사법은 자극검사법으로 뇌하수체전엽의 6가지 호르몬에 대한 동태를 알 수 있는 검사법이기에 결핍과 과잉상태 모두에서 시행하는 보편적인 검사법이다.

1) 방법

속효성인슐린, 갑상선자극호르몬방출호르몬과 성선자극호르몬방출호르몬을 투여하고 투여 전(기저치)과 투여 후 30, 60, 90, 120분에 혈액을 채취하여 뇌하수체전엽호르몬 6가지를 측정하여 표적장기의 호르몬들과 비교하여 뇌하수체 호르몬의 분비를 판단하는 것이다(표 2-2-3).

3. 프로락틴검사

1) 프로락틴

프로락틴수치가 200 μg/L 이상이면 프로락틴선종의 가능성이 높으며 200 μg/L 미만의 경우 프로락틴분비미세선종이나 다른 원인의 고프로락틴혈증의 가능성이 있다. 프로락틴수치가 매우 높은 경우 프로락틴 측정의 후크효과/후크현상(hook effect)의 가능성이 있으므로 프로락틴이 정상범위 내에 있으면서 유루증 등의 고프로락틴혈증의 증상이 있다면 혈액을 희석해서 다시 측정한다. 반대로 무증상 고프로락틴혈증을 보이는 환자에서는 생화학 활성도가 약한 거대프로락틴의 가능성에 대하여 polyethylene glycol precipitation 방법으로 평가해야 한다.

2) 갑상선자극호르몬방출호르몬에 의한 프로락틴 자극검사

(1) 방법

갑상선자극호르몬방출호르몬 500 μg을 5 mL의 생리식염수에 용해하여 정맥주사한다. 주사 전과 후 30, 60, 90, 120분에 채혈하여 프로락틴을 측정한다.

(2) 해석

정상적인 경우 프로락틴 농도는 기저치의 2배 이상으로 상승한다. 프로락틴선종은 갑상선자극호르몬방출호르몬에 반응이 적어 2배 이하로 증가하고, 기능고프로락틴혈증에서는 양호하게 반응하나 예외적인 경우가 있다. 실제로 갑상선자극호르몬방출호르몬자극시험만으로 감별이 어려운 경우가 많다.

표 2-2-3. **복합뇌하수체자극검사에서 정상반응 판정기준**

자극물질(투여용량)	반응호르몬	정상판정 기준
속효성인슐린(0.05-0.15 U/Kg IV)	성장호르몬	혈당 < 40 mg/dL; 성장호르몬 > 5 μg/L
	코티솔	혈당 < 40 mg/dL; 최대 코티솔 18 μg/dL 이상 증가
갑상선자극호르몬방출호르몬(500 μg IV)	프로락틴	기저치에 비해 2배 이상 증가
	갑상선자극호르몬	기저치에 비해 5 mU/L 이상 증가
성선자극호르몬방출호르몬(100 μg IV)	황체형성호르몬	기저치에 비해 2 mIU/mL 이상 증가
	난포자극호르몬	기저치에 비해 10 mIU/mL 이상 증가

4. 성장호르몬검사

1) 성장호르몬 및 인슐린유사성장인자-1

정상적인 성장호르몬의 분비는 박동성으로 일어나며, 식사, 운동 등으로 증가될 수 있으므로 하루 중에 어느 한 시점에서 1회 측정한 성장호르몬수치는 진단에 유용하지 않다.

인슐린유사성장인자-1은 일중변동이 없으며 운동, 스트레스 등의 영향을 받지 않아, 1회 측정으로 성장호르몬 분비 상태를 추정할 수 있다. 연령과 성별에 따른 인슐린유사성장인자-1이 상승된 경우 말단비대증을 강력히 시사하나 성장호르몬결핍증에서 정상의 하한 정도로 측정되기도 하므로 성장호르몬결핍증의 진단에는 가치가 낮다.

2) 성장호르몬결핍증 환자에서 뇌하수체기능검사법

성인 성장호르몬결핍증은 성장호르몬자극검사로 진단한다. 현재까지의 표준검사법은 인슐린내성검사(insulin tolerance test)이나, 심각한 저혈당을 유발할 가능성이 있는 등의 안정성의 문제로 의사의 주의깊은 감독이 요구되는 검사이며, 고령, 간질 또는 심혈관질환 환자에서는 금기이다. 그이외 아르지닌, 글루카곤, L-dopa, 클로니딘에 의한 성장호르몬자극검사 및 성장호르몬방출호르몬 단독 혹은 성장호르몬방출호르몬-아르지닌 복합, 성장호르몬방출호르몬-성장호르몬 방출 펩타이드-6 복합자극검사가 있다. 성장호르몬방출호르몬은 현재 미국 및 한국시장에서 퇴출되었다.

(1) 인슐린내성검사

① 방법

복합뇌하수체자극검사법과 마찬가지로 속효성인슐린을 정주 투여하나, 성장호르몬결핍증에서는 심한 저혈당을 유발할 우려가 있으므로 일반적인 용량보다 인슐린 투여량을 낮추어서 0.05 U/kg으로 저혈당을 유도한다. 인슐린 투여 후 30, 60, 90, 120분에 각각 채혈하여 혈당과 성장호르몬을 측정한다. 심한 저혈당에 빠질 수 있으므로 검사 내내 의사의 밀착관찰이 필요하며 20–50%의 고농도포도당을 준비하여 저혈당에 대비한다.

② 해석

정상 성인에서는 5 μg/L 이상으로 성장호르몬이 자극되며 3 μg/L 미만이면 결핍증으로 진단한다.

(2) 성장호르몬방출호르몬-아르지닌자극검사

성장호르몬방출호르몬은 시상하부에서 분비되는 44개의 아미노산으로 구성된 펩타이드호르몬으로 뇌하수체에서 성장호르몬 분비를 자극한다. 그러나 성장호르몬방출호르몬이 뇌하수체를 직접 자극할 수 있으므로 시상하부질환 또는 방사선후유증에 의한 성장호르몬결핍증에서는 위음성결과가 나올 수 있다. 아르지닌은 작용기전은 불명하나 시상하부를 경유하여 성장호르몬 분비를 촉진하는 아미노산이다.

① 방법

성장호르몬방출호르몬 1 μg/kg(최대 100 μg)을 정주하고, 아르지닌 0.5 g/kg(최대 35 g)을 30분에 걸쳐서 천천히 정주한다. 주사 전과 후 30, 45, 60, 75, 90, 105, 120분에 채혈하여 성장호르몬을 측정한다.

② 해석

성장호르몬방출호르몬과 아르지닌의 동시자극 후 성장호르몬이 4 μg/L 이상이면 정상으로 판단하며 4 μg/L 이하이면 성인에서 성장호르몬결핍증을 시사한다. 그러나 높은 체질량지수는 성장호르몬반응을 저하시키므로, 체질량지수를 고려하여 판단해야 한다.

(3) 글루카곤자극검사

기전이 명확하지는 않으나 글루카곤 투여에 의한 혈당의 상승 이후 감소에 의해 성장호르몬 분비가 자극되는 것으로 알려져 있다.

① 방법

글루카곤 1 mg(체중 90 kg 이상 시 1.5 mg)을 근육주사하고, 투여 전과 후 30, 60, 90, 120, 150, 180, 210, 240분에 채혈하여 혈당, 성장호르몬을 측정한다.

② 해석

정상 성인에서는 글루카곤주사 후 성장호르몬이 3 µg/L 이상 상승하므로 3 µg/L 이하이면 성인에서 성장호르몬결핍증으로 진단할 수 있다. 체질량지수가 25 이상인 경우 성장호르몬이 비만에 의해 이차로 감소함을 고려하여 1 µg/L 미만이면 결핍, 1 µg/L 이상이면 정상으로 판정한다.

(4) L-dopa 자극검사

도파민이 성장호르몬 분비를 억제하는 성질을 이용하여, L-dopa가 도파민수용체에 결합하여 성장호르몬에 대한 도파민 억제작용을 차단하므로 성장호르몬 분비가 증가한다.

① 방법

적어도 8시간 이상의 금식 후에 L-dopa 500 mg을 경구로 복용한 후, 복용 전과 후 60, 90, 120분에 채혈하여 성장호르몬을 측정한다.

② 해석

정상 성인에서는 L-dopa 복용 후 성장호르몬이 3 µg/L 이상 상승한다. 따라서 3 µg/L이 이하이면 성인에서 성장호르몬결핍증으로 진단할 수 있다.

(5) 클로니딘자극검사

클로니딘은 아드레날린 알파수용체를 통해 성장호르몬유리호르몬을 방출함으로써 성장호르몬 분비를 자극한다.

① 방법

아침 공복에 누운 상태에서 0.15 mg/m²(최대용량 0.25 mg)의 클로니딘을 경구 1회 복용 후, 복용 전과 후 30, 60, 90, 120분에 혈당과 혈압을 함께 측정하면서 성장호르몬을 채혈한다.

② 해석

정상 성인에서는 클로니딘 복용 후 성장호르몬이 3 µg/L 이상 상승한다. 따라서 3 µg/L 이하이면 성인에서 성장호르몬결핍증으로 진단할 수 있다.

(6) 마시모렐린(macimorelin)을 이용한 검사

마시모렐린은 경구성장호르몬분비촉진제수용체-1a작용제(growth hormone secretagogue receptor-1a agonist)로 최근 미국 및 유럽에서 승인받았으며 아직 국내에 도입되지는 않았다. 경구복용 후 성장호르몬이 2.8 µg/L 이하이면 성장호르몬결핍증으로 진단할 수 있다. 인슐린내성검사와 비슷한 진단효과를 보이면서 부작용이 적다는 장점이 있다.

3) 말단비대증 환자에서 뇌하수체기능검사법

(1) 경구포도당내성검사에 의한 성장호르몬억제검사

정상인에서 당부하가 일어나면 성장호르몬억제인자 경로를 통해 성장호르몬 분비가 억제되나, 말단비대증에서는 성장호르몬이 억제되지 않고 오히려 증가하므로 말단비대증의 진단 및 치료효과 판정에 이용한다.

① 방법

전날 저녁 이후에 금식하고 아침 공복에 채혈한 다음 75 g의 포도당 용액을 5분간에 걸쳐서 천천히 복용한다. 포도당 복용 후 30, 60, 90, 120분에 각각 채혈하여 혈당을 측정하고 성장호르몬 측정을 위하여 ~30분에 채혈을 더 실시한다.

② 해석

성장호르몬 측정값이 60-120분 이내에 1 ng/mL 이하로 억제되면 정상으로 판정한다(표 2-2-4).

(2) 갑상선자극호르몬방출호르몬에 의한 성장호르몬자극검사

정상인에서는 성장호르몬방출호르몬에만 선택적으로 반응하여 성장호르몬의 분비가 일어나는데 반하여, 말단비대증을 유발한 뇌하수체종양의 약 70%에서 역분화가 일어나 갑상선자극호르몬유리호르몬에도 역설적으로 성장호르몬 분비반응을 보인다.

① 방법
금식에 상관없이 갑상선자극호르몬방출호르몬 200 μg을 정주하고, 주사 후 30, 60, 90, 120분에 각각 채혈하여 성장호르몬을 측정하고, ~30분에 성장호르몬 채혈을 더 실시한다.

② 해석
정상인에서는 갑상선자극호르몬방출호르몬 투여에 성장호르몬이 증가하지 않는다. 성장호르몬 측정값이 60분 이내에 기저측정값의 2배 이상 증가하면 양성으로 판정한다(표 2-2-5).

(3) 성장호르몬억제인자억제검사

성장호르몬억제인자는 성장호르몬 분비를 억제하는 호르몬으로 성장호르몬억제인자유사체가 말단비대증의 치료약물로 사용되고 있다. 이 검사는 성장호르몬억제인자유사체치료 시작 전에 치료효과 예측에 이용되나, 예상과 다른 경우도 많다.

① 방법
사람성장호르몬억제인자유사체인 속효성옥트레오타이드 100 μg을 정주하고 투여 전과 투여 후 4시간까지 한 시간 간격으로 성장호르몬을 측정한다.

② 해석
측정한 성장호르몬이 옥트레오타이드 투여 후, 옥트레오타이드의 작용시간 범위 내인 4시간 이내에 1 μg/L 이하로 억제되면 성장호르몬억제인자의 반응자로 간주한다(표 2-2-6).

표 2-2-4. 57세 남성. 직경 3 cm의 대선종을 가진 말단비대증 환자의 경구포도당내성검사로 확진한 예

	~30분	0분	30분	60분	90분	120분
혈장포도당(mg/dL)		124	202	189	230	257
성장호르몬(mg/L)	41	54	49	40	43	36

표 2-2-5. 57세 남성. 직경 3 cm의 대선종을 가진 말단비대증 환자에서 TRH 투여 후 역설적 성장호르몬 분비반응을 보인 예

	~30분	0분	30분	60분	90분	120분
성장호르몬(mg/L)	28	22	84	51	31	36

표 2-2-6. 57세 남성. 직경 3 cm의 대선종을 가진 말단비대증 환자에서 옥트레오타이드억제검사 양성의 예

	~30분	0분	1시간	2시간	3시간	4시간
성장호르몬(mg/L)	23.5	18.1	4.8	1.9	2.8	0.9

5. 부신피질자극호르몬

부신피질자극호르몬의 분비는 일중변동이 있으며 박동적 분비가 있고 생물학적 반감기가 약 5분이므로 채혈과 결과 판단에 주의가 필요하다. 일중변동으로 오전 4-8시에 최고치가 되며, 밤 10시에서 새벽 1시에 최저치를 보이며, 정신적 및 육체적 스트레스에 큰 영향을 받는다. 채혈 시에는 EDTA가 들어있는 시험관을 채취 전에 냉각시켜 놓아야 하며, 채혈 후 신속히 -20℃에 보관해야 한다.

1) 부신피질자극호르몬 결핍을 진단하기 위한 검사

(1) 시상하부성검사
① 인슐린내성검사
인슐린 투여에 의해 유도되는 저혈당은 신경저혈당 자극-스트레스를 매개로 시상하부-뇌하수체-부신피질축을 활성화한다. 코티솔수치가 18-20 μg/dL까지 상승하는 경우 정상반응으로 판정한다.

② 메티라폰자극검사
코티솔 합성의 마지막 단계를 촉진하는 효소인 11β-수산화효소를 억제하여 코티솔 분비가 억제되면 시상하부-뇌하수체축에 작용하는 음성되먹임이 차단되고 부신피질자극호르몬분비 및 전구스테로이드인 11-데옥시코티솔이 증가된다. 자정에 2-3 g의 메티라폰을 경구투여한 후 다음날 아침 8시에 부신피질자극호르몬, 11-데옥시코티솔 및 코티솔을 측정한다. 코티솔이 10 μg/dL까지 억제되었을 때 부신피질자극호르몬이 200 ng/L 이상 상승하면 정상반응이다.

(2) 뇌하수체자극검사
① 부신피질자극호르몬방출호르몬자극검사
부신피질자극호르몬분비능을 평가하거나 쿠싱증후군의 감별을 위해 시행한다. 부신피질자극호르몬방출호르몬 100 μg(또는 체중 kg당 1 μg)을 정맥주사한 이후 부신피질자극호르몬과 코티솔을 측정한다. 부신피질자극호르몬은 15-30분에 최고치에 도달하여 기저치에 비해 2-4배 이상 상승하고 코티솔은 30-60분에 최고치에 도달하여 20 μg/dL 이상 또는 코티솔 상승폭이 10 μg/dL 이상일 경우 정상반응이다.

(3) 부신자극검사
장기간의 부신피질자극호르몬 결핍은 결과적으로 부신위축을 초래하므로 합성부신피질자극호르몬주사 정주 시 부신의 코티솔분비능 저하를 확인할 수 있다. 부신피질자극호르몬 250 μg (cortrosyn 또는 synacthen) 근육 또는 정맥주사 전과 후 30분, 60분 코티솔을 측정하며 최대 코티솔이 20 μg/dL 이상이면 정상반응이다.

6. 갑상선자극호르몬

1) 갑상선자극호르몬방출호르몬자극검사
갑상선자극호르몬방출호르몬자극검사는 갑상선자극호르몬분비뇌하수체선종과 갑상선호르몬저항증후군을 감별하기 위하여 유용한 검사이다. 갑상선자극호르몬분비뇌하수체선종에서는 갑상선자극호르몬방출호르몬 자극에 갑상선자극호르몬 증가가 일어나지 않으나, 갑상선호르몬저항증후군에서는 증가반응을 보인다. 일차갑상선기능저하증이나 비갑상선질환증후군(nonthyroidal illness) 진단을 위한 갑상선자극호르몬방출호르몬자극검사는 필요치 않다.

(1) 방법
갑상선자극호르몬방출호르몬 200-500 μg을 정맥주사한 후 주사 전과 후 15, 30, 60, 90, 120분에 채혈하여 갑상선자극호르몬을 측정한다.

(2) 해석
30분에 최고치에 도달하며 기저치보다 5 μU/L 이상 더 상승하면 정상반응으로 판정한다.

7. 성선자극호르몬

1) 성선자극호르몬방출호르몬자극검사

합성성선자극호르몬방출호르몬을 이용하여 황체형성호르몬 및 난포자극호르몬 분비능을 평가할 수 있으며, 황체형성호르몬은 급속히 증가시키고 난포자극호르몬은 서서히 증가시킨다.

주로 성선자극호르몬단독결핍성선기능저하증(칼만증후군 등)에서 시상하부–뇌하수체–성호르몬축의 기능상태를 평가하기 위하여 성선자극호르몬방출호르몬자극검사를 시행한다.

① 방법

성선자극호르몬방출호르몬 100 μg을 주사하고 주사 전과 후, 30, 60, 90, 120분에 채혈하여 황체형성호르몬과 난포자극호르몬을 측정한다. 한 번의 검사로 시상하부질환과 뇌하수체질환을 감별하기 어려울 수 있다. 즉, 시상하부질환에 의해 장기간 성선자극호르몬방출호르몬 결핍이 있을 때 성선자극호르몬방출호르몬 자극에 반응이 없을 수 있으나, 장기간 간헐적으로 자극하면 정상반응으로 회복될 수 있다. 따라서 5–20 μg의 성선자극호르몬방출호르몬을 90분 간격으로 주사하거나 100 μg을 5일간 근육주사하고 5–7일 후에 같은 검사를 반복 시행한다.

② 해석

처음 시행한 성선자극호르몬방출호르몬자극검사에서 황체형성호르몬과 난포자극호르몬 분비가 감소되어 있다가 성선자극호르몬방출호르몬의 간헐적주사 후 시행한 두 번째의 성선자극호르몬방출호르몬자극검사에서 황체형성호르몬과 난포자극호르몬의 정상 자극반응을 보이면 시상하부질환으로 확진할 수 있다.

IV. 뇌하수체저하증

김동선

1. 서론

뇌하수체는 뇌 기저부에 위치하는 완두콩 정도 크기의 호르몬 조절기관으로 부신피질자극호르몬, 황체형성호르몬/난포자극호르몬, 성장호르몬, 갑상선자극호르몬, 프로락틴을 분비하는 전엽과 옥시토닌과 항이뇨호르몬을 분비하는 후엽으로 구성된다. 뇌하수체저하증은 흔하지 않은 질환으로 뇌하수체나 이와 관련된 주위조직에서 선천/유전병변 혹은 후천병변에 의하여 뇌하수체호르몬이 한 개 이상 분비가 충분하지 않아 유발된다. 증상과 임상양상은 결핍된 호르몬의 작용저하와 관련되어 나타난다.

2. 역학

뇌하수체저하증의 발병빈도와 유병률은 아직 잘 알려져 있지 않지만, 최근에 발생보고로는 점차 증가 추세에 있다. 인구 백만 명당 새로운 환자의 발생률은 12–42명, 유병률은 300–450명으로 추산되며, 스페인의 한 지역연구결과에 의하면 유병률은 인구 100,000명당 45.5명, 연간 신규 발생률은 100,000명당 4.21명으로 보고된 바 있다. 근래에는 뇌손상 후 유발되는 뇌하수체저하증에서의 예처럼 질병에 대한 이해가 확장되고, 병원에서의 검진접근이 좀 더 용이해지고, 한편 진단기법은 점차 정확하고 표준화되면서 뇌하수체저하증 진단율은 증가추세에 있다.

3. 병태생리/원인

뇌하수체기능저하증을 유발하는 원인은 유전문제를 포함하는 선천적인 질환과 임상에서 주로 마주치게 되는 후천원인으로 나눌 수 있다. 후천적인 원인으로는 뇌하수체와 그 주위 장기에서의 종양과 이와 관련된 수술이나 방사선 치료 후유증이 가장 흔한 원인이다(표 2-2-7).

1) 유전/선천질환

뇌하수체조직의 발생과정에 관여하는 전사인자들이나 신호전달물질들에서의 유전돌연변이 등은 선천뇌하수체저하증을 유발한다. HESX1, PROP1, POUF1, LHX3, LHX4, PITX1, OTX2, SOX2, SOX3 같은 전사인자들의 유전돌연변이는 뇌, 안면부위나 신체 중앙부위의 신체결함을 동반하는 선천뇌하수체저하증을 유발할 수 있다(표 2-2-8). 이런 질환은 신생아기에서 비특이증상으로 나타날 수 있으며, 일부에서는 청소년기나, 청년기에 이르러서 호르몬 결핍증상이 나타날 수 있다. 특정한 뇌하수체세포계에서의 유전변이는 특정 호르몬의 선택적 결핍으로 나타날 수 있다.

칼만증후군은 KAL1유전자를 포함한 다양한 유전자돌연변이에 의해 발생한다. 시상하부의 성선자극호르몬방출호르몬신경세포가 결핍되어 저성선자극호르몬성선저하증을 유발하며 후각망울의 형성과정장애에 의한 후각기능의 소실 혹은 감소증상이 흔히 동반된다.

가족성신경뇌하수체요붕증은 바소프레신-뉴로피신전구체 유전자의 돌연변이에 기인한다. 바소프레신과 뉴로피신II로 분할되지 못한 전구체는 시상하신경세포에 축적되어 세포자멸사를 일으키고 바소프레신 결핍에 의한 요붕증이 유발된다.

2) 후천질환

(1) 뇌하수체/시상하부종양

뇌하수체에서 발견되는 종양은 대부분 양성이며, 타 장기 (예: 유방, 폐, 대장, 전립선)에서 전이가 되는 전이암은 극히 드물다. 통상 종양의 크기가 1 cm 이상의 종양에서 뇌하수체호르몬 결핍증상이 야기되며 이는 종양이 뇌하수체 경을 직접 침범 혹은 압박하거나, 안장내 압력을 증가시키기 때문이다. 1 cm 미만의 비기능미세종양은 부검 및 영상을 통

표 2-2-7. **뇌하수체저하증의 원인**

선천성
단독뇌하수체호르몬 결핍
• KAL, DAX-1, GH-1돌연변이
• GnRH, GHRH. TRH수용체돌연변이
• 프라더-빌리증후군
• Bardet-Biedl증후군
다발뇌하수체호르몬결핍
• PIT-1, PROP-1, HESX-1, SOX2돌연변이
종양성
뇌하수체선종
뇌하수체주변종양
• 두개인두종
• 라트케틈새주머니
• 수막종
• 신경아교종
• 생식세포종
• 전이암(유방암, 신장암, 폐암)
• 랑게르한스세포조직구증
혈관성
쉬안증후군
뇌하수체졸증
뇌하수체 주변 동맥류
염증성/침윤성
유육종증
베게너육아종증
거대세포육아종
림프구성뇌하수체염
혈색소증
감염성
결핵
매독
진균증
방사선조사 후
종양(뇌하수체, 코인두, 머리내)
기타
공터키안증후군
외상성 두개 손상

02

시상하부와 뇌하수체

표 2-2-8. 뇌하수체저하증의 유전원인

Combined	PIT–1 (POU1F1)	GH, TSH, PRL
	PROP–1	GH, LH/FSH, TSH, ACTH, PRL
	HESX1 (Rpx)	GH, LH/FSH, TSH, ACTH, ADH
	LHX3/LHX4	GH, LH/FSH, TSH, PRL
	PITX2	GH, PRL
Isolated	GH	GH
	GHRH receptor	GH
	HESX1	GH
	KAL	GnRH (FSH/LH)
	GnRH receptor	FSH/LH
	DAX1/AHC	FSH/LH
	TBX19 (TPIT)	ACTH
	LH–β	LH
	TSH–β	TSH
	TRH receptor	TSH
	Vasopressin–neurophysin II	ADH

Adapted from Prabhakar et al.

PIT-1, POU domain, class 1, transcription factor 1; GH, growth hormone; TSH, thyroid stimulating hormone; PRL, prolactin; PROP-1, prophet of Pit-1 gene; HESX1, homeobox expressed in ES cells 1; LH, luteinizing hormone; FSH, follicle stimulating hormone; ACTH, adrenocorticotropic hormone; ADH, anti-diuretic hormone; LHX3, LIM/homeobox protein Lhx3; LHX4, LIM/homeobox protein Lhx4; PITX2, paired-like homeodomain transcription factor 2; GHRH, growth-hormone-releasing hormone; KAL, Kallmann syndrome; GnRH, gonadotropin releasing hormone; DAX1, dosage-sensitive sex reversal, adrenal hypoplasia critical region, on chromosome X, gene 1; AHC, adrenal hypoplasia congenita; TBX19, T-box transcription factor 19; TRH, thyroid releasing hormone.

한 연구에서 약 17%의 빈도로 발견되는데, 뇌하수체저하증을 유발하는 경우는 드물다고 보고된다.

두개인두종은 두개강내종양 중 세 번째로 흔하며 대부분이 안장곁에 존재한다. 주로 18세 이하의 어린 연령에 발생하는데 소아에서 안장 및 안장주위종양의 약 50–60%를 차지하며 진단 당시 약 50% 이상에서 성장장애가 일어난다. 또한 50세 이후 성인에서는 안장 및 안장주위종양의 10–15%를 차지하며 크기는 대개 3 cm를 넘어 뇌하수체 경이나 뇌하수체를 압박하여 전엽호르몬결핍증과 요붕증을 유발한다. 이 외에 드물게 종자세포종, 척삭종, 안장위수막종, 시신

경별아교세포종, 제3뇌실종양 등 뇌하수체주위종양들이 뇌하수체저하증을 유발할 수 있다.

(2) 뇌하수체수술

뇌하수체수술은 뇌하수체저하증을 유발하는 가장 흔한 원인이다. 수술 전 뇌하수체종양의 크기나 주위조직으로의 침범 정도는 뇌하수체저하증 유발위험과 정도를 결정짓는 주요한 요소가 되며 수술외과의의 경험이나 숙련도 또한 예후에 영향을 준다. 뇌하수체저하증이 있는 비기능종양에서는 수술 후 뇌하수체기능이 오히려 회복되는 경우도 있다.

(3) 방사선조사

재래식 방사선외부조사 치료 후에 뇌하수체저하증은 흔하게 유발된다. 뇌하수체종양이나, 비인두종양, 망막모세포종 이외에 뇌하수체/시상하부를 침범하는 뇌종양 환자에서의 방사선 치료가 이에 해당된다. 조사되는 방사선의 양이 많을수록 뇌하수체저하증의 정도는 심하고 발병시기가 빠르다. 성장호르몬 결핍이 가장 흔하게 일어나며 30 Gy 이상 노출되었을 시에는 거의 100% 소아에서 성장호르몬결핍증이 일어나며, 22 Gy 이상 노출되었을 때에는 호르몬 결핍에 대한 신속한 평가가 필요하다. 두개강내방사선조사 후의 성장호르몬 결핍위험은 젊을수록 높아지며, 방사선 치료 후 시간이 경과할수록 증가한다. 특히 소아 급성임파성백혈병 등에서 시행되는 예방적 전두개방사선 치료도 뇌하수체저하증을 유발할 수 있으며 성장, 발육장애가 나타나는지 관심을 가질 필요가 있다.

두경부방사선 치료 후 약 20-27%에서 부신피질자극호르몬결핍증이 일어나며, 일반적으로 성장호르몬이나 성선자극호르몬 결핍보다는 늦게 나타나고 빈도가 낮다. 통상 40-50 Gy 미만의 조사량에서는 부신피질호르몬 결핍은 흔하게 일어나지 않으며, 24 Gy 미만의 조사량에서는 일어나지 않는다고 보고된다.

최근에 개량된 선택적 방사선 치료기법들은 종양 등 치료목표 이외의 정상조직에는 방사선 노출을 최소화하여 뇌하수체저하증 발생을 감소시키는 것으로 보고된다. 양성자 치료나 감마나이프, 입체정위 선형가속기 등을 사용하는 방사선 수술은 일정한 양의 방사선을 뇌하수체종양만으로 선택적 전달하여 방사선후유증을 최소화할 수 있다. 하지만 여전히 뇌하수체저하증의 발생보고가 있으며 이에 대한 장기간 추적 후의 임상결과를 지켜볼 필요가 있겠다.

(4) 외상/손상

두개부 외상 후에 뇌하수체기능에 변화가 초래된다는 사실은 1918년에 처음 보고된 바 있지만 관심 밖에 있다가 2000년 이후부터 많은 예가 보고되기 시작했다. 외부충격에 의해 뇌의 병리상태나 기능의 변화가 초래되는 상황을 외상성뇌손상(traumatic brain injury)이라고 정의하는데 미국에서는 매년 약 235,000명이 이로 인해 입원한다고 알려져 있다. 뇌하수체저하증은 외상성뇌손상의 약 15-50%에서 발생한다고 보고되며 약 12%에서는 영구적인 뇌하수체저하증이 유발된다고 보고된다. 가장 흔하게 초래되는 결핍은 성장호르몬이며 다음 부신피질자극호르몬, 성선자극호르몬, 갑상선자극호르몬 순서의 빈도로 나타난다. 외상성뇌손상에서 뇌하수체저하증을 유발하는 기전은 아직 충분히 설명되지 않으며 유전소인이나 자가면역이 일정 부분 관여하지 않을까 추정된다. 외상성뇌손상에 의한 뇌하수체저하증은 교통사고나 낙상 같은 심한 뇌진탕이나 출혈 등에 의해서 초래될 수 있는데, 강도는 비교적 약하지만 반복적인 충격(예: 킥복싱)에 의해서도 발생될 수 있다. 외상성뇌손상에 의한 호르몬 결핍은 약 50%에서 1년 안에 정상으로 회복되며, 어떤 환자들에서는 초기에 정상 호르몬 농도를 보이다가 1년 후에 새로운 호르몬 결핍을 보이는 경우도 있다. 따라서 외상성뇌손상 6-12개월 후에 뇌하수체호르몬 평가나 삶의 질 평가를 다시 한번 해보는 것이 바람직하다.

(5) 혈관장애/질환

뇌하수체졸중(pituitary apoplexy)은 혈관경색이나 출혈로 인해 뇌하수체조직이 급격히 손상되는 상황을 일컬으며 통상 뇌하수체종양에서 발생한다. 심한 두통이나 시력저하, 뇌신경마비증상이 일어날 수 있으며, 뇌하수체저하증이 동반될 수 있다.

쉬안증후군은 산후출혈과 이에 따른 순환부전에 의한 뇌하수체경색후유증으로 유발된다. 임신 시에 뇌하수체는 2-3배 크기가 증가하며 혈압이 급격히 떨어질 때 뇌하수체는 경색발생에 취약하게 된다.

뇌동맥류에 의한 지주막하출혈도 뇌하수체저하증을 유발할 수 있다. 그러나 이와 관련된 빈도나 임상경과, 예후 등에

대한 정확한 통계보고는 아직 없다.

(6) 침윤성질환

유육종증(sarcoidosis), 결핵, 조직구증식증X (histiocytosis X) 같은 육아종질환은 시상하부–뇌하수체축과 뇌하수체줄기를 침범하여 뇌하수체저하증을 유발할 수 있다. 요붕증은 신경유육종증(25–33%)과 조직구증식증의 가장 흔한 합병증이다.

혈색소증(hemochromatosis)이나 선천혈액질환이 있어 다량의 혈액수혈을 받는 등 뇌하수체 내에 철분이 과잉축적되는 상태도 뇌하수체저하증을 유발시킨다. 성선자극호르몬 결핍이 흔하게 나타나며 다른 뇌하수체호르몬의 결핍도 나타날 수 있다.

(7) 면역학적 이상

림프구뇌하수체염은 뇌하수체전엽에 림프구나 형질세포가 광범위하게 침윤되어 유발된다. 이는 주로 임신 중이나 산후 여성에서 주로 발병하는데 산욕기에 뇌하수체저하증양상을 유발하며 종종 뇌하수체종괴나 시야장애, 두통 등이 동반되기도 한다.

최근 악성질환의 치료에서 면역항체치료 빈도가 증가하면서 뇌하수체염의 발생보고도 증가하고 있다. 세포독성T림프구항원4를 차단하고 T세포 활성을 증진시키는 ipilimumab 단일클론항체는 전이성 흑색종의 치료 중 10%가 넘는 예에서 뇌하수체염을 유발시켰다고 보고된다. 특이하게도 뇌하수체기능저하는 전엽호르몬에서만 발생하며, 종종 뇌하수체 비대와 연관되기도 한다.

(8) 기타 질환

대사이상, 전신질환, 스트레스 등도 뇌하수체호르몬 결핍을 유발할 수 있다. 스트레스상태에서 증가된 인터루킨–1과 인터루킨–6 같은 염증사이토카인들은 부신피질자극호르몬 방출호르몬 분비를 증가시키는 동시에 갑상선자극호르몬 방출호르몬이나 성선자극호르몬방출호르몬 분비를 억제하므로 급성질환에서 갑상선호르몬 변화나 시상하부무월경을 설명하는 한 이유가 될 수 있으며, 체중감소, 심한 운동, 스트레스 등은 시상하부무월경도 유발할 수 있다. 드물지만 뱀 독에 의한 급성뇌하수체경색, HIV 혹은 결핵감염 등이 뇌하수체저하증을 유발한 예들이 보고된 바 있다.

4. 호르몬결핍증

뇌하수체저하증의 임상양상은 시상하부–뇌하수체부위 손상의 성향과 정도에 따라 다양하게 나타난다(표 2-2-9). 뇌하수체저하증 환자의 관리는 부족한 호르몬을 보충하여 신체대사의 균형을 유지하는 데 있다. 또한 다른 뇌하수체호르몬 결핍이 새로 동반되는지 주기적으로 관찰하며, 원인질환(주로 종양)의 경과를 추적관찰하고, 뇌하수체저하증에서 초래될 수 있는 심장대사질환, 골다공증, 삶의 질 저하 등의 의학적 장애에 대한 관리가 필요하다.

1) 급성

뇌하수체졸중, 뇌하수체급성염증, 쉬안증후군은 급성뇌하수체저하증증상을 야기할 수 있다. 증상의 대부분은 부신피질자극호르몬 결핍에 의한 부신기능저하증에 의하며, 치료하지 않을 경우 사망에 이르게도 하기 때문에 진단을 놓치지 않게 주의를 요한다.

심한 두통, 특히 안와후부에서 일어나는 통증이 갑작스레 나타난 경우에는 뇌하수체에 급성 병변이 생겼을 가능성을 염두에 두어야 한다. 뇌하수체출혈, 경색, 혹은 염증의 결과로 안장내 압력이 증가하면 통증이 유발되고, 약 70% 가까이에서 신경-안증후가 나타난다. 이 경우 외과적 응급수술이 필요할 수 있고, 뇌하수체저하증이 발생하여 호르몬치료가 필요할 수도 있다. 부신피질자극호르몬의 급성결핍에 의한 부신기능저하증이 동반될 때에는 오심, 구토, 저혈압, 저나트륨혈증의 증상과 소견을 보일 수 있다. 이 외 다른 뇌하수체전엽호르몬들도 급성으로 떨어질 수 있으나 심각한

표 2-2-9. 뇌하수체저하증의 증상

부족 호르몬	발현	증상 및 징후
부신피질자극호르몬	급성	피로, 무력감, 오심, 구토, 순환부전
	만성	피로감, 창백, 식욕부진, 오심, 체중감소, 저혈당
성선자극호르몬	소아	사춘기의 지연
	남성	불임, 발기장애, 성욕 감소, 근육량과 근력저하, 골량 감소, 적혈구생성 감소, 모발성장 감소, 잔주름의 증가, 고환크기 감소
	여성	무월경, 희발월경, 불임, 성욕 감소, 성교통증, 잔주름의 증가, 유방위축, 골다공증, 조기 동맥경화
갑상선자극호르몬	소아	성장지연
	성인	피로, 한랭못견딤, 변비, 체중증가, 피부건조, 이완반사능 늦어짐
성장호르몬	소아	성장장애, 작은 키, 체지방 증가
	성인	운동능력 감소, 정신적 행복감장애, 심혈관위험성의 증가, 중심부비만의 증가, 체지방질량의 감소
유즙분비호르몬		수유장애
항이뇨호르몬		다뇨, 다갈, 야간뇨

급성증상을 유발하는 경우는 드물다.

요붕증도 급성뇌하수체 손상의 증상일 수 있으며, 다뇨, 다음증이 있을 때에는 의심해 보아야 한다. 코티솔호르몬이 떨어져 있을 때는 요붕증의 증상이 가려질 수 있어 코티솔이 보충되기 전에는 요붕증의 증상이 나타나지 않을 수 있음도 주의해야 한다.

2) 만성
뇌하수체저하증은 일반적으로 서서히 유발되며 임상양상은 비특이적이고 증상이 심하지 않아 과소진단되는 경향이 높다. 증상과 증후는 각각의 호르몬 결핍과 관련되며 호르몬 결핍정도나 순서에 따라 다양하게 나타난다.

5. 성장호르몬결핍증

1) 임상양상 및 진단
소아에서 성장호르몬결핍증의 가장 두드러진 증상은 성장저하이며, 부신피질자극호르몬 결핍과 동반하여 유아기에 저혈당을 유발할 수 있다. 소아성장호르몬결핍증을 진단하려면 연령과 성별에 따른 성장속도를 평가하고, 성장호르몬/인슐린유사성장인자-1의 생화학지표, 그리고 뇌하수체영상을 검사해야 한다. 성장호르몬은 박동적으로 분비되기 때문에 성장호르몬을 한 번만 측정하는 것은 진단에 도움이 되지 않는다. 따라서 인슐린유발저혈당, 아르지닌 혹은 글루카곤을 이용한 성장호르몬자극검사가 필요하며, 다른 호르몬결핍, 혈중 인슐린유사성장인자-1 감소, 시상하부/뇌하수체의 구조적 이상소견이 동반되면 진단의 정확도는 증가한다. 성장호르몬결핍증만 단독으로 있는 경우에는 동적자극검사 두 가지에서 결핍증을 확인하여 진단한다.

성인에서 성장호르몬결핍증은 지방량 증가, 근육 감소, 신체 에너지 감소 및 삶의 질 저하를 유발한다. 하지만 피로감이나 허약감 같은 비특이적인 증상으로 나타나는 경우가 대부분이므로 진단에 이르지 못하는 예가 많다. 삶의 질 저하는 통상 여러 가지 설문으로 구성된 삶의 질 평가설문지를 이용하여 평가된다. 성인성장호르몬결핍증은 각 국가별로 비교적 엄격한 진단기준이 적용되고 있다. 일반적으로 통용되는 중증의 성인성장호르몬결핍증은 뇌하수체에 구조적 이상소견이 존재하고 성장호르몬 외에 다른 호르몬 결핍이

동반되어 있으면 진단이 가능하다. 이 경우에 3개 이상의 다른 호르몬 결핍이 동반되어 있고 혈중 인슐린유사성장인자-1의 농도가 감소되어 있으면 다른 자극검사를 추가할 필요 없이 진단할 수 있다. 그러나 이보다 정도가 심하지 않아 성장호르몬결핍증 진단이 모호한 경우에는 역동적 뇌하수체자극검사가 필요하다.

(1) 24시간성장호르몬 분비

24시간 동안 수십 회 채혈하여 성장호르몬 농도를 평가하는 것은 시간과 경비, 편의성면에서 비효율적이다. 24시간 소변에서 성장호르몬 평가는 진단민감도는 90%가 되지만, 특이도가 40세 이전은 79%, 60세 이후에서는 36%로 낮아 쓰이지 않는다.

(2) 혈청인슐린유사성장인자-1 농도

인슐린유사성장인자-1 농도는 연령, 성별, 영양상태, 간기능, 다른 뇌하수체호르몬 변화 등에 영향을 받는다. 소아 성장호르몬결핍증에서 혈중 인슐린유사성장인자-1은 86%에서 –2 SDS 미만으로 낮게 나타나는데, 성인성장호르몬결핍증에서는 52%에서만 낮게 나타난다. 또 다른 연구에서는 성인성장호르몬결핍증 환자의 37–70%에서 인슐린유사성장인자-1의 농도가 정상범위에 있다는 보고가 있어 인슐린유사성장인자-1의 단독 측정만으로는 성장호르몬결핍증을 진단하지 못한다. 그러나 3개 이상의 다른 뇌하수체호르몬이 결핍되어 있고, 간기능장애가 없으면서 혈중 인슐린유사성장인자-1의 농도가 감소되어 있으면 다른 자극검사를 할 필요 없이 성인성장호르몬 결핍을 진단할 수 있다. 성장호르몬 단독결핍이 의심될 때에는 2가지 유발검사를 하여 진단한다.

(3) 성장호르몬분비 역동학적검사: 인슐린유발저혈당검사

인슐린을 이용한 저혈당유발검사는 성장호르몬결핍증 최적 표준검사이다. 인슐린을 정맥투여하여(0.15 U/kg) 통상 혈중 포도당 농도가 40 mg/dL 이하로 떨어지거나 저혈당증상이 유발되었을 때 성장호르몬 농도가 3–5 μg/L 미만이면

성장호르몬결핍증을 진단한다. 진단의 기준으로는 국가별로 서로 다른 기준수치를 제시하는데, 영국의 경우 중증성장호르몬결핍증을 진단하고 성장호르몬 치료를 허용하는 기준은 인슐린부하검사에서 3 μg/L 미만이다. 그러나 3μg/L 미만이 절대적인 기준은 아니어서 5 μg/L 미만으로 제시하는 국가도 있으며, 한국 보험심사평가원의 급여기준 또한 5 μg/L를 기준으로 하고 있다. 인슐린부하검사는 노령이나 심혈관, 뇌혈관, 간질의 병력이 있는 환자에서는 금기이다. 인슐린저항성을 동반하는 비만 환자에서는 고용량 인슐린(0.15–0.2 IU/kg)이 필요한 경우가 많은데 검사 종료 후에 저혈당이 유발될 위험이 있음을 주의해야 한다. 인슐린저혈당유발검사는 진단의 민감도가 높긴 하지만 반복검사 시에 재현성이 떨어지거나 성장호르몬 최고 농도가 변하는 한계가 있으며, 여성에서는 생리주기에 따라서 변화를 보인다.

(4) 성장호르몬자극호르몬–아르지닌자극검사

성장호르몬자극호르몬–아르지닌자극검사도 검사의 특이도나 예민도가 좋아 인슐린자극검사를 대체할 수 있는 좋은 검사법이다. 아르지닌은 성장호르몬억제인자작용을 억제하므로 성장호르몬자극호르몬의 작용을 강화시킨다. 성장호르몬결핍증을 진단하는 기준치에 대해서는 아직 논란이 있다. 한 연구결과는 체질량지수에 따라 성장호르몬 기준 농도가 변하므로 체질량지수가 25 kg/m² 미만인 경우에는 11.5 μg/L, 25 kg/m² 이상이고 30 kg/m² 미만이면 8.0 μg/L, 30 kg/m² 이상이면 4.2 μg/L을 제시한다. 이 자극은 뇌하수체를 직접 자극하므로 방사선조사 후 시상하부 손상에 의한 뇌하수체결핍증에는 위음성결과를 초래할 수 있어 주의를 요한다.

(5) 글루카곤자극검사

글루카곤을 이용한 자극검사는 재현성 및 안전성 면에서 유리하여 인슐린부하검사의 대체검사로 유용하다. 글루카곤이 성장호르몬분비를 자극하는 기전인지는 불분명하나 아르지닌이나 클로니딘보다는 성장호르몬 분비를 좀 더 강력히 자극한다. 성장호르몬자극검사 전에 다른 뇌하수체호

르몬 결핍은 교정되어야 한다. 글루카곤자극검사는 성별이나 시상하부병변 여부에 영향을 받지 않지만 검사시간이 3-4시간으로 길고 오심, 구토, 두통 같은 부작용이 10-34% 정도로 흔하게 나타나는 단점이 있다. 통상 글루카곤 1-1.5 mg을 근육주사하고, 90-240분 사이에 성장호르몬을 측정한다. 한국인을 대상으로 한 진단기준연구는 아직 없으며 통상 성장호르몬 농도가 3 µg/L 미만이면 결핍증으로 진단한다. 또한 당대사이상이 있을 때에는 신뢰도가 떨어지며 체질량지수가 25 kg/m² 이상일 경우에는 1 µg/L로 기준을 좀 더 낮춰야 과진단을 피할 수 있다.

(6) 성장호르몬방출호르몬자극검사

성장호르몬방출호르몬과 피리도스티그민이나 클로니딘의 복합 투여도 성장호르몬 분비능을 측정하는 유용한 검사이다. 또한 성장호르몬방출호르몬과 성장호르몬방출펩타이드(성장호르몬방출펩타이드-6, 성장호르몬방출펩타이드-2, 헥사렐린) 복합투여검사는 그간 많은 임상결과들이 축적되었고 성장호르몬 15.0 ng/mL 이상을 정상으로 평가한다.

마시모렐린은 성장호르몬분비촉진제수용체(그렐린수용체)에 결합하여 성장호르몬을 분비하며 2017년 미국식품의약안전청으로부터 성장호르몬결핍증 진단시약으로 승인을 받았다. 마시모렐린자극검사는 저혈당 유발이 없고 약물 부작용이 적어 안전하고 재현성이 좋으며 검사시간이 90분으로 비교적 짧고 경구로 투여하는 이점이 있다. 하지만 가격이 비싼 단점이 있고 CYP3A4를 유도하는 약물을 동시에 사용하는 환자에서는 약물 상호작용 가능성이 있으므로 일시적 약물 중단 등의 주의를 요한다. 예민도와 특이도의 균형을 고려하였을 때 성장호르몬 농도가 5.1 µg/L 미만이면 성장호르몬결핍증 진단의 결정점이 된다고 보고된다.

2) 성장호르몬결핍증 치료

성인 성장호르몬결핍증 환자에서 성장호르몬 보충은 삶의 행복감을 개선하고 인지기능을 개선한다고 보고된다. 또한 심혈관위험도를 낮추고 골밀도를 증가시키며 총 콜레스테롤 및 저밀도지단백콜레스테롤을 감소시키고 이완기혈압을 떨어뜨린다. 체지방체중은 증가하게 되고, 신체내 지방량, 특히 복부지방을 감소시켜 체구성을 정상화한다.

재조합사람성장호르몬은 매일 피하로 통상 저녁에 주사하고, 소량으로 시작하여(2-5 µg/kg으로 시작하거나 혹은 60세 이전 0.2-0.4 mg/일, 60세 이상은 0.1-0.2 mg/일), 혈중 인슐린유사성장인자-1 농도와 임상반응을 매 2-4주 간격으로 모니터하면서 용량을 조정한다. 신체내 에너지 증가나 삶의 행복감 변화는 치료 3-12개월 후에 나타나며 치료기간 내내 지속된다. 성장호르몬용량은 혈청인슐린유사성장인자-1의 농도가 정상범위 내에 도달할 때까지 약 1-2개월 간격으로 1-2 µg/kg 용량을 단계별로 증량하는데 임상반응에 따라 용량조정을 하는 게 합리적일 수도 있다. 부작용이 나타나거나 혈청인슐린유사성장인자-1의 농도가 정상을 넘어서면 감량한다. 초기에 과용량을 투여하거나 너무 급속하게 용량을 증량하면 근육 및 관절경직과 통증, 말초부종, 수근관증후군 같은 수분저류와 관련된 부작용이 초래되며, 수면장애나 수면무호흡 발생 여부도 지켜봐야 한다.

폐경여성 중 에스트로겐요법을 받는 여성에서는 성장호르몬의 용량조정이 필요하다. 경구에스트로겐 투여는 성장호르몬에 대한 인슐린유사성장인자-1의 반응을 약화시키므로, 만일 경구에스트로겐을 중단하게 되거나 경피제로 변환할 때에는 성장호르몬 용량을 감량해야 한다. 또한 경구에스트로겐을 복용하는 경우에는 혈중 인슐린유사성장인자-1이 낮다고 성장호르몬 결핍을 진단하면 틀릴 수가 있다. 비만인 환자에서도 성장호르몬 요구용량은 증가한다. 일반적으로 여성과 젊은 환자에서 성장호르몬 필요량은 증가한다.

갑상선 및 부신기능도 성장호르몬 치료 전후에 평가되어야 한다. 성장호르몬 치료는 중추갑상선기능저하증과 이차부신저하증 증상을 좀 더 명료히 드러나게 하므로 엘타이록신이나 당질부신피질호르몬을 복용하는 경우에는 용량의 새로운 조정이 필요하다.

뇌하수체저하증이나 성장호르몬결핍증을 치료받지 않는 성인에서는 인슐린저항성 유발위험이 높다. 한편 성장호르몬은 직접적으로 인슐린민감성을 감소시키는 성질이 있기 때문에 뇌하수체저하증 성인에서 성장호르몬 대체치료가 당뇨병을 유발시키는지에 대한 우려도 존재한다. 이에 관한 두 개의 대규모전향임상연구에서는 성장호르몬 대체치료를 받는 성인에서 당뇨병 발병률은 증가하거나 변화가 없었다는 상충된 보고가 있다. 성장호르몬을 장기치료하였을 때 암의 새로운 발생이나 뇌하수체종양의 재발이나 재성장의 위험은 증가하지 않는 것으로 보고되었다. 그러나 성장호르몬은 이론적으로 세포증식의 기능이 있기 때문에 악성종양이 현존할 때는 사용하지 않는 것을 권고한다.

최근 개발된 장시간지속형성장호르몬제제들은 일주일에 한 번 투여하는 편리성을 갖고 있으며, 몇몇 임상연구결과에서 매일 투여 주사제에 비하여 효과와 안전성, 관용성에 비슷하거나 나은 결과를 보여주어 임상에서의 사용에 긍정적인 전망을 보여준다.

6. 성선자극호르몬결핍증

1) 임상양상 및 진단
폐경전여성에서 성선자극호르몬결핍증의 치료는 생리불순, 무월경, 불임, 유방발달지연, 안면홍조, 성욕감퇴 등을 유발한다. 혈청에스트라디올 농도가 낮으면서 황체화호르몬과 여포자극호르몬이 낮을 때 진단이 가능하며 월경주기를 감안하여 해석해야 한다. 폐경여성에서는 혈중 황체화호르몬과 여포자극호르몬 상승의 소실소견이 있을 때에 충분히 진단가능하다.

남성에서 저성선자극호르몬성선저하증은 남성호르몬결핍증과 불임의 형태로 나타나고(표 2-2-10), 청소년기에서는

표 2-2-10. 남성성선기능저하증의 증상/징후

- 근육 소실 및 근력 약화/지방량 증가/골다공증
- 털 소실(액와, 음부)/유방의 비정상적 발육(여성형유방)
- 음경 및 음낭크기 감소/사정 및 발기장애/성욕 감소
- 정자 감소/불임
- 안면홍조/발한
- 피로/집중력, 기억력 저하/수면장애, 졸음/작업수행능력 감소
- 에너지, 자기확신, 적극성의 감소/우울감
- 경미한 빈혈(정상색소, 정상 적혈구빈혈)

Adapted from Bhasin and colleagues, by permission of Endocrine Society.

사춘기발달과정이 제대로 이루어지지 않는다.

성선자극호르몬결핍증의 진단을 위해서는 혈중 테스토스테론, 황체화호르몬, 여포자극호르몬 및 프로락틴을 급성병변이 없는 상황에서 밤 사이 금식하고 오전 10시 이전에 채혈한다. 진단은 아침 혈청테스토스테론 농도가 < 10.4 nmol/L 미만으로 낮은 데 비해 성선자극호르몬 농도가 적절히 증가되지 않았을 때 가능하며 통상 2회 이상 검사하여 진단한다. 테스토스테론은 성호르몬결합글로불린과 결합되어 움직이므로 총 테스토스테론 농도가 경계선에 있을 때는 성호르몬결합글로불린 농도나 유리 혹은 생체이용가능테스토스테론(bioavailable testosterone) 측정도 고려해 보아야 한다.

2) 성선자극호르몬결핍증 치료
뇌하수체저하증 여성 환자에서는 경구에스트로젠과 프로제스틴을 월경주기에 맞춰 복합투여하는 것이 정상여성 월경주기의 호르몬환경에 근접하기 때문에 가장 많이 쓰인다. 자궁적출술을 받은 여성은 자궁내막증식 위험이 없기 때문에 에스트로젠 단독투여가 추천된다. 전통적 처방의 한 예로는 한 달 중 1–25일에 에스트라디올, 16–25일에는 프로제스테론을 추가하는 복합방법이 흔히 사용된다. 생리는 프로제스테론 복용이 끝날 때에 나타난다. 또 다른 복용프

로토콜은 경피에스트로젠을 한 달 내내 유지하고, 프로제스틴을 매달의 1-12일에 추가하는 것이다. 호르몬 보충치료는 안면홍조, 야간발한 같은 저에스트로겐혈증의 혈관운동증상을 경감시키며, 질 위축, 빈뇨 등의 증상을 개선시킨다. 또한 폐경전여성에서는 심혈관위험을 감소시키고 뼈광물질 밀도를 증가시키기도 한다. 에스트로젠 복용용량은 젊을수록 약간 더 필요하고, 폐경에 가깝게 되면 투여용량을 좀 줄이는게 이상적이다. 폐경 후에는 에스트로젠 치료가 더 이상 필요하지 않다.

경피에스트로젠과 달리 경구에스트로젠은 지질대사, 응고인자, 염증반응, 여러 호르몬을 운반하는 결합글로불린에 유의한 영향을 미친다. 경구에스트로젠은 간에서 첫째 통과대사과정을 거치므로 에스트라다이올 기준으로 평균 하루 약 1-2 mg의 용량이 필요하다. 경피에스트로젠은 통상 1주에 2회 부착하며 하루에 약 50-100 μg의 에스트라다이올을 공급한다. 경피제는 피부자극의 부작용이 있으나, 타호르몬결합단백질에 미치는 영향이 없고, 전신순환으로 전파되는 과정이 좀 더 생리적이어서, 여러 호르몬을 보충하는 뇌하수체저하증 환자에서 좀 더 이상적이다. 경구에스트로젠은 성장호르몬에 대한 간 인슐린유사성장인자-1의 생산을 억제하므로, 성장호르몬 보충치료를 받는 여성이 경구에서 경피에스트로젠으로 변경할 때에는 성장호르몬 용량을 줄일 필요가 있다.

임신을 원하는 뇌하수체저하증여성에서는 성선자극호르몬을 이용하여 배란과 임신을 가능하게 할 수 있다. 아직 그 성과에 대한 연구결과는 충분히 축적되어 있지 않지만, 다수의 성공사례들이 보고되고 있고 향후 전망은 고무적이다.

성선자극호르몬 및 부신피질자극호르몬 결핍이 있는 뇌하수체저하증여성에서는 혈중 남성호르몬 농도 감소와 성욕 감퇴가 일어날 수 있다. 이런 환자에서 데하이드로에피안드로스테론(DHEA) 투여가 성적기능, 우울지수, 행복감 등을 개선시킨다는 연구보고가 있지만, 남성호르몬이나 부신안

드로젠을 보충투여하는 것에 대한 컨센서스는 아직 충분하지 않고 일반적인 사용을 권고하지 않는다.

뇌하수체저하증 성인남성에서 남성호르몬 보충치료는 이차성징, 성기능 및 체구성 개선(지방량 감소, 근육량 및 강도 증가)과 행복감을 적절히 유지하는 데 목표를 둔다. 호르몬 의존성 암(유방암, 전립선암), 전립선특이항원 증가(PSA > 4 ng/mL), 조절 안 되는 폐쇄수면무호흡, 심부전, 최근 6개월 이내 발생한 심근경색/뇌졸중, 혈전성향, 적혈구용적률 증가가 있는 경우에서는 테스토스테론 보충치료를 피해야 한다. 또한 테스토스테론 치료를 시작하거나, 치료중에는 전립선암, 적혈구증가증, 수면무호흡에 대한 테스토스테론의 부작용 여부를 관찰해야 한다. 치료적절성 여부의 모니터링은 혈중 황체형성호르몬 농도가 아니라 혈중 테스토스테론 농도가 적정한가를 평가하며 정상범위 내의 중간을 유지하도록 한다.

남성호르몬은 근육주사, 경피용 젤이나 패치제제로 사용되며 경구용은 효과가 비교적 미약하고 간독성 유발의 부작용 위험이 있다. 가장 흔히 사용되는 처방은 테스토스테론 에스터의 데포주사제이다. 테스토스테론 에난테이트 혹은 사이피오네이트 150-200 mg을 2주 간격으로 시작하여 (혹은 75-100 mg/주) 용량을 조정해 나가며, 테스토스테론 에난테이트 250 mg을 3주 간격으로 주사하기도 한다. 데포주사제의 단점은 혈중 테스토스테론 농도변화 편차가 심해져 감정, 리비도, 에너지의 기복이 나타나는 것이다. 하지만 저렴한 가격, 자가주사라는 이점이 있고 용량조정이 가능하여 실제 임상에서의 사용이 용이하다. 모니터링을 위해서 주사-주사 중간에 측정한 테스토스테론 농도는 350-600 ng/dL가 되는 게 바람직하며 경우에 따라서는 주사 직전의 최저 농도를 기준으로 용량을 조정하기도 한다. 최근에는 장시간 지속형 테스토스테론제제인 테스토스테론 언데카노에이트(네비도 1,000 mg)가 흔하게 사용되며, 매 3개월 간격으로 주사한다. 네비도는 테스토스테론 농도 편차가 비교적 적은 장점이 있는 반면에 주사제 용적이 4 mL

로 크고 기침을 유발한다는 보고가 있다. 통상 다음 주사 직전 혈중 테스토스테론 농도가 정상범위 내의 낮은 끝 전후가 되도록 용량을 유지한다. 경구테스토스테론언데카노에이트는 장에서 다이하이드로테스토스테론으로 대사되어 임파계를 통하여 흡수되는데, 80–120 mg을 하루 2–3회 분복 복용한다. 하지만 경구제는 약동학적 변화가 심하여 원하는 테스토스테론 농도에 접근하기가 쉽지 않다.

경피젤테스토스테론은 주사의 불편함을 피할 수 있고, 다양한 용량의 젤들이 있어 용량조절이 용이하며 비교적 적혈구과다증을 줄일 수 있다는 장점이 있다. 그러나 피부 자극반응을 유발할 수 있고, 피부를 통해 여성이나 아동에 테스토스테론을 전달할 위험이 있다. 통상 테스토스테론 농도는 젤을 바른 후 약 2–8시간에 검사하여 평가한다. 이 외 구강용, 피하지방 펠렛이식, 경비용 등이 시판되거나 개발 중인데 아직 여러 문제가 많아 대중적으로 사용되지는 않는다.

뇌하수체저하증이 있는 남성에서 남성호르몬 치료로는 생식력을 유도할 수 없다. 임신을 원한다면 사람용모성선자극호르몬이나 재조합난포자극호르몬을 단독 혹은 복합사용하여 정자발생을 유도시킬 수 있으며, 이는 수개월에서 2–3년의 기간이 소요된다. 약물 투여 시에 고환용적이 작으면 정자 발생의 성공률이 떨어진다고 알려진다. 시상하부 병변에 의한 성선자극호르몬결핍증인 경우에는 성선자극호르몬 치료나 성선자극호르몬방출호르몬 펌프치료 중에 선택이 가능하다. 성선자극호르몬방출호르몬 펌프치료는 대상자의 약 60%에서 뇌하수체–성선축의 기능을 회복시키고 반응하는 환자들은 1개월 치료 후 황체화호르몬 농도가 3.0 IU/L 이상으로 증가한다고 보고된다.

7. 부신피질자극호르몬결핍증

1) 임상양상 및 진단
부신피질자극호르몬의 만성결핍은 무기력, 피로감, 체중감소 등을 유발한다. 하지만 부신피질자극호르몬 결핍정도가

심하지 않은 경우에는 일상생활 정도를 영위하는 데 특별한 증상들이 없을 수 있으며, 심한 스트레스나 질병 시에 저나트륨혈증, 저혈당, 혈압저하의 증상이 유발될 수 있다.

선천고립형부신피질자극호르몬결핍증은 매우 드물며 영아기에 우유를 잘 안 먹거나 성장장애, 저혈당 같은 비특이적인 증상이나 쇼크 같은 급성부신부전의 양상으로 나타날 수 있다. 최근에는 POMC와 TBX19 (T-PIT), NFKB2 등의 유전자 돌연변이 예가 보고된 바 있다.

진단의 일차검사로 아침 9시에 채혈한 코티솔의 농도가 80 nmol/L 미만이면 부신피질자극호르몬의 완전한 결핍으로 진단될 가능성이 높다. 9시 코티솔 농도가 80–400 nmol/L 정도인 경우에는 코티솔분비능을 확인하는 자극검사가 필요하며, 뇌하수체 부신피질자극호르몬 결핍을 진단하는 최적표준검사는 인슐린부하검사이다. 코티솔이 500 nmol/L 미만으로 자극되면 스트레스에 적절히 반응할 수 없음을 시사하고 하이드로코티손 보충치료를 고려해야 한다. 인슐린부하검사는 허혈심장질환이나 간질이 있는 경우에는 금기이다.

급속부신피질자극호르몬자극검사는 인슐린부하검사보다 검사과정이 좀 더 용이하다. 그러나 인슐린부하검사에 비해 검사 예민도가 좀 떨어지며, 특히 뇌하수체 손상이 6주 이내인 경우에는 위음성결과를 초래할 수 있다. 결과해석에서 30, 60분 농도 중에 어느 결과가 더 유용한지, 1 μg의 저용량 자극검사는 가치가 있는지, 아직 결말이 내려져 있지 않다. 일반적으로는 코신트로핀[synacthen, ACTH (1–24)] 250 μg을 정맥 혹은 근육주사하고, 30분 코티솔 농도가 20 μg/dL (552 nmol/L) 이상이면 정상반응으로 판독한다. 이 검사는 천식이나 아나필락시스 환자에서 주의를 요한다.

부신피질자극호르몬을 평가하는 그 외의 검사로는 글루카곤자극검사, 밤사이 메티라폰자극검사, CRH자극검사 등이 있다. CRH자극검사는 CRH 100 μg(혹은 1 μg/kg)을

정맥주사하고 30-40분 후에 혈중 부신피질자극호르몬이 30-40 pg/mL (6.6-8.8 pmol/L) 이상 상승하면 시상하부 병변을 시사하고, 반응하지 않으면 뇌하수체부전을 시사한다.

급성뇌하수체저하증이 있을 때에는 하이드로코티손을 응급으로 투여하기 전에 먼저 혈중 부신피질자극호르몬/코티솔 농도를 샘플해야 한다. 응급상황에서 측정한 혈청코티솔 농도가 500 nmol/L보다 낮으면 저코티솔혈증을 고려해야 한다. 뇌하수체급성저하기에서 부신조직은 아직 위축되어 있지 않은 상태여서 코신트로핀(synacthen)검사를 하면 부신피질자극호르몬에 적절한 반응으로 보일 수 있어 해석에 주의를 요한다.

2) 부신피질자극호르몬저하증 치료
부신피질자극호르몬결핍증 대부분에서 다른 뇌하수체전엽호르몬의 결핍이 동반된다. 호르몬 보충치료의 기본목표는 하루에 필요한 코티솔의 생리적 용량을 보충하고, 일중코티솔변동과 가급적 유사하게 맞추는 것이다. 주로 하이드로코티손과 코티손아세테이트가 사용되며 하이드로코티손의 권장 용량은 하루 30 mg보다 적어야 하며, 통상 하루 15-25 mg (10-12 mg/m^2 body surface area) 정도를 추천한다. 이는 건강한 어른의 하루 코티솔 생산양이 15.5-19 mg 정도이고, 하루 20 mg 이상 하이드로코티손을 복용한 뇌하수체저하증 환자에서는 대사이상 위험이 증가한다는 보고가 있음을 기준으로 제시되었다. 코티솔부분결핍증 환자에서는 전통적인 용량보다 좀 더 적은 용량을 임상판단하에 사용해야 하며 경우에 따라서는 전통용량보다 적은 5-10 mg/일을 필요시에만 구조치료로(prn) 처방할 수도 있다.

하이드로코티손은 통상 하루 2회로 나누어 분복하게 하는데, 아침 용량에 좀 더 많이 할당하는 게 생리적이다. 하지만 복용 편의상 아침에 1회 전량 투여하여도 대부분의 경우에서 특별한 문제를 일으키지 않는다. 흔하게 사용되는 하이드로코티손의 용량은 아침 공복에 10 mg과 정오경에

5 mg을 복용하는 것이다. 경우에 따라서는 저녁 6시 전 오후에 5 mg을 추가할 수도 있다. 이 요법은 코티솔 농도를 아침에는 좀 더 높이고, 오후와 저녁에는 낮게 하여 코티솔 농도가 생리적으로 유지되게 하는 데 있다. 코티솔은 시상하부의 시신경교차상핵에 존재하는 신체시계인 중추 하루주기발진기(oscillator)에 의해 일일주기리듬을 갖는다. 코티솔은 오전 3-4시에 상승하기 시작하여 아침에 수면에서 깨어나기 약 1시간 이내에 최고에 이르고, 낮에 서서히 감소하다 오후 7시경부터 분비가 중단되기 시작하여 자정 무렵에는 최저점에 내려가게 된다. 코티솔의 일일주기가 손상되면 피로, 우울감, 인슐린저항성 등이 유발된다. 따라서 코티솔을 오후 늦게 복용하면 늦은 저녁에도 높은 코티솔 농도에 노출되게 되어 수면이 방해되거나 대사 지표에 악영향을 끼치게 할 수 있으므로 오후 약은 취침 전 6시간 이전에는 복용하는 게 좋다.

프레드니솔론은 작용시간이 12-36시간으로 길어 3-5 mg을 하루 1회 투여할 수 있고, 좀 더 저렴하다는 장점이 있다. 그러나 혈중 농도 측정이 어려워 하이드로코티손을 쓸 수 없는 경우에 추천된다. 하이드로코티손복용과 비교하여 심혈관, 대사에 미치는 영향은 비슷하고, 1회 복용이라는 이점이 있어 만족도가 높다. 코티손 아세테이트는 체내 11β-hydroxysteroid dehydrogenase (11β-HSD1) type 1에 의해 하이드로코티손으로 전환되며 하이드로코티손의 0.8배 정도의 작용을 나타낸다. 최근 좀 더 생리적인 혈중 농도를 유지할 수 있는 새로운 하이드로코티손약물들이 개발되고 있는데 plenadren®은 서방형으로 방출되는 약물 중심부와 즉각적으로 방출되는 주위부제가 합쳐진 복합제로 아침에 하루 한 번 복용할 수 있는 제제이다. Plenadren®은 유럽에서는 사용승인을 받았으며 chronocort®, Alkindi® 등 다양한 다미립자제형 등도 연구개발되고 있는 중이다.

부신위기는 신체적, 정신적 스트레스가 심할 시에 부신호르몬의 요구량이 증가하고, 이에 상응하는 부신피질호르몬의

충분한 작동이 일어나지 못할 때에 발생한다. 고열, 복통, 오심, 구토, 설사 등이 나타나며, 혈압이 떨어지고, 식염수와 코티솔을 적절히 투여하지 않으면 결국 순환부전에 빠져 사망에 이를 수 있다. 부신위기는 통상 여러 종류의 중증감염, 정신적 스트레스 등에 의해 유발되며 이런 상황이 의심될 때에는 평소 복용하는 스테로이드호르몬용량의 2–3배를 즉각적으로 증량 복용하게 교육시켜야 한다. 또한 부신저하증이나 뇌하수체저하증 환자들은 속칭 스테로이드 카드 같은 본인의 질병과 복용약물에 관한 정보를 휴대하게 하여 응급실 등에서 좀 더 용이하게 정보를 확인하게 하는 방법도 추천되고, 경우에 따라서는 비경구하이드로코티손 등의 자가투여키트를 휴대하고 다니는 것도 유용하다.

코티솔 보충치료의 적정성을 평가할 수 있는 표준검사방법은 없으며, 임상에서는 임상양상을 평가하여 조정하는 것이 실제적이다. 적정용량 평가는 하이드로코티손 복용 시에는 복용 최소 18–24시간 후 프레드니솔론 경우에는 복용 최소 36시간 이후에 혈중 코티솔을 측정한다. 통상 혈중 코티솔 농도를 여러 번 측정하여 최고점이 1,000 nmol/L 이상을 넘지 않고 최저점이 100 nmol/L 밑으로 떨어지지 않게 용량을 조정한다. 소변에서 유리코티솔을 측정하는 것은 코티솔결합글로불린이 포화상태가 되어 소변유리코티솔 배설이 높게 나타날 수 있으므로 사용되지 않는다.

중증의 성장호르몬결핍증이 있는 환자들에서는 지방조직에서 국소 11β–HSD1 type 1 활성도가 증가되어 있어 국소 코티솔 활동이 증가된다. 이 환자들에서 성장호르몬을 보충투여하게 되면 코티솔활성도가 조직 내에서 감소하게 되어 코티솔 결핍이 다소간에 나타날 수 있다. 따라서 성장호르몬 치료를 시작할 때는 이런 점을 염두에 두고 하이드로코티손 용량을 소량 올리거나 성장호르몬 시작용량을 소량으로 시작하고 세심한 관찰을 할 필요가 있다.

부신피질자극호르몬의 결핍은 데하이드로에피안드로스테론을 포함하는 남성호르몬 결핍을 유발할 수 있다. 이차부신저하증 환자에서 데하이드로에피안드로스테론의 보충치료는 일부에서 행복감, 성욕 등을 호전시킨다고 보고된 바 있다. 혈중 데하이드로에피안드로스테론이 낮은 뇌하수체저하증의 여성 환자에서 20–50 mg의 데하이드로에피안드로스테론 투여는 고려할 수 있는 옵션이며 한편 발한, 여드름, 털이 나는 것 등의 부작용을 초래할 수 있다.

8. 갑상선자극호르몬결핍증

1) 임상양상 및 진단
갑상선자극호르몬결핍증은 중추성갑상선저하증을 유발하며 단독결핍증은 매우 드물다. 임상양상은 일차갑상선저하증과 유사하나 갑상선종대가 없고, 증상의 정도가 심하지 않은 차이가 있다. 중추성갑상선저하증은 다른 뇌하수체결핍증과 동반하여 나타나므로 전형적인 갑상선저하증양상만으로는 표현되지 않는다.

갑상선기능의 초기 선별검사로는 통상 혈중 갑상선자극호르몬 농도를 측정하는데 중추갑상선기능저하증에서 갑상선자극호르몬의 혈중 농도는 정상이거나 낮으며 심지어 경미하게 높은 경우도 있어 진단이 지연되거나 놓칠 수 있다. 중추성 갑상선저하증에서 혈중 유리타이록신 농도는 낮거나 낮은 정상이며 한편 갑상선자극호르몬은 부적절하게 반응하지 않아 낮거나 낮은 정상 농도를 보이는 경우에 진단된다. 갑상선자극호르몬방출호르몬자극검사가 확진하는데 도움이 된다.

2) 갑상선자극호르몬결핍증 치료
갑상선자극호르몬 결핍에 의한 중추갑상선기능저하증 치료는 일차갑상선자극호르몬결핍증에서처럼 갑상선호르몬을 보충투여한다. 고령이나 허혈심장질환 환자에서는 갑상선호르몬 투여의 시작용량과 용량증량에 있어서 주의를 좀 더 요한다. 갑상선호르몬 투여 전에 시상하부–뇌하수체–부신축의 상태를 평가하고 코티솔 결핍이 있으면 타이록신투여 전에 이를 교정해야 한다. 만약 코티솔결핍증이 교정되지 않은 상태에서 타이록신을 투여하면 타이록신 투여로 기초대사율이 증가되어 코티솔청소율이 증가하고 코티솔 요구량이 증가되는 상태가 되어 코티솔결핍증이 좀 더 심해져 심지어 부신위기까지 초래될 수도 있다.

성장호르몬 투여는 타이록신을 삼요오드타이로닌으로의 전환을 촉진한다. 따라서 성장호르몬 치료를 시작할 때 갑상선기능을 확인하여 중추성갑상선기능저하증 동반 여부를 먼저 확인하고, 필요시에는 레보타이록신의 용량 변경도 고려해야 한다.

중추성갑상선기능저하증에서 적절한 엘-타이록신 복용용량은 혈청유리타이록신 농도가 정상범위 내의 중간에서 약간 높은 범위 이내로 들어가게 하는 것이다. 이는 성인뇌하수체저하증 환자에서 유리타이록신 농도가 정상범위 내 약간 낮은 정상에 있을 때에 심장대사 위험요소들이 좀 더 증가하였고, 엘-타이록신의 용량증량에 따라 골밀도와 저밀도지단백 콜레스테롤이 개선되었다는 과거 연구보고를 바탕으로 하였다. 연구결과들을 종합한 성인에서의 레보타이록신 하루 보충용량은 평균 1.6 μg/kg이나, 60세 이상에서는 1.1–1.4 μg/kg, 60세 미만에서는 1.41–1.7 μg/kg 정도의 용량조정이 합리적이다.

9. 프로락틴결핍증

1) 임상양상 및 진단

프로락틴 결핍은 여성에서 적절한 수유기능을 저해한다. 따라서 프로락틴 결핍의 가장 중요한 임상병력은 출산 후 수유 불가능이고 남성에서는 특별한 이상증상을 야기하지 않는다. 심한 저프로락틴혈증(혈중 프로락틴 농도 < 100 pmol/L)은 드물지만 심한 뇌하수체저하증을 진단하는 데 신뢰할 만한 지표가 되며 갑상선자극호르몬방출호르몬이나 항도파민자극검사에 반응하지 않는다. 프로락틴 결핍은 뇌하수체저하증 환자에서 인슐린유사성장인자-1의 감소와 독립적으로 연관되어 있다는 연구결과도 있다.

2) 프로락틴결핍증 치료

수유장애가 있는 프로락틴 결핍 산모에서 재조합사람프로락틴을 주사하여 정상적인 수유를 유도하였다는 실험적인 연구결과가 있다. 하지만 일반적으로 프로락틴 결핍에 대한 보충치료는 하지 않는다.

10. 항이뇨호르몬결핍증

1) 임상양상 및 진단

항이뇨호르몬 결핍에 의한 중추성요붕증의 전형적인 양상은 비정상적으로 많은 양의 희석된 소변을 특징으로 한다(저장성 다뇨: 24시간 소변양 > 50 mL/kg, 요-오스몰랄농도 < 300 mmol/kg). 따라서 야뇨, 갈증증가 및 수면장애가 유발된다. 하지만 갈증을 느끼는 감각은 온전하기 때문에 수분섭취는 증가하게 되어 혈중 염분 농도와 오스몰랄농도의 균형은 어느 정도 유지될 수 있다.

항이뇨호르몬결핍증의 최적표준검사는 없으며 수분제한검사가 통상 초기검사로 행해진다. 그러나 이 검사만을 단독으로 시행하였을 때는 환자의 약 70%에서만 진단되는 한계가 있다. 통상 수분을 제한하였을 때 소변 오스몰랄농도가 800 mOsm/kg을 넘어서면 요붕증의 가능성을 배제할 수 있다. 수분제한하여 소변 오스몰랄농도가 300 mOsm/kg 미만이고 아르지닌바소프레신에 반응하면 중추성요붕증 진단을 시사한다. 3% 식염수를 주입하여 자극을 유도하고 혈중 아르지닌바소프레신을 측정하는 검사도 제시되고 있는데 혈장오스몰랄농도에 걸맞은 혈중 아르지닌바소프레신의 적절 농도 표준치가 아직은 정립되어 있지 않아 사용에 제한이 있다. 아르지닌바소프레신의 카르복실-말단 반(moiety)인 코펩틴(copeptin)은 아르지닌바소프레신 농도 측정의 안정적인 지표로써 중추성요붕증이 의심되는 환자에서 수분제한과 고장성식염수 투여 후에 이 코펩틴을 측정하면 96%에서 정확한 진단을 가능하게 한다. 자기공명영상사진에서는 건강인 뇌하수체후엽에서 보이는 고강도 신호점이 소실되는 소견을 보이는 경우가 많으며 반대로 고강

도 신호점이 존재하면 뇌하수체요붕증의 존재를 배제할 수 있다. 요붕증을 유발하는 원인질환이 저명하게 존재하고 요붕증의 전형적증상이 동반되었을 때는 데스모프레신을 치료적으로 시도함으로써 진단을 대신할 수도 있다.

갈증을 느끼는 데 장애가 있어 유발되는 요붕증은 진단과 그 관리가 좀 더 어렵다. 갈증을 느끼는 것이 비정상적인 무갈증성요붕증은 드물지만 병의 경과가 나쁘고 사망률도 높다. 중추성요붕증의 증상과 증후가 있는 모든 환자들에서 갈증 지각정도를 확인해 봐야 할 필요가 있다.

2) 요붕증 치료

요붕증 치료의 목표는 소변 방출량을 줄여, 심한 갈증, 다뇨 및 야간뇨증상을 감소시키는 것이다. 일반적으로 의식이 있는 중추성요붕증 환자들에서는 수분을 충분히 섭취함으로써 수분의 과도한 손실을 보상할 수 있다. 하지만 보상기능이 충분하지 않아 혈중 염분 농도가 과도하게 증가되는 환자에서는 뇌부종이 일어나지 않도록 혈중 염분을 빠르지 않은 속도로 교정하여 준다. 의식이 없는 환자들은 수분균형, 혈중 소듐 농도를 적절히 유지하고 아르지닌바소프레신제제를 필요시 투여해야 한다.

사람아르지닌바소프레신의 유도체인 데스모프레신은 V2수용체에 선택적으로 작용하여 용량에 비례하여 소변을 농축시키고 소변량을 감소시킨다. 통상 유지요법으로 데스모프레신 알약은 하루 2-3회 분복을 하고 코분무기로는 1-2회 분할 투여한다. 응급상황이나 경구/코분무제가 사용하기 힘든 상태에서는 주사제도 가능하다. 데스모프레신의 시작은 일단 취침 전에 복용하여 야뇨를 해소하는 용량으로 시작하고 이후 아침, 경우에 따라서는 점심에 추가하여 투여한다. 코로 뿌리는 데스모프레신의 항이뇨작용의 기간은 6-12시간 정도이며 경구제는 이보다 조금 짧다. 투여용량이 미흡하면 환자는 갈증이 증가하고 소변량이 증가하며, 반대로 과량인 경우에는 두통, 저나트륨혈증에 의한 피로감, 소변량의 감소증상이 나타날 수 있다.

모니터링으로는 매일 체중을 측정하고, 혈중 소듐과 요소 농도를 수시로 측정해야 한다. 요붕증이 있으면서 시상하부 병변이 있어 갈증감각 소실이 있는 환자들은 심한 고장성 고나트륨혈증으로 진행할 위험이 있으므로 각별한 주의를 요한다.

11. 임신과 뇌하수체저하증

뇌하수체저하증여성이 임신을 하는 예는 그리 많지 않아 연구결과가 많지 않다. 뇌하수체저하여성에서 임신은 유산, 조산, 빈혈, 고혈압, 태반조기박리, 산후출혈 등의 임신관련 합병증 위험을 증가시킨다는 보고가 있으므로 임신을 원할 때는 수정 전에 호르몬 보충치료가 적절히 이뤄지도록 한다. 성장호르몬을 적절히 보충하고 유리타이록신 농도가 높은 정상범위에 이르도록 엘타이록신 용량을 적절히 조정해야 한다. 임신을 유도하기 위해서는 성장호르몬과 성선자극호르몬 치료(HMG-hCG)로 난포를 증식시켜 임신의 가능성을 높인다.

임신을 하면 코티솔결합글로불린이 현저히 증가하게 되므로 시상하부-뇌하수체-부신축은 임신 전에 세심하게 평가되어야 한다. 하이드로코티손은 태반을 통과하지 않아 생리적으로 적절한 선택이 되며, 임신 마지막 삼분기에는 통상 약 20-40%의 용량 증가가 필요하다. 경우에 따라서는 50%까지 증량이 필요하기도 하며 산통이 시작되고 출산 후 48시간까지는 스트레스상황에 준하는 용량으로 증량한다.

엘타이록신의 용량은 임신 첫 삼분기에 혈중 유리타이록신의 농도를 기준으로 증량해야 할 필요가 있다. 임신 중반부 이후 엘타이록신의 요구량은 통상 35-47% 정도 증가한다고 알려진다.

임신 중 성장호르몬 치료의 효과와 안전성에 관한 결론은 아직 정립되어 있지 않다. 태반에서 성장호르몬이 생산되므로 성장호르몬을 맞던 약 반수 이상의 환자에서는 임신 시에 성장호르몬 치료를 중단하였다는 보고가 있다. 다른 연구에 따르면 임신 초기에는 성장호르몬을 유지하다가 임신 12주에 태반에서 변형성장호르몬 생산이 자명해지기 시작하면 성장호르몬 투여용량을 서서히 줄이다가 임신 20주경에 완전히 중단하기도 한다.

항이뇨호르몬의 경우는 임신 후반기 태반영양막에서 바소프레신분해효소 활성도가 증가하므로 용량을 증가시켜야 하는 경우가 많다.

뇌하수체저하증이 임신에 미치는 결과에 대해서는 자료들이 아직 제한적이다. 하지만 뇌하수체저하증 치료를 적절히 받으면 정상 출산율 감소, 기형 증가, 출생 시 체중이상 등을 회피할 수 있다는 보고가 있다. 한편 임신 중에 새로운 호르몬 결핍이 유발될 가능성을 항상 염두에 두어야 한다.

12. 예후

뇌하수체저하증 환자의 사망률은 일반인에 비해 높으며 이는 여성에서 좀 더 자명하게 나타난다. 사망률의 증가는 심혈관질환 및 호흡기질환의 위중함과 연관되며 여러 다양한 인자가 관여한다. 일반적으로 진단시점의 연령이 어리거나, 뇌하수체저하증의 기저원인이 두개인두종처럼 범위가 광범위한 경우, 두개경유수술이나 방사선 치료를 해야 하는 경우, 요붕증이 존재하는 경우에는 그 위험이 증가한다. 또 다른 연구에서는 코티솔 결핍을 보이는 예에서 사망률이 증가하였고 과거에 방사선 치료를 받은 적이 있는 경우에는 스트로크에 의한 사망률이 증가한다고 보고된 바 있다. 또한 비기능종양 환자에서 뇌하수체저하증이 있는 경우에 남성보다 여성에서 사망률이 증가한다는 사실이 밝혀져 시상하부-뇌하수체질환의 예후면에서 성별 차이가 있음을 시사하였다.

13. 논란 및 불확실한 것들, 미래 전망

병리적인 손상에 뇌하수체전엽세포들의 손상 정도와 증상 유발 시작이 왜 다양하게 나타나는지에 대한 설명은 아직 불분명하다. 한 예로 방사선조사나 뇌하수체종양에 의한 셀라내압 증가 시에 성장호르몬분비는 왜 일찍 손상되고 갑상선자극호르몬 결핍은 그 이후 나타나는지에 대한 설명은 아직 모른다. 또한 방사선에 의한 손상이 특히 시상하부에 있을 때 왜 요붕증은 잘 유발되지 않는지, 뇌하수체에 철분 침착이 일어날 때 왜 성선자극호르몬이 가장 손상을 잘 입는지, 림프구뇌하수체염에서는 왜 부신피질자극호르몬 결핍이 특히 잘 일어나는지 설명이 되지 않고 있다.

호르몬 대체(보충)치료에는 국가/기관마다 상이한 기준과 지침이 존재한다. 영국에서 성인성장호르몬 치료는 중증의 성장호르몬결핍증에서만 적용되며, 삶의 질 저하개선이라는 한 가지 임상목표만을 제시한다. 다른 국가들에서 성장호르몬 치료는 성장호르몬이 골절위험을 감소시키고, 여러 대사 지표들과 혈관질환 위험인자들 및 삶의 질을 개선한다는 전반적인 효과를 기반으로 인정되고 있다. 일반적으로, 내분비의사들은 하이드로코르티손과 타이록신 대체치료에는 적극적인 편이라, 갑상선자극호르몬이나 부신피질자극호르몬결핍증의 치료율은 높은 편이다. 반면에 시상하부-뇌하수체질환이 없는 성인의 성장호르몬부분결핍증에서 성장호르몬 대체치료의 정당성은 아직 정립되어 있지 않고, 일반적으로 권장되고 있지 않다. 특히 성장호르몬 치료를 통하여 신체 에너지증대를 바라는 환자들에게는 투여결과가 기대에 미치지 못함을 설명할 필요가 있다.

노인에서 성장호르몬결핍증 진단과 치료에 관해서는 아직도 논란의 한복판에 있다. 성장호르몬 분비는 30대에서부터 매 십년마다 약 14% 정도씩 지속적으로 감소한다. 따라서 건강한 노인과 뇌하수체질환을 앓는 노인에서 성장호르몬자극검사의 진단기준 경계는 서로 중복되어 진단이 모호한 경우가 많다. 통상 중년에 비해 65세 이상의 노인에서는 뇌하수체저하증을 진단하는 성장호르몬 임계점이 좀 더 낮게 적용된다.

호르몬제제의 개량을 통해 일주일에 한 번 혹은 그 이상 간격으로 투여하는 제제가 개발되면서 편의성이 증대되고 있다. 소마파시탄(somapacitan)은 일주일 단위로 투여가 가능한 성장호르몬지연방출제로 매일 투여하는 제제와 비교하였을 때에 체내 지방 감소 효과는 약간 떨어졌지만, 제지방체중과 근육량 증가효과 등에서는 효과가 대등하고 사용이 좀 더 편리하며 현재 승인되어 사용 중이다. 유사하게 하이드로코르티손 서방형방출제제도 일부 환자들에게 좀 더 생리적인 코티솔프로필을 유도하여 삶의 질을 좀 더 개선할수 있으며, 하이드로코티손 매일 투여제제를 대체할 수 있을 것이다.

참 / 고 / 문 / 헌

I.

1. Amar AP, Weiss MH. Pituitary anatomy and physiology. Neurosurg Clin N Am 2003;13:11-23.

2. Charlton H. Hypothalamic control of anterior pituitary function: a history. J Neuroendocrinol 2008;20:641-6.

3. Cimini V. Neuropeptides in anterior pituitary development. Int J Dev Neurosci 2003;21:291-301.

4. Denef C. Paracrine interactions in the anterior pituitary. Clin Endocrinol Metab 1986;15:1-32.

5. Feek CM, Marante DJ, Edwards CR. The hypothalamic-pituitary-adrenal axis. Clin Endocrinol Metab 1983;12:597-618.

6. Melmed S, Koenig R, Rosen C, Auchus R, Goldfine A. Williams textbook of endocrinology. 14th ed. Elsevier; 2020.

7. Perez-Castro C, Renner U, Haedo MR, Stalla GK, Arzt E. Cellular and molecular specificty of pituitary gland physiology. Physiol Rev 2012;92:1-38.

8. Schwartz J. Intercellular communication in the anterior pituitary. Endocr Rev 2000;21:488-513.

9. Yeung CM, Chan CB, Leung PS, Cheng CH. Cells of the anterior pituitary. Int J Biochem Cell Biol 2006;38:1441-9.

II.

1. Asa SL, Ezzat S. The pathogenesis of pituitary tumours. Nat Rev Cancer 2002;2:836-49.

2. Bertagna X, Guignat L, Groussin L, Bertherat J. Cushing's disease. Best Pract Res Clin Endocrinol Metab 2009;23:607-23.

3. Chin SO, Ku CR, Kim BJ, Kim SW, Park KH, Song KH, et al. Medical treatment with somatostatin analogues in acromegaly: position statement. Endocrinol Metab (Seoul) 2019;34:53-62.

4. Colao A. Pituitary tumours: the prolactinoma. Best Pract Res Clin Endocrinol Metab 2009;23:575-96.

5. Dekkers OM, Biermasz NR, Pereira AM, Romijn JA, Vandenbroucke JP. Mortality in acromegaly: a metaanalysis. J Clin Endocrinol Metab 2008;93:61-7.

6. Fauci AS, Kasper DL, Longo DL, Braunwald E, Hauser SL, Jameson JL, et al. Harrison's principles of internal medicine. 17th ed. New York: McGraw-Hill Medical Publishing Division; 2008. pp. 2187-200.

7. Lee YJ, Cho SW, Kim SW, Shin CS, Park KS, Cho BY, et al. Characteristics and natural course of pituitary incidentaloma in Korea. J Korean Soc Endocrinol 2008;23:111-6.

8. Melmed S, Jameson JL. Pituitary tumor syndromes. In: Jameson JL, Kasper D, Longo DL, Fauci AS, Hauser SL, Loscalzo J. Harrison's principles of internal medicine. 20th ed. New York: McGraw-Hill; 2018.

9. Melmed S. Medical progress: acromegaly. N Engl J Med 2006;355:2558-73.

10. Mete O, Lopes MB. Overview of the 2017 WHO classification of pituitary tumors. Endocr Pathol 2017;28:228-43.

11. Ng Sam, Fomekong F, Delabar V, Jacquesson T, Enachescu C, Raverot G, et al. Current status and treatment modalities in metastases to the pituitary: a systemic review. J Neurooncol 2020;146:219-27.

12. Park KH, Lee EJ, Seo GH, Ku CR. Risk for acromegaly-related comorbidities by sex in korean acromegaly. J Clin Endocrinol Metab 2020;105:e1815-26.

13. Robinson AG, Verbalis JG. Posterior Pituitary. In: Melmed S, Polonsky KS, Larsen PR, Kronenberg HM. Williams textbook of endocrinology. 13th ed. Philadelphia: Elsevier; 2016. pp. 300-5.

14. Shomali ME, Katznelson L. Medical therapy of gonadotropinproducing and nonfunctioning pituitary adenomas. Pituitary 2002;5:89-98.

15. Socin HV, Chanson P, Delemer B, Tabarin A, Rohmer V, Mockel J, et al. The changing spectrum of TSH-secreting pituitary adenomas: diagnosis and management in 43 patients. Eur J Endocrinol 2003;148:433-42.

16. Vance ML: Hypopituitarism. N Engl J Med 1994;330:1651-62.

17. Wass JA, Karavitaki N. Nonfunctioning pituitary adenomas: the Oxford experience. Nat Rev Endocrinol 2009;5:519-22.

III.

1. Jameson JL, Kasper D, Longo DL, Fauci AS, Hauser SL, Loscalzo J. Harrison's principles of internal medicine. 20th ed. New York: McGraw-Hill. 2018. p. 372.

2. Kim JH, Chae HW, Chin SO, Ku CR, Park KH, Lim DJ, et al. Diagnosis and treatment of growth hormone deficiency: a position statement from korean endocrine society and korean society of pediatric endocrinology. Endocrinol Metab (Seoul) 2020;35:272-87.

3. Melmed S, Koenig R, Rosen C, Auchus R, Goldfine A. Williams textbook of endocrinology. 14th ed. Philadelphia: Elesvier Saunders; 2019. pp. 616-8.

4. Yuen KCJ, Biller BMK, Radovick S, Carmichael JD, Jasim S, Pantalone KM, et al. American association of clinical endocrinologists and american college of endocrinology guidelines for management of growth hormone deficiency in adults and patients transitioning from pediatric to adult care. Endocr Pract 2019;25:1191-232.

IV.

1. Alexandraki KI, Grossman AB. Management of hypopituitarism. J Clin Med 2019;8:2153.

2. Ascoli P, Cavagnini F. Hypopituitarism. Pituitary 2006;9:335-42.

3. Glynn N, Agha A. Diagnosing growth hormone deficiency in adults. Int J Endocrinol 2012;2012:972617.

4. Higham CE, Johannsson G, Shalet SM. Hypopituitarism. Lancet 2016;388:2403-415.

5. Johannsson G, Nilsson AG, Bergthorsdottir R, Burman P, Dahlqvist P, Ekman B, et al. Improved cortisol exposure-time profile and outcome in patients with adrenal insufficiency: a prospective randomized trial of a novel hydrocortisone dual-release formulation. J Clin Endocrinol Metab 2012;97:473-81.

6. Karaca Z, Tanriverdi F, Unluhizarci K, Kelestimur F. Pregnancy and pituitary disorders. Eur J Endocrinol 2010;162:453-75.

7. Kim JH, Chae HW Chin SO, Ku CR, Park KH, Lim DJ, et al. Diagnosis and treatment of growth hormone deficiency: a position statement from korean endocrine society and korean society of pediatric endocrinology. Endocrinol Metab (Seoul) 2020;35:272-87.

8. Kim SY. Diagnosis and treatment of hypopituitarism. Endocrinol Metab (Seoul) 2015;30:443-55.

9. McCabe MJ, Dattani MT. Genetic aspects of hypothalamic and pituitary gland development. Handb Clin Neurol 2014;124:3-15.

10. Melmed S. The pituitary. 3rd ed. London: Academic press; 2011.

11. Persani L, Brabant G, Dattani M, Bonomi M, Feldt-Rasmussen U, Fliers E, et al. European Thyroid Association (ETA) guidelines on the diagnosis and management of central hypothyroidism. Eur Thyroid J 2018;7:225-37.

12. Regal M, Páramo C, Sierra SM, Garcia-Mayor RV. Prevalence and incidence of hypopituitarism in an adult Caucasian population in northwestern Spain. Clin Endocrinol (Oxf) 2001;55:735-40.

13. Sherlock M, Ayuk J, Tomlinson JW, Toogood AA, Aragon-Alonso A, Sheppard MC, et al. Mortality in patients with pituitary disease. Endocr Rev 2010;31:301-42.

14. Tanriverdi F, Schneider HJ, Aimaretti G, Masel BE, Casanueva FF, Kelestimur F. Pituitary dysfunction after traumatic brain injury: a clinical and pathophysiological approach. Endocr Rev 2015;36:305-42.

15. Vila G, Fleseriu M. Fertility and pregnancy in women with hypopituitarism: a systematic literature review. J Clin Endocrinol Metab 2020;105:112.

뇌하수체후엽

진상욱 홍준화

I. 뇌하수체후엽호르몬

진상욱

1. 서론

뇌하수체후엽은 시상하부에서 시작하는 큰세포뉴런(mag-nocellular neuron)의 말단축삭으로 이루어진 신경조직이며 신경뇌하수체라고도 불린다. 대세포신경세포 말단축삭의 세포체는 시상하부의 시각로위핵과 뇌실주위핵에 위치한다. 뇌하수체후엽은 전체 뇌하수체 용적의 25% 정도를 차지하는 것으로 알려져 있다. 안장가로막을 기준으로 상부에는 시상하부 하부의 경계부인 정중융기와 연결된 깔때기, 그리고 안장가로막 하부의 깔때기줄기와 신경엽(pars ner-vosa)으로 구분한다 (그림 2-3-1). 발생학적으로 제3뇌실의 벽을 따라 존재하는 신경상피세포들이 시신경교차의 위와 옆으로 이동하면서 시각로위핵과 뇌실주위핵을 만들고 대세포신경으로 성숙하여 이 신경들의 말단축삭이 내려와 모이면서 뇌하수체후엽이 형성된다. 뇌하수체전엽은 시상하부-뇌하수체문맥계를 통해서 혈액공급이 이루어지는 반면 뇌하수체후엽은 후교통동맥과 경동맥의 가지인 아래뇌하수체동맥으로부터 직접 혈액을 공급받고 해면정맥동과 내경정맥을 통해 정맥혈이 배액된다.

뇌하수체후엽은 전엽과 달리 호르몬을 직접 생성하지 않는다. 뇌하수체후엽에서 분비되는 바소프레신(항이뇨호르몬, antidiuretic hormone, ADH)과 옥시토신의 합성은 각각의 호르몬-특이적인 대세포신경세포에서 이루어진다. 시각로위핵에서 기원하는 신경세포의 약 3%에서는 바소프레신 및 옥시토신을 모두 합성하나, 대부분은 바소프레신을 생성하며 거의 모든 축삭이 시각로위-뇌하수체로(supra-optic-hypophyseal tract)를 통해 뇌하수체후엽으로 이어진다. 뇌실주위핵에서 기원하는 신경세포의 경우 바소프레신 및 옥시토신을 합성하며 시각로위-뇌하수체로를 통해 뇌하수체후엽으로 연결된다. 뇌실주위핵에는 추가적으로 정중융기 및 시상하부 이외의 부위(전뇌, 뇌간, 척수 등)로 연결되는 신경세포들이 존재하며 이들은 주로 바소프레신을 합성한다. 이외에도 시상하부-뇌하수체문맥계로 연결되는 뇌실주위핵 및 다른 부위의 신경세포들은 부신피질자극호르몬의 분비에도 관여하는 역할을 가지고 있다. 옥시토신을 분비하는 신경세포들은 바소프레신을 분비하는 신경세포들에 비해 그 수가 적으며 주로 뇌실주위핵이나 시신경교차상핵에 존재한다.

2. 뇌하수체후엽호르몬

1) 뇌하수체후엽호르몬의 구조
바소프레신과 옥시토신은 9개의 아미노산으로 구성되어 있

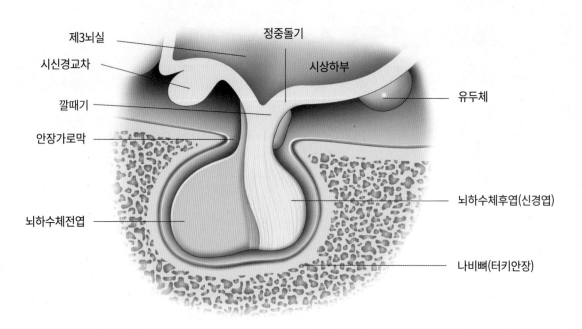

정중돌기

제3뇌실

시신경교차

시상하부

깔때기

유두체

안장가로막

뇌하수체후엽(신경엽)

뇌하수체전엽

나비뼈(터키안장)

그림 2-3-1. **사람의 뇌하수체 모식도**

으며, 이황결합(disulfide bond)으로 연결된 2개의 시스테인을 포함한 6개 아미노산고리 부분과 3개의 아미노산이 연결된 꼬리 부분으로 나누어진다. 옥시토신은 9개의 아미노산 중 3번 및 8번 위치의 아미노산이 각각 아이소류신 및

A: 바소프레신(arginine vasopressin)

$$Phe^3 \text{———} Gln^4$$
$$| \qquad\qquad |$$
$$Tyr^2 \qquad Asn^5$$
$$| \qquad\qquad |$$
$$H_2N \text{—} Cys^1\text{-s-s} \text{—} Cys^6 \text{—} Pro^7 \text{—} L\,Arg^8 \text{—} Gly^9 \text{—} NH_2$$

B: 옥시토신(oxytocin)

$$Ile^3 \text{———} Gln^4$$
$$| \qquad\qquad |$$
$$Tyr^2 \qquad Asn^5$$
$$| \qquad\qquad |$$
$$H_2N \text{—} Cys^1\text{-s-s} \text{—} Cys^6 \text{—} Pro^7 \text{—} Leu^8 \text{—} Gly^9 \text{—} NH_2$$

C: 데스모프레신(desmopressin)

$$Phe^3 \text{———} Gln^4$$
$$| \qquad\qquad |$$
$$Tyr^2 \qquad Asn^5$$
$$| \qquad\qquad |$$
$$H \text{—} Cys^1\text{-s-s} \text{—} Cys^6 \text{—} Pro^7 \text{—} D\,Arg^8 \text{—} Gly^9 \text{—} NH_2$$

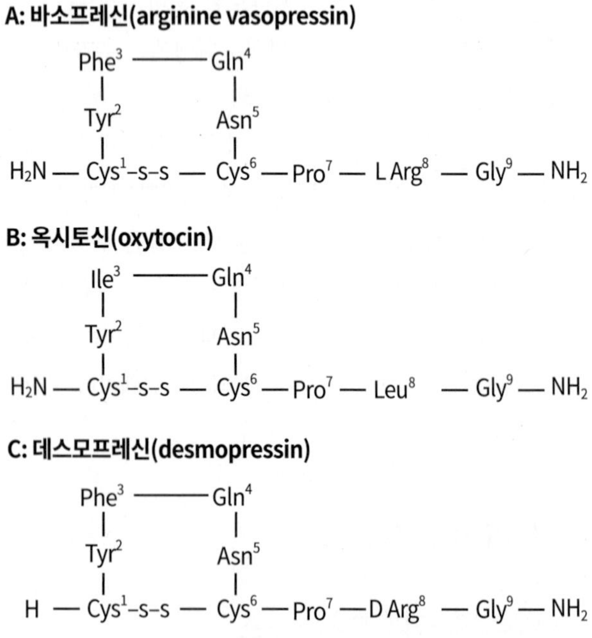

그림 2-3-2. **바소프레신, 옥시토신, 데스모프레신의 화학구조**

류신으로 바소프레신과 다르게 구성되어 있다(그림 2-3-2).

돼지를 제외한 모든 포유류들은 아르지닌바소프레신과 옥시토신을 합성한다. 돼지는 바소프레신의 8번 아미노산이 아르지닌 대신 라이신으로 대체되어 라이신바소프레신을 만들어 낸다. 바소프레신과 옥시토신은 뉴로피신이라고 알려진 운반단백질과 결합하여 불용성상태로 신경분비과립 상태로 저장된다.

2) 뇌하수체후엽호르몬의 합성

바소프레신 합성에 관여하는 유전자는 염색체 20번 단완에 위치하며(20p13) 3개의 엑손 및 2개의 인트론으로 구성되어 있고, 여기서 164개의 아미노산으로 구성된 바소프레신의 전구체단백질이 만들어진다. 이 전구체단백질은 신호펩타이드, 바소프레신, 그리고 뉴로피신2와 코펩틴, 그리고 39개의 아미노산으로 이루어진 당화펩타이드로 이루어져 있다(그림 2-3-3). 전구체단백질은 대세포신경세포 내의 신경분비과립에 저장되며 뇌하수체후엽으로 이동하는 과정에서 효소 분해에 의해 바소프레신, 뉴로피신 및 코펩틴으로 분리된다.

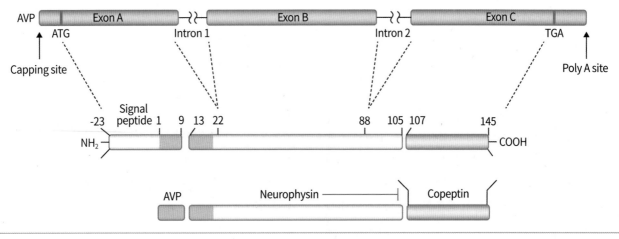

그림 2-3-3. 바소프레신의 합성

AVP, 바소프레신; Exon, 엑손; Intron, 인트론; capping site, 캐핑위치; poly A site, 다중A위치; Signal peptide, 신호펩타이드; Neurophysin, 뉴로피신; Copeptin, 코펩틴(출처: EMBO J 1983;2:763-7)

바소프레신 분비를 자극하는 신호가 대세포신경세포에 가해지면 활동전위가 발생되어 뇌하수체후엽까지의 긴 축삭을 통해 칼슘의 세포내 유입 및 이를 통한 신경분비과립과 세포막의 융합을 유도한다. 이후 혈관주위공간에 신경분비과립을 배출시키고 이어서 뇌하수체후엽에 분포하는 모세혈관으로 바소프레신을 분비한다. 혈중의 생리적인 pH에서는 바소프레신이나 옥시토신은 각각의 뉴로피신과 결합하지 않고 혈류로 분비되어 독립적으로 순환한다. 바소프레신의 혈중 반감기는 10–30분이다. 옥시토신의 경우 옥시토신에 특이적인 대세포신경세포에서 바소프레신과 유사한 방식으로 합성 및 분비된다.

3) 바소프레신의 생리학적 작용

(1) 바소프레신수용체

바소프레신의 가장 중요한 역할은 소변의 농축을 통한 수분 배설의 감소이며(항이뇨작용) 이를 통해 체내 수분 및 오스몰농도를 조절한다. 소변으로 용질이 없는 유리수분을 제거하는 속도를 조절하며 이를 통해 체내 수분이 적정 수준에서 유지될 수 있도록 한다. 바소프레신의 작용은 표적장기에 존재하는 세 종류의 G단백연결수용체를 통해 이루어지는데 혈관평활근 등에 위치하는 V1수용체와 신장 집합관의 상피세포에 있는 V2수용체, 그리고 뇌하수체전엽에

표 2-3-1. 바소프레신수용체의 위치와 기능

수용체(이전 명칭)	신호전달	분포위치	기능
V1 (V1a)	G단백연결수용체	혈관평활근, 혈소판, 간세포, 심근	혈관수축, 심근비대, 혈소판응집, 글리코겐 분해, 자궁수축
V2	아데닐산 고리화효소/cAMP	신장집합관상피세포의 기저부세포막	수분재흡수
V3 (V2b)	G단백연결수용체	뇌하수체전엽	부신피질자극호르몬, 유즙분비호르몬, 엔도르핀 분비

출처: Vecchis RD, Cantatrione C, Mazzei D, Baldi C. Vasopressin receptor antagonists for the correction of hyponatremia in chronic heart failure: an underutilized therapeutic option in current clinical practice? J Clin Med 2016;5:86.

주로 분포하는 V3수용체가 있다. 이들 중 V1 및 V2수용체가 바소프레신이 가지는 체내 수분조절의 역할을 주로 담당한다(표 2-3-1).

(2) 바소프레신의 항이뇨작용

바소프레신의 소변농축은 신장의 원위부 또는 집합관을 통한 소변으로부터의 유리수분 재흡수 촉진을 통해 유도된다. 신장의 헨레고리에 위치하는 나트륨-포도당공동수송체-2를 통해 유도되는 나트륨의 재흡수는 신장수질의 고삼투압상태를 형성한다. 이는 집합관에서 이루어지는 수분 재흡수 및 소변농축에 반드시 필요한 요소이다. 바소프레신은 집합관세포의 수분투과도를 증가시켜 고삼투압의 신장수질 방향으로 수분재흡수를 유도한다. 이 과정에서 소변과 신장수질 사이에 삼투압의 평형상태가 형성되고 동시에 농축된 소변을 만들어 소변량을 줄이는 항이뇨작용이 일어난다.

바소프레신이 신장집합관상피세포의 기저부세포막에 위치하는 V2수용체에 결합하면 세포 내의 cAMP를 증가시키고 이는 집합관상피세포의 첨부세포막에서 수분통로인 아쿠아포린-2의 발현을 증가시킨다. 또한 첨부세포막에서 아쿠아포린-2의 전위를 유도하여 수분투과력을 증가시키고 수분재흡수가 촉진된다(그림 2-3-4). 아쿠아포린의 다른 아형인 아쿠아포린-3과 아쿠아포린-4는 집합관상피세포의 기저외측세포질막에서 높은 농도로 발현되어 이 곳에서의 수분 투과에 관여한다. 바소프레신이 V2수용체로부터 분리되면 세포내 cAMP가 감소하며 수분통로는 다시 세포질 내의 소포로 내재화되어 수분투과가 중단된다. 아쿠아포린을 가지고 있는 소포는 첨부세포막의 바로 아래에 존재하여 세포내 cAMP의 변화에 따라 짧은 시간 내에 쉽게 세포막 안으로 들어가거나 나올 수 있다. 이런 기전을 통해 바소프레신이 수분 내로 신장의 수분 배출을 조절할 수 있다.

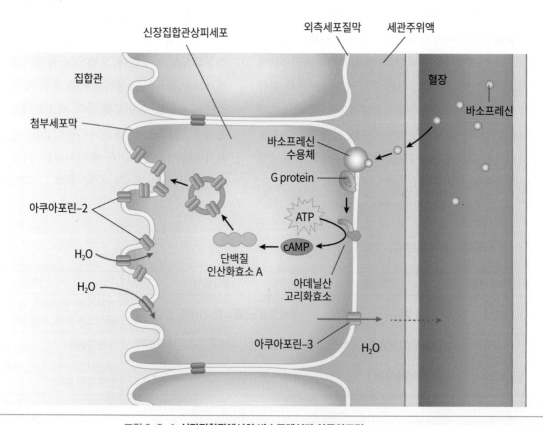

그림 2-3-4. 신장집합관에서의 바소프레신과 아쿠아포린

(3) 바소프레신과 삼투압

바소프레신의 합성 및 분비를 조절하는 다양한 인자가 존재하며 이들 중에서 중요한 두 가지는 삼투압의 변화와 혈압 및 혈액량의 변화이다(표 2-3-2). 삼투압의 변화를 감지하는 주요 수용체는 뇌에 존재한다. 이러한 삼투압수용체가 위치한 부위가 손상되면 바소프레신 분비나 고삼투압에 대한 갈증반응이 소실된다. 주로 나트륨에 의해 결정되는 세포바깥액 삼투압의 정상범위는 280–295 mOsm/kg 수준이다. 이같이 좁은 정상범위를 유지할 수 있는 능력은 ① 혈장삼투압의 변화에 대한 혈장바소프레신의 민감한 반응, ② 혈장바소프레신의 변화에 대한 소변삼투압의 민감한 반응 그리고 ③ 혈장바소프레신의 변화에 대한 소변량의 반응에 따라 결정된다.

기저혈장바소프레신은 0.5–2.0 pg/mL 농도로 유지된다. 그러나 혈장삼투압이 1%만 증가해도 뇌하수체후엽에 저장되어있던 바소프레신이 빠르게 분비되어 급격하게 혈중 농도가 증가한다. 바소프레신은 혈중 반감기가 짧고 빨리 분해되기 때문에 혈중 바소프레신 농도도 급격하게 감소할 수 있다. 이러한 기전으로 혈장삼투압의 작은 증감에도 소변농축 또는 이뇨작용이 신속하게 진행된다(그림 2-3-5).

혈장삼투압과 혈장바소프레신 사이에는 양의 상관관계가 존재한다. 하지만 소변삼투압의 경우는 혈중 바소프레신 농도가 정상범위 이상으로 증가하더라도 1,000–1,200 mOsm/kg을 넘지는 않는다. 이는 신장 집합관에서 수분을 농축할 수 있는 최대 농도가 신장수질의 삼투압에 의해 결정되기 때문이다. 혈장바소프레신이 없는 경우 하루 소변량은 18–20 L까지 증가하나 바소프레신이 0.5–1.0 pg/mL 수준의 소폭 증가만으로도 소변량을 하루 4 L 이하로 낮출 수 있다(그림 2-3-6). 이는 아주 적은 양의 바소프레신으로도 소변량 변화에 큰 영향을 미칠 수 있음을 의미한다. 이러한 바소프레신과 소변량 사이의 상호관계는 특히 혈장바소프레신 농도가 매우 낮을 때 더 뚜렷하게 관찰된다.

표 2-3-2. 바소프레신 분비에 영향을 주는 인자들

1. 삼투압 변화
• 수분균형의 변화들
• 고장성, 저장성용액 투여
• 고혈당(당뇨병)
2. 혈역학 변화
(1) 혈액량
• 자세
• 출혈
• 알도스테론 부족이나 과다
• 위장염
• 울혈신부전
• 간경변
• 신증
• 양압호흡법(positive pressure breathing)
• 이뇨제
(2) 혈압
• 기립저혈압
• 혈관미주신경반응
• 약물: isoproterenol, norepinephrine, nicotine, nitroprusside, trimethaphan, histamine, bradykinin, morphine
3. 구토
• 약물: apomorphine, morphine, nicotine
• 멀미
4. 세포내 저혈당
• 약물: 인슐린, 2-deoxyglucose
5. 기타
• 안지오텐신
• 이산화탄소압, 산소분압, 산도
• 약물
• 스트레스
• 체온변화

(4) 바소프레신과 혈액량 및 혈압

바소프레신의 분비는 혈액량이나 혈압에 의해서도 영향을 받는다. 매우 높은 압력을 감지하는 동맥의 고압력동맥수용체는 경동맥동과 대동맥궁에 위치하고 저압력용적수용체는 심방과 폐정맥계에 존재한다. 이들 수용체로부터 나

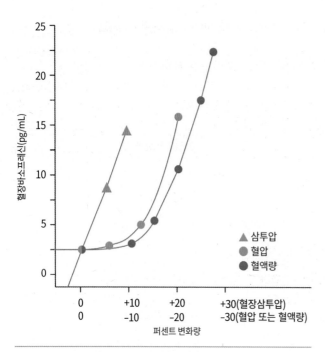

그림 2-3-5. 사람에서 삼투압과 혈압 및
혈액량의 변화에 따른 바소프레신 분비

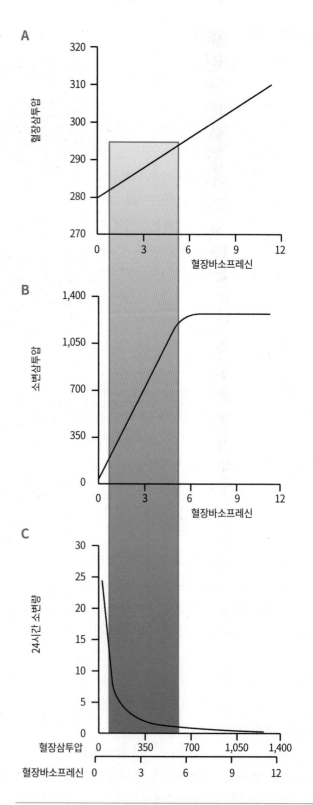

그림 2-3-6. 바소프레신과 혈장삼투압(A), 소변삼투압(B),
소변량(C)과의 관계

온 구심성 신호들은 흉부에서 미주신경이나 뇌신경 9번과
10번을 통해 뇌간으로 전달된다. 이들 수용체는 일반적인
상황에서 대세포신경세포를 억제하여 바소프레신의 분비
를 억제한다. 혈관에 있는 V1수용체에 바소프레신이 작용
하면 동맥과 정맥혈관이 수축하여 혈류량이 효과적으로 증
가한다. 혈장삼투압의 조그만 변화에도 바소프레신의 분비
가 민감하게 반응하는 것과 대조적으로 혈액량이나 혈압의
작은 변화로는 바소프레신의 분비를 자극하기 쉽지 않다.
이는 혈압변화가 바소프레신보다 레닌–안지오텐신–알도스
테론계 또는 교감신경반사에 더 큰 영향을 받기 때문으로
생각된다. 혈액량이 줄어들면 바소프레신이 신장에서 물의
재흡수를 촉진시켜 혈액량을 유지하는 데 도움이 되나 혈
액량을 조절하는 주요 호르몬은 신장에서 나트륨의 재흡
수를 조절하는 레닌–안지오텐신–알도스테론계이다. 동맥
압이 교감신경반사에 의해 유지되는 한, 혈액량이나 중심정
맥압의 변화가 바소프레신을 증가시키는 작용은 미미하며
약 10–15% 이상의 혈압 또는 혈액량의 감소가 유발되어야
혈장의 바소프레신수치가 증가한다.

(5) 갈증과 바소프레신이 체내 수분균형에 미치는 영향

탈수상태에서도 최소한의 소변량은 필요하며 불감성 수분소실은 우리 몸에서 계속 발생한다. 따라서 소변과 불감성 수분소실로 나가는 수분을 보충하고 체내 수분균형을 유지하기 위해 사람은 물을 마셔야 한다. 이러한 수분섭취는 갈증에 의해 섭취량이 조절된다. 따라서 갈증은 체내수분 감소에 대한 반응으로 물을 섭취하게 만드는 체내의 방어기전이다. 바소프레신처럼 갈증은 세포바깥액의 삼투압 증가나 혈관내 혈액량 감소에 의해 자극된다. 삼투압수용체나 압력수용체 모두 갈증자극을 유발할 수 있으며 사람의 경우 약 2–3%의 혈장삼투압 증가가 갈증유발에 충분한 것으로 보고된 바 있다.

비록 삼투압의 작은 변화가 갈증을 효과적으로 증가시키지만 혈장삼투압 변화가 일상생활에서 수분 섭취량을 결정하는 경우는 많지 않다. 사람들은 음식과 함께 음료수를 마시고 사회 또는 취미생활을 위해 다양한 음료를 신체상태와 무관하게 섭취한다. 따라서 일반적으로 실제 필요량보다 더 많은 수분이 체내로 들어온다. 사람의 혈장삼투압이 기저치의 1–2% 정도의 좁은 범위에서 변화하고 이 정도의 증감은 갈증을 자극하기에는 충분치 않다. 따라서 정상적인 조건에서 체내 수분균형 유지에는 갈증에 의한 수분섭취보다는 바소프레신에 의한 유리수분배설이 더 많이 기여한다고 볼 수 있다. 갈증은 뇌하수체나 신장이 혈장의 삼투압을 유지할 만큼 충분히 작용해 주지 못하는 상황에 대비할 수 있는 예비기전으로 생각된다. 이러한 조절기전은 동물이나 사람이 소폭의 수분부족에도 예민하게 반응하여 쉽게 갈증을 느껴 물을 필요 이상으로 많이 마시지 않도록 한다. 또한 신장의 수분 보존을 통해 수분부족상태를 보상하다가 아주 심한 상황에 가서야 갈증을 느껴 물을 섭취할 수 있도록 한다.

(6) 바소프레신의 다른 효과

고농도의 바소프레신은 피부 및 위장관에 분포하는 혈관평활근의 수축을 유도하며 간에서의 글리코겐 분해를 촉진한다. 이 외에도 혈소판 응집, 심장후부하 증가, 심근비대 및 자궁수축 등에도 관여하며 이런 기능은 주로 V1수용체에 의해 유도된다. 여러 연구들을 통해 혈중 바소프레신 농도 증가와 심혈관질환 사이의 연관성들이 알려지고 있고 특히 2형당뇨병에서 이러한 연관성이 계속 보고되고 있다. 이외에도 바소프레신은 뇌하수체전엽의 부신피질자극호르몬분비세포에 특이적인 V3수용체에 작용하여 부신피질자극호르몬분비를 촉진한다.

(7) 코펩틴

임상현장에서 요붕증의 진단을 위해 바소프레신 혈중 농도 측정이 필요한 경우가 많으나 짧은 반감기 및 기술적인 문제들로 인해 쉽지 않다는 제한점이 있다. 코펩틴은 바소프레신의 전구체단백질의 카르복실기말단 부분으로 바소프레신과 동량으로 분비된다. 코펩틴은 바소프레신에 비해 반감기가 길고 안정적인 구조를 가지고 있으면서 월경주기나 일중변동성 등에 영향을 받지 않는 것으로 보고되어 측정이 훨씬 용이하다. 이전 연구를 통해서도 탈수상태에서 바소프레신과 동일하게 혈장삼투압과 코펩틴 간의 유의한 선형관계를 확인한 바 있고 여러 심혈관질환과의 연관성 역시 확인한 바 있다. 현재 다양한 질환에서 코펩틴이 가지는 진단, 치료효과 및 예후 예측인자로써의 유의성을 확인하기 위한 연구가 진행되고 있다.

4) 옥시토신의 작용

옥시토신의 주요 생리작용은 수유 중인 유선에서 근육상피세포의 수축을 자극하여 수유를 유도하고 자궁의 수축을 자극하여 분만을 도와준다. 이런 효과는 임신시기에 상향조절되는 특수한 옥시토신수용체를 통해 일어난다. 분만을 유도하기 위해 합성옥시토신(pitocin)을 정맥주사하여 혈중 농도가 초생리적 수준으로 증가하면 V2수용체를 자극하여 항이뇨작용을 유도한다. 이 외에도 생식, 학습능력 및 사회성 습득 등에도 영향을 미치는 것으로 보고되고 있다.

사람에서 혈장옥시토신을 증가시키는 자극은 모유수유 또는 수유 중인 여성의 유두를 자극하는 경우이다. 이 자극은 수유하지 않는 여성의 경우에서도 옥시토신의 분비를 유발하나 일관된 반응을 보이지는 않는다. 남성에서는 옥시토신의 분비를 자극하는 것은 아직 발견되지 않았다.

II. 뇌하수체후엽질환

홍준화

1. 요붕증(Diabetes insipidus)

요붕증은 항이뇨호르몬의 합성 혹은 작용이 75% 이상 감소되어 요농축과정에 이상이 발생하고 소변량이 늘어나는 증상을 특징으로 한다. 일반적으로 24시간 소변량이 40 mL/kg 이상, 그리고 소변의 오스몰농도는 300 mOsmol/L 미만이다. 원인으로는 항이뇨호르몬의 분비가 결핍되거나 부적절한 경우(중추성, 심인성)와 신장에서 호르몬에 대한 반응이 감소한 경우(신성)가 있다.

1) 역학
요붕증은 25,000명 중에 1명 정도로 발생하는 드문 질환으로 임상에서 요붕증의 선천적인 형태는 전체 환자의 10% 미만으로 나타난다.

2) 병태생리

(1) 중추성요붕증
뇌하수체성 혹은 중심성요붕증으로도 불리운다. 바소프레신의 합성, 수송, 분비의 장애로 인한 바소프레신의 일차결핍에 기인한다. 결핍의 정도에 따라 부분형과 완전형으로 나뉘며, 부분형은 완전형보다 좀 더 흔하고, 다뇨의 정도도 심하지 않다. 갈증중추가 제대로 기능하는 한 환자는 물을 찾아 마시게 되며 혈장오스몰농도는 정상(280–295 mOsmol/L)보다 약간 상승한다.

중추성요붕증의 원인은 크게 세 가지로 나뉠 수 있다. 첫째는 시상하부–뇌하수체 손상이나 병변에 의한 것으로 두부손상, 수술, 전이성 종양에 의해 유발된다. 수술에 의한 경우에는 수술 24시간 이내에 시작이 되며 2–3주 동안 부적절한 소변 농축의 임상증상을 나타낸다. 둘째는 선천질환에 의한 것으로 뇌하수체후엽의 무형성이 원인이다. 최근에는 보통염색체 우성으로 전달되는 바소프레신유전자의 뉴로피신II코드부위(AVP-neurophysin II or AVP-NP II gene) 돌연변이가 새로 발견되었으며 바소프레신–뉴로피신 II의 시그날 펩타이드의 유전자이상도 알려져 있다. 하지만 유전자이상에 의한 중추성요붕증은 전체 중추성요붕증의 1–2%로 매우 드물다. 요붕증의 증상은 출생 직후에는 잘 나타나지 않고 수개월에서 수년에 걸쳐 나타나며 임상증상도 유전자의 이상에 따라 경증에서 중증으로 다양하게 나타난다. 원인은 명확하지 않지만 성장하면서 증상이 호전되거나 관해되는 경우도 있다. 마지막은 특발성으로, 중추성요붕증 중에 원인이 알려지지 않은 경우를 일컫는데 최근 진단기법이 향상되면서 그 원인이 알려지고 있다. 부검연구에 의하면 특발중추성요붕증 환자에서는 뇌하수체후엽, 시신경 교차상핵, 뇌실곁핵 등에 위축이 발견되는 경우가 있으며 바소프레신을 분비하는 시상하부세포에 대한 항체가 혈중에 검출되어 자가면역질환과 관련이 있음도 시사한다.

임신성요붕증은 태반에서 분비되는 N–종말아미노펩타이드분해효소(N-terminal aminopeptidase)의 작용으로 바소프레신대사가 증가하여 유발된다. 이런 요붕증은 임신 중에 나타나며 출산 4–6주 후에는 소실된다. 하지만 다음 임신 시에 재발할 수 있다.

(2) 일차다음증(primary polydipsia)
일차다음증은 수분을 과잉섭취함으로써 바소프레신의 분비가 억제되는 일종의 바소프레신 이차결핍에 의해 나타난다. 구갈성요붕증(dipsogenic DI)은 삼투조절기전의 장애로 혈장오스몰농도가 높지 않음에도 갈증을 느껴 물을 많이 마시게 되는 것으로, 신경유육종증, 결핵성뇌막염, 다발경화증 등 뇌를 침범한 다발병변과 관련이 있다. 심인성 다음증은 갈증과는 관련이 없으며 정신병, 강박장애 등의 정신질환에 의해 물을 많이 마시는 경우에 나타난다. 특발다음증은 건강을 위해서 물을 많이 마시는 경우도 해당하며 원인을 잘 모르는 경우도 포함된다.

(3) 신성요붕증

바소프레신의 작용기관인 신장에서 그 작용의 저항에 의해 유발되는 것으로 선천적인 형태와 후천적인 원인이 있다. 후천적인 원인이 선천적인 경우보다 더 흔하며 신장은 구조적이거나 기능적으로 변화하고 그 변화는 영구적이거나 일시적일 수 있다. 가장 흔한 예는 리튬, 데메클로사이클린, 메톡시플르란, 암포테리신 같은 약물에 의한 경우이고 저칼륨혈증, 고칼슘혈증, 여러 신장질환, 낫적혈구빈혈 같은 전신질환에 의해서도 나타날 수 있다. 저칼륨혈증에서는 신장 수질에서 삼투경사의 변화가 초래되거나 항이뇨호르몬의 저항이 유발되며 만성고칼슘혈증에서는 신장간질의 석회화로 소변농축 능력이 감소되어 나타난다.

리튬약물에 의한 요붕증은 가장 흔하게 나타나는데 리튬 복용 환자의 약 60%에서 나타나며, 혈중 리튬 농도가 치료 범위 내에 있어도 20–25%에서 부작용으로 나타난다. 데메클로사이클린은 하루 900–1,200 mg의 고용량 투여 시에 다뇨증을 일으키며, 사용 초기에는 나타나지 않으며, 약물을 중단하여도 수주가 지나야 회복된다.

요붕증의 정도는 완전형과 부분형으로 다양하게 나타나며 완전형인 경우에는 소변삼투압이 혈장보다 항상 낮지만, 부분형인 경우에는 다양하여 오히려 더 높을 수도 있다.

가족성신성요붕증은 드문 질환으로 2가지 유전결함이 밝혀져 있다. 한 예는 바소프레신 2형수용체(V2수용체)의유전자돌연변이로 성염색체유전을 한다. 다른 한 예는 수분채널인 아쿠아포린–2유전자돌연변이에 의하며 보통염색체유전을 한다.

3) 임상특성

바소프레신의 분비나 작용이 75% 이상 감소하면 소변농축이 일어나지 않고 소변의 양은 증상을 일으킬 정도로 증가한다. 뇌하수체성, 임신성, 신성요붕증인 경우에 다뇨가 생기면 1–2% 정도의 체액이 감소하고 그에 상응하는 혈장오스몰농도와 나트륨 농도가 증가하여 갈증을 자극하고 수분 섭취를 증가시킨다. 환자는 실제 갈증에 의해 충분히 수분을 섭취하는 한 탈수의 임상증상은 나타나지 않는다. 요붕증이 심한 경우에는 다뇨와 탈수에 의한 야뇨, 심한 구갈, 다음, 쇠약, 발열, 변비, 정신장애, 허탈(prostration)증상 등이 생기고 심하면 고삼투압혈증으로 사망하기도 한다.

4) 진단 및 감별진단

(1) 혈장 및 요 오스몰농도 측정

혈장 및 소변의 오스몰농도를 측정하여 상관관계를 평가하는 것이 다뇨의 감별에 도움이 된다. 특히 혈청나트륨과 오스몰농도는 정상 혹은 증가되어 있음에도 불구하고 소변이 부적절하게 희석되어 있는 경우(요비중 혹은 오스몰농도가 낮음)에는 요붕증의 진단을 가능하게 한다. 통상 소변오스몰농도는 200 mOsmol/L 미만이다. 만약 소변오스몰농도가 300 mOsmol/L 이상이고 혈청포도당 농도가 높으면 당뇨병에서 기인함을 시사하고, 혈청요소가 증가되어 있으면 신장질환을 고려할 수 있다. 중추성요붕증에서 완전 손상은 부분 손상보다 드문 편이며 갈증수용체가 작용하는 한 환자는 적절히 수분을 섭취하게 되어 혈장오스몰농도는 보통 약 290 mOsmol/L를 약간 넘는다. 혈장오스몰농도의 정상범위는 280–295 mOsmol/L이다. 혈장오스몰농도가 300 mOsmol/L 미만이면서 하루 소변량이 50 mL/kg 이상인 경우에 요붕증을 진단할 수 있으며 요붕증을 분류하기 위한 검사가 필요하다.

(2) 탈수검사(수분제한검사)

바소프레신의 분비자극이 충분하게 일어날 정도의 탈수상태를 유발해야 하는데 경험이 풍부한 의료진에 의해 행해져야 하며 통상 4–18시간 탈수시킨다. 매시간 체중, 혈장오스몰농도 및 나트륨, 소변오스몰농도와 소변량을 측정한다. 연속 2회 혹은 3회의 검체소변이 30 mOsmol/L 미만으로 변화가 없거나(혹은 10% 미만), 체중이 5 kg 이상 감소하면 수분제한을 중단한다. 이때 혈청항이뇨호르몬 농도를 측정하고 피트레신(pitressin) 5 U나 데스모프레신(DDAVP 0.03 μg/kg 혹은 1 U)을 피하주사한 후 1–2시간 후에 소변오스몰농도를 측정한다(그림 2-3-7).

정상인과 일차다음증(심인성다뇨증)에서는 소변오스몰농도가 혈장오스몰농도보다 높고 항이뇨호르몬주사 후에 소변오스몰농도는 미약하여 10% 이내로 증가한다. 체중이 5% 감소하거나 혈장나트륨/오스몰농도가 정상의 상한선이 될 때까지 소변오스몰농도가 300 mOsmol/L 이상, 요비중 1.010 이상이 되지 않으면 일차다갈증이나 항이뇨호르몬 분비/작용의 부분 손상에 의한 가능성은 떨어진다. 이 때에는 중추성 혹은 신성요붕증의 가능성을 고려하는데 DDAVP 0.03 μg/kg을 피하주사한 후의 소변오스몰농도를 측정하

여 50% 이상 증가 시에는 중추성요붕증을 시사하고 반응이 거의 없으면 신성요붕증을 진단한다.

일차다음증과 뇌하수체나 신장의 부분 손상에 의한 요붕증의 경우는 수분 제한 시에 소변이 농축되는데 DDAVP 주사 후의 반응은 다양하여 서로 감별이 힘들다. 이 경우에는 수분제한 전후에 혈장 혹은 소변의 항이뇨호르몬 농도를 측정하여 이들과 혈장 및 소변오스몰농도와의 상관관계를 평가한다. 탈수만으로는 충분한 고장성탈수(hypertonic de-hydration)를 유도하지 못할 수 있으므로 3% 고장성식염수를 0.1 mL/kg 주입하여 혈장삼투압이 300 mOsm/kg 이상(나트륨 145 mEq 이상)이 될 때 혈장항이뇨호르몬 농도를 측정하면 감별이 쉽다.

조금 더 간단하게 요붕증의 원인을 감별하기 위해서는 수분제한 없이 혈장항이뇨호르몬과 소변오스몰농도를 측정함으로써 적용할 수 있다. 혈장항이뇨호르몬이 정상 혹은 증가(> 1 pg/mL)되고 소변오스몰농도가 낮은 경우(< 300

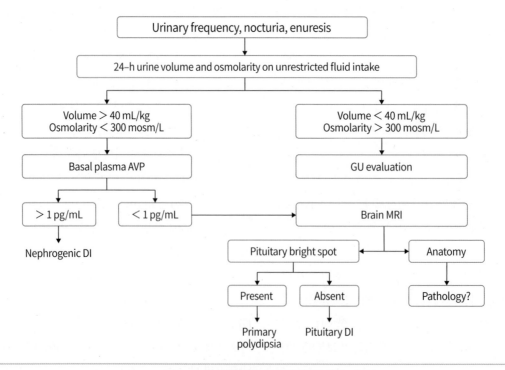

그림 2-3-7. 요붕증 환자의 감별진단을 위한 접근법

mOsmol/L), 신성요붕증으로 진단할 수 있으며 추가적인 원인에 대한 접근이 필요하다. 혈장항이뇨호르몬이 낮거나, 검출되지 않을 경우(< 1 pg/mL), 신성요붕증은 가능성이 낮고 뇌 MRI검사를 시행하여 일차다음증과 일차요붕증을 감별해 볼 수 있다. 대부분의 건강한 성인과 아이들에서 뇌 MRI T1-증강영상에서 뇌하수체후엽에 고강도신호가 보이는데 밝은점(bright spot)이 잘 보이면 일차다음증으로, 밝은점이 안 보이거나 비정상적으로 작아진 경우에는 일차요붕증으로 판단할 수 있다.

(3) 영상검사

중추성요붕증에서는 MRI검사에서 밝은 점이 소실되는 특징을 나타내지만 공터키안인 경우에는 항이뇨호르몬 분비가 정상이어도 밝은점이 나타나지 않을 수 있다. 또한 신성요붕증 환자에서는 항이뇨호르몬 분비가 증가되어 있어도 밝은점이 나타나지 않아서 MRI만으로 감별하기에는 제한이 된다.

(4) 동반질환

동반질환으로 수신증, 방광팽창, 신부전증 유무를 살핀다.

5) 치료

(1) 중추성요붕증

항이뇨호르몬을 보충하는 것이 기본치료가 되며 소변량이 많더라도 수분을 충분히 섭취하면 대사나 전해질이상을 피할 수 있다. 초기에는 동물에서 추출한 항이뇨호르몬이 사용되었으며 이후에 피트레신(vasopressin tannate in oil)이 개발되었다. 피트레신은 2-4일 간격으로 근육주사하는데 최근에는 경구약물이나 비강분무제가 개발되어 사용되고 있다.

데스모프레신(1-deamino-8-D-arginine vasopressin, DDAVP)은 합성바소프레신제제로 V2수용체에 선택적으로 작용하며 용량의존적으로 소변농축을 증가시키고

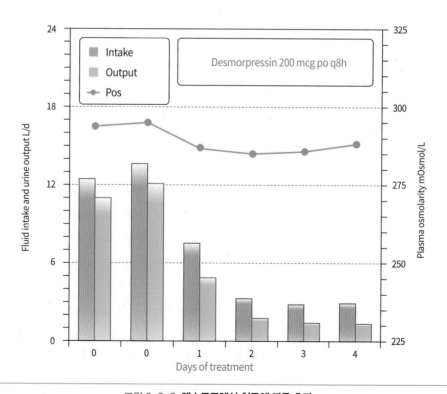

그림 2-3-8. 데스모프레신 치료에 따른 효과

수분 섭취(하늘색 그래프), 소변량(녹색 그래프)은 치료 후에 빠르게 감소해 안정화되며, 혈중 오스몰농도(오렌지색 실선)도 약간 감소하며 안정화된다.

소변량을 감소시킨다. 항이뇨호르몬보다는 분해가 덜하고 작용기간도 3-4배 길어서 정맥, 피하주사, 비강 흡입 혹은 약물 및 녹여서 경구로도 투여 가능하며, 장기치료 시에 일차선택제가 된다. 치료용량은 환자의 상태 및 투여방법에 따라 다양하지만 일반적인 성인에게 주사로 투여 시 1-2 μg qd or bid, 비강흡입 시 10-20 μg bid or tid, 경구투여 시 100-400 μg bid or tid로 다양하다. 경구투여 시 통상 밤에 100 μg으로 투여함으로써 야간뇨증을 해소하고, 낮에 다뇨가 심하면 아침에도 한 번 더 투여한다. 작용시간은 개인차가 심하므로 다뇨의 정도를 보면서 각 환자별로 투여횟수를 결정한다. 항이뇨작용시간은 주사제로 투여 시 15분에서 경구투여 시 60분 정도로 빠르다. 24시간 소변오스몰농도(400-800 mOsmol/L)와 소변량(15-30 mL/kg body weight)이 정상화되는 용량을 투여 시에 혈중 오스몰농도/나트륨비가 감소하고 체수분이 약간 증가(1-3%)하면서 갈증이 빠르게 호전된다(그림 2-3-8).

비호르몬제제로는 클로르프로파미드가 사용되는데 이는 바소프레신 효과를 강화하거나 V2수용체를 직접 활성화시킨다. 그러나 클로르포로파미드는 뇌하수체후엽의 항이뇨호르몬분비기능이 일부 남아있을 때 효과가 있다. 카바마제핀은 항전간제의 일종으로 삼투조절계의 감수성을 높여 항이뇨호르몬 분비를 촉진시키고, 신장집합관에서의 호르몬 작용을 증강시킨다. 클로피브레이트도 항이뇨호르몬 분비를 자극하여 부분중추성요붕증에 도움이 된다.

(2) 신성요붕증

DDAVP나 클로르프로파미드 치료는 도움이 안 되며, 티아자이드계이뇨제(hydrochlorothiazide, chlorthalidone), 아밀로라이드, 프로스타글랜딘억제제(인도메타신)와 염분제한이 도움이 된다. 싸이아자이드는 근위관에서 나트륨과 수분의 재흡수를 증가시켜 상행 헨레고리로 나트륨 이동을 억제함으로써 원위관에서 재흡수되는 수분량을 감소시킨다.

(3) 환자 및 보호자교육

일차다음증은 DDAVP로 치료될 수 없다. DDAVP로 수분 이뇨를 억제하면 8-24시간 이내에 수분중독 혹은 저나트륨혈증이 올 수 있다. 이러한 수분중독은 싸이아자이드 투여나 흡연, 기타 항이뇨호르몬분비자극제에 의해서도 야기될 수 있다. 일차다음증에 대해서는 뚜렷한 치료제는 없지만 특발성인 경우 환자와 보호자의 교육을 통해서 치료할 수 있다.

6) 예후

요붕증 환자의 예후는 기저질환에 따라 다양하지만 일반적으로 양호하다. 리튬 등의 약물에 의한 신성요붕증의 경우에는 약물중단과 함께 요붕증이 호전되나, 수년간 리튬을 장기 복용한 경우에는 영구적인 요붕증으로 진행하기도 한다. 일차요붕증이라도 수분 섭취만 가능하다면 사망률을 증가시키지는 않는다. 유아나 고령, 동반한 기저질환이 있는 환자에서 심한 탈수, 고나트륨혈증, 고열, 심혈관허탈 등에 의한 사망률 증가는 가능할 수 있다. 21세 이하의 신성요붕증 환자에 대한 다기관후향연구에서 61%의 환자는 고나트륨혈증 혹은 탈수에 의한 입원치료, 30%에서 비뇨기과적 합병증, 30% 환자에서는 72개월 추적기간 동안 CKD stage 2 이상의 신장합병증을 동반하였다.

7) 최신정보 및 미래 전망

코펩틴은 바소프레신, 뉴로피신 II의 프리-프로-호르몬의 카복시말단에서 생성되는 전구단백질로 CT-pro AVP로도 알려져 있다. 코펩틴은 샘플 후에 검사수치의 변동성도 적고, 수일 동안 안정된 상태로 유지되기 때문에 임상상황에 적용이 용이하다. 수분제한이나 자극검사 전의 기저코펩틴 농도를 측정하여 21.4 pmol/L를 초과하는 경우에는 중추성요붕증을 제외하고 신성요붕증을 진단하는 데에 100%의 민감도와 특이도를 나타냈다. 기저 농도만으로 중추성요붕증에서 완전중추성과 부분중추성은 구분할 수는 없으나 최근 자극검사를 병용하여 진단지표로 활용하는 연구가 보고되고 있다. 5시간 동안 수분제한 후에 혈장나트류 147 mmol/L 이상을 목표로 3% 고장성수액을 주입한 후에 측정한 코펩틴수치가 4.9 pmol/L를 초과하는 경우 일차다음증을 진단할 수 있다. 좀 더 단순한 방법으로 초기 수분제한 없이 3% 고장성수액을 250 mL를 주입하여 혈장나트륨 150 mmol/L 이상 상태에서 측정한 코펩틴수치가 4.9 pmol/L를 초과하는 경우 97%의 정확도로 중추성요붕증과 일차다음증을 구분할 수 있었다.

아르지닌아미노산은 뇌하수체후엽호르몬 생성의 자극제로 작용한다. 성장호르몬 분비능을 평가하기도 하지만, 코펩틴의 생성도 자극을 한다. 아르지닌 주입 60분 후 측정한 코펩틴수치가 3.8 pmol/L를 초과하는 경우 93%의 정확도(92% 민감도, 93% 특이도)로 중추성요붕증과 일차다음증을 감별할 수 있었으며 고장성식염수자극검사와 비교하여도 유사한 결과를 나타냈다.

대규모 임상연구를 통하여 코펩틴의 임상지표로써의 가치를 평가하기 위한 연구들이 진행되고 있어 향후 진료환경에서의 적용을 기대해 볼 수 있겠다.

2. 부적절항이뇨호르몬분비증후군(Syndrome of inappropriate ADH secretion, SIADH)

1) 역학
부적절항이뇨호르몬분비증후군은 어느 연령대에서도 나타날 수 있으며 유병률은 발생원인에 따라 다양하게 나타난다. 발생률은 100,000명당 2,500-3,000건 정도로 추정되며 중등도 이상의 저나트륨혈증의 발생은 미국 입원 환자 100,000명당 1,000-7,000건 정도로 보고된다. 발생률은 고령에서 증가하며 성별 및 인종에 따른 차이는 나타나지 않는다.

2) 임상특성
혈장나트륨이 130 mmol/L 미만인 저나트륨혈증은 일반적으로 낮은 혈청오스몰농도와 연관되어 있다. 바소프레신이 과잉분비되거나 바소프레신작용이 항진되면 수분저류와 더불어 혈장오스몰농도와 혈장나트륨 농도가 감소한다. 이러한 과정이 수일에 걸쳐 서서히 진행되면 증상이 없을 수 있으나, 급격히 진행되는 경우에는 식욕부진, 구역, 구토, 뇌부종, 불안, 과민, 착란, 혼수, 경련 같은 증상이 유발된다. 혈중 나트륨 농도가 100 mmol/L에 이르면 생명이 위험할 수 있다.

저나트륨혈증, 혈장오스몰농도의 감소와 함께 소변오스몰농도가 혈장오스몰농도보다 높을 때 부적절항이뇨호르몬분비증후군으로 진단할 수 있다. 실제 임상에서 자주 접하는 부적절항이뇨호르몬분비증후군과 혼동이 되는 질환은 만성적이고 경미한 혈량저하증이다. 이 두 가지 경우 소변의 삼투압 농도는 혈장보다 높은 경향을 나타내고 혈장바소프레신은 억제되지 않아 혈청에서 검출되거나 오히려 증가되어 있다. 부적절항이뇨호르몬분비증후군에서는 보통 소변나트륨 농도가 25 mEq/L 이상이며 이는 저나트륨혈증상태에서도 소변으로 나트륨이 배설이 증가되어 있음을 의미한다. 이에 반해 혈량저하증은 소변에서의 나트륨배설이 20 mEq/L 미만으로 낮다. 부적절항이뇨호르몬분비증후군 환자는 전신쇠약감을 호소하나 부종, 기립저혈압 및 탈수의 소견이 나타나지 않는다.

3) 병태생리
부적절항이뇨호르몬분비증후군에서는 항이뇨작용의 삼투조절 결함이 일어나는데, 몇 가지 유형이 있다. 이 중 가장 흔한 유형은 바소프레신의 이소성 분비이며 바소프레신이 부적절하게 분비되는 기전은 아직 잘 알려져 있지 않다. 암성질환(폐소세포암, 췌장암, 림프종, 호치킨씨병, 흉선종, 십이지장암)이나 염증폐질환(폐렴, 결핵, 농양), 이 외 기얜-바레(Guillian-Barre)증후군, 홍반루푸스에서도 바소프레신의 이소성 분비가 일어난다. 급성감염, 뇌졸중 같은 질병에서는 바소프레신의 분비가 증가하게 된다. 또한 중추신경계 질환(감염, 출혈, 뇌외상, 경막하출혈, 지주막하출혈, 뇌혈관혈전증, 뇌종양, 뇌위축, 급성뇌염, 급성정신증, 결핵, 뇌막증)과 약물(클로르프로파미드, 빈크리스틴, 빈블라스틴, 사이클로포스퍼마이드, 카바마제핀, 전신마취제, 삼환계항우울제)도 원인이 된다. 또한 심한 오심, 고립성 당질부신피질호르몬결핍증, 급성간헐포르피린증, 심한 신혈관고혈압, 고령에서도 바소프레신 분비가 증가한다.

바소프레신의 분비장애를 동반하지 않는 부적절항이뇨호르몬분비증후군의 다른 유형은 바소프레신 분비가 혈장의 오스몰농도나 나트륨 농도에 정상적으로 반응하지만 삼투조절 역치가 비정상적으로 낮은 경우이다. 이 경우에는 혈장 오스몰농도를 낮출 정도로 충분히 수분을 섭취하면 혈장 바소프레신을 최대한 억제할 수 있다. 또 다른 유형은 바소프레신 분비에 결함은 없으나 신장에서 바소프레신의 감수성이 증가하여 오는 경우이다.

과도한 수분저류에 의한 세포바깥액 양의 증가는 심방나트륨이뇨인자의 증가, 혈장레닌 활성도의 감소를 초래한다. 그 결과 소변으로 나트륨배설이 증가하고 총 신체나트륨의 감소와 총 신체수분의 증가에 의해 저나트륨혈증이 발생한다. 급격한 수분저류와 혈장나트륨의 저하는 세포 내로 수분이동을 증가시켜 뇌부종을 야기시킬 수 있는데 수일이 경과하면 세포내 용질을 세포 밖으로 내보냄으로써 세포내 수분량이 다시 감소하게 되고 이에 따라 증상이 완화된다.

4) 진단

부적절항이뇨호르몬분비증후군은 과거력, 신체문진, 혈액검사를 통하여 다른 원인을 배제함으로써 진단할 수 있다. 특히 고혈당이 동반된 경우는 혈중 나트륨수치를 낮추기 때문에 혈당수치로 보정하여 판단해야 한다.

[교정된 나트륨 = 측정된 나트륨 + (혈중 혈당 – 90)/36](나트륨 mEq/L, 혈당 mg/dL)

신장, 부신, 갑상선의 기능은 정상이고 혈중 요소질소, 요산, 크레아티닌, 알부민 농도는 정상범위에서 낮은 수치 혹

은 정상 이하로 감소되어 있다. 혈장바소프레신 농도를 측정할 수 있으나 정상범위가 광범위하여 실제적으로 큰 도움은 되지 않는다.

저나트륨혈증을 유발하는 바소프레신의 부적절한 분비를 확인하기 위하여 수분부하검사를 시행할 수 있다. 환자는 15분에 걸쳐 20 mL/kg(최고 1,500 mL)의 수분을 섭취하고 1시간 간격으로 소변량, 소변오스몰농도와 혈장오스몰농도 및 바소프레신 농도를 4시간 동안 측정한다. 바소프레신 측정은 반드시 필요하지는 않다. 정상인에서는 4시간 동안 섭취한 수분의 78-82%를 배설하는 데 반해 부적절항이뇨호르몬분비증후군 환자에서는 수분 배설이 30-40%로 감소한다.

5) 감별진단

저나트륨증은 세포바깥액의 상태에 따라 type 1 과혈량성, type 2 저혈량성, type 3 정상 혈량성으로 나눈다. 각각의 가능한 원인에 대해서는 표 2-3-3과 같다. 특히 혈중 칼륨이 증가되어 있는 경우 type 1, type 2 저나트륨혈증에서는 레닌, 알도스테론을 측정하여 저레닌혈증, 알도스테론저하증을 감별해야 한다. Type 3 저나트륨혈증 환자에서는 오전 혈중 코티솔을 측정하여 이차부신기능저하증을 감별해야 한다. 위의 검사들이 정상이어도 잠재폐암을 포함하여 다양한 원인이 될 수 있는 악성종양에 대한 주의 깊은 진찰이 필요하다.

6) 치료

부적절항이뇨호르몬분비증후군 환자에서 저나트륨혈증은 뇌부종이나 신경조직의 직접적인 이상을 초래하여 주로 중추 신경계의 장애를 유발하며 증상을 야기한다. 그러나 저나트륨혈증이 심하지 않거나 서서히 진행된다면 환자는 증상을 호소하지 않거나 경미하게 호소한다. 이는 뇌조직이 세포내 용질을 세포 밖으로 내보냄으로써 뇌부종을 최소화하는 적응능력을 보이기 때문이다. 따라서 저나트륨혈증에 적응이 되어 있는 환자에서 급속히 혈장나트륨 농도를 올리

표 2-3-3. 세포외수분상태에 따른 저나트륨혈증의 감별진단

CLINICAL FINDINGS	TYPE I, HYPERVOLEMIC	TYPE II, HYPOVOLEMIC	TPYE III, EUVOLEMIC	SIADH AND SIAD EUVOLEMIC
History				
CHF, cirrhosis, or nephrosis	Yes	No	No	No
Salt and water loss	No	Yes	No	No
ACTH–cortisol deficiency and/or nausea and vomiting	No	No	Yes	No
Physical examination				
Generalized edema, ascites	Yes	No	No	No
Postural hypotension	Maybe	Maybe	Maybe	No
Laboratory				
BUN, creatinine	High–normal	High–normal	Low–normal	Low–normal
Uric acid	High–normal	High–normal	Low–normal	Low–normal
Serum potassium	Low–normal	Low–normal	Normal	Normal
Serum urate	High	High	Low	Low
Serum albumin	Low–normal	High–normal	Normal	Normal
Serum cortisol	Normal–high	Normal–high	Low	Normal
Plasma renin activity	High	High	Low	Low
Urinary sodium (meq per unit of time)	Low	Low	High	High

게 되면 혈액뇌장벽의 삼투압 경사에 변화가 일어나 뇌용적의 심각한 변화가 초래된다. 이러한 치료 부작용은 흔하게 발생하지 않지만 심한 경우 중추성뇌교수초용해(central pontine myelinolysis)를 일으킬 수 있다. 특히 혈장나트륨 농도를 하루에 12 mmol/L 이상 교정할 경우 나타날 수 있으며 간혹 천천히 교정할 때에도 나타날 수 있다. 보통 교정 1–6일 후에 잘 나타나고 종종 신경학적인 증상이 비가역적으로 온다. 특히 간부전, 칼륨 결핍, 영양장애가 동반되어 있는 경우에 더욱 주의를 요한다. 신경학적인 증상으로 사지 마비, 안근육 마비, 가성 연수 마비, 혼수 등이 있다.

저나트륨혈증의 치료결정 시에는 두 가지 점을 고려해야 한다. 먼저 즉각적인 치료가 필요한지 결정해야 한다. 이는 증상의 경중, 저나트륨혈증의 심한 정도, 임상경과의 급만성

여부(통상 48시간 이내를 급성상황으로 간주한다), 저혈압의 존재와 정도를 감안하여 결정한다. 두 번째로 어떤 치료가 저나트륨혈증을 교정하는 데 적절한지 결정하는 것이다. 예를 들어 순환혈액량의 감소에 의한 쇼크라면 등장성식염수를 정맥주사한다.

급성으로 야기된 심한 저나트륨혈증(혈장나트륨 125 mEq/L 이하)에서는 보통 발작 같은 신경학적 이상이 수반되며 뇌부종이나 저나트륨뇌증 같은 심각한 합병증을 야기할 수 있으므로 신속하게 치료한다. 초기의 치료는 고장성식염수(3% 식염수)를 분당 약 0.05 mL/kg으로 투여하여 혈청나트륨 농도를 교정한다. 급성증상을 동반한 저나트륨혈증 치료에 추가적으로 AVP수용체-2 대항제(vaptan)를 투여하여 항이뇨호르몬의 작용을 억제하고 소변량의 배출

을 증가시킨다. Conivaptan은 V2/V1a 대항제 vaptan으로 입원 환자의 단기치료제로 20 mg을 첫 30분간 로딩한 후에 24시간 동안 추가 20 mg을 점적투여한다(그림 2-3-9). 만성저나트륨혈증에서는 뇌교수초용해를 예방하기 위해 급속한 교정을 피해야 한다. 따라서 혈중 나트륨 농도가 12 mmol/L 이상 오르거나 130 mmol/L에 도달하면 고장성식염수 투여를 중단한다. 만성적이면서 증상이 없는 저나트륨혈증에서는 원인을 제거하는 것으로 충분하며 경도에서 중등도의 부적절항이뇨호르몬분비증후군에서는 하루에 1–1.5 L 이내의 수분제한이 주된 치료법이다. 혹은 일일 불감수분상실량(500 mL)과 소변량을 합친 양보다 적은 정도로 수분을 제한한다. 또한 만성부적절항이뇨호르몬분비증후군에서는 고염분식사와 함께 고리작용이뇨제를 투여하여 혈장나트륨 농도를 조절할 수 있다.

수분제한이 용이하지 않거나 상기 치료에도 불구하고 심한 저나트륨혈증이 교정되지 않을 때에는 경구AVP2대항제인 tolvaptan을 투여할 수 있다. 선택적인 V2대항제로 소변으로 수분배출을 증가시키며 15 mg으로 시작하여 24시간 간격으로 30 mg 혹은 60 mg으로 증량하여 투여할 수 있다. 경구vaptan 치료에도 수분제한 치료는 병행해야 한다. 다른 치료로는 데메클로사이클린을 사용할 수 있다. 데메클로사이클린(150–300 mg PO tid 혹은 qid)을 투여하면 투여 1–2주 안에 가역적인 신성요붕증을 유발하여 수분배설을 증가시킨다. 간이나 신장기능이 감소된 환자에서는 사용에 주의를 요한다. 플루드로코티손 0.05–0.2 mg po bid도 투여 1–2주 후에 점진적으로 혈중 나트륨수치를 올릴 수 있다. 기전은 명확치 않으나 혈중 나트륨 저류에 영향을 주어 고혈압 발생 및 저칼륨혈증에 주의하여 투여해야 한다. 혈량이 과다한 저나트륨혈증에서는 수분 및 염분을 제한하며 심한 예에서는 고리작용이뇨제를 사용한다. 혈액투석은 신장애가 있는 환자에서 대체치료로 고려할 수 있다.

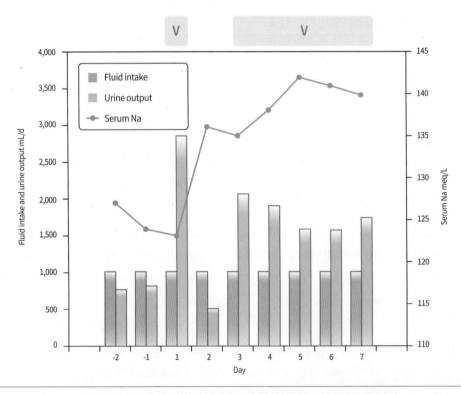

그림 2-3-9. **부적절항이뇨호르몬분비증후군 환자에서 Vaptan 치료의 효과**

7) 예후

부적절항이뇨호르몬분비증후군 환자의 예후는 원인 질환과 동반한 저나트륨혈증의 중증도에 따라 다양하다. 약물에 의해 발생한 경우에는 약물중단과 함께 빠르고 완전한 회복을 기대할 수 있다. 폐렴 및 중추신경계 감염치료에 따라 부적절항이뇨호르몬분비증후군도 호전된다. 하지만 신경학적 증상을 동반한 경우나 중증의 저나트륨혈증을 동반한 경우에는 영구적인 신경 손상을 유발할 수 있다. 특히 부적절항이뇨호르몬분비증후군을 빠르게 치료하는 중에 뇌부종 및 뇌탈출(cerebral herniation)이 동반할 수 있으므로 혈장오스몰농도를 하루에 10 mOsm/kg/h 이하의 속도로 교정하여 예방할 수 있다.

참 / 고 / 문 / 헌

I.

1. Christ-Crain M, Fenske W. Copeptin in the diagnosis of vasopressin-dependent disorder of fluid homeostasis. Nat Rev Endocrinol 2016;12:168-76.

2. Fenske W, Refardt J, Chifu I, Schnyder I, Winzeler B, Drummond J, et al. A copeptin-based approach in the diagnosis of diabetes insipidus. N Eng J Med 2018;379:428-39.

3. National Library of Medicine [Internet]. The neurohypophysis: Endocrinology of vasopressin and oxytocin; 2000 [cited 2017 Apr 22] https://www.ncbi.nlm.nih.gov/books/NBK279157/

4. Riphagen IJ, Boertien WE, Alkhalaf A, Kleefstra N, Gansevoort RT, Groenier KH, et al. Copeptin, a surrogate marker for arginine vasopressin, is associated with cardiovascular and all-cause mortality in patients with type 2 diabetes (ZODIAC-31). Diabetes Care 2013;36:3201-7.

5. Robertson GL. Chapter 374. Disorders of the neurohypophysis. In: Jameson JL, Kasper D, Longo DL, Fauci AS, Hauser SL, Loscalzo J. Disorders of the neurohypophysis. Harrison's principles of internal medicine. 20th ed. McGraw-Hill; 2018. pp. 2684-9.

6. Robinson AG, Verbalis JG. Chapter 10. Posterior Pituitary. In: Melmed S, Polonsky KS, Larsen PR, Kronenberg HM. Williams textbook of endocrinology. 13th ed. Elsevier; 2016. pp. 300-5.

II.

1. Christ-Crain M, Winzeler B, Refardt J. Diagnosis and management of diabetes insipidus for the internist: an update. J Intern Med 2021;290:73-87.

2. D'Alessandri-Silva C, Carpenter M, Ayoob R, Barcia J, Chishti A, Constantinescu A, et al. Diagnosis, treatment, and outcomes in children with congenital nephrogenic diabetes insipidus: a pediatric nephrology research consortium study. Front Pediatr 2020;7:550.

3. Ellison DH, Berl T. Clinical practice. The syndrome of inappropriate antidiuresis. N Engl J Med 2007 May;356:2064-72.

4. Goh KP. Management of hyponatremia. Am Fam Physician 2004;15;69:2387-94.

5. Gross P. Treatment of hyponatremia. Intern Med 2008;47:885-91.

6. Gross P. Treatment of severe hyponatremia. Kidney Int 2000;60:2417-27.

7. Lee CT, Guo HR, Chen JB. Hyponatremia in the emergency department. Am J Emerg Med 2000;18:264-268.

8. Makaryus AN, McFarlane SI. Diabetes insipidus: diagnosis and treatment of a complex disease. Cleve Clin J Med 2006;73:65-71.

9. Moore K, Thompson C, Trainer P. Disorders of water balance. Clin Med (Lond) 2003;3:28-33.

10. Robertson GL. Diabetes insipidus: Differential diagnosis and management. Best Prac Res Clin Endocrin Metabol 2016;30:205-18.

11. Robertson GL. Vaptans for the treatment of hyponatremia. Nat Rev Endocrinol 2011;7:151-61.

갑상선

갑상선의 구조와 기능

강호철

I. 갑상선의 발생과 구조

1. 갑상선의 발생

갑상선은 위장관발생과 계통발생학적으로 밀접한 연관이 있고 소화관의 가장 앞부분에서 발생하는 장기로 호르몬 분비조절의 되먹임회로를 형성하는 시상하부–뇌하수체와 밀접한 연관을 가지고 발생한다. 앞창자 내배엽의 비후로 발생하는 갑상선원기(thyroid anlage)에서 시작되며 형태학적으로 배령 16-17일경 확인된다. 원기는 오목하게 함몰되어 게실처럼 변해 근접부에서 발생하는 심근세포와 함께 미부로 점차 하강하게 되는데 인두기저부와 연결되는 구조물이 갑상설관(thyroglossal duct)이며 배령 50일경 최종 위치인 4번째 인두주머니(pharyngeal pouch)에 도달하여 아가미끝소체(ultimobranchial body)로부터 C세포가 갑상선으로 유입된다. 미부로 하강하는 동안 갑상설관의 아랫부분은 두 개의 엽 형태로 변하며, 배령 2개월까지 갑상설관은 사라지게 되는데 그 기원부위가 혀 기저부의 설맹공(foramen cecum)이다.

동시에 조직학적 변화도 진행되는데 끈처럼 배열된 세포가 점차 배령 3개월경 소관(tubule) 같은 구조로 변해 여포를 형성하며 배령 13-14주경 여포에 콜로이드가 채워지기 시작

한다. 갑상선여포세포가 갑상선글로불린을 만드는 능력은 배령 29일부터 시작되지만 요오드를 농축하고 타이록신(T_4)을 합성하는 것은 배령 11주경부터이다. 갑상선자극호르몬(thyroid-stimulating hormone, TSH)은 초기 갑상선발생에 영향을 주지 못하는데, 시상하부와 뇌하수체의 발달로 TSH가 분비되는 시점은 태령 14주경이기 때문이다. 이후 태령 18-26주경 태아의 TSH는 점차 상승하여 모체보다 높은 농도로 유지된다. 타이록신결합글로불린(thyroxine-binding globulin, TBG)은 태아의 혈청에서 배령 10주경부터 검출되기 시작하여 분만 때까지 점차 농도가 증가한다.

2. 갑상선 발생이상에 의한 질환

1) 갑상설관낭

갑상설관낭이 완전히 막히지 않으면 설맹공에서 갑상선까지 정중선에 낭종이 발생할 수 있다(그림 3-1-1). 목뿔뼈 부위 정중선에 위치하는 무통낭종이 흔한 증상이나 구강 세균에 감염되어 피부누공을 형성하여 수술치료가 필요할 수 있다. 갑상선조직이 남아 있는 경우, 드물지만 갑상선암이 발생하는 경우도 있다.

2) 이소성 갑상선

갑상선 하강과정의 모든 경로에 이소성 갑상선이 발생할 수 있다. 설맹공부위의 설갑상선(그림 3-1-2)은 정상 갑상선이

없는 경우가 대부분이며 충분히 갑상선호르몬을 합성할 수 없어 갑상선기능저하증을 초래하며 상기도 폐쇄증상, 삼킴곤란과 같은 종괴 효과에 의한 증상을 초래할 수 있다. 갑상선과 흉선(thymus) 사이에도 이소성 갑상선이 발생할 수 있는데 갑상선잔류물로 문제되지 않지만, 영상검사에서 림프절 혹은 부갑상선으로 오인될 수 있어 주의가 필요하다.

3. 갑상선의 해부학

갑상선은 가장 큰 내분비기관으로 두 개의 엽이 가느다란 협부로 연결된 나비 모양의 내분비장기로(그림 3-1-3) 성인에서 무게는 15–20 g 정도이지만 성장자극이 지속되는 경우 수백 g까지 커져 갑상선종(goiter)을 초래한다. 적갈색이

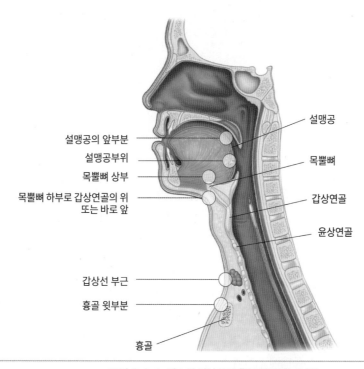

설맹공

설맹공의 앞부분

설맹공부위

목뿔뼈 상부

목뿔뼈 하부로 갑상연골의 위 또는 바로 앞

목뿔뼈

갑상연골

윤상연골

갑상선 부근

흉골 윗부분

흉골

그림 3-1-1. 이소성 갑상선이 흔히 발견되는 부위

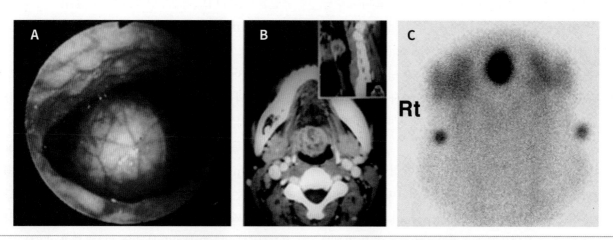

그림 3-1-2. 삼킴곤란, 호흡곤란을 호소한 설갑상선 증례. 후두경소견(A), 전산화단층촬영(B), 갑상선스캔(C)

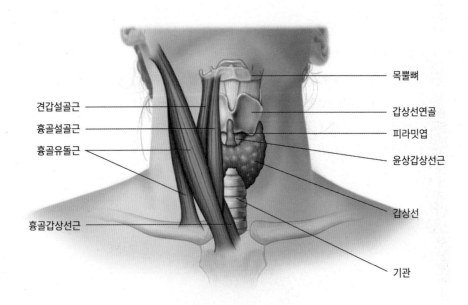

견갑설골근

흉골설골근

흉골유돌근

흉골갑상선근

목뿔뼈

갑상선연골

피라밋엽

윤상갑상선근

갑상선

기관

그림 3-1-3. 갑상선의 정상 해부도

며 감촉은 고무느낌인데 전방에 띠근육이 있고 목근막의 표층과 중간층 후방에 위치한다. 대부분 우엽이 좌엽보다 조금 더 크고 각 엽의 길이는 4-6 cm, 너비와 두께는 1.3-1.8 cm 정도이며 협부의 두께는 2-3 mm이다. 협부에서 피라밋엽이 흔히 관찰되는데 갑상설관의 꼬리부위 잔유물로 협부의 왼쪽에서 더 흔히 관찰된다. 갑상선의 전장은 갑상선연골의 상부에서 5-6번째 기관륜까지 이어지고 측부는 목빗근(sternocleidomastoid muscle)과 온목동맥에 접한다. 갑상선조직이 후측방으로 뿔처럼 돌출된 부위가 있는데 주케르칸들결절(Zuckerkandl tubercle)이라고 하며 수술 시 되돌이후두신경을 찾을 때 중요하다. 갑상선은 피막으로 싸여 있고 이 피막은 실질로 이어져 거짓소엽(pseudolobule)을 형성하고 융합되어 기관상부의 후측방에 인대와 같은 구조물을 형성하는데 이를 베리인대(Berry ligament)라고 한다.

갑상선의 혈액공급은 외경동맥에서 분지한 상갑상선동맥과 쇄골하동맥의 분지인 하갑상선동맥에 의하여 이루어지며, 약 2% 정도에서는 최하갑상선동맥(thyroid ima artery)이 대동맥 혹은 무명동맥에서 기원하여 협부 혹은 갑상선 하극부위로 이어진다. 정맥혈의 배출은 상갑상선정맥, 중갑상선정맥, 그리고 하갑상선정맥 3개의 경로를 통해 내경정맥 혹은 무명정맥으로 이루어진다.

갑상선의 림프배액은 혈액 공급과 같이 풍부하고 광범위한데 갑상선 주변의 중심림프절(level VI), 측경부림프절(level II, III, IV)로 배액되고 후목삼각부위(level Vb)까지 갈 수 있다(그림 3-1-4). 이는 갑상선암의 전이를 이해하는 데 중요하다. 갑상선상극에 발생하는 갑상선유두암은 중심림프절전이 없이 바로 측경부림프절로 전이될 수 있는데 도약전이(skip metastasis)라고 한다.

갑상선의 자율신경지배는 경부교감신경절에서 기원한 교감신경섬유와 미주신경에서 기원한 부교감신경섬유에 의해 이루어진다. 갑상선과 관련된 중요한 신경은 되돌이후두신경과 위후두신경의 바깥가지(external branch of superior laryngeal nerve)이다. 기관의 지각과 후두의 운동을 지배하는 되돌이후두신경은 흉곽 내에서 미주신경으로부터 분지되어 기관을 따라 갑상선 뒤로 올라온다. 대개는 갑상선동맥이나 그 분지의 부근을 지나게 되며 이러한 구조

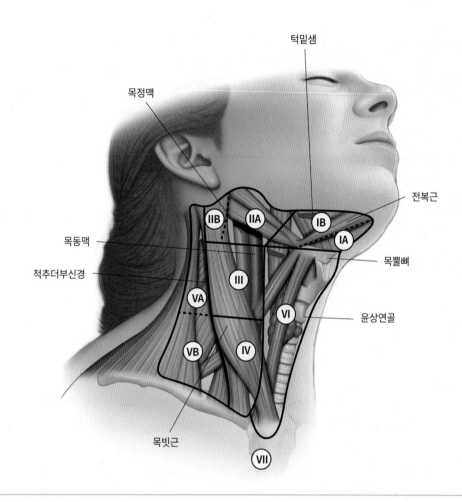

목정맥

턱밑샘

전복근

목동맥

척추더부신경

목뿔뼈

윤상연골

목빗근

IIB IIA IB IA III VA VI VB IV VII

그림 3-1-4. 경부의 림프절 구역

적인 관계로 인해 갑상선수술 때 손상되어 쉰소리, 목소리피로감, 흡인을 초래하고 양측 되돌이후두신경 손상 때는 기도를 유지하기 위해 기관절개술이 필요하다. 위후두신경의 바깥가지는 미주신경의 하신경절에서 기원하며 내경동맥을 따라 주행하다 분지하면 상갑상선동맥을 따라 진행하여 윤상갑상근(cricothyroid muscle)을 지배한다. 수술 시 이 신경이 손상되면 고음 발성이 어렵게 된다.

4. 갑상선의 조직학

갑상선의 기능단위는 공 모양의 여포로 이루어지며 이는 마치 작은 포도알이 뭉쳐져 있는 것과 흡사한 모양을 하고 있다. 여포의 직경은 평균 200 µm이나 크기 변이가 심하고 내부에는 갑상선글로불린으로 이루어진 콜로이드가 차 있고 외부는 얇은 상피세포인 갑상선여포세포가 한 겹으로 싸고 있다. 여포세포 모양은 통상 입방형이나 갑상선자극호르몬(TSH) 또는 TSH수용체에 대한 자가항체 등에 의한 자극으로 활성화되면 세포의 키가 커져 원주형으로 된다. 여포세포에서 갑상선글로불린이 합성되어 여포강 내로 분비되며 갑상선호르몬의 합성은 여포강에 접해 있는 여포세포의 첨단부에서 이루어진다. 이 부위를 전자현미경으로 관찰하면 수많은 융모가 콜로이드 내로 확장하고 있음을 볼 수 있다. 여포들 사이에 크고 밝게 염색되는 여포곁C세포(parafollicular C cell)가 관찰되는데 이 세포에서 칼시토닌이 분비된다. 통상적인 조직학적 염색으로는 면밀히 관찰하지 않으면 관찰하기 어려우며, 이 세포에서 갑상선수질암이 발생한다.

II. 갑상선의 기능

갑상선은 말초 모든 조직이 필요로 하는 갑상선호르몬을 충분히 생산하여 공급하는 기능을 하는데, 이를 위해 갑상선은 요오드섭취능력 등 매우 특화된 기능을 갖추고 있다.

1. 요오드-갑상선호르몬의 원료이며 자가조절 기전을 유도

요오드는 갑상선호르몬 합성에 필수적인 무기물로 타이록신(T_4) 무게의 65%는 요오드이다. 소변과 대변으로 배설되는 요오드와 갑상선호르몬 합성을 위해 매일 60–75 μg 정도의 요오드가 갑상선에 섭취되는 점을 고려하면 정상 성인에서 권장되는 요오드섭취량은 매일 150 μg 정도이며 임신부에서는 220 μg/일로 요구량이 증가한다(표 3-1-1). 지역에 따라 요오드의 섭취량은 매우 다양한데 내륙 산맥지역은 대표적인 요오드결핍지역으로 선천갑상선기능저하증과 풍토갑상선종(endemic goiter)이 흔하다. 세계보건기구의 요오드공급사업으로 요오드결핍지역은 감소했으나 아직도 예방할 수 있는 선천정신지체의 가장 흔한 원인은 요오드결핍이다. 북아메리카의 평균 요오드섭취량은 150–300 μg 정도로 충분한데 소금에 요오드를 첨가함으로써 요오드결핍을 해결하였다. 해조류 섭취가 일상적인 일본과 우리나라의 경우 요오드결핍은 거의 문제되지 않고 오히려 하루에 mg 단위까지 지나치게 섭취하기도 한다. 과량의 요오드를 섭취해도 갑상선기능항진증이 발생하지 않는 이유는 갑상선은 호르몬 생산에 필요한 양만큼의 요오드를 섭취하기 때문이다. 따라서 요오드섭취량이 많으면 갑상선의 요오드섭취율은 감소하고 요오드배설률이 증가하며 갑상선호르몬 합성과정이 억제된다[갑상선의 자가조절, 볼프-차이코프효과(Wolff-Chaikoff effect) 참고]. 대부분의 섭취된 요오드가 소변으로 배설되기 때문에 24시간 소변 요오드 측정은 요오드섭취를 반영한다.

섭취된 요오드는 소화관에서 90% 이상 흡수되며 세포바

표 3-1-1. **요오드섭취권장량과 국가별 요오드섭취량**

섭취권장량	
성인	150 μg
임신부	220 μg
어린이	90–120 μg
국가별 소변 요오드 농도 중앙값	
미국(2010)	213 μg/L
중국(2017)	239 μg/L
벨기에(2011)	113 μg/L
스위스(2015)	137 μg/L
러시아(2004)	78 μg/L
한국(2015)	292 μg/L

깥액의 요오드 농도는 10–15 μg/L 정도로 세포바깥액의 요오드량은 250 μg이며 정상적인 갑상선에 유기화된 형태로 8,000 μg 정도 존재한다. 요오드결핍이 발생하면 갑상선 내에서의 T_3/T_4 비 증가, T_4 합성 감소, TSH 증가가 일어나며, 이에 대한 보상작용으로 T_3 합성 증가, T_4에서 T_3로의 전환증가가 일어난다. 결국 갑상선기능저하증, 갑상선종, 요오드섭취율 증가 등이 발생한다.

2. 갑상선호르몬의 합성

갑상선호르몬은 갑상선글로불린의 타이로신 잔기에 요오드가 결합하여 형성되는데 다음과 같은 일련의 과정에 따라 합성된다(그림 3-1-5).

1) 갑상선여포세포 내로 요오드의 능동운반

요오드 농도가 낮은 세포바깥액에서 농도가 높은 갑상선여포세포 내로의 요오드의 이동은 에너지가 소모되는 과정으로 Na^+/K^--ATPase 존재하에 기저세포막에 발현된 소듐요오드동반수송체(Na^+/I^- symporter, NIS)를 통해 이루어지는데, 세포 외로 2개의 Na^+가 방출되어 형성되는 전기화학기울기에 의해 한 개의 I^-가 세포 내로 수송된다. 인

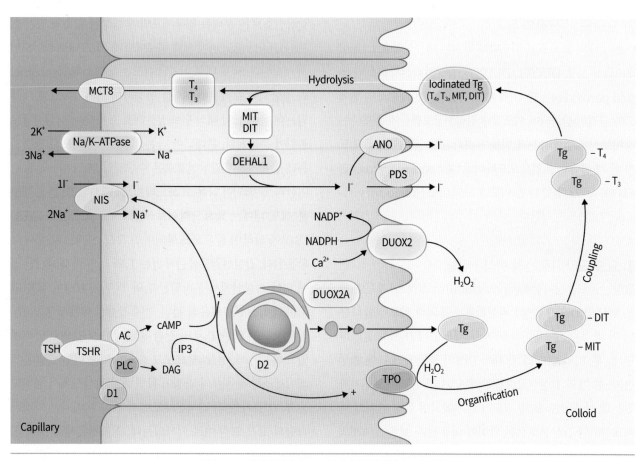

그림 3-1-5. **갑상선에서 요오드의 수송과 갑상선호르몬의 합성**

간의 NIS는 *SLC5A*유전자의 발현으로 형성되는 당단백질로 643개의 아미노산으로 구성되고 13개의 membrane-spanning domain을 가지고 있다. 갑상선여포세포 이외에도 NIS는 요오드농축능력을 가진 침샘, 위점막, 수유 중인 젖샘, 맥락얼기(choroid plexus), 난소, 고환, 세포영양막(cytotrophoblast), 그리고 융합세포영양막(syncytio-trophoblast)에도 발현된다. 수유 중인 젖샘에 발현된 NIS는 젖에 요오드를 분비하여 신생아의 갑상선호르몬 합성에 필수적인 원료를 공급한다. 요오드 이외에도 NIS는 과테크네튬산염(pertechnetate, TcO_4^-), 과염소산염(perchlorate, ClO_4^-), 싸이오사이안산염(thiocyanate, SCN^-)을 수송하는데 이를 근거로 과테크네튬산을 이용해 갑상선스캔영상을 얻을 수 있고 갑상선요오드 섭취를 억제하기 위해 과염소산칼륨($KClO_4^-$)을 경쟁억제제로 투여할 수 있다. 갑상선자극호르몬은 NIS 발현을 증가시키고 반감기를 늘리며 기저세포막으로의 이동을 촉진시킨다. 세포 내에 요오드 농도가 높아지면 NIS 발현이 감소하고 유기화과정이 억제되는데 이를 볼프-차이코프효과라고 한다. NIS의 돌연변이는 요오드 섭취에 이상을 초래하여 선천갑상선기능저하증을 초래한다.

갑상선여포세포의 첨부막에 또 다른 요오드수송체인 펜드린(pendrin)이 발현되어 세포 내의 요오드를 갑상선호르몬 합성이 일어나는 첨부막 경계부위의 여포강 내로 요오드를 수송한다. 펜드린은 신장과 속귀에도 발현되는데 펜드린의 돌연변이는 선천갑상선기능저하증, 갑상선종과 귀먹음이 특징인 펜드레드증후군(Pendred syndrome)을 초래한다.

2) 요오드의 산화와 유기화

여포강 내의 요오드는 첨부막에 발현된 이중산화효소(dual oxidase 1, 2, DUOX1, DUOX2), 갑상선과산화효소(thyroid peroxidase, TPO)에 의해 형성된 과산화수소의 힘에 의해 급격히 산화되어 여포강내 갑상선글로불린에 존재하는 타이로신에 결합하는데 이를 유기화과정이라 한다. 요오드가 한 개 결합하면 일요오드타이로신(monoiodotyrosine, MIT), 두 개 결합하면 이요오드타이로신(diiodotyrosine, DIT)을 형성한다.

3) 요오드타이로닌의 형성(커플링)

갑상선글로불린이합체(thyroglobulin dimer)에 존재하는 MIT와 DIT가 갑상선과산화효소에 의해 서로 결합하는데 이 과정을 커플링이라 하며 두 개의 DIT가 서로 결합하면 T_4, 한 개의 MIT와 한 개의 DIT가 결합하면 T_3를 형성한다. 한 개의 갑상선글로불린에는 134개의 타이로신기가 있는데 이 중 25–30개 정도가 유기화되며 특정 위치의 타이로신기만 갑상선호르몬 합성에 이용된다. 보통 3–4개의 T_4가 한 개의 갑상선글로불린 분자에 존재하고 한 개의 T_3는 5개 갑상선글로불린 중 한 개 꼴로 존재하지만 그레이브스병처럼 갑상선이 자극받는 상황에서는 T_3가 증가한다. 갑상선과산화효소는 티오우레아(thiourea)계 항갑상선제의 표적인데, 항갑상선제는 유기화와 커플링과정을 억제하여 갑상선호르몬 합성을 저해한다.

4) 갑상선호르몬의 저장과 분비

갑상선호르몬은 여포강내 갑상선글로불린 형태로 저장되는데 20 g의 갑상선은 5,000 μg 정도의 타이록신을 저장하고 있어 약 50일 정도 추가적인 호르몬 합성 없이 갑상선호르몬을 공급할 수 있다. 대량의 갑상선호르몬을 비축하고 있고 매일 약 1%만 회전되므로 항갑상선제를 투여하더라도 첫 2주 이내에는 혈청T_4 농도를 낮추지 못하며, 무통갑상선염과 같이 염증에 의해 갑상선여포가 파괴되는 상황에서는 갑상선호르몬 누출로 일시적인 갑상선중독증을 초래할 수 있다.

갑상선호르몬 분비는 첨부세포막에 형성된 위족과 덮인 여포(coated vesicle)에 의해 콜로이드가 세포 내로 이입되면서 시작된다. 세포 내로 이입된 여포는 용해소체(lysosome)와 결합되어 포식용해소체를 형성하여 기저막쪽으로 이동되는데 용해소체 내의 단백질분해효소에 의해 갑상선글로불린이 분해된다. 분해되어 나온 T_3, T_4가 혈액으로 방출되는데 방출기전에 갑상선호르몬 수송체인 MCT8가 일부 관여한다. 분해되어 나온 요오드타이로신(MIT, DIT)은 대부분 세포 내에서 요오드타이로신탈요오드효소(DEHAL1/IYD)에 의하여 탈요오드화되며 요오드는 세포 내에서 재활용된다. 갑상선글로불린에 있는 T_4와 T_3의 비가 15:1인 점에 비해 갑상선에서 분비되는 T_4와 T_3 비는 10:1인 점을 고려하면 갑상선호르몬의 분비 전에 갑상선 내에서 T_4의 5'-탈요오드에 의한 T_3로의 전환이 발생하는 것으로 알려져 있고 제1형, 제2형 5'-탈요오드효소에 의해 이루어진다. 그레이브스병에서는 이 과정이 활발해져 갑상선에서 분비되는 T_3가 증가한다. 갑상선세포에서 T_4가 분비되는 과정은 과량의 요오드 투여로 억제되는데 그 기전은 불분명하다. 리튬도 호르몬 분비를 억제하는데 요오드와는 다른 기전일 것으로 추정된다.

3. 갑상선호르몬의 수송과 대사

1) 갑상선호르몬의 수송

갑상선호르몬은 비수용성으로 대부분 갑상선호르몬결합단백질에 결합된 형태로 존재하며 그 결합에 관여하는 것은 타이록신결합글로불린(thyroxine–binding globulin, TBG), 타이록신결합전알부민(thyroxine–binding prealbumin, transthyretin), 알부민이며 T_4의 0.02%, T_3의 0.3%만이 유리형태로 존재한다.

(1) 타이록신결합글로불린

갑상선호르몬 수송에 가장 중요한 단백질인 타이록신결합글로불린은 당단백질로 20%는 탄수화물로 구성되어 있으며 한 분자당 한 개의 요오드타이로닌 결합부위가 있고 혈

표 3-1-2. T$_4$, T$_3$, rT$_3$의 비교

종류	T$_4$	T$_3$	Reverse T$_3$
1일생산량	80-100 μg	30-40 μg	30-40 μg
생산장소 갑상선외 pool	갑상선 80-100 μg(세포외)	갑상선(20%), 갑상선외(80%) 50 μg(세포내)	갑상선외
1일교체율	10%	75%	T$_3$보다 빠르디.
혈장반감기	7일	1일	0.2일
평균 혈청 농도(μg/dL)	8	0.12	0.04
생물학적활성		T$_4$보다 3-8배 더 높음	없음

장내 반감기는 약 5일이다. 에스트로젠 복용이나 임신 때 TBG가 증가하여 혈청총T$_4$, T$_3$가 높아지는데 TBG에 사이알산 결합 증가로 청소율이 감소하기 때문이다. L-asparaginase 투여받는 환자에서는 TBG 합성이 차단되어 혈청 T$_4$가 낮게 측정될 수 있다. T$_4$는 T$_3$보다 20배 정도 타이록신결합글로불린에 잘 결합하며, 이 과정은 페니토인, 살리실산염, 살살산염(salsalate), 퓨로세마이드, 펜클로페낙(fenclofenac), 마이토테인(mitotane)에 의해 상경적으로 억제되어 정상갑상선기능이지만 T$_4$, T$_3$가 낮게 측정될 수 있다.

(2) 타이록신결합전알부민

타이록신결합전알부민의 반감기는 2일 정도이며 맥락얼기에서 발현되어 뇌척수액에서 주된 갑상선호르몬결합단백질이다.

(3) 알부민

알부민의 T$_4$, T$_3$에 대한 결합친화성은 낮지만 혈액 내에 많은 양이 있어 전체 갑상선호르몬단백질결합의 약 10%를 담당한다. 타이록신결합글로불린, 타이록신결합전알부민, 알부민 모두 간에서 생성되므로 간부전이나 신증후군에서는 모두 감소하며 알부민수치로 타이록신결합글로불린 농도를 예측할 수 있다. 알부민의 돌연변이로 갑상선호르몬결합능이 증가된 알부민이 특징인 가족성이상알부민고타이록신혈증(familial dysalbuminemic hyperthyroxin-emia)에서는 혈청내 총 T$_4$, 총 T$_3$가 높아져 갑상선기능항진증으로 오인될 수 있어 주의가 필요하다.

2) 갑상선호르몬의 세포막수송

갑상선호르몬은 세포막에 발현되는 수송단백질에 의해 수송되는데, 많은 수송체가 밝혀졌고 MCT8 (monocarboxylate transporter 8), MCT 10, OATP1C1 (organic anion transporting polypeptide 1C1), LAT1 (L-type amino acid transporter 1), LAT2를 들 수 있다. MCT8, MCT10은 여러 조직에 발현되어 있으나 OATP1C1은 주로 뇌에 발현되어 별아교세포에 T$_4$를 공급한다. MCT8의 돌연변이는 심한 신경학적 장애를 가진 Allan-Herndon-Dudley증후군을 초래한다.

3) 갑상선호르몬의 대사

갑상선호르몬대사의 시작은 탈요오드화이다. T$_4$의 바깥쪽 고리 5'-탈요오드화에 의하여 활성형의 T$_3$가 만들어지는 반면 안쪽고리 5-탈요오드화는 비활성형호르몬인 역T$_3$ (reverse T$_3$, rT$_3$)를 생성한다. 이러한 탈요오드화에는 D1, D2, D3의 3가지 효소가 관여하며(표 3-1-3), 혈장내 대부분의 T$_3$는 말초조직에서 T$_4$-T$_3$ 전환에 의해 생성된다. T$_4$의 80%는 탈요오드화(35%는 T$_3$로 전환, 45%는 rT$_3$로 전환), 그리고 20%는 간에서 글루쿠론산이 결합되어 담즙으로 배설된다. 갑상선호르몬은 여러 경로로 대사되어 담도

표 3-1-3. 일탈요오드화(monodeiodination)에 관여하는 3개의 효소

종류	제1형	제2형	제3형
역할	혈장T_3를 제공(가장 풍부한 탈요오드화 효소로 PTU에 의하여 억제됨)	세포내 T_3를 제공하여 T_3가 일정 농도로 유지되도록(혈장T_4가 증가하면 효소량이 감소)	T_3와 T_4를 불활성화(태아와 뇌를 T_4의 과다와 결핍으로부터 보호)
위치	간, 신장 > 갑상선, 근육	뇌, 뇌하수체 > 태반, 갈색지방	태반, 뇌, 피부, 태아의 간
재료물질	$rT_3 \gg T_4 > T_3$	$T_4 = rT_3$	$T_3 > T_4$
탈요오드화 장소	바깥쪽 및 안쪽 고리	바깥쪽 고리	안쪽 고리
갑상선기능항진증	증가	감소	증가
갑상선기능저하증	감소	증가	감소

또는 신장을 통해 배설된다. 이에는 첫째, 연속적 탈요오드화에 의한 대사, 둘째, 지용성인 갑상선호르몬을 글루쿠론산이나 황산염과 접합(conjugation)시켜 수용성으로 바뀌 담도 및 요로계로 배설, 셋째, 유황화를 통하여 요오드 타이로닌의 탈요오드화를 촉진시키거나 산화탈아민화, 탈카르복실화, 에테르 연결부위 절단 등에 의하여 대사되는 경로가 있다. 페노바비탈, 페니토인, 리팜핀은 간에서 T_4의 글루쿠론산 접합에 의한 배설을 증가시켜 갑상선기능저하증 환자의 T_4 요구량을 증가시킨다(그림 3-1-6).

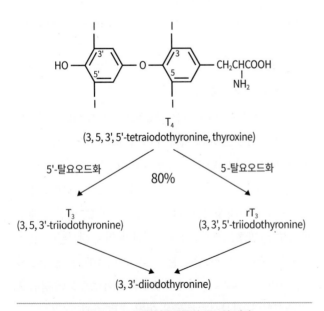

T_4
(3, 5, 3', 5'-tetraiodothyronine, thyroxine)

5'-탈요오드화   80%   5-탈요오드화

T_3 rT_3
(3, 5, 3'-triiodothyronine)   (3, 3', 5'-triiodothyronine)

(3, 3'-diiodothyronine)

그림 3-1-6. 갑상선호르몬의 구조와 대사

4. 갑상선호르몬의 작용

갑상선호르몬은 핵 내의 DNA에 결합된 갑상선호르몬수용체(thyroid hormone receptor, TR)와 결합하여 갑상선호르몬 반응유전자를 활성화시켜 그 고유의 작용을 나타낸다. TR은 핵 내의 호르몬수용체로 그 자체가 전사인자이다. TR은 TRα와 TRβ가 있는데 서로 다른 유전자에 의해 부호화되며 전사 후 mRNA는 여러 다른 형태로 잘리고 수정되어 활성형수용체인 TRα1, TRβ1, TRβ2, TRβ3를 만든다. 조직에 따라 TR 아이소형의 분포가 다른데 TRα1은 주로 뇌, 갈색지방조직, 골격근, 위장관, 폐와 심장에 주로 발현되고, TRβ2는 시상하부와 뇌하수체에서 그리고 TRβ1은 전 조직에서 발현된다. TRβ3는 전체적으로 매우 미량 발현되는데 다른 조직에 비해 간, 신장, 폐에 비교적 풍부하다. 이러한 TR의 조직분포 차이는 갑상선호르몬저항증후군의 증상을 이해하는 데 중요하다. 갑상선호르몬저항증후군–베타는 TRβ의 T_3 결합부위의 돌연변이에 의해 초래되는데 심장과 같이 TRα가 주로 발현되는 장기에서는 갑상선중독증 증상을 초래할 수 있다. TRα의 돌연변이에 의한 갑상선호르몬저항증후군–알파는 뇌발달과 뼈성숙의 지연, 성장지연, 서맥, 그리고 변비가 특징적이다.

TR은 레티노이드X수용체(RXR)와 이질이합체형태로

DNA염기서열 중 갑상선호르몬반응요소에 결합되어 있고 T_3에 대한 결합 친화력이 T_4에 비해 15배 정도 높다. T_3가 결합되지 않은 TR은 특정 유전자발현을 기저 수준의 발현보다 더 억압하는데 이를 dominant negative effect라 하며 다양한 보조억제자들(corepressors)이 동원되어 복합체를 형성한다. T_3의 결합은 다양한 보조활성자들(coactivators)의 결합을 유도하고 비로소 표적유전자의 발현이 시작된다.

유전자발현 조절을 통한 갑상선호르몬의 작용 이외에 갑상선호르몬의 빠른 작용을 설명하는 기전으로 비유전체작용이 제시되었는데 실험실적으로는 심박수, 체온, 혈당, 혈청 중성지방에 대한 작용은 비유전체작용으로 설명된다고 한다.

III. 갑상선기능의 조절기전

갑상선기능은 전형적인 시상하부–뇌하수체–갑상선축을 통한 음성되먹임기전에 의해 조절되며, 추가적으로 갑상선 내 요오드 수준에 의해 갑상선호르몬 합성이 조절되는 자가조절기전이 존재한다.

1. 시상하부의 갑상선자극호르몬방출호르몬

시상하부의 뇌실곁핵(paraventricular nuclei)의 작은세포(parvocellular)구역이 갑상선자극호르몬(TSH)을 조절하는 갑상선자극호르몬방출호르몬(thyrotropin-releasing hormone, TRH)이 생성되는 곳이며 TRH는 3개의 아미노산으로 만들어진 작은 펩타이드로 시상하부–뇌하수체문맥순환을 통해 뇌하수체전엽의 갑상선자극호르몬분비세포(thyrotroph)에 전달된다. 혈액 내의 T_3는 TRH 발현을 억제하며 T_4는 시상하부의 띠뇌실막세포(tanycyte) 내에서 T_3로 전환되어 TRH 발현을 억제한다.

2. 뇌하수체전엽의 갑상선자극호르몬

갑상선의 기능과 성장을 조절하는 가장 중요한 호르몬은 TSH이다. 갑상선자극호르몬분비세포에서 생성되는 당단백질로 알파소단위와 베타소단위로 구성되며 알파소단위는 난포자극호르몬, 황체형성호르몬, 사람융모성선자극호르몬과 동일하며 베타소단위는 갑상선자극호르몬분비세포에서만 합성된다. TRH는 TSH 합성을 증가시키고 갑상선호르몬은 뇌하수체 수준에서 음성되먹임을 통해 TSH 합성을 억제한다. TSH의 당화는 생물학적 활성에 매우 중요하며 TRH는 TSH의 당화를 촉진하는데, 뇌하수체종양이나 시상하부질환의 경우 생물학적 활성이 저하된 TSH가 생성된다. TSH 정상치는 0.4–4.2 mU/L이며 하루에 40–150 mU정도 만들어지고 혈장반감기는 약 30분이다. TSH는 박동성으로 분비되며 하루주기리듬도 가지고 있다. 1–2시간 간격으로 TSH 변동을 보이는데 금식, 질환, 그리고 수술 후에는 이러한 펄스의 폭이 감소한다. 일주기는 야간 분비 증가가 특징적인데 수면 전에 발생하고 수면이 늦어지면

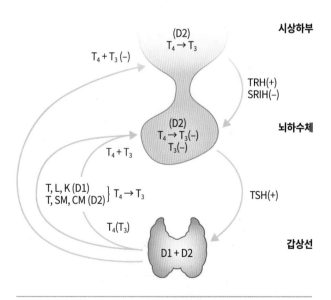

그림 3-1-7. 음성되먹임에 의한 갑상선기능의 조절

T_4, T_3의 음성되먹임에 의한 TRH, TSH 분비조절기전. 분비된 T_4가 효과를 나타내기 위해서는 T_3로 전환되어야 한다. T_4-T_3 전환은 간(L), 신장(K), 그리고 갑상선(T) 조직에서 제1형탈요오드효소(D1)에 의해 이루어진다. 제2형탈요오드효소(D2)는 갑상선(T), 골격근(SM), 심근(CM), 뇌하수체와 시상하부에 존재한다. SRIH, somatotropin release inhibiting factor(성장호르몬방출억제인자).

TSH 분비 증가는 연장되고 강화된다. 기온에 따라 TSH 분비가 조절되기도 하는데 기온이 낮아지는 겨울철에 TSH 분비는 증가한다.

시상하부질환만 있는 경우 뇌하수체 절제를 한 경우보다 중추갑상선기능저하증의 정도가 덜한데, 시상하부질환자에서 잔존하는 갑상선기능은 말초 T_4, T_3 농도를 조절함으로써 변화시킬 수 있다. 그러므로 TRH는 갑상선자극호르몬분비세포에서 음성되먹임 조절기전의 설정점을 정하고 말초 T_4, T_3가 TSH 분비를 조절한다고 할 수 있다. 성장호르몬억제인자는 TSH 분비를 억제하지만 장기간 성장호르몬억제인자 유사체를 투여해도 갑상선기능저하증은 발생하지 않는다. 도파민, 브로모크립틴, 고용량의 당질부신피질호르몬도 TSH 분비를 일시적으로 억제한다. T세포 림프종 치료에 이용되는 RXR작용제인 bexarotene은 TSH 분비를 충분히 억제하여 중추갑상선기능저하증을 초래할 수 있다.

TSH는 갑상선여포세포의 TSH수용체와 결합하여 아데닐산고리화효소와 인지질(지방)분해효소 C를 활성화시켜 갑상선세포의 성장과 증식을 촉진하며, 갑상선호르몬의 합성 및 분비를 자극한다. 갑상선호르몬과 TSH로그값은 음의 상관관계를 가지고 있는데 말초갑상선호르몬의 변화를 TSH는 증폭하여 반영한다고 할 수 있으며 갑상선기능검사의 해석과정에서 매우 중요하다(그림 3-1-8).

3. 갑상선의 자가조절

갑상선 자체에는 TSH의 조절과 무관하게 요오드의 섭취 및 갑상선호르몬 합성을 조절하는 자가조절기전이 있다. 갑상선은 갑상선내 유기화된 요오드의 양을 인지하여 TSH

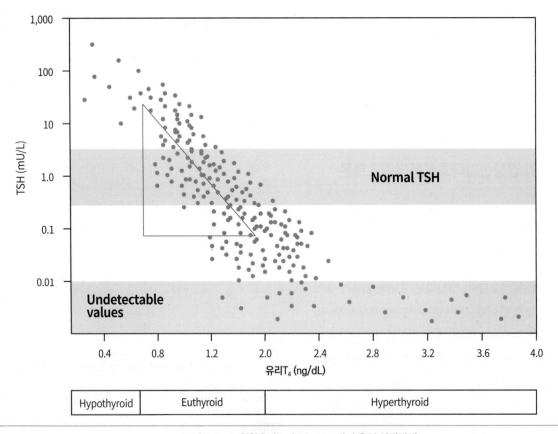

그림 3-1-8. **혈청유리T₄와 TSH로그값의 음의 상관관계**

자극에 대한 감수성을 변화시킬 수 있다.

요오드 섭취가 증가하면 요오드의 유기화와 호르몬 합성이 증가하다가 어느 정도에 이르게 되면 오히려 요오드의 유기화와 호르몬 합성이 감소하게 된다. 즉, 다량의 요오드는 일시적으로 요오드의 유기화과정을 억제하는데 이를 "볼프-차이코프효과"라고 한다. 이는 갑상선내 증가된 요오드에 의하여 NIS의 하향조절이 일어나 갑상선호르몬 합성이 억제되기 때문이다. 수일간(약 10일) 지속되고 정상 갑상선에서는 탈출현상(escape from Wolff–Chaikoff effect)이 일어나 갑상선호르몬 합성이 재개되어 요오드유발갑상선기능저하증이 예방된다. 하지만, 자가면역갑상선질환에 이환된 갑상선과 태아 갑상선은 이러한 탈출현상이 일어나지 않아 과량의 요오드에 의해 갑상선기능저하증이 발생한다(요오드유발갑상선기능저하증). 과량의 요오드에 의해 갑상선기능항진증이 발생하는 현상을 요오드유발갑상선기능항진증(Jod–Basedow phenomenon)이라고 하는데 잠재되어 있던 그레이브스병 혹은 자동능을 가진 갑상선결절을 가진 환자에게 갑자기 갑상선호르몬의 원료가 공급되면 질환의 증상이 발생하는 현상으로 요오드결핍지역에 요오드 보충사업이 시행된 경우 주로 발생하며 국내처럼 요오드 섭취가 충분한 지역에서는 보기 어렵다.

참 / 고 / 문 / 헌

1. 대한내분비학회. 내분비대사학. 제2판. 군자출판사; 2011. p. 109-17.

2. Arafah BM. Increased need for thyroxine in women with hypothyroidism during estrogen therapy. N Engl J Med 2001;344:1743-49.

3. Berry MJ, Larsen PR. The role of selenium in thyroid hormone action. Endocr Rev 1992;13:207-19.

4. Bianco AC, Salvatore D, Gereben B, Berry MJ, Larsen PR. Biochemistry, cellular and molecular biology, and physiological roles of the iodothyronine selenodeiodinases. Endocr Rev 2002;23:38-89.

5. Braverman LE, Cooper DS, Kopp P. Werner & Ingbar's the thyroid. 11th ed. Philadelphia: Wolters Kluwer; 2021. pp. 61-390.

6. Davies TF, Ando T, Lin RY, Tomer Y, Latif R. Thyrotropin receptor-associated diseases: from adenomata to Graves disease. J Clin Invest 2005;115:1972-83.

7. Davis PJ, Goglia F, Leonard JL. Nongenomic actions of thyroid hormone. Nat Rev Endocrinol 2016;12:111-21.

8. Kratzsch J, Pulzer F. Thyroid gland development and defects. Best Pract Res Clin Endocrinol Metab 2008;22:57-75.

9. Lazar MA. Thyroid hormone action: a binding contract. J Clin Invest 2003;112: 497-9.

10. Magner JA. Thyroid-stimulating hormone: biosynthesis, cell biology, and bioactivity. Endocr Rev 1990;11:354-85.

11. Salvatore D, Cohen R, Kopp PA, Larsen PR. Thyroid pathophysiology and diagnostic evaluation. In: Melmed S, Koenig R, Rosen C, Auchus R, Goldfine A. Williams textbook of endocrinology. 14th ed. Philadelphia: Elsevier; 2020. pp. 332-63.

12. Refetoff S, Weiss RE, Usala SJ. The syndromes of resistance to thyroid hormone. Endocr Rev 1993;14:348-99.

13. Townsend JR. CM, Beauchamp RD, Evers BM, Mattox KL. Chapter 37, Thyroid. In: Townsend JR. CM, Beauchamp RD, Evers BM, Mattox KL. Sabiston Textbook of Surgery. 21st ed. St. Louis: Elsevier; 2022. pp. 873-920.

14. van Mullem A, van Heerebeek R, Chrysis D, Visser E, Medici M, Andrikoula M, et al. Clinical phenotype and mutant TRα1. N Engl J Med 2012;366:1451-3.

15. Wolff J, Chaikoff IL. Plasma inorganic iodide as a homeostatic regulator of thyroid function. J Biol Chem 1948;174: 555-64.

16. Wu SY, Green WL, Huang WS, Hays MT, Chopra IJ. Alternate pathways of thyroid hormone metabolism. Thyroid 2005;15:943-58.

갑상선검사

정재훈

I. 갑상선기능검사

갑상선기능검사는 갑상선기능항진증, 갑상선기능저하증, 갑상선종, 갑상선종양과 같은 갑상선질환을 진단하거나 또는 치료하면서 평가할 목적으로 시행한다. 그리고 갑상선기능이상이 흔히 동반되는 질환에서 갑상선기능이상을 선별할 목적으로 시행하기도 한다. 1형당뇨병, 심방세동, 고지혈증, 골다공증, 불임 또는 난임 등이 이 경우에 해당된다. 이외에도 과거 갑상선기능이상의 병력이 있는 경우, 백반증, 악성빈혈, 일찍 머리털이 하얗게 변하는 경우(leukotrichia), 일차부신부전, 타이로신인산화효소(tyrosine kinase)억제제 사용, 면역관문(check point)억제제 사용 등에서는 갑상선기능이상으로의 이행가능성이 높으므로 정기적인 갑상선기능검사가 필요하다.

미국갑상선학회에서는 건강한 성인의 경우 35세부터 갑상선기능검사를 시작하고, 그 후 매 5년마다 검사하기를 권유하고 있다. 갑상선절제술 또는 방사성요오드치료를 받은 경우, 경부에 방사선조사를 받은 경우, 산후갑상선염의 병력이 있는 경우, 당뇨병 환자, 다운증후군 또는 터너증후군 환자, 아미오다론(amiodarone) 또는 리튬(lithium)을 복용 중인 경우는 일정한 간격으로 갑상선기능검사를 시행하기를 권유하고 있다(표 3-2-1).

갑상선기능이상은 전형적인 증상과 징후로 진단할 수 있지만 질환 초기에 애매한 증상을 호소하는 경우 진단을 놓칠 수 있다. 특히 갑상선기능저하증은 질환이 서서히 진행되므로 환자들이 이 질환에 적응되어 민감하게 받아들이지 않는 경우가 많고, 피로, 체중증가, 소화불량, 변비 등과 같은 증상들이 비특이적인 경우가 많아 질환을 무시할 수 있다. 따라서 일상적인 검사를 하였을 때 설명할 수 없는 특정 소견이 발견되면 갑상선의 기능이상을 의심하여야 한다. 설명할 수 없는 고칼슘혈증, 알칼리성인산염분해효소(alkaline phosphatase)의 증가, AST/ALT가 증가하였을 때 갑상선기능항진증을 고려하여야 한다. 반면 설명할 수 없는 고콜레스테롤혈증, 저나트륨혈증, 빈혈, 크레아틴인산화효소(creatine phosphokinase) 또는 젖산탈수소효소(lactate dehydrogenase)와 같은 근육효소의 증가, 고프로락틴혈증이 발견되었을 때 갑상선기능저하증을 의심하여야 한다.

1. 총 T_4

혈중 T_4는 갑상선에서 만들어져 분비되는데, 지용성이어서 혈액 내의 용해도가 낮아 운반단백질과 결합된 형태로 말초조직으로 운반된다. 혈액 내에서 99.97%가 운반단백질과 결합되어 있는 결합형으로 0.03%는 운반단백질과 결합되어 있지 않은 유리형으로 존재한다. 결합형의 약 75%는 타이록신결합글로불린(thyroxine binding globulin,

표 3-2-1. **갑상선기능검사를 일정한 주기로 시행하는 경우와 그 시행주기**

경우	갑상선기능검사 시행주기
갑상선절제술, 방사성요오드치료	4–8주 후, 그 후 1년간은 매 3개월마다, 그 후는 매년
경부방사선조사	매년
산후갑상선염의 병력	매년, 특히 다음 임신 직전과 임신 후 6–8주째
당뇨병	1형: 매년, 2형: 처음 진단 당시
다운증후군, 터너증후군	매년
아미오다론	투여 직전, 투여 후 매 6개월마다, 중단 후 1년째
리튬	투여 직전, 투여 후 매 6–12개월마다

표 3-2-2. **갑상선호르몬 운반단백질의 특성 비교**

	TBG	Transthyretin	Albumin
분자량(kDa)	54	55	6
구조	단일체	사합체	단일체
평균 농도	16 mg/L	250 mg/L	40,000 mg/L
반감기	5일	2일	15일
호르몬 결합부위	1개	2개	여러 개
T_4와 결합분율	75%	20%	5%
T_3와 결합분율	75%	5%	20%

표 3-2-3. **총 T_4 농도가 증가 또는 감소하는 경우**

총 T_4 농도가 증가하는 경우
• 갑상선기능항진증
• TBG의 증가: 선천이상, 임신, 포상기태, 급성/만성활동성간염, 급성간헐포르피린증, 약물(피임약, 에스트로젠, tamoxifen, clofibrate, mitotane, 5-fluorouracil, heroin, methadone)
• 비갑상선질환
• 기타: 가족성이상알부민고타이록신혈증, 항타이록신항체, 갑상선호르몬저항증후군, 약물(amphetamine, 베타차단제, 아미오다론, 조영제)
총 T_4 농도가 감소하는 경우
• 갑상선기능저하증
• TBG의 감소: 선천이상, 만성간질환, 말단비대증, 신증후군, 중증질환, 약물(안드로젠, 당질부신피질호르몬)
• T_4와 TBG 결합을 방해: 중증비갑상선질환, 약물(아스피린, phenytoin, carbamazepine, furosemide)
• T_3 투여

TBG)과 결합되어 있고, 약 20%는 타이록신결합전알부민 (thyroxine binding prealbumin, transthyretin), 그리고 약 5%는 알부민과 결합되어 있다(표 3-2-2). 유리형은 활성형으로 말초조직 내에서 갑상선호르몬의 작용을 나타낸다. 혈중 총 T_4 농도는 전적으로 결합형의 농도에 좌우되며 운반단백질의 양적 또는 질적변화가 있게 되면 실제적으로 갑상선기능이 정상이어도 혈중 총 T_4 농도가 비정상적으로 표현될 수 있다(표 3-2-3).

가족성이상알부민고타이록신혈증(familial dysalbuminemic hyperthyroxinemia)은 총 T_4 농도를 증가시키는 대표적인 질환이다. T_4에 대한 친화력이 60배 이상으로 증가된 이상알부민이 만들어지는 질환이다. ALB유전자변이에 의하여 발생하는 보통염색체우성방식으로 유전한다. 유리T_4, 총 T_3, 유리T_3, TSH 모두 정상이지만 총 T_4만 2배 이상 증가되어 있다. 갑상선기능항진증으로 오진되기 쉬우나 갑상선기능이 정상이므로 특별한 치료가 필요 없다. 혈청의 단백전기영동으로 진단한다.

2. 총 T_3

혈중 총 T_3 농도도 결합형과 유리형 모두를 측정한 것이다. 결합형의 약 75%는 타이록신결합글로불린과 결합되어 있고, 약 20%는 알부민, 그리고 약 5%는 타이록신결합전알부민과 결합되어 있다. 유리형은 총 T_3 농도의 0.3% 정도에 불과하므로 혈중 총 T_3 농도 역시 전적으로 결합형의 농도에 좌우되며 운반단백질의 양적 또는 질적변화가 있게 되면 실제 갑상선기능이 정상이어도 혈중 총 T_3 농도가 비정상적으로 측정될 수 있다.

T_3의 15–20%만 갑상선에서 만들어져 분비되는 반면, 80–85%는 말초조직에서 T_4의 탈요오드화에 의하여 T_3로 전환된다. 따라서 혈중 총 T_3 농도는 갑상선기능장애, 운반단백질의 변화 이외에도 T_4의 T_3로의 전환과정에 의해 영향을 받는다. T_4의 T_3로의 전환을 억제하는 경우에서 실제 갑상선기

표 3-2-4. 총 T_3 농도가 증가 또는 감소하는 경우

총 T_3 농도가 증가하는 경우
• 갑상선기능항진증
• TBG의 증가

총 T_3 농도가 감소하는 경우
• 갑상선기능저하증
• TBG의 감소
• T_4의 T_3로의 전환을 억제: 비갑상선질환(급성 및 만성질환, 발열, 수술 후), 약물(propylthiouracil, 베타차단제, 당질부신피질호르몬, 아미오다론, 조영제), 태아 및 신생아 5'-탈요오드효소(deiodinase) 활성 미성숙, 절식 또는 영양실조

능이 정상이어도 혈중 총 T_3 농도는 감소한다(표 3-2-4).

혈중 T_3 농도의 측정은 갑상선기능항진증의 진단에 의의가 있다. 첫째, 갑상선기능항진증에서는 일반적으로 T_4보다 T_3의 분비가 상대적으로 많아 T_3/T_4 비를 계산하면 그레이브스병에서는 비율이 높은 반면 갑상선염에 의한 갑상선중독증에서는 비율이 낮게 나온다. 둘째, 가벼운 갑상선기능항진증이거나 항갑상선제 치료 후 재발 초기에 T_3가 먼저 증가한다(T_3 갑상선중독증). 반면에 갑상선기능저하증에서는 상당기간 갑상선파괴가 진행될 때까지 혈중 T_3 농도는 정상농도를 유지하다가 마지막으로 감소하게 된다. 이는 갑상선기능저하증일 때 증가된 TSH가 갑상선을 자극할 때 T_3가 주로 생산·분비되기 때문이다. 따라서 갑상선기능저하증 진단의 선별검사로는 적합하지 않다.

3. 유리T_4, 유리T_3

직접 유리호르몬 농도를 측정하는 것으로 TSH 측정과 더불어 갑상선기능을 가장 정확하게 반영한다. 측정방법 중 평형투석법(equilibrium dialysis)은 가장 정확한 측정법이나, 측정법이 복잡하여 임상검사로는 부적합하다. 과거에 1단계 측정법이 개발되어 손쉽게 유리호르몬 농도를 측정하였으나, 비갑상선질환에서 유리T_4 농도가 실제보다 낮게 측정되

거나 혈청 내에 항T$_4$항체가 있는 경우 실제보다 높게 측정되는 등의 단점이 있었다. 최근에는 2단계 측정법이 개발되어 보다 정확한 유리호르몬 농도를 측정할 수 있게 되었다.

유리T$_4$는 일중변동이 없는 반면, 유리T$_3$는 TSH와 평행으로 일중변동을 보이는데, TSH의 일중변동에 비하여 조금 늦게 나타난다. 2017년 발표된 우리나라 국민건강영양조사 (KNHNES VI, 2013–2015)에 의하면 혈중 유리T$_4$의 정상 범위는 0.92–1.60 ng/dL로 남성 평균값은 1.29 ng/dL, 여성은 1.20 ng/dL이다. 혈중 유리T$_4$ 농도는 연령이 들수록 감소한다.

4. 갑상선자극호르몬

갑상선자극호르몬(thyrotropin, thyroid stimulating hormone, TSH)은 뇌하수체의 갑상선자극호르몬분비세포에서 분비되는 28 kDa 크기의 당단백질로 알파소단위와 베타소단위로 이루어져 있다. 알파소단위는 황체형성호르몬, 난포자극호르몬, 사람융모성선자극호르몬(human chorionic gonadotropin, hCG)의 소단위와 동일한 반면, 베타소단위가 TSH에 고유한 부분이다. 베타소단위는 알파소단위와 결합할 때에만 TSH 고유의 활성도를 나타낸다. TSH는 갑상선 여포세포의 TSH수용체와 결합하여 갑상선세포의 성장과 증식을 촉진하며, 갑상선호르몬의 합성 및 분비를 자극한다.

TSH는 박동성 분비를 하는데 야간에 박동의 폭과 빈도가 증가한다. 일중변동이 있어 TSH 최대 분비는 자정부터 새벽 4시 사이에 일어나며, 오전 10시에서 오후 4시 사이에 최저에 이른다. TSH는 주로 T$_3$의 되먹임기전에 의하여 합성과 분비가 조절된다. 혈중 TSH 농도가 정상이면 일단 갑상선기능은 정상임을 알 수 있다. 갑상선기능항진증에서 TSH는 감소하고, 갑상선기능저하증에서 TSH는 증가한다.

유리T$_4$가 2 pmol/L 감소하면 TSH는 100 mIU/L 증가한

다. 따라서 혈중 TSH 농도 측정이 단일검사로는 갑상선기능의 변화를 가장 잘 반영하는 검사이다. 그러나 뇌하수체–갑상선축이 불안정할 때는 혈중 TSH 측정보다 유리T$_4$ 측정이 더 좋다(표 3-2-5). 항갑상선제 투여 후 수개월간 TSH 농도가 억제되어 있을 때와 갑상선호르몬제를 투여하고 4–6주 이내가 이러한 경우에 해당된다. 특히 입원 중인 중증 환자에서는 갑상선기능이 정상이어도 혈중 TSH 농도가 비정상으로 측정되므로 해석에 주의가 필요하다. 이러한 경우 TSH 정상범위를 0.05–10.0 mIU/L까지로 확대해서 해석하는 것이 좋다. 도파민(≥ 1 μg/kg/min), 당질부신피질호르몬(hydrocortisone ≥ 100 mg), 옥트레오타이드(> 100 μg)를 투여하고 있는 환자에서는 혈중 TSH 농도가 억제되므로 유리T$_4$나 유리T$_3$를 같이 측정하는 것이 좋다. 이차 또는 삼차갑상선기능저하증에서는 혈중 TSH 농도가 정상 혹은 감소되므로 유리호르몬 측정과 TRH자극검사가 필요하다. TSH 분비뇌하수체종양에 의한 갑상선기능항진증에서는 혈중 TSH 농도가 부적절하게 증가하므로 해석에 주의가 필요하다(표 3-2-5).

1965–1985년 사이의 1세대 TSH 측정법은 hCG와 교차반응하는 다세포군항체를 이용한 방사면역측정법으로 기능적

표 3-2-5. **TSH 농도가 잘못 측정되어 나올 수 있는 경우**

- 이종친화항체(heterophile antibody) 등에 의한 측정간섭
- 임신
- 갑상선기능항진증 치료초기
- 갑상선호르몬제 투여초기
- 갑상선염 앓은 직후
- 갑상선호르몬제 복용을 열심히 하지 않는 경우
- 뇌하수체저하증
- TSH분비뇌하수체종양, 갑상선호르몬저항증후군
- 비갑상선질환
- TSH 분비를 증가시키는 약물: 리튬, metoclopramide, domperidone, 조영제
- TSH 분비를 감소시키는 약물: 도파민, 당질부신피질호르몬, 옥트레오타이드, 인터페론-α, 성장호르몬

예민도가 1.0 mIU/L이었다. 0.4 mIU/L 이하는 구분할 수 없어 주로 갑상선기능저하증의 진단에 사용되었다. 1980년 대 중반 이후 샌드위치법 또는 비경쟁법을 이용한 2세대 면역계수법이 개발되었는데 기능적 예민도가 0.1 mIU/L로 비로소 갑상선기능항진증을 정확히 진단할 수 있게 되었다. 최근에 기능적 예민도가 각각 0.01 mIU/L, 0.001-0.002 mIU/L인 3세대와 4세대 측정법이 개발되었다.

혈중 TSH의 정상범위는 갑상선 자가항체가 검출되지 않고, 갑상선기능이상의 개인력과 가족력이 없으며, 갑상선종이 없고, 갑상선관련 약물(에스트로젠은 제외) 복용이 없는 정상갑상선기능을 가진 최소 120명 이상을 대상으로 log로 치환된 값의 95% 신뢰도로 정해진다. 2017년 발표된 우리나라 국민건강영양조사(KNHNES VI, 2013-2015)에 의하면 혈중 TSH의 정상범위는 0.59-7.03 mIU/L로 평균값은 남성 2.09 mIU/L, 여성 2.24 mIU/L이다. TSH 농도와 연령과의 관계는 U형 모양인데 즉, 연령이 낮거나 높을수록 TSH 농도가 높아진다.

혈중 TSH 농도의 측정은 첫째, 갑상선기능이상을 선별하고자 할 때 단일검사로 사용되며, 둘째, 갑상선기능항진증과 갑상선기능저하증의 초기진단에 유용할 뿐만 아니라 셋째, 갑상선기능저하증이나 갑상선암 환자에서 갑상선호르몬제 투여를 할 때 적정량 산정에 필요하다.

5. 갑상선 자가항체

갑상선 자가항체는 자가면역갑상선질환 환자의 혈청에서 측정되나 일부 환자들에서는 자가항체들이 측정되지 않는다. 정상갑상선기능을 가진 사람이 낮은 역가의 갑상선 자가항체를 가지고 있는 경우 임상의미는 아직까지 밝혀지지 않았으나, 특히 항갑상선과산화효소항체는 산후갑상선염 등과 같은 자가면역갑상선질환발생의 위험인자가 될 수 있다. 자가항체역가의 변화는 간혹 질환활성도의 변화를 반영하는 경우도 있으나, 자가면역갑상선질환을 치료하거나 또는 평가할 목적으로 자가항체를 측정할 필요는 없다. 1형 당뇨병과 같은 자가면역질환을 동반하고 있거나 연령이 증가할수록 갑상선 자가항체의 유병률은 증가한다.

항갑상선자극호르몬수용체항체는 그레이브스병을 과거에 앓았거나 현재 앓고 있는 환자의 혈청에서 측정된다. 항갑상선자극호르몬수용체항체는 태반을 통과하기 때문에 신생아 갑상선기능이상을 초래할 수 있다.

자가항체를 측정하는 검사법들의 민감도와 예민도가 다르고, 표준화가 결여되어 있어 검사법에 따라 결과가 다르게 나타날 수 있다. 갑상선 자가항체의 정상범위 설정을 위해서는 30세 이하의 남성, 혈청TSH 0.50-2.0 mIU/L 사이, 갑상선종이 없고, 갑상선질환의 개인력이나 가족력이 없어야 하고, 다른 자가면역질환도 없는 사람을 대상으로 하여야 한다.

1) 항갑상선과산화효소항체

과거에는 항미세소체항체(anti-microsomal antibody)로 불렸으나, 1985년에 항원이 갑상선 내의 갑상선과산화효소(thyroid peroxidase, TPO)임이 밝혀지면서 현재는 항갑상선과산화효소항체(anti-TPO antibody, 항TPO항체)라 부른다. 항TPO항체는 시험관에서 보체와 결합하여 갑상선세포에 중독성작용을 나타내고, TPO와 결합하여 TPO의 기능을 억제한다. 항TPO항체는 체내에서도 갑상선조직의 파괴에 관여하는데, 갑상선기능저하증의 발현 전부터 나타난다.

정상인의 최소 6-12% 이상에서 항TPO항체가 검출되며, 그레이브스병의 80-90%, 하시모토갑상선염의 90% 이상에서 검출된다. 2017년 발표된 우리나라 국민건강영양조사(KNHNES VI, 2013-2015)에 의하면 항TPO항체는 정상인의 7.3%(남성 4.3%, 여성 10.6%)에서 검출되었고, 연령이 증가할수록 역가는 증가하는 경향이 있었다.

항TPO항체는 자가면역갑상선질환 진단에 중요한 역할을 하며, 향후 갑상선기능저하증으로의 이행을 예측하는 인자로 사용된다. 또한 유산이나 인공수정실패의 위험인자로 작용하기도 한다. 낮은 역가의 항TPO항체를 가진 사람의 임상의미에 대해서는 확실하지 않으나, 일부 연구에서 이러한 사람의 혈중 TSH 농도가 2 mIU/L 이상일 때 향후 갑상선기능저하증으로 이행될 수 있는 위험인자라고 보고하고 있다.

2) 항갑상선글로불린항체

갑상선글로불린의 cDNA에는 아세틸콜린에스터분해효소(acetylcholinesterase)와 유사한 구조가 있어 항갑상선글로불린항체(anti-thyroglobulin antibody)는 항아세틸콜린에스터분해효소항체와 교차반응을 한다. 이러한 사실은 자가면역갑상선질환과 중증근무력증과의 연관성을 암시한다. 그러나 항갑상선글로불린항체의 병인론적인 역할은 불명확하다.

요오드 섭취가 충분한 지역에서 항갑상선글로불린항체는 갑상선글로불린 측정을 방해할 수 있어 혈중 갑상선글로불린 농도를 측정할 때 항상 동시에 측정해야 한다. 요오드 섭취가 충분한 지역에서 항TPO항체 음성인 사람에서 항갑상선글로불린항체가 측정되어도 향후 갑상선기능이상을 초래하는 경우가 거의 없기 때문에 항갑상선글로불린항체의 역할은 거의 없다. 따라서 항TPO항체가 검출되는 경우 항갑상선글로불린항체의 추가적인 측정은 자가면역갑상선질환의 진단에 도움이 되지 않는다. 반면 요오드결핍지역에서 항갑상선글로불린항체의 측정은 자가면역갑상선질환의 진단에 사용되고, 풍토갑상선종(endemic goiter) 환자에서 요오드 치료효과를 평가할 때 사용된다. 요오드 섭취정도와 무관하게 갑상선분화암 환자에서 갑상선글로불린 측정과 함께 항갑상선글로불린항체의 측정은 필수적이며, 일종의 종양표지자 역할을 한다. 실제로 혈중 갑상선글로불린이 측정되지 않아도 항갑상선글로불린항체 농도가 점차 증가하는 경우 재발을 예측하기도 한다. 항갑상선글로불린항체는 낮은 농도에서도 혈중 갑상선글로불린 농도 측정을 방해하므로 항갑상선글로불린항체 양성인 경우 해석에 주의가 필요하다.

항갑상선글로불린항체는 정상인의 약 10%에서 검출된다. 그레이브스병의 40-60%에서, 하시모토갑상선염의 90% 이상에서, 갑상선분화암 환자의 약 20%에서 검출된다. 항체의 역가는 갑상선내 림프구 침윤과 비례하나 임상양상과는 무관하다.

3) 항갑상선자극호르몬수용체항체

항갑상선자극호르몬수용체항체(anti-TSH receptor antibody)는 TSH수용체와 결합하는 자가항체로 갑상선세포를 자극하는 자극항체(thyroid stimulating antibody, TSAb)와 갑상선세포의 기능을 억제하는 차단항체(thyroid stimulation blocking antibody, TSBAb) 등이 있다. 그레이브스병 환자의 대부분에서 검출되는 자극항체는 TSH수용체와 결합 후 아데닐산고리화효소(adenyl cyclase)에 의한 고리일인산아데노신(cyclic adenosine monophosphate, cAMP)과 인지질분해효소(phospholipase)에 의한 이노시톨인산염(inositol phosphate) 생성을 모두 증가시켜 결국 갑상선세포의 기능과 성장을 촉진한다. 반면에 차단항체는 TSH수용체와 결합 후 TSH 또는 자극항체의 기능을 억제하는 역할을 한다.

방사면역 측정으로 측정된 항갑상선자극호르몬수용체항체는 TSH수용체와의 결합 정도만을 반영하고 수용체와 결합 후의 cAMP 증감을 반영하지 못하는 갑상선자극호르몬결합억제면역글로불린(TSH binding inhibitory immunoglobulin, TBII) 측정으로 자극항체와 차단항체를 구별하지 못한다. 최근에 FRTL-5세포와 같은 갑상선세포주를 이용한 생물학적 분석법이 개발되었고, 이는 항체의 수용체결합 후의 cAMP 증감을 측정하여 자극항체와 차단항체를 구별할 수 있고, 항체의 역가를 측정할 수 있다.

항갑상선자극호르몬수용체항체 측정은 그레이브스병과 갑상선염에 의한 갑상선중독증과의 감별진단에 도움이 된다. 또한 그레이브스병 환자에서 항갑상선제 치료 후 약물을 중단할 때 판단기준이 되기도 하며, 약물 중단 후 항체의 역가가 다시 높게 측정되면 재발을 암시하는 소견이 되기도 한다. 안구가 돌출되는 경우 원인질환을 감별할 때 도움이 되고, 갑상선기능은 정상인 그레이브스안병증(euthyroid Graves' ophthalmopathy)이 의심되는 경우 진단에 결정적인 역할을 한다. 임산부에서 항갑상선자극호르몬수용체항체가 높게 측정되는 경우 이 항체가 태반을 통과하므로 신생아에서 일시적인 갑상선기능이상이 발생할 수 있음을 예측하기도 한다.

II. 갑상선스캔

1. 갑상선스캔

임상적으로 이용되는 핵종으로 ^{123}I, ^{124}I, ^{125}I, ^{131}I, ^{99m}Tc pertechnetate, ^{18}F fluorodeoxyglucose (FDG), ^{68}Ga DOTATATE 등이 있다. ^{131}I은 갑상선에 능동적으로 섭취되고 유기화되어 갑상선호르몬 합성에 이용되기 때문에 갑상선의 형태와 기능을 동시에 파악할 수 있으며, 다른 핵종

에 비해 더 생리적이라는 장점이 있다. 그러나 반감기가 8일로 길고, 주로 베타선을 방출하며, 경구투여 24시간 후에 스캔 및 섭취율을 측정하는 단점이 있다. ^{99m}Tc pertechnetate는 갑상선에 섭취는 되나 유기화되지 못한다는 단점이 있으나, 반감기가 6시간으로 짧고, 감마에너지를 방출하여 좋은 영상을 얻을 수 있으며, 정맥주사 20분 후 스캔 및 섭취율을 측정할 수 있다는 장점이 있다. ^{123}I은 반감기가 13.2시간으로 비교적 짧고, 감마선을 방출하여 좋은 영상을 얻을 수 있기 때문에 갑상선분화암에서 ^{131}I 치료 후 6개월 이후 평가용스캔을 찍을 때 이용된다. ^{124}I와 ^{18}F FDG는 PET 촬영할 때 이용되고, ^{125}I는 촬영보다 갑상선호르몬 농도 등을 측정하는 검사실에서 주로 이용된다. ^{68}Ga DOTATATE는 성장호르몬억제인자수용체에 결합하므로 갑상선수질암의 영상에 이용된다(표 3-2-6).

갑상선스캔은 갑상선종 또는 갑상선결절이 있을 때, 갑상선염의 진단이나 경과를 관찰할 때, 흉골하갑상선종과 같은 이소성 갑상선종이 의심될 때, 갑상선암수술 후 전이 여부를 알고자 할 때 시행한다. 갑상선스캔으로 갑상선이 보이지 않거나 희미하게 보이는 경우들이 있다. 첫째, 체내에 요오드 양이 증가된 경우, 둘째, 갑상선염에 의한 일시적인 갑상선중독증, 셋째, 갑상선호르몬 복용 중, 넷째, 수술 또는 방사성요오드치료 후, 다섯째, 선천적인 갑상선 결손 또는

표 3-2-6. 갑상선스캔에 사용되는 여러 핵종들의 특징과 임상이용

핵종	반감기	방사선	사용
^{123}I	13.2시간	감마선	평면촬영, 단일광자단층촬영(SPECT)
^{124}I	4.2일	양전자	양전자방출단층촬영(PET)
^{131}I	8일	베타선, 감마선	갑상선기능항진증과 갑상선분화암 치료, 평면촬영 및 섭취율검사
^{99m}Tc pertechnetate	6시간	감마선	갑상선섭취율검사
^{18}F fluorodeoxyglucose	110분	양전자	당대사를 이용한 PET
^{68}Ga DOTATATE	68분	양전자	성장호르몬억제인자수용체를 이용한 갑상선수질암을 위한 PET

SPECT, single-photon emission computed tomography; PET, positron emission tomography.

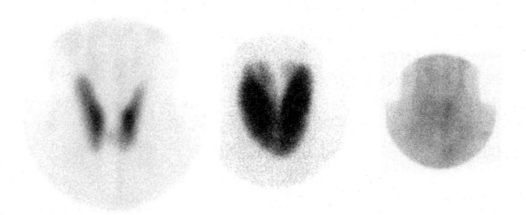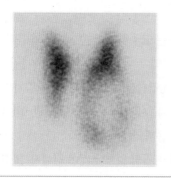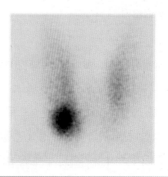

이소성 갑상선 등이 이러한 경우에 해당된다(그림 3-2-1).

갑상선결절 내에 방사성동위원소의 섭취가 없거나 현저히 감소되어 나타나는 경우를 냉결절(cold nodule)이라 한다. 냉결절은 양성종양이나 악성종양 모두에서 나타나므로 스캔소견으로는 감별이 불가능하다. 갑상선 정상조직에 비해 결절부위의 방사능 섭취가 상대적으로 증가된 경우를 열결절(hot nodule) 또는 온결절(warm nodule)이라고 한다(그림 3-2-2). 열결절이 자율적으로 갑상선호르몬을 생성하는 자율기능결절인지 여부를 확인하는 것은 치료법 및 예후를 결정하는 데 중요하다. 자율기능결절인 경우 거의 대부분 양성종양이며 악성종양일 가능성은 극히 적기 때문이다. 열결절이 자율기능결절인지 여부를 확인하기 위해서는 T₃억제검사 등을 실시한다.

2. 갑상선섭취율

방사성요오드섭취율검사의 목적은 요오드가 갑상선에 섭취되고 호르몬생성에 이용되고 분비되는 정도를 종합적으로 알아보는 검사이다. 과거에는 소량(5–10 μCi)의 ^{131}I을 사용하였으나, 방사선피폭 등의 문제로 최근에는 대부분 ^{123}I을 사용하고 있다. ^{123}I 20 μCi를 투여하고 일정시간(대부분 24시간) 후에 갑상선의 방사능을 계측한다. 갑상선기능항진증 환자 중 갑상선호르몬을 조기방출하는 경우를 진단하기 위해 2–6시간 후에 방사능을 계측하기도 한다. 방사성요오드섭취율의 정상범위는 식사에 포함된 요오드의 양에 따라 차이가 있어 각 검사실마다 다르다. 일반적으로 24시간섭취율은 정상의 상한선이 30–40%, 하한선은 5–10% 정도이다.

그림 3-2-1. 갑상선스캔. (왼쪽) 정상 갑상선, (중간) 그레이브스병으로 크고 섭취도가 높음, (오른쪽) 갑상선염, 갑상선이 보이지 않음.

그림 3-2-2. 갑상선스캔. (왼쪽) 냉결절, 좌엽 (중간) 온결절, 좌엽 (오른쪽) 열결절, 우엽

표 3-2-7. 방사성동위원소섭취율의 증가와 감소를 일으키는 경우

방사성동위원소섭취율이 증가하는 경우
• 갑상선기능항진증: 그레이브스병, 중독성선종, 중독성다결절갑상선종
• 호르몬생합성장애: 일부 하시모토갑상선염, 선천갑상선호르몬생성장애
• 기타: 갑상선염 회복기, 항갑상선제 투여 후, 갑상선호르몬의 소실(신증후군, 만성설사, 콩 섭취), 요오드결핍, TSH 투여
방사성동위원소섭취율이 감소하는 경우
• 갑상선기능저하증: 하시모토갑상선염, 위축성갑상선염
• 갑상선염에 의한 일시적인 갑상선중독증: 아급성갑상선염, 무통성갑상선염, 산후갑상선염
• 기타 갑상선중독증: 난소갑상선종(struma ovarii), 갑상선전이암, 요오드유발성
• 기타: 신부전, 심부전, 요오드 과다섭취

방사성요오드섭취율은 갑상선기능항진증에서는 증가하고, 갑상선기능저하증에서는 감소한다. 식사 속에 포함된 요오드의 양, 요오드대사에 영향을 주는 다른 질환, 요오드 포함 약물의 사용 등 갑상선기능 이외의 인자들에 의해 영향을 받으므로 판독할 때 주의가 필요하다. 다음과 같은 경우에 섭취율검사를 시행한다. 첫째, 갑상선기능항진증에서 ^{131}I 치료 투여량 결정을 위하여, 둘째, 갑상선염의 진단 및 경과관찰을 위하여, 셋째, 과염소산염방출검사(perchlorate discharge test) 또는 T_3억제검사 때 시행한다(표 3-2-7).

3. 과염소산염방출검사

정상 갑상선에서는 세포 내로 유입된 요오드화물은 즉시 유기화되어 세포 밖으로 유출되지 않는다. 과염소산(ClO_4^-)과 같은 음이온들은 갑상선세포에서 요오드화물과 경쟁적으로 섭취되므로 요오드화물의 세포 내로의 섭취를 경쟁적으로 억제한다.

공복상태에서 방사성요오드 미량(20 μCi)을 복용시키고 2-3시간 후 방사성요오드섭취율을 측정한다. 이어서 과염소산 1 g을 복용시키고 30분 간격으로 방사성요오드섭취율을 측정한다. 유기화과정이 정상인 경우 먼저 투여한 방사성요오드가 즉시 유기화되어 세포 밖으로의 유출이 없고 따라서 섭취율은 변화가 없다. 그러나 유기화과정에 장애가

있는 경우 먼저 투여한 방사성요오드가 유기화되지 못한 채 세포 밖으로 유출되어 점차 섭취율이 감소하게 된다. 이때 나중에 투여한 과염소산에 의하여 요오드화물이 더 이상 세포 내로 섭취되지 않는다. 과염소산염방출검사는 이러한 원리를 이용하여 요오드의 유기화과정에 장애가 있는지를 확인하는 검사이다.

과염소산 복용 후 섭취율이 15% 이상 감소하면 양성으로 판독한다. 갑상선과산화효소의 결핍에 의한 선천갑상선종, 하시모토갑상선염, 항갑상선제 투여 중인 경우 과염소산염 방출검사가 양성으로 나타난다.

III. 갑상선영상술 및 세침흡인세포검사

1. 갑상선초음파

갑상선초음파검사는 고주파(7.5-12 MHz)의 음파를 갑상선에 발사하여 반향되어 나오는 음파를 송신기가 받아들여 영상으로 제작한다. 갑상선 내의 여러 조직은 각자의 임피던스(impedence, 매질에서 파동의 진행을 방해하는 정도)가 달라 반향되는 음파의 진폭이 달라진다. 체액으로 채워진 낭종은 반향파가 거의 없거나 적어 경계가 잘 그려지는 까만 음영으로 나타나는 반면, 고형조직은 조직에 따라 반

향파가 다르기 때문에 경계가 잘 그려지지 않는 하얀 음영으로 나타난다. 석회화된 조직은 들어온 음파 모두가 조직을 투과하지 못하고 반향되므로 조직 뒤로 그림자가 있는 매우 하얀 음영으로 관찰된다. 현재 사용되고 있는 고주파초음파검사는 피부로부터 5 cm 이상 깊이 존재하는 조직을 정확히 평가하기 어려우나, 갑상선은 피부 바로 밑에 위치하므로 이러한 제한점을 극복할 수 있다.

고주파초음파검사는 1 mm의 해상도를 가지고 있으므로 2-3 mm크기의 낭종 또는 고형종양의 식별이 가능하다. 초음파검사는 비침습적이고, CT나 MRI와 달리 전처치나 조영제사용이 필요 없고, 조직에 가해지는 피해도 없으며, 진찰실에서 즉시 사용할 수 있는 장점이 있다. 또한 종양의 크기를 정확히 알 수 있고, 낭종인지 낭성변화가 동반된 종양인지 또는 고형종양인지 쉽게 구별할 수 있으며, 초음파를 이용한 세침흡인세포검사를 시행할 수 있다. 수술 전 갑상선암의 진행정도를 미리 파악할 수 있고, 수술 후 갑상선암의 재발 유무를 평가하는 데도 매우 유용하다. 최근에 제시된 진료권고안에 따르면 만져지는 갑상선종양이라도 초음파를 이용한 주기적인 관찰이 반드시 필요하다.

갑상선초음파검사만으로 악성과 양성의 정확한 감별은 불가능하나, 종양 주위의 윤곽이 뚜렷하고, 고에코를 보이며 결절주위로 테(halo)가 나타나거나 결절의 외각에 석회화가 나타나면 양성종양의 가능성이 높다. 그러나 악성종양에서도 고에코로 나타나는 경우가 많고 약 1/3에서도 테가 나타

나므로 특이성이 없다. 악성종양의 전형적인 초음파소견은 심한 저에코성이며, 종양의 경계가 불분명하며 내부에 석회화가 동반되어 있고, 혈류량이 증가하거나 종양의 모양이 앞뒤로 긴모양(taller than wide)이다. 이러한 갑상선암의심 초음파소견은 주로 갑상선유두암을 예측하는 소견들로 다른 갑상선암은 고유한 초음파소견이 없다(그림 3-2-3).

최근에 제시된 갑상선종양의 악성위험도분류체계(Korean thyroid imaging reporting and data system, K-TI-RADS)에 따르면 갑상선종양은 초음파유형에 따라서 높은 의심, 중간 의심, 낮은 의심, 양성으로 분류할 수 있다. 갑상선종양의 악성위험도는 초음파소견들이 결합된 유형에 따라서 결정되는데, 저에코고형결절에서 추가적인 암 의심소견이 함께 있는 경우 높은 의심에 해당되고, 추가적인 암 의심소견이 없는 저에코고형결절이거나 부분 낭성 혹은 등에코/고에코결절에서 암 의심소견이 함께 있는 초음파유형은 중간 의심으로 분류된다.

2. 세침흡인세포검사, 중심부바늘생검

세침흡인세포검사(fine needle aspiration cytology)는 안전하고 단순한 검사이며, 갑상선암의 진단특이도가 높아서 임상에서 일차검사로 많이 활용되고 있다. 환자를 바로 눕히고 어깨 밑에 베개를 고여 목이 펴지도록 하고, 피부를 알코올로 소독한다. 국소마취는 필요 없고 환자가 침을 삼키거나 말을 하지 않도록 주의시킨다. 초음파유도하에 왼쪽 손

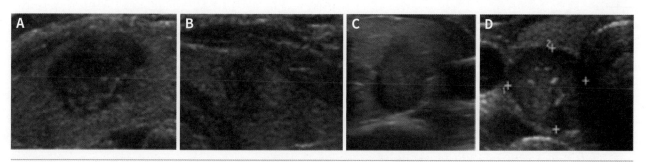

그림 3-2-3. 갑상선암을 시사하는 초음파소견
A: 현저한 저에코 결절, B: 경계가 불명확한 결절, C: 키가 큰 결절(taller than wide), D: 미세석회화가 동반된 결절

가락으로 결절을 고정시킨 후 22-23 gauge의 주사기로 결절을 찌른다. 음압으로 주사기의 피스톤을 후진시켜서 흡인한다. 이런 동작을 바늘의 각도를 달리하여 3-4회 반복한다. 주사기를 뺀 후 슬라이드에 흡인물을 도말하고 공기 중에서 말려서 김자(Giemsa)염색하고, 95% 알코올에 즉시 고정한 후 Papanicolaou법으로 염색한다. 낭종이나 낭성변화가 있는 결절에서는 가능한 낭액을 모두 뽑아내고, 고형결절에서와 같은 방법으로 세침흡인세포검사를 반복 시행한다.

1개의 슬라이드당 10-15개의 여포세포로 구성된 세포집단이 최소 6개 이상 보여야 제대로 검사가 이루어진 것으로 판단하고, 악성과 양성의 감별이 가능하다. 그러나 실제로 검체의 약 10-25%는 부적절한 검체로 판명된다. 부적절한 검체는 주로 낭종에서 낭액만 뽑힌 경우이며 재검사가 필요하다. 실제로 부적절한 검체의 약 3-12%에서 나중에 암으로 판명되기 때문이다. 적절한 검체의 판독결과는 양성종양이 약 74%, 악성종양이 4%, 악성과 양성을 분별할 수 없는 중간형(indeterminate group)이 22% 정도를 차지한다(그림 3-2-4).

악성종양의 진단에 있어 세포검사의 위음성률은 5% 이내이며 위양성률은 1-6%로 보고되고 있다. 암의 진단예민도는 85%, 특이도는 90-95%로 매우 정확한 검사이다. 세포검사의 판독상 악성과 양성의 구별이 모호한 소위 중간형인 경우 수술 후 암으로 판명될 확률은 약 12-34%이다. 세침흡인세포검사상 양성으로 판정된 경우 일정한 간격을 두고

재검사하였을 때 처음 진단이 변할 가능성은 2% 이내로 보고되고 있다. 따라서 세포검사에서 양성으로 판정된 경우에는 경과 중 임상적으로 악성을 의심할 만한 소견이 발견되지 않는다면 재검사가 필요 없고, 반면 중간형인 경우에는 일정한 간격으로 재검사할 필요가 있다.

세침흡인세포검사의 시행기준은 결절의 초음파소견에 따른 악성위험도와 결절의 크기에 의해서 결정되는데, 초음파소견이 높은 의심 혹은 중간 의심인 결절은 크기가 1 cm 이상인 경우에 세포검사를 시행하고, 낮은 의심인 결절은 1.5 cm 이상인 경우에 시행한다. 초음파소견으로 해면모양(spongiform)소견을 보이는 경우에는 암의 가능성이 거의 없으므로 2 cm 이상에서 선택적으로 시행한다. 반면, 두경부나 전신에 방사선조사의 과거력이 있는 경우, 갑상선암의 개인력 또는 가족력이 있는 경우, 갑상선암을 의심할 만한 증상이 있는 경우, ^{18}F FDG PET 양성인 경우, RET유전자변이 등이 발견된 경우, 혈청칼시토닌 농도가 100 pg/mL 이상인 경우, 피막침범이나 기관침범이 의심되는 경우, 림프절전이나 원격전이가 동반된 경우, 그리고 환자가 강력히 검사를 원하는 경우에는 제시된 기준보다 작은 크기의 결절에서도 세포검사를 시행할 수 있다.

2007년 여러 분야의 관련 전문가들이 모여서 갑상선종양의 세포검사결과를 보고하는 단일체계를 만들어서 2009년 소위 'Bethesda System for Reporting Thyroid Cytology (BSRTC)'를 발표하였고, 2016년 제1판을 보완해서 제2판을

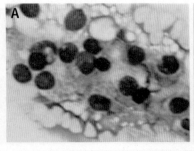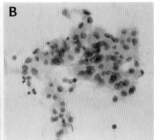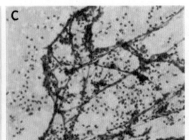

그림 3-2-4. 세침흡인세포검사에 의한 갑상선결절의 세포검사소견
갑상선유두암(A), 결절성 증식증(B), 급성갑상선염(C)

표 3-2-8. 갑상선종양의 세포검사 결과보고 형식

범주	진단분류	악성위험도	다음 처치
I	비진단적(nondiagnostic, unsatisfactory)	5–10%	세포검사 반복
II	양성(benign)	0–3%	초음파추적검사
III	비정형(atypia of undetermined significance or follicular lesion of undetermined significance)	10–30%	세포검사 반복, 분자표지자검사, 엽절제
IV	여포종양(follicular neoplasm or suspicious for a follicular neoplasm)	25–40%	분자표지자검사, 엽절제
V	악성의심(suspicious for malignancy)	50–75%	갑상선절제술
VI	악성(malignant)	97–99%	갑상선절제술

출처: Ali SZ, Cibas ES. The Bethesda system for reporting thyroid cytopathology II. Acta Cytol 2016;60:397-8.

보고하였다. 이 체계는 6개의 범주, 즉 1) 비진단적(nondi-agnostic, unsatisfactory), 2) 양성(benign), 3) 비정형 (atypia of undetermined significance or follicular lesion of undetermined significance, AUS/FLUS), 4) 여포종양 혹은 여포종양 의심(follicular neoplasm or suspicious for a follicular neoplasm), 5) 악성 의심 (suspicious for malignancy), 6) 악성(malignant)으로 구성되어 있으며, 각 범주별로 악성위험도를 예측하고 다음 단계에 취할 치료법을 제시하고 있다(표 3-2-8). 이 체계는 통일된 용어로 의료진 간의 의사소통이 가능하게 하였고, 범주별로 악성위험도를 제시하여 다음 단계에서 임상의가 어떠한 설명과 행동을 해야 할지를 제시하고 있다.

세침흡인세포검사의 한계는 20% 이상에서 진단의 결론을 내리지 못한다는 점이다. 중심부바늘생검(core needle bi-opsy)은 이러한 한계를 어느 정도 극복할 수 있는 검사법이다. 특히 비진단적, 비정형 또는 여포종양의 범주에서 진단율을 일정 부분 향상시킬 수 있다. 그러나 아직까지 세침흡인세포검사가 일차검사법이고, 조직생검은 이를 보완하는 검사라고 생각하고 있다. 따라서 첫째, 세포검사로 비진단적이나 비정형으로 진단받은 경우, 둘째, 여포종양의 진단을 확정해야 하는 경우, 셋째, 갑상선의 드문 암(림프종, 역형성암, 수질암, 전이암) 진단을 위하여 조직생검을 시행한다.

3. 갑상선전산화단층촬영, 갑상선자기공명영상

갑상선에 요오드가 높은 농도로 존재하기 때문에 전산화단층촬영(computerized tomography, CT)을 촬영하면 주위 조직에 비하여 높은 감쇠현상(attenuation, 입자가 물질을 통과할 때 일부가 흡수되거나 산란되면서 에너지 또는 입자의 수가 감소하는 현상)이 나타난다. CT에서는 갑상선종양이 양성인지 악성인지 구별이 어렵고, 경부에 재발한 미세병소를 찾는 데에도 한계가 있다. 그러나, 수술 전 주위조직과의 해부학적 관계를 파악하거나, 흉골 아래로 진행된 병소를 찾는 데 도움이 된다. 특히 흉골밑갑상선종(sub-sternal goiter)의 진단과 추적관찰 시 도움이 된다. CT를 촬영할 때 주사하는 조영제에 요오드가 다량 함유되어 있어, 갑상선스캔 또는 방사성요오드치료를 계획하는 경우 CT를 1–3개월 전에 미리 촬영하던가 아니면 후에 촬영하는 것이 좋다.

갑상선암 환자에서 CT검사는 혈중 갑상선글로불린 농도는 높으나 경부초음파로 병소를 발견할 수 없는 경우(이때는 경부와 흉부 CT 모두 시행한다), 림프절전이가 크고 광범위하여 초음파로는 전모를 완전하게 파악하기 힘든 경우, 전이병소의 침습정도를 정확하게 파악하고자 하는 경우 등에서 시행한다.

자기공명영상(magnetic resonance imaging, MRI)은 조직 간 대조해상은 우수하나, 공간해상이 좋지 못하다. MRI는 환자가 촬영 중 갇혀 있다는 공포감을 느낄 수 있고, 소음이 많이 나기 때문에 쾌적한 검사환경이 되지 못한다. 또한 CT와 마찬가지로 양성과 악성의 구별이 어렵고, 값이 비싼 단점이 있어 갑상선영상술로 적합하지 못하다. 뼈전이가 동반된 경우 전이병소를 파악하는 데 도움이 될 수 있다.

4. ^{18}F FDG PET/CT

양전자방출단층촬영(F-18 fluorodeoxyglucose positron emission tomography/computed tomography, PET/CT)은 갑상선종양이나 다른 갑상선질환 환자에서 일상적으로 사용하는 검사는 아니다. 다른 질환을 평가할 목적으로 시행한 ^{18}F FDG PET/CT검사에서 우연히 갑상선의 비정상적인 섭취 증가소견을 발견할 수 있다. ^{18}F FDG PET/CT검사를 시행한 환자 중 1–2%에서 갑상선 국소섭취소견이, 2% 정도의 환자에서 광범위 섭취소견이 우연히 발견된다. 갑상선에 국소섭취소견을 보이는 경우 갑상선종양일 가능성이 높아 종양의 정체를 확인하기 위해 초음파검사가 필요하다. 크기가 1 cm 이상이거나 섭취정도가 높은 경우 악성의 가능성이 높기 때문에 추가적으로 세침흡인세포검사를 시행한다. 반면 ^{18}F FDG PET/CT검사에서 광범위섭취를 보이는 경우에는 대부분 하시모토갑상선염과 같은 자가면역갑상선질환이 있는 경우가 많으므로 갑상선기능검사와 결절 유무를 확인하기 위한 초음파검사를 추가로 시행한다.

대부분의 갑상선분화암은 질환의 진행이 느려서 당대사율이 낮다. 그러나 일부 공격적인 갑상선암 환자에서 ^{18}F FDG가 섭취된다. 따라서 ^{18}F FDG PET/CT검사는 대부분의 갑상선분화암 환자에서는 사용할 필요가 없고, 대신 고위험군의 갑상선분화암 환자에서 혈중 갑상선글로불린 또는 항갑상선글로불린항체 농도가 높으나 방사성요오드스캔에서 병소가 확인되지 않는 경우에 사용된다. 이러한 이유로 ^{18}F FDG를 섭취하는 갑상선암 환자들의 예후는 좋지 않다.

^{18}F FDG PET/CT검사의 민감도에 영향을 미치는 인자들 중 종양의 분화도와 크기가 중요하다. 분화도가 나쁘거나, 키큰세포 갑상선유두암 및 Hürthle cell carcinoma과 같이 공격적인 조직형을 보이는 환자에서 민감도가 높다. 일부 저분화갑상선암은 갑상선글로불린 생성을 하지도 않고, 방사성요오드도 섭취되지 않아 암 진행평가를 할 수 없어 ^{18}F FDG PET/CT검사를 질환의 진행정도를 평가할 목적으로 활용하기도 한다. 대부분의 Hürthle cell carcinoma에서는 방사성요오드섭취정도와 무관하게 ^{18}F FDG 섭취를 잘 하기 때문에 ^{18}F FDG PET/CT검사가 중요한 역할을 한다. 혈중 갑상선글로불린 농도가 10 ng/dL 이상(TSH 자극치)이나 경부초음파나 흉부 CT검사 등으로 병소를 찾을 수 없을 때 ^{18}F FDG PET/CT검사가 활용되기도 한다.

IV. 기타 검사

1. 갑상선글로불린

갑상선글로불린(thyroglobulin)은 2개의 동일한 부분으로 구성되어 있는 매우 큰(660 kDa) 당단백질이다. 번역 후 변형이 일어나기도 하고 또는 갑상선호르몬 합성과 방출과정에서 갑상선글로불린은 다양한 모양으로 변형되므로 면역학적 구조는 매우 복잡하다. 이러한 이유로 갑상선글로불린이나 항갑상선글로불린항체 측정의 표준화는 매우 어렵다. 갑상선글로불린은 갑상선호르몬의 전구물질로 작용하며, 요오드 저장소로써 그리고 갑상선자가면역의 중요한 항원으로 작용한다.

혈중 갑상선글로불린 농도는 방사면역측정법 또는 면역계수측정법으로 측정하며 정상치는 3–40 ng/mL 정도이다. 혈중 갑상선글로불린 농도는 흡연, 요오드 섭취정도, 갑상선의 크기에 영향을 받는다. 요오드 섭취가 충분하고 정상

표 3-2-9. 혈중 갑상선글로불린 농도의 참고구간(reference range)

여러 임상조건들	혈청갑상선글로불린의 허용범위(ng/mL)
정상 갑상선(TSH 0.40–4.0 mIU/L)	3–40
정상 갑상선(TSH < 0.10 mIU/L)	1.5–20
갑상선엽절제(TSH < 0.10 mIU/L)	< 10
갑상선전절제(TSH < 0.10 mIU/L)	< 2

크기(10–15 g)의 갑상선을 가지고 있는 사람의 경우 혈중 갑상선글로불린 농도는 10–15 ng/mL 정도이다. 즉, 갑상선 조직 1 g이 혈중 갑상선글로불린 농도 1 ng/mL을 만든다. 따라서 혈중 갑상선글로불린의 정상범위를 결정하려면, 다음과 같은 조건을 갖는 사람들에서 값을 모아야 한다. 즉, 갑상선종이 없고, 비흡연자이며, 갑상선질환의 개인력이나 가족력이 없고, 갑상선 자가항체가 없고, 그리고 혈중 TSH 농도가 0.50–2.0 mIU/L 사이인 경우이다(표 3-2-9).

면역계수측정법이 방사면역측정법보다 더 많은 장점을 가지고 있으나, 항갑상선글로불린항체가 존재하는 경우 측정에 간섭(interference)을 받아 실제 값보다 낮게 측정된다. 방사면역측정법도 항체에 의하여 간섭을 받으나, 그 정도가 면역계수측정법보다 덜하여 항갑상선글로불린항체가 높게 측정되는 경우 방사면역측정법으로 갑상선글로불린 농도를 측정하는 것이 더 좋다. 또한 면역계수측정법의 경우 갑상선글로불린 농도가 1,000 ng/mL 이상으로 매우 높을 때 실제 값보다 매우 낮게 측정되는 현상이 벌어질 수 있다. 이를 후크(Hook)현상이라 한다. 이는 너무나 많은 항원이 존재하여 키트 내에 존재하는 포획(capture)항체의 결합능력을 훨씬 초과할 때 발생한다. 이를 극복하기 위한 두 가지 방법이 있는데 하나는 2단계로 측정하는 방법이다. 이는 혈청을 포획항체와 먼저 반응시키고, 결합하지 못한 것들을 세척하기 전에 표지항체를 재차 주입하여 두 번째 반응을 시키는 방법이다. 또 다른 방법은 혈청을 10배 희석시켜 검사하는 법이다. 희석시킨 혈청에서 원래 혈청보다 더 높은 농도가 나타나면 측정과정에서 후크현상이 일어났음을 알 수 있다.

대부분의 갑상선질환에서 혈중 갑상선글로불린 농도가 증가할 수 있으므로 진단가치는 없다. 예를 들어 그레이브스병의 경우 갑상선자극항체자극에 의하여 갑상선글로불린 농도는 증가하나, 대부분의 경우 항갑상선글로불린항체가 공존하므로 항체에 의한 간섭효과 때문에 실제보다 낮게 측정된다. 갑상선절제술 후 또는 갑상선조직검사 후에도 갑상선글로불린 농도가 빠르게 증가하고 빠르게 감소한다. 방사성요오드치료 후에는 갑상선글로불린 농도가 서서히 증가하고 수개월에 걸쳐서 서서히 감소한다.

혈중 갑상선글로불린 농도의 측정이 임상적으로 유용한 경우들이 있다. 첫째, 갑상선분화암의 수술 후 경과관찰에 유용하다. 즉, 갑상선분화암의 치료 후 혈중 갑상선글로불린 농도가 증가하면 암의 재발 내지 전이를 의미한다. 갑상선호르몬을 복용하면서 TSH가 억제된 상태에서는 갑상선글로불린의 농도가 실제 값보다 매우 낮게 측정된다. 반면에 재조합인간갑상선자극호르몬 (recombinant human TSH, rhTSH) 후 또는 갑상선호르몬 중단 후 갑상선글로불린 농도는 각각 10배, 20배 증가한다. 예를 들어 갑상선아전절제술로 정상 갑상선조직을 약 2 g 정도 남겨둔 경우 갑상선호르몬제를 복용하는 상태에서는 혈중 갑상선글로불린 농도가 2 ng/mL 정도로 측정될 것이다. 그러나 rhTSH나 4주간 갑상선호르몬제를 중단한 경우에는 농도가 각각 10배, 20배 정도 증가한 상태로 측정된다. 혈중 갑상선글로불린의 반감기가 1–3일인 점을 고려하면 갑상선절제술 후 혈중 갑상선글로불린 농도가 가장 낮게 측정되는 시기는 수술 4–6주 후이다. 장기간 경과관찰을 할 때 동일한 기관에서 동일한 키트로 혈중 갑상선글로불린과 항갑상선글로불린항체 농도를 동시에 측정하는 것이 바람직하다. 둘째, 아급성갑상선염이나 무통갑상선염과 같이 갑상선의 파괴로 갑상선중독증을 일으킨 경우와 갑상선호르몬의 과다 복용에 의한 갑상선중독증과의 감별에도 이용된다. 즉, 갑상선염에 의한 경우에는 혈중 갑상선글로불린 농도가 증가하나, 갑상선호르몬 과다 복용의 경우에는 갑상선글로불린 분비가 억제되어 혈중 갑상선글로불린 농도는 감소한다. 갑상선염에 의한 갑상선글로불린 증가는 다른 경우에 비하여 최대 2년까지 장기간 지속된다. 셋째, 선천갑상선기능저하증의 원인질환을 감별할 때 도움이 된다. 즉, 갑상선글로불린유전자변이의 경우 혈중 갑상선글로불린 농도는 매우 낮게 측정되나, TPO변이, NIS변이, DUOX2변이 등의 경우 혈중 갑상선글로불린 농도는 높게 측정된다.

2. 칼시토닌

칼시토닌(calcitonin)은 preprocalcitonin, procalcitonin의 연속적인 분할로 만들어진 32개의 아미노산으로 이루어진 비교적 간단한 구조의 펩타이드이다. 최근에 개발된 면역화학발광측정법(immunochemiluminometric assay)은 procalcitonin 또는 칼시토닌관련 펩타이드들과의 교차반응을 제거할 수 있어 매우 높은 민감도와 특이도를 가지고 있다.

갑상선수질암이 의심되면 혈중 칼시토닌 농도 측정이 도움이 된다. 특히 가족 중에 갑상선수질암이나 2형다발내분비선종의 병력이 있는 경우에는 반드시 측정해야 한다. 갑상선수질암의 발생빈도가 낮아(우리나라의 경우 전체 갑상선암의 0.6%) 모든 갑상선종양 환자에서 일상적으로 혈중 칼시토닌 농도를 측정해야 하는지는 다른 의견들이 있다. 선별검사로 칼시토닌 농도를 측정할 경우 조기에 C세포증식증과 갑상선미세수질암을 진단할 수 있어 전반적인 생존율을 향상시킬 수 있다. 그러나 칼시토닌은 수질암 이외의 다른 질환(만성신부전, 부갑상선항진증, 자가면역갑상선염, 폐암,

전립선암, 신경내분비종양 등)에서도 증가할 수 있어 감별이 필요하나, 다른 질환에서는 칼슘 또는 펜타가스트린(pentagastrin) 자극에 반응이 거의 없고, 수질암에 비하여 혈중 칼시토닌 농도도 그리 높지 않다. 혈중에 비특이성항체(heterophilic antibody, 다른 동물의 항체와 폭 넓게 반응하는 사람항체)가 존재하면 혈중 칼시토닌 농도는 실제보다 높게 나타난다. 갑상선글로불린 농도 측정에서와 같이 혈중 칼시토닌 농도가 매우 높을 때 실제 값보다 매우 낮게 측정되는 후크현상이 나타날 수 있어 주의가 필요하다. 이러한 현상은 면역화학발광측정법에서는 드물게 발생한다.

정상인의 3–10%는 혈중 칼시토닌 농도가 10 pg/mL 이상으로 측정되며, 남성이 여성보다 더 높게 측정된다. 신생아에서 혈중 칼시토닌 농도는 어른보다 더 높아 일부 보고에서는 생후 6개월 이내는 40 pg/mL 이하를, 6개월에서 3살 사이는 15 pg/mL 이하를 정상으로 생각한다. 혈중 칼시토닌 농도의 참고구간은 측정법마다 또는 키트마다 달라 각 나라의 권고안에서 일정한 참고구간을 제시하지는 않는다.

혈중 칼시토닌 농도 측정은 갑상선수질암의 진단뿐만 아니라 수술 후 암표지자로써 질환의 진행평가에 결정적인 역할을 한다. 칼시토닌 농도는 암의 총량과 비례한다. 장기간 경과관찰을 할 때 동일한 기관에서 동일한 키트로 혈중 칼시토닌 농도를 측정하는 것이 바람직하다. 혈중 칼시토닌 농도가 50–100 pg/mL 이상이면 갑상선수질암의 가능성이 높다.

3. T_3억제검사

T_3억제검사(T_3 suppression test)는 갑상선의 요오드섭취율이 TSH에 의해 좌우되며, TSH 분비가 갑상선호르몬 농도에 의해 조절되는 점을 이용하여 뇌하수체–갑상선축의 이상 여부를 평가하는 검사법이다. 먼저 기저방사성요오드섭취율을 측정하고, 이어서 하루 T_3 75–100 μg을 7–10일간 복용케 한 후 다시 방사성요오드섭취율을 측정하여 기저치와 비교한다. 정상인에서는 T_3에 의해 TSH 분비가 억제되

어 방사성요오드섭취율이 기저치의 50% 이상 감소한다. 이 검사는 뇌하수체–갑상선 조절능을 평가하는 표준검사법으로 가벼운 갑상선기능항진증의 진단, 그레이브스병 치료 후 관해 여부 판정 등에 이용된다. 그러나 예민한 TSH측정법이 임상에서 활용되고 있고, 그레이브스병의 병인론적인 역할을 하는 자극항체의 측정이 가능해졌고, 검사를 위하여 일주일 이상이 소요되는 단점 등이 있어 임상에서 거의 사용되지 않는다.

4. TRH자극검사

최근에 아주 예민한 TSH측정법이 도입된 후부터 TRH자극검사(TRH stimulation test)는 거의 사용되지 않는다. 합성 TRH 400 μg (200–500 μg)을 정맥주사하고 0, 30, 60, 90, 120분에 각각 채혈하여 혈청TSH 농도를 측정한다. 정상인에서는 TRH정맥주사 후 20–30분경에 TSH치가 최고로 증가하고, 이어 점차 감소하여 120분 이후 기저치 수준으로 감소한다. 자극된 TSH 농도가 기저치보다 5 mIU/L 이상 증가하면 정상으로 판독한다.

일차갑상선기능저하증은 TRH자극에 대한 TSH반응이 과장되어 나타난다. 반면 이차갑상선기능저하증은 뇌하수체의 TSH 분비예비능이 저하되어 있으므로 TRH에 대한 TSH반응이 나타나지 않는다. 삼차갑상선기능저하증은 시상하부의 TRH분비가 감소된 경우이므로 TRH에 대한 TSH반응이 정상 혹은 약간 지연된 반응으로 나타난다(표 3-2-10, 그림 3-2-5).

갑상선기능항진증은 혈중 갑상선호르몬의 상승으로 뇌하수체가 억제되어 있는 상태이므로 TRH자극에 대한 TSH 반응이 없다. TRH자극검사가 정상이면 일단 갑상선기능항진증은 제외할 수 있다. 혈중 갑상선호르몬 농도가 정상의 상한선에 있는 가벼운 갑상선기능항진증의 확진을 위해 TRH자극검사가 도움이 된다. 또한 그레이브스병의 경과 중 관해 여부를 판정하는 데 TRH자극검사가 이용되기도 한다.

표 3-2-10. TRH자극검사가 둔화되어 나타나는 경우

- 갑상선기능항진증, 자율기능결절
- 이차갑상선기능저하증
- 쿠싱증후군, 당질부신피질호르몬 복용 중
- 말단비대증, 성장호르몬 치료 중
- 도파민 치료 중
- 비갑상선질환의 일부
- 만성신부전
- 우울증

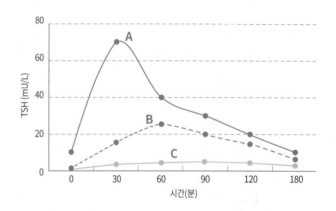

그림 3-2-5. TRH자극검사. TRH 400 μg 주사 후 TSH 농도 측정
A: 일차갑상선기능저하증, TSH 자극이 과장된 반응, B: 삼차갑상선기능저하증. TSH 자극이 지연된 반응, C: 이차갑상선기능저하증 또는 갑상선기능항진증. TSH 자극이 반응하지 않음.

참 / 고 / 문 / 헌

1. Ali SZ, Cibas ES. The Bethesda system for reporting thyroid cytopathology II. Acta Cytol 2016;60:397-8.

2. Baloch Z, Carayon P, Conte-Devolx B, Demers LM, Feldt-Rasmussen U, Henry JF, et al. Laboratory medicine practice guideline, laboratory support for the diagnosis and monitoring of thyroid disease. Thyroid 2003;13:3-126.

3. Braverman LE, Cooper DS, Kopp P. The Werner & Ingbar's the thyroid. 11th ed. Philadelphia: Wolters Kluwer; 2021. pp. 267-331.

4. Cho BY. Clinical Thyroidology. 4th ed. Seoul: Korea Medical Book Publishing Company; 2014. pp. 129-212.

5. Cho YY, Chun S, Lee SY, Chung JH, Park HD, Kim SW. Performance evaluation of the serum thyroglobulin assays with immunochemiluminometric assay and

immunoradiometric assay for differentiated thyroid cancer. Ann Lab Med 2016;36:413-9.

6. Cho YY, Song JS, Park HD, Kim YN, Kim HI, Kim TH, et al. First report of familial dysalbuminemic hyperthyroxinemia with an ALB variant. Ann Lab Med 2017;37:63-5.

7. Demers LM, Spencer CA. Laboratory medicine practice guidelines: laboratory support for the diagnosis and monitoring of thyroid disease. Clin Endocrinol (Oxf) 2003;58:138-40.

8. Durante C, Grani G, Lamartina L, Filetti S, Mandel SJ, Cooper DS. The diagnosis and management of thyroid nodules: a review. JAMA 2018;319:914-24.

9. Ha EJ, Lim HK, Yoon JH, Baek JH, Do KH, Choi M, et al. Primary imaging test and appropriate biopsy methods for thyroid nodules: guidelines by Korean Society of Radiology and National Evidence-Based Healthcare Collaborating Agency. Korean J Radiol 2018;19:623-31.

10. Hahm JR, Lee MS, Min YK, Lee MK, Kim KW, Nam SJ, et al. Routine measurement of serum calcitonin is useful for early detection of medullary thyroid carcinoma in patients with nodular thyroid diseases. Thyroid 2001;11:73-80.

11. Haugen BR, Alexander EK, Bible KC, Doherty GM, Mandel SJ, Nikiforov YE, et al. 2015 American Thyroid Association management guidelines for adult patients with thyroid nodules and differentiated thyroid cancer: the American Thyroid Association guidelines task force on thyroid nodules and differentiated thyroid cancer. Thyroid 2016;26:1-133.

12. Jeong SY, Lee JT. Nuclear imaging of differentiated thyroid cancer: current status and future perspective. J Korean Thyroid Assoc 2011;4:8-17.

13. Jung CK, Baek JH. Recent advances in core needle biopsy for thyroid nodules. Endocrinol Metab (Seoul) 2017;32:407-12.

14. Kim BH, Kim IJ. Interpretation of sensitive thyroid autoantibody assay. J Korean Thyroid Assoc 2009;2:98-104.

15. Kim HI, Oh HK, Park SY, Jang HW, Shin MH, Kim SW, et al. Urinary iodine concentration and thyroid hormones: Korea National Health and Nutrition Examination Survey 2013-2015. Eur J Nutr 2019;58:233-40.

16. Kim J. Role of CT and MRI in the preoperative evaluation of thyroid nodules and differentiated thyroid cancer. J Korean Thyroid Assoc 2010;3:134-41.

17. Kim SY. Min's Clinical Endocrinology. 3rd ed. Seoul: Korea Medical Book Publishing Company; 2016. pp. 185-98.

18. Kim TS, Kim SK. Nuclear medicine imaging of thyroid cancer. J Korean Thyroid Assoc 2009;2:15-21.

19. Kim WG, Kim WB, Woo G, Kim H, Cho Y, Kim TY, et al. Thyroid stimulating hormone reference range and prevalence of thyroid dysfunction in the Korean population: Korea National Health and Nutrition Examination Survey 2013 to 2015. Endocrinol Metab (Seoul) 2017;32:106-14.

20. Ladenson PW, Singer PA, Ain KB, Bagchi N, Bigos ST, Levy EG, et al. American thyroid association guidelines for detection of thyroid dysfunction. Arch Intern Med 2000;160:1573-5.

21. Lee JI, Kim JY, Choi JY, Kim HK, Jang HW, Hur KY, et al. Differences in serum thyroglobulin measurements by 3 commercial immunoradiometric assay kits and laboratory standardization using certified reference material 457 (CRM-457), Head Neck 2010;32:1161-6.

22. Moon WJ. Ultrasonography of thyroid nodules. J Korean Thyroid Assoc 2008;1:11-6.

23. Park KW, Shin JH, Hahn SY, Oh YL, Kim SW, Kim TH, et al. Ultrasound-guided fine-needle aspiration or core needle biopsy for diagnosing follicular thyroid carcinoma? Clin Endocrinol (Oxf) 2020;92:468-74.

24. Russell W, Harrison RF, Smith N, Darzy K, Shalet S, Weetman AP, et al. Free triiodothyronine has a distinct circadian rhythm that is delayed but parallels thyrotropin levels. J Clin Endocrinol Metab 2008;93:2300-6.

25. Shin DY. Clinical implication of TSH receptor antibody measurement. Int J Thyroidol 2016;9:15-8.

26. Shin JH, Baek JH, Chung J, Ha EJ, Kim JH, Lee YH, et al. Ultrasonography diagnosis and imaging-based management of thyroid nodules: revised Korean Society of Thyroid Radiology consensus statement and recommendations. Korean J Radiol 2016;17:370-95.

27. Shong YK. Use of FDG-PET in thyroid disorder. J Korean Thyroid Assoc 2009;2:1-6.

28. Spencer CA, LoPresti JS, Patel A, Guttler RB, Eigen A, Shen D, et al. Applications of a new chemiluminometric thyrotropin assay to subnormal measurement. J Clin Endocrinol Metab 1990;70:453-60.

29. Surks MI, Chopra IJ, Mariash CN, Nicoloff JT, Solomon DH. American thyroid association guidelines for use of laboratory tests in thyroid disorders. JAMA 1990;263:1529-32.

30. Wells SA Jr, Asa SL, Dralle H, Elisei R, Evans DB, Gagel RF, et al. Revised American Thyroid Association guidelines for the management of medullary thyroid carcinoma. Thyroid 2015;25:567-610.

31. Yi KH, Lee EK, Kang HC, Koh Y, Kim SW, Kim IJ, et al. 2016 Revised Korean Thyroid Association management guidelines for patients with thyroid nodules and thyroid cancer. Int J Thyroidol 2016;9:59-126

갑상선질환의 자가면역기전

박도준

I. 서론

갑상선질환의 발생에 있어 자가면역기전은 매우 중요하다. 가장 대표적인 갑상선질환인 그레이브스병과 만성갑상선염은 모두 자가면역기전에 의해 발생한다. 이 두 가지 질환의 유병률이 얼마나 되는지는 확실치 않다.

자가면역갑상선질환의 유병률에 있어 항체양성률만을 보면, 영국에서 일반 인구집단을 대상으로 한 연구에서 갑상선 자가항체 양성률이 여성에서는 20% 이상에서 갑상선과산화효소에 대한 자가항체(항갑상선과산화효소항체, anti-thyroid peroxidase Ab, anti-TPO Ab, TPO항체)가 발견되었다. 노르웨이에서는 여성의 13.9%, 남성의 2.9%에서 항갑상선과산화효소항체가 발견된다. 덴마크의 결과는 여성의 14.5%에서 항갑상선과산화효소항체가 발견되며, 60–65세의 남성에서는 7.3%에서 발견이 되었다. 일본에서의 결과는 여성에서는 최고 13.9%에서, 남성에서는 6.5%에서 항갑상선과산화효소항체가 존재하는 것으로 알려졌다. 중국의 결과는 지역에 따른 차이가 크나, 역시 10% 이상의 인구에서 항갑상선과산화효소항체가 발견된다. 우리나라에서는 인구집단을 대상으로 한 대대적인 검사 결과는 없으나 외국과 거의 비슷할 것으로 예상된다. 물론 항갑상선과산화효소항체 양성이 자가면역갑상선질환이 있다는 것을 의미하지는 않으나, 하시모토갑상선염 환자의 거의 대부분에서, 그레이브스병 환자에서는 70–80%에서 양성으로 나타나는 것을 볼 때 항갑상선과산화효소항체 양성은 자가면역갑상선질환의 발생과 밀접한 관계가 있다고 할 수 있다.

우라나라의 경우 2021년 대한갑상선학회에 의하면 그레이브스병의 유병률은 약 0.3% 정도 되는데 이는 심사평가원 자료를 이용하여 항갑상선제를 사용하는 환자를 추출한 통계로, 실제 환자 숫자는 더 많을 것이다. 하시모토갑상선염의 경우는 심사평가원자료를 통해 유병률을 조사하는 것이 거의 불가능한데 이는 하시모토갑상선염이 있다고 하더라도 갑상선호르몬을 사용하지 않는 정상갑상선기능 내지는 불현성갑상선기능저하증인 환자가 많을 것이고, 이러한 환자는 심사평가원이나 건강보험공단자료를 통해서는 파악이 불가능하기 때문이다. 그러나 하시모토갑상선염의 유병률은 그레이브스병보다는 훨씬 높을 것으로 예상이 되며, 외국에서의 자료를 보면 그레이브스병과 하시모토갑상선염을 합쳤을 때의 유병률이 인구의 거의 5%에 달한다는 주장도 있다.

가장 흔한 자가면역류마티스질환인 류마티스관절염이나 강직척수염의 유병률이 0.5–1%인 것을 감안하면 갑상선질환에 있어 자가면역기전이 얼마나 중요한지를 알 수 있다.

II. 갑상선 면역학

1896년에 갑상선글로불린이 처음 분리, 정제된 이후 갑상선글로불린을 비롯한 갑상선조직에만 존재하는 특이단백질이 갑상선질환에 있어 면역학적으로 중요한 역할, 즉 항원으로 작용할 것이라는 가설은 꾸준히 제기되었다. 그러나 동물실험에서 일부 질환과의 연관성은 확인이 되었으나 실제로 갑상선조직의 변화는 관찰되지 않았다.

1956년 Rose 등은 토끼의 갑상선에서 단백질을 추출하고 이를 화학적으로 변성시킨 후 다시 토끼에게 접종을 하여 이에 대한 항체가 생성되는 것을 확인하였을 뿐 아니라 갑상선조직에서도 염증소견을 확인하여 자가면역기전에 의해 갑상선질환이 발생할 가능성을 최초로 실험적으로 증명하였다. 이후 많은 실험자료와 임상양상에 대한 정보가 축적이 되면서 갑상선질환에 있어서 자가면역기전에 대한 이해는 매우 깊어졌다.

기본적으로 자가면역갑상선질환은 유전소인이 있는 사람에서 외부요인(요오드, 흡연, 감염, 스트레스, 외상 등)에

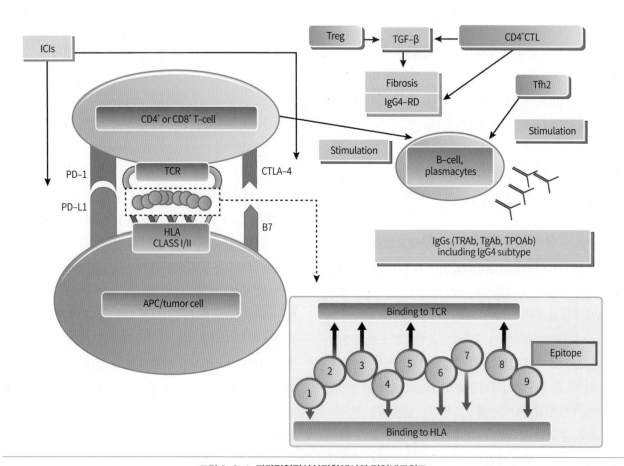

그림 3-3-1. 자가면역갑상선질환에서의 면역네트워크

항원제시세포 혹은 종양세포가 갑상선, 혹은 종양항원결정부위를 T세포수용체에 제시하게 되는데, HLA class II에 결합된 항원결정부위는 CD4[+] T세포에, HLA-class I에 결합한 항원결정부위는 CD8[+] T세포에 각각 제시된다. 아미노산 중 1, 4, 6, 7, 9번 위치에 있는 아미노산은 HLA에 결합하고, 2, 3, 5, 8번 위치의 아미노산은 T세포수용체를 향해 있어 T세포를 자극한다. 면역관문억제단백질인 CTLA-4, PD-1, PD-L1은 이 면역반응을 조절한다. 여포도움T세포는 CD4[+] T세포와 함께 B/형질세포를 자극하여 갑상선특이면역글로불린(TRAb, TgAb, TPO Ab)을 만들어낸다. CD8[+]세포독성T세포는 T_reg와 함께 TGF-β를 생산하여 조직 섬유화와 IgG4-RD를 유도한다.

Tfh2, T follicular helper cell subset 2

출처: Inaba H, Ariyasu H, Takeshima K, Iwakura H, Akamizu T. Endocr J 2019;66:843-852.

노출되면서 발생한다. 갑상선자가항원은 갑상선글로불린 (thyroglobulin, Tg), 갑상선자극호르몬수용체(thyroid stimulating hormone receptor, TSHR), 갑상선과산화효소(thyroid peroxidase, TPO), 소듐요오드동반수송체 (sodium iodide symporter) 등이 중요하다.

유전요인은 자가면역갑상선질환의 발생에 중요한 역할을 한다. 특히 면역반응에 관련한 human leukocyte antigen (HLA), Tg, cytotoxic T-lymphocytes antigen (CTLA-4) 등의 유전자다형성은 자가면역갑상선질환의 발생과 밀접한 관련이 있다. CTLA-4는 활성화된 T세포의 표

면에 발현이 되는데, 항원제시세포표면의 B7과 T세포 표면의 CD28이 결합하는 것을 방해하며, 이를 통해 T세포매개 면역반응을 억제한다. CTLA-4 외에 면역관문억제제인 programmed death-1 (PD-1)과 programmed death ligand 1 (PD-L1)이 면역 억제에 중요한 역할을 하는데 TSHR 항원결정부위(epitope), HLA-DR 및 T세포수용체 (T-cell receptor, TCR)를 통한 면역반응을 조정한다. 단일폴리펩타이드인 TSH수용체는 세포외부위인 알파소단위와 막경유 및 세포질액쪽 부위인 베타소단위로 잘라지는데, 알파소단위는 혈액순환 내로 들어가 항원제시세포에 섭취(endocytosis)가 된다. 이는 다시 항원제시세포 내에

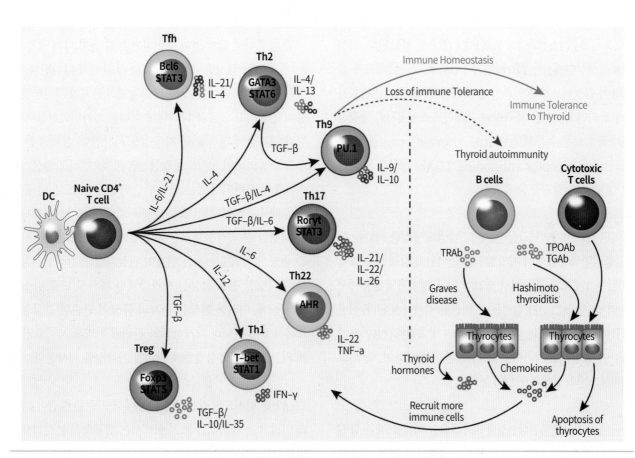

그림 3-3-2. 면역관용의 상실과 자가면역갑상선질환의 발생

초기 CD4+ T세포는 가지돌기세포 혹은 다른 항원제시세포에 의해 활성화되면 특징적인 사이토카인 분비와 전사인자가 발현되는 다양한 성질의 T세포로 분화가 되는데, 이러한 면역세포들 간의 균형은 적절한 면역반응과 항상성을 유지하는 데 필수적이다. 정상인에 있어서는 T세포아군들(subsets)의 균형에 의해 면역관용이 유지되어 갑상선조직에 대한 공격이 일어나지 않는다. 유전소인이 있으면서 환경요인이 겹치게 되면 이러한 T세포아군들의 기능부전이 발생하며, B세포, 항원제시세포들과의 상호작용에 이상이 발생하여 면역항상성이 깨지게 되고, 이는 자가면역갑상선질환을 유발하게 된다.

Tfh, T follicular helper cell

출처: Ralli M, Angeletti D, Fiore M, D'Aguanno V, Lambiase A, Artico M, et al. Autoimmun Rev 2020;19:102649.

서 일련의 과정을 거쳐 HLA-DR 단백질을 통해 CD4+ T세포에 제시된다. 항원제시세포의 HLA-DR과 결합된 TSH수용체의 항원결정부위가 T세포에 의해 인식되는 과정은 면역원 결정에 있어 가장 중요한 과정이다. TSH수용체의 세포외 도메인(아미노산 19-417, TSHR-extracellular domain, TSHR-ECD)과 그 일부인 알파소단위(아미노산 1-289)는 그레이브스병에서 면역원으로 작용할 수 있다. 이론적으로 정상 TSH수용체에 대해서는 항체가 생길 수가 없으며 항체가 생기는 것은 면역체계의 이상이 있음을 시사한다.

HLA 등과 관련된 요인들 외에 왜곡된 Th1/Th2 균형도 자가면역갑상선질환발생에 작용한다. 초기의 CD4+ T세포는 T도움세포1 (Th1)과 T도움세포2 (Th2)로 분화된다. 하시모토갑상선염에서는 Th1세포가 CD8+세포독성T세포를 유도하여 갑상선조직에 염증을 유발한다. 반대로 Th2세포가 활성화되면 B세포를 자극하여 그레이브스병에서의 항갑상선자극호르몬수용체항체(anti-thyroid stimulating hormone receptor antibodies, TRAb) 생성을 자극하여 갑상선기능항진증을 유발한다.

면역관용도 자가면역갑상선질환의 발생에 일정한 역할을 한다. 중심면역관용에서 자가항원의 면역원에 강력한 친화력이 있는 T세포는 흉선에서 제거가 된다. 말초면역관용에서는 억제T세포(T_{reg})가 면역유도T세포를 억제하게 된다. 어떤 이유에서든지 이러한 중심면역관용과 말초면역관용기전에 이상이 발생하면 자가면역갑상선질환이 발생하며, 특히 그레이브스병의 발병과 관련이 높다.

최근에는 자가면역갑상선질환에서 중요한 역할을 하는 항원들이 밝혀지면서 이러한 이상항원을 표적으로 하는 치료제 개발에 대한 연구가 진행되고 있으며, 이러한 치료제는 기존의 갑상선기능항진증치료제와는 다른 기전으로 그레이브스병을 치료할 수 있는 방법이 될 것으로 예상된다.

III. 갑상선 자가항체

최근 연구에 의하면 항갑상선과산화효소항체(anti-TPO Ab)가 양성이거나 초음파상 광범위비균질소견이 있는 경우 조직검사로 증명된 하시모토갑상선염의 특이도는 매우 높아 각각 89.4%와 88.9%에 달한다. 반면 민감도는 상대적으로 좀 낮아 각각 63.9%와 49.1%였다. TPO항체가 양성일 때 하시모토갑상선염이 있을 양성예측도는 75%였고, 물론 TPO Ab를 측정하는 측정키트의 정확도에 따라 차이는 있겠지만 이는 TPO항체의 존재가 하시모토갑상선염의 발생에 있어 초기에 필수적인 것은 아니라는 것을 의미한다.

갑상선 자가항체는 여러 가지 증상과 관련이 있다. 예를 들어 우울증이나 삶의 질이 떨어지는 느낌 등이 나타날 수 있는데, 이러한 증상은 갑상선기능과 무관하게 나타난다. 즉 이런 증상이 나타나는 것은 TPO항체의 존재가 자가면역현상이 진행되고 있음을 나타내며 이러한 자가면역현상이 건강과 행복감에 영향을 줄 가능성을 시사한다. 실제로 한 연구결과에 의하면 하시모토갑상선염이 있으면서 갑상선기능저하증이 동반되어 있는 경우 단순히 갑상선호르몬만 공급했을 때 증상의 호전이 별로 없던 환자에서 갑상선전절제술을 시행한 후 갑상선호르몬을 공급해주면 갑상선기능저하증 증상이 거의 없어지는 현상이 관찰되었다. 갑상선전절제술을 시행할 경우 갑상선 자가항체가 빠른 속도로 감소하게 되는데, 이러한 현상은 환자의 증상이 단순한 갑상선호르몬부족이 아니라 자가항체와 관련된 아마도 사이토카인에 의한 작용이 증상발현에 관여할 가능성을 시사한다.

TRAb는 하시모토갑상선염 환자에서도 종종 발견이 되는데 이의 기능적 의의를 보기 위해서는 생물학적 분석검사가 필요하다. 최근 연구에 의하면 하시모토갑상선염 환자의 9.3%에서 갑상선차단항체(thyroid blocking antibodies, TBAb)가 발견된다. 다른 연구에서는 6%의 하시모토갑상선염 환자에서 갑상선안병증이 동반되며, 보통의 하시모토갑상선염 환자의 6%에서만 발견되는 갑상선자극호르몬수용체차단항체가 갑상선안병증이 있는 하시모토갑상선염 환자에서는 69% 정도로 나타난다. 활동성이 있거나 좀 더 심한 갑상선안병증이 있는 환자의 경우 갑상선자극호르몬 수용체차단항체의 역가가 더 높고, 이 환자들의 약 2/3는 갑상선기능저하증이 나타나는데 이는 세포매개세포독성에 의한 것으로 보인다.

하시모토갑상선염 환자에서 동시에 발생하는 다른 질병과의 관계는 하시모토갑상선염의 병태생리를 예측하게 한다. 1형당뇨병, 관절질환, 결합조직질환, 복강병(celiac disease), 백반증 등이 나타나는데 특이하게도 그레이브스병 환자나 가족에서는 발견되지 않는 자가면역용혈빈혈, 만성류마티스심장질환, 만성사구체신염, 면역혈소판감소자반병, 천포창, 다카야스동맥염 등이 하시모토갑상선염 환자나 그 가족에서 발견된다. 물론 유전소인이 가장 중요하기는 하지만 환자의 배우자에서 하시모토갑상선염의 발병위험도가 증가하는 것으로 보아 환경요인도 작용함을 알 수 있다.

IV. 갑상선에 자가면역질환이 많은 이유

유전체 분석에 의하면 자가면역갑상선질환에 관련이 있을 것으로 추측되는 유전자가 6종류가 있는데 이는 HLA-DR, CD40, cytotoxic T lymphocyte-associated factor (CTLA4), protein tyrosine phosphatase 22 (PTPN22) 등의 면역조절에 관여하는 그룹과 갑상선특이항원인 갑상선글로불린(Tg), TSHR 등이다. 이러한 유전소인이 있는 사람에서 환경요인이 겹쳐 자가면역질환이 발생하는 것으로 추측된다. 이러한 일반적인 기전 외에 다른 장기에 비해 갑상선에 자가면역질환이 유독 많은 이유에 대해서는 여러 가지 가설이 있다.

우선 갑상선세포에서는 다양한 종류의 면역학적으로 중요한 인자들을 만들어낸다. IL-1, IL-6, IL-12, IL-13, IL-15, IL-17, IL-18 등을 만들어내며, 성장인자로는 IGF-1, IGF-2, EGF, VEGF, 세포접착인자인 ICAM-1, ILFA-3 등도 발현한다. 또 염증조절 작용을 하는 산화질소 및 프로스타글랜딘도 만든다. 갑상선호르몬을 합성하는 과정은 매우 복잡하며, 특히 강력한 산화제인 요오드를 갑상선글로불린 표면의 타이로신에 결합시키기 위해서는 더 강력한 산화제인 과산화수소를 이용하여 요오드를 산화시켜야 하기 때문에 이 과정에서 단백질의 손상이 올 위험이 있고, 이에 의해 변형된 단백질은 면역체계를 자극하게 된다.

또한 갑상선세포는 가지돌기세포(dendritic cell)나 대식세포 등의 항원제시세포처럼 표면에 MHC class II를 발현할 수 있는데, 이들 세포와는 달리 공동자극신호(costimulatory signal)를 만들어내지는 않는다. 하지만 특수한 상황에서 자극이 될 경우, 예를 들어 림프구에서 인터페론-감마가 분비되고 동시에 TSH자극이 동반될 경우 면역체계를 자극할 수 있다.

유전적으로 자가면역질환의 소지가 있는 경우, 여러 가지 환경요인이 겹쳐지면 자가면역갑상선질환이 발생할 수 있다. 고용량의 요오드 섭취, 셀레늄 결핍, 흡연, 감염, 특정 약물, 육체적, 정신적 스트레스 등이 관여할 것으로 추측되는 환경요인들이다.

요오드는 갑상선호르몬 합성에 필수적인 물질인데 요오드가 풍부한 지역에서 요오드결핍지역에 비해 자가면역갑상선질환이 증가하는 것은 잘 알려져 있다. 요오드가 결합된 갑상선글로불린의 경우 항원으로 작용할 가능성이 크다는 실험결과들이 있으며, 요오드가 갑상선자가항원에 감작이 되어있는 B림프구를 자극하여 면역글로불린 생성을 증가시키며, 이는 자가면역갑상선질환을 유발할 가능성이 있다. 또한 요오드는 대식세포의 활성을 증가시키고, 갑상선세포가 항원제시세포의 역할을 하도록 유도할 수 있다.

요오드와 더불어 자가면역갑상선질환발생에 중요한 역할을 한다고 알려진 원소는 셀레늄이다. 셀레늄은 특수 아미노산인 셀레노시스테인(selenocytein)을 만드는 데 필요하며, 이 셀레노시스테인은 산화/환원에 중요한 역할을 하는 단백질이 기능을 하는 데 결정적인 역할을 한다. 갑상선세포에는 글루타싸이온과산화효소(glutathione peroxidase) 등 다양한 셀레늄단백질(selenoprotein)이 있는데 셀레늄의 부족은 이러한 단백질의 합성을 저해한다. 셀레늄 섭취는 갑상선의 크기와 반비례한다는 연구가 있으며, 충분한 셀레늄의 섭취는 자가면역갑상선질환의 발생을 억제한다.

생활용기 등에 많이 사용되는 polychlorinated biphenyls (PCBs)나 흡연 등도 자가면역갑상선질환의 발생을 증가시킨다는 보고는 있으나 정확히 어떤 기전으로 발생하는지에 대해서는 알려져 있지 않다. 그 외에 세균감염, 인터페론-감마를 포함한 여러 약물들도 자가면역갑상선질환의 발생에 영향을 준다고 알려져 있다.

결론적으로 갑상선세포는 그 세포의 성질상 MHC class II를 세포표면에 발현시키는 등 항원제시세포의 역할을 할 수 있는데, 평소에는 이에 의한 면역기능자극은 거의 없으나 유전적으로 자가면역갑상선질환의 발생위험이 있는 사람에서 과다한 요오드라든가 셀레늄 결핍 등 갑상선세포에 직, 간접적으로 영향을 미치는 외부 환경요인이 겹치면 갑상선세포의 변화에 따라 면역자극현상이 발생하고, 이는 자가면역갑상선질환의 발생으로 이어진다고 할 수 있겠다.

V. 그레이브스병의 자가면역기전

그레이브스병 환자의 약 20% 정도는 다른 자가면역질환과 관련이 되어 있다. 쇠그렌증후군, 전신홍반루푸스, 유육종증, 1형당뇨병, 복강병(celiac disease), 다발경화증, 류마티스다발근육증(polymyalgia rheumatica), 류마티스관절염, 만성자가면역위염, 백반증 등이 관찰된다.

그레이브스병의 발생은 갑상선에 대한 면역관용체계가 망가

지며 생긴다고 할 수 있는데, 이는 유전소인이 있는 환자에서 유전 및 내인요인이 겹칠 때 일어날 수 있으며 여러 단계의 자가면역체계의 이상이 관여할 것으로 예상된다.

활성기의 그레이브스병에서는 Th1 면역반응이 주로 일어나며, 비활성기, 혹은 후기 단계에서는 Th1에서 Th2로 면역반응의 전환이 나타난다. 그레이브스병의 위험성과 관련된 유전자의 약 70%는 T세포기능과 관련이 있는 유전자이며, 이는 자가면역갑상선질환에서 T림프구가 중요함을 시사한다.

그레이브스병의 자가면역반응은 갑상선조직에 침윤된 B림프구에서 항갑상선자극호르몬수용체항체(anti-thyroid stimulating hormone receptor antibodies, TRAb)를 분비하도록 자극한다. TRAb는 그 기능을 토대로 하여 갑상선자극항체(thyroid stimulating antibodies, TSAb), 갑상선차단항체(thyroid blocking antibodies, TBAb), 중립항체(neutral antibodies)로 나뉜다. 이러한 TRAb는 그레이브스병의 발병기전 및 갑상선안병증이나 갑상선피부병증과 같은 갑상선외증상에 관여한다. TSAb의 그레이브스병에서의 역할은 잘 알려져 있는데, TSAb는 갑상선기능항진증을 유발하며, 갑상선자극호르몬에 의해 갑상선세포가 자극되듯이 갑상선자극호르몬수용체에 결합하여 아데닐산고리화효소를 활성화하고, 이에 의해 cAMP 생성이 증가하며, 이는 갑상선세포의 증식과 갑상선비대, 갑상선호르몬의 분비를 유도한다. 반면 TBAb와 중립항체의 자가면역갑상선질환의 발병에 미치는 역할은 잘 알려지지 않았는데, TBAb는 갑상선자극호르몬수용체의 알파소단위에 결합하는데 이 결합은 갑상선자극호르몬의 수용체로의 결합을 방해하여 갑상선세포 자극효과를 차단한다. 중립항체는 수용체에 결합을 하기는 하지만 cAMP 생성이나 갑상선자극호르몬의 수용체 결합에는 영향을 주지 않는다.

그레이브스병의 발병기전에 있어 케모카인이나 사이토카인의 역할도 매우 중요하다. 우선 Th1 케모카인계열이 작용

을 하는데, 그레이브스병의 초기단계에는 갑상선여포세포에서 만들어지는 CXCL10에 의해 CXCR3를 발현하는 Th1세포가 모여들게 되고, 이는 이어지는 염증반응의 증폭을 유발한다. CXCL10은 그레이브스병의 초기단계뿐 아니라 재발이 되었을 때, 또 갑상선중독증이 심한 환자에서 증가되어 있기 때문에 이의 증가가 그레이브스병의 초기단계의 발병기전에 중요한 역할을 한다고 예상할 수 있다. 또한 CXCL9과 CLCL11도 그레이브스병 환자에서 증가되어 있고, 이러한 케모카인들은 메티마졸 치료 시 감소하는 것으로 보아 메티마졸에 의한 면역조절기능의 변화가 그레이브스병 치료의 한 기전이 됨을 시사한다. IL-21은 CD4$^+$ T세포를 Th17세포로 분화하게 하며, 이에 의해 T$_{reg}$세포의 분화를 감소시켜 그레이브스병에서의 후속적인 면역반응을 조절하는 사이토카인으로 그레이브스병 환자에서 증가되어 있다. 이외에도 IL-23, TNF-α, IL-6 등의 사이토카인도 그레이브스병의 진행과 관련이 되어 있다.

VI. 하시모토갑상선염의 자가면역기전

하시모토갑상선염의 발생에 있어 중요한 역할을 하는 것은 유전감수성이 있는 환자에서 환경자극이 가해지고, 이는 결과적으로 후성유전인자 작용을 변화시켜 유전자발현이 달라지고 결과적으로 자가면역기전을 자극하는 것이다.

하시모토갑상선염은 자가항체가 연관되어 있으며, 특히 갑상선조직에 T림프구와 B림프구의 침윤이 나타난다. 하시모토갑상선염은 먼저 B림프구의 기능적 변화에 의해 자가항체가 형성되는 것이며, 이어서 T림프구의 기능이상에 의해 갑상선조직의 면역학적 균형이 깨지면서 나타난다. 즉 세포성, 체액면역기전이 모두 관여한다.

하시모토갑상선염 환자에서는 갑상선글로불린과 갑상선과산화효소에 반응하는 CD8$^+$ T세포가 발견된다. 그러나 실제로는 2–3% 정도의 일부 CD8$^+$세포만 갑상선글로불린과 갑상선과산화효소에 대해 반응을 하고, 대부분의 CD8$^+$세포는 반응하지 않는다. 또한 최근의 연구결과에 의하면 자가면역갑상선염에서 세포의 사멸은 세포독성에 의한 기전뿐 아니라 세포자멸사(apoptosis)도 중요한 기전으로 작용한다.

우신 하시모토갑상선염 환자에서는 CD8$^+$억제T세포 중 T$_{reg}$세포의 숫자나 기능에 변화가 있다는 보고가 있고, 이는 정상적으로 갑상선세포에 존재하는 단백질을 항원으로 잘못 인식하는 자가면역반응을 유발할 수 있다.

CD4$^+$CD69$^+$Foxp$^-$ T$_{reg}$세포가 하시모토갑상선염에서 증가되어 있음이 보고되었는데, 세포는 증가하였더라도 기능은 떨어진 것으로 나타났다. 또한 CD4$^+$CD49$^+$LAG-3$^+$IL-10$^+$ T$_{reg}$세포는 그 숫자와 기능이 모두 감소하였다. 이러한 T$_{reg}$세포의 변화는 그레이브스병에서도 관찰이 된다. 하시모토갑상선염이 완전히 발현되는 데 있어 이러한 T$_{reg}$세포의 변화는 매우 복잡한데, 앞으로 T$_{reg}$세포 특히 갑상선조직에서 유래된 T$_{reg}$세포에 대한 연구는 순차적으로 일어나는 면역조절기능의 이상이 어떻게 자가면역갑상선질환이 발생하는지에 대한 기전을 좀 더 확실히 하게 될 것이다.

갑상선세포의 손상에 대해서는 갑상선조직에 침윤된 림프구에서 유래한 사이토카인의 역할이 가장 중요하다. 이러한 사이토카인은 갑상선세포를 직접 자극도 하여 염증유발매개물질을 분비하게 하고, 이는 자가면역반응을 증폭시키고 또 영구화한다. IL-17을 분비하는 Th17세포가 혈액과 갑상선조직 내에 증가하는 것은 다른 자가면역질환에서와 마찬가지인데, 하시모토갑상선염에서는 갑상선세포 자체에서도 IL-17을 분비한다. Th17세포는 IL-17 외에도 IL-22를 분비하는데 이는 상피세포를 표적으로 하는 사이토카인이다. IL-22는 Th22세포에서도 분비되는데 Th22세포는 하시모토갑상선염 환자의 혈액과 갑상선에 매우 많이 발견된다. IL-21은 다양한 작용이 있는 사이토카인인데 Th17세포 발달에 중요한 역할을 한다. 하시모토갑상선염 환자의 혈액과 갑상선조직에서는 IL-21이 증가되어 있는데 갑상선세포에서의 IL-21수용체 발현도 증가되어 있다.

이외에 염증을 유발하는 연쇄반응이 하시모토갑상선염에서 증가되어 있는데, 예를 들어 다양한 염증조절복합체(inflammasome) 구성물질인 NLRP1, NLRP3, NLRC4, AIM2, ASC, caspase-1 등의 발현이 증가되어 있고, 이들과 관련된 사이토카인 IL-18, IL1β도 증가되어 있다. 이외에도 갑상선세포에서 인터페론-감마와 TNF-α 같은 염증조절복합체 구성물질도 분비한다는 연구결과가 있다. 이는 사이토카인 분비를 더 증강시키며, 세포자멸도 촉진한다.

PD-1/PDL-1축(axis)도 하시모토갑상선염 발생의 기전으로 연구가 되었다. PD-1/PDL-1축은 적응면역(adaptive immunity)을 억제하는 데 아주 중요한 역할을 하는데 이를 차단하면 자가면역질환이 유발되는 것을 흔히 관찰할 수 있다. 하시모토갑상선염이나 그레이브스병 환자의 갑상선에서 PD-1+ T세포가 많이 나타나는 부위인 갑상선 여포세포에는 PDL-1이 발현되는데 실험적으로는 인터페론-감마에 의해 발현된다. 이러한 결과는 염증 등에 의하여 갑상선세포에서 HLA class II가 발현되더라도 면역관용을 유지하여 자가면역갑상선질환이 발생하지 않도록 하는 기전을 설명할 수 있다. 반대로 이러한 현상으로 면역항암제 사용 시 갑상선세포가 파괴되는 갑상선염이 발생하는 기전을 설명할 수 있다.

VII. 면역관문억제제제와 자가면역갑상선질환

이전에도 약물과 관련하여 자가면역갑상선질환이 발생할 수 있음은 알려져 있었다. 잘 알려진 약물로는 다량의 요오드를 포함하고 있는 아미오다론이라든가 C형간염에 사용하던 인터페론-감마 등이 있다. 이들에 의해 갑상선을 파괴하는 갑상선염이 발생하며 그보다 빈도는 낮지만 그레이브스병도 발생한다. 그러나 이들 약물은 사용빈도도 그리 많지 않고, 또 갑상선염을 유발하는 경우도 많지 않다. 그런데 최근 새로운 개념의 항암제들이 개발되어 치료에 이용되면서 이에 의한 갑상선질환이 새롭게 나타나고 있다. 현재 임상에서 환자 치료에 사용되고 있는 면역관문억제제는 anti-CTLA-4, anti-PD-L1, anti-PD-1 등이 있다. CTLA-4 경로와 PD-1 경로는 종양면역에도 중요하지만 자가면역 현상의 발현에 있어서도 매우 중요한 역할을 한다. CTLA-4는 림프절에서 주로 작용을 하며, CD28을 표적으로 하여 CD4+ T세포에 작용을 한다. 반면 PD-1은 말초조직과 종양미세환경에 작용을 하는데, T세포수용체를 표적으로 하여 CD8+ T세포에 작용을 한다. 따라서 이 둘의 표적으로 하는 면역관문억제제는 조금 다른 양상의 갑상선질환을 유발한다.

Anti-CTLA-4인 ipilimumab의 경우는 1-6%에서 갑상선이상이 발생하며, anti-PD-L1은 6-11%의 환자에서, 그리고 anti-PD-1은 39-54%의 환자에서 갑상선질환이 나타난다. 일반적으로 anti-CTLA-4 보다는 anti-PD-L1이나 anti-PD-1에서 갑상선이상이 더 많이 발생하며, 두 가지 이상의 면역관문억제제를 사용하면 갑상선질환의 발생률은 훨씬 더 높아진다. 증상이 별로 없어도 혈액검사에서 나타날 수 있으며, 증상이 있는 대부분의 경우 기능저하증으로 나타난다. 일부에서 갑상선기능항진증 내지는 갑상선중독증의 형태로 나타나는데, 그레이브스병보다는 무통갑상선염처럼 일시적인 갑상선중독증 형태로 나타난다.

면역관문억제제에 의해 자가면역갑상선질환이 발생하거나 갑상선 자가항체가 나타나는 경우는 일반적으로 암에 대한 치료효과도 높아지는 것으로 보여, 이는 좀 더 강력한 면역 활성화의 지표가 될 수 있다. 또한 이러한 약물의 사용으로 인한 갑상선질환의 발생에 대한 관찰 및 연구는 자가면역갑상선질환 발생의 기전을 연구하는 데 매우 유용하며, 이는 장기적으로 면역관문억제제 사용 시 발생하는 자가면역질환을 감소시키는 방법을 찾을 수 있을 것이며, 동시에 자가면역갑상선질환의 예방 및 치료방침에 대한 새로운 시각을 줄 수 있을 것으로 보인다.

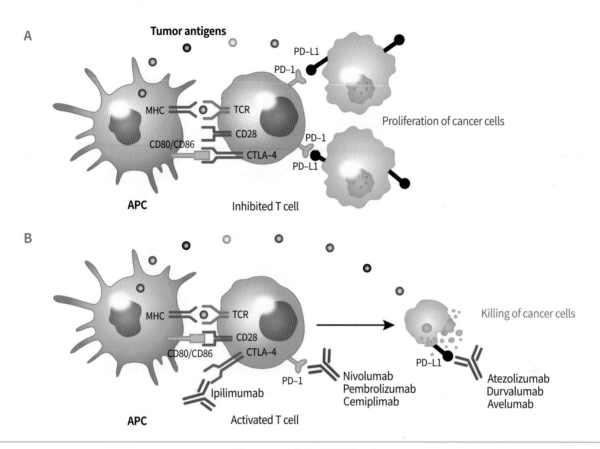

그림 3-3-3. **면역관문억제제의 기전**

A: 암세포는 새로운 항원을 만들고 이를 분비하는데 이러한 항원은 항원제시세포에 포집되어 MHC-T세포수용체복합체를 통해 초기 T세포를 자극하게 된다. CTLA-4는 활성화된 T세포에 발현되는데 이는 면역항상성의 유지와 자가면역을 억제하는 데 결정적인 역할을 한다. CTLA-4는 CD80과 CD86과 결합하여 효과T세포(effector T cell)의 활성을 억제하는데, 이는 B7리간드가 공동자극수용체인 CD28에 결합하는 것을 방해하여 나타난다. CTLA-4의 과발현은 암세포 항원에 대한 T세포 활성화를 억제하게 된다. PD-1은 활성화된 T세포에서 발현하는 또 다른 억제수용체로 T세포의 활성을 억제하는 역할을 한다. CTLA-4와 CD80/CD86체계와 PD-1, PD-L1체계와의 상호작용은 효과T세포기능의 억제 및 암세포의 증식을 초래한다.

B: CTLA-4를 표적으로 하는 면역항암제(ipilimumab), PD-1을 표적으로 하는 항암제(nivolumab, permbrolizumab, cemiplimab)와 PD-L1을 표적으로 하는 면역항암제(atezolizumab, durvalumab, avelumab)들은 면역관문에 관여하는 단백질들(CTLA-4, PD-1, PD-L1)의 기능을 억제하여 암세포에 대한 면역반응을 회복시켜 세포파괴 물질들(granzyme B, TNF-α, INF-γ)들을 분비하여 암세포의 사멸을 유도한다.

출처: Elia G, Ferrari SM, Galdiero MR, Ragusa F, Paparo SR, Ruffilli I, et al. Best Pract Res Clin Endocrinol Metab 2020;34:101370.

VIII. IgG4-관련 자가면역갑상선질환

IgG4-관련질환(IgG4-related disease, IgG4-RD)은 2001년도에 처음 보고된 질환으로 섬유염증, 면역관련 전신질환이다. 최초로 1형자가면역췌장염 환자에서 IgG4가 혈청에서 높게 측정된 환자가 보고되었고, 이후 보고에 의하면 거의 대부분의 기관에서 발생하는 것으로 알려졌다. 특히 과거에는 한 종류의 기관에 국한되었던 질환으로 알려졌던 Mikulicz병, 후복막섬유화(retroperitoneal fibrosis), Küttner 종양, 리델갑상선염 등이 이에 속하는 것으로 알려졌다. 2012년에는 통합 권고안에서 IgG4-관련질환으로 병명이 통일되었다. IgG4-관련질환은 일반적인 자가면역질환과는 달리 남성, 특히 중년부터 노년기남성에 잘 발생한다. 정상인에서 IgG4는 IgG 전체의 5% 이하로 발견된다. IgG4는 염증을 유발하는 항체가 아니라 염증을 완화시키는 역할을 하는 항체이다. IgG4-관련질환은 그 명칭과는 달리

IgG4가 실제 질환의 병태생리에 대한 역할은 많지 않으며, IgG4가 증가한 이유는 오히려 자가항원에 대한 사이토카인 반응에 의한 염증과 섬유화를 완화시키는 역할을 한다.

IgG4-관련질환과 갑상선질환과의 관계는 갑상선이 자가면역질환 중 가장 흔한 질환이기 때문에 일찍부터 연구가 되어왔고, 특히 자가면역췌장염에서 갑상선기능저하증이 종종 동반이 되는 것에서 그 가능성이 제시되었다. 2009년도에 Li 등은 수술로 절제된 갑상선조직에서의 IgG를 면역염색하면서 하시모토갑상선염이 IgG4 갑상선염과 그렇지 않은 하시모토갑상선염으로 나뉠 수 있음을 보고하였다. IgG4의 증가 이외에 IgG4 하시모토갑상선염은 림프형질세포의 조직 침윤이 매우 심하여 빽빽하고 단단한 섬유화와 갑상선여포세포의 퇴행이 동반된다. IgG4 하시모토갑상선염에서의 섬유화는 소엽사이(interlobular)보다는 여포사이(interfollicular)에 발생하는 것이 특징적이며 일반적인 하시모토갑상선염과는 달리 남성에서 더 많이 발생한다. 임상적으로는 갑상선 자가항체의 역가가 높은 편이며 갑상선 기능의 저하나 갑상선종의 비대가 빨리 오면서 특징적으로 압박증상이 심하게 나타나거나 암이 의심되어 종종 갑상선 절제술을 필요로 하기도 한다. 하시모토갑상선염에서 IgG4 갑상선염이 차지하는 비율은 확실치 않은데 적게는 5.3%에서 많게는 27%까지 보고가 되고 있다. 또한 IgG4 갑상선염의 정의 자체가 아직까지는 확립이 되어있지 않아 하시모토갑상선염 환자의 일부에서 발견되는 IgG4 갑상선염이 정말로 IgG4-관련질환의 하나인지에 대해서는 아직까지는 논란이 존재한다.

IgG4 갑상선염 중에서 일부 발견되는 하시모토갑상선염의 섬유화변종(fibrotic variant of Hashimoto's thyroiditis)은 처음에는 하시모토갑상선염이 오래된 경우 진행이 된다고 생각하였으나 임상, 병리학적으로 다른 양상을 보인다. 섬유화변종은 특징적으로 갑상선 실질의 1/3 이상이 섬유화로 대치되는 것이 특징이다. 리델갑상선염과의 차이는 섬유화 및 염증소견이 갑상선 피막내로만 국한된 점이다.

IgG4갑상선염이 IgG4-관련질환의 하나인지에 대해서는 논란이 있으나 IgG4갑상선염 중 섬유화변종은 IgG4-관련질환의 하나로 정의됨에 별 논란이 없다.

리델갑상선염은 하시모토갑상선염의 섬유화변종과 비슷하기는 하지만 특징적으로 섬유화가 갑상선 전체에 생기며, 갑상선피막을 넘어 주위조직까지 침범을 한다. 또한 휘틀세포화생(Hürthle cell metaplasia)이 나타나며, 폐색정맥염이 특징적으로 나타난다. 리델갑상선염은 IgG4-관련질환의 하나로 간주되는데 그 이유는 면역화학검사상 심한 염증이 있는 부위에는 IgG4가 매우 강하게 염색이 되며, 이후 변화양상도 가장 전형적인 IgG4-관련질환인 자가면역췌장염과 거의 비슷하게 진행되기 때문이다. 또한 아직 사례보고 차원이기는 하지만 타목시펜과 당질부신피질호르몬 치료에 반응이 없는 환자에서 IgG4-관련질환치료제인 리툭시맙(rituximab)이 좋은 효과를 보였다.

그레이브스병의 일부도 IgG4와 관련이 있다는 보고가 있는데, 이 경우 남성에 더 흔하며 항갑상선제에 대해 치료반응이 매우 좋다는 주장이 있다. 하지만 그레이브스병과 IgG4-관련질환과의 보다 명확한 관계에 대해서는 추가적인 연구가 필요할 것으로 보인다.

참 / 고 / 문 / 헌

1. 대한갑상선학회. 갑상선질환 FACT SHEET 2021. 국민건강보험. 2021.

2. 조보연. 갑상선염. 임상갑상선학. 제4판. 고려의학; 2014. pp. 391-3.

3. Carmon L. Cross M, Williams B, Lassere M, March L. Rheumatoid arthritis. Best Pract Res Clin Rheumatol 2010;24:733-45.

4. Davis TF, Tomer Y. Pathogenesis of Graves disease. In: Braverman LE, Cooper DS, Kopp P. Werner & Ingbar's the thyroid. 11th ed. Philadelphia: Wolters Kluwer; 2021. pp. 353-69.

5. Elia G, Ferrari SM, Galdiero MR, Ragusa F, Paparo SR, Ruffilli I, et al. New insight in endocrine-related adverse

events associated to immune checkpoint blockade. Best Pract Res Clin Endocrinol Metab 2020;34:101370.

6. Guan H, de Morais NS, Stuart J, Ahmadi S, Marqusee E, Kim MI, et al. Discordance of serological and sonographic markers for Hashimoto's thyroiditis with gold standard histopathology. Eur J Endocrinol 2019;181:539-44.

7. Inaba H, Ariyasu H, Takeshima K, Iwakura H, Akamizu T. Comprehensive research on thyroid diseases associated with autoimmunity: autoimmune thyroid diseases, thyroid diseases during immune-checkpoint inhibitors therapy, and immunoglobulin-G4-associated thyroid diseases. Endocr J 2019;66:843-852.

8. Lerman J. Endocrine action of thyroglobulin antibodies. Endocrinology 1942;31:558-66.

9. Li H, Wang T. The autoimmunity in Graves's disease. Front Biosci (Landmark Ed) 2013;18;782-7.

10. Li Q, Wang B, Mu K, Zhang JA. The pathogenesis of thyroid autoimmune diseases: New T lymphocytes-cytokines circuits beyond the Th1-Th2 paradigm. J Cell Physiol 2019;234:2204-16.

11. Ralli M, Angeletti D, Fiore M, D'Aguanno V, Lambiase A, Artico M, et al. Hashimoto's thyroiditis: an update on pathogenic mechanisms, diagnostic protocols, therapeutic strategies, and potential malignant transformation. Autoimmun Rev 2020;19:102649.

12. Rose NR, Witebsky E. Studies on organ specificity. V. changes in the thyroid glands of rabbits following active immunization with rabbit thyroid extracts. J immunol 1956;76:417-27.

13. Rotondi M, Carbone A, Coperchini F, Fonte R, Chiovato L. Diagnosis of endocrine disease: IgG4-related thyroid autoimmune disease. Eur J Endocrinol 2019;180:R175-83.

14. Saranac L, Zivanovic S, Bjelakovic B, Stamenkovic H, Novak M, Kamenov B. Why is the thyroid so prone to autoimmune disease? Horm Res Paediatr 2011;75:157-65.

15. Weetman AP. Chapter 39 Chronic autoimmune thyroiditis. In: Braverman LE, Cooper DS, Kopp P. Werner & Ingbar's the thyroid. 11th ed. Philadelphia: Wolters Kluwer; 2021. pp. 531-42.

4 갑상선기능항진증

이가희

I. 서론

갑상선기능항진증(hyperthyroidism)은 갑상선에서 갑상선호르몬이 과다하게 생산되어 갑상선중독증이 나타나는 상태로 그레이브스병이 대표적인 질환이다. 임상에서 갑상선기능항진증과 흔히 혼동되어 사용되는 갑상선중독증(thyrotoxicosis)은 원인질환에 상관없이 혈액 내에 갑상선호르몬이 증가되어 이에 노출된 말초조직에서 여러 임상증상을 나타내는 상태를 일컫는 용어이다. 갑상선중독증은 갑상선기능항진증에 의해 나타나는 경우가 가장 흔하지만, 자가면역 또는 바이러스감염 등에 의한 갑상선염에 의해 갑상선세포가 파괴되어 호르몬 누출이 일어나 혈액내 갑상선호르몬 농도가 상승되어 나타나는 경우도 있다. 갑상선중독증의 원인질환에 따라 임상경과와 치료법이 달라지므로 진단 시 주의를 요한다.

갑상선기능항진증에 의해 갑상선중독증이 나타나는질환들은 갑상선자극호르몬(thyroid stimulating hormone, TSH)수용체의 과다자극으로 인한 경우와 TSH의 조절을 받지 않고 갑상선의 자율기능(autonomous function)에 의해 갑상선호르몬이 과다생산되는 경우로 나누어진다(표 3-4-1).

TSH수용체의 과다자극에는 첫째, 갑상선의 생리적인 자극

인자인 TSH의 과다분비에 의해 갑상선기능항진증이 발생하는 TSH 분비종양, 갑상선호르몬에 대한 뇌하수체의 선택적 내성 등이 있다. 둘째, 생리적인 갑상선자극물질이 아닌 비정상갑상선자극물질에 의한 경우로 TSH수용체에 대한 자가항체(TSH receptor antibody, TSHRAb)에 의한 그레이브스병과 β-hCG에 의한 영양막종양(trophoblastic tumor) 및 (일과성)임신갑상선기능항진증[(transient) gestational hyperthyroidism]이 있다. 갑상선의 자율기능에 의해 TSH의 조절을 받지 않고 갑상선호르몬을 과다생산하는 질환으로는 TSH수용체 또는 Gsα유전자의 체성돌연변이에 의한 중독성선종(toxic adenoma) 또는 중독성다결절갑상선종(multinodular toxic goiter)과 TSH수용체유전자의 배선돌연변이에 의한 familial non-autoimmune hyperthyroidism (FNAH) 등이 있으나 서양에 비해 빈도는 낮다. 위의 질환들에서는 갑상선의 기능이 항진되어 있으므로 방사성요오드섭취율이 증가되어 있다. 갑상선기능항진증이 동반되어 있지 않은 갑상선중독증의 원인질환은 크게 두 가지로 나눌 수 있다. 첫 번째는 갑상선의 염증으로 인해 갑상선조직이 파괴되어 갑상선 내에 저장되어 있던 갑상선호르몬이 혈액으로 누출되어 혈중 갑상선호르몬치가 상승하게 되는 경우로 아급성갑상선염, 무통갑상선염, 산후갑상선염 등이 이에 속한다. 두 번째는 갑상선의 외부에서 갑상선호르몬이 공급되는 경우로 갑상선호르몬이나 요오드의 과다섭취 또는 이소성 갑상선이나 전이된

표 3-4-1. 갑상선중독증의 원인질환

분류	병인	TSH	RAIU
TSH수용체의 과도한 자극			
그레이브스병	항갑상선자극호르몬수용체항체 (TSHRAb)	억제	증가
영양막종양	β–hCG	억제	증가
임신갑상선기능항진증(gestational hyperthyroidism)	β–hCG	억제	증가
TSH분비뇌하수체선종	TSH	증가 또는 정상	증가
갑상선호르몬저항증후군	TSH	증가 또는 정상	증가
갑상선의 자율기능			
중독성다결절성갑상선종	TSHR 체성돌연변이	억제	증가
중독성선종	TSHR/Gsα 체성돌연변이	억제	증가
가족성/선천비자가면역갑상선기능항진증	TSHR 배선돌연변이	억제	증가
갑상선의 파괴 및 호르몬 누출			
무통갑상선염	자가면역	억제	감소
아급성갑상선염	바이러스	억제	감소
약물유발갑상선염: 아미오다론, 인터페론–γ	약물	억제	감소
갑상선 외부에서 호르몬 공급			
갑상선호르몬제 과다복용(factitious thyrotoxicosis)	약물, 음식	억제	감소
갑상선암기능전이	갑상선암	억제	감소
난소갑상선종(Struma ovarii)		억제	감소
요오드유발갑상선기능항진증(Jod–Basedow phenomenon)		억제	감소

RAIU, 방사성요오드섭취율; β–hCG, 사람융모성선자극호르몬.

갑상선암 등이 있다. 이런 질환에서는 갑상선 자체의 기능은 소실되거나 억제되어 있으므로 방사성요오드 섭취가 현저하게 감소된다(표 3-4-1).

이 중에서 갑상선중독증의 가장 흔한 원인질환은 그레이브스병이다. 그레이브스병은 자극형 TSHRAb가 갑상선을 자극하여 갑상선호르몬이 과다하게 생산되는 자가면역질환으로 대개 미만성갑상선종을 보이고, 드물게 안병증, 피부병증이 동반된다. 지역에 따라 차이가 있으나 전체 원인의 90-95%를 차지한다. 우리나라에서도 갑상선중독증의 원인질환으로 그레이브스병이 가장 흔함이 보고된 바 있으며 그 다음 순서로는 무통갑상선염, 아급성갑상선염, 중독성결절 등의 순서였다. 때문에 임상에서 갑상선기능항진증과 그레이브스병은 일반적으로 같은 의미로 사용되고 있다.

II. 역학

외국에서 보고된 갑상선기능항진증의 발생률은 인구 1,000명당 0.2-0.9명 정도이고, 유병률은 여성 1-2%, 남성 0.1-0.2%로 여성에서 더 많았다. 우리나라 건강보험심사평가원자료를 이용한 역학연구에서 갑상선기능항진증의 연간 발생률은 2011년 기준 인구 1,000명당 0.72명(남성 0.40명, 여성 1.03명)이었고 남녀 모두 50-54세 사이에서 가장 많이 발생하였다. 유병률은 인구 1,000명당 3.4명(남성 2.09명, 여성 4.70명)으로 외국과 비슷하거나 낮은 결과를 보였다. 이러한 차이는 인종 및 요오드 섭취정도에 따른 차이에 의한 것으로 생각된다.

III. 병인 및 병태생리(CHAPTER 3 참조)

그레이브스병이 자가면역질환이란 근거는 갑상선에 림프구 침윤이 현저하고, 환자의 혈청에서 TSHRAb 등의 갑상선 자가항체가 검출되며, 많은 환자에서 갑상선질환에 대한 가족력이 있고, 특정 HLA항원과 깊은 관련이 있다는 점 등이다. 또한 TSHRAb가 거의 모든 그레이브스병 환자의 혈청에서 검출되며, 치료 후 역가가 감소 내지 소실되면서 관해에 도달한다. 재발 시 다시 상승하며, 태반을 통과하여 태아 및 신생아에서 그레이브스병을 초래한다는 임상근거들과, 배양한 갑상선세포에서 TSHRAb가 용량에 비례하여 갑상선세포의 기능과 성장을 자극한다는 실험근거들을 통해 그레이브스병의 원인으로 생각되고 있다. 최근에는 TSH수용체가 갑상선세포에만 분포하지 않고 섬유모세포(fibro-blast), fibrocyte, 골모세포(osteoblast), 파골세포(os-teoclast) 및 뇌하수체의 folliculostellate cell에도 발현되어 있음이 알려졌다. 따라서 그레이브스병 환자에서 갑상선기능항진증과 더불어 TSHRAb에 의해 안와의 섬유모세포에 발현된 TSH수용체에 대한 면역반응이 일어나 갑상선 안병증(thyroid orbitopathy)이 유발되고, 피하 결합조직에 대한 면역반응으로 갑상선피부병증(thyroid dermopathy)이 나타나는 것으로 이해되고 있다. 그러나 이 항체의 생성기전은 아직 정확하게 밝혀져 있지는 않다. 일반적으로 자가면역질환은 유전감수성을 가지고 있는 환자에서 환경인자에 의해 갑상선항원에 대한 자가관용(self-tolerance)

이 깨지면서 시작되는 것으로 알려져 있다.

TSH수용체는 그레이브스병의 주요 자가항원이며 수용체 전체가 자가항원으로 작용하기보다는 쪼개져 떨어져 나온 세포외부위의 알파소단위(extracellular α subunit)가 주요 자가항원으로 작용하는 것으로 생각된다. 방사성요오드 치료 후 TSHRAb 역가가 증가되는 현상도 갑상선세포가 파괴되면서 떨어져 나온 TSH수용체의 알파소단위의 증가가 원인으로 작용한다. 자극형 TSHRAb는 TSH수용체에 결합하여 $Gs_α$ 및 Gq신호체계를 활성화하여 갑상선세포의 성장, 혈관분포(vascularity)를 증가시키고 갑상선호르몬의 생산 및 분비도 증가시킨다. 반면 차단형(blocking) TSHRAb도 존재하는데 소수의 갑상선기능저하증 환자뿐 아니라 일부 치료가 끝난 그레이브스병 환자의 혈청에서 검출되기도 한다.

그레이브스병의 발병에 관계있는 인자로는 여성, 출산 횟수(parity) 등과 유전인자로는 *TSHR, Tg*유전자와 *HLA, IL2A, CD25, CD40, CTLA4, PTPN22* 등이 알려져 있다. 또한 환경인자로는 요오드섭취, 흡연, 음주, 셀레늄, 스트레스, 감염 및 약물 등이 영향을 줄 수 있다. 이러한 인자들이 복합적으로 작용하여 그레이브스병을 유발하는 것으로 생각된다.

1. 여성

그레이브스병이 남성보다 여성에서 많이 발생하는 원인에 대해서는 알려진 것이 없었다. 최근 출산 후 그레이브스병의 발생률이 7.2%이고, 자녀가 없는 여성에 비해 자녀를 출산한 여성에서 그레이브스병의 상대위험도가 약 20% 높음이 알려지면서 출산력과 그레이브스병의 연관성이 주목을 받았다. 즉 임신 중 태아세포의 일부가 모체로 넘어가 태아미세키메라증(fetal microchimerism)을 형성하여 모체조직에 남아 있으면서 foreign body로 작용하여 자가면역반응을 촉발시킬 수 있을 것으로 생각되었다. 그러나 이러한

현상으로 여성에서 주로 발생하는 이유를 전부 설명하지는 못했다. 또한 그레이브스병이 있는 여성에 비해 정상여성에서 태아미세키메라증의 빈도가 높음(64% vs. 33%)이 알려지면서 오히려 자가면역반응이 일어나지 않도록 보호하는 기능을 하는 것으로 생각되고 있다. 이보다는 X염색체불활성화(X chromosome inactivation, XCI)의 후성현상이 더 적절하게 설명하는 기전일 것으로 생각된다. 여성에 존재하는 2개의 X염색체 중 한쪽이 배아시기에 불활성화가 되는데 부모에게서 받은 각각의 X염색체가 모자이크형태로 50%씩 불활성화된다. 그런데 어느 한쪽에서 받은 X염색체가 80% 이상 불활성화되는 왜곡(skew)이 일어나는 경우 X염색체에 존재하는 자가항원이 면역관용이 일어날 정도의 고농도로 발현되지 못해 자가면역반응이 일어날 수 있다. 실제로 그레이브스병 환자에서 XCI 왜곡이 의미 있게 증가되어 있음이 메타분석에서 확인되었다. 또한 X염색체에 존재하는 FOXP3유전자가 조절T세포(T_{reg})발달에 주요 역할을 하는데, 일부 연구에서 이 유전자의 다형성(polymorphism)이 그레이브스병과 관련이 있음이 보고되었다.

2. 유전요인

쌍둥이연구를 통해 그레이브스병의 약 79%가 유전요인에 의한 것임이 추측되었다. 그레이브스병에 대한 감수성을 증가시키는 유전자로 갑상선 특유의 유전자인 *TSHR, Tg*유전자와 면역반응을 조절하는 *HLA, IL2A, CD25, CD40, CTLA4, PTPN22* 등이 연관이 있음이 알려졌다. 그러나 이 유전자들은 그레이브스병유전의 약 10% 정도만 설명할 수 있어서 병인이 될 수 있는 더 많은 유전자를 찾기 위한 노력이 필요하다. 그레이브스병과 가장 관련이 깊은 유전자는 *TSHR*유전자인데 intron 1에 존재하는 단일뉴클레오타이드다형성(single nucleotide polymorphism, SNP)이 기능적으로 어떤 영향을 주는지 정확히 알려져 있지는 않으나, RNA 잘라이음(splicing)이 일어나 자가항원으로 작용하는 TSHR 알파소단위(subunit)가 형성되도록 하거나 흉선에서 TSHR의 발현을 낮추어 중추면역관용(cen-

tral immune tolerance)을 감소시켜 TSHR에 대한 자가면역반응을 일으킬 수 있을 것으로 추측된다. 갑상선글로불린(thyroglobulin, Tg)유전자는 여러 종류의 SNP가 그레이브스병 또는 하시모토갑상선염과 관련이 있다. 그레이브스병에서 SNP에 의해 변형된 Tg와 HLA-DRβ1이 결합함으로써 변형된 Tg를 더 효율적으로 T세포에 항원으로 제시(antigen presentation)함이 알려졌다. *HLA, IL2A, CD25, CD40, CTLA4, PTPN22* 등의 면역조절인자들도 HLA-항원-T세포수용체(T cell receptor, TCR)로 대표되는 immunologic synapse에 관여하는데 이런 복합체가 형성되면 인터루킨2수용체($IL2R\alpha$, CD25가 marker)가 발현되고 T세포표면의 CD40의 공동자극을 통해 $CD4^+$ T세포가 활성화되고 CTLA4가 유도되어 면역반응이 끝나게 된다. 이러한 인자들의 SNP는 중추관용이나 말초관용(peipheral tolerance)의 형성을 방해하고 T세포와 항원제시세포[antigen presenting cells (APCs), macrophage, dendritic cell, B cell] 간의 반응을 저해할 것으로 생각된다. 그러므로 이러한 유전변이는 자가면역질환의 감수성으로 작용하게 된다. 한국인 그레이브스병 환자는 HLA DR5, DR8 항원이 유의하게 많았다.

3. 환경요인

1) 요오드

요오드는 Tg의 잠재항원결정부위(cryptic epitope)를 드러나게 하여 TgAb를 형성하여 자가면역을 유도함이 알려져 있다. 요오드결핍지역에서 요오드 강화사업을 진행하면서 시행한 추적연구에서 요오드 공급초기에는 일시적으로 중독성다결절갑상선종과 그레이브스병의 빈도가 증가하지만, 장기간 추적 시 주로 중독성다결절갑상선종이 감소하면서 갑상선기능항진증의 발생률은 감소하고 결국은 그레이브스병의 빈도도 낮아졌다. 즉, 요오드공급은 갑상선기능항진증을 감소시키는 효과가 있다.

2) 흡연

흡연은 그레이브스병의 확립된 위험인자로 흡연자는 흡연을 전혀 하지 않은 사람들과 대비 시 약 3.30배의 위험도를 보였다. 금연 후 수년이 지나면 위험이 없어진다.

3) 음주

적절한 음주는 그레이브스병의 발생을 감소시키는 효과가 있다. 일주일에 1–2단위의 알코올 섭취를 기준위험도 1.0으로 했을 때, 0단위 시에는 위험도가 1.7이었던 반면, 3–10단위 시 0.56, 11–20단위 시 0.37, 21단위 이상 섭취 시에는 0.22로 위험도가 감소하였다.

4) 셀레늄

셀레늄 섭취가 적으면 자가면역갑상선염 및 갑상선기능저하증의 위험이 증가된다는 중국의 대규모연구가 있으나 그레이브스병과는 관련이 없었다.

5) 스트레스

스트레스가 그레이브스병과 연루되어 있다는 것은 일찍부터 알려져 있다. 심한 스트레스를 받은 후 그레이브스병이 발병했다는 보고는 인과관계를 암시하지만, 이를 증명한 전향연구는 없다.

6) 감염

세균 또는 바이러스와 사람의 단백질구조가 유사하여(molecular mimicry) 감염이 되었을 때 교차반응이 일어나 자가면역질환이 유발될 수 있음이 잘 알려져 있다. 그 중에서도 *Yersinia enterocolitica* (YE)와 그레이브스병의 연관성에 대해 많은 연구가 이루어졌다. 즉 그레이브스병 환자의 혈청에서 분리한 IgG는 TSH가 YE의 외막에 결합하는 것을 막고, 반대로 YE감염 환자의 혈청IgG는 TSH가 갑상선세포막에 결합하는 것을 억제하였다. 또한 YE 외막과 TSHRAb의 항원결정부위는 교차반응이 일어났다. 이와 같이 molecular mimicry는 실험실적으로 확실하게 증명이 되었지만 역학적으로는 YE감염과 자가면역갑상선염의 연관성이 밝혀지지 않았다.

감염이나 외상 등은 갑상선에 염증세포들의 침윤 및 사이토카인 생산을 유발하여 HLA II의 발현을 증가시키고, HLA II 분자가 갑상선항원들을 제시함으로써 자가반응T세포들을 활성화시키는 것으로 생각된다. 여러 종류의 감염(enteroviruses, *Helicobacter pylori*, reoviruses)이 그레이브스병과의 연관성이 제시되었으나 C형간염바이러스(hepatitis C virus, HCV) 외에는 증명되지 않았다. HCV는 사람의 갑상선세포에 감염을 일으켜 염증반응을 증가시키는 사이토카인을 생산하여 자가면역반응을 증가시켰다.

7) 약물

인터페론알파(interferon α, IFNα)는 갑상선세포에 직접적인 세포독성이 있는데, 세포를 파괴하여 면역반응을 유발한다. C형간염 환자를 IFNα와 ribavirin 병합요법으로 치료 시 10.4%의 환자에서 TSH가 억제되는 소견을 보였는데, 0.8%는 그레이브스병이었고 9.6%는 파괴성갑상선염였다. 경구피임제 등의 에스트로겐 복용은 그레이브스병의 위험을 낮추었다. 한편 림프구 감소를 유발하는 치료 후 림프구가 회복되는 기간에 그레이브스병이 발병함이 관찰되었는데(immune reconstitution syndrome), 골수 또는 조혈줄기세포 이식 후, HIVD에 대한 highly active antiretroviral therapy (HAART) 후에 나타났다. 특히 다발경화증(multiple sclerosis)의 치료에 쓰이는 altemtuzumab은 CD52에 대한 인간화단일클론항체로써 림프구를 빠르고 지속적으로 고갈시켜 강력한 면역억제 작용을 하는데, 이후 림프구가 회복되는 단계에서 마지막 투여 후 평균 17개월에 약 30%에서 그레이브스병이 발생하였다. 장기간 항갑상선제 치료가 필요하지만 일부 환자에서는 차단형 TSHRAb로 전환되면서 갑상선기능저하증이 나타나기도 하였다. 최근 새로운 항암제로 개발된 면역관문억제제(immune checkpoint inhibitor, ICI)는 빈번한 갑상선 관련 부작용을 일으킨다. CTLA4에 대한 단일클론항체인 iplimumab은 T세포에 대한 억제신호를 차단하여 종양세포에 대

해 활성화된 면역반응이 지속되도록 한다. Nivolumab 및 pembrolizumab은 programmed cell death protein 1 (PD1)에 대한 항체인데, PD1은 활성화된 T세포에서 증가되어 있다. PD1이 PD1의 리간드인 PDL1에 결합하는 것을 억제시키면 종양의 미세환경(microenvironment)에서 effector T세포 활성이 증가된다. 이러한 ICI제제들을 사용하면 주로 destructive thyroiditis에 의한 무증상갑상선기능항진증(중독증)이 나타나는데 드물게 그레이브스병이 유발되기도 한다.

IV. 임상특성

1. 증상

갑상선기능항진증에서는 혈중 갑상선호르몬 농도가 서서히 증가되기 때문에 증상이 수개월에 걸쳐 서서히 나타난다. 그래서 갑상선호르몬치가 매우 높아져 증상이 심해진 상태가 되어서야 진단을 받게 되는 경우도 있다. 가장 대표적인 증상은 식욕이 좋아져서 많이 먹는데도 체중이 감소하는 것이다. 대개 수개월 동안 5-10 kg 정도 감소하는데 특히 노년층에서는 식욕이 저하되면서 체중감소가 더 심하게 나타난다. 그러나 일부 환자들은 체중조절을 하려고 식사조절을 해서 체중이 줄었다고 생각하기도 하고, 10대 및 20대 초반의 환자들은 식욕 증가로 과다하게 음식 섭취를 하여 오히려 체중이 증가되기도 한다.

이외에도 발한 증가, 떨림, 심계항진 등도 흔한 증상들로 갑상선기능항진증을 의심할 수 있는 소견이다. 대부분의 환자가 더위에 민감해지고 땀이 많이 나며, 발한 증가로 인해 갈증과 다음을 느끼므로 당뇨병으로 오인하기 쉽다. 안정 중에도 맥박이 빠르고 긴장하거나 움직이면 더 심해진다. 운동 중 호흡곤란을 느낀다. 불안, 신경과민, 정서불안정, 불면 등의 정신신경증상과 더불어 떨림(tremor)이 나타난다. 또한 장운동의 증가로 배변 횟수가 증가하고 묽은 변을 호소하는데 심한 경우 설사를 한다. 여성에서는 월경불순이 나타나는데, 월경량이 감소하며 주기가 길어져 희발월경이 나타났다가 심한 경우에는 무월경이 된다. 남성에서는 성욕감퇴, 젖몽울 등이 나타날 수 있다.

60세 이상의 고령층 환자에서는 갑상선기능항진증의 전형적인 임상소견이 없거나 혹은 전반적인 모습이 과운동성보다는 오히려 무기력하고 무감각적인 모습을 보이는 경우가 있다. 이러한 경우를 "무감각(apathetic)", 또는 "masked" 갑상선기능항진증이라고 부른다. 식욕이 없고 체중감소는 심하며, 근위축과 근쇠약이 심하다. 심맥관계 증상이 뚜렷하여 심방세동을 비롯한 부정맥, 심부전 등이 잘 나타난다. 따라서 위장관의 암이나 심장질환으로 오진되기도 한다.

2. 갑상선종

그레이브스병 환자의 약 반수에서 갑상선종이 나타나는데 대개 미만성으로 좌우가 대칭적으로 커지지만 비대칭적으로 커지는 경우도 많다(그림 3-4-1). 표면은 대부분 매끈하지만 일부에서는 분엽화(lobulated)되어 결절처럼 만져지기도 한다. 갑상선종의 크기는 갑상선이 만져지지 않는 경우부터 정상의 4-5배(80-100 gm) 혹은 그 이상으로 커진 경우까지 매우 다양하다. 갑상선종의 크기가 꼭 갑상선기능항진증의 정도와 비례하지는 않지만, 일반적으로 갑상선종이 클수록 증상이 심하고, 항갑상선제 치료에 대한 반응이 불량하며, 재발하는 경향이 높다. 갑상선기능항진증이 심한 경우 갑상선에서 진동(thrill)을 느끼거나 잡음(bruit)을 청진할 수 있다. 갑상선의 잡음은 혈류량 증가로 인한 와류(turbulance) 때문에 발생하는데, 갑상선 전체에서 들리지만 상갑상선동맥 및 하갑상선동맥이 위치하는 상단부 및 하단부에서 크게 들린다. 심박동과 일치하여 수축기에만 들리거나 수축기부터 이완기까지 지속적으로 들린다. 잡음이나 진동은 갑상선기능이 정상화되면 소실된다.

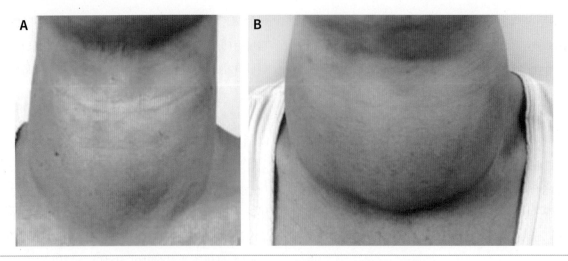

그림 3-4-1. 그레이브스병 환자의 미만성갑상선종. 대칭(A), 비대칭(B)

3. 안병증

서양인에서 임상적으로 뚜렷한 그레이브스안병증의 유병률은 10–25%이며, 안검변화를 포함할 경우의 유병률은 30–45%이지만, 중증인 경우는 5% 미만이다. 그러나 임상적으로 안병증이 없는 경우에도 전산화단층촬영에서 외안근 비후 등의 이상소견을 보이는 빈도는 90% 이상이다. 한국인을 비롯한 동양인에서 그레이브스안병증은 서양인에 비해 빈도도 낮고 정도도 비교적 경하다. 안병증의 90%는 그레이브스병, 약 5%는 하시모토갑상선염과 동반되고 나머지 5%는 갑상선기능이 정상이나 TSHRAb는 양성인 '정상갑상선기능그레이브스병(euthyroid Graves' disease)'이다. 안병증의 발병은 그레이브스병의 발병시기와 일치하는 경우가 많아 전체 환자의 80% 이상에서 갑상선기능항진증의 발병시점 18개월 전후에 발병한다. 안병증은 다른 자가면역질환과 마찬가지로 호전과 악화가 반복되다가 시간경과에 따라 자연적으로 회복되는 경향을 보인다. 특히, 안검퇴축은 대부분에서 회복되며, 연조직증상 및 징후도 1–5년 사이에 호전 내지 소실된다. 외안근장애는 연조직변화에 비해 회복되는 속도가 느리며, 치료 없이 회복되는 빈도도 30–40%에 불과하다. 그러나 안구돌출은 거의 변화가 없다. 안병증에 대해서는 제4장을 참조하기 바란다.

4. 피부 및 그 부속물

1) 피부 및 모발의 변화

표피, 진피 및 피부부속물들은 갑상선호르몬에 의해 그 대사가 조절되므로 갑상선기능의 변화에 따라 다양한 소견을 나타낸다. 갑상선기능항진증 환자의 피부는 따뜻하고 축축하며 홍조를 띠고 촉감은 매우 연하고 고운 것이 특징이다. 이는 피부의 혈관확장 및 발한과다에 의한 것이다. 손바닥홍반(palmar erythema) 및 혈관확장소견을 보이기도 한다. 또한 많은 환자들이 가려움증을 호소한다. 모발은 가늘고 연하며 부드럽다. 약 20–40%의 환자에서 머리털이 빠진다고 호소하는데, 이는 일시적이며 탈모증이 나타나는 경우는 드물다. 손톱은 연하고 부드러우며 윤기가 난다. 약 10–15%의 환자에서 특징적인 손발톱분리증(onycholysis, Plummer's nail)이 나타난다. 이는 손톱이 얇아져 손톱바닥으로부터 떨어지는 것으로 그 결과 손톱 밑으로 때가 낀다(그림 3-4-2). 그 외 멜라닌세포에 대한 자가면역질환인 백반증(vitiligo)이 동반될 수 있는데, 자가면역갑상선질환에서 좀 더 흔한 편이다.

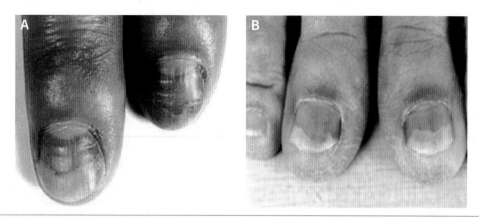

그림 3-4-2. 손톱박리증(onycholysis). 손톱이 얇아져 손톱바닥으로부터 떨어진다. 손톱(A), 발톱(B)

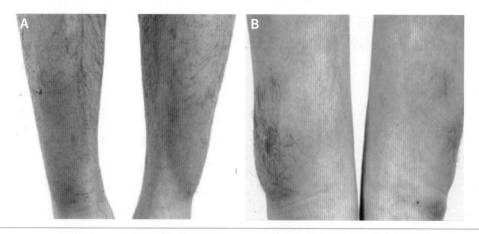

그림 3-4-3. 침윤성 피부병증(전경골점액부종). 플라크(plaque)형(A), 국소결절형(B)

2) 침윤성 피부병증(전경골점액부종)

침윤성 피부병증은 갑상선기능항진증(미만성 중독성갑상선종), 안병증과 함께 그레이브스병의 세 가지 전형적인 소견 중 하나이지만, 빈도는 그레이브스병 환자의 5% 이내로 매우 드물게 나타난다. 모든 환자가 TSHRAb 역가가 매우 높고, 갑상선기능항진증 및 안병증을 동반하므로 그레이브스병의 심한 형태의 발현으로 생각된다. 주로 전경골부위의 피부 혹은 발등에 주로 나타나기 때문에 "전경골점액부종"이라고도 부르지만, 물리적 압력을 받는 부위 어디에나 나타날 수 있고 외상에 의해 유발되기도 한다. 침윤성 피부병증은 비함몰부종(nonpitting edema)과 함께 피부가 두꺼워지고 보라색으로 변색이 되며 모낭이 뚜렷해지므로 오렌

지껍질 같은 모습을 하고, 털이 많이 난다. 다른 형태로는 하나 혹은 여러 개의 경계가 뚜렷한 구진(papule) 또는 결절 형태로 나타나 한데 합쳐지기도 하고, 드물게 상피증(elephantiasis)처럼 나타나기도 한다(그림 3-4-3). 대부분은 증상이 없지만, 간혹 병변부위가 가렵고, 때로는 가벼운 동통을 느끼기도 한다. 침윤성 피부병증의 원인은 아직 확실하지는 않지만 병변부위 피부섬유모세포에 TSH수용체 발현이 증가되고 TSHRAb의 자극을 받아 분비된 사이토카인이 글리코사미노글리칸 생산을 증가시킨다는 가설이 제시되고 있다. 이렇게 생산된 글리코사미노글리칸이 진피 안에 축적되면 친수성 때문에 수분을 끌어들이게 되고, 이로 인해 림프관들이 압박을 받고 진피의 콜라겐섬유들이 분절되

어 결과적으로 비함몰부종이 초래된다. 초기에는 림프구침윤이 관찰되지만 점액부종(mucinous edema)과 콜라겐섬유의 분절화가 특징적인 병리소견이다. 침윤성 피부병증은 시간이 걸리지만 저절로 좋아질 수 있으며 미용 또는 기능적인 문제로 치료를 해야 한다면 당질부신피질호르몬연고를 바르고 밀봉하여 압박붕대로 치료하는 것이 도움이 된다.

3) 갑상선 지단 비대

갑상선 지단 비대는 그레이브스병의 매우 드문 소견으로 전경골 점액부종이 있는 환자의 7%에서 관찰되며 항상 안병증 및 피부병증 뒤에 나타난다. 손가락이나 발가락의 clubbing 등 연조직의 종창을 보인다. 유병기간이 긴 그레이브스병 환자에서 나타나므로 최근에는 거의 볼 수 없다. 병리소견은 침윤성 피부병증과 동일하다.

5. 심혈관계

빈맥은 갑상선기능항진증의 가장 특징적인 증상 중 하나로 안정 시 맥박수가 분당 90회를 넘으면 갑상선기능항진증을 의심할 수 있을 정도이다. 또한 수축기혈압은 상승하고 확장기혈압은 감소되면서 맥압이 상승하여 도약맥(bounding pulse)과 경동맥의 강한 박동을 관찰할 수 있다. 이것은 심박출량(cardiac output), 일회박출량(stroke volume), 평균수축기구출률(mean systolic ejection rate), 순환혈액량 등이 증가하고, 말초저항은 감소하면서 순환시간은 짧아지는 과역동상태가 되기 때문이다. 노인 환자에서는 심부전을 동반하기도 하며 기왕의 심장질환이 악화된다. 특히 관상동맥질환이 있던 환자에서는 협심증이 유발될 수 있다. 이러한 변화들은 대사항진으로 인해 과잉생산된 열의 발산 및 산소소모량의 증가에 부응하기 위한 것으로 생각되지만, 갑상선호르몬의 직접적인 심장자극효과(inotropic effect)도 작용하는 것으로 생각된다.

빈맥은 동빈맥(sinus tachycardia) 때문인 경우가 가장 흔하지만 2-20%의 환자에서는 심방세동(atrial fibrilla-tion)이 나타나기도 한다. 심방세동은 연령에 따라 증가하고, 남성에서 호발하는 경향이 있으며, 심장질환이 있는 환자에서 잘 나타나지만 갑상선기능항진증에 의해서 나타날 수도 있다. 특히 혈청TSH만 감소된 무증상갑상선기능항진증에서도 TSH가 정상인 경우보다 심방세동의 빈도가 3배 정도 높으며, 원인미상의 심방세동 환자의 15%는 갑상선중독증이 있다고 알려져 있다. 또한 심방세동 환자 중 진단되지 않았던 갑상선기능항진증이 발견되는 경우가 약 3% 정도라고 알려져 있다. 심방세동은 과잉의 갑상선호르몬이 베타1아드레날린수용체(β1 adrenergic receptor)를 직접 자극하기 때문이다. 약 60%의 환자는 갑상선기능항진증에 대한 치료 시 4개월 이내에 심방세동도 정상동리듬으로 회복되므로 처음부터 심방세동에 대한 치료를 할 필요는 없으며, 베타차단제 등으로 심박수 조절만 하면 된다. 갑상선기능항진증의 경우 혈전증이 증가되지는 않으므로 항응고치료를 할 필요는 없으나, 혈전증이 증가되는 다른 질환이 동반된 경우에는 항응고제 치료를 고려하여야 한다. 다른 심실반응(ventricular response)을 낮추기 위해 디지탈리스, 베타차단제, 칼슘통로차단제 등을 사용할 수 있는데, 베타차단제가 우선적으로 추천된다. 심방세동이 없어지지 않는 경우, 1년 이후까지도 전기적 또는 수술적 심율동전환(cardioversion)이 가능할 수 있다.

6. 호흡기계

운동 중 호흡곤란은 갑상선기능항진증 환자에서 흔히 나타나는 증상의 하나이다. 호흡곤란의 발생기전은 확실하지 않으나 호흡근육의 약화에 의한 폐활량 감소, 기도저항의 증가, 폐탄성(lung compliance)의 감소, 갑상선종에 의한 기관압박 등으로 설명되고 있다.

7. 위장관 및 간

갑상선기능항진증 환자의 약 2/3에서는 식욕이 증가한다. 식욕 증가가 체중감소를 어느 정도(경우에 따라서는 충분히) 보상하지만 대개의 경우 충분하지 않아 다양한 정도의 체중감소가 나타난다. 그러나 많은 환자들이 질병에 의해서가 아니라 본인의 체중감량 노력이 성공했다고 생각한다. 식욕 증가는 주로 젊은층에서 현저하고, 노인에서는 오히려 식욕감퇴가 나타난다. 갑상선기능항진증의 위장관증상 중 가장 특징적인 것은 배변횟수의 증가이다. 변이 무르고 배변횟수가 하루에 5–10회까지 증가하지만 설사는 드물다. 이러한 배변 횟수의 증가는 위배출시간(gastric emptying time)과 장통과시간(intestinal transit time)이 짧아지는 장의 과운동성에 기인한다. 정상 대사상태로 회복되면 장운동도 정상으로 돌아온다.

갑상선기능항진증에서 악성빈혈(pernicious anemia)의 빈도는 2–5%로 보고되어 있다. 갑상선기능항진증 환자의 약 20–30%에서 벽세포(parietal cell)나 내인자(intrinsic factor)에 대한 자가항체가 검출되며, 위생검상 위축위염이 나타난다. 위산 분비가 저하되어 저산증 내지 무산증(achlorhydria)이 나타난다. 이러한 변화들은 갑상선호르몬 자체의 효과라기보다는 자가면역갑상선질환이 위장관의 자가면역질환과 공존하기 때문인 것으로 생각된다.

일부 환자에서는 지방변(steatorrhea)과 흡수장애가 나타난다. 이는 식욕 증가로 인해 환자의 지방섭취량이 절대적으로 증가한 반면에 장의 과운동성으로 지방의 흡수가 불충분하기 때문이며 장점막의 변화는 없다. 포도당의 흡수는 증가하고, 칼슘의 흡수는 저하된다. 췌장의 외분비기능은 정상이다.

갑상선기능항진증에서는 간 비대와 간기능검사의 경미한 이상을 보일 수 있다. 즉, 혈청알부민의 감소, 경도의 과빌리루빈혈증, 콜레스테롤의 감소, ALT의 상승, 알카리 인산화효소제의 증가 등이 나타난다. 심부전이 동반된 경우 더 뚜렷하지만 심부전이 없어도 나타날 수 있다. 이러한 변화는 일차로 갑상선호르몬의 과잉공급에 따른 대사항진의 전신적 효과의 일환이며, 영양불량, 심부전 등에 따른 이차소견

으로 생각된다. 즉, 갑상선기능항진증에서는 산소소모량이 증가하는 데 비해 간혈류량 증가는 없어 결국 상대적 저산소증이 초래되고, 그 결과 경미한 간세포의 손상이 나타날 수 있다. 때문에 갑상선기능항진증 환자에서 간기능장애가 심하면 갑상선질환 이외의 다른 원인을 찾아보아야 한다.

8. 신장

갑상선기능항진증에서는 신장의 유리수분청소율(free water clearance)이 증가되므로 경미한 다뇨 및 이로 인한 야뇨가 나타나는 외에는 다른 특이증상은 없다. 신혈류량, 사구체여과율, 신세관의 재흡수 및 분비가 증가하는데, 이는 심박출량 증가와 신내혈관확장(intrarenal vasodilation)에 기인한다. 지방제외체질량(lean body mass)의 감소로 인해 총 교환가능칼륨(exchangeable kalium)이 감소하지만, 저칼륨주기마비의 경우 외에 전해질은 정상이다.

9. 혈액 및 조혈계

갑상선기능항진증에 의한 기초대사율 및 산소소모량의 증가는 조직에 상대적 저산소증을 초래한다. 그 결과 적혈구형성(erythropoiesis)이 촉진되지만, 동시에 혈장량이 증가하여 적혈구 수 증가의 효과가 상쇄되므로 적혈구용적률(hematocrit)은 정상이다. 적혈구형성촉진은 골수에 대한 갑상선호르몬의 직접효과에 의한 것으로, 골수에 존재하는 갑상선호르몬수용체(TRα)의 돌연변이가 있는 경우에 적혈구형성 결손으로 경미한 빈혈이 나타난다. 그레이브스병 환자의 3%에서 악성빈혈(pernicious anemia)이 동반되며, 또 다른 3%에서는 내인자(intrinsic factor)에 대한 항체를 가지고 있으나 비타민 B_{12}의 흡수는 정상이다. 또한 위벽세포(gastric parietal cell)에 대한 자가항체 양성인 경우도 있어서, 그레이브스병 환자에서는 비타민 B_{12} 및 엽산(folate)의 요구량이 증가된다. 총 백혈구 수는 약간 감소하는데 이것은 과립구의 감소 때문이다. 반면 림프구의 수는 정상이거나 약간 증가하므로 상대적인 림프구 증가가

나타나는데, 총 말초백혈구의 50% 이상을 차지하는 경우도 있다. 또한 단핵구 및 호산구 수의 증가가 나타나기도 한다. 약 10%의 환자에서는 비장비대소견을 보이고, 흉선의 비대는 흔해서 종격동종괴로 나타나기도 한다. 흉선증식이 과량의 갑상선호르몬제로 TSH 억제치료를 받는 환자에서도 나타나는 것으로 보아, 갑상선기능항진증뿐 아니라 갑상선중독증에 의해서도 초래되는 것으로 보인다. 혈소판 수 및 응고계통은 정상이다. 단지 예외는 factor VIII이 증가되는 것인데, 갑상선기능이 정상화되면 증가되었던 factor VIII도 정상으로 회복된다. 갑상선기능항진증에서 factor VIII이 증가되더라도 비타민K의존응고인자들의 청소율이 증가되어 와파린에 대한 민감도가 증가되므로 갑상선기능항진증 환자에서 와파린용량을 감량할 필요가 있다. 특히 심방세동이 동반된 노인 환자에서 항응고제를 시작할 때 주의하여야 한다. 일부 환자에서는 자가면역혈소판감소증이 병발하기도 한다.

10. 신경정신계

갑상선호르몬 과다에 의한 신경계 증상으로 신경과민, 정서불안정, 운동과다 등이 나타난다. 근력약화 및 불면에 의해 피로감을 호소한다. 집중력이 떨어지고, 말이 빨라지며 공격적인 태도를 보이는 경우도 있다. 정서불안정이 심한 경우 조울증 등의 정신질환이나 편집증(paranoia)과 같은 소견을 보일 수도 있다. 소아에서는 집중력 및 학업수행 장애가 더 심하게 나타나서 주의력 결핍과다활동장애(attention deficit hyperactivity disorder, ADHD)처럼 보일 수 있다. 손이나 혀, 눈꺼풀(눈을 감았을 때)에 미세떨림이 나타나는데 손을 앞으로 펼칠 때 잘 나타난다. 신경학적 검사에서 건반사가 항진되고 이완기(relaxation period)가 짧아진다. 경련발작(convulsive seizure)이 있는 환자에서는 갑상선기능항진증이 병발되면 발작의 빈도가 증가된다.

11. 근육

갑상선기능항진증 환자에서는 여러 가지 형태의 근육질환이 나타날 수 있다. 그중 갑상선중독성근병증(thyrotoxic myopathy)이 가장 흔하고, 외안근마비(paralysis of extraocular muscles), 중증근무력증(myasthenia gravis) 및 갑상선중독성주기마비(thyrotoxic periodic paralysis) 등도 나타난다.

1) 갑상선중독성근병증
갑상선호르몬기능항진증 환자에서 체중감소에 따른 어느 정도의 근력약화는 모든 환자에서 나타나지만, 체중감소의 정도보다 심한 근위축을 동반하는 뚜렷한 근병증은 주로 중년 내지 노년층의 남성에서 많다. 근쇠약과 근위축은 주로 상하지의 근위부근육에 현저하게 나타나 계단 오르기, 머리 말리기 또는 아이 안기 등이 힘들다고 호소한다. 중증의 경우에는 원위부 근육, 몸통 및 안면 근육 등도 침범될 수 있다. 특히 외안근이 침범되는 경우에는 중증근무력증과 감별을 요한다. 감각이상이나 다른 신경학적 이상은 나타나지 않으며, 다른 근육질환과는 달리 건반사는 정상 내지 항진된다. 갑상선기능이 정상이 되면 근력은 완전히 회복되지만, 위축된 근육량이 회복되는 데는 시간이 걸린다.

2) 중증근무력증
중증근무력증은 아세틸콜린수용체에 대한 자가항체 및 T 세포에 의해 발병되는 자가면역질환이다. 중증근무력증 환자 중 약 3–5%에서 갑상선기능항진증이 발생하고, 갑상선기능항진증 환자 약 1%에서 중증근무력증이 병발된다. 그레이브스병과 병발된 중증근무력증은 갑상선중독성근병증과는 달리 여성에서 더 많이 나타난다. 갑상선기능항진증이 치료되어도 중증근무력증은 그대로 지속되는 것이 보통이다. 다만, 갑상선중독증시기에는 근무력증도 악화되었다가 갑상선기능이 정상으로 회복되면 중증근무력증의 정도도 호전되는 경향이 있다.

3) 갑상선중독성주기마비

갑상선중독성주기마비는 매우 특이한 임상소견을 보이는 증상으로 우리나라를 비롯한 아시아 및 남미의 남성 환자에서 주로 나타난다. 우리나라에서 보고된 유병률은 2–3%로, 중국 및 일본의 빈도 1.9% 및 2%와 비슷하다. 남성 환자로 국한했을 때의 빈도는 우리나라는 7.2–9.5%, 일본은 10.1%로 비슷하였다. 반면, 서양인의 빈도는 0.1–0.2%로 매우 낮아서 동양인의 약 1/10에 불과하다. 1993년 대한내분비학회에서 10년간 진단된 환자들 105명의 임상상을 발표한 자료에 의하면, 호발 연령은 30–40세로 전체 환자의 63%를 차지하였다. 58%에서 주로 하지의 이완성마비로 나타났고 90% 이상에서 취침 중 또는 기상 시에 발병하였으며 85%에서 저칼륨혈증이 동반되었다. 일부 환자에서는 과로, 과식, 음주 등의 유발인자가 확인되었으나 특별한 유발인자가 발견되지 않은 환자들도 많았다. 대부분 갑상선중독증을 치료함에 따라 회복되었으나 3.8%에서는 치료에도 불구하고 수차례 마비가 재발하였다. 마비의 지속시간은 수시간에서 수일이며 평균 1일 정도 지속된다. 의식은 명료하고 감각의 이상도 없다. 아주 심한 경우를 제외하고 대부분 자연회복되며 칼륨을 정맥주사하면 곧 회복되고 후유증은 없다. 그러나 갑상선기능항진증과 관련되어 발생한 경우 갑상선기능항진증에 대한 치료를 하지 않으면 다시 재발한다. 베타차단제 및 칼륨을 경구로 투여하는 것이 좋다. 갑상선중독증이 심할 때 발현하며, 갑상선기능이 정상화되면 나타나지 않는다. 갑상선중독성주기마비의 원인은 아직 밝혀져있지 않다. 대부분의 환자가 발증 당시 저칼륨혈증을 나타내며, 많은 환자에서 인슐린과 포도당 투여로 주기성 마비가 유발되는 점으로 보아 혈액내 K$^+$의 세포 안으로의 이입이 중요한 병인으로 작용할 것으로 생각된다. K$^+$의 세포 안 이동은 세포막의 Na$^+$–K$^+$ATPase 활성과 관련이 있다. 갑상선기능항진증에서는 Na$^+$–K$^+$ATPase 활성이 증가하고 그 결과 K$^+$의 세포 안 이동이 증가하지만, 저칼륨혈증이 지속되는 경우에도 주기성 마비가 발생하지 않는 예들이 있어 저칼륨혈증만으로 모든 것을 설명할 수는 없다. 갑상선중독성주기마비가 동양인 남성에서 흔한 이유로 유전요인이 거론되고 있으나, 특정 유전인자는 발견되지 않고 있다.

12. 무기물 및 골대사

갑상선호르몬은 골모세포(osteoblast) 및 파골세포(osteoclast)에 존재하는 갑상선호르몬수용체를 통해 직접 골흡수와 골형성에 영향을 미친다. 갑상선기능항진증에서는 골흡수 및 골형성 모두 촉진되어 골교체가 증가되는데, 골형성에 비해 골흡수가 상대적 증가되어 결과적으로 골손실 및 무기질제거(demineralization)를 일으킨다. 그 결과 골로부터 칼슘, 인 및 하이드록시프롤린 등이 배출된다. 고칼슘혈증은 부갑상선호르몬 분비를 억제하여 신세뇨관에서 칼슘의 재흡수는 감소되고, 인의 재흡수는 증가되어 혈청인의 농도가 상승된다. 또한 고칼슘혈증과 신사구체여과율의 증가로 여과된 칼슘의 신세뇨관부하가 증가되는데 칼슘의 세뇨관 재흡수는 감소되므로 고칼슘뇨가 나타난다. 부갑상선호르몬의 감소와 혈청인의 증가는 1,25–(OH)$_2$D$_3$의 혈청농도를 감소시키고, 그 결과 장에서 칼슘과 인의 흡수가 저하된다. 이와 같은 일련의 연속반응들은 고칼슘뇨증과 칼슘의 흡수장애로 나타나서 결국 음성칼슘균형(negative calcium balance)을 초래한다.

갑상선기능항진증 환자의 골밀도는 같은 연령의 정상인보다 10–20% 정도 감소하는데 특히 폐경여성에서 더 심하게 나타나 병적골절이 나타나기도 한다. 골밀도감소는 척추, 대퇴골 등에서 현저하다. 항갑상선제로 치료한 경우 젊은 환자들에서는 골밀도가 정상으로 완전히 회복되지만, 폐경여성에서는 골밀도 회복이 영구적으로 불충분할 수 있다.

갑상선기능항진증이 심한 경우 고칼슘혈증이 나타날 수 있다. 고칼슘혈증의 빈도는 혈청총칼슘기준 최대 27%, 이온화칼슘치기준으로는 최대 47%까지 보고되고 있다. 그러나 갑상선기능항진증에서 나타나는 고칼슘혈증의 정도는 비교적 경미해서 혈청칼슘치는 대개 12 mg/dL 이내이며, 15 mg/dL 이상 증가하는 경우는 없다. 따라서 임상적으로 고칼슘혈증의 증상이 나타나는 경우는 매우 드물다. 그러므로 갑상선기능항진증 환자에서 증상을 동반한 심한 고칼슘혈증이 나타나면 원발부갑상선항진증의 병발가능성을 생각해야 한다. 혈청칼슘의 농도는 유리T_4치와 유의한 상관관계가 있으며, 고칼슘혈증은 갑상선기능항진증이 치료되면 자연 소실된다.

갑상선기능항진증상태에서는 혈청알칼리성인산염분해효소(alkaline phosphatase) 및 오스테오칼신(osteocalcin)치가 증가되는데, 이 두 물질은 골형성 시 골모세포에서 분비되는 것으로 골형성의 지표이다. 갑상선기능항진증에 대한 치료를 시작하면 혈청갑상선호르몬이 감소되면서 골형성이 증가되므로 혈청알칼리성인산염분해효소 및 오스테오칼신치가 증가하는데, 갑상선기능이 정상으로 회복된 이후에도 더 증가되는 경우가 있다. 이는 갑상선기능이 정상화된 후에도 골교체(bone turn over)의 증가는 수개월 더 진행함을 시사한다.

13. 내분비기관

1) 뇌하수체
성인에서 갑상선기능항진증 환자는 저혈당자극에 대한 성장호르몬 분비가 감소된다. 소아에서는 성장호르몬의 분비율이 감소되며, 갑상선기능항진증이 치료되면 정상으로 회복한다. 그러나 저혈당이나 L-도파의 자극에 대한 성장호르몬반응은 정상이다. 프로락틴의 혈청기저치는 정상이며 ACTH 분비능도 정상이다.

2) 부신
갑상선기능항진증에서는 간에서 일어나는 코티솔(cortisol)의 대사가 촉진되어 혈청반감기가 짧아진다. 그러나 코티솔의 분비가 증가되므로 혈중 코티솔치는 정상으로 유지된다. 또한 코티코스테로이드결합글로불린(corticosteroid binding globulin)은 정상이고, 소변으로 배설되는 유리코티솔치는 정상이거나 약간 증가된 소견을 보인다. 최근 생

쥐의 부신에 갑상선호르몬수용체가 존재함이 알려졌는데 사람의 부신에도 존재하는지는 확실하지 않다.

3) 성선
사춘기 이전에 갑상선기능항진증이 발병하면 성발육이 지연되고, 월경시작이 늦어진다. 그러나 신체발육은 정상이고 골격 성장은 빨라진다. 사춘기 이후에는 생식기능에 영향을 미치는데 특히 여성에서 현저하게 나타난다. 월경주기가 짧아지거나 길어져 월경이 불규칙해지고, 월경량이 감소되다가 무월경이 되는 경우가 많다. 또한 생식능력이 떨어져 임신이 잘 안되며, 임신이 되더라도 유산 등의 임신합병증이 증가된다. 대부분의 환자에서 배란은 정상적으로 일어나지만, 일부 환자에서는 희발월경과 함께 무배란이 일어나기도 하는데 월경주기 중간(배란기)의 황체형성호르몬 급상승(surge)이 정상반응 이하로 일어나기 때문인 것으로 생각된다. 유산의 위험도는 갑상선기능보다는 갑상선 자가항체와 연관이 있어 자가항체가 면역불안정성을 반영함을 시사한다.

폐경전갑상선기능항진증 환자에서 혈청황체형성호르몬, 난포자극호르몬의 기저치는 정상범위로 유지되지만 성선자극호르몬방출호르몬(gondotropin releasing hormone, GnRH)에 대한 반응은 정상 또는 약간 증가된다. 혈청갑상선호르몬치가 증가되면 성호르몬결합글로불린(sex-hormone binding globulin, SHBG)이 증가하므로 혈청총테스토스테론, 다이하이드로테스토스테론 및 에스트라디올이 증가되고, 유리형의 테스토스테론 및 에스트라디올은 정상 혹은 일시적으로 저하된다. 테스토스테론 및 다이하이드로테스토스테론은 SHBG에 결합이 증가되면서 대사가 저하되어 이러한 현상을 보이는 반면, 에스트라디올의 대사율은 정상인데도 같은 결과를 보이는 것은 에스트라디올의 조직내 대사가 증가되었음을 시사한다. 안드로스텐다이온이 테스토스테론, 에스트론, 에스트라디올로의 전환 및 테스토스테론의 다이하이드로테스토스테론으로의 전환이 증가되는데, 이는 남성 환자에서 나타나는 성기능 감소, 여성형유방(gynecomastia) 및 거미혈관종

(spider angioma)이나 여성 환자에서 나타나는 월경불순의 원인으로 작용할 것으로 생각된다. 월경불순의 또 다른 기전으로는 갑상선호르몬의 GnRH신호전달에 대한 영향으로 황체형성호르몬/난포자극호르몬 박동성 분비의 진폭 및 빈도의 감소 때문일 가능성이 있다.

14. 단백질, 탄수화물, 지방대사

갑상선기능항진증에서는 대사가 항진되면서 식욕이 증가되고 열생산이 증가되어 열불내성이 나타나지만 실제 체온이 증가되지는 않는다. 음식 섭취가 증가되어도 대사항진정도에 따라 만성적으로 열량 및 영양부족상태가 된다. 단백질의 합성 및 분해가 모두 증가되지만 분해가 훨씬 더 많이 일어나므로 조직내 단백질이 감소되어 근육소실, 근위 근육약화 및 체중감소가 나타난다. 탄수화물대사는 간 이외의 조직에서 탄수화물 이용이 증가되며, 포도당의 흡수, 이용 및 생산이 증가한다. 간포도당생성은 증가되는 반면 간조직의 글리코겐 저장은 감소되므로, 많은 예에서 포도당내성검사가 비정상적으로 나타난다. 그러나 당뇨병이 나타나는 빈도는 2–3%에 불과하다. 당뇨병이 있던 환자에서는 인슐린의 대사가 증가되므로 혈당이 더 올라갈 수 있다. 지방대사도 지방합성 및 분해가 모두 증가되지만 분해가 훨씬 더 많이 증가되므로 혈중 유리지방산 및 글리세롤은 증가되고 콜레스테롤은 감소된다. 중성지방도 약간 감소되는 소견을 보인다. 공복 또는 카테콜라민자극에 의한 유리지방산의 산화와 동원이 증가하는 것도 갑상선호르몬이 간세포사립체에서 베타산화를 통한 지방분해 경로를 촉진시키기 때문이다.

V. 진단

갑상선중독증의 전형적인 임상소견을 보이면서 미만성갑상선종이 있는 경우 그레이브스병을 쉽게 의심할 수 있다. 특히 안구돌출 등 안병증이 나타나는 경우에는 더욱 확실해진다. 그러나 비전형적인 예들이나, 다른 질환이 합병된 경우, 또는 증상이 아주 경미한 경우에는 임상소견만으로는 진단이 어려운 경우가 있다. 임상적으로 갑상선기능항진증이 의심되면 확진과 더불어 그 정도를 파악하기 위해 갑상선기능검사를 시행한다.

갑상선기능항진증에서는 혈청총T_4, T_3 및 유리T_4, T_3는 증가되고 TSH는 억제되어 있다. 총 T_4, T_3치는 갑상선기능 이외에 급성, 만성질환, 약물 및 갑상선호르몬결합단백질의 양적 및 질적 변화 등의 영향을 받을 수 있으므로 해석에 주의해야 한다. 그러나 최근에는 대부분 유리T_4, T_3치를 측정하므로 거의 문제가 되지 않는다.

갑상선 자가항체검사는 갑상선기능항진증의 원인질환감별에 필요한 검사이다. 특히 TSHRAb는 그레이브스병의 원인물질로 그레이브스병 환자의 대부분에서 검출되므로 그레이브스병과 다른 원인에 의한 갑상선중독증 감별에 유용하다. 임상에서는 주로 경쟁적결합측정법으로 TSH-binding inhibitory immunoglobulin (TBII)을 측정하는데, 진단 예민도가 97%, 특이도가 99%에 이른다. TSH수용체를 발현하는 세포에 환자의 혈청을 가하여 cAMP의 생성 정도를 측정하는 생물학적 측정법은 자극형(stimulating)과 차단형(blocking)항체를 구별할 수 있으므로, 필요시 이용할 수 있다. 항갑상선과산화효소항체와 항티로글로불린 항체 측정은 그레이브스병의 진단에 도움이 되지 않는다. 대부분의 그레이브스병 환자에서 이 두 가지 항체가 양성으로 검출되지만, 그레이브스병 이외의 자가면역갑상선질환에서도 양성이므로 진단특이성이 없기 때문이다. 그러나 이들의 존재가 자가면역질환이라는 증거가 되므로 갑상선중독증의 원인감별에는 도움이 된다.

24시간 방사성요오드섭취율은 대부분의 갑상선기능항진증 환자에서 증가한다. 그러나 요오드섭취량, 요오드함유약물 투여 등에 의해 영향을 받고, 검사도 비교적 복잡하여 최근에는 잘 사용하지 않는다.

갑상선스캔은 갑상선기능항진증 진단에 필수적인 검사는 아니지만, 갑상선중독증의 원인질환 중 결절질환, 즉 중독성선종이나 중독성다결절갑상선종의 감별진단에는 필요하다.

최근 초음파기기의 사용 증가와 함께 갑상선기능항진증의 진단에 방사성동위원소를 이용하는 스캔보다 초음파검사가 더 많이 이용되고 있다. 유럽갑상선학회에서는 그레이브스병의 진단을 위해 초음파검사를 권장할 정도이다. 그레이브스병의 경우 초음파에서 갑상선이 미만성으로 커져 있고 실질은 저에코소견을 보이며 혈관분포 및 혈류속도가 증가된 특징소견을 보인다. 특히 혈관분포와 혈류속도가 증가된 소견은 아급성갑상선염, 약물유발갑상선염 등 다른 원인의 갑상선중독증과의 감별진단을 하는 데에 도움을 준다.

소수의 환자에서 TSHRAb가 음성으로 나오는 경우가 있다. TSHRAb 양성인 환자에 비해 생화학적으로 경미한 갑상선기능항진증인 경우가 많으나, 이들 환자 중 4.5%에서 familial non–autoimmune hyperthyroidism (FNAH)이었다는 보고가 있다.

VI. 감별진단

그레이브스병은 갑상선중독증의 가장 흔한 원인질환으로 진단이 어렵지는 않으나, 특히 무통갑상선염의 갑상선중독기에는 임상상이 비슷하여 감별에 주의하여야 한다. 그 외에도 갑상선중독증을 나타내는 다양한 질환들은 병인 및 병태생리가 완전히 다르고 따라서 임상경과 및 치료법이 다르므로 감별진단이 중요하다(표 3-4-2). 갑상선중독증은 발병기전에 따라 갑상선기능이 항진된 경우와 갑상선기능이 오히려 떨어져 있는 경우로 대별할 수 있다. 전자는 방사성요오드섭취율이 증가하는 데 비해 후자는 감소하는 것이 특징이다.

1. 방사성요오드섭취율이 증가하는 갑상선중독증

중독성선종, 중독성다결절갑상선종은 갑상선에 하나 혹은 여러 개의 결절이 만져지므로 진찰로 쉽게 감별할 수 있으나, 중독성다결절갑상선종의 경우 결절이 작으면 미만성갑상선종처럼 만져지므로 그레이브스병과 감별이 어려울 수 있다. 갑상선질환에 대한 가족력이 없고, 안구돌출증이 없다. 갑상선중독증의 정도는 그레이브스병보다 경미한 편이며, T_4는 정상이고 T_3만 높은 "T_3–갑상선중독증"의 형태가 많다. TSHRAb를 비롯한 갑상선 자가항체는 검출되지 않는다. 갑상선스캔에서 열결절로 나타나며, 결절 이외의 정상조직은 억제되므로 그레이브스병과 감별이 가능하다. TSH-분비뇌하수체종양은 TSH를 과잉분비하여 갑상선기능항진증을 초래하는질환으로 혈청T_3, T_4가 증가되어 있는데도 혈청 TSH가 정상 혹은 증가되는 것이 특징이다. TSH의 알파소단위 분비가 증가하며, TRH에 대한 반응이 없다. 갑상선질환에 대한 가족력이 없고, 안구돌출증이 없다. 영상검사에서 뇌하수체종양이 발견된다. 갑상선호르몬에 대한 뇌하수체의 선택적 내성은 매우 드문 질환으로 갑상선호르몬수용체의 돌연변이로 인해 뇌하수체가 T_3에 대한 선택적 내성을 나타내어 T_3에 의한 음성되먹임이 일어나지 않으므로 혈청 T_3, T_4가 증가되어도 TSH가 억제되지 않는다. 뇌하수체종양이 없고, TRH에 대한 반응은 정상이므로 TSH-분비뇌하수체종양과는 감별된다. 영양막종양은 사람융모성선자극호르몬(human chorionic gonadotropin)을 과다분비하는 종양으로 융모막암종(choriocarcinoma), 포상기태(hydatidiform mole) 등이 있다. 사람융모성선자극호르몬은 TSH와 알파소단위가 같기 때문에 많은 양이 있을 경우 갑상선을 자극하여 갑상선기능항진증을 초래할 수 있는데, 임상소견은 비교적 경미하다. 영양막종양 및 혈청사람융모성선자극호르몬의 상승을 확인하면 감별이 가능하다. 또한 임신입덧(hyperemesis gravidarum)이 심한 경우에도 사람융모성선자극호르몬의 상승에 의해 경미한 갑상선기능항진증이 나타날 수 있다. 이 경우 별다른 치료를 하지 않아도 자연적으로 정상갑상선기능으로 회복된다.

표 3-4-2. 갑상선중독증 원인질환의 감별진단

질환	갑상선종	경과	RAIU	특징적 소견
그레이브스병	미만성	지속적	증가	안구돌출, 자가항체, 가족력
중독성선종	단일결절	경증, 지속적	증가	스캔상 열결절
중독성다결절갑상선종	다결절	경증, 지속적	증가	스캔상 여러 개의 결절
TSH분비뇌하수체선종	미만성	지속적	증가	뇌하수체종양, TSH 상승
뇌하수체의 갑상선호르몬 내성	미만성	지속적	증가	TSH 상승
영양모세포종양	미만성	경증	증가	임신, 자궁출혈, hCG 상승
아급성갑상선염	압통(+)	일시적	감소	상기도감염, ESR 증가
무통갑상선염	압통(−)	일시적	감소	출산(+), 자가항체
인위갑상선중독증	(−)		감소	약 복용병력
요오드 과잉섭취	결절성	경증	감소	병력, 소변 요오드배설 증가
난소갑상선종	(−)		감소	스캔상 복부에서 발견
갑상선암의 기능적 전이	(−)		감소	전신스캔의 소견

RAIU, 방사성요오드섭취율

2. 방사성요오드섭취율이 감소하는 갑상선중독증

아급성갑상선염은 갑상선의 바이러스감염에 의한 질환으로 발병 전에 상기도감염의 병력이 있고, 갑상선에 심한 동통과 압통이 있는 것이 특징이다. 적혈구침강속도(ESR) 및 혈청갑상선글로불린이 상승되지만, 갑상선 자가항체는 음성이며, 방사성요오드섭취율이 현저히 감소된다. 갑상선중독기–갑상선기능저하기를 거쳐 정상갑상선기능으로 회복되는 경과를 보인다. 무통갑상선염은 임상상은 아급성갑상선염과 동일하나 갑상선의 동통 및 압통이 없는 것이 다르다. 혈청갑상선글로불린은 증가하나 ESR은 정상이고, 대부분의 환자에서 갑상선 자가항체가 나타난다. 일부 환자에서는 발병 2–4개월 전에 출산한 병력이 있는데 이런 경우 산후갑상선염이라고 한다. 인위갑상선중독증은 갑상선호르몬을 과다 복용하여 갑상선중독증이 나타나는 경우로 갑상선종이나 안구돌출증이 없고, 혈청갑상선글로불린이 정상 내지 감소된다. 자세한 병력청취로 감별이 가능하다. 방사성요오드섭취율은 현저히 감소한다. 이소갑상선의 기능항진

은 난소갑상선종, 흉골하갑상선종, 전이갑상선암 등에서 갑상선호르몬이 과다생산되어 갑상선중독증을 일으키는 경우이다. 갑상선종이 없고, 갑상선스캔에서 갑상선이 보이지 않는 반면, 복부, 흉골하, 암의 전이부위 등에 방사성요오드의 섭취가 나타난다. 다결절성갑상선종이나 요오드결핍갑상선종 환자들은 요오드 과잉섭취에 의한 갑상선중독증이 나타날 수 있다. 이때 방사성요오드섭취율은 현저히 감소하며, 소변으로 요오드배설량이 증가한다.

VII. 치료

그레이브스병은 자극형 TSHRAb에 의해 발생하는 자가면역질환으로 근본적 치료를 위해서는 자가항체의 생산을 억제해야 하지만 현재 임상에서 사용할 수 있는 치료법은 없다. 대신에 갑상선호르몬의 생산 및 분비를 억제하는 약물을 투여하여 갑상선기능을 정상으로 유지하는 방법과 방사성요오드 또는 수술로 갑상선조직을 파괴 혹은 제거하는

방법이 사용되고 있다. 항갑상선제, 방사성요오드, 수술의 세 가지 치료법은 각각 장단점이 있으므로(표 3-4-3), 환자의 적응도, 연령, 성별, 6개월 이내의 임신계획 여부, 갑상선종의 크기, 증상의 정도뿐만 아니라 유능한 외과의가 있는지, 방사성요오드 치료설비가 있는지 등 여러 가지 요인들을 고려해서 결정하여야 한다. 우리나라에서는 일차치료로 항갑상선제가 주로 사용되고 있는데, 이 약물은 갑상선과산화효소를 억제하여 요오드의 유기화 및 연결과정을 억제함으로써 갑상선호르몬 생산을 차단한다. 그 외 갑상선호르몬의 방출을 억제하는 약물로는 리튬과 요오드가 있으며, 말초조직에서 T_4의 T_3 전환을 억제하는 약물로는 베타아드레날린차단제와 ipodate 등의 X선조영제 등이 있다. 말초조직에서 갑상선호르몬의 작용을 억제하기 위해서는 베타아드레날린차단제가 이용된다.

1. 항갑상선제

항갑상선제는 갑상선호르몬의 합성과정을 차단하는 싸이온아마이드 계열의 약물을 칭한다. 현재 국내에서는 메티마졸(methimazole, MMI), 카비마졸(carbimazole, CBZ), 프로필싸이오유라실(propylthiouracil, PTU) 등세 가지 약물이 사용되고 있다. 이 중 CBZ는 전구약물로, 경구투여 시 바로 간에서 대사되어 MMI로 바뀌어 거의 동일한 약동학을 보이므로 MMI와 동일 약물로 간주된다. 다만 10 mg이 6 mg의 비율로 전환되므로 교차사용 시 용량에 주의해야 한다.

1) 항갑상선제의 작용기전
싸이온아마이드약물들은 갑상선세포 내로 능동적으로 들어가 혈청내 농도보다 훨씬 높은 농도로 존재하면서 갑상선과산화효소에 의해 촉매되는 요오드의 산화와 유기화 및 요오드타이로닌 연결과정을 억제함으로써 갑상선호르몬 생산을 차단한다. 그러나 요오드 운반과 갑상선호르몬의 방출에는 영향이 없으므로 치료시작 후 효과가 나타나는 데는 3-6주의 시간이 소요된다. 이 외에 PTU는 말초조직

에서 T_4의 T_3 전환을 억제하는 작용이 있어 혈청T_3치를 더 빨리 감소시키므로 중증 환자나 갑상선중독위기 환자에서 유리하다. 또한 PTU는 혈장단백질과 결합하는 정도가 높아 태반통과가 비교적 적고 유즙으로 분비되는 양도 적으므로 임신 및 수유 시에 선택적으로 사용되어 왔다. 그러나 PTU사용 환자에서 간독성에 의해 사망 또는 간이식에 이르는 경우가 MMI의 경우보다 현저하게 많아, 2009년 미국 식품의약국에서 임신 첫 3개월 또는 갑상선중독위기 시, 그리고 MMI나 CBZ에 대한 부작용이 있는 경우를 제외하고는 PTU를 사용하지 말도록 경고하였다. 또한 PTU와 MMI를 각각 일정기간 동안 투여하였을 때 MMI를 투여한 쪽에서 갑상선기능이 더 빨리 정상화되었다는 보고가 있어, 불가피한 경우 외에는 일차로 MMI를 사용하도록 한다. 한편, 항갑상선제 치료 시 시간이 지남에 따라 TSHRAb 역가가 감소되는 추세를 보이므로 오래전부터 항갑상선제에 면역조절기능이 있다고 생각되어 왔다. 몇몇 연구에서 항갑상선제에 의해 면역반응에 관여하는 사이토카인 또는 그수용체들의 감소, HLA class II 발현의 감소, 갑상선 내의 억제 T세포의 증가 및 도움T세포의 감소 등의 보고가 있었으나, 최근 이러한 면역체계의 변화는 항갑상선제에 의해 갑상선기능이 정상화되면서 체내 스트레스가 해소됨에 따라 자가면역반응이 감소되어 나타나는 것으로 이해되고 있다.

2) 약리
MMI (CBZ) 및 PTU 모두 경구복용 시 소화관에서 신속하게 흡수되어 1-2시간 후 혈청 최고농도에 이른다. MMI는 혈액 내에서 단백질에 결합되어 있지 않지만, PTU는 80-90%가 알부민에 결합한 상태로 존재한다. 혈청내 반감기는 MMI는 4-6시간인데 비해 PTU는 1-2시간이고, MMI는 작용시간이 24시간 이상이어서 1일 1회 투여로 충분하지만, PTU는 12-24시간으로 1일 1회 투여로 효과를 유지하기에 불충분하다. 갑상선중독증이나 신장기능 이상이 있어도 약물대사 속도가 변하지 않으므로 용량조절이 필요 없으나, MMI는 간기능장애가 있는 경우 대사가 감소되어 혈장반감기가 길어진다.

MMI는 지용성이어서 태반을 잘 통과하고 PTU는 수용성으로 혈장단백질에 결합된 상태로 존재하여 MMI에 비해 태반통과가 적다고 생각되고 있으나, 실제 산모에서 사용 시 태아의 갑상선기능에 미치는 영향은 비슷하므로 두 약물 모두 최소용량을 사용해야 한다는 연구결과가 있다(표 3-4-4). 항갑상선제로 치료할 때 수유를 중단할 필요는 없다. 젖으로 분비되는 양이 PTU가 상대적으로 적으므로 수유 중일 때는 MMI보다는 PTU를 선택하는 것이 좋다. 그러나 이미 MMI를 투여 중인 경우, 1일 사용량이 20 mg 이하이면 약물을 변경할 필요는 없다. 약효는 MMI가 PTU보다 10배 더 강하다.

3) 적응증

항갑상선제치료는 약물에 대한 심한 부작용이 없는 한 모든 그레이브스병 환자에 적용된다. 주로 영구적인 관해를 유도하기 위해 장기간 치료하고자 할 때 주로 사용한다. 이 외에도 임신이나 수유 중인 경우, 갑상선중독위기(thyro-toxic crisis), 수술이나 방사성요오드치료의 전처치 목적, 신생아 그레이브스병의 경우에 사용한다. 소아나 청소년기의 환자에서 수술이나 방사성요오드치료의 적절한 시기를 선택하기 전에 사용하기도 한다.

4) 항갑상선제 치료의 실제

항갑상선제를 사용하면 거의 모든 그레이브스병 환자에서 갑상선기능을 정상화시킬 수 있다. 그러나, 투여기간이 1년 이상으로 길고, 관해율이 낮은 단점이 있다. 치료 시작용량은 MMI는 1일 1회 10-30 mg, CBZ는 1일 1회 15-40 mg, PTU는 100 mg을 3회 또는 150 mg을 2회 투약한다. 투여 2-3주 후부터 증상이 호전되고, 6주에서 3개월 이내에 거의 대부분의 환자들이 정상갑상선기능으로 회복된다. MMI 10-15 mg의 저용량 치료 시에도 경증 환자에서는 갑상선기능이 빠르게 호전되나, 중등도 이상의 심한 갑상선기능항진증 환자에서는 갑상선호르몬수치가 떨어지지 않고 계속 높은 상태로 유지되거나 오히려 상승되는 경우도 있다. 그러

표 3-4-3. **그레이브스병 치료법의 기전 및 장단점**

치료법	항갑상선제	방사성요오드	수술
기전	호르몬 생산 억제	갑상선조직 파괴	갑상선조직 제거
장점	안전성	경제성, 높은 완치율	신속한 효과
단점	높은 재발률 오랜 치료기간	갑상선기능저하증	고비용 수술관련 부작용

표 3-4-4. **항갑상선제의 약동학**

	PTU	MMI
혈장반감기	1-2시간	6-8시간
심한 간기능장애	무변화	길어짐
심한 신기능장애	무변화	무변화
작용지속기간	12-24시간	24시간 이상
태반통과	적다	많다
젖으로 분비	적다	많다

므로 치료 시작 4-6주 후 갑상선기능검사를 시행하여 호전되지 않을 때에는 용량을 높여야 한다. 치료 전 유리T$_4$치에 따라 치료에 필요한 항갑상선제용량이 차이가 있는지 비교한 연구에서 유리T$_4$치가 7 ng/dL를 넘는 중증갑상선기능항진증의 경우에는 MMI의 경우 30 mg (15 mg과 비교), CBZ는 40 mg (20 mg과 비교)의 고용량을 사용하여야 갑상선기능이 호전되었다. 한편, 고용량의 MMI나 CBZ를 사용하는 경우에는 갑상선기능저하증이 유발될 위험이 있는데, 대부분 용량을 줄이거나 단기간 갑상선호르몬제를 병용투여하면 바로 정상기능으로 회복시킬 수 있다. 갑상선안병증이 동반된 경우에는 갑상선기능저하증 유발 시 안병증이 악화될 수 있으므로 주의해야 한다. 항갑상선제 치료 중 갑상선기능저하증이 되는 환자들이 관해율이 높다는 연구 결과도 있다. 항갑상선제 치료를 시작하여 갑상선기능이 정상으로 회복되면 용량을 줄이기 시작한다. 2-3개월 간격으로 갑상선기능을 평가하여 갑상선호르몬이 정상범위 내에 있으면 5-10 mg씩 감량하여 정상기능을 유지할 수 있는 최소 용량, 즉, MMI는 2.5-10 mg, PTU는 50-100 mg까지 감량한다. 이렇게 갑상선기능을 보면서 용량을 조절해 가는 치료법을 적정요법(titration regimen)이라 하는데 항갑상선제 용량을 적게 사용할 수 있어서 부작용의 빈도가 낮으므로 대부분 이 치료법을 선호한다. 이에 반해 고용량의 항갑상선제와 갑상선호르몬제를 병합하여 장기간 투여하는 치료법인 차단대체요법(block-replace regimen)은 적정요법과 비교 시 관해율은 차이가 없는 반면 고용량의 항갑상선제 사용에 의해 부작용이 증가되므로 최근에는 거의 사용되지 않고 있다.

항갑상선제 치료를 시작하면 중단까지 대부분 1-2년이 걸린다. 항갑상선제 치료기간에 따라 관해율에 차이가 있는지 조사한 전향연구들에서 12-18개월 이상 MMI를 투약하여도 관해율이 증가되지 않는다는 결과를 보였다. 이를 바탕으로 미국 및 유럽갑상선학회에서 발표한 가이드라인에서는 항갑상선제를 12-18개월 투약 후 갑상선기능이 정상이고 TSHRAb가 음성이면 항갑상선제를 중단하도록 권유하였다. 그러나 갑상선기능이 정상이라도 TSHRAb가 양성이면 항갑상선제 치료를 지속하면서, TSHRAb가 음성이 되면 항갑상선제를 중단하고 계속 양성인 경우에는 RAI 또는 수술 등의 치료를 택하도록 권고하였다. 2013년 발표된 대한갑상선학회의 갑상선기능항진증치료합의안은 항갑상선제 치료를 시작하면 12-18개월 이상 지속하여 갑상선기능이 정상으로 회복되고 TSHRAb가 음성이 되면 항갑상선제 중단을 고려하는데, 이후 재발한 경우에는 RAI 또는 갑상선절제술을 고려할 수 있으나, 환자가 이러한 치료를 원하지 않거나 저용량의 항갑상선제로 갑상선기능이 정상으로 잘 유지되는 경우에는 저용량의 항갑상선제를 2-3년 이상 장기간 투여할 수 있다고 하였다. 항갑상선제를 중단하지 않고 저용량으로 수년 이상 장기간 사용하는 치료법은 오래 전에 제안되었으나, 그간 이론적 근거가 없었다. 2010년 이후 투약기간이 길수록 관해율이 증가된다는 후향연구결과뿐 아니라 최근에는 5-10년 이상의 장기간 저용량의 MMI를 투여하면 관해율이 높아진다는 전향연구 결과들이 발표되었는데, 특히 TSHRAb가 5년 이내에 음성이 되는 경우 장기치료 시 관해율이 높았다.

5) 부작용

항갑상선제의 부작용 중 가장 흔한 것은 과민반응으로 항갑상선제 투여 환자 중 약 3-5%에서 관찰된다. 비교적 다량을 투여하는 치료초기, 대개 치료 시작 4주 이내에 나타나는데, 두드러기, 가려움증, 피부발진 등이 흔한 증상이다. 일부 환자에서는 미만성탈모, 관절통, 발열 등이 나타날 수도 있다. 이러한 과민반응은 투여하는 용량이 많을수록 흔하며 투약을 중단하면 곧 소실된다. 약물을 바꾸거나 항히스타민제를 같이 투여하면 대개는 조절된다. 그러나 약 50%의 환자에서 MMI와 PTU 사이에 교차반응이 나타나므로 주의할 필요가 있다. 투여를 중단하였다가 재투여 하는 경우, 과거에 부작용이 있었던 경우에 더 심하게 나타난다. 일과성백혈구감소증(transient leukopenia)은 성인의 12%, 소아의 25%에서 관찰되는데 증상이 없고, 일시적 현상이므로 혈액검사를 하기 전에는 발견되지 않는

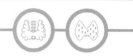

다. 무과립구증(agranulocytosis)으로 이행되지 않으며 감염과도 무관하므로 투약을 중단하거나 치료를 할 필요는 없다.

항갑상선제의 가장 심한 부작용은 무과립구증으로 치료 환자의 약 0.1–0.5%에서 나타난다. MMI보다 PTU 사용 시, 항갑상선제의 용량과 연령이 높을수록 발생이 증가하며, 치료 시작 후 3개월 정도에 갑자기 발생하는 경우가 많으므로 정기적으로 백혈구 수를 측정하여도 미리 예견할 수 없다. 드물게 일차치료 시에는 문제가 없었다가 재발하여 항갑상선제를 다시 시작할 때 무과립구증이 발생하는 경우도 있으므로 주의를 요한다. 초기 발현증상은 발열 및 인후통이므로 항갑상선제 치료를 받는 중에 이와 같은 증상이 발생하면 바로 약을 중단하고 응급실에 가서 혈액검사를 받도록 진료 시마다 교육하여야 한다. 대부분은 무과립구증 단독으로 나타나지만 드물게 재생불량빈혈(aplastic anemia)로 나타나기도 하며 이런 경우 예후는 더 나쁘다. 최근 HLA-B*38:02, HLA-DRB1*08:03유전자형이 무과립구증에 대한 독립적인 감수성인자로 알려졌는데, 이 두 대립유전자를 모두 가진 경우 무과립구증의 위험도가 약 50배까지 증가된다는 보고가 있다. 무과립구증 발생 시에는 즉시 입원하여 백혈구수치를 모니터하면서 광범위항생제를 투여하여야 하고, 과립구집락자극인자(granulocyte colony-stimulating factor) 치료가 권장된다. 교차반응의 가능성이 높아 회복된 후 모든 종류의 항갑상선제 치료는 금기이므로 방사성요오드 또는 수술치료를 요한다.

간독성 역시 치명적인 부작용으로 MMI를 사용한 경우 0.3%에서, PTU를 사용한 경우 0.15%에서 보고되어 있지만, 전격간염에 의한 괴사로 간부전이 초래되어 간이식 수술이 필요한 경우는 PTU 사용 시 주로 나타나고(PTU 0.25%, MMI 0.08%), 특히 소아에서 PTU에 의한 간독성의 빈도가 MMI에 비해 높음이 알려지면서 초기 항갑선제로 MMI가 권고되고 있다. PTU는 간 실질세포의 손상을 초래하는 간염형태로 MMI은 울체성황달(cholestatic jaundice)형

표 3-4-5. 항갑상선제의 부작용

경증 부작용
일과성백혈구감소증: 12–25%
과민반응: 3–5%
중증 부작용
무과립증: 0.1–0.5%
중독성간염, 울체성황달
기타 희귀한 부작용
혈관염 및 루프스양증후군
재생불량빈혈
혈소판감소증
신증후군
인슐린자가면역증후군
미각상실
저프로트롬빈혈증

태로 나타나는 경향이 있으나 반드시 그런 것은 아니다. 이외에도 드물지만 혈관염 및 루프스양증후군, 재생불량성빈혈, 혈소판감소증, 신증후군, 인슐린자가면역증후군, 미각상실, 저프로트롬빈혈증 등이 나타날 수 있다(표 3-4-5).

2. 증상조절을 위한 보조약물 치료

1) 베타아드레날린차단제

갑상선기능항진증의 많은 증상이 베타아드레날린수용체를 통해서 나타나므로 베타아드레날린차단제는 갑상선기능항진증의 증상, 특히 심계항진, 더위에 민감함, 진전, 불안 등을 호전시키는 데 효과가 있다. 뿐만 아니라 프로프라놀롤은 말초조직에서 T_4의 T_3 전환을 억제하는 효과도 있어 1일 160 mg 이상을 투여하면 혈청T_3가 30% 이상 감소한다. 그러나 갑상선호르몬의 생산 및 분비에는 영향이 없기 때문에 갑상선기능항진증의 주 치료제로 사용할 수는 없고 항갑상선제, 방사성요오드 및 수술요법의 보조치료제로 추천된다. 프로프라놀롤 20–40 mg을 6–8시간 간격으로 경구투여하는데 필요하면 1일 320 mg까지 증량할 수 있다. 심부전이 있거나 방실전도장애가 있는 경우, 천식이 있는 경우에는

사용하지 않는 것이 좋다.

2) 무기요오드

무기요오드는 갑상선호르몬의 분비를 억제하는 효과가 있어 짧은 시간 내에 갑상선중독증을 호전시킬 수 있다. 그러나 투여 시작 2–3주 후에는 효과가 소실되며 투여된 요오드가 갑상선호르몬 생성의 재료로 사용되므로 갑상선기능항진증이 더 악화될 수 있다. 때문에 무기요오드 투여 전에 항갑상선제를 먼저 투여하여야 하고 제한된 경우에만 사용하는 것이 좋다. 즉, 갑상선중독위기의 치료, 수술전처치 목적, 중증갑상선기능항진증 환자에서 방사성요오드 또는 항갑상선제 치료 시 빠른 효과를 얻기 위한 보조요법으로 사용한다. 이 외에도 항갑상선제에 부작용이 있는 중증 환자에서 방사성요오드치료 전에 갑상선기능을 빠르게 낮추기 위해 일시적으로 사용할 수 있다. 통상 2–3주 사용하면 대부분의 환자에서 갑상선기능이 정상화되며, 이후 약 2–3주 중단하면 방사성요오드 투여가 가능하다. 투여 방법은 Lugol 용액 3–5방울을 1일 3회 복용하거나 SSKI용액 한 방울을 1일 3회 복용한다.

3) 리튬

리튬은 무기요오드처럼 갑상선호르몬의 방출을 억제하기 때문에 갑상선기능항진증의 치료에 효과적이다. 그러나 요오드보다 더 좋은 점이 없기 때문에 갑상선기능항진증치료제로써의 적응증은 아직 확립되어 있지 않다. 다만 요오드에 과민반응이 있는 환자에서 요오드 대신 사용할 수 있다.

갑상선기능항진증 치료에 필요한 리튬의 용량은 정신질환에서 사용하는 용량과 같다. 1일 300–450 mg을 3회 분할하여 경구로 복용한다. 혈청리튬의 농도를 측정하여 혈청리튬치가 0.7–1.4 mEq/L 이내로 유지되도록 투여량을 조절해야 한다. 60세 이상의 환자는 혈청리튬치를 0.1–0.2 mEq/L 정도 더 낮게 유지시켜야 한다. 치료효과는 비교적 빨리 나타나는데 혈청T_3는 치료시작 1주 이내, T_4는 2주 이내에 정상으로 회복된다.

4) 요오드화된 조영제

경구담낭조영제(ipodate, iopanoic acid 등)는 5'-탈요오드효소의 활성을 억제하여 말초조직에서 T_4의 T_3 전환을 억제하는데 ipodate (Oragrafin)가 가장 강력하다. Ipodate를 갑상선기능항진증 환자에게 투여하면 먼저 T_3가 급격히 감소하고, 이어서 T_4도 감소한다. 이는 ipodate가 T_4의 T_3 전환을 억제하는 작용 외에, ipodate가 대사되면서 요오드를 방출하여 갑상선호르몬의 생산과 방출을 억제하기 때문이다. Ipodate를 1일 1 gm 투여하면 PTU 600 mg를 투여한 것보다 더 빨리 혈청T_3를 감소시킨다. 그러나 ipodate 중단 시 PTU나 MMI로 치료한 경우보다 재발이 많고, 항갑상선제에 대한 내성을 유발할 가능성이 있기 때문에 ipodate 단독으로는 사용하지 않는다. 중독성선종 환자에게 ipodate를 투여하면 유리된 요오드가 갑상선호르몬 생성의 기질로 이용되어 갑상선기능항진증이 더 악화될 우려가 있다. 임상적응증은 요오드의 경우와 동일하며, 투여용량은 1일 500 mg–1 gm이다.

3. 방사성요오드(^{131}I, Radioactive iodine, RAI)치료

방사성요오드치료는 1941년부터 사용되고 있는 치료로 갑상선기능항진증 치료에 효과적이며 경제적이다. 그러나 방사선 피해에 대한 우려와 갑상선기능저하증의 합병빈도가 높기 때문에 일차치료로 RAI를 선택할 것인가는 논란이 되고 있다. 특히 비교적 젊고 항갑상선제로 관해에 이를 가능성이 높은 환자에서는 사용하지 않는 것이 좋다. RAI 치료의 빈도는 지역에 따라 많은 차이를 보이는데, 2011년 시행된 설문조사에 의하면 미국에서는 내분비의사의 69%가 일차치료법으로 RAI를 선택한 반면, 유럽은 22%, 한국은 1%의 의사만이 선택하였다. 또한 건강보험심사평가원자료에서도 2011년 기준 갑상선기능항진증 환자의 98%가 항갑상선제 치료를, 8%가 RAI 치료를 받고 있어, 우리나라에서 사용빈도가 매우 낮았다. 최근 조사에서는 미국의사들도 60%가 일차치료로 항갑상선제를 선택하였다. 그 이유는

RAI 치료가 TSHRAb의 역가를 높여 갑상선안병증이 새롭게 발생하거나 악화되는 것과 관련성이 있고, 6개월 이내 임신을 계획하고 있는 여성 혹은 수유 중인 환자에서 사용할 수 없는 등 사용에 제한이 있기 때문으로 생각된다. 과거 50년간의 임상경험에 의하면 RAI에 의한 방사선 피해, 즉 갑상선암, 백혈병 등의 발생 내지 생식능력의 장애 및 유전이상이 있다는 증거는 없었으나, RAI 치료 직후 임신 시 유산의 위험이 증가되므로 여성은 최소 6개월 이상, 남성은 4개월 이상 피임하는 것이 권고된다.

1) 작용기전

갑상선기능항진증의 치료를 위해서는 방사성요오드 중 ^{131}I이 사용된다. ^{131}I은 반감기가 8일이며, 감마선과 베타선을 방출하는데 치료효과는 베타선에 의한다. ^{131}I는 캡슐이나 용액으로 공급되는데, 경구로 복용하면 빠르게 흡수되어 갑상선세포에 축적되고 ^{131}I로부터 방출되는 베타선에 의해 세포가 파괴되고 염증이 일어난다. 치료 후 1년 안에 갑상선의 크기가 정상화되고 50–90%의 환자에서 갑상선기능항진증이 치료되며, 약 50%의 환자가 갑상선기능저하증상태가 된다고 알려져 있다. ^{131}I 투여 1–2년 이내의 갑상선기능저하증 빈도는 투여량과 직접 관계가 있으나, 그 이후에는 투여용량에 관계없이 매년 3–5%의 환자가 갑상선기능저하증상태가 되며, 수년에 걸쳐 갑상선위축이 초래된다.

2) 치료용량 및 효과

갑상선기능항진증을 치료하기 위해서는 갑상선에 약 5,000–15,000 rad의 방사능이 도달해야 한다고 알려져 있다. 이를 위해 고정된 용량을 투여할 것인지, 아니면 선량측정(dosimetry)을 통해 각 개인별로 효과적인 치료용량을 계산하여 투여할 것인지에 대해서는 아직 논란이 있다. 갑상선기능항진증을 치료하여 정상 갑상선기능으로 회복시키는 것이 목표라면 환자마다 갑상선의 크기, ^{131}I 섭취정도, 갑상선기능항진증의 정도 등이 다르므로 이를 고려하여 갑상선기능저하증이 되지 않도록 적정용량을 계산하여 투여해야 하겠지만, 최근 가이드라인에서는 충분한 양을 투여

하여 갑상선기능저하증을 만드는 것을 치료목표로 하므로 10–15 mCi의 고정된 용량을 사용하도록 권고하고 있다.

방사성요오드를 투여하면 2주경부터 혈청T$_4$가 감소하기 시작하여 최대효과는 2개월 후에 나타난다. 적정량이 투여된 경우에는 대개 2개월 이후에 정상기능으로 회복된다. 6–12개월 후 갑상선기능항진증이 정상화되지 않으면 재투여를 고려한다. 일반적으로 1회 투여로 전체 환자의 약 75%가 완치되며, 약 10–20%의 환자는 2회 투여를 필요로 하며, 드물게 3회 이상 투여해야 완치되는 경우도 있다. 그러나 치료효과는 전적으로 투여량에 의해 결정된다. 방사성요오드치료는 효과가 더디게 나타나고, 영구적인 갑상선기능저하증이 발생하는 문제점 외에 매우 간편하고 경제적이며 입원을 할 필요가 없다는 등의 많은 장점이 있다. 그러나 입원을 하지 않으므로 치료 후에는 방사선안전수칙을 잘 지키도록 교육이 필요하다.

3) 전처치

중증갑상선기능항진증 환자에서는 ^{131}I 투여 직후 갑상선세포 파괴에 의해 누출된 갑상선호르몬에 의해 일시적으로 갑상선중독증이 악화되어(방사선갑상선염), 심부전 또는 갑상선중독위기 등의 심각한 합병증이 발생할 수 있다. 이런 경우에는 적어도 1–2개월 동안 항갑상선제로 치료해서 갑상선기능을 호전시킨 후에 ^{131}I을 투여하는 것이 안전하다. ^{131}I 투여 후 치료효과가 나타날 때까지 프로프라놀롤을 투여하여 증상을 호전시킬 필요가 있고, 경우에 따라서는 항갑상선제나 무기요오드를 사용하기도 한다. 방사성요오드투여 전에 항갑상선제로 치료받고 있는 경우에는 ^{131}I 치료 실패율이 증가된다. 후향연구결과에 의하면 ^{131}I 투여 전에 항갑상선제를 투여하지 않은 경우에는 ^{131}I 치료 실패율이 9%인데 비하여, ^{131}I 투여 7일 전에 항갑상선제를 중단한 경우는 ^{131}I 치료 실패율이 17%, ^{131}I 투여 4–7일 전에 항갑상선제를 중단한 경우는 29%였다. 따라서 항갑상선제는 적어도 ^{131}I 투여 7일 전에 중단하는 것이 좋다. 또한 ^{131}I 투여하고 4–7일 이후에 항갑상선제를 투여하면 ^{131}I 치료효과에는 영

향이 없다. 임신 중에는 ^{131}I가 태반을 통과하여 태아의 갑상선을 파괴시켜 영구적갑상선기능저하증을 초래할 수 있으므로, RAI 치료는 절대금기이다. 때문에 가임기여성에서는 투여 전 임신가능성을 반드시 확인해야 한다. 또한 방사성요오드치료를 받은 환자가 임신을 원할 경우에는 적어도 6개월 이상 경과한 후에 임신하도록 하는 것이 좋다.

4) 합병증

(1) 갑상선안병증의 악화
최근의 무작위배정대조군임상시험에 의하면 ^{131}I 투여한 군의 15%에서 안병증이 악화되어 항갑상선제 또는 수술치료를 받은 군보다 유의하게 높았다. 그 원인은 ^{131}I 투여 후 갑상선세포가 파괴되면서 자가항원이 많이 유리되어 TSHR-Ab의 역가가 올라가는 반면, 항갑상선제 치료 또는 수술 후에는 TSHRAb가 감소되기 때문인 것으로 생각된다. 그러므로 안병증이 심한 환자에서 RAI 치료는 상대적으로 금기이다. 또한 안병증의 악화가 우려되는 경우 ^{131}I 투여 전부터 스테로이드제제(프레드니솔론 0.4–0.5 mg/kg를 시작하여 1개월 동안 투여하고, 이후 서서히 감량)를 사용하여 안병증의 악화를 예방할 수 있다.

(2) 암의 발생
그레이브스병 환자에서 방사성요오드치료 후 갑상선암 또는 백혈병 등 이차암의 발생빈도는 거의 대부분의 연구에서 대조군과 차이가 없었다. 이러한 결과로 RAI 치료의 연령 하한선은 이전의 40세에서 최근(특히 미국에서는) 10세까

지 낮아지는 추세이다.

(3) 유전영향
갑상선기능항진증에서 ^{131}I 치료에 의해 난소가 받는 방사선량은 X선대장검사 때 받는 방사선량과 비슷하거나 약간 많은 정도이다. 현재까지 조사된 바에 의하면 ^{131}I로 치료한 갑상선기능항진증 환자의 후손에서 유전장애가 정상인보다 많다는 증거는 없다.

4. 수술

수술은 갑상선기능항진증의 치료 중 가장 오래된 방법으로 빨리 치료효과를 얻을 수 있는 장점이 있다. 항갑상선제 치료가 보편화되고 수술 후 합병증과 입원 등의 불편 때문에 수술의 적응이 제한되는 경향이 있지만, 항갑상선제 치료에 반응이 좋지 않아 재발이 반복되는데 갑상선종이 매우 커서 압박증상이 있거나, 결절이 동반되어 있는데 악성의 가능성이 높을 때에는 수술요법이 필요하다 (표 3-4-7). 과거에는 갑상선조직을 70–80% 정도 제거하는 갑상선아전절제술을 시행하여 정상 갑상선기능을 유지하고자 하였으나, 수술 후 5–10%에서는 갑상선기능항진증이 재발하였고 20–30%에서는 갑상선기능저하증이 발생하였다. 최근에는 갑상선조직을 모두 제거하는 갑상선전절제술을 시행하여 갑상선기능저하증을 만드는 것을 치료목표로 한다. 수술 전에는 충분한 기간 동안 항갑상선제 및 베타아드레날린차단제를 사용하여 갑상선기능을 정상으로 만들어야 하고, 수술 전 10–14일간 무기요오드를 투여함으로써 갑상선의 혈류량을 줄

표 3-4-6. **방사성요오드치료의 적응증**

- 중년(30–35세 이상) 이상의 환자
- 항갑상선제 치료 또는 수술 후 재발한 경우
- 항갑상선제 부작용이 있으나 수술할 수 없는 경우
- 약물복용을 원하지 않거나 불규칙하게 복용하는 경우
- 중독성선종이나 중독성다결절갑상선종 환자

표 3-4-7. **수술의 적응증**

- 장기간 항갑상선제 치료에도 불구하고 반응이 충분하지 못하거나 약물에 대한 부작용이 있는 환자 중 방사성요오드치료를 못하는 경우
- 갑상선종이 매우 커서 주위조직을 압박하는 경우
- 갑상선결절이 동반된 예로 갑상선암이 의심될 때
- 빠른 시간 내에 갑상선기능을 정상화시켜야 하는 경우

여 수술이 용이하도록 한다.

수술 후 합병증의 빈도는 외과의사의 기술과 경험에 의해 좌우된다. 일시적인 저칼슘혈증은 18%까지 보고되고 있으나 대부분 6개월 이내에 회복되며, 영구적부갑상선저하증의 빈도는 1–5% 미만이다. 반회후두신경(recurrent laryngeal nerve) 손상은 대개는 일측성, 일시적이며 영구적인 경우는 매우 드물다.

VIII. 맺음말 및 전망

1940년대 항갑상선제가 개발되면서 불치병이었던 갑상선기능항진증을 쉽게 치료할 수 있게 되었다. 또한 1956년 그레이브스병 환자의 혈청에 갑상선을 자극하는 물질이 존재한다는 것이 처음 알려진 이후 그 물질이 TSH수용체에 대한 자가항체라는 것이 밝혀졌다. 분자생물학적 연구기법의 발달 이후 TSH수용체의 유전자구조가 밝혀졌으며 이로 인해 그레이브스병의 병인에 대해 좀 더 이해할 수 있게 되었다. 그러나, 아직 이러한 항체를 없애는 치료는 불가능하다. 최근 TSH수용체와 MHC class II유전자를 동시에 발현시킨 섬유모세포 등을 동물에 반복주사하는 방법 등을 이용하여 그레이브스병을 유발하는 데 성공함으로써 그레이브스병의 동물모델을 얻게 되었다. 이러한 동물들을 이용하여 자가면역반응이 나타나는 기전에 대한 연구가 활발히 진행되면서 그레이브스병의 발생기전에 대해 구체적인 지식이 쌓이고 있다. 이러한 지식을 바탕으로 최근까지 효과적인 치료법이 없었던 갑상선안병증의 치료제로 인슐린유사성장인자–1 (insulin–like growth factor–1, IGF–1)에 대한 항체인 teprotumumab이 미국식품의약국의 승인을 받게 되었다. 갑상선기능항진증의 병인에 대해서도 TSH수용체를 차단하거나 TSH수용체에 대한 자극을 차단할 수 있는 단일클론 항체나 여러 종류의 펩타이드 등이 개발되어 임상시험이 진행되고 있다. 최근 개발된 CD40에 대한 항체인 iscalimab이 갑상선기능항진증 환자의 50%에서 반응을 보여 향후 연구가 더 진행될 것으로 보인다. 이와 같은 노력으로 향후 그레이브스병도 병인을 치료할 수 있는 길이 열릴 것으로 기대된다.

IX. 그 외 갑상선기능항진증의 특수한 경우

1. 갑상선중독위기(Thyrotoxic crisis)

갑상선중독위기는 갑상선중독증이 극도로 악화되어 나타나는 임상증후군으로 매우 드물지만 제대로 치료하지 않으면 사망할 수 있다. 2012년 일본갑상선학회에서 조사한 자료에 의하면 매년 입원 환자 10만 명당 0.2명의 빈도를 보였으며 사망률은 10% 이상이었다. 진단은 임상소견에 의존하는데, 발열(38.5℃ 이상), 빈맥(발열의 정도에 비해 더 심하다), 위장관증상(구역, 구토, 설사 등), 중추신경계 증상(초조, 안절부절부터 발작, 혼수까지), 울혈심부전, 심방세동 등의 정도를 점수화하여 45점이 넘으면 갑상선중독위기의 가능성이 매우 높다(표 3-4-8).

갑상선중독위기를 초래하는 기전은 불명확하며 여러 가지 요인들이 복합적으로 관여할 것으로 생각된다. 혈청갑상선호르몬의 절대량보다는 유리호르몬의 급격한 상승이 역할을 할 것으로 생각된다. 유발인자로는 감염이 가장 흔하고, 수술, 외상, 방사성요오드치료 등이 그 다음이다. 실제 임상에서는 갑상선기능항진증이 조절되지 않은 상태에서 갑상선절제술을 하거나 방사성요오드치료를 하는 경우에 발생하는 경우가 있다(표 3-4-9).

발열과 함께 빈맥이 있으면서 중추신경계의 증상을 동반하는 경우에는 일단 갑상선중독위기를 의심하고 검사결과를 기다릴 필요 없이 즉시 적극적인 치료를 시작해야 한다. 발열의 정도에 비해 심한 빈맥을 보이는데, 보통 분당 140회 이상인 경우가 많다. 빈맥 이외에도 심방세동과 같은 부정

표 3-4-8. 갑상선중독위기의 진단기준

Diagnostic parameters	Scoring points
Thermoregulatory dysfunction	
Temperature °C	
37.2–37.7	5
37.8–38.2	10
38.3–38.8	15
38.9–39.4	20
39.5–39.9	25
≥ 40	30
Central nervous system effects	
Absent	0
Mild (agitation)	10
Moderate (delirium, psychosis, extreme lethargy	20
Severe (seizures, coma)	30
Gastrointestinal–hepatic dysfunction	
Absent	0
Moderate (diarrhea, nausea/vomiting, abdominal pain)	10
Severe (unexplained jaundice)	20
Cardiovascular dysfunction	
Tachycardia (beats/minute)	
90–109	5
110–119	10
120–129	15
130–139	20
≥ 140	25
Congestive heart failure	
Absent	0
Mild (pedal edema)	5
Moderate (bibasilar rales)	10
Severe (pulmonary edema)	15
Atrial fibrillation	
Absent Present Precipitating event Absent	0
Present	10

Scoring system: ≥ 45 highly suggestive of thyroid storm, 25-44 suggestive of impending storm, < 25 unlikely to represent thyroid storm.

표 3-4-9. 갑상선중독위기의 유발인자

- 감염
- 수술: 갑상선절제술 또는 전신마취하의 다른 수술
- 외상
- 저혈당
- 분만
- 정신적 스트레스
- 방사성요오드치료
- 당뇨병케토산증
- 폐동맥전색
- 뇌혈관장애
- 급성심근경색증

맥, 심부전이 동반되기도 한다. 중추신경계 증상은 안절부절, 혼돈, 발작, 혼수 등의 다양한 증상으로 나타난다. 위장관 증상으로는 구역, 구토, 설사, 복통 등이 나타나며 이 결과 탈수 및 전해질이상이 나타날 수 있다. 말초혈관 확장과 발한 증가 및 위장관증상 때문에 혈압이 떨어지는 경우가 있는데, 이때는 예후가 불량하다. 드물게 황달이 나타나기도 하는데 역시 예후가 불량하다.

치료는 크게 네 가지로 대별되는데, 1) 갑상선호르몬의 생산과 분비 억제, 2) 갑상선호르몬의 말초작용을 억제, 3) 전신 보상기능장애(decompensation)를 교정하는 지지요법(supportive therapy), 4) 유발인자 제거이다.

1) 갑상선에 대한 치료

항갑상선제로는 PTU와 MMI를 사용할 수 있는데 PTU는 말초조직에서 T_4의 T_3전환을 억제하는 능력이 있고, 작용시간도 빠르기 때문에 PTU를 사용함이 더 타당하다. 항갑상선제는 정맥주사용이 없기 때문에 PTU를 200–250 mg씩 4시간 간격으로 경구투여하여 1일 총 1,200–1,500 mg을 투여한다. PTU는 갑상선호르몬의 생산만 억제할 뿐 이미 생산되어 저장된 호르몬의 분비에는 영향이 없다. 따라서 갑상선호르몬이 혈액으로 방출되는 것을 억제하는 약물을 같이 투여해야 한다. 이러한 목적으로 무기요오드와 리

튬이 주로 사용된다. 요오드는 경구투여제로는 Lugol 용액이나 SSKI가 사용되며, 정맥주사용으로는 NaI가 사용된다. Lugol 용액은 5–10방울을 1일 3회 투여하며, SSKI 용액은 매 6시간마다 8방울씩 물에 섞어 경구투여한다. NaI를 정맥주사할 경우에는 12시간 간격으로 0.5–1 g을 투여한다. 주의할 점은 요오드 투여 1–2시간 전에 반드시 항갑상선제를 미리 투여해서 요오드에 의한 갑상선호르몬생산이 증가되는 것을 차단해야 한다. 요오드만 단독투여할 경우에는 갑상선세포에 호르몬축적이 증가하여 갑상선중독위기가 악화될 수 있다. 항갑상선제와 함께 요오드를 투여하면 혈청T_4가 급격히 감소하며, 치료 시작 4–5일 후에는 대부분 정상으로 회복된다. 요오드와 같은 목적으로 X선조영제인 ipodate나 iopanoate (Telepaque)를 사용할 수 있다. 요오드에 대해 과민반응이 있는 경우에는 요오드 대신 리튬을 투여할 수 있다. 처음에는 6시간마다 300 mg씩 투여하며, 이후 환자의 상태에 따라 그 양을 조절하여 혈중농도가 1 mEq/l가 되도록 유지한다.

2) 갑상선호르몬의 말초작용 억제

혈액 내 순환 중인 갑상선호르몬의 말초조직에 대한 영향을 억제하는 방법으로는 베타아드레날린차단제가 가장 유용하고, 프로프라놀롤이 가장 흔히 사용된다. 경구투여는 매 6시간마다 60–120 mg씩 투여한다. 정맥투여할 때는 0.5–1 mg부터 시작하여 아주 서서히 투입하면서 환자의 맥박수를 세심하게 관찰해야 한다. 이후 2–3 mg을 10–15분에 걸쳐 서서히 주사하며, 이를 수시간 간격으로 반복한다.

표 3-4-10. **갑상선중독위기의 치료**

1. 갑상선에 대한 직접적인 치료
1) 갑상선호르몬 생산 억제 - 프로필싸이오유라실 200–250 mg씩 4시간마다 투여
2) 갑상선호르몬 분비 억제 - Lugol 용액 5–10방울씩 1일 3회 또는 SSKI 8방울을 6시간마다 경구투여하거나 NaI 0.5–1 g을 12시간마다 정맥주사 - 리튬: 요오드에 과민반응이 있을 경우 300 mg씩 6시간마다 경구투여
2. 갑상선호르몬의 말초작용 억제
1) T_4의 T_3 전환 억제 - Ipodate, iopanoate: 1일 3 g(요오드 대신 투여할 수 있다) - 부신피질호르몬: hydrocortisone 300 mg 정맥주사 후 8시간마다 100 mg씩 투여(부신피질기능부전의 동반이 의심되면 꼭 투여)
2) 베타–아드레날린 차단 - 프로프라놀롤 60–120 mg씩 6시간 간격으로 경구투여, 정맥주사는 처음에 0.5–1 mg을 서서히 정맥주사하여 맥박변화를 관찰한 후 2–3 mg을 10–15분에 걸쳐 서서히 주사
3. 전신 각 장기의 보상기능장애에 대한 지지요법
1) 발열: 아세트아미노펜 투여, 체온 하강조치(알코올, 얼음물)
2) 수분 및 전해질 공급
3) 혈압 유지: 혈압상승제 투여(필요시)
4) 산소공급
5) 부신피질호르몬 투여
4. 유발인자에 대한 적절한 치료

3) 전신보상기능장애에 대한 치료

발열은 즉시 치료해야 한다. 해열제로는 아스피린보다는 아세트아미노펜이 더 좋다. 아스피린은 타이록신결합글로불린(thyroxine–binding globulin, TBG)과 결합함으로써 T_4가 TBG에 결합하는 것을 방해하므로 일시적으로 유리 T_4의 농도를 높여 환자의 증상을 악화시킬 수 있다. 알코올이나 얼음을 이용해서 체온을 낮추도록 노력해야 한다. 또한 충분한 수액과 적절한 전해질 공급이 절대적으로 필요하다. 이러한 치료로 혈압이 유지되지 않을 때는 필요에 따라 혈압상승제를 투여해야 한다. 일부 환자에서는 부신피질기능부전이 동반될 수도 있으므로 부신피질호르몬 투여도 고려해야 한다. 처음에는 300 mg의 하이드로코티손을 정맥주사하고, 이어서 8시간마다 100 mg씩 투여한다.

4) 유발인자에 대한 치료

위의 세 가지 치료로 일단 사망할 위험에서 벗어나면 즉시 갑상선중독위기를 유발한 원인을 찾아 이를 치료해야 한다.

2. 중독성선종 (Toxic adenoma)

중독성선종은 실제 종양으로 병리적으로는 여포선종(follicular adenoma)이다. TSH의 지배를 받지 않고 자율적으로 갑상선호르몬을 생산하므로 자율기능갑상선결절이라 한다. 이렇게 분비된 갑상선호르몬에 의해 TSH 분비가 억제되므로 결절 이외의 정상조직에서는 갑상선호르몬 분비가 감소되고, 시간이 경과함에 따라 점차 위축된다. 그러므로 갑상선스캔에서 자율기능갑상선결절은 결절 이외의 부위에 비해 방사능 섭취가 증가하는 열결절로 나타나고, T_3를 투여하여도 섭취가 감소되지 않는다.

중독성선종의 약 70%에서 TSH수용체유전자의 체세포돌연변이(somatic mutation)가 발견된다. 단일뉴클레오타이드의 점돌연변이에 의해 아미노산의 변화가 나타나, 수용체에 TSH가 결합하지 않은 상태에서도 TSH수용체가 활성화(constitutive activation)되어 갑상선기능항진증을 초래하게 된다. 일부 환자에서는 TSH수용체 하부의 G stimulatory protein (Gsα)유전자의 돌연변이로 인해 TSH수용체의 활성화가 일어난다. 최근에는 TSH수용체유전자에 돌연변이가 있는 환자에서 *EZH1*유전자의 돌연변이가 동반되어 있음이 발견되어, 두 유전자의 돌연변이가 모두 있어야 중독성선종의 임상발현이 일어날 수 있는 것으로 이해되고 있다.

중독성선종은 연령이 증가할수록 발생률이 증가하며, 종양의 크기도 증가한다. 한 연구에서 노인 환자의 거의 반수에서 선종의 크기가 3 cm 이상이었다. 또한 종양의 크기에 비례해서 갑상선기능항진증의 빈도가 증가하는데, 직경이 3 cm가 넘는 경우 갑상선기능항진증이 잘 나타난다. 일부에서는 변성을 일으켜서 크기가 작아지기도 하고 갑상선기능도 정상으로 회복되기도 한다.

자율기능결절 환자의 갑상선기능은 다양하게 나타난다. 갑상선기능항진증이 있는 경우도 있지만, 갑상선기능이 정상인 경우도 있고, 무증상갑상선기능항진증소견을 보이기도 하며, 일부 환자는 혈청 T_4(유리 T_4)치는 정상이나 혈청 T_3만 증가하는 T_3–갑상선중독증을 보이기도 한다. 갑상선중독증이 없는 경우에는 치료 없이 경과관찰만 해도 되지만, 갑상선중독증이 있는 경우에는 수술이나 방사성요오드로 치료한다. 수술은 결절만 제거하면 되므로 단순하고 효과적이다. 수술에 따른 합병증도 적고, 수술 후 재발의 가능성도 없으며, 수술 후 갑상선기능저하증의 발생도 드물다. 방사성요오드치료도 수술과 마찬가지로 효과적이다. 결절이 방사능에 내성이 있으므로 그레이브스병에 비해 고용량의 방사성요오드를 투여해야 한다. 통상 15–25 mCi를 투여하는데, 결절 이외의 정상조직에 미치는 방사능 효과는 그레이브스병에 비해 적다. 결절 이외의 조직은 TSH 억제에 의해 위축되어 있어 투여한 방사능의 섭취가 거의 없기 때문이다.

3. 중독성다결절갑상선종

갑상선기능이 정상이었던 비독성성다결절갑상선종이 있는 환자에서 자율기능결절이 새로 발생하거나 기존의 결절들이 자율기능으로 진행하여 갑상선중독증이 발생하는 것을 중독성다결절갑상선종이라고 한다. 이와 같은 중독성다결절갑상선종은 아주 서서히 나타나며, 대개 오랫동안 다결절갑상선종을 갖고 있던 노인에서 잘 발생한다. 약 60%에서 중독성선종에서와 같이 TSH수용체유전자의 체세포돌연변이가 있음이 알려졌는데 결절마다 서로 다른 돌연변이를 보인다. 그러나 Gsα유전자의 돌연변이는 거의 없다. 그러므로 결절들의 자율성이 발생한 기전은 아직 알려져 있지 않은 신호전달경로의 돌연변이에 의한 것으로 생각되고 있다.

다결절갑상선종에 있는 결절들의 자율성은 다양해서 요오드 공급이 증가하면 갑상선호르몬 생산량이 증가하여 갑상선기능항진증이 발생하기 쉽다. 정상인에서는 요오드를 공급하면 일시적으로 갑상선호르몬 생산이 증가하지만, TSH가 억제되어 곧 갑상선호르몬 생산량이 감소되어 정상으로 회복된다. 그러나 다결절갑상선종에서는 이러한 조절능이 상실되어 있고, 자율기능결절들은 요오드에 대한 반응이 더 예민해서 중독성결절로 진행된다. 갑상선기능은 대개 경미하게 증가되어 있으나 고령에서 많이 발생하므로 심방세동이나 심부전 등의 심혈관계이상으로 주로 발현된다.

중독성다결절갑상선종은 수술로 결절들을 제거하거나 방사성요오드를 투여해 갑상선을 파괴시키는 치료가 필요하다. 일반적으로 젊은 환자에서는 수술요법이, 노인에서는 방사성요오드치료가 권장되는데 일부 환자에서는 항갑상선제치료를 하기도 한다.

4. 가족성 및 선천비자가면역갑상선기능항진증

자가면역기전에 의하지 않고 갑상선기능항진증이 보통염색체우성유전으로 발생함은 1982년에 프랑스 가계에서 처음 밝혀졌다. 환자들은 전형적인 갑상선기능항진증의 증상과 징후를 보였으며, 갑상선의 미만성증식이 있었으나 자가면역 현상은 관찰되지 않았다. 1994년 가족성비자가면역갑상선기능항진증이 있는 두 가계에서 TSH수용체유전자의 배선돌연변이(germline mutation)가 확인되었으며, 이로 인해 TSH수용체가 활성화되어 갑상선기능항진증 및 미만성갑상선종이 나타남이 밝혀졌다. 이후 6가계에서 다른 부위의 돌연변이가 보고되었다.

갑상선기능항진증은 신생아시절부터 청소년기 사이 중 아무 때나 발병한다. 이러한 발병시기의 차이는 유전소인이나 요오드섭취 혹은 갑상선종유발물질 등의 환경요인에 의한다고 생각된다. 환자의 치료로는 갑상선의 완전파괴가 필요하다.

5. TSH-분비뇌하수체종양

뇌하수체선종으로부터 TSH가 과다분비되어 갑상선기능항진증이 발생하는 경우는 매우 드물어서 뇌하수체종양의 0.5%, 갑상선기능항진증 환자의 1% 미만이다. 뇌하수체종양의 유병률이 0.02%이므로 TSH-분비뇌하수체선종의 유병률은 인구 100만 명당 1명 정도로 추정된다. 임상적 및 생화학적으로 갑상선기능항진증이 있으면서 혈청TSH가 증가 또는 정상인 특징적인 소견을 보이고, 영상검사에서 뇌하수체선종을 보이면 진단할 수 있다. 약 70%의 환자들은 TSH만 분비하지만 나머지 환자들은 성장호르몬, 유즙분비호르몬 등을 같이 분비하였다.

TSH-분비뇌하수체선종에 의한 갑상선기능항진증 환자 대부분은 상당 기간 동안 그레이브스병으로 오진되어 부적절한 치료를 받다가 발견된다. 이 중 약 1/3은 갑상선절제술이나 방사성요오드치료를 받은 병력이 있다. 대부분의 환자는 그레이브스병과 구별이 안 되는 갑상선기능항진증증상, 즉 갑상선종, 심계항진, 체중감소, 떨림 등의 소견을 보이지만, 증상의 정도는 그레이브스병에 비해 일반적으로 경한

편이다. 모든 연령층에서 발생하지만 30대에서 빈도가 가장 높다. 그레이브스병이 여성에서 호발하는 데 비해 남녀 비에 차이는 없다.

TSH-분비뇌하수체선종은 TSH의 알파소단위를 다량 분비하므로 대부분의 환자에서 혈청치가 증가한다. 뿐만 아니라 혈청알파소단위와 TSH의 당량비(molar ratio)가 1 이상으로 증가한다. TSH의 알파소단위/TSH의 당량비 측정은 가장 특이도가 높은 진단검사이다.

TSH-분비뇌하수체선종의 92%는 TRH자극에 무반응을 보인다. 도파민대항제는 정상인에서 TSH 분비를 증가시키는데, TSH-분비뇌하수체선종에서는 반응이 없다. 도파민이나 도파민촉진제를 투여해도 80%의 환자에서 TSH 분비 억제가 나타나지 않는다. 반면 당질부신피질호르몬과 성장호르몬억제인자유도체는 대부분의 환자에서 TSH 분비를 억제시킨다.

종양부위를 확인하기 위해서는 두경부 X선촬영, 전산화단층촬영, 자기공명영상 등이 필요하다. 대부분 대선종(89%)이므로 두경부 X선촬영에서 뇌하수체의 변화를 알 수 있다.

일부 환자에서는 주위 조직으로 침범한 소견을 보인다.

TSH- 분비뇌하수체선종의 치료는 일차로 뇌하수체종양을 제거하여 갑상선기능항진증을 정상화하는 것이다. 따라서 일차로 종양의 제거가 필요한데, 수술방법은 종양의 크기와 주위조직으로의 침범 정도에 의존한다. 종양의 완전 제거는 현실적으로 어려운데 그 이유는 종양의 섬유화가 심하고, 대부분이 대선종이며 상당수에서 주위조직으로 침범이 있기 때문이다. 만약 수술이 불가능하거나 불완전한 경우에는 방사선 치료를 한다. 방사선 치료는 1회에 2 Gy씩 총 45 Gy 이상 조사한다. 성장호르몬억제인자유도체인 옥트레오타이드를 1일 50-750 μg씩 2-3회 피하주사로 투여하면 효과가 매우 우수하다.

임상적으로 갑상선기능항진증을 나타내면서, 혈청T_4, T_3의 증가와 함께 혈청TSH가 측정되거나(정상범위) 증가된 경우, 먼저 일차갑상선기능항진증, 정상갑상선기능고타이록신혈증(euthyroid hyperthyroxinemia)을 감별하고, 이어서 TSH-분비뇌하수체선종과 갑상선호르몬에 대한 뇌하수체의 선택적 내성(selective pituitary resistance to thyroid hormone)을 감별해야 한다(표 3-4-11).

표 3-4-11. TSH-분비선종과 갑상선호르몬저항증후군의 감별진단

종류	갑상선호르몬저항증후군		TSH-분비선종
	전신적	선택적(뇌하수체)	
임상증상	정상갑상선기능	갑상선기능항진	갑상선기능항진
혈청총T_3, T_4	증가	증가	증가
혈청유리T_3, T_4	증가	증가	증가
혈청TSH	정상, 증가	정상, 증가	정상, 증가
TRH에 대한 TSH반응	증가	증가	무반응
T_3 억제	+	+	–
알파소단위	정상	정상	증가
알파소단위/TSH 당량비	정상	정상	증가
혈청성호르몬결합단백질	정상	정상	증가

03 갑상선

참 / 고 / 문 / 헌

1. Azizi F, Amouzegar A, Tohidi M, Hedayati M, Khalili D, Cheraghi L, et al. Increased remission rates after long-term methimazole therapy in patients with Graves' disease: results of a randomized clinical trial. Thyroid 2019;29:1192-200.

2. Braverman LE, Cooper DS, Kopp P. Werner & Ingbar's the thyroid. 11th ed. Philadelphia: Wolters Kluwer; 2021. pp. 482-523.

3. Brent GA. Clinical practice: Graves' disease. N Engl J Med 2008;358:2594-605.

4. Cho BY. Chpter 15 Hyperthyroidism-Graves disease. Clinical thyroidology. 4th ed. Seoul: Korea Medical Book Publishing; 2014. pp. 219-84.

5. Cooper DS, Laurberg P. Hyperthyroidism in pregnancy. Lancet Diabetes Endocrinol 2013;1:238-49.

6. Cooper DS. Antithyroid drugs. N Engl J Med 2005;352:905-17.

7. Davies TF, Andersen S, Latif R, Nagayama Y, Barbesino G, Brito M, et al. Graves disease. Nat Rev Dis Primers 2020;6:52.

8. Kahaly GJ, Bartalenab L, Hegedüsc L, Leenhardt L, Poppee K, Pearcef SH. 2018 European Thyroid Association guideline for the management of Graves' hyperthyroidism. Eur Thyroid J 2018;7:167-86.

9. Kahaly GJ. Management of Graves thyroidal and extrathyroidal disease: an update. J Clin Endocrinol Metab 2020;105:3704-20.

10. McLachlan SM, Nagayama Y, Rapoport B. Insight into Graves' hyperthyroidism from animal models. Endocr Rev 2005;26:800-32.

11. Melmed S, Koenig R, Rosen C, Auchus R, Goldfine A. Williams textbook of endocrinology. 14th ed. Philadelphia: Elsevier; 2020. pp. 364-403.

12. Ross DS, Burch HB, Cooper DS, Greenlee MC, Laurberg P, Maia AL, et al. 2016 American Thyroid Association guidelines for diagnosis and management of hyperthyroidism and other causes of thyrotoxicosis. Thyroid 2016;26:1343-421.

13. Seo GH, Kim SW, Chung JH. Incidence and prevalence of hyperthyroidism and preference for therapeutic modalities in Korea. J Korean Thyroid Assoc 2013;6:56-63.

14. Seo GH, Kim TH, Chung JH. Antithyroid drugs and congenital malformations: a nationwide Korean cohort study. Ann Intern Med 2018;168:405-13.

15. Shin SM, Yi KH. Antithyroid drug therapy for Graves' disease. J Korean med Assoc 2021;64:690-8.

16. Yi KH, Moon JH, Kim IJ, Bom HS, Lee JT, Chung WY, et al. The diagnosis and management of hyperthyroidism: consensus: report of the Korean Thyroid Association. J Korean Thyroid Assoc 2013;6:1-11.

갑상선과 연관된 안병증

윤진숙

I. 서론

갑상선과 연관된 안병증은 자가면역질환의 일종으로 그레이브스병에서 갑상선 이외의 조직에 나타나는 가장 흔한 질환이다. 갑상선안병증은 급성염증기에 안와내 조직에 염증반응이 일어나며 서서히 만성섬유화시기로 진행이 된다.

그레이브스병을 가진 환자의 약 15-45%에서 갑상선안병증이 발견된다고 하고, 연령보정한 갑상선안병증의 발병률은 여성에서는 일 년간 인구 100,000명당 16명, 남성에서는 2.9명이다. 대개 저절로 호전되는 경도의 안병증인 경우가 많지만, 갑상선안병증의 10-15%에서는 심하고 오래 지속되는 안병증으로 나타난다.

갑상선안병증을 가진 환자들은 눈꺼풀과 안와조직에 염증변화가 와서 눈에 불편감을 느낄 뿐 아니라 눈꺼풀 위치이상, 안구돌출 등으로 인하여 외모상의 변화가 오게 되어 자기 자신에 대한 자긍심과 삶의 질에 심각한 영향을 받을 수 있다. 외안근 비대가 발생할 경우 눈운동장애로 인한 사시가 발생하기도 하고 시신경을 압박하여 시기능에 심각한 이상이 올 수 있다.

급성활성기상태의 환자를 놓치지 않고 항염증 치료를 하는 것이 진행을 막는 데 가장 효과적이며, 병의 만성기에는 외모상의 변화나 기능문제를 일으키는 변형에 대해서 수술치료를 통해 환자들의 삶의 질을 높일 수 있으므로 적극적으로 치료에 임하도록 하는 것이 중요하다.

II. 안병증의 병인

1. 병인

갑상선안병증의 임상양상은 고정된 안와뼈 안에 있는 안와지방과 외안근의 부피 증가로부터 기인한다고 볼 수 있다. 안와조직 안에 있는 섬유모세포(fibroblast)가 자가면역반응의 주된 표적이 되며, 갑상선조직의 TSH수용체가 안와섬유모세포에도 존재하여 그레이브스항진증의 원인이 되는 항TSH수용체항체와 결합하여 안와섬유모세포내 염증반응을 일으키게 된다. 안와섬유모세포에서 IL-6를 분비하여 B림프구의 항체 생성을 증가시키고, 케모카인을 생성하여 T림프구가 안와로 침윤하게 된다. T림프구는 HLA-DR항원의 발현과 혈관내피세포와 섬유모세포의 부착분자(adhesion molecule)에 의해서 안와 내로 모이게 되고 이 반응은 인터루킨(IL)-1α, TNF-α, 인터페론(INF)-γ 등에 의해서 증강된다. T림프구에서 분비한 여러 염증사이토카인은 안와섬유모세포의 지방분화를 자극하고, 이로 인해 안와내 지방부피가 증가하여 안구돌출을 일으킨다. 또한 염증사이토카인은 안와섬유모세포가 글리코사미노글리칸을 과도하게 분비하도록 자극하며 이는 친수성으로 물과 결합하여 조직부종을 일으킨다.

안병증의 병인에 중요한 역할을 하는 것은 항갑상선자극호르몬수용체항체로 알려져 있으며 안병증이 없는 그레이브스병보다 심한 안병증이 있는 그레이브스병 환자의 혈중에서, 특히 자극항체가 더 높게 검출됨이 보고되었다. 최근 TSH수용체와 IGF-1 (insulin-like growth factor-1)수용체가 커플로 crosstalk를 이루어 상호작용을 함이 밝혀졌으며 항TSH수용체자가항체가 TSH수용체와 결합하면 두수용체의 하위신호전달체계가 활성화됨으로써 안와섬유모세포의 염증반응과 히아론산 생성이 증가하게 됨이 밝혀졌다. 이 연구결과들을 토대로 항IGF-1수용체항체(Tepezza™, teprotumumab)가 새로운 안병증의 약물로 개발되어 미국FDA의 유일한 갑상선안병증치료제로 승인을 받았으며 매우 효과적인 치료결과를 보여주고 있다.

2. 역학연구

갑상선안병증의 발생과 연관된 인자로는 인종, 연령, 성별, 흡연, 가족력, 임신, 갑상선질환상태 등이 보고되어 있으나 연구대상 및 방법에 따라 많은 차이를 보이고 있다. 아시아인들은 비아시아인들에 비해 갑상선기능이상이 많은 것으로 알려져 있다. 갑상선안병증의 심각도가 비교적 서구인들에 비하여 약한 것으로 보고되었으나 이에 대한 체계적인 연구는 아직 없다.

그레이브스병이 여성에서 남성에 비해 4-6배 높게 나타나듯이 갑상선안병증도 여성에서 그와 비슷한 정도로 많이 나타난다. 보통 여성은 40-44세와 60-64세에 남성은 45-49세와 65-69세에 가장 많이 발생한다. 50세 이후의 연령이 높은 남성에서는 심한 안병증이 많이 나타나고 예후가 좋지 않은 경우가 많다.

흡연은 독립적으로 안병증의 발생을 예측할 수 있는 인자로 작용한다. 현재 흡연을 하고 있는 사람들에게는 갑상선안병증 발생위험도가 비흡연자에 비해 2배가량 높다. 담배를 끊은 사람에게서 갑상선안병증의 위험도가 낮아진 연구결과를 비추어볼 때 갑상선기능이상이 있는 환자에게는 안병증 예방을 위해 금연하도록 하고 특히 안병증이 발생한 사람은 병이 악화되지 않도록 반드시 금연하도록 한다.

진단 당시 갑상선안병증 환자의 대부분은 갑상선기능항진 증상태이지만 정상 갑상선기능을 나타내거나(6-18%) 갑상선기능저하증인 경우(4-10%)도 있다. 따라서 임상적으로 갑상선안병증이 의심되는 환자에서 갑상선기능이 정상이라고 이 가능성을 배제할 수 없다. 안병증은 갑상선이상 진단 전 6개월 내 발생하는 경우(18.5%), 동시에 나타나는 경우(20.3%), 진단 후 6개월 내 나타나는 경우(22.2%)를 포함해 진단 전후 1년 내에 가장 많이 나타난다(60-70%). 진단 후 6개월 지나 발생하는 경우도 35%에서 있고 드물게는 진단 6개월 이전에 발생하기도 한다. 그러므로 안병증 진단 시 갑상선기능이 정상이더라도 나중에 이상이 생길 수 있으므로 정기적인 갑상선기능검사가 필요하다. 또한 갑상선기능상태 자체가 안병증의 경과에 영향을 미칠 수 있다. 갑상선기능항진이나 저하인 환자가 정상기능이 되면서 안병증이 호전되는 경우가 많으며 오랜기간 항진증이 조절이 안될 경우 안병증의 심각도가 증가할 위험이 높아진다.

III. 안병증의 임상양상

갑상선안병증은 증상과 징후가 다르게 나타나고 각 환자마다 정도도 다양해 여러 요소들이 복잡하게 영향을 주어 각 환자에서 서로 다른 임상양상으로 나타나는 것으로 생각된다.

1. 연조직부종

급성기의 갑상선안병증이 있는 환자에서 눈꺼풀의 부종, 발적, 결막부종, 결막충혈을 많이 볼 수 있다. 보통 아침에 눈꺼풀이 붓는 증상이 가장 심하게 나타나며 양안에 나타나지만 비대칭적일 수 있다. 알러지질환과 달리, 눈 뒤쪽의 불편감 또는 통증이 있거나 움직일 때 당기는 증상이 있을 수 있다.

2. 안구돌출

안와지방이 팽창하여 안구돌출이 발생하기도 하고(그림 3-5-1), 외안근이 팽창하여 복시를 동반한 돌출이 발생하기도 하며, 두 가지가 복합적으로 일어나기도 한다. 대개는 양쪽 눈에 같이 나타나지만 한쪽 안구돌출을 보이는 환자의 가장 많은 원인이 갑상선안병증인 것을 고려해 볼 때 안구돌출이 비대칭적이거나 한쪽에만 국한되는 경우에도 가장 먼저 갑상선안병증을 감별진단의 하나로 삼아야 한다.

안구돌출의 정도는 인종, 성별마다 다르기 때문에 일정한 기준을 두고 판단하기는 어렵다. 같은 인종 가운데에서도 안구 돌출치는 넓은 분포를 가지기 때문에 안구돌출계로 측정한 수치만으로 안구돌출 여부를 판단하기는 쉽지 않다. 인종, 성별 평균치보다 약 3 mm 정도 높으면 심한 안구 돌출이 있다고 평가한다. 무엇보다 시간 흐름에 따른 변화가 중요한데 환자도 잘 모르는 경우가 많기 때문에 예전 사진을 가지고 오게 하여 변화가 있는지 보는 것도 좋은 방법이 될 수 있다.

3. 눈꺼풀후퇴

위 눈꺼풀을 뜨게 하는 근육의 염증으로 인해 발생하는 눈꺼풀후퇴, 또 다른 용어로 안검퇴축이 흔하다. 눈꺼풀이 크게 떠져 놀란 듯한 모양을 보이게 되며 안구건조증, 충혈 등 눈에 자극증상을 초래하게 된다. 눈을 아래로 볼 때 눈꺼풀이 따라 내려오지 않는 현상도 같이 나타날 수 있고 눈을 다

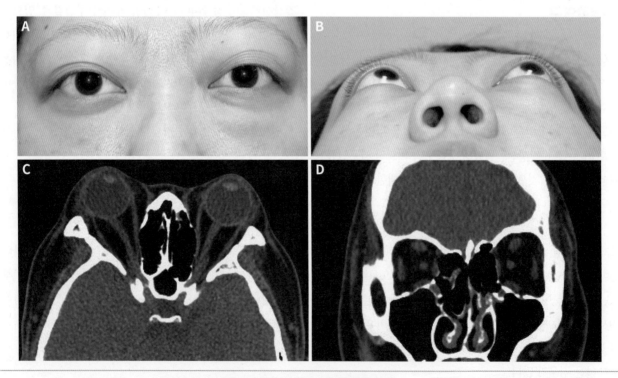

그림 3-5-1. 심한 안구돌출을 보이는 38세 안병증 환자(Nunery 제1형)
A, B: 외안근 운동 제한없이 안구돌출과 연부조직부종이 동반된 얼굴 모습, C, D: 안와내 지방결체조직의 증가로 인해 안구가 안와 밖으로 돌출되는 CT소견.

감지 못하는 현상이 나타난다. 갑상선안병증의 눈꺼풀후퇴가 발생하는 기전은 분명하지는 않다. 교감신경이 뮐러근에 강하게 작용하거나 눈꺼풀 올림근이나 상직근의 염증 및 섬유화로 위 눈꺼풀후퇴가 발생하는 것으로 여겨진다.

갑상선안병증에 의한 눈꺼풀소견은 다음과 같다.

1) Dalrymple sign: 눈이 확대되어 보이고 정상인 경우에는 보이지 않는 각막상부나 하부의 공막이 노출되어 보인다.
2) Stellwag sign: 눈이 놀란 듯이 보이고 눈깜박임 횟수가 줄어든다.
3) Von Graefe sign: 눈을 아래로 볼 때 위 눈꺼풀이 내려오지 못하고 각막상부의 공막이 드러나는 눈꺼풀 내림지연 (lid lag)현상
4) Gifford sign: 눈꺼풀이 뻣뻣해져서 위 눈꺼풀 뒤집기가 어렵다.

4. 노출각막염

안구돌출이 있으면 눈을 잘 감지 못하는 경우가 생기게 된다. 또 눈꺼풀후퇴가 있어 아래로 볼 때 눈꺼풀이 잘 내려오지 않거나 눈을 감지 못하면 눈물층을 잘 유지하지 못하게 되어 각막과 결막에 미란이 발생하거나 심하면 노출각막염이 생길 수 있다. 결막충혈이 생기고 자극증상과 눈부심 (photophobia), 눈물흘림 등의 증상이 나타난다. 잘 치료되지 않으면 각막궤양, 천공 등 시력에 영향을 줄 심각한 합병증이 생길 수 있다.

5. 안구운동장애 및 복시

눈을 움직이는 외안근에 변화가 오면 근육이 단단해지고 탄력성을 잃어 눈을 잘 움직일 수 없게 되고 둘로 보이는 복시 현상이 생기게 된다. 초기에는 독서 시에 피로감과 불편감이 나타나고 눈을 돌릴 때 순간적으로 초점을 맞추기 어

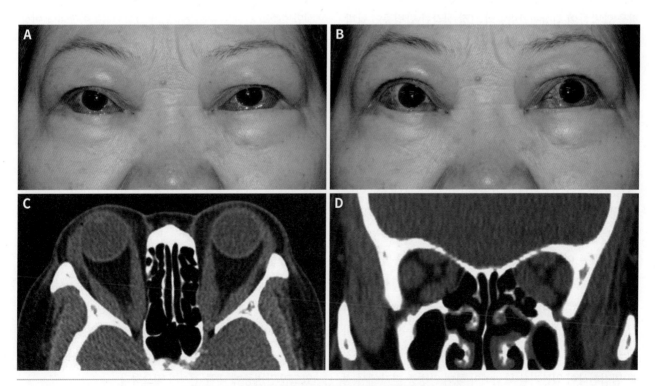

그림 3-5-2. 외안근 비대를 동반한 63세 안병증 환자(Nunery 제2형)
A: 안와압력 상승으로 인한 울혈로 인해 부종, 충혈 및 안구돌출, B: 상측 주시 시 안구가 움직이지 않는 모습, C, D: 외안근 비대와 안구돌출을 보여주는 CT소견.

려운 현상이 나타난다. 이러한 증상은 안와부종이 가장 많은 아침에 더욱 뚜렷하다. 차츰 안구운동장애가 심해지면 간헐적으로 복시가 나타나고 더 진행하면 고정되지 않은 복시, 더 진행하면 항시 복시를 느끼게 된다(그림 3-5-2).

모든 외안근에 올 수 있는데 주로 잘 침범하는 근육이 하직근과 내직근이다. 하직근이 침범되면 눈을 위로 뜨기가 힘들게 되어 턱을 들고 보는 습관이 생기고 눈이 올라가지 않는 것을 보상하기 위해 상직근에 힘이 많이 들어가기 때문에 위 눈꺼풀도 같이 크게 떠지는 증상이 생길 수 있다. 내직근이 침범되면 눈을 바깥쪽으로 돌리기가 힘들고 눈이 안으로 몰리는 내사시가 생긴다.

6. 압박시신경병증

해부학적으로 안와 뒤쪽의 안와첨부는 시신경과 외안근 등의 구조물들이 밀집하여 있기 때문에 갑상선안병증으로 외안근이 커지게 되면 이로 인해 안와내 압력이 올라가 시신경을 압박하여 갑상선안병증의 가장 심각한 합병증인 압박시신경병증을 일으킬 수 있다. 시신경병증은 갑상선안병증 환자 중 약 3% 환자에서 드물게 나타나지만 적절한 치료를 받지 못하면 실명이 되는 심각한 후유증을 가져올 수 있다.

압박시신경병증이 반드시 안와에 염증도가 높은 환자에서만 발생하는 것은 아니다. 시신경병증 환자의 임상양상을 분석한 보고에서 평균 임상활동도(clinical activity score, CAS)가 7점 중 4점이었고 3점 이하가 되는 환자도 25% 정도 있는 것으로 나타나 시신경병증이 염증증상과 반드시 일치하는 것은 아닌 것으로 보고되었다. 시신경병증을 시사하는 가장 유용한 임상양상으로는 시신경유두부종, 색각변화, 영상검사에서 안와첨부의 밀집현상(apical crowding)이다. 그러므로 시력 감소를 호소하는 환자에서는 안구돌출이나 염증증상이 뚜렷하지 않더라도, 영상검사를 통해 안와첨부 밀집현상이 있는지를 확인해야 하며 안병증 환자에서 정기적으로 시력검사와 동공반응검사를 하여 시신경병증이 발생하는지 여부를 체크하는 것이 중요하다.

시신경병증의 치료로는 고용량부신피질호르몬정맥주사 치료가 일차치료가 되는데 치료 1-2주 후 시력회복이 되지 않거나 약물을 부작용으로 쓸 수 없다면 바로 안와감압술을 시행하여야 한다. 부신피질호르몬제, 방사선 치료, 안와감압술의 치료방법을 각 환자에 맞추어 연합치료를 하여 시기능의 호전을 얻도록 한다.

IV. 안병증의 진단 및 평가

갑상선안병증의 진단은 특징적인 임상양상과 갑상선기능 혈액검사상 이상 여부를 확인함으로써 가능하며 CT 등의 영상자료가 도움이 된다.

Bartley and Gorman (1995)은 갑상선안병증에서 눈꺼풀후퇴가 약 90-100% 정도까지도 나타나기 때문에 갑상선안병증의 진단은 눈꺼풀후퇴가 갑상선기능이상이나 이상조절, 안구돌출, 시신경이상 또는 안구운동장애 중 하나와 같이 나타나면 고려해야 한다고 하였다. 만약 눈꺼풀후퇴가 없을 때에는 안구돌출, 시신경이상 또는 안구운동장애가 갑상선기능이상이나 이상조절과 같이 나타날 때 진단할 수 있다고 하였다.

그레이브스병 환자 중에서 갑상선안병증이 발생하는 환자를 조기진단하고 적절한 치료시기를 놓치지 않도록 안병증 선별검사기준을 세우는 연구가 진행되고 있다. 이는 갑상선안병증을 초기에 발견하여 치료하였을 때 좋은 결과를 얻었기 때문인데, 다음의 증상 여부로 안병증이 있을 가능성이 있는 환자를 미리 선별하는 것이 권장된다. 위 눈꺼풀이 붓고 눈 아래 불룩하게 나오는 증상, 결막충혈, 눈이 크게 떠지는 느낌, 위를 볼 때 당기는 통증과 압박감, 시력 감소가 있으면 안병증에 대한 검사가 필요하다.

1. 활동도

갑상선안병증의 자연경과를 관찰한 Rundle curve에서 시작한 안병증의 활동성에 대한 개념은 치료에서 그 임상적인 의미를 찾을 수 있다. 갑상선안병증이 활동성인 환자에서는 항염증 치료를 시작하면 치료에 반응이 있지만 약 1/3에 달하는 활동성이 없는 환자에서는 같은 치료에도 반응하지 않는다는 점에서 치료 여부를 결정함에 있어 활동도를 평가하는 것이 중요하다.

여러 연구에서 안병증의 유병기간, 임상활동도 점수, 소변 글리코사미노글리칸 배출정도, 혈청사이토카인 농도, 혈청 항갑상선자극호르몬수용체항체 농도, 안와초음파검사에서 외안근 반향정도, MRI에서 외안근의 T2 이완시간, [111]indium-표지 octreotide 안와조직섭취율 등이 안병증의 염증 활동도와 관련 있음이 보고되었다. 임상적으로 가장 쉽고 신뢰도가 높은 방법은 임상활동도(CAS) 점수이며, 여러 연구에서 유용성이 입증되어 왔다. 표 3-5-1의 임상활동도 점수는 European Guideline of Graves' Orbitopathy (EUGOGO)에서 추천한 방법으로 눈주위증상을 7점으로 하여 이 중 3점 이상이면 활동성으로 간주하고 항염증 치료를 권하고 있다. 또한 안병증이 있는 환자에서 혈청항갑상선자극호르몬수용체항체 농도가 높게 유지되는 경우 안와 염증기가 오래 지속될 수 있으므로 이를 낮추기 위한 노력이 필요하다.

2. 중증도

임상적으로는 안병증의 심한 정도를 경증, 중등도 및 중증 시력 위협 안병증의 세 단계로 나누는 방법이 많이 쓰이고 있다(EUGOGO 분류, 표 3-5-1). 중증도에 따라서 각 단계에 맞는 치료방법을 결정한다. 경증인 경우 자연적으로 증상이 호전될 수 있다.

표 3-5-1. 갑상선안병증에서 사용되는 clinical activity score (CAS)와 severity 평가(www.eugogo.org)

1. 활동도(CAS: 총 7점 중 3점 이상일 때 활동성으로 간주)
1) 안구 뒤 통증
2) 위, 아래 볼 때 통증
3) 눈꺼풀의 충혈
4) 결막의 충혈
5) 눈꺼풀부종
6) 결막부종
7) 눈물언덕부종

2. 중증도(severity)
1) 시력위협안병증(sight-threatening ophthalmopathy): 시신경병증 또는 심한 각막 손상이 있는 경우. 즉각적인 치료가 필요
2) 중등도 및 중증안병증(moderate to severe): 눈꺼풀후퇴 2 mm 이상, 심한 연부조직 부종, 안구돌출이 정상치보다 3 mm 이상, 고정되지 않은 복시(inconstant diplopia) 중 하나라도 있는 상태. 활동성이면 면역억제 치료, 비활동성이면 수술치료 필요
3) 경증안병증(mild): 중등도보다 약한 상태. 보존적 치료

V. 안병증의 치료

1. 안병증 치료의 기본원칙

갑상선안병증의 발병에 영향을 주는 환경인자로 흡연, 갑상선기능이상, 과도한 스트레스 등이 있으며 이러한 인자들을 먼저 조절하는 것이 치료의 원칙이 된다. 흡연은 심한 안병증과 연관이 있고 흡연량 또한 안병증의 발병에 영향을 주며 방사성요오드치료 후 안병증이 심해지는 데에도 흡연이 영향을 주는 것으로 보고되고 있다. 그러므로 갑상선안병증이 심해지는 것을 예방하기 위해 금연이 필수이다. 갑상선기능이 잘 조절되지 않는 환자에서 심한 안병증이 생기는 경향이 있으므로 정상 갑상선상태로 만들어 유지하는 것이 중요하다. 초기에는 갑상선기능검사를 4–6주에 한 번씩 자주하여 갑상선이 잘 조절되고 있는지 확인하는 것이 중요하다.

갑상선 치료방법이 안병증에 어떤 영향을 주는지 조사한 연구에서 항갑상선제 치료 및 약물의 종류, 갑상선절제술은 치료 자체가 안병증에 영향을 주지 않는다고 보고되었으나, 갑상선호르몬의 정상화와 유지는 안병증의 악화를 막는 데 도움이 되므로 적극적인 치료가 필요하다. 방사성요오드치료는 약 15%에서 안병증이 발병하거나 심해질 수 있으며 악화가 예상되는 환자에서 선택적으로 동위원소 직후 예방적 경구부신피질호르몬제 투여를 할 경우(0.4–0.5 mg/kg부터 시작하여 감량) 안병증을 예방할 수 있다. 비활동성의 안병증 환자, 흡연이나 높은 항TSH수용체항체 등 위험인자가 없는 환자에서는 동위원소 치료 후 갑상선안병증의 악화는 드문 것으로 되어 있으며, 동위원소 치료 후 초기 갑상선저하가 발생한 경우에서 안병증 발생률이 높다는 보고가 있다.

갑상선기능이상으로 치료받고 있는 환자 중에서 임상적으로 심하지 않고 크게 불편을 느끼지 않는 약한 안병증을 제외한 모든 안병증 환자들은 갑상선안병증전문클리닉으로 의뢰하여 적절한 시기에 치료를 받고 악화되지 않도록 조절하는 것이 중요하다.

2. 안병증의 보존치료

각막이 노출되어 눈부심이나 눈물흘림, 이물감이 있는 환자는 낮에는 인공누액을 써서 눈을 보호하는 것이 도움이 되고 눈이 다 감기지 않는 경우에는 밤에 눈물연고를 사용하여 각막을 보호하는 것이 중요하다. 저녁에는 수분을 제한하는 것이 좋고 잘 때는 베개를 높이 베는 게 눈꺼풀의 부종을 줄이는 데 도움이 된다.

EUGOGO 표준지침에서는 환자의 눈증상과 삶의 질 호전 및 갑상선안병증의 진행예방을 위해 경한 갑상선안병증 환자에게 6개월 정도 단기간 셀레늄(selenium) 복용을 권장하고 있다. 셀레늄은 항산화작용을 주로 하는 필수 미량무기질로 셀레늄단백질(selenoprotein)과 같은 형태로 혈장

에 존재한다. 대규모다기관무작위임상연구에서 경증갑상선안병증을 대상으로 셀레늄을 6개월간 200 μg을 복용한 군이 placebo군에 비해, 6개월 후 눈증상 및 삶의 질이 유의하게 호전되었고 이러한 호전은 셀레늄 복용 중단 후 12개월 동안 유지되어 갑상선안병증이 진행하는 것을 예방하는 효과가 있었다.

비수술 치료방법으로 복시가 있는 환자에서 프리즘렌즈를 처방하여 하나로 보이는 시야를 넓혀 생활에 불편감을 줄일 수 있고 눈꺼풀후퇴나 사시가 있는 환자에서 보툴리눔독소를 주사하여 치료할 수 있다.

3. 안병증에서 약물치료

안병증의 염증상태를 조절하는 항염증제의 사용에 있어서 가장 대표적인 약물은 부신피질호르몬제이며(그림 3–5–3) 경구로 복용하거나 정맥주사로 투여하게 된다. 안와내 직접 주사하는 방법은 안와 압력을 높일 수 있으므로 주의를 요구한다. 급성염증기의 환자에서 부신피질호르몬 투여는 임상경과를 완화시키는 데 매우 효과적이며, 경구투여보다는 정맥주사가 더 효과적이고 부작용이 적다는 보고들이 많다. 정맥부신피질호르몬주사 치료(매주 methylpredniso-lone 500 mg, 250 mg 각 6주씩, 총 용량 4.5g)를 한 경우, 경구치료(prednisolone 100 mg/일부터 10 mg/주까지 12주간 점차 감량, 총 용량 4.0 g)를 한 경우보다 치료에 대한 반응이 좋고 병의 중증도와 활동도, 삶의 질 면에서 더 좋은 결과를 보이고 다음 단계의 치료가 필요한 경우가 더 적었다. 심각한 부작용인 급성간 손상이나 간부전은 총 투여량이 많은 경우에 올 수 있는데 대개 총 용량 methyl-prednisolone 8 g 이내에서는 비교적 안전한 것으로 알려져 있다. 고용량정맥부신피질호르몬 치료를 하기 전 선별검사로 간기능이상, 고혈압, 위궤양, 당뇨, 요로감염, 녹내장 등의 이상은 없는지 확인한다.

이 외에 methotrexate, azathioprine, cyclosporin 등의

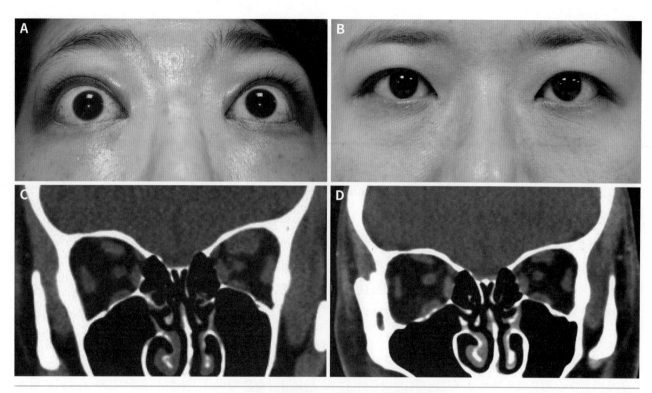

그림 3-5-3. 활동성염증기상태의 36세 안병증 환자

A: CAS (clinical activity score) 5점의 활동성염증기 모습, B: 고용량스테로이드주사요법과 안와방사선 치료 1년 후 모습, C: 염증기에 외안근 비대를 보이는 CT소견, D: 고용량스테로이드주사요법과 안와방사선 치료 1년 후 외안근비대가 소실된 CT소견.

면역억제제가 쓰이는데 이는 부신피질호르몬제의 부작용으로 이 약물을 사용할 수 없거나 유지요법이 필요할 때 사용된다. 항CD20항체인 rituximab이 안와조직의 B림프구를 고갈시켜 안와염증에 효과적임이 무작위대조임상시험을 통해 입증되었으며 부신피질호르몬제, 방사선 치료, 면역억제제 등에 반응을 보이지 않거나 쓸 수 없는 활동성의 염증상태를 보이는 환자에 있어서 시도해 볼 만한 치료방법이나 아직 국내 식약처에서 적응증을 승인받지 못한 상태이다.

2020년 미국FDA에서 항 IGF-1수용체항체인 teprotu-mumab (Tepezza™, Horizon Therapeutics)이 두 개의 무작위배정, 이중맹검, 위약대조 다기관임상시험의 결과를 토대로 갑상선안병증의 유일한 치료제로 승인을 받았다. 갑상선안병증 환자의 조직내안와섬유모세포, T림프구와 B림프구에서 과도하게 발현된 IGF-1수용체가 TSH수용체와 기능적으로 결합되어 있어, 갑상선 자가항체와의 결합 이후 히아루론산축적, 지방분화 및 염증, 부종의 발생에 중요한 역할을 함이 보고되었고 이러한 연구결과를 바탕으로 미국과 유럽의 다기관에서 임상시험이 이루어지게 되었다. 임상활동도 4점 이상의 안병증 환자에서 teprotumumab (10 mg/kg 체중- 첫 주사, 20 mg/kg 이후 7번 주사, 3주 간격)과 위약을 투여하여 비교한 결과 24주에 돌출 2 mm 이상 감소한 환자가 위약 10%에 비해 teprotumumab 투여군은 83%였고, 성별과 흡연 여부에 관계없이 효과적으로 돌출이 감소하였다. 또한, 치료 24주에 복시가 위약군 29%, teprotumumab 투여군 68%에서 감소하였다. 부작용으로는 오심(19%), 근육경련(19%), 설사(14%), 혈당 증가(12%)와 청력장애(7%) 등이 있었다. 아직 국내 식약처의 허가를 획득하지 못한 상태이며 매우 고가의 약물이어서 현재까지는 국내에서 이 약물의 사용이 어려운 상태이다.

4. 안병증에서 방사선 치료

안병증에 저용량의 방사선 치료를 하여 염증반응을 조절할 수 있다. 부신피질호르몬제를 부작용으로 쓸 수 없거나 치료 후 재발한 경우에 안와방사선 치료를 고려한다. 20 Gy를 2주에 걸쳐서 10번 나누어 안와에 방사선을 조사하는 것이 표준용량이다. 부신피질호르몬제 치료와 방사선 치료를 동시에 시행하는 것이 방사선 치료 단독보다 더 효과적이며 방사선 치료도 항염증 치료와 마찬가지로 급성염증기에 시행해야 한다. 안구돌출에는 크게 효과가 없고 최근 발생한 복시를 호전시키는 데 효과적이다. 장기간에 걸친 안전성은 입증이 되어 있지만 드물게 암 발생의 가능성이 있으므로 젊은 연령의 사람에서는 이를 고려해야 한다. 백내장이 합병증으로 발생할 수 있으므로 이에 대한 설명이 반드시 필요하다. 시력저하를 초래하는 망막의 미세혈관이상이 매우 드물게 발생할 수 있으므로 방사선 치료는 당뇨망막증이나 심한 고혈압이 있는 환자에서는 금기이다.

5. 수술요법

수술치료를 고려하는 시기는 갑상선호르몬이 정상으로 유지되는 상태에서 갑상선안병증이 안정되어 더 이상 변화 없이 6-12개월 지난 후 시행하는 것이 이상적이다. 그러나 압박시신경증이 있고 이 상태가 약물로 호전되지 않는 경우에는 이러한 시기가 아니더라도 바로 안와감압술을 고려할 수 있다.

수술은 대개 다음의 4단계 순서를 따르는 것이 재수술의 빈도를 줄일 수 있다. 안와감압술을 다른 수술보다 가장 먼저 고려해야 하고 다음이 사시교정수술, 눈꺼풀후퇴 교정수술이며 마지막으로 눈꺼풀성형술을 시행할 수 있다.

1) 안와감압술

안와감압술은 압박시신경증이 내과치료로 회복되지 않거나 안구돌출 정도가 심하여 각막이상이 심하거나 사회생활에 문제가 있을 때 시행하게 된다. 안와첨부의 압력을 감압하여 시신경기능을 회복하는 데 도움을 주고 안와용적을 늘려 주어 눈이 뒤로 들어가게 하여 외모적으로도 우수한

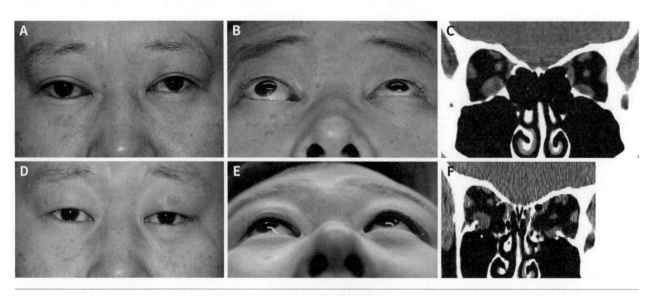

그림 3-5-4. 안와감압술의 효과

A–C: 안구돌출과 염증소견을 동반한 환자의 얼굴 모습과 CT소견, D–F: 안와벽감압술 후 안구돌출과 염증이 사라진 환자의 얼굴 모습과 안와벽부피가 증가한 CT소견.

효과를 얻게 된다.

수술방법은 안와의 내벽, 하벽 또는 외벽을 이루는 뼈를 제거함으로 뒤쪽 안와의 용적을 증가시켜 안구돌출 및 안와 첨부의 시신경 압박을 완화시킬 수 있고 안와지방을 제거함으로 추가적인 효과를 얻을 수 있다.

2) 사시수술

외안근의 변화로 사시가 있는 경우 제한사시가 있는 근육을 후전(recession)시켜 약화시키는 방법으로 사시를 교정할 수 있다. 후전시키는 근육을 수술 시 안구에 바로 고정시키지 않고 수술 직후 눈 위치를 확인 후 이차로 고정하는 조정수술을 하기도 한다.

사시수술로 하나로 보이는 시야의 범위를 넓히고, 특히 일상생활에서 편안한 자세에서 가장 중요한 정면과 아래를 볼 때 복시를 없애는 것이 수술목표가 된다.

3) 눈꺼풀후퇴교정술

눈꺼풀후퇴(eyelid retraction)는 가장 흔한 갑상선안병증

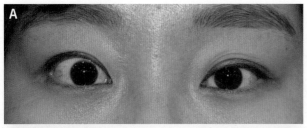
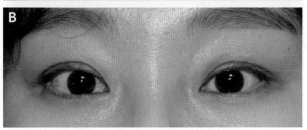

그림 3-5-5. 눈꺼풀후퇴교정술 효과
A: 우측 눈꺼풀후퇴가 있는 모습,
B: 우측 눈꺼풀의 뮐러근후전술 시행 후의 모습.

의 증상이며 위눈꺼풀올림근과 뮐러근을 후전시키는 수술을 통해 교정할 수 있다. 이 수술은 눈꺼풀을 뜨는 힘을 약하게 하여 눈이 크게 떠지는 외모상의 문제를 해결하고 눈을 감는 기능을 향상시킨다(그림 3-5-5).

4) 눈꺼풀성형술

지방의 증식과 부피 증가로 인해 앞쪽으로 돌출된 지방을 절제하고 눈꺼풀 피부이완을 교정하여 외모이상을 교정하는 수술이다. 혹 드물게 수술 후 안병증이 재발하는 경우가 있는데 이때에는 부신피질호르몬 치료나 방사선 치료를 하여 염증을 조절할 수 있다.

VI. 정상갑상선기능안병증

혈중 T_3, T_4는 정상이면서 눈에 갑상선안병증이 나타나는 경우 정상갑상선기능안병증(euthyroid orbitopathy)이라는 용어를 사용한다. 이 경우 작은 갑상선종이 있을 수도 있고 혈중의 T_3레진 섭취율은 정상이나 많은 수에서는 실제로 TSH가 정상 이하로 억제되어 있어 엄밀한 의미에서 갑상선기능이 정상은 아닌 경우가 많다. 장기간 추적 시 약 반에서 그레이브스병에 의한 갑상선기능항진증이 나타나며 일부의 환자에서는 갑상선기능저하증이 나타나기도 한다. 대부분의 환자에서 TSH수용체자가항체가 검출되나 그 역가는 갑상선기능항진증이 있는 경우에 비하여 상대적으로 낮으며 안병증의 중증도가 높지 않다.

갑상선기능이 정상이므로 항갑상선제의 복용이 필요하지 않으며 안병증의 경과에 따른 내과적 항염증 치료와 수술 치료를 하게 되며, 시간에 따라 갑상선기능 이상이 나타날 수 있으므로 지속적인 혈액검사가 필요하다.

참 / 고 / 문 / 헌

1. Bahn RS. Graves' ophthalmopathy. N Engl J Med 2010;362:726-38.

2. Bartalena L, Baldeschi L, Dickinson AJ, Eckstein A, Kendall-Taylor P, Marcocci C, et al. Consensus statement of the European group on Graves' orbitopathy (EUGOGO) on management of GO. Eur J Endocrinol 2008;158:273-85.

3. Bartalena L, Krassas GE, Wiersinga W, Marcocci C, Salvi M, Daumerie C, et al. Efficacy and safety of three different cumulative doses of intravenous methylprednisolone for moderate to severe and active Graves' orbitopathy. J Clin Endocrinol Metab 2021;97:4454-63.

4. Dolman PJ, Rootman J. VISA Classification for Graves' orbitopathy. Ophthalmic Plast Reconstr Surg 2006;22:319-24.

5. Douglas RS, Kahaly GJ, Patel A, Sile S, Thompson EHZ, Perdok R, et al. Teprotumumab for the Treatment of active thyroid eye disease. N Engl J Med 2020;382:341-52.

6. Jain AP, Jaru-Ampornpan P, Douglas RS. Thyroid eye disease: redefining its management-A review. Clin Exp Ophthalmol 2021;49:203-11.

7. Kahaly GJ, Pitz S, Hommel G, Dittmar M. Randomized, single blind trial of intravenous versus oral steroid monotherapy in Graves' orbitopathy. J Clin Endocrinol Metab 2005;90:5234-40.

8. Marcocci C, Kahaly GJ, Krassas GE, Bartalena L, Prummel M, Stahl M, et al. Selenium and the course of mild Graves' orbitopathy. N Engl J Med 2011;364:1920-31.

9. Marcocci C, Marinò M. Treatment of mild, moderate-to-severe and very severe Graves' orbitopathy. Best Pract Res Clin Endocrinol Metab 2012;26:325-37.

10. McKeag D, Lane C, Lazarus JH, Baldeschi L, Boboridis K, Dickinson AJ, et al. Clinical features of dysthyroid optic neuropathy : a European Group on Graves' orbitopathy (EUGOGO) survey. Br J Ophthalmol 2007;91:455-8.

11. Perry JD, Feldon SE. Rationale for radiotherapy in thyroid eye disease. Am J Ophthalmol 2009;148:818-9.

12. Rootman DB. Orbital decompression for thyroid eye disease. Surv Ophthalmol 2018;63:86-104.

13. Salvi M, Vannucchi G, Beck-Peccoz P. Potential utility of rituximab for Graves' orbitopathy. J Clin Endocrinol Metab 2013;98:4291-9.

14. Smith TJ, Kahaly GJ, Ezra DG, Fleming JC, Dailey RA, Tang RA, et al. Teprotumumab for thyroid-associated ophthalmopathy. N Engl J Med 2017;376:1748-61.

15. Wiersinga WM, Bartalena L. Epidemiology and prevention of Graves' ophthalmopathy. Thyroid 2002;12:855-60.

갑상선기능저하증

박영주

I. 서론

1. 갑상선기능저하증의 정의

갑상선기능저하증이란 갑상선호르몬의 부족으로 인해 전신의 대사과정이 저하된 상태를 말한다. 성인에서는 오랫동안 갑상선기능저하증을 치료하지 않으면 글리코사미노글리칸(무코다당류) 등이 세포 내에 축적되어 피부 및 근육에 비함요부종이 나타나는 점액부종이 나타난다. 신생아와 유아에서는 성장과 발육에 지장을 초래하며, 정신지체 등의 영구적인 손상을 초래한다. 크레틴병은 요오드결핍에 의해서 신생아에서 발생한 갑상선기능저하증으로 갑상선종과 더불어 지능발육지연, 발육부전, 단신, 부종 등의 증상을 보이는 경우를 일컫는다.

2. 갑상선기능저하증의 분류

갑상선기능저하증은 발병시기에 따라 선천과 후천갑상선기능저하증으로 나누어 볼 수 있으며, 원인병변의 부위에 따라서는 갑상선 자체의 이상으로 갑상선호르몬생산이 부족한 일차(원발), 뇌하수체의 이상으로 TSH 분비가 감소되어 이차적으로 갑상선호르몬 분비가 결핍되어 발생한 이차 또는 뇌하수체성, 그리고 시상하부로부터 TSH 분비가 감소

하여 갑상선기능저하증이 초래된 삼차 또는 시상하부성갑상선저하증으로 분류할 수 있다. 뇌하수체와 시상하부성 갑상선저하증을 통틀어 중추갑상선기능저하증이라고 한다. 갑상선기능저하증이 경도, 중등도, 중증으로 진행하면서 혈청TSH의 변화가 선행하고 이어 갑상선호르몬이 감소하는 다양한 형태의 호르몬변화를 보인다(그림 3-6-1).

일차갑상선기능저하증에서 유리호르몬은 정상이고 TSH만 상승한 경도의 무증상갑상선기능저하증은 빈도가 높고, 건강에 미치는 영향과 증상이 다양하여 진단과 치료과정에서 중등도 및 중증의 현성갑상선기능저하증과 구분된다.

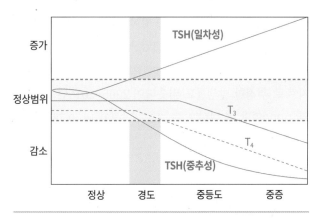

그림 3-6-1. 갑상선기능저하증의 진행에 따른 혈중 호르몬의 변화
T₃, triiodothyronine; T₄, thyroxine; TSH, thyroid stimulating hormone.

II. 갑상선기능저하증의 역학

1. 갑상선기능저하증의 유병률과 발생률

갑상선기능저하증은 여성에서 흔하고 연령이 증가할수록 빈도가 높아진다. 유병률은 지역과 연령, 성별, TSH기준치 등에 따라 다양하게 보고된다. 현성갑상선기능저하증은 미국 0.3–0.4%, 유럽 0.3–0.6%, 아시아 0.7% 정도로, 무증상 갑상선기능저하증은 각각 4.6–8.5%, 4.1–4.6%, 3.1–5.8% 정도로 보고되고 있다. 65세 이상에서는 미국 NHANES III 연구(1988–1994년)에서 현성 1.7%, 무증상 13.7%으로 높게 나타났다.

우리나라의 유병률과 발생률은 표 3-6-1에 정리된 바와 같다. 2013–2015년 사이에 10세 이상의 6,564명을 대상으로 시행된 국민건강영양조사결과에서 현성과 무증상이 각각 0.73%와 3.1%이었고, 2000–2001년 사이 39세 이상 3,491명의 지역사회조사결과에서는 현성 0.2%, 무증상 11.7%로 보고되었다.

종합하면 현성갑상선기능저하증은 전체 인구에서 0.5% 정도, 노인에서는 1–2% 정도로 추정되며, 무증상갑상선기능저하증의 유병률은 3–15% 정도로 추정된다.

갑상선기능저하증의 발생률은 영국 Whichway연구에서 1년에 인구 1,000명당 여성 4.1명, 남성은 0.6명 정도로 알려져 있다. 우리나라에서 갑상선호르몬을 복용하는 청구자료로 추정한 발생률도 비슷하여 2006–2015년 사이 인구 1,000명당 연 여성 2.63–3.72, 남성 0.44–0.78명 정도로 보고되었다(표 3-6-1).

2. 갑상선기능저하증의 발생위험인자

갑상선기능저하증은 여성에서 높은 발생률을 보이지만 그이유는 불분명하다. 연령의 증가 역시 가장 잘 알려진 위험인자로 알려져 있는데, 연령에 따른 TSH활성도 차이, TSH에 대한 갑상선의 반응 및 설정치의 변화, 갑상선 자가항체의 증가 등이 연관기전으로 제시되고 있다. 그러나, TSH 분포가 연령에 따라 달라, 각 연령군별 TSH 정상범위를 적용할 경우 갑상선기능저하증의 빈도가 70% 정도 감소하게 되는데, 이를 고려해야 할 필요성이 제시되고 있다. 갑상선과 산화효소항체는 TSH 증가와 연관성이 잘 알려져 있으며, 특히 역가가 높을수록 갑상선기능저하증의 발생위험도가 증가하는 것으로 여겨진다. 그 외 요오드 과잉섭취, 백인, 추운 날씨 등이 위험인자로 제시되고 있으며 흡연은 반대영향을 보여준다.

III. 갑상선기능저하증의 원인

갑상선기능저하증의 95% 이상이 일차이며, 일차갑상선기능저하증의 원인 중 70–85%는 자가면역갑상선염에 의한다(표 3-6-2).

1. 일차갑상선기능저하증

하시모토갑상선염(만성자가면역갑상선염)에서는 세포성 및 체액성면역기전에 의한 세포 손상으로 인하여 기능저하가 초래된다. 위축성갑상선염(일차점액부종)에서는 TSH수용체차단항체가 호르몬생산을 방해한다. 아급성갑상선염, 무통갑상선염 및 산후갑상선염 등은 경과 중 회복기에 일시적으로 기능저하를 보일 수 있다. 아급성갑상선염은 거의 대부분 정상기능으로 회복되며, 무통 및 산후갑상선염은 약 20–25%에서 영구적인 갑상선기능저하증으로 진행한다.

표 3-6-1. 우리나라 갑상선기능저하증의 유병률과 발생률

자료원	대상군				정도에 따른 갑상선기능저하증	유병률(%)			발생률(1,000인년 당)		
	조사연도	연령	여성 명수(%)	기준		전체	남성	여성	전체	남성	여성
건강보험심사평가원 (HIRA)	2008–2012	모든 연령	541,969 (82.9)	LT$_4$ 복용	현성 + 일부 무증상	1.43	0.44	2.40	2.26	0.78	3.72
국민건강보험공단 (KNHIS)	2006–2015	모든 연령	51,834,660 (50.0)	LT$_4$ 복용	현성 + 일부 무증상				1.90 (범위 1.53–2.21)	0.66 (범위 0.44–0.82)	3.18 (범위 2.63–3.68)
	2015					1.59	0.52	2.68	1.76	0.7	2.85
국민건강영양조사 (KNHANES)	2013–2015	≥ 10세	6,564 (48.5)	TSH 6.86 mIU/L	현성	0.73	0.4	1.1			
					무증상	3.1	2.26	4.04			
지역사회기반코호 (안성, KoGES)	2001–2002	≥ 39세	3,399 (54.7)	TSH 4.1 mIU/L	현성	0.2					
					무증상	11.7	6.3	16.1			
		65–70세			무증상		10.8	18.9			
지역사회기반코호트 (성남, KLoSHA)	2005–2006	≥ 65세	940 (56.7)	TSH 4.1 mIU/L	현성	1.9					
					무증상	17.3	17.7	17.1			

HIRA, health insurance review and assessment service; KNHIS, Korean national health insurance service; KNHANSE, Korean national health and nutrition survey; KoGES, Korean genome and epidemiology study; KLoSHA, Korean longitudinal study on health and aging; LT$_4$, levothyroxine; TSH, thyroid stimulating hormone.

표 3-6-2. **갑상선기능저하증의 원인**

일차갑상선기능저하증
자가면역: 하시모토갑상선염, 위축성갑상선염
의인성: 수술, 방사선 치료, 방사성요오드치료
약물: 요오드함유약물(조영제, 아미오다론), 항갑상선제, 리튬, 인터페론–α, 인터루킨–2, 타이로신인산화효소억제제 등
발생이상: 이소성 갑상선, 무발생(agenesis) 또는 발생장애(dysgenesis; *NKK2–1, PAX8, FOXE1, GLIS3, NKX2–5, CDCA8, JAG1, NTN1, TUBB1, TSHR* 돌연변이 등), 갑상선호르몬생성장애 또는 이상형태형성(dysmorphogenesis; *TG, TPO, DUOX2, DUOXA2, Pendrin, NIS, IYD, SLC26A7* 돌연변이 등)
유전성증후군: *TBX1, DYRK1A, KAT6B, UBR1, GNAS, PRKARIA, PDE4D* 돌연변이 등
침윤병변: 아밀로이드증, 유육종증, 림프종, 혈색소증, 경피증, 시스틴증, 리델갑상선염 등
요오드 섭취: 과잉 또는 결핍
일과성일차갑상선기능저하증
무통갑상선염, 산후갑상선염, 아급성갑상선염의 회복기
비갑상선질환의 회복기
그레이브스병에서 방사성요오드치료 또는 부분절제술 직후
갑상선기능저하증 치료 중: 갑상선조직이 있는 환자에서 LT$_4$를 과량 복용하던 중 중단 혹은 감량 시(LT$_4$ 금단증후군), 갑상선기능저하증 치료 초기 등
약물: 아미오다론, 리튬 등
중추갑상선기능저하증
뇌하수체 또는 시상하부병변: 종양, 침윤병변(유육종증, 조직구증, 혈색소증 등), 혈관장애(허혈성괴사, 출혈, 쉬안증후군), 감염병변 (농양, 결핵, 매독 등)
의인성: 수술, 방사선조사, 두부 손상
자가면역: 만성림프구성뇌하수체염, 항POU1F1항체 등
유전성: *TRHR, TSH–β, POU1F1, TBL1X, IRS4, IGSF1, PROP1, HESX1, SOX2, OTX2, LHX3, LHX4, LEPR* 돌연변이 등
약물 및 사이토카인(일과성): 도파민, 당질부신피질호르몬, 벡사로텐, 코카인 등
TSH 단독결핍 또는 비활성
공터키안증후군
말초갑상선기능저하증
전신갑상선호르몬내성증후군
소모성(제3형 탈요오드효소 과발현): 신생아혈관종 등의 혈관종양

LT$_4$, levothyroxine

수술이나 경부방사선조사, 갑상선기능항진증에 대한 방사성요오드치료 등도 중요한 원인이다. 드물지만 아밀로이드증, 유육종증, 림프종, 혈색소증 등의 침윤성질환, 내분비계교란물질(환경호르몬)이나 독성물질 노출에 따른 갑상선의 손상과 이에 따른 기능저하 발생이 가능하다. 또한, 여러 종류의 약물이 갑상선호르몬의 생성 및 분비, 또는 자가면역에 영향을 미쳐서 갑상선기능저하증을 유발할 수 있는데, 아미오다론, 조영제, 리튬, 일부 항암제(아미노클루테치마이드 등), 타이로신인산화효소억제제(수니티닙, 소라페닙, 렌바티닙 등), 면역관문억제제, 혈관형성억제제(탈리도마이드, 레날리도마이드 등), 인터페론-α, 인터루킨-2 등이 이에 해당한다.

유전자돌연변이에 의한 선천일차갑상선기능저하증으로는 갑상선무발생 또는 발생이상, 갑상선호르몬 생성장애 등이 알려져 있다. 그 외 신생아에서 발견되는 일차갑상선기능저하증의 흔한 원인으로는 요오드결핍지역에서는 크레틴병, 요오드섭취가 충분한 지역에서는 모체의 자가면역갑상선염에 동반된 갑상선 자가항체(특히 TSH수용체 차단항체)의 영향이 있으며 산모가 복용한 요오드, 항갑상선제, 방사성요오드 등의 약물에 의해서도 발생할 수 있다.

2. 중추갑상선기능저하증

중추갑상선기능저하증의 가장 흔한 원인은 뇌하수체선종과 이에 대한 수술 또는 방사선 치료이다. 그 외에도 시상하부 종양(배아종, 신경교종, 수막종 등), 뇌하수체줄기에 영향을 주는 종양(두개인두종, 척삭종 등) 및 각종 침윤병변(유육종증, 조직구증, 혈색소증 등)과 만성림프구뇌하수체염, 감염(결핵, 농양 등), 전이암, 쉬안증후군과 같은 허혈이나 출혈 등의 원인이 있다.

드물게 뇌하수체 TSH분비세포의 분화에 관련된 유전자(*POU1F1, PROP1, LHX3, HESX1* 등), TRH수용체유전자 또는 *TSH-β*유전자의 돌연변이가 발생하여, TSH가 만들어지지 않거나 불활성형의 TSH가 생산되어 중추갑상선기능저하증이 초래된 예가 보고되고 있다.

3. 기타 갑상선기능저하증의 원인

갑상선, 뇌하수체 또는 시상하부의 병변이 없이 말초조직의 이상에 의한 갑상선기능저하증이 발생할 수 있다. 전신조직에 β갑상선호르몬수용체의 돌연변이가 발생한 경우, 갑상선호르몬에 대한 내성이 생겨 갑상선호르몬은 정상적으로 분비되어도 뇌하수체를 포함한 말초조직의 내성에 의해 갑상선기능저하증의 임상증상이 나타난다. 소모성 갑상선기능저하증은 신생아에서 발생한 매우 큰 혈관종에서 보고되었는데, 갑상선에서 T_3, T_4가 정상적으로 생산되지만, 혈관종에 과량으로 존재하는 제3형 탈요오드효소가 T_4와 T_3를 빠르게 불활성화시키면서 갑상선기능저하증을 초래한다.

IV. 갑상선기능저하증의 임상상

갑상선기능저하증의 임상소견은 발생원인에 무관하게 갑상선호르몬 결핍정도와 발생하는 속도에 따라서 다양하게 나타난다. 서서히 진행되는 경우에는 보통 임상소견이 경미하고, 수술이나 방사성요오드치료로 갑상선조직이 거의 없어진 직후 갑상선호르몬을 복용하지 않거나, 갑상선호르몬을 복용 중이던 현성갑상선기능저하증 환자가 갑상선호르몬 복용을 갑자기 중단한 경우에는 갑상선기능저하증의 증상이 갑자기 뚜렷하게 나타난다. 중추갑상선기능저하증에서는 동반된 성호르몬이나 부신피질호르몬의 결핍증상이 겹쳐져서 갑상선기능저하증 증상이 뚜렷하지 않을 수 있다.

갑상선호르몬이 부족하면 전신의 대사과정이 지연되기 때문에 피로, 쇠약감이 나타나고 여러 증상과 징후가 나타날 수 있다(표 3-6-3). TSH가 상승되면서 하시모토갑상선염과 같이 갑상선조직이 남아있는 경우에는 갑상선의 크기가 커질 수 있다.

표 3-6-3. **갑상선기능저하증의 임상상과 임상적 위험군**

임상상		
증상	징후	검사소견
피로, 쇠약감 건조하고 거친 피부 추위에 민감 머리카락이 잘 빠짐 기억력, 집중력 감소 변비 체중증가, 입맛 감소 말과 동작이 느려짐 호흡곤란 쉰소리 월경과다 이상감각 청력저하 근육통, 관절통 유루증	건조하고 거친 피부 피부가 차가움 부종(얼굴, 눈 주위, 손등, 발 등) 전반적인 탈모 서맥 말초부종 이완기건반사 증가 손목굴증후군 확장기고혈압 심낭삼출 거대혀증	저나트륨혈증 대적혈구빈혈 크레아틴인산화효소 상승 고콜레스테롤혈증 프로락틴 상승 근효소 증가 심전도 이상소견(서맥, 저전압, T파변화 등) 가슴X선: 심비대
임상위험군		
저위험군(< 2%)	중간위험군(2-10%)	고위험군(> 10%)
수면무호흡 치매 정신질환	갑상선종 약물(리튬, 인터페론-α, 타이로신인산화효소억제제 등) 자가면역질환(1형당뇨병, 부신기능저하증, 류마티스질환, 자가면역간염, 셀리악병, 백반증 등) 그레이브스안병증 고지혈증 다운증후군, 터너증후군 출산 6–12개월 이내의 여성, 노인	하시모토갑상선염 갑상선질환의 과거력(수술, 방사성요오드치료, 그레이브스병) 과거질환력(경부방사선조사력, 뇌하수체기능저 하 의심병력 등) 약물(아미오다론)

1. 갑상선기능저하증의 기관별 임상상

1) 얼굴, 피부 및 그 부속물

심한 갑상선기능저하증의 가장 특징적인 피부소견인 점액부종은 갑상선기능저하증이 장기간 심하게 지속될 때 피하에 글리코사미노글리칸이 축적되고, 이의 삼투압 효과로 수분 축적이 일어나서 나타나는 결과로 비함요부종(non-pitting edema)을 일으킨다. 얼굴과 손등에서 흔히 관찰되는데, 얼굴에 표정이 없고 무관심해 보이고 둥글게 붓는데, 특히 눈 주위가 심하다. 중추갑상선기능저하증에서는 성선자극호르몬 결핍에 의한 피부변화가 더 현저해서 피부에 주름이 많아지고 점액축적은 적다.

심한 기능저하가 지속될 경우, 목소리는 쉬고 음색이 낮고 거칠어지며, 입술이 두꺼워지고 혀가 커지면서 혀의 가장자리가 치아에 의해 눌린 자욱이 생기고 말이 느려지고 발음이 불분명해진다. 얼굴색은 혈관수축과 빈혈로 인하여 전반적으로 창백하고, 대사가 느려진 카로텐이 피부에 축적되어 손바닥과 발바닥 등의 피부가 노란색으로 변한다. 손톱은 연하고 잘 부스러지며 가로 혹은 세로로 홈이 생기고, 성장속도도 느려진다. 모발은 윤기가 없이 거칠며 잘 부스러지며 두발과 눈썹의 탈모를 동반한다. 땀샘이 위축되어 땀이 잘 안 나기 때문에 피부가 건조해진다. 수술, 자상 등으로 생긴 피부의 상처치유가 늦어지기도 한다.

2) 에너지 및 영양대사

갑상선기능저하증에서는 에너지를 필요로 하는 모든 반응이 느려지므로 단위 체표면적당 산소소모량이 감소하고 열발생이 줄어든다. 그 결과 기초대사율과 열량소모가 감소하여 약간의 에너지축적과 체중증가가 발생한다. 단백질은 합성과 분해 모두 감소하지만, 분해 감소가 더 뚜렷하여 결과적으로 양질소균형(positive nitrogen balance)상태가 된다. 갑상선기능저하증 환자에게 과량의 포도당이 부하되면 이용률이 떨어지지만 포도당 농도가 생리적 범위일 때는 대부분 정상적인 인슐린민감성을 보인다.

지방대사에는 많은 변화가 생기는데, 유리지방산 농도는 대부분 정상 내지 약간 감소하지만 콜레스테롤, 중성지방, 인지질 등의 혈청 농도는 증가한다. 특히, 혈중 콜레스테롤을 간으로 이동시켜 대사를 유도하는 저밀도지단백질(low density lipoprotein, LDL)수용체의 발현 감소와 콜레스테롤을 간에서 담즙산으로 전환되어 배설시키는 과정의 감소가 콜레스테롤 합성과정 중 속도조절효소인 HMG CoA 환원효소 억제에 의한 콜레스테롤 합성 감소보다 더 크기 때문에, 갑상선기능저하증 환자 대부분에서 혈청콜레스테롤, 특히 LDL콜레스테롤이 증가한다. 고밀도지단백질(high density lipoprotein, HDL)콜레스테롤에 대한 영향은 확실하지 않으며, 초저밀도지단백질(very low density lipoprotein, VLDL)콜레스테롤의 생산량은 정상이지만 대사는 지연되기 때문에 결국 혈장중성지방은 중등도로 증가한다.

3) 심혈관계

심혈관계 증상은 중증의 갑상선기능저하증이 상당기간 지속될 때 나타난다. 초기 심장증상으로는 운동 중 호흡곤란, 피로, 운동에 대한 적응력 감소 등이 나타나고, 갑상선기능

저하증이 심해지면 심낭삼출액과 더불어 울혈심부전이 나타난다. 일회박출량의 감소와 순환시간이 지연됨에 따라 심박출이 감소하고 말초혈관저항이 증가하면서 맥압이 느리고 약해지고 혈압이 증가할 수 있다. 고혈압은 20–40%에서 관찰되는데, 주로 확장기고혈압이다. 갑상선기능저하증에서는 심박출량이 감소하지만 심장의 산소소모량 감소가 더 현저하므로 심부전은 매우 드물게 나타난다. 갑상선기능저하증에 의한 심부전은 디기탈리스나 이뇨제에는 반응하지 않고 폐울혈이 없다. 약 30%에서 심낭삼출액이 동반되는데, 주로 모세혈관투과율 증가에 기인하므로 단백질 농도가 높다. 심낭삼출액은 아주 서서히 발생하므로 혈역학적 영향은 경미하여 심낭압전이나 교대맥 등의 증상동반은 매우 드물다. 갑상선호르몬을 투여하면 수개월에 걸쳐 서서히 소실된다.

심전도에서는 서맥과 저전압이 특징적이며, T파가 평평해지거나 T파 역전소견, PR간격연장, QT간격지연, QRS가 넓어지는 소견 등이 관찰된다. 저전압 및 T파변화는 심낭삼출액의 영향으로 설명된다.

4) 동맥경화증

LDL콜레스테롤이 증가할 뿐만 아니라 증가된 LDL은 산화에 더 예민하며, 변형이 증가한다. 또한 확장기고혈압을 유도하고, 혈액응고성상을 변화시키며, 혈관평활근에 직접 영향을 미침으로써 동맥경화증의 위험이 높아질 수 있다. 여러 대규모 역학연구에서 현성갑상선기능저하증 환자와 일부의 무증상갑상선기능저하증 환자에서 갑상선기능과 고콜레스테롤혈증, 고혈압 및 동맥경화증의 위험인자 사이의 상관관계가 보고되고 있으며, 일부 연구에서는 질환 자체와의 연관성도 보고되고 있다.

5) 호흡기계

호흡기증상은 갑상선기능저하증의 주 증상은 아니지만 드물게 점액부종혼수에서는 생명을 위협하는 증상이 된다. 심한 피로와 함께 운동 중 호흡곤란이 흔한 호흡기증상이다.

갑상선기능저하증은 직접 폐기능에 변화를 초래하여 폐포-동맥 사이의 산소분압차를 증가시키고, 일산화탄소 확산능을 감소시키며 최대 운동능력을 감소시킨다.

6) 신장 및 수분, 전해질대사

수분축적은 흔히 발생하는 증상으로 갑상선기능저하증 초기부터 시작되고 체중증가를 수반한다. 혈역학적인 변화와 내피세포 장벽의 변화로 알부민의 투과성이 증가한 모세혈관의 변화에 의한 것으로 축적되는 수액에는 알부민과 기타 단백질의 함량이 높다. 갑상선기능저하증에서는 유효신장 혈류량과 사구체여과율이 감소하고 근위세뇨관의 나트륨과 수분분획 재흡수도 감소하지만, 혈청크레아티닌과 혈액요소질소(blood urea nitrogen, BUN)는 정상을 유지한다. 그러나, 중증인 경우에는 신장의 혈역학적인 변화와 세뇨관의 아르지닌바소프레신에 대한 반응결손 등에 의한 복합적인 영향으로 수분배설장애와 저나트륨혈증이 드물지 않게 동반된다. 갑상선호르몬 투여로 정상화된다.

7) 위장관 및 간

식욕부진과 변비가 가장 흔한데, 위장관의 운동장애가 주요 원인이다. 자가면역질환이 병발하여 위염이나 간질환이 동반되거나 위점막의 위축과 위산 분비가 감소하여 위기능과 간기능장애가 나타나기도 한다. 악성빈혈이 동반되거나 혈청GOT, LDH 및 CPK, 소변 녹말분해효소, 혈청태아성암항원 등이 증가될 수 있는데 치료하면 정상화된다.

8) 혈액 및 조혈계

빈혈은 갑상선기능저하증 환자의 약 30%에서 나타나는 흔한 증상으로 조직의 산소요구량 감소에 따른 적혈구조혈인자생산 감소, 월경과다에 의한 만성실혈, 장점막부종과 위산 분비 감소로 인한 철 흡수장애(이상 철결핍빈혈), 갑상선호르몬 자체 혹은 비타민B$_{12}$ 및 엽산 결핍(대적혈구빈혈), 자가면역빈혈(악성빈혈) 등이 동반된다. 한편, 혈소판의 수에는 영향이 없지만, 기능에 정성적인 결손을 초래하여 출혈성 경향이 높아질 수 있다.

9) 근육계

갑상선기능저하증의 유병기간이 길고 중증일수록 비후성근병증과 근쇠약이 심하게 나타나게 된다. 근병증의 증상이 없어도 혈청크레아틴인산화요소와 근효소 증가가 흔히 관찰된다. 근육통, 근위근쇠약, 근경직과 경련이 동반되기도 한다. 드물지만 갑상선기능저하증과 동반된 미만성근비후와 근쇠약을 보이는 근병증질환으로는 신생아의 Kocher-Debre-Semelaigne증후군과 성인의 호프만증후군이 있다.

10) 신경정신계

갑상선기능저하증에 특징적인 운동신경장애소견은 없으며 소뇌에 점액성물질이 축적에 기인한 것으로 여겨지는 운동실조, 떨림, 안구진탕, 빠르게 교대되는 운동장애 등이 나타날 수 있다. 심부건반사의 이완기가 증가된다. 신경병증으로는 팔다리가 저리고 찌릿찌릿한 이상감각이 나타나는 말초신경병증과 손목에 축적된 글리코사미노글리칸이 신경을 압박하여 발생하는 손목굴증후군 등이 대표적이다. 그 외 신경성 및 전음성난청이 발생할 수 있다.

정신증상으로는 기억력저하가 가장 뚜렷하다. 주위 집중과 사고력이 저하되며, 감정과 자극에 대한 반응이 둔화된다. 인지저하와 우울증 환자에서 갑상선기능저하증이 종종 동반된다. 일부 환자에서는 반대로 신경과민이 나타날 수 있고, 심한 점액부종 환자나 치료시작 초기에는 정신증이 나타나기도 한다.

11) 내분비계

갑상선기능저하증을 가진 소아에서는 뇌하수체에서 성장호르몬의 생산과 분비가 감소하여 성장장애가 나타난다. 혈청프로락틴이 상승할 수 있는데 대부분 30~50 ng/mL 정도로 경미하고 증상이 없지만, 장기간 갑상선기능저하증이 지속된 환자에서는 유루증과 무월경이 발생할 수 있다.

부신피질에서 코티솔 분비량이 감소하는데, 코티솔의 대사도 느리기 때문에 혈청 농도는 정상이다. 알도스테론 분비도 감소하지만 알도스테론의 혈장반감기가 길고 대사율이 감소하기 때문에 실제 혈청 농도는 정상이다. 사춘기 전의 소아에서 갑상선기능저하증은 남녀 모두 성발달을 지연시키지만 갑상선호르몬 투여로 정상화된다. 성인여성에서는 월경과다가 가장 흔하고, 중증의 갑상선기능저하증에서는 무배란이 나타난다. 성인남성에서 불임과 성욕감퇴에 미치는 영향은 불분명하다.

일차갑상선기능저하증은 여러 내분비기관에 자가면역이상이 병발하는 제1형 또는 제2형 다분비선자가면역증후군의 일환으로 나타날 수 있다.

2. 특수한 경우의 갑상선기능저하증의 임상상

1) 신생아 및 소년기의 갑상선기능저하증
신생아에서는 태어나면서 호흡장애, 청색증, 황달, 제대탈장 등이 동반될 수 있으며, 울음소리가 쉬고, 젖을 잘 빨지 못하고, 뼈성장이 지연될 수 있다. 조기에 발견하여 치료하지 못하면 영구적인 신체 및 지능발육 지연이 발생할 수 있다. 소년기의 갑상선기능저하증은 성장지연 및 지능발육 지연으로 나타나며, 사춘기의 조숙현상과 단신을 초래할 수 있다.

2) 중추갑상선기능저하증
중추갑상선기능저하증은 뇌하수체, 시상하부 혹은 시상하부–뇌하수체 문맥순환의 병변으로 인해서 갑상선호르몬 결핍이 초래되는 질환을 말한다. 임상소견은 일차와 유사하지만 상대적으로 경미한 편이다. 다른 종류의 뇌하수체호르몬 결핍에 의한 증상이 겹쳐지므로 일차갑상선기능저하증과의 감별에 도움이 된다. 피부는 차고 창백하지만 일차처럼 거칠고 건조하지는 않고, 부종 대신 눈 가장자리에 주름이 많은 것이 특징이다. 겨드랑이 털과 음모 및 눈썹 바깥쪽 탈모가 더 심하고, 남아 있는 모발도 더 연하고 가늘다, 점액부종의 발생이 적어 혀는 커지지 않고, 음성변화도 뚜렷하지 않고, 심장은 작고, 혈압은 낮으며, 심낭삼출액은 드물다. 유방이 위축되고 무월경이 나타나며, 체중증가보다 체중감소가 더 현저하다. 그러므로 갑상선호르몬 결핍이 의심될 때, 다른 뇌하수체호르몬 결핍증상이나 뇌하수체종양 이동반된 경우에는 중추갑상선기능저하증을 의심해야 한다. 반대로, 다른 뇌하수체호르몬이 결핍되거나 질환이 있을 때, 이에 의해서 갑상선호르몬의 결핍증상이 모호해질 수 있으므로 시상하부 혹은 뇌하수체질환이 의심되는 환자에서는 갑상선호르몬검사가 필요하다.

3) 점액부종혼수
점액부종혼수는 오랫동안 갑상선기능저하증을 치료하지 않은 환자에서 감염, 패혈증, 추위 과다노출, 마취제, 안정제, 마약 등의 약물복용, 폐질환, 뇌졸중, 울혈심부전, 위장관출혈 등의 유발인자가 발생하였을 때, 중추신경계 및 심맥관계의 심한 기능장애가 나타난 임상상태를 말한다. 특징적인 임상소견으로는 심하면 혼수까지 이르는 의식장애와 35℃ 이하의 저체온, 저혈압, 서맥, 저나트륨혈증, 저혈당 및 저환기 등이 있다. 맥박이 느리고 심음은 잘 청진되지 않으며, 심부전의 소견이 없이도 심비대가 관찰된다. 장운동이 느려지고 심부건반사의 이완기가 현저히 느려지고, 다른 갑상선기능저하증의 임상소견도 심하게 나타난다. 고령에서 발생위험도가 높고 이 경우 사망률도 높다.

V. 갑상선기능저하증의 진단

1. 임상진단 및 선별검사

갑상선호르몬 결핍에 의한 임상소견은 크레틴병이나 점액부종과 같이 뚜렷하게 나타나는 경우도 있지만, 기능저하의 진행 정도와 속도에 따라 증상이 다양하게 나타나게 된다. 대부분은 기능저하가 서서히 진행하여 임상소견과 호르몬 검사결과가 일치하지 않을 수 있고, 임상소견도 비특이적인 경우가 많다. 그러므로 임상적인 의심이 진단에 중요하다(표 3-6-3).

갑상선기능저하증의 증상 및 징후가 여러 개 병발한 경우 혹은 증상이 심한 경우에는 갑상선기능저하증에 대한 검사가 필요하다. 증상이 뚜렷하지 않지만 의심이 되는 경우에는 갑상선종이나 갑상선수술 흉터가 보이면 도움이 되고, 갑상선기능저하증의 유병률이 높은 위험인자(갑상선질환의 과거력, 경부방사선조사력, 갑상선기능에 영향을 미치는 약물 복용 등; 표 3-6-3)를 동반하고 있거나, 출산 후 6개월 또는 1년 이내면 갑상선기능저하증에 대한 확인이 필요하다. 저나트륨혈증, 대적혈구빈혈, 크레아틴인산화효소의 상승, 고콜레스테롤혈증 등의 소견도 갑상선기능저하증에 특이적이지는 않지만 진단에 도움이 된다. 고령에서는 증상이 전형적이지 않고 피로감과 위약감이 주증상일 수 있으므로 주의를 요한다.

증상이 없는 경우, 갑상선기능저하증을 진단하기 위한 선별검사기준은 더 확실하지 않다. 갑상선기능저하증의 유병률이 높은 위험인자를 가진 경우에는(표 3-6-3) 의심 증상이 없더라도 정기적인 혈청TSH 측정이 고려될 수 있다. 치료하지 않은 갑상선기능저하증 산모에서 태어난 아이의 지능발달이 늦다는 보고를 고려할 때, 임신을 계획하고 있거나 임신 초기인 산모에서 혈청TSH 측정을 고려할 수 있으며, 난임, 불임, 습관성유산 등의 경우에도 TSH 측정이 필요하다.

혈청TSH가 측정되지 않거나 정상 이상으로 증가한 경우에는 혈청유리T_4를 측정해야 한다.

2. 검사소견

1) 일차갑상선기능저하증

갑상선기능저하증은 정도에 따라 다양한 혈청갑상선호르몬 농도를 나타낸다. 무증상갑상선기능저하증에서는 혈청 T_3, T_4 농도는 정상으로 유지되면서 혈청TSH 농도만 증가한다. 갑상선의 호르몬생산능력이 점차 감소하여 혈청T_4가 정상 이하가 되면 현성갑상선기능저하증으로 진단한다. 이때 갑상선과 말초조직에서 5'-탈요오드효소 활성의 증가로

인해 T_4로부터 T_3 전환이 증가하기 때문에 혈청T_3는 대부분 정상범위를 유지한다. 갑상선의 장애가 더 진행되면 T_4생산이 더 감소하여 혈청T_3 농도를 정상으로 유지할 수 없게 된다. 이와 같은 중증갑상선기능저하증에서는 혈청TSH는 현저하게 증가하고 T_3와 T_4 모두 감소한다.

무증상갑상선기능저하증의 많은 원인인 일과성TSH 상승(표 3-6-2)을 배제하기 위해 무증상갑상선기능저하증의 경우에는 1–3개월 사이 재검이 필요하며, 갑상선과산화효소항체의 측정은 현성갑상선기능저하증으로 진행될 위험을 평가하는 데 도움이 된다.

갑상선기능저하증이 아닌데도 혈청TSH가 지속적인 상승을 보이는 경우가 있는데, 부신피질기능저하증이나 신부전 등에서 매우 드물게 관찰된다. 혈액내 존재하는 헤테로필항체가 측정검사에 간섭을 일으켜 실제는 정상 농도인데 상승된 것으로 측정되는 경우가 있고, 추위에의 노출과 비만, 요오드섭취가 충분한 지역의 고령에서는 생리적으로 TSH가 상승됨이 보고되고 있다. 그러므로 TSH만 단독으로 상승되어 있는 경우에는 이상의 여러 임상적인 상황을 고려하여 무증상갑상선기능저하증을 진단하여야 한다.

2) 중추갑상선기능저하증

중추갑상선기능저하증에서는 혈청TSH가 감소하지만 실제 많은 경우 정상범위를 나타낸다. 이 경우, TRH자극에 대한 TSH 분비능이 소실되었음을 확인해야 한다. 혈청TSH 증가가 없지만 갑상선기능저하증이 임상적으로 의심되는데, 다른 뇌하수체호르몬의 결핍증상이 있거나 뇌하수체저하증을 유발할 수 있는 임상양상(표 3-6-2)이 있는 경우에는 중추갑상선기능저하증을 의심하여야 한다. 일차와 달리 갑상선 자가항체가 음성이고, 갑상선초음파에서 갑상선실질에 이상소견이 없으면서 재조합 TSH 자극에서 정상반응을 보인다. TSH 농도에 상관없이 유리T_4가 감소되어 있으면 뇌하수체 영상검사, TRH자극검사와 다른 뇌하수체호르몬검사를 시행한다. 일차갑상선기능저하증에서는 혈청TSH기

저치가 증가되어 있고, TRH자극에 대해 정상보다 더 과장되게 상승하는 반면, 뇌하수체성에서는 TRH자극에 대한 TSH반응이 없고, 시상하부성에서는 TRH에 대한 TSH반응이 정상 혹은 지연된 반응을 보인다.

중추갑상선기능저하증이 의심되면, 먼저 혈청유리T₄와 TSH를 측정하고, 다음으로 다른 뇌하수체호르몬을 측정한 후, 뇌하수체와 시상하부의 해부학적 병변진단을 위한 영상검사를 시행한다.

3) 점액부종혼수

점액부종혼수의 진단을 위해서는 병력청취와 진찰을 통해 우선 다른 원인에 의한 혼수를 감별하여야 한다. 다른 이유로 설명할 수 없는 의식장애와 저체온이 동반된 경우에는 일단 점액부종혼수를 의심하여야 하며, 이 경우 갑상선호르몬검사결과를 기다릴 필요 없이 즉시 치료를 시작한다. 중추갑상선기능저하증은 증상이 상대적으로 경한 편이므로

점액부종혼수의 발생이 드물지만, 확실한 감별이 어려울 때에는 스테로이드제를 투여 후 갑상선호르몬을 투여한다.

진단에 혈청TSH 이외에 근효소의 증가가 도움이 된다. 혈청크레아틴인산화효소가 500 U/L 이상으로 현저히 증가한 경우에 가능성이 매우 높으며, 저나트륨혈증과 저삼투압증이 흔히 관찰되며, 고콜레스테롤혈증과 심전도의 변화도 진단에 도움이 된다.

3. 진단접근 및 감별진단

임상적으로 갑상선기능저하증이 의심되는 경우 일차선별검사로는 혈청TSH를 측정하는 것이 가장 예민한 방법이다. 혈청TSH가 증가되었으면 일차갑상선기능저하증으로 진단할 수 있다. 혈청TSH가 감소 또는 정상인 경우에는 유리T₄를 측정해서 감소되었으면 중추갑상선기능저하증 혹은 비갑상선질환을 감별해야 한다. 혈청TSH가 정상이면서 유

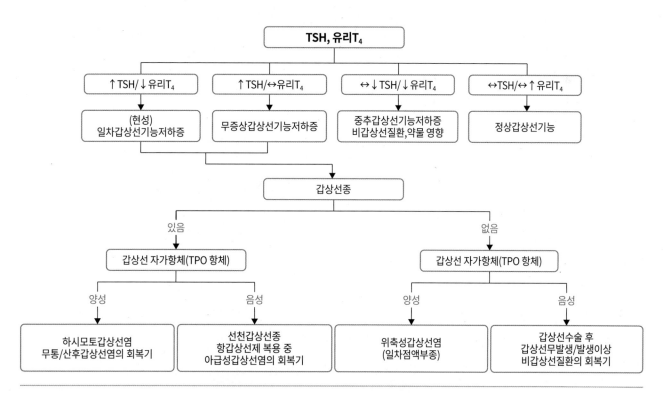

그림 3-6-2. 갑상선기능저하증의 진단접근

T₄, thyroxine; TPO, thyroperoxidase; TSH, thyroid stimulating hormone

리T$_4$도 정상이면 갑상선기능이 정상인 것으로 판단한다(그림 3-6-2, 표 3-6-4).

일차갑상선기능저하증의 원인은 일차로 갑상선종 유무, 병력, 갑상선 자가항체 유무로 감별한다. 갑상선종이 있으면서 자가항체가 양성이면 하시모토갑상선염, 무통 혹은 산후갑상선염의 회복기를, 자가항체가 음성이면 선천갑상선종, 요오드 결핍에 의한 지방병성갑상선종, 항갑상선제의 과다복용, 아급성갑상선염의 회복기 등의 가능성이 높다. 갑상선종이 없으면서 자가항체가 양성이면 일차점액부종이나 그레이브스병에서 방사성요오드 투여 후를 고려해야 하고, 자가항체가 음성이면 갑상선절제술, 갑상선 발육부전(무발생, 발생이상 등), 비갑상선질환의 회복기 등을 감별해야 한다.

VI. 갑상선기능저하증의 치료

1. 치료원칙

치료의 목적은 갑상선호르몬 결핍을 보충하여 말초조직의 대사상태를 정상화하는 데에 있으며, 혈청T$_4$와 TSH를 정상범위로 유지한다.

갑상선에서 갑상선호르몬을 전혀 생산하지 못하는 경우, 정상갑상선기능 유지에 필요한 레보타이록신(levothyroxine, LT$_4$)의 평균 치료용량은 성인에서 1일 1.6 μg/kg 정도이다(실제 체중 또는 이상 체중보다 제질량이 더 좋은 지표라는 의견도 있음; 개개인의 키에 따라 체지방지수 24-25

표 3-6-4. 갑상선기능저하증의 감별에 도움이 되는 임상특성

질환	감별에 도움이 되는 특성	
	검사소견	임상상
하시모토갑상선염	TPO항체 양성	갑상선종, 서서히 진행, 최근의 요오드 과다섭취
무통갑상선염	TPO항체 양성	갑상선종, 최근의 갑상선중독증
산후갑상선염	TPO항체 양성	갑상선종, 12개월 이내의 임신/출산력
아급성갑상선염	ESR 상승	갑상선종, 통증, 최근의 갑상선중독증/독감유사 전신증상
갑상선수술/방사성요오드치료		수술 병력, 수술 흉터, 방사성요오드치료 병력
경부방사선조사		암 및 방사선조사 병력
약물 연관		약물사용 병력
요오드결핍	낮은 소변 요오드량	요오드결핍지역 거주
뇌하수체병변(종양, 허혈, 염증 등)	유리T$_4$ 감소, 뇌하수체 CT/MRI 이상소견	두통, 시야장애 등
뇌하수체 치료(수술, 방사선조사 등)	유리T$_4$ 감소, 뇌하수체 CT/MRI 이상소견	병력
두부 손상	유리T$_4$ 감소, 뇌하수체 CT/MRI 정상소견	두부 손상 과거력
선천발생이상	유리T$_4$ 감소, TPO항체 음성, 방사성요오드 섭취 증가	갑상선종, 유-소아기 진단
선천무발생/반무발생	유리T$_4$ 감소, TPO항체 음성, 초음파에서 갑상선이 없거나 한쪽 엽만 존재	갑상선종 없음, 유-소아기 진단

CT, computed tomography; ESR, erythrocyte sedimentation rate; MRI, magnetic resonance image; T$_4$, thyroxine; TPO, thyroperoxidase.

kg/m² 정도에 해당하는 체중 적용). 그러나 갑상선호르몬 보충 시 치료용량은 체중 이외에도 기능저하의 원인과 정도, 연령, 유병기간, 복용 중인 약물 및 전신상태, 임신상태, 그리고 목표로 하는 TSH 농도 등에 따라 종합적으로 결정된다. 치료효과의 판정은 일차는 혈청TSH, 중추성은 혈청 유리T₄ 농도의 측정이 가장 좋고, 주기적으로 검사를 시행하여 과잉치료가 되지 않도록 한다. 중추갑상선기능저하증에서는 동반된 뇌하수체호르몬 결핍 여부를 확인하고, 특히 부신피질호르몬의 투여가 필요한 경우에는 이보다 먼저 갑상선호르몬을 투여하지 않도록 한다.

2. 갑상선호르몬제의 투여

1) 갑상선호르몬제의 복용

갑상선기능저하증의 치료에 사용되는 갑상선호르몬제는 T₄ 단독제인 LT₄와 T₃ 단독제인 리오타이로닌(liothyronine, LT₃), 그리고 LT₄와 LT₃의 복합제가 있다. 체내에서 작용하는 T₃의 대부분은 T₄가 T₃로 전환되어 만들어지므로 특별한 경우를 제외하고는 LT₄를 단독으로 투여한다.

LT₄는 공복에 투여하면 상부소장에서 약 80%가 흡수되며, LT₃는 85-100%가 흡수된다. 음식, 섬유질과 철분, 칼슘, 제산제, 콜레스티라민 등의 약물은 장에서 갑상선호르몬제와 결합하여 장흡수를 10% 이상 감소시킨다. 따라서 갑상선호르몬제는 3-4시간 정도 공복을 유지한 상태에서 단독으로 물로 복용하고, 1시간 이후에 음식물이나 다른 약물을 섭취하는 것이 좋다. 갑상선호르몬제의 흡수를 억제하는 칼슘, 비타민, 철분과 같은 약물은 갑상선호르몬제 복용 후 4-8시간 이상의 간격을 두고 복용한다. 흡수된 LT₄는 서서히 축적되고, 혈장반감기는 7일이므로 LT₄ 투여 후 새로운 평형상태에 도달하는데 적어도 4-6주가 걸린다. 따라서 LT₄ 치료 후, 또는 LT₄의 용량조절 후 갑상선기능의 평가는 이 기간이 지나고 해야 정확한 평가가 가능하다. LT₄ 투여 후 9시간 정도까지 일시적으로 혈청T₄는 15-20% 정도 증가하고 TSH는 감소할 수 있으므로 혈청T₄ 및 TSH 측정은 LT₄ 투여 전에 하는 것이 좋다.

2) 갑상선호르몬제의 용량

갑상선조직이 존재하는 경우에는 갑상선조직의 호르몬생산능에 따라서 갑상선전절제술을 받은 성인에 비교하여 필요량이 적을 수 있으며, 신생아와 소아에서는 반대로 훨씬 높은 용량이 필요하다(1일 필요량; 신생아-6개월령 10-15 μg, 6-12개월령 8-10 μg, 1-2세 5-6 μg, 2세 이상 5-6 μg). 아급성갑상선염, 무통갑상선염 및 산후갑상선염의 회복기에 일시적으로 나타나는 갑상선기능저하증은 대부분 일시적이고 경미하여 갑상선호르몬제의 보충이 필요하지 않지만, 기능저하 증상이 나타나고, TSH 농도가 20 mU/L 이상으로 상승한 경우에는 LT₄ 투여가 필요하다. 무증상갑상선기능저하증으로 발현한 하시모토갑상선염 환자 중 상당수는 두경부방사선조사력를 제한하는 것만으로도 갑상선기능이 정상으로 회복될 수 있다.

다른 합병 질환이 없는 젊은 환자와 점액부종혼수, 임산부에서는 치료시작부터 예상 치료용량을 일시에 투여한다. 이후 6-8주 간격으로 TSH를 측정하여, 이에 따라 LT₄를 1일 12.5-25 μg 정도로 용량을 조절한다. 무증상관상동맥질환 동반 가능성이 있는 60세 이상의 성인이나 관상동맥질환이 있거나 의심되는 경우에는 초기 용량을 25-50 μg으로 시작하고, 6-8주 간격을 두고 12.5-25 μg씩 증량, 목표하는 TSH 농도에 서서히 도달하도록 한다. LT₄ 투여 후 또는 용량을 증량하는 과정에서 부정맥이나 허혈증상과 같은 심장 증상을 보이면 즉시 LT₄를 감량한 후, 이후 증량하는 용량을 줄이고 간격도 6주 이상으로 늘려야 한다. 예측되는 요구량 이상의 LT₄를 올바른 방법으로 복용하는 중에도 TSH가 정상화되지 않는 경우에는 LT₄의 흡수장애를 유발하는 상황(셀리악병, 헬리코박터연관위염, 위축위염, 락토즈불내성 등)을 고려하여야 한다.

추적관찰 중 LT₄ 요구량이 증가하는 가장 흔한 원인으로는 LT₄를 불규칙하게 복용하거나, 복용방법이 잘못된 경우이다. 특히, 혈청유리T₄ 농도는 정상인데도 TSH 농도가 높은 경우에는 이에 대한 확인이 우선적으로 필요하다. 평소에 불규칙하게 혹은 적은 양을 복용하다가 검사 수일 전부터 다량의 LT₄를 복용하는 경우에는 혈청유리T₄가 높게 측정될 수도 있다.

다른 동반질환의 치료를 위해 LT₄의 간–담도 배설을 증가시키는 약물(딜란틴, 리팜핀, 페노바비탈, 카바마제핀 등)을 복용하거나(표 3-6-5), 체중(제질량)이 증가한 경우, 임신이나 에스트로겐 복용, 갑상선기능저하증 원인질환의 진행 등 필요량 자체가 증가한 경우에는 LT₄ 용량을 증가시켜야 한다.

반대로 체중감소, 출산 후, 연령 증가, 안드로겐 복용 등에서는 LT₄ 요구량이 감소될 수 있으며 갑상선기능항진증 과거력이 있거나 갑상선결절이 있을 때 LT₄ 요구량이 감소하면 그레이브스병의 활성화나 자율성갑상선결절의 발생에 대한 주의가 필요하다.

3. 갑상선기능저하증 치료 중 추적

1) 추적검사

방문 시마다 피로감, 쇠약감, 추위불내성, 기억력 감소 여부 등의 증상과 피부상태와 부종 등의 징후, 약물적응도와 다른 약물복용 등에 대한 상세한 병력청취와 신체검진을 시행하여 갑상선기능저하증의 증상호전 여부를 파악하고, LT₄ 용량조절의 필요성을 확인한다. 반대로 LT₄ 용량이 과도한 경우에는 땀이 많이 나거나 불안감, 두근거림, 피로감, 손떨림, 수면장애 등의 증상이 생길 수 있고, 장기간 동안 지속되는 경우에는 심방세동, 골다공증골절 등의 위험도가 증가될 수 있으므로, 이에 대한 증상 여부를 확인하고 평가를 고려한다. 특히 노인이나 폐경여성에서 주의를 요한다. 갑상선암 환자에서는 갑상선호르몬 억제요법에 따른 득과 실을 고려하여 TSH 목표 농도를 결정한다.

표 3-6-5. 갑상선호르몬제 용량에 영향을 미칠 수 있는 약물

갑상선호르몬 흡수 감소
약물: 철분, 칼슘, 제산제, 슈크랄페이트, 담즙산결합수지, 랄록시펜, 비타민C, 프로톤펌프억제제 등 식이: 식이(LT₄ 복용시간 간격), 식품섬유, 콩보충제, 커피, 우유 등
T₄결합단백질 이상
증가: 에스트로겐, 타목시펜, 랄록시펜, 클로피브레이트, 오피오이드, 마이토테인, 플르오우라실 등 감소: 안드로겐, 당질부신피질호르몬 등
T₄대사 증가
항경련제, 항결핵제 등
T₄의 T₃ 전환 억제
당질부신피질호르몬, 프로프라놀롤, 아미오다론, 리튬, 프로필싸이오유라실 등
갑상선염 유발
아미오다론, 리튬, 인터페론–α, 타이로신인산화효소억제제, 면역관문억제제 등
TSH 분비 억제
벡사로텐, 옥트레오티드, 미노텐, 메트포민, 도파민, 당질부신피질호르몬 등

T₃, triiodothyronine; T₄, thyroxine; TSH, thyroid stimulating hormone.

갑상선기능이 정상화될 때까지 6-8주 간격으로 TSH와 유리T₄(필요시 T₃)를 측정하고, 정상화되면 3-6개월 후, 이후 매년 추적검사를 시행한다. TSH는 기관별 정상범위에 유지되도록 하고, 유리T₄가 정상보다 증가되지 않도록 주의가 필요하다. 목표 TSH 범위를 70-80세 이상의 고령에서는 3-7 mU/L(또는 4-6 mU/L) 정도로 높게 하는 것이 권고되기도 한다. 임신 예정이거나 임산부에서는 별도의 TSH 목표 농도가 권고된다(5장 3절, 임신과 갑상선 참조).

2) 갑상선호르몬제의 중단

아급성갑상선염, 무통갑상선염 및 산후갑상선염과 같은 일과성갑상선기능저하증을 제외한 다수의 갑상선기능저하증에서는 평생 LT₄ 복용이 필요하다. 일과성이나 LT₄ 복용이 필요했던 경우에는 TSH가 정상화되고 3-6개월 정도 후, LT₄를 감량하면서 중단을 시도해 볼 수 있다. 하시모토갑상선염의 경우, 복용하던 LT₄를 중단한 후 약 10-40%에서 정상 갑상선기능을 유지한다. 특히 젊은 여성, 발생기간이 짧은 경우, 처음 발병한 경우, 갑상선스캔에서 갑상선의 방사능 섭취가 증가한 경우 등에서 중단 후 정상기능을 유지할 가능성이 높다. 그러므로 이들에서도 6-12개월 LT₄를 투여한 후 중단을 시도해 볼 수 있다.

정상을 회복한 경우에도 갑상선기능저하증의 재발이 가능하므로 주기적인 추적검사가 필요하며, 요오드성분을 과잉섭취하지 않도록 한다. 갑상선전절제술 후와 같이 갑상선 잔여조직이 거의 남아 있지 않은 갑상선기능저하증은 LT₄를 평생 복용하여야 한다.

4. LT₃와 LT₄ 병합용법

갑상선호르몬제는 LT₄ 단독투여가 원칙이지만 갑상선절제술 후 환자에서 혈중 TSH 농도가 정상임에도 지속적으로 갑상선기능저하증의 증상이 나타나는 경우, 증상의 호전을 위해서 일부 환자에서는 LT₄에 저용량의 LT₃ 병합투여를 시도해 볼 수 있다. 그러나, 아직까지 LT₄ + LT₃ 병합요법의 득

실에 대한 증거가 불충분한 상태로 증상의 호전 여부와 위험도를 면밀히 평가하면서 시험적으로 시도를 해 볼 수 있다는 정도로만 권고되고 있다. LT₃ 단독투여는 혈중 농도의 변동이 심하여 부작용 위험도가 크므로 갑상선암 환자의 방사성요오드치료 중 LT₄ 중단 시 단기투여와 감별진단을 위한 T₃ 억제검사가 필요한 특수한 상황 외에는 금기이다.

병합투여 전에 부신기능저하증과 악성빈혈 같은 다른 자가면역질환 동반을 배제하여야 하며, TSH가 정상이 아닌 경우나 TSH 억제요법이 필요한 갑상선암 환자, 부정맥이나 허혈심장질환 등의 심장질환 환자, 의미있는 심전도이상소견을 보이는 경우, 임산부, 노인이나 소아 환자에서는 금기이다. 치료반응 예측을 위해 제2형 탈요오드효소 Thr92Ala유전자다형성검사 등의 유전자검사는 권고되지 않는다.

LT₃ 병합 시 LT₄와의 용량비율(LT₃:LT₄)은 초기 1:17 정도로 시작하여 1:13-1:20 사이를 유지하여 부작용을 최소화하도록 한다. 이때 LT₄는 1일 1회 투여로 충분하지만, LT₃는 1일 2회 나누어 복용하도록 한다. LT₄ + LT₃ 복용 전 측정한 혈청TSH, 유리T₃, 유리T₄가 정상범위 내에 유지되도록 조절하여야 하며, 심혈관질환과 골다공증 부작용 추적평가가 함께 시행되어야 한다. 부정맥 등의 심장증상이 발생하면 즉시 LT₃ 병합투여를 중단하여야 하며, LT₄ + LT₃ 병합투여를 시도한 후에도 증상이 호전되지 않으면 LT₃ 병합투여를 중단하여야 한다.

5. 중추갑상선기능저하증의 치료

원칙적으로 일차갑상선기능저하증의 치료와 동일하다. 다만, LT₄ 투여 전에 반드시 부신피질기능을 확인하여, LT₄ 단독투여로 인한 부신발증을 유발하지 않도록 하여야 한다. 부신피질기능저하가 동반된 것이 확인되면 먼저 스테로이드 치료를 시작하고 LT₄ 용량은 처음에 25 μg으로 시작해서 2주 간격으로 25 μg씩 증량하여 원하는 보충용량에 도달하게 한다. 치료에 대한 반응은 혈청TSH 대신 유리T₄를

사용하는데, 정상범위, 가능하면 정상의 위쪽 1/3에 유지되도록 하는 것이 좋다. 유리T$_4$가 정상화되면 이후 매년 측정하여 추적관찰한다.

6. 점액부종혼수의 치료

점액부종혼수는 갑상선호르몬의 저장이 고갈된 상태이므로 치료 시작부터 다량의 호르몬 투여가 필요하다. LT$_4$를 투여할 경우에는 처음에 300–500 μg을 정맥주사하고, 이어서 매일 50–100 μg씩 정맥주사한다(우리나라에서는 희귀약품센터에서만 구할 수 있으므로 임상적용이 어렵다). 환자의 의식이 회복되면 1일 50 μg을 경구투여한다. 갑상선호르몬 투여 이외에도 보존요법으로 체온유지를 위한 보온조치, 저나트륨혈증의 교정, 충분한 영양보충과 유발인자에 대한 치료가 필요하다. 당질부신피질호르몬 투여가 권고되기도 한다.

VII. 무증상갑상선기능저하증

무증상갑상선기능저하증은 향후 현성갑상선기능저하증이 발생할 가능성이 정상보다 높다. 특히 TSH가 10 mU/L 이상이거나 갑상선과산화효소항체가 양성일 때 그 위험도가 증가한다.

TSH가 높을수록 갑상선기능저하증의 임상증상이나 심혈관질환 연관 위험인자와의 연관성이 강하게 보고되고 있으며, 임상근거가 강하지는 않지만 심혈관질환, 뇌혈관질환 및 인지저하 등과의 연관이 알려지고 있다(표 3-6-6). 특히 최근의 메타분석과 코호트연구결과에서는 심혈관질환의 위험인자가 있는 경우 TSH가 7 mU/L 이상이면 심혈관질환 이환율과 사망률이 증가함을 보여주고 있다. 그러나 무증상갑상선기능저하증 환자에게 LT$_4$를 투여하여 갑상선기능을 정상화시키는 것이 이상의 임상적인 영향을 호전시키는지에 대해서는 아직까지 임상근거가 충분하지 않다(표 3-6-6). 무증상갑상선기능저하증의 임상적 의미와 치료에 대해서는 15장에 보다 상세히 기술되어 있다.

표 3-6-6. 무증상갑상선기능저하증의 임상증상에 미치는 영향과 LT$_4$ 치료의 효과에 대한 근거

무증상갑상선기능저하증 연관 임상증상	TSH 농도별 연관성 근거정도		LT$_4$ 치료의 효과
	4.1–9.9 mU/L	≥ 10 mU/L	
현성갑상선기능저하증 발생	강함	매우 강함	갑상선기능저하증의 심한 증상이 발생하기 전에 치료
갑상선기능저하증의 증상 발생	강함	매우 강함	TSH < 10 mU/L: 대규모연구에서 증상호전 효과 없음 TSH ≥ 10 mU/L: 일부 소규모연구에서 증상호전 보고됨
심혈관계연관위험인자 (콜레스테롤/LDL콜레스테롤 상승, 동맥내피두께 증가 등)	강함	매우 강함	콜레스테롤/LDL콜레스테롤 농도 중등도 감소되나 이에 따른 심혈관질환 발생감소 효과는 불분명함
관동맥질환	약함	매우 강함	근거 불충분
심부전	약함	매우 강함	근거 불충분
뇌졸중	약함	약함	근거 불충분
인지저하	약함	약함	근거 불충분

LDL, low density lipoprotein; LT$_4$, levothyroxine; TSH, thyroid stimulating hormone.

참 / 고 / 문 / 헌

1. 김성연, 민헌기. 제4부 13장 갑상선기능저하증. 임상내분비학. 제3판. 고려의학; 2016. pp. 219-35.

2. 조보연. 제18장 갑상선기능저하증. 임상갑상선학. 제4판. 고려 의학; 2014. pp. 341-77.

3. Bekkering GE, Agoritsas T, Lytvyn L, Heen AF, Feller M, Moutzouri E, et al. Thyroid hormones for subclinical hypothyroidism: a clinical practice guideline. BMJ 2019;365: l2006.

4. Biondi B, Wartofsky L. Treatment with thyroid hormone. Endocr Rev 2014;35:433-512.

5. Biondi D, Bartalena L, Chiovato L, Lenzi A, Mariotti S, Pacini F, et al. Recommendations for treatment of hypothyroidism with levothyroxine and levotriiodothyronine: a 2016 position statement of the Italian Society of Endocrinology and the Italian Thyroid Association. J Endocrinol Invest 2016;39:1465-74.

6. Braverman LE, Cooper DS, Kopp P. Section IV Thyroid diseases: hypothyroidism. Wemer & Ingbar's the thyroid, a fundamental and clinical text. 11th ed. Philadelphia: Lippincott Williams & Wilkins; 2021. pp. 531-640.

7. Chaker L, Bianco AC, Jonklaas J, Peeters RP. Hypothyroidism. Lancet 2017;390:1550-62.

8. Choi HS, Park YJ, Kim HK, Choi SH, Lim S, Park DJ, Jang H-C et al. Prevalence of subclinical hypothyroidism in two population based-cohort: Ansung and KLoSHA cohort in Korea. J Korean Thyroid Assoc 2010;3;32-40.

9. Garber JR, Cobin RH, Gharib H, Hennessey JV, Klein I, Mechanick JI, et al. Clinical practice guidelines for hypothyroidism in adults: cosponsored by the American Association of Clinical Endocrinologists and the American Thyroid Association. Endocr Pract 2012;18:988-1028.

10. Hollowell JG, Staehling NW, Flanders WD, Hannon WH, Gunter EW, Spencer CA, et al. Serum TSH, T(4), and thyroid antibodies in the United States population (1988-1994): National Health and Nutrition Examination Survey (NHANES III). J Clin Endocrinol Metab 2002;87:489-99.

11. Jonklaas J, Bianco AC, Bauer AJ, Burman KD, Cappola AR, Celi FS, et al. Guidelines for the treatment of hypothyroidism: prepared by the American Thyroid Association task force on thyroid hormone replacement. Thyroid 2014;24:1670-751.

12. Kim WG, Kim WB, Woo G, Kim H, Cho Y, Kim TY, et al. Thyroid stimulating hormone reference range and prevalence of thyroid dysfunction in the Korean population: Korea National Health and Nutrition Examination Survey 2013 to 2015. Endocrinol Metab (Seoul) 2017;32:106-14.

13. Kwon H, Jung JH, Han KD, Park YG, Cho JH, Lee DY, et al. Prevalence and annual incidence of thyroid disease in Korea from 2006 to 2015: a nationwide population-based cohort study. Endocrinol Metab (Seoul) 2018;33:260-7.

14. LeFevre ML, U.S. Preventive Services Task Force. Screening for thyroid dysfunction: U.S. Preventive Services Task Force recommendation statement. Ann Intern Med 2015;162:641-50.

15. McDermott MT. Hypothyroidism. Ann Intern Med 2020; 173:ITC1-16.

16. National Institute for Health and Care Excellence [Internet]. c2022. Clinical Knowlegde Summaries. Subclinical hypothyroidism (non-pregnant); 2018 [cited 2018]. Abailable from: https://cks. nice.org.uk/hypothyroidism#! scenario:1.

17. Okosieme O, Gilbert J, Abraham P, Boelaert K, Dayan C, Gurnell M, et al. Management of primary hypothyroidism: statement by the British Thyroid Association Executive Committee. Clin Endocrinol(Oxf) 2016;84:799-808.

18. Parretti H, Okosieme O, Vanderpump M. Current recommendations in the management of hypothyroidism: developed from a statement by the British Thyroid Association Executive. Br J Gen Pract 2016;66:538-40.

19. Pearce SH, Brabant G, Duntas LH, Monzani F, Peeters RP, Razvi S, et al. 2013 ETA guideline: management of subclinical hypothyroidism. Eur Thyroid J 2013;2:215-28.

20. Peeters RP. Subclinical Hypothyroidism. N Engl J Med 2017;376:2556-65.

21. Seo GH, Chung JH. Incidence and prevalence of overt hypothyroidism and causative diseases in Korea as determined using claims data provided by the health insurance review and assessment service. Endocrinol Metab (Seoul) 2015;30:288-96.

22. Stott DJ, Rodondi N, Kearney PM, Ford I, Westendorp RGJ, Mooijaart SP, et al. Thyroid hormone therapy for older adults with subclinical hypothyroidism. N Engl J Med 2017;376:2534-44.

23. Taylor PN, Iqbal A, Minassian C, Sayers A, Draman MS, Greenwood R, et al. Falling threshold for treatment of borderline elevated thyrotropin levels-balancing benefits and risks: evidence from a large community-based study. JAMA Intern Med 2014;174:32-9.

24. UpToDate [Internet]. Subclinical hypothyroidism in non-pregnant adults; 2018. Available from: https://www.uptodate.com/contents/subclinical-hypothyroidism-in-non-pregnant-adults.

25. Vanderpump MP, Tunbridge WM, French JM, Appleton D, Bates D, Clark F, et al. The incidence of thyroid disorders in the community: a twenty-year follow-up of the Whickham Survey. Clin Endocrinol (Oxf) 1995;43:55-68.

26. Wiersinga WM, Duntas L, Fadeyev V, Nygaard B, Vanderpump MP. 2012 ETA guidelines: the use of L-T4 + L-T$_3$ in the treatment of hypothyroidism. Eur Thyroid J 2012;1:55-71.

갑상선염

이종민

I. 서론

갑상선염은 급성세균감염에서 만성자가면역갑상선염까지 다양한 형태의 염증질환을 통칭하는 것으로 조직학적으로 미만성 혹은 불규칙적인 염증 침윤이 발생한 것을 의미한다. 갑상선기능은 갑상선염의 원인, 경과에 따라 다양한 양상을 보이기 때문에 갑상선세포의 기능장애가 진단의 필수 요건은 아니다. 갑상선염의 원인 및 임상양상은 매우 다양해서 간단히 분류하기가 어려운 점이 있다. 일반적으로 임상경과(급성, 아급성, 만성)와 조직병리소견을 종합해서 분류하는 방법을 많이 이용하고 있다. 급성경과를 보이는 경우는 세균이나 진균감염에 의해 발생하는 감염성 갑상선염이 대표적이며, 아급성경과를 보이는 경우는 갑상선의 통증이나 압통을 동반하지 않는 아급성림프구갑상선염과 통증과 압통을 동반하는 아급성육아종갑상선염이 있다. 만성경과를 보이는 것으로는 만성림프구갑상선염이 대표적이다. 갑상선의 통증이나 압통 유무가 감별진단에 많은 도움을 주기 때문에 통증 유무에 따른 분류방법도 유용하다. 임상에서는 갑상선의 통증을 동반하는 아급성육아종갑상선염을 일반적으로 아급성갑상선염으로 지칭하고 있어 용어에 혼선이 있을 수 있으며 기타 갑상선염의 경우에도 동의어가 흔히 사용되고 있어 이에 대한 정리가 필요하다. 아급성육아종갑상선염은 바이러스감염과 관련이 있으며 아급성림프구갑상선염과 만성림프구갑상선염은 자가면역기전에 의해 발생한다. 그 외 리델갑상선염과 외상이나 방사선, 약물에 의해 발생하는 갑상선염 등이 있다. 갑상선염의 질환명과 동의어를 정리하고 통증 유무에 따라 분류하였다(표 3-7-1).

II. 하시모토갑상선염

1. 서론

하시모토갑상선염은 요오드 섭취가 충분한 지역에서 발생하는 갑상선기능저하증의 가장 흔한 원인으로 면역세포 및 면역항체를 매개로 갑상선조직이 파괴되어 발생한다. 1912년 하시모토가 처음으로 보고하였으며, 당시 struma lymphomatosa라고 명명하였다. 일부에서는 갑상선종을 수반한 경우에 국한해서 하시모토갑상선염으로 부르지만 일반적으로 갑상선종대가 없는 위축성갑상선염을 모두 포함해서 만성갑상선염 또는 만성자가면역갑상선염, 만성림프구갑상선염 등으로 부르고 있다. 갑상선종대, 또는 위축을 보이는 두 가지 형태는 병태생리학적인 원인은 동일하지만 림프구 침윤, 섬유화 및 갑상선여포의 증식정도에서 차이를 보인다.

표 3-7-1. 갑상선의 통증 유무에 따른 갑상선염의 분류

질환명	동의어 또는 원인
갑상선의 통증을 동반하는 갑상선염	
아급성갑상선염	아급성육아종갑상선염 아급성비화농갑상선염 드퀘르뱅갑상선염
감염성갑상선염	급성 또는 만성갑상선염 화농성갑상선염
방사선유발갑상선염	
촉진 또는 외상성갑상선염	
갑상선의 통증을 동반하지 않는 갑상선염	
무통갑상선염 - 분만 후에 발생한 경우 - 약물과 연관된 경우	아급성림프구갑상선염 무증상갑상선염 자연적으로 소실되는 갑상선기능항진증을 동반한 림프구갑상선염 산후갑상선염 인터페론 α (interferon α) 인터루킨-2 (IL-2) 리튬 타이로신인산화효소억제제(tyrosine kinase inhibitor) 면역관문억제제(immune checkpoint inhibitor)
하시모토갑상선염 - 분만 후에 악화된 경우	만성림프구갑상선염 만성자가면역갑상선염 산후갑상선염
아미오다론-연관갑상선염	
리델갑상선염	섬유성갑상선염 침습갑상선염

2. 역학

하시모토갑상선염의 평균 발병률은 여성의 경우 매년 1,000명당 4명, 남성은 매년 1,000명당 1명이며 어느 연령에서나 발생할 수 있고, 나이가 증가할수록 남녀 모두 유병률이 증가한다. 요오드섭취량이 많은 지역에서 더 많이 발생한다. 갑상선기능이 정상인 여성의 약 10%, 남성의 5.3%에서 갑상선 자가항체가 발견된다. 갑상선기능은 정상이면서 갑상선 자가항체만 양성인 사람들의 경우에도 향후 갑상선 기능저하증이 발생할 위험성이 높으며, 증상은 없지만 갑상선자극호르몬이 높고 동시에 자가항체가 양성인 경우 임상적인 갑상선기능저하증이 발생할 위험도는 더 높은 것으로 알려져 있다. 일부 연구의 경우 갑상선 자가항체가 양성인 여성의 50%에서 출산 후 갑상선기능의 변화를 보이는 것으로 알려져 있다. 따라서 증상이 없는 자가면역갑상선염을 포함할 경우 자가면역갑상선염은 매우 흔한 질환임을 알 수 있으며, 여성 10-30명 중 1명은 자가면역갑상선염을 갖고 있을 것으로 추정된다.

3. 병태생리

하시모토갑상선염의 조직병리소견상 림프구의 침윤과 여포의 파괴가 관찰되고, 환자의 대부분이 갑상선 자가항체를 보유하고 있는 점, 자가면역 원인으로 발생하는 다른 질환과 임상적, 면역학적인 소견이 중복되는 점을 고려하면 하시모토갑상선염은 자가면역기전에 의해 발생하는 것이 확실하다. 하시모토갑상선염은 유전소인과 다양한 환경요소가 복합적으로 작용하여 발생한다. 가족 중에 그레이브스병이 있는 경우도 있고 일부 그레이브스병 환자가 하시모토갑상선염으로 변하기도 하는 점, 반대로 하시모토갑상선염에서 그레이브스병으로 변하기도 하는 것으로 보아 두 질환은 갑상선의 기능상태는 서로 다르지만 병태생리학적으로 매우 밀접한 관계가 있음을 알 수 있다. 하시모토갑상선염은 그레이브스병과 달리 갑상선을 자극하는 자가항체가 생성되기 보다는 갑상선세포가 파괴되는 특징을 보이며 갑상선의 약 90%가 파괴될 때 갑상선기능저하증이 발생한다.

1) 발병기전

하시모토갑상선염은 유전감수성과 환경요소가 복합적으로 작용하여 발생하는 것으로 여겨지고 있지만 어떤 요인에 의해 갑상선항원에 대한 관용을 벗어나 자가면역반응이 촉발되고 유지 또는 악화되는지 분명하게 알려진 것은 없다. 모든 자가면역질환의 주요 발병가설이 하시모토갑상선염에도 동일하게 적용될 것으로 보고 있으며 분자모방, 방관자활성화(bystander activation), 갑상선세포의 주조직적합복합체(major histocompatibility complex) class II 표출, Fas-Fas리간드 상호작용에 의한 갑상선세포자멸사가 관여하는 것으로 보인다. 자가면역갑상선염의 대표적인 면역학적 특징은 대다수 환자에서 갑상선과산화효소, 갑상선글로불린에 대한 자가항체가 존재하고 일부에서 갑상선자극호르몬수용체항체가 존재하는 것이다. 그 외에도 소수의 환자에서 소듐요오드동반수송체(Na^+/I^--symporter), colloid antigen-2에 대한 항체 및 갑상선자극호르몬수용체를 통하지 않고 직접 갑상선세포에 작용하는 성장촉진항

체, 성장억제항체 등이 발견되며 드물게 갑상선호르몬(T_3, T_4)에 대한 자가항체가 발견되지만 이들은 발병과는 큰 연관성이 없는 것으로 보인다. 대부분의 항갑상선과산화효소항체와 항갑상선글로불린항체는 갑상선에 침윤된 활성화된 B세포에서 만들어지며, 일부는 갑상선 외부의 림프조직에서 만들어진다. 이들 자가항체의 경우 시험관검사에서는 혈청 보체와 결합하여 갑상선세포에 대해 세포독성을 나타낸다. 한편 환자의 갑상선에서 항갑상선과산화효소항체와 보체의 복합체가 발견되기는 하지만 실제 갑상선세포를 파괴하는지는 불확실한데 그 이유로는 항갑상선과산화효소항체의 역가와 갑상선기능 및 갑상선 위축과는 무관하며, 태반을 통과한 항갑상선과산화효소항체가 신생아의 갑상선에는 영향을 주지 않기 때문이다.

하시모토갑상선염 환자의 약 15%는 갑상선자극호르몬수용체(TSH receptor)에 대한 자가항체를 갖고 있는데, 갑상선자극호르몬이 수용체에 결합하는 것을 방해하여(갑상선자극차단항체, thyroid stimulation blocking antibody, TSBAb) 갑상선기능저하증을 유발하며, 일부에서는 갑상선의 위축을 유발한다. 갑상선 위축은 특히 동양인에서 많이 관찰된다. 갑상선자극차단항체는 태반을 통과하여 신생아에서 일시적인 갑상선기능저하증을 일으킨다. 일부 환자는 갑상선자극호르몬수용체를 자극하는 항체(thyroid stimulating antibody, TSAb)와 차단하는 항체(TSBAb)를 동시에 갖고 있어서 이들 항체의 균형에 따라 경과 중에 갑상선기능항진증과 갑상선기능저하증이 변화하면서 나타날 수 있다. 현재 하시모토갑상선염과 그레이브스병은 주로 세포매개면역기전에 의해 발생하는 것으로 여겨지고 있다. 주요 자가항원이 주조직적합복합체 class II와 결합되어 항원제시세포표면에 표출되면 자가반응T세포가 이를 인식하여 면역반응이 발생한다. 자가반응림프구가 존재하는 원인은 주산기에 자가항원에 노출된 미성숙림프구가 흉선에서 클론결손과 무반응(anergy)기전을 통해 면역관용을 획득하게 되는데 아마도 이러한 과정에 문제가 발생하여 남아 있을 것으로 여겨진다. 자가면역갑상선질환의 갑상선조직에는 활성화

된 CD4$^+$, CD8$^+$ T세포 및 B세포들의 침윤이 관찰되며 이러한 자가반응T세포의 면역반응은 초기에는 미약하지만 감염이나 약물 같은 환경요인들에 의해 활성화될 수 있다. 하시모토갑상선염의 경우 주로 세포독성 CD8$^+$ T세포가 분비하는 perforin이 세포괴사를 일으키고, granzyme B가 세포자멸사를 유발하여 갑상선세포가 사멸하는 것은 잘 알려져 있다. 한편 조력 CD4$^+$ T세포는 Fas계를 경유한 세포자멸사 경로를 통해 표적세포의 세포사를 유발한다. CD4$^+$ T세포가 분비하는 사이토카인에 따라 1형 및 2형 조력 T세포(Th1, Th2)로 나누는데, Th1세포는 IL-2, 인터페론γ, 종양괴사인자β (tumor necrosis factor β)를 주로 분비하여 세포면역반응을 유도하고, Th2세포는 IL-4, IL-5, IL-6, IL-10 및 IL-13을 분비하며 (자가)항체형성을 증진시킨다. 하시모토갑상선염의 경우 Th1, Th2세포 모두 발견되지만 Th1세포가 주로 침윤되어 있는 것으로 알려져 있다. 한편 면역반응조절에 중요한 역할을 하는 조절T세포(T$_{reg}$ cell)가 환자에서 감소되어 있거나 부적절한 기능을 하는 것으로 생각된다. Fas계를 통한 세포자멸사에 대한 연구결과들이 축적되고 있으며, 일부 개념만 소개하면 다음과 같다. 정상 및 하시모토갑상선염 환자의 갑상선세포는 모두 기질적으로 Fas리간드를 발현하고 있다. 반면 Fas는 하시모토갑상선염 환자의 갑상선세포에서만 발현된다. 따라서 Fas가 발현된 갑상선세포는 자체의 Fas리간드에 의해 자가세포자멸사에 빠지거나, 갑상선에 침윤된 Th1세포가 표출하고 있는 Fas리간드에 의해 세포자멸사가 발생한다. 한편 Th1세포가 분비하는 종양괴사인자, 인터페론γ, IL-1β는 갑상선세포의 Fas 발현을 증가시켜 세포자멸사를 촉진하며, 갑상선세포에 직접 작용하여 기능을 저하시킬 수 있고 갑상선세포의 주조직적합복합체 class I, II 분자 및 부착분자(adhesion molecule) 표출을 증가시켜 자가면역반응을 강화시킨다(chapter 3. 갑상선질환의 자가면역기전 참고).

2) 유전감수성

하시모토갑상선염은 가족력이 흔하고 일란성쌍둥이에서 발병 일치율이 높은 것으로 보아 유전소인이 관여하는 것으로

인정되고 있다. 연관 가능성이 있는 유전자로 주조직적합복합체를 포함한 다양한 유전자가 알려져 있다. 자가면역반응에 중요하게 관여하는 주조직적합복합체유전자의 다형성과 하시모토갑상선염과의 관련성에 대한 많은 연구들이 있었다. 백인을 대상으로 한 초기 연구에서 위축성갑상선염 환자는 HLA-B8과 DR3가, 갑상선종이 있는 환자는 HLA-DR3, DR5가 감수성유전자로 확인됨에 따라 갑상선종 동반 유무와 감수성유전자 간에 차이가 있는 것으로 생각되었으나 이후 다른 연구에서는 이러한 차이가 보이지 않아 일반적으로 DR3가 하시모토갑상선염과 관련이 있는 것으로 보고 있다. 그 외에도 DQ7, DR4 등이 감수성유전자로 알려졌으며, 일본 사람의 경우 B46과 DR9이 관련성을 보였다. 그러나 자가면역갑상선질환은 당뇨병에 비해 특정 HLA항원에 대한 정연한 연관성이 증명된 것이 없고, 특정 주조직적합복합체 대립유전자의 질병 상대위험도가 2-7 정도로 낮아 주조직적합복합체가 주요 감수성유전자는 아닌 것으로 보고 있다. 중요한 것은 하시모토갑상선염 환자의 갑상선세포가 최소한 이차원인에 의해서라도 HLA-DR항원을 발현하고 있기 때문에 면역반응이 지속될 수 있으며, HLA-DR 대립형질의 일부는 자가면역질환 발생경향과 관련이 있다는 사실이다. 하시모토갑상선염은 다운증후군(Trisomy 21)에서 발생빈도가 높은 것으로 보아 염색체 21번에 감수성유전자가 있을 가능성을 시사한다. 여성에서 많이 발생하는 점은 성호르몬이 영향을 줄 것으로 여겨지나 확실한 증거는 없으며, 터너증후군(45X)에서 많이 발생하는 것으로 보아 일부 X염색체와 관련이 있을 것으로 보인다. 최근 유전체통계학(genome-wide association study) 연구에서 HLA, PTPN22 (protein tyrosine phosphatase non-receptor type 22), CTLA-4유전자가 그레이브스병과 하시모토갑상선염에서 공통적으로 연관성이 있음이 확인되었으며 갑상선자극호르몬수용체 유전체는 그레이브스병과의 연관성은 있지만 하시모토갑상선염과는 연관이 없었다.

3) 촉발요인

(1) 스트레스

스트레스 후 그레이브스병이 발병한 사례들로 보아 스트레스가 자가면역반응에 영향을 주는 것으로 보인다. 이를 설명할 수 있는 한 가지 가능한 기전은 스트레스에 반응하여 분비된 코티솔 또는 부신피질자극호르몬방출호르몬의 영향으로 억제되었던 면역세포가 이후 과도한 면역반응을 보여 자가면역갑상선질환이 발생한다고 보는 것이다. 이러한 발생기전은 산후갑상선염 발생과는 일부 관련이 있을 것으로 보이지만 현재 감정, 정신적 스트레스가 하시모토갑상선염의 발생과 관련이 있다는 직접적인 증거는 없으며 이는 아마도 하시모토갑상선염은 자연경과가 매우 길고, 갑상선의 대부분이 파괴되어야 증상이 나타나기 때문인 것으로 여겨진다.

(2) 성별

하시모토갑상선염이 여성에서 더 많이 발생하는 것으로 보아 성호르몬과 관련이 있을 것으로 보인다. 그러나 젊은 여성보다 나이든 여성에서 하시모토갑상선염의 발생이 더 많은 점은 에스트로젠의 존재 유무가 하시모토갑상선염 발생의 중요한 요인은 아니라는 것을 시사한다. 한편 닭을 이용한 동물실험에서 갑상선글로불린으로 면역반응을 유도하여 갑상선염을 발생시킬 경우 안드로젠은 이를 억제한다는 결과가 제시되었다. 여성에서 호발하는 원인으로 최근에는 X염색체의 역할이 주목을 받고 있으며, 이를 뒷받침하는 다음과 같은 결과들이 제시되었다. 자가면역갑상선질환이 있는 여성 쌍둥이에서 왜곡된 X염색체불활성화(skewed X chromosome inactivation)가 34%에서 관찰된 반면 대조군에서는 단지 11%에서 관찰된다. 이로 인해 첫째, 불활성화된 X염색체에 위치한 자가항원이 충분히 발현되지 않음으로써 면역관용을 형성하지 못할 가능성이 있다. 둘째, X염색체에 위치한 FOXP3유전자는 자가면역갑상선질환과 관련이 있으며 미접촉T세포(naive T cell)가 조절T세포가 되는데 중요한 유전자로 X염색체불활성화로 기능을 상실

하게 된다. FOXP3유전자의 연관성은 강력하지는 않은 것으로 보이며, 그레이브스병유전체기반연관성연구(GWAS)에서는 연관성이 발견되지 않았다.

(3) 임신

산후갑상선염은 일과성임상경과를 보인다는 점만 제외하면 근본적으로 산후하시모토갑상선염으로 볼 수 있다. 산후갑상선염은 갑상선기능의 변화와 회복을 예측할 수 있는질환으로 임신과 출산에 따른 면역계 변화가 자가면역갑상선질환의 경과에 어떠한 영향을 주는지 보여주는 좋은 예이며, 향후 발생할 수 있는 갑상선기능저하증의 중요한 예측지표가 될 수 있다. 여성의 8-10%에서 출산 후 다양한 경과를 보이는 갑상선염이 발생하는 것으로 알려져 있다. 따라서 임신은 일과성산후갑상선염과 출산 후 상당수에서 수년 내 발생하는 갑상선기능저하증의 중요한 촉발요인으로 볼 수 있다. 임신 중 면역관용을 위해 증가되었던 조절T세포가 출산 후 감소하게 되면 임신기간 중 억제되었던 T세포, B세포가 리바운드 현상을 보이고 이로 인해 산후갑상선염이 발생하는 것으로 보인다.

(4) 요오드 및 약물

하시모토갑상선염의 유병률은 요오드섭취량이 많은 지역에서 높다. 요오드 및 요오드를 함유한 아미오다론과 같은 약물은 실험동물 및 감수성이 있는 사람에서 자가면역갑상선염을 유발한다. 그 외 리튬도 확실하지는 않지만 조절T세포에 직접 작용하여 자가면역갑상선염을 악화시키는 것으로 알려져 있다. 요오드 과다섭취가 갑상선염 및 자가항체 발생에 직접 작용하는 것인지 혹은 기존 자가면역갑상선질환의 소인을 악화시키는 것인지 확실히 알 수 없다. 그러나 요오드에 의해 직접적으로 갑상선호르몬 생산이 차단되거나 갑상선세포가 파괴되는 것과는 다른 기전으로 생각되며, 실험동물의 결과로 보아 요오드 섭취를 증가시키면 T세포가 인지하는 갑상선글로불린의 요오드유기화가 증가되고 이로 인해 항원성이 증가하는 것이 한 가지 원인으로 보인다. 한편 요오드는 대식세포, 수상돌기세포, T세포, B세포

같은 면역세포를 자극하여 자가면역반응을 증대시키는 것으로 알려져 있다.

(5) 사이토카인

사이토카인은 직접 조직 손상을 유발하거나 또는 간접적으로 자가반응림프구 및 염증세포들을 활성화시켜 자가면역반응을 증대시킬 수 있다. 암 환자나 만성간염 환자의 치료 목적으로 IL-2 또는 인터페론 α를 투여하면 자가면역반응이 악화되어 일시적인 갑상선기능저하증, 드물게 영구적인 갑상선기능저하증이 발생하기도 하며 급격히 갑상선세포가 파괴되는 경우 갑상선중독증이 발생하거나 그레이브스병이 발생하기도 한다. 이러한 현상은 기존에 항갑상선과산화효소항체를 갖고 있는 자가면역갑상선염 환자에서 더 흔히 발생한다.

(6) 방사선 노출

방사선이 자가면역갑상선질환의 표지자를 발현시킬 가능성이 높을 것으로 생각되지만, 실제 방사선이 이러한 표지자의 증가와 자가면역갑상선기능저하증의 발생에 영향을 주는지는 현재까지 논란이 되고 있다. 체르노빌 핵발전소사고에 노출된 어린이들은 갑상선 자가항체 발현이 높았으며 경과를 추적한 결과에서도 노출량이 많을수록 항갑상선과산화효소항체가 더 많이 나타나는 것을 관찰할 수 있었다. 그러나 무증상갑상선기능저하증은 예상보다 소수에서만 발생하였으며 시간이 경과한 후에도 갑상선기능저하증은 의미 있게 증가하지 않았다. 한편 4,299명의 인구 기반 연구에서 160명이 직업적으로 이온화방사선에 노출(60%는 핵발전소 근무자, 40%는 의학 관련 또는 연구소 근무자)되었는데 노출된 여성의 10%에서 갑상선초음파소견상 저에코의 갑상선실질을 보이면서 항갑상선과산화효소항체가 증가한 자가면역갑상선질환이 관찰된 반면, 노출되지 않은 사람들에서는 3.4%에서만 관찰되었다. 원자폭탄피폭 후 생존한 일본인을 대상으로 55년 이상 경과한 후 관찰한 결과에서는 방사능피폭이 갑상선결절의 발생위험도에는 지속적으로 영향을 주고 있었지만 갑상선 자가항체의 발현에 미치는 영향은 추적기간이 장기화될수록 감소하는 경향을 보였으며 자가면역갑상선질환과 피폭량 간 상관관계는 관찰되지 않았다. 따라서 이 결과는 현재까지는 방사선 노출과 자가면역갑상선질환의 발생 간에는 연관성이 없다는 가장 강력한 증거라 볼 수 있겠다. 그 외 핸포드핵시설에서 노출된 사람들을 장기간 추적관찰한 결과에서도 자가면역갑상선질환이나 갑상선기능저하증은 증가하지 않았다.

(7) 연령

갑상선기능은 시간이 경과할수록 자가면역기전에 의해 지속적으로 소실되기 때문에 나이가 많을수록 자가면역갑상선염의 유병률이 뚜렷하게 증가한다. 이러한 경향은 기타 자가면역표지자에서도 유사하게 관찰되는 것으로 보아 연령이 증가할수록 자가항원에 대한 면역관용이 점차 소실되는 것을 시사한다.

(8) 감염

실험동물에서는 바이러스를 감염시켜 갑상선자가면역을 촉발한 경우가 있지만 사람에서는 감염이 발병에 직접적으로 관여한다는 증거는 없다. 바이러스감염으로 추정되는 아급성갑상선염을 앓은 후에 일부 환자에서 자가면역갑상선질환이 발생하거나 질환이 발생하지는 않더라도 일부에서 갑상선 자가항체들이 나타나는 사례가 있지만 만성갑상선염으로 진행한다는 확실한 증거는 없다. 선천풍진을 앓은 후에 하시모토갑상선염, 그레이브스병, 위축성갑상선염이 발생한 사례가 있으며, C형간염 환자에서 만성갑상선염의 빈도가 높은 것으로 알려져 있다. 그 밖에 하시모토갑상선염 환자에서 발병 전에 세균이나 바이러스에 감염되었던 병력이 많으며, 레트로바이러스감염과 관련이 있고, 환자의 혈청에서 예르시니아항체가 정상인에 비해 많이 나타나는 점 등은 하시모토갑상선염이 감염과 관련이 있음을 시사한다.

(9) 태아미세키메라증

태아미세키메라증(fetal microchimerism)은 자가면역갑상선질환이 있는 어머니의 갑상선에서 태아의 세포가 발견되는 것으로 태아의 세포가 이식편대숙주반응(graft versus host reaction)을 촉발함으로써 하시모토갑상선염의 발생에 중요한 역할을 할 것으로 보는 가설이다.

4) 병리조직소견

하시모토갑상선은 육안소견상 미만성, 대칭성으로 커지며 추체엽이 뚜렷하다. 표면은 분엽화되어 있고 견고하나 주위 조직과의 유착은 없으며 창백하고 단단하다(그림 3-7-1A). 현미경소견은 다양한 양상을 보이지만 일반적으로 세포자멸사에 의해 전반적으로 갑상선여포가 상실되고 림프구가 간질조직에 침윤되어 있으며, 배중심(germinal center)을

보이는 전형적인 림프구유사여포(lymphoid follicle)가 형성되기도 한다. 대부분의 환자에서 세포자멸사에 의한 상피세포의 파괴 및 여포기저막의 분절과 퇴행이 관찰되며 남아 있는 상피세포는 약간 커져 있고 호산성 염색의 특징을 나타내는데 이런 세포를 소위 'Askanazy'세포로 부르며 진단에 중요한 소견이 된다. 여포강은 위축되고 콜로이드는 없거나 양이 매우 적다(그림 3-7-1B). 섬유화는 일반적으로 병이 오래된 경우에 나타나지만 리델갑상선염보다는 심하지 않다(그림 3-7-1C). 소아나 청소년 환자의 경우 여포세포의 호산성변성이나 섬유화가 상대적으로 적고 상피세포의 증식이 현저한 경향을 보인다. 과거에는 림프구양 여포나

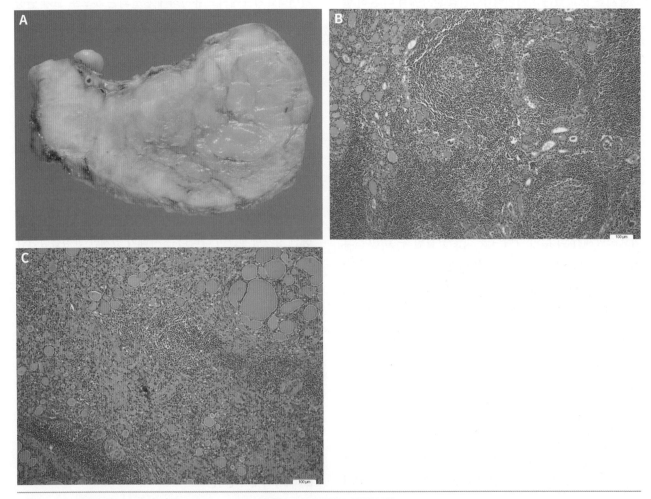

그림 3-7-1. **하시모토갑상선염**

A: 림프구 침윤, 섬유화, 여포의 손실 등에 의해 창백한 색을 띠고 있는 하시모토갑상선염조직의 단면도, B: 배중심 형성, 심한 림프구 침윤, 부분적으로 파괴된 여포 등의 모습이 관찰되는 전형적인 현미경소견, C: 심한 섬유화와 여포의 손실이 관찰되는 섬유화변종(fibrous variant)의 현미경소견.

Askanazy세포가 관찰될 때 하시모토갑상선염으로 진단하였으나 현재는 여포의 파괴소견이 주 진단기준이며, 이와 더불어 간혹 여포강내 단핵세포의 침윤이 있으면 하시모토갑상선염으로 진단하고 있다. 림프구의 침윤정도는 혈중 갑상선 자가항체의 역가와 대체적으로 상관관계를 보인다.

4. 임상특성

갑상선종대는 하시모토갑상선염의 전형적인 특징 중 하나이다. 보통 매우 서서히 커지며 좌우엽이 동시에 커지는 미만성갑상선종 상태로 진단되는 경우가 흔하다. 서서히 진행되기 때문에 건강검진이나 초음파검사 시 우연히 발견되는 경우가 많다. 갑상선기능저하증 증상보다는 갑상선종대로 인해 발견되는 경우가 많으며 약 10%의 환자에서만 갑상선기능저하증을 동반한다. 나이가 많을수록 갑상선기능저하증의 유병률이 높다. 일부 환자, 특히 섬유화변종의 경우에는 첫 발견 시 갑상선기능저하증을 보인다. 드물게 갑상선이 급속도로 커지는 경우에는 목부위의 불쾌감, 삼킴곤란이나 쉰소리 등이 발생할 수 있으며, 통증과 압통을 동반하는 경우에는 아급성갑상선염으로 오인하기도 한다. 갑상선은 단단하고, 음식을 삼킬 때 자유롭게 움직인다. 갑상선표면은 매끄럽거나 울퉁불퉁하지만 뚜렷한 결절처럼 만져지는 경우는 드물다. 갑상선 좌, 우엽이 동시에 커지지만 비대칭적으로 커질 수 있으며 추체엽이 커질 수 있다. 기관, 식도, 반회후두신경 같은 인접조직을 압박하기도 하며, 드물게 국소 림프절이 만져질 수 있다.

갑상선종대가 없는 갑상선기능저하증(위축성갑상선염)은 자가면역기전에 의해 갑상선이 완전히 파괴된 최종결과물로 여겨지고 있다. 임상적으로 갑상선종대가 있는 하시모토갑상선염이 진행하여 갑상선이 위축되는 경우는 드물며 실제 하시모토갑상선염의 조직검사를 추적관찰해 보면 섬유화가 증가하는 것을 제외하고 큰 변화 없이 유지된다. 따라서 위축성갑상선염은 하시모토갑상선염 초기에 발생한 대량의 세포자멸사가 원인으로 여겨지고 있다.

하시모토갑상선염 환자에서도 간혹 그레이브스병에 의한 갑상선기능항진증이 발생하기도 하며, 초기 하시모토갑상선염 환자의 경우 갑상선세포 파괴로 인해 일시적인 갑상선중독증(Hashitoxicosis)을 보이는 무통갑상선염이 나타날 수 있다. 환자의 가족 중에는 하시모토갑상선염, 갑상선종, 갑상선기능저하증이나 그레이브스병의 병력이 흔히 있으며 임상적인 갑상선질환이 없는 가족 중에서도 갑상선 자가항체가 발견된다. 하시모토갑상선염은 다발내분비기관부전증후군의 한 가지 요소로 나타날 수 있으므로 부갑상선저하증, 부신부전, 만성점막피부칸디다증, 1형당뇨병, 일차난소부전과 같은 질환을 동반하는지 주의해서 관찰하여야 한다. 환자나 환자의 가족은 백반증, 위축위염, 악성빈혈, 전신경화증, 중증근무력증, 부신위축, 홍반루푸스, 류마티스관절염, 특발혈소판감소성자색반증, 쇠그렌증후군(Sjögren syndrome) 등과 같은 자가면역질환을 동반하는 경우가 흔하다.

하시모토갑상선염이 있는 산모의 경우 자연유산의 위험성이 증가한다는 보고가 있지만 확실히 증명되지는 않았다. 항갑상선과산화효소항체를 갖고 있는 여성 중 약 30%에서 출산 후 3–6개월 사이에 일시적인 갑상선기능저하증을 보이는 산후갑상선염이 발생한다. 이러한 환자들은 문진상 출산 후 일시적인 갑상선기능항진증의 증상이 있었던 경우가 많다.

갑상선의 악성림프종은 대부분 기존의 하시모토갑상선염에서 발생하기 때문에 통증을 동반하면서 갑상선이 빠르게 커지는 경우 주의를 기울여야 한다. 하시모토갑상선염에서 갑상선암이 더 많이 발생한다는 증거는 없으며 동반된 갑상선유두암은 경과가 양호하다. 하시모토뇌병증 또는 뇌염(Hashimoto's encephalopathy or encephalitis)은 매우 드문 합병증으로 항갑상선과산화효소항체가 존재하고, 뇌파검사상 slow-wave activity를 보이며 스테로이드 투여로 호전되는 증후군이다. 뇌병증이 진행하거나 재발하는 양상을 보이는 경우도 있다. 신경학적인 합병증과 비정상갑상선기능이 동반되는 경우가 있지만 대다수 환자는 정상 갑상선기능을 보인다. 뇌척수액검사에서 단백질 양은 증가하지만 세포 수는 증가하지 않는다.

20세 미만의 청소년기에 나타나는 청소년형하시모토갑상선염과 섬유화형하시모토갑상선염은 하시모토갑상선염의 일종의 변형 형태로 볼 수 있다. 청소년기에 나타나는 경우 전형적인 하시모토갑상선염과 임상양상이 다른 점이 많다. 대다수 환자는 미만성갑상선종 이외에 뚜렷한 증상이 없으며 갑상선기능저하증은 드물다. 갑상선종은 미만성으로 커져 있지만 크기가 비교적 작고 표면은 평활하고 촉감도 연하다. 자가항체는 양성이나 그 역가는 비교적 낮다. 갑상선질환의 가족력이 있는 경우가 많다. 단순 갑상선종과는 자가항체의 유무로 구별할 수 있다. 대부분 정상 갑상선기능을 보이므로 치료는 필요 없고 6개월 내지 1년마다 갑상선기능검사 및 갑상선종의 변화를 관찰한다. 향후 임신, 출산을 할 경우 산후 갑상선염이 발생할 가능성이 높으므로 교육이 필요하다.

섬유화형하시모토갑상선염은 섬유화가 심해서 갑상선종이 매우 딱딱하게 촉지되는 경우이다. 주로 노인에서 발견되며 일부 환자는 심한 경부 압박감과 통증 및 압통을 동반하기 때문에 아급성갑상선염, 리델갑상선염, 갑상선암과 감별이 필요하다. 검사소견은 전형적인 하시모토갑상선염과 차이가 없으며 치료도 동일하다. 일부는 스테로이드 투여로 통증이 호전되는 경우도 있지만 경부 압박증상과 통증이 심하면 수술로 갑상선을 제거한다.

5. 진단

하시모토갑상선염을 확진하기 위해서는 세포검사 또는 조직검사가 필요하지만 임상적으로 미만성갑상선종이 있고 갑상선기능항진증의 소견이 없으면서 혈청갑상선 자가항체가 검출되는 경우 조직검사를 하지 않아도 진단이 가능하다. 이와 더불어 혈청갑상선자극호르몬이 증가되어 있다면 진단은 더욱 확실해진다. 진단 당시 갑상선기능저하증으로 진

행된 환자는 갑상선기능저하증의 다양한 증상과 징후를 관찰할 수 있다(갑상선기능저하증 참고). 하시모토갑상선염의 검사소견 중 가장 특징적인 소견은 갑상선 자가항체의 역가가 높은 점이다. 항갑상선과산화효소항체는 90% 이상의 환자에서 검출되며 항갑상선글로불린항체는 50-60%에서 검출된다. 드물지만 약 10% 정도에서 갑상선자극호르몬수용체항체가 양성을 보인다. 갑상선과산화효소의 활성이 감소되어 요오드의 유기화과정에 장애가 일어나기 때문에 과염소산염방출검사(perchlorate discharge test)에서 양성소견을 보인다. 갑상선기능상태는 환자에 따라 매우 다양하다. 초기에는 대부분 갑상선호르몬 농도는 정상이나 일부에서 감소할 수 있고 이 경우 갑상선자극호르몬은 증가한다. 일부에서는 임상증상 없이 갑상선자극호르몬은 상승하고 T_3와 T_4는 정상을 보이는 무증상갑상선기능저하증이 나타날 수 있다. 드물게 갑상선호르몬은 정상이면서 갑상선자극호르몬만 저하된 소견을 보이는 경우가 있는데 이로 인해 갑상선기능항진증으로 오인할 수 있다. 이러한 경우 방사성요오드섭취율이 증가하기도 하지만 T_3나 T_4의 수치는 정상으로 유지되며, 환자의 대사상태도 정상이다. 초기 하시모토갑상선염 환자에서 갑상선세포 파괴로 인해 일시적인 갑상선중독증을 보이는 무통갑상선염이 나타날 수 있다. 병이 진행함에 따라 갑상선자극호르몬이 증가하면 갑상선은 처음에는 증가된 갑상선자극호르몬 자극에 반응하여 호르몬 생합성장애를 보상한다. 그러나 시간이 경과함에 따라 갑상선조직의 파괴가 증가되면 갑상선자극호르몬에 대한 반응 능력은 감소하게 되며 이 단계가 되면 방사성요오드섭취율과 T_4는 정상 이하로 감소한다. 한편 이 단계에서도 T_3는 정상을 보이기도 하는데 이는 증가된 갑상선자극호르몬에 대해 갑상선이 최대의 반응을 보이기 때문으로 여겨진다. 이상과 같이 병의 경과와 진행정도에 따라 방사성요오드섭취율은 증가, 정상, 감소 등 다양하게 나타나므로 진단에 도움이 되지 않는다. 갑상선스캔도 다양한 양상을 보이는데 전형적인 하시모토갑상선염의 경우에는 갑상선의 미만성종대와 불규칙하며 감소된 동위원소섭취를 보인다. 그러나 많은 환자에서 섭취가 정상일 수 있다(표 3-7-2).

표 3-7-2. 하시모토갑상선염의 검사소견

- 갑상선 자가항체 양성: 항갑상선과산화효소항체(90% 이상), 항갑상선 글로불린항체(50–60%), TSH수용체항체(10%)
- 갑상선호르몬: 정상, 감소 등 다양
- TSH: 정상, 증가, 감소 등 다양
- 방사성요오드섭취율: 정상, 증가, 감소 등 다양
- 갑상선스캔: 전형적인 미만성 종대, 불규칙한 방사능 분포(TSH가 증가된 일부에서 균일한 방사능 섭취 증가)

6. 감별진단

하시모토갑상선염은 갑상선 자가항체가 높은 역가로 검출되기 때문에 대부분 다른 갑상선질환과 쉽게 감별이 가능하며, 갑상선기능저하증을 동반한 경우 감별이 더 용이하다. 갑상선기능이 정상인 경우는 단순갑상선종(미만성비독성갑상선종), 다결절갑상선종, 갑상선암과의 감별진단이 간혹 어려울 때가 있다. 특히 사춘기에 발생한 하시모토갑상선염은 갑상선 자가항체의 역가가 높지 않기 때문에 단순갑상선종과의 감별이 어려울 수 있다. 단순갑상선종의 경우 하시모토갑상선염보다 부드럽게 만져지며, 갑상선 자가항체가 없는 점, 갑상선초음파에서 단순갑상선종은 내부 에코가 균일한 반면 하시모토갑상선염은 비균질성 에코를 보이는 특징으로 감별할 수 있다. 다결절성갑상선종은 경계가 뚜렷한 결절을 보이므로 대부분 하시모토갑상선염과 감별할 수 있다. 갑상선암은 보통 결절성이며, 결절은 단단하거나 딱딱하고 주위조직에 고정되어 있는 경우가 많다. 반회후두신경을 압박해서 발생하는 쉰소리는 갑상선암의 진단에 중요한 소견으로 비교적 병이 진행된 후에 나타난다. 갑상선종이 최근에 갑자기 더 커진 경우는 갑상선암이나 림프종의 가능성이 높기 때문에 세침흡인세포검사를 시행하여 감별해야 한다. 국소림프절종대 역시 갑상선암을 더 시사한다. 갑상선초음파검사나 갑상선스캔검사에서 갑상선암은 한쪽에 격리되어 경계가 비교적 뚜렷한 병변을 보이는 반면 하시모토갑상선염은 보통 갑상선 전반에 걸쳐 비균질의 에코를 보이고 동위원소 섭취도 비균질한 양상을 보인다. 갑상선세포파괴로 발생하는 일시적인 갑상선중독증은 그레이브스병으로 오인될 수 있다. 그레이브스병의 경우 보통 갑상선기능

항진증이 3개월 이상 지속되며, 갑상선자극호르몬수용체항체가 양성인 경우가 많고(> 90%), 방사성요오드섭취율이 증가한다. 갑상선중독증의 경우 방사성요오드섭취율은 감소하고 갑상선자극호르몬수용체항체가 발견되지 않으며 갑상선기능항진증이 지속되는 기간은 3개월 미만이다.

7. 치료

하시모토갑상선염의 발병원인인 비정상 면역기능을 근본적으로 치료하거나 조절할 수 있는 방법은 현재 없다. 갑상선호르몬을 투여하는 목적은 갑상선기능저하증을 정상화시키거나, 주위 구조를 압박하거나 미관상 좋지 않은 갑상선종을 경감시키기 위한 것이다. 대부분의 환자가 갑상선종이 크지 않고 증세가 없으며, 갑상선자극호르몬이 정상범위에 있기 때문에 치료가 필요한 경우는 많지 않다. 진단 당시 갑상선기능이 정상인 환자는 대부분 지속적으로 정상 상태를 유지하며, 일부는 시간이 경과하면서 영구적 갑상선기능저하증으로 진행한다. 갑상선호르몬제는 최근에 발생한 갑상선종에는 효과적이지만 갑상선의 섬유화가 진행된 후에는 효과가 적다. 갑상선기능저하증의 교정 및 유지를 위해서 하루에 레보타이록신(LT$_4$) 100–200 μg (1.6 μg/kg/일)이 필요하다. 갑상선호르몬은 서서히 용량을 증가하여 필요한 최대용량까지 투여하며, T$_4$와 갑상선자극호르몬이 정상범위에 있도록 조절한다. 갑상선호르몬을 투여해도 갑상선종이 줄지 않고 주위 조직을 압박하는 증상이 계속되거나 미관상 좋지 않은 경우에는 수술하고 갑상선호르몬을 지속적으로 투여한다. 갑상선기능이 정상으로 유지되고 있는 환자가 과량의 요오드를 섭취하면 일시적으로 갑상선기능저하증

이 나타날 수 있으며, 이 경우 요오드 섭취를 제한하기만 해도 약 반수의 환자에서 갑상선기능이 회복되며 나이가 어릴수록 잘 회복된다. 당질부신피질호르몬을 투여하면 갑상선종의 크기를 줄이고 자가항체의 역가도 낮출 수 있지만 약물의 부작용과 치료 중단 시 재발하는 문제점으로 일반적으로 권장되지는 않는다. 섬유화형하시모토갑상선염 환자 중 심한 경부 압박감과 통증 및 압통을 동반하는 경우 스테로이드 투여로 통증이 호전되는 경우도 있지만, 경부 압박 증상과 통증이 심하면 수술로 갑상선을 제거한다. 갑상선기능이 정상인 환자를 대상으로 예방 목적으로 1년간 갑상선호르몬(1.0-2.0 µg/kg/일)을 투여한 결과 항갑상선과산화효소항체와 갑상선 B림프구가 감소하는 것을 관찰할 수 있었으며, 이는 예방적인 갑상선호르몬 투여가 질환의 진행을 억제할 수 있음을 시사한다.

8. 예후

젊은 환자의 경우 진단 당시 갑상선종과 갑상선기능저하증을 동반한 경우라도 약 10-15%에서만 영구적갑상선기능저하증이 발생하며, 고령의 환자일수록 영구적갑상선기능저하증이 지속될 가능성이 높다. 진단 당시 갑상선기능이 정상인 경우 대다수 환자는 지속적으로 정상을 유지하지만 일부는 시간이 경과하면서 갑상선기능저하증으로 진행하며, 한번 갑상선기능저하증으로 이환되면 모두는 아니지만 대부분 영구적으로 지속된다. 어떤 유형의 환자가 영구적갑상선기능저하증으로 이행되는지 예측할 수 있는 유용한 지표가 없으므로 치료하지 않는 경우라도 정기검사가 필요하다.

무증상갑상선기능저하증을 보이는 환자 중 약 5%가 매년 임상적 갑상선기능저하증으로 이환된다. 매우 드물게 갑상선호르몬을 복용하던 환자가 갑상선기능이 정상화되어 갑상선호르몬 투여가 필요 없게 되는 경우가 있는데 이들은 아마도 갑상선자극호르몬수용체차단항체가 존재하다 사라지면서 갑상선기능이 회복되었을 것으로 보인다. 항갑상선 자가

항체의 역가는 시간이 경과해도 변하는 경우가 드물다. 항갑상선과산화효소항체가 사라지면 갑상선기능저하증이 관해될 수 있는지에 대해서는 확실히 알려진 것이 없다.

III. 위축성자가면역갑상선염 (일차점액부종)

위축성자가면역갑상선염은 여성에게 흔하며 40-60세 환자가 많다. 대부분 자가면역기전에 의해 갑상선조직이 파괴되어 발생하지만 일부 환자에서는 갑상선자극호르몬이 수용체에 결합하는 것을 방해하는 차단형갑상선자극호르몬수용체항체로 인해 갑상선이 위축되고 갑상선기능저하증이 발생한다. 위축성자가면역갑상선염은 여러 내분비기관의 부전을 보이는 자가면역증후군의 한 가지로 부신부전, 부갑상선저하증, 성선발육부전, 1형당뇨병, 악성빈혈이 동반되기도 한다. 조직병리소견상 약간의 갑상선여포가 남아 있고 림프구 침윤이 군데군데 초점을 형성하며, 주로 섬유조직으로 구성되어 있다. 보통 갑상선은 전혀 만져지지 않지만 정상 크기인 경우도 있다. 갑상선기능검사상 T_4는 낮고 갑상선자극호르몬은 높게 나타난다. 항갑상선글로불린항체와 항갑상선과산화효소항체는 환자의 80%에서 검출되며 유병기간이 오래된 경우 검출되지 않는 경우도 있다.

IV. 무통갑상선염

1. 서론

무통갑상선염의 병리학적인 진단명은 아급성림프구갑상선염(subacute lymphocytic thyroiditis)으로 임상에서는 일반적으로 무통갑상선염(painless thyroiditis, silent thyroiditis)으로 통용되고 있다. 일과성갑상선중독증후 갑상선기능저하증을 거쳐 정상으로 회복되는 특징을 보인다. 전체 갑상선중독증의 원인 중 약 0.5-5% 정도를 차지한다.

03
갑상선

출산 후 1년 이내 발생한 무통갑상선염을 산후갑상선염으로 정의하며 임상특징과 발병원인은 무통갑상선염과 유사하다. 아급성육아종갑상선염(subacute granulomatous thyroiditis)도 유사한 임상경과를 보이지만 갑상선의 통증 및 압통을 동반하는 점이 다르다(그림 3-7-2). 조직병리소견상 아급성육아종갑상선염은 육아종염증이 주요소견인데 반해 무통갑상선염은 림프구 및 형질세포의 침윤이 현저하고 갑상선 자가항체가 검출되는 경우가 많다. 하시모토갑상선염 환자에서 발생한 일시적인 갑상선중독증을 Hashitoxicosis라고 하며 무통갑상선염의 갑상선중독증과 같은 의미로 사용된다.

2. 역학

무통갑상선염의 빈도는 지역에 따라 차이를 보이며(2.5-15%), 여성이 남성보다 1.5-2배 정도 많이 발생한다. 20-50세에 많이 발생한다. 산후갑상선염의 빈도 역시 지역마다 다르며, 출산 후 약 3-6개월경에 약 8-10% 정도에서 발생하고 이들 중 30%는 항갑상선과산화효소항체가 검출된다.

산후갑상선염은 1형당뇨병이 있는 여성에서 3배 정도 더 많이 발생한다.

3. 병태생리

무통갑상선염은 하시모토갑상선염의 초기단계 또는 변형된 형태로써 자가면역질환으로 여겨지며 이를 뒷받침하는 소견들은 다음과 같다. 조직병리소견상 림프구 침윤이 현저하고, 많은 환자에서 갑상선글로불린과 갑상선과산화효소에 대한 자가항체가 검출되고, 자가면역갑상선질환의 가족력이 있으며, 일부 환자에서 수년 후 하시모토갑상선염이 발생하며, 갑상선종이 지속되는 점, HLA-DR3, DR5유전자 단배형이 많은 점 등이 하시모토갑상선염의 아형임을 시사한다.

무통갑상선염을 일으키는 확실한 원인은 알려진 것이 없으며 과도한 요오드 섭취 및 사이토카인들이 관여하는 것으로 보인다. 인터페론-α, IL-2, 리튬, 타이로신인산화효소억제제, CTLA-4 (cytotoxic T-lymphocyte-associated

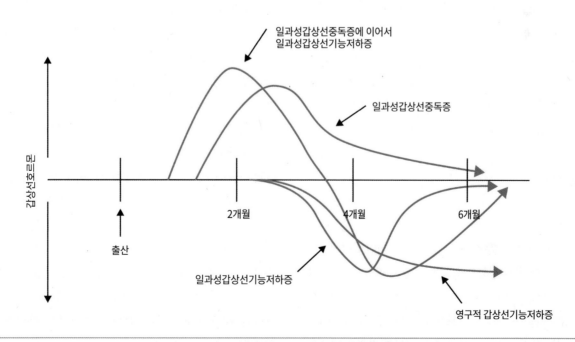

그림 3-7-2. 무통(산후)갑상선염 또는 아급성갑상선염

antigen 4) 및 면역관문억제제로 치료받는 환자 중 일부에서 무통갑상선염과 매우 유사한 현상들이 관찰된다. 이러한 점으로 미루어 보아 조직 손상이나 감염에 반응하여 분비되는 사이토카인이 무통갑상선염을 유발할 가능성이 있을 것으로 보인다. 방사선 치료 후 당질부신피질호르몬 치료를 중단한 경우, 쿠싱병에서 부신절제수술 후 무통갑상선염이 발생한 사례들이 있다. 림프구뇌하수체염, 전신홍반루푸스, 면역혈소판감소증 환자에서 무통갑상선염이 동반된 사례들이 있지만 각각의 질환이 무통갑상선염의 원인으로 작용한다는 증거는 없다.

어떤 요인에 의해서든 갑상선에 염증이 발생하면 갑상선여포가 손상을 받게 되고 여포강내 저장된 갑상선글로불린이 분해된다. 이 결과 다량의 갑상선호르몬이 혈중으로 유출되어 갑상선중독증이 발생하게 되며 이 기간은 손상된 여포의 갑상선글로불린이 모두 분해될 때까지만 지속된다. 이는 손상된 갑상선세포가 갑상선호르몬을 생산할 수 없는 것과 동시에 일시적으로 상승된 혈중 갑상선호르몬의 영향으로 갑상선자극호르몬이 억제되어 정상 갑상선세포도 자극을 받을 수 없기 때문이다. 염증이 점차 소실되면서 기존 정상세포 및 회복된 갑상선세포가 다시 갑상선호르몬을 생산하고 분비하면서 정상기능으로 회복된다. 이러한 과정 중 일시적인 갑상선기능저하증이 발생할 수 있으며, 갑상선호르몬이 완전히 정상이 될 때까지 갑상선자극호르몬이 증가될 수 있다. 갑상선세포 손상이 심한 소수의 환자에서 영구적인 갑상선기능저하증이 발생한다.

4. 임상특성

1) 임상소견
환자의 약 5–20%는 짧은 갑상선중독증에 이어 갑상선기능저하증이 나타난 후 정상으로 회복하는 전형적인 무통갑상선염의 경과를 보이며, 이 중 한 가지 경과만 뚜렷한 경우도 있다. 갑상선중독증증상은 보통 1–2주에 걸쳐 발생하여 2–8주 정도 유지되다 사라지며, 증상은 보통 가벼운 편으로

발병시점을 정확히 알 수 없는 경우도 흔하다. 이후 환자의 약 50%는 바로 정상으로 회복되고 50%는 임상적으로 심하지 않거나 무증상갑상선기능저하증이 발생하여 약 2–8주 정도 지속된 후 정상으로 회복된다. 약 10%의 환자는 수년 후 재발하기도 하며 약 20–30% 환자는 영구적갑상선기능저하증으로 이환된다. 갑상선의 기능변화에 따른 증상이 뚜렷하지 않은 경우가 많아 건강검진을 통해 우연히 발견되는 경우도 흔하다.

갑상선종은 50–60%의 환자에서 관찰되며, 좌우 갑상선엽 전체가 대칭적으로 커진다. 갑상선기능저하증시기에는 더 커지는 경향을 보인다. 오래된 하시모토갑상선염에서 발생한 무통갑상선염의 경우는 정상크기면서 단단하게 만져질 수 있다. 보통 갑상선의 통증이나 압통은 동반되지 않지만 드물게 갑상선이 전격적으로 파괴되는 경우 경미한 통증이 동반될 수 있다.

2) 검사실검사
갑상선기능검사결과는 병의 경과에 따라 변한다. 갑상선 여포의 파괴로 갑상선호르몬이 혈액으로 유출되는 갑상선중독증시기에는 혈청갑상선호르몬이 증가하고 갑상선자극호르몬은 감소한다. 일부 환자는 갑상선자극호르몬만 감소한 무증상갑상선기능항진증을 보인다. 갑상선기능저하증 시기가 되면 갑상선호르몬은 감소하지만 갑상선중독증기간 동안 억제되었던 갑상선자극호르몬은 수일 내지 수주가 지나야 증가한다. 일부 환자는 갑상선자극호르몬만 증가한 무증상갑상선기능저하증으로 발견되기도 한다. 갑상선여포의 파괴로 혈청갑상선글로불린이 상승하며 갑상선기능이 정상화된 후에도 한동안 지속되기도 한다. 환자의 50%에서 항갑상선과산화효소항체가, 25%에서 항갑상선글로불린항체가 검출된다. 드물게 항갑상선자극호르몬수용체항체가 검출되기도 하지만 갑상선기능에는 영향을 주지 않는다. 혈액 백혈구숫자는 정상이며, CRP, ESR은 정상이거나 약간 증가한다. ESR이 50 mm/시간 이상 증가하는 경우는 매우 드물다.

3) 갑상선스캔

갑상선중독증기간 동안에는 방사성요오드섭취율이 저하되어 보통 1% 미만이다. 테크네튬스캔에서도 갑상선의 동위원소 섭취가 감소한다. 과량의 요오드(조영제, 아미오다론 등)에 노출된 경우에도 동일한 현상이 관찰되므로 자세히 문진을 해보고 필요하면 요중 요오드 배설량을 측정해보는 것이 감별에 도움이 된다. 갑상선기능저하증시기가 되면 방사성요오드섭취율은 정상으로 회복되며, 간혹 정상보다 증가하는 경우도 있다.

4) 초음파

진단을 위해 반드시 필요한 검사는 아니다. 갑상선은 비균질, 저에코양상에 약간 커져 있다. 갑상선중독기에 도플러초음파검사를 시행한 경우 혈류가 정상 또는 감소된 소견을 보인다.

5. 진단

무통갑상선염의 진단은 임상소견과 검사실검사, 필요에 따라 갑상선스캔을 종합하여 진단할 수 있다. 갑상선기능항진증의 증상이 2개월 미만이고 작은 미만성갑상선종을 보이거나 갑상선종이 없는 경우 우선 무통갑상선염을 고려하여야 한다. 건강검진에서 우연히 발견된 무증상갑상선기능항진증 또는 무증상갑상선기능저하증의 경우에도 무통갑상선염의 가능성을 고려해야 한다. 갑상선기능항진증과 함께 항갑상선과산화효소항체가 검출되고 전신적인 염증증상이 없으면서 ESR이 정상 또는 정상에 가까운 경우 무통갑상선염으로 진단할 수 있으며, 이와 더불어 무통갑상선염의 전형적인 임상경과를 보이고 기타 유사질환과 구별되면 진단은 더 확실해진다.

6. 감별진단

갑상선중독증시기에 발견된 무통갑상선염은 흔히 접하는 그레이브스병과의 감별이 중요하다. 무통갑상선염은 안구병증이나 전경골점액부종 같은 전형적인 그레이브스병의 소견이 없고 항갑상선자극호르몬수용체항체가 검출되지 않는 것으로 그레이브스병과 감별할 수 있다. 그러나 전형적인 임상소견이 없고 증상도 경미한 그레이브스병과는 감별이 어려울 수 있는데, 산모 또는 수유 중인 경우가 아니라면 방사성요오드섭취율 또는 갑상선스캔검사가 감별진단에 많은 도움이 된다. 무통갑상선염의 경우 방사성요오드섭취율이 감소하고 그레이브스병에서는 증가한다. 산모나 수유 중인 경우 또는 검사장비가 없는 경우에는 갑상선초음파검사가 도움이 된다. 갑상선중독증시기에 시행한 도플러초음파검사에서 무통갑상선염은 혈류가 정상이거나 감소한 반면 그레이브스병에서는 증가한다. 갑상선자극호르몬분비 뇌하수체선종은 갑상선기능항진증을 보이는 드문질환으로 항갑상선자극호르몬수용체항체는 검출되지 않는다. 그러나 방사성요오드섭취율과 혈중 갑상선호르몬이 증가함에도 불구하고 갑상선자극호르몬이 정상이거나 상승되어 있는 점, 경우에 따라 신경학적인 증상을 동반하는 점 등으로 무통갑상선염과 감별이 가능하며 그레이브스병과도 감별할 수 있다. 한편 갑상선기능항진증을 보이면서 방사성요오드섭취율이 감소하는 기타 원인으로는 갑상선호르몬을 복용 중인 경우, 요오드 과잉섭취, 아급성갑상선염, 난소갑상선종 등이 있으며 자세한 문진과 임상소견, 요중 요오드배설량 측정을 통해 감별이 가능하다. 아급성육아종갑상선염은 상기도 감염의 병력이 있고 ESR 상승과 갑상선의 통증이 특징적으로 나타난다.

갑상선기능저하증시기에 내원한 무통갑상선염 환자의 경우 하시모토갑상선염과 매우 유사하여 감별진단이 어려울 수 있다. 내원 수주–수개월 전에 갑상선기능항진증의 증상이 있다가 자연적으로 회복되었다면 무통갑상선염을 의심해 볼 수 있다. 항갑상선과산화효소항체는 두 질환 모두 검출되기 때문에 감별진단에 도움이 되지 않는다. 갑상선호르몬을 투여하지 않고 수주 내에 갑상선기능이 정상화된다면 무통갑상선염으로 확진할 수 있다.

7. 치료

무통갑상선염은 자연적으로 회복되는 질환이므로 특별한 치료 없이 경과를 관찰하는 것으로 충분하며 그레이브스병으로 오인하여 불필요한 치료를 하는 것을 피해야 한다. 특히 방사성요오드치료나 수술은 금기이다. 갑상선중독증의 증상이 있거나 심방세동의 위험성이 높은 환자에게는 베타차단제인 프로프라놀롤(40–120 mg/일) 또는 아테놀롤(25–50 mg/일)을 단기간 투여하여 증상을 완화시키는 것으로 충분하다. 매우 드문 경우이기는 하나 갑상선중독증이 매우 심한 경우 당질부신피질호르몬이 치료에 도움이 된 사례가 있다. 갑상선세포가 파괴되어 갑상선중독증이 발생하고 방사성요오드 섭취가 감소하는 질환이기 때문에 항갑상선제나 방사성요오드는 도움이 되지 않으며 불필요한 갑상선기능저하증을 일으킬 수 있어 사용하지 않는다.

갑상선기능저하증 기간 동안 증상이 심하면 LT₄ (50–100 µg/일)를 투여한다. 증상은 없지만 갑상선자극호르몬이 10 mU/L 이상 상승한 경우 갑상선호르몬을 투여할 수도 있다. 대부분 2–3개월 사이에 자연적으로 회복되므로 갑상선호르몬을 투여했던 환자는 중단하고 갑상선자극호르몬을 다시 측정하여야 하며 갑상선기능이 정상을 보이는 경우 계속 투여를 중단하고 3–4개월 후에 재검사하여 영구적 갑상선기능저하증이 발생하는지 관찰한다.

8. 예후

대부분 갑상선기능은 회복 후 정상으로 유지되지만 20–30%에서 영구적 갑상선기능저하증이 발생할 수 있다. 하시모토갑상선염과 완전히 구별할 수 없는 경우도 있고 진단 당시 초기 하시모토갑상선염이었을 가능성도 있기 때문에 환자에게 이와 관련된 증상과 주기적인 검사가 필요함을 교육하고 1년 간격으로 갑상선기능검사를 시행한다. 재발할 수 있음을 환자에게 알려주어야 한다.

V. 산후갑상선염

출산 후 1년 이내 발생한 무통갑상선염을 산후갑상선염이라 한다. 산후갑상선염의 임상경과는 일과성갑상선중독증만 보이는 경우, 일과성갑상선기능저하증만 보이는 경우, 일과성갑상선중독증 후 갑상선기능저하증이 발생했다 정상으로 회복되는 경우로 크게 나눠볼 수 있다. 지역에 따라 유병률이 다양하며 약 7–8% 정도로 알려져 있다. 1형당뇨병 환자에서는 유병률이 25% 정도로 매우 높다. 과거 산후갑상선염이 있었던 산모, 정상 갑상선기능이지만 항갑상선과산화효소항체가 있는 산모에서 더 많이 발생한다. 하시모토갑상선염에 의한 갑상선기능저하증으로 갑상선호르몬을 복용하고 있는 산모에서도 출산 후 드물게 산후갑상선염이 발생한다. 대부분 1년 이내 정상갑상선기능으로 회복되지만 갑상선기능저하증이 발생한 환자의 일부는 영구적 갑상선기능저하증으로 이환되기도 하며, 회복된 환자라도 추후 영구적 갑상선기능저하증이 발생할 위험도가 높다. 일치된 연구결과는 없지만 정상으로 회복된 환자 중 약 20–40%의 환자에서 3–12년 이내에 갑상선기능저하증이 발생하는 것으로 알려져 있다. 무통갑상선염에 비해 항갑상선항체의 역가가 더 높은 경향을 보이며 영구적갑상선기능저하증의 발생이 더 많은 것 이외에 진단, 감별진단과 치료는 무통갑상선염과 동일하다(chapter 13. 임신과 갑상선 참고).

VI. 아급성갑상선염

1. 서론

아급성갑상선염의 병리적인 명칭은 아급성육아종갑상선염(subacute granulomatous thyroiditis)으로 일반적으로 아급성갑상선염(subacute thyroiditis)으로 통용되고 있다. 그 외 바이러스갑상선염(viral thyroiditis), 통증갑상선염(painful thyroiditis), 드퀘르뱅갑상선염(de Quervain's thyroiditis), 거대세포갑상선염(giant cell thyroiditis)

으로도 불리며 바이러스감염이 직접 또는 간접적인 원인으로 여겨지고 있다. 간혹 상기도감염을 앓은 후 발생한다. 갑상선의 통증을 동반하는 것이 특징으로 무통갑상선염과는 발병원인이나 조직소견에서 확연한 차이가 있지만 갑상선기능의 변화는 두 질환이 유사한 양상을 보인다(그림 3-7-3).

2. 역학

아급성갑상선염의 빈도는 정확히 조사된 바는 없으나 그레이브스병에 비해 현저히 적다. 그러나 증상이 심하지 않은 환자의 경우 인두염으로 오인하여 치료를 받기도 하기 때문에 실제로는 더 많은 환자가 있을 수 있다. 30-50세에 흔히 발생하며, 소아나 노인은 드물다. 여성이 남성보다 3-5배 정도 더 많이 발생한다. 봄철과 여름철에 많이 발생하는 경향을 보인다.

3. 병태생리

1) 발병기전

아급성갑상선염은 바이러스감염 또는 이로 인한 이차염증반응에 의해 발생하는 것으로 여겨지고 있다. 이에 대한 간접적인 증거로 상기도감염 후에 흔히 나타나며, 근육통, 피로, 전신쇠약 등의 전구증상들이 선행되고, 특정 계절에 많이 발생하는 특징들이 제시되고 있다. 실제 환자 혈청에서 유행성이하선염바이러스에 대한 항체가 자주 발견되며 환자의 갑상선조직에서 유행성이하선염바이러스를 배양한 사례가 있다. 그 밖에 홍역, 인플루엔자, 아데노바이러스, 엡스타인-바바이러스, 콕사키바이러스 등도 관련이 있는 것으로 알려져 있다. 그러나 환자의 갑상선조직에서 바이러스 봉입소체(inclusion body)가 관찰된 경우는 없다. 실제 갑상선조직에서 바이러스를 검출하는 것은 어려우며, 검출 유무가 치료에 영향을 주지는 않는다. 갑상선에 대한 자가면역반응이 주요기전으로 관여할 것으로 보지는 않지만, HLA-B35와 연관성이 있다는 연구가 있으며 다음과 같은 가설을 제시하고 있다. 무증상바이러스감염에 의해 표출된 바이러스의 항원, 또는 감염으로 손상된 조직으로부터 표출된 항원이 대식세포의 HLA-B35와 결합하여 세포독성T림프구를 활성화시키면, 이렇게 활성화된 세포독성T림프구가 유사한 형태의 항원을 표출하고 있는 갑상선여포세포를 손상시킬 수 있다는 가설이다. 아급성갑상선염의 발생원인에 관계없이 갑상선에 염증이 발생하면 갑상선여포가 손상을 받게 되고 여포 안에 저장된 갑상선글로불린이 분해되게 된다. 이 결과 다량의 갑상선호르몬이 혈중으로 유출되어 갑상선중독증이 발생한다. 이 기간은 저장된 갑상선글로불린이 모

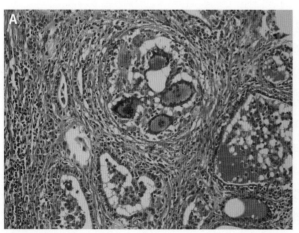
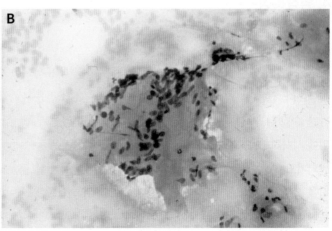

그림 3-7-3. 아급성갑상선염
A: 미만성호중구 침습, 여포 파괴 및 소실, 다핵거대세포의 출현, 섬유화 등이 관찰되는 조직소견, B: 다핵거대세포와 일부 여포세포가 흡인된 세포검사소견.

두 소모될 때까지만 지속되는데 이는 갑상선여포의 손상으로 갑상선호르몬을 합성할 수 없는 것과 더불어 혈중에 증가한 갑상선호르몬으로 인해 갑상선자극호르몬이 억제되어 자극을 받을 수 없기 때문이다. 염증이 소실됨에 따라 갑상선 여포가 재생되고 손상받지 않은 갑상선여포와 함께 갑상선호르몬 합성과 분비를 재개하게 된다. 이후 빠르게 갑상선기능이 정상으로 회복되거나 일부는 일과성갑상선기능저하증을 거쳐 대부분 정상으로 회복된다.

2) 병리조직소견

병리조직소견은 병의 진행정도에 따라 다양한 양상을 보이며, 같은 조직이라도 부위에 따라 다를 수 있다. 특징적으로 갑상선실질의 파괴 및 상흔과 함께 아급성, 만성 및 육아종성염증소견이 혼재되어 있다. 갑상선 여포의 상피가 파괴되고 기저막은 분절 및 중복소견을 보이며 염증세포로 채워져 있다. 콜로이드는 일부 또는 전부 소실되어 있다. 염증세포는 초기에는 다형핵백혈구가 주를 이루다가 이어서 림프구, 대식세포로 대치된다. 가장 특이적인 소견은 육아종염증인데, 거대세포들이 파괴된 여포 주위에 군집을 이룬다. 이러한 특징으로 육아종 또는 거대세포갑상선염이라고 부르고 있다. 회복된 후에는 경미한 잔여섬유화를 제외하고 정상 갑상선소견을 보인다.

4. 임상특성

1) 임상소견

아급성갑상선염은 갑상선의 통증을 유발하는 가장 대표적 질환이다. 진단 당시 어떤 병기에 있는지에 따라 임상소견은 다를 수 있다. 가장 특징적인 소견은 갑상선이 위치한 목 부위에 서서히 또는 갑자기 통증이 발생하는 것이며, 열은 동반되기도 하고 없는 경우도 있다. 갑상선통증은 기침이나 음식을 삼킬 때, 머리를 돌릴 때 심해진다. 귀, 턱, 뒤통수쪽으로 방사통이 나타날 수 있어 마치 이 부위에 병소가 있는 것처럼 오인할 수 있다. 대개의 경우 수주 전에 근육통, 발열, 피로감, 인후통 등의 상기도감염 증상이 전구증상으로 나타난다. 일부 환자에서 쉰 소리가 나거나 음식물을 삼키기 어려운 증상이 나타난다. 급성기 갑상선기능항진증과 관련하여 가슴 두근거림, 떨림, 발한, 체중감소 등이 나타난다. 갑상선부위의 피부는 따뜻하고 발적을 동반하기도 한다. 갑상선을 만지면 통증을 느끼며 갑상선의 양쪽 엽이 모두 커지거나 한쪽 엽만 커져 있다. 표면은 결절 모양을 보이고 견고하고 딱딱한 편이다. 일부 환자에서는 통증이 한 쪽 엽에서 시작되어 수일 또는 수주 안에 반대쪽으로 옮아간다. 시간이 경과하면서 갑상선의 압통은 소실되며, 갑상선종도 수주 내지 수개월 후에 사라진다. 환자의 8–16%는 갑상선종이 일부 남아 있는 경우도 있다. 환자의 90%는 수개월 내 후유증 없이 정상으로 회복된다. 일부 환자는 몇 개월에 걸쳐 반복적으로 악화와 호전을 보이기도 한다.

동반증상, 특히 통증이 뚜렷하지 않은 경우 수개월간 진단을 간과할 수도 있다. 드물게 조직검사결과는 아급성갑상선염이지만 통증이 없는 경우도 있으므로 갑상선의 통증이 없다고 아급성갑상선염을 완전히 배제할 수는 없다. 이 경우 무통갑상선염의 급성기와 감별이 필요하다. 갑상선중독증은 대부분 일과성으로 2–8주 후 사라지며 짧은 정상기를 지나 일과성의 갑상선기능저하기가 발생한 후 보통 2–8주 지속되다 정상으로 회복된다. 일부는 갑상선기능저하증기간이 더 연장되기도 한다.

2) 검사소견

검사소견은 질환의 병기에 따라 다르다. 급성기에는 통증과 압통을 동반한 갑상선종과 함께 혈중 갑상선호르몬이 증가하고 갑상선자극호르몬은 감소한다. 급성기에는 ESR이 50 mm/시간 이상 현저하게 증가하며, 간혹 100 mm/시간 이상 상승하는 경우도 있다. 급성기에 ESR이 정상인 경우 아급성갑상선염의 가능성은 없는 것으로 생각할 수 있다. CRP가 상승하기도 하며 백혈구 수는 정상이거나 약간 증가된다. 급성기의 특징 중 하나로 갑상선여포가 파괴되어 갑상선글로불린이 혈중으로 유출되는데 갑상선의 파괴정도와 비례해 증가한다. 갑상선기능저하기에는 무증상갑상선기능

저하증(유리T₄ 정상, 갑상선자극호르몬 증가) 또는 임상적 갑상선기능저하증(유리T₄ 감소, 갑상선자극호르몬 증가)이 나타난다. 소수의 환자에서 급성기 동안 일시적으로 항갑상선과산화효소항체와 항갑상선글로불린항체가 검출되기도 하지만 역가는 매우 낮다.

3) 갑상선스캔

갑상선중독기에는 방사성요오드섭취율이 저하되어 보통 1-3% 미만을 보인다. 테크네튬스캔에서도 핵종 섭취가 감소하여 갑상선은 희미하게 보인다. 과량의 요오드(조영제, 아미오다론 등)에 노출된 경우에도 동일한 현상이 관찰되므로 자세히 문진을 해보고 필요하면 요중 요오드 배설량을 측정해보는 것이 감별에 도움이 된다. 갑상선기능저하기가 되면 방사성요오드섭취율은 정상으로 회복되며 간혹 정상보다 증가하는 경우도 있다.

4) 초음파

갑상선의 크기는 정상이거나 약간 커져 있으며 전체적 또는 국소적으로 불규칙한 저에코구역이 관찰된다. 저에코구역이 산재되어 있는 경우도 있다. 저에코구역과 통증부위가 일치한다. 갑상선중독기에 시행한 도플러초음파검사는 혈류가 감소된 소견을 보인다. 회복된 후에는 초음파소견도 정상화된다.

5. 진단

아급성갑상선염은 기본적으로 임상소견으로 진단하게 된다. 턱으로 방사되는 통증과 함께 갑상선에 통증과 압통이 뚜렷하게 있으면 진단에 어려움이 없다. 갑상선중독증증상을 보이면서 갑상선호르몬이 증가하고 갑상선자극호르몬이 감소한 소견, 갑상선스캔 또는 방사성요오드섭취율이 현저히 감소한 소견, ESR, CRP가 증가한 소견 등은 아급성갑상선염을 확진하는 데 도움이 된다. 수주 내에 갑상선기능이 정상화되고 통증이 사라지면 아급성갑상선염으로 확진할 수 있다.

6. 감별진단

아급성갑상선염은 감염성 갑상선염, 갑상선낭종의 감염, 갑상선결절의 출혈성 변성, 하시모토갑상선염이 급격히 커진 경우, 갑상선암의 출혈이나 빠른 성장과 같이 목의 통증을 동반하는 질환과 감별하는 것이 중요하다. 아급성갑상선염 환자 중 30-40%는 병변이 한쪽 엽에 국한되어 결절형태를 보이면서 갑상선스캔에서 국소냉결절로 나타나므로 갑상선암 혹은 결절의 출혈이나 감염으로 오인될 수 있다. 하시모토갑상선염이 통증을 동반하면서 갑자기 악화되는 경우 감별이 어려운 경우도 있지만, 아급성갑상선염에 비해 ESR이 정상이고 갑상선 자가항체의 역가가 높은 점, 코티코스테로이드 치료에 대한 반응이 뚜렷하지 않은 점 등이 감별에 도움이 된다. 감염성 갑상선염은 갑상선 이외의 부위에 감염병소가 있으며, 갑상선부위의 염증소견이 더욱 뚜렷하고, 백혈구증가와 전신증상 및 발열이 더 심하다. 감염성 갑상선염은 대부분 방사성요오드섭취율과 갑상선기능이 정상으로 유지된다. 매우 드물기는 하지만 갑상선 전체에 광범위한 침윤을 보이는 갑상선암의 경우 아급성갑상선염과 유사한 임상소견 및 검사소견을 보인다. 이상과 같은 질환들의 감별진단에 갑상선초음파검사와 세침흡인세포검사가 도움이 된다.

7. 치료

특이한 치료법은 없으며 기본적으로 갑상선의 통증과 압통을 경감시키고 갑상선중독증의 증상을 개선해 주는 것이다. 발열, 근육통 등의 전신증상이나 갑상선통증은 아스피린(1일 2,600 mg을 4회 분할 복용)이나 비스테로이드소염제(나프록센 1일 500-1,000 mg을 2회 분할 복용, 또는 ibuprofen 1일 1,200-3,200 mg을 3-4회 분할 복용)를 투여한다. 이러한 치료에도 반응이 없거나 처음부터 국소증상 및 전신증상이 심한 환자는 초기에 프레드니손을 투여한다. 환자의 증상에 따라 프레드니손을 하루에 40-60 mg을 분할 투여한다. 프레드니손을 투여하면 보통 1-2일 내에 통증이 경감되며 만일 통증이 지속된다면 다른 질환을 의심해야 한다. 프레드니손은 6–8주에 걸쳐 증상과 ESR을 보면서 서서히 감량한 후 중단한다(대략 1주일에 5–10 mg 감량). 스테로이드를 감량하거나 중단한 후 갑상선 통증 및 갑상선종이 재발하면 감량하기 바로 전 용량으로 증량한 후 약 2주 정도 유지하다 다시 감량을 시도한다. 재발을 반복하는 경우 수개월간 스테로이드 치료가 필요한 경우도 있다. 재발한 경우는 스테로이드를 더 서서히 감량하는 것이 좋으며 방사성요오드섭취율이 정상화된 후 중단하도록 한다. 스테로이드는 갑상선 통증 및 부종을 신속히 호전시키지만 전체적인 임상경과에는 영향을 주지 않는다. 갑상선기능검사는 2–4주 간격으로 시행한다. 갑상선중독증은 대부분 시간이 경과하면 호전되고, 갑상선여포의 파괴로 발생되기 때문에 항갑상선제나 방사성요오드치료는 도움이 되지 않을 뿐만 아니라 오히려 불필요한 갑상선기능저하증을 유발할 수 있다. 갑상선중독증의 증상이 심한 경우 베타차단제를 투여한다(프로프라놀롤 40–120 mg/일, 또는 아테놀롤 25–50 mg/일). 갑상선기능저하증으로 갑상선자극호르몬이 계속 높게 유지되거나, 갑상선종이 지속되는 경우 갑상선호르몬을 투여해 갑상선의 크기를 줄여 줌으로써 갑상선 피막에 미치는 압력을 감소시킬 수 있다. 한편 갑상선자극호르몬은 갑상선세포의 재생에 관여하는 중요한 호르몬이므로 갑상선호르몬을 투여할 경우 갑상선자극호르몬이 과도하게 억제되지 않도록 최소 용량(LT$_4$ 50–100 μg/일)을 투여하고 압박증상이 사라지면 감량해서 갑상선자극호르몬이 갑상선세포의 재생을 자극할 수 있도록 한다.

8. 예후

환자의 90%는 수개월 내에 후유증 없이 정상으로 회복된다. 일부는 몇 개월에 걸쳐 반복적으로 악화와 호전을 보이기도 한다. 일개 센터의 연구결과에서는 환자 중 일부(약 15%)에서 영구적 갑상선기능저하증이 발생하였고 수년(6–21년)이 지나서 소수(~4%)에서 재발하였다.

VII. 감염성갑상선염

1. 서론

감염성갑상선염은 화농성갑상선염, 급성갑상선염, 세균성갑상선염으로도 불리며 심한 통증을 동반한 갑상선종대와 발열증상을 보이는 매우 드문 질환이다. 갑상선의 통증을 동반하는 다른 염증질환(아급성갑상선염, 하시모토갑상선염)에 비해 발생빈도는 낮지만 증상과 징후가 이들과 유사한 경우가 많아 감별진단에 주의가 필요하며, 생명을 위협할 수도 있는 중증의 질환으로 악화될 수 있어 임상특징과 세균학적 검사를 통한 신속한 진단과 치료가 필요하다.

2. 역학

문헌상 성인에서 약 300례, 소아에서 약 100례 정도 보고되고 있는 매우 드문 질환이다. 대부분 갑상선종이나 갑상선결절, 선종 및 갑상선암을 앓던 환자에서 발생하는 것으로 알려져 있지만 기저질환이 없는 경우에도 발생한다.

사람면역결핍바이러스 감염, 후천면역결핍증후군, 면역억제제를 복용 중인 장기이식 환자 등 면역기능이 손상된 환자에서 발생위험이 높으며 이 경우 증상이 만성적으로 서서히 발현하는 특징을 보인다.

3. 병태생리

갑상선은 피막에 싸여 외부조직과 격리되어 있고, 살균 효과가 있는 요오드가 풍부하며, 혈관과 림프관이 잘 발달해 있기 때문에 다른 장기에 비해 감염에 대해 강한 내성을 갖고 있다. 감염경로는 명확히 밝혀지지 않는 경우가 많지만 닫히지 않은 조롱박오목누공(pyriform sinus fistula)이나 갑상설관을 통하는 경우, 이물질에 의한 식도파열, 인후염 및 유양돌기염 같은 주위조직의 감염이 직접 확산되는 경우, 림프 또는 혈액을 통한 원격 전파, 외상에 의해 발생할 수 있다. 그 외 면역결핍 환자의 경우 패혈증으로 발생하거나, 낭종이나 결절에서 세침흡인세포검사를 시행한 후 이차감염으로 발생하기도 한다. 조롱박오목누공은 대부분 갑상선의 좌엽에 많기 때문에 급성화농성갑상선염의 90%가 좌엽에서 발생하며 소아청소년기에 재발하여 발생하는 감염성 갑상선염의 가장 흔한 원인이다. 소아의 감염원인균으로 유산소균 및 조건무산소균에 속하는 황색포도알균, 고름사슬알균, 표피포도알균, 폐렴알균 빈도순으로 검출된다. 메티실린저항성황색포도알균(MRSA)감염이 증가하는 경향을 보이고 있다. 그 밖에 유산소균으로 클레브시엘라, 인플루엔자균, 스트렙토코쿠스비리단스, 용혈성아카노박테리아균(Arcanobacterium haemolyticum), 에이케넬라 코론덴스(Eikenella corrodens), 살모넬라, 장세균에 의한 감염 사례가 있다. 무산소균이 검출되는 경우는 입인두에 존재하는 균무리 중 한 가지일 가능성이 높다. 한 연구에서는 감염증의 30%에서 여러 종류(2–5종)의 세균이 복합적으로 검출되는 것으로 보고하고 있다. 후천면역결핍증후군이나 면역억제제 치료를 받고 있는 환자, 백혈병과 같은 혈액질환이 있는 환자에서 드물게 결핵균, 진균(콕시디오이데스, 칸디다, 아스페르길루스, 히스토플라스마), 폐포자충에 의한 감염이 발생하기도 하며 만성적으로 서서히 증상이 나타나는 특징을 보인다.

4. 임상특성

1) 임상소견

감염성 갑상선염의 주증상은 갑자기 목 앞쪽 갑상선이 위치한 부위에 통증이 발생하는 것이다. 갑상선은 전체적으로 단단하고 압통을 동반하며 동일부위의 피부가 따뜻하고 붉은 발적이 나타난다. 전신증상으로 발열, 오한을 동반하며 통증으로 음식을 잘 삼키지 못한다. 쉰소리, 발성장애증상이 동반되기도 한다. 통증은 간혹 목의 한쪽 편에만 있을 수 있고 아래턱, 귀, 후두로 방사되기도 한다. 목을 구부리면 통증이 완화되고 과도하게 젖히면 악화된다. 이러한 증상들

은 수일–수주에 걸쳐 나타나며 많은 환자에서 상기도감염이나 인두염을 앓은 후 발생한다. 갑상선은 만지면 압통이 있고 감염이 발생한 위치에 따라 전체 또는 한쪽 엽만 통증이 있을 수 있다. 소아의 경우 90%는 갑상선 좌엽에 발생한다. 간혹 갑상선농양이 박동성종괴형태로 발견되기도 한다. 농양부위에 발적이 나타나고 진행되면 국소림프절종대가 동반되기도 한다. 갑상선기능항진증을 동반한 사례 보고가 있지만 흔하지 않다. 결핵균이나 진균감염으로 발생한 경우 세균감염에 비해 통증, 발열, 압통이 적은 편이다.

2) 검사소견

일반적으로 혈중 갑상선호르몬과 갑상선자극호르몬은 정상을 보인다. 소아의 사례들에서 드물게 갑상선기능항진증(4%), 갑상선기능저하증(2%)이 동반되기도 한다. 성인의 경우 원인균주, 진단시점에 따라 갑상선기능이 차이를 보인다. 세균에 의한 경우 83%는 정상갑상선기능을 보였고 진균감염에서는 62%에서 갑상선기능저하증이 나타났으며 결핵균감염에서는 50%에서 갑상선기능항진증이 관찰되었다. 백혈구 증가가 57–73%에서 관찰되나, 무산소세균감염인 경우 정상 백혈구 수를 보일 수 있다. ESR과 CRP가 증가한다.

3) 영상검사

초음파와 컴퓨터단층촬영은 농양 및 농양 주위의 구조를 확인하는 데 도움을 준다. 컴퓨터단층촬영은 갑상선 주위조직, 특히 종격으로 파급된 농양을 진단하는 데 도움이 된다. 초음파검사는 갑상선농양의 진단 및 치료에 많은 도움이 된다. 농양은 초음파검사에서 갑상선 주위의 국소적인 저에코 공간형태로 보이며 갑상선과 갑상선 주위조직 사이 경계가 소실된 소견을 보인다. 초음파유도세침흡인검사로 농양을 배액하고 균배양검사를 통해 균주를 확인할 수 있다. 초음파검사상 염증이 진행된 말기에는 갑상선의 위축과 불분명한 저에코 내지 저밀도 음영구역이 관찰된다. 그 외 초음파검사는 갑상선 주위조직으로 염증이 파급된 정도를 알아보거나, 수술 전 정확한 위치를 파악하는 데 도움이 된다. 갑상선

스캔은 반드시 필요한 검사는 아니며 진단이 불확실할 경우 도움이 될 수 있다. 90% 이상에서 염증부위가 냉소로 나타나며 갑상선 전체가 침범된 경우는 전반적인 음영 감소로 나타날 수 있다. 방사성요오드섭취율은 감소된다.

단순경부방사선촬영을 통해 조직부종의 정도, 기관이 눌리거나 한쪽으로 밀려나 있는지를 관찰할 수 있고, 가스형성 세균감염, 포충이나 폐포자충같이 석회화를 일으키는 감염을 감별하고 진단하는 데 도움을 받을 수 있다. 연부조직 내부에 가스가 있고 악취가 나는 고름이 나오는 경우는 무산소균감염의 가능성이 높다. 바륨식도조영술이나 후두내시경검사로 조롱박오목누공을 진단할 수 있다.

5. 진단

진단은 임상소견과 검사실검사, 영상검사를 종합하여 할 수 있다. 세침흡인검사를 통해 그람염색, 세균배양 및 세포검사를 시행하여 확진할 수 있다. 특히 면역결핍이나 면역억제 치료를 받고 있는 환자의 경우 일반적인 균주보다는 결핵균, 진균 등에 의한 감염의 가능성이 높아 이들에 대한 검사를 동시에 시행하여야 한다.

6. 감별진단

감염성갑상선염의 경우 통증을 동반하는 전경부의 종괴 및 아급성갑상선염과 감별이 필요하다. 경부림프절염은 비교적 흔하고 통증과 발적을 동반한 경부종괴로 나타나지만 해부학적인 위치로 비교적 쉽게 감별된다. 갑상설관낭은 목의 정중앙에 위치하고 삼킬 때 혹은 혀를 앞으로 내밀 때 낭종이 움직이므로 구별이 가능하다. 기타 낭림프관종(cystic hygroma), 아가미틈새낭(branchial cleft cyst)은 대부분 소아기에 발견되며, 움직임이 없고 갑상선스캔이 정상소견을 보이는 점 등으로 감별이 가능하다. 임상에서 비교적 흔하게 접하는 아급성갑상선염과 감별이 중요하며, 초기 증

표 3-7-3. 감염성갑상선염과 아급성갑상선염의 감별진단

	감염성갑상선염	아급성갑상선염
상기도감염	90%	17%
인후통	90%	36%
갑상선중독증	드물다	50–60%
발열	100%	80–90%
갑상선 통증 및 압통	100%	80–90%
피부발적	80%	드물다
ESR (> 30 mm/h)	100%	85%
갑상선호르몬 증가 또는 감소	5–10%	60%
백혈구 증가	57%	25–50%
갑상선스캔	부분적 냉소	조영되지 않음
방사성요오드섭취율	대부분 정상	현저히 감소
당질부신피질호르몬 치료반응	일시적	100%
조롱박오목누공 존재	96%	없음

상은 두 질환이 유사한 점이 많아 실제 감별이 쉽지 않다. 감염성갑상선염 환자는 아급성갑상선염 환자에 비해 전반적인 전신상태가 더 좋지 않으며, 갑상선의 통증 및 압통이 더 심하다. 아급성갑상선염은 시간이 경과하면 증상이 완화되는 경향이 있지만 감염성갑상선염은 적절한 치료를 하지 않으면 증상이 더 악화된다. 아급성갑상선염 환자의 약 60%에서 갑상선중독증이 나타나는 것에 비해 감염성갑상선염 환자의 대다수는 정상갑상선기능을 보인다. 갑상선초음파검사에서 감염성갑상선염의 경우 농양이 관찰되거나 갑상선이 팽창된 소견을 보인다(표 3-7-3). 그 외 낭종내 출혈, 하시모토갑상선염, 갑상선암에서도 통증이 나타날 수 있어 이들과의 감별진단이 필요하다.

7. 치료

감염성갑상선염은 드물기 때문에 현재까지 특별한 치료지침이 정해진 것은 없으며 일반 감염질환의 치료원칙에 준해 치료하게 된다.

농양이 형성되기 전에 즉시 항생제를 투여해야 하며 전신증상이 심한 경우 주사로 투여한다. 배액이 가능한 농양이 발견된 경우 항생제 투여와 더불어 수술적으로 농양을 배출시켜 준다. 초기에 경험적 항생제를 선택할 때는 그람염색 결과를 참고하고 최종적으로 배양검사에서 확인된 균주의 항생제 감수성결과에 따라 치료한다. 다양한 균주에 의해 발생하는 것으로 알려져 있어 배양검사결과가 나오기 전까지는 광범위항생제를 투여하는 것이 권장된다. MRSA를 포함한 황색포도알균과 고름사슬알균, 페니실린-내성, 무산소균, 그람음성막대균과 펩토사슬알균을 표적으로 항생제를 선택하는 것이 권장된다. 면역반응이 손상된 환자의 경우 진균이나 결핵균, 폐포자충감염을 고려하여야 한다. 항생제는 최소 2주간 유지하거나 또는 급성증상이 사라지고 난 후 5일 정도 더 투여한다.

8. 예후

적절한 항생제 치료와 수술적인 배농이 이루어진 경우 예후는 양호하다. 대다수는 후유증 없이 회복되나 염증이 광범위한 경우 갑상선기능저하증이 발생할 수 있다. 진단이 늦어지면 힙병증으로 기도폐쇄, 인두후방농양, 종격염, 목정맥혈전, 패혈증으로 진행할 수 있으며 사망할 수 있다. 진균감염 시 사망률이 높다. 감염성갑상선염이 반복적으로 발생하는 환자는 갑상설관이나 갑상선과 주위조직 간에 샛길이 있는지 검사가 필요하다.

VIII. 리델갑상선염

1. 서론

리델갑상선염(Riedel thyroiditis)은 섬유화 또는 침습성 갑상선염(fibrous, invasive thyroiditis)으로도 불리며 갑상선염 중 가장 드문 질환이다. 리델갑상선염은 특발섬유증질환의 일종으로 갑상선조직의 광범위한 섬유증과 대식세포, 호산구 침윤을 보이며 이와 더불어 갑상선의 인접조직까지 섬유증이 침범하는 특징을 보인다. 부갑상선의 섬유증으로 부갑상선저하증, 반회후두신경의 섬유증으로 쉰 소리, 기관압축으로 인한 증상들이 나타날 수 있다. 종격과 전방 흉벽에도 섬유증이 동반되는 경우가 있다. 이와 달리 기타 갑상선의 침윤성 및 염증질환에서는 갑상선 피막 밖으로 침범하는 경우는 발생하지 않는다.

2. 역학

외래환자 100,000명 중 1명에서 발견되고, 갑상선질환으로 수술한 사례의 0.05% 또는 그 이하의 유병률을 보일 정도로 매우 드문 질환이다. 여성이 남성에 비해 4배 정도 많이 발생하며, 30–50세에 가장 흔히 발생한다. 212명의 환자를 대상으로 한 메타분석에서는 81%가 여성이었으며 평균 연령은 47세였다.

3. 병태생리

리델갑상선염의 원인은 확실히 알려진 것이 없다. 전신질환의 일부분으로 갑상선에 병변이 발생하는 것으로 여겨지며, 후복막섬유증, 섬유화종격염, 경화담관염, 췌장염, 눈물관섬유증, 안와거짓종양섬유증, 두경부 종창성섬유화염증을 동반하기도 한다. 일부는 면역글로불린 G4 (IgG4)와 연관된 전신질환의 일부분으로 발생하는 것으로 보인다. 리델갑상선염 환자 중 많은 수에서 항갑상선항체가 높게 측정되며, 세침흡인세포검사에서 림프구가 발견되는 점들로 보아 하시모토갑상선염과도 관련이 있을 것으로 보인다. 리델갑상선염과 애디슨병, 1형당뇨병, 악성빈혈, 그레이브스병 같은 자가면역질환이 동반된 사례들이 있다.

4. 임상특성

서서히 커지는 갑상선종으로 발견되거나 기관, 식도, 반회후두신경, 부갑상선 같은 주위 조직이 침범되어 목의 압박감, 통증, 호흡곤란, 삼킴곤란, 쉰소리, 부갑상선저하증의 증상을 동반할 수 있다. 국소 폐쇄성 폐렴, 상대정맥증후군의 원인을 검사하는 과정 중에 진단되는 경우도 있다. 전신불쾌감, 피로를 호소하는 환자들이 많지만 실제 환자의 약 1/3 정도만 갑상선기능저하증을 동반한다. 갑상선의 크기는 다양하다. 보통 전체적으로 커지지만 좌우 엽이 비대칭적 크기이거나 한쪽 엽만 커지는 경우도 있다. 갑상선종은 돌처럼 딱딱하며, 인접 연부조직과 근육에 단단히 부착되어 잘 움직이지 않는다. 섬유화가 진행하여 기관이나 식도를 감싸기도 하고, 주위 림프절이 커지는 경우도 있어 침습성갑상선암으로 오인되기도 한다. 진단 당시 대부분 갑상선기능검사는 정상이다. 갑상선의 파괴가 진행되거나, 하시모토갑상선염이 동반된 환자의 경우 25-67%에서 무증상 또는 현성갑상선기능저하증을 보인다. 갑상선 자가항체는 환자의 2/3 정도에서 검출되며, 하시모토갑상선염에 비해 역가는 낮다. 초

음파검사에서 불균질의 미만성저에코병소로 보이며 갑상선 주위의 근육까지 침투하는 소견을 볼 수 있다. 도플러초음파에서 혈액의 흐름이 관찰되지 않는다. 컴퓨터단층촬영 또는 자기공명영상으로 갑상선과 주위조직의 섬유증 정도를 파악할 수 있다. FDG-양전자단층촬영에서 병소는 대사가 증가된 소견을 보인다.

5. 진단

일부 환자는 임상특성들과 신체검사소견만으로 충분히 진단이 가능하다. 리델갑상선염이 의심될 경우 전신섬유증질환이 동반되어 있는지 검사가 필요하다. 세침흡인세포검사는 갑상선세포가 충분히 흡인되지 않는 경우가 많아 확진에 도움이 되지 않으며 간혹 단핵구와 섬유조직이 관찰되기도 하지만 이와 유사한 소견을 보이는 다른 질환들과 감별이 필요하다. 확진하기 위해서는 대부분 조직생검이 필요하다.

6. 감별진단

아급성갑상선염, 하시모토갑상선염의 섬유화 변종, 방사선-유발갑상선염, 악성종양(특히 역형성암 중 세포가 적은 변종, 갑상선유두암 중 침윤성변종)과 감별이 필요하지만 세침흡인세포검사만으로는 완전히 감별하기 어려울 수 있다. 확진을 위해서는 수술적인 생검이 필요하다.

7. 치료

환자가 많지 않아 특화된 치료법이나 치료지침이 정해진 것은 없다. 치료의 목표는 섬유경화증과 관련된 증상을 완화시키고 갑상선기능저하증이 동반된 경우 갑상선호르몬을 투여하여 갑상선기능을 정상화시키는 것이다. 갑상선호르몬은 갑상선종, 섬유경화증의 진행에 대해서는 치료효과가 없다. 소규모 환자를 대상으로 당질부신피질호르몬과 타목시펜 (tamoxifen)을 투여하여 일부 환자에서 섬유증의 진행을 억제하거나 증상의 호전을 보인 사례가 있으며, 이 두 가지

약물에 내성을 보이거나 투여 중 병이 진행하는 환자를 대상으로 리툭시맙(rituximab)과 mycophenolate mofetil을 투여하여 압착 증상이 완화되고 갑상선 크기가 감소한 사례가 있다. 수술은 기관 또는 식도의 압착을 완화시키거나 악성 암을 감별하기 위해 시행하게 된다. 일반적으로 섬유화로 인해 주위조직과 갑상선을 완벽히 분리할 수 없기 때문에 갑상선전절제는 어려우며, 수술관련 합병증의 위험을 무릅쓰고 시행할 필요도 없다. 압착증상을 완화시킬 수 있는 범위 내에서 수술방식을 결정하는 것이 바람직하다. 이상과 같은 치료에도 반응이 없는 경우 저선량방사선 치료를 시행한 사례가 있다.

8. 예후

치료하지 않으면 보통 서서히 진행한다. 일부는 안정적으로 유지되기도 하며, 일부는 자연적으로 퇴행되기도 한다. 기관지압착과 호흡곤란으로 인한 재발성폐렴이 주요 사망원인이다.

IX. 약물유발갑상선염

인터페론-α, IL-2, 아미오다론, 리튬, 타이로신인산화효소억제제, 또는 면역관문억제제로 치료받는 환자 중 일부에서 무통갑상선염이 발생한다.

만성간염으로 인터페론-α 치료를 받는 환자의 5-40%에서 항갑상선항체가 발견되며, 약 5-10%의 환자에서 무통갑상선염, 하시모토갑상선염, 또는 그레이브스병이 발생한다. 그레이브스안병증이 발생한 사례도 있다. 이러한 현상은 보통 인터페론-α를 3개월 정도 투여한 후에 나타나지만 투여 중 어느 때든 발생할 수 있다. 치료 전 항갑상선항체의 역가가 높았던 환자에서 발생위험성이 더 높은 것으로 보아 인터페론-α가 기저 자가면역갑상선질환을 악화시켜 발생하는 것으로 보인다.

IL-2는 전이성 암이나 백혈병 치료를 위해 항암제 및 기타 사이토카인과 함께 복합적으로 사용되며 투여받은 환자의 약 2%에서 무통갑상선염과 유사한 질환이 발생한다.

아미오다론은 요오드가 37% 함유된 부정맥 치료제로 아미오다론 100 mg을 복용하면 간에서 대사되어 약 3 mg 정도의 무기요오드가 혈중으로 유리되며 이로 인해 갑상선기능항진증 또는 갑상선기능저하증이 발생할 수 있다. 과잉 요오드로 인해 갑상선호르몬 합성이 증가하여 갑상선기능항진증이 발생하거나(type 1), 요오드의 직접적인 독성 효과로 파괴성갑상선염이 발생하고 이로 인해 기존 생산된 갑상선호르몬이 혈중으로 유리되어 갑상선중독증이 발생할 수 있다(type 2). 갑상선호르몬 합성이 증가한 경우는 항갑상선제(메티마졸) 치료가 효과적이며, 파괴성갑상선염의 경우 프레드니손 투여가 효과적이다. 어떤 유형인지 분명치 않은 경우는 항갑상선제와 프레드니손을 병합하여 치료해 볼 수 있다. 기저 자가면역갑상선질환이 있는 환자에서는 요오드의 항갑상선 효과로 갑상선기능저하증이 발생하기도 한다.

성선자극호르몬방출호르몬(GnRH)작용제인 류프롤라이드(leuprolide)와 우울증치료제인 리튬도 정확한 기전은 알려져 있지 않지만 갑상선염을 유발한 사례가 있다.

타이로신인산화효소억제제는 위장관 간질종양, 신장암, 갑상선수질암 등 다양한 질환의 치료에 이용되고 있다. 기저 갑상선질환이 없고 정상갑상선기능을 갖고 있는 환자에서 타이로신인산화효소억제제 투여 후 50-70%에서 갑상선자극호르몬이 증가하며, 일부는 갑상선기능저하증이 발생한다. 특히 sunitinib을 투여받은 환자에서 갑상선기능저하증 사례가 많이 발생한다. 이와 관련된 정확한 발생기전은 확실히 알려져 있지 않지만 타이로신인산화효소억제제가 요오드 흡수를 억제하거나 또는 파괴성갑상선염을 유발하여 일과성갑상선중독증이 발생하고 최종적으로 갑상선기능저하증으로 진행하는 것으로 보인다.

면역관문억제제 치료를 받는 흑색종 및 기타 악성암 환자에서 갑상선, 뇌하수체, 또는 부신의 염증과 관련된 다양한 내분비질환이 발생한다. 그중 뇌하수체염과 갑상선염으로 인한 갑상선기능항진증, 갑상선기능저하증 사례가 많이 보고되고 있다.

X. 기타 갑상선염

전반적인 갑상선의 염증을 일으키는 원인에 대해서는 알려진 것이 많이 없다. 그레이브스병이나 갑상선암 수술 후 잔여조직 제거를 위해 방사성요오드치료를 한 경우, 호지킨 또는 비호지킨림프종, 유방암, 입인두종양의 치료를 위해 방사선 조사를 한 경우 갑상선염이 발생할 수 있다. 갑상선 역형성암에서 미만성갑상선염이 발생하고 갑상선호르몬이 증가한 사례가 있다. 방사성요오드치료 후 발생한 갑상선염은 통증을 동반하기도 하며, 당질부신피질호르몬이 증상을 완화시키는 데 도움이 된다.

참 / 고 / 문 / 헌

1. Agate L, Mariotti S, Elisei R, Mossa P, Pacini F, Molinaro E, et al. Thyroid autoantibodies and thyroid function in subjects exposed to Chenobyl fallout during childhood: evidence for a transient radiation-induced elevation of serum thyroid antibodies without an increase in thyroid autoimmune disease. J Clin Endocrinol Metab 2008;93:2729-36.

2. Amino N, Hidaka Y, Takano T, Tatsumi KI, Izumi Y, Nakata Y. Possible induction of Graves' disease and painless thyroiditis by gonadotropin-releasing hormone analogues. Thyroid 2003;13:815-8.

3. Barroso-Sousa R, Barry WT, Garrido-Castro AC, Hodi FS, Min L, Krop IE, et al. Incidence of endocrine dysfunction following the use of different immune checkpoint inhibitor regimens: A systematic review and meta-analysis. JAMA Oncol 2018;4:173-82.

4. Brent GA, Weetman AP. Chapter 13 Hypothyroidism and thyroiditis. In: Melmed S, Koenig R, Rosen C, Auchus R, Goldfine A. Williams textbook of endocrinology. 13th ed. Philadelphia: Elsevier; 2016. pp. 416-48.

5. Chiovato L, Latrofa F, Braverman LE, Pacini F, Capezzone M, Masserini L, et al. Disappearance of humoral thyroid autoimmunity after complete removal of thyroid antigens. Ann Intern Med 2003;139:346-51.

6. Davis S, Kopecky KJ, Hamilton TE, Onstad L, Hanford Thyroid Disease Study Team. Thyroid neoplasis, autoimmune thyroiditis, and hpothyroidism in persons exposed to iodine 131 from the hanford nuclear site. JAMA 2004;292:2600-13.

7. Diana T, Krause J, Olivo PD, König J, Kanitz M, Decallonne B, et al. Prevalence and clinical relevance of thyroid stimulating hormone receptor-blocking antibodies in autoimmune thyroid disease. Clin Exp Immunol 2017;189:304-9.

8. Fatourechi V, Aniszewski IP, Fatourechi GZ, Akinson EJ, Jacobsen SJ. Clinical features and outcome of subacute thyroiditis in an incidence cohort: Olmsted County, Minnesota, study. J Clin Endocrinol Metab 2003;88:2100-5.

9. Fisfalen ME, Palmer EM, Van Seventr GA, Soltani K, Sawai Y, Kaplan E, et al. Thyrotropin-receptor and thyroid peroxidase-specific T cell clones and their cytokine profile in autoimmune thyroid disease. J Clin Endocrinol Metab 1997;82:3655-63.

10. Fugazzola L, Cirello V, Beck-Peccoz P. Microchimerism and endocrine disorders. J Clin Endocrinol Metab 2012;97:1452-61.

11. Giordano C, Stassi G, De Maria R, Todaro M, Rchiusa P, Papoff G, et al. Potential involvement of Fas and its ligand in the pathogenesis of Hashimoto's thyroiditis. Science 1997;275:960-3.

12. Glick AB, Wodzinsky A, Fu P, Levine AD, Wald DN. Impairment of regulatory T-cell function in autoimmune thyroid disease. Thyroid 2013;23:871-8.

13. Hayashi Y, Tamai H, Fukata S, Hirota Y, Katayama S, Kuma K, et al. A long term clinical, immunological, and histological follow-up study of patients with goitrous chronic lymphocytic thyroiditis. J Clin Endocrinol Metab 1985;61:1172-8.

14. Hwangbo Y, Park YJ. Genome-wide association studies of autoimmune thyroid diseases, thyroid function, and thyroid cancer. Endocrinol Metab (Seoul) 2018;33:175-84.

15. Imaizumi M, Usa T, Tominaga T, Neriishi K, Akahoshi M, Nakashima E, et al. Radiation dose-response relationships for thyroid nodules and autoimmune thyroid diseases in Hiroshima and Nagasaki atomic bomb survivors 55-58 years after radiation exposure. JAMA 2006;295:1011-22.

16. Iyer PC, Cabanillas ME, Waguespack SG, Hu M, Thosani S, Lavis VR, et al. Immune-related thyroiditis with immune checkpoint inhibitors. Thyroid 2018;28:1243-51.

17. Kahaly GJ, Diana T, Glang J, Kanitz M, Pitz S, König J. Thyroid stimulating antibodies are highly prevalent in Hashimoto's thyroiditis and associated orbitopathy. J Clin En-

docrinol Metab 2016;101:1998-2004.

18. Lee HJ, Li CW, Hammerstad SS, Stefan M, Tomer Y. Immunogenetics of autoimmune thyroid disease: a comprehensive review. J Autoimmun 2015;64:82-90.

19. Li Q, Wang B, Mu K, Zhang JA. The pathogenesis of thyroid autoimmune diseases: new T lymphocytes-cytokines circuits beyond the Th1-Th2 paradigm. J Cell Physiol 2019;234:2204-16.

20. Mackenzie WA, Davies TF. An intrathyroidal T-cell clone specifically cytotoxic for human thyroid cells. Immunology 1987;61:101-3.

21. Ostroumova E, Brenner A, Oliynyk V, McConnell R, Robbins J, Terekhova G, et al. Subclinical hypothyroidism after radioiodine exposure: Ukrainian-American cohort study of thyroid cancer and other thyroid diseases after the Chornobyl accident (1998-2000). Environ Health Perspect 2009;117:745-50.

22. Park SY, Kim EK, Kim MJ, Kim BM, Oh KK, Hong SW, et al. Ultrasonographic characteristics of subacute granulomatous thyroiditis. Korean J Radiol 2006;7:229-34.

23. Pearce EN, Farwell AP, Braverman LE. Thyroiditis. N Engl J Med 2003;348:2646-55.

24. Stagnaro-Green A. Approach to the patient with postpartum thyroiditis J Clin Endocrinol Metab 2012;97:334-42.

25. Takasu N, Yamada T, Takasu M, Komiya I, Nagasawa Y, Asawa T, et al. Disappearance of thyrotropin-blocking antibodies and spontaneous recovery from hypothyroidism in autoimmune thyroiditis. N Engl J Med 1992;326:513-8.

26. Völzke H, Werner A, Wallaschofski H, Friedrich N, Robinson DM, Kindler S, et al. Occupational exposure to ionizing radiation is associated with autoimmune thyroid disease. J Clin Endocrinol Metab 2005;90:4587-92.

27. Wang SH, Baker JR. The role of apoptosis in thyroid autoimmunity. Thyroid 2007;17:975-9.

28. Weetman AP. Chapter 39 Chronic autoimmune thyroiditis. In: Braverman LE, Cooper DS, Kopp P. Werner & Ingbar's the thyroid. 11th ed. Philadelphia: Wolters Kluwer; 2021. pp. 531-42.

29. Zala A, Berhane T, Juhlin CC, Calissendorff J, Falhammar H. Riedel thyroiditis. J Clin Endocrinol Metab 2020;105: dgaa468.

비독성갑상선종과 결절갑상선질환

함종렬

I. 서론

비독성갑상선종은 갑상선조직이 전반적으로 혹은 선택적 방향으로 커진 것으로 정의하고 결절이나 종양과는 다른 것이다. 갑상선종은 정상기능 혹은 기능항진증이나 저하증을 동반할 수 있다. 갑상선결절은 갑상선세포의 비정상적인 성장으로 주변 정상 갑상선조직과 뚜렷하게 구별되는 병변을 말한다.

II. 역학

갑상선종의 유병률은 국가와 지역에 따라 다양하고 해당 지역의 요오드섭취량에 의존한다. 소아에서 갑상선종의 유병률이 5% 이상이면 풍토갑상선종이라 하고 이는 주로 요오드결핍 때문이며, 5% 이하이면 산발갑상선종이라 한다.

생리적으로 임신 중에는 갑상선종이 커지고 분만 후에는 퇴행한다. 성인 비임신인구집단을 대상으로 한 Framingham조사결과 갑상선종 유병률은 4.6%였으며, 여성 6.4%, 남성 1.5%로 강한 여성 우위를 보였다. 한편 Wickham연구에서의 유병률은 3.2%였고, 남녀 위험비는 6.6:1로 역시 여성에서 훨씬 높았다.

그러나 성별 이외의 변수[요오드섭취량, 흡연 여부, 연령, 성별 분포, 그리고 특히 진단방법의 차이(촉진법 대 초음파)]가 이들 결과에 영향을 주었을 것이다. 실제로 선별검사로 초음파를 이용하였을 때, 일반 인구집단에서 갑상선종의 유병률은 30-50%로 매우 높다. 요오드결핍지역이나 고령 집단에서는 그 유병률이 더욱 높아진다. 갑상선결절 역시 이와 유사하게 성인과 노인의 부검결과 그 유병률이 50% 정도이고, 건강한 성인을 대상으로 초음파를 실시한 연구에서는 65%에서 발견되었다.

비독성광범위갑상선종은 여성 우세를 보인다. 사춘기에 갑상선 크기가 생리적으로 커지는 것으로 보이지는 않는다. 따라서 사춘기에 발생한 광범위갑상선종은 생리적 과정이라기보다는 병적인 것으로 보아야 할 것이다. 그러나 예외적으로 임신 중에는 호르몬요구량과 생산량이 증가하므로 갑상선이 전반적으로 커질 수 있다. 요오드 섭취는 결절갑상선종질환의 자연경과에 영향을 미친다. DanThyr추적연구에서 11년간 요오드 섭취결과 연구시작 당시 단일 갑상선결절이 있었던 사람의 1/3에서 결절이 사라졌고, 흥미롭게도 다발결절 갑상선종의 1/5은 광범위갑상선종으로 변한 것을 확인하였다. 이러한 소견들은 요오드 섭취가 특정 지역에서 결절갑상선질환의 발현을 결정하는 주요인자임을 시사한다. 또한, DanThyr연구는 갑상선결절은 역동적인 것이며, 반드시 비가역적인 과정은 아니라는 것을 보여준다. 이러한

사실은 요오드섭취량이 충분한 미국에 비해 경도–중등도로 낮은 유럽과 그 외 지역에서의 결절갑상선질환의 역학이 차이나는 것을 설명할 수 있을 것이다.

오랜 기간에 걸친 관찰에 의하면 양성갑상선결절이 일단 발견되면 그 자연경과는 어떤 인구집단이든지 폭넓은 이질성을 보이기는 하지만 공통적으로 천천히 자란다는 것을 보여준다. 평균 성장속도는 느리지만, 많은 결절은 수년 혹은 10년 이상 활동이 중단하기도 한다. 드물게 크기가 줄어들기도 하는데, 이는 거의 대부분 양성결절내 낭액이 흡수되면서 일어나는 것과 관련되어 있다.

광범위갑상선종은 전통적으로 갑상선호르몬 합성과정의 손상에 대한 여포세포의 적응반응과정으로 간주하였다. 그러나 이러한 고전적 개념으로는 갑상선종의 많은 측면을 모두 설명하지 못한다. 실제로 갑상선종은 임상적, 기능적, 그리고 형태학적으로 다양한 양상을 보이며 이러한 이질성이 다른 질환들에 의한 것인지는 아직 잘 모른다.

또한, 갑상선종발생에 요오드결핍이 유일한 원인인자라고 보는 것은 과도한 단순화로 보인다. 사실 요오드결핍지역의 모든 거주자가 갑상선종이 생기는 것은 아니며, 더구나 풍토갑상선종은 요오드결핍이 없는 국가들, 심지어 요오드가 풍부한 일부 지역에서도 발생하고, 요오드결핍이 심한 일부 지역에서 관찰되지 않기도 한다. 이러한 소견은 요오드 외 다른 인자(유전적, 인구학적, 그리고 환경적)가 광범위갑상선종 혹은 결절갑상선종의 발생에 어떤 역할을 하고 있음을 시사하고, 또 이들 인자들이 상호협력적으로 작용하는 것으로 보인다. 다발결절내 체세포돌연변이에 의한 신생물성장으로 갑상선종이 발생하기도 한다.

갑상선종발생에 유전요인이 관여한다는 몇몇 일련의 증거가 있다. 첫째, 가족성발생이 있고, 둘째, 이란성쌍둥이보다 일란성쌍둥이에서 갑상선종 발생일치율이 더 높다는 점, 셋째, 풍토갑상선종은 남녀비가 1:1이지만 산발갑상선종은 1:7을 보이고, 넷째, 요오드 예방치료가 광범위하게 잘 안착된 지역에서도 여전히 갑상선종 발생이 높다는 점 등이다.

광범위갑상선종발생가족연구에 의해, 갑상선글로불린(TG), 소듐요오드동반수송체(NIS), 갑상선과산화효소(TPO), dual oxidase 2 (DUOX2), 펜드린[펜드레드증후군(PDS)], 그리고 TSH수용체(TSHR) 등 갑상선호르몬합성과 관련된 단백질을 부호화하는 유전자이상을 관찰할 수 있었다. 그 외 염색체 14q, Xp22, 그리고 3q26부위에서 이 질환에 대한 염색체이상이 확인되었다. 몇몇 가계에서 동일한 보통염색체우성유전양상이 확인되었지만, 다른 가계에서는 다수의 유전자가 관계하는 것으로 보이고, 이는 갑상선종 발생에 또 다른 뚜렷한 유전배경이 있음을 의미한다. 이러한 복잡한 유전양상은 대부분의 비독성갑상선종 환자에서 왜 아직 원인유전자이상이 확인되지 않고 있는지를 설명할 수 있을 것이다. 요오드결핍과 유전취약성에 더하여 다양한 환경인자 노출 역시 갑상선 생성에 관련되어 있다. 약물, 흡연, 셀레늄 결핍, 인슐린저항성, 경구피임제, 출산력, 음주뿐 아니라 phthalates, perchlorate, thiocyanate, 그리고 nitrate, 이소플라본, 유기염소제 같은 내분비교란물질이 이에 포함된다.

Thyroid stimulating hormone (TSH)은 갑상선호르몬 합성을 방해하는 요인에 반응하여 갑상선세포 성장의 주요 자극인자로 오랫동안 주목받아왔다. 실제로 임상에서 드물긴 하지만 TSH–분비뇌하수체선종 환자는 TSH 증가에 의해 갑상선이 커져 있다. 이와 유사하게 그레이브스병에서는 갑상선자극면역글로불린(thyroid–stimulating immunoglobulin, TSI)이 갑상선자극호르몬수용체(thyroid stimulating hormone receptor, TSHR)에 작용하여 갑상선이 커지는 전형적인 양상을 보인다. 또한 항갑상선제 과잉치료 결과로 그레이브스병 환자에서 TSH가 상승하고 이로 인해 갑상선이 더욱 커지는 소견을 볼 수 있다.

한편, TSHR유전자의 종자계 활성돌연변이로 인해 발생하는 비자가면역보통염색체우성갑상선기능항진증 환자에서 독성갑상선증식이 흔히 관찰되기도 한다. 이러한 임상상황들은 갑상선 증식에 TSH-TSHR체계의 역할을 두드러지게 보여주는 것이다. 대부분의 비독성갑상선종 환자의 혈청 TSH 농도는 정상을 보인다. 실험쥐에서 요오드결핍은 정상 TSH 농도라도 갑상선의 성장을 촉진하였다. 따라서 갑상선 여포내 요오드 축적을 방해하는 모든 요인은 정상 TSH 농도에 반응하여 갑상선종이 발생하는 결과를 초래하는 것으로 보인다.

좀 더 흥미로운 것은 TSH와 요오드 공급 간의 관계이다. 실제로 덴마크의 인구집단을 대상으로 요오드 섭취를 강화한 후 11년간 종단관찰한 DanThyr연구에 의하면 요오드 섭취량의 매우 적은 차이라도 TSH 농도와 유의한 상관관계를 보였다.

TSH-의존, TSH-비의존의 복잡한 네트워크는 갑상선여포세포의 성장과 기능을 조절하고 갑상선종 생성과정에 관여한다. 특히 혈류를 통하여 혹은 자가분비나 주변분비를 통하여 유래된 다양한 성장인자는 갑상선세포의 성장과 분화과정을 조절하는 것으로 보인다. 전형적으로 갑상선종 형성 초기단계에서는 구조와 기능의 미세이질성 영역이 혼재되어 자율기능과 국소출혈병변이 포함되어 있다. 엄격한 기준에 따라 증식결절병변 분석결과 역시 형태학적으로 분간하기 어려운 증식 갑상선결절이 단세포군 혹은 다세포군임을 보여준다. 증식결절내 단세포군선종은 증식-신생물스펙트럼의 중간 단계로 이는 다수의 체세포돌연변이가 축적되면서 후속적으로 특정 단일세포클론의 선택적인 성장으로 이어져 발생한 것이다.

조직학적으로 갑상선결절은 콜로이드로 확장된 큰 여포 혹은 작은 콜로이드방울들을 포함한 키가 큰 상피로 둘러싸인 작은 여포무리들이 뒤섞여 있다. 결절은 불완전한 피막형성을 보이고 결절 사이 조직들과 융합되어 구분이 불분명하고 변형된 양상을 보인다. 그러나 어떤 결절은 국소화되어 있고

외견상 구조도 정상처럼 보이는 영역을 포함하기도 한다. 이런 병변은 여포선종과 구분이 어려워 일부 병리학자들은 콜로이드결절 혹은 선종성결절 등의 용어를 사용하기도 한다. 선종모양결절은 악성병변과는 확연히 다른 유전자 표현 패턴을 보인다. 최근 연구결과 *SPOP*, *ZNF148*, 그리고 *EZH1* 등의 유전자체세포돌연변이가 대부분의 양성결절형성과 성장에 관여한다는 것을 확인하였다.

III. 임상특성

앞목 피부 아래에 결절이 만져지면 누구나 매우 당황스럽고 불안하여 병원을 방문할 것이다. 대부분은 적절한 검사 끝에 갑상선종이거나 혹은 양성결절이니 안심하라는 의사의 말을 들을 수 있다.

자율성결절 혹은 자율기능영역을 포함한 다발결절갑상선종은 갑상선호르몬 분비가 증가하여 무증상갑상선중독증 혹은 현성갑상선중독증을 초래할 수 있다. 그러나 이는 요오드결핍과 주로 연관되어 있어 요오드가 풍부한 지역에서는 비교적 드물다. 사실 일반적으로 갑상선결절은 갑상선호르몬분비이상을 동반하지 않는다. 따라서 대부분의 환자는 갑상선기능이상의 징후를 보이지 않고 무증상이다. 결국 비독성갑상선종의 유일한 임상양상은 갑상선이 커진 것이다.

영상검사를 포함한 건강검진체계가 빠르게 성장하면서 임상적으로 의미있는 갑상선결절의 상당수는 경동맥초음파, 흉부나 경부, 두부의 컴퓨터단층촬영이나 자기공명영상촬영 중에 우연히 발견된다. 이렇게 우연히 발견된 결절 역시 신체진찰 중에 확인된 결절과 같은 정도의 악성위험을 가지고 있다. 그러나 [18]FDG-PET에서 대사가 증가된 소견으로 발견된 결절 병소는 갑상선암의 위험도 증가와 유의한 상관관계를 보인다.

대부분의 갑상선결절은 무증상이다. 그러나 기관이나 식도,

경부혈관들을 밀거나 압박하는 정도의 큰 결절들은 드물게 경부 압박감, 삼킴곤란 그리고 질식감의 증상이나 징후를 보이기도 한다. 이러한 폐쇄증상은 Pemberton 수기에 의해 두드러지게 나타나기도 한다. 드물지만 되돌이후두신경의 침범이나 압박으로 쉰목소리를 유발할 수 있는데 이는 신행된 갑상선암을 의미한다. 이보다 더 흔한 폐쇄나 압박을 유발하는 경우는 낭성결절내 급성출혈에 의한 것으로 갑자기 목이 비대칭으로 커지고 통증을 동반하면서 폐쇄 증상을 유발한다.

IV. 진단

1. 진찰을 통한 전반적인 평가

갑상선결절은 대부분 양성증식(혹은 콜로이드)결절 혹은 양성여포선종이다. 그러나 다수의 후향연구에서 임상적으로 의미있는 결절의 약 5-15%에서 암이 증명되었다. 미국등 대부분의 산업화된 나라에서 갑상선암의 유병률은 꾸준히 증가하고 있다. 이러한 현상이 크기가 작으면서 느린 성장의 경과를 보이는 암의 발견률, 즉 그 보고빈도가 증가한 때문인지, 아니면 암 발생률이 실제로 증가한 때문인지는 논란이 있다. 일부 연구에서 진행된 갑상선암의 빈도도 증가되었다는 보고도 있어 이들 연구에 단순히 표본추출 바이어스 이외의 다른 여러 인자들이 영향을 주었을 것이라는 의문이 있는 상태이다. 이러한 논란과 상관없이 갑상선암으로 인한 사망률은 여전히 매우 낮다.

일반적으로 갑상선결절의 크기가 1-1.5 cm 이상일 때 임상적으로 의미가 있다고 간주한다. 이보다 작은 크기는 비록 암이라 하더라도 거의 문제가 되지 않기 때문에 보수적으로 추적관찰한다. 최근 미국갑상선학회(ATA)에서는 결절의 초음파 측정으로 어떤 진단평가를 권고할지 결정할 수 있는 크기 기준을 제시하고 있다.

표 3-8-1. **악성갑상선결절과 연관된 전통적인 임상소견**

- 젊은 연령(< 20-30세)
- 남성
- 소아 혹은 청소년기 경부방사선조사
- 빠른 크기 증가
- 최근 발현하였고 지속적인 목소리 변화, 호흡 혹은 삼킴곤란
- MEN2형 가족력
- 신체진찰
  - 단단하고, 고정되어 있거나 불규칙한 굳기의 결절
  - 성대마비, 쉰목소리
  - 지속적인 국소림프병증

임상적으로 의미있는 갑상선결절인지 그 평가를 위해서는 표 3-8-1에서 보듯이 철저한 병력청취와 주의깊은 신체진찰은 실험실검사, 초음파와 같은 영상검사에 반드시 보조되어야 하고, 무엇보다도 세침흡인세포검사를 통한 세포학적, 그리고 분자생물학적인 평가를 고려하는 데에도 중요하다. 이러한 접근으로 개인맞춤의 악성종양위험도와 이환율 및 사망률 위험에 대한 평가가 내려질 수 있다. 이러한 평가는 환자의 기저질환과 그리고 그들의 요구사항과 관련하여 적절한 치료를 권고할 수 있도록 한다. 전통적으로 30세 이하의 젊은 연령이거나 남성, 청소년기 경부방사선이나 골수이식을 위해 전신방사선조사병력, 빠른 성장을 보이는 결절, 그리고 목소리와 호흡 그리고 삼킴변화가 동반된 경우는 악성을 시사한다. 드물게 2형다발내분비선종양(MEN type 2), PTEN 과오종양증후군(Cowden병), 가족성선종용종증, 혹은 카르니복합이 발견되기도 한다. 이들 질환이 진단되면 반드시 가족구성원들도 검사를 시행해야 한다.

신체진찰에서 크고, 고정되어 있으며 단단하게 만져지는 결절은 암이 우려되는 소견이고 특히 국소 림프절이 커져 있으면 더욱 의심할 수 있다. 그러나 대부분은 무증상이며, 신체진찰을 통해서는 압통이 없고 침을 삼킬 때 움직이는 1-3 cm의 결절을 찾아낼 뿐이라는 사실을 유념해야 한다.

많은 연구결과 결절의 크기는 암의 발생위험도에 거의 영향

이 없었고, 우연종에서 암 발생률은 촉진되어 발견된 결절과 같다는 것을 보여주었다. 그러나 4 cm 이상의 결절은 암 발생 가능성이 높았다. 다발결절의 존재는 암가능성을 낮추지 못했다. 임상적으로 의미있는 다발결절 환자에서 각 결절당 암 발생률은 낮아졌지만, 그 감소는 결절의 수에 거의 비례하였다. 따라서, 갑상선결절 환자 개인당 암발생률을 고려하면 다발결절은 단일결절과 차이가 없다고 할 수 있다. 중요한 것은 다발결절의 가장 큰 결절이 갑상선암의 유일한 대표 위험 결절이 아니라는 것이고, 따라서 각 결절에 대해서 평가해야 할 것이다.

2. 검사실 평가

갑상선결절이 의심되거나 진단받은 모든 환자는 혈청TSH를 측정한다. 유리T_4가 정상이라 하더라도 TSH가 낮거나 측정이 안되는 경우 독성자율기능결절을 시사하며 갑상선스캔을 통해 확인한다. 비록 정상범위 내에 있다 하더라도 TSH가 높다면 악성종양의 위험이 높을 수 있다.

혈청TSH가 상승된 경우, 혈청항갑상선과산화효소항체(TPOAb)를 측정하면 만성림프구갑상선염(하시모토갑상선염)을 진단하는 데 도움이 될 수 있다. 하시모토갑상선염은 초음파촬영에서 비균질한 실질변화소견을 유발하여 때때로 거짓결절처럼 보이기도 한다. TPOAb가 상승되어 있고 비균질성을 보이면 갑상선결절로 평가하기 위해서는 3차원적으로 초음파에서 구분되어야 한다. 하시모토갑상선염은 양측성의 양성으로 보이는 림프절병증을 동반하기도 한다. 이러한 양상은 이 질환의 면역특성이기 때문에 반드시 경보를 울릴 소견은 아니다. 일부 환자에서는 양성과 악성을 구별하기 위해 세침흡인세포검사(뒤에서 자세히 설명)가 필요할 수도 있다.

FCTC (follicular cell thyroid carcinoma)는 증가된 양의 Tg를 혈류로 방출할 수 있으나, 불행히도 FCTC와 대부분의 양성결절의 혈청Tg 농도는 겹친다. 따라서 혈청Tg 농도 측정은 결절갑상선질환의 초기 정밀검사에 유용하지 않다.

일부 연구자들은 갑상선수질암(medullary thyroid carcinoma, MTC)을 선별하기 위해 모든 갑상선질환 환자의 혈청칼시토닌수치를 일상적으로 측정할 것을 권장하기도 한다. 그러나 예측하지 못한 MTC의 빈도는 매우 드물다는 점, 높은 빈도의 가양성소견으로 종종 추가검사 및 갑상선절제를 하게 된다는 점, 그리고 미세갑상선수질암(< 1 cm)의 임상의미를 아직 잘 모른다는 점 등으로 결절갑상선질환 환자의 일차검사항목에 혈청칼시토닌을 포함하는 것은 비용–효과적이지도 않고, 필요하지도 않다. 그러나 의심스러운 상황(예: 결절에 미세석회화가 있는 경우)에서는 혈청칼시토닌 측정이 유용할 수 있다. 비자극 혈청칼시토닌 농도가 100 pg/mL 이상이면 MTC가 존재할 가능성이 높다.

3. 영상평가

1) 초음파검사

초음파는 갑상선의 해부학적인 구조를 평가하는 최적의 수단이다. 초음파촬영을 통해 의료진은 갑상선결절의 암위험을 평가하는 동시에 갑상선의 형태학적인 특성과 크기를 모두 평가할 수 있다. 초음파는 미세한 갑상선결절도 찾아낼 수 있다. 실제로 1,000명의 정상 피험자에서 시행한 고해상도초음파결과 65%에서 검출 가능한 결절을 가지고 있음을 관찰하였다. 많은 연구에서 초음파는 갑상선결절의 악성위험을 효과적으로 계층화할 수 있음을 확인하였다(그림 3-8-1, 3-8-2).

이러한 위험평가로 각 환자에 대한 진단 및 평가전략이 가능해진다. 예를 들어, 고위험결절의 경우 세침흡인세포검사는 일반적으로 1 cm 이상일 때 권장된다. 반면, 초저위험결절은 크기가 2 cm 이상일 때까지는 세침흡인세포검사가 필요하지 않을 수 있다. 미세석회화, 저에코실질, 침윤성 또는 불규칙한 가장자리소견 등은 갑상선암의 특이도가 매우 높은 초음파특징들이다. 특히 이러한 특징이 결합되어 나타날 때 그 예측도는 더욱 높아진다. 비정상적인 림프절병증(특히 일측성이고 목 아래 위치)을 동반한 갑상선결절의 경우 암위험은 더욱 증가한다. 그러나 거대석회화는 미세석회화와 함께 나타나지 않는 한 악성종양을 예측하지 않는다. 키가 큰 모양(즉, 횡단면영상에서 결절의 전후 길이가 넓이보다 긴 경우)은 일부 연구에서 악성위험 증가와 관련이 있었지만, 이는 논란의 여지가 있는 상태이고 특히 왜 그러한 성장 양상이 더욱 악성일 수 있는지 지지하는 명확한 가설도 없는 상태이다. 반면 완전한 낭종이거나 해면모양의 실질, 균질한 고에코병변의 결절은 암의 위험도가 매우 낮다.

초음파기술의 상당한 진전과 함께 초음파를 통한 위험도평가의 유용성을 확인할 수 있었던 광범위한 연구들을 통하여 임상에서 전문가들은 초음파위험도분류를 일상적으로 시행할 수 있게 되었다[American Thyroid Association (ATA), European Thyroid Association (ETA), American Association of Clinical Endocrinology (AACE), Thyroid Imaging Reporting and Data Systems (TIRADS) 권고]. 모든 결절은 의심범주(고, 중간, 저, 초저위험)로 반드시 분류하고, 경과관찰만 할지 세침흡인세포검사를 시행할지 등을 증거기반 전략차원에서 이루어지게 되었다.

고위험결절은 고형이고 저음영이면서 미세석회화 혹은 불규칙한 경계를 가진 경우를 말한다. 이런 경우 악성위험은 70–90%로 추정된다. 중간–저위험결절은 임상에서 부딪히는 결절의 대부분을 차지한다. 중간위험결절은 고형이고 저음영이지만 고위험군에서 보이는 부가적인 소견이 관찰되지 않는 경우이다.

저위험결절은 고형이면서 동일에코 혹은 고에코인 결절이거나 또는 부분 낭성이면서 미세석회화, 불규칙한 가장자리,

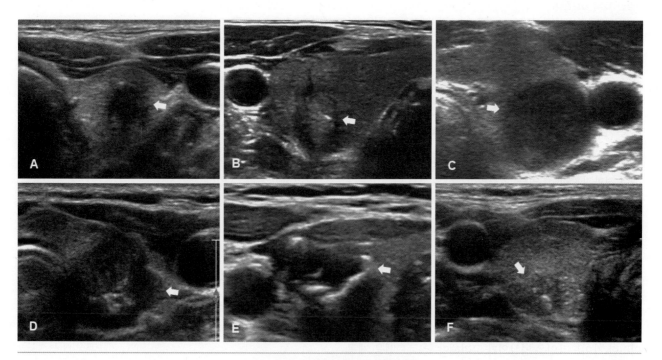

그림 3-8-1. 악성의심결절의 초음파소견

A: 현저한 저에코이면서 불규칙한 경계를 가진 결절(주변 띠근육과 비슷한 에코), B: 저에코이면서 넓이보다 키가 큰 결절, C: 현저한 저에코이면서 규칙적인 경계, D: 저에코이면서 불규칙한 경계로 기관을 침범함. 미세석회화 동반, E: 중간중간 조직분출소견과 함께 끊김이 있는 석회화 테두리(석회화 때문에 결절의 에코판정은 어려움), F: 경계가 불명확한 저에코 결절, 미세석회화 동반. 화살표는 갑상선결절을 가르킨다.

(A-F: 가톨릭대학교 대전성모병원 영상의학과 김현정 교수 제공)

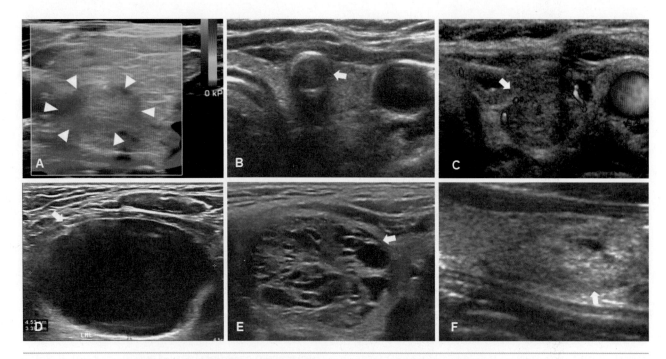

그림 3-8-2. 불확정결절의 초음파소견(A, B, C)과 저위험 혹은 초저위험 초음파결절(D, E, F)

A: 탄성초음파에서 단단한 결절조직임을 확인(화살표로 결절의 경계를 표시). 빨간색은 부드러운 조직, 파란색은 단단한 조직, 그리고 초록색은 중간 정도의 단단한 조직임을 의미, B: 끊김없는 석회화 테두리, C: 결절내 혈관이 있는 경미한 저에코결절(평균 혈류속도는 색상스케일로 전환된다. 초음파탐촉자쪽으로 흐르는 혈류는 빨간색이고, 탐촉자로부터 멀어지는 혈류는 파란색으로 표시됨), D: 순수 낭종, E: 의심소견이 없는 동일에코의 고형성분과 낭성복합결절, F: 고에코고형결절. 화살표는 갑상선결절을 가르킨다.

(A: 서울대병원 영상의학과 이지예 교수 제공, B-F: 가톨릭대학교 대전성모병원 영상의학과 김현정 교수 제공)

그리고 림프절병증 등의 우려되는 소견이 없는 경우이다. 이들 두 군의 악성위험도는 각각 25%와 10%이다. 고위험 혹은 중간위험 결절은 크기가 1 cm가 넘으면 일반적으로 세침흡인세포검사를 권고한다. 반면 저위험군은 1.5 cm 이하라면 경과관찰할 수 있다. 초저위험결절은 주로 낭종이거나 해면모양결절로 악성 위험도는 매우 낮다. 이런 이유로 초저위험결절은 그 크기가 2 cm을 넘지 않는 이상 세침흡인세포검사를 시행하지 말자는 의견이 점차 우세해지고 있다. 특히 순수낭종은 악성가능성이 거의 없어 진단목적의 세침흡인세포검사는 적응증이 되지 않는다.

이러한 가이드라인은 임상의가 고려해야 할 로드맵을 제공하지만, 각 환자에 대한 개별화된 평가가 추가로 요구되기도 한다. 예를 들어 1 cm 이하의 저위험 결절이라 하더라도 환자, 혹은 의사의 우려, 혹은 그 외 임상소견들 때문에 생검

이 필요할 수 있고, 반대로 고위험군이라 하더라도 세침흡인세포검사 없이 추적관찰을 선택할 수 있다. 갑상선암의 총괄적인 위험도는 동반질환, 환자의 요구, 그리고 시술이나 수술의 위험성 등을 함께 고려하기 때문에 이러한 결정은 합리적이라 할 수 있다.

초음파탄성검사는 압력과 초음파로 조직의 굳기를 측정하는 기법이다. 일반적으로 결절이 딱딱할수록 암의 위험은 커진다. 초음파탄성검사는 초기연구들에서 양성과 악성예측도가 높은 것으로 보고되었지만, 최근 많은 연구에서 초음파 평가에 비해 진단 수행도가 낮은 것으로 보인다.

2) 갑상선결절의 세침흡인세포검사

갑상선결절의 세침흡인세포검사는 다른 모든 갑상선암 진단기술을 능가했으며, 요오드가 충분한 지역에서는 전반적

인 민감도와 특이도가 90%를 초과하는 것으로 보고된다. 세침흡인세포검사는 수행하기 쉽고 안전하며, 몇 가지 합병증이 문헌에 보고되어 있을 뿐 대부분 약간의 불편함만 초래한다.

그러나 충분한 표본을 얻기 위해서는 주의를 기울여야 하는데, 대부분의 저자들은 한 결절당 2회 내지 4회의 흡인을 권고하고 있다. 첫 세침흡인세포검사에서 비진단적세포검사 결과가 나오면 초음파유도세침흡인세포검사를 반복 시행해야 한다. 임상적으로 만져지는 고형결절에 대해서도 일상적으로 초음파유도생검 실시와 함께 동시에 현장세포학적인 검사를 시행하면 부적절한 표본채취의 위험을 낮출 수 있다. 만족할 만한 검체는 10-15개의 잘 보존된 세포로 구성된 최소 5군이 포함되어야 한다. 낭성갑상선결절의 경우 결절의 중심에 있는 낭포액이나 세포찌꺼기보다는 초음파 안내하에 결절 가장자리에서 채취하는 것이 정확도를 높인다. 표준세침흡인세포검사에 추가로 중심부바늘생검(core needle biopsy)을 사용하면 어려운 세침흡인세포검사 사례에서 진단의 정확도가 향상될 수 있지만, 이 기술은 합병증 증가와 관련이 있다. 세침흡인세포검사검체물은 양성 또는 악성의 세포학적인 특징의 확인을 위해 통상 현미경으로 평가하고 갑상선세포병리 보고체계인 Bethesda체계를 이용하여 분류한다. 이외 별도로 세침흡인세포검사검체물은 RNA발현기반검사 혹은 단일유전자돌연변이패널을 이용한 분자분석을 위해 보내질 수 있다.

모든 갑상선결절이 세침흡인세포검사를 필요로 하는 것은 아니며 많은 환자가 세침흡인세포검사시술 없이 최소한의 위험을 내포하면서 안전하게 추적관찰할 수 있다. 갑상선결절의 세침흡인세포검사 시행결정은 세포학적인 진단이 향후 치료방향에 영향을 줄 수 있을 거라는 사전평가에 달려있다. 예를 들어, 나이가 많고 동반질환이 있다면 수술치료의 가능성은 낮을 것이고 따라서 세침흡인세포검사는 불필요할 것이다. 그러나 평가가 필요한 경우라면 세침흡인세포검사는 결절의 크기와 초음파소견을 바탕으로 권고한다. 앞

서 언급한 바와 같이 고위험-중등위험소견을 보이는 경우 1 cm 이상의 거의 대부분의 결절은 일반적으로 세침흡인세포검사를 시행하여야 한다.

반면, 저위험 그리고 초저위험결절은 각각 1.5 cm, 그리고 2 cm 이상일 때 세침흡인세포검사를 고려한다. 이러한 지침은 과도한 진단개입을 피하면서 치료적인 개입의 혜택을 받기 위한 임상적으로 의미있는 갑상선암을 식별하기 위해 개발되었지만 아직 이 접근법에 전향연구결과는 없는 상태이다. 더 작은 결절(일반적으로 < 1 cm)은 특별한 상황이나 우려되는 증상이 없는 한 1년에서 2년 내 반복적인 초음파검사를 통해 보수적으로 추적관찰만 할 수 있다.

갑상선결절에 대한 세침흡인세포검사의 세포학적인 소견은 갑상선세포 병리보고를 위한 Bethesda체계(Bethesda system for reporting thyroid cytopathology)에 설명되어 있는 진단카테고리(표 3-8-2)를 사용하여 보고해야 한다. 특징적인 핵 변화를 기반으로 한 세침흡인세포검사의 갑상선유두암[papillary thyroid cancer, PTC (Bethesda 카테고리: 악성)] 진단은 신뢰할 수 있고 정확하며, 숙련된 세포병리학자에 의해 판독되었을 때, 그 민감도와 특이도는 100%에 가깝다. 마찬가지로 8.5년의 추적기간 동안 낮은 빈도(약 1-5%)의 위음성결과와 무시할 수 있는 정도의 위음성흡인으로 인한 사망위험이 확인되어 세침흡인세포검사의 양성결과 보고 역시 매우 정확한 것으로 볼 수 있다. 그러나 세포학적으로 불확정 결절은 악성위험을 내포하고 있다. Bethesda분류는 이 카테고리 내에서 위험도를 층화하였는데, 가장 위험도가 높은 불확정결절[갑상선유두암의심(suspicious, SUSP)], 낮은 암위험[여포종양의심(suspicious for follicular neoplasm/follicular neoplasm, SFN/FN)], 비정형/의미미결정여포병변(atypia of undetermined significance/follicular lesion of undetermined significance, AUS/FLUS) 등으로 나누었다. 이러한 세포학적 분류와 상관없이 세침흡인세포검사의 세포학적 불확정소견은 악성종양의 우려가 있으므로 각 소견은 추

표 3-8-2. 세침흡인세포검사의 세포학적 분류에 기반한 악성가능성

세포학적 소견	결과(%)	각 카테고리별 악성빈도(%)
불충분/비진단	~5–10%	< 5%(낭성 결절), 10–20%(고형결절)
양성	70 (53–90)%	1–5%
불확정	20 (5–23)%	
- 갑상선유두암 의심		60–70%
- 여포종양 의심(SFN/FN)		15–30%
- 의미비확정 비정형(여포병변)		10–25%
악성	5 (1–10)%	> 97%

가적으로 임상 및 초음파특징을 결합하여 개별 평가하여야 한다. 때때로, SUSP 또는 결절크기가 큰 경우, 미용문제 또는 삼킴곤란 같은 다른 임상요인이 결합된 불확정 세포학적 소견의 경우에는 외과적인 절제를 권고할 정도로 충분히 우려되는 소견이다. 이러한 접근방식은 합리적이다.

이전에는 저위험악성종양으로 분류되었고 매우 완만한 경과를 보인다고 생각되었던 갑상선 병변에 최근 유두상핵모양비침습여포종양(non-invasive follicular thyroid neoplasm with papillary-like nuclear features, NIFTP)이라는 새로운 진단용어를 쓰기로 하였다. 이러한 병변은 수술 전 확실하게 진단할 수 없으며, 일반적으로 *RAS*돌연변이를 가지고 있다. NIFTP병변의 세침흡인세포검사소견은 주로 AUS 혹은 SUSP로 분류되는 세포소견을 보인다. 수술 전 NIFTP 가능성을 고려할 수 있게 하는 특징적인 세침흡인세포검사소견이 점차 발견되고 있다.

비진단흡인물은 대개 낭성결절 때문이지만, 고형결절인데 반복적으로 비진단세포검사결과를 보이면 높은 악성위험과 관련이 있다. 비진단갑상선결절에서 두 번째 세침흡인세포검사를 시행하면 60–80%에서 적절한 결과를 얻을 수 있다. 비진단결절의 초음파소견이 우려되는 패턴을 보이는 경우, 면밀한 관찰이나 수술적 절제가 고려되어야 한다.

3) 분자진단검사

저위험불확정결절(SFN/FN 혹은 AUS/FLUS)은 종종 악성종양위험이 비교적 낮으며, 악성이라 하더라도 덜 공격적인 암종변이인 경우가 많다. 그러나 이러한 진단의 관찰자 간 재현성은 높지 않다. 역사적으로 SFN/FN 또는 AUS/FLUS 세포학적 소견이 있는 결절에 대해 일반적으로 외과적 절제가 권장되었지만, 대부분의 환자는 양성질환으로 입증되었다. 그러한 환자에서 수술은 불필요했지만, 결국 그들은 상당한 이환율과 회복을 위한 시간손실, 과도한 의료비용에 노출되었다. 이러한 문제를 해결하기 위해 갑상선특이분자진단검사법의 발견과 개발, 그리고 승인 등에서 급속한 발전을 보이고 있다.

오래전부터 갈렉틴3 단독 혹은 TPO와 결합한 면역염색은 불확정결절 진단에 귀중한 보조수단으로 제안되어 왔다. *BRAF, RAS, RET/PTC* 및 *PAX8/PPARγ*에서 일련의 17개단일유전자종양돌연변이 또는 전위가 세포학적으로 불확정 갑상선결절에 대한 효과적인 진단표지자로 처음 입증되었다. 초기에는 이러한 돌연변이검사가 매우 높은 양성예측치를 가지고 있다고 생각하여 양성을 보이면 "rule in" 검사법으로 약속하였다. 그러나 맹검, 다기관전향연구결과 전체 17-유전자돌연변이패널은 이전에 보고된 것보다 낮은 성과를 보이는 것으로 확인되었다. 이러한 결과는 특히 AUS/FLUS 결절에 대해서, 그 초기자료를 임상현장으로

의 전반적인 적용 가능성에 대한 의문을 제기한다. 이 DNA 기반돌연변이패널의 최신버전이 제품화되면서 유전적 재배열과 염색체수 이상도 식별할 수 있게 되었다. 이 최신버전을 사용했을 때, 검사민감도와 특이도 모두 향상된 결과를 보였지만 실제 임상에서 맹검, 비맹검 분석 모두 예상보다는 낮은 성능을 보였다. 최근 세 번째 버전의 성능이 보고되었는데, 전반적으로 이 검사법은 저위험, 세포학적 불확정 결절에 적용했을 때 악성을 판정하는 데 그렇게 강력하지 않다는 것을 보여준다. 그러나 음성예측도는 높은 것으로 보인다. 이러한 DNA기반돌연변이패널의 가장 복잡한 결과는 RAS유전자돌연변이 발견이다. 많은 RAS돌연변이는 갑상선유두암과 상관이 있지만, RAS돌연변이는 악성변환의 증거가 없는 양성갑상선결절에서도 자주 발견되었다.

또 다른 분자진단검사는 마이크로어레이기법을 이용한 RNA유전자발현분류기(gene expression classifier, GEC)의 유용성을 연구한 것이다. 162개 유전자의 발현패턴에 대한 초기분석을 통해 SFN/FN 및 AUS/FLUS 결절 진단의 민감도와 음성예측치를 극대화하는 것을 목표로 1세대 테스트가 개발되었다. 거의 4,000개의 SFN/FN 또는 AUS/FLUS 세포학적인 소견을 보이는 갑상선결절을 등록하는 전향맹검다기관검증시험연구가 수행되었다. 양성GEC 검사결과 각각 94% 및 95%의 음성예측치를 보였는데, 이는 양성세침흡인세포검사 세포학적 결과소견과 유사하였다. 양성예측치는 각각 37%와 38%였다.

실제 임상에서의 사용에 대한 추적분석결과 병원에 따라 다양한 차이를 확인할 수 있었는데, 주로 환자집단과 Bethesda 세포학적 분류 분포의 차이에 의한 것이었다. 최근 연구에서는 고해상도초음파를 사용하여 불확정세포 소견이면서 GEC 양성인 결절의 장기추적과 세포학적으로 양성결절의 추적관찰결과를 비교하였다. 평균 약 14개월의(최대 40개월) 관찰에서 이들 그룹 간에 차이가 확인되지 않아 GEC양성결절이 실제 양성병변과 유사한 경과를 보인다는 것을 확인하였다.

최근 일부 연구결과에서는 휘틀세포를 많이 포함하는 결절에 적용 시 GEC 진단 정확도는 더 낮을 수 있다고 제기하였다. 소위유전자 염기서열분류기(gene sequencing classifier, GSC)라고 하는 RNA기반발현분류기의 새로운 버전이 개발되어 향상된 성능을 보여주었다. 수술 전 암위험평가를 실실석으로 개선하고 치료방향을 수정할 수 있는 능력 때문에 세포학적으로 불확정 갑상선결절에 대한 분자검사가 점점 더 승인되고 있다. 특히, 대부분의 분자검사는 높은 민감도와 높은 음성예측치를 보여준다. 최근까지 GSC의 사용은 임상적으로 검증되었다는 강점 때문에 선호되고 있다. 더욱이 미국에서 비용-효과 초기분석결과와 이 접근법을 통한 비용절감이 입증되었다. 유전자돌연변이패널은 우월한 특이성과 양성예측치를 가지고 있음을 증명할 수 있지만 반갑상선절제술과 갑상선아전절제술에 대한 결정은 환자의 인구학적 특성, 선호도, 초음파결과 및 분자분석과 같은 변수를 고려해야 하기 때문에 이 메트릭의 유용성은 제한적이다.

현재까지 다양한 분자검사방법들을 비교하는 일대일 전향연구나 맹검조사는 없다. MicroRNA검사는 세포학적으로 불확정 결절에 사용하기 위한 별도의 분자검사로 제안되었다. 미국에서 수행된 강력한 검증연구가 아직 계류 중이지만 초기 데이터는 이 접근법의 잠재력을 시사한다. 따라서 이러한 검사들에 대한 추가적인 전향검증과정이 필요하다.

4) 갑상선스캔

초음파 유도 세침흡인세포검사의 도입 이전에는 ^{131}I, ^{123}I, 혹은 ^{99m}Tc을 이용한 갑상선스캔이 진단 목적으로 사용되었다. 대부분의 갑상선암조직은 요오드를 포착하고 유기화하는데 비효율적이어서 동위원소 섭취율이 감소된 영역, 소위 냉결절형태로 나타난다. 이러한 특징은 종양발생과정의 조기 단계에서 NIS 발현 감소를 반영하는 소견이다. 불행하게도 대부분의 양성결절 역시 요오드농축능력이 없다. 더구나 ^{99m}Tc 갑상선스캔에서 정상 혹은 약간 증가된 섭취를 보이는 모든 결절이 양성이 아니며 일부는 방사성요오드스캔에서는 냉결절로 보이기도 한다. 이런 소견들은 갑상선스캔의 제한적인 진단유용성을 확인시켜준다.

요오드스캔을 통해 유일하게 합리적인 확실성을 가지고 악성 결절임을 배제할 수 있는 상황은 중독성선종이다. 열결절은 국소적으로 ^{123}I 섭취가 있으면서 나머지 갑상선에는 섭취가 현저히 줄어들어 있거나 전혀 보이지 않는 소견을 보인다. 이러한 병변은 전형적으로 낮은 TSH를 동반하고 있다. 갑상선결절의 5-10% 미만을 차지하고 거의 항상 양성이다. 갑상선스캔은 이전보다 훨씬 덜 사용하고 있지만, 다발갑상선결절 혹은 약간 낮은 혈청TSH 농도를 보이는 결절의 평가에 여전히 가치가 있다. 그러한 경우에 스캔은 비기능결절을 찾고 세침흡인세포검사 목표병변을 결정하는 데 도움이 된다.

5) 그 외 영상검사

경부컴퓨터단층촬영과 자기공명영상 역시 사용할 수 있다. 이들 검사는 특히 수술 전 목의 구조물을 평가하는 데 유용하지만, 전반적으로 갑상선초음파에 비해 그 진단성과는 낮다. 더구나 저에코실질이나 불규칙한 가장자리와 같은 악성종양의 특징적인 초음파소견들을 이들 검사에서는 찾아내기 쉽지 않다.

마지막으로 $^{18}FDG-PET$는 다양한 질환을 가지고 있는 환자를 평가하는 과정에서 점점 사용이 증가하고 있다. $^{18}FDG-PET$는 갑상선결절 환자의 일상검사로는 권고하지 않지만, 우연히 PET섭취양성결절로 발견된 경우, 그 악성위험도는 30-40%이다. 따라서 이런 경우 세침흡인세포검사시행을 권고한다. 중요한 것은 하시모토갑상선염의 경우 광범위한 FDG-PET 섭취가 흔히 발견된다는 것이며, 이런 경우 초음파에서 결절성이 없다는 것을 확인한다면 병적소견이나 악성종양의 소견은 아니라고 판단할 수 있다.

V. 치료

1. 갑상선호르몬 억제요법

크기가 작고 무증상인 비독성갑상선종 환자는 정기적인 진찰과 초음파검사로 평가한다. 사실 갑상선종의 성장속도는 다양하고 일부 환자는 수년간 안정적인 상태를 유지한다. 비독성갑상선종의 크기를 줄일 목적으로 100년 이상 갑상선호르몬 억제요법을 시행하였다. 1953년 Greer와 Astwood는 갑상선호르몬 투여로 갑상선종 환자의 2/3에서 크기가 줄었다고 보고하면서, 일부 의심의 시선에도 불구하고 광범위하게 사용되기 시작했다. 1960-1992년에 걸친 연구들을 종합하면 산발비독성갑상선종의 60% 이상이 억제 치료에 반응하였다. 위약대비, 이중맹검 무작위전향연구에서 레보타이록신 투여 9개월째 갑상선초음파에서 갑상선종 크기를 측정한 결과 위약군의 5%에 비하여 치료군의 58%에서 유의한 반응이 관찰되었다.

갑상선결절질환은 광범위비독성갑상선종에 비해 억제요법에 덜 반응하는 것으로 보인다. 한 메타분석결과에서는 억제요법에 의한 결절위축의 상대위험도는 단지 1.9 (95% 신뢰구간, 0.95-3.81)였고, 따라서 유의한 이점을 확인할 수 없었다. 한 다기관, 무작위, 이중맹검, 위약대비연구에서 통계유의성을 확인할 수 있었는데, 억제요법을 하면서 18개월 후 추적관찰에서 레보타이록신 투여군에서 위약군 대비 결절위축반응률이 높았고(p = 0.04), 결절위축 정도가 통계적으로 유의하였다(p = 0.01). 반응은 크기가 작거나 최근에 진단받은 결절을 가진 젊은 사람에서 좋았다. 그러나 갑상선결절은 치료를 중단하면 빠르게 치료 이전 상태로 돌아갔다. 따라서 크기 감소 유지를 위해서는 지속적인 투약을 요하며 이는 장기투여로 인한 위험부담을 수반한다. 장기간의 타이록신 억제요법과 관련된 주요 관심사는 골격과 심장에 해로운 영향을 미칠 가능성이다. 일반적으로 TSH 억제요법은 특히 폐경기여성에서 다양한 정도의 골손실과 관련이 있다. 또한, 레보타이록신 억제요법이 노인 환자의 심장에 해롭다는 증거가 있다.

2. 방사성요오드치료

전통적으로 비독성갑상선종에 대한 방사성요오드(^{131}I)치료의 역할은 수술에 적합하지 않은 노인 환자에서 거대한 갑상선종의 크기를 줄이거나 절제 후 재발한 갑상선종을 치료하기 위한 것이었다. 그러나 여러 연구결과 ^{131}I로 비독성갑상선종을 일차치료한 후 갑상선 부피가 감소하는 것을 확인하였다. 한 연구에서 갑상선용적(초음파촬영으로 평가)은 1년 후 40%, 2년 후 55% 감소했으며 그 이후에는 더 이상 감소하지 않았고, 전체 감소의 60%가 첫 3개월 이내 발생하였다.

갑상선크기의 감소효과를 고려하여 비자율 갑상선결절에 ^{131}I 치료를 적용하였을 때 31%에서 60%까지 현저한 위축을 관찰할 수 있었다(그림 3-8-3). 이전에는 큰 갑상선종이나 혹은 흉골 아래까지 확장이 있는 갑상선종은 ^{131}I 치료 시 급성갑상선종부종과 기관압박의 위험을 초래할 수 있다는 논란이 있었다. 그러나 ^{131}I요법 후 초음파를 통한 갑상선용적 변화에 대한 연구에서 치료초기 용적 증가는 관찰되지 않았다. 더욱이, 흉골 아래 확장이 있는 비독성갑상선종에 의해 압박이 있는 환자에서도 기관이탈이 감소하고, 기관의 내강 증가가 자기공명영상촬영에 의해 입증되었다.

따라서 비독성광범위갑상선종 또는 비독성다발결절갑상선질환의 ^{131}I 치료는 효과적이고 안전하다고 할 수 있다. 갑상선기능저하증은 20-40%에서 보고되었고, 일시적인 갑상선중독증과 경미한 통증이 발생할 수 있다. 정기적인 관찰이 필요한데, 가급적이면 체계적인 연간 추적계획이 필요하다. ^{131}I 방사선 치료선량은 갑상선기능항진증과 비슷하며, 따라서 치료 후 장기적인 갑상선 및 비갑상선장기의 암발생 위험 역시 안심할 만한 수준일 것이다. 저용량의 재조합인간 TSH [rhTSH (0.01-0.03 mg)]로 자극하면 갑상선종이나 결절의 ^{131}I 흡수가 증가하므로 ^{131}I를 더 적게 투여하는 장점이 있겠지만, rhTSH는 갑상선호르몬 생산도 증가시키므로 갑상선호르몬 과잉생산을 먼저 배제한 후 투여하여야 할 것이다. 향후 수술과 ^{131}I 치료의 효과, 부작용, 비용 및 이점을 비교하는 장기무작위연구가 필요하다.

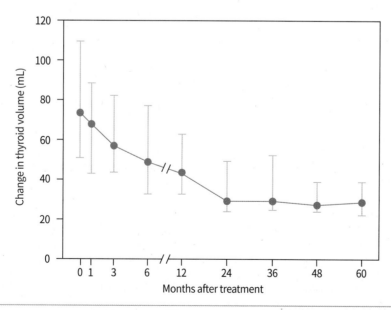

그림 3-8-3. **방사성요오드 ^{131}I 1회 투여 후 정상갑상선기능을 유지한 39명의 비독성다발결절갑상선질환자의 치료 후 갑상선부피 변화의 중앙값 변화. 수직막대는 4분위를 나타냄.**

3. 수술

비독성갑상선종에 대한 수술은 인체호르몬 요구를 충족해야 하는 갑상선기능을 더욱 제한하기 때문에 생리적 관점에서 부적절하다. 그러나 레보타이록신 투여에도 폐쇄증상이 지속되는 경우에는 수술이 필요할 수 있다. 수술은 이전 또는 전갑상선절제술을 시행하지만, 재발은 10년 이내에 약 10–20%에서 볼 수 있다. 수술합병증은 7–10%에서 보고되었으며 큰 갑상선종이나 재수술에서 더 흔하였다. 갑상선종 절제 후 레보타이록신을 사용한 예방치료는 갑상선종 재발을 막지 못하는 것으로 보인다.

4. 기타

경피에탄올주사(percutaneous ethanol injection, PEI)는 재발성이고 증상을 동반하는 낭성결절에만 사용되어야 한다. 레이저절제, 동결절제 및 고주파절제는 아직까지는 일반적으로 실험적 시술 수준으로 경험이 풍부한 센터에서 증상이 있는 결절갑상선종 환자를 대상으로 수술이 불가능한 경우 선택적으로 실시할 수 있다.

참 / 고 / 문 / 헌

1. Alexander EK, Hurwitz S, Heering JP, Benson CB, Frates MC, Doubilet PM, et al. Natural history of benign solid and cystic thyroid nodules. Ann Intern Med 2003;138:315-8.

2. Berghout A, Wiersinga WM, Drexhage HA, Smits NJ, Touber JL. Comparison of placebo with L-thyroxine alone or with carbimazole for treatment of sporadic non-toxic goitre. Lancet 1990;336:193-7.

3. Bignell GR, Canzian F, Shayeghi M, Stark M, Shugart YY, Biggs P, et al. Familial nontoxic multinodular thyroid goiter locus maps to chromosome 14q but does not account for familial nonmedullary thyroid cancer. Am J Hum Genet 1997;61:1123-30.

4. Bistrup C, Nielsen JD, Gregersen G, Franch P. Preventive effect of levothyroxine in patients operated for non-toxic goitre: a randomized trial of one hundred patients with nine years follow-up. Clin Endocrinol (Oxf) 1994;40:323-27.

5. Brito JP, Gionfriddo MR, Nofal AA, Boehmer KR, Leppin AL, Reading C, et al. The accuracy of thyroid nodule ultrasound to predict thyroid cancer: systematic review and meta-analysis. J Clin Endocrinol Metab 2014;99:1253-63.

6. Durante C, Costante G, Lucisano G, Bruno R, Meringolo D, Paciaroni A, et al. The natural history of benign thyroid nodules. JAMA 2015;313:926-35.

7. Eszlinger M, Böhme K, Ullmann M, Gorke F, Siebolts U, Neumann A, et al. Evaluation of a two-year routine application of molecular testing of thyroid fine-needle aspirations using a seven-gene panel in a primary referral setting in Germany. Thyroid 2017;27:402-11.

8. Filetti S, Tuttle RM, Leboulleux S, Alexander EK. Chapter 14 Nontoxic diffuse goiter, nodular thyroid disorders, and thyroid malignancies. In: Melmed S, Koenig R, Rosen C, Auchus R, Goldfine A. Williams textbook of endocrinology. 14th ed. Philadelphia: Elsevier; 2020. pp. 437-45.

9. Hegedüs L, Bonnema SJ, Bennedbaek FN. Management of simple nodular goiter: current status and future perspectives. Endocr Rev 2003;24:102-32.

10. Ito Y, Nikiforov YE, Schlumberger M, Vigneri M. Increasing incidence of thyroid cancer: controversies explored. Nat Rev Endocrinol 2013;9:178-84.

11. Krejbjerg A, Bjergved L, Pedersen IB, Knudsen N, Jorgensen T, Perrild H, et al. Thyroid nodules in an 11-year DanThyr follow-up study. J Clin Endocrinol Metab 2014;99:4749-57.

12. Schlumberger M, Lacroix L, Russo D, Filetti S, Bidart JM. Defects in iodide metabolism in thyroid cancer and implications for the follow-up and treatment of patients. Nat Clin Pract Endocrinol Metab 2007;3:260-9.

13. Tan GH, Gharib H. Thyroid incidentalomas: management approaches to nonpalpable nodules discovered incidentally on thyroid imaging. Ann Intern Med 1997;126:226-31.

14. Tunbridge WM, Evered DC, Hall R, Appleton D, Brewis M, Clark F, et al. The spectrum of thyroid disease in a community: the Whickham survey. Clin Endocrinol (Oxf) 1977;7:481-93.

15. Vander JB, Gaston EA, Dawber TR. The significance of nontoxic thyroid nodules: final report of a 15-year study of the incidence of thyroid malignancy. Ann Intern Med 1968;69:537-40.

16. Wémeau JL, Caron P, Schvartz C, Schlienger JL, Orgiazzi J, Cousty C, et al. Effects of thyroid-stimulating hormone suppression with levothyroxine in reducing the volume of solitary thyroid nodules and improving extranodular nonpalpable changes: a randomized, double-blind, placebo-controlled trial by the French Thyroid Research Group. J Clin Endocrinol Metab 2002;87:4928-34.

갑상선암의 소개

김선욱

I. 갑상선암의 역학

갑상선결절은 매우 흔하여 일반적으로 전체 인구의 4–8% 가량에서 만져지는 결절이 있으며 초음파를 이용하는 경우 다양한 크기의 결절이 19–67%로 관찰된다. 이러한 갑상선결절은 여성에서 3–4배 정도 더 자주 관찰되며 연령이 증가할수록 그 빈도가 증가하는 것으로 알려져 있다. 국내에서 초음파를 이용하여 여성과 남성에서 갑상선결절을 조사한 결과에 따르면 여성에서 2.5–3배 정도 빈도가 높으며 나이가 들수록 빈도가 증가하여 60세 이상의 여성의 65% 정도에서 초음파로 갑상선결절이 관찰되었다(표 3-9-1).

갑상선결절이 발견되면 환자나 의사 모두 악성가능성에 대하여 걱정을 하게 되고 이에 대한 검사를 진행하게 되나 실제 악성으로 밝혀지는 경우는 5% 내외로 추정되며 나머지 95% 정도를 차지하는 결절은 대부분 양성갑상선결절이다. 갑상선암은 선진국에서 발생하는 암 전체에서 약 1% 정도를 차지하는 것으로 알려져 있다. 최근 30여 년간 갑상선암의 발생이 급격히 증가하였으나 갑상선암에 의한 사망은 큰 변화가 없어서 과잉진단의 이슈가 대두되었다. 갑상선암 과잉진단의 이슈는 갑상선암 이외의 원인으로 사망한 환자를 부검하면 많게는 25%까지 작은 갑상선유두암이 발견되는데 이러한 병변이 다른 영상검사 등에서 우연히 결절로 발견되어 암 진단에 이르게 된다는 것으로 주장되었다. 실제 이렇게 우연히 발견되는 작은 갑상선암이 일생 동안 환자에게 실제로 해를 미칠 가능성은 매우 낮을 것으로 추정된다. Global Heath Data Exchange에 따르면 1990년에는 약 95,000명의 갑상선암 발생이 있었으나 2017년에는 약 255,000명의 갑상선암 발생이 보고되었다. 전체 암에서는 비교적 드문 암으로 알려져 있으나 내분비기관의 암에서는

표 3-9-1. 한국인에서 연령에 따라 초음파로 발견되는 갑상선결절의 유병률

연령	여성(1,300명)	남성(1,081명)
30–39세	30.8%	10.3%
40–49세	37.0%	12.7%
50–59세	41.5%	17.1%
60세 이상	65.2%	33.3%

갑상선암이 가장 빈도가 높다. 대부분(95% 이상)의 갑상선암은 갑상선여포세포를 기원으로 하고 있는 분화암으로 비교적 진행 경과가 느려서 10년 생존률이 90% 이상으로 보고된다. 우리나라에서는 2000년도 이후에 초음파 등의 첨단영상장비의 보급과 사용이 늘고 의료접근성이 용이한 것에서 기인한 것으로 추정되는 급격한 발생 증가가 진행되어서 중앙암등록본부의 암등록통계에 따르면 2000년도에는 3,288건이 등록되어 국내 암발생순위에서 7위이던 갑상선암은 2009년도에는 국내에서 가장 많이 발생하는 암이 되었다. 2012년도에는 44,621건이 등록되어 최대치가 되었다가 이후 과잉진단과 관련된 논란을 겪은 후 발생빈도가 서서히 감소하여 2017년도에는 26,693건까지 감소하였다.

II. 갑상선암의 병리학적 분류/병기

갑상선의 종양은 갑상선을 구성하는 여러 세포에서 기원하는데 그 구성은 갑상선여포세포, 칼시토닌을 생산하는 C세포, 림프구, 그 외 기질과 혈관 성분들로 이루어진다. 드물게 갑상선 이외의 조직에서 전이된 종양도 있다. 대부분의 갑상선암은 정상 갑상선여포세포에서 기원한 것으로 천천히 자라는 성질을 지닌다. 특히 우리나라와 같이 요오드 섭취가 충분한 지역에서 발생하는 갑상선암은 대부분이 갑상선유두암(papillary thyroid carcinoma)이다.

갑상선에서 발생하는 거의 모든 암은 상피세포인 갑상선 여포세포기원의 암종(carcinoma)이다. 하지만 우리나라의 국가암등록통계(중앙암등록본부)의 공식자료와 실제 임상에서 갑상선암(thyroid cancer)으로 대부분 사용되고 있어 본문에서는 갑상선에서 발생한 악성종양의 경우 병리학적으로 특별히 구분이 필요한 경우를 제외하고는 thyroid carcinoma를 갑상선암종 대신 갑상선암으로 기술하였다.

과거에 확립된 갑상선암의 조직학적 형태와 임상적인 양상에 따른 분류들은 이후에 발달된 분자유전학적인 방법에서도 잘 구분되는 분류로 인정받고 있다. 하지만 일부에서는 추가적인 연구가 필요한 분야가 있다. 먼저 갑상선유두암의 여포성아형(follicular variant of papillary thyroid carcinoma)으로 분류되었던 종양들은 오히려 갑상선여포암(follicular thyroid carcinoma)과 유전자 변화가 유사한 것으로 나타나 향후 재분류가 필요할 수 있다.

World Health Organization (WHO)에서는 직경이 1 cm 이하의 갑상선유두암을 미세갑상선유두암(papillary microcarcinoma)으로 정의하고 갑상선유두암의 빈도 및 치료방법에 관한 연구에서 미세갑상선유두암의 빈도를 꼭 고려하도록 권고하고 있다. 그 이유는 갑상선암 이외의 이유로 시행된 부검에서 지역에 따라 차이가 있으나 워낙 높은 빈도로 미세갑상선유두암이 발견되는 것이 일관되게 보고되

표 3-9-2. **2017 WHO Classification of Thyroid Tumors**

Histologic type	Variant
Follicular adenoma (FA)	Hyperfunctioning adenoma, FA with papillary hyperplasia etc.
Hyalinizing trabecular tumor	
Other encapsulated follicular-patterned thyroid tumors	• Follicular tumor of uncertain malignant potential (FT-UMP) • Well-differentiated tumor of uncertain malignant potential (WDT-UMP) • Noninvasive follicular thyroid neoplasm with papillary-like nuclear features (NIFTP) • Controversial variants: micro-NIFTP, oncocytic NIFTP

표 3-9-2(이어서). **2017 WHO Classification of Thyroid Tumors**

Histologic type	Variant
Papillary thyroid carcinoma (PTC)	• Follicular variant • Encapsulated variant • Papillary microcarcinoma • Columnar cell variant • Oncocytic variant • Other variants: diffuse sclerosing, tall cell, cribriform-morular, hobnail PTC with fibromatosis/fasciitis-like stroma, solid-trabecular, oncocytic, spindle cell, clear cell, Warthin-like variants
Follicular thyroid carcinoma (FTC), NOS	• Minimally invasive FTC • Encapsulated angioinvasive FTC • Widely invasive FTC • Variants: clear cell variant, signet-ring cell type, and FTC with glomeruloid pattern
Hürthle (Oncocytic) cell tumors	• Hürthle cell adenoma • Hürthle cell carcinoma (HCC) 　Minimally invasive HCC 　Encapsulated angioinvasive HCC 　Widely invasive HCC
Poorly differentiated thyroid carcinoma (PDTC)	• Poorly differentiated oncocytic cell carcinoma
Anaplastic thyroid carcinoma (ATC)	Variants: sarcomatoid, giant cell, epithelial, paucicellular, lymphoepithelioma-like, and small cell variants
Squamous cell carcinoma	
Medullary thyroid carcinoma (MTC)	• Variants: papillary, follicular (tubular/glandular), spindle cell, giant cell, clear cell, oncocytic, melanotic, squamous, amphicrine, paraganglioma-like, angiosarcoma-like, and small cell variants • Primary C-cell hyperplasia (neoplastic C-cell hyperplasia and thyroid intraepithelial neoplasia of C-cell) • Medullary microcarcinoma • Mixed medullary and follicular thyroid carcinoma • Variants: Mixed MTC and PTC, FTC, PDTC, or ATC
Mucoepidermoid carcinoma	
Sclerosing mucoepidermoid carcinoma with eosinophilia	
Mucinous carcinoma	
Ectopic thymoma	
Spindle epithelial tumor with thymus-like differentiation	
Intrathyroid thymic carcinoma	Subtypes: squamous cell carcinoma type, lymphoepithelioma or basaloid type, neuroendocrine carcinoma type

표 3-9-3. 갑상선암의 병기

7th edition	Age < 45 years		
I	Any tumor size	Any lymph node status	Absence of distant metastases (M0)
II	Any tumor size	Any lymph node status	Presence of distant metastases (M1)
8th edition	Age < 55 years		
I	Any tumor size	Any lymph node status	Absence of distant metastases (M0)
II	Any tumor size	Any lymph node status	Presence of distant metastases (M1)
7th edition	Age < 45 years		
I	Tumor of ≤ 2 cm limited to the thyroid (T1)	Absence of lymph node metastases (Nx/N0)	Absence of distant metastases (M0)
II	Tumor of ≤ 4 cm limited to the thyroid (T2)	Absence of lymph node metastases (Nx/N0)	Absence of distant metastases (M0)
III	Tumor of any size with lymph node metastases of the central compartment (N1a) or with minimal extrathyroid extension (T3) with/without lymph node metastases of the central compartment		Absence of distant metastases (M0)
IVa	Tumor of any size with lymph node metastases of the lateral compartment (N1b) or with gross extrathyroidal extension invading subcutaneous soft tissues, larynx, trachea, esophagus, or recurrent laryngeal nerve (T4a) with/without lymph node metastases		Absence of distant metastases (M0)
IVb	Gross extrathyroidal extension invading prevertebral fascia or encasing the carotid artery or mediastinal vessels (T4b)	Any lymph node status	Absence of distant metastases (M0)
IVc	Any tumor size	Any lymph node status	Presence of distant metastases (M1)
8th edition	Age < 55 years		
I	Tumor of ≤ 4 cm limited to the thyroid (T2)	Absence of lymph node metastases (Nx/N0)	Absence of distant metastases (M0)
II	Tumor of any size with lymph node metastases (N1) or with gross extrathyroidal extension invading only strap muscles (sternohyoid, sternothyroid, thyroidhyoid, omohyoid) with/without lymph node metastases (T3b)		Absence of distant metastases (M0)
III	Gross extrathyroidal extension invading subcutaneous soft tissues, larynx, trachea, esophagus, or recurrent laryngeal nerve (T4a)	Any lymph node status	Absence of distant metastases (M0)
IVa	Gross extrathyroidal extension invading prevertebral fascia or encasing the carotid artery or mediastinal vessels (T4b)	Any lymph node status	Absence of distant metastases (M0)
IVb	Any tumor size	Any lymph node status	Presence of distant metastases (M1)

출처: AJCC TNM staging: 7th and 8th editions.

고 있으며 이러한 군의 환자들의 생존율은 질환이 없던 일반인들의 생존율과 차이가 없기 때문이다. 2017년 WHO에서는 갑상선종양의 분류를 갱신하여 발표하였다(4th edition). 여기에는 경계성종양(borderline malignancy) 또는 uncertain malignant potential이라는 새로운 개념이 추가되었다. 경계성종양의 개념에서 갑상선유두암세포의 핵모양을 지니면서 피막을 형성하면서 침범이 없는 Non-invasive follicular thyroid neoplasm with papillary-like nuclear features (NIFTP)의 개념이 도입되었고 과거 papillary thyroid cancer (follicular variant)의 상당수가 경계성종양으로 분류될 수 있다. 새롭게 발표된 갑상암의 분류는 다음과 같다(표 3-9-2).

American Joint Committee on Cancer (AJCC)는 종양(tumor), 림프절(node), 전이(metastasis), (TNM) 분류를 통한 병기체계를 고안하였고 가장 널리 사용되고 있다. 2018년도에 개정된 새 병기체계에서는 기존의 45세 미만이던 연령의 구분점(cutoff)이 55세 미만으로 변경된 변화가 반영되었고 일부 병기가 변경이 되었다(표 3-9-3).

III. 갑상선암의 병인

갑상선암의 발생은 환경, 유전자 그리고 호르몬에 영향을 받는다. 환경영향은 유전자독성(genotoxic; DNA 손상) 영향과 비유전자독성(nongenotoxic; TSH 자극) 영향으로 나누어질 수 있다. 갑상선의 주세포인 갑상선여포세포는 호르몬 생성을 위하여 환경으로부터 요오드를 획득하여야 하는데 체르노빌원전사고와 같이 원전사고로 누출된 방사성요오드로 인하여 유전자독성을 받을 수 있다. 방사성요오드에 의한 갑상선암의 발생은 특히 소아에서 성인에 비하여 영향이 큰 것으로 알려져 있다. 외부조사방사선 또한 갑상선암을 일으키는 원인으로 작용할 수 있는데 염색체의 파열을 일으켜서 유전자재배열, 암억제유전자의 손상을 일으키는 것으로 알려져 있다.

갑상선여포세포는 증식과 성장에 갑상선자극호르몬(thyroid stimulating hormone, TSH)에 영향을 받는다. 따라서 TSH 상승은 갑상선암의 발생과 연관이 된 것으로 알려져 있다. 요오드 섭취가 부족한 지역에서는 요오드결핍에 의한 보상기전으로 TSH가 상승하게 되고 이로 인하여 비유전자독성 영향을 받을 수 있다. 또한 갑상선분화암 환자에서 갑상선호르몬 투약으로 TSH를 억제하는 치료의 근거가 된다.

과거 10여 년간 갑상선암의 분자유전학적인 병인연구에 많은 발전이 있었다. 전반적으로 갑상선유두암 70% 정도에서 RET-RAS-BRAF신호전달체계의 활성화가 관찰되었다. 이와 함께 밝혀진 내용을 보면 추가적으로 일부 갑상선유두암에서는 특징적인 소견으로 RET(염색체 10번)와 TRK(염색체 1번) 재배열이 보고되었는데 이는 방사선으로 인한 DNA 손상이 원인인 경우가 많다. 하지만 국내에서는 그 빈도가 매우 낮은 것으로 알려져 10% 미만으로 추정된다. 반면에 RET신호전달체계의 하위단계인 BRAF돌연변이가 국내에서는 높은 빈도로 보고되고 있는데 갑상선유두암의 60-80%에서 BRAF의 600번째 아미노산이 valine에서 glutamic acid로 치환되는 $BRAF^{V600E}$ 점돌연변이가 관찰된다. 이러한 $BRAF^{V600E}$ 점돌연변이의 국내 빈도는 서양에서 보고되는 갑상선유두암의 30-40%에 비하여 매우 높은 것으로 이는 요오드섭취량 및 인종적인 차이에 기인하는 것으로 생각되고 이에 따라 갑상선유두암의 진단 및 치료에도 서양과 차이가 있을 수 있다. RAS와 BRAF 점돌연변이들은 대개 상호배타적으로 관찰되기 때문에 하나의 종양에서 두 개의 돌연변이가 중복되어 관찰되는 경우는 매우 드물다.

RAS 돌연변이는 갑상선종양의 20-30%에서 관찰이 되는데(NRAS > HRAS > KRAS 순) 여포선종, 갑상선유두암(여포성변종) 및 갑상선여포암 모두에서 관찰된다. 반면에 PAX/PPARγ의 재배열은 주로 갑상선여포암에서 발견되며 일부의 여포선종에서도 나타난다.

갑상선수질암에서는 *RET*의 돌연변이가 중요한 역할을 한다. 갑상선유두암에서 관찰되는 *RET* 재배열과는 달리 수질암에서는 *RET*의 배선돌연변이(germline mutation)가 관찰되며 비유전성갑상선수질암에서는 *RET*의 체세포돌연변이(somatic mutation)가 관찰되기도 한다.

역형성암에서는 갑상선분화암(갑상선유두암, 갑상선여포암)에서 관찰되는 대부분의 유전자 변화가 관찰된다. 갑상선유두암이 존재하고 역분화과정에 따라서 생기는 것으로 생기는 저분화갑상선암 및 역형성암에서는 갑상선유두암과 같은 *BRAF*돌연변이가 같이 관찰되기도 한다.

TERT promotor부위의 돌연변이는 갑상선암에서 나쁜 예후를 시사하는데 분화갑상선암 10% 미만에서 관찰되는데 비하여 역형성암에서는 훨씬 높은 빈도로 관찰된다. β-카테닌을 생산하는 *CTNNB1*돌연변이도 역형성암에서 자주 발견된다. *p53*유전자돌연변이는 역형성암으로 진행에 중요한 역할을 하는 것으로 알려져 있는데 세포주기 조절, DNA 손상의 치료 및 세포자멸사 등을 조절하는 기전에 문제가 생기기 때문이다.

IV. 갑상선암의 진단

1. 병력청취 및 신체검진

대부분의 갑상선결절은 무증상이기 때문에 우연히 환자 자신이 발견하거나 다른 질환으로 진찰 중에 발견되는 경우가 많다. 하지만 최근에는 다양한 형태의 진단용영상검사들의 사용이 많아지면서 초음파검사나 CT검사 등을 통하여 발견되는 경우가 늘어나고 있다. 하지만 발견된 경로와 관계없이 병력청취가 철저히 이루어져야 한다. 특히 갑상선결절이 발견되는 경우 갑상선암의 가능성을 높이는 인자들이 있는지 잘 살펴보아야 한다(표 3-9-4).

표 3-9-4. 갑상선결절에서 갑상선암의 가능성을 높이는 인자들

- 두경부의 방사선 치료이력
- 20세 이하이거나 60세 이상인 경우
- 4 cm 이상의 큰 결절
- 새롭게 발견되거나 크기가 커지는 결절
- 남성에서 발견된 결절
- 갑상선암 또는 제2형 다발내분비선종양(MEN2) 등의 가족력
- 성대마비 또는 변성
- 주변조직과 고정된 양상의 결절
- 주위조직으로의 침범증상(통증, 변성, 삼킴곤란, 기침, 호흡곤란 등)
- 동측 또는 반대측의 림프절 종대

2. 혈액검사

갑상선결절이 있는 경우 우선 갑상선기능상태부터 살펴보아야 한다. 가장 우선적으로 유용한 검사는 혈중 TSH이다. 혈중 TSH 농도이상이 있다면 갑상선호르몬과 갑상선 자가항체들을 측정한다. 갑상선 자가항체는 그레이브스병과 하시모토갑상선염 등의 자가면역질환의 대부분에서 관찰되고, TSH수용체에 대한 자가항체는 그레이브스병의 대부분에서 관찰된다. 갑상선글로불린은 콜로이드의 주요 구성성분으로 갑상선호르몬의 전구물질이 된다. 그러나 갑상선암뿐만 아니라 대부분의 양성갑상선질환에서도 증가되기 때문에 갑상선결절의 감별진단에서 도움이 되지 못하므로 권장되지 않는다. 혈중 칼시토닌은 갑상선수질암의 특이적인 지표로 상승되어 있는 경우 수질암이나 C세포증식증의 가능성이 높다. 그러나 갑상선결절의 유병률이 높은 반면 수질암의 빈도는 매우 낮으므로 비용-효과면에서 미국갑상선학회에서는 그 측정에 대하여 2015년도 발표된 갑상선결절에 대한 권고안에서 유보적인 입장을 보이는 반면에 유럽갑상선학회는 권고안에서 갑상선결절 환자의 진단에 있어서 혈중 칼시토닌의 측정을 권장하고 있다.

3. 갑상선스캔

과거에는 갑상선결절의 감별진단에서 갑상선스캔의 사용이
많이 있었으나 현재는 제한된 역할만을 하고 있다. 동위원
소의 섭취 패턴에 따라서 열결절, 냉결절 및 온결절로 구별
한다. 열결절의 경우 전체 갑상선결절의 5% 미만을 차지하
고 이 경우 악성일 가능성은 5% 미만이므로 악성의 가능성
이 매우 낮다. 하지만 우리나라와 같이 요오드 섭취가 충분
한 지역에서는 열결절이 매우 드물다. 따라서 대부분의(80-
85%) 갑상선결절은 냉결절이고 이 경우 악성의 가능성은
10-15% 정도가 된다. 참고로 온결절의 경우 악성 가능성
이 9% 정도 되는 것으로 보고되고 있다. 종합하면, 갑상선
스캔은 TSH가 억제되어 있는 경우 실시하여 자율기능열결
절인지 또는 그레이브스병 환자의 단일결절인지를 구별하
는데 도움이 되며 열결절인 경우 갑상선암의 가능성은 매우
낮은 것으로 추정할 수 있다.

4. 갑상선초음파

갑상선결절을 주소로 방문한 환자들은 모두 갑상선초음파
검사를 받아야 한다. 실제로 신체검진으로 갑상선결절이 발
견되어 의뢰된 환자들의 44%에서 갑상선초음파 이후에 치
료 방침의 변화가 있던 것으로 보고되었다. 갑상선결절초음
파에서 1) 결절의 크기, 2) 구성성분, 3) 추가결절의 여부, 4)
악성을 시사하는 초음파소견 등을 확인하도록 한다(Chap-
ter 8. 비독성갑상선종과 결절갑상선질환 참조).

5. 기타 영상학검사

CT, MRI, PET/CT 등은 갑상선결절의 기본영상검사에 포
함되지 않는다. CT는 흉곽내갑상선종, 후중앙부위에 위치
한 결절 및 주변 구조물과의 관계 등에 관한 해부학적 정보
를 제공하여 준다. 최근 ^{18}FDG-PET의 사용이 늘어나면서
PET검사 중 발견되는 갑상선결절의 빈도가 증가하고 있다.
^{18}FDG-PET에서 발견되는 갑상선결절은 다른 영상검사에
서 발견되는 갑상선결절에 비하여 악성의 빈도가 높은 것으
로 알려져 있다.

6. 세침흡인세포검사

세침흡인세포검사는 갑상선결절검사에서 가장 중요한 검사
로 결절의 세포학적 성상에 대한 정보를 제공하여 치료방향
결정에 도움을 준다. 이를 통하여 갑상선결절에서 불필요한
갑상선절제술의 빈도를 줄일 수 있다. 최근에는 초음파유도
하에 세포검사를 실시하는 것이 일반화되어서 불충분한 검
체채취가 되는 빈도를 15%에서 3% 정도로 줄일 수 있게 되
었다. 문헌에 따르면 위음성률은 1-11% 정도이며 5% 이하
면 적절한 것으로 생각된다(Chapter 8. 비독성갑상선종과
결절갑상선질환 참조).

7. 분자유전검사

갑상선암의 진단과 치료에서 분자유전진단의 역할은 현재
여러 연구가 진행 중이다. 세침검사 또는 중심부바늘생검
(core needle biopsy)에서 채취된 검체에서 갑상선암의
특정 유전자들을 검사하는 것은 갑상선암의 진단, 치료방
향 및 예후 판정에 도움이 될 수 있을 것으로 생각된다. 국내
에서는 *BRAF*^{V600E}돌연변이가 갑상선암에서 높은 빈도로
(최대 83%) 발견되어 갑상선암 진단에 이용될 수 있으나 서
양에서는 그 빈도가 30-40%로 낮아서 단일검사로는 갑상
선암 진단에서 유용성이 떨어지는 반면 이 돌연변이가 있는
경우 요오드의 섭취가 떨어지기 때문에 재발 등의 예후 예
측에 이용될 수 있다. 최근에는 단일유전자를 개별적으로
검사하기보다는 다양한 유전자변이를 한 번에 검사하여 진
단에 이용하는 NGS 패널을 이용한 유전자재배열 및 돌연
변이검사가 진단과 치료에 이용될 수 있는지 가능성이 탐색
되고 있다.

참 / 고 / 문 / 헌

1. Adam MA, Thomas S, Hyslop T, Scheri RP, Roman SA, Sosa JA. Exploring the relationship between patient age and cancer-specific survival in papillary thyroid cancer: rethinking current staging systems. J Clin Oncol 2016;34:4415-20.

2. Ahn HS, Kim HJ, Welch HG. Korea's thyroid-cancer "epidemic"-screening and overdiagnosis. N Engl J Med 2014;371:1765-7.

3. Bai Y, Kakudo K, Jung CK. Updates in the pathologic classification of thyroid neoplasms: a review of the World Health Organization classification. Endocrinol Metab (Seoul) 2020;35:696-715.

4. Cancer Genome Atlas Research Network. Integrated genomic characterization of papillary thyroid carcinoma. Cell 2014;159:676-90.

5. Garber JR, Papini E, Frasoldati A, Lupo MA, Harrell RM, Parangi S, et al. American Association of Clinical Endocrinology and associazione medici endocrinologi thyroid nodule algorithmic tool. Endocr Pract 202;27:649-60.

6. Haugen BR, Alexander EK, Bible KC, Doherty GM, Mandel SJ, Nikiforov YE, et al. 2015 American Thyroid Association management guidelines for adult patients with thyroid nodules and differentiated thyroid cancer: The American Thyroid Association guidelines task force on thyroid nodules and differentiated thyroid cancer. Thyroid 2016;26:1-133.

7. Kang KW, Kim SK, Kang HS, Lee ES, Sim JS, Lee IG, et al. Prevalence and risk of cancer of focal thyroid incidentaloma identified by 18F-fluorodeoxyglucose positron emission tomography for metastasis evaluation and cancer screening in healthy subjects. J Clin Endocrinol Metab 2003;88:4100-4.

8. Lee JY, Baek JH, Ha EJ, Sung JY, Shin JH, Kim JH, et al. 2020 Imaging guidelines for thyroid nodules and differentiated thyroid cancer: Korean Society of Thyroid Radiology. Korean J Radiol 2021;22:840-60.

9. Mazzaferri EL. Management of a solitary thyroid nodule. N Engl J Med 1993;328:553-9.

10. Nikiforov YE. Thyroid cancer in 2015: molecular landscape of thyroid cancer continues to be deciphered. Nat Rev Endocrinol 2016;12:67-8.

11. Pusztaszeri M, Rossi ED, Auger M, Baloch Z, Bishop J, Bongiovanni M, et al. The Bethesda system for reporting thyroid cytopathology: proposed modifications and updates for the second edition from an international panel. Acta Cytol 2016;60:399-405.

12. Shaha AR, Migliacci JC, Nixon IJ, Wang LY, Wong RJ, Morris LGT, et al. Stage migration with the new American Joint Committee on Cancer (AJCC) staging system (8th edition) for differentiated thyroid cancer. Surgery 2019;165:6-11.

13. Shin JH, Baek JH, Chung J, Ha EJ, Kim JH, Lee YH, et al. Ultrasonography diagnosis and imaging-based management of thyroid nodules: revised Korean society of thyroid radiology consensus statement and recommendations. Korean J Radiol 2016;17:370-95.

14. Sugitani I, Ito Y, Takeuchi D, Nakayama H, Masaki C, Shindo H, et al. Indications and strategy for active surveillance of adult low-risk papillary. thyroid microcarcinoma: consensus statements from the Japan Association of Endocrine Surgery task force on management for papillary thyroid microcarcinoma. Thyroid 2021;31:183-92.

15. Tan GH, Gharib H. Thyroid incidentalomas: management approaches to nonpalpable nodules discovered incidentally on thyroid imaging. Ann Intern Med 1997;126:226-31.

갑상선분화암

김원배

I. 서론

갑상선암은 여포세포에서 기원하는 암인 갑상선유두암
(papillary thyroid carcinoma, PTC), 갑상선여포암
(follicular thyroid carcinoma, FTC, Hürthle cell
carcinoma도 여기 포함됨), 저분화갑상선암(poorly dif-
ferentiated thyroid cancer, PDTC) 및 역형성암(ana-
plastic thyroid cancer, ATC), C세포에서 기원하는 수질
암(medullary thyroid carcinoma, MTC)으로 나눌 수
있고, 그중 갑상선유두암과 갑상선여포암을 분화암으로 칭
한다. 여포세포기원암의 상대빈도는 갑상선유두암이 가장
흔하며(80–85%), 갑상선여포암(10–15%), 저분화갑상선암
및 역형성암(1–2%)의 순이다. 분화암은 일반적으로 예후가
양호하지만, 치료 없이 놔두어도 전혀 문제를 유발하지 않
는 경우부터 주위조직 침윤 및 원격전이로 환자를 사망에
이르게 하는 경우까지 그 생물학적특성이 다양하다. 갑상선
암 환자의 대부분은 수술 등으로 치료가 잘 되는 분화암이
다. 분화암의 최적의 치료법에 대하여는 매우 서서히 진행
하는 질환의 특성 및 대부분의 환자가 양호한 임상경과를
취하는 특성으로 인하여 적절히 행해진 전향연구가 없기 때
문에 아직 논란이 있는 부분이 많다. 대부분의 환자는 양호
한 임상경과를 취하지만 이러한 양호한 경과가 모든 환자에
서 그런 것은 아니다. 이러한 이유로 개개의 환자에서 갑상
선분화암의 전통적인 치료(수술, 방사성요오드치료 및 갑

상선호르몬 억제요법 등)의 정도 및 범위는 다른 인체 조직
의 암에 비하여 임상의의 자의적인 판단에 따라 이루어지는
경우가 상대적으로 많았다. 최근 들어 갑상선암의 병태생리
에 대하여 많이 알려지게 되면서 새로운 치료법들도 개발되
고 있다. 갑상선암 환자의 치료목표는 암으로 인한 이환율
과 사망률(재발, 전이 및 사망)을 최소화하면서 치료의 부
작용(수술 부작용, 갑상선기능저하증, 방사성요오드치료의
부작용, 갑상선호르몬 억제요법의 부작용 및 비용)을 동시
에 최소화하는 것이다.

II. 역학

갑상선암은 가장 흔한 내분비악성종양으로 인체 악성종양
의 1%를 차지하며 최근 세계적으로 환자 수가 크게 증가하
고 있다. 갑상선암의 발생 및 갑상선암으로 인한 사망 건수
는 미국의 경우 매년 각각 3만 명 및 1,500명이며, 빈도는 남
성에 비해 여성에서 3배 많고, 어느 연령에서나 발생하지만
여성의 경우 40–50대, 남성의 경우 60–70대가 호발 연령이
다. 미국NCI (National Cancer Institute)의 SEER
(Surveillance, Epidemiology, and End Results) pro-
gram자료에 따르면 과거 30년 동안 갑상선암 발생률은
2배 정도 증가(1973년에 인구 10만 명당 3.6명에서 2002년
에는 10만 명당 8.7명으로 증가)하였는데, 갑상선여포암, 저

분화갑상선암, 역형성암 및 수질암의 암종별 발생률에는 변화가 없으나 갑상선유두암, 특히 크기가 작은(2 cm 이하 또는 1 cm 이하) 갑상선유두암의 증가가 두드러진다. 이 기간 동안 미국에서 갑상선암사망률에는 변화가 없다고 보고되고 있어서 암 발생 자체가 증가하였다기보다는 작은 크기의 암, 특히 갑상선유두암의 진단이 늘었기 때문이 아닌가 조심스럽게 추측하여 볼 수 있다. 1985년부터 1995년 기간에 미국에서 치료받은 갑상선암 환자를 대상으로 했을 때 갑상선유두암은 전체의 80%, 갑상선여포암은 11%를 차지하였으며, 10년 생존율은 각각 93% 및 85%로 알려져 있다.

우리나라에서도 갑상선암의 발생이 최근 급격히 증가하여 2002년 기준으로 전체 암 중 6번째로 흔한 암이 되었다. 이러한 증가는 세계적인 추세와 마찬가지로 주로 갑상선유두암의 증가에 기인한다.

III. 조직병리소견

1. 갑상선유두암

갑상선유두암의 절단면은 유두상 또는 과립상이며 대부분은 피막 형성이 불충분하고 주위로의 침윤이 관찰된다. 약 25%는 출혈성 괴사를 보여 세침흡인세포검사에서 양성결절로 오진되기도 한다. 특징적인 조직소견으로 나무가지처럼 뻗어 있는 유두상증식을 보이는데, 유두의 중심부에 섬유, 혈관 등 결합조직이 있고, 그 표면을 입방상 또는 원주상의 종양세포가 덮고 있다. 핵은 젖빛유리(ground glass) 모양이며 핵구(grooving), 핵내입체(intranuclear inclusion body)가 상당수에서 나타난다(그림 3-10-1A). 이러한 특징적인 핵의 모양은 세포검사에서 갑상선유두암의 진단 기준이 된다. 사종체(psammoma body)라고 부르는 층상으로 배열된 둥근 석회화구조가 관찰되기도 한다. 갑상선유두암을 진단하는 데 있어 유두상의 조직 모양보다는 핵의 변화양상이 더 중요하다. 한편, 유두상의 조직 모양이 아

닌 미세여포형태를 띠면서 갑상선유두암의 특징적인 핵의 모양을 가지는 경우는 '여포변종의 갑상선유두암(follicular variant of PTC)'으로 진단하게 된다. 갑상선유두암의 전형적인 조직소견과 다른 양상을 보이는 여러 가지의 변종들이 있는데, 이는 아래에서 다시 기술하기로 한다.

갑상선유두암은 한 환자의 갑상선에서 다발로 나타나기도 하는데, 이는 세밀한 병리검사에서는 전체 환자의 80%까지도 나타나는 것으로 알려져 있으나, 일반적으로 20-45%에서 나타난다. 다발갑상선유두암은 단발성인 경우에 비해 국소림프절전이나 재발이 더 흔한 것으로 알려져 있기 때문에 예후판정에 하나의 변수가 될 수도 있다.

갑상선유두암의 일부에서는 갑상선내 림프구, 형질세포 등이 침윤하며, 일부 환자에서는 전형적인 하시모토갑상선염의 조직형태를 보이기도 하는데 전체 환자의 20% 내외에서 이러한 조직소견을 보인다. 림프구 침윤이 동반된 갑상선유두암 환자들은 그렇지 않은 환자들에 비해 예후가 더 좋은 경향이 있다. 갑상선유두암의 진단 당시의 크기는 예후와 밀접한 관련이 있다. 종양의 직경이 1 cm 또는 1.5 cm 이하인 미세암(잠재암)은 예후가 매우 양호하다. 갑상선암이 클수록 원격전이의 빈도와 사망률이 증가하지만 얼마 이상 클

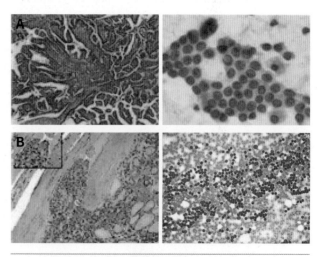

그림 3-10-1. 갑상선분화암의 병리조직 및 세포검사소견
갑상선유두암(A), 갑상선여포암(B)

때 질병-특이 사망률이 증가하는지는 정확히 알려져 있지 않다.

1) 림프절전이

갑상선유두암은 흔히 경부(중앙 및 측부) 또는 종격동의 림프절전이를 동반한다. 진단 당시 50% 정도의 환자에서 림프절전이가 동반되는 것으로 알려져 있으며 현미경적 미세전이를 세심하게 관찰하는 경우 85%까지도 보고된 바 있다. 일차종양의 크기가 5 mm를 넘을 때부터 림프절전이의 수와 크기가 증가한다. 일차종양이 협부에 있거나 양측 엽에 있는 경우는 양측경부림프절로 전이가 될 수 있으며, 일반적으로 전이가 가장 흔한 부위는 중앙경부림프절(level VI)이다. 림프절전이 여부는 환자의 예후와 관련이 없다는 보고도 있으나 반대의 보고도 있으며 19,000여 명을 대상으로 한 SEER자료에 따르면 림프절전이는 다변량 분석에서 불량한 예후를 예측하는 유의한 인자라고 알려져 있다. 림프절전이병소가 피막을 벗어나 주위조직을 침범하는 소견이 있으면 특히 예후가 나쁘다.

2) 원격전이

갑상선유두암 환자의 5% 이하에서 진단 당시 원격전이가 발견되며, 환자의 추적기간 중 0-30년에 걸쳐 추가적인 5%의 환자에서 원격전이가 발생하는 것으로 알려져 있다. 원격전이부위로는 폐가 50%, 뼈가 25%, 폐와 뼈동시전이가 15%, 뇌전이 및 다발전이는 12% 정도이다. 갑상선여포암은 갑상선유두암에 비해 다소 공격적이어서 비교적 일찍 전이를 하며 원격전이부위로는 폐가 33%, 뼈가 33%, 폐와 뼈동시 전이가 33% 정도이다. 폐전이는 미세결절성전이로 단순흉부촬영에서는 보이지 않고 방사성요오드치료 후 스캔에서만 미만성전이를 보이는 경우에서부터 폐에 다발결절로 나타나는 경우까지 다양하며 요오드 섭취를 하지 않는 경우는 예후가 불량하다. 폐에 원격전이가 있는 경우 5년 생존율은 50-70%, 10년 생존율은 30-50%이며, 뼈전이는 예후가 더 불량해서 5년 및 10년 생존율이 폐전이만 있는 환자보다 10-20% 낮다.

3) 미세갑상선유두암

종양의 직경이 1 cm 이하인 갑상선유두암을 미세갑상선유두암이라고 부르며 이학적검사로 잘 발견되지 않으므로 다른 이유로 갑상선절제술을 한 경우 우연히 발견되거나 초음파검사상 우연히 발견된 결절로 세포검사를 통하여 발견되게 되며 예후는 매우 양호하다. 그러나, 일부 환자에서는 다발암이며, 림프절전이가 드물지 않고(69%까지 보고된 바 있음), 원격전이가 드물게 동반되기도 한다. 재발률은 매우 다양하게 보고되나 일반적으로 5% 정도이며, 사망률은 거의 없다고 보아도 되나 일부 연구에서는 2%까지 보고된 바 있다.

4) 갑상선-설관에 발생하는 갑상선유두암

갑상선-설관 내에 갑상선유두암이 발생할 수 있으며 대개는 1 cm 이하로 작고 따라서, 예후는 양호하다. 치료법은 논란이 있으나 Sistrunk법으로 갑상선-설관을 제거하는 것이 중요하다.

5) 갑상선유두암의 변종들

피막형성변종(encapsulated variant)갑상선유두암은 10% 정도에서 나타나는데, 종양이 섬유성피막으로 완전히 둘러싸여 있고 전이가 1/2 정도로 적으며 예후가 좋은 변종이다. 일차치료 후 재발하는 경우가 적으며 암으로 사망하는 경우는 거의 없다. 여포변종(follicular variant)은 종양의 대부분이 여포구조를 이루며 전형적인 갑상선유두암의 핵모양을 가지고 있다. 그러나, 종양 전체에서 유두구조는 전혀 보이지 않아야 한다. 여포변종에는 피막을 형성하지 않는 침윤여포변종(infiltrative follicular variant)과 피막을 형성하지만 피막을 침습하는 변종(encapsulated follicular variant with invasion)의 2가지 유형이 있다. 피막을 침습하지 않는 피막형성여포변종은 더 이상 암으로 분류하지 않고, 양성인 '갑상선유두암종 유사핵모양 비침습여포종양(non-invasive follicular thyroid neoplasm with papillary-like nuclear features, NIFTP)'으로 명명한다. 그 외 드문 여포변종에는 거대여포변종(macrofollicular variant)이 있으며, 여포의 크기가 커지기 때문에 양성결절과 유사하게 보인다. 또한 매우 드물지만 갑상선 전체를 침윤하여 육안검사상 뚜렷한 결절이 관찰되지 않는 미만성 혹은 다결절여포변종(diffuse or multinodular follicular variant)도 있다.

고형/기둥형변종(solid/trabecular variant)은 종양세포의 성장 양식이 고형 혹은 기둥구조를 보인다. 갑상선유두암세포가 종양의 거의 대부분에서 고형, 기둥 혹은 섬 모양 구조를 보이며, 다른 변형으로 분류되지 않을 때 고형변형으로 진단한다. 폐전이를 포함한 갑상선외 침범이 많아 예후가 불량하다. 소아에 좀 더 흔히 발생하는 경향이 있는데, 이 경우의 예후는 전형적인 갑상선유두암과 같다.

키큰세포변종(tall-cell variant)은 암세포가 폭에 비해 길이가 2배 이상인 '키큰세포'가 전체 암세포의 30% 이상인 경우 진단하게 된다. 풍부한 호산성세포질을 가지며, 세포막이 뚜렷이 잘 보인다. 전형적인 갑상선유두암에 비해 늦은 나이에 진단되며, 종양이 크고, 국소 및 원격전이가 많고 방사성요오드를 섭취하지 않는 경우가 많아 예후가 불량하다.

원주세포변종(columnar-cell variant)은 매우 드문 변종으로 키가 큰세포라는 점에서는 키큰세포변종과 유사해 보이지만, 원주세포는 갑상선유두암의 전형적인 핵 변화를 보이지 않으며, 심한 거짓중층(pseudostratification)을 보이기 때문에 키큰세포변종과는 감별된다. 거짓중층상피세포는 세포의 밀도가 높으며 가는 유두 혹은 선(gland)구조를 형성한다. 남성에 많으며, 국소 침범과 원격전이가 매우 흔하며 재발이 잦고, 방사성요오드치료나 항암화학요법에 반응이 없어 대개 암으로 사망하는 불량한 예후를 가진 변종이다.

미만성경화성변종(diffuse sclerosing variant)은 산발성 갑상선유두암의 5%를 차지하며 체르노빌 원전사고와 관련된 소아갑상선암의 10%에서 나타난 변종이다. 하시모토갑상선염을 동반하며, 심한 섬유화, 무수히 많은 사종체 및 편평상피화생(squamous metaplasia)을 특징으로 한다. 갑상선내림프관침습과 림프절전이는 거의 모든 예에서 관찰된다. 국소 및 원격전이가 전형적인 갑상선유두암에 비해 많으나 젊은 연령에서 발생하여 방사성요오드치료 등의 반응이 좋으므로 사망률은 전형적인 갑상선유두암과 유사한 것으로 알려져 있다.

징모양변종(hobnail variant)은 징모양 종양세포가 30% 이상 보이며, 유두 및 미세유두구조를 이룬다. 종양세포의 핵은 세포가장자리 끝에 위치하며 뚜렷한 핵소체를 갖고, 호산성세포질을 보인다. 종양괴사, 유사분열, 혈관 및 림프관 침습, 갑상선바깥조직으로의 침습 등이 흔히 관찰되어 징모양 변종은 나쁜 예후와 관련성이 있다.

체모양-오디모양변종(cribriform-morular variant)은 산발형으로 발생하거나 가족성선종폴립증(familial adenomatous polyposis)과 관련되어 발생하기도 한다. 체모양 증식, 여포 및 유두형성 등 다양한 형태가 섞여 있고, 오디모양구조가 자주 관찰된다. 여포 내에는 콜로이드가 없다는 점에서 다른 유형의 갑상선유두암과 차이가 있다. 사종체는 거의 보이지 않는다. 원주세포가 보이기 때문에 원주세포변형과 감별이 요구된다.

호산형변종(oncocytic variant)은 종종 피막을 형성하지만 침윤성을 보이는 경우도 있다. 종양세포의 세포질은 풍부하며 붉게 염색된다. 호산성세포는 키큰세포변종에서도 관찰되기 때문에 감별이 요구된다.

와틴유사변종(Warthin-like variant)은 비교적 경계가 좋고, 타액선의 와틴종양(Warthin tumor)과 유사한 조직학적 소견을 보인다. 유두구조를 형성하는 세포는 크고 호산성이며 유두의 섬유혈관줄기 내에 림프구와 형질세포의 침윤이 현저한 것이 특징이다. 종양의 주변에는 하시모토갑상선염이 항상 보인다.

일반적으로, 키큰세포변종, 원주세포변종, 징모양변종 등은 전형적인 갑상선유두암에 비하여 예후가 불량한 것으로 여겨지며, 논란은 있지만 고형변종 및 미만성경화성변종도 그러한 것으로 여겨지고 있다.

2. 갑상선여포암

갑상선여포암은 고형형태의 종양으로 침습적인 성장을 하는 특징을 가진다. 갑상선유두암과는 달리 종양 괴사는 드물고 대부분 단일 병소이며, 피막으로 둘러싸여 있다. 'minimally invasive FTC'의 경우는 종양 피막을 종양이 침습하나 완전히 관통하지는 않으며, 혈관 침습소견이 없는 경우에 진단된다. 피막 침습이 심하거나 혈관을 침범하는 경우는 전이의 위험이 증가한다. 매우 크고 공격적인 성장을 하는 경우에는 반대측 엽 및 주위 경부조직도 침범할 수 있다. 대부분의 갑상선여포암은 병리학적 육안검사, 세침흡인세포검사, 수술 시 동결조직검사 등으로 여포선종(follicular adenoma)이나 여포변종갑상선유두암과 감별할 수 없으며, 최종적인 병리학적 현미경검사를 통해서만 감별진단이 가능하다 (그림 3-10-1B). 갑상선여포암의 현미경소견은 미세여포, 섬유주(trabecula), 세포의 군집 등의 형태로 나타난다. 핵은 작고 진하게 염색되며, 둥근 모양을 하고 있으며 이러한 모양이 전체 세포에서 유사하게 나타나므로 갑상선유두암과는 다르며, 세포검사만으로는 진단이 어렵다.

1) 림프절전이
갑상선유두암에 비해 갑상선여포암은 경부림프절전이가 20% 정도로 드물고, 림프절전이는 원격전이를 가진 공격성향을 가진 암에서 주로 나타난다.

2) 원격전이
갑상선여포암은 갑상선유두암과 달리 원격전이가 더 흔하며 부위로는 폐, 뼈, 뇌, 연부조직 순이고 전이병소가 방사성요오드 섭취를 더 잘하는 경향이 있다. 폐전이는 미세결절형보다는 거대결절형으로 잘 나타난다. 뇌와 척추로의 전이

가 잘되며 척수압박을 야기하기도 한다. 진단 당시 원격전이를 가지는 환자의 비율이 갑상선유두암의 2배 정도이며, 작은 종양인 경우도 원격전이를 보이는 수가 있다. 일반적으로 원발부위 종양의 크기가 3 cm 이상인 경우 질병 특이 사망률이 유의하게 증가한다.

3) Hürthle세포암
Hürthle세포는 크고 세포질이 붉은 색으로 염색되는데 이는 사립체가 세포질에 많기 때문이며 oxophilic세포, 또는 Askanazy세포라고도 불린다. 이 세포는 하시모토갑상선염, 그레이브스병, 갑상선여포암, 갑상선유두암 등 여러 가지질환에서 나타날 수 있다. Hürthle세포가 전체의 75% 이상인 암의 경우 Hürthle세포암으로 진단을 하며, 이것이 독립된 질환인지 갑상선여포암의 변종인지에 대해서는 논란이 있다.

Hürthle세포암은 성장이 빠르고, 조기에 전이하는 경향이 있으며 요오드섭취율이 낮아 갑상선여포암보다 예후가 불량한 것으로 알려지고 있다. 국소림프절전이도 갑상선여포암에 비해 더 흔하다. 재발률은 34%, 폐전이는 25-35%에서 나타나므로 갑상선여포암보다 높다. 갑상선여포암보다는 유병률이 훨씬 낮으며 우리나라에서는 아직 이들 환자의 예후 등에 관하여 살펴본 연구가 없다.

IV. 갑상선암의 분자유전학적 병태생리

갑상선분화암의 발생과 진행은 여포세포의 유전자이상 (genetic & epigenetic change)에 기인하며, 최근 들어 이에 대해 많이 알려지게 되었다. 여포세포에서 유래하는 (follicular cells derived) 갑상선암의 발생 단계에서 중요한 역할을 하는 유전자이상(driver mutations, 유발변이)과 암의 진행 단계에서 역할을 하는 유전자이상(passenger mutation, 이차변이)으로 나눠볼 수 있는데, 전자에 해당하는 것으로 가장 흔한 것은 유사분열촉진제활성단백

질인산화효소(mitogen-activated protein kinase, MAPK경로에서 점돌연변이(point mutation) 또는 유전자전위(gene translocation) 등으로 인한 MAPK경로의 비정상적인 활성화를 들 수 있다. 이러한 역할을 하는 가장 흔한 유전자이상으로는 *BRAF* 돌연변이, *RET-PTC* 재배열, *RAS*돌연변이 등이다. 갑상선유두암에서는 유발변이로써 *BRAF*돌연변이가 가장 흔하며 여러 종류의 *RET/PTC rearrangements*가 뒤를 잇고, 갑상선여포암에서는 *RAS* 돌연변이가 가장 흔하고 *PAX8/peroxisome proliferator-activated receptor γ (PPARγ)* 재배열이 뒤를 잇는다. 각각의 조직형에 따른 유발변이의 빈도는 지역 및 인종에 따라 달라지는 경향을 보인다.

갑상선암 발생 단계에 관여하는 유전자이상으로 *BRAF* 또는 *RAS*돌연변이, 여러 종류의 유전자재배열[*RET/PTC, Pax-8/PPARgamma, Neurotrophic tyrosine kinase receptor (NTRK), Striatin/anaplastic lymphoma kinase (STRN/ALK), A-kinase anchor protein 9 (AKAP9)/BRAF* 재배열]들이 알려져 있고, 암의 진행에 관여하는 유전자이상으로는 WNT/b-Catenin경로, TP53, telomerase reverse transcriptase (TERT) 촉진자, eukaryotic translation initiation factor 1A, X-linked (EIF1AX), PI3K-AKT경로의 돌연변이, 여러 유전자들의 복제수변이(copy number variation, CNV), regulator of calcineurin 1 (RCAN1)이나 down syndrome candidate region 유전자의 변이 및 갑상선호르몬수용체유전자[thyroid hormone receptor (TR) β]의 돌연변이 등이 알려져 있다.

1. 갑상선암 발생에 관여하는 유전자이상(유발변이, Driver mutations)

1) BRAF돌연변이

*BRAF*는 serine/threonine kinase의 일환으로 *RAS*의 하위에서 작용한다. *BRAF*는 세포의 증식과 생존을 촉진하는 MAP kinase경로에서 매개역할을 한다. 2002년도에 exon 15의 *BRAF*유전자에 존재하는 점돌연변이(T1799A)가 인체 암조직에서 처음으로 보고되었다. 이는 *BRAF* 단백질의 600번째 아미노산의 치환(glutamic acid → valine)을 초래하며 이는 지속적인 *BRAF* 활성화를 유발하는 것으로 알려졌다. $BRAF^{V600E}$는 흑색종, 털세포백혈병(hairy cell leukemia), 갑상선유두암 등에서 가장 흔한 유전자이상이다.

갑상선암에서 $BRAF^{V600E}$는 가장 흔한 유전자이상이며 전형적인 갑상선유두암과 키큰세포변종갑상선유두암에서 양성률이 높고 여포변종에서는 낮다. 논란의 여지가 있으나 이는 갑상선유두암 환자에서 예후인자로 여겨지고 있으며 양성률은 45% 정도이나 아시아, 특히 한국에서는 양성률이 높은 것으로 알려지고 있다. 그 이유는 확실하지 않으나 높은 요오드섭취율과 관련되는 것으로 여겨진다. 하지만, 일본에서의 요오드섭취율이 더 높은데도 불구하고 갑상선유두암에서 *BRAF*돌연변이 양성률이 한국보다 더 낮은 현상은 아직 잘 설명하지 못하고 있다. 아시아뿐 아니라 서구에서도 최근에 과거에 비해 양성률이 점차 높아지는 것으로 알려져 있다.

갑상선유두암에서 미세암 단계부터 이 돌연변이가 관찰되는 점은 이 돌연변이가 종양유발유전자임을 암시하는 소견이며, 이를 실험동물갑상선세포에 발현시키면 유전불안정(genomic instability)을 유발하는 것으로 보아 병인론적 역할을 함을 알 수 있다. 이 변이를 가지는 갑상선유두암 환자는 사망률이 상대적으로 높으며, 암의 공격성이 심하고, 방사성요오드치료 실패율 및 치료 후 재발률이 높다.

2) RAS돌연변이

*RAS*는 small GTPase 단백질군의 하나로 여러 가지 세포내신호전달체계에 관여한다. *RAS* 돌연변이는 갑상선암에서 두 번째로 흔한 유발변이인데 12, 13, 61번째 아미노산의 돌연변이가 하부신호전달체계를 활성화시킨다. *HRAS,*

*KRAS, NRAS*의 돌연변이가 모두 갑상선암에서 나타나는데, *NRAS61*이 가장 흔하다. 이는 MAP kinase뿐 아니라 PI3K-AKT 계통의 활성화를 유발한다. *RAS*돌연변이는 갑상선유두암보다는 갑상선여포암이나 갑상선유두암의 여포변종에서 주로 관찰된다. 갑상선여포암에서 *NRAS* 양성률은 11–57% 정도로 보고되고 있으며, 아시아에서 미대륙이나 유럽보다 양성률이 높다. 반대로, 갑상선유두암에서 *RAS* 양성률은 아시아에서 더 낮은데 이는 이 지역에서 갑상선유두암의 여포변종유병률이 낮은 것 때문으로 여겨진다. 미국에서는 최근으로 오면서 *RAS*양성률이 점차 높아지는 것으로 알려져 있다. 현재는 양성종양으로 여겨지는 NIFTP에서도 나타난다. *RAS*돌연변이는 갑상선암 발생의 아주 초기단계에 관여하며, 유전자삽입생쥐(transgenic mouse)에서 관찰된 바에 따르면 *RAS*돌연변이는 추가적인 유전자이상(*PTEN*유전자소실 등)이 추가적으로 있어야 암발생을 유도하는 것으로 생각된다. 이와 같이 *RAS* 돌연변이는 양성종양에서부터 암에 이르기까지 나타나므로 결절의 진단에는 별 도움이 되지 못한다. *RAS*돌연변이가 나쁜 예후와 관련이 있다는 보고들이 있으나 이에 관하여는 아직 논란이 있다.

갑상선여포암에서 RAS돌연변이 양성률은 보고에 따라서도 큰 편차를 보이는데, 이는 작은 표본 수에 의한 것이기도 하지만 돌연변이를 진단하는 방법의 차이에 기인하는 면도 있다. RAS돌연변이는 역전사효소중합효소연쇄반응(reverse transcription PCR)방법, 서던블롯 분석(southern blot), 제자리부합(in situ hybridization) 등이 진단에 이용된다.

3) RET/PTC재배열

갑상선유두암에서 가장 흔히 관찰되는 유전자전위(translocation)가 *RET/PTC*재배열이다. *RET*유전자는 세포막에 존재하는 tyrosine kinase를 코딩하며 3'부위의 유전자들이 5' 위치에 여러 가지 단백질을 코딩하는 유전자들을 가지는데, 갑상선암에서는 13종류의 *RET/PTC*재배열이

보고되어 있으나 가장 흔한 것은 *RET/PTC3*이다. 이런 재배열유전자들에서 만들어진 단백질은 아미노말단부위들이 리간드 없이도 이합체를 이루어(dimerization) 지속적인 단백질 활성화를 유도한다. *RET/PTC*재배열은 갑상선유두암의 일부(10–20%)에서 유발변이로 작용하며, 일부의 양성종양이나 비전형적인 갑상선유두암변종에서는 일부의 세포들이 이러한 재배열을 보인다. 갑상선저분화갑상선암의 일부(6%)에서 관찰되나 역형성암(ATC)에서는 관찰되지 않으며, 다른 점돌연변이(BRAF, RAS)가 존재하는 경우에는 나타나지 않는다.

4) Paired box 8/Proliferator Activated Receptor γ (PAX8/PPARγ)재배열

Pax8과 proliferator activated receptor gamma (PPARγ) 간의 재배열도 갑상선암에서 흔히 관찰되는 재배열 중의 하나이다. Pax8은 갑상선의 발생과정에 중요한 역할을 하는 전사인자이며 PPARγ는 핵호르몬수용체로 지방형성의 중요한 조절인자이다. 갑상선여포암의 50%에서까지 보고되었고, 갑상선유두암의 여포변종(1–5%) 및 여포선종(2–13%)에서도 나타나는데 갑상선여포암의 경우 *RAS*돌연변이와 독립적으로 나타나는 것으로 보아 유발변이(driver mutation)로 간주된다. *PAX8/PPARγ*재배열 양성률은 아시아에서는 낮으며(5.6%), 미국에서는 43.8%, 유럽에서는 27.4%의 양성률을 보인다. 갑상선유두암에서 나타나면 갑상선여포암소견(follicular feature)을 보이며 피막 형성을 잘하고 양호한 임상경과를 보인다.

5) Neurotrophic tyrosine kinase receptor유전자를 포함하는 재배열

Neurotrophic tyrosine kinase receptor유전자를 포함하는 재배열들은 갑상선암에서 관찰되는 재배열인데, 1번 염색체상에 존재하고 다양한 파트너(*TPR, TMP3, TFG*)들과 재배열을 이룬다. 결과적으로 만들어지는 단백질들은 리간드없이 활성화되어 하부 신호체계를 활성화한다. 갑상선유두암에서 빈도는 11.8%까지 보고된 바 있으나

최근의 보고에 따르면 1–2% 정도이다. *NTRK3/ETV6* 재배열은 갑상선유두암여포변종에서만 나타나며(13%), *NTRK3/RBPMS*는 갑상선유두암의 1.2%에서 보인다. *ETV6/NTRK3* 재배열은 방사선 노출 후 발생하는 암에서 (체르노빌 원전 사고 후) 흔하며(14.5%), 일반적인 갑상선유두암에서는 빈도가 낮다(2%).

6) Striatin/Anaplastic lymphoma kinase 재배열

RNAsec 분석에서 관찰된 갑상선암의 유발변이 중 하나가 *anaplastic lymphoma kinase (ALK)*유전자 또는 *striatin (STRN)*유전자와 관련된 것들이다. *STRN/ALK* 재배열은 갑상선자극호르몬경로에 관계없이 갑상선세포증식을 독립적으로 촉진하는데 여포변종갑상선유두암, 저분화갑상선암(PDTC), 역형성암(ATC) 등에서 나타나며 다른 종류의 유발변이와는 겹치지 않는 것으로 보아 유발변이로 여겨진다.

7) AKAP9/BRAF재배열

*AKAP9/BRAF*재배열은 방사선유발갑상선유두암에서 관찰되는 드문 재배열로써 *AKAP9*유전자의 exon 1 및 8과 *BRAF*유전자의 9–18번 exon 간에 결합하는 재배열 변이이다.

2. 갑상선암의 진행에 관여하는 유전자이상

1) WNT/β–catenin신호전달체계

WNT/β–catenin경로는 세포성장, 부착, 줄기세포분화 등에 있어서 중요한 역할을 하는데 돌연변이 등의 유전자변이는 이 경로의 비정상적 활성화를 초래함으로써 종양형성에 기여한다. 갑상선암의 경우 *CTNNB1*유전자(β–catenin 단백질을 코딩)돌연변이가 저분화갑상선암이나 역형성암에서 흔히 발견된다. 그 결과 β–catenin분해에 장애를 초래하여 축적하게 되면 세포주기조절단백질의 전사를 촉진하는 등의 방식으로 종양형성을 촉진하게 된다.

2) TP53돌연변이

세포주기조절 및 종양억제기능을 하는 p53단백질의 돌연변이는 역형성암에서 흔히(50–80%) 보고되었다. *BRAF* 돌연변이유전자를 이용한 동물모델에서 *TP53*돌연변이가 역형성암의 발생에 관여하는 것이 잘 증명되었다.

3) TERT

*TERT*유전자는 telomerase복합체의 역전사효소를 코딩하는데 이는 염색체에 특정 반복적 DNA sequence를 가지는 부분을 길게 만들어 종말절을 길게 하는 역할을 하는 DNA중합효소이다. 이의 발현은 정상세포에서는 없거나 아주 적으며 암세포에서는 증가한다. *TERT*유전자의 촉진자 (promoter)부위의 돌연변이가 갑상선암에서도 관찰되는데 분화도가 나쁜 암일수록 그 빈도가 높다. 상당수의 경우 이러한 돌연변이는 *BRAF*나 *RAS*의 돌연변이와 공존하기 때문에 *TERT*촉진자돌연변이는 유발변이가 있는 암세포의 생존을 연장하는 방식 등으로 암진행에 관여하는 이차변이로 생각된다.

4) EIF1AX

진핵세포 번역개시인자인 *EIF1AX*의 돌연변이는 황반 흑색종에서 처음 보고되었는데, 갑상선유두암의 일부(1%)에서 발견되고 저분화갑상선암(11%)이나 역형성암(9%)에서도 발견된다. 이는 저분화갑상선암 환자에서의 낮은 생존율과 관계있다.

5) PI3K–AKT경로의 돌연변이 및 이상

PI3K경로는 세포의 증식, 생존, 운동 등을 조절하는 많은 단백질들로 구성되는데, 생리적인 상태에서 PI3K는 여러 가지의 타이로신인산화효소수용체에 의해 활성화되는 결합단백질을 매개로 하여 세포막의 안쪽에 모이게 된다. PI3K는 PIP2를 인산화시켜 PIP3를 만드는데 이는 PDK1이나 AKT 등의 활성화를 촉진하는 중요한 매개체이며 갑상선암 발생에도 중요한 역할을 한다.

PTEN은 단백질 및 지방인산염분해효소(phosphatase)를 코딩하는 종양억제유전자인데, PI3K–AKT경로를 억제하여 PIP3 탈인산화를 유도한다. 유전적으로 갑상선의 여포선종이나 갑상선여포암이 흔히 발생하는 Cowden증후군에서 *PTEN*의 기능소실(loss–of–function)돌연변이가 갑상선암 발생에 관여함이 처음 알려지게 되었다. 갑상선암에서 가장 흔한 PTEN유전자이상은 *PTEN*유전자의 결손(deletion)인데 5–25%에서 관찰된다. *PTEN*유전자의 틀이동돌연변이(frameshift mutation)는 역형성암에서 나타나며 일반적으로 저분화갑상선암보다 역형성암에서 더 흔하다. 종양억제유전자로서 *PTEN*의 기능은 이형접합성 *PTEN*+/– 생쥐에서 갑상선암이나 대장암이 자발적으로 발생한다는 사실로 확실히 알려지게 되었다. 조직–특이 트랜스제닉생쥐모델에서 *PTEN*유전자의 완전한 소실로도 침습성갑상선암이 발생하지 않는 것으로 보아 갑상선암 발생에 있어 추가적인 유전자변이가 필요함을 알 수 있다. 인체 갑상선암과 관련된 가장 흔한 유전자이상은 10번 염색체의 이형접합소실로 인한 PTEN유전자의 체세포결손(somatic deletion)이다(–5~25%). PTEN유전자틀이동돌연변이는 역형성암에서 관찰되고 일반적으로 PTEN돌연변이는 저분화갑상선암보다는 역형성암에서 더 흔하게(15%) 관찰된다.

*PIK3CA*의 촉매 소단위인 p110단백질을 코딩하는 exon 9 및 exon 20부위의 체세포돌연변이는 인체 갑상선암에서 흔히(분화암의 약 8%, 역형성암의 약 25%) *BRAF*^V600E 돌연변이와 함께 나타난다. 이런 상황에서는 촉매소단위가 조절소단위의 조절을 받지 않고 불활성화되지 않게 된다.

AKT는 PI3K신호전달체계의 하부 효과기(effector)로 작용하는데 PIP3에 의해서 소환되어 PKD1에 의해 인산화되어 활성화되는데, rapamycin작용의 표적으로(mTOR) 작용한다. AKT는 serine/threonine kinase로 서로 다른 유전자에 의해 부호화(coding)되는 3가지의 이형체가 존재한다. 일부 전이갑상선암에서 *AKT1*의 돌연변이가 관찰된다. mTOR는 두 가지 복합체로 존재하는 일종의 serine/threonine kinase인데, AKT에 의해 활성화되고 세포성장과 거대분자들의 생성을 촉진하는 mTOR1(또는 mTOR–Raptor)과 AKT를 인산화하여 세포생존과정을 촉발하는 mTOR2(또는 mTOR–Rictor)의 두 형태이다. mTOR의 돌연변이가 저분화갑상선암(1%) 및 역형성암(6%)의 일부에서 관찰된다. 종합적으로 보면 갑상선여포암이나 역형성암의 경우 50% 이상의 환자에서 적어도 하나 이상의 PI3K–AKT경로와 관련한 돌연변이를 가지고 있다.

PI3K–AKT경로는 돌연변이 없이도 활성화되는 경우가 있는데, 갑상선여포암의 경우 특히 AKT1 및 AKT2 과발현 및 과활성화가 나타난다. AKT1의 핵으로의 이동은 종양의 피막침습, 세포침습, 이동의 활성화를 초래한다. *PTEN*+/– 생쥐모델에서 AKT1소실을 유발하면 종양발생이 현저하게 감소한다.

6) 유전자복제수변이(Gene copy number variation)

유전자 증폭을 포함한 유전자복제수변이는 암발생에 있어서 중요한 역할을 한다. 이는 염색체 불안정(instability) 또는 이수성(aneuploidy)에 의해 발생하며 비정상적 세포신호전달체계 활성화에 기여한다. 여러 가지의 수용체타이로신인산화효소의유전자이상들(*EGFR*, *PDGFRA*, *PDGFRB*, *VEGFR1*, *VEGFR2* 등)이 갑상선여포암이나 역형성암에서 알려졌는데 이는 AKT 및 ERK1/2의 인산화를 통한 활성화를 유발한다. 유전자복제수변이를 보이는 PIK3–AKT 계통의 유전자는 *PIK3CA*, *PIK3CB*, *AKT1*, *AKT2* 등이다. *PIK3CA*돌연변이와 *PIK3CA*유전자 증폭은(amplification)분화암에서 상호배타적으로 나타나는 사실로 미루어 PIK–AKT경로의 한 가지 돌연변이는 암 발생에 있어 충분한 조건임을 알 수 있다.

갑상선유두암에서는 22번염색체의 소실로 인한 *NF2*, *CHEK2*유전자의 소실도 높은 빈도로 나타나며, 염색체 1q의 증폭, 염색체 5p의 소실 등도 나타난다. *NF2*의 소실은 mutant *RAS*의 신호전달을 촉진하여 MAPK신호를 증가시키고 Hippo의 불활성화를 통해서 저분화갑상선암에서 YAP-TEAD 전사를 촉진한다. $BRAF^{V600E}$ 양성인 갑상선유두암에서 원격전이병변은 1q염색체에 존재하는 $MCL1$ ($BCL2$ 계통에 속하는 항세포자멸사유전자)을 포함한 26종류의 유전자증폭을 보이며, 9p염색체에 존재하는 P16유전자($CDKN2A$) 소실 등을 보인다. P16은 G1 주기에서 CDK4/6복합체형성과 Rb인산화를 억제하는 세포주기의 음성조절인자이다. 그러므로 이형접합체 $BRAF^{V600E}$ 양성이면서 P16 소실을 보이는 갑상선유두암이나 역형성암에서는 $BRAF^{V600E}$억제제와 CDK4/6억제제를 동시에 투여하면 현저한 항암작용을 볼 수 있다. 또한 갑상선종양에서 DNA복제수변이는 염색체 7,12,17 등에서 나타날 수 있다. 일반적으로 유전자복제수변이는 역형성암 같은 공격적인 암에서 더 흔한 것으로 보아 이런 변화들은 암 진행과정에서 중요한 역할을 하는 것으로 여겨진다.

7) NF-κB신호전달체계

Nuclear factor-kappa B (NF-κB)는 암의 발생과 진행에 중요한 역할을 하며 특히, 염증과 암을 매개하는 역할을 한다. NF-κB는 종양의 진행과 세포자멸사 억제, 혈관형성 촉진 및 침습을 유발한다. 수년 전부터 갑상선암에서 NF-κB 경로의 활성화는 종양형성을 촉진함이 밝혀졌다. 갑상선암에서 NF-κB를 활성화하는 것으로는 MEK-독립적으로 작용하는 $BRAF^{V600E}$ 돌연변이, NF-κB 유도인산화효소의 안정화를 유도하는 $RET/PTC3$재배열, PPAR 양을 감소시키는 $PAX8/PPAR\gamma$재배열 등을 들 수 있다. 또한 $PTEN$ 비활성화로 인한 PI3K-AKT신호전달체계 활성화도 갑상선암 발생을 촉진할 수 있다. NF-κB는 $BRAF^{V600E}$를 가지는 역형성암이나 저분화갑상선암에서 IL-8 분비를 통해서도 혈관형성 및 전이를 촉진할 수 있다.

8) RCAN1-4

$RCAN-1$ ($Regulator\ of\ calcineurine\ 1$, Down증후군 후보영역 1)은 21번 염색체에 존재하며 2가지 아형인 RCAN-1과 RCAN-4를 발현한다.

$RCAN1$ 발현은 정상조직에 비해 종양조직에서 발현이 증가되어 있으나, 전이조직에서는 감소되어 있는 것으로 보아 전이 억제유전자로 생각된다. 또한 여러 가지 암세포들에서 $RCAN1-4$ 발현을 안정적으로 억제하면 세포생존능과 침습성을 증가시키며 생쥐이식종양에서 증식과 전이를 억제한다.

9) BRAF, RAS, RET/PTC변이들의 중복 및 MAPK 신호/PI3K-AKT 신호 간의 상호협조

분화갑상선암에서 $BRAF$, RAS, RET/PTC 등의 종양유발변이들은 상호배타적으로 나타난다. 진행성암의 경우, 한 암종에 여러 가지 유발변이가 동시에 나타나는지에 관해서는 논란이 있다. 재발성갑상선유두암 등에서 $BRAF^{V600E}$와 RET/PTC가 동시에 나타날 수 있지만, 저분화갑상선암이나 역형성암에서 차세대염기서열분석에 의하면 $BRAF^{V600E}$, RAS돌연변이와 유전자재배열 등은 상호배타적으로 나타난다. 흥미롭게도 유발변이들이 MAPK 계통과 PI3K 계통의 활성화를 동시에 일으킬 수도 있음이 보고되었는데, 이는 정확한 종양유발과 진행의 선후관계를 설명해준다. 가장 흔한 변이들은 종양의 초기형성과 세포로 하여금 암 경향을 가지는 환경을 조성하는 역할을 하며, 추가적인 변이들이 신호전달체계의 비정상적인 활성화를 유발하여 암의 공격성을 증가시키게 된다.

10) 요약

최근 수년간에 걸쳐 암 발생에서 분자유전학적인 이상에 대한 상당한 연구가 이루어졌고 갑상선유두암의 특정 임상병리특성과 관련되는 유전자변이들이 알려지면서 갑상선암의 발생과 진행에 있어서 MAPK계통과 PI3K/AKT계통의 중요성이 밝혀지게 되었다. 이러한 발전은 정밀의학에서 표적치료를 가능하게 하였다. 하지만 약물내성이 예외 없이 발생한다는 것이 알려졌고 이렇게 발생한 종양의 약물내성을 극복하기 위해서 새로운 약물의 등장이 필요하게 되었다. 표준치료에 반응하지 않는 암들의 신호전달체계이상들도 밝혀지면서 새로운 치료법 모색을 통한 초기치료와 향상된 치료성적을 기대할 수 있게 되었다.

V. 갑상선분화암의 임상상

전형적인 갑상선암은 동통이 없는 목의 종괴로 시작된다. 특이 증상이 없는 것이 보통이지만 일부 환자는 결절이 갑자기 커지면서 동통을 느끼기도 하고 간혹 주위조직을 압박하거나 침입이 일어나서 쉰목소리, 삼킴곤란, 호흡곤란, 객혈 등의 증상이 나타날 수도 있다. 갑상선결절은 대부분 견고하게 촉지되며 상하로 잘 움직이지만 종종 주위조직과 유착하여 고정되고 딱딱하게 촉지되기도 한다. 또는 결절과 동측의 경부림프절이 같이 촉지되기도 한다. 갑상선결절을 가진 환자에서 결절로 인한 증상을 동반하는 경우는 전체의 10% 이하이며 대부분은 증상이 없으므로 병력청취나 이학적검사가 진단에 도움이 되는 경우는 드물고, 이러한 소견이 없다고 해서 양성결절이라고 할 수 없으므로 일단 결절이 발견되면 적절한 검사 등을 시행하는 것이 바람직하다. 분화갑상선암의 일부는 유전적으로 발생하는데 이 경우의 대부분은 갑상선유두암이다. 갑상선유두암의 약 5% 정도는 보통염색체우성유전을 하는 가족성갑상선유두암이다. 이 경우는 산발적으로 발생하는 갑상선유두암에 비해 어린 나이에 발병하며 좀 더 공격적인 양상을 보인다. 같은 성별 및 연령의 경우라도 가족성갑상선유두암의 경우는 다발인 경우가 더 많고 재발도 더 흔한 것으로 알려져 있다.

갑상선여포암은 미국의 경우 전체 갑상선암의 10% 정도를 차지하여 상대적으로 드물다. 그러나, 요오드섭취가 적은 지역에서는 갑상선여포암의 유병률이 더 높다. 갑상선여포암은 갑상선유두암에 비해 호발연령이 약간 높으며 소아에서는 드물다. 갑상선여포암은 두경부방사선조사와 발병 간의 관련이 없으며 우연히 발견되는 경우도 갑상선유두암에 비해 훨씬 적다.

두경부에 방사선조사를 받는 경우 갑상선유두암의 발생이 증가함은 미국에서는 잘 알려진 사실이다. 따라서 이에 대한 병력청취는 진단에 도움이 된다. 가족성선종폴립증(familial adenomatous polyposis, Gardner's syn-drome) 환자에서 갑상선유두암의 빈도가 높기 때문에 대장암의 병력 및 가족력도 조사해야 한다.

갑상선암의 폐전이는 대부분 무증상이지만 호흡곤란과 객혈의 원인이 된다. 폐전이 환자의 20% 정도만이 증상이 있고 나머지는 무증상으로 흉부 X선촬영 혹은 방사성요오드 촬영 시 발견된다. 폐전이 환자 중 약 2/3만이 흉부 X선촬영으로 발견되며 나머지 1/3은 방사성요오드전신촬영에만 나타난다. 뼈전이는 종종 동통, 골절 등의 증상을 유발한다. 폐와 뼈 다음으로 뇌전이가 흔하지만 전체 원격전이된 예의 6% 정도만이 뇌전이다. 다발원격전이를 보이는 갑상선여포암인 경우 전이병소에서 갑상선호르몬 생산과다로 갑상선중독증을 일으키는 수도 있다.

VI. 갑상선분화암의 치료 및 경과관찰

갑상선분화암의 초기치료는 갑상선절제술(수술), 방사성요오드의 투여, 갑상선호르몬 투여를 통한 내인갑상선자극호르몬의 억제가 근간을 이루며 수술이 치료의 핵심이다. 분화갑상선암 초기치료의 목표는 1) 원발종양의 제거와 피막외부위 및 경부림프절 등에 전이된 병소를 제거하는 것, 2) 질병 및 치료와 관련한 이환율을 최소화하는 것, 3) 질병의 정확한 병기결정, 4) 수술 후 방사성요오드치료를 용이하게 하는 것, 5) 재발에 대한 적절한 장기관리, 6) 암의 재발과 전이의 최소화 등이다.

1. 수술: 갑상선절제술 및 경부림프절절제술

1) 갑상선절제술

갑상선분화암은 진단이 되면 원격전이 유무에 무관하게 일차로 갑상선 종괴를 제거하는 수술을 한다. 분화암은 성장속도가 느리고 양성경과를 취하며, 특히 원격전이병소도 방사성요오드치료로 완치가 가능하기 때문이다. 분화암의 수술치료는 엽절제(lobectomy, 협부절제 포함), 갑상선근전절제술(near total thyroidectomy, 반회후두신경이 cri-co-thyroid 근육으로 들어가는 부위에 약 1 g의 갑상선 조직만을 남기고 눈에 보이는 모든 갑상선을 제거하는 것), 그리고 갑상선전절제술(total thyroidectomy, 육안적으로 보이는 모든 갑상선조직을 제거하는 것) 등 세 가지 중 하나이어야 한다. 지난 50년 동안 엽절제이면 충분하다는 논리와 전절제술이 필요하다는 논리 간의 논란이 계속되어 왔는데, 전절제술을 권유하는 근거들로는 (1) 갑상선암은 양측성인 경우가 많고(30–85%), (2) 수술 후 재발이나 반대측 엽의 암 발생이 드물지 않으며(4.7–24.0%), (3) 재발하는 경우의 반 정도는 결국 갑상선암으로 사망하게 되며, (4) 1.5 cm 이상의 암의 경우 엽절제에 비하여 전절제술이 질병–특이 생존율을 높인다는 것이 알려져 있고, (5) 치료 후 추적 시 방사성요오드치료가 재발암의 진단과 치료를 용이하게 해주며, (6) 방사성요오드치료는 수술 후 갑상선글로불린검사를 종양표지자로 이용할 수 있게 하여 주고, (7) 재수술의 경우 합병증의 발생위험이 증가한다는 점 등을 들 수 있다. 반대로 엽절제술로 충분하다는 근거들로는 (1) 미세한 다발암은 임상적으로 중요하지 않으며, (2) 재수술이 위험한 갑상선부위(bed) 재발은 실제로 5%에 불과하며, (3) 국소재발을 하더라도 약 반수에서는 재수술로 완치를 기대할 수 있고, (4) 전절제술을 한다고 해서 림프절미세전이가 제거되는 것은 아니며, (5) 전절제술의 경우 수술에 따른 합병증이 많은 점 등을 들 수 있다. 실제로 어떤 수술이 적절한지는 이중맹검된 전향연구가 필요할 것이나 갑상선분화암의 경우 진행이 느리기 때문에 질병–특이 사망률의 차이를 보려면 적어도 3,000–5,000명 정도를 다기관연구로 하여야 하는데 수술숙련도가 서로 다른 기관들에서 적절한 맹검연구가 가능할지도 상당히 의문스러우므로 현실적으로 이는 어려울 것으로 여겨지고 있다. 따라서, 모든 연구들이 후향적으로 이루어져 초래되는 문제들로 인하여 적절한 수술의 범위는 아직 논란의 대상이 되고 있다.

(1) 전절제술/근전절제술

암의 크기가 4 cm 이상이거나, 육안적인 갑상선외 침범소견이 있거나(clinical T4), 임상적으로 전이림프절이 발견된 경우(clinical N1), 원격전이(clinical M1)가 있는 경우 전절제술/근전절제술이 권고된다.

(2) 일측엽절제 또는 전절제술/근전절제술이 모두 가능한 경우

암의 크기가 1–4 cm이고 육안으로 갑상선외 침범이 없고, 임상적으로 발견되는 림프절전이(cN0)가 없다면 일차수술로써 엽절제 또는 양측수술이 모두 가능하다. 엽절제술은 저위험 갑상선유두암이나 갑상선여포암의 치료로 충분할 것으로 여겨지고 있다. 하지만, 질병의 양상에 따라 치료 후 추적을 용이하게 하기 위하여 또는 환자의 선호도에 따라 전절제술을 시행할 수 있다.

(3) 엽절제

1 cm 이하의 암이면서 육안적인 갑상선외 침범소견이 없고, 임상적인 림프절 전이소견이 없는 경우(clinical N0) 반대측 엽을 제거할 뚜렷한 적응이 없다면 일차수술로 엽절제이면 충분하다. 크기가 작고, 단일결절이면서, 갑상선 내에 국한된 갑상선암의 경우 두경부 방사선조사력이 없고, 가족성암이 아니며, 임상적으로 발견되는 경부림프절전이가 없다면 엽절제로 충분하다.

2) 경부림프절절제술

갑상선분화암 특히 갑상선유두암의 경우는 경부림프절전이가 흔하기 때문에(20–90%) 수술 전에 수술의 범위 등을 결정하기 위해서 경부초음파검사가 필요하다. 수술 전 또는 수술 중에 림프절전이가 증명된 경우에는 림프절절제술이 필요하다. 이때 커져 있는 림프절만 선택적으로 제거하는 방법("berry picking")보다는 제한적이긴 하지만 기능적인 광범위 구역 절제가 사망률을 낮출 수 있다는 보고가 있어 선호된다.

(1) 치료 목적의 경부림프절 절제

임상적으로 발견된 림프절전이가 있다면 중앙경부(level VI)림프절절제술이 갑상선전절제술과 더불어 필요하다.

(2) 예방 목적의 경부림프절 절제

갑상선유두암 환자에서 임상적으로는 경부림프절전이가 없으나(cN0), 암 조직이 진행한 경우(T3 또는 T4), 측경부림프절전이가 있는 경우(cN1b) 또는 추후 치료방침 결정을 위해 필요한 경우 중앙경부림프절절제술(일측 또는 양측)이 필요하다.

(3) 경부림프절절제술이 필요 없는 경우

크기가 작고(T1 또는 T2) 비침습성이고, 임상적으로 림프절전이가 없는 경우(cN0)의 갑상선유두암과 대부분의 갑상선유두암종에서는 경부림프절절제술은 필요하지 않다.

3) 수술 후 병기결정

갑상선암의 대부분을 차지하는 분화암의 경우 원격전이 유무에 관계없이 일차로 수술을 시행하는데 수술 후 병리소견을 종합하여 병기를 분류한다. 국제적으로 공인되는 분류법으로는 International Union Against Cancer (IUCC)와 American Joint Committee on Cancer Research (AJCC)가 협의해서 결정한 pTNM에 근거한 분류를 이용하고 있다(표 3-10-1, 3-10-2). 최근에 개정된 것은 AJCC/UICC 제8판이다.

T는 종양의 최대직경 및 주위조직으로의 침습정도를 반영하는 것으로 최대직경이 2 cm 이하이고 갑상선외 침입이 없으면 T1, 2-4 cm이고 갑상선외 침입이 없으면 T2, 직경이 4 cm 이상이거나(T3a), 육안적 갑상선외 침습(주변 근육 침습)이 있는 경우는(T3b) T3이며 갑상선외 침입이 육안적으로 현저한 경우는(주변근육만 침범한 경우는 제외) 종양의 크기에 관계없이 T4로 분류된다. N은 림프절전이를 나타내는 것으로 전이가 없으면 N0, 중앙림프절(level VI)이나 종격동림프절(level VII) 전이만 있으면 N1a, 측경부

(level I-V) 또는 후인두(retropharyngeal) 림프절전이가 있으면 N1b로 분류한다. M은 원격전이를 나타내는 것으로 없으면 M0, 원격전이가 있으면 M1으로 분류한다. 다른 암과는 달리 갑상선분화암은 진단 당시의 연령이 예후에 미치는 영향이 크므로 이점을 고려하여 AJCC는 표 3-10-2와 같은 분류법을 제시하고 있다. 이 분류법에 따르면 55세 미만의 갑상선분화암 환자는 원격전이가 없으면 stage I이고 원격전이가 있으면 stage II이다. 55세 이상의 분화암 환자에서는 종양이 4 cm 이하이고 림프절 및 원격전이가 없으면 stage I (T1N0M0, T2N0M0), 종양이 4 cm 이상으로 크거나, strap muscle만 침범하는 육안적 침범이 있거나 또는 중앙 경부/측경부림프절전이가 있는 경우는 stage II (T1/2N1M0, T3a/3bN0/1M0)로 분류되며 육안적인 갑상선외 침입(피하연부조직, 후두, 기관, 식도 또는 반회후두신경 침범 시)이 있는 경우는 stage III (T4aN0/1M0), 종양이 prevertebral fascia를 침범하거나 경동맥/종격동혈관을 둘러싸고 있는 경우(T4bN0/ 1M0)는 stage IVA, 원격전이가 있는 경우(T1-4N0/1M1)는 stage IVB이다(표 3-10-2). 수술 후 병기결정이 필요한 이유는 갑상선분화암 환자의 예후 예측, 방사성요오드치료나 갑상선자극호르몬 억제와 같은 수술 후 치료방침의 결정, 수술 후 추적의 빈도와 강도를 결정, 의료진 간의 의사소통 등에 필수적이기 때문이다.

4) 수술의 합병증

갑상선절제술 후 흔한 합병증은 부갑상선저하증과 반회후두신경(recurrent laryngeal nerve) 손상이며, 갑상선전절제술 후에 더 많이 발생한다. 부갑상선저하증이 수술 직후 일시적으로 발생하는 경우는 5% 정도이나 소아에서는 더 흔하며, 많은 경우 일과성으로 나타나고 시간이 지나면서 회복될 수 있다. 갑상선전절제술을 시행한 경우 영구적인 부갑상선저하증과 반회후두신경 손상의 발생률은 평균 3% 및 2.6%로 알려져 있으나 수술의 숙련도와 밀접한 관련이 있어 숙련된 외과의의 경우에는 더 낮을 수 있다. 1년에 갑상선전절제술 시행건수가 100건 이상인 경우에는 일반적으로 수술합병증 빈도가 그 이하로 시행하는 외과의에 비

표 3-10-1. 갑상선분화암의 TNM 분류(I)

	T staging
TX	원발종양을 평가할 수 없을 때
T0	원발종양이 없을 때
T1	원발종양의 크기가 2 cm 이하이고 갑상선에 국한되어 있음
T1a	원발종양의 크기가 1 cm 이하이고 갑상선에 국한되어 있음
T1b	원발종양의 크기가 1–2 cm 이고 갑상선에 국한되어 있음
T2	원발종양 크기 2 cm 초과 4 cm 이하이고 갑상선에 국한되어 있음
T3	원발종양 크기 4 cm 초과이거나 strap muscle에 침범이 있는 경우
T3a	원발종양 크기 4 cm 초과이고 갑상선에 국한되어 있음
T3b	크기에 관계없이 원발종양이 strap muscle을 침범한 경우(sternohyoid, sternothyroid, thyrohyoid, omohyoid muscle)
T4	원발종양의 크기에 관계없이 육안적 갑상선외 침범소견이 있을 때
T4a	종양이 피하연부조직, 후두, 기관, 식도 또는 반회후두신경 침범 시
T4b	종양이 prevertebral fascia를 침범하거나 경동맥/종격동 혈관을 둘러싸고 있는 경우
	N staging
NX	수술 당시 림프절전이를 평가하지 않은 경우
N0	림프절전이가 없는 경우
N0a	세포검사나 조직검사로 확인된 양성림프절이 하나 이상인 경우
N0b	임상적으로 또는 영상검사상 림프절전이가 없는 경우
N1	국소림프절전이가 있는 경우
N1a	level VI/VII 림프절전이가 있는 경우(pretracheal, paratracheal, prelaryngeal/Delphian, upper mediastinal LN)
N1b	일측성, 양측성, 반대편 경부림프절(level I–V) 혹은 retropharyngeal 림프절전이가 있는 경우
	M staging
MX	원격전이 여부를 알 수 없는 경우
M0	원격전이가 없는 경우
M1	원격전이가 있는 경우

출처: AJCC/UICC 8th edition.

해 유의하게 낮은 것으로 알려져 있다.

2. 방사성요오드치료

갑상선분화암 환자에서 방사성요오드치료는 암의 재발과 질병특이사망률을 감소시키는 것으로 알려져 있기 때문에 (그림 3-10-2) 수술 후 중요한 보조치료법의 하나로 이용되고 있다. 그러나, 갑상선절제술 후 남아있는 정상 갑상선조직을 방사선요오드로 파괴시킬 필요가 있는지 여부는 아직 논란이 있다. 암이 한쪽 엽에만 국한되어 있고 크기가 작아 엽절제만 실시한 경우에는 방사성요오드로 잔여갑상선을 파괴하기 어려울 뿐 아니라 파괴할 필요도 없다. 그러나, 갑상선

표 3-10-2. **갑상선분화암의 TNM분류(II)**

	55세 미만		
Stage I	Any T	Any N	M0
Stage II	Any T	Any N	M1
	55세 이상		
Stage I	T1	N0/NX	M0
	T2	N0/NX	M0
Stage II	T1	N1	M0
	T2	N1	M0
	T3a/T3b	Any N	M0
Stage III	T4a	Any N	M0
Stage IVA	T4b	Any N	M0
Stage IVB	Any T	Any N	M1

출처: AJCC/UICC 8th edition.

아전절제술 이상의 수술을 실시한 경우에는 잔여정상조직을 방사선요오드로 파괴시킬 필요가 있다. 그 이유로는 첫째, 갑상선유두암의 약 20–45%는 갑상선내 다발로 발생하므로 잔여조직에서 재발이 우려되기 때문이며, 둘째, 잔여 조직에서 갑상선글로불린이 생산되므로 수술 후 경과관찰에서 종양표지자로써의 특이성을 낮출 가능성이 있고, 셋째, 잔여조직이 재발 및 전이암의 방사성요오드 섭취를 방해하여 조기진단에 장애요인이 되기 때문이다. 이와 같이 잔여정상조직에 대한 방사성요오드치료는 미세잔존암을 파괴시킬 수 있고 또한 수술 후의 장기간 경과관찰을 용이하게 하는 장점, 즉 혈청갑상선글로불린 측정 및 방사성요오드전신촬영을 통해 조기에 암의 재발 및 전이를 발견할 수 있다.

1) 방사성요오드치료 적응증을 포함한 치료 시 고려사항(표 3-10-3)

지금까지의 여러 연구결과를 종합하면 저위험군 및 고위험군 모두에서 수술 후 방사성요오드로 잔여정상조직을 파괴한 경우에서 방사성요오드치료를 안 한 경우보다 재발률 및 사망률이 유의하게 낮았다. 현재까지의 소견을 종합하여 판

단하였을 때, 환자의 연령에 무관하게 (1) 종양의 크기가 크거나(4 cm 이상), (2) 육안적인 갑상선외 침범소견이 있거나, (3) 원격전이가 있는 고위험군에서는 갑상선전절제술 혹은 갑상선근전절제술을 시행하고 방사성요오드치료를 해야 한다. 중간 위험군, 즉 종양의 직경이 1–4 cm이며 주위조직으로 침범없이 림프절전이는 있거나 혹은 없는 경우는 연령과 방사성요오드치료의 장점과 부작용을 고려하여 결정한다. 일반적으로 환자의 연령이 55세 이상인 경우에는 방사성요오드치료를 권한다. 1 cm 이하이면서 종양이 갑상선의 한쪽 엽에만 국한된 저위험군은 엽절제 후 방사성요오드치료 없이 갑상선호르몬 억제요법만으로 충분하다.

분화갑상선암에서 방사성요오드치료의 목적은 크게 세 가지로 나누어 볼 수 있는데, (1) ablative therapy(잔존 조직 파괴): 갑상선절제술 후 남아있는 정상 갑상선조직을 파괴할 목적, (2) adjuvant therapy(항암보조요법): 갑상선절제술 및 림프절절제술 후 남아 있을 수 있는 미세잔존암 병소의 치료목적, (3) therapeutic(항암치료요법): 갑상선절제술 및 림프절절제술 후 남아 있는 육안병소 및 원격전이

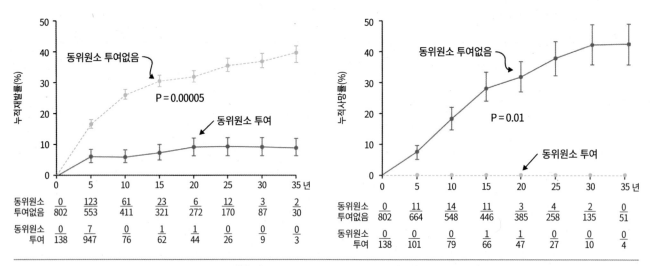

그림 3-10-2. 제2,3병기인 갑상선분화암 환자에서 수술 후 방사성요오드치료를 한 군과 하지 않은 군의 재발률 및 사망률 비교

암 치료목적 등이다.

수술 후 방사성요오드치료의 적응증은 일차치료 후 재발위험군분류(ATA risk stratification, '5. 일차치료 후 추적관찰'의 내용 참조) 및 수술 후 병리조직검사에 근거한 TNM staging에 따라 미국갑상선학회(ATA)에서 권고한 고려사항들은 표 3-10-3과 같다.

2) 방사성요오드치료 전 준비

방사성요오드치료, 방사성요오드전신스캔(whole body scan, WBS), 혈청갑상선글로불린 측정 등을 할 때는 효용성을 극대화하기 위해 갑상선자극호르몬 자극이 필요하다. 후향연구에 의하면 갑상선호르몬 중단 후 혈중 갑상선자극호르몬 30 mU/L 이상일 경우 종양의 방사성요오드 섭취가 유의하게 증가됨이 관찰되었다. 이에 반해 외인갑상선자극호르몬을 1회 주사할 경우에는 혈중 갑상선자극호르몬 농도가 51–82 mU/L 사이일 때 갑상선세포에 대한 최대 자극효과를 관찰할 수 있었다. 내인갑상선자극호르몬 농도는 갑상선호르몬을 중단하는 경우에는 levothyroxine (LT$_4$)을 levotriiodothyronine (LT$_3$)으로 변경하여 2–4주간 지속한 후 2주간 LT$_3$를 중단하거나, 또는 3주간 LT$_4$를 중단하면 대개는 원하는 갑상선자극호르몬 농도를 얻을 수 있다. 방

사성요오드잔여갑상선제거술에서 재조합인간갑상선자극호르몬(recombinant human thyrotropin, rhTSH)의 사용에 대한 경험은 그다지 많지 않다. 갑상선기능저하상태를 견디지 못하거나 내인갑상선자극호르몬을 충분히 생성할 수 없는 일부 환자에서 rhTSH로 성공적인 방사성요오드치료를 시행한 보고가 있다. 국내에서는 다음과 같은 경우 1회에 한하여 보험인정이 되고 있다. (1) 수술 후 4주간 LT$_4$ 중단 후 갑상선스캔을 시도하는 중에 객관적으로도 환자가 LT$_4$ 중단으로 인해 심한 고통이나 부작용이 있는 것이 입증된 환자에서 투여된 경우, (2) 65세 이상의 노인, 심폐기능저하 환자, 뇌하수체기능저하 환자, 갑상선암의 증식이 빠르다는 객관적인 증거가 있는 환자에서 투여된 경우 등이다. 방사성요오드 투여 전에 치료효과의 증강을 위하여 저요오드식이(하루 50 μg 미만)가 권장되어 왔다. 저요오드식이의 적절한 기간에 대한 연구보고는 국가별로 다르며 이는 식이를 통한 요오드섭취량이 국가별로 다른 데 기인한 것으로 여겨진다. 한국과 같은 식이를 통한 요오드섭취량이 높은 국가에서는 2주 이상이 권장되기도 한다. 요오드의 섭취원으로써 식이 이외에 약물에 포함된 요오드도 있다. 따라서, 약물에 의한 요오드 섭취가 치료의 방해가 되지 않도록 미리 점검하는 것이 권장된다. 저요오드식이를 적절히 수행했는지는 파악하기가 힘들고 요오드를 포함한 약물은 다

표 3-10-3. 분화갑상선에서 갑상선절제술 후 방사성요오드치료 시 고려사항

ATA 위험도 (TNM병기, 8th Ed.)	내용	방사성요오드치료가 생존율을 증가시키는가?	방사성요오드치료가 재발을 감소시키는가?	방사성요오드치료의 적응증
ATA low risk T1a N0, Nx M0, Mx	≤ 1 cm Uni or multifocal	No	No	No
ATA low risk T1b, T2 N0, Nx M0, Mx	> 1 cm & ≤ 4 cm	No	Conflictive observational data	Not routine use, Consider in aggressive histology or vascular invasion
ATA low/ intermediate risk T3 N0, Nx M0, Nx	> 4 cm	Conflicting data	Conflictive observational data	Consider According to whether adverse characteristics or patient age
ATA low/ intermediate risk T3 N0, Nx M0, Nx	Microscopic ETE (any T)	No	Conflictive observational data	Consider Small tumors with microscopic ETE can avoid [131]I
ATA low/ intermediate risk T1–T3 N1a M0, Mx	Lymph node metastasis in central compartment	No, except age ≥ 55 (NTCTCSG stage III)	Conflictive observational data	Consider • Yes ^{131}I for risk of persistence/ Recurrence by size, Lymph node metas or ETE • No ^{131}I if < 5 lymph node metas
ATA low/ intermediate risk T1–T3 N1b M0, Mx	Laterocervical or mediastinic lymph node metastasis	No, except age ≥ 55	Conflictive observational data	In general favorable to ^{131}I for risk of persistence/recur
ATA high risk T4 Any N Any M	Any T Macroscopic ETE	Yes	Yes	Yes
ATA high risk M1 Any T Any N	Distant metastasis	Yes	Yes	Yes

ATA, American Thyroid Association; ETE, extrathyroid extension; NTCTCSG, National Thyroid Cancer Treatment Cooperative Study Group; TNM, tumor/node/metastasis; I-131, radioiodine.

양하여 사전점검에서 누락될 수도 있으므로 방사성요오드치료 전 소변으로의 요오드배설량을 측정함으로써 체내요오드양이 치료에 충분할 만큼 감소되었는지 판단하여 치료일정을 결정하는 데 도움을 받을 수도 있다.

방사성요오드치료 전 WBS 촬영이나 갑상선부위 방사성요오드섭취율의 측정은 수술기록이나 경부초음파로 잔여갑상선조직의 양을 정확하게 확인할 수 없을 때나, 검사결과로 인해 치료방침이나 방사성요오드 치료용량이 달라질 때에는 유용할 수 있다. 검사를 시행할 경우에는 [131]I에 의한 갑상선암에의 기절효과(stunning)를 피하기 위하여 2 mCi (74 MBq) 전후의 저용량의 [131]I이나 [123]I를 사용한다.

3) 방사성요오드 투여량

저위험군의 환자에서는 성공적인 잔여갑상선 제거에 필요한 최소용량(30–100 mCi, 1.1–3.7 GBq)을 선택해야 한다. 현미경적인 잔여병소가 의심되거나 확인되었을 경우, 혹은 예후가 나쁜 조직형일 경우(키큰세포변종, 원주형세포변종, 징모양변종, 인슐라형)에는 고용량(100–200 mCi, 3.7–7.4 GBq)의 [131]I 투여가 필요하다. 폐에 원격전이가 있을 때에는 150 mCi 투여가 적당하며, 뼈의 전이 시에는 200 mCi가 필요하다. [131]I 섭취가 없어질 때까지 6개월–1년 간격으로 치료함이 좋다. 총 [131]I 축적량은 소아는 500 mCi, 성인은 800 mCi 이하로 유지함이 좋다. 물론 원격전이가 심한 경우에는 1,000 mCi 이상 투여할 수도 있지만 그만큼 부작용의 빈도가 높다.

4) 방사성요오드치료 후 전신스캔(Post-therapeutic whole body scan, RxWBS) 촬영

RxWBS은 원격전이의 진단을 위하여 시행되는데 전형적으로 방사성요오드를 투여하고 1주 내외에 시행된다. 새로운 비정상적 요오드 섭취는 경부, 폐, 종격동 등에서 흔하게 발견되고 이러한 새로운 병변은 약 10%의 환자에서 병기결정에 영향을 줄 수 있고, 9–15%에서 치료방침에 영향을 준 것으로 보고되었다.

5) 방사성요오드치료의 부작용

방사성요오드치료가 충분히 안전한 방법으로 생각되나 이역시 농축량과 관련하여 타액선 손상, 누비관폐색, 그리고 이차종양 발생 등과 같은 합병증의 위험이 동반된다. 따라서, 방사성요오드치료는 그에 의한 이득이 잠재적인 위험성보다 높을 경우에 사용하여야 한다. 완전히 안전한 방사성요오드 용량이란 것은 없으며, 또한 꼭 필요한 경우에는 최대 허용용량 또한 없다. 그러나 단일치료 용량이나 농축용

량이 높을수록 부작용이 흔하다.

일시적 미각 상실감이나 미감의 변화 혹은 타액선의 손상을 막기 위해 amifostine이나 수분 공급, 신 사탕, 콜린성약물 등을 추천하기도 하는데, 효과가 있는지는 분명하지 않다. 최근의 한 연구에서는 신 사탕을 방사성요오드 투여 24시간 후에 주는 것보다 치료 1시간 내에 주는 것이 타액선의 손상을 증가시킨다고 하였다. 입안 건조나 치아우식 등과 같은 만성타액선합병증에 대해서는 콜린성약물이 타액선의 흐름을 증가시켜 예방효과가 기대되나 분명하지는 않다. 구강건조증 환자들은 치아우식의 위험성이 있으므로 치과의사에게 의뢰가 필요하다. 또한, 누비관협착에 의하여 누액유출이 막혔을 경우 눈물흘림이 심하며 감염의 가능성이 있으므로 수술교정을 고려한다.

장기간의 추적을 통한 연구에서 방사성요오드치료를 받은 갑상선암 생존자들에서 일부 암(골 및 연조직암, 대장암, 타액 선암, 백혈병) 발생의 상대위험도는 약간 증가하는 것으로 나타났으며, 위험도의 증가는 치료용량과 밀접한 연관이 있다. 갑상선암이 있는 여성 환자의 경우 유방암의 위험성이 증가하는 것처럼 보이는데, 이 결과가 선별검사의 오류 때문인지 방사성요오드 때문인지 아니면 다른 요인들 때문인지는 명확하지 않다.

지금까지 발표된 자료에 의하면 투여된 용량이 골수에서 200 cGy 미만이면 백혈구나 혈소판에 대한 영향은 거의 없다고 알려져 있으나, 지속적인 경한 백혈구나 혈소판의 감소는 여러 번 방사성요오드치료를 받은 환자들에게 흔히 나타난다. 골수에 대한 방사선의 영향은 신기능을 포함한 여러 요인들의 영향을 받는다. 따라서, 치료용량의 방사성요오드를 투여받는 환자들에서는 CBC, 혈소판 수, 신기능에 대한 기저검사가 시행되어야 한다. 성선의 조직들은 혈액이나 체내의 소변, 대변 등에 의해 방사성요오드의 방사능에 노출된다. 갑상선암으로 방사성요오드치료를 받은 폐경기 이전의 여성들 중 20–27%에서 일시적인 무월경/희발월경

이 4-10개월간 지속되기도 한다. 비록 소규모연구이기는 하지만 장기간의 불임, 유산, 선천태아기형 등이 방사성요오드치료를 받은 여성 환자들에서 증가하지 않았다는 보고도 있다. 한 대규모후향연구에서는 유산율의 증가 때문에 임신은 치료 후 1년 뒤로 연기하여야 한다고 하였다. 남성에 있어서 방사성요오드치료는 일시적인 정자 수의 감소를 유발할 수 있다. 영구적인 남성불임은 단일방사성요오드치료와는 무관하며 이론적으로 여러 번 시행으로 인한 손상의 축적 시 발생한다. 그러므로, 축적용량이 400 mCi 이상인 남성 환자는 정자은행에 정자를 보관할 것을 고려하여야 한다. 성선에 대한 방사선의 노출을 줄이기 위해서는 방사성요오드 투여 직후 수분의 공급과 방광을 비우기 위해 자주 소변을 보는 것이 좋고, 변비를 피하는 것이 좋다.

방사성요오드는 수유 중인 산모에게는 투여해서는 안 된다. 임상적상태에 따라 다르겠지만 방사성요오드치료는 최소 수유를 6-8주 정도 끊은 후 하여야 한다. 도파민약물이 유방에 대한 노출을 줄이는 데 도움이 되겠지만 부작용에 대한 충분한 검토와 주의가 이루어져야 할 것이다.

3. 갑상선호르몬 억제요법

갑상선암의 성장을 촉진하는 성장인자로는 여러 가지가 거론되고 있지만 이 중 갑상선자극호르몬이 가장 강력한 영향을 미친다. 갑상선자극호르몬은 세포막 내의 갑상선자극호르몬수용체를 거쳐서 그 효과를 나타내는데 갑상선유두암 및 갑상선여포암의 세포막에는 갑상선자극호르몬수용체가 존재함이 밝혀져 있다. 갑상선암 환자에서 갑상선호르몬 투여를 중단하여 혈청갑상선자극호르몬이 상승하면 암이 현저하게 자라는 것이 관찰된다. 수술 후 갑상선호르몬을 투여하지 않은 경우 재발률이 높고 특히 갑상선암을 동반한 그레이브스병에서 갑상선자극항체가 암의 성장을 자극하여 임상경과가 불량함이 알려져 있다. 갑상선분화암 수술 후 생리적 용량 이상의 고용량의 갑상선호르몬제(LT$_4$)를 투여하여 내인갑상선자극호르몬을 억제하면 갑상선암의 재발률을 감소시킨다. 후향연구들에 의하면 갑상선자극호르몬이 0.1 mU/L 미만일 경우 고위험 환자의 예후를 향상시키지만, 저위험군에서는 갑상선자극호르몬 억제치료의 확립된 이득이 없다. 갑상선자극호르몬 억제치료의 부작용으로는 불현성갑상선중독증에 의한 것들로 허혈심장질환의 악화, 심방세동위험의 증가, 폐경후골다공증위험 증가 등이 있다.

최근의 여러 연구들을 종합한 결과 갑상선호르몬 억제요법을 시행한 경우 주요 유해임상사건이 감소되는 것으로 밝혀졌다. 그러나, LT$_4$에 의한 갑상선자극호르몬 억제를 어느 정도로 해야 적절한지는 아직까지 알려져 있지 않다. 한 연구에서 갑상선자극호르몬 농도가 항상 1 mU/L 이상일 때보다 지속적으로 0.05 mU/L 이하로 억제되어 있을 경우 무병 생존기간이 더 길었으며, 다변량 분석에서 갑상선자극호르몬 억제정도가 재발의 독립예측인자였다. 또 다른 대규모연구에서는 질환의 병기, 환자의 연령, 그리고 방사성요오드치료가 질환의 진행을 독립적으로 예측하는 인자로 밝혀졌고 갑상선자극호르몬 억제정도는 연관이 없는 것으로 밝혀졌다. 세 번째 연구에서는 LT$_4$ 치료 동안 갑상선자극호르몬을 0.5 mU/L 미만으로 억제하는 경우보다 정상범위로 유지하였을 때 평균 갑상선글로불린 농도가 더 높았으나 이러한 현상은 국소 또는 원격병소의 재발이 있는 경우에만 관찰되었다.

이러한 결과들을 토대로 현재 권고되고 있는 갑상선자극호르몬 억제정도의 목표는 다음과 같다. 즉, 갑상선암 잔여병소를 가지고 있는 환자에서는 혈청갑상선자극호르몬을 특별한 금기사항이 없는 한 계속 0.1 mU/L 미만으로 유지한다. 임상적으로 갑상선암이 발견되지 않으나 재발의 고위험군인 경우는 5-10년 동안 갑상선자극호르몬을 0.1에서 0.5 mU/L 사이로 유지한다. 마지막으로 갑상선암이 발견되지 않는 환자, 특히 재발의 저위험군인 경우에는 갑상선자극호르몬을 낮은 정상범위(0.3-2.0 mU/L)로 유지하도록 한다. 이러한 갑상선자극호르몬 억제의 목표치는 환자가 가지는 동반질환(골다공증, 심장질환, 당뇨병 등)에 따라 약간씩 달라질 수 있다.

4. 기타 치료

1) 외부방사선치료

갑상선절제술 후 경부에 외부방사선치료(external beam radiation therapy, EBRT)는 가끔 시행되는데, 수술 당시 육안적으로 갑상선 밖으로 병소가 진행되어 미세병소가 남아있을 가능성이 높은 45세 이상의 환자 또는 추가적인 수술이나 방사성요오드치료로 잘 낫지 않을 것 같은 육안으로 보이는 잔여병소가 있는 환자 등에서 고려된다. 방사선에 의한 척수병증이 발생하지 않도록 잘 고안되어 시행되어야 한다. 경부 및 상부종격동을 포함하는 부위에 50–60 Gy를 25–30회에 나누어 조사하며, 육안 잔여병소부위에 5–10 Gy를 추가하여 조사할 수 있다.

수술이나 방사성요오드치료 후에도 남아 있는 병소, 특히 증상을 유발하거나 골절위험이 있는 부위의 전이병소(경부, 종격동, 골전이병소)에도 외부방사선치료가 적응이 된다.

2) γ 나이프

갑상선암의 뇌전이는 상당히 불량한 예후를 암시한다. 수술로 전이병소를 제거할 수 있다면 일부 환자에서 생명을 연장시킬 수도 있으며 아주 드물게는 완치도 가능하다. 그러나, 수술이 불가능한 뇌부위의 전이가 있는 경우에는 외부방사선치료보다는 γ 나이프를 이용한 방사선 치료가 더 바람직할 수 있다.

3) 항암화학요법

진행된 방사성요오드치료에 반응이 없는 분화갑상선암에 대한 항암약물 치료에 대한 연구는 매우 제한적이다. 적절한 용량의 doxorubicin (3주 간격의 60–75 mg/m^2) 단독요법은 40%까지의 환자에서 효과가 있을 수 있다(대부분 부분관해 또는 stable 형태의 보고임). 또한 효과의 지속 여부는 불확실하다. 대부분의 복합항암약물요법이 doxorubicin 단독요법에 비하여 효과가 더 뛰어나다는 증거는 없으며 독성만 증가하는 것으로 보고된다. 일부 전문가들은

역형성암에서의 제한적인 결과들을 바탕으로 doxorubicin이나 paclitaxel 각각의 단독요법이나 이 둘의 복합요법을 추천하기도 한다. 최근에 타이록신 중단이나 유전자재조합갑상선자극호르몬(rhTSH)주사로 혈중 갑상선자극호르몬을 증가시킨 후 carboplatinum과 epirubicin의 복합요법에 대한 보고가 있었는데 완전 및 부분관해가 합쳐서 37%에서 관찰되었다. 하지만 아직 일반적으로 사용을 고려하기 전에 재검증이 필요한 상황이다.

5. 일차치료 후 추적관찰

갑상선분화암 환자의 일차치료(갑상선절제술 및 방사성요오드치료) 후 장기추적의 목적은 질병이 일단 완치된 환자에서 재발 여부를 정확하게 찾아내는 것이다. 잔여 혹은 재발병소를 갖고 있는 환자에서는 완치를, 또는 장래의 이환율이나 사망률을 낮추는 것을 목표로 치료하며 그것이 불가능한 경우에는 종양부하를 감소시키거나 성장을 억제하는 보조적인 치료를 한다.

1) 수술 당시의 소견에 근거한 분류

현재까지 여러 가지 분류체계들이 갑상선암 환자의 치료 후 예후를 예측하는 것들로 소개되었으나 재발을 가장 잘 예측하는 것은 ATA risk stratification system이다. 이는 처음 2009년 가이드라인에서 소개되었으나, 그 후 개정되어 2015년에 소개되어 현재 이용되는 것은 다음과 같다.

저위험군은 (1) 림프절 또는 원격전이가 없고, 수술로 육안적 병소가 모두 제거되었으며, 주위조직으로의 침윤이 없고, 나쁜 예후를 갖는 조직형[키큰세포변이종(tall cell variant), 원주형세포변이종(columnar cell variant), 인슐라형(insular)]이 아니며, 방사성요오드잔여갑상선제거술(remnant ablation) 이후에 시행한 첫 번째 치료 후 전신스캔(post–therapeutic whole body scan, RxWBS)에서 갑상선부위(thyroid bed) 외에는 섭취가 없는 경우로 정의한다. 단, 림프절전이 중 5개 이하의 미세전이(micro-metastasis, 2 mm 이하)는 림프절전이가 없는 것으로 간주한다. (2) Intrathyroidal encapsulated follicular variant of PTC 및 (3) Intrathyroidal well differentiated follicular variant with capsular invasion 이면서 혈관 침범이 4개소 미만인 경우도 여기에 해당한다. 여기 해당하는 환자는 장기추적 시 5% 정도의 재발률을 보인다.

중간위험군은 (1) 수술 후 병리조직검사에서 갑상선 주위 연부조직(soft tissue)으로 현미경침윤소견이 있거나, (2) 병리조직검사에서 경부림프절전이소견이 있거나(저위험군 소견보다 갯수나 크기가 큰 경우로 가장 큰 전이병소는 직경 3 cm 미만이어야 함), 첫 번째 치료 후 전신스캔(RxWBS)에서 갑상선부위(thyroid bed) 외에 섭취가 보이는 경우, (3) 원발종양이 나쁜 예후를 갖는 조직형이거나(갑상선유두암), (4) 혈관 침범소견을 보이는 갑상선유두암 등이다. 여기 해당하는 환자는 장기 추적 시 20% 정도의 재발률을 보인다.

고위험군은 (1) 종양이 육안적으로 주위조직을 침범하였거나, (2) 종양을 완전히 제거하지 못하였거나(gross residual disease), (3) 원격전이가 있는 경우 또는 첫 번째 RxWBS에서 원격 병소의 섭취가 있는 경우, (4) 수술 후 혈청갑상선글로불린(thyroglobulin, Tg) 농도가 현저히 높아 원격전이가 의심되는 경우, (5) 림프절전이병소의 크기가 3 cm 이상인 경우, (6) 혈관 침범소견이 현저한 (4개소 이상) 갑상선여포암 등이다. 여기 해당하는 환자는 장기추적 시 50% 정도의 재발률을 보인다.

2) 일차치료 후 혈청갑상선글로불린 농도에 따른 분류

ATA 위험군 분류는 수술 당시의 환자나 병리소견을 토대로 한 것이므로 치료, 즉 수술의 완결성이 재발위험도 예측에 변수로 포함되지 않는다는 단점을 가진다. 따라서, 이를 보완하여 수술 후 환자상태를 나타내는 지표로 환자의 예후를 예측한다면 더 우수할 것이라는 가정을 할 수 있다. 저자 등은 이러한 점에 착안하여 수술 후 갑상선글로불린 농도로 재발을 어느 정도 예측할 수 있음을 발표한 바 있다.

갑상선전절제술 후 방사성요오드치료를 하는 환자에서 방사성요오드 치료시점에 갑상선자극호르몬에 의해 자극된 혈청갑상선글로불린치를 측정하게 되는데(ablation-Tg) 이 농도로 재발의 위험을 예측할 수 있다. 즉, 평균 6년간 추적한 결과를 토대로 보았을 때, ablation-Tg 농도가 2 μg/L 이하이면 재발의 가능성이 2%였고, 2-10 μg/L인 경우에는 7.6%이었으며, 10 μg/L 이상인 경우 42.2%으로 ablation-Tg치 증가에 따라 재발의 위험도가 증가한다(그림 3-10-3). 또한, 갑상선암의 일차치료(갑상선전절제술 및 방사성요오드치료) 후 일정기간이 지난 시점에 갑상선호르몬자극갑상선글로불린 농도를 측정하는데(stimulated Tg), 일차치료 후 1년이 지난 시점에 측정하는 경우 갑상선호르몬자극갑상선글로불린치가 1-2 ng/dL인 경우 재발률은 약 10%이며, 2-10 ng/mL인 경우 40-50%, 10 ng/mL 이상인 경우 80%의 재발률을 보인다(그림 3-10-4).

3) 일차치료 후 반응에 따른 분류

갑상선전절제술 및 방사성요오드치료 등의 일차치료 후 치료에 대한 환자의 반응에 따라 4개의 군으로 나누는데, 이는 치료 직후에 평가한 재발률의 예측도를 향상시키기 위하여 치료 후 임상적인 지표들의 변화 등을 이용하여 재발률을 좀 더 정확하게 예측하게 해주기 때문에 추적 환자에서 많이 이용하게 되었다.

"Excellent response"는 진찰소견, 영상검사에서 잔존병소의 증거가 없고, 혈청갑상선글로불린 농도가 측정치 이하인 경우를 말하며, "biochemical incomplete response"는 질병의 임상, 영상의학증거가 없으면서 갑상선글로불린 또는 갑상선글로불린항체가 양성이거나 점점 증가하는 경우를 일컫고, "structural incomplete response"는 국소 또는 원격전이병소가 있는 경우이며, "indeterminate response"

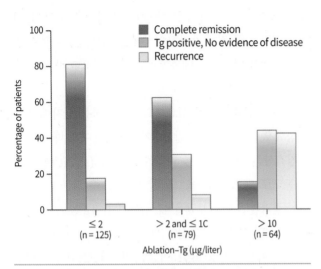

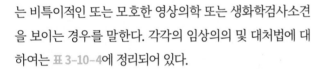

그림 3-10-3. **방사성요오드치료 시점의 갑상선호르몬자극갑상선글로불린 농도에 따른 임상경과**

방사성요오드치료 시점의 갑상선호르몬자극갑상선글로불린 농도(ablation-Tg)와 치료 1년 후 시점의 첫 진단 스캔시점의 갑상선호르몬-자극갑상선글로불린 농도(control-Tg) 간의 상관관계(모두 갑상선호르몬 중단 후 검사임). 두 수치 간에 유의한 상관관계가 있음(three by three × 2 test, × 2 = 143.1, df = 4, P < 0.001).

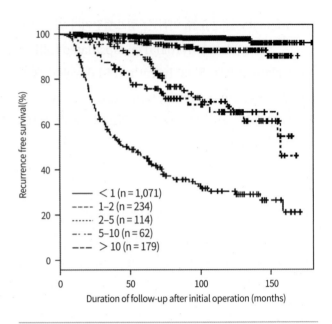

그림 3-10-4. **방사성요오드치료 1년 후 시점의 갑상선호르몬자극갑상선글로불린 농도에 따른 임상경과**

는 비특이적인 또는 모호한 영상의학 또는 생화학검사소견을 보이는 경우를 말한다. 각각의 임상의의 및 대처법에 대하여는 표 3-10-4에 정리되어 있다.

4) 일차치료 후 추적검사방법

(1) 혈청갑상선글로불린(Tg) 농도 및 항갑상선글로불린항체

갑상선분화암으로 수술(전절제술)을 한 경우, 수술 후 첫 수 주 동안의 갑상선글로불린 농도는 수술로 갑상선조직을 얼마나 제거했는지와 혈청갑상선자극호르몬 농도(LT_4억제요법에 따른)가 결정하게 된다. 일반적으로 갑상선(근)전절제술을 하게 되면 정상조직이 2 g 이하로 남는 것이 보통이므로 환자가 LT_4 억제요법 중이라면 혈청갑상선글로불린 농도는 2 ng/mL 이하인 것이 보통이다. 이보다 높다면 갑상선조직이 많이 남아 있거나 암조직이 완전히 제거되지 않았다고 판단하는 것이 옳다(그림 3-10-3). 수술 직후에는 갑상선조직의 손상으로 인한 갑상선글로불린 농도 증가가 있을 수 있기 때문에 수술 후 갑상선글로불린 농도는 이러한 반응이 완

전히 소실되는 수술 3개월 이후에 측정하여 판단하는 것이 좋다. 또한, 방사성요오드로 정상 갑상선조직을 제거했다면 이론적으로 갑상선글로불린의 생성장소는 완전히 제거된 상태이기 때문에 이러한 조건에서는 혈청갑상선글로불린 농도가 측정 하한치 이하로 되는 것이 정상이며 측정될 정도의 갑상선글로불린이 존재한다면 이는 암의 잔존 또는 재발을 의미하는 것이므로 병소를 찾기 위한 검사를 하여야 한다. 현재까지의 보고들을 보면 갑상선전절제술 후 방사성요오드치료 시의 갑상선자극호르몬자극갑상선글로불린치 또는 수술 후 6-12개월 지난 시점에서의 갑상선자극호르몬자극갑상선글로불린치가 향후 재발 유무를 예측하는 데 가장 좋은 지표로 알려져 있다(그림 3-10-4).

갑상선호르몬 억제요법 중에 있는 환자의 경우, 갑상선전절제술과 방사성요오드치료 후 임상적으로 무병상태인 경우라면(NED) 갑상선글로불린 농도는 98%의 환자에서 측정하한치 이하이며 100%의 환자에서 5 ng/mL 이하이다. 또한, 한 시점의 갑상선글로불린 농도보나는 시간에 따른 갑상

표 3-10-4. 갑상선전절제술 및 방사성요오드치료를 시행한 갑상선분화암 환자에서 치료에 대한 반응도에 따른 분류의 임상의미

분류	정의	임상경과	치료 또는 추적방침
Excellent Response	영상의학검사 음성이고, 억제-Tg < 0.2 ng/mL* 또는 TSH 자극-Tg < 1 ng/mL*	1–4% 재발률 < 1% 질병-특이 사망률	조기에 추적의 강도나 빈도 및 TSH 억제 목표치를 낮춘다.
Biochemical Incomplete Response	영상의학검사 음성이고, 억제-Tg > 1ng/mL* 또는 TSH 자극-Tg > 10 ng/mL* 또는 증가하는 Tg Ab	30%는 자발적으로 무병상태로 이행 20%는 추가치료 후 무병상태로 이행 20%는 structural disease 발생 < 1% 질병-특이 사망률	혈청Tg가 안정적 또는 감소하는 경우는 지속적으로 TSH 억제치료하면서 계속 경과관찰을 요함 혈청Tg 또는 Tg항체가 증가하는 경우는 추가적인 영상검사 및 치료를 요함
Structural Incomplete Response	구조적인 또는 기능적인 병변의 존재 (혈청Tg 또는 Tg항체와는 무관)	50–85%에서 추가적인 치료에도 불구하고 지속적인 병변을 가짐 질병특이사망률 11%(국소 병소) 또는 50%(원격전이병소)	병변의 크기, 부위, 성장 속도, 방사성요오드 섭취 여부, FDG 섭취 여부, 병리검사소견 등에 따라 추가적인 치료 또는 면밀한 관찰 요함
Indeterminate Response	영상검사에서 비특이적소견 또는 요오드스캔상 갑상선부위의 희미한 섭취 또는 억제-Tg <1 ng/mL 또는 TSH 자극-Tg < 10 ng/mL 또는 안정적 또는 감소하는Tg 항체 양성소견	15–20%에서 structural disease 발생 - 나머지는 비특이소견이 지속 또는 소실 < 1% 질병특이사망률	반복적인 영상검사 및 혈청Tg 추적을 하면서 지속적인 추적관찰 요함 의심되는 병변 발생 시 추가적인 영상검사나 조직검사로 확인

* 갑상선글로불린 항체 음성인 상태에서 무병상태(no evidence of disease, NED)는 최종 추적검사에서 질병의 증거가 없는 상태를 이름.

선글로불린 농도의 변화가 더 중요한데, 만약 갑상선자극호르몬 농도가 큰 차이 없는데 갑상선글로불린 농도가 증가한다면 이는 종양의 부피가 커지고 있음을 의미하는 것이다.

갑상선글로불린 농도의 시간에 따른 변화를 반영하는 갑상선글로불린–doubling time은 특정 시점의 갑상선글로불린 농도보다도 재발 여부를 더 잘 예측하므로 갑상선글로불린 농도가 점차 증가하는 경우에는 재발병소를 찾기 위한 영상검사를 적극적으로 시행하여야 한다.

갑상선암으로 엽절제만을 시행한 환자에서는 정상조직이 남아 있기 때문에 혈청갑상선글로불린 농도로 암의 재발 여부를 알아내기 힘들다. 즉, 검사의 특이도가 매우 감소한다. 그러나, 이러한 경우라도 갑상선글로불린 치가 매우 낮다면 그 자체로 임상적으로 중요한 정도의 암병소는 없을 것으로 추정하게 해주며, 갑상선글로불린 농도가 지속적으로 증가하는 경우라면 재발을 의미하므로 재발병소를 찾으려는 노력을 해야 한다. 이 경우 갑상선글로불린 농도의 상한선을 얼마로 정하는지는 알려져 있지 않으나, 한 연구에 따르면 엽절제 후 측정한 갑상선글로불린 농도가 10 ng/mL 이상인 환자에서는 재발의 위험성이 그렇지 않은 환자에 비해 5.5배 정도 높다는 보고가 있다.

항갑상선글로불린항체(antithyroblobulin antibody)는 갑상선암 환자의 25%에서, 일반인의 10%에서 발견되는데 이는 면역계수측정법으로 측정하는 갑상선글로불린치를 낮게 측정되게 교란시킨다. 또한, 혈청항갑상선글로불린항체가 일차치료 후에도 지속되거나 증가한다면 그 자체로 잔존암이나 재발암의 존재를 시사할 수 있다.

(2) 진단적전신요오드스캔(diagnostic whole body scan, DxWBS)

갑상선분화암으로 갑상선전절제술 및 방사성요오드치료를 한 환자에서 혈청갑상선글로불린은 잔존 암의 매우 예민한 지표인데, 이러한 상황에서는 갑상선글로불린농도(Tg-off)가 진단적요오드스캔(DxWBS)에 비해 진단예민도가 더 높다. 즉 그런 환자에서 Tg-off가 양성인데 DxWBS가 음성이라면 잔존 암을 시사하므로 경부초음파검사 등의 추가적인 검사가 필요하다. 경부림프절전이의 경우, 2가지 검사 중 1가지만 음성인 경우 암이 존재하지 않는다고 판단하는 것은 곤란하나 2가지가 모두 음성인 경우는 잔존 암이 있을 확률은 매우 낮다고 보아도 무방하다.

일차치료를 시행한 후 저위험군, 즉 암의 재발이나 암으로 인한 사망가능성이 매우 낮은 환자들(갑상선전절제술로 육안적인 병소가 모두 제거되었고, 방사성요오드치료를 시행하였으며 치료 후 스캔상 갑상선 이외의 부위에 섭취가 없고, 임상적으로 잔존암이 없으면서 LT$_4$억제요법 중 측정한 갑상선글로불린이 1.0 ng/mL 이하인 환자를 일컬음)에서는 DxWBS을 시행할 필요가 없고 Tg-off검사로 충분하다는 것이 최근의 견해이다. 그러나, 반대의 견해도 있는데, Tg-off 음성인 환자에서도(1.3–9.2%) 전이병소가 발견될 수 있으며, 일부의 환자에서는 Tg-off 음성인 상태에서 DxWBS으로 전이병소가 발견되는 경우가 있음을(21%까지 보고된 바 있음) 근거로 DxWBS을 생략해서는 안 된다는 주장도 있다. 이는 갑상선암세포의 특성으로 설명될 수 있는데, 대개의 경우 분화암세포는 갑상선특이단백질들을 발현하는데 요오드 섭취에 관여하는 Na$^+$/I$^-$ symporter (NIS)단백질이나 TPO단백질의 발현은 분화도가 낮아지는 과정에서 비교적 초기에 소실되는 반면, 갑상선글로불린단백질 발현은 비교적 늦게까지 유지되기 때문에 요오드 섭취능보다는 갑상선글로불린 농도가 암의 존재를 더 예민하게 반영하기 때문이다. 그러나 이 두 가지 현상이 항상 비례적으로 나타나는 것은 아니어서 어떤 경우에는 요오드 섭취능은 있으나 갑상선글로불린생산능은 없는 경우가 존재할 수 있는 것이다. 따라서 혈중 갑상선글로불린 측정과 DxWBS은 서로 상호보완적으로 이용되어야 한다.

(3) 경부초음파검사

경부초음파검사는 갑상선암, 특히 갑상선유두암 환자의 일차치료 후 국소재발 여부를 감시하는 데 가장 중요한 진단 수단이 된다. 중앙경부(central neck) 및 측경부(lateral neck)의 잔존/재발암을 발견하는 데 있어 예민도가 90–95% 정도로 높으며 이는 갑상선자극호르몬자극갑상선글로불린검사(예민도 57%)나 방사성요오드스캔(예민도 45%)보다 높으므로 갑상선유두암 환자의 추적 시 가장 중요한 검사이다.

갑상선유두암의 치료 후 재발은 암의 중재 단계나 위험도에 따라 10–30% 정도로 알려져 있으며, 3/4은 국소재발이며 1/4은 원격전이로의 재발이다. 이와 같은 재발률은 갑상선암을 촉진 등으로 주로 진단하던 시절의 상황이며, 최근과 같이 조기 발견되는 예들이 많아지는 상황에서는 3–10% 정도로 낮다. 국소재발은 갑상선부위(bed)나 경부림프절에 발생하며 level III, IV가 가장 흔하고 level VI가 그 다음이며 level I, II, V는 상대적으로 적다. 대개 종양이 있었던 부위와 같은 쪽에 생기지만 16% 정도에서는 양측에서 발생하는 것으로 알려져 있으므로 초음파검사 시에는 반대측 경부도 잘 살펴보아야 한다.

수술 후 갑상선부위(bed)는 섬유화 및 지방조직과 반흔으로 인하여 횡단촬영영상에서 기관 바로 옆에 위치하는 역삼각형 모양의 고에코부위로 보인다. 약 1/3의 환자에서는 아주 작은(5 mm 이하) 저에코부위가 보일 수 있는데, 이는 낭성변화(cystic change), 석회화, 현저한 혈류의 존재 등의 의심스러운 소견들이 없다면 임상적으로 중요하지 않다. 이러한 구조물은 대개 중앙 경부림프절, 부갑상선, 작은 크기의 림프절전이병소 등일 가능성이 있으며 크기가 커지지 않는다면 초음파검사추적만으로 충분하다.

경부림프절이 정상인에서도 초음파검사상 보일 수 있는데, 신장 모양이며, 에코성문(hilum)이 보일 수 있고, 혈류는 문부 위에서 분지형으로 보이거나 혈류가 없고, 보통 단축

(short axis)이 level II에서는 8 mm 이하, level III, IV에서는 5 mm 이하이다. 하지만 모든 정상 림프절이 이런 모양인 것은 아니며 턱밑림프절(submandibular lymph node)은 다른 부위의 것들보다 좀더 둥글고, 크기가 크다.

갑상선부위(bed)의 재발병소는 전형적으로 저에코의 혈류가 풍부한 연조직병변으로 보이는데, 그 외에도 'taller than wider' 모양, 불규칙한 경계, 미세석회화 및 낭성변화 등을 보일 수 있다.

갑상선유두암의 경부림프절 전이병소는 미세석회화, 낭성부위, 바깥 부분 또는 전체적인 혈류의 증가, 부분적인 고에코부위의 존재 등의 소견 중 적어도 하나 이상을 소견을 가진다. 전이림프절의 크기는 대개 중앙경부림프절은 단경 8 mm, 측경부림프절은 10 mm 이상인 경우가 많지만 크기가 악성 여부를 결정하는 소견은 아니다. 갑상선유두암의 림프절전이는 저에코인 경우가 많지만 고에코부위가 피질부위에 국한 또는 전체 림프절을 대체하는 소견으로 보일 수도 있다. 림프절 전이소견이 의심되는 경우, 치료를 고려한다면 단경 8-10 mm 이상인 경우에 한하여 세침흡인세포검사 등이 권장된다.

초음파검사 시 국소재발 또는 림프절전이로 오인될 수 있는 경부의 정상 구조물들로는 잔여갑상선조직, 갑상선연골, 윤상연골(cricoid cartilage), 경부흉선, 경부교감신경절(sympathetic ganglion), 흉관(thoracic duct)의 말단부, 경추의 가로돌기(transverse process), 신경근(nerve root) 등이 있다. 재발병소로 오인될 수 있는 병변들로는 중앙 경부의 병변들로 ① 수술후잔존물질(surgical materials), ② 육아종염증조직, ③ 식도게실, ④ 부갑상선선종, ⑤ 갑상설관낭(thyroglossal duct cyst), ⑥ 흉쇄관절의(sternoclavicular joint) 퇴행성 변화 등이며 측경부의 병변들로는 ⑦ 외상신경종(traumatic neuroma), ⑧ 신경초종양(nerve sheath tumor), ⑨ 부신경절종(paraganglioma), ⑩ 양성림프절종대, ⑪ 다른 질환에 의한 림프절종대, ⑫ 아가미틈새낭(bronchial cleft cyst), 림프관종(lymphangioma), 기관지낭(bronchogenic cyst) 등의 낭성병변 등을 감별해야 한다.

(4) Fluorodeoxyglucose positron emission tomography (FDG-PET)

갑상선암 조직에서 FDG섭취는 분화암에서는 잘 섭취되지 않고, 공격적이고 분화도가 나쁜 암조직에서만 섭취가 증가되는 경향이 관찰된다. 갑상선암에서는 요오드 섭취와 FDG 섭취가 반비례하는 특성을 가지고 있는데, 이를 'Flip-flop phenomenon'이라 부른다. 따라서, FDG-PET검사가 여러 가지 고형암의 진단 및 평가에 널리 이용되고 있는 반면, 갑상선암의 경우에는 비교적 그 유용성이 한정적이다. 현재 갑상선암 환자에서 FDG-PET검사의 확실한 적응증으로는 ① 혈청갑상선글로불린이 증가되어 있으나 경부초음파, 요오드전신스캔 음성인 경우 및 ② 예후 판정의 도구로의 이용 등을 들 수 있다. 확립되진 않았으나 도움이 될 수 있는 경우들로는 ③ 방사성요오드불응성 갑상선암의 질병평가, ④ 분자-표적치료제에 대한 반응의 평가, ⑤ 공격적인 변종(tall cell variant 등)의 분화암 또는 저분화갑상선암(poorly differentiated cancer)의 초기병기판정, ⑥ 미결정형(indeterminate) 흡인세포검사소견을 보이는 갑상선결절의 평가 등이다.

(5) 기타 영상의학검사

갑상선암의 치료 후 추적에서 경부초음파 또는 갑상선글로불린이 잔존/재발암의 존재를 시사하는 경우에는 추가적인 영상진단이 필요하다.

조영-증강영상의 단층촬영(computed tomography, CT)은 뇌, 경부, 흉부, 복부병변의 진단에 유용하며, 자기공명영상(magnetic resonance imaging, MRI)은 뇌, 간, 골전이의 진단에 특히 유용하고, 뼈스캔(bone scan)은 골전이 진단에 도움이 될 수 있다.

6. 전이병소의 치료

전이병소에 대해 선호되는 치료방법은 (순서대로) 국소병소의 수술제거, 방사성요오드치료, 외부방사선조사, 안정적이고 무증상인 경우 주의 깊은 추적관찰, 그리고 시험적인 항암요법 등이다. 일부의 환자에서 고주파제거술, 에탄올 주입 혹은 항암색전술 등이 치료에 도움이 될 수 있다.

1) 국소전이의 수술치료
수술은 원격전이가 없는 환자에서 국소재발의(예: 경부림프절과/혹은 경부의 연부조직종양) 우선적인 치료법이다. 단기간의 추적결과를 보면 재수술로 약 1/3-1/2의 환자가 완치된다. 촉진되지 않는 림프절도 초음파나 다른 영상진단법으로 확인되면 수술적 절제를 고려해야 한다. 일반적으로 현미경적 림프절전이는 영상검사에서 나타나는 것보다 더 광범위하기 때문에 선택적인 림프절 절제나 에탄올 치료보다는 중요 구조물들을 보존하면서 지속/재발병변이 있는 구획을 완전절제하는 수술(예: 일측 중앙림프절절제술, 기

능적인 광범위구역절제)이 더 선호된다.

2) 호흡기-소화기 침범 병변의 수술치료
상부 호흡기-소화기를 침범한 종양은 일반적으로 수술과 함께 추가적인 방사성요오드 그리고/혹은 외부 방사선조사를 시행한다. 환자의 예후는 기능은 보존하면서 확인된 종양을 완전히 제거할 수 있느냐에 달려 있는데, 기관 혹은 식도의 표면에 있는 종양을 제거하는 것부터 침범이 깊을 경우 기관절제와 문합 혹은 식도인두절제술 등의 적극적인 수술기법까지 다양하다. 근치적수술이 불가능한 환자의 경우 기관스텐트나 기관절개술 등으로 삶의 질을 향상시킬 수 있다. 레이저 치료는 질식이나 객혈을 치료하거나, 근치적 혹은 완화치료 전의 예비 단계로써 이용할 수 있다.

3) 국소 혹은 원격전이병소에 대한 방사성요오드치료(그림 3-10-5)
병소가 크거나 초음파, CT스캔 혹은 MRI와 같은 해부학적 영상에서 수술로 절제가능한 병소가 있는 경우 수술을 하게

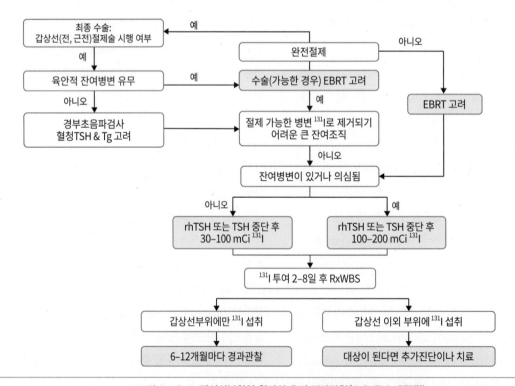

그림 3-10-5. **갑상선분화암 환자의 초기 경과관찰(수술 후 1-3개월)**

되지만 그 외의 경우에는 진단스캔에서 국소림프절전이가 발견되면 일반적으로 방사성요오드치료가 이용된다. 국소 림프절전이 또는 소화기-호흡기 침윤병소의 수술적 제거 후에도 잔여병소가 있거나 의심되는 경우 수술 후 부가적으로 방사성요오드치료를 한다. 많은 환자에서 방사성요오드치료의 효과가 알려져 있으나 최적의 용량에 대하여는 아직 논란이 있다. 방사성요오드 용량결정방법에는 3가지가 있는데, (1) 경험적인 고정용량을 투여하는 방법, (2) 혈액과 체내방사선량을 측정하여 상한치에 의해 결정하는 방법, (3) 정량적종양방사선량 측정에 의한 방법 등이다. 용량결정에서 방사선량측정법은 제한된 경우에 사용하는데 원격전이가 있거나 신부전 혹은 유전자재조합갑상선자극호르몬 자극을 이용한 치료가 필요한 경우에 사용한다.

4) 폐전이의 치료

폐전이의 치료 시 중요하게 고려해야 할 사항들로는 전이병소의 크기, 방사성요오드의 섭취정도 그리고 이전의 방사성요오드치료에 대한 반응, 전이병소의 안정성 등이다. 폐 섬유화가 의심되면 주기적인 폐기능검사와 협진을 통하여 자문을 구하여야 한다. 폐 섬유화는 방사성요오드로 전이 병소를 치료하는 데 제한이 된다.

폐 미세전이는 방사성요오드치료에 반응하여 완전관해의 가능성이 높으므로 반응이 있는 한 6-12개월마다 계속 치료해야 한다. 폐 미세전이 치료를 위해 투여하는 방사성요오드 투여량은 경험적으로(100-300 mCi) 투여하거나 혹은 전신에 잔류하는 방사선량이 48시간에 80 mCi 또는 적색골수에 200 cGy로 제한되도록 방사선량 측정에 의해 평가하여 투여할 수 있다.

방사성요오드를 섭취하는 대결절폐전이의 경우 방사성요오드로 치료하여야 하며, 객관적인 효과(병변의 크기 감소, 갑상선글로불린 감소)가 있다면 반복해서 치료하여야 한다. 그러나 완전 관해는 흔하지 않으며 생존율 또한 낮다.

방사성요오드를 섭취하지 않는 폐전이병변은 많은 경우에 천천히 자라므로 갑상선자극호르몬억제요법 등의 보존적인 치료만 시행하면서 관찰한다. 그러나, 일부 환자에서는 흉곽내 병소(예: 기관내 종괴에 의한 폐색이나 출혈)에 대한 증상을 경감시키기 위한 전이병소 절제, 기관내 레이저 치료 또는 보존적 외부방사선치료를 고려할 수 있다. 그리고 흉막이나 심막의 삼출액의 배액 등도 고려할 수 있다. 이런 환자들은 새로이 시도되는(tyrosine kinase inhibitor) 치료법도 고려해야 한다.

5) 골전이의 치료

골전이 환자의 치료결정을 할 때 고려해야 할 중요한 사항들은 병적인 골절의 위험성(특히 무게를 많이 받는 구조에서), 척추병변에 대한 신경학적인 손상의 위험성, 통증의 유무, 방사성요오드 섭취 여부, 방사성요오드를 이용한 골반전이 치료 시 방사능에 의한 골수 억제 가능성 등이다.

증상을 유발하는 단일 골전이병변에 대한 완전 절제는 생존율을 증가시키는 것으로 밝혀졌으므로(특히 45세 미만인 경우) 적극적으로 고려되어야 한다. 또한, 방사성요오드를 섭취하는 골전이에 대한 방사성요오드치료는 생존율을 증가시키므로 치료에 포함되어야 한다. 방사성요오드용량은 경험적(150 mCi)으로 하거나 선량을 측정한 후 용량을 계산하여 투여한다. 급성종창이 될 경우 통증이나 골절, 신경학적 합병증 발생이 예상되는 부위의 전이성 골병소는 외부방사선치료나 갑상선자극호르몬 또는 방사선자극에 의한 종양 종창을 최소화하기 위하여 당질부신피질호르몬 투여를 병행하는 것도 고려해야 한다. 수술제거가 불가능하며 통증을 유발하는 병소에 대해서는 방사성요오드, 외부방사선치료, 동맥색전술, 고주파열 치료, 주기적인 파미드로네이트 또는 zolendronate주사, strontium-89나 samarium-153와 같은 radiopharmaceuticals 투여 등 여러 방법을 개별 혹은 병용으로 사용한다. 이 중 많은 방법들이 다른 종류의 암에서 골통증을 경감시키는 데 효과적인 것으로 알려졌으므로 갑상선암에서 사용되었다는 보고가 없더라도 사용을 고려할 수 있다. 한편, 증상이 없고, 방사성요오드에 반응이 없으며, 인접부위에 중요한 구조물이 없는 안정적인 전이성 골병소에 대해서는 치료를 권할 만한 근거가 없다.

6) 뇌전이의 치료

뇌전이는 주로 고령의 환자에서 발견 당시부터 진행성암인 경우가 흔하며 예후가 나쁘다. 수술절제와 외부방사선치료가 주를 이룬다. 방사성요오드치료의 효용성을 입증하는 자료는 거의 없다. 중추신경계 전이병소의 완전절제는 생존율을 의미있게 향상시키므로 방사성요오드 섭취 여부와 상관없이 일단 고려되어야 한다. 수술적 절제가 어려운 중추신경계 병변은 외부방사선치료를 고려한다. 간혹 주변 뇌조직에 대한 방사능의 노출을 줄이기 위해 방사선수술(radiosurgery)과 같은 병소 표적치료 방법이 사용되기도 한다. 다발전이 시 뇌와 척추 전체에 대한 방사선 치료도 고려

해 볼 수 있다. 만약 중추신경계 전이가 방사성요오드를 섭취한다면 방사성요오드치료를 고려할 수도 있다. 방사성요오드치료를 고려한다면 우선 외부방사선치료를 하고 방사성요오드치료 시 갑상선자극호르몬에 의한 종양 크기의 증가나 방사성요오드치료에 따른 일시적 악화를 최소화하기 위해 당질부신피질호르몬 투여를 병용하는 것이 필요하다.

7) 혈청갑상선글로불린양성 환자의 치료(그림 3-10-6)

갑상선자극호르몬–억제갑상선글로불린 농도가 양성이거나 갑상선자극호르몬–자극갑상선글로불린 농도가 2 ng/mL 이상인 경우 일단 두경부와 흉부의 전이병소에 대한 검사가 권장되는데 대개 경부초음파검사와 5-7 mm의 thin-cut helical CT가 적절하다. 향후 수개월 내에 방사성요오드치료가 예정되어 있으면 종격동에 대한 검사가 불충분하게 되더라도 요오드가 포함된 조영제의 사용을 피하여야 한다.

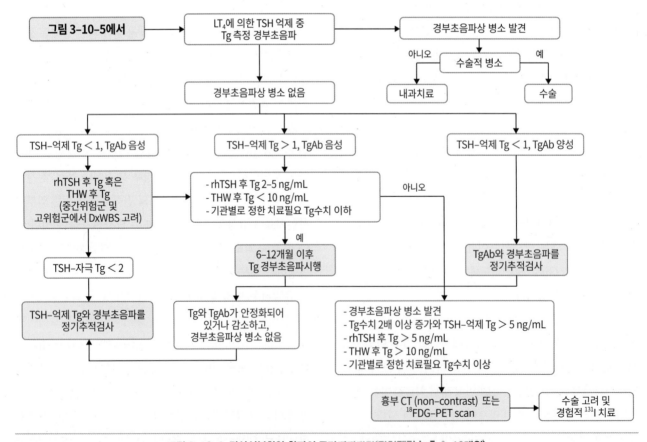

그림 3-10-6. 갑상신분화암 환자의 중간경과관찰(잔여제거술 후 6-12개월)

수술적으로 제거가 가능한 병소가 영상진단에서 발견되지 않으면 (1) 병소의 발견 또는 (2) 수술적으로 제거가 불가능한 병소에 대한 치료목적으로 100-200 mCi의 방사성요오드를 이용한 경험적 치료를 고려한다. 이러한 방법으로 약 50%에서 잔여병소를 찾아낼 수도 있으며 일부에서는 치료의 효과가 보고되었고, 일부에서는 혈청갑상선글로불린이 치료 후 감소되었다는 보고가 있으나 아직까지 생존율이 향상되었다는 증거는 없다. 반면에 일부에서는 특정 치료 없이도 혈청갑상선글로불린의수치가 감소하기도 한다. 혈청갑상선글로불린수치가 어느 이상일 때 경험적 방사성요오드 치료를 해야 하는지 결정은 어려운데 그 이유는 (1) 매우 다양한 갑상선글로불린측정법(경험적 치료가 도움이 된다는 보고에서 사용된 측정법을 포함하여)이 있으며, (2) 갑상선글로불린수치는 측정법과 갑상선자극호르몬 자극정도에 따라서 달라지기 때문이다. 최근의 보고에서는 주로 LT$_4$ 중단 후 갑상선글로불린 농도(THW후 Tg)가 10 ng/mL 이상이거나 이에 상응하는 유전자재조합갑상선자극호르몬으로 자극(rhTSH후 Tg)하였을 때 5 ng/mL 이상인 경우를 주로 치료대상으로 삼았다. 또한 갑상선글로불린 농도가 지속적으로 상승추세를 보이는 경우에도 치료를 고려하여야 하나 치료를 고려해야 하는 변화의 정도에 대하여서도 아직 알려진 바가 없다.

경험적 방사성요오드치료 후에 수술제거가 불가능한 잔여 종양이 발견되며 객관적으로 뚜렷한 종양의 감소가 관찰되면 종양이 사라지거나 종양이 더 이상 방사성요오드에 반응하지 않을 때까지 방사성요오드치료를 반복한다. 이때 방사성요오드의 반복치료로 인한 위험성과 장기적으로 불확실한 이익을 적절히 고려하여 균형을 맞추어야 한다. 한편 100-200 mCi의 방사성요오드를 이용한 경험적 치료 후 촬영한 전신스캔에서 잔여병소가 발견되지 않으면 ^{18}FDG-PET 촬영을 고려하는데 특히 억제갑상선글로불린의 수치가 10-20 ng/mL 이상으로 높은 경우에 시행한다. 이 경우 LT$_4$ 중단을 이용한 내인TSH나 rhTSH를 이용한 자극 및 CT 융합영상을 이용하여 ^{18}FDG-PET스캔검사의 예민도

와 특이도를 높일 수 있다. 혈청갑상선글로불린 양성과 방사성요오드전신스캔 음성이며 수술로 제거가 불가능하나 ^{18}FDG-PET 사진에서 구조적으로 뚜렷하게 보이는 전이병소는 갑상선호르몬 억제요법, 외부방사선치료, 항암약물 치료, 고주파절제, 항암제색전술 등으로 치료할 수 있으며 질환이 안정적인 경우에는 경과관찰만을 할 수도 있다. 이러한 경우에는 진행 중인 임상시험에의 참여를 고려한다.

8) Tyrosine kinase inhibitor를 이용한 국소침습/원격전이암의 치료

갑상선분화암 중 전이암 또는 기존의 치료법으로 치료되지 않는(방사성요오드치료 불응성) 암에 대하여 최근에 사용되기 시작한 약물들이 있는데 대부분 타이로신인산화효소 억제제제들로 혈관신생 억제를 통해 항암작용을 나타낸다. 갑상선분화암 환자에서 사용이 승인된(미국FDA) 약물로는 소라페닙과 렌바티닙이 있으며 최근 들어 많이 사용되기 시작하였다. 이들 약물은 일부 환자에서 partial remission을 유도하고 또 다른 일부 환자에서 stable disease를 유지하게 하는 효과가 있다.

소라페닙은 RAF, VEGF-2, 3, PDGFR, cKIT, RET 등 다수의 인산화효소에 대한 강력한 억제제이다. 이를 이용한 다국적전향3상임상연구(DECISION)를 거친 이후 방사성요오드에 반응하지 않는 진행성 분화갑상선암의 치료 허가를 받아 현재 널리 사용되고 있다. 방사성요오드에 불응하며 국소적으로 진행되었거나 원격전이를 지니고 과거 14개월간 최소 25% 이상의 크기 증가를 보이는 환자들이 등록되어 1:1로 소라페닙 또는 위약대조군으로 무작위 배정되었다. 총 416명의 환자가 치료를 목적으로 등록되어 대상이 되었으며 소라페닙을 투여받은 군에서 위약을 투여받은 군에 비하여 무진행생존기간이 10.8개월 대 5.8개월로 유의한 연장을 보였다. 치료군에서 무진행생존기간의 연장은 미리 생각해둔 모든 임상적인 아군이나 유전적 또는 생물학적 표식자가 평가된 아군에서 돌연변이 여부에 관계없이 분명하였다. 이 중 맹검기간 중 소라페닙을 투여받은 환자 207명 중

204명(98.6%)에서 치료기간 중에 치료와 연관된 부작용이 (treatment emergent adverse events) 나타났으며 위약을 투여받은 환자 209명 중 183명(87.6%)에서 부작용이 나타났다. 대부분의 부작용은 CTCAE 1등급 또는 2등급의 비교적 가벼운 것이었고 가장 흔한 부작용은 수장족저증후군, 고혈압, 설사, 피로, 체중감소, 혈중 갑상선자극호르몬 상승, 탈모, 피부발진 등이었다. 부작용은 쉽게 처치할 수 있었으며 거의 대부분의 부작용은 투약을 시작한 후 4–8주 이내에 발생하였고 이후에는 점차 감소하였으며, 발생한 부작용도 소라페닙 지속투여에도 불구하고 그 정도가 완화되었다. 따라서 거의 대부분의 경우 용량을 줄이거나 휴약하는 것도 첫 4–8주 내에 일어났고 이후에는 거의 없었다. 소라페닙을 처방하는 의사는 이러한 부작용에 대하여 철저히 파악하고 부작용을 잘 대처할 수 있어야 할 것이 특히 수장족저증후군과 같은 것이 때로는 아주 극심하게 나타날 수도 있기 때문에 매우 번거로울 수 있지만 간암 환자들의 경우 이러한 부작용이 나타나는 경우 치료에 따른 반응이 더 좋으며 더 오래 생존한다는 것이 알려져 있어 꼭 나쁘게만 볼 것은 아니지만, 갑상선암에서도 그런지는 알려지지 않았다. 이중맹검 기간 중 암의 진행이 확인되면 맹검을 해제하고 위약을 복용하는 환자에서는 교차진행을 시행한 관계로 관찰기간 중 전체 생존기간을 구하기는 어려웠다.

렌바티닙은 VEGFR–1, 2, 3, FGFR–1, 2, 3, 4, PDGFRα, RET, KIT 등을 억제한다. 방사성요오드불응성 진행성 분화갑상선암 환자들을 대상으로 한 전향적인 위약대조군설정무작위다국적다기관 3상연구가 시행되었으며 이 3상연구(SELECT)는 392명의 대상 환자를 렌바티닙과 위약군으로 2:1로 무작위 배정하여 261명이 초기용량 24 mg의 렌바티닙을, 131명은 위약을 복용하였다. 렌바티닙을 복용한 환자군에서는 무진행생존기간의 중앙값이 18.3개월로 위약군의 3.6개월에 비하여 유의하게 길었으며 렌바티닙의 효과는 골전이를 지닌 환자를 포함하여 모든 미리 정해진 아군 하위집단에서 무진행생존기간의 연장을 보였다. 객관적인 반응률은 4명의 완전관해와 165명에서의 부분관해를 포함하여 261명의 렌바티닙군에서 64.8%였으며 위약군에서는 1.5%였다. 양군 모두 임상시험기간 중 전체 생존의 중앙값에는 도달하지 못하였다. 치료에 따르는 부작용으로는 고혈압(67.8%), 설사(59.4%), 피로 또는 무기력(59%), 식욕부진(46.4%), 구역(41%) 등의 순이었다. 치료 도중 부작용으로 인하여 투약을 중단한 환자는 렌바티닙군에서는 37명(14.2%), 위약군에서는 3명(2.3%)이었으며 렌바티닙군 환자 중 20명이 치료기간 도중에 사망하였는데 그 중 최소 6명은 약물에 의한 것으로 추정되었다. SELECT의 결과를 바탕으로 하여 렌바티닙은 방사성요오드에 불응하는 진행성 분화갑상선암의 치료에 FDA 허가를 받았다.

VII. 갑상선분화암의 예후 및 예후인자들

갑상선유두암과 갑상선여포암을 포함하는 갑상선분화암의 예후는 매우 양호한 편이다. 하지만 적절한 치료를 받은 경우에도 치료 후 수년에서 수십 년이 경과하면서 10–20%의 환자는 재발을 경험하게 되며 이 중 2–5%는 원격전이를 일으킨다. 원격전이나 재발을 겪게 되는 환자의 일부는 결국 갑상선암으로 사망하므로 갑상선암의 재발 및 사망을 예측하는 예후인자의 정립은 분화갑상선암의 치료에 있어서 중요한 부분이다. 현재까지 잘 알려진 갑상선분화암의 예후인자로는 진단 당시의 연령, 성별, 병리학적 분류 및 분화도, 원발종양의 크기, 갑상선외부 침윤 여부, 림프절전이, 원격전이 등이다.

일반적으로 갑상선분화암 환자의 예후를 결정하는 인자들은 크게 3가지로 분류할 수 있는데, 첫째는 환자의 변수로 진단 당시 연령, 성별, 그레이브스병 동반 유무 등을 들 수 있다. 둘째는 종양의 특성과 관련된 변수로 조직형, 종양의 크기, 다발 유무(갑상선유두암), 림프절전이 유무 및 정도, 갑상선 피막 침범 및 주위 조직 침범의 정도, 원격전이 유무, 특정 유전자변이 여부 등을 들 수 있다. 셋째로는 치료와 관련된 변수로 진단 후 치료시기, 수술의 종류 및 방사성요오드

치료 여부 등이 예후에 영향을 줄 수 있다. 특정 환자에서의 예후를 결정하는 것은 이러한 수많은 변수들이 복합적으로 작용하여 결정되게 되므로 아주 다양한 결과를 보인다.

우리나라에서 갑상선분화암 환자들을 대상으로 질병-특이 생존율 및 재발률에 영향을 미치는 요인에 관한 체계적인 연구는 아직 없는 실정이며, 최근 김 등이 갑상선유두암 환자들을 대상으로 한 연구를 발표한 바 있다. 1996년부터 1998년까지 1개 병원에서 갑상선유두암으로 첫 수술을 받은 환자 463명(남성 71명, 여성 392명)을 후향적으로 약 92.5개월간(0.2–149.9개월) 추적한 결과로 평균 연령은

43.9–13.1 (13.3–80.7)세였고, 415명(89.6%)이 갑상선전절제술을 받았으며 수술 후 ^{131}I을 이용한 잔존갑상선제거술은 419명(90.5%)에서 시행되었다. 환자 및 종양의 특성 등은 표 3-10-5와 같다.

전체 환자 중에서 16명(3%)이 관찰기간 중 갑상선암으로 사망하였으며, 단변량 분석에서 종양특이사망에 유의하게 관련이 있는 것으로 나타난 예후인자는 남성, 연령(45세 이상), 원발종양의 크기(2–4 cm, 4 cm 초과), 갑상선외 침윤의 정도, 경부림프절전이와 원격전이 유무였다(표 3-10-6, 좌측). 종양의 다발 여부, 림프혈관 침범, 수술의 범위, 방사성요오

표 3-10-5. 1996년부터 1998년까지 갑상선유두암으로 수술을 받은 463명의 임상 또는 병리소견들의 임상, 병리인자들

임상병리소견들		환자 수	(%)
연령	45세 미만	260	56.2
	45세 이상	203	43.8
성별	남성	71	15.3
	여성	392	84.7
종양크기	2 cm 이하	247	53.3
	2.1–4 cm	176	38.0
	4 cm 초과	40	8.7
다발종양	있음	155	33.5
림프관-혈관 침범	있음	17	3.7
갑상선외 침범	없음	213	46.0
	현미경적 미세침범	234	50.5
	육안식별에 의한 침범	16	3.5
경부림프절전이	없음	149	32.2
	Level VI만 전이	236	51.0
	Level V 외 전이	78	16.8
원격전이	있음	22	4.8
수술범위	한쪽	36	7.8
	양쪽	427	92.2
방사성요오드잔여제거술	시행함	419	90.5

드치료 여부는 종양특이생존율에 유의한 영향을 미치지 못했다. 다변량 분석에서 사망에 영향을 미치는 독립적인 예후인자는 원격전이[Hazard Ratio (HR) = 60.4; p < 0.001], 종양의 갑상선외 침윤(현미경 침윤, HR = 9.6; p = 0.04, 육안 침윤 HR = 52.9; p < 0.001), 환자의 연령(45세 이상인 경우, HR = 19.5; p = 0.006) 등이었다(표 3-10-6, 우측).

치료 초기 원격전이가 발견되지 않았던 441명 중에서 66명(15%)에서 관찰기간 중 재발이 확인되었다. 단변량 분석에서 재발에 유의하게 관련이 있는 것으로 나타난 예후인자는 남성, 원발종양의 크기(2–4 cm, 4 cm 초과), 림프혈관 침윤, 갑상선외 침윤의 정도, 경부림프절전이였다(표 3-10-6, 좌측). 연령, 다발 여부, 수술의 범위, 방사능요오드치료 여부는 재발에 유의한 영향을 미치지 못했다. 다변량 분석에서 재발에 미치는 영향이 가장 큰 독립적 예후인자는 육안 및 현미경 갑상선외 침윤의 정도였다(각각 HR = 12.1; p < 0.001, HR = 3.2; p < 0.001, 표 3-10-7, 우측). 경부림프절전이가 없는 환자에 비해 중앙 경부림프에 국한된 전이가 있었던 경우에는 재발의 위험도는 2.5배(p = 0.02)였고, 외측 경부림프절전이의 경우에는 3.1배(p = 0.006)였다. 남성의 경우 여성에 비해서 재발이 더 많았다[HR = 2; p= 0.02(표 3-10-6)]. AJCC/UICC TNM 병기에 따른 종양–특이생존율과 무병생존율을 살펴보았는데, TNM 병기에 따라서 대상 환자를 분류하였을 때 I기 251명(54.3%), II기 17명(3.7%), III기 147명(31.7%), IVA기 34명(7.3%) 그리고 IVB기가 14명(3.0%)이었다. TNM 병기에 따라서 종양특이생존율은 유의한 차이를 보였다(log-rank statistics: p < 0.001, 그림 3-10-7, 좌측). 그러나, 무병생존율에서는 TNM 병기에 따른 유의한 차이를 보이지 않았다(log-rank statistics: p = 0.77, 그림 3-10-7, 우측).

표 3-10-6. 갑상선분화암 환자에서 암특이생존율과 연관된 임상병리지표들(463명)

임상병리지표들	단변량 분석			다변량 분석		
	log-rank statistics	Df	p값	HR	95% CI	p값
연령(45세 이상)	17.5	1	< 0.001	19.5	2.4–162.0	0.006
성별(남성)	6.7	1	0.01			N/A
종양 크기(cm)	27.2	2	< 0.001			N/A
다발	1.8	1	0.18			N/A
림프-혈관 침범	0.6	1	0.44			N/A
갑상선 외 조직 침범	115.0	2	< 0.001			
현미경 미세 침범				9.6	1.1–80.0	0.04
육안 침범				52.9	5.8–484.4	< 0.001
경부림프절전이	10.3	2	0.001			N/A
Level 6만 전이						
Level 6 이외 전이						
원격전이	210.3	1	< 0.001	60.4	17.5–208.1	< 0.001
수술범위(양측)	1.4	1	0.24			N/A
방사성요오드잔여제거술	0.2	1	0.65			N/A

Df, a degree of freedom; HR, hazard ratio; 95% CI, 95% confidence interval; N/A, not applicable.

표 3-10-7. 갑상선분화암 환자에서 질병없는 생존율과 연관된 임상병리지표들(441명)

임상병리지표들	단변량 분석			다변량 분석		
	log-rank statistics	Df	p값	HR	95% CI	p값
연령(45세 이상)	0.2	1	0.67			N/A
성별(남성)	9.7	1	0.002	2.0	1.1–3.5	0.02
종양크기(cm)	11.3	2	0.003			N/A
다발	0.7	1	0.41			N/A
림프–혈관 침범	8.9	1	0.003			N/A
갑상선외 조직 침범	47.0	2	< 0.001			
현미경 미세 침범				3.2	1.7–6.2	< 0.001
육안 침범				12.1	4.3–34.1	< 0.001
경부림프절전이	22.9	2	< 0.001			
Level VI만 전이				2.5	1.2–5.2	0.02
Level VI 이외 전이				3.1	1.4–7.0	0.006
수술범위(양측)	0.2	1	0.66			N/A
방사성요오드잔여제거술	1.0	1	0.32			N/A

Df, a degree of freedom; HR, hazard ratio; 95% CI, 95% confidence interval; N/A, not applicable.

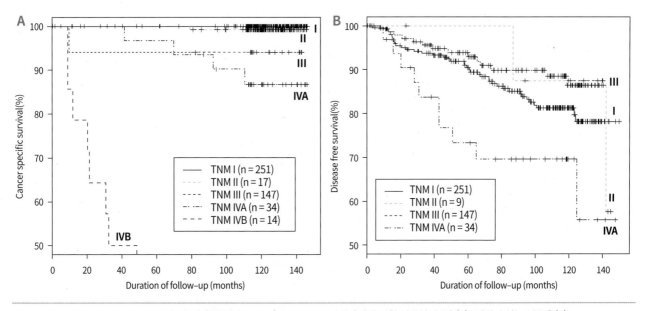

그림 3-10-7. 갑상선유두암 환자에서 AJCC/UICC TNM 병기체계에 의한 암특이생존율(A), 질병이 없는 생존율(B)

1. 진단 시 연령

환자에 관련된 변수들 중 가장 중요한 것은 치료 당시의 연령이다. 40세 이후부터 예후가 나빠지기 시작하여 60세 이상에서는 위험도 증가가 더 가파르다. 젊은 환자에서 종양이 요오드를 섭취하는 경우가 치료에 가장 반응이 좋다. 소아의 경우 림프절전이가 80%까지 발견되며 폐전이도 15-20%에 이르러 성인에 비해 2배 정도 많은데도 불구하고 종양-특이 생존율은 성인보다 높다. 소아분화암 환자에서 장기적인 재발률은 약 40%로 성인의 20%에 비해 훨씬 높다. 소아의 분화암이 성인에 비해 예후가 좋으나, 10세 이하의 경우에는 예외이다. 이들 환자의 경우는 전형적인 유두상 구조를 가지지 않고 공격적인 성장을 하는 경우가 많아 예후가 나쁜 것으로 알려져 있다.

2. 성별

갑상선분화암에서 성별은 생존율 및 재발률에 영향을 미치는 유의한 독립변수로 알려져 있는데, 남성에서 더 예후가 나쁘다. 40세 이상인 경우 종양특이 10년 사망률은 남성에서 13%, 여성에서 7% 정도이다. 갑상선유두암조직의 경우 50% 정도에서 에스트로겐 및 프로제스테론수용체가 발현되나 예후와는 관련이 없는 것으로 알려져 있다. 진단 당시 남성 환자에서는 갑상선외 침범이 더 많고(51% vs. 39%), 림프절전이가 더 많으며(40% vs. 32%), 원격전이도 더 흔하다(9% vs. 4%). 이러한 소견들은 남성 환자에서 진단이 여성에 비해 더 진행된 상태에서 이루어짐을 시사하며, 그러한 이유로 예후가 불량한 것으로 생각된다.

3. 동반질환

그레이브스병 환자의 혈청에는 갑상선자극호르몬수용체를 자극할 수 있는 자가항체가 존재하므로 이론적으로 갑상선분화암 성장을 촉진할 수 있다. 실제로 그레이브스병 환자에서 다발종양인 경우가 보통의 경우보다 많고, 원격전이가

3배 더 흔한 것으로 보고된 바 있다. 그러나, 이러한 소견들은 다른 연구자들에 의해 일반적으로 확인되는 것이 아니어서 아직은 그레이브스병 환자가 더 나쁜 예후를 가진다고 단정할 수는 없다.

4. 종양의 조직형

종양의 조직형은 갑상선분화암의 예후를 결정하는 중요한 변수들 중의 하나인데 갑상선유두암, 갑상선여포암, Hürthle세포암의 순으로 예후가 나쁘다. 원격전이 발생비율은 각각 2.2%, 5.3%, 35% 정도로 알려져 있다. 종양-특이 사망률도 유사한 경향을 보이는데, 미국에서 1985-1995년에 치료한 환자들의 10년 종양특이사망률은 각각 7%, 15%, 25%로 알려져 있다.

5. 종양의 크기

종양의 크기는 환자의 예후에 중요한 영향을 미친다. 갑상선여포암의 경우 일반적으로 갑상선유두암보다 진단 시 종양의 크기가 더 크다. 1 cm 이하의 작은 암은 사망을 유발하는 경우가 거의 없고, 크기가 커질수록 사망률이 증가한다. 한 연구에 따르면 갑상선유두암과 갑상선여포암 공히 1.5 cm 미만, 1.5-4.4 cm, 4.5 cm 이상인 군에서 원격전이 양성률이 각각 4%, 10%, 17%이었고, 30년간 질병특이사망률은 0.5%, 8%, 22%로 보고되었다.

6. 다발종양

다발종양은 갑상선분화암의 예후에 영향을 미치는 인자인데, 특히 갑상선유두암의 경우가 해당된다. 갑상선유두암으로 엽절제를 받은 환자에서 완결절제술을 한 경우 반대편 엽에도 암이 존재할 확률이 45%까지도 보고된 바 있다. 갑상선유두암은 한 환자에서 다발로 생기는 경우가 많아 엽절제만 시행할 경우 반대 엽에서 갑상선유두암의 발생은 재발률을 높이는 원인이 된다. 한 연구에 의하면 갑상선유

두암이 단독으로 존재하는 경우에 비해 다발인 경우 재발의 위험이 1.7배 정도 증가한다고 보고하였다. 그러나, 다른 연구에서는 그러한 재발의 증가를 볼 수 없었다고 보고된 바도 있다. 다발로 발생하는 경우는 미세갑상선유두암의 경우도 마찬가지이다. 어떤 연구에 의하면 미세갑상선유두암 환자에서 재발의 위험을 증가시키는 유의한 인자가 종양의 다발 유무 및 첫 수술의 범위라고 하였고, 다른 연구에서는 경부림프절전이 유무, 다발 유무 및 방사성요오드치료 여부 등이 유의한 인자들이었다고 한다.

7. 림프절전이

갑상선유두암은 경부림프절전이를 흔히 동반하는데 이는 종양의 공격성을 나타내는 지표이며 종양의 크기 및 다발 유무에 따라 그 위험도가 증가한다. 수술 전에 경부초음파 검사를 일상적으로 하지 않았던 시기에 수술 후 경부림프절 전이가 양성인 경우는 35–40% 정도로 알려져 있으며 초음파검사를 일상적으로 하는 경우에는 이보다 더 많은 것으로 알려져 있다. 현미경적 전이까지 자세히 살펴보는 경우에는 53%에서 전이가 발견되며 양측 중앙림프절절제를 일상적으로 시행하여 살펴보면 60%에 이른다. 소아의 경우에는 더 흔하여 65–90%까지 보고된다.

어떤 보고들은 경부림프절전이 여부가 재발이나 암 사망률에 영향을 미치지 않는다고 하였으나, 다른 많은 연구들에서 림프절전이의 존재는 사망률을 유의하게 증가시킨다고 한다. 특히, 림프절전이가 양측 경부이거나 종격동림프절을 포함하거나, 림프절피막을 침범하거나 주위 조직까지 침범하는 경우에는 암특이사망률이 증가하는 것으로 알려져 있다. 갑상선여포암의 경우는 림프절전이 자체가 드물지만 전이가 있는 경우에는 예후가 불량하다.

8. 갑상선피막 및 갑상선외 침범

갑상선유두암의 경우 30%에서 종양이 갑상선피막을 침범한 소견이 관찰되는데, 진행하면 경부의 심층조직이나 기관, 척추 및 혈관 등에도 침범할 수 있다. 주위조직에 침범하는 소견이 있는 경우에는 5년 사망률이 20%에 이르며 이는 침범소견이 없는 경우에 비해 10배 높은 것이다.

9. 원격전이

갑상선분화암의 주요 사망원인은 역시 원격전이인데, 이 경우 5년 생존율이 현저히(50% 내외) 떨어진다. 소아나 젊은 환자의 경우 폐전이에 국한되고 전이가 초기에 발견되는 경우에는 예후가 비교적 양호하다. 방사성요오드를 섭취하는 폐의 미세전이를 가진 환자는 10년 생존율이 평균 80% 정도이며 대결절의 폐전이 또는 골전이가 있는 경우는 20% 정도이다.

10. 기타 예후인자들

갑상선유두암이나 갑상선여포암의 변종들 중 예후가 나쁜 것들이 있는데 이는 위에 기술한 바와 같다. 하시모토갑상선염이 동반된 경우 예후가 좋다는 보고가 있다. 특히, 역형성 암이 종양의 일부에서 발생하는 경우가 있는데, 이런 경우 물론 예후가 지극히 불량하다. $BRAF^{V600E}$ 돌연변이가 갑상선유두암의 평균 40% 정도에서 발견되는데, 일부 연구에서 이 돌연변이를 가진 종양의 경우 그렇지 않은 경우에 비해 재발률이 높다고 알려졌으나 아직 논란이 있다. 그 외에도, 치료 변수도 예후에 중요한 영향을 미친다. 진단 후 치료가 신속히 행해진 경우는 늦어진 경우에 비해 예후가 더 좋은 것으로 알려져 있어 치료 변수가 예후에 중요한 영향을 끼침을 알 수 있다.

참 / 고 / 문 / 헌

1. 김원구, 김원배, 김태용, 김의영, 류진숙, 공경엽 외. 한국인의 갑상선유두암에서 종양 특이 생존율과 무병생존율에 영향을 미치는 예후인자. 대한갑상선학회지 2008;1:17-23.

2. 김원배, 김태용, 권혁상, 문원진, 이재복, 최영식 외. 갑상선결절 및 암 진료 권고안. 대한내분비학회지 2007;22:157-87.

3. Brose MS, Nutting CM, Jarzab B, Elisei R, Siena S, Bastholt L, et al. Sorafenib in radioactive iodine-refractory, locally advanced or metastatic differentiated thyroid cancer: a randomised, double-blind, phase 3 trial. Lancet 2014;384:319-28.

4. Chua WY, Langer JE, Jones LP. Surveillance neck sonography after thyroidectomy for papillary thyroid carcinoma: pitfalls in the diagnosis of locally recurrent and metastatic disease. J Ultrasound Med 2017;36:1511-30.

5. Cobin RH, Gharib H, Bergman DA, Clark OH, Cooper DS, Daniels GH, et al. AACE/AAES medical/surgical guidelines for clinical practice : management of thyroid carcinoma. Endocr Pract 2001;7:202-20.

6. Cooper DS, Doherty GM, Haugen BR, Kloos RT, Lee SL, Mandel SJ, et al. Management guidelines for patients with thyroid nodules and differentiated thyroid cancer. Thyroid 2006;16:109-42.

7. Durante C, Costante G, Filetti S. Differentiated thyroid carcinoma: defining new paradigms for postoperative management. Endocr Relat Cancer 2013;20:R141-54.

8. Haugen BR, Alexander EK, Bible KC, Doherty GM, Mandel SJ, Nikiforov YE, et al. 2015 American Thyroid Association management guidelines for adult patients with thyroid nodules and differentiated thyroid cancer. Thyroid 2016;26:1-133.

9. Kim TY, Kim WB, Kim ES, Ryu JS, Yeo JS, Kim SC, et al. Serum thyroglobulin levels at the time of 131I remnant ablation just after thyroidectomy are useful for early prediction of clinical recurrence in low-risk patients with differentiated thyroid carcinoma. J Clin Endocrinol Metab 2005;90:1440-5.

10. Kim WG, Yoon JH, Kim WB, Kim TY, Kim EY, Kim JM, et al. Change of serum anti-thyroglobulin antibody levels is useful for prediction of clinical recurrence in thyroglobulin negative patients with differentiated thyroid carcinoma. J Clin Endocrinol Metab 2008;93:4683-9.

11. Leenhardt L, Grosclaude P, Chérié-Challine L, Thyroid Cancer Committee. Increased incidence of thyroid carcinoma in france: a true epidemic or thyroid nodule management effects? report from the French Thyroid Cancer Committee. Thyroid 2004;14:1056-60.

12. Ministry for Heath, Welfare and Family Affairs. Annual Report of cancer incidence (2003) in Korea. 2008.

13. National Comprehensive Cancer Network. NCCN clinical practice guidelines in oncology: thyroid carcinoma [Internet] Plymouth Meeting: NCCN. c2021 [cited 2021 Jun 4]. Available from: http://www.nccn.org/professionals/physician_gls/pdf/thyroid.pdf.

14. Pacini F, Schlumberger M, Dralle H, Elisei R, Smit JWA, Wiersinga, et al. European consensus for the management of patients with differentiated thyroid carcinoma of the follicular epithelium. Eur J Endocrinol 2006;154:787-803.

15. Rosario PW, de Faria S, Bicalho L, Alves MF, Borges MA, Purisch S, et al. Ultrasonographic differentiation between metastatic and benign lymph nodes in patients with papillary thyroid carcinoma. J Ultrasound Med 2005;24:1385-9.

16. Salvatori M, Biondi B, Rufini V. Imaging in endocrinology: 2-[18F]-fluoro-2-deoxy-D-glucose positron emission tomography/computed tomography in differentiated thyroid carcinoma: clinical indications and controversies in diagnosis and follow-up. Eur J Endocrinol 2015;173:R115-30.

17. Schlumberger M, Tahara M, Wirth LJ, Robinson B, Brose MS, Elisei R, et al. Lenvatinib versus placebo in radioiodine-refractory thyroid cancer. N Engl J Med 2015;372:621-30.

18. Shin JH, Han BK, Ko EY, Kang SS. Sonographic findings in the surgical bed after thyroidectomy: comparison of recurrent tumors and nonrecurrent lesions. J Ultrasound Med 2007;26:1359-66.

19. Song YS, Lim JA, Park YJ. Mutation profile of well-differentiated thyroid cancer in Asians. Endocrinol Metab 2015;30:252-62.

20. Tuttle RM, Leboeuf R, Shaha AR. Medical management of thyroid cancer : a risk adapted approach. J Surg Oncol 2008;97:712-6.

21. Valvo V, Nucera C. Coding molecular determinants of thyroid cancer development and progression. Endocrinol Metab Clin North Am 2019;48:37-59.

22. Watkinson JC, British Thyroid Association. The British Thyroid Association guidelines for the management of thyroid cancer in adults. Nucl Med Commun 2004;25:897-900.

23. Ying M, Ahuja A. Sonography of neck lymph nodes. Part I: normal lymph nodes. Review Clin Radiol 2003;58:351-8.

기타 갑상선암

김보현

I. 저분화갑상선암

저분화갑상선암(poorly differentiated thyroid carcinoma)은 분화갑상선암과 역형성암의 중간 정도의 형태학적, 생물학적특성 및 예후를 보이는 암으로 1980년대에 조직학적으로 고체(solid), 섬유주(trabecular), 굳은암종(scirrhous) 형태로 처음 기술되었다. 저분화갑상선암은 높은 유사분열수, 괴사, 갑상선외 침범 및 혈관 침범과 연관이 있어 예후가 좋지 않다. 저분화갑상선암의 병리학적 진단기준은 Memorial Sloan Kettering Cancer Center (MSKCC) 정의와 투린(Turin) 정의와 같이 연구자마다 차이를 보여 논란이 있었지만 2017년 세계보건기구(WHO)에서 투린기준에 근거하여 명확한 진단기준을 제시하였다(표 3-11-1).

평균 진단연령은 55세로 여성이 남성보다 2배 많이 발생한다. 진단 당시 대부분 종양크기가 5 cm 이상으로 갑상선외 침범과 혈관 침범이 동반된다.

발생빈도가 적고 조직학적 진단의 불일치로 인해 저분화갑상선암의 치료에 대한 표준 치료지침은 아직 없으며 대부분의 환자에서 수술적 절제가 가장 중요한 치료이다. [131]I 치료의 유용성에 대한 근거는 부족하지만 처음 치료계획에서 진단적 방사성요오드검사 또는 [131]I 치료를 고려해야 한다.

저분화갑상선암 환자의 수술 후 외부방사선치료(external beam radiation therapy, EBRT) 및 강도변조방사선치료(intensity-modulated radiation therapy, IMRT) 효과

표 3-11-1. **저분화갑상선암의 병리진단기준**

Turin
1. Solid/trabecular/insular pattern of growth
2. Absence of conventional papillary thyroid carcinoma nuclear features
3. At least one of the following: Convoluted nuclei (dedifferentiated feature) > 3 mitoses/2 mm^2, Tumor necrosis
MSKCC
1. Evidence of follicular cell differentiation on microscopy or immunohistochemistry
2. One or both of the following ≥ 5 mitoses/2 mm^2, Tumor necrosis

는 제한적이지만 육안 침범이 있고 불완전절제, 수술 후 육안적인 잔존병변이 있어 국소재발의 위험도가 높은 환자에서 IMRT, 동시화학요법을 고려한다. 렌바티닙(lenvatinib)과 소라페닙(sorafenib)은 방사성요오드불응성 분화갑상선암 치료에 승인이 된 멀티인산화효소억제제(multikinase inhibitor)로 렌바티닙연구(SELECT)의 하위연구에 포함된 저분화갑상선암 환자에서도 렌바티닙치료군은 무진행생존(progression free survival, PFS) 중앙값 14.8개월로 위약군의 2.1개월과 비교하여 명백한 효과(hazard ratio 0.21, 95% confidence interval 0.08–0.56)를 보였다. 소라페닙연구(DECISION)의 저분화갑상선암 환자만을 포함한 하위분석에서 소라페닙치료군이 위약군과 비교하여 통계적으로 무진행생존율 개선을 보이지 않아 기존요법에 반응하지 않은 저분화갑상선암 환자에서 일차전신요법으로 렌바티닙을 우선 고려할 수 있으나 두 약물 간의 다른 부작용에 근거하여 소라페닙 치료도 고려할 수 있다.

갑상선암의 공격적 질환의 표지자로 *telomerase reverse transcriptase (TERT)* promoter (40%), tumor protein *(TP)53* (10%), *phosphatase and tensin homolog (PTEN)* 유전자변이(0–32%)도 저분화갑상선암은 분화갑상선암과 역형성암의 중간 정도의 유전자변이 빈도를 보인다. *BRAF*^V600E 변이를 보이는 진행성저분화갑상선암은 임상연구 또는 trametinib/dabrafenib 병용치료를 고려해 볼 수 있으며 *rearranged during transfection (RET), anaplastic lymphoma kinase (ALK),* 또는 PAX8–PPAR fusion을 가지는 저분화갑상선암은 표적치료임상연구를 고려해야 한다. NTRK fusion을 가진 저분화갑상선암은 TRK억제제인 larotrectinib 치료를 고려해 볼 수 있다. 저분화갑상선암의 예후는 무재발생존이 12개월 미만이며 평균 생존은 50–60개월로 분화갑상선암과 역형성암의 중간 정도로 알려져 있다.

II. 역형성갑상선암

역형성갑상선암(undifferentiated or anaplastic thyroid carcinoma)은 중앙생존(median survival)이 5–6개월이며 1년 생존율은 20%로 예후가 아주 불량하고 치료에 잘 반응하지 않는 공격적인 암으로 갑상선여포세포에서 기원하는 드문 암이다. 발생빈도는 전체 갑상선암의 약 1% 정도이나 갑상선암에 의한 사망의 20–50%가 역형성갑상선암에 의한 사망이다. 여성에서 1.5배 더 많이 발생하고 평균 진단연령은 60–70대로 고령에서 대부분 발생한다. 역형성갑상선암은 공격적이고 종양피막이 없으며 광범위하게 침범한다.

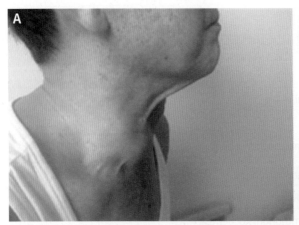
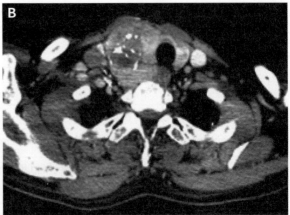

그림 3-11-1. 72세 남성에서 발생한 역형성갑상선암
A: 목의 오른쪽에 거대한 경부종괴가 보인다, B: CT소견, 내부에 석회화를 동반한 갑상선 종괴로 기도가 왼쪽으로 밀려있는 소견이 관찰된다.

역형성갑상선암의 약 50%에서 분화갑상선암이 동시에 발생하며 자가면역갑상선염 배경에서도 가끔 발생하여 갑상선세포의 점진적인 탈분화로 이어지는 순차적 사건의 극단적인 결과로 역형성갑상선암이 발생하는 것으로 추정되고 있다. 또한, 분화갑상선암의 갑상선 밖으로 전이된 병변 내에서 역형성갑상선암이 발생하여 기존에 존재하는 분화갑상선암의 탈분화형태로 발현 가능하다. 60세 이상의 나이와 *TERT* promoter 유전변이가 갑상선유두암의 역형성변형의 독립적인 위험요인으로 보고되었으나 추가연구가 필요하다. 요오드 영양상태가 병인의 요인이 될 수 있으나 논란이 있고 유전소인에 대해서는 확실한 근거가 없다.

역형성갑상선암 환자의 대부분은 수일에서 수주 동안 급격히 커지는 갑상선 혹은 목종괴를 보여 질식의 위험이 증가하며 의학적 응급으로 고려해야 한다(그림 3-11-1).

종양의 침범에 의해 쉰목소리, 흡인성천명 및 삼킴곤란 등이 흔히 발생한다. 신체검사에서 종양부위의 피부가 따뜻하고 변색될 수 있다. 주위 장기에 침범으로 딱딱한 종괴로 고정되어 있고 림프절 비대를 동반한다.

일부에서는 분화갑상선암의 수술 후 우연히 발견되기도 한다. 급격히 커지는 목종괴는 내부의 괴사를 동반할 수 있기 때문에 일반적인 세침흡인세포검사(fine needle aspiration cytology, FNAC)로 진단이 불충분할 수 있어 중심부바늘생검(core needle biopsy, CNB)이 진단 및 유전자검사에 도움이 된다.

역형성갑상선암의 신속한 진단은 아주 중요하지만 다른 암과 유사한 다양한 조직형태(sarcomatoid, squamoid, osteoblastic, paucicellular, rhabdoid, carcinosarcoma)를 보일 수 있기 때문에 진단이 어려울 수 있다. 역형성갑상선암의 진단에 면역조직화학검사는 필수적이다. 전통적으로 면역조직화학 염색에서 갑상선세포유래암의 일반적인 표지자인 TTF-1과 갑상선글로불린에 반응을 보이지

않지만 PAX8에는 약 40-60%에서 반응을 보인다. 또한, 흔히 *TP53*염색에 양성을 보이고 갑상선유두암에서 발생한 역형성갑상선암은 *BRAF*^V600E염색이 되지만 역형성갑상선암 질병 특유의 분자 표지자는 없다. 역형성갑상선암이 의심되는 경우 면역조직화학검사에 의해 *BRAF*^V600E 평가를 신속히 시행하고 유전자분석을 통해 확인하는 것이 미국식품의약기구(U.S. Food and Drug Administration)의 허가된 유전자변이 표적치료를 위해 필요하다. 세포증식의 표지자로 Ki67을 평가할 수 있고 역형성갑상선암은 적어도 30% 이상의 높은 Ki67 증식 지수를 보인다. 최근 연구에서 역형성갑상선암은 대식세포를 포함한 면역세포에 의한 침윤이 종양 부피의 50%까지 차지할 수 있고 PD-1/PD-L1 immune checkpoint 발현도 증가되어 있는 것이 보고되어 면역항암제 치료에 대한 다양한 임상연구가 진행 중이다.

모든 역형성갑상선암은 미국암합동위원회(American Joint Commission on Cancer, AJCC) 병기(stage) IV기로 갑상선에 국한되어 있는 경우 stage IVA, 목에 국소적으로 제한된 경우 stage IVB, 원격전이가 있는 경우 stage IVC에 해당 된다. 역형성갑상선암이 의심되는 경우 빠른 병기설정을 위해 목, 흉부, 복부, 골반의 조영증강컴퓨터단층촬영(computed tomography, CT) 혹은 2-[^18F]-fluoro-2-deoxy-D-glucose (FDG)-positron emission tomography CT (FDG-PET CT)검사가 필요하며 약 20%에서 뇌로 전이되므로 뇌 자기공명영상(magnetic resonance image, MRI)을 반드시 시행한다. 모든 역형성갑상선암 환자는 처음 진단 시 성대 및 기도를 평가해야 하고 이후 변화하는 증상에 근거하여 추가평가가 필요하다.

역형성갑상선암의 치료에는 경험이 많은 전문가를 포함하는 고도의 다학제진료계획이 필요하고 치료의 결정에 환자와 논의가 필요하다. 최근 미국갑상선학회 및 국가 종합 암네트워크(national comprehensive cancer network, NCCN) 권고안에서 환자의 상태에 따른 첫 치료는 환자개별화된 접근방법을 제시하고 있다(그림 3-11-2).

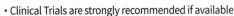

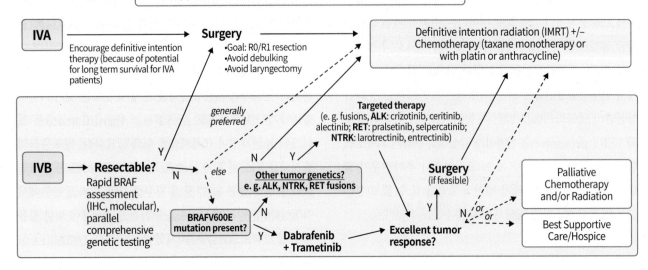

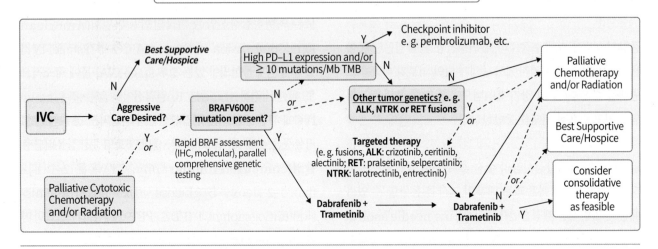

그림 3-11-2. 미국갑상선학회의 권고안에 따른 역형성갑상선암 병기에 따른 초기치료

* 표적치료 혹은 유전자정보결과를 기다리는 동안 세포독성화학요법 치료를 시작할 수 있음. 점선 화살표는 경쟁적 치료옵션이 고려될 수 있는 상황임.

역형성갑상선암은 방사성요오드치료가 효과가 없으며 종양의 빠른 성장속도 때문에 부피감량수술(debulking surgery)이 도움이 되지 않는다. 역형성갑상선암을 치료하지 않으면 질식이 예상되므로 기도의 보호가 아주 중요하며 응급기관절개술을 피하기 위해 목의 종괴를 안정화시키는 신속한 치료가 필요하다. 임박한 기도폐쇄 및 손상이 없는 환자라면 선제적인 기관절개술은 추천되지 않는다. 수일 또

는 수주 내에 빠른 사망 가능성이 높기 때문에 신속한 임상의사결정이 중요하므로 역형성갑상선암이 의심되거나 진단된 환자는 즉시 역형성갑상선암 치료를 전문적으로 하는 전문가팀에 치료를 의뢰하는 것이 좋다.

역형성갑상선암의 전체 생존중앙값(median overall survival)은 3-5개월이며 1년 생존율은 약 20%이다. 60-70세

이상의 나이, 남성, 백혈구 증가(> 10,000/μL), 종괴에 의한 증상이 있는 경우 예후가 좋지 않다.

R0 (no residual tumor) 및 R1 (microscopic residual tumor) 절제가 기대되는 stage IVA, IVB로 국한된 역형성갑상선암 환자에서 수술적 절제가 강력히 권고되고 있다. 모든 역형성갑상선암의 약 5–20% 정도가 stage IVA로 완치의도(curative intention)의 근치 절제술(R0 절제), IMRT, 전신항암요법 등 다양한 방법의 치료에 장기간생존에 대한 기대와 좋은 예후를 보인다. Stage IVB 역형성갑상선암도 가능한 수술적 절제, IMRT, 전신항암 치료로 예후를 개선시킬 수 있으나 stage IVA보다는 좋지 않다(그림 3-11-3).

세포독성화학요법은 탁산계열(paclitaxel, docetaxel)을 포함하는 요법이 추천된다(표 3-11-2, 3-11-3).

후두절제술, 기관절제술, 식도절제술, 주요 혈관 혹은 종격동 절제를 포함하는 광범위한 절제는 예후가 아주 좋지 않기 때문에 일반적으로 추천되지 않으며 다학제팀에 의해 철저한 논의 후 극히 일부 선택된 환자에서 시도해 볼 수 있다. 광범위한 국소 병변으로 수술이나 방사선 치료가 불가능한 경우 수술전전신요법(neoadjuvant therapy)으로 세포독성항암 치료와 표적치료를 병용하거나 *BRAF*^V600E 유전자변이가 있는 역형성갑상선암 환자에서 dabrafenib (BRAF inhibitor)과 trametinib (MEK inhibitor)을 조기에 병용치료하여 절제가능한 상태로 만든 후 치료를 고려할 수 있다. Stage IVC 역형성갑상선암은 공격적인 치료에도 불구하고 예후는 아주 좋지 않아 대부분 사망한다. 그러나, 최근에는 *BRAF*^V600E 또는 *EGFR* mutation, *ALK* translocation, *NTRK* translocation or fusion을 가진 경우 유전자변이를 치료목표로 하는 표적치료가 시도되고 있다. 면역치료도 임상연구가 진행되고 있으며 높은 PD–L1 발현을 보이는 stage IVC 역형성갑상선암에서 면역관문억제제 사용도 임상연구 참여 등으로 고려할 수 있으나 아직 많은 연

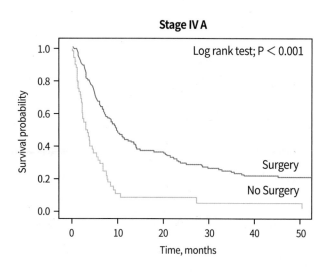

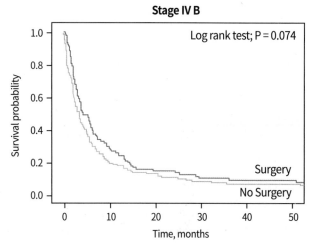

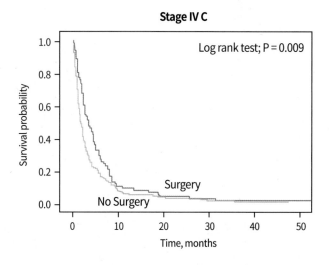

그림 3-11-3. AJCC병기와 수술 여부에 따른 역형성갑상선암 환자의 전체 생존율

표 3-11-2. **역형성갑상선암에서 보조 또는 방사선민감화학요법**

요법	제제 및 용량	빈도
Paclitaxel/carboplatin	Paclitaxel 50 mg/m², carboplatin AUC2 IV	매주
Docetaxel/doxorubicin	Docetaxel 60 mg/m² IV, doxorubicin 60 mg/m² IV or	3–4주 간격
	Docetaxel 20 mg/m² IV, doxorubicin 20 mg/m² IV	매주
Paclitaxel	Paclitaxel 30–60 mg/m² IV	매주
Cisplatin	Cisplatin 30–40 mg/m² IV	매주
Doxorubicin	Doxorubicin 60 mg/m² IV	3–4주 간격
Doxorubicin	Doxorubicin 20 mg/m² IV	매주

표 3-11-3. **역형성갑상선암에서 전이병변을 위한 전신요법**

	제제 및 용량	빈도
선호하는 요법		
Dabrafenib/trametinib (BRAF^V600E mutation positive)	Dabrafenib 150 mg po twice daily and trametinib 2 mg po once daily	
Larotrectinib (NTRK gene fusion positive)	100 mg po twice daily	
Entrectinib (NTRK gene fusion positive)	600 mg po once daily	
Pralsetinib (RET fusion positive)	400 mg po once daily	
Selpercatinib (RET fusion positive)	120 mg po (< 50 kg) or 160 mg (≥ 50 kg) po twice daily	
다른 추천요법		
Paclitaxel/carboplatin	Paclitaxel 60–100 mg/m², carboplatin AUC2 IV	매주
Paclitaxel/carboplatin	Paclitaxel 135–175 mg/m², carboplatin AUC5–6 IV	3–4주 간격
Docetaxel/doxorubicin	Docetaxel 60 mg/m² IV, doxorubicin 60 mg/m² IV (with pegfilgrastim) or	3–4주 간격
	Docetaxel 20 mg/m² IV, doxorubicin 20 mg/m² IV	매주
Paclitaxel	Paclitaxel 60–90 mg/m² IV	매주
Paclitaxel	Paclitaxel 135–200 mg/m² IV	3–4주 간격
Doxorubicin	Doxorubicin 60–75 mg/m² IV	3주 간격
Doxorubicin	Doxorubicin 20 mg/m² IV	매주
일부 조건에서 유용		
Pembrolizumab [TBM–H (10 mut/Mb)]	200 mg IV or	3주 간격
	400 mg IV	6주 간격

TMB–H, tumor mutational burden–high; mut/Mb, mutations/megabase.

구가 필요하다. 전이가 적은 일부 환자에서는 보조적인 국소 치료요법으로 열절제(thermal ablation), 방사선 치료, 수술적 절제 등을 고려해 볼 수 있다. 질환의 범위와 관계 없이 뼈전이, 척수 압박, 기도 및 식도를 위협하는 병변에 대해서는 적극적인 완화요법(palliation)이 필요하다.

III. 갑상선수질암

갑상선수질암(medullary thyroid carcinoma)은 부여포세포에서 기원하며 칼시토닌(calcitonin)을 분비하는 신경내분비종양으로 드물게 발생한다. 전체 갑상선암의 1% 미만으로 발생하며 75%는 산발적으로 발생하고 나머지 25%는 유전성으로 다발내분비선종증후군과 연관이 있다. 연간 평균연령 표준화발생률은 산발갑상선수질암(sporadic medullary thyroid carcinoma)의 경우 100,000명당 0.13이고 유전갑상선수질암(hereditary medullary thyroid carcinoma)의 경우 100,000명당 0.06 정도로 발생하며 비교적 초기에 목의 림프절로 전이되어 진단 당시 종양크기가 1 cm 정도면 40%에서 림프절전이가 동반된다. 림프절전이의 양적 평가는 중요한 예후인자로 전이된 림프절 개수와 원격전이의 연관성이 높다.

산발갑상선수질암은 증상이 없는 갑상선결절로 첫 발현하는 경우가 많기 때문에 대부분 진행된 상태로 진단된다. 가는바늘흡인세포검사와 칼시토닌의 면역조직생화학염색, 혈청칼시토닌 증가소견으로 진단가능하나 발생빈도가 드물기 때문에 일부에서는 미결정 혹은 악성이 의심되는 세포검사로 시행한 갑상선절제술 이후 진단되기도 한다. 혈청칼시토닌과 암배아항원(carcinoembryonic antigen, CEA)은 갑상선의 C세포덩이와 비례하기 때문에 진단 및 예후의 좋은 생화학표지자이다. 세침흡인세포검사로 갑상선수질암이 진단되면 목 림프절전이를 평가하기 위한 철저한 초음파검사가 필요하며 경부에 광범위한 병변이 있는 경우 혈청칼시토닌이 500 pg/mL 이상, 원격전이의 증상이 있는 경우

는 경부 및 흉부 컴퓨터단층촬영(CT), 간의 3상(3 phase) CT 또는 자기공명영상(MRI), 뼈스캔과 골격MRI를 고려해야 한다. ^{18}F-DOPA-PET/CT는 무증상질병을 감지하는 높은 민감도로 질병의 범위를 평가하는 데 더 적합하고 ^{18}F-DOPA-PET/CT는 기저칼시토닌 및 CEA 값이 각각 > 150 pg/mL 및 > 5 ng/mL일 때 진행성 병변과 연관성이 높다. ^{68}Gallium으로 표지된 somatostatin 유사체는 골 전이의 진단에 매우 유용하고 ^{90}Yttrium 또는 ^{177}Lutetium 표지 DOTA 접합 펩타이드 치료를 위한 전이성 갑상선수질암 환자의 사전선택에 매우 유용하다.

갑상선수질암의 수술 전에는 갈색세포종의 동반 여부를 반드시 확인하여 수술 중 발생할 수 있는 고혈압위기를 예방하는 것이 중요하다. 따라서, RET생식세포돌연변이가 있거나 변이 여부를 모르는 경우에 갈색세포종과 일차부갑상선항진증을 배제하기 위하여 혈청분획메타네프린과 혈청칼슘을 포함한 생화학적 검사를 해야 한다. 갈색세포종이 진단되면 갑상선수질암수술 전에 먼저 알파차단제 전처치 후 부신절제를 시행한다.

수용체타이로신인산화효소인 RET는 부분적으로 RAS 신호전달의 활성화를 통해 작용한다. 갑상선수질암은 돌연변이에 의해 조절되지 않는 RAS경로 신호전달의 활성화와 함께 비정상적인 강한 종양유전자 우세가 특징이다. 돌연변이된 RET수용체단백질의 활성화는 C세포의 증식을 일으키고 정확한 유전사건은 불분명하지만 이차체세포돌연변이는 갑상선수질암으로 변형을 일으킨다. RET유전자 생식세포돌연변이(germline mutation)는 모든 유전갑상선수질암에서 검출되고 산발갑상선수질암에서도 약 6-10%에서 발현된다. RET protooncogene 유전자검사는 임상적으로 명백한 모든 산발갑상선수질암 환자에서 검사를 해야 하며 유전갑상선수질암이 있는 친척이 있는 경우도 선별검사가 추천된다. 유전갑상선수질암 환자에서 특이 RET생식세포 돌연변이는 발생시기 및 종양의 공격성과 밀접한 연관성이 있어 강력한 유전자형-표현형관계를 보인다. 미국갑상선

협회(American Thyroid Association, ATA)는 이러한 돌연변이를 초고위험(ATA 카테고리, Highest), 고위험(ATA 카테고리, High) 및 중간위험(ATA 카테고리, Moderate) 돌연변이로 분류하고 있다. RET M918T 체세포돌연변이(somatic mutation)는 원격전이 및 공격적인 특징과 연관이 있다.

분자DNA기반 RET유전자의 선별검사는 C세포증식이 발생하기 전에도 유전갑상선수질암에 대한 개인의 유전소인을 알 수 있게 도움을 주고 아직 정상적인 갑상선이거나 C세포 증식만 있는 영유아에서 예방적 갑상선절제술을 가능하게 했다.

방사성요오드치료가 효과가 없고 조기에 경부림프절로 전이가 잘 되기 때문에 초기에 수술적 절제가 완치를 위한 유일한 치료방법이다. 유전갑상선수질암에 있어서 조기검진을 통한 조기진단 및 치료가 예후향상을 위해 중요하다. 임상적으로 명백한 수질암의 림프절 절제범위를 결정하기 위해 수술 전 검사를 철저히 진행해야 한다. 수술 전 고해상도 경부초음파가 림프절 절제범위를 정하는 데 혈청칼시토닌값과 함께 중요하나 약 30%에서 수술 전 초음파에서 위음성을 보이고 특히 중심림프절전이에 대해 위음성율이 높다. 혈청칼시토닌은 원발종양 크기 및 림프절전이 수를 포함하여 종양 질량과 밀접한 상관관계가 있다. 갑상선수질암의 진단을 위한 혈청칼시토닌의 선별검사에 대한 비용효율성은 유병률, 선별검사의 예측값(선택한 칼시토닌 역치), 효과적인 치료전략의 여부에 달려 있다. 정맥내칼시토닌 자극의 필요가 없는 민감한 칼시토닌 분석을 사용하여 갑상선수질암에 대한 선별검사는 특히 유럽에서 결절성갑상선질환 환자에 권장되고 있으나 개정된 2015 미국갑상선학회진료지침은 산발갑상선수질암에 대한 칼시토닌선별검사는 권장도 반대하지도 않는다. 반응성C세포증식과 산발갑상선수질암을 감별하는 가장 큰 차이점은 기저칼시토닌 역치가 여성의 경우 15-25 pg/mL이고 남성의 경우 70-80 pg/mL이다. 이러한 성별에 따른 칼시토닌 역치 아래에서는 수술 전 기저

칼시토닌값이 100 pg/mL를 초과하지 않는 한 생화학적 완치(biochemical cure)가 가능하기 때문에 연속적인 칼시토닌 측정을 통한 "watch and wait" 전략이 가능한 치료옵션이 될 수 있다. 프로칼시토닌 값은 칼시토닌만큼 정확하게 갑상선수질암을 예측가능하며 프로칼시토닌은 잘 분해되지 않고 관리하기 쉽고 얼음이나 얼린 상태로 차갑게 보관할 필요가 없는 장점이 있다.

갑상선수질암의 유일한 완치치료법인 경부수술의 완성도가 임상결과를 결정한다. 모든 유전갑상선수질암과 산발갑상선수질암의 약 10%에서 양측 또는 다발로 발생하기 때문에 갑상선전절제술이 우선적인 치료방법이다. 수술 전 혈청칼시토닌, 초음파소견, 수술 중 확인된 림프절전이에 따라 갑상선전절제술 및 경부림프절 구획 박리가 표준 치료방법이다. 림프절전이가 있는 갑상선수질암에서 체계적인 림프절절제술은 크기가 커진 림프절의 선택적제거(berry picking)보다 혈청칼시토닌을 정상화하고 국소조절에 더 효과적이다. 수술 중 중심 림프절전이가 있는 경우 가쪽림프절절제(lateral lymph node dissection)는 일반적으로 시행해야 하지만 수술 전 초음파에서 명백한 림프절전이가 없는 환자에서 가쪽림프절절제를 시행하는 것에 대한 논란은 있다.

수술 전 혈청칼시토닌 및 혈청프로칼시토닌 값은 같은쪽 중심림프절 및 가쪽림프절(> 20 pg/mL 및 > 0.1 ng/mL), 반대쪽 중심림프절(> 50 pg/mL 및 > 0.25 ng/mL), 반대쪽 가쪽림프절(> 200 pg/mL 및 > 1.0 ng/mL) 및 상부 종격동(> 500 pg/mL 및 > 5 ng/mL)의 림프절전이를 암시한다. 상부 갑상선 극(pole)에 위치한 원발종양, 중심림프절 구획에 광범위하게 침범된 종양, 기저칼시토닌값이 20-200 pg/mL(동측 가쪽 림프절절제) 또는 > 200 pg/mL(양측 가쪽 림프절절제) 증가된 경우 가쪽림프절절제가 필요하다. 팔머리아래(infrabrachiocephalic) 종격림프절 또는 상부 종격으로 확장되는 원발종양이 있는 환자는 경흉골 종격 림프절절제술이 필요하다. 수술 전 혈청칼시토닌이 20 pg/mL 미만인 경우 림프절전이 위험이 거의 없기 때문에

표 3-11-4. 다발내분비선종증후군 2A 및 2B에서 공격적 갑상선수질암의 위험도 및 다발내분비선종증후군 2A에서 동반질환과 흔한 RET유전자 변이의 관계

RET유전자변이	Exon	Risk[a]	갈색세포종	일차 부갑상선항진증	피부태선 아밀로이드증	Hirschsprung 병
G553C	8	MOD	~10%	–	N	N
C609F/G/R/S/Y	10	MOD	~10–30%	10%	N	Y
C611F/G/S/Y/W	10	MOD	~10–30%	10%	N	Y
C618F/R/S	10	MOD	~10–30%	10%	N	Y
C620F/R/S	10	MOD	~10–30%	10%	N	Y
C630R/Y	11	MOD	~10–30%	10%	N	N
D631Y	11	MOD	~50%	–	N	N
C634F/G/R/S/W/Y	11	H	~50%	20–30%	Y	N
K666E	11	MOD	~10%	–	N	N
E768D	13	MOD	–	–	N	N
L790F	13	MOD	~10%	–	N	N
V804L	14	MOD	~10%	10%	N	N
V804M	14	MOD	~10%	10%	Y	N
A883F	15	H	~50%	–	N	N
S891A	15	MOD	~10%	10%	N	N
R912P	16	MOD	–	–	N	N
M918T	16	HST	~50%	–	N	N

[a] Risk of aggressive MTC: MOD, moderate; H, High; HST, highest.

크기가 작고 갑상선 내에 국한된 경우 예방적 중심림프절절제술은 필요 없다. 그러나, 양측 갑상선수질암 혹은 크기가 1 cm 이상인 모든 갑상선수질암은 갑상선전절제술 및 양측 중심 림프절절제술이 필요하다.

갑상선엽절제 후 수질암이 진단된 경우 *RET* 생식세포돌연변이가 없는 환자에서 잔존갑상선절제술이 반드시 필요한 것은 아니지만 초음파소견에 이상이 있거나 수술 후 칼시토닌이 높은 산발갑상선수질암인 경우는 잔존갑상선절제술을 시행해야 한다.

수술 후 병리결과에 근거한 TNM 병기는 사망률을 예측하는 데 사용되지만 연령, 유전갑상선수질암, 수술 후 혈청칼시토닌과 같은 중요한 예후인자를 포함하지 않고 있다(표 3-11-5).

따라서, 갑상선분화암에 적용되고 있는 동적위험도계층화(dynamic risk stratification)처럼 갑상선수질암에서도 치료에 대한 반응, 혈청칼시토닌과 암배아항원(CEA)의 변화를 포함한 동적위험도계층화가 실시간 예후정보를 예측하는 데 더 유용하다(그림 3-11-4).

수술 후 혈청칼시토닌은 천천히 감소되기 때문에 수술 2–3개월 후에 CEA와 동시에 측정하여 재발 여부를 감시한

표 3-11-5. 갑상선수질암의 AJCC TNM병기

Primary tumor (pT)

TX: Primary tumor cannot be assessed

T0: No evidence of primary tumor

T1: Tumor ≤ 2 cm in greatest dimension limited to the thyroid

T1a: Tumor ≤ 1 cm in greatest dimension limited to the thyroid

T1b: Tumor > 1 cm but ≤ 2 cm in greatest dimension limited to the thyroid

T2: Tumor > 2 cm but ≤ 4 cm in greatest dimension limited to the thyroid

T3: Tumor > 4 cm limited to the thyroid or gross extrathyroidal extension invading only strap muscles

T4a: Moderately advanced disease; tumor of any size with gross extrathyroidal extension into the nearby tissues of the neck, including subcutaneous soft tissue, larynx, trachea, esophagus or recurrent laryngeal nerve

T4b: Very advanced disease; tumor of any size with extension toward the spine or into nearby large blood vessels, invading the prevertebral fascia or encasing the carotid artery or mediastinal vessels

Regional lymph node (pN)

NX: Regional lymph nodes cannot be assessed

N0: No evidence of regional lymph node metastasis

N1a: Metastasis to level VI or VII (pretracheal, paratracheal, prelaryngeal/Delphian or upper mediastinal) lymph nodes; this can be unilateral or bilateral disease

N1b: Metastasis to unilateral, bilateral or contralateral lateral neck lymph nodes (levels I, II, III, IV or V) or retropharyngeal lymph nodes

Distant metastasis (M)

M0: No distant metastasis

M1: Distant metastasis

Stage I:	T1	N0	M0	Stage IVA:	T4a	any N	M0
Stage II:	T2	N0	M0		T1–3	N1b	M0
	T3	N0	M0	Stage IVB:	T4b	any N	M0
Stage III:	T1–3	N1a	M0	Stage IVC:	any T	any N	M1

다. 칼시토닌과 CEA의 배가시간(doubling time)은 종양 성장의 동역학과 예후를 잘 반영하여 6개월 미만의 배가시간은 빠른 종양의 진행을 의미한다. 수술 후 지속적으로 칼시토닌이 높거나 6–12개월 미만의 짧은 칼시토닌 또는 CEA 배가시간, 칼시토닌은 안정적이지만 CEA가 급격히 증가하는 경우 예후가 좋지 않다. 혈청칼시토닌값에 비해 높은 CEA 값은 종양의 탈분화와 연관성이 있어 예후가 더 좋지 않다. 폐전이가 있는 갑상선수질암에서 종양부피배가시간 (tumor volume doubling time)이 1년 미만인 경우 생존율이 좋지 않다.

재발 또는 잔존 갑상선수질암의 치료에는 여러 가지 선택사

항이 있어 환자의 증상, 의미있는 구조적인 질환으로의 진행, 재발 또는 전이 병변의 위치, 종양의 크기 및 부하 등 다양한 임상요소를 고려하여 결정해야 한다. 증상이 없고 구조적인 병변 없이 혈청칼시토닌만 높은 생화학적 불완전반응을 보이는 경우 보존적인 감시를 시행한다. 또한, 무증상의 작은 림프절전이만 있는 경우에도 반복적인 수술이 높은 수술 합병증과 연관이 있고 완치가 불가능한 경우가 많기 때문에 적극적인 감시(active surveillance)가 치료방법이 될 수 있다.

수술 후 잔존질환이 있는 경우, 광범위한 림프절전이, 갑상선외 침범과 같이 기도폐쇄 및 국소재발의 위험이 높은 경

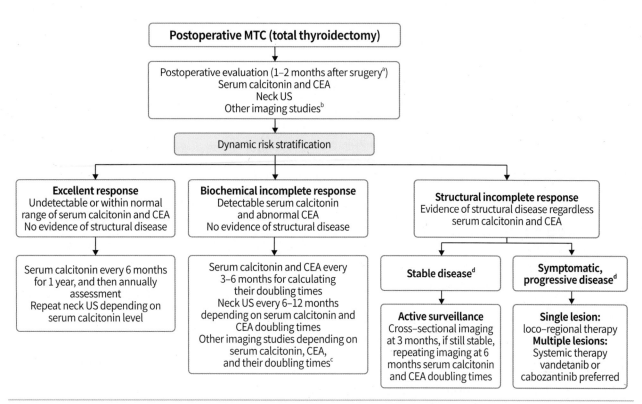

그림 3-11-4. 갑상선수질암의 수술 후 동적위험도계층화에 따른 관리
(Postoperative management in patients with medullary thyroid cancer according to dynamic risk stratification)

a: American Thyroid Association (ATA) guidelines recommend that serum calcitonin and CEA should be measured after 3 months postoperatively, b: Other imaging modalities including contrast-enhanced (CE) computed tomography (CT) of neck, chest, abdomen with liver protocol, and bone scan, axial magnetic resonance imaging (MRI) depending on the tumor stage, serum calcitonin (≥ 150 pg/mL) and CEA, c: Negative other imaging modalities, consider [18F]-fluoro-2-deoxy-D-glucose (F18-FDG) positron emission tomography-CT or Gallium-68 DOTATATE or CE MRI with neck, chest, abdomen with liver protocol in National Comprehensive Cancer Network (NCCN) guidelines, d: Stable or progressive disease according to Response Evaluation Criteria in Solid Tumors (RECIST) version 1.1.

우 목과 종격동에 대한 보조외부방사선치료(adjuvant EBRT)를 고려해야 한다.

잔존하는 갑상선수질암에 대해서는 첫 수술에 제거된 림프절이 5개 이하이고 재수술 전 혈청칼시토닌값이 1,000 pg/mL 이하라면 경험이 많은 외과의사가 수술하는 경우 재수술에 따른 부작용을 최소화하면서 생화학적 완치(biochemical cure)가 18~44% 가능하다. 재수술 전 혈청칼시토닌이 1,000 pg/mL를 초과하거나 이전 수술에서 림프절전이가 5개를 초과하는 경우 생화학적 완치율은 1~5%로 낮아진다. 원격전이가 있는 경우 생화학적 완치는 거의 불가능하며 수술치료는 말하기와 삼키기 등의 기능을 보전하기

위해 목의 종양에 대한 국소조절에 초점을 두어야 한다.

갑상선수질암원격전이의 치료는 종양부하(tumor burden), 종양에 의한 증상, 환자의 선호도 등을 고려하여 충분히 의논 후 결정되어야 한다. 원격전이병변은 완치가 불가능하고 아직 생존을 연장하는 치료법이 없기 때문에 모든 치료의 결정은 제한된 이익과 증가하는 위험의 균형을 유지하면서 "do not harm"이라는 원칙을 지켜야 한다. 안정적이거나 천천히 진행되는 무증상원격전이 환자의 경우 "watch and wait" 전략이 적절하다. 적극적인 치료는 다음 조건 중 하나 이상이 충족되는 경우 국소 또는 전신요법 또는 여러 요법의 병합치료를 고려할 수 있다.

- 6개월 미만의 칼시토닌 및/또는 CEA 배가시간 및 고형종 양의 반응평가기준(Response Evaluation Criteria in Solid Tumor, RECIST)에 기반한 구조적 질환 성장에 근거한 질병의 진행이 있는 경우
- 높은 종양부하에 의한 증상
- 뼈전이 또는 간전이에 의한 이차적인 증상이 있거나 기관 또는 식도의 침범에 의한 이차적인 국소증상이 있는 경우
- 진행하는 경우 생명 중추기관의 손상의 위험이 있는 경우
- 부신피질자극호르몬(ACTH) 과다에 의한 쿠싱증후군 증상이나 위장관 운동증가에 의한 심한 설사와 같은 부종양증후군

갑상선수질암의 치료패러다임은 획일적인 접근방식에서 보다 개별화된 치료로 변화하고 있다. 전통적인 세포독성항암치료는 부작용 및 제한된 효과로 일차약물로 사용되지 않고 *RET*, *VEGF* (vascular endothelial growth factor) 등을 표적으로 하는 타이로신인산화효소억제제를 증상이 있거나 진행하는 병변에 일차로 사용할 수 있다. Vandetanib과 cabozantinib은 무진행생존(progression free survival)을 개선시켰으나 완치를 보인 연구는 없고 전체생존(overall survival)을 연장하지는 못했다. 다만, *RET M918T* 돌연변이가 있는 갑상선수질암에서 cabozantinib 치료는 위약 대비 의미있는 중앙 전체생존율 개선효과를 보였다. 그러나, 표적치료제는 완치를 기대할 수 없고 흔한 부작용 때문에 치료결정은 환자의 특성에 따라 개별화하여야 한다. 최근에는 선택적 *RET*억제제인 selpercatinib (LOXO-292)과 pralsetinib (BLU-667)이 *RET* 체세포돌연변이가 있는 환자에서 적은 부작용으로 우수한 효과를 보여 미국에서 사용승인이 되었다. 미국 국가종합암네트워크(NCCN) 권고안에서는 높은(≥ 10 mutations/megabase) 종양유전자부담(tumor mutational burden, TMB)을 동반한 증상이 있고 진행성의 절제 불가능한 갑상선수질암 환자에서 면역치료제인 pembrolizumab 치료를 고려해야 한다고 제시하고 있다.

IV. 갑상선림프종

일차갑상선림프종(primary thyroid lymphoma)은 전체 갑상선암의 약 0.6-5%, 전체 악성림프종의 1-2.5%로 드물다. 여성에서 2-3배 흔하고 하시모토갑상선염이 약 60%에서 동반되어 있고 평균 발생연령은 65세이다. 거의 대부분이 비호지킨림프종(non-Hodgkin lymphoma, NHL)이다. 전형적인 증상은 빠르게 커지는 통증을 동반하지 않는 경부 종괴로 쉰목소리, 삼킴곤란, 호흡곤란, 갑상선기능저하증을 30%에서 보이고 상대정맥증후군도 약 10%에서 동반될 수 있다. 약 10%에서 발열, 야간식은땀, 체중감소 등의 B 증상을 동반하고 거의 대부분 환자에서 항갑상선항체의 농도가 높다.

림프종의 진단은 세침흡인세포검사의 세포형태학적기준에 근거하여 의심할 수 있으나 진단민감도가 낮다. 면역표현형분석(immunophenotypic analysis)은 진단에 필수적이며 세침흡인세포검사와 병행하여 환자의 88%에서 진단이 확인되었지만 조직구조를 보존하기 위한 핵심바늘생검(CNB)은 최종진단을 내리기 위한 중요한 검사이다. 유세포분석(flow cytometry)에 의한 가벼운사슬제한(light chain restriction), 면역글로불린중쇄재배열(immunoglobulin heavy chain rearrangement), 염색체전위확인을 위한 핵형분석도 진단에 도움을 준다. 전체 혈구 수, 종합화학패널, 혈청젖산탈수소효소, β2-마이크로글로불린 측정, 혈청단백질전기영동, 목초음파, CT스캔(흉부/복부/골반), 골수생검을 통한 임상병기설정은 Ann Arbor 분류에 따라 필수적으로 시행되어야 한다. PET/CT스캔과 ^{67}Gallium 및 MRI가 병기결정에 중요한 역할을 할 수 있고 ^{18}FDG-PET/CT 영상에서 갑상선림프종은 만성갑상선염보다 최대표준섭취값(maximal standard uptake value, SUVmax)이 더 높다.

하시모토갑상선염은 갑상선림프종의 발생위험을 60배까지 증가시키는 중요한 위험인자로 분자 수준에서 Fas 및 Fas

리간드(FasL)돌연변이는 갑상선염의 발병기전에 연관되어 있고 이러한 돌연변이를 보유하고 있는 세포자멸사저항성 림프구세포의 축적을 야기한다. 사이토카인 매개자극을 통한 이러한 세포집단의 클론확장(clonal expansion) 및 불멸화(immortalization)가 갑상선림프종을 유발하는 것으로 여겨지고 있다.

갑상선림프종의 가장 흔한 아형은 광범위큰B세포림프종(diffuse large B-cell lymphoma, DLBCL)으로 평균 67%(40-100%)의 빈도로 보고되고 있고 두 번째 흔한 아형은 mucosa-associated lymphoid tissue (MALT)유형의 변연부B세포림프종(marginal zone B cell lymphoma)으로 19-28%에서 발생된다. 비교적 드문 아형으로는 변연부B세포림프종/광범위큰B세포림프종의 혼합형, 여포림프종, 버킷림프종, 소림프구림프종, 호지킨림프종이 있으며 정확한 아형의 결정이 치료, 예후, 경과관찰에 중요하다.

갑상선림프종의 치료는 병기와 아형에 의해 결정되며 외부방사선치료로 갑상선에 국한된(stage I, II) 림프종 치료에 생존율이 95-100%로 치료반응이 좋다. 수술도 비슷한 결과를 보이나 방사선 치료가 합병증이 적다. 진행된 갑상선림프종의 치료로 공격적인 비호지킨림프종은 cyclophosphamide, doxorubicin, vincristine, prednisone, rituximab (CHOP-R)요법으로 치료하며 진행이 늦은 비호지킨림프종은 fludarabine, cyclophosphamide, rituximab (FCR)요법으로 치료한다. 미국 국가암데이터베이스 분석에 의하면 MALT림프종의 5년, 10년 생존율은 86%, 67%, 여포림프종은 84%, 73%, 버킷림프종은 79%, 68%로 보고되었고 가장 생존율이 낮은 광범위큰B세포림프종의 5년, 10년 생존율은 70%, 56%로 보고되었다. 고령, 종양크기, 병기, 림프절침범, B증상이 불량한 예후인자이며 이전 하시모토갑상선염의 진단은 좋은 예후인자이다.

V. 기타 갑상선종양

2022년 WHO 분류에 따라 여포세포 및 부여포세포에서 기원한 갑상선종양을 제외한 기타 드문 종양의 종류는 표 3-11-6과 같다. 갑상선의 편평세포암(squamous cell carcinoma)은 개정된 WHO 분류에서 미분화갑상선암의 하위유형으로 변경되었고, cribriform morular thyroid carcinoma는 더 이상 갑상선유두암의 하위유형으로 분류하지 않고 불명확한 조직형성의 갑상선종양으로 분류되었다. 비갑상선암의 갑상선전이는 비교적 흔하며 부검 환자의 경우 24%까지 보고되고 있고 5년 생존율은 20-30%이다. 원발종양은 일반적으로 신장암, 폐암, 유방암 및 위암이 흔하고 원발종양 진단부터 전이 진단까지의 평균시간은 70개월 정도로 보고되었다. 갑상선절제술이 국소조절에 효과적이며 원발종양에 대한 치료선택에 전신요법을 포함해야 한다.

표 3-11-6. 여포세포 및 부여포세포 기원 갑상선종양을 제외한 드문 갑상선종양

Salivary gland-type carcinomas of the thyroid
1. Mucoepidermoid carcinoma of the thyroid
2. Secretory carcinoma of salivary gland type
Thyroid tumors of uncertain histogenesis
1. Sclerosing mucoepidermoid carcinoma with eosinophilia
2. Cribriform morular thyroid carcinoma
Thymic tumors within the thyroid
1. Thymoma family
2. Spindle epithelial tumor with thymus-like elements
3. Thymic carcinoma family
Embryonal thyroid neoplasms
1. Thyroblastoma

Modified and reproduced from WHO classification of thyroid neoplasms, 5th edition, 2022.

참 / 고 / 문 / 헌

1. Dettmer MS, Schmitt A, Komminoth P, Perren A. Poorly differentiated thyroid carcinoma: an underdiagnosed entity. Pathologe 2020;41:1-8.

2. Eisenhauer EA, Therasse P, Bogaerts J, Schwartz LH, Sargent D, Ford R, et al. New response evaluation criteria in solid tumours: revised RECIST guideline (version 1.1). Eur J Cancer 2009;45:228-47.

3. Filetti S, Durante C, Hartl D, Leboulleux S, Locati LD, Newbold K, et al. Thyroid cancer: ESMO Clinical Practice Guidelines for diagnosis, treatment and follow-up. Ann Oncol 2019; 30:1856-83.

4. Filetti S, Tuttle RM, Leboulleux S, Alexander EK. Chapter 14, Nontoxic diffuse goiter, nodular thyroid disorders, and thyroid malignancies. In: Melmed S, Koenig R, Rosen C, Auchus R, Goldfine A. Williams textbook of endocrinology. 14th ed. Philadelphia: Elsevier; 2019. pp. 459-63.

5. Goffredo P, Thomas SM, Adam MA, Sosa JA, Roman SA. Impact of timeliness of resection and thyroidectomy margin status on survival for patients with anaplastic thyroid cancer: an analysis of 335 cases. Ann Surg Oncol 2015;22:4166-74.

6. Haugen BR, Bible KC, Smallridge RC. Chapter 60 Poory differentiated thyroid cancer, anaplastic thyroid cancer, and miscellaneous tumors of the thyroid. In: Braverman LE, Cooper DS, Kopp P. Werner & Ingbar's the thyroid. 11th ed. Philadelphia: Wolters Kluwer; 2021. pp. 796-812.

7. Jameson JL, Mandel SJ, Weetman AP. Chapter 378. Thyroid nodular disease and thyroid cancer. In: Jameson JL, Fauci AS, Kasper DL, Hauser SL, Longo DL, Loscalzo J. Harrison's principles of internal medicine. 20th ed. New York: Mc Graw Hill Education; 2018. pp. 2714-8.

8. Janz TA, Neskey DM, Nguyen SA, Lentsch EJ. Is the incidence of anaplastic thyroid cancer increasing: A population based epidemiology study. World J Otorhinolaryngol Head Neck Surg 2018;5:34-40.

9. Keith CB, Electron K, James B, Juan PB, Maria EC, Thomas JC, et al. 2021 American Thyroid Association guidelines for management of patients with anaplastic thyroid cancer. Thyroid 2021;31:337-86.

10. Kim MJ, Kim BH. Current guidelines for management of medullary thyroid carcinoma. Endocrinol Metab (Seoul). 2021;36:514-24.

11. Marcia SB, Christopher MN, Barbara J, Rossella E, Salvatore S, Lars B, et al. Sorafenib in radioactive iodine-refractory, locally advanced or metastatic differentiated thyroid cancer: a randomised, double-blind, phase 3 trial. Lancet 2014;384:319-28.

12. Martin S, Makoto T, Lori JW, Bruce R, Marcia S B, Rossella E, et al. Lenvatinib versus placebo in radioiodine-refractory thyroid cancer. N Engl J Med 2015;372:621-30.

13. National Comprehensive Cancer Network [Internet]. Clinical practice guidelines in oncology: thyroid carcinoma; 2020 Mar [cited 2021 Feb 2]. Available from: http://www.nccn.org /professionals/physician_gls /pdf/thyroid.pdf.

14. Rindi G, Mete O, Uccella S, Basturk O, La Rosa S, Brosens LAA, et al. Overview of the 2022 WHO classification of neuroendocrine neoplasms. Endocr Pathol 2022;33:115-54.

15. Wells SA Jr, Asa SL, Dralle H, Elisei R, Evans DB, Gagel RF, et al; Revised American Thyroid Association guidelines for the management of medullary thyroid carcinoma. Thyroid 2015;25:567-610.

전신질환과 갑상선

최영식

I. 서론

1970년대에 혈청T$_3$, T$_4$와 TSH에 대한 방사성면역측정법이 개발된 후 혈청갑상선호르몬수치가 기아나 질환이 있을 때 감소된 것이 보고되었다. 경증질환인 경우 혈청T$_3$치가 감소하지만, 중증이거나 질병의 이환기간이 길어질 경우에는 혈청T$_3$와 T$_4$ 모두 감소한다. 그러나 이 경우 원발갑상선기능저하증과는 달리 혈청TSH치는 정상을 보인다. 이처럼 갑상선 자체의 질환이 없이 갑상선기능의 이상을 보이는 것을 비갑상선질환(nonthyroidal illness) 또는 정상갑상선기능질병증후군(euthyroid sick syndrome)이라고 한다. 비갑상선질환은 패혈증, 중증감염, 외상, 심근경색증, 수술, 골수이식 등 여러 급성 또는 중증의 전신질환들에서 보이며, 입원 환자의 약 75%까지 흔히 관찰된다. 비갑상선질환에서 보이는 갑상선기능이상은 급성질환이 발생한 지 몇 시간 이내에 생길 수 있으며, 갑상선호르몬의 변화정도와 질병의 중증도와 연관이 있다. 낮은 혈청T$_3$치와 T$_4$치는 생존 감소와도 연관이 있는데, 혈청T$_4$가 4 μg/dL 미만일 경우 사망 가능성이 50% 정도이며, 혈청T$_4$가 2 μg/dL 미만일 경우 사망 가능성은 80%로 증가한다고 한다(그림 3-12-1).

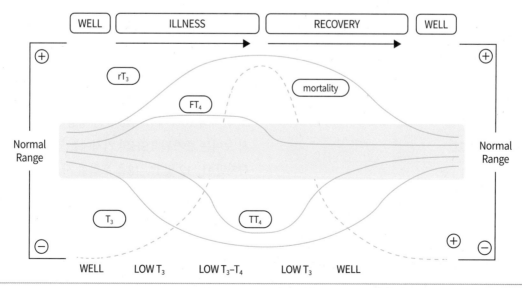

그림 3-12-1. **비갑상선질환에서 혈청갑상선호르몬의 변화와 사망과의 연관성**

II. T_3저하증후군

비갑상선질환 중 가장 흔한 호르몬의 변화 형태는 총 T_3와 유리T_3가 감소하고, T_4와 TSH는 정상을 보이는 경우로 이를 T_3저하증후군이라고 한다. T_3 저하는 정상인에서 금식에 의해서도 유도될 수 있기 때문에 일반적으로 질병에 의해 조직에서 에너지요구를 감소시키려는 신체의 적응기전 (adaptive response)이며, 기아나 질환이 있는 경우 T_3의 저하는 이화작용을 제한할 수 있다.

T_3가 저하되는 기전은 말초조직에서 일어나는 T_4에서 T_3로의 전환이 감소되기 때문이다. 정상상태에서 혈청내 T_3의 80%는 T_4에서 5' 위치의 요오드가 떨어져 나감으로써 생성되고 나머지 20%는 갑상선으로부터 직접 분비되는데, 전신질환이 있는 경우 말초조직의 5'-탈요오드효소(5'-deiodinase)의 활성이 감소되어 T_3의 생성이 감소되므로 혈청T_3의 농도가 감소되는 것이다. 또한 T_4대사과정의 이상도 원인으로 작용한다. 정상 대사과정은 갑상선으로부터 분비된 T_4의 대부분이 T_3 또는 역T_3(reverse T3, rT_3)로 전환되는 것인데 전신질환이 있는 경우에는 5'-탈요오드화효소의 활성 감소로 인해 T_3로의 전환이 억제될 뿐 아니라 rT_3의 제거도 감소되어 혈청rT_3의 농도가 증가된다. 즉 T_3의 생성은 감소되었는데 T_4 및 rT_3의 생산은 변하지 않으므로 결국 T_4의 일부는 다른 대사과정을 거쳐 불활성인 T_3황산염(T_3S), TETRAC (tetraiodothyroacetic acid) 및 TRIAC (triiodothyroacetic acid) 등으로 대사된다.

III. T_4저하증후군

중증 환자에서는 급격하게 혈청총T_3뿐 아니라 총 T_4도 감소되는데 이를 T_4저하증후군이라 한다. T_4저하증후군은 중환자실에 입원한 환자의 30–50%에서 관찰되며, 혈청T_4의 농도와 입원기간 중의 사망률 등의 예후와 매우 밀접한 연관이 있다. 혈청T_4의 저하와 사망률과 연관이 있는 이유가 단

순히 갑상선기능저하증상태에 기인하는 것은 아닌 것으로 생각한다. 왜냐하면 외부에서 T_4를 투여하여 혈청T_4를 정상으로 유지시켜도 환자의 예후는 좋아지지 않기 때문이다. 원인으로는 시상하부–뇌하수체의 억제, 말초에서 갑상선호르몬대사이상과 손상받은 조직에서 분비되는 물질이 T_4가 갑상선결합글로불린(TBG)에 결합을 억제하는 것 등이 제시되고 있다.

IV. 비갑상선질환의 분자생물학적 발생기전

비갑상선질환에서 갑상선호르몬의 변화는 아직 명확하게 밝혀지지 않았으며, 간과 신장의 iodothyronine 5'-deiodinase의 활성저하 이외에도 분자생물학적기전으로 IL-6 (interleukin-6), 종양괴사인자-α (tumor necrosis factor-α, TNF-α), IL-1β (interleukin-1β) 등과 같은 여러 사이토카인들이 갑상선세포에서 갑상선호르몬 합성 및 분비경로에 직접적인 억제효과를 가지고 있다. 이들은 소듐요오드동반수송체를 통해 요오드화물의 흡수를 감소시키고, 갑상선글로불린(Tg)의 전사를 억제하며, 여포내강에서 갑상선과산화효소에 작용하여 갑상선호르몬생성을 억제하며, 갑상선호르몬 분비도 억제한다(그림 3-12-2). 이 중 IL-6와 TNF-α는 비갑상선질환에서 혈중 농도가 상승되어 있고, 갑상선호르몬 혈중 농도의 변화와 상관관계가 있으며, 실험동물과 인체 주사 시에 갑상선호르몬의 혈중 농도를 저하시키는 것으로 보고되어 있다. 이외에도 환자의 10%에서 나타나는 정상 이하의 TSH와 5%에서 보이는 증가된 TSH의 기저에는 정확한 기전은 불분명하지만 IL-12 및 IL-18을 포함한 사이토카인이 관여하는 것으로 알려져 있다.

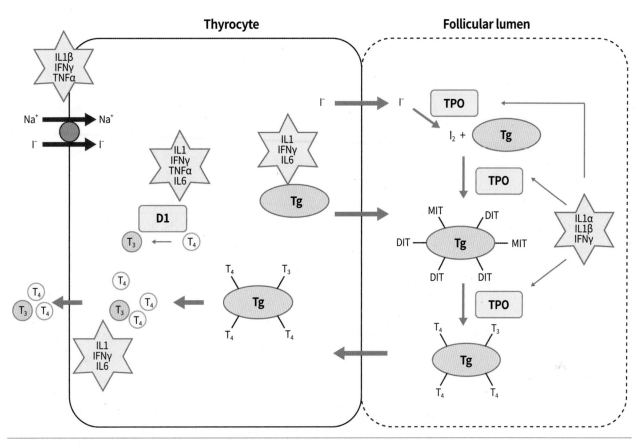

그림 3-12-2. **갑상선세포에서 사이토카인의 갑상선호르몬 합성 및 분비 억제**

V. 다양한 임상상황에서의 비갑상선질환

모든 중증질환에서 갑상선호르몬의 변화가 발생할 수 있으나, 특정 질환에서는 갑상선호르몬의 특징적인 이상형태를 관찰할 수 있다(표 3-12-1).

1. 기아와 금식

공복상태는 시상하부-뇌하수체 갑상선축의 하향조절을 일으켜 갑상선호르몬수치를 감소시킨다. 영양실조는 많은 급성 및 만성질환의 구성요소이기 때문에 특정 전신질환이 갑상선기능에 미치는 영향과 관련된 절대적 또는 상대적 기아의 영향을 구별하는 것은 어려울 수 있다. 기아상태에서 감소된 혈청T_3는 대사소비를 줄임으로써 에너지를 보존하려는 것으로 추정한다. 기아상태에서는 근육이화작용을 증가시켜 혈청T_3를 정상범위로 유지하려고 한다. 공복상태에서 혈청총T_3와 유리T_3의 실질적인 감소는 주로 T_4에서 T_3로 5'-탈요오드화의 하향조절에 의해 24-48시간 이내에 나타난다. 단식 중 rT_3의 증가는 주로 T_4의 5'-탈요오드화에서 rT_3으로의 증가된 rT_3 생성보다 5'-탈요오드화효소에 의한 rT_3의 대사제거 감소에 기인한다. 반면, 장기간 금식이 아닌 경우 총 T_4와 유리T_4치는 거의 변하지 않는다. 장기간 금식을 한 경우 유리T_4는 2주 이내에 정상으로 돌아오지만, 총 T_4는 TBG의 감소에 따라 장기간 저하를 보일 수 있다.

갑상선기능은 열량뿐만 아니라 식이구성의 영향을 받는다. 탄수화물 섭취감소는 T_3 감소, rT_3 증가, TBG 수치저하를 유발한다. 단식을 한 경우 탄수화물 50 g (200 kcal)을 주

표 3-12-1. 전신질환에서 갑상선호르몬의 변화

	Total T$_3$	Reverse T$_3$	Total T$_4$	Free T$_4$	TSH
Starvation	↓	↑	↓	NL	NL or ↓
Heart failure	↓	NL or ↑	NL or ↓	NL	NL or ↓
Renal diseases	↓	NL	NL or ↓	NL or ↑	NL
Liver diseases	NL or ↑	NL or ↑	↑	NL or ↓	NL or ↑
Lung diseases	NL	NL or ↑	NL	NL	NL
Diabetes mellitus	↓	NL or ↑	↓	NL or ↑	NL
Infectious diseases	↓	NL or ↑	N	NL or ↓	NL
Psychiatric diseases	↑	NL	↑	NL or ↑	↑

TSH, thyroid stimulating hormone; ↑; increased; ↓, decreased; NL, normal.

면 T$_3$와 rT$_3$가 정상으로 되나, 단백질과 지방을 주면 T$_3$가 정상이 되지 않는다.

2. 심장질환

갑상선호르몬은 심혈관기능의 주된 조절자로 심박수, 심장 수축성, 심박출량 및 말초혈관저항 등에 영향을 준다. 허혈 심장질환, 울혈심부전 등의 심장질환이 있거나 관상동맥우 회술 후에도 갑상선기능검사의 변화가 관찰된다. 급성심근 경색증 및 불안정형협심증에서 혈청T$_3$저하, rT$_3$ 증가, TSH 및 T$_4$저하가 관찰되고, T$_3$저하와 rT$_3$ 증가정도는 질병의 중 증도에 비례하며, T$_3$저하는 입원한 심장질환 환자의 사망률 에 독립적인 예측인자이다.

심근경색증에서 나타나는 갑상선기능검사의 이상은 열량 제한 및 여러 약물에 의해 초래되는 갑상선기능검사 이상의 전형적인 예이다. 주요 변화는 5'-탈요오드화의 억제에 의 한 혈청T$_3$의 저하, rT$_3$의 증가이고 탈요오드화가 더욱 억제 되면 3,3'-T2 농도의 감소, 3'5'-T2 농도의 증가도 나타난 다. T$_4$의 분비는 정상이므로 혈청T$_4$는 거의 변화가 없으나 약간 감소되거나 증가되어 나타날 수도 있다. 혈청TSH치는 일시적으로 증가될 수 있다. 급성심근경색 치료과정에서 식

사제한 및 약물의 사용이 갑상선기능검사에 이상을 일으키 기는 하지만 급성심근경색증 자체에 의한 영향도 있다. 실제 로 심근손상의 정도를 나타내는 혈청AST의 증가정도와 혈 청T$_3$의 저하, rT$_3$의 증가정도가 비례관계를 나타낸다. 또한 혈청rT$_3$가 더 증가될수록, 혈청T$_3$ 농도가 정상화되는 것이 늦을수록 환자의 예후가 나빠진다. 심근경색 후에 갑상선기 능검사의 이상이 더 심해지는 것은 선행하여 나타나는 혈청 코티솔 농도의 증가와 관계가 있다.

울혈심부전에서 비갑상선질환 유병률은 약 18–23% 정도로 보고되어 있다. New York Heart Association (NYHA) class III–IV로 분류된 환자는 NYHA class I–II 심부전 환자보다 비갑상선질환이 있을 가능성이 더 높고, 비갑상선 질환이 있는 경우 정상갑상선기능검사를 보인 경우보다 사 망률이 유의하게 높다.

3. 신장질환

신장질환 환자들의 갑상선기능검사는 대개 정상이나, 신장 기능의 손상 정도와 기간에 따라 다양한 갑상선호르몬 농 도에 변화가 나타난다. 신장기능이 심하게 손상되면 혈청 T$_3$치가 감소되는데 이 현상은 다른 전신질환에서와 마찬가

지로 T$_4$로부터 T$_3$로의 전환이 감소되기 때문이다. 다른 전신질환에서는 혈청rT$_3$치가 증가되어 있는데 비해 신장질환에서는 특이하게 혈청rT$_3$치가 정상이다. 이것은 혈중의 어떤 인자들, 아마도 푸라노산(furanoic acid) 혹은 부갑상선호르몬에 의해 간의 rT$_3$ 섭취가 증가되기 때문인 것으로 생각된다. 이러한 현상은 T$_3$와 rT$_3$의 대사를 조절하는 인자가 서로 독립적이라는 것을 시사해준다. 신장질환이 있어도 T$_4$의 대사는 정상이므로 혈청T$_4$의 농도는 정상이다. 또한 TBG의 농도도 대개 정상이다.

1일 3 g 이상의 단백뇨, 저알부민혈증, 고지혈증, 부종을 특징으로 하는 신증후군에서는 T$_3$수치가 감소한다. 신증후군 환자에서는 체내에서 생산되는 T$_4$의 1/3-3/4 정도가 소변으로 빠져나가고 TBG도 소변으로 소실되므로, 혈청총T$_4$ 및 TBG의 농도가 단백뇨의 정도에 비례해서 감소한다. 신증후군 치료에 사용되는 당질부신피질호르몬은 TSH 분비를 낮추고 T$_4$에서 T$_3$로의 전환을 감소시킬 수 있기 때문에 갑상선기능검사 해석에 혼란을 초래할 수 있다.

신부전 환자에서 혈청유리T$_4$의 농도는 대개 정상인데, 만일 유리T$_4$의 농도가 증가되어 있는 경우에는 요독증 환자의 혈청 내에 존재하는 여러 물질들이 T$_4$가 단백질에 결합하는 것을 방해하기 때문인 것으로 생각된다. 요독증 환자에서 혈청TSH치는 정상범위 내에 있지만 TRH에 대한 TSH의 반응은 둔화되어 있다. 유리T$_3$의 저하는 투석 환자의 사망률에 대한 독립적인 예측인자이다. 말기신부전 환자의 경우라도 신장이식을 받아 신기능이 호전되면 혈청T$_3$치가 다시 정상화된다.

4. 간질환

간은 5'-탈요오드화, TBG와 알부민의 합성, T$_4$ 흡수, 순환계로의 T$_4$와 T$_3$의 방출 등 T$_4$에서 T$_3$로 전환되는 주요 장기로 갑상선대사에 중요한 기능을 한다. 급성간염, 만성간질환, 간경변 등의 간기능 장애유형과 중증도에 따라 갑상선기능검사의 이상형태가 다르다. 급성바이러스간염과 같이 간에 급성염증이 있는 경우 간세포에 저장되어 있던 TBG가 방출되어 나오고 TBG의 생산 및 분비가 증가되면서 혈청내 TBG의 농도가 증가되어 실제 T$_4$의 생산이 증가되지 않는데도 혈청내 총 T$_4$ 및 T$_3$치가 높아진다. 그러나 간경화나 간부전이 생기면 혈청내 갑상선호르몬결합단백질들의 농도가 떨어지면서 먼저 혈청T$_3$치가 감소되고 뒤이어 T$_4$의 농도도 떨어진다. 간경변증에서 가장 흔한 갑상선기능이상은 총 T$_3$와 유리T$_3$의 저하와 rT$_3$의 증가이다. 또한 간은 T$_4$에서 T$_3$로 전환되는 주된 장소이다. 그러므로 심한 간 손상이 있는 경우에는 손상 정도에 비례해서 혈청T$_3$치가 감소되고, 혈청T$_3$치의 감소가 심할수록 그에 비례해서 예후가 나빠진다. 또한 간질환에서는 혈청TSH치가 증가되고 TRH에 대한 반응이 둔화되지 않는다는 것이 다른 질환들과 구별되는 특징적인 소견이다.

5. 호흡기질환

만성폐쇄폐질환과 폐결핵 환자에서 비갑상선질환이 발생한 것이 몇 연구에서 보고되어 있다. 임상적으로 안정된 만성폐쇄폐질환 환자는 건강한 대조군에 비해 25%에서 유리T$_3$ 저하가 관찰되었으며, TSH와 유리T$_4$는 차이가 없었다. 또한 유리T$_3$ 저하는 IL-6와 TNF-α의 증가와 관련이 있었다. 급성악화를 보인 만성폐쇄폐질환 환자에서는 안정된 경우보다 유리T$_3$치가 더 감소하고 TSH도 약간의 감소를 보이나, 임상적으로 안정된 후에는 기저상태로 돌아간다. 폐결핵 환자의 약 50%에서 T$_3$ 저하증후군이 보이며, 단기간 치료 후에는 T$_3$치가 정상으로 회복된다.

6. 당뇨병

혈당조절이 양호한 경우는 갑상선기능검사가 정상이지만 혈당조절이 잘 안 되는 경우에는 다른 질환에서와 마찬가지로 혈청T$_3$치는 감소되고 혈청rT$_3$치가 증가되어 있는 소견을 보이나, 이러한 소견이 나타나는 기전은 다른 비갑상선질환과 다르다. 즉 대부분의 비갑상선질환에서는 T_4에서 T_3로의 전환이 감소되는 반면에 rT_3로의 전환이 증가되고 탈요오드화 경로 이외의 다른 대사과정은 정상이지만, 당뇨병에서는 T_4에서 T_3로의 전환뿐 아니라 rT_3로의 전환도 감소되고, T_3와 rT_3의 탈요오드화에 의한 대사 또한 억제되어 있어 모든 탈요오드화경로가 억제되어 있으나, 비탈요오드화경로 (nondeiodinative pathway)로의 대사는 현저하게 증가되어 있다. 이러한 변화는 공복혈당치와 대사이상의 정도와 비례하여 나타나며, 인슐린 치료로 혈당과 대사이상이 교정되면 정상화된다.

7. 감염질환

감염질환에서 나타나는 갑상선기능검사의 이상은 다른 전신질환에서 나타나는 소견과 유사하다. T_4에서 T_3로의 전환이 감소되어 혈청T_3의 농도가 감소되고, rT_3의 제거가 감소되어 혈청rT_3치가 증가된다. 특징적으로 HIV감염은 초기 단계에서 체중감소가 있더라도 T_3와 T_4치가 상승하며, T_3치는 AIDS로 진행됨에 따라 감소하지만 TSH는 일반적으로 정상으로 유지된다고 한다. 체온 상승의 정도는 혈청 T_3치가 감소되는 정도 및 rT_3치가 증가되는 정도와 상관관계가 있다. 그러나 대개 감염증이 심할수록 체온 상승이 더 심해지기 때문에 이러한 상관관계가 단순히 체온 자체에 의해 결정되는지는 확실하지 않다. 저체온증이 나타나는 패혈증에서 혈청T_3치가 현저하게 감소되는 것을 보면 체온 자체에 의해 결정되기보다는 오히려 감염증의 심한 정도와 더 관계가 있을 것으로 생각된다.

혈청총T_4치는 흔히 저하를 보이나, 정상 또는 증가되는 경우도 있다. 그러나 혈청TBG 농도가 감소되고 T_4-TBG결합이 억제되기 때문에 혈청유리T_4치는 항상 증가되어 있는 소견을 보인다. 혈청TSH치는 정상 또는 감소된 소견을 보이는데 저체온증이 있는 패혈증 환자들을 대상으로 시행한 연구에서는 회복기에 혈청TSH치가 증가되는 경우에는 생존 가능성이 높으나, 반면 혈청TSH치가 계속 저하되어 있

으면 사망할 가능성이 높다고 한다.

감염질환에서 갑상선기능검사 이상의 주원인은 열량섭취 부족으로 생각되며 스트레스나 스트레스에 의한 코티솔의 분비도 어느 정도 기여할 것으로 생각된다.

8. 정신질환

정신질환 중 비갑상선질환과 연관된 장애는 외상후스트레스장애, 정신분열증 및 주요 우울증 등이 있다, 급성정신병 환자 5–30%에서 정상 T_3치와 함께 총 T_4와 유리T_4치의 일시적인 증가가 보이며, 이러한 갑상선기능검사의 변화는 대부분 치료 시작 7일에서 10일 후에 정상화된다. 우울증 환자에서는 혈청T_3는 저하되어 있고, rT_3는 증가되어 있다. 우울증의 경우 TRH에 대한 TSH의 반응은 둔화되어 있는데 이 현상은 정신분열증에서 나타나지는 않으므로 감별진단에 이용되기도 한다. 또한 우울증에서는 TRH에 의해 성장호르몬의 분비가 증가되는데 이러한 현상은 간부전, 신장부전, 신경성식욕부진 등에서도 나타난다.

VI. 비갑상선질환의 진단

비갑상선질환의 진단에는 혈청T_3, TSH, 유리T_4 측정뿐 아니라 갑상선질환의 병력과 이전 갑상선기능검사결과, 환자의 급성질환의 중증도 및 시간경과 평가, 갑상선기능에 영향을 미칠 수 있는 약물복용 여부 등이 유용하다. 기아상태나 경한 질환이 있을 경우에 혈청T_3가 낮으면서 유리T_4와 TSH가 정상이면 비갑상선질환을 쉽게 진단할 수 있으나 중증의 전신질환을 가진 환자에서는 갑상선기능검사 이상의 범위가 다양하고, 환자의 과거병력에 관한 정보가 제한적일 경우가 흔하므로 비갑상선질환을 진단하기 어려울 때가 있다. 이 경우 유용한 대처방법 중 하나는 급성질환이 어느 정도 좋아진 후에 갑상선기능검사를 시행해보면 된다. 그러나 전신질환에 대해 적절한 치료를 하는데도 환자상태

가 좋아지지 않거나, 임상적으로 갑상선종이 있거나 서맥, 빈맥 또는 심방세동이나 심부전, 의식변화 등이 있어 갑상선질환이 강력하게 의심될 경우에는 적극적인 검사와 치료를 시행하여야 한다.

유리T_4치가 정상이고 TSH치만 이상을 보이는 경우는 입원환자의 약 15%에서 보고되어 있다. 비갑상선질환에서 보이는 혈청TSH치의 변화는 대개 일시적인 것이므로 확진하기 어려운 경우에는 수일 후 다시 측정하는 것이 유용한 진단방법이다. 이 경우 대부분의 비갑상선 전신질환 환자에서는 TSH치가 정상이 되거나 혹은 약간 증가되므로 지속적으로 억제되어 있으면 갑상선중독증으로 진단하고, 또 지속적으로 증가되어 있으면 갑상선기능저하증이 있다고 진단할 수 있다. 예외적으로 중환자실 환자에서 흔히 지속적으로 도파민이나 고용량의 스테로이드 치료를 치료받는 경우 혈청 TSH가 억제되어 TSH저하를 보일 경우가 흔하므로, TSH 저하가 있을 때 반드시 고려를 하여야 한다. 반면, 원발갑상선기능저하증이 있는 경우 정상적으로는 증가되어야 하는 TSH치가 이러한 약물에 의해 감소되어 정상범위에 있는 것처럼 나타날 수 있으므로 유의하여야 한다.

중증 환자의 경우 일시적으로 중추성부신기능저하증이 동반될 수 있기 때문에 혈청코티솔을 반드시 측정을 하여야 한다. 대부분 혈청코티솔이 20 μg/dL를 초과하는데 만약 코티솔이 20 μg/dL 미만이면서 혈청부신피질자극호르몬치가 낮을 경우 코티솔을 보충해 주어야 한다.

VII. 비갑상선질환의 치료

비갑상선질환에서 갑상선기능이상 치료에 갑상선호르몬을 투여하는 것에는 논란이 있다. 환자가 이전에 갑상선기능저하증의 병력이 있거나, 임상적으로 갑상선기능저하증의 증거가 있는 경우를 제외하고 대부분 갑상선호르몬을 투여하지 않고 회복 중 환자의 갑상선기능검사를 모니터링할 것을

권고하고 있다.

VIII. 최신정보 및 향후 전망

울혈심부전 환자에서 T_3 투여가 혈청노르에피네프린, 알도스테론, 심방나트륨배설펩타이드(atrial natriuretic peptide, ANP) 등을 저하시키고, 심박수도 저하시켜 좌심실기능을 호전시킨다는 연구와 급성심근경색증 환자를 대상으로 한 연구에서 전신염증을 치료하면 비갑상선질환을 예방할 수 있다는 연구가 보고되어 일부의 비갑상선질환에 갑상선호르몬 투여는 유용하다는 연구가 있다. 또한 비갑상상선질환의 대부분의 경우 T_4에서 T_3로의 전환 감소가 있기 때문에 치료가 필요한 경우 T_3 또는 T_4와 T_3의 복합제를 투여한다고 주장을 하기도 하나 갑상선호르몬 보충의 효과를 평가하는 무작위대조임상시험이 없어 현재는 비갑상선질환의 치료는 권장되지 않고 있는 실정이다. 그러나 비갑상선질환의 임상양상이 매우 다양하고, 중증인 환자가 많아 향후에도 대규모무작위대조연구는 어려울 것으로 예상된다.

참 / 고 / 문 / 헌

1. Adler SM, Wartofsky L. The nonthyroidal illness syndrome. Endocrinol Metab Clin North Am 2007;36:657-72.

2. Chang CY, Chien YJ, Lin PC, Chen CS, Wu MY. Nonthyroidal illness syndrome and hypothyroidism in ischemic heart disease population: a systematic review and meta-analysis. J Clin Endocrinol Metab 2020;105: dgaa310.

3. Chopra IJ. Nonthyroidal illness syndrome or euthyroid sick syndrome? Endocr Pract 1996;2:45-52.

4. de Vries EM, Fliers E, Boelen A. The molecular basis of the non-thyroidal illness syndrome. J Endocrinol 2015;225:R67-81.

5. DeGroot LJ. "Non-thyroidal illness syndrome" is functional central hypothyroidism, and if severe, hormone replacement is appropriate in light of present knowledge. J Endocrinol Invest 2003;26:1163-70.

6. Farwell AP. Nonthyroidal illness syndrome. Curr Opin Endocrinol Diabetes Obes 2013;20:478-84.

7. Fliers E, Boelen A. An update on non-thyroidal illness syndrome. J Endocrinol Invest 2021;44:1597-607.

8. McIver B, Gorman CA. Euthyroid sick syndrome: an overview. Thyroid 1997;7:125-32.

9. Michalaki M, Vagenakis AG, Makri M, Kalfarentzos F, Kyriazopoulou V. Dissociation of the early decline in serum T(3) concentration and serum IL-6 rise and TNF-α in nonthyroidal illness syndrome induced by abdominal surgery. J Clin Endocrinol Metab 2001;86:4198-205.

10. Moura Neto A, Zantut-Wittmann DE. Abnormalities of thyroid hormone metabolism during systemic illness: the low T_3 syndrome in different clinical settings. Int J Endocrinol 2016;2016:2157583.

11. National Library of Medicine [Internet]. The non-thyroidal illness syndrome. 2015 Feb 1. Available from: https://www.ncbi.nlm.nih.gov/books/NBK285570/

12. Sick euthyroid syndrome (nonthyroidal illness). In: Jameson JL, Fauci AS, Kasper DL, Hauser SL, Longo DL, Loscalzo J. Harrison's principles of internal medicine. 20th ed. New York: Mc Graw Hill Education; 2018. pp. 2079-710.

13. Stathatos N, Wartofsky L. The eutofsky L. The nonthythyroid sick syndrome: is there a physiologic rationale for thyroid hormone treatment? J Endocrinol Invest 2003;26:1174-9.

14. Vale C, Neves JS, von Hafe M, Borges-Canha M, Leite-Moreira A. The role of thyroid hormones in heart failure. Cardiovasc Drugs Ther 2019;33:179-88.

15. Van den Berghe G. Non-thyroidal illness in the ICU: a syndrome with different faces. Thyroid 2014;24:1456-65.

16. Wang B, Liu S, Li L, Yao Q, Song R, Shao X, et al. Non-thyroidal illness syndrome in patients with cardiovascular diseases: a systematic review and meta-analysis. Int J Cardiol 2017;226:1-10.

17. Xiong H, Yan P, Huang Q, Shuai T, Liu J, Zhu L, et al. A prognostic role for non-thyroidal illness syndrome in chronic renal failure: a systematic review and meta-analysis. Int J Surg 2019;70:44-52.

임신과 갑상선

임창훈

I. 서론

갑상선질환은 가임기여성에서 흔한 내분비질환으로 갑상선기능 이상은 산모와 태아의 여러 합병증을 초래할 수 있으며, 이러한 합병증은 산모의 갑상선기능이상을 치료함으로써 예방할 수 있다. 또한 임신 중에는 생리 및 면역학적 변화가 일어나 갑상선기능에 영향을 끼치므로 검사결과의 해석과 진단에 주의가 필요하며, 치료 시에는 산모뿐 아니라 태아의 갑상선호르몬대사도 고려해야 한다.

II. 갑상선질환과 생식생리

갑상선질환은 정도에 따라 월경불순이나 무월경을 가져오고 심하면 불임을 초래할 수도 있다. 반면 여성의 생식능력이 갑상선질환 발병에 미치는 영향에 대하여는 알려진 바가 적다.

심한 갑상선기능저하증 환자에서는 무월경과 무배란, 고프로락틴혈증과 유루증이 나타나는데, 이러한 변화는 갑상선자극호르몬방출호르몬(thyrotropin–releasing hormone, TRH)의 증가로 설명할 수 있다. 경미하거나 중등도의 갑상선기능저하증 환자에서는 월경과다를 볼 수 있는데 프로제스테론 부족과 이로 인한 자궁내막의 증식과다가 원

인으로 생각된다.

경하거나 중등도의 갑상선기능항진증은 환자의 수태능력에 별 영향을 미치지 않지만 심한 경우 과소월경증이나 무월경을 일으킨다. 갑상선기능항진증의 정도가 심한 환자는 자연유산의 위험이 높지만 대부분의 경우 임신 전이나 초기부터 치료를 받고 있어 정확한 상대위험도는 알려진 바가 적다.

폐경을 전후하여 여러 갑상선질환 빈도의 증가는 여성호르몬이 갑상선질환의 발병에 영향을 미치리라는 점을 보여준다. 또한 가임기가 길었던 여성에서 하시모토갑상선염의 빈도가 증가한 점과 임신과 출산 횟수가 많았던 갑상선질환의 환자에서 이후 갑상선결절이나 갑상선종대의 발생이 빈번했다는 결과도 이들 질환의 발병에 여성호르몬이 어떤 역할을 담당할 것을 시사한다.

III. 임신 중 갑상선의 변화

임신 중 갑상선대사는 태반에 의한 갑상선호르몬의 분해와 태아에 의한 갑상선호르몬 이용에 따라 갑상선호르몬의 대사속도가 증가하는 것과 더불어 다음 3가지의 영향을 받는다. 요오드대사의 변화, 타이록신결합글로불린(thyroxine-binding globulin, TBG)대사의 변화, 그리고 태반에서 분비되는 사람융모성선자극호르몬(human chorionic gonadotropin, hCG)의 갑상선자극에 의한 변화이다. 이들 변화는 임신 중의 갑상선기능 평가에 중요하며, 임신 중 갑상선질환의 진단 시 반드시 고려되어야 한다.

1. 갑상선호르몬대사의 변화

1) 요오드대사의 변화

임신 중에 사구체여과율은 50% 정도 증가하고 세뇨관의 요오드 재흡수율은 감소하여 요중 요오드배설은 늘어난다. 또한 태아의 성장과 갑상선의 발달에 따라 태반을 통하여 많은 양의 요오드가 태아에게 공급되고, 모유를 통해서도 요오드가 분비되므로 모체는 더 많은 양의 요오드를 필요로 하게 된다. 임신 중 요오드요구량의 증가는 우리나라같이 요오드 섭취가 충분한 지역에서는 이미 갑상선 안에 충분한 양의 요오드가 축적되어 있어 요오드부족이 발생되지 않는 반면, 요오드 섭취량이 부족한 지역에서는 임신 중에 혈중 요오드 감소로 인한 갑산선종이 나타날 수 있다.

2) 갑상선호르몬과 결합단백질대사의 변화

임신 중 태반에서 분비되는 여성호르몬의 영향으로 TBG의 간에서의 합성은 증가하고 혈액 내에서의 제거율은 감소한다. 따라서 혈중 TBG의 농도가 2배 이상 증가하여 임신 21주 무렵에는 최고치를 보이며, 이는 총 갑상선호르몬의 농도를 증가시킨다.

임신 중 유리갑상선호르몬의 농도는 변동을 보이지만 대개 정상범위 안에 있고 초기에는 정상의 상한값에 가까운 양상을 보이다가 점차 감소하여 임신 후기에는 정상의 하한값에 접근한다. 이런 변화는 임신 중에 혈중 $T_3 : T_4$의 비율이 증가하고 갑상선호르몬의 세포핵내 수용체와의 결합이 증가함에 따라 유리호르몬 농도의 감소에도 불구하고 말초조직에서는 충분한 갑상선호르몬의 공급이 이루어지고 있음을 보여 주고 있다.

3) 갑상선자극물질의 분비와 조절

hCG의 알파아단위는 갑상선자극호르몬(thyroid-stimulating hormone, TSH)과 동일하여 과량의 hCG는 갑상선을 자극하는데, 임신 초기에는 hCG의 증가로 인해 유리 T_4는 증가하고, 반면 TSH는 감소한다. 임신 8-14주경에 hCG가 최고치에 도달하면 뇌하수체-갑상선축이 억제되어 TSH는 정상의 하한으로 감소되며, 정상 임산부의 약 20%는 일시적으로 TSH가 정상 이하로 감소한다. 임신 초기에 감소되었던 TSH는 임신 중기 이후 약간 증가하여 출산까지 정상범위를 유지한다.

2. 임신 중 갑상선기능검사

임신 중 갑상선의 기능검사결과는 임신시기에 따라 다른 값을 보인다(그림 3-13-1). 혈청총T_4와 T_3는 임신 중 증가하는 TBG의 영향으로 임신 중기에 최고치에 이르며, 출산 후 6주경에 정상으로 된다. 따라서 총 T_4로 임신 중 갑상선기능을 평가할 때는 정상 비임산부 상한치의 1.5배를 정상범위로 해야 한다.

유리T_4 (free T_4, FT_4)와 T_3 (free T_3, FT_3)의 농도는 임신 중 정상범위를 유지하지만, 일반적으로 hCG의 농도가 높은 임신 초기에는 증가하며, 임신 말기에는 정상범위 안에서 감소하는데 약 1/3에서는 상대적 저T_4혈증을 나타내기도 한다.

임신 초기에는 hCG의 증가로 인해 갑상선이 자극됨에 따라 TSH 농도는 감소하며, 임신 중기 이후부터 말기까지 TSH는 점차 증가한다. 따라서 임신 초기에 비임산부의 TSH 정상범위를 적용하면 경미한 갑상선기능저하증 환자가 정상으로, 정상 갑상선의 임산부가 무증상갑상선기능저하증으로 잘못 진단될 수 있다. 따라서 TSH의 정상범위는 임신주기에 따라 적용되어야 하며, 2017년 미국갑상선학회에서는 지역과 인종의 차이가 있으므로 임신 중 TSH 농도는 각 기관별, 임신기간별 정상범위를 사용할 것을 권고하

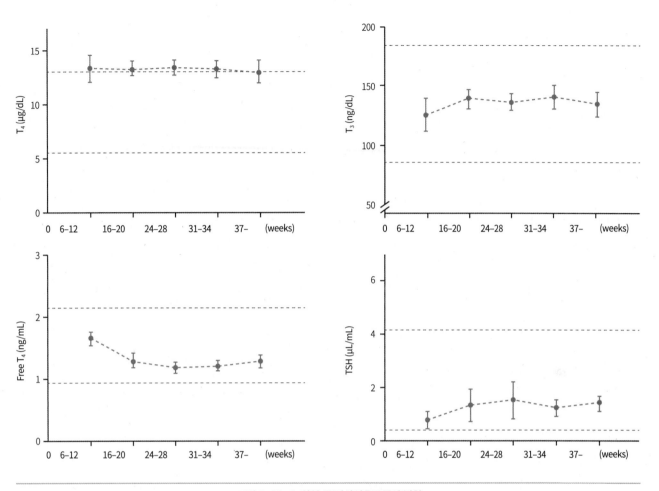

그림 3-13-1. **임신 중 갑상선호르몬의 변화**

였고, 설정되어 있지 않다면 임신 7–12주에는 4.0 mIU/L를 정상범위의 상한선으로 사용할 것을 권고하였다.

3. 태아의 갑상선호르몬대사

임신 10–12주에 태아 갑상선과 뇌하수체가 독립적으로 발달하여 요오드 섭취가 시작되고, 갑상선호르몬과 TSH를 생산한다. 그러나 태아의 혈청T4치는 아직 정상 수준에 이르지 못한다. 따라서 이 시기에 태아는 모체로부터 갑상선호르몬을 공급받는 것으로 추정된다. 태반이 T4를 주로 역 T3 (reverse T3)로 전환하면서 모체의 갑상선호르몬에 대한 장벽 구실을 하여 모체의 갑상선호르몬이 전달되지 못할 것이라는 견해가 있지만, 선천적으로 갑상선기능저하증

인 태아가 출생 시에는 비교적 정상적인 갑상선기능상태를 유지하는 것으로 보아 태아갑상선에서 호르몬 생산을 시작하기 전에는 모체갑상선호르몬이 태아발육에 영향을 미칠 가능성이 높다.

TSH는 태반을 통과하지 못하는 반면, TRH는 혈중 농도가 낮아 태아의 갑상선에 영향을 미칠 가능성은 적지만 태반을 통과한다.

모체의 면역글로불린G는 태반을 쉽게 통과하는데, 모체의 TSH수용체자극항체는 태반을 통과하여 태아의 갑상선을 자극하고, 그 결과 태아의 갑상선기능항진증을 유발하고, TSH수용체차단항체 역시 태반을 통과하여 태아의 갑상선

기능저하증을 유발한다. 모체의 항갑상선글로불린항체와 항갑상선과산화효소항체도 태반을 통과하나 태아갑상선세포에 대한 독성은 없다.

요오드는 태반을 통하여 능동수송되는데 태아의 갑상선은 출생 무렵까지 요오드대사의 자동조절기능이 갖춰지지 않아 임신 중 많은 양의 요오드에 노출되면 요오드유발갑상선기능저하증이나 신생아갑상선종을 일으킬 수 있다. 항갑상선제, 베타차단제 등도 태반을 통과하므로 다량투여하면 태아의 갑상선종과 갑상선기능저하증을 유발할 수 있다.

IV. 임신 중 갑상선질환

1. 갑상선기능저하증

1) 역학

FT_4가 감소되고 TSH 증가되거나 FT_4 농도와 관계없이 TSH가 10 mIU/L 이상 증가된 경우를 현성갑상선기능저하증(overt hypothyroidism, OH)이라 하며, 임신 중 유병률은 0.3-0.5%로 추정된다. TSH가 증가된 반면 FT_4가 정상인 무증상갑상선기능저하증(subclinical hypothyroidism, SCH)의 임신 중 유병률은 2-2.5%로 알려져 있었다. 그러나 TSH의 임신 중 정상범위의 기준이 변경됨에 따라 유병률은 달라질 것으로 생각된다.

전 세계적으로 임신 중 갑상선기능저하증의 가장 흔한 원인은 요오드결핍인 반면, 우리나라와 같이 요오드공급이 충분한 지역에서는 자가면역갑상선염이 가장 흔한 원인이다. 무증상갑상선기능저하증을 보인 임산부에서 측정한 갑상선 자가항체의 빈도는 40-58%로 대조군의 11%에 비하여 높았고, 현성갑상선기능저하증 산모의 80% 이상에서 갑상선 자가항체가 양성이었다. 이외에도 갑상선절제술이나 방사성요오드치료 후 발생한 갑상선기능저하증이 있고, 빈도는 드물지만 차단형항갑상선자극호르몬수용체항체에 의한

갑상선기능저하증이 있다.

2) 진단

임신 중에 임상적으로 갑상선기능저하증을 평가하는 것은 정확하지 않은데, 임신이 되면 가벼운 전신무력감이나 체중 증가를 보여 갑상선기능저하증의 증상과 구별이 되지 않기 때문이다. 대부분의 환자는 무증상갑상선기능저하증이며, 현성갑상선기능저하증 환자도 20-30%만이 갑상선호르몬 결핍에 따른 증상을 호소하므로 임상증상만으로 진단하기는 어렵다. 임신 중 갑상선기능저하증의 진단은 증가된 TSH와 더불어 유리호르몬의 감소를 확인하는 것이다.

모든 산모를 대상으로 TSH 선별검사를 해야 하는가에 대해서는 아직도 논란이 있으나, 갑상선기능이상이 임신결과 및 태아에 나쁜 영향을 줄 수 있다는 것은 명백하므로 모든 산모에서 첫 산전진찰 시 갑상선질환의 병력 등을 물어보아 갑상선기능이상의 발생위험이 높은 고위험군 산모에서는 TSH검사가 권고되고 있다(표 3-13-1).

3) 치료

임신 전에 갑상선기능저하증이 진단된 경우에는 임신 전에 혈청TSH가 2.5 mIU/L 이상이 되지 않도록 갑상선호르몬

표 3-13-1. **임신 중 갑상선기능이상의 발생위험이 있는 경우**

- 갑상선기능이상 또는 갑상선수술의 병력
- 30세 이상
- 갑상선기능이상의 증상 또는 갑상선종
- 갑상선 자가항체 양성
- 1형당뇨병 또는 다른 자가면역질환의 병력
- 유산 또는 조산의 병력
- 두경부 방사선조사의 병력
- 갑상선기능이상의 가족력
- 비만(BMI 40 kg/m² 이상)
- 아미오다론, 리튬 또는 조영제를 최근에 투여받은 병력
- 불임증
- 요오드결핍지역에 거주

용량을 조절한다. 임신 중에 갑상선기능저하증이 진단되면 가능한 조기에 갑상선기능을 정상화시켜야 한다. 태아의 중추신경계는 T_3가 통과되지 않으므로 임신 중 갑상선기능저하증의 치료는 레보타이록신(levothyroxine, LT_4)을 사용한다. 치료 후 4주 내에 혈청FT_4와 TSH를 측정하며, 치료의 목표는 TSH를 임신시기별 정상범위로 유지하는 것으로 임신 초기에는 혈청TSH가 2.5 mIU/L 이하가 되도록, 임신 중기 및 말기에는 3 mIU/L 이하가 되도록 조절하며, 갑상선기능검사는 임신 초기에는 4-6주마다 그리고 중기 및 말기에 한 번씩 실시하여 치료용량을 조절해야 한다.

임신 전부터 갑상선기능저하증으로 치료받고 있던 경우에는 치료용량이 임신 전보다 25-30%까지 증가될 수 있으며, 이런 증량은 임신 4-6주에 시작하여 16-20주까지 계속된다. 출산 후에는 임신 전 수준으로 치료용량을 감량하고 6주 뒤 TSH를 측정하여 갑상선의 상태를 평가하여야 한다.

갑상선 자가항체가 양성인 산모는 임신 초에 갑상선기능이 정상이어도 임신 중에 갑상선기능저하증이 발생할 위험이 있으므로 임신 전반기까지는 4주마다, 그리고 26-32주에 1번 이상 TSH를 측정하여 기능저하증이 발생하는지를 관찰해야 한다.

4) 임신에 미치는 영향

이전 연구들에 따르면 임신 중에 치료되지 않은 현성갑상선기능저하증 산모에서는 조기출산, 저체중아 출산 및 유산을 포함한 여러 임신합병증의 위험이 증가하고 태반을 통한 갑상선호르몬 부족을 초래하여 태아의 신경발달에 문제를 일으킬 수 있으며, 임신 중에 갑상선호르몬의 적절한 치료가 출산 예후를 좋게 한다는 결과가 있어 치료가 권유된다.

다수의 관찰연구에서 산모의 무증상갑상선기능저하증이 유산, 조산 등의 임신합병증과 연관되어 임신에 나쁜 결과를 초래한다고 알려져 치료가 권유되는 반면, 태아의 신경발달에 해로운 영향을 끼치는지 그리고 치료를 했을 때 예방할

수 있는지에 대한 명확한 결론을 내리지는 못하고 있다.

5) 태아 및 신생아갑상선기능저하증

태아 또는 신생아에서 갑상선호르몬 결핍이 있으면 성장지연이 초래된다. 갑상선호르몬 결핍의 정도, 기간, 발생시기 등에 따라 발육지연의 정도와 가역성 여부, 특히 뇌 발육장애의 정도가 결정된다. 따라서 생후 2-3개월이 될 때까지 적절한 치료가 이루어지지 않으면 신체의 정상적인 발달과 지적 능력에 지장을 줄 수 있다. 선천갑상선기능저하증은 대부분 일차갑상선질환에 의한 것으로 갑상선발생장애(thyroid dysgenesis)는 4,000명의 신생아 중 1명 정도의 빈도이며, 한편 요오드결핍지역에서는 7명에 1명 정도의 빈도로 신생아갑상선기능저하증이 나타난다. 산모의 TSH수용체 차단항체가 태반을 통과하여 일시적으로 신생아의 갑상선기능을 저하시키는 경우가 전체 신생아갑상선기능저하증의 10% 정도에 이르는데, 이는 일과성이므로 특별한 치료는 필요 없다.

신생아갑상선기능저하증을 임상적으로 진단하는 것은 매우 부정확하므로 출생 3-5일째 TSH를 측정하는 집단검진 방법이 이용되고 있다. 출생 후 3개월 이내에 적절한 T_4 치료가 시작되면 대부분 정상으로 회복이 가능하지만 늦으면 비가역적 뇌 손상이 초래되므로 가능한 한 출생 직후, 늦어도 한 달 이내에 치료를 시작해야 된다. 일시적인 신생아갑상선기능저하증으로 생각되면 2-3년 치료 후 갑상선기능을 재평가한 다음 필요하면 치료를 계속한다.

2. 갑상선기능항진증

1) 역학

TSH의 감소와 정상범위를 초과하는 FT_4의 증가로 정의되는 현성갑상선기능항진증은 임신의 0.2-0.4%에서 발생한다. 임신 중 갑상선기능항진증의 가장 흔한 원인은 그레이브스병이지만 임신 초기에는 일과성임신갑상선중독증(transient gestational thyrotoxicosis)이 임신의 2-3%에서

나타날 수 있는데, 임신 중에 그레이브스병보다 더 흔히 관찰되지만 임상상은 경미하다.

2) 진단

정상임신 시에도 대사량 증가에 따른 증상으로 흔히 불안감, 열불내인, 심계항진 그리고 온습한 피부 감촉을 보여 임신 중에는 갑상선중독증의 임상진단이 어려울 때가 있다. 그러나 체중감소, 손톱박리증, 안구돌출, 현저한 갑상선종 및 갑상선종에서 잡음이 들리는 경우에는 임신 중 그레이브스병을 의심하여야 한다.

임신 중에 증가하는 TBG로 인하여 갑상선검사의 해석상에 어려움이 있지만 비교적 민감한 검사로 TSH의 농도가 0.05 mIU/L 미만이고 유리갑상선호르몬 농도가 증가되어 있다면 갑상선중독증으로 진단할 수 있다.

임신입덧이 있는 산모의 절반 정도가 유리갑상선호르몬을 포함한 갑상선호르몬 농도의 증가를 보이므로, 임신 초기 갑상선기능항진증이 의심될 때는 그레이브스병과 일과성임신갑상선중독증의 감별질환이 중요한데 그 이유는 두 질환의 임상과정과 치료가 다르기 때문이다. 임신 전 갑상선질환의 병력, 갑상선종, 안병증의 증상, 항갑상선자극호르몬 수용체항체(TSH receptor antibody, TRAb) 양성은 그레이브스병의 가능성을 알려준다. 일과성임신갑상선중독증은 임상증상이 경미하고 일시적으로 올라갔던 FT_4 농도가 임신 14-18주에 정상으로 회복되기 때문에 항갑상선제 치료는 필요 없다.

3) 치료

치료는 일차로 항갑상선제를 이용한 약물치료이며 프로필싸이오유라실(propylthiouracil, PTU)과 메티마졸(methimazole)은 임신 중 갑상선기능항진증에 사용되는 약물인데, PTU는 메티마졸보다 태반을 덜 통과하기 때문에 선천기형 유발이 적은 것으로 알려져 임신 중 갑상선기능항진증에 일차약물로 사용되어왔다. 그러나 미국식품의약국의

PTU 간독성위험에 대한 경고 후, 임신 1분기 동안 PTU 치료를 그리고 2, 3분기에는 메티마졸로 변경하여 치료하도록 권고되었다. 그러나 최근의 대규모연구에서 PTU에 의한 기형의 빈도가 메티마졸에 비해서 낮고 경증일 뿐, 메티마졸이나 PTU 투여군 모두에서 태아기형이 발생된다고 알려졌다. 따라서 임신을 원하는 갑상선기능항진증여성에서는 가능한 항갑상선제 치료로 갑상선기능이 안정화된 후에 임신하도록 상담해야 한다. 항갑상선제 치료 중에 임신을 하게 되면 기능이 잘 조절되는 경우라면 임신 1분기 동안에는 항갑상선제를 중단하고 1-2주 간격으로 갑상선검사를 하면서 추적관찰하며, 항갑상선제 중지 시 악화될 가능성이 있을 경우에는 16주까지는 PTU를 사용할 것이 권고되었다.

항갑상선제는 일부 태반을 통과하여 태아의 갑상선기능저하를 유발할 수 있으므로, 임신 중 갑상선기능항진증의 치료목표는 임상적으로 갑상선의 기능을 정상화하고 유리갑상선호르몬 농도를 정상의 상한선 근처에 맞출 정도의 최소용량의 항갑상선제를 사용하여 신생아의 갑상선기능저하증 발생을 최소화하는 것이다. 따라서 FT_4와 TSH 농도를 2-4주마다 측정하여 항갑상선제의 용량을 조절하며, 기능이 정상화되면 4-8주마다 측정하여 용량을 조절한다. 그레이브스병은 임신 중기 이후로 대부분 호전되므로 임신 중에는 유리갑상선호르몬과 TSH를 자주 측정해서 항갑상선제의 용량을 조절하여야 한다.

임신 중에는 항갑상선제와 갑상선호르몬을 병용투여하는 방식은 취하지 말아야 한다. 이 경우 항갑상선제가 일부 태반을 통과하는 데 비하여 갑상선호르몬의 태반 통과는 매우 적어 모체의 갑상선기능이 정상으로 유지되는 경우에도 태아에서는 상대적으로 과량의 항갑상선제에 의한 갑상선기능저하증이 나타날 수 있기 때문이다.

베타차단제가 필요한 경우에는 가능한 부작용이 적은 약물을 선택하여야 한다. 이들 약물을 사용한 산모는 태반이 작고 자궁내태아의 성장이 지체되며 태아의 무산소증에 대한

반응이 둔화되고 출생 후 서맥과 저혈당 등의 증상을 보이는 것으로 보고되어 있다. 따라서 진전과 심계항진 등 심한 갑상선기능항진증증상이 있는 예외적인 경우에만 항갑상선제와 병합하여 단기간 베타차단제를 사용하고 있다.

임신 중인 갑상선기능항진증 환자에서 치료용량의 요오드 투여는 극히 예외적인 경우에만 시행한다. 섭취된 다량의 요오드는 쉽게 태반을 통과하여 태아에서 거대갑상선종을 유발하여 상기도폐쇄를 일으킬 수 있기 때문이다.

항갑상선제에 대한 부작용이 심한 경우, 다량의 항갑상선제가 지속적으로 필요한 경우, 약물에 대한 적응도가 낮아 갑상선기능항진증이 잘 조절되지 않는 경우에는 갑상선 아전절제술을 고려한다. 수술 전에 항갑상선제와 베타차단제, 그리고 단기간의 경구요오드제제로 갑상선중독증을 조절하여 맥박을 분당 80-90회가 되게 유지하여야 하며, 유산과 조산의 위험을 피하기 위하여 보통 임신 중기에 수술이 권유된다.

4) 임신에 미치는 영향

혈청TSH 농도가 감소하고, FT_4가 증가된 현성갑상선기능항진증을 치료하지 않은 경우 자간전증, 심부전, 조산, 저체중아 및 태아손실의 위험이 높으므로 치료가 필요하다. 그러나 혈청TSH 농도가 감소한 반면, FT_4는 정상범위 내에 있는 무증상갑상선기능항진증에서는 치료가 임신결과를 좋게 한다는 증거가 없고, 오히려 치료가 태아에게 나쁜 영향을 미칠 가능성이 있으므로 권유되지 않는다.

5) 태아의 갑상선기능항진증

그레이브스병임산부의 갑상선자극항체는 태반을 통과하여 태아의 갑상선중독증을 일으킬 수 있는데, 그레이브스병 산모에서 태아갑상선기능항진증의 유병률은 1-5%이다. 지속적으로 높은 수준의 모체혈청갑상선자극항체는 태아갑상선기능항진증과 관련이 있으므로 임신 24-28주 사이의 갑상선자극항체검사는 태아의 갑상선기능장애를 감별해 내

는 데 도움이 된다. 갑상선기능항진증이 조절되지 않거나 자극항체역가가 높은 산모에서는 초음파를 시행하여 태아의 갑상선기능이상을 의심할 수 있는 소견[태아의 빈맥(분당 170회 이상), 성장제한, 갑상선종, 지나치게 빠른 골성숙 등]이 있는지 확인해야 한다. 산모의 갑상선기능이 정상이더라도 태아의 맥박이 분당 160회 이상이고 초음파상 갑상선종대가 관찰되며 산모의 혈중 갑상선자극항체의 농도가 높다면 태아의 갑상선중독증을 의심하여 산모의 갑상선기능저하증 예방을 위한 갑상선호르몬과 함께 항갑상선제를 투여하여 태아의 갑상선기능을 조절하여야 한다. 만약 태아갑상선질환의 진단이 임상결과와 일치하지 않거나 검사결과가 치료법을 변경할 수 있는 경우에 한해 제대혈(umbilical blood)검사가 고려되어야 한다.

항갑상선제로 갑상선기능을 조절하고 있던 산모에서 출생한 신생아는 갑상선중독증증상이 뚜렷하지 않을 수 있으나, 그레이브스병 산모에서 태어난 모든 신생아는 갑상선기능검사를 해야 한다. 보통 신생아갑상선기능항진증은 수개월에 걸쳐 자연적으로 호전되지만 일과성으로 요오드와 베타차단제, 항갑상선제를 쓸 수 있다.

수유 중인 산모가 항갑상선제를 투약하여야 한다면 메티마졸보다 모유로 덜 배출되는 PTU로 치료할 것이 권고되었지만, 현재까지의 연구에 따르면 메티마졸과 PTU 모두 젖으로 분비되는 양은 아주 소량이며 이들 신생아에서 특별한 부작용은 발견되지 않아 규칙적인 검사를 한다면 별 문제가 없는 것으로 알려져 있다.

3. 갑상선결절과 암

임신이 갑상선암의 진행에 영향을 주거나 갑상선암이 임신경과에 영향을 미친다는 보고는 없다. 임신 중에 1 cm 이상의 결절이 발견되면 일차로 갑상선세침흡인세포검사를 하는 것이 바람직하다. 임신 초기 또는 중기에 발견한 결절이 악성으로 판명된 경우에는 임신 중기에 수술을 권하며, 임신 말기

에 발견되었다면 수술을 출산 후로 연기할 수 있다. 세포검사가 갑상선유두암 또는 여포종양으로 나타나고 임상적으로 진행된 병변이 없는 경우에 환자가 원할 시에는 출산 후로 수술을 연기할 수도 있다. 갑상선암으로 치료 중인 환자나 세포검사에서 갑상선암으로 나왔지만 출산 후로 수술을 연기한 환자에 대해서는 혈청TSH의 농도가 측정은 되지만 정상보다 약간 낮은 수준에 이르도록 갑상선호르몬을 투여한다. 재발의 위험성이 높은 고위험 환자는 저위험 환자에 비해서 TSH 억제 정도를 높이는 것이 유리하나, FT_4 또는 총 T_4가 임산부의 정상범위보다 증가하지 않도록 해야 한다.

[131]I를 이용한 방사성요오드치료는 임신 또는 수유 중인 여성에서는 절대 투여하면 안 된다. 또한 [131]I 치료를 받은 갑상선암 환자는 갑상선기능이 안정되고 갑상선암이 치유되었는지를 확인하기 위해 최소 6개월에서 1년간 임신을 피하도록 한다.

V. 산후갑상선질환

1. 병인론

갑상선질환의 병력이 있는 산모는 출산 후에도 지속적으로 경과를 관찰하여야 한다. 임신 말기에 호전되는 양상을 보였던 그레이브스병과 하시모토갑상선염은 출산 후에 종종 재발하여 일시적 또는 영구적인 치료가 필요하다. 이는 임신 중 억제되어 있던 자가면역질환의 활성이 출산 후 반발적으로 증가함에 따라 발생하는 것으로 생각되나, 명확한 기전은 알려져 있지 않다.

드물게 시상하부뇌하수체질환의 일부로 뇌하수체의 기능장애를 일으키는 쉬안증후군이나 림프구뇌하수체염이 갑상선기능장애를 가져오기도 하지만, 출산 후 발생하는 갑상선질환의 대부분은 산후갑상선염에 의한 것이다.

2. 임신과 산후의 면역변화

태아는 어머니와 아버지로부터 유래된 주조직적합복합체(major histocompatibility complex, MHC)항원을 모두 발현하기 때문에 임신은 산모 측에서 보면 동종이식상태이다. 따라서 임신을 유지하려면 아버지로부터 유래된 태아항원에 대한 산모의 면역반응이 억제되어 태아와 산모 사이의 거부반응을 피해야 한다. 일반적으로 임신 중에는 자가면역반응이 감소되는데, 이는 임신 중에 그레이브스병을 비롯한 류마티스관절염 등 여러 자가면역질환들이 호전되는 점으로 뒷받침된다. 이러한 임신 중의 면역변화는 태반조직과 산모의 체내로 들어간 태아세포들이 국소적 및 전신적으로 산모의 면역반응을 유기적으로 조절하여 이루어지는 것으로 알려져 있다.

임신 중에 나타났던 면역 억제는 출산 12개월 내에 회복된다. 따라서 출산 후에는 임상적으로 자가면역질환이 악화되는 경향을 볼 수 있다. 따라서 자가면역갑상선질환 환자에서 출산 전 낮아졌던 항갑상선항체가 출산 후 상승하며, 출산 3–7개월에 정점에 이른 후 감소하여 1년 정도 지속된다.

3. 산후갑상선염

1) 역학

산후갑상선염은 출산 후 1년내에 일과성갑상선중독증, 일과성갑상선기능저하증 또는 양자가 순차적으로 나타나는 임상증후군을 총칭하며, 자가면역기전에 의해 갑상선이 손상되어 갑상선호르몬이 누출된 결과로 생각된다. 지역적으로 3–16%의 발생빈도를 보이는데, 빈도의 차이는 연구의 대상선택과 진단기준, 질환에 대한 유전감수성의 차이, 환경영향 등에 따른 것으로 생각된다. 임신 초기에 항갑상선과산화효소항체가 양성인 경우 40–60%에서 산후갑상선염이 발생한다.

2) 병태생리와 발병소인

산후갑상선염의 발병에는 체액성과 세포면역반응이 모두 관여하는데, 임신 중 억제되어 있던 면역기능이 정상화되고 혈중 코티솔의 농도가 감소하는 소견들이 산후자가면역갑상선질환을 악화시키는 데 중요한 역할을 할 것으로 생각된다.

항갑상선과산화효소항체는 산후갑상선염이 발생하는 환자의 2/3-3/4에서 나타난다. 실제로 임신 초기에 항체 양성이면 산후갑상선염이 발생할 확률은 30-52%로 보고되고 있다. 그러나 항갑상선과산화효소항체는 산후갑상선염 발병의 일차원인으로 보기는 어렵고, 오히려 다른 원인에 의해 발생한 병변을 증폭 및 진행시키는 이차요인으로 생각된다.

산후갑상선염은 정상적인 임신은 물론 자연 또는 인공유산을 포함한 출산 후의 모든 경우에 발병할 수 있다. 갑상선질환의 병력, 특히 하시모토갑상선염의 병력이나 가족력이 있는 경우에 발병 위험성이 증가하고 다른 내분비의 자가면역질환과도 연관성이 있다. 임신 초기나 출산 무렵의 항갑상선과산화효소항체는 산후갑상선염의 발병가능성을 반영하므로 이 경우 출산 3개월과 6개월에 혈청TSH를 측정한다. 요

오드 섭취가 발병의 위험인자라는 보고가 있지만 요오드섭취량이 서로 다른 지역의 산후갑상선염 발병빈도는 차이가 없다.

3) 임상상

전형적인 산후갑상선염은 일시적인 갑상선중독증기가 나타나고 이어서 갑상선기능저하기가 나타나는 무통갑상선염의 변형으로 일과성갑상선중독증 또는 일과성갑상선기능저하증만 단독으로 나타나기도 한다(그림 3-13-2).

(1) 갑상선중독기

출산 후 6주에서 3개월 사이에 1-2개월 정도 지속되는 일시적인 갑상선중독증증상을 보이며 대개 자연적으로 회복된다. 갑상선종대를 볼 수 있는데 중독증의 증상은 경미하여 출산에 따른 후유증으로 간과하기 쉽다. 피로감과 심계항진을 호소하고 고혈압이 종종 관찰된다.

산후갑상선염의 갑상선중독증은 산후그레이브스병과의 감별이 중요한데, 치료 및 예후가 완전히 다르기 때문이다. 두 질환의 감별에는 항갑상선자극호르몬수용체항체 측정과

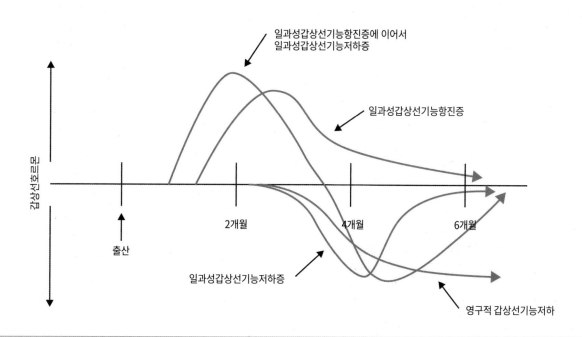

그림 3-13-2. **산후갑상선염의 다양한 변화**

갑상선스캔이 결정적 역할을 하는데, 항갑상선자극호르몬 수용체항체가 양성이면 그레이브스병으로 진단한다. 그러나 임신 전에 그레이브스병을 앓은 병력이 있는 경우 출산 후에 나타나는 갑상선중독증이 그레이브스병의 재발인지 또는 산후갑상선염인지를 감별하기 어려운 경우가 있는데, 이때는 방사성요오드섭취율을 측정하여 그레이브스병에서는 섭취율이 증가하는 반면 산후갑상선염에서는 감소하는 것으로 감별할 수 있다. 그러나 수유 중인 경우에는 수주 동안 수유를 중단해야 하는 ^{131}I스캔 대신 ^{99}mTc스캔을 시행해서 감별하는데, 이 경우에는 24시간 정도만 수유를 중단해도 된다.

(2) 갑상선기능저하기
산후갑상선염의 임상경과 중 중독증보다는 갑상선기능저하증을 더 쉽게 관찰할 수 있다. 산후 3–6개월 후에 전신무력감, 한불내인, 근육통, 기억력과 집중력의 장애를 호소하며, 산후 10–12개월 후면 자연적으로 회복이 되지만 25–30%의 환자는 영구적인 갑상선기능저하증이 되기도 한다. 또한 회복되었던 경우에도 5–10년 뒤에 갑상선기능저하증이 다시 발생할 위험이 있으므로 매년 혈청TSH를 측정해야 한다. 또한 다음 출산 시 산후갑상선염이 재발할 가능성은 70% 정도로 알려져 있다.

4) 치료와 예후
갑상선중독증의 증상은 경미하고 보통 저절로 회복되므로 대개 치료가 필요 없다. 증상이 심할 경우 일시적으로 베타차단제를 투약하면 진전이나 운동과잉, 심계항진, 불안증 등을 조절하는 데 도움이 된다. 항갑상선제나 방사성요오드의 사용은 고려되지 않는다.

갑상선기능저하기에 혈청TSH가 정상보다 높지만 10 mIU/L 이하이며 증상이 없는 경우 추후 임신계획이 없으면 치료는 필요 없고, 4–8주에 재검사가 필요하다. 증상이 있거나 향후 임신을 원하면 갑상선호르몬으로 치료하는데, 6개월에서 1년 정도 투여하고 갑상선기능검사를 하여 점차 갑상선호르몬의 치료용량을 줄여가면서 경과를 관찰한다. 산후우울증이 산후갑상선염이나 갑상선 자가항체 양성과 관련이 있는지 여부는 불확실하다. 그러나 갑상선기능저하증이 우울증의 가역적 원인 중 하나이므로 산후우울증 환자는 갑상선기능검사를 해서 기능저하가 발견되면 치료해야 한다.

참 / 고 / 문 / 헌

1. 조보연. 임상갑상선학. 제4판. 고려의학; 2014. pp. 595-644.

2. Alexander EK, Marqusee E, Lawrence J, Jarolim P, Fischer GA, Larsen PR. Timing and magnitude of increases in levothyroxine requirements during pregnancy in women with hypothyroidism. N Engl J Med 2004;351:241-9.

3. Alexander EK, Pearce EN, Brent GA, Brown RS, Chen H, Dosiou C, et al. 2017 Guidelines of the American Thyroid Association for the diagnosis and management of thyroid disease during pregnancy and the postpartum. Thyroid 2017;27:315-89.

4. Andersen SL, Olsen J, Laurberg P. Antithyroid drug side effects in the population and in pregnancy. J Clin Endocrinol Metab 2016;101:1606-14.

5. Casey BM, Thom EA, Peaceman AM, Varner MW, Sorokin Y, Hirtz DG, et al. Treatment of subclinical hypothyroidism or hypothyroxinemia in pregnancy. N Engl J Med 2017;376:815-25.

6. Choi HW, Han YJ, Kwak DW, Park SY, Kim SH, Yoon HK, et al. Maternal thyroid function during the first trimester of pregnancy in Korean women. Int J Thyroidol 2017;10:36-41.

7. De Groot L, Abalovich M, Alexander EK, Amino N, Barbour L, Cobin RH, et al. Management of thyroid dysfunction during pregnancy and postpartum: an Endocrine Society clinical practice guideline. J Clin Endocrinol Metab 2012;97:2543-65.

8. Glinoer D. The regulation of thyroid function in pregnancy: pathways of endocrine adaptation from physiology to pathology. Endocr Rev 1997;18:404-33.

9. Haddow JE, Palomaki GE, Allan WC, Williams JR, Knight GJ, Gagnon J, et al. Maternal thyroid deficiency during pregnancy and subsequent neuropsychological development of the child. N Engl J Med 1999;341:549-55.

10. Kim WB, Yoon BH, Chung JH, Lee SI, Kim MS, Oh TG, et al. Changes of thyroid function according to the stages of normal pregnancy. Endocrinol Metab 1994;9:183-9.

11. Mannisto T, Vaarasmaki M, Pouta A, Hartikainen A, Ruokonen A, Surcel H, et al. Thyroid dysfunction and autoantibodies during pregnancy as predictive factors of

pregnancy complications and maternal morbidity in later life. J Clin Endocrinol Metab 2010;95:1084-94.

12. Maraka S, Ospina NM, O'Keeffe DT, Espinosa De Ycaza AE, Gionfriddo MR, Erwin PJ, et al. Subclinical hypothyroidism in pregnancy: a systematic review and meta-analysis. Thyroid 2016;26:580-90.

13. Negro R, Schwartz A, Gismondi R, Tinelli A, Mangieri T, Stagnaro-Green A. Universal screening versus case finding for detection and treatment of thyroid hormonal dysfunction during pregnancy. J Clin Endocrinol Metab 2010;95:1699-707.

14. Soldin OP, Tractenberg RE, Hollowell JG, Jonklaas J, Janicic N, Soldin SJ. Trimester-specific changes in maternal thyroid hormone, thyrotropin, and thyroglobulin concentrations during gestation: trends and associations across trimesters in iodine sufficiency. Thyroid 2004;14: 1084-90.

15. Stagnaro-Green A. Clinical review 152: postpartum thyroiditis. J Clin Endocrinol Metab 2002;87:4042-47.

16. Yi KH, Kim KW, Yim CH, Jung ED, Chung JH, Chung HK, et al. Guidelines for the diagnosis and management of thyroid disease during pregnancy and postpartum. J Korean Thyroid Assoc 2014;7:7-39.

노인에서의 갑상선질환

조영석

I. 서론

의료서비스와 웰빙의 영향으로 전 세계의 노인인구는 빠르게 증가하고 있으며, 이러한 기대수명의 증가로 연령관련 질병에 대한 이해 및 관리가 필요하게 되었다. 내분비항상성을 조절하는 호르몬의 복잡하고 정교한 상호작용에 문제가 생기면, 결국에는 노년기에 건강상의 심각한 문제가 생기게 된다. 전반적으로 노화가 진행됨에 따라 각각의 호르몬 축(에스트로젠, 테스토스테론, 성장호르몬 등)의 대부분의 호르몬 분비는 감소하게 될 뿐만 아니라 조직민감성의 감소로 잠정적으로 특정 축에서의 호르몬기능소실을 가져오게 된다. 따라서 갑상선호르몬 조절의 경우에도 고령에 따른 혈청 TSH의 변화로 인하여 연령별 정상 참조범위에 차이가 있으며, 장기적으로 질병유발의 원인이 될 수 있다.

노년기에 발생하는질환은 젊은 연령층에서 보이는 단일 장기의 이상으로 나타나기보다는 여러 장기의 이상을 보이는 복합적인 임상증상으로 표현되는 경우가 많다. 또한, 다양한 동반질환에 따른 증상 및 복용약물 등의 영향을 받을 수 있어 감별진단이 어려울 수 있다. 노인에서 갑상선질환은 비교적 흔하게 발생하지만 임상양상이 비전형적인 경우가 많고, 모호한 경우가 많아 진단이 어려울 수 있다. 특히 무증상갑상선기능저하증의 경우 노인 연령에서 흔한 정신적, 신체적 문제와 흡사하므로 진단에 주의를 요하게 된다. 하지만, 제대로 진단하여 치료하지 않으면 심혈관질환 등의 이차적인 신체이상으로 심각한 상태에 이를 수 있다. 따라서, 노인의 갑상선기능장애는 높은 유병률 및 증상의 모호함을 인지하고 동반질환, 고령에서의 갑상선기능검사의 정상범위 및 삶의 질 등을 모두 고려해야 하며 치료시점 및 치료방법에 주의가 필요하다.

II. 노인에서의 갑상선 변화

노화에 따라 갑상선호르몬수치에도 변화가 있으며, 특히 노령인구에서는 임상증상이 모호한 경우가 많으므로, 이러한 호르몬수치가 병적원인인지 생리적인 변화인지 구분하는 것이 중요하다. 노화가 진행됨에 따라 뇌하수체에서의 TSH 및 갑상선의 T_3, T_4의 분비량이 모두 감소되며, 갑상선의 요오드섭취율이 낮아진다고 알려져 있다. 하지만 T_4의 대사율 감소로 말초조직에서 분해가 감소되어 건강한 노인에서 혈청 T_4 및 유리T_4는 대부분 정상상태를 유지한다. 그러나, 혈청T_3 및 유리T_3의 경우에는 갑상선의 T_3 분비감소와 5'-탈요오드효소 활성감소로 말초조직에서 T_4의 T_3 전환이 억제되어 노인에서는 약 10–30% 정도 감소한다고 알려져 있다. 이러한 현상은 노화에 따른 기초대사량 저하 및 대사기능의 둔화에 영향을 미치는 중요한 요소로 볼 수 있다. 혈청rT_3수치는 질병과 같은 다양한 요인에 영향을 받을 수 있으며, 노화에 따

라 수치는 정상을 유지하거나 증가할 수 있다고 보고되고 있다. 증가된 혈청rT$_3$수치는 일부 보고에서 탈요오드 효소 활성화에 기인한다고 보며, 탈요오드효소–1의 활성감소와의 연관성이 보고되었다. 또한 연령 증가에 따라 특히 여성의 경우 항TPO항체 및 항갑상선글로불린항체의 양성률은 유의하게 증가한다고 알려져 있다.

연령 증가에 따라 뇌하수체의 TSH분비율 감소는 분명해 보이지만, 혈청TSH의 변화에 대해서는 논란이 있고 보고자마다 차이가 있다. 일부 연구자들은 혈청TSH가 연령 증가에 따라 높은 이유 중 많은 경우는 현성 혹은 무증상갑상선기능저하증이 발생하기 때문이며, 건강하고 갑상선실질에 문제가 없는 노인에서는 TSH는 대부분 정상범위를 유지한다고 주장한다. 또한, TSH분비의 생리적 리듬은 연령의 증가에 따라 정상적으로 유지되지만, 야간 최고치는 둔화된

다고 보고하였다. 하지만, 국민건강영양조사 Montefiore 연구팀에 의하면 혈청TSH수치는 요오드섭취가 풍부한 지역의 노인인구에서 증가하는 경향을 보였다. 이러한 증가요인은 노인의 뇌하수체 감수성의 변화 및 유리T$_4$와 TSH 사이의 음성되먹임고리의 활성화 둔화로 설명하였다. 한편, 노인에서는 TRH자극에 대한 TSH반응이 약간 감소하며 혈청갑상선호르몬의 감소폭에 비해 TSH 증가가 상대적으로 낮다고 보고하였다. 즉, 연령에 따른 혈청TSH 변화는 다양한 연구자들이 일치하지 않는 결과들을 보이고 있어 여전히 논란이 되고 있다.

비록 기전이 불분명하고 논란이 계속되고 있지만, 혈청TSH수치는 연령의 증가에 따라 정상참고치 기준범위의 상한 정도로 증가된다는 결과는 이미 수차례 보고되었다. 따라서 70세 이상의 노인 약 15%에서는 혈청TSH가 평균 4.5

표 3-14-1. 노인의 갑상선호르몬의 변화

	호르몬 및 대사변화	노령에 따른 변화
뇌하수체	TSH 분비율	감소
	TSH 일변량	정상 혹은 감소
	TRH에 대한 TSH반응	정상 혹은 감소
혈청호르몬	혈청TSH	정상 혹은 증가
	혈청T$_4$	정상
	혈청T$_3$	감소
	혈청rT$_3$	증가
	항TPO항체, 항갑상선글로불린항체	양성률 증가
갑상선	T$_3$의 생성 및 분비율	감소
	T$_4$의 생성 및 분비율	감소
	요오드섭취율	감소
갑상선호르몬의 대사	5'-탈요오드효소활성	감소
	T$_4$의 T$_3$로의 전환	감소
	T$_4$의 대사율	감소
	신장요오드청소율	감소

mU/L이며, 이는 정상적인 생리적 변화로 판단하고 정상갑상선기능상태로 간주한다. 따라서, 진료현장에서는 일괄적인 혈청TSH의 정상참고치가 아닌 노령에서 갑상선호르몬의 참고범위를 고려하여 고령 환자의 무증상갑상선질환에 대한 진단에 주의하여야 한다. 노인에서 갑상선호르몬의 변화에 대해서는 표 3-14-1에 정리하였다.

노인의 갑상선기능이상은 모호한 임상증상을 보이는 경우가 많아 생리적인 노화와 혼동되는 경우가 적지 않다. 따라서 갑상선호르몬수치는 노령인구에서 흔히 동반되는질환 및 복용하는 약물의 영향을 받을 수 있어 감별진단에 어려움이 따른다. 복용하는 약물 중 리튬, 아미오다론, 글루코코티코이드와 같이 갑상선기능을 직접적으로 방해하는 약물, 아미오다론 및 프로프라놀롤과 같이 대사를 방해하는 약물 및 푸로세마이드, 항간질제, 헤파린과 같이 분석법에 영향을 주는 약물들의 복용 여부 확인이 반드시 필요하다(표 3-14-2).

III. 현성 혹은 무증상갑상선기능항진증

1. 원인 및 임상소견

노인의 갑상선기능항진증도 전 연령에서의 분류와 마찬가지로 현성갑상선기능항진증(overt hyperthyroidism) 및 무증상갑상선기능항진증(subclinical hyperthyroidism)으로 분류된다. 60세 이상의 갑상선기능항진증의 유병률은 약 0.5-3%로 알려져 있으며, 요오드섭취가 적은 지역에서는 중독성선종이나 중독성다결절갑상선종이 주요한 원인이며, 요오드섭취가 풍부한 지역에서는 그레이브스병에 의한 경우가 많다. 또한, 젊은 연령층에 비해서 중독성선종 및 중독성다결절선종의 빈도가 높다. 그 외 아미오다론과 같은 약물이나 조영제에 포함된 과량의 요오드에 의해 갑상선기능항진증이 유발되기도 하며 특히 결절갑상선종을 가진 노인에서 더 호발하는 경향이 있다.

젊은 연령층과 달리 기능항진증의 전형적인 증상이 잘 나타나지 않는데, 교감신경자극증상 및 징후들이 나타나지 않는 일련의 현상을 "apathetic hyperthyroidism" 혹은 "masked hyperthyroidism"으로 명명하기도 한다. 전형적인 증상 중 떨림, 식욕 증가, 더위에 대한 민감함, 불안, 두근거림, 설사, 및 과도한 발한 등은 잘 관찰되지 않는다. 또한, 갑상선종대는 없거나 있어도 작고 뚜렷하지 않으며 안구돌출도 드물다. 오히려 심방세동, 심혈관 합병증이 자주 발생하며, 특히 심방세동을 비롯한 부정맥은 60세 이상 환자의 약 25%에서 확인되었다. 심방세동을 동반한 경우에는 색전증의 위험도도 증가하게 된다. 식욕 증가보다는 식욕 감소에 의한 체중감소가 주로 나타나며 근력약화가 심해진다. 조증, 우울증, 기면, 초조, 불안 및 치매, 혼돈 등의 인지장애도 첫 증상으로 발현될 수 있다. 고칼슘혈증 등으로 골손실로 인한 골다공증의 악화 및 골절 문제가 발생하는 경우도 알려져 있다(표 3-14-3).

무증상갑상선기능항진증의 경우 노령의 여성인구에서 유의하게 유병률이 증가한다고 보고되며, 명백한 갑상선기능항진증으로의 이행, 심혈관 및 골격계합병증으로 진행할 가능성이 있다고 알려져 있다. 노인의 경우 명백한 갑상선기능항진증으로의 이행은 연간 1% 이내로 적은 빈도를 보이지만, 기존의 심혈관계 이상이 있었던 경우에 부정맥, 좌심실충만장애 및 협심증 악화의 원인이 될 수 있다는 점을 주의해야 한다. 노인의 무증상갑상선기능항진증의 가장 흔한 원인은 외인성요인인 갑상선호르몬 과다복용이며, 내인요인으로 그레이브스병이나 자율기능갑상선결절이 원인일 수 있다. 65세 이상의 LT$_4$ 복용 환자에서 낮은 혈청TSH가 약 20-40%에서 발견된다는 보고도 있다. 따라서, 고령 환자에서 나이가 들어감에 따라 LT$_4$ 복용량의 적절한 조절이 필요하며, 이러한 복용량 조절이 이루어지지 않은 경우 외인무증상갑상선기능항진증으로 진행될 수 있다. 이러한 무증상갑상선기능항진증은 노인에서 심방세동, 심부전, 심혈관 사망률 및 전체 사망률뿐 아니라 골밀도, 삶의 질 및 인지기능저하와 관련이 있다고 보고되었다.

표 3-14-2. **갑상선호르몬에 영향을 미치는 약물**

호르몬 변화기전	대표약물
T_3/T_4 합성 증가	요오드화물, 아미오다론
T_3/T_4 합성 감소	요오드화물, 아미오다론, 리튬, 사이토카인
TSH 분비 증가	요오드화물, 리튬, 도파민작용제
TSH 분비 감소	당질부신피질호르몬, 아편제, 도파민/L-도파
TBG 농도 증가	에스트로젠, 타목시펜, 헤로인, 메타돈, 클로피브레이트, 5-플루오로우라실, 마이토테인
TBG 농도 감소	안드로젠, 그 외 단백질 합성대사스테로이드, 당질부신피질호르몬
갑상선호르몬단백질 결합부위의 방해	푸로세마이드, 살리실산, 페니토인, 디아제팜, 설포닐우레아, 요오드화물
T_4의 T_3로의 변환 억제	당질부신피질호르몬, 프로프라놀롤, 아미오다론, 요오드화물
간대사 증가	페노바르비탈, 리팜피신, 페니토인, 카바마제핀
갑상선염 및 다른 기전	PD-1수용체 차단제, 인산화효소억제제

표 3-14-3. **노인과 젊은 연령에서 갑상선기능항진증의 임상증상 발현빈도 비교**

임상상	젊은 연령(%)	노인(%)
피로 및 전신쇠약	61–84	27–56
신경과민	42–99	20–38
혼돈	0	8–52
발한 증가	39–95	0–38
더위에 민감	49–92	0–63
설사	43	18
빈맥	89	36–63
식욕 증가	38–61	0–36
식욕 감소	4	32–36
체중감소	29–85	35–83

2. 진단

갑상선기능항진증의 진단은 젊은 연령과 동일하며, 혈청 TSH의 감소 및 혈청유리T_4의 상승을 보이는 경우에는 현성 갑상선기능항진증으로 진단되고, 유리T_4는 정상범위이지만 혈청TSH의 감소만 보이는 경우 무증상갑상선기능항진증으로 진단된다. 하지만, 유리T_4가 정상 수치인 경우에도 단지 T_3만 증가하는 'T_3갑상선중독증'이 있을 수 있으므로 감별을 위해서 T_3 측정이 필요하다. 갑상선기능항진증은 특징적으로 뇌하수체–갑상선축이 억제되므로 진단은 혈청TSH의 기저치가 떨어져 있음을 증명해야 한다. 노인갑상선기능항진증에서 반드시 고려해야 할 점은 TSH 감소가 반드시 갑상선기능항진증이 원인이 아닌 경우가 있다는 점이다. 동반된 비갑상선질환이나 도파민, 당질부신피질호르몬 등의 약물 사용도 TSH를 억제하므로 감별이 필요하며, 노인의 경우 반복 측정 시 정상으로 회복되는 경우도 있어 증상 없이 단지 혈청 TSH만 감소된 경우에는 반복검사가 필요하다.

3. 치료

노인에서의 갑상선기능항진증의 치료는 젊은 연령층과 비교하여 큰 차이는 없다. 단지, 그레이브스병의 경우 갑상선기능의 정상 유지도 중요하지만, 재발의 가능성이 없도록 하는 것이 중요하므로 충분한 용량의 방사성요오드치료가 대다수의 고령 환자에서 합리적인 치료로 권유된다. 또한, 젊은 연령에 비해 노인에서 상대적으로 호발하는 중독성 결절은 정확한 원인은 알 수 없으나, 자가면역질환이 아니므로 항갑상선제로 치료한 경우 갑상선기능은 정상으로 유지되어도 관해 상태를 기대하기는 어려우므로, 방사성요오드치료가 권유된다. 하지만, 방사성요오드치료는 수술치료를 피할 수 있어서 비교적 편리하고 효과적인 치료효과를 보이지만, 치료 후 갑상선기능저하증을 유발하는 단점이 있다. 또한, 방사성요오드치료 시 투여 후 10일 전후에 방사성동위원소로 인한 갑상선의 일시적 호르몬방출로 기능항진증이 악화되고 기존의 관상동맥질환 등 심혈관질환을 악화시킬 수 있다는 보고도 있다. 따라서, 방사성동위원소 치료 시에는 일부 환자에서는 투여 전 4–8주 동안 항갑상선제를 투여하여 갑상선기능을 안정화시킨 후 치료하는 것이 안전하다고 보고된다.

약물치료의 경우 그레이브스병에서는 싸이온아마이드약물의 장기투여가 권장되며, 약물의 효과, 1회 투여량, 상대적으로 적은 부작용 등을 고려할 때 PTU (propylthiouracil) 보다는 메티마졸이 선호된다. 베타차단제는 갑상선중독증의 증상이 있는 경우나 안정 시 심박수가 분당 90회를 넘는 경우에는 기관지경련 등의 금기증이 없는 경우 고려할 수 있다. 베타차단제는 항갑상선제와 병용투여하거나 방사성요오드치료 후 투여한 경우 빈박성부정맥을 감소시킬 수 있다고도 알려져 있다. 수술치료는 크기가 매우 큰 갑상선종, 압박증상이 동반되거나 갑상선암이 의심되는 경우에 고려할 수 있으나 고령자에서 수술합병증의 위험이 높기 때문에 신중을 기해야 한다.

노인의 갑상선기능항진증 치료에 있어서 추가적으로 주의해야 할 점은 연령이 증가할수록 심방세동의 발생률이 증가한다는 것이다. 대부분의 심방세동은 갑상선호르몬이 정상이 되면, 심지어는 그전에도 대부분 정상으로 회복된다. 하지만 고령 환자에서는 혈전발생으로 인한 치명적인 뇌졸중의 위험도가 증가하므로 항응고제 투여가 필요할 수 있으며, 갑상선호르몬이 정상범위를 보인 이후에도 16주 이상 심방세동이 지속된다면 심율동전환술(cardioversion)을 시행해 볼 수 있다.

무증상갑상선기능항진증의 경우 전향무작위대조시험결과가 없어 치료 여부에 논란이 많았다. 하지만, 메타분석결과 심방세동 등 심혈관질환, 골절 및 인지기능저하와 관계가 있고 치료하지 않은 경우 결국 사망률 증가와 관련이 있다는 결과를 보였다. 65세 여성의 4년 추적관찰 결과 골절위험이 증가하였고, 남성에서도 골절에 영향을 미치는 모든 인자를 보정한 후에도 골반골절 위험도가 증가한다는 보고도 있다. 최근에는 TSH수용체가 골에 존재하므로 갑상선호르몬 과다보다는 TSH 부족 자체가 골소실에 영향을 준다는 보고도 있다. 따라서, 이러한 연구결과들을 바탕으로 노인의 무증상갑상선기능항진증의 치료에 있어서는 치료계획 시 TSH 감소가 얼마나 지속되었는지를 확인하여 장기에 미칠 수 있는 영향에 대한 이해가 필요하다.

TSH 감소가 지속된다면 갑상선초음파, 방사성동위원소스캔, 갑상선 자가항체검사 등을 통해 그레이브스병 및 중독성갑상선결절 등 내인원인에 대한 감별이 요구된다. 최근에는 치료 여부를 TSH 감소정도(경정도: TSH 0.1–0.4 mU/L *vs.* 중정도: TSH <0.1 mU/L)뿐 아니라 임상적 위험요소(심방세동, 골다공증 등) 및 기능항진증의 원인에 따라 결정하는 것이 권고되고 있다. 하지만, 일반적으로 노인에서는 무

증상갑상선기능항진증의 치료를 젊은 연령층에 비해 조기에 예방적으로 시작해야 한다는 점에서는 의견의 일치를 보고 있다. 또한, 고령 환자 중 골밀도 감소나 골다공증의 위험이 있는 경우, 인슐린저항성 및 골절의 위험이 있는 경우에는 칼슘보충제 및 비스포스포네이트요법 외 베타차단제의 사용도 고려된다. 미국임상내분비학회에서도 무증상갑상선기능항진증이 있는 모든 환자에서 주기적인 이학적검사 및 갑상선호르몬기능검사를 통해 각 환자의 개별적인 맞춤형 치료를 연령을 고려하여 시행할 것을 권고하고 있다.

IV. 현성 혹은 무증상갑상선기능저하증

1. 원인 및 임상소견

노인의 갑상선기능저하증도 전 연령에서의 분류와 마찬가지로 현성갑상선기능저하증(overt hypothyroidism) 및 무증상갑상선기능저하증(subclinical hypothyroidism)으로 분류된다. 노인에서 현성갑상선기능저하증의 유병률은 약 2–10%, 무증상갑상선기능저하증의 유병률은 6.5–15%로 보고되며, 80세 이상에서는 약 20%로 연령에 따라 증가하는 형태를 보인다. 발생빈도는 연령, 성별, 인종, 요오드 섭취정도에 따라 다양하게 보고되며, 정상 노인에서 갑상선기능저하증의 유병률은 여성이 남성보다 높지만, 젊은 연령이나 병원에 입원한 노인의 경우보다 성별 차이가 현저하지는 않다. 흑인보다 백인에서 빈도가 높고, 요오드섭취량이 충분한 지역이 요오드결핍지역보다 빈도가 높다.

무증상갑상선기능저하증의 경우 55세 이상의 환자의 경우 적은 빈도에서 현성갑상선기능저하증으로 이행되고, 약 50% 이상의 경우에는 정상범위로 회복된다는 보고가 있다. 따라서, 노인에서 혈청TSH 측정은 최초 시행 이후 항상 3–6개월 후에 재평가하여 현성갑상선기능저하증으로의 이행 여부를 확인해야 한다. 또한 항TPO항체 양성 환자의 경우 매년 약 4%에서 현성갑상선기능저하증으로 이행된다고

보고되고 있다.

노인의 갑상선기능저하증의 경우에도 대부분은 자가면역갑상선염(하시모토병)에 의해 발생하며, 이외에도 하시모토병에 병행하여 발생한 그레이브스병의 경과 중에 기능항진증이 발생하기도 한다. 그레이브스병, 중독성결절의 방사성요오드치료 후에 발생하기도 하고, 갑상선수술, 아미오다론 등의 약물 및 뇌하수체질환 등에 의해서도 발생할 수 있다. 요오드를 다량 섭취하는 경우에도 갑상선기능저하증이 발생할 수 있으며, 요오드 섭취가 풍부한 지역에서 주로 발생한다.

노인에서의 무증상갑상선기능저하증의 경우 임상증상에 대해서는 여전히 논란이 있다. 갑상선기능저하증에서 관찰되는 동일한 임상증상뿐 아니라 삶의 질 저하, 이상지질혈증, 좌심실 기능저하, 그리고 신경정신장애 등이 보고되고 있으며, LT4 투여로 그 증상이 호전되었다는 보고들이 있으나 이러한 결과들은 일관되지 않고, 노인만을 대상으로 시행된 연구는 소수에 불과하다. 또한, 다양한 연구결과에서 무증상갑상산선기능저하증에서 심혈관계 위험성 및 사망률이 증가함을 보고하였다. Whickham조사를 재분석한 자료에서는 무증상갑상선기능저하증과 허혈심장질환 및 사망률의 명확한 상관관계를 보고하였다. 하지만, 최근의 메타분석결과에서는 심혈관질환에 대한 무증상갑상선기능저하증의 영향이 연령에 따른 차이를 보여주었는데, 65세 이하의 환자들에서는 심혈관계사망률의 유의한 증가를 보인 반면, 고령 환자에서는 차이를 보이지 않았다.

노인에서 갑상선기능저하증의 증상은 젊은 연령과 비교하여 비교적 서서히 발생하며, 비전형적으로 나타나는 경우가 많다. 피로, 추위에 민감함, 건조한 피부, 탈모, 식욕부진, 변비와 같은 전형적인 증상이 나타날 수도 있지만 이러한 증상은 다른 동반질환이나 노화 자체에 의해서도 관찰될 수 있기 때문에 진단에 어려움이 있다. 또한, 젊은 환자군에서 흔히 관찰되는 체중증가 등의 증상은 빈도가 적어지는 반

표 3-14-4. 노인과 젊은 연령에서 갑상선기능저하증의 임상증상 발현빈도 비교

임상상	젊은 연령(%)	노인(%)
피로	83	68
전신쇠약	67	53
정신적 둔화	48	45
추위에 민감	65	35
건조한 피부	45	35
변비	41	33
우울증	52	28
식욕부진	13	27
느려진 반사	31	24
체중증가	59	23
서맥	19	12
탈모	28	12

면, 실조, 발작, 소뇌의 기능장애과 같은 신경증상이나 호흡곤란 및 흉통 등의 심장관련 증상은 비교적 더 심화되어 관찰된다. 또한, 노인에서 원인을 알 수 없는 고콜레스테롤혈증이나, 심한 변비, 원인을 알 수 없는 제한심근병증을 동반한 울혈심부전이 있는 경우 갑상선기능저하증에 대한 의심이 필요하다. 또한, 일부에서는 식욕부진으로 인한 현저한 체중감소가 발생하는 경우도 있다. 노인 갑상선기능저하증의 특이한 점은 점액부종혼수에 민감하다고 보고되어 있다. 겨울에 추위에 노출되었을 때, 입원 환자 중 약물, 감염 등에 의해서 유발되는 경우에는 의식장애, 저나트륨혈증, 저체온, 저혈당 등이 특징적이다(표 3-14-4).

2. 진단

노인의 갑상선기능저하증은 임상증상이 비전형적이라 임상소견만으로 진단이 어렵다. 따라서, 노인에서 갑상선기능저하증을 포함하는 갑상선질환의 과거력, 다른 자가면역질환의 병력이 있거나 두경부암으로 방사선조사를 받은 환자, 약물(리튬, 아미오다론, 요오드), 고콜레스테롤혈증 및 항

TPO항체양성 환자 등의 위험인자가 있는 경우 반드시 갑상선기능검사를 시행해야 한다. 노인에서는 대부분의 경우 일차갑상선기능저하증이므로 혈청TSH 측정이 선별검사로 이용된다. 또한, 최근 논란이 되고 있는 연령에 따른 TSH 정상 참고범위의 상한선에 대한 고려가 필요하다.

혈청TSH가 상승된 경우에는 무증상 및 현성갑상선기능저하증과의 감별진단을 위해서 유리T_4를 측정한다. 다양한 원인으로 일시적이고 경미한 혈청TSH 상승이 유발될 수 있는 원인으로는 질환의 회복기, 약물, 일시적인 갑상선염 등 다양한 상황을 고려해야 한다. 따라서, 경미하게 TSH만 상승되어 있고, 유리T_4는 정상인 경우에는 무증상갑상선기능저하증으로 확진 전 반복적인 TSH의 측정이 권유된다. TSH가 4.5-14.9 mU/L의 범위인 경우에는 1-3개월 내 TSH의 반복 측정이 필요한데, 특히, 노인에서는 경미한 TSH의 상승은 시간이 흐른 후 정상으로 회복되는 경우가 많기 때문이다. TSH의 정상범위 회복 여부는 TSH의 상승정도에 따라 차이가 있다고 알려져 있다. TSH가 5-10 mU/L의 노인 환자 50% 정도에서 자연회복되었고, TSH가 15-20 mU/L의

경우에는 단지 5%에서만 정상으로 회복되었다는 보고가 있다. 따라서, 유리T₄는 정상범위이지만 TSH가 15 mU/L 이상인 환자군에서는 1–2주 내 TSH 재검사를 시행하여 지속성일 경우 무증상갑상선기능저하증의 원인 확인이 필요하다. 또한, 항TPO항체가 양성인 경우 TSH의 자연회복률의 빈도는 낮은 것으로 보고된다.

3. 치료

현성갑상선기능저하증의 표준치료는 적정량의 LT₄의 복용이다. T₃ 제형은 협심증 및 부정맥의 악화가능성이 있으므로 추천되지 않는다. 특히, 젊은 연령층의 경우 발병 초기의 갑상선기능저하증 치료에 부족한 정도를 추정하여 이에 흡사한 양을 바로 투여하여도 큰 문제없으나, 노인에서라면 아주 소량의 호르몬부터 투여하면서 서서히 증량하는 것이 원칙이다. 최근 보고에서 고령 환자에서 필요한 전체 용량을 바로 투여하여 교정한 경우와 25 μg/d로 시작하여 매 4주마다 용량조정을 시행한 경우의 두 군에서 갑상선기능저하증의 증상호전속도는 동일하다고 보고되었다. 심장에 대한 급격한 부담을 피하기 위하여 LT₄를 낮은 용량부터 시작하여, 치료목표는 유리T₄는 정상범위를 유지하고 TSH는 정상범위 내의 중간범위 정도로 유지하는 것이 권유된다. 따라서, LT₄ 용량은 전체 용량을 투여하지 않고, 최소 용량(하루 12.5–25 μg)으로 시작하여 6–8주 간격으로 조정하고, 과용량이 되지 않도록 주의하여야 한다. LT₄의 과량투여는 심방세동 및 골소실과 연관될 수 있어 과용량이 되지 않도록 주의가 필요하며, 경우에 따라서 목표 TSH를 약간 높게 설정할 수 있다. 특히, 70세 이상의 경우 정상참고치의 TSH 범위를 고려하여 TSH 치료목표를 4–6 mU/L로 설정이 권고되기도 한다. 노인의 경우 젊은 연령보다 T₄ 요구량이 약 20% 정도 낮다고 알려져 있으므로, 투여 시에는 LT₄ 흡수에 영향을 미칠 수 있는 음식 및 약물의 영향에 대한 고려가 필요하다. 갑상선기능저하증의 치료는 점액부종혼수를 제외하면 어떠한 경우에도 응급상황은 없으나, 동반질환에 따라 주의를 요하는 경우들이 있다. 예를 들면, 위축위염

이 있는 경우 위산 감소로 인해 흡수율이 감소될 수 있으므로 투여 용량의 주의가 필요하다. 관상동맥질환 등 심혈관질환이 있거나 호흡기질환이 동반된 노인에서는 LT₄ 투여 전 이에 대한 충분한 검사가 이루어져야 하고, 투여 시에는 더 낮은 용량에서 시작하여 아주 소량씩 천천히 용량조절이 필요하다.

노인의 무증상갑상선기능저하증의 경우 치료 필요성에 대해서는 여전히 논란이 있는 상태이며, 환자의 연령, 질환의 원인 및 TSH의 목표수치에 대한 이해가 필요하다. 즉, TSH의 정상 참고범위를 노인인구에서는 전 연령의 정상 참고범위로 적용하는 것은 적절하지 않다는 주장도 제기되고 있다. National Health and Nutrition Examination Survey (NHANES) III자료에 따르면 연령이 증가하면서 평균 TSH는 상승되었고, 건강한 장수노인들의 평균 TSH 수치는 전 연령의 정상 참고수치에 비해 높다고 보고하였다. 노인에서 TSH 상승이 심혈관질환의 발생과 유의한 상관관계를 보인 연구결과는 아직 명확하지 않아서, 임상상의 합병증 빈도를 비교할 때 TSH의 정상 참고범위의 조정이 최선인지에 대해서는 명확하지 않다. 미국임상내분비내과 학회를 포함한 다양한 권고안 및 전문가들의 의견을 종합해보면 65세 이상 노인의 무증상갑상선기능저하증에서 TSH수치가 10 mU/L 이상인 경우에는 치료가 권유된다. TSH 7.0–9.9 mU/L로 확인된 경우에는 심혈관질환에 의한 사망률이 증가할 수 있으므로 LT₄ 치료를 고려할 수 있다. TSH가 4.5–6.9 mU/L의 미약한 상승을 보인 경우에는 치료가 권유되지 않는다. 또한, TSH가 4.5–9.9 mU/L의 경우에도 크기가 큰 갑상선종 및 항TPO항체가 양성일 경우에는 현성갑상선기능저하증으로의 이행을 염려하여 치료가 고려될 수 있다. 따라서, 경미한 TSH 상승을 보이는 노인에서 치료 여부 결정은 환자 개개인에 따라 환자 맞춤형 치료계획이 필요하다. 그리고, 치료를 결정한 경우에는 젊은 연령층과 달리 최초 TSH목표치는 7.0 mU/L로 높게 설정한 후 이후 TSH수치를 4–7 mU/L로 서서히 용량조절이 필요하다.

참 / 고 / 문 / 헌

1. Biondi B. Natural history, diagnosis and management of subclinical thyroid dysfunction. Best Pract Res Clin Endocrinol Metab 2012;26:431-46.

2. Boucai L, Hollowell JG, Surks MI. An approach for development of age-, gender-, and ethnicity-specific thyrotropin reference limits. Thyroid 2011;21:5-11.

3. Bremner AP, Feddema P, Leedman PJ, Brown SJ, Beilby JP, Lim EM, et al. Age-related changes in thyroid function: a longitudinal study of a community-based cohort. J Clin Endocrinol Metab 2012;97:1554-62.

4. Cho B.Y. Clinical Thyroidology. 3rd ed. Seoul: Korea Medical Book Publishing Company; 2010. pp. 765-71.

5. Christensen K, Doblhammer G, Rau R, Vaupel JW. Ageing populations: the challenges ahead. Lancet 2009;374: 1196-208.

6. Duntas LH, Yen PM. Diagnosis and treatment of hypothyroidism in the elderly. Endocrine 2019;66:63-9.

7. Gharib H, Papini E, Garber JR, Duick DS, Harrell RM, Hegedüs L, et al. American Association of Clinical Endocrinologists, American College of Endocrinology, and associazione medici endocrinologi medical guidelines for clinical practice for the diagnosis and management of thyroid nodules-2016 update. Endocr Pract 2016;22:622-39.

8. Gourmelon R, Donadio-Andréi S, Chikh K, Rabilloud M, Kuczewski E, Gauchez AS, et al. Subclinical hypothyroidism: is it really subclinical with aging? Aging Dis 2019; 10:520-9.

9. Gussekloo J, van Exel E, de Craen AJ, Meinders AE, Frölich M, Westendorp RG. Thyroid status, disability and cognitive function, and survival in old age. JAMA 2004;292:2591-9.

10. Hennessey JV, Espaillat R. Subclinical hypothyroidism: a historical view and shifting prevalence. Int J Clin Pract 2015;69:771-82.

11. Jasim S, Gharib H. Thyroid and aging. Endocr Pract 2018;24:369-74.

12. Kim JH. Thyroid dysfunction in the elderly. J Korean Thyroid Assoc 2012;5:94-8.

13. Surks MI, Hollowell JG. Age-specific distribution of serum thyrotropin and antithyroid antibodies in the US population: implications for the prevalence of subclinical hypothyroidism. J Clin Endocrinol Metab 2007;92:4575-82.

14. Tunbridge WM, Evered DC, Hall R, Appleton D, Brewis M, Clark F, et al. The spectrum of thyroid disease in a community: the Whickham survey. Clin Endocrinol (Oxf) 1977;7:481-93.

15. van Vliet NA, van der Spoel E, Beekman M, Slagboom PE, Blauw GJ, Gussekloo J, et al. Thyroid status and mortality in nonagenarians from long-lived families and the general population. Aging (Albany NY) 2017;9:2223-34.

16. Veldhuis JD. Changes in pituitary function with ageing and implications for patient care. Nat Rev Endocrinol 2013;9:205-15.

17. Virgini VS, Wijsman LW, Rodondi N, Bauer DC, Kearney PM, Gussekloo J, et al. Subclinical thyroid dysfunction and functional capacity among elderly. Thyroid 2014;24: 208-14.

무증상갑상선질환

조영석

I. 무증상갑상선기능항진증

1. 정의

무증상갑상선기능항진증(subclinical hyperthyroidism)은 혈청TSH(갑상선자극호르몬, thyroid stimulating hormone, thyrotropin)는 정상보다 낮으나, 혈청유리T$_4$ 및 유리T$_3$는 정상범위에 있는 상태로 정의한다. 최근에는 무증상갑상선기능이상에 대한 잠재적 위험성 평가를 위해, 혈청TSH 감소정도가 0.1-0.4 mIU/L 범위인 경우를 경정도 무증상갑상선기능항진증(mild subclinical hyperthyroidism)으로, 0.1 mIU/L 미만인 경우를 중정도 무증상갑상선기능항진증(severe subclinical hyperthyroidism)으로 세분하여, 원인, 빈도, 자연경과, 임상상 및 치료기준 등을 제시하고 있다.

2. 원인

무증상갑상선기능항진증의 원인은 현성갑상선기능항진증(overt hyperthyroidism)의 원인과 동일하며, 크게 외인과 내인으로 분류할 수 있다. 가장 흔한 외인원인으로는 갑상선기능저하증 환자에서 LT$_4$호르몬 보충요법을 시행하거나, 갑상선암 환자 중 고위험군에서 수술 후 TSH를 억제하기 위해 의도적으로 호르몬을 과다복용한 경우이다. 무증상갑상선기능항진증은 외인요인이 내인에 비해 월등히 높은 빈도로 확인된다.

흔한 내인 원인으로는 중독성선종, 다결절갑상선종 혹은 그레이브스병(Graves' disease) 등이다. 그레이브스병이 원인인 경우 무증상갑상선기능항진증은 특별한 치료 없이 호전될 수 있지만, 그레이브스병의 치료 종료 후에도 일시적 혹은 지속적 무증상갑상선기능항진증을 보이는 경우가 있다. 그레이브스병 종료 후 일시적 무증상갑상선기능항진증이 발생하는 이유는 억제되었던 뇌하수체–갑상선축의 회복에 6-8주 이상이 소요되기 때문인 것으로 추정된다. 지속적 무증상갑상선기능항진증의 원인은 그레이브스병으로 방사성요오드치료나 수술치료를 시행한 환자 중 일부에서 혈청TSH를 억제할 수준의 충분한 갑상선조직이 남아있음을 시사한다. 항갑상선제로 치료한 경우에도 수년 동안 정상갑상선기능을 유지한 환자에서 무증상갑상선기능항진증의 발생이 보고되고 있다. 그레이브스병의 치료 후 최대 14년간의 장기간 추적관찰 연구에서 150명 중 28명(19%)의 환자에서 무증상갑상선기능항진증발생이 보고되었다. 또한, 명백한 갑상선기능이상을 보이지 않는 그레이브스안병증 환자의 60% 이상에서 무증상갑상선기능항진증이 보고되었다.

혈청T$_3$수치는 무증상갑상선기능항진증이 내인원인인지 외인 원인인지에 따라 차이를 보인다. 내인요인의 경우 혈청 T$_3$수치가 대부분 정상이거나 정상참고치(reference range)의 상한선 범위를 보이지만, 외인요인의 경우 혈청 T$_3$수치가 정상참고치의 평균값 이하인 하한범위로 확인된 다. 이러한 혈청T$_3$의 차이는 무증상갑상선기능항진증의 요 인감별에 도움이 되지만, 심혈관계나 근골격계 등에 미치는 임상상의 영향에 대해서는 알려져 있지 않다. 일시적 무증 상갑상선기능항진증의 드문 원인으로는 아급성갑상선염, 무통갑상선염, 급성갑상선염 등의 염증질환이나 약물[아미 오다론(amiodarone-induced thyrotoxicosis type 2), 인터페론 알파, 리튬, 타이로신인산화효소저해제(tyrosine kinase inhibitor, TKI), 면역관문억제제(immune checkpoint inhibitor, ICI)]에 의한 갑상선염, 요오드에 노출된 경우 등이 있다(표 3-15-1). 또한, 매우 드물게 보고

되었지만 전이갑상선여포암이나 hCG (human chorionic gonadotropin) 분비종양 등이 원인이 될 수 있다.

3. 감별진단

무증상갑상선기능항진증의 정확한 진단을 위해서는 갑상선 질환 외에도 혈청TSH를 감소시키는 다양한 원인과의 감별 진단이 필요하며, 이를 위해서는 자세한 병력청취가 필수적 이다. 갑상선질환이 원인이 아닌 경우 중 대표적으로, 입원 중인 중증 환자에서 혈청TSH 농도의 이상이 나타날 수 있 으므로 주의가 필요하다. TSH를 감소시키는 대표적인 약 물로 도파민, 고용량 당질부신피질호르몬, 도부타민, 성장 호르몬억제인자유사체, 암페타민, 브로모크립틴 및 벡사로 텐 등이 알려져 있으며 이러한 경우 유리T$_4$ 혹은 유리T$_3$를 동시에 측정하여 감별진단하는 것이 필수적이다. 또한 TSH

표 3-15-1. **무증상갑상선기능항진증의 원인**

흔한 원인
1) 외인요인 • LT$_4$ 과다보충(갑상선기능저하증 치료) • TSH 의도적 억제(고위험 분화갑상선암 환자의 수술 후 LT$_4$ 복용)
2) 내인요인 • 그레이브스병(치료 전, 방사성요오드 혹은 수술치료 후, 정상갑상선기능그레이브스안병증) • 자율기능 갑상선결절(중독성선종, 다결절선종)
드문 원인
• 아급성갑상선염(바이러스감염) • 무통갑상선염 • 산후갑상선염(자가면역질환) • 급성갑상선염(박테리아 및 진균감염) • 방사선갑상선염 • 약물유도갑상선염[아미오다론(amiodarone-induced thyrotoxicosis type2), 인터페론 알파, 리튬, 타이로신인산화효소저해제 　(tyrosine kinase inhibitor, TKI), 면역관문억제제(immune checkpoint inhibitor, ICI) 등] • 갑상선종의 출혈경색 • 요오드함유약물 노출(방사선조영제 등) • 전이갑상선여포암 • hCG 분비종양(융모막암종, 포상기태 등)

를 감소시키는 뇌하수체 및 시상하부질환, 정신질환, 임신 첫 삼분기, 임신오조, 고령, 인종(아프리카인) 등이 TSH 이상수치의 원인으로 알려져 있다.

또한, 갑상선호르몬검사결과에 혼동을 줄 수 있는 요인으로 환자의 자가항체, 다발골수종 환자의 파라단백질 및 혈중 고용량 바이오틴(biotin) 등이 알려져 있다. 건강보조식품이나 영양제로 판매되는 바이오틴은 일일 권장섭취량이 300 μg이지만, 일반의약품으로 100,000 μg까지 쉽게 구입이 가능하다. 고용량 바이오틴 복용 시 streptavidin-biotin 포획시스템을 이용한 면역측정법에서 streptavidin 결합부위에 복용한 바이오틴이 경쟁하게 되어 혈청TSH가 낮게 측정되는 검사간섭이 발생할 수 있음을 주의해야 한다. 즉, 정확한 혈청TSH수치 확인을 위해서는 혈액검사 전 바이오틴 복용을 적어도 48-72시간 제한하는 것을 일반적으로 권장하며, 고용량 바이오틴을 장기간 복용한 경우나 신장기능에 이상이 있는 경우에는 바이오틴 복용 제한기간을 연장하여 검사하는 것을 권유한다. 따라서, 무증상갑상선기능항진증 환자에서 혈액검사의 검사간섭에 의한 오류를 방지하기 위해서는 검사실에서 시행하는 갑상선호르몬 측정방법을 숙지하고, 복용약물, 약물 노출용량 및 기간 등을 고려하여 측정하는 것이 검사결과의 혼동을 피할 수 있을 것이다.

4. 빈도 및 자연경과

현성갑상선기능항진증의 유병률은 요오드 섭취가 풍부한 지역이 0.7-1.8%의 빈도를 보이지만, 요오드 섭취가 부족한 지역에서 2-15%로 비교적 높은 빈도로 발생된다고 알려져 있다. 무증상갑상선기능항진증의 유병률은 전체 인구를 대상으로 시행하는 역학조사가 쉽지 않아 정확한 파악이 어려워 약 0.7-16%로 광범위하게 보고되고 있다. 또한, 갑상선호르몬을 복용하는 환자의 약 10-30%의 경우 다양한 이유로 무증상갑상선기능항진증을 보인다고 알려져 있다. 현재까지 우리나라에서 인구집단을 대상으로 한 무증상갑상선기능항진증의 유병률은 정확히 조사되지 못했지만, 보고된 유병률은 약 1.6% 정도이고, 경증도 무증상갑상선기능항진증의 경우 빈도가 높다고 알려져 있다. 하지만, 해당 환자들의 혈액학적검사결과 외에도 갑상선 자가항체 유병률, 비갑상선질환 유무, 혈청TSH 측정의 검사간섭에 따른 오류를 확인하기에는 어려움이 있어 정확한 유병률 예측에는 한계가 있다.

무증상갑상선기능항진증은 고령 환자에서는 대부분 무증상이지만, 젊은 연령에서는 현성갑상선기능항진증에서 보이는 임상증상이 나타나는 경우가 있다. 또한, 무증상갑상선기능항진증의 진단기준이 혈액학적검사결과만을 반영하므로 다양한 내인, 외인변수를 고려하여 모든 환자에서 일괄적인 임상증상 및 자연경과를 기대하기는 어렵다. 일례로 혈중 갑상선호르몬 농도가 개인 간의 격차가 큰 반면에, 한 개인의 농도는 일생 동안 큰 변화가 없음을 고려한다면 정상 참고치를 활용하여 특정 개인의 혈중 갑상선호르몬 변화를 예측하기에도 한계가 있음을 알 수 있다.

무증상갑상선기능항진증이 현성갑상선기능항진증으로 진행되는 빈도는 다양한 요인에 영향을 받지만 대략적으로 연간 1-5%로 알려져 있다. 무증상갑상선기능항진증의 자연경과는 내인원인에 따라서 차이를 보이지만, 혈청TSH의 기저수치가 가장 중요한 예측요인이다. 혈청TSH 농도가 0.1-0.4 mIU/L 범위의 경정도무증상갑상선기능항진증의 경우 추적관찰 기간 동안 치료 없이 정상범위로 회복되는 경우가 많다. 하지만, TSH 농도가 0.1 mIU/L 미만인 중정도 무증상갑상선기능항진증의 경우 대부분 지속되는 질환이고, 현성갑상선기능항진증으로 이행되는 빈도도 경정도에 비해 높다. 대표적인 예로 갑상선결절을 동반한 무증상갑상선기능항진증 환자에서 고용량요오드 노출 후 현성갑상선기능항진증으로 이행되는 경우를 들 수 있다. 이러한 경우에는 메티마졸 전처치로 명백한 질환으로의 이행 위험성을 낮출 수 있을 것으로 예상되나, 항갑상선제의 조기사용에 대한 임상적용에 대한 근거는 아직 불확실하다.

5. 임상상

갑상선호르몬수용체는 신체의 모든 조직에서 발현되지만 동형(isoform)의 발현양상은 조직에 따라 차이를 보인다. 즉, 각 조직에 따라 갑상선호르몬수용체의 동형 발현양상에 차이가 있을 뿐 아니라, 갑상선호르몬의 작용효과도 차이를 보인다고 알려져 있다. 따라서 지속적인 무증상갑상선기능항진증의 자연경과도 다양한 조직에 따라 임상발현양상에 차이를 보일 것으로 추정된다. 현재까지의 임상상에 대한 연구결과들을 살펴보면 심혈관계, 골대사, 인지기능에 미치는 영향에 대한 경우가 대부분이다. 현재까지 발표된 연구결과들을 바탕으로 임상상 및 치료 필요성에 대한 근거가 충분한지 여부에 대한 신뢰성을 표 3-15-2에 정리하였다.

1) 심혈관

갑상선호르몬은 말초혈관 저항을 감소시키고 혈류량을 증가시키며 심기능에 대한 근육수축력(inotropic) 및 박동수(chronotropic) 변동효과를 나타내어 심박출량을 증가시키는 효과가 있다고 잘 알려져 있다. 또한, 다양한 심근세포막의 이온운반체들의 발현을 조절하거나 일부 이온운반체의 경우에는 직접 활성을 조절한다고 보고되어 있다. 지속되는 중정도 무증상갑상선기능항진증 환자에서 빈맥, 심방 및 심실조기수축, 확장기기능장애의 발생에 대해서는 잘 알려져 있다. 인구기반코호트연구, 전향관찰연구 및 메타분석 등 다양한 연구에서 공통적으로 중정도 무증상갑상선기능항진증 환자에서 심방세동, 심부전, 관상동맥질환 및 이로 인한 사망률 등 심혈관질환의 발생률이 유의하게 증가된다고 보고되었다. 그 외에도 고령의 경우 심방세동의 위험도가 TSH 억제 정도와 직접적인 연관성이 확인되었고, 중정도

표 3-15-2. **경정도 및 중정도 무증상갑상선기능항진증의 임상상 및 치료 필요성에 대한 연구결과**

임상상	연구결과에 대한 신뢰성		치료 필요성
	경정도	중정도	
증상 발현	근거부족	젊은 연령: 증상 발현, 65세 이상: 대부분 무증상	중정도의 젊은 연령: 치료 고려
자연경과(현성갑상선기능항진증 이행 가능성)	가능성 약하지만 과량의 요오드 섭취 후 위험성 증가	현성갑상선기능항진증으로 이행가능, 근거명확	이행 후 발생하는 합병증 예방 위한 조기치료 고려
심실세동	중, 노년 환자에서 근거 명확	근거명확	근거부족
심부전	고령이나 심혈관계 위험이 있는 환자: 가능	근거명확	근거부족
관상동맥질환으로 인한 사망률	심혈관계 위험이 있는 환자: 가능	근거명확	근거부족
뇌졸중	근거부족	근거부족	근거부족
인지장애 및 치매	근거희박	근거명확	근거부족
골다공증	골다공증 위험이 있는 환자: 가능(골다공증 위험이 없는 젊은 연령 제외)	근거명확	중정도의 폐경여성: 치료근거 명확, 고령남성: 근거부족
골절	골다공증 위험이 있는 환자: 가능(골다공증 위험이 없는 젊은 연령 제외)	폐경여성, 고령의 남성, 골다공증의 위험이 있는 환자: 근거명확	근거부족

무증상갑상선기능항진증 환자에서 부정맥 및 심맥관계 사망률과 유의한 상관관계가 알려져 있다.

2) 골대사

갑상선호르몬은 골모세포와 파골세포를 자극하여 골교체 및 유지에 관여하는 것으로 알려져 있으며, 연골세포의 분화에도 필수적으로 알려져 있다. 갑상선호르몬은 조골세포에서 파골세포의 형성에 관여하는 IL-6, IL-8 및 PGE2와 같은 사이토카인과 IGF-1, FGF 및 TFG-β 등의 합성을 촉진시키며, 골모세포의 활성을 자극한다고 알려져 있다. 현성 갑상선기능항진증 환자에서 갑상선호르몬은 골흡수와 골생성을 촉진시키지만 골흡수를 더 많이 촉진시키므로 결국 골손실을 초래한다. 무증상갑상선기능항진증 환자의 골밀도 감소 및 골다공증에 대한 많은 연구가 진행되었고 연구결과에는 아직 이견이 있는 상태이다. 현재까지 임상결과를 근거로 하였을 때 장기간 LT$_4$를 복용하는 폐경여성에서 골밀도를 측정한 13개 연구결과의 메타분석결과 골밀도 소실률이 약 0.77-1.39% 증가하였다. 또한, 골손실은 폐경여성에서 폐경전여성이나 남성보다 더 현저하며, 피질골의 손실이 지주골보다 높다는 것이 확인되었다. 다양한 연구결과를 바탕으로 중정도 무증상갑상선기능항진증에서 골절의 위험도는 폐경여성, 고령의 남성 및 골다공증 위험도가 있는 환자에서 모두 유의하게 증가하는 데는 이견이 없으나, 일부 연구에서는 경정도의 경우에도 골절의 위험도가 높다고 보고하였다. 그 외 외인원인의 무증상갑상선기능항진증의 경우 TSH 농도가 0.3 mIU/L 미만인 경우 골절 및 골절 관련 사망률이 증가한다는 보고도 있다.

3) 인지장애 및 치매

무증상갑상선기능항진증과 인지장애 및 치매에 대한 연구도 꾸준히 이루어지고 있으며, 최근 전향코호트연구결과에 따르면 70대 노령 환자에서 중정도 무증상갑상선기능항진증이 있는 경우 유의하게 치매의 빈도가 증가함이 보고되었다. 하지만, 인지장애 및 치매유발에 대한 연구는 연령 및 기저질환 등 다양한 요인들에 의한 간섭이 발생할 수 있어 논

란이 많은 상태라 향후 대규모추시연구가 필요하다.

6. 관리 및 치료방침

무증상갑상선기능항진증 환자에서 신체에 영향을 미치는 임상증상에 대한 평가도 결론내리기 어렵지만 일부 근거가 명확한 임상증상을 수용한다 하더라도 치료 여부를 결정하기는 더욱 어려운 문제이다. 혈청TSH의 감소를 보이는 환자의 진료에 있어서 가장 우선적으로는 TSH 감소의 원인을 확인해 보아야 한다. 갑상선질환이 아닌 다른 질환이 동반된 환자의 경우 첫 번째 검사 수주 이후 갑상선기능검사를 다시 시행하여 일시적인 현상인지 지속적인 질병인지 감별하는 것이 우선적으로 필요하다. 또한, 일과성으로 TSH를 억제시키는 다른 원인(뇌하수체질환, 정신질환, 약물, 임신 등)을 배제해야 하며, 지속 여부를 확인하기 위해서 2, 4 및 6개월에 재검사가 필요하다. TSH 감소가 지속적임이 확인되면 다양한 위험인자들을 고려하여 치료방향을 결정한다.

무증상갑상선기능항진증이 외인요인 즉, 호르몬 과다 복용이 원인인 경우에는 반드시 LT$_4$를 복용하는 이유를 재검토하여야 한다. 갑상선기능저하증에 대한 호르몬보충요법을 시행 중인 경우에는 처방용량을 낮추어 혈청TSH 정상범위로의 조절이 필요하다. 갑상선암 환자의 수술 후 LT$_4$ 복용의 경우 저위험군이고 확인되는 잔여암이 없을 시 LT$_4$ 용량을 줄이고 TSH를 치료목표인 정상범위로 조절하며, 고위험군이거나 확인되는 잔여암이 있는 환자에서는 TSH 억제에 의한 암억제 효과 및 갑상선기능항진증으로 인한 임상상의 장단점을 비교하여 환자맞춤형 조절이 이루어져야 한다.

지속적인 내인성 무증상갑상선기능항진증 환자에서 원인확인을 위해서는 다음과 같은 검사를 추가할 수 있다. 첫째, 갑상선호르몬은 정상범위이나 갑상선종대 및 그레이브스 안병증이 의심될 경우 TSHRAb (anti-thyrotropin-receptor antibody)검사를 추가하여 원인감별에 도움을 줄 수 있다. 하지만, 현성갑상선기능항진증에 비하여 무증상의

경우 검사결과의 민감도가 떨어질 수 있다는 점을 고려해야 한다. 둘째, 이학적검사상 갑상선결절이나 종대가 있는 경우 컬러도플러경부초음파검사를 시행해 볼 수 있다. 초음파상 특히 2 cm 이상의 갑상선결절이 발견되면 자율기능 결절 가능성을 고려해야 한다. 셋째, 초음파상 단일 혹은 다발 갑상선결절이나 갑상선종대가 확인되면 갑상선스캔 및 24시간 방사성요오드 섭취정도의 확인이 필요하다. 검사결과 기능갑상선종양으로 확인된 경우에는 방사성요오드치료를 고려해 볼 수 있으며, 낮은 요오드섭취율을 보이는 경우에는 갑상선염이나 과다한 요오드 노출에 의한 경우로 감별진단이 가능하다. 넷째, 조영제 사용 등으로 인해 과도한 요오드에 노출된 환자에서는 24시간 소변요오드량 측정이 도움이 될 수 있다. 드문 경우이지만 요오드결핍지역에서 갑상선결절을 가진 환자 중 요오드유도갑상선중독증(the Job-Basedow phenomenon)이 원인이 될 수 있기 때문이다. 아급성갑상선염 및 산후갑상선염이 원인인 경우에는 자연관해가 이루어지므로 베타차단제(β-blocker)와 같은 대증요법을 시행하는 것으로 대부분 충분하다. 그러나 그레이브스병이나 기능결절에 의한 경우에는 보다 적극적인 치료가 필요하다. 내인성무증상갑상선기능항진증에 대한 일반적인 환자치료 알고리듬을 내인 원인에 따라서 그림 3-15-1에 정리하였다.

1) 경정도(TSH: 0.1-0.4) 내인성무증상갑상선기능항진증

폐경전여성 및 비교적 젊은 연령(≤ 65세)이고 동반질환이 없는 환자에서는 경정도의 경우에는 현재로선 치료할 만한 충분한 근거가 없어서 치료가 권고되지 않는다. 이러한 환

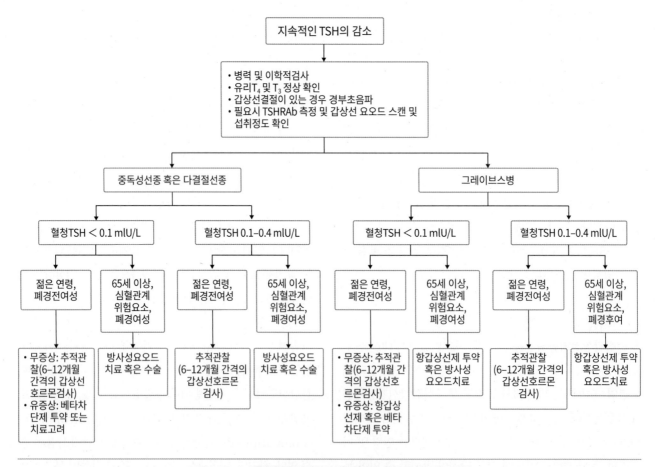

그림 3-15-1. 내인성무증상갑상선기능항진증 환자의 치료알고리듬

자에서는 6–12개월 간격의 갑상선기능검사를 통한 추적관찰이 권유된다. 폐경여성, 노령(> 65세) 및 심혈관질환을 동반한 경정도의 경우에는 치료가 권유된다. 자율기능 갑상선 결절이 원인인 경우에는 방사성요오드치료가 권유되며, 갑상선결절이 큰 경우이거나 압박증상, 부갑상선항진증 등이 동반된 경우, 갑상선암 가능성을 배제할 수 없는 경우 등에서는 수술치료도 고려할 수 있다. 그레이브스병이 원인일 경우에는 항갑상선제인 메티마졸이 권유되며, 경정도의 경우 그레이브스병은 치료 후 약 12–18개월 내 완전히 정상수치로 회복되는 경우가 비교적 많은 편이다. 메티마졸로 치료할 경우 0.5% 이내에서 무과립구증(agranulocytosis) 혹은 0.1% 이내에서 간질환과 같은 부작용이 발생할 수 있다는 점을 고려하여야 하지만, 경정도 무증상갑상선기능항진증의 경우 저용량 메티마졸을 사용하는 경우가 대부분이라 이러한 부작용은 매우 적을 것으로 예상된다. 방사성요오드치료의 경우 특히 그레이브스병의 치료 시 갑상선기능저하증을 야기시키거나 갑상선기능항진증 또는 안구병증을 악화시킬 수 있다는 점을 유의해야 한다. 따라서, 65세 이상 환자에서는 그레이브스병의 방사성요오드치료 전에는 항갑상선제의 전 처치가 도움이 될 수 있다. 수술치료의 경우 약 2% 이내에서 부갑상선저하증 및 1% 이내에서 회귀신경 손상이 보고되고 있다.

2) 중정도(TSH < 0.1) 내인성무증상갑상선기능항진증

폐경전여성 및 비교적 젊은 연령(≤ 65세)의 환자에서 중정도 무증상갑상선기능항진증을 보이는 경우 무증상의 경우에는 치료 없이 6–12개월 간격의 갑상선기능검사를 통한 추적관찰만이 필요하다. 증상이 동반된 경우(골감소증, 골다공증 및 심혈관계 증상 등)에만 치료가 권고되며, 항갑상선제인 메티마졸이나 베타차단제 사용을 권유한다.

폐경여성 및 노령(> 65세) 환자에서 중정도의 경우에는 모든 환자에서 치료가 필수적이다. 자율기능갑상선결절이 원인인 경우에는 방사성요오드치료가 원칙이며, 필요시 수술치료를 고려하여야 한다. 그레이브스병이 원인일 경우에는 항갑상선제인 메티마졸이 원칙이며, 필요시 방사성요오드 치료를 고려하여야 한다. 폐경 이후 환자에서는 골다공증 검사를 통해 필요시 항골흡수제제 치료를 병행하는 것이 도움이 된다. 또한, 심혈관계 증상이 있는 경우에는 65세 이상 노령뿐 아니라 젊은 연령에서도 심장질환에 대한 정밀검사를 동시에 시행하기를 권유한다.

무증상갑상선기능항진증 환자의 치료지침은 전향무작위임상연구가 충분하지 않아서 아직 확실한 근거는 충분하지 않은 상태이다. 하지만 65세 이상의 노령, 폐경 이후 환자에서 중정도 무증상갑상선기능항진증이 지속된다면 치료를 반드시 고려하고, 심혈관계 및 골대사에 대한 충분한 검사 및 추적관찰이 필요하다. 또한 알고리듬에 제시한 바와 같이 환자 개개인의 다양한 위험도 평가에 근거하여 갑상선호르몬검사뿐 아니라 체계적인 신체검사가 이루어져야 한다.

II. 무증상갑상선기능저하증

1. 정의

무증상갑상선기능저하증(subclinical hypothyroidism)은 혈청유리T_3 및 유리T_4는 정상범위이면서 혈청TSH 농도만 증가한 상태로 정의한다. 개인의 갑상선호르몬 농도는 시상하부–뇌하수체–갑상선축을 비교적 일정하게 유지하게 되는데, 이러한 호르몬축은 유리T_4 감소에 민감하게 반응하여 TSH 농도를 증가시키게 된다. 무증상갑상선기능저하증의 경우 갑상선염 혹은 갑상선 실질병변으로 인한 TSH의 증가에 반응해 갑상선호르몬이 적절히 증가하지 못하여 지속적으로 TSH 증가를 유도하는 상태이다. 무증상갑상선기능저하증의 경우에도 질환의 잠재적 위험도 평가를 위해서 혈청TSH 농도가 4.5–9.9 mIU/L 범위의 경우를 경정도 무증상갑상선기능저하증(mild subclinical hypothy-roidism)으로, 10.0 mIU/L 이상인 경우를 중정도 무증상갑상선기능저하증(severe subclinical hypothyroidism)으로 세분하여, 원인, 빈도, 자연경과, 임상상 및 치료기준을 알아보고자 한다.

2. 원인 및 감별진단

무증상갑상선기능저하증의 원인은 크게 갑상선실질의 병인이 원인이 되는 지속성무증상갑상선기능저하증과 생리적인 현상으로 나타나는 일과성무증상갑상선기능저하증으로 나눌 수 있다. 지속성의 경우 현성갑상선기능저하증(overt hypothyroidism)의 원인과 동일하며, 가장 흔한 원인은 만성자가면역갑상선염(하시모토병)이다. 하시모토병은 전체 무증상갑상선기능저하증의 약 50-80%로 보고되고 있으며 항TPO항체가 양성이며, 갑상선종대를 동반하기도 한다. 두 번째로 많은 원인은 그레이브스병 치료 후 발생하며, 항갑상선제나 방사성요오드치료를 시행받은 환자에서 40-50% 정도로 보고되고 있다. 현성갑상선기능저하증 환자에서 LT$_4$ 복용이 적절히 이루어지지 않았거나 경부방사선조사 후 발생할 수 있다. 갑상선 양성 혹은 악성종양 진단으로 갑상선엽절제(lobectomy)를 시행한 경우 일시적인 TSH 증가가 몇 주간 지속될 수 있다. 엽절제 후 일시적이 아닌 지속적인 무증상갑상선기능저하증이 최대 약 60% 환자에서 보고되며, 수술 전 TSH수치가 2 mU/L 이상이거나 항TPO항체 여부가 지속적무증상갑상선기능저하증의 위험요소로 알려져 있다. 아급성갑상선염 및 아밀로이드증, 리델갑상선염 등도 원인으로 알려져 있다. 그 외에도 특히 하시모토병이 있는 경우 리튬, 인터페론 알파 및 아미오다론 등 요오드함유약물 등이 무증상갑상선기능저하증을 일으킬 수 있다. 또한, 타이로신인산화효소저해제(tyrosine kinase inhibitor, TKI), 면역관문억제제(immune checkpoint inhibitor, ICI) 등도 무증상갑상선기능항진증뿐 아니라 저하증도 야기할 수 있다고 알려져 있다.

일과성무증상갑상선기능저하증의 경우 생리적인 현상으로 TSH의 일시적인 상승을 보이는 경우로 급성 혹은 만성기의

중증질환을 가진 환자에서 갑상선 실질병인 없이 갑상선기능이상이 나타나는 경우인 정상갑상선기능질병증후군(sick euthyroid syndrome)의 회복기가 원인이 될 수 있다. 그 외에도 다양한 종류의 갑상선염의 회복기 혹은 정상갑상선기능 환자에서 LT$_4$를 장기복용 후 중지한 경우이다. 기온에 따라 겨울철에 생리적으로 TSH가 일시적으로 상승할 수 있다.

혈청TSH가 증가하지만 무증상갑상선기능저하증과 감별해야 할 가장 큰 요인은 환자의 연령 즉, 노령인구이다. 역학조사에 따르면 건강한 노년인구에서 갑상선질환이 없는 경우에도 평균 TSH수치가 8 mU/L로 높은 평균을 보였지만, 연령의 증가에 따른 TSH 증가원인에 대해서는 정확히 알려져 있지 않다. 그 외 TSH 증가를 보이는 요인인 고도비만(BMI > 40 kg/m^2) 및 부신부전 등으로 갑상선기저질환 여부와의 감별이 필요하며, 비만과 관련된 TSH수치 증가는 체중감소에 따라 감소할 수 있는 가변요인으로 알려져 있다. 그 외 갑상선기능검사에서 혼동을 줄 수 있는 이종친화성 항TSH항체 및 macroTSH 등으로 간섭의 가능성을 염두에 두어야 한다. 무증상갑상선기능저하증의 지속성, 일과성 원인 및 감별진단에 대해 표 3-15-3에 요약하였다.

3. 빈도 및 자연경과

무증상갑상선기능저하증의 유병률은 TSH 정상범위에 대한 다양한 기준, 인종, 요오드섭취량, 연구대상군의 연령 등에 따라 큰 차이를 보여 5-15%로 광범위하게 보고되고 있다. 미국 NHANES III 연구에서는 무증상갑상선기능저하증이 전체 연령에서 4.3%였고, 65세 이상에서는 13.7%로 보고되었다. 우리나라의 안성시 40세 이상 주민 3,419명을 대상으로 조사한 역학조사에서는 무증상갑상선기능저하증이 여성 16.4%, 남성 6.5%의 빈도를 보였다. 최근 연구결과는 요오드섭취가 풍부한 지역을 기준으로 성인 인구의 약 10%의 빈도로 보고되었으며, 대부분의 연구에서 여성 및 노령인구에서 높은 빈도를 보인다는 점은 비교적 명확하

표 3-15-3. 무증상갑상선기능저하증의 원인 및 감별진단

갑상선기능부전에 의한 지속성무증상갑상선기능저하증
만성자가면역갑상선염(하시모토병)
현성갑상선기능저하증 환자의 LT$_4$의 부적절한 보충
갑상선엽 절제
갑상선기능항진증 치료를 위한 항갑상선제 혹은 방사성요오드치료
두경부방사선조사
갑상선의 침윤 병변(아밀로이드증, 경피증 등)
갑상선의 염증 병변(아급성갑상선염의 회복기 등)
약물유발갑상선염(리튬, 아미오다론, 인터페론 알파 등)
타이로신인산화효소저해제(tyrosine kinase inhibitor, TKI), 면역관문억제제(immune checkpoint inhibitor, ICI)
생리적 원인에 의한 일과성TSH 증가
정상갑상선기능질병증후군의 회복기
다양한 갑상선염의 회복기
LT$_4$ 장기 복용 후 중지
계절변화(겨울철)
무증상갑상선기능저하증이 아닌 TSH 증가의 다른 원인
갑상선질환이 없는 고령
BMI > 40 kg/m^{2}의 고도비만
치료받지 않은 부신부전증
이종친화성항체 혹은 macroTSH 등 간섭현상에 의한 검사실 오류

다. 노령인구에서 발생하는 경우는 하시모토병 이외의 다른 요인과 관련된 경우가 흔하며, 80세 이상의 고령에서는 오히려 하시모토병의 유병률이 떨어진다고 알려져 있다. 또한 요오드섭취가 풍부한 지역에서는 요오드 섭취가 부족한 지역에 비해 유병률이 증가하며, 1형당뇨병, 자가면역부신기능저하증(Schmidt증후군), 복강병과 같은 자가면역질환 환자에서 발생률이 증가한다고 보고되고 있다.

무증상갑상선기능저하증의 자연경과는 크게 3가지 경우로 분류된다. 첫째, 추적관찰 중 TSH를 비롯한 모든 갑상선기능검사가 정상이 되는 경우이다. 이러한 경우는 대부분 최초 검사실의 결과에 오류가 있는 경우이거나, 일시적인 경한 갑상선염이 회복되었을 가능성이 높다. 둘째, 무증상갑상선기능저하증이 큰 변화없이 지속되는 경우이다. 셋째, 현성갑상선기능저하증으로 진행되는 경우이며, 빈도는 보고자마다 차이가 있지만, 공통적인 위험인자로 높은 TSH 농도, 갑상선 자가항체양성 및 고령으로 알려져 있다. 약 20년간 전향적으로 이루어진 영국의 Whickham 연구결과에 따르면 항TPO항체양성을 보이는 환자의 경우 매년 약 4.3%에서 현성갑상선기능저하증으로 진행되고, 음성인 경우는 2.6%만 진행된다고 알려져 있다.

경정도 무증상갑상선기능저하증의 경우 약 60%의 환자들이 5년 이내에 정상범위를 회복하게 된다. 경정도 환자들이 현성갑상선기능저하증으로 진행하는 경우는 매년 약 2–4%로 보고되고 있으며, 항TPO항체 여부가 중요한 예측요소이다. 최근 연구에 따르면 65세 이상 고령 환자에서 경정도(TSH 4.5–6.9 mU/L)의 경우 2년 이내 46%의 환자가 TSH 정상범위로 회복되었고, 중정도 환자의 경우 단지 7%만 정상범위로 회복되었다. 특히 항TPO항체가 없는 경우에는 48% 환자가 정상화되었다. 또한, 중정도 환자 중 항TPO항체가 있는 여성 환자의 경우 현성갑상선기능저하증으로 진행할 위험성이 상대적으로 높다고 보고되었다. 최근 전향연구에 따르면 약 32개월의 추적관찰기간 동안 TSH 농도가 10–14.9 mU/L인 경우 40%, TSH 농도가 15–19.9 mU/L인 경우 85%가 명백한 갑상선기능저하증으로 진행함을 확인하였다.

4. 임상상

무증상갑상선기능저하증 환자를 선별 및 원인을 확인하는 것은 환자의 치료 필요 여부 판단 및 조기치료에 의한 임상적 호전을 기대할 수 있는 환자군 파악이 가능하다는 점에서 중요하다. 무증상갑상선기능저하증 환자는 비록 혈중 갑상선호르몬수치는 정상이라 하더라도 드물지만 현성갑상선기능저하증에서 나타나는 갑상선호르몬 결핍에 의한 증상이 나타날 수 있다. 즉, 근육경련, 피부건조, 추위에 민감, 변비, 쇠약감, 피로감, 기억감퇴, 말과 동작지연, 우울증 등의 증상 중 한두 가지가 나타나기도 한다.

경정도 환자의 경우 대부분 신경정신계 및 인지장애, 우울증 등의 증상이 발생하지 않으나 이러한 증상이 다양하게 혹은 심하게 나타나는 경우는 중정도 혹은 현성갑상선기능저하증으로 진행한 경우이므로 진행 여부를 반드시 확인하여야 한다. 중정도 무증상갑상선기능저하증의 경우 중년의 환자에서 경한 기억감퇴, 말과 동작지연, 기분변화를 보였지만 삶의 질 및 우울감에 있어서는 정상갑상선기능대조군과 차이가 없었다. 고령의 환자에서는 현성갑상선기능저하증의 경우에도 고령에 따른 신체변화와 갑상선호르몬 결핍에 의한

증상 감별이 어렵다. 2017년 발표한 TRUST 연구결과에 따르면 65세 이상(평균연령 74세) 737명의 고령 환자에서 평균 TSH수치가 6.40 mU/L임에도 불구하고 일반인에 비해서 기능저하증 판단스코어가 비교적 낮음을 확인하였다.

1) 심혈관

현성갑상선기능저하증과 마찬가지로 무증상갑상선기능저하증 환자에서도 고콜레스테롤혈증 및 비알코올지방간과 관련된 위험요소들과의 유의한 상관관계가 보고되고 있다. 중정도 무증상갑상선기능저하증 환자 중 특히 인슐린내성이 있는 경우 심혈관계 위험이 증가된다는 보고가 있다. 16개의 연구결과를 분석한 메타분석에 따르면 중정도 무증상갑상선기능저하증 환자에서 총콜레스테롤, LDL콜레스테롤 및 중성지방수치가 유의하게 증가한다고 보고하였다. 다른 메타분석에 따르면 무증상갑상선기능저하증 환자에서 인슐린내성 및 지질대사 변화와 관련하여 비알콜성지방간의 위험을 증폭시킬 수 있다고 보고하였다. 또한, 경동맥 내막두께를 비교한 연구결과들에서 정상 혹은 경정도에 비하여 중정도 무증상갑상선기능저하증 환자군에서 동맥경화증의 위험도가 증가함을 추정할 수 있었다.

현성갑상선기능저하증에서는 주로 1회 박출량의 감소와 순환시간 지연에 따른 저박출상태, 말초혈관저항으로 인한 심기능의 저하가 나타난다는 것으로 잘 알려져 있다. 경정도 및 중정도 무증상갑상선기능저하증의 경우에도 좌심실 수축 확장기 기능장애 및 혈관 확장장애를 보인다는 보고가 있었다. 또한, 메타분석결과 60세 이상 675명의 경정도 갑상선기능저하증 환자에서 도플러심장초음파를 이용하여 좌측 심실수축기기능을 평가한 결과 정상대조군에 비해 유의하게 기능저하가 관찰되었다. 또한, 경정도 및 중정도 환자들에서 정상대조군과 비교하여 혈관저항성 및 심혈관계 위험도가 높다는 보고들이 있었다.

살펴본 바와 같이 이러한 심장기능이상, 대사위험도 및 혈관기능이상 등을 고려하였을 때 무증상갑상선기능저하증

환자에서 심혈관계신체이상은 위험요소가 비교적 높다고 판단될 수 있는 근거는 명확해 보인다. 하지만, 개별 환자 메타분석에 의해 수행된 'Thyroid Studies Collaboration (코호트 연구 컨소시엄)'결과 75,000명이 넘는 참가자의 자료로 무증상갑상선기능저하증과 심실세동, 심부전, 뇌졸증 및 관상동맥질환, 관상동맥질환으로 인한 사망률 및 전체 사망률은 정상 갑상선호르몬수치를 보이는 정상대조군과 차이가 없었다. 하지만 TSH증가정도에 따라, 데이터를 재분석하였을 때 TSH가 10 mU/L 이상일 경우에는 심부전 위험 증가와 관련이 있으며, 관상동맥질환 및 관상동맥으로 인한 사망률과 유의한 상관관계를 보였다. 또한 TSH가 7.0-9.9 mU/L 범위인 경우에는 치명적인 뇌졸중과 관상동맥질환으로 인한 사망률이 증가됨을 확인하였지만, 항TPO 항체는 관상동맥질환의 위험성과 상관관계를 보이지 않았다. 이러한 연구결과는 무증상갑상선기능저하증이 심혈관계에 미치는 영향의 심각성을 시사하지만, 한 가지 제한점은 일시적 혹은 지속적인 무증상갑상선기능저하증 환자에서 갑상선기능검사는 특정 시점에서 단회성으로 시행되었다는 점이다.

2) 신장

갑상선호르몬 부족은 심박출량을 감소시켜 신장 혈역학을 악화시킨다고 알려져 있으며 이로 인해 사구체여과율의 점진적인 감소가 야기된다고 알려져 있다. 최근 16개의 연구결과를 분석한 메타분석에 따르면 무증상갑상선기능저하증과 신장기능은 유의한 관계가 없다고 확인되었다. 하지만 혈액 투석이 필요한 신부전 환자의 경우 무증상갑상선기능저하증이 있는 경우 사망률이 증가하므로 환자의 전신상태에 따라서 주의가 필요하다.

3) 인지장애 및 우울증

무증상갑상선기능저하증이 신경인지기능장애 및 우울증 등의 다양한 정신질환과 관련이 있다는 보고가 있었으나 일관된 의견은 아니고 논란이 많은 상태이다. 하지만 최근의 연구결과들을 살펴보면 고령의 경우에는 무증상갑상선기

능저하와의 관련성이 희박하다고 보고되고 있다. 전향 및 횡단연구를 포함하는 메타분석결과 무증상갑상선기능저하증은 75세 이하의 환자에서 인지장애와 연관성을 보였으나 75세 이상의 환자에서는 연관성을 발견할 수 없었다. 다른 연구결과에서도 경경도 무증상갑상선기능저하증의 경우 65세 이상의 연령에서는 인지장애, 불안 및 우울증과 관계가 없었으며, 11개의 전향코호트를 기반으로 한 메타분석결과에서도 65세 이상의 연령에서는 무증상갑상선기능저하증이 치매나 인지저하와 관계가 없음을 보고하였다.

4) 근골격계

두 개의 메타분석결과 고령 환자에서 무증상갑상선기능저하증과 골밀도 및 골절위험도는 유의성이 없다고 보고되었다. 또한 진단시점 혹은 추적관찰기간 동안 지역사회에 거주하는 노인들의 경우 무증상갑상선기능저하증과 신체쇠약도를 비교한 결과도 유의한 상관관계가 없다고 보고되었다.

5. 치료적응증

무증상갑상선기능저하증의 명확한 치료시점 및 대상에 대해서는 오랫동안 논란의 여지가 있어 왔다. 치료지침이 정확하지 않은 상황에서는 결국 개개인의 환자에 대한 임상가의 판단에 의해 치료가 이루어지게 되므로 대규모 데이터 수집 및 분석을 통한 치료지침 수립에도 어려움이 있었다. 최근 대규모 임상시험인 TRUST결과를 바탕으로 무증상갑상선기능저하증 환자의 치료에 대한 잠재적 이점 및 단점에 대해 정리해 보면 아래와 같다. 무증상갑상선기능저하증 환자의 가장 큰 치료원칙은 증상의 개선 및 현성갑상선기능저하증으로의 진행을 방지하여 나타날 수 있는 임상증상을 미리 예방하고자 하는 것이며, 또한 불필요한 과잉치료를 방지하고자 하는 것이다. TRUST 무작위임상시험에서 737명의 65세 이상의 지속적인 무증상갑상선기능저하증을 보이는 환자군을 LT$_4$ 투여한 실험군과 위약을 투여한 대조군으로 12개월 추적관찰하였다. 대상군은 대부분 경증 무증상갑상선기능저하증(TSH 평균 6.4 mU/L) 환자였고, 투

여량은 저용량으로 하루 평균 50 µg을 복용하였고, TSH 수치를 약 2 mU/L 정도로 유지시켰다. 추적관찰결과 피로도를 비롯한 갑상선기능저하 증상뿐 아니라, 삶의 질, 악력, 인지기능, 혈압, 체중, BMI, 허리둘레, 경동맥 내막두께, 경동맥 플라크 두께 등을 비교하였을 때 LT$_4$ 투여의 이점이 확인되지 않았다. TRUST 임상시험을 포함한 21개의 연구를 분석한 메타분석결과에서도 동일하게 LT$_4$를 투여한 군이 위약투약군과 비교하여 삶의 질 및 임상증상 모두 차이가 없음이 확인되었다.

하지만, TRUST를 포함하지 않는 12개의 전향연구결과를 이용한 메타분석결과에서는 LT$_4$ 복용이 경동맥 내막두께를 감소시키고, 혈중 지질성분을 개선시킨다고 보고하였다. 반면에 TRUST의 하위임상시험에서 18개월 추적관찰 시 LT$_4$를 복용한 환자에서 위약군과 비교 시 경동맥 내막두께에는 유의한 변화가 없다고 보고하였다. 결론적으로 US Preventive Services Task Force에서는 무증상갑상선기능저하증 환자에서 LT$_4$ 복용이 지질대사 개선에는 잠재적인 도움을 줄 수 있다고 보았으나 연구결과들이 일관성이 없고, 대부분의 연구에서 통계학적으로 유의하지 않아 임상적 중요성은 불확실하다고 결론지었다. 또한, 무증상갑상선기능저하증의 치료효과가 심혈관질환, 치매 및 골절과 같은 이차적인 신체이상에 영향을 줄 수 있는지에 대한 무작위연구는 충분하지 않다고 발표하였다. 하지만, 이러한 연구결과들은 무증상갑상선기능저하증의 LT$_4$ 치료효과에 대해 노령환자군을 포함한 전 연령의 환자군을 포함시켜 모호한 결과를 얻게 되었다. 따라서, 향후 환자군을 중정도 무증상갑상선기능저하증 전체 환자군에서 기능저하증의 증상 여부 및 65세 젊은 연령 및 노령으로 구분하여 임상시험이 진행된다면 치료기준이 좀 더 명확해질 것으로 기대된다. 연령별 환자군을 구분하여 비교한 후향연구 결과에 따르면 40-70세 경정도 무증상갑상선기능저하증 환자에서 LT$_4$치료가 전체 사망률 및 허혈심장질환발생을 감소시켰지만, 70세 이상의 노령 환자에서는 효과가 없었다. 이와 유사한 보고로 65세 이하 무증상갑상선기능저하증 환자에서

LT$_4$ 복용이 전체 사망률을 감소시키지만, 70세 이상 노령에서는 유의하지 않았으며, 또한 심근경색증이나 심혈관계 사망률은 전 연령에서 유의미한 차이를 보이지 않았다.

경정도 무증상갑상선기능저하증 환자는 항TPO항체 여부에 따라 연간 2~4% 정도의 빈도로 현성갑상선기능저하증으로 이행되지만, 기능저하에 따른 이차적인 신체이상의 증가는 보이지 않았다. 따라서 경정도 환자에서는 지질 농도 개선 및 심혈관계 위험성을 반영하는 심장초음파 위험요소의 호전이라는 잠재적인 이점에도 불구하고 심혈관계 이상 발생에 대한 무작위전향연구결과가 없는 상태이다. 따라서 현재까지의 연구결과를 바탕으로 경정도의 경우에는 기능저하의 증상이 있거나 기저심혈관질환이 있는 경우를 제외하고는 갑상선호르몬의 복용 없이 지속적인 추적관찰이 권고된다. 중정도 무증상갑상선기능저하증 환자에서는 임상시험결과가 충분하지 않지만, 현성갑상선기능저하증으로 이행될 가능성이 높으며, LT$_4$ 치료를 시행하지 않은 경우에는 심혈관질환의 발생위험이 높아진다는 연구결과를 근거로 LT$_4$ 치료가 권고된다. 최초 치료시점은 TSH수치가 7.0-9.9 mU/L 범위의 환자군에서 심혈관질환의 위험성이 증가된다는 연구결과를 근거로 하여 치료가 필요하다고 판단되며, 경정도 환자와 마찬가지로 주요한 이차적인 임상증상이 동반된 경우 적극적인 치료를 권고한다(그림 3-15-2).

6. 치료방법

무증상갑상선기능저하증이 일과성 원인에 의한 일시적 현상인지 여부를 확인하기 위해서 최초진단 후 1-3개월에 갑상선호르몬검사의 재검사를 진행하여 치료 여부를 결정한다. 만약 최초진단 시 TSH 농도가 15 mU/L 이상이면 적어도 1-2주 이내에 재검사가 필요하다. 유리T$_4$수치는 TSH검사와 동시에 이루어져야 하며, 추적검사에도 동일하게 진행되어야 한다.

혈청TSH 농도를 정상화하는 것이 치료의 최종 목적이며

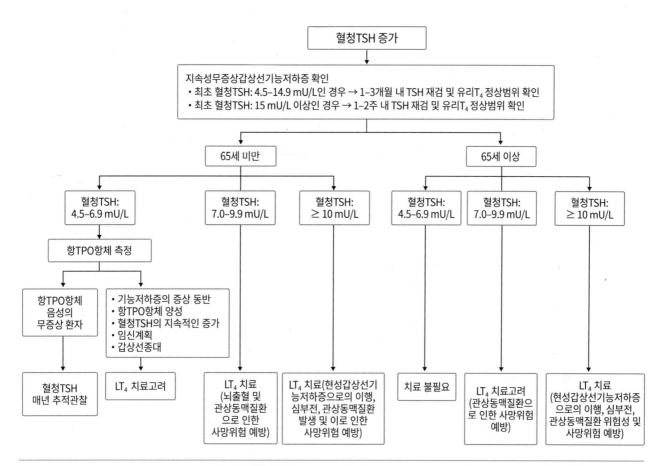

그림 3-15-2. **무증상갑상선기능저하증 환자의 치료알고리듬(임산부 제외)**

무증상갑상선기능저하증의 경우 갑상선기능장애가 경미한 정도이므로 소량의 LT₄ (25-75 μg/d) 용량이면 TSH 정상화에는 충분하다. 임산부의 경우 임산부에 적합한 적절한 기준에 따른 치료용량의 조정이 이루어져야 한다. LT₄ 투약 시작 6주 후 혈청TSH수치를 평가하고, 약물용량을 조절하면서 6주 간격으로 평가가 이루어지게 된다. 혈청갑상선호르몬수치가 목표하는 정상수치에 도달하면 매년 갑상선기능검사를 시행하게 된다. 하지만, 의외로 많은 환자(15-38%)에서 LT₄ 치료 후 혈청TSH수치가 정상참고치보다 낮은 수준으로 확인되며, 이러한 과다 복용(의인성갑상선중독증)을 방지하기 위해 지속적인 검사 및 관찰이 필요하다. LT₄의 과다복용으로 야기된 의인갑상선중독증은 고령 환자, 폐경여성에서 심방세동 및 골절의 위험성이 있으므로 반드시 주의가 요구된다. LT₄ 치료의 이점은 65세 이상의 고령자에게 상대적으로 적을 것으로 추정되는데, 고령자에서는 과잉치료의 위험에 가장 취약한 그룹이므로 각 환자의 원인에 따른 환자맞춤형 치료계획을 통한 치료 여부가 신중하게 결정되어야 한다.

치료가이드라인은 목표로 하는 혈청TSH 증가의 원인에 따라 다양하게 고려되어야 하고, 연령별로 고려하였을 때 고령자가 아닌 경우는 비교적 정상참고치의 낮은 수치를 목표로 한다. 일부 가이드라인에서는 노령의 인구에서 TSH의 목표치를 1-5 mU/L 혹은 4-6 mU/L로 비교적 완화된 참고치를 기준으로 하고 있다. 치료를 보류한 경우에도 매년 혈청 TSH 및 유리T₄의 모니터링은 반드시 필요하다. 대규모 무작위전향연구의 부재 및 연령층에 따른 TSH 농도의 다양한 분포로 무증상갑상선기능저하증에 대한 구체적인 권장사

항에 대한 근거는 충분하지 않다. 또한, 대부분의 무증상갑상선기능저하증은 흔하게 발견되어 대부분의 경우 치료 없이 추적관찰을 고려하게 된다. 하지만 혈청TSH가 10 mU/L 이상의 중정도이거나 비교적 젊은 연령에서 발견되거나 임상증상을 동반한 경우에는 치료가 고려되어야 한다.

참 / 고 / 문 / 헌

1. Biondi B, Bartalena L, Cooper DS, Hegedüs L, Laurberg P, Kahaly GJ. The 2015 European Thyroid Association guidelines on diagnosis and treatment of endogenous subclinical hyperthyroidism. Eur Thyroid J 2015;4:149-63.

2. Biondi B, Cappola AR, Cooper DS. Subclinical hypothyroidism: a review. JAMA 2019;322:153-60.

3. Biondi B, Cooper DS. Subclinical hyperthyroidism. N Engl J Med 2018;378:2411-9.

4. Blum MR, Bauer DC, Collet TH, Fink HA, Cappola AR, da Costa BR, et al. Subclinical thyroid dysfunction and fracture risk: a meta-analysis. JAMA 2015;313:2055-65.

5. Carlé A, Andersen SL, Boelaert K, Laurberg P. Management of endocrine disease: subclinical thyrotoxicosis: prevalence, causes and choice of therapy. Eur J Endocrinol 2017;176:R325-37.

6. Cho BY. Clinical Thyroidology. 3rd ed. Seoul: Korea Medical Book Publishing Company; 2010. pp. 773-94.

7. Cooper DS, Biondi B. Subclinical thyroid disease. Lancet 2012;379:1142-54.

8. Hollowell JG, Staehling NW, Flanders WD, Hannon WH, Gunter EW, Spencer CA, et al. Serum TSH, T (4), and thyroid antibodies in the United States population (1988 to 1994): National Health and Nutrition Examination Survey (NHANES III). J Clin Endocrinol Metab 2002;87:489-99.

9. Jo YS. Diagnosis and treatment of subclinical hyperthyroidism. J Korean Thyroid Assoc 2009;2:87-92.

10. Jonklaas J, Bianco AC, Bauer AJ, Burman KD, Cappola AR, Celi FS, et al. Guidelines for the treatment of hypothyroidism: prepared by the American Thyroid Association Task Force on thyroid hormone replacement. Thyroid 2014;24:1670-751.

11. Kang HC. Selective therapy of subclinical hypothyroidism. J Korean Thyroid Assoc 2009;2:93-7.

12. Magri F, Chiovato L, Croce L, Rotondi M. Thyroid hormone therapy for subclinical hypothyroidism. Endocrine 2019;66:27-34.

13. Rodondi N, den Elzen WP, Bauer DC, Cappola AR, Razvi S, Walsh JP, et al. Subclinical hypothyroidism and the risk of coronary heart disease and mortality. JAMA 2010;304:1365-74.

14. Ross DS, Burch HB, Cooper DS, Greenlee MC, Laurberg P, Maia AL, et al. 2016 American Thyroid Association guidelines for diagnosis and management of hyperthyroidism and other causes of thyrotoxicosis. Thyroid 2016;26:1343-421.

15. Rugge JB, Bougatsos C, Chou R. Screening and treatment of thyroid dysfunction: an evidence review for the U.S. Preventive Services Task Force. Ann Intern Med 2015;162:35-45.

16. Selmer C, Olesen JB, Hansen ML, von Kappelgaard LM, Madsen JC, Hansen PR, et al. Subclinical and overt thyroid dysfunction and risk of all-cause mortality and cardiovascular events: a large population study. J Clin Endocrinol Metab 2014;99:2372-82.

17. Stott DJ, Rodondi N, Kearney PM, Ford I, Westendorp RGJ, Mooijaart SP, et al. Thyroid hormone therapy for older adults with subclinical hypothyroidism. N Engl J Med 2017;376:2534-44.

부신

정상 부신피질

김두만

I. 부신피질의 구조와 발생

1. 부신피질의 구조

부신은 양쪽 신장의 상부내측후복막(retroperitoneum)에 위치한다. 성인의 부신은 피라미드 모양으로 너비 2 cm, 길이 5 cm, 두께 1 cm의 크기이며 무게는 나이, 성별, 체중에 관계없이 약 4 g 정도이다. 부신은 얇은 섬유질피막으로 싸여 있고 피질(cortex)과 수질(medulla)로 나뉘며 피질이 부신의 90%를 차지한다(그림 4-1-1). 피질은 바깥쪽부터 사구대(zona glomerulosa), 속상대(zona fasciculata)와 망상대(zona reticularis)의 세 영역으로 나뉜다(그림 4-1-2). 드물게 부신이 원래 위치가 아닌 곳에서 발견되며 이를 이소성부신(ectopic adrenal gland)이라고 한다. 이소성 부신조직은 거의 대부분이 피질세포로만 구성되어 있으며, 후복강에 위치한 복강신경총(celiac plexus), 난소나 고환 주위 등에서 발견될 수 있다.

피막 아래에 위치한 사구대는 피질의 15%를 차지한다. 사구대세포는 작고 둥근 둥지모양으로 뭉쳐 있으며 세포핵이 작은 편이다. 속상대는 피질의 75%를 점유하고, 지질을 포함하여 모양이 큰 세포들로 구성되며 이들 세포들은 안쪽으로 끈 다발처럼 연결되어 있다. 가장 안쪽의 망상대는 속상대나 부신수질과 선명하게 구분되는 영역으로 지질이 거의 없는 불규칙한 모양의 세포들로 구성되어 있다(그림 4-1-2).

부신은 혈관이 잘 발달되어 있으며, 혈액공급도 복잡하게 얽혀 있다. 부신동맥은 세 곳에서 혈액을 공급받는데 위부 신동맥은 하횡격막동맥(inferior phrenic artery)으로부터, 중간부신동맥은 대동맥(aorta)으로부터, 그리고 아래 부신동맥은 신동맥(renal artery)으로부터 혈액을 공급받는다. 부신동맥을 지난 혈액은 작은 잔가지처럼 나뉜 소동맥들을 통과하여 피질을 지나서 중심인 수질로 향한다. 정맥동에 모인 혈액은 중심정맥(central vein)으로 모여 배출된다. 오른쪽 부신에서는 부신의 위, 아래 그리고 뒤쪽 부위에서 모인 3개의 중심정맥이 짧은 길이의 우측 부신정맥을 형성하여 아래대정맥(inferior vena cava)의 오른쪽 뒤로 직접 연결된다. 왼쪽 부신에서는 중심정맥이 위쪽으로 향하면서 하횡격막정맥과 만나 좌측 신정맥(renal vein) 위쪽으로 연결된다. 정맥 연결의 이상은 좌측 부신정맥이 더 흔하며, 간혹 좌측 부신정맥이 두 개이거나 좌측 신정맥 대신에 좌측 생식정맥(left genital vein)이나 하횡격막정맥과 연결된 경우도 있다. 드물게 우측 부신정맥이 우측 간 정맥이나 신정맥과 연결되기도 한다.

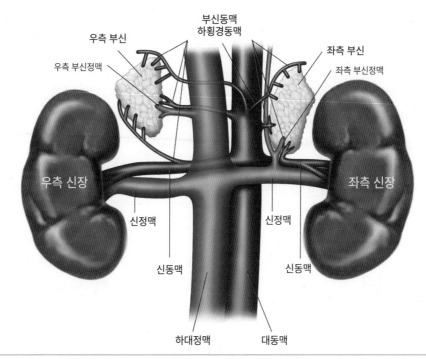

우측 부신
부신동맥
하횡경동맥
좌측 부신
우측 부신정맥
좌측 부신정맥
우측 신장
좌측 신장
신정맥
신정맥
신동맥
신동맥
하대정맥
대동맥

그림 4-1-1. **부신의 해부**

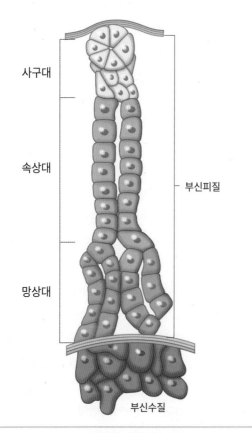

사구대

속상대

부신피질

망상대

부신수질

그림 4-1-2. **사람 부신피질 구조모식도**

2. 부신피질의 발생

부신피질을 구성하는 세포는 중간중배엽(intermediate mesoderm)에서 기원한다. 이들 세포는 비뇨생식기능선(urogenital ridge)에서 유래하며 성선과 신장도 이 능선에서 발생한다. 임신 4주에 비뇨생식기능선의 안쪽에서 부신생식기원기(adrenogenital primordium)가 나타나고, 임신 8주에 부신생식기원기가 분리되면서 부신피질원기(adrenocortical primordium)가 만들어지며, 부신피질원기는 안쪽 태아대(fetal zone)와 바깥쪽 확정대(definitive zone)의 두 층으로 분화하게 된다. 임신 9주에 부신발생모체(adrenal blastema)에 피막이 생기고, 신경능선(neural crest)세포가 부신으로 이동하면서 부신수질이 발달한다. 임신 중기에는 태아대가 크게 자라서 신장보다 더 커지고, 데하이드로에피안드로스테론(dehydroepiandrosterone, DHEA)과 황산데하이드로에피안드로스테론(dehydroepiandrosterone sulfate, DHEA-S) 분비가 증가한다. 출생 후에는 태아대의 퇴화와 함께 이들 호르몬 분비도 급격히 감소한다. 확정대는 출생 후에 점차 증식하면서 안쪽은 속상대를 바깥쪽은 사구대를 형성한다. 가장 안쪽의 망상대는 생후 2년 정도에 나타난다. 망상대는 처음에 섬처럼 국소적으로 존재하다 점차 확실한 하나의 층을 형성한다. 부신성징발생(adrenarche)이 나타나는 6-8세경에는 망상대가 두꺼워지고, DHEA와 DHEA-S 합성이 증가한다. 부신에서 만들어지는 안드로젠은 이후 점차 증가하여 30대에 최고치에 도달한 뒤에 점차 감소하여 70대 이후에는 최고치의 10-20%로 감소한다.

II. 부신피질호르몬의 합성

부신에서 만들어지는 호르몬은 당질부신피질호르몬(glucocorticoid), 무기질부신피질호르몬(mineralocorticoid)과 안드로젠(androgen)이다. 주로 합성되는 당질부신피질호르몬은 코티솔과 코티코스테론(corticosterone)이고 무기질부신피질호르몬은 알도스테론(aldosterone)과 데옥시코티코스테론(deoxycorticosterone, DOC)이다.

부신피질호르몬은 스테로이드구조를 갖고 있어서 부신피질스테로이드 혹은 스테로이드호르몬이라 부르며 이들의 명명법과 생화학적 합성과정은 그림 4-1-3과 그림 4-1-4, 표 4-1-1에 기술되어 있다.

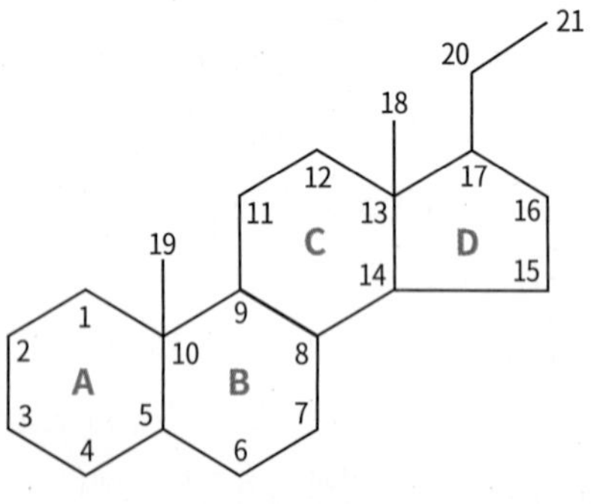

그림 4-1-3. 스테로이드고리의 기본구조
4개의 고리가 문자로 표시되어 있으며 각 스테로이드고리의 탄소원자가 숫자로 표시되어 있다.

모든 부신피질호르몬은 콜레스테롤로부터 만들어진다. 콜레스테롤은 주로 혈액내 저밀도지단백질콜레스테롤형태로 부신에 유입된다. 부신세포막의 저밀도지단백질콜레스테롤수용체를 통해 저밀도지단백질콜레스테롤이 세포로 유입되면 유리콜레스테롤로 바뀌게 된다. 부신은 저밀도지단백질콜레스테롤을 통한 공급 외에도 아세틸보조효소A(acetylcoenzyme A)로부터 생합성으로 만들어진 콜레스테롤과 고밀도지단백질콜레스테롤을 이용하기도 한다.

부신피질호르몬을 합성하려면 우선 세포질에 있는 콜레스테롤이 사립체 안으로 이동해야 한다. 이 과정은 부신피질호르몬 합성의 속도조절단계(rate-limiting step)이며, 스테로이드생성급성조절단백질(steroidogenic acute regulatory protein, StAR)에 의해 콜레스테롤이 사립체 안으로 이동하게 된다. 부신피질자극호르몬(adrenocorticotropic hormone, ACTH)이 수용체에 결합한 뒤에 고리일인산아데노신(cAMP)이 증가하면서 StAR가 활성화되어 콜레스테롤이 이동하게 된다.

펩타이드호르몬을 분비하는 기관에 비해서 스테로이드 합성세포는 스테로이드호르몬이나 중간물질을 저장하지 않는다. 위 첫 단계가 활성화되면 여러 가지 호르몬이나 환경자극에 의해 스테로이드호르몬 생성이 매우 빠르게 일어난다.

부신피질호르몬 합성은 일련의 사이토크롬P450계(cytochrome P450) 효소의 조화로운 활약에 의해 이루어지는 과정이다. 부신피질호르몬 합성에 관여하는 사이토크롬 P450 효소는 표 4-1-1에 요약하였다. 사이토크롬P450효소는 사립체 또는 세포질세망(endoplasmic reticulum, ER)에 존재하는데, 위치에 따라 I형과 II형으로 구분한다. I형사이토크롬P450효소는 사립체에 존재하고, P450콜레스테롤곁사슬절단효소(P450scc, CYP11A1), 11베타-수산화효소(CYP11B1)와 알도스테론합성효소(aldosterone synthase, CYP11B2)가 여기에 속한다. 이들은 아드레노독신(adrenodoxin)과 아드레노독신환원효소(reductase)의

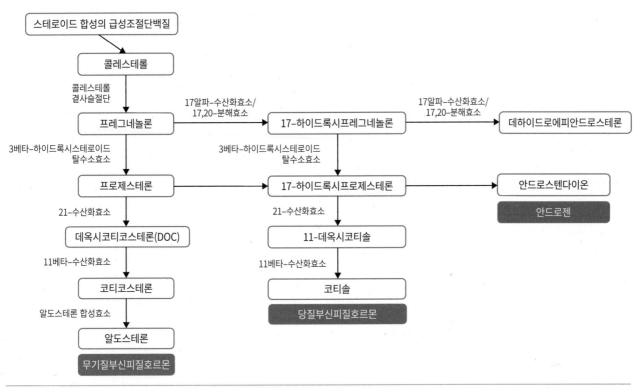

그림 4-1-4. 부신스테로이드 생합성과정

스테로이드생성급성조절단백질(steroidogenic acute regulatory protein)을 매개로 콜레스테롤이 부신피질세포의 사립체 내로 이동한 뒤 각각의 상호작용에 의해 알도스테론, 코티솔, 부신안드로젠이 합성된다. DHEA, dehydroepiandrosterone; DOC, deoxycorticosterone.

표 4-1-1. 부신스테로이드 합성효소와 유전자 명명법

효소 이름	효소 과(enzyme family)	유전자	염색체 위치
P450콜레스테롤곁사슬절단효소 (desmolase)	I형사이토크롬P450	*CYP11A1*	15q23-q24
3베타-하이드록시스테로이드탈수소효소 (3β-HSD)(II형 동종효소)	짧은사슬알코올탈수소효소 환원효소 상과 (super family)	*HSD3B2*	1p13.1
17알파-수산화효소/17,20-분해효소	II형사이토크롬P450	*CYP17A1*	10q24.3
21-수산화효소	II형사이토크롬P450	*CYP21A2*	6p21.3
11베타-수산화효소	I형사이토크롬P450	*CYP11B1*	8q24.3
알도스테론 합성효소	I형사이토크롬P450	*CYP11B2*	8q24.3

도움으로 전자공급을 받는다. II형사이토크롬P450효소는 ER에 존재하고, 17알파-수산화효소(CYP17A1), 21-수산화효소(CYP21A2) 등이 속한다. 이들은 P450산화환원효소 (oxidoreductase)에 의해 전자공급을 받는다.

사립체 안으로 들어온 콜레스테롤은 P450콜레스테롤 곁사슬절단효소에 의해 곁사슬이 잘려나가면서 프레그네놀론(pregnenolone)이 된다. 프레그네놀론은 2형3베타-하이드록시스테로이드탈수소효소(3β-HSD)에 의해 프로제스테론(progesterone)으로 바뀐다. 프로제스테론은 CYP17A1의 17알파–수산화효소(17α–hydroxylase)활성에 의해 17–하이드록시프로제스테론으로 바뀐다. 17–하이드록시프로제스테론은 21–수산화효소에 의해 11–데옥시코티솔(11-deoxycortsiol)로 바뀐다. 11–데옥시코티솔이 11베타–수산화효소에 의해 코티솔로 전환된다.

무기질부신피질호르몬 합성에서도 콜레스테롤이 프레그네놀론을 거쳐서 프로제스테론으로 바뀌는 과정은 위와 동일하다. 프로제스테론은 21–수산화효소에 의해 데옥시코티코스테론으로 바뀐다. 데옥시코티코스테론은 11베타–수산화효소 또는 알도스테론 합성효소에 의해 코티코스테론으로 바뀐다. 코티코스테론은 알도스테론 합성효소에 의해

18–하이드록시코티코스테론을 거쳐서 알도스테론으로 바뀐다.

부신안드로젠 합성은 콜레스테롤이 프레그네놀론으로 바뀐 다음에 프레그네놀론이 17알파–수산화효소에 의해서 17–하이드록시프레그놀론을 거쳐서 데하이드로에피안드로스테론(DHEA)으로 바뀐다. DHEA는 황전달효소 2A1(sulfotransferase 2A1)에 의해 황산데하이드로에피안드로스테론(DHEA-S)로 바뀔 수도 있고, 3β–HSD에 의해 안드로스텐다이온(androstenedione)으로 변하기도 한다. 안드로스텐다이온은 17베타–하이드록시스테로이드 탈수소효소(17β–HSD5)에 의해 테스토스테론으로 바뀔 수 있다(그림 4-1-5).

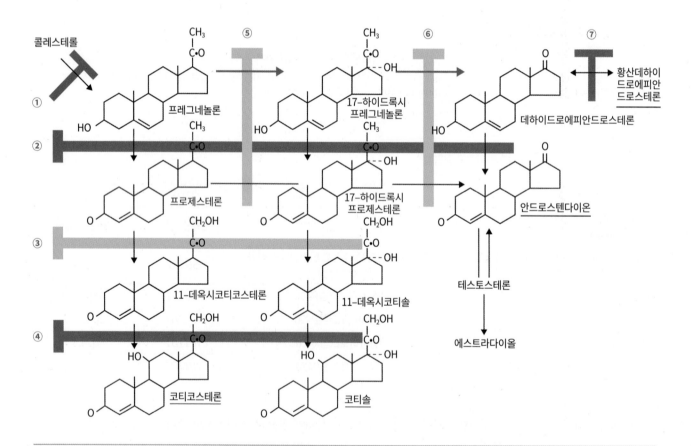

그림 4-1-5. 속상대와 망상대에서의 스테로이드 생합성과정

주 합성과정은 화살표로 나타내었고 주요 분비물질은 연두색으로 표시하였다. 좌측 및 상부의 숫자는 효소의 이름을 대표하고 초록색으로 나타낸 것은 이 효소들이 관여하는 반응단계이다. ① 콜레스테롤 20, 22–곁사슬절단효소(desmolase)복합체, ② 3베타–하이드록시스테로이드탈수소효소와 ⊿5–⊿4 이성화효소(isomerase)복합체, ③ 21–수산화효소, ④ 11베타–수산화효소, ⑤ 17알파–수산화효소, ⑥ 17알파–수산화효소의 17,20–분해효소(lyase) 작용, ⑦ 황전달효소 2A1 (sulfotransferase 2A1).

부신안드로젠은 말초에서 테스토스테론이나 다이하이드로테스토스테론(dihydrotestosterone)으로 전환될 수 있어서 중요하다. DHEA와 DHEA-S가 양적으로는 많지만 안드로스텐다이온이 테스토스테론으로 쉽게 전환되므로 생물학적으로 더 중요하다.

당질부신피질호르몬인 코티솔은 속상대에서 하루 10-20 mg 정도 분비되고, 무기질부신피질호르몬인 알도스테론은 사구대에서 1일 100-150 μg이 생산되고 있다. 부신안드로젠(DHEA, DHEA-S, 안드로스텐다이온)은 하루 20 mg 이상이 분비되어 스테로이드호르몬 중에서 가장 많이 생산되는 호르몬이다.

1. 부신피질호르몬의 합성과 조절

부신피질호르몬의 합성과 조절은 피질층에 따라 다르다. 피질의 가장 바깥쪽인 사구대에서는 무기질부신피질호르몬이 만들어지고, 이는 주로 레닌-안지오텐신-알도스테론 계(renin-angiotensin-aldosterone system)의 조절을 받는다. 속상대에서는 당질부신피질호르몬이, 가장 안쪽 망상대에서는 부신안드로젠이 만들어지고 이들은 시상하부-뇌하수체-부신축에 의해 주로 조절된다.

17알파-수산화는 당질부신피질호르몬 합성에 필수단계로 사구대는 17알파-수산화효소가 발현되지 않기 때문에 당질부신피질호르몬을 생산할 수 없다. 알도스테론합성효소(CYP11B2)가 사구대에서만 발현하기 때문에 알도스테론은 사구대에서만 합성된다. 망상대는 사이토크롬 b_5가 풍부하여 17알파-수산화효소(CYP17A1)에게 17,20-분해효소(17,20-lyase) 활성을 부여하여 DHEA나 안드로스텐다이

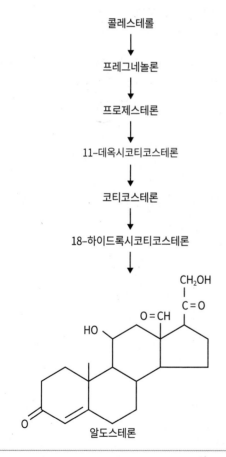

그림 4-1-6. 사구대에서의 스테로이드 생합성

코티코스테론까지의 과정은 속상대에서와 같으나 17α-수산화효소가 없어 알도스테론만 만들어진다. 알도스테론 합성효소(aldosterone synthase) 단독으로 11-데옥시코티코스테론 → 코티코스테론 → 18-하이드록시코티코스테론 → 알도스테론 전환을 촉매한다.

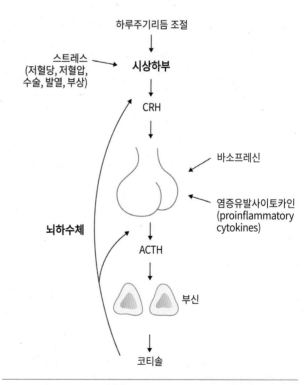

그림 4-1-7. 당질부신피질호르몬 분비의 정상 조절기전

온을 합성한다.

1) 당질부신피질호르몬의 분비조절

당질부신피질호르몬의 합성은 시상하부와 뇌하수체에 의해 조절된다. 스트레스가 발생하면 시상하부의 뇌실곁핵 (paraventricular nucleus)에서 부신피질자극호르몬방출호르몬(corticotropin-releasing hormone, CRH)의 분비가 증가한다. 심한 스트레스를 초래하는 상황에는 심한 손상, 화상, 대수술, 저혈당, 저혈압, 추위 등이 있다. CRH 분비가 증가하면 뇌하수체 앞쪽에서 ACTH 합성이 증가한다. ACTH 합성과 분비에는 CRH가 가장 중요하지만 바소프레신(arginine vasopressin) 또한 이를 촉진할 수 있다.

(1) 프로오피오멜라노코틴(pro-opiomelanocortin, POMC)과 부신피질자극호르몬(ACTH)

ACTH는 POMC로부터 만들어진다. POMC는 241개의 아미노산으로 이루어진 큰 단백질이다. 뇌하수체전엽에서 생성된 POMC는 특이 효소에 의해 전구-ACTH와 베타-리포트로핀(β-lipotropin)으로 나누어진다. 전구-ACTH는 다시 ACTH와 전구-알파-멜라닌세포자극호르몬(α-melanocyte-stimulating hormone, α-MSH)으로 나누

어진다. ACTH 합성과정에서 MSH가 일부 만들어지기는 하지만 애디슨병(Addison's disease) 환자에게서 피부에 색소가 과다침착하는 원인은 MSH 증가 때문이 아니라 ACTH가 멜라노코틴-1수용체(MC1R)에 결합하여 멜라닌 합성을 자극하는 것이 더 중요하다(그림 4-1-8).

ACTH는 39개의 아미노산으로 이루어지는데 앞쪽 24개 아미노산은 모든 종에게서 동일하다. 자극검사에 사용하는 Synacthen은 ACTH 앞쪽의 24개 아미노산을 합성한 물질이다.

ACTH 분비는 코티솔의 음성되먹임에 의해 억제된다. 코티솔은 뇌하수체에서 POMC 전사를 억제하고, 시상하부에서 CRH와 바소프레신의 합성과 분비를 억제한다.

(2) 부신피질자극호르몬방출호르몬(corticotropin-releasing hormone, CRH)과 바소프레신(arginine vasopressin, AVP)

POMC 분비는 여러 인자들에 의해 엄격하게 조절되는데 이 중에서 CRH와 바소프레신이 중요하고, 그 외에 하루주기리듬, 스트레스와 코티솔에 의한 음성되먹임 등이 있다. 시상하부에서 합성되는 CRH는 41개의 아미노산으로 이루

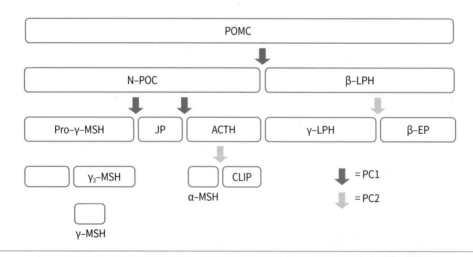

그림 4-1-8. 프로오피오멜라노코틴에서 생물학적 활성펩타이드호르몬으로 전환되는 과정

PC, 단백질전환효소; MSH, 멜라닌세포자극호르몬; N-POC, 전구-프로오피오멜라노코틴조각의 아미노말단; β-LPH, 베타-리포트로핀; JP, 연결펩타이드; γ-LPH, 감마-리포트로핀; β-EP, 베타-엔도핀; CLIP, 부신피질자극호르몬유사중간엽펩타이드.

어진 펩타이드로 ACTH 분비를 촉진하는 주된 생리적 인자이다. 사람의 CRH유전자는 8번 염색체에 위치하며, 191개의 아미노산으로 된 전구물질로부터 분할되어 CRH가 생성된다. CRH는 시상하부 뇌실곁핵의 신경세포에서 합성되어 정중융기에 도달하는 축색돌기를 통해 시상하부-뇌하수체문맥계로 분비된다. CRH는 뇌하수체전엽의 ACTH분비세포(corticotroph cell) 막표면에 존재하는 1형CRH수용체에 결합하여 아데닐산고리화효소(adenylate cyclase) 활성화를 통해 세포내 cAMP 농도를 증가시킨다. 이후에 cAMP-의존단백질인산화효소A 활성을 증가시켜 주된 작용을 나타낸다. 그 결과 CRH에 노출된 뒤 몇 초 내에 ACTH와 기타 POMC펩타이드가 분비되고, 뒤이어 POMC mRNA 합성이 증가한다. 장기간에 걸친 CRH 자극은 ACTH분비세포를 증식시킨다. 말초혈액CRH 농도가 시상하부에서 분비되는 CRH양을 반영하는 가에 대해서는 논란이 있다. 그 이유는 시상하부 이외 조직(고환, 위장관, 부신수질, 태반)에서도 CRH를 합성하기 때문이다. 그러나 인슐린주사로 유발한 저혈당상태에서 혈장CRH 농도가 소폭 증가할 때 그 증가는 시상하부에서 분비된 CRH 몫을 반영한다고 볼 수 있을 것이다. 사람의 순환혈액내 CRH는 결합단백질과 결합하여 존재하나 그 반감기는 단지 4분에 불과하므로 실제 임상에서는 결합단백질과 결합하지 않으면서도 반감기가 55분에 달하는 양 CRH (ovine CRH, oCRH)를 사용하게 된다. 사람이나 양의 CRH를 투여하면 다른 뇌하수체호르몬에 영향을 미치지 않고 혈장 ACTH 농도가 증가한다. CRH에 의해 분비되는 ACTH는 부신피질에서 코티솔 분비를 자극하며 알도스테론과 DHEA 등 다른 부신호르몬 분비도 자극한다. CRH자극에 의한 혈장ACTH 혹은 코티솔 농도의 변화에 성별이나 연령별 차이는 없다. CRH에 대한 혈장ACTH반응 정도에 영향을 미치는 주요인자는 순환혈액내 당질부신피질호르몬 농도이므로 CRH에 대한 혈장ACTH의 농도 변화는 기저혈청코티솔 농도와 역상관관계를 보인다.

CRH가 가장 중요한 ACTH 분비 자극인자이지만, AVP는 ACTH 분비 자극강도는 약하나 CRH작용을 강화한다. AVP단독으로는 cAMP 농도를 증가시키지 못하고 CRH에 의해 유발된 cAMP 농도의 증가반응을 강화시킨다. AVP는 V1b수용체에 결합하여 인지질분해효소C (phospholipase C)를 활성화시킴으로써 포스파티딜이노시톨-4,5-비스포스페이트(PIP2)를 가수분해하여 삼인산이노시톨(IP3)과 다이아실글리세롤을 생산한다. IP3는 세포내 칼슘을 이동시키고, 다이아실글리세롤은 단백질인산화효소C (protein kinase C)를 활성화시킨다. AVP는 CRH와 달리 단독으로 POMC유전자의 전사를 자극하지 않는다.

그 외에 ACTH 분비촉진제로 안지오텐신II, 콜레시스토키닌, 심방나트륨배설펩타이드(atrial natriuretic peptide, ANP), 혈관활성펩타이드(vasoactive peptides) 등이 있으며 CRH 조절을 통해 ACTH 분비에 관여할 것으로 보인다.

(3) 스트레스반응과 면역-내분비축

염증유발사이토카인(proinflammatory cytokines) 중에서 특히 인터루킨-1 (IL-1)과 인터루킨-6 (IL-6), 종양괴사인자-α (TNF-α)는 시상하부에서 CRH 분비를 자극하거나 CRH작용을 증폭시켜 ACTH 분비를 증가시킨다. IL-6군에 속하는 사이토카인인 백혈병억제인자(leukemia inhibitory factor, LIF) 또한 시상하부-뇌하수체-부신(hypothalamic pituitary axis, HPA)축의 활성인자로 작용하는데, 이는 염증 자극에 대한 HPA축의 반응으로 해석한다(그림 4-1-7).

발열, 화상, 수술, 저혈당, 저혈압과 운동 등 물리적 스트레스는 CRH와 AVP를 통한 작용으로 ACTH와 코티솔 분비를 증가시키고, 이런 과정은 자극에 대한 정상적인 길항반응으로 설명한다. 급성정신스트레스는 코티솔 농도를 증가시키지만, 만성불안상태나 기저정신질환의 경우에 코티솔 분비는 정상으로 보인다. 그렇지만 우울증은 혈액내 코티솔 농도가 증가하기 때문에 쿠싱증후군(Cushing's syndrome)과 구분하기 어려울 수도 있다.

(4) 하루주기리듬(circadian rhythm)

ACTH 분비와 이에 따른 코티솔 분비는 하루주기리듬에 따라 박동성 리듬을 보인다. 하루 중 ACTH는 수십 차례 발작적으로 짧게 분출하듯이 분비되어 혈액내 ACTH와 코티솔 농도를 신속하게 상승시키고, 이후 혈액내 코티솔은 서서히 대사되면서 감소하게 된다(그림 4-1-9). ACTH 분비는 아침에 일어났을 때 가장 많고 낮에 점차 감소하여 저녁에 가장 적다. ACTH 분비에 있어서 박동성 빈도는 정상인 남성이 1일 평균 18회로 여성의 10회에 비해 높다. ACTH 분비의 하루주기리듬은 오전 5–9시까지 ACTH 분비의 박동진폭이 증가하고, 오후 6시부터 자정까지 ACTH 분비의 박동빈도가 감소하는 현상과 관련이 있다. 음식 섭취도 ACTH 분비에 있어서 또 다른 자극이다. 결과적으로 혈액내 ACTH와 코티솔 농도는 아침 기상 시 최고에 도달하고, 늦은 오후에서 저녁 무렵까지 감소하여 수면 후 1시간에서 2시간경에 최저에 도달하게 된다.

하루주기리듬은 밤낮(day–night) 그리고 수면각성유형 (sleep–wake pattern)을 반영하고, 격일제 근무를 하거나 시간대가 바뀌는 장거리 여행에 의해 바뀌며 리듬이 정상화하는 데 2주가량이 소요된다. 이러한 ACTH 분비의 하루주기리듬은 시상하부의 시신경교차상핵(suprachias-matic nuclei)이 조절하고 있다.

(5) 당질부신피질호르몬의 음성되먹임

당질부신피질호르몬의 음성되먹임은 뇌하수체, 시상하부 그리고 더 높은 수준에서 이루어진다(그림 4-1-7). 당질부신피질호르몬은 뇌하수체전엽에서 POMC유전자의 전사를 억제하고, 시상하부에서 CRH와 AVP mRNA 합성과 분비를 억제한다. 당질부신피질호르몬은 CRH가 POMC유전자 전사와 ACTH 분비를 촉진시키는 기능을 차단하며 뇌하수체전엽의 CRH수용체 발현을 억제한다. 이런 과정에 아넥신1 (annexin 1)이 중요한 역할을 한다고 알려져 있다.

이렇게 ACTH 분비를 억제하고 POMC유전자의 전사를 억

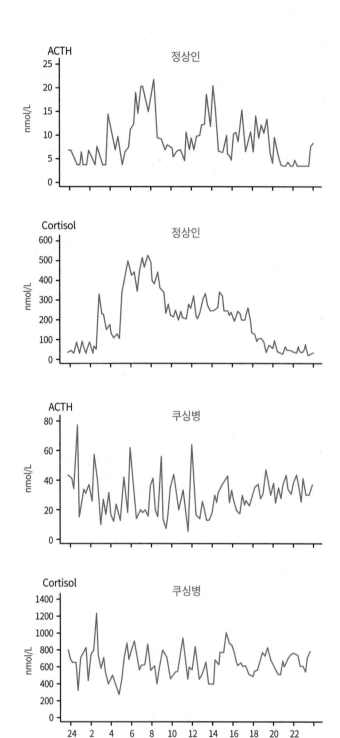

그림 4-1-9. 정상인(상단의 두 그림)과 쿠싱병 환자 (하단의 두 그림)에서 ACTH의 하루주기 분비와 박동성 분비양상

정상적으로 ACTH와 코티솔의 분비는 이른 아침에 가장 많고 자정 무렵에 최저로 감소한다. 반면, 쿠싱병 환자에서는 ACTH의 발작 분비빈도와 진폭이 증가되며 하루주기리듬에 따른 분비양상은 소실된다.

제하여 POMC mRNA의 농도를 감소시키고 POMC생성을 억제시킨다. 또한 당질부신피질호르몬은 다소 약하기는 하나 시상하부의 뇌실곁핵에서 CRH와 AVP mRNA의 농도를 감소시킨다. 뿐만 아니라 당질부신피질호르몬은 CRH가 POMC유전자전사와 ACTH 분비를 촉진시키는 기능을 차단하며 뇌하수체전엽의 CRH수용체 발현을 억제한다.

당질부신피질호르몬의 음성되먹임은 당질부신피질호르몬 용량, 효능, 반감기와 투여기간에 따라 달라진다. 당질부신피질호르몬을 약리학적 용량으로 투여하면 HPA축이 수개월 이상 억제되기도 하고, 이는 결국 부신피질부전(adrenocortical insufficiency)으로 연결된다. 당질부신피질호르몬에 의한 음성되먹임은 부신질환의 진단에 유용하게 이용되고 있다. 애디슨병에서는 코티솔이 분비되지 않아서 혈장 ACTH 농도가 매우 높은 반면에 코티솔을 분비하는 부신선종이 있는 경우에는 혈장ACTH 농도가 억제되어 낮게 측정된다. 이런 음성되먹임에 의한 분비 억제는 당질부신피질호르몬수용체(glucocorticoid receptor, GR)를 통해 일어난다. 당질부신피질호르몬 저항성이나 GR유전자돌연변이 환자는 이런 음성되먹임이 없기 때문에 ACTH와 코티솔 과다분비가 발생한다.

(6) ACTH수용체와 ACTH의 부신피질에 대한 작용

ACTH는 부신피질세포의 세포막에 위치한 멜라노코틴-2수용체(melanocortin-2 receptor, MC2R)에 결합한다. 각각의 부신피질세포에는 약 3,500개의 MC2R이 존재한다. MC2R이 제대로 위치하고 신호전달이 일어나려면 MC2R-관련단백질(MC2R-associated protein, MRAP)과 결합해야 한다. ACTH와 MC2R-MRAP복합체가 결합하면 아데닐산고리화효소가 활성화되어 cAMP가 증가하고, 이는 칼슘과 함께 작용하여 아래쪽으로 신호전달이 일어나게 된다. 부신피질에 대한 ACTH의 효과에 영향을 미치는 인자에는 안지오텐신II, 액티빈(activin), 인히빈(inhibin), 렙틴이나 종양괴사인자-α와 같은 사이토카인이 있다.

부신의 성장과 스테로이드호르몬 생성에 미치는 ACTH의 효과는 몇 분 이내에 일어나는 급성효과와 24-26시간이 소요되는 만성효과로 나눌 수 있다. 급성효과로는 사립체 안에서 StAR에 의해 P450콜레스테롤 곁사슬절단효소(CYP11A1)가 위치한 사립체 내막으로 콜레스테롤 이동을 활성화시켜 코티솔 생합성의 첫 단계인 콜레스테롤에서 프레그네놀론으로의 전환을 증가시키는 것이다. 만성효과는 아드레노독신(adrenodoxin)과 함께 스테로이드호르몬 합성에 관여하는 사이토크롬P450효소(CYP11A1, CYP17A1, CYP21A2, CYP11B1) 합성이 증가하는 것이다. 그 외에 ACTH는 LDL콜레스테롤수용체와 HDL콜레스테롤수용체 합성을 늘리고, 부신세포의 증식과 비대를 통해 부신무게를 늘린다. 그러므로 부신위축은 ACTH 결핍에서 나타나는 특징적인 소견이다.

2) 무기질부신피질호르몬 분비조절

무기질부신피질호르몬은 전해질과 체액을 조절하는 호르몬으로 가장 중요한 순환혈액내 무기질부신피질호르몬은 알도스테론이다. 알도스테론과 중간 물질인 18-하이드록시코티코스테론(18-hydroxycorticosterone)은 알도스테론 합성효소(CYP11B2)가 사구대에만 발현하기 때문에 사구대에서만 분비된다. 알도스테론과 18-하이드록시코티코스테론(18-hydroxycorticosterone)을 제외하고 알도스테론 생합성과정의 전구물질인 코티코스테론(corticosterone)과 데옥시코티코스테론(DOC)은 말초혈액으로 거의 분비되지 않는다. 코티코스테론(corticosterone)과 데옥시코티코스테론도 속상대와 사구대에서 합성되어 무기질부신피질호르몬작용을 나타내고, 이들은 일부 선천부신증식증(congenital adrenal hyperplasia, CAH)과 부신종양의 경우에 의미있는 역할을 한다.

코티솔을 코티손으로 바꾸는 2형 11베타-하이드록시스테로이드 탈수소효소(HSD11B2)의 작용에 문제가 생기면 코티솔도 무기질부신피질호르몬 역할을 할 수 있게 된다. 예를 들어 고혈압, 이소성 부신피질자극호르몬증후군(ectopic

ACTH syndrome)이나 신장질환이 이런 경우에 해당된다.

알도스테론은 레닌-안지오텐신계에 의해 주로 조절된다. 혈액내 포타슘 농도도 중요한 조절인자이며, ACTH가 역할은 작지만 알도스테론 분비를 자극한다. 알도스테론분비억제인자에는 성장호르몬억제인자(somatostatin), 헤파린(heparin), 심방나트륨배설펩타이드(atrial natriuretic peptide) 등이 있다.

(1) 레닌-안지오텐신계(renin-angiotensin system)

레닌은 신장피질내 사구체옆세포(juxtaglomerular cells)에 의해 합성되고, 신세동맥혈압, 치밀반(macula densa)세포에 의해 감지되는 세뇨관내 소듐 농도와 신장교감신경활성도에 의해 분비량이 조절된다(그림 4-1-10).

레닌은 효소로서 간에서 생성되는 α2-글로불린인 안지오텐시노젠(angiotensinogen)을 분해하여 10개의 아미노산으로 구성된 안지오텐신I (angiotensin I)을 생성한다. 안지오텐신I은 폐와 다른 조직에서 안지오텐신전환효소에 의해 빠른 속도로 분해되어 8개의 아미노산으로 된 안지오텐신II를 생성한다. 안지오텐신II에서 아미노말단부의 Asp 잔기가 절단되면 안지오텐신III이 되며, 안지오텐신III의 혈액내 농도

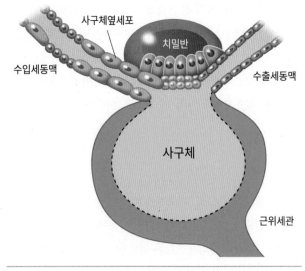

그림 4-1-10. 사구체의 모식도

는 안지오텐신II의 20% 정도이다(그림 4-1-11).

안지오텐신II는 1형안지오텐신II수용체(AT1 receptor)에 결합하여 사구대에만 존재하는 알도스테론 합성효소의 전사를 촉진시켜 알도스테론 합성을 증가시킨다. 안지오텐신II가 AT1수용체와 결합하면 인지질분해효소C (phospholipase C)를 활성화시킨다. 인지질분해효소C는 PIP2를 가수분해하여 IP3와 1, 2-다이아실글리세롤을 생성한다. IP3는 세포질 내로 칼슘이온을 방출하고 1, 2-다이아실글리세롤은 단백질인산화효소C (protein kinase C)를 활성화시켜 세포 밖 칼슘을 안으로 유입시킨다. 그 결과 콜레스테롤이 Δ5-프레그네놀론으로, 그리고 코티코스테론이 알도스테론으로 전환되는 과정이 자극된다.

알도스테론 합성속도는 순환혈액내 레닌 농도에 의해 조절된다. 출혈, 탈수, 저염식, 기립자세 또는 신동맥협착 등 신장의 혈류량을 감소시키는 인자들은 혈액내 레닌 농도를 증가시킨다. 고염식, 말초혈관 수축, 누운 자세 등 혈압을 상승시키는 인자는 레닌 분비를 저하시킨다. 노르에피네프린을 급속하게 주입하면 레닌의 분비가 자극되고 β아드레날린차단제와 중추 α차단제(clonidine)는 레닌의 분비를 억제하는 반면 말초α차단제는 억제 효과가 없다. 또한 안지오텐신II는 단환되먹임(short loop feedback)을 통해 레닌 분비를 직접 억제한다. 알도스테론 주입은 소듐흡수 증가와 혈장량 증가를 통해 레닌 분비를 간접적으로 저하시킨다. 저칼륨혈증은 레닌 분비를 증가시키고 고칼륨혈증은 분비를 감소시킨다. 프로스타글랜딘도 레닌 분비에 영향을 미치며 프로스타글랜딘 A1은 기저상태와 자극 후의 레닌 분비를 증가시키는 반면 인도메타신 투여로 프로스타글랜딘 합성을 억제하면 레닌 분비가 저하된다.

(2) 포타슘

혈장포타슘과 알도스테론 농도 사이에는 상보적인 관계가 있다. 포타슘은 직접 부신피질에서 알도스테론 분비를 증가시키며, 알도스테론은 신장에서의 포타슘 배설을 자극하여

그림 4-1-11. 안지오텐시노젠과 안지오텐신 Ⅰ, Ⅱ, Ⅲ의 아미노산 순서

혈액내 포타슘 농도를 낮춘다. 생리적 범위 내에서 혈장포타슘 농도의 미세한 변화에도 알도스테론 분비는 영향을 받는다. 예를 들면, 혈장포타슘 농도가 0.1 mmol/L 정도로 소폭 증가하면 혈액내 알도스테론 농도가 35% 증가하고, 0.3 mmol/L 감소로 알도스테론은 46% 감소한다.

포타슘이 증가하여 세포막을 탈분극시키면 이로 인해 전압의존성칼슘통로가 활성화되어, 세포바깥 칼슘이 세포 내로 유입되어 칼슘 농도가 증가한다. 이 결과로 알도스테론 합성효소의 전사가 증가한다.

(3) ACTH

ACTH도 알도스테론 분비에 영향을 준다. ACTH가 단기간 상승하면 부신호르몬 합성이 증가하면서 알도스테론 전구물질이 늘어나기 때문에 알도스테론 분비가 증가하지만 그 농도는 기저치의 10-20% 정도 증가에 그친다. ACTH는 알도스테론 합성효소(CYP11B2) 유전자전사나 효소활성에 아무런 영향을 미치지 못한다. 장기간 지속적인 ACTH 자극은 알도스테론 분비에 영향이 없거나, 코티솔, DOC와 코티코스테론의 무기질부신피질호르몬 효과로 인해 오히려 안지오텐신II에 의한 알도스테론 분비가 억제될 수 있다.

3) 부신안드로젠 분비조절

(1) 부신안드로젠

부신피질에서 분비되는 안드로젠은 DHEA, DHEA-S와 안드로스텐다이온을 일컬으며 이들은 말초조직에서 테스토스테론과 5α-다이하이드로테스토스테론(5α-dihydrotestosterone, DHT)으로 전환되어 남성호르몬 효과를 나타내는 것으로 생각하고 있다. 여성에게는 이들이 말초조직에서 전환됨에 따라 혈액내 테스토스테론 농도에 상당한 영향을 미친다. 특히 폐경여성에게서 혈액내 안드로젠의 50% 이상이 부신안드로젠이다. 남성에게는 테스토스테론의 대부분이 고환에서 생성되므로 미치는 영향은 미미하다. DHEA가 다른 호르몬처럼 말초조직에 직접적인 영향을 미친다는 가설도 있고, 최근에 세포막DHEA수용체가 확인되었지만 아직도 더 많은 연구가 필요하다.

말초조직은 또한 DHEA와 DHEA-S를 상호전환시킬 수 있다. 성인 부신에서는 하루 4 mg의 DHEA, 7-15 mg의 DHEA-S, 1.5 mg의 안드로스텐다이온과 0.05 mg의 테스토스테론이 분비된다. 이 분비량은 DHEA, DHEA-S와 안드로스텐다이온 각각 혈액내 농도의 50%, 90% 이상,

50%를 차지한다. 혈액내 DHEA 농도의 30%는 DHEA-S의 말초전환에 의한 몫이다. 여성은 혈장테스토스테론의 67%, DHT의 50%가 부신안드로스텐다이온으로부터 생성되며 나머지는 난소에서 생성된다. 안드로스텐다이온과 테스토스테론 농도는 난소에서의 분비 증가로 인해 월경주기 중간에 증가한다. 남성에게서 부신의 안드로젠 분비량은 난포기 여성의 분비량과 같다.

(2) 부신안드로젠자극인자

부신의 안드로젠분비조절기전은 당질부신피질호르몬이나 무기질부신피질호르몬에 비해 확실하지 않지만, ACTH가 분비조절에 관여하는 것은 분명하다. 혈장DHEA, 안드로스텐다이온과 테스트스테론 농도는 혈청코티솔 농도의 하루주기리듬과 매우 유사하다. 혈장DHEA-S는 하루주기리듬을 나타내지 않는데 이는 반감기가 길기 때문이다. 자극에 대한 반응에도 차이가 있어 DHEA나 안드로스텐다이온의 혈액내 농도는 ACTH에 의해 급속히 증가되지만 DHEA-S 농도가 증가하려면 ACTH를 1–2일간 투여하여야 한다. 덱사메타손을 투여하면 혈장부신안드로젠 농도가 감소한다.

ACTH 투여 후 코티솔이 증가하는 정도에 비해 안드로젠의 증가폭이 상대적으로 적기 때문에 부신안드로젠 생성에 ACTH 이외 다른 인자들이 관여할 것으로 생각하고 있다. 부신피질안드로젠자극호르몬(cortical androgen stimulating hormone, CASH) 후보로 POMC유도체(연결펩타이드), 프로락틴, 인슐린유사성장인자-1 (IGF-1) 등이 거론되고 있다. CASH가 존재할 가능성을 제시하는 많은 연구결과가 있지만, 일부만 소개하면 다음과 같다. 거세된 동물에서 덱사메타손을 지속적으로 투여하여 코티솔 생성을 완전히 억제하여도 DHEA 농도는 기저치의 20% 이하로 감소하지 않는다. 무엇보다 중요한 사실은 부신피질의 안드로젠 분비는 여러 가지 상황에서 ACTH와 코티솔 분비양상과는 차이가 있다는 점이다. 예를 들면, 혈장DHEA 농도가 부신성징발생(adrenarche)이 나타나는 6–8세경에 증가하기 시작하여 사춘기 동안에 성인 수준에 도달하는데, 이 시기에 코티솔 생산은 변화가 없다. 금식, 노화, 신경성식욕부진이나 중증질환의 경우에 ACTH나 코티솔 농도는 변화 없거나 증가하는 반면에 DHEA 농도는 감소한다. 뿐만 아니라 부신안드로젠 분비는 고용량의 덱사메타손 투여에 의해 불완전하게 억제되지만, 저용량의 덱사메타손 투여에는 코티솔보다 쉽게 억제되고, 당질부신피질호르몬 투여를 중단한 이후 회복되는 속도는 더 느리다.

2. 부신피질호르몬의 작용기전

1) 세포내 당질부신피질호르몬의 신호전달

당질부신피질호르몬과 관련한 생리작용의 대부분은 세포내수용체와 결합함으로써 호르몬의 효과를 나타낸다. 이러한 수용체와 결합하여 나타나는 효과를 당질부신피질호르몬의 전형적 작용이라 할 수 있다. 이외에 당질부신피질호르몬은 유전자의 전사 없이도 표적세포의 세포막에 직접 작용하여 호르몬효과[비유전체효과(non-genomic effect)]를 나타낼 수 있다.

당질부신피질호르몬은 수동적인 확산에 의해 세포 내로 이동할 수 있다. 당질부신피질호르몬은 세포질 내에서 당질부신피질호르몬수용체(glucocorticoid receptor, GR)과 결합하게 되고 이 결합으로 수용체에 붙어있던 열충격단백질(heat shock protein, HSP)이 분리되면서 스테로이드-수용체복합체가 활성화된다. 당질부신피질호르몬과 당질부신피질호르몬수용체복합체는 두 개가 만나 이합체(dimer)를 형성한 뒤 세포질에서 핵 안으로 이동한다(그림 4-1-12).

핵 안에서 당질부신피질호르몬-당질부신피질호르몬수용체복합체는 표적유전자의 촉진자(promoter)에 위치하는 특이성조절DNA서열(specific regulatory DNA sequences)을 가진 당질부신피질호르몬반응요소(glucocorticoid response elements, GRE)에 결합하여 표적유전자의 전사를 증가시킨다(그림 4-1-12). GRE는 CGTA-

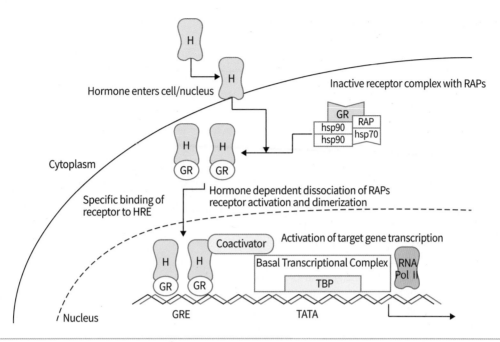

그림 4-1-12. 부신피질호르몬의 작용기전

코티솔이 세포질 내의 당질부신피질호르몬수용체에 결합하면 코티솔의 구조 변화가 일어나 열충격단백질70, 90 (heat shock protein 70, 90)이 당질부신피질호르몬수용체로부터 해리되어 수용체리간드복합체가 핵 내로 이동한다. 이들 복합체는 공동반응요소와 함께 특이 DNA 모티프-당질부신피질호르몬반응요소(glucocorticoid response elements)에 결합한다.

CAnnnTGTACT 서열을 가지는 회문구조(palindromic structure)로 되어 있어서 당질부신피질호르몬수용체의 DNA결합영역에 있는 DNA이중나선에 강하게 결합한다. 당질부신피질호르몬-당질부신피질호르몬수용체복합체는 활성제단백질-1 (activator protein-1, AP-1)이나 핵인자-κB (nuclear factor-κB, NF-κB)와 이질이합체(heterodimer)를 형성하기도 하며, 이들은 염증과 관련된 유전자전사를 억제하는 작용을 나타낸다. 코티솔의 다양한 작용에 걸맞게 당질부신피질호르몬에 반응하는 수백 개의 유전자가 알려져 있고, 그 중에 중요한 것들이 표 4-1-2에 기술되어 있다.

2) 세포내 알도스테론의 신호전달

당질부신피질호르몬이 다양한 작용을 나타내는 것에 비해 무기질부신피질호르몬은 신장, 대장, 침샘에 존재하는 상피소듐통로(epithelial sodium channel, ENaC)에 국한적으로 작용한다. 알도스테론이 무기질부신피질호르몬수용체(mineralocorticoid receptor, MR)와 결합하면 수용체에 붙어있던 HSP가 분리된다. 알도스테론과 무기질부신피질호르몬수용체복합체는 2개가 만나 이합체를 형성한 뒤세포질에서 핵 안으로 이동한다(그림 4-1-13). 알도스테론-무기질부신피질호르몬수용체복합체는 DNA결합영역에 존재하는 무기질부신피질호르몬반응요소(mineralocorticoid response elements, MRE)에 결합하고, 이는 ENaC과 혈청과 당질부신피질호르몬-유도인산화효소1 (serum- and glucocorticoid-inducible kinase 1, SGK1)의 전사를 증가시킨다. 세포질에서 ENaC이 Nedd4 단백질과 결합해 있으면 세포막으로 이동하기 어렵지만 SGK1이 neuronal precursor cell-expressed developmentally downregulated 4 (Nedd4) 단백질의 세린 잔기를 인산화시키면 ENaC과 Nedd4의 결합이 약해지면서 ENaC의 세포막 발현이 증가하게 된다. ENaC이 증가하면 소변으로부터 소듐 흡수가 증가한다.

표 4-1-2. 당질부신피질호르몬과 당질부신피질호르몬수용체의 조절을 받는 유전자들

작용부위	유도되는 유전자	억제되는 유전자
면역계	항핵인자-κB억제제(IκB) 합토글로빈(haptoglobin) T세포수용체-ζ (TCR-ζ) p21, p23, p57 리포코틴(lipocortin)	인터루킨 종양괴사인자-α (TNF-α) 인터페론-감마 E-셀렉틴(E-selectin) 세포간부착분자-1 (ICAM-1) 고리산소화효소2 (cyclooxygenase 2) 유발산화질소생성효소(iNOS)
대사계	과산화소체증식체활성화소체-γ (PPAR-γ) 타이로신아미노기전달효소(tyrosine aminotransferase) 글루타민생성효소(glutamine synthase) 당원생성효소(glycogen synthase) 6-인산포도당인산염분해효소(glucose-6-phosphatase) 포스포엔올파이루브산카복시인산화효소(PEPCK) 렙틴 γ섬유소원(γ-fibrinogen) 7α-콜레스테롤수산화효소(cholesterol 7α-hydroxylase) C/EBP/β	트립토판수산화효소(tryptophan hydroxylase) 금속단백질분해효소(metalloprotease)
뼈	안드로젠수용체 칼시토닌수용체 알칼리인산염분해효소 인슐린유사성장인자결합단백질6 (IGFBP6)	오스테오칼신(osteocalcin) 콜라젠분해효소(collagenase)
통로와 수송체	상피세포소듐통로(ENaC-α, -β, -γ) 혈청과 당질부신피질호르몬-유도인산화효소(SGK) 아쿠아포린1(aquaoporin 1)	
내분비계	기본섬유모세포성장인자(bFGF) 혈관작용장폴리펩타이드(VIP) 엔도텔린(endothelin) 레티노이드X수용체(RXR) 성장호르몬방출호르몬(GHRH)수용체 나트륨배설펩타이드수용체	당질부신피질호르몬수용체 프로락틴 프로오피오멜라노코틴/부신피질자극호르몬방출호르몬(POMC/CRH) 부갑상선호르몬관련단백질(PTHrP) 바소프레신
성장과 발달	표면활성물질(surfactant A, B, C)	섬유결합소(fibronectin) 알파태아단백질 신경성장인자 적혈구형성호르몬 G1사이클린(G1 cyclin) 사이클린의존인산화효소(CDK)

당질부신피질호르몬수용체와 무기질부신피질호르몬수용체는 서로 상당히 비슷해서 스테로이드-결합부위는 57%, DNA결합부위는 94% 정도 상동성을 갖고 있다. 따라서 알도스테론이 당질부신피질호르몬수용체에 결합하거나 코티솔이 무기질부신피질호르몬수용체에 작용할 수도 있다. 그러나 코티솔이나 코티코스테론이 무기질부신피질호르몬수용체에 결합하는 것은 2형11베타-하이드록시스테로이드탈수소효소(11β-HSD2)에 의해 조직특이적으로 조절되고 있다. 알도스테론, 코티솔과 코티코스테론이 무기질부신피질호르몬수용체에 동일한 친화력을 갖고 있고, 혈액내 코티

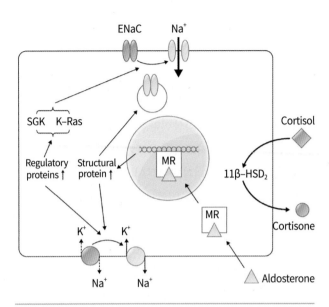

그림 4-1-13. 무기질부신피질호르몬의 작용

원위세뇨관이나 원위부 결장의 상피세포에 존재하는 고농도의 코티솔이 11β-HSD2에 의해 코티손으로 불활성화되어, 내인리간드인 알도스테론이 무기질부신피질호르몬수용체에 결합할 수 있게 된다. 무기질부신피질호르몬의 표적유전자는 혈청과 당질부신피질호르몬유도인산화효소(serum- and glucocorticoid-inducible kinase, SGK), 상피 소듐통로(ENaC), 외측 소듐포타슘아데노신삼인산화효소가 있다.

솔 농도가 알도스테론 농도보다 몇 천배나 높지만 11β-HSD2가 코티솔과 코티코스테론을 11-keto대사체로 불활성화시키면 알도스테론이 먼저 무기질부신피질호르몬수용체에 결합하게 된다.

3. 스테로이드 결합단백질

순환혈액내 스테로이드호르몬의 대부분은 혈장단백질과 결합되어 있다. 주요 혈장결합단백질은 코티코스테로이드결합글로불린(corticosteroid-binding globulin, CBG), 성호르몬결합글로불린(sex hormone-binding globulin, SHBG)과 알부민이다. 결합글로불린은 스테로이드와 결합함에 있어 친화력은 높으나 결합능이 적은 반면 알부민은 친화력은 낮으나 결합능이 크다. 생리적 농도에서 혈액내 코티솔의 90% 이상이 단백질과 결합하는데 그 대부분이 CBG와 결합하고 일부가 알부민과 결합한다. 프레드니손과 그 활성형 대사산물인 프레드니솔론을 제외하고,

덱사메타손이나 플루드로코티손(fludrocortisone)을 포함한 대부분의 합성스테로이드는 혈장단백질과 결합하지 않는다. 알도스테론은 CBG에 20%, 알부민에 40%가 약하게 결합하고 나머지 대부분은 단백질과 결합하지 않거나 유리형으로 혈액 내에 존재한다. 대부분의 혈액내 데옥시코티코스테론(DOC)은 혈장단백질과 결합하는데 CBG에 36%, 알부민에 60%가 결합되어 있다. 실제 호르몬 활성을 나타내는 것은 결합하지 않은 혈액내 유리호르몬이므로 DOC가 무기질부신피질호르몬작용을 나타내기 위해서는 매우 고농도가 필요하게 된다. 부신안드로젠인 DHEA, DHEA-S와 안드로스텐다이온의 90%는 알부민과 결합하며 3%가 SHBG에 결합한다. 테스토스테론은 SHBG와 알부민에 동일한 비율로 결합하여 운반되며, 에스트로젠은 SHBG보다 알부민에 더 잘 결합한다.

1) 코티솔결합글로불린(CBG)

CBG는 383개의 아미노산으로 구성되며 분자량이 59 kDa인 당화 α2-글로불린으로 높은 친화력으로 코티솔과 결합한다. 사람과 생쥐의 CBG의 아미노산 배열은 매우 유사하며, T4결합글로불린, 안지오텐시노젠과 난백단백질(egg white protein)과 함께 세린단백질분해효소억제물질상과[(上科), serine protease inhibitor superfamily]에 소속된다. 이 단백질상과는 SHBG나 당질부신피질호르몬수용체와는 유사성이 없다. CBG는 주로 간에서 생성되지만, CBG의 mRNA가 폐, 신장, 고환과 자궁내막에서 저농도로 발현되는 것을 보면 다른 조직에서도 합성됨을 알 수 있다. CBG는 사람의 유즙에서도 발견되며 양수나 정액에서도 낮은 농도로 발견된다.

CBG는 당질부신피질호르몬 외에도 내인스테로이드와도 결합할 수 있다. 이 결합에는 스테로이드 분자구조에서 A-환의 Δ⁴-3-케톤구조와 20-케톤 구조군이 반드시 필요하다. 11β, 17α와 21 위치에서 수산화되면 결합친화력이 증가한다. CBG는 내인스테로이드 중에서 4수소대사물(tetrahydro metabolite)이나 대부분의 합성당질부신피질호르

몬과는 거의 결합하지 않는다. 그러나 예외적으로 CBG에 대한 프레드니손과 프레드니솔론의 친화력은 각각 코티솔의 50%와 59% 정도이다. 정상인의 혈액에서 CBG 결합능은 대략 코티솔 25 µg/dL (690 nmol/L)이다. 따라서 혈액내 총 코티솔 농도가 이 수준을 능가하면, 결합스테로이드의 비율과 비교해서 유리코티솔비율이 증가하고 또한 CBG에 이미 결합되었거나 코티솔과 같은 부위에 결합하는 다른 스테로이드(예: 알도스테론, 데옥시코티코스테론)의 유리호르몬 비율이 역시 증가한다. 그러므로 혈액내 코티솔 농도가 높아지면 알도스테론이 CBG로부터 분리되어 유리알도스테론이 증가하고 혈액으로부터 알도스테론청소율도 증가한다. 이와 비슷한 예로 치료용량의 프레드니솔론을 투여하면 CBG와 결합한 코티솔의 농도가 32% 정도 감소되면서 결과적으로 유리코티솔 농도가 일시적으로 증가되는 것을 볼 수 있다. 테스토스테론은 CBG와 약하게 결합하여 혈액내 코티솔 농도가 정상범위의 상한 수준에만 도달하더라도 결합이 분리된다.

CBG의 정상 혈액내 농도는 30–40 µg/L (700 nmol/L)이며, 혈액내 반감기는 5일이다. CBG는 임신 초기에 태아 혈장에서 검출되며 임신 후기 동안 꾸준히 증가하여 만삭 때면 성인 농도의 절반 수준에 도달함으로써 태아–모체 사이에 태반을 통한 스테로이드의 공급을 원활하게 한다. 혈장 CBG 농도는 출생 후 첫 6주 동안 지속적으로 증가한다. 중년 성인의 CBG 농도와 비교하면 사춘기 이전의 아동은 이보다 약간 높고, 노인은 다소 낮다. 하루주기리듬은 없고 성별 간의 차이나 월경주기에 따른 변화도 없다. 그러나 CBG 농도는 에스트로젠을 투여하면 증가하고, 임신 동안 특히 마지막 3개월간 2–3배 증가한다. CBG 농도에 대한 에스트로젠의 효과는 용량의존적으로 투여 후 2–4일 이내 효과가 나타나기 시작하여, 14일에 최고치에 도달한다. 투여기간 동안 지속되던 에스트로젠의 CBG에 대한 효과는 투여 중단 후 7–10일 이내에 정상으로 회복된다. 다낭난소증후군, 간경화, 갑상선기능항진증, 신증후군과 기타 단백질소실성 질환에서는 CBG 농도가 낮다. 만성활동간염과 항경련제

복용 중에는 CBG 농도가 높아진다. CBG의 유전이상은 T$_4$결합글로불린(thyroxin binding globulin, TBG)에 비해 드물다. 이들에서 CBG 농도가 변하게 되면, 총 코티솔의 농도는 변하여도 혈액내 유리코티솔의 농도는 정상을 유지하게 되어 부신기능은 정상이다. 예외적으로 임신 마지막 3개월간은 혈액내 유리코티솔 농도가 약간 증가하게 된다. 치료용량의 당질부신피질호르몬이나 ACTH의 단기간 투여는 CBG 농도에 영향을 미치지 않는다. 쿠싱증후군에서 CBG 농도가 저하되나 부신피질부전에서는 정상이다.

2) 기타 스테로이드 결합단백질

알부민은 혈액내 농도가 38 g/L (550 µmol/L)로 CBG에 비해 800배나 높아서 코티솔에 대한 결합능은 CBG보다 크지만, 결합친화력이 결합상수 1 nmol/L로 CBG보다 1,300배나 약하다. 합성스테로이드와 알부민의 결합친화력은 코티솔과 유사하거나 다소 높은 편이다.

성호르몬결합글로불린(SHBG)은 373개의 아미노산으로 구성된 두 개의 소단위(subunit)가 동질이합체(homodimer)를 이루는 90 kDa의 당단백질이다. 주로 간에서 생성되며 테스토스테론, 다이하이드로테스토스테론(dihydrotestosterone)이나 에스트라디아이올과 결합한다. 혈장 SHBG 농도는 에스트로젠이나 임신에 의해 증가하며, 테스토스테론 투여로 저하한다. SHBG 농도는 월경주기 동안 변화하지 않으며, 남성보다 여성에게서 그리고 성인보다는 어린이에게서 더 높으며, 남녀 아동 모두에게서 사춘기 전과 사춘기 동안 감소한다.

4. 대사

부신피질스테로이드대사의 대부분은 간에서 일어나며, 대사산물의 대부분(90% 이상)은 신장을 거쳐 배설된다. 부신피질스테로이드는 글루큐론산(glucuronide)이나 황산(sulfate)기 등과 결합하여 불활성화되고, 동시에 좀 더 물에 잘 녹게 되어 신장을 통해 쉽게 배설된다.

1) 코티솔대사

혈액내 코티솔의 반감기는 70-120분이고, 대부분이 간에서 대사된 후 신장으로 배설되고, 약 1% 미만만 변화되지 않고 그대로 소변으로 배설된다.

코티솔이 대사되는 기전은 여러 가지로, 하나는 코티솔이 신장에서 2형 11베타-하이드록시스테로이드 탈수소효소(11β-HSD2)에 의해 코티손으로 불활성화되는 과정이다. 다른 하나는 코티솔이 5알파-환원효소(5α-reductase)에 의

해 5알파-다이하이드로코티솔(5α-dihydrocortisol)로 변하고, 또 코티솔이 5베타-환원효소(5β-reductase) 작용으로 5베타-다이하이드로코티솔(5β-dihydrocortisol)로 변환된 다음, 3알파-하이드록시스테로이드탈수소효소(3α-HSD)에 의해 테트라하이드로코티솔(tetrahydrocortisol, THF)로 불활성화된다. 이렇게 불활성화된 THF는 소변으로 배설되고(그림 4-1-14), 소변으로 배설된 코티솔의 50%가 이런 방법으로 처리된 것이다. 또 다른 하나는 코티솔과 코티손이 20베타-산화환원효소에 의해 20베타-다이하이드로

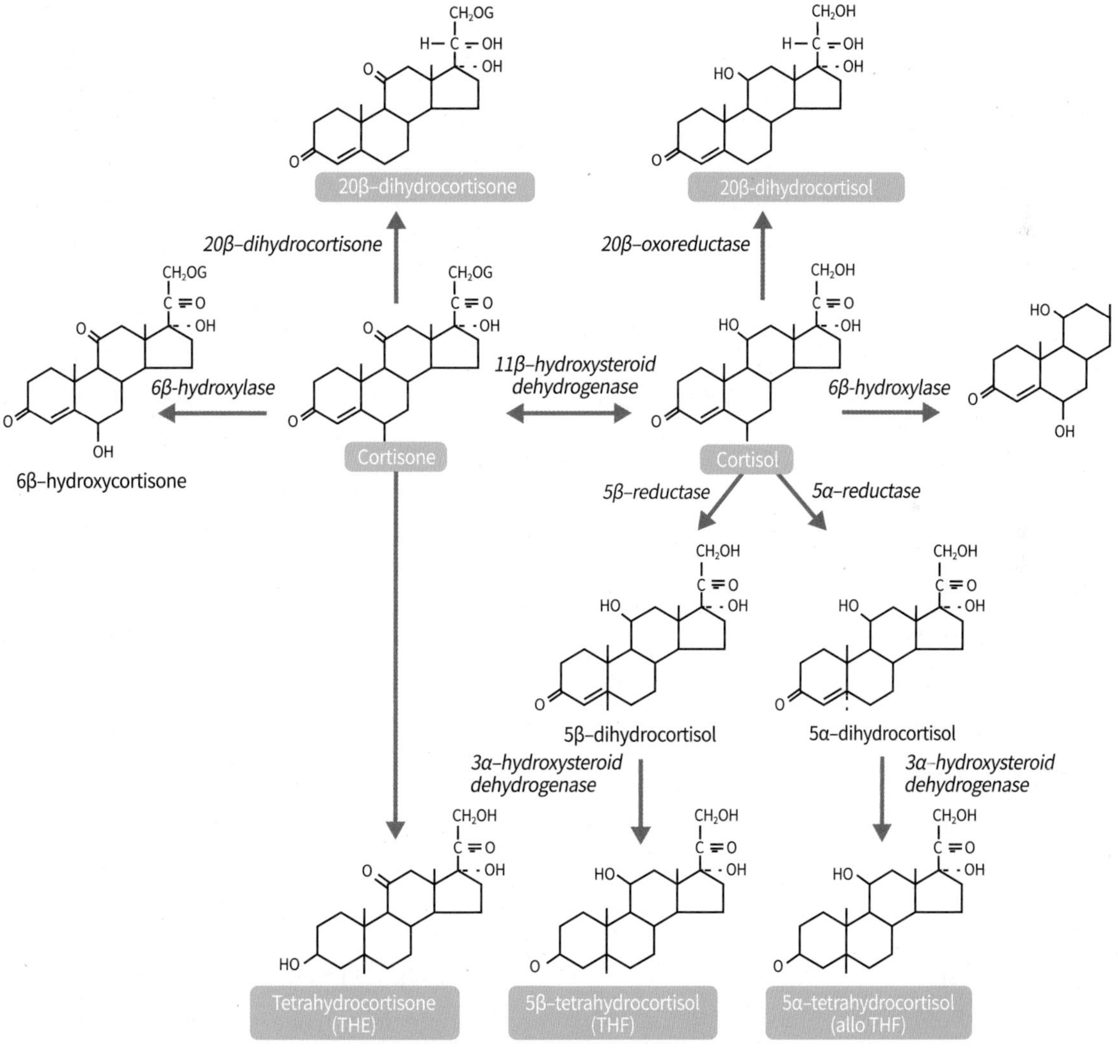

그림 4-1-14. 코티솔대사의 주요경로

활성형 호르몬인 코티솔과 불활성형인 코티손이 두 가지 11β-HSD 동종효소의 촉매작용에 의해 상호 전환된다. 11β-HSD1에 의해 코티손이 코티솔로 전환되며, HSD2는 그 반대로 작용한다. 코티솔은 C6, C20 위치에서 수산화될 수 있으며, 고리의 환원은 5α-환원효소 또는 5β-환원효소 그리고 3α-하이드록시스테로이드탈수소효소에 의해 일어난다.

코티솔과 20베타-다이하이드로코티손으로 불활성화되는 과정이다. 마지막 하나는 코티솔과 코티손이 6베타-수산화효소(6β-hydroxylase) 작용으로 6베타-하이드로코티솔(6β-hydrocortisol)과 6베타-하이드로코티손(6β-hydrocortisone)으로 전환되는 것이다.

갑상선기능이상, 만성신장질환, 말단비대증과 성장호르몬결핍의 경우에 코티솔대사에 변화가 생기기 때문에 특히 이들 환자에게 당질부신피질호르몬 보충을 한다면 주의가 필요하다.

코티솔과 코티손이 6베타-수산화효소(6β-hydroxylase) 작용으로 대사되는 과정은 바비튜르산염(barbiturate), 페니토인(phenytoin), 마이토테인(mitotane), 아미노글루테티미드(aminoglutethimide)와 리팜핀(rifampin) 등 간미세소체(microsome)효소 유도작용을 가진 약물을 사용할 경우 항진될 수 있다. 따라서 이러한 약물을 사용할 때 혈청코티솔을 측정하면 검사결과가 부정확할 수 있고, 합성 스테로이드를 이들 약물과 같이 사용할 경우에 증량이 필요할 수 있다.

2) 알도스테론대사

알도스테론은 간과 신장에서 대사된다. 혈액내 알도스테론의 30-40%는 간에서 테트라하이드로알도스테론(tetrahydroaldosterone)으로 환원되어 테트라하이드로알도스테론 3-글루큐론산형태의 소변으로 배설된다. 15-20%는 신장에서 알도스테론에 글루큐론산(glucuronide)이 직접 결합하여 알도스테론 18-글루큐론산형태로 대사되어 소변으로 배설된다.

3) 부신안드로젠대사

부신안드로젠은 테스토스테론과 다이하이드로테스토스테론으로 전환되거나 불활성화되는데, DHEA는 부신 자체에서 DHEA-S나 안드로스텐다이온으로 전환된다. DHEA-S는 그대로 신장으로 배설되거나 △5-안드로스텐다이올(androstenediol)과 그 황산염(sulfate)으로 대사되기도 한다. 안드로스텐다이온은 테스토스테론으로 전환되며, 이들은 에티오콜라놀론(etiocholanolone)이나 안드로스테론(androsterone)으로 대사된 후에 소변으로 배설된다.

5. 부신피질호르몬의 생물학적 효과

1) 당질부신피질호르몬

(1) 탄수화물, 단백질과 지방대사에 미치는 작용
당질부신피질호르몬은 일반적으로 DNA 합성을 억제하며, 대부분의 조직에서는 RNA의 합성과 단백질 합성도 억제하고 단백질분해를 항진하는 분해대사(catabolism)를 촉진한다. 이러한 작용을 통해 중간대사(intermediary metabolism)에 필요한 기질들을 공급하게 된다. 당질부신피질호르몬은 간에서 포도당신생성(gluconeogenesis)과 당원(glycogen) 합성을 증가시키며, 단백질분해를 증가시키고, 근육에서의 아미노산 섭취와 단백질 합성을 억제한다. 또한 당질부신피질호르몬은 근육과 지방조직에의 포도당 섭취를 억제하여 인슐린의 분비를 증가시키게 된다. 지방조직에 대하여는 직접 지방분해(lipolysis)를 촉진하여 글리세롤과 유리지방산의 농도를 증가시킨다. 또한 지방분해를 자극하는 다른 호르몬(카테콜라민, 성장호르몬 등)의 작용을 증강시켜 간접적으로 지방분해가 증가하게 된다. 총콜레스테롤과 중성지방은 증가하지만 HDL콜레스테롤은 감소한다. 결과적으로 당질부신피질호르몬은 지질과 단백질분해대사를 매개로 인슐린저항성을 유발하고, 혈당을 증가시킨다.

당질부신피질호르몬은 지단백질지방분해효소(lipoprotein lipase), 글리세롤-3-인산탈수소효소(glycerol-3-phosphate dehydrogenase)와 렙틴(leptin) 등 중요한 유전자들의 전사활성화를 통해 지방세포 분화를 자극하고 지방생성을 증가시킨다. 장기간의 당질부신피질호르몬과잉 시에 오히려 지방조직 특히 내장지방과 중심지방조직이 증

가하게 되는데, 그 이유는 당질부신피질호르몬수용체와 1형11베타–하이드록시스테로이드 탈수소효소(11β–HSD1)가 피하지방에 비해 복부그물막(omentum)지방조직에서 더 많이 발현되기 때문이다.

(2) 항염증작용과 면역계에 미치는 작용

당질부신피질호르몬은 면역반응을 억제한다. 이런 작용을 극대화하여 다양한 자가면역질환과 염증질환에 사용하기 위해 고효능당질부신피질호르몬제제가 계속 개발되었다.

당질부신피질호르몬은 말초혈액에서 혈액구획에 있는 림프구를 비장, 림프절과 골수로 재분배함으로써 림프구 숫자를 빠르게 감소시킨다. 이때에 T림프구가 B림프구보다 더 빨리 줄어든다. 당질부신피질호르몬 투여 후에 중성구는 거꾸로 증가하고, 호산구는 빠르게 감소한다. 과거에는 당질부신피질호르몬제제의 생물학적검정(bioassay)으로 호산구가 줄어드는 특성을 이용하여 측정하였다.

당질부신피질호르몬의 면역학적 작용에는 T림프구와 B림프구에 대한 직접작용을 통해 면역글로불린 합성 억제, 림프구세포자멸사(apoptosis) 촉진, 그리고 림프구로부터 사이토카인 생산 억제 등을 일으킨다. NF–kB는 사이토카인 유전자전사를 유도하는 데 결정적인 역할을 하는데, 당질부신피질호르몬이 NF–kB에 직접 결합하여 핵내전위(nuclear translocation)를 방해하고, 세포질에서 NF–kB를 격리시켜 NF–kB 효과를 불활성화시키는 NF–kB억제제를 유도하여 사이토카인 생산을 억제한다.

위와 같은 효과 외에도 당질부신피질호르몬은 단핵구가 대식세포로 분화하는 과정 억제, 대식세포의 포식작용과 세포독성(cytotoxicity) 활동 억제를 통해 항염증 효과를 나타낸다.

그리고 당질부신피질호르몬은 히스타민과 플라스미노겐 활성제의 작용을 방해하고, 인지방분해효소A2 (phos-pholipase A2) 활성을 억제하는 리포코틴(lipocortins) 유도를 통해 프로스타글랜딘 합성을 저해하여 국소염증반응을 감소시킨다.

(3) 다른 조직에 대한 영향

① 피부, 근육과 결체조직

당질부신피질호르몬은 피부에서 표피세포분열(epidermal cell division)과 DNA 합성을 억제하고, 콜라겐 합성과 생산을 감소시킨다. 그래서 당질부신피질호르몬을 과다 투여하면 피부가 얇아지고, 멍이 쉽게 들며, 선조(striae)가 나타나고 상처의 치유가 늦어진다. 그리고 당질부신피질호르몬은 근육단백질 합성을 줄이고, 2형근육섬유의 위축을 가져온다.

② 뼈와 칼슘대사

당질부신피질호르몬은 직접적으로 조골세포 증식을 억제하고, RNA와 단백질, 콜라겐, 하이알유론산염(hyaluronate)의 합성을 억제하여 골형성을 억제하고 골흡수를 촉진한다. 장에서 칼슘의 흡수 억제와 소변칼슘의 배설을 함께 증가시키고, 부갑상선호르몬 분비를 증가시켜 골흡수를 촉진한다. 따라서 당질부신피질호르몬 과다는 칼슘은 유지되지만, 동반되는 인산의 배설 증가와 함께 장기적으로는 골형성의 감소와 골흡수의 증가가 함께 일어나 결과적으로 심한 골감소증(osteopenia) 또는 골다공증(osteoporosis)을 초래할 수 있다. 12개월 이상 장기적으로 당질부신피질호르몬을 투여한 사람에게서 골다공증이 50% 정도 발생한다. 그리고 소량의 당질부신피질호르몬 투여에도 발생할 수 있는 대퇴골두(femoral head)의 골괴사(osteonecrosis)는 의사들이 가장 두려워하는 합병증으로 골세포의 세포자멸사(apoptosis)를 발생원인으로 생각하고 있으며, 심한 경우에는 전체 엉덩관절치환이 필요할 수도 있다.

③ 성장과 발달

당질부신피질호르몬은 태아발생 시에는 발육을 항진시키나, 소아에게는 성장을 억제한다. 성장장애는 뼈, 근육, 결체조직에 대한 인슐린유사성장인자1 (IGF-I)의 효과를 억제하여 나타나는 결과로 보인다. 그러므로 성장장애는 소아에게 당질부신피질호르몬제제를 장기투여하는 경우에 발생하는 중요한 합병증이다.

④ 조혈기관

당질부신피질호르몬은 골수로부터 혈액으로의 다형핵 백혈구의 유출과 순환혈액내 반감기를 증가시키고, 혈관 밖으로 유주(migration)하여 나가는 것을 억제한다. 반면 림프구, 단핵구, 호산구 등은 혈관 밖으로 이동시켜 혈액내 수는 감소한다. 하지만 적혈구 생성에는 별 영향을 미치지 않는다. 또한 다형핵 백혈구, 단핵구, 림프구 등 염증세포가 상처부위로 이동하는 것을 억제하여 항염효과를 나타내며 장기간 사용 시 감염에 대한 저항력이 낮아질 수 있다.

⑤ 심혈관계

당질부신피질호르몬은 신장과 혈관에 대한 다양한 작용을 통해 혈압을 증가시킨다. 당질부신피질호르몬이 카테콜라민과 안지오텐신II 등 혈압상승물질의 작용을 강화하여 말초혈관긴장도를 증가시키고, 산화질소(NO)에 의한 혈관확장을 줄여서 혈압을 올린다. 또 당질부신피질호르몬은 안지오텐시노젠 합성을 증가시킨다. 그러므로 당질부신피질호르몬이 결핍되면, 혈관수축물질이나 수액 보충에 반응하지 않는 무반응성 쇼크(refractory shock)가 나타날 수 있다.

⑥ 신장

HSD11B2 활성에 따라 다르지만 코티솔은 무기질부신피질호르몬수용체와 결합하여 소듐을 저류시키고, 포타슘 배설은 늘린다. 또한 당질부신피질호르몬 투여는 사구체여과율을 증가시키고, 근위세관(proximal tubule)에서 소듐수송과 함께 유리수분청소율(free water clearance)을 증가시킨다. 반대로 당질부신피질호르몬이 부족할 때에는 사구체여과율이 감소하고 수분 배설능이 감소하게 되고, 항이뇨호르몬(ADH, 바소프레신) 분비와 작용 증가가 일어난다.

⑦ 중추신경계

당질부신피질호르몬 과잉상태가 되면 처음에는 쾌감(euphoria)이 흔하게 생기지만, 오래되면 정신병적인 증상, 자극과민성(irritability), 정서불안정과 우울증이 나타날 수 있다. 당질부신피질호르몬은 뇌신경의 세포사를 초래하고, 이런 현상은 해마부위에서 확실하다. 당질부신피질호르몬의 이런 작용은 인지기능이나 기억, 그리고 알츠하이머병과 같은 신경퇴행질환과 관련하여 관심을 끌고 있다. DHEA는 해마부위에서 신경보호 효과를 보인다. 그리고 DHEA를 7α-수산화대사물로 바꾸는 효소인 CYP7B는 뇌에서 매우 강하게 발현하지만 해마부위의 특정 신경세포(dentate neurons)에서는 발현이 감소되어 있다.

⑧ 다른 내분비기관

당질부신피질호르몬이 과다하게 증가하면 갑상선에 영향을 미친다. 갑상선자극호르몬방출호르몬(TRH)에 대한 갑상선자극호르몬(TSH) 분비를 둔화시키고, T_4에서 T_3으로의 전환을 억제한다. 이 경우에 혈액내 총 T_4 농도는 낮지만 유리 T_4는 정상이다. 당질부신피질호르몬은 성선자극호르몬방출호르몬(GnRH)의 박동성 분비를 억제하고, 황체형성호르몬(LH)과 난포자극호르몬(FSH) 분비를 억제하여 여성에게서 성기능장애, 무월경과 무배란증이 생기기도 한다.

⑨ 기타

당질부신피질호르몬을 장기간 투여하면 위궤양 발생위험이 증가하고, 당질부신피질호르몬 과잉상태에서 췌장염과 지방 괴사가 발생한 경우도 있다. 당질부신피질호르몬수용체는 위장관 전체에 걸쳐서 발현하고, 무기질부신피질호르몬수용체는 아래쪽대장에 주로 분포하기 때문에 이들 수용체가 코티코스테로이드의 상피세포 이온수송에 관여한다.

당질부신피질호르몬 투여는 안압을 올리며, 백내장을 유발한다. 안압 증가는 당질부신피질호르몬 투여로 방수(aqueous humor) 생성이 늘고, 기둥그물(trabecular meshwork)에 바탕질(matrix)이 침착하여 방수배출이 줄기 때

문에 발생한다.

2) 무기질부신피질호르몬

대표적인 무기질부신피질호르몬인 알도스테론의 주된 작용은 소듐, 포타슘 농도와 세포바깥액 용적의 조절에 있다. 알도스테론은 세포내 특이수용체(무기질부신피질호르몬수용체)와 결합하며, 활성화된 호르몬-수용체의 복합체는 세포핵내로 들어가 특정 DNA와 결합하여 RNA전사를 일으키고 그 결과 소듐특이세포막통로(channel) 수를 증가시키며 또한 세포의 나트륨펌프에 필요한 에너지를 공급하는 새로운 단백질의 생합성을 촉진한다. 그림 4-1-15에서와 같이 신세뇨관강으로부터 신세뇨관세포로 소듐이 재흡수되고 이에 따라 신세뇨관강 내의 전위압이 음값이 되어 신세뇨관세포에서부터 양이온인 포타슘과 수소이온이 신세뇨관강 내로 이동하여 배설되며 신세뇨관세포로 흡수된 소듐은 나트륨펌프를 통해 세포바깥액으로 들어가 세포바깥액의 구성과 용적을 조절하게 된다.

3) 부신안드로젠

부신안드로젠인 안드로스텐다이온, DHEA, DHEA-S 등

의 직접적 생물학적 효과는 미미하며, 주로 말초조직에서 더 강력한 안드로젠인 테스토스테론과 다이하이드로테스토스테론으로 전환되어 효과를 나타내는 전구호르몬(prohormone)으로 생각할 수 있다. 이러한 과정으로 생기는 테스토스테론은 남성에게서는 전체의 약 5%에 불과하지만, 여성은 난소에서 생성되는 안드로젠의 양이 아주 적기 때문에 난포기(follicular phase)에는 부신안드로젠이 혈액내테스토스테론의 약 2/3, 다이하이드로테스토스테론의 약 1/2 정도 기여한다.

참 / 고 / 문 / 헌

1. 김성연 외. 부신의 해부와 생리. 임상내분비학. 제3판. 고려의학; 2016. pp. 291-302.

2. 대한내분비학회. 정상 부신피질. 내분비대사학. 제2판. 군자출판사; 2011. pp. 261-86.

3. Aguilera G. Regulation of pituitary ACTH secretion during chronic stress. Front Neuroendocrinol 1994;15:321-50.

4. Bernhardt R. The role of adrenodoxin in adrenal steroidogenesis. Curr Opin Endocrinol Diabetes 2000;7:109-15.

5. Breuner CW, Orchinik M. Plasma binding proteins as mediators of corticosteroid action in vertebrates. J Endocrinol 2002;175:99-122.

6. Bronnegard M, Arner P, Hellstrom L, Akner G, Gustafsson JA. Glucocorticoid receptor messenger ribonucleic acid in different regions of human adipose tissue. Endocrinology 1990;127:1689-96.

7. Chen SY, Bhargava A, Mastroberardino L, Meijer OC, Wang J, Buse P, et al. Epithelial sodium channel regulated by aldosterone-induced protein sgk. Proc Natl Acad Sci USA 1999;96:2514-9.

8. Chrousos GP. The hypothalamic-pituitary-adrenal axis and immune-mediated inflammation. N Engl J Med 1995;332:1351-62.

9. Coll AP, Farooqi IS, Challis BG, Yeo GSH, O'Rahilly S. Proopiomelanocortin and energy balance: insights from human and murine genetics. J Clin Endocrinol Metab 2004;89:2557-62.

10. Curnow KM, Tusie-Luna MT, Pascoe L, Natarajan R, Gu JL, Nadler JL, et al. The product of the CYP11B2 gene is required for aldosterone biosynthesis in the human adrenal cortex. Mol Endocrinol 1991;5:1513-22.

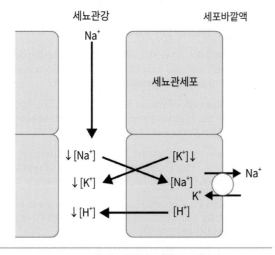

그림 4-1-15. 무기질부신피질호르몬의 작용기전
염분 섭취가 충분한 경우 무기질부신피질호르몬작용에 의해 소듐이온(Na^+)이 세포바깥액으로 이동하면서 포타슘이온(K^+)과 수소이온(H^+)은 세뇨관강 내로 배출된다. 그러나 염분 섭취가 적으면 동량의 무기질부신피질호르몬이 있어도 그 효과는 감소하게 된다.

11. Ehrhart-Bornstein M, Hinson JP, Bornstein SR, Scherbaum WA, Vinson GP. Intraadrenal interactions in the regulation of adrenocortical steroidogenesis. Endocr Rev 1998;19:101-43.

12. Funder JW. The nongenomic actions of aldosterone. Endocr Rev 2005;26:313-21.

13. Grossman A. DeGroot L, Jamesson JL. Endocrinology adult and pediatric: the adrenal gland. 6th ed. Philadelphia: Elsevier; 2013. pp. el-55.

14. Gwynne JT, Strauss JF 3rd. The role of lipoproteins in steroidogenesis and cholesterol metabolism in steroidogenic glands. Endocr Rev 1982;3:299-329.

15. Hammes SR, Levin ER. Extranuclear steroid receptors: nature and actions. Endocr Rev 2007;28:726-41.

16. Hammond GL. Molecular properties of corticosteroid binding globulin and the sex-steroid binding proteins. Endocr Rev 1990;11:65-79.

17. Hauger RL, Aguilera G. Regulation of pituitary corticotrophin releasing hormone (CRH) receptors by CRH: interaction with vasopressin. Endocrinology 1993;133:1708-14.

18. Hauner H, Entenmann G, Wabitsch M, Gaillard D, Ailhaud G, Negrel R, et al. Promoting effect of glucocorticoids on the differentiation of human adipocyte precursor cells cultured in a chemically defined medium. J Clin Invest 1989;84:1663-70.

19. Havelock JC, Auchus RJ, Rainey WE. The rise in adrenal androgen biosynthesis: adrenarche. Semin Reprod Med 2004;22:337-47.

20. Jaffe RB, Mesiano S, Smith R, Coulter CL, Spencer SJ, Chakravorty A. The regulation and role of fetal adrenal development in human pregnancy. Endocr Res 1998; 24:919-26.

21. Labrie F, Belanger A, Simard J, Luu-The Van, Labrie C. DHEA and peripheral androgen and estrogen formation: intracrinology. Ann N Y Acad Sci 1995;774:16-28.

22. Leonard MB, Feldman HI, Shults J, Zemel BS, Foster BJ, Stallings VA. Long-term, high-dose glucocorticoids and bone mineral content in childhood glucocorticoid sensitive nephrotic syndrome. N Engl J Med 2004;351:868-75.

23. Luo X, Ikeda Y, Parker KL. A cell-specific nuclear receptor is essential for adrenal and gonadal development and sexual differentiation. Cell 1994;77:481-90.

24. McKay LI, Cidlowski JA. Molecular control of immune/inflammatory responses: interactions between nuclear factor-kappa B and steroid receptor-signaling pathways. Endocr Rev 1999;20:435-59.

25. Mesiano S, Jaffe RB. Developmental and functional biology of the primate fetal adrenal cortex. Endocr Rev 1997; 18:378-404.

26. Moore JS, Monson JP, Kaltsas G, Putignano P, Wood PJ, Sheppard MC, et al. Modulation of 11β-hydroxysteroid dehydrogenase isozymes by growth hormone and insulin-like growth factor: in vivo and in vitro studies. J Clin Endocrinol Metab 1999;84:4172-7.

27. Okamoto M, Takemori H. Differentiation and zonation of the adrenal cortex. Curr Opin Endocrinol Diabetes 2000;7:122-7.

28. Pascual-Le Tallec L, Lombes M. The mineralocorticoid receptor: a journey exploring its diversity and specificity of action. Mol Endocrinol 2005;19:2211-21.

29. Payne AH, Hales DB. Overview of steroidogenic enzymes in the pathway from cholesterol to active steroid hormones. Endocr Rev 2004;25:947-70.

30. Quinkler M, Stewart PM. Hypertension and the cortisol-cortisone shuttle. J Clin Endocrinol Metab 2003;88:2384-92.

31. Raff H. Glucocorticoid inhibition of neurohypophysial vasopressin secretion. Am J Physiol 1987;252:R635-44.

32. Rainey WE. Adrenal zonation: clues from 11β-hydroxylase and aldosterone synthase. Mol Cell Endocrinol 1999;151:151-60.

33. Rhen T, Cidlowski JA. Antiinflammatory action of glucocorticoids: new mechanisms for old drugs. N Engl J Med 2005;353:1711-23.

34. Smith AI, Funder JW. Proopiomelanocortin processing in the pituitary, central nervous system, and peripheral tissues. Endocr Rev 1988;9:159-79.

35. Stewart PM, Newell-Price JD. The adrenal cortex. In: Melmed S, Polonsky KS, Larsen PR, Kronenberg HM eds. Williams textbook of endocrinology. 13th ed. Philadelphia: Elsevier; 2016. pp. 490-505.

36. Tomlinson JW, Walker EA, Bujalska IJ, Draper N, Lavery GG, Cooper MS, et al. 11β-Hydroxysteroid dehydrogenase type 1: a tissue-specific regulator of glucocorticoid response. Endocr Rev 2004;25:831-66.

37. Turnbull AV, Rivier CL. Regulation of the hypothalamic-pituitary-adrenal axis by cytokines: actions and mechanisms of action. Physiol Rev 1999;79:1-71.

38. Weinstein RS, Nicholas RW, Manolagas SC. Apoptosis of osteocytes in glucocorticoid-induced osteonecrosis of the hip. J Clin Endocrinol Metab 2000;85:2907-12.

39. Whitworth JA, Stewart PM, Burt D, Atherden SM, Edwards CR. The kidney is the major site of cortisone production in man. Clin Endocrinol (Oxf) 1989;31: 355-61.

40. Williams PL, Corbett M. Avascular necrosis of bone complicating corticosteroid replacement therapy. Ann Rheum Dis 1983;42:276-9.

41. Zhou J, Cidlowski JA. The human glucocorticoid receptor: one gene, multiple proteins and diverse responses. Steroids 2005;70:407-17.

부신피질질환

김정희 류옥현 신충호 이승훈

I. 쿠싱증후군

김정희

1. 서론

쿠싱증후군은 만성적인 당질부신피질호르몬 과다로 인해 생기는 여러 임상증상과 징후의 집합으로 1912년 Harvey Cushing에 의해 처음 기술되었다. 가장 흔한 원인은 생리적 용량 이상의 과다한 스테로이드 사용으로 인해 발생하는 의인쿠싱증후군이고 내인쿠싱증후군은 드물게 발생하며 원인질환에 따라 부신피질자극호르몬(adrenocorticotropic hormone, ACTH)의존과 ACTH비의존쿠싱증후군으로 분류된다. 쿠싱병은 뇌하수체종양에서 ACTH가 과분비되어 발생하는 ACTH의존쿠싱증후군으로 내인쿠싱증후군 중 가장 흔한 원인으로 전체 쿠싱증후군의 약 70%를 차지한다. 뇌하수체종양이 아닌 종양에서도 ACTH를 생산하므로 부신피질을 자극하여 이소성 부신피질자극호르몬증후군으로 나타난다. ACTH와 무관하게 부신에서 코티솔의 과도한 분비로 인해 생기는 경우 부신질환과 관련되어 있다. 보통 일측성종양으로 나타나지만 양측성종양이나 결절성과증식형태로 나타나기도 한다. 쿠싱증후군은 원인에 따라 임상양상의 차이가 있지만 심혈관질환 및 감염 등의 다양한 합병증을 유발하고 높은 사망률과도 연관된다.

2. 역학

쿠싱증후군의 발생빈도는 매년 인구 100만 명당 2-3명 정도이며 이소성 부신피질자극호르몬증후군은 주로 기관지성 폐암과 관련되는데 폐암 환자의 약 0.5%에서만 이소성 ACTH 분비가 동반된다. 쿠싱병과 부신선종은 여성에서 4배 이상 흔한데 이소성 부신피질자극호르몬증후군은 남성에서 더 흔하다. 쿠싱병은 주로 30-40대에 진단되고 이소성 부신피질자극호르몬증후군은 50-60대에 진단된다. 부신암의 경우 10세 전후의 소아기나 또는 45세 이후의 성인에서 잘 발생하며 부신선종의 경우에는 25-45세의 비교적 젊은 나이에 많다.

외국 연구결과에서는 쿠싱병이 약 70-80%를 차지하나 2000년도 국내 연구에 따르면 쿠싱병과 부신선종에 의한 쿠싱증후군의 비율은 유사하게 보고되었다(43.3% vs. 41.7%). 쿠싱증후군의 원인질환 비율은 인종적 차이가 있지만, 국내에서도 외국과 마찬가지로 여성에서 3.5배 높게 진단되고 주로 40대에 진단되었다. 최근 국내 국민건강보험공단자료를 이용한 분석에 따르면 쿠싱병의 인구 백만 명당 발생률은 2.3명/년, 유병률은 9.8명으로 나타났으며 부신질환에 의한 쿠싱증후군의 인구 백만 명당 발생률은 1.5명/년, 유병률은 23.4명으로 높게 보고되었다. 최근 검진목적 복부영상촬영이 증가하면서 부신우연종의 증가로 부신선종에 의한 쿠싱증후군의 유병률은 증가하고 중증도는 경미해지는 추세이다.

3. 원인 및 병태생리

쿠싱증후군에는 의인쿠싱증후군과 내인쿠싱증후군이 있으며 내인쿠싱증후군은 크게 ACTH의존과 비의존쿠싱증후군으로 분류한다(표 4-2-1).

1) 의인쿠싱증후군

전체 쿠싱증후군의 가장 많은 원인으로 생리적 용량 이상의 과다한 당질부신피질호르몬 사용으로 인해 발생한다. 복용한 당질부신피질호르몬의 역가, 용량, 용법, 사용기간 등에 따라 임상증상의 정도가 다양하며 녹내장, 백내장, 대퇴골두 무혈관성괴사, 골다공증 등이 내인쿠싱증후군에 비하여 흔하게 나타난다. 쿠싱증후군의 임상양상을 보이는 환자의 경우 반드시 관절통, 요통, 피부질환, 천식, 자가면역질환 등 당질부신피질호르몬을 치료제로 사용할 수 있는 동반질환에 대한 병력과 복용 약물에 대한 면밀한 조사가 필요하다. 경구약물 이외에도 주사제, 국소, 흡입제로도 발생할 수 있다. 병력 조사에서 모호한 경우에는 아침 공복시 혈액검사를 통해 외부 당질부신피질호르몬 투여로 억제된 낮은 혈장ACTH 농도와 혈청코티솔 농도를 확인하거나 부신부전에 대한 검사로 급속 ACTH자극검사를 통해 확인할 수 있다.

2) 내인쿠싱증후군

(1) ACTH의존쿠싱증후군
① 쿠싱병

쿠싱병은 성인에서 자연적으로 발생하는 쿠싱증후군의 원인 중 가장 흔한 질환으로 전체 쿠싱증후군의 70-80%를 차지한다. ACTH를 과분비하는 뇌하수체선종이 원인이며 대부분 1 cm 미만의 미세선종이다. 그러나 5-10%에서 대선종으로 발현하며 침습적인 성향을 나타낸다. 드물게 뇌하수체

선암도 보고되어 있다. 양측부신의 미만성부신피질과증식을 관찰할 수 있으며 망상대와 속상대가 모두 증식하여 피질의 비후를 보이며 일부에서 대결절부신증식을 보인다.

쿠싱병 발병관련 체세포돌연변이로 ubiquitin specific peptidase 8 (USP8)유전자가 알려져 있으며 전체 쿠싱병 환자의 35-62%에서 발견된다. USP8유전자돌연변이는 epidermal growth factor receptor (EGFR)의 탈유비퀴틴화를 억제함으로써, EGFR 신호전달체계를 과활성화하여 pro-opiomelanocortin (POMC) 및 ACTH 합성을 촉진하는 것으로 알려져 있다. USP48, BRAF, multiple endocrine neoplasia type 1 (MEN1), aryl-hydrocarbon receptor-interacting protein (AIP), CDKN1B (p27Kip1), Cyclin-dependent kinase 1 (CDK1), CDKN2c (p18INK4c), succinate dehydrogenase subunit과 같은 유전자이상이 쿠싱병이상과 관련되는 것으로 알려져 있다(뇌하수체종양 부분 참조).

② 이소성 부신피질자극호르몬증후군(ectopic ACTH syndrome)

뇌하수체종양 외 다른 종양에서 부신피질자극호르몬을 분비하는 이소성 부신피질자극호르몬증후군은 쿠싱증후군의 15%를 차지한다고 알려져 있으나 국내에서는 발생빈도가 비교적 낮다. 주로 소세포폐암, 흉선종양, 췌장종양, 난소종양, 유암종종양, 갈색세포종, 갑상선수질암 등이 알려져 있다.

소세포폐암 등과 같이 병의 경과가 빠른 악성종양에 의한 쿠싱증후군(약 50%)은 전형적인 임상증상이 발현하기 전에 사망하는 경우가 많다. 악성종양에서 분비되는 이소성 부신피질자극호르몬증후군은 매우 높은 ACTH, 코티솔로 인해 대사합병증(저칼륨성알칼리증, 말단부종, 내당능장애 등)과 색소침착의 증상과 징후가 두드러지게 나타나고 고용량덱사메타손억제검사에서도 억제되지 않는다.

표 4-2-1. 내인쿠싱증후군의 빈도와 주 발병연령

원인질환	빈도(%)	주 발병연령
ACTH의존쿠싱증후군	70–80	
쿠싱병	60–70	30–40대
이소성 부신피질자극호르몬(ACTH)증후군	5–10	50–60대
이소성 부신피질자극호르몬방출	< 1	
ACTH비의존쿠싱증후군	20–30	
부신선종	10–22	40–50대
부신피질암종	5–7	3세 이하, 50–60대
양측미세결절부신증식	< 2	
일차색소침착결절부신피질질환	드묾	10–30대
McCune–Albright증후군	드묾	
양측대결절부신증식	< 2	50–60대

유암종종양과 같이 크기가 작고 천천히 자라는 종양은 진단까지 오랜 시간이 경과하여 전형적인 쿠싱증후군의 임상양상을 보이고 고용량덱사메타손억제검사에서도 억제될 수 있다.

(2) ACTH비의존쿠싱증후군

정상적인 상황에서 코티솔 분비는 시상하부–뇌하수체–부신축의 조절에 따라 부신속상대(zona fasciculata)에서 cAMP/단백인산화효소A (protein kinase A, PKA) 신호전달경로를 통해 코티솔이 분비된다(그림 4-2-1A). 부신피질자극호르몬(ACTH)은 G단백연결수용체인 ACTH수용체(melanocortin type 2 receptor, MC2R)에 결합하여 촉진G단백질 알파소단위(Gsα)를 활성화하고 아데닐산고리화효소(adenyl cyclase)를 자극하여 삼인산아데노신(ATP)으로부터 cAMP를 생성한다. PKA는 안정 시에는 불활성화된 4합체효소로 2개의 조절소단위(PKA–R)와 2개의 촉매소단위(PKA–C)로 구성되어 있으며, 세포내 cAMP의 농도 증가에 따라 활성화된다. cAMP는 조절소단위에 결합하여 촉매소단위를 분리시켜 PKA를 활성화시키고 분리된 촉매소단위(PKA–C)는 전사인자 CREB (cAMP re-sponse element binding protein) 등을 인산화시켜서 특정 표적유전자의 프로모터에 결합하여 코티솔 생성과 부신속상대세포의 증식을 유도한다. 인산디에스테르가수분해효소(phosphodiesterases, PDE)는 cAMP에 결합하여 가수분해함으로써 cAMP 농도를 감소시키고 PKA는 불활성화상태로 돌아간다. 쿠싱증후군을 유발하는 부신질환은 이러한 cAMP/PKA신호전달경로를 비정상적으로 활성화시키는 다양한 단계에서 생기는 유전자돌연변이에 의해 발생한다.

① 부신선종

코티솔분비부신선종의 원인유전자로 PRKACA (protein kinase cAMP–activated catalytic subunit α)유전자의 활성화 체세포돌연변이가 2014년 동시에 여러 그룹에 의해 발견되었다(그림 4-2-1B). PRKACA 체세포돌연변이는 코티솔분비부신선종 환자의 28–65%에서 보고되며 대부분 PRKACA c.617A > C/p.Lys206Arg돌연변이가 대부분이다. 이 부위의 돌연변이로 PKA–R1α (PKA regulatory subunit 1 α)가 PRKACA에 결합하지 못하여 기저PKA 활성도가 증가하여 CYP21A1, CYP11A1 등 코티솔합성 관

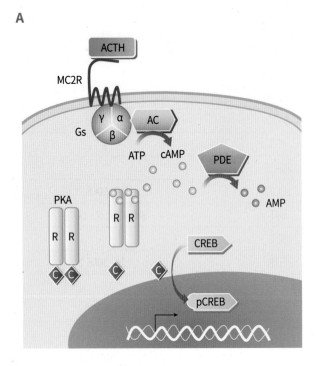

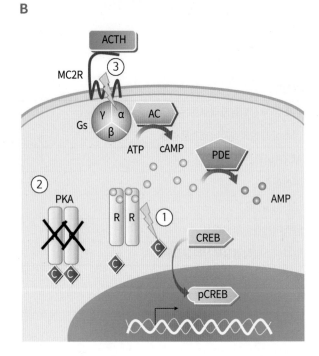

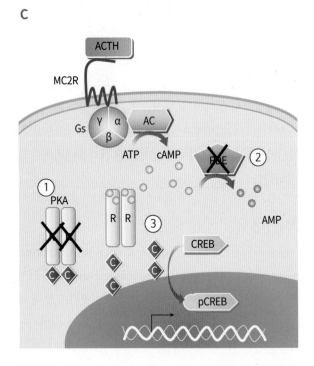

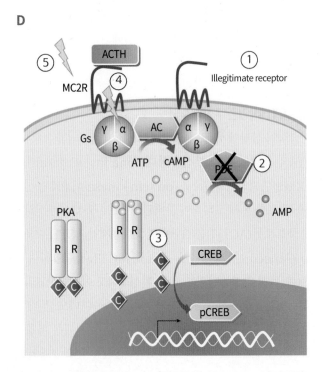

그림 4-2-1. **부신질환에 의한 쿠싱증후군의 병태생리**

A: 정상 부신피질세포에서 cAMP/PKA 신호전달경로, B: 코티솔분비부신선종(1: PRKACA 활성화돌연변이, 2: PRKARA1 불활성화돌연변이, 3: GNAS1 활성화돌연변이), C: 일차색소침착결절부신피질질환(PPNAD), D: 일차거대결절부신과 증식(PBMAH)(1: 이소성 수용체 발현, 2: PDE11A/PDE8B 불활성화돌연변이, 3: PRKACA 중복돌연변이, 4: GNAS1 활성화돌연변이, 5: MC2R 활성화돌연변이).

련 유전자의 발현이 증가한다. PRKACA유전자의 체세포 돌연변이는 현저한 쿠싱증후군 임상양상을 나타내는 환자에서 나타나며 상대적으로 크기에 비해 호르몬 활성도가 높은 임상적 특징이 있다. GNAS유전자활성화 체세포돌연변이는 부신선종의 4.5–11%에서 나타나는데 McCune-Albright증후군과는 다른 유전자부위이다. Wnt/β–catenin 신호전달경로 활성화를 유도하는 CTNNB1유전자의 돌연변이는 코티솔분비부신선종의 16%에서 나타난다. cAMP/PKA 경로의 돌연변이(PRKACA, GNAS)를 나타내는 선종은 Wnt/β–catenin 경로의 돌연변이(CTNNB1유전자)보다 일반적으로 크기는 작고 젊은 연령에서 발현하며 현저한 고코티솔증을 보인다. 현재까지 발표된 연구를 종합하면 코티솔분비부신선종 또는 과증식 환자에서 체세포 PRKACA 유전자돌연변이는 28%, CTNNB1유전자돌연변이는 4%, GNAS유전자돌연변이는 4%를 차지하였으며 산발형 코티솔분비부신선종에서 PRKAR1A, PDE8B, G 단백연결수용체 변형과 관련된 유전자돌연변이가 드물게 보고되었다.

② 부신피질암종
부신피질암종은 불량한 예후를 지닌 드문 질환으로 3세 미만 소아기와 40–50대 성인이 주된 발병 연령이다. 부신피질암종 중 코티솔만 과잉분비하는 경우는 45%, 안드로젠 과잉분비를 동반하는 경우는 25%로 여성에서 남성화를 유발하기도 한다. 부신피질암종은 100 g 이상의 무게와 3 cm에서 40 cm 크기까지 다양하고 핵다형성과 유사분열의 증가, 비정형유사분열, 피막 또는 혈관 침범, 괴사 등이 주로 나타나고 IGF2, p53의 과발현, 높은 Ki-67의 발현(> 5%)으로 부신선종과 구별된다. 드물게 부신피질암종은 Li-Fraumeni증후군 또는 Beckwith-Wiedemann증후군, 1형 다발내분비선종양, 가족성대장선종폴립증, Lynch증후군, 1형신경섬유종증, Carney complex와 연관성을 보인다.

부신피질암종은 코티솔분비선종과는 다르게 cAMP 경로는 드물게 보고되고 주로 세포증식, 분화, 생존, 세포자멸과 관

련된 암종화경로와 연관되어 나타나며 비정상적 Wnt/β–catenin경로(CTNNB1, ZNRF3유전자돌연변이), 인슐린유사성장인자2, p53/망막모세포종 단백질경로(TP53, CDKN2A, RB1유전자돌연변이), 염색체 리모델링(MEN1, DAXX), MED12, TERT변이가 포함된다. 인슐린유사성장인자2는 부신피질종양형성에서 중요한 역할을 하는 것으로 여겨지며, 산발적부신피질암종의 90% 이상에서 이것이 과발현되어 있다. 종양억제유전자 TP53은 세포증식에 중요한 역할을 하는데 성인의 부신피질암종에서 TP53의 체세포돌연변이가 25–30%에서, 소아에서는 50–80%에서 높은 비율을 보인다. 17p13의 TP53유전자 위치의 대립유전자손실은 부신피질암종에서는 85%, 부신선종에서는 30% 미만에서 나타난다.

Wnt/β–catenin신호전달경로는 부신피질기능에서 중요한 요소인데 APC유전자의 생식세포돌연변이는 Wnt/β–catenin경로를 활성화하여 가족성대장선종폴립증의 발달에 관여한다. 글리코겐합성인산화효소3β (GSK3β)의 인산화부위가 β–catenin의 체세포돌연변이에 의해 변형되는데 이는 부신피질암종의 25–30%에서 나타난다. 이 돌연변이는 코티솔분비선종과 일차색소침착결절부신피질질환에서도 나타난다. CTNNB1돌연변이에 의해서는 양성, 악성부신종양 모두에서 Wnt/β–catenin경로가 활성화되고 부신피질암종에서는 ZNRF3유전자의 불활성화에 의해 Wnt/β–catenin경로가 활성화된다.

③ 양측미세결절부신증식(bilateral micronodular adrenal hyperplasia)
일차색소침착결절부신피질질환(primary pigmented nodular adrenocortical disease, PPNAD)은 주로 어린이와 30세 미만의 성인에서 진단되며 2–4 mm 크기의 lipofuscin이 축적된 흑갈색을 띠는 많은 결절을 가지고 있지만 부신의 크기는 정상인 것이 특징이고 결절 사이의 조직은 위축되어 있다. 원인으로는 protein kinase A regulatory subunit type IA (PRKAR1A) 종약억제유전자의

생식세포돌연변이로 알려져 있다(그림 4-2-1C). PKA 조절소단위 R1A유전자의 불활성화돌연변이는 cAMP/PKA신호전달경로를 지속적으로 활성화시킨다. 이 돌연변이의 80%는 nonsense-mediated decay (NMD)기전으로 mRNA의 단백질 번역을 방해한다.

가족성으로 나타나는 경우는 Carney complex라고 부르며 여기에는 반점성색소침착과 다발내분비계종양(뇌하수체, 부신, 고환, 갑상선종양)과 피부, 유방, 심장의 점액종(myxoma), 유방의 섬유선종 등이 동반된다.

이 환자들의 생화학소견은 ACTH비의존쿠싱증후군과 같으나 영상검사에서는 정상 부신소견을 보이는 경우가 많아 ACTH의존쿠싱증후군으로 오인될 수 있다. 따라서 소아와 젊은 성인의 쿠싱증후군 환자에서 ACTH 농도가 낮으면서 정상 부신이 관찰되면 이 질환을 의심해야 한다.

PPNAD 중 색소침착이 없는 경우를 단독미세결절부신피질질환(isolated micronodular adrenocortical disease, i-MAD)이라고 하며 Carney complex와는 관련성이 없다. 소아기에 단일양상이나 산발적 질환으로 주로 나타나며 PDE11A, PDE8B의 불활성화돌연변이로 인산디에스테르 가수분해효소가 불활성화되어 cAMP-신호전달체계에서 cAMP의 가수분해를 하지 못하도록 한다.

매큔-올브라이트증후군(McCune-Albright syndrome)은 영유아에서 쿠싱증후군이 발생하는 드문 질환으로 GNAS (G-protein α subunit, Gsα)의 돌연변이로 인해 cAMP가 지속적으로 활성화되어 ACTH자극이 없어도 부신이 지속적으로 증식하고 코티솔을 과잉분비하게 된다. 다골섬유형성이상(polyostotic fibrous dysplasia), 피부색소침착(café-au-lait spots)이 관찰된다. 대부분 성조숙이 동반되며 일부에서 갑상선기능항진증 등을 동반한다.

④ 양측대결절부신증식(bilateral macronodular adrenal hyperplasia, BMAH)

양측대결절부신증식은 색소침착이 없는 5 mm 이상의 다발결절이 동반된 부신증식으로 전체 부신의 크기가 60-200 g으로 증가되어 있으며 과거에 ACTH비의존 대결절부신증식이라고 명명하였으나 부신내 ACTH 분비가 밝혀지면서 질환명이 변경되었다. 또한 쿠싱병에서 장기간의 ACTH자극에 의한 이차대결절부신증식과는 구별된다. 부신피질에 위산억제폴리펩타이드(gastric inhibitory polypeptide, GIP), 바소프레신, 황체형성호르몬, 세로토닌, 안지오텐신 1(AT1) 등에 대한 이소성 수용체가 비정상적으로 과도하게 발현하여 이들이 ACTH처럼 부신을 자극하여 부신증식과 코티솔 과잉분비를 유발한다(그림 4-2-1D). 부신 크기에 비해서 코티솔 분비는 경미하고 스테로이드전구체가 증가되어 있으며 안드로겐과 무기질부신피질호르몬이 동시에 분비되는 경우도 있다. 무증상쿠싱증후군은 일차대결절부신증식에서 가장 흔한 임상양상으로 현성쿠싱증후군은 50-60대에 주로 나타난다. 최근에는 유전변이 종양억제유전자인 ARMC5 생식세포돌연변이가 20-50%에서 나타나고 보통염색체우성유전으로 알려져 있으며 가족성 BMAH가 보고되었다. 다른 원인 유전자로는 1형다발내분비선종양(MEN1유전자), 가족성선종용종증(APC유전자), 유전적인 평활근종증과 신장암증후군(FH유전자), cAMP 신호전달의 가족형변이(가족형 G단백연결수용체, PDE11A유전자)에서 보고된 바 있다.

(3) 기타 쿠싱증후군

① 주기성쿠싱증후군(cyclic Cushing's syndrome)

코티솔 분비가 주기적으로 나타나는 경우를 뜻하며 모든 형태의 쿠싱증후군에서 보고되고 있다. 덱사메타손억제검사로 진단은 어려운 경우가 많으며 장기간에 걸쳐 주기적으로 24시간 소변유리코티솔이나 자정혈액코티솔을 측정하여 진단할 수 있다.

② 생리적/비종양성 고코티솔증(physiologic/non-neoplastic hypercortisolism; pseudo-Cushing's syndrome, 가성쿠싱증후군)

생리적/비종양성 고코티솔증(가성쿠싱증후군)은 쿠싱증후군은 아니나 호르몬검사상에서 고코티솔증을 보이는 경우를 말한다. 심한 신체적 스트레스 상황, 영양결핍, 신경성 식욕부진, 심한 운동, 시상하부성 무월경, 코티솔결합글로불린 과잉인 경우에는 쿠싱증후군의 임상양상을 동반하지 않는 고코티솔증을 나타낼 수 있으며 임신, 우울증 및 정신과질환, 알콜중독, 당질부신피질호르몬 저항성, 심한 비만, 조절되지 않는 당뇨병인 경우에는 생화학적으로 고코티솔증을 보이면서 쿠싱증후군의 임상양상 일부를 보일 수도 있다. 쿠싱증후군 진단 시에는 생리적/비종양성 고코티솔증에 대한 고려가 필요하며, 진단이 모호할 경우에는 덱사메타손-CRH검사를 시행해보거나 3-6개월 후 재검사를 시행하는 것을 추천한다. 덱사메타손-CRH검사는 저용량 덱사메타손억제검사(정오부터 6시간 간격으로 0.5 mg씩 2일간 8회 투약)를 통해 정상 뇌하수체에서 분비되는 코티솔 분비를 억제하고 아침 6시 마지막 덱사메타손 투약 후 아침 9시에 CRH를 투약하여 쿠싱병이 있는 환자에서만 15분째 코티솔 분비량이 1.4 µg/dL 이상 증가하는지 보는 검사이다. 이 검사는 민감도 94-100%, 특이도 50-100% 정도로 보고된다.

4. 임상증상과 합병증

쿠싱증후군 환자에서 나타나는 임상양상 및 검사소견은 개인별로 다양할 뿐만 아니라, 단순비만 환자와 비슷한 양상을 보일 수도 있다. 이 중 가장 변별력이 높은 증상은 쉽게 멍이 드는 증상, 근력약화, 안면홍조, 자색선조이다. 쿠싱증후군의 임상양상은 남녀 차이가 있어서 남성이 여성보다 더 젊은 나이에 발병하고 더 심한 증상으로 나타난다. 또한 자색선조, 근력약화, 골다공증, 요로결석 등은 남성에서 더 두드러진다(표 4-2-2).

1) 임상증상

비만은 가장 흔한 증상으로 약 57-100%에서 나타나며 주로 복부 내장지방 축적에 의한 중심비만으로 상대적으로 사지는 마른 경우가 많다. 이는 코티손을 코티솔로 전환시키는 11β-hydroxysteroid dehydrogenase type 1 (11β-

표 4-2-2. 쿠싱증후군의 주요 임상양상

	쿠싱증후군의 특이임상양상	쿠싱증후군의 비특이임상양상
징후	안면홍조 근위부 근력약화 자색선조(너비 1 cm 이상) 멍(1 cm 이상 크기 3개 이상)	중심성 비만 물소혹(buffalo hump), 쇄골상부 지방축적 월상안 여드름/다모증 얇은 피부 상처치유 지연 말초부종
증상/합병증	젊은 연령에서 발생하는 　고혈압 　당뇨병 　골다공증/척추골절	피로 체중증가 우울증, 기분 및 식욕 변화, 기억력 및 집중력 저하 요통 월경불순, 다낭난소증후군 재발성 감염 요로결석

HSD1)의 조직에 따른 발현 차이에 의해 국소적 코티솔의 가용성이 달라지기 때문일 것으로 추정하고 있다. 반면에 소아는 전신성 비만으로 나타나는 경우가 많으며 성장기소아에서 키 성장속도가 감소하면서 체중의 증가율은 점차 증가하는 경우 쿠싱증후군을 고려해야 한다. 얼굴의 지방축적은 월상안(moon face)으로 나타나며, 얼굴홍조(plethora), 다모증(hirsutism)이 함께 발현하면서 쿠싱증후군의 전형적인 얼굴 모습을 나타낸다. 그 외에도 목과 견갑골 사이의 지방축적(buffalo hump), 쇄골상부지방덩이(supraclavicular fatpad)를 보이며, 경막외공간(epidural space)의 지방축적은 신경학적 증상을 유발하기도 한다.

피부이상소견은 쿠싱증후군 환자의 60-90%에서 나타난다. 코티솔과잉은 각질세포와 진피섬유모세포의 증식을 방해하고 콜라겐과 점액다당류의 합성과 교체를 억제하여 피부 위축과 혈관취약성을 초래한다. 이는 표피와 진피두께가 얇아지는 것, 자색선조, 점상출혈, 반상출혈과 연관되고 상처의 치유도 늦다. 임신 시나 급격한 체중증가로 발생한 선조에 비하여 보다 넓고 색이 짙은 자색선조(purple striae)가 복부와 유방, 엉덩이, 허벅지 등에 나타나며 약 50-70%에서 관찰된다.

여성에서 부신안드로젠은 다모증, 여드름, 탈모의 가장 흔한 원인으로 단백질 분해대사의 증가로 모낭 손상과 탈모로 이어진다. 얼굴다혈증은 적혈구증다증과 모세혈관확장증과 연관된다. ACTH의존쿠싱증후군에서 높은 ACTH와 POMC유래펩타이드에 의한 멜라닌세포자극호르몬의 멜라닌자극호르몬수용체에 결합하여 피부착색을 유도한다. 흑색극세포종(acanthosis nigricans)은 고인슐린혈증에 의해 나타나고 인슐린저항성을 반영하며 이상지질혈증과 함께 여드름을 발생시킨다. 관해 후 색소침착은 호전되지만 일부 피부질환들은 평생 지속되어 피부과 치료가 필요할 수 있다. 점막과 피부의 진균감염이 흔하며 이에는 어루러기(tinea versicolor), 손톱이나 발톱의 진균증, 구강의 칸디다증을 보일 수 있다.

근병증과 쉽게 멍이 드는 징후는 쿠싱증후군을 강하게 시사하는 징후라고 할 수 있다. 근병증은 주로 근위부근육의 무력증 혹은 위축으로 나타날 수 있고 계단을 올라가거나 의자에서 일어나기 어려워하며, 동반된 저칼륨혈증에 의하여 근무력증이 심해질 수 있다.

2) 합병증

쿠싱증후군과 관련된 사망률의 증가는 다양한 합병증에 의해 발생하는 동반질환의 직접적인 결과이다. 합병증 중에서 가장 흔한 형태는 대사증후군으로 고혈압, 내장비만, 당대사장애, 이상지질혈증으로 나타나고 이는 심혈관질환에 대한 위험으로 이어진다. 추가적으로 근육병증, 골다공증, 골절과 같은 근골격계 질환과 인지기능장애, 조증, 우울증과 같은 신경정신학적인 문제도 야기한다. 또한 면역기능장애로 인해 심각한 감염증과 패혈증을 유발하고 치료로 혈중 코티솔이 감소하면 면역반동(immune rebound)이 나타나서 자가면역질환이 발생한다. 성선기능장애가 남녀 모두에서 나타날 수 있으며 여드름, 다모증, 탈모 등과 같은 피부질환은 여성에서 부신안드로젠 과잉생산과 관련된다. 이러한 합병증은 시간이 지남에 따라 증가하고 심해질 수 있으며 진단 당시뿐만 아니라 완치가 된 이후에도 지속될 수 있다.

(1) 대사합병증

당대사장애는 쿠싱증후군 환자의 약 27-87%에서 보고되고 이 중 당뇨병은 11-47%를 차지한다. 당질부신피질호르몬은 간에서 포도당 생합성을 촉진하고 포도당배출을 증가시켜서 포도당 농도를 높인다. 또한 지방조직에서는 당질부신피질호르몬이 인슐린의존포도당수용체의 발현을 억제하여 포도당의 섭취를 감소시키고 지방전구세포의 분화를 촉진하여 지방생성을 증가시킨다. 지방조직과 골격근에서 당질부신피질호르몬은 아미노산섭취를 줄이고 지질산화와 지방분해를 촉진하는 반면, 간에서는 지단백질 분비를 촉진하여 지방산 합성을 증가시켜 지방간을 만들고 인슐린민감성을 저해한다. 이로 인해 쿠싱증후군 환자는 당질부신피질호르몬에 의한 인슐린저항성과 췌장베타세포의 보상기능 저하, 식욕증진 등에 의해 당대사장애를 나타낸다. 치료 후에 혈당은 호전되나 반드시 정상화되는 것은 아니다.

이상지질혈증은 쿠싱증후군 환자의 12-72%에서 보고되며 주로 총콜레스테롤과 저밀도지단백질콜레스테롤, 중성지방의 증가, 고밀도지단백질콜레스테롤의 감소와 관련된다. 수술적으로 완치된 후에도 1년 동안 이상지질혈증은 지속되는데 이는 주로 체중변화와 관련될 것으로 추정된다.

(2) 심혈관계 합병증
심혈관계 합병증은 쿠싱증후군 환자의 사망원인 중 가장 중요한 원인이다. 이는 고혈압으로 인한 만성적인 손상, 동맥경화, 심장 리모델링 및 심기능부전과 관련된다. 당질부신피질호르몬 과잉에 의한 대사적, 혈역학적, 혈액응고과정장애가 주요 기전이며 활동기 혹은 수술 직후에는 저칼륨혈증과 정맥색전증도 주요한 요인이 된다.

고혈압은 쿠싱증후군 환자의 약 25-93%에서 나타나며 성별 차이는 없다. 수축기와 이완기혈압이 모두 상승하고 정상적인 야간 혈압저하가 소실되는 것이 초기소견이다. 당질부신피질호르몬 과잉에 의한 레닌안지오텐신계, 무기질부신피질호르몬 활성도, 교감신경계, 혈관조절계의 항진이 주요기전이다. 쿠싱증후군을 완전히 치료하면 고혈압은 호전되나, 25-54% 환자에서는 고혈압이 지속된다.

쿠싱증후군 환자는 좌심실비대와 수축기긴장 감소, 이완기 충만장애로 인해 심근경색위험이 2.1배, 심부전위험이 6배로 증가한다. 좌심실비대는 고혈압 외에도 심근섬유화 증가에 의해 야기된다. 이러한 변화는 저칼륨혈증 및 QT 연장을 악화시켜 부정맥을 유발한다. 여성보다는 남성에서 더 두드러지는데, 이는 고코티솔증에서 동반되는 남성호르몬 결핍이 악화인자로 작용하는 것으로 추정된다.

죽상경화판은 쿠싱증후군 환자에서 더 빈번하게 발견되고 경동맥 내막중막두께 또한 증가되어 있다. 인슐린저항성, 내피세포장애, 동맥경직, 색전경향, 호모시스테인 증가, 타우린 감소 등이 그 기전으로 제시되고 있다. 이러한 혈관 손상으로 인해 쿠싱증후군 환자에서 뇌졸중의 위험은 4.5배 증가한다. 혈관 내막중막두께는 완치 5년 후에도 여전히 두꺼워져 있는데 이는 내장지방과 인슐린저항성과 밀접한 관련성을 가지며, 치료 후에도 지속되는 고혈압의 원인이 된다.

정맥혈전색전증의 위험은 쿠싱증후군 환자에서 10배 이상 증가하며 쿠싱증후군 환자의 6-20%에서 보고되고 주로 수술 직후에 잘 나타난다. 쿠싱증후군 환자에서는 factor VIII, 피브리노겐, 본빌레브란드인자(von Willebrand factor)의 증가, 활성화부분 트롬보플라스틴시간의 단축, 혈소판, 트롬복세인 B2, 트롬빈-항트롬빈복합체 증가가 주로 나타난다. 응고 인자에 대한 보상작용으로 내인혈관응고억제제의 활성도도 증가하며 섬유소분해능은 감소한다. 이러한 지혈장애는 치료 후 호전되나 완전히 정상화되지 않는데, 이는 만성내피세포장애와 동맥경화가 관여하는 것으로 추정한다. 수술 후 항혈전증예방책이 혈전색전증의 위험을 20%에서 6%까지 낮추어주므로 수술 직후 일상적인 항혈전 예방책이 중요하다. 또한 혈소판활성도 보고되므로 일부에서는 항혈소판제의 장기투약도 고려된다.

저칼륨혈증은 심한 쿠싱증후군일수록 두드러지게 나타나는데, 과다한 당질부신피질호르몬이 무기질부신피질호르몬수용체를 활성화시켜서 나타난다. 심전도에서는 QT 간격 연장과 관련되는데, 이는 심실상 빈맥과 치명적인 심실빈맥을 일으킬 수 있다. 따라서 저칼륨혈증이 있는 경우 저마그네슘혈증을 확인하고 교정하는 것이 중요하다.

(3) 근골격계 합병증
쿠싱증후군에서 골감소증이 40-78%, 골다공증이 22-57%, 골절이 11-76%에서 나타난다. 쿠싱증후군 환자에서 골밀도가 감소하여 진단받기 2-3년 전부터 취약골절 발생이 증가한다. 또한 대퇴골두, 상완골두의 무혈관성 괴사가 관찰되기도 한다.

당질부신피질호르몬 과잉은 다양한 기전을 통해 골대사에 영향을 준다. 당질부신피질호르몬은 직접적으로는 골흡수와 골형성의 연합해제(uncoupling)와 간접적으로는 칼슘대사 장애와 뇌하수체호르몬 분비방해를 통해 골대사에 영향을 준다. 근육 분해대사 역시 근육을 약화시켜 골에 대한 자극을 약화시킨다. 당질부신피질호르몬은 조골세포분화와 기능은 억제하고 조골세포와 골세포의 자멸사를 촉진하며 파골세포의 활성을 촉진하고 수명을 연장시켜서 골형성과 골흡수 사이의 불균형을 초래한다.

쿠싱증후군 관해 후에는 골밀도의 증가소견을 보이는데 대퇴골이 요추보다 반응이 느리고 골밀도는 평균 71개월은 지나야 정상화되는 것으로 보고된다. 따라서 수술치료 후 당질부신피질호르몬 보충요법 시 과잉치료를 하지 않도록 주의가 필요하다.

쿠싱증후군 환자의 42-84%에서 근육병증이 발견되는데, 주로 하지의 근위부가 더 많은 영향을 받고 회복하는 데에는 수개월에서 수년까지 소요된다. 근육병증의 빈도는 이소성에서 더 높고 남성에서 더 많이 나타난다. 이는 당질부신피질호르몬 과잉이 제2형 근섬유 위축, 단백질 합성저해 및 단백질 분해촉진을 통해 골격근의 구조와 기능에 영향을 주기 때문이다.

(4) 면역계와 감염합병증

쿠싱증후군은 활동기에는 면역력을 억제시켜서 감염에 취약하게 하지만 치료가 된 후에는 면역반동현상을 일으켜서 자가면역질환의 악화를 초래한다. 당질부신피질호르몬 과잉은 고혈당과 혈관 손상 등으로 숙주의 방어체계를 방해하고 선천면역의 세포면역과 체액면역에 모두 영향을 준다. 실제로 당질부신피질호르몬은 중성구의 작용, 호산구와 단핵구생성, 대식세포의 분화, 단핵세포작용을 방해해서 세포면역을 약화시키고, 림프구증식, 염증사이토카인과 보체요소들을 약화시켜 체액면역도 방해한다. 항원표지 수지상세포의 억제로 T세포성숙과 B세포발달에도 영향을 주어 획득면역

도 약화시킨다. 당질부신피질호르몬은 세포면역을 매개하는 Th1세포반응을 억제하여 기회감염에 대한 감수성을 높이고 체액면역의 조절자인 Th2세포반응을 촉진하여 자가면역질환 발생위험을 높인다. 이러한 Th1/Th2 불균형이 조절되지 않는 면역반응과 치료 후 면역반동현상을 초래한다.

쿠싱증후군 환자의 면역력 약화는 기회감염의 위험을 높이고 이는 높은 사망률로 이어진다. 감염질환의 유병률은 쿠싱증후군 환자의 21-51%까지 보고되는데 유병기간과 중증도와 연관된다. 진단 전에는 감염의 위험이 2.4배 증가하고 수술 후 3개월 동안 38배까지 가장 심하게 증가한다. 특히 침습적인 감염에 대한 감수성은 쿠싱증후군의 중증도와 연관되나, 당질부신피질호르몬의 항염증작용으로 활동기에는 잘 드러나지 않는다. 백혈구수치나 발열 여부는 감염 여부를 판단하는데 도움이 되지 않으며, 코티솔의 농도가 심한 감염의 가장 좋은 예측인자이다.

가장 흔한 감염질환은 지역사회감염과 병원세균감염이고 진균감염도 비교적 흔하다. 특히 광범위 항생제에 반응하지 않는 감염인 경우에는 침습적인 진균감염을 꼭 염두에 두어야 한다. 또한 바이러스감염의 심한 형태도 흔하게 동반되어 잘 낫지 않을 수 있다. 고코티솔증이 해결된 후 코티솔의 항염증작용 때문에 무증상이던 기회감염이 창궐할 수 있다. 특히 pneumocystis jiroveci 감염에 대한 일차예방 목적으로 co-trimoxazole 투약은 코티솔이 매우 높은 모든 환자에서 권고된다. 그럼에도 기회감염의 성공적인 치료는 종종 코티솔의 정상화의 속도에 좌우된다.

자가면역질환은 쿠싱증후군 환자의 활동기에는 유병률이 0-20%, 관해기에는 60%까지 높은 빈도로 보고되었다. 자가면역질환의 범위는 다양한데 자가면역갑상선질환이 10-60%로 가장 흔하게 보고되어서 치료 후 6개월은 이에 대한 모니터링이 필요하다.

(5) 생식장애

쿠싱증후군에서 생식장애는 매우 흔하게 나타나며 성욕감퇴(24-90%), 남성 성선저하증(43-80%), 여성 월경장애(43-80%)가 가장 흔한 임상양상이며, 후자는 뇌하수체 쿠싱병에서 더 흔히 동반된다. 불임도 중요한 문제인데 쿠싱증후군 여성은 질환때문에 임신을 원하지 않는 경우가 많아서 빈도 자체가 과소평가되고 있다. 만성고코티솔증은 성선자극호르몬방출호르몬과 성선자극호르몬의 분비를 억제하고 내장지방과 지방간은 성호르몬대사 및 성호르몬결합단백질 감소 및 안드로젠 과잉과 연관된다. 지방조직에서 약한 안드로젠활성도를 띠는 전구체들이 생성되어 시상하부–뇌하수체축을 억제할 수 있다. 또한 당질부신피질호르몬은 직접 성선에 영향을 주어 성호르몬의 생성을 억제하고 세포자멸을 초래한다.

쿠싱증후군 활동기 동안에는 혈전색전증의 위험이 높아서 여성호르몬 보충은 권하지 않지만 치료가 종료된 후에도 성선 기능이 회복되지 않는다면 여성호르몬 보충을 고려해야 한다. 보통은 관해 후 성선기능은 회복하여 정상 임신이 가능해진다. 드물지만 임신한 쿠싱증후군 환자는 고혈압, 고혈당, 전자간증, 골다공증과 골절, 신경정신병, 심부전, 상처감염, 산모사망 등의 심각한 문제를 초래할 수 있다. 태아합병증으로는 미숙아가 가장 흔하고(43%) 성장지연, 사산, 자연유산, 부신부전 등의 문제가 생긴다. 현재까지 150례의 쿠싱증후군 환자의 임신이 보고되어 있는데 이 중 60%는 부신쿠싱증후군이다. 이 경우 일차치료는 즉각적인 수술치료이다.

남성에서 쿠싱증후군의 임상양상은 이차성선저하증양상이 함께 나타나고 정자감소증과 발기부전이 흔히 관찰된다. 활동기에는 혈장테스토스테론과 성선자극호르몬은 감소하고 관해 후에는 정상화된다. 성선저하증은 가역적이나 치료 3개월 내에도 테스토스테론이 정상화되지 않으면 골격보호 목적으로 테스토스테론 보충이 필요하다.

(6) 신경정신장애

신경정신장애는 쿠싱증후군의 심한 합병증으로 활동기와 관해기 모두에서 나타날 수 있다. 가장 흔한 신경정신장애로는 우울증(50-81%), 불안장애(66%), 양극성장애(30%)가 있다. 당질부신피질호르몬수용체가 풍부한 해마, 편도체, 전전두엽과 같은 대뇌부위가 장기간 코티솔 과잉에 노출되면 구조, 기능변화를 일으켜서 감정과 인지기능장애를 초래한다. 관해 후에는 이러한 신경정신장애가 호전되기도 하지만, 오히려 악화되는 경우도 있다. 따라서 코티솔의 정상화뿐만 아니라 신경정신학적 치료도 함께 병행해야 한다.

(7) 기타

안과적 합병증으로 안압 상승, 양측비전형적 중앙장액맥락망막병증과 안구돌출이 드물게 나타난다. 쿠싱증후군 환자에서는 안구내 지방축적이 이루어져서 나타나는 것으로 그레이브스병에서 나타나는 염증세포의 침윤과는 다르다.

신석회화 또한 흔한 쿠싱증후군합병증으로 관해 후에도 지속된다. 이는 고혈압과 고요산뇨증, 고칼슘뇨증에 의해 나타나는 것으로 추정된다.

또한 뇌하수체 자체에도 영향을 주어 갑상선자극호르몬과 성선자극호르몬의 분비를 억제하여 쿠싱증후군에서는 뇌하수체–갑상선축과 뇌하수체–성선축의 억제가 일어나며 성장호르몬의 분비장애가 발생한다. 이에 쿠싱증후군에서 나타나는 낮은 갑상선자극호르몬수치는 치료 후 재평가가 필요하다.

5. 진단

쿠싱증후군의 진단과정은 먼저 의인쿠싱증후군을 배제한 다음 내인고코티솔증이 있다는 것을 확인하고 이후 내인고코티솔증을 유발한 원인에 대한 감별진단과정이 필요하다.

1) 내인고코티솔증의 진단

임상적으로 쿠싱증후군이 의심되는 환자의 경우 아래 3개 중 2개 이상 검사에서 비정상이 나오면 쿠싱증후군을 진단하게 된다(그림 4-2-2).

- 24시간소변유리코티솔(2회 이상)
- 하룻밤덱사메타손억제검사
- 자정혈중 혹은 타액코티솔(2회 이상)

(1) 24시간소변유리코티솔

정상적으로 체내에 분비된 코티솔의 1% 이하만이 유리 코티솔 형태의 소변으로 배출된다. 그러나 쿠싱증후군의 경우 혈중 코티솔의 양이 코티솔결합글로불린의 결합능력을 초과하게 되고 따라서 소변유리코티솔 배설이 증가한다. 일반적으로 소변유리코티솔의 정상 농도는 80–120 μg/24시간이며검사방법에 따라 정상 참고치는 차이가 있다. 정도가 경미하거나 주기성인 경우, 소변량 수집이 부적절한 경우, 사구체여과율이 < 60 mL/min인 만성신질환자에서는 소변유리코티솔이 감소할 수 있다. 반대로 이뇨제, SGLT2억제제와 같이 소변량이 5 L 이상인 경우, 임신한 여성, 심리적, 육체적 스트레스상태로 인해 생리적 고코티솔증인 경우와 가성쿠싱증후군(우울증, 비만)의 경우 정상의 2–3배까지도 증가할 수 있다. 코티솔을 불활성화시키는 11β hydroxysteroid dehydrogenase type 2를 억제하는 약물(예: 감초)을 복용하는 경우에도 위양성이 나타날 수 있다. 쿠싱증후군 환자에서 검사결과의 변이가 50%까지 보고되고 있어 측정 오류를 최소화하기 위해서 2회 이상 검사를 시행하도록 권하고 있다.

(2) 덱사메타손억제검사

쿠싱증후군이 의심되는 환자에게 외래에서 간단히 시행할 수 있는 검사로, 덱사메타손 1 mg을 경구로 밤 11시와 자정 사이에 복용하고 다음 날 오전 8시에서 9시 사이에 혈장코티솔 농도를 측정한다. 혈장코티솔 농도 ≥ 1.9 μg/dL이면 민감도 95%, 특이도 80%로 쿠싱증후군을 시사한다. 부신

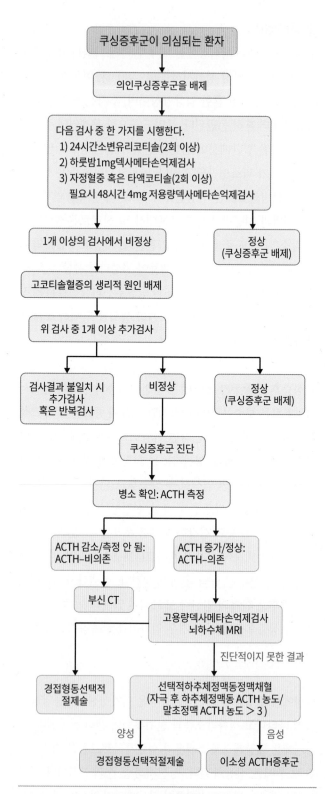

그림 4-2-2. 쿠싱증후군의 진단과정

우연종의 경우 선별검사 방법으로 24시간 소변유리코티솔 검사보다 하룻밤1mg덱사메타손억제검사가 추천된다.

48시간 저용량덱사메타손억제검사는 덱사메타손 0.5 mg을 6시간마다 하루 2 mg, 48시간 동안 총 4 mg을 경구로 복용한 후 다음날 오전 8–9시 사이에 혈장코티솔 농도를 측정한다. 하룻밤1mg덱사메타손억제검사보다 특이도를 높일 수 있어 1.8 μg/dL 기준 시 양성예측률이 92%까지 증가한다. 정신과질환, 비만, 알콜중독, 당뇨병 등이 있는 경우에 유용하다.

페니토인(phenytoin), 리팜피신(rifampicin), 바비튜레이트(barbiturate), 술, 피오글리타존 등과 같이 CYP3A4 효소를 활성화시켜 덱사메타손의 대사를 증가시키는 약물을 복용하는 경우, 임신 중이거나 에스트로겐 보충요법 시 코티솔결합글로불린을 증가시켜 위양성을 보일 수 있다. 또한 심한 운동, 불면증, 만성신질환이나 간질환이 있는 경우, 흡수장애, 비만 등이 있는 경우에도 위양성이 보고되고 있다.

반대로 CYP3A4 효소를 억제시켜 덱사메타손대사를 방해하는 약물(aprepitant, itraconaozle, fluoxetine, diltiazem, cimetidine)을 복용하는 경우 위음성결과를 보일 수 있어 해석에 주의가 필요하다. 또한 정도가 경미하거나 주기성인 경우에도 정상으로 나타날 수 있다. 또한 건강한 사람에서도 덱사메타손 농도는 개인 간 차이가 크고 검사에 적절한 덱사메타손 농도는 5.6 nmol/L (0.22 μg/dL)로 알려져 있다.

(3) 자정혈중 혹은 타액코티솔

정상적으로 혈중 코티솔은 이른 아침에 가장 높은 농도를 보이고 자정에 가장 낮은 농도를 보인다. 이러한 혈중 코티솔의 하루주기리듬은 쿠싱증후군에서 소실되어 이른 아침 코티솔 농도는 변화가 없으나 자정코티솔 농도가 증가하는 경향을 보인다. 이러한 이유로 깨어 있는 상태에서 자정혈중 코티솔 농도가 7.5 μg/dL 이상인 경우 쿠싱증후군을 시사

한다. 하지만 신부전, 다른 동반질환, 심리적 스트레스상태, 야간근무 등에서 위양성소견을 보일 수 있어 해석에 주의가 필요하다.

자정혈중 코티솔 측정은 밤에 채혈이 필요하고 유리코티솔을 반영하지 못하는 데 반해 자정타액코티솔은 쉽게 채취가 가능하고 상당기간 안정하며 단백질과 결합하지 않은 유리코티솔형태로 존재하여 생물학적 활성을 나타내는 유리코티솔 농도를 반영한다. 자정타액코티솔 농도가 0.145 μg/dL 초과하는 경우 민감도 92–100%, 특이도 93–100%로 보고되고 있다. 하지만 현재 국내에서는 타액코티솔을 측정하는 검사실이 드물어 실제 임상에서 거의 사용하고 있지 않다.

자정혈중 코티솔 또한 코티솔결합글로불린을 증가시키는 약물이나 상황(에스트로겐, 임신)에 의해 영향을 받기 때문에 해석에 주의를 요한다.

6. 감별진단

쿠싱증후군이 진단되면 환자의 치료방침 결정을 위해 원인질환을 찾아내는 것이 중요하다. 원인질환 감별진단검사법으로는 혈장ACTH 농도를 측정하여 ACTH의존과 비의존 쿠싱증후군을 감별하고 ACTH의존쿠싱증후군에서 쿠싱병과 이소성 부신피질자극호르몬증후군을 감별하기 위해 고용량덱사메타손억제검사, CRH/데스모프레신자극검사, 안장 자기공명영상, 하추체정맥동채혈 등을 할 수 있으며 ACTH비의존쿠싱증후군에서는 부신전산화단층촬영 혹은 자기공명영상을 시행하여 부신병변 여부를 확인한다.

1) ACTH의존쿠싱증후군 감별진단

(1) 혈장ACTH 농도

쿠싱증후군이 확진된 환자에서 감별진단을 위한 첫 번째 검사는 혈장ACTH 농도이다. 혈장ACTH가 정상 혹은 상

승된 경우에는 ACTH의존쿠싱증후군을, 정상보다 억제된 경우는 ACTH비의존쿠싱증후군을 먼저 의심해볼 수 있다. 하지만 이소성 부신피질자극호르몬증후군 환자의 약 32%에서 정상 혈장ACTH를 보이고 부신질환에 의한 쿠싱증후군 환자의 상당수에서도 혈장ACTH가 정상범위를 보이고 있으며 낮은 혈장ACTH 농도에서는 검사의 정확성이 60% 내외로 낮아져서 혈장ACTH 단독으로 쿠싱증후군의 원인을 구분하는 데에는 한계가 있다. 또한 혈장ACTH는 실온에서 불안정하고 미리 얼려놓은 검체용기에 담아 혈장을 빠르게 분리한 후 –20도에 바로 보관해야 위음성률을 낮출 수 있으며 민감도 향상을 위해 혈장ACTH를 적어도 2회 이상 측정하는 것이 권고된다.

(2) 고용량덱사메타손억제검사

고용량덱사메타손억제검사는 쿠싱병과 이소성 부신피질자극호르몬증후군을 감별하기 위해 시행하는 검사로 쿠싱병은 고용량당질부신피질호르몬의 음성되먹임에 대한 반응성이 남아있고 이소성 부신피질자극호르몬증후군은 그렇지 않은 원리를 이용한다. 전통적으로 2 mg 덱사메타손을 6시간 간격으로 하루 8 mg, 48시간 동안 총 16 mg 투여하여 24시간 소변유리코티솔과 혈청코티솔을 측정하고 혈청코티솔이 기저치보다 50% 이상 억제되면 양성으로 판정한다. 쿠싱병 환자의 90%는 양성반응을 보이나 이소성부신피질자극호르몬증후군 환자들은 10%에서만 양성소견을 보인다. 24시간 소변유리코티솔이 기저치보다 90% 이상 억제되면 쿠싱병을 진단하는 데 100%의 특이도를 보이는 것으로 알려져 있다. 최근에는 간편하게 하룻밤8 mg고용량덱사메타손억제검사를 이용하고 있다. 이 검사는 오후 11시에 덱사메타손을 복용한 후 익일 오전 8시에 혈중 코티솔을 측정하여 50% 이상 억제되는 경우 쿠싱병을 진단할 수 있으며 민감도와 특이도가 기존 억제검사와 거의 유사한 것으로 보고되었다. 이소성부신피질자극호르몬증후군 환자 중 일부 경한 질환의 경우(carcinoid)에는 고용량덱사메타손억제검사에서 억제되며 쿠싱병에서도 뇌하수체대선종이 원인인 경우에는 고용량덱사메타손억제검사에서 억제되지 않는 소견을 보이

기도 한다. 이에 고용량덱사메타손억제검사 단독으로 쿠싱증후군의 원인을 감별하고 진단할 수는 없다.

(3) CRH/데스모프레신자극검사

CRH/데스모프레신자극검사는 쿠싱병의 원인이 되는 ACTH분비뇌하수체선종에서 CRH수용체와 V3 (V1b)수용체가 흔하게 발현하여 CRH/데스모프레신에 반응하여 ACTH 분비가 증가하는 원리를 이용한 검사이다. CRH자극검사는 기저혈장코티솔, ACTH채혈 후 CRH 1 μg/체중(kg) 또는 100 μg을 정맥주사한 후 30분 간격으로 2시간째까지 혈장코티솔, ACTH를 측정하고 혈장ACTH는 50% 이상, 코티솔은 20% 이상 증가하는 소견을 보이면 양성으로 판정한다. 반면에 이소성 부신피질자극호르몬증후군 환자에서는 거의 반응이 없어 두 질환의 감별에 사용이 된다. 민감도와 특이도가 90% 정도로 비교적 높지만 쿠싱병의 10% 정도에서는 위음성으로 보고된다. 데스모프레신자극검사는 CRH에 비해 공급이 안정적이고 가격이 저렴하고 민감도는 75–90%, 특이도는 90–92%로 검사 정확도 측면에서도 CRH자극검사와 유사하여 최근 많이 이용되고 있다. 데스모프레신자극검사는 기저혈장코티솔, ACTH 채혈 후 10 μg을 정맥주사로 투약한 후 15분, 30분, 60분째 혈장코티솔, ACTH를 채혈하여 혈장ACTH는 50% 이상, 혹은 30분 이내 ACTH 상승치(ΔACTH)가 27 pg/mL 이상이 되는 경우 양성으로 진단할 수 있다. 저나트륨혈증의 위험이 있으므로 검사 후 6–8시간 정도는 수분 제한이 필요하다.

(4) 안장 자기공명영상

ACTH의존쿠싱증후군이 진단되면 뇌하수체선종을 확인하기 위해 안장 자기공명영상촬영을 시행한다. 3 mm 간격으로 촬영하는 안장 자기공명영상에서 적어도 6 mm 이상의 뇌하수체병변을 보이면 쿠싱병의 가능성이 높다. 하지만 쿠싱병의 90%가 미세선종이고 40% 정도는 자기공명영상에서 보이지 않고 약 10%는 비기능뇌하수체미세선종을 보이기 때문에 뇌하수체병변이 있더라도 쿠싱증후군의 원인이라고 결론짓기가 어렵다. 이러한 점을 보완하기 위해 고강

도 자기공명영상촬영법(7.0 Tesla), spoiled gradient recalled acquisition in the steady state (SPGR)기법으로 1 mm 간격으로 촬영하거나 조영제를 절반 용량만 투약하는 방법이 이용되기도 한다.

(5) 하추체정맥동정맥채혈(inferior petrosal sinus sampling, IPSS)

IPSS는 ACTH의존쿠싱증후군인 쿠싱병과 이소성 부신피질자극호르몬증후군을 감별하는 데 있어 침습적이지만 가장 정확한 진단적인 검사법으로 민감도와 특이도가 95% 내외로 보고되고 있다. 따라서 안장 자기공명영상에서 종양이 보이지 않거나 6 mm 미만인 경우, 생화학검사결과나 임상소견이 일치하지 않는 경우에는 IPSS 시행이 반드시 필요하다.

일반적으로는 100 μg 혹은 1 μg/kg CRH를 투여하기 전과 투여 후 각각 2분, 5분, 10분째 하추체정맥동과 말초ACTH를 연속적으로 채혈하여 기저하추체정맥동 대 말초정맥의 ACTH비율이 2배 이상일 경우 혹은 CRH 투여 후 하추체정맥동 대 말초정맥의 ACTH비율이 3배 이상일 경우 쿠싱병을 진단할 수 있다. 최근에는 CRH가 고가이면서 공급이 어려워서 데스모프레신으로 대체 이용하여 동등한 결과를 기대할 수 있으며 이 경우에도 동일한 진단기준을 적용할 수 있다.

하추체정맥동의 혈관기형 및 시술자의 경험미숙에 의해 위음성결과가 나올 수 있다. 이러한 위음성오류를 줄이려면 IPSS 시행 전 정맥조영사진을 확인하거나 프로락틴을 동시에 측정하여 도관 삽입을 성공적으로 마쳐야 한다. 하추체정맥동의 프로락틴수치가 말초 프로락틴수치보다 1.8배 이상이면 도관 삽입이 성공한 것으로 판단할 수 있으며, 자극 후 가장 높은 하추체정맥동ACTH와 말초혈액ACTH 비율을 자극 후 가장 높은 하추체정맥동 프로락틴과 말초 혈액 프로락틴 비율로 나눈 값이 1.3 이상 시 쿠싱병을 시사하며, 0.7 이하 시 이소성 부신피질자극호르몬증후군을 시사한다.

(6) 이소성부신피질자극호르몬증후군으로 확인된 경우

상기검사들을 시행한 종합적인 결과가 이소성 부신피질자극호르몬증후군을 시사하는 경우 이소성 부신피질자극호르몬증후군의 원인을 찾기 위한 다양한 검사가 필요하다. 흔한 원인질환으로는 기관지유암종이나 소세포폐암, 췌장/흉선유암종 등이 있으며 원인을 잘 밝히지 못하는 경우도 7–19%까지 보고되고 있다. 위치 확인을 위해 목, 흉부, 복부에 대한 전산화단층촬영 또는 자기공명영상 측정이 필요하며 특히 흉부 및 복부 전산화단층촬영 시 thin cut으로 촬영하는 것을 추천한다. 해부학적 영상으로 찾지 못하는 경우 양전자방출단층촬영(positron emission tomography, PET) 등의 추가적인 핵의학영상검사가 필요한데, ^{18}F–FDG–PET 보다는 성장호르몬억제인자수용체가 발현하는 신경내분비종양의 특징에 맞는 DOTA-TOC PET-CT가 더 유용하다.

2) ACTH비의존쿠싱증후군

혈장ACTH가 10 pg/mL 미만이면 부신 원인의 쿠싱증후군을 시사하므로 부신컴퓨터단층촬영 또는 자기공명영상을 시행하여 부신병변을 확인해야 한다. 하지만 일반 인구의 약 5% 정도가 부신우연종을 보일 수 있으므로 부신병변이 있다는 것만으로 확진인 것은 아니다. 일반적으로 편측 종양이 있는 경우 낮은 혈중 ACTH수치로 인해 반대쪽 부신이 위축되나 때로는 정상크기일 수도 있다. 양성종양은 비조영 컴퓨터단층촬영에서 10 HU 미만으로, 2–3 cm 내외의 균질하고 경계가 매끈한 결절로 보인다. 반면 악성종양은 10 HU 이상의 음영을 보이고, 직경이 6 cm 이상으로 크고 경계가 불분명하면서 균질하지 않으며 출혈이나 괴사를 동반하기도 한다. 악성이 의심되는 병변을 보이는 경우 혈청 데하이드로에피안드로스테론황산염(dehydroepiandrosterone sulfate, DHEA-S), 17-케토스테로이드, ^{18}F–FDG–PET 등의 추가적인 검사를 시행해야 한다.

부신병변이 편측이 아니라 양측부신종양 혹은 양측부신증식(bilateral adrenal hyperplasia)이 원인인 경우도 있는데 부신원인으로 발생하는 쿠싱증후군의 약 10–15%를 차지한다고 알려져 있다. 수많은 결절로 인해 양측부신의 직경이 5 cm에 이를 정도로 커지는 양측대결절부신증식, 빈도는 매우 드물지만 여러 개의 작은 색소침착결절을 포함하면서 크기가 거의 정상이거나 작은 부신을 특징으로 하는 일차색소침착결절부신피질질환도 있을 수 있다.

7. 치료 및 예후

1) 치료

(1) 쿠싱병

뇌하수체선종에 의한 쿠싱병의 경우 뇌하수체선종을 외과적으로 절제하되 정상 뇌하수체기능을 유지할 수 있도록 하는 것이 치료의 목표가 된다. 현재 경접형동접근법(transsphenoidal approach)에 의한 미세 혹은 내시경수술이 가장 좋은 치료법으로 알려져 있어 첫 수술을 성공적으로 하는 것이 가장 중요하다. 수술 후 잔존 종양이 남거나 재발한 경우 재수술, 고식적 방사선 치료 또는 정위방사선수술(stereotactic radiosurgery)로 감마나이프를 사용하거나 약물치료를 선택할 수 있다(뇌하수체질환 참조).

(2) 부신선종 및 부신피질암종

일측부신선종의 경우 복강경에 의한 일측부신절제에 의해 성공적으로 치유될 수 있다. 부신피질암종은 초기에는 수술에 의한(대부분 개복 수술이 필요) 완전절제만으로 완치가 가능하지만 국소 진행성 혹은 전이된 경우에는 EDPM 요법(etoposide, doxorubicin, cisplatin, mitotane) 항암치료가 필요할 수 있으며 코티솔 과잉분비를 억제하기 위한 케토코나졸, 마이토테인 등을 투약할 수 있다.

(3) 양측결절부신증식

양측대결절증식 혹은 미세결절과증식인 경우 과거에는 양측부신절제를 시행하였으나 최근에는 코티솔 분비가 심하지 않은 경우에는 일측부신절제를 먼저 시행한 후 코티솔 분비가 정상화되는 경우가 보고된 바 있다.

(4) 이소성 부신피질자극호르몬증후군

유암종과 같이 천천히 자라는 종양에 의한 이소성 부신피질자극호르몬증후군의 경우에는 수술에 의한 종양제거로 완치를 기대할 수 있다. 그러나 전이악성종양에 의한 대부분의 이소성 부신피질자극호르몬증후군의 경우에는 치료목표는 스테로이드 과잉상태의 교정에 있다. 이에 심한 저칼륨혈증이 있는 경우 칼륨을 보충하고 스피로노락톤(spironolactone)을 투여하여 무기질부신피질호르몬의 작용을 억제한다. 또한 스테로이드 합성을 억제하는 케토코나졸, 메티라폰 등의 약물이 유용하게 사용될 수 있으며, 그 밖에 마이토테인의 사용이나 양측부신절제술 등을 고려할 수 있다.

2) 예후

치료받지 않은 쿠싱증후군 환자의 50%가량은 5년 이내 사망한다는 보고가 있으며 쿠싱증후군의 사망률은 흔히 심혈관계 혹은 감염질환에 의하며 심근경색, 뇌졸중, 혈전색전증, 패혈증, 자살로 인한 사망이 가장 많이 보고된다. 주로 초기치료에 실패한 경우 사망률이 가장 높으며 수술 후 코티솔이 정상화된 경우 표준사망비는 0.9–9.3배로 다양하게 보고되고 있다. 사망 위험인자는 진단 당시 고연령, 질환 유병기간, 당뇨병과 고혈압 같은 합병증의 동반 유무이다. 쿠싱증후군 원인질환별로는 이소성 부신피질자극호르몬증후군과 부신피질암종에 의한 사망률이 가장 높다.

부신선종으로 인한 쿠싱증후군은 일측부신절제로 100% 완치율을 보인다. 부신피질암종의 생존기간의 중앙값은 7개월이며 대부분 2년 이내 사망하고 5년 생존율은 30% 이하로 알려져 있다. 이소성 부신피질자극호르몬증후군의 경우 원인종양의 병기와 공격성에 따라 예후가 결정된다. 쿠싱병의 경우 경험이 많은 신경외과의가 수술한 경우 초기 완치율은 70–80%(미세선종: 80–90%, 대선종: 50% 미만)로 보고되고 있으나, 초기 완치 후에도 20–35%까지 재발률이

보고되고 있어서 장기간 추적관찰이 필요하다.

쿠싱증후군 환자는 수술 후 정상 HPA축이 억제되어 있어서 수술시점부터 HPA축이 회복될 때까지 당질부신피질호르몬 보충치료가 필요하다. 코티솔 분비정도와 기간에 따라 HPA축 회복기간은 수개월에서 수년까지 소요될 수 있고 드물게는 회복되지 않는 경우도 있다. HPA축 회복기간은 평균적으로 쿠싱병은 6개월–1년, 부신쿠싱증후군은 1–2년 정도 소요되는 것으로 알려져 있다.

쿠싱증후군 환자들은 심각한 합병증과 높은 사망률을 보이므로 효과적인 치료로 코티솔 분비를 정상화하는 것이 중요하다. 또한 질환의 유병기간이 사망률과 이환율에 비례하므로 즉각적인 진단과 치료가 이루어져야 한다. 쿠싱증후군 관해 후에도 합병증은 잔존할 수 있으므로 치료 이후에도 합병증에 대한 전반적인 평가와 치료는 지속되어야 한다.

II. 부신부전

류옥현

1. 서론

부신부전(adrenal insufficiency)은 생명의 위험을 초래하는 질환으로 다양한 원인에 의하여 발생한다. 부신부전은 크게 부신 자체의 문제(일차부신부전)나 시상하부–뇌하수체축의 이상에 의한(이차부신부전) 것으로 분류된다. 부신기능소실의 속도와 범위, 무기질부신피질호르몬(mineralocorticoid) 생산의 보존 여부, 스트레스 정도에 따라 증상이 발생한다. 부신부전의 발생은 매우 점진적이어서, 질환이나 스트레스에 의하여 부신위기가 유발될 때까지 모르고 지낼 수 있다. 1855년 토마스 애디슨(Thomas Addison)에 의해 기술되었듯이, 주된 증상은 식욕부진, 복통, 체중감소, 기립저혈압, 염분갈망 등이 있다. 피부의 과다색소

침착은 일차부신부전의 특징적인 소견이다. 1949년 합성당질부신피질호르몬(glucocorticoid)인 코티손(cortisone)이 치료에 도입되기 전에는 부신부전의 원인에 관계없이 매우 치명적이었다.

2. 역학

일차부신부전 유병률은 매우 낮다. 유병률이 가장 높다고 보고되는 스칸디나비아지역의 경우 100,000명당 15–22명이며, 그 외 유럽지역은 100,000명당 10명 전후이다. 우리나라의 경우 100,000명당 0.4명의 유병률을 보이고 있으며, 2000년 이전에는 결핵이 가장 흔한 원인이었으나 이후에는 암의 부신전이나 결핵에 의한 원인이 유사한 비중으로 가장 흔하다. 서양과 비교하여 일차부신기능부전의 유병률이 매우 낮고, 원인에 있어서도 차이를 보이고 있다. 뇌하수체질환에 의한 이차부신기능부전의 유병률은 유럽에서 100,000명당 14–28명으로 보고되고 있다.

미국이나 영국 성인의 1% 정도가 당질부신피질호르몬을 치료목적으로 사용하고 있어, 외인당질부신피질호르몬에 의한 시상하부 억제로 발생하는 부신부전은 일차 및 뇌하수체로 인한 부신부전보다 더 흔할 것으로 추정된다. 아편유사제도 ACTH 분비를 억제하므로, 이로 인한 부신부전도 발생할 수 있다.

3. 원인

1) 일차부신부전(애디슨병)

일차부신부전은 국소적인 병변이나 질환에 의해 부신피질 3층 전부분이 침범되고 파괴되어 발생한다. 부신피질의 90% 이상이 손상되어야 부신부전의 임상징후가 나타나며 대부분 점진적으로 발생한다. 일차부신부전 원인에는 자가면역, 감염, 양측전이암, 양측부신출혈, 양측부신절제, 약물, 유전질환 등이 있다(표 4-2-3).

표 4-2-3. 일차부신부전의 원인

원인	관련 임상징후 및 기전
자가면역부신염	
단독 1형자가면역다분비선증후군 2형자가면역다분비선증후군	부갑상선저하증, 만성점막피부 칸디다증, 그 외 자가면역질환 갑상선기능저하증, 갑상선기능항진증, 조기 난소부전, 백반증, 1형당뇨병, 악성빈혈
감염	결핵 사람면역결핍바이러스, 거대세포바이러스 히스토플라스마증, 크립토코쿠스증, 콕시디오이데스진균증 수막구균패혈증(Waterhouse-Friderichsen증후군)
부신전이암	폐암, 위암, 유방암
부신 출혈	일차항인지질항체증후군, 항응고제(헤파린, 와파린)
부신 침윤	일차부신림프종, 아밀로이드증, 혈색소증
양측부신절제	
약물	케토코나졸, 리팜피신, 페니토인, 페노바비탈, 아미노글루테티마이드(aminoglutethimide), 마이토테인(mitotaine), 아비라테론 아세테이트, 에토미데이트, 수라민, 미페프리스톤, 니볼루맙(nivolumab), 펨브롤리주맙(pembrolizumab)
유전질환	부신백질형성장애, 선천부신증식증, 선천부신형성저하증
부신발생장애	
부신피질자극호르몬 저항증후군	*MC2R*, *MRAP*유전자변이
기타	

MC2R, melanocortin 2 receptor; MRAP, melanocortin 2 receptor accessory protein.

(1) 자가면역부신염

서구에서는 자가면역부신염이 일차부신부전 원인의 70% 이상을 차지한다. 그러나 한국인에서는 빈도가 매우 낮을 것으로 추정되지만, 현재까지 이에 대한 자료는 없다. 병리 소견에서 부신피질세포가 대부분 소실되어 부신은 위축되어 있지만, 수질은 비교적 정상으로 유지되어 있다. 대부분에서 부신자가항체인 21-수산화효소(hydroxylase)항체가 발견된다. 40%까지 자가면역부신염이 단독으로 발생하지만 자가면역갑상선질환, 1형당뇨병, 조기난소부전과 같은 자가면역내분비질환과 동반되어 발생한다(표 4-2-4). 자가면역다분비선증후군(autoimmune polyglandular syndrome, APS)은 1형과 2형으로 구분되며, 1형자가면역다분비선증후군은 자가면역다내분비병증-칸디다증-외배엽

형성이상(autoimmune polyendocrinopathy–candidiasis–ectodermal dysplasia, APECED)으로도 불린다. 1형은 매우 드물고 보통염색체열성으로 유전된다. 1형에서는 AIRE (autoimmune regulator)유전자변이가 특이적으로 동반되며, 소아기부터 청소년기 사이에 부신부전이 발생하며, 부갑상선저하증, 만성점막피부칸디다증이 동반된다. 그 외에도 조기(사춘기 이전, 일반적으로 30세 이전) 난소부전, 중증 탈모증, 백반증, 자가면역위염, 영구치에나멜형성저하증(enamel hypoplasia) 등이 동반된다. 2형자가면역다분비선증후군은 1형보다 흔하며, 주로 20–60대에 발생하며 여성에서 좀 더 흔하다. 2형에는 애디슨병, 자가면역갑상선질환, 당뇨병, 성선부전 등이 동반된다. 그 외에도 악성빈혈동반자가면역위염, 복강병(celiac disease), 백반

표 4-2-4. 자가면역부신부전에 동반되는 내분비 및 다른 자가면역질환의 발생빈도

자가면역질환	발생빈도(%)
갑상선질환	
저하증	8
비독성갑상선종	7
중독증	7
성선부전	
난소	20
고환	2
1형당뇨병	11
부갑상선저하증	10
악성빈혈	5
동반질환 없음	53

증, 탈모증이 동반될 수 있다. 2형에서 자가면역부신부전의 유전가능성은 매우 높다. 면역세포나 염증세포에서 발현되는 유전자 가운데 상당수가 다른 자가면역질환과 공유되는데, 이 가운데 다수의 유전자변이가 자가면역부신부전의 감수성에 기여한다. 주조직적합복합체(major histocompatibility complex, MHC) 가운데, 특히 class II 유전형이 자가면역부신부전과 강한 연관성을 보이고 있다. CTLA4, PTPN22, BACH2, GATA3, CLEC16, MIC-A, MIC-B, NALP1 대립유전자(allele)도 유전연관성이 보고되고 있으나 그 어떤 유전자도 자가면역부신부전에 특이적이지 않다.

(2) 감염성부신염

전 세계적으로 일차부신부전의 가장 흔한 원인은 감염질환이며 결핵, 진균감염(히스토플라스마증, 크립토코쿠스증), 바이러스(거대세포바이러스, 사람면역결핍바이러스)감염이 있다. 결핵성 일차부신부전은 인체 결핵감염이 혈행성으로 부신에 전파되어 발생한다. 초기에는 상피성 육아종과 건락괴사가 동반되며 부신의 크기가 커진다. 피질과 수질이 모두 침범되고 섬유화되면서, 부신 크기는 정상화되거나 오히려

작아진다. 50% 정도에서 석회화가 동반된다. 우리나라에서 일차부신부전의 가장 흔한 원인은 결핵이었으나, 최근에는 부신전이암의 빈도가 증가하고 있다. 후천면역결핍증후군, 거대세포바이러스 감염, 비정형 마이코박테리아 감염 등에 의해서도 부신이 침범될 수 있다. 또한 코티솔 합성을 억제하는 케토코나졸이나 코티솔대사를 승가시키는 리팜피신과 같은 치료제에 의해서도 부신부전이 유발될 수 있다.

(3) 부신 전이 암

부신으로 전이되는 가장 흔한 암은 폐암, 유방암, 위암이다. 90% 이상 부신피질이 파괴되어야 임상증상과 징후가 발생하므로 전이 암에서의 부신부전 발생은 드물다.

(4) 부신 출혈

혈전을 예방하기 위해 항응고제를 사용하는 경우나 외상, 패혈증, 광범위 화상 등에서 발생한다. 항인지질항체증후군과의 관련성도 알려져 있으며 소아나 유아에서는 심한 감염(수막구균 패혈증, 녹농균 패혈증 등)으로 생긴다. 전형적으로 복부, 옆구리, 등(back) 통증을 호소하다가 부신부전의 증상이나 징후가 나타난다.

(5) 부신 침윤

일차부신림프종, 아밀로이드증, 혈색소증(hemochromatosis)에 의해 양측부신이 침윤되면 부신부전이 발생한다.

(6) 양측부신 절제

ACTH의존 쿠싱병이나 양측크롬친화세포종(갈색세포종)의 치료로 양측부신 절제 후 부신부전이 발생한다.

(7) 약물

아미노글루테티마이드, 에토미데이트(etomidate), 케토코나졸, 메티라폰 및 슈라민(suramine) 등 약물이 코티솔 생합성을 억제하여 부신피질부전을 일으킬 수 있는데, 이러한 약물은 효소의 억제가 완전하지 않고 ACTH 분비 증가가 합성차단을 극복하기 때문에 정상적인 시상하부-뇌하수

체–부신기능을 가진 환자에게서 임상적으로 부신피질부전을 일으키지 않는다. 그러나 뇌하수체 또는 부신 예비능(reserve)이 제한되어 있는 환자나 스테로이드 대체요법을 받고 있는 경우에는 증상을 동반하는 부신피질부전을 일으킬 수 있다.

(8) 유전질환
① 선천부신증식증
선천부신증식증은 일차부신부전의 유전원인 가운데 가장 흔한 질환으로, 보통염색체열성으로 유전된다. 코티솔 합성에 관련된 스테로이드합성효소유전자(CYP21A2, CYP17A1, HSD3B2, CYP11B1) 혹은 CYP21A2, CYP17A1에 전자제공자 역할을 하는 P450산화환원효소(POR)유전자돌연변이에 의해 발생한다. 선천부신증식증의 95% 이상은 21-수산화효소를 코딩하는 CYP21A2유전자변이에 의해 발생한다. 선천부신증식증에 이환된 환자 모두에서 코티솔 결핍이 동반된다. 또한 차단된 효소가 부신스테로이드호르몬 합성단계의 어디에 위치하는지에 따라 무기질부신피질호르몬나 부신안드로젠의 과잉 혹은 결핍이 동반된다.

② 선천부신형성저하증(adrenal hypoplasia congenita)
선천부신형성저하증은 X염색체연관질환으로 대부분 남성에서 발생하며 선천부신기능부전, 일차 및 중추성복합저성선자극호르몬성선저하증을 동반한다. 이 질환은 부신피질, 성선, 시상하부에 발현되는 핵수용체군의 하나인 DAX1 (NROB1)유전자돌연변이에 의해 발생한다. 분자결함의 정도에 따라 다양한 임상증상이 발현된다. 중증 환자에서는 무기질부신피질호르몬 결핍이 동반되며, 당질부신피질호르몬 결핍은 서서히 발생한다. 성선저하증에는 고환의 일차이상과 성선자극호르몬 저하가 동반된다.

전사인자인 SF1에 돌연변이가 발생하면, 부신피질기능의 발달에 결함이 발생하여 부신부전이 발생한다. P450스테로이드 합성효소에 대한 전사조절은 SF1에 의존한다. SF1

결핍 환자에서는 단독 부신부전부터 단독 성선부전과 난소부전까지 발생할 수 있다.

③ 부신백질형성장애(adrenoleukodystrophy, ALD)와 부신척수신경병증(adrenomyeloneuropathy, AMN)
X염색체 연관 부신백질형성장애와 부신척수신경병증은 남성에서 2만 명 당 1명의 유병률을 보이며 신경계의 탈수초(demyelination)와 부신부전을 특징으로 한다. 과산화소체(peroxisome)내로 초장쇄지방산(very long-chain fatty acids, VLCFA)의 수송에 관여하는 과산화소체 막 단백질을 부호화하는 ABCD1유전자변이에 의해 발생한다. 지방산 베타–산화의 장애로 인하여 VLCFA가 조직에 축적되고 탈수초가 발생한다. 많은 조직에서 VLCFA 축적이 증가하며 혈청에서 VLCFA를 측정하여 진단한다. 남성에서만 증상이 발현되며 여성 보인자(carrier)에서는 증상이 발현되지 않는다. 소아기발현뇌형(30–40%), 성인부신척수신경병증형(40%), 일차부신부전형(7%)으로 임상형을 구분한다. 소아기발현형은 5–10세에 증상이 발생하고 점차 진행하여 실명, 벙어리, 강직성사지마비상태가 된다. 부신부전은 대부분에서 동반되지만, 신경학적 결손과 상관관계는 없다. 이와 다르게 부신척수신경병증은 좀 더 늦게 발현되며, 강직성불완전마비와 말초신경병증이 서서히 발생한다.

④ 가족성당질부신피질호르몬결핍증(FGD)
가족성당질부신피질호르몬결핍증은 보통 소아기에 발현된다. 신생아기에 저혈당이 동반되거나, 색소침착이 증가하고, 종종 성장속도 증가가 동반된다. 소아기에 일차부신부전이 동반되며 레닌–안지오텐신–알도스테론계가 정상인 경우 FGD를 강력히 시사한다. 코티솔 농도 감소, ACTH 상승, 정상 레닌과 알도스테론 농도로 진단할 수 있다. 1형이 전체의 25%를 차지하며, ACTH–결합수용체인 MC2R의 불활성화 돌연변이에 의해 발생한다. 2형은 MC2R의 세포내수송과 관련된 MRAP유전자돌연변이에 의해 발생한다.

04
부신

⑤ **Triple A증후군(Allgrove syndrome)**

알그루브증후군은 무루증(alacrimia), 이완불능증(achalasia), ACTH저항애디슨병을 세 가지 특징으로 한다. 핵구멍단백질인 ALADIN을 부호화하는 *AAAS*유전자 변이에 의해 발생한다.

2) 이차부신부전

이차부신부전은 부신피질자극호르몬의 결핍으로 인해 발생하는 부신부전으로 정의된다. 가장 흔한 원인은 장기간 외인당질부신피질호르몬 투여 때문이며, 뇌하수체나 시상하부 종양, 수술, 방사선 치료 등의 원인에 의해서도 발생한다. 드물지만 뇌하수체졸중(apoplexy), 단독 ACTH 결핍, 뇌하수체 침윤 등에 의해서도 발생한다(표 4-2-5).

(1) 후천이차부신부전

시상하부–뇌하수체–부신축은 스테로이드의 전신치료뿐만 아니라 관절내주사, 국소치료, 점안치료, 흡입치료에 의해서도 억제된다. 당질부신피질호르몬 치료에 대한 반응은 개인차가 매우 커서 투여한 스테로이드 종류, 투여용량, 투여경로, 스테로이드 치료기간, 스테로이드 중단 후 시간 등 부신 억제를 예측할 수 있는 절대적인 지표는 없다. 하이드로코티손 1일 30 mg(프레드니솔론 1일 7.5 mg 혹은 덱사메타손 1일 0.75 mg에 해당) 이상으로 3주 이상 치료 시 부신 위축과 부신부전을 초래할 수 있다. 또한 스테로이드의 하루 중 투여시기에 따라서도 부신 억제는 영향을 받는다. 뇌하수체를 침범하여 ACTH 분비를 억제하는 뇌하수체종양, 두개인두종, 수막종, 안장내종양(intrasellar tumor), 감

표 4-2-5. 이차부신부전의 원인

원인	관련 임상징후 및 기전
후천원인(시상하부, 뇌하수체)	
내인/외인스테로이드 중단	쿠싱증후군에 의한 내인당질부신피질호르몬 과분비(쿠싱증후군), 3주 이상 외인당질부신피질호르몬 투여
아편유사제	저성선자극호르몬성선저하증
종양	두개인두종, 신경아교종, 수막종, 뇌실막종, 종자세포종, 안장(sella) 내/위 전이, 뇌하수체선종/암
수술 및 방사선 치료	
감염/침윤	림프구뇌하수체염, 혈색소증, 뇌수막염, 결핵, 유육종증, 방선균증, X조직구증
외상	뇌하수체줄기 손상
뇌하수체졸중	뇌하수체선종, 산후출혈과 저혈압(쉬안증후군)
선천원인	
단독 부신피질자극호르몬 결핍	특발성 *TBX19*유전자돌연변이 *POMC*유전자돌연변이 *PCSK1*유전자돌연변이
뇌하수체 무형성/저형성	*PROP1*유전자돌연변이 *LHX4*유전자돌연변이 *SOX3*유전자돌연변이
중격-시신경형성이상	*HESX1*유전자돌연변이
부신피질자극호르몬유리호르몬(CRH) 결핍	

염, 림프구뇌하수체염, 두부외상, 수술 및 방사선 치료 등은 범뇌하수체저하증을 일으키고 이차적으로 부신부전을 초래한다. 그 외 임산부에서 분만 시 과도한 출혈로 인한 저혈압이 생기거나(쉬안증후군) 혹은 뇌하수체종양에 출혈이 발생하는 뇌하수체졸중에서 뇌하수체에 경색이 발생하여 범뇌하수체저하증을 유발한다.

ACTH단독결핍증은 드물며 진단이 매우 어렵다. 설명되지 않는 저혈당이나 저나트륨혈증이 발생하면 의심해야 한다. 뇌하수체염은 매우 드물지만, 종종 임신과 연관되어 발생한다. 기능적으로 ACTH 단독결핍이나 다수의 뇌하수체호르몬 결핍이 동반될 수 있다. 최근 면역관문억제제(immune checkpoint inhibitor) 사용으로 인한 뇌하수체염의 발생이 점차 증가하고 있다. 면역관문억제제 가운데 하나인 이필리무맙(ipilimumab)을 사용하는 환자의 3%에서 뇌하수체염 발생이 보고되고 있으며 두통과 저나트륨혈증이 발생한다.

(2) 선천이차부신부전

선천원인에 의한 이차부신부전은 매우 드물다. 부분 혹은 완전뇌하수체저하증이 있는 경우 뇌하수체에서 ACTH 생성이 부족하여 부신기능부전을 유발한다. 단독 ACTH 결핍의 경우 *TBX19, POMC, PCSK1*유전자돌연변이에 의해 발생할 수 있다. 뇌하수체발생과 관련된 유전자돌연변이(*PROP1, LHX4, SOX3*)에 의해서도 이차부신부전이 발생한다.

(3) 중환자에서의 기능부신부전

시상하부–뇌하수체–부신축에 구조결함이 없는 중환자에서 심각한 질병상태로 인해 일시적으로 정상 이하의 코티코스테로이드가 생산되는데, 이를 기능부신부전 또는 상대적 부신부전이라고 한다.

4. 임상증상

부신부전의 증상과 징후는 부신피질기능상실의 속도와 정도, 무기질부신피질호르몬 생성이 유지되는지 여부, 스트레스 정도에 따라 다르다. 발병은 종종 매우 점진적이며 질병이나 다른 스트레스가 부신위기를 유발할 때까지 발견되지 않을 수 있다.

1) 만성일차부신부전

만성일차부신부전 환자에서 당질부신피질호르몬, 무기질부신피질호르몬, 여성의 경우 안드로젠 결핍의 증상과 징후가 나타난다. 증상이 완벽하게 발현된 경우 부신부전을 진단하기는 어렵지 않다. 그러나 대부분의 경우 증상이 서서히, 점진적으로 나타나며, 비특이적이기 때문에 진단이 지연되는 경우가 많다. 상당수 환자에서 생명을 위협하는 부신위기가 발생한 이후에 진단된다. 피로, 체중감소, 구역, 구토, 복통, 근육과 관절통증 등의 비특이증상과 징후가 가장 흔하게 동반된다. 피로는 대부분의 환자에서 동반되는 증상이다. 체중감소는 식욕부진에 의해 유발되며 탈수에 의해 악화된다. 구역, 구토, 복통과 같은 위장증상은 일차부신부전의 중증도와 관련되어 있으며, 구토와 복통은 부신위기를 예고한다. 여성에서 부신안드로젠의 생산 감소로 치부와 액와부 체모가 감소하고 성욕이 소실될 수 있다. 무월경도 발생하는데 이는 만성질환, 체중감소 또는 자가면역매개 일차난소부전 때문이다. 미만성근육통과 관절통은 부신부전 환자에서 흔하게 동반된다. 중증이거나 장기간 치료되지 않은 부신부전 환자에서 기억력장애, 우울증, 정신병과 같은 정신과적 증상이 동반된다.

일차부신부전에 보다 특이적인 증상에는 피부 과다색소침착, 기립저혈압, 염분갈망 등이 있다. 심혈관계 증상으로 체위성 어지럼증이나 실신이 발생한다. 대부분의 환자에서 혈압은 낮지만 일부는 체위저혈압만 동반한다. 이러한 증상은 주로 알도스테론 결핍으로 인한 체액량 고갈로 발생한다. 피부와 점막의 과다색소침착은 다른 증상보다 수개월에서

수년 먼저 나타난다. 일차부신부전에서 증가된 ACTH는 진피멜라닌세포표면의 멜라노코틴1수용체(melanocortin1 receptor, MC1R)를 자극하여 멜라닌 합성을 증가시켜 과다색소침착을 유발한다. 과다색소침착은 전신적으로 발생하지만, 햇빛에 노출된 피부, 신근(extensor) 표면, 손가락 관절, 팔꿈치, 무릎, 흉터에서 더욱 두드러지게 나타난다. 질병이 발병하기 전에(ACTH가 상승하기 전에) 형성된 흉터는 영향을 받지 않는다. 손바닥 주름, 손발톱 바닥, 구강 점막(특히, 치은 가장자리), 질 및 항문 주위 점막이 유사하게 영향을 받을 수 있다. 장기간의 부신기능부전에서 귀 연골의 석회화가 발생할 수 있는데, 이는 남성에서만 발생한다. 백반증은 피부 멜라닌세포가 자가면역에 의해 파괴되어 발생한 탈색된 피부로, 몸통이나 사지에 좌우 대칭적으로 분포한다.

가장 흔한 검사실검사로는 저나트륨혈증, 고칼륨혈증, 빈혈 등이 있다. 저나트륨혈증은 환자의 80–90%에서 발견되며 이는 무기질부신피질호르몬 결핍으로 인한 나트륨 손실 및 체액량 고갈과 코티솔 결핍으로 인한 바소프레신 분비 증가 때문에 발생한다. 고칼륨혈증과 동반된 경도 고염소혈증(hyperchloremic)산증은 무기질부신피질호르몬 결핍으로 인해 발생한다. 장기간 금식 후 저혈당이 발생할 수 있다. 정상 적혈구 빈혈이나 상대적 호산구증가증이 나타날 수 있으며 1형, 2형 자가면역다분비선증후군에서는 악성빈혈을 동반할 수 있다(표 4-2-6).

2) 만성이차부신부전

일차부신부전에서 보이는 당질부신피질호르몬 결핍과 관련된 임상특징이 이차부신부전에서도 발생한다. 그러나, 이차부신부전에서는 임상특징이 덜 두드러지거나 없을 수 있으며 일부 특징은 이차부신부전에서만 나타날 수 있다.

이차부신부전에서는 과다색소침착이나 탈수는 동반되지 않는다. 저혈압은 덜 두드러진다. 코티솔 결핍으로 인한 바소프레신 분비 또는 작용의 부적절한 증가로 인해 저나트륨

표 4-2-6. 일차부신부전의 임상양상

임상양상	빈도(%)
증상	
쇠약, 피로	100
식욕부진	100
소화기증상	92
구역	86
구토	75
변비	33
복통	31
염분갈망	16
체위현기증	12
근육통, 관절통	13
징후	
체중감소	100
과다색소침착	94
저혈압(수축기혈압 < 110 mmHg)	88–94
백반증	10–20
귀연골석회화	5
검사실검사(laboratory test)	
전해질이상	92
저나트륨혈증	88
고칼륨혈증	64
고칼슘혈증	6
빈혈	40
호산구증가증	17

혈증 및 체액량 팽창이 발생한다. 저나트륨혈증은 질병 초기에 발생할 수 있으며 이차부신부전의 초기 증상일 수 있다. 고칼륨혈증은 동반되지 않으며, 위장증상은 일차부신부전보다 덜 흔하다. 저혈당은 이차부신부전에서 더 흔하다. 뇌하수체 또는 시상하부 종양에 의한 다른 뇌하수체 전엽호르몬 결핍의 증상 및 징후, 두통 또는 시야 결함과 같은 임상증상이 동반되기도 한다. 장기간 스테로이드 치료로 인

해 발생하는 이차부신부전에서는 쿠싱증후군과 같은 외양(Cushingoid)을 보일 수 있다.

3) 급성부신부전(부신위기)

급성부신부전은 저혈압과 급성순환부전을 특징으로 하는 응급상황이다. 일차부신부전에서 발생하나, 이차부신부전에서도 발생할 수 있다. 주요증상은 쇼크(shock)이지만 식욕부진, 구역, 구토, 복통, 쇠약, 피로, 혼수, 발열, 착란 또는 혼수와 같은 비특이적 증상도 발생한다. 급성부신부전증상은 수술, 외상 또는 동반된 감염과 같은 생리적 스트레스에 의해 촉발될 수 있다(표 4-2-7).

식욕부진은 급성부신부전의 초기 증상이며, 오심, 구토, 설사, 복통으로 진행된다. 열이 동반되며 저혈당이 발생할 수 있다. 위장염이나 식중독은 부신위기의 가장 흔한 원인이며, 감염, 외과 및 치과시술, 부상, 심근경색, 알레르기반응, 당뇨병 환자에서의 중증 저혈당, 심각한 심리적 스트레스, 스테로이드 치료중단이 원인이 될 수 있다.

일차부신부전 환자에서는 고칼륨혈증, 저나트륨혈증소견을 보인다. 저나트륨혈증은 알도스테론 결핍과 코티솔 결핍으로 인한 항이뇨호르몬(바소프레신)의 부적절한 분비로 인해 발생한다.

5. 진단

부신부전의 진단은 다음의 세 단계로 이루어진다. 첫 번째, 부적절하게 낮은 코티솔 분비를 확인한다(부신피질기능 평가). 두 번째, 시상하부–뇌하수체축에 대한 평가를 위해 ACTH를 검사하여 결핍 여부를 확인한다. ACTH 결핍이 없다면 무기질부신피질호르몬 분비를 평가한다. 세 번째, 치료가능한 부신부전의 원인이 있는지 확인한다.

1) 부신피질 기능평가

부신부전 진단을 위해서는 원인에 무관하게 부신에서 부적절하게 코티솔이 적게 생산되고 있음을 증명해야 한다. 대부분의 검사에서 진단목적으로 총혈청코티솔을 측정한다. 따라서 코티솔결합글로불린(CBG) 또는 알부민에 이상이 있는 간경변이나 신증후군 환자, 경구에스트로젠을 복용하는 환자에서는 결과해석에 주의해야 한다. 타액 또는 혈청 유리코티솔이 대안으로 제시되고 있지만, 현재 널리 이용되고 있지 않으며 진단기준도 확립되어 있지 않다.

(1) 아침 혈청코티솔

정상인에서 혈청코티솔은 박동성으로 분비되며 하루주기(circadian) 변동을 보인다. 아침(오전 6–8시)에 농도가 가장 높으며 10–20 µg/dL 범위에 있다. 아침에 측정한 혈청코티솔 농도가 3 µg/dL 미만인 경우 부신기능부전을 시사하지만 아침 혈청코티솔 단독으로 부신기능 결핍을 예측하는

표 4-2-7. **부신위기의 임상양상과 검사실검사**

- 탈수, 저혈압, 쇼크(현재질환의 중증도보다 심함)
- 구역, 구토(체중감소와 식욕부진의 병력 동반)
- 복통(급성복증)
- 원인불명 저혈당
- 원인불명 열
- 저나트륨혈증, 고칼륨혈증, 질소혈증, 고칼슘혈증, 호산구증가증
- 과다색소침착, 백반증
- 갑상선기능저하증 또는 성선부전과 같은 기타 자가면역 내분비결핍증

데 한계가 있다. 아침 혈청코티솔 농도가 3–15 μg/dL 사이에 있는 경우 부신피질자극검사를 시행한다. 아침 혈청코티솔 농도가 15 μg/dL 이상인 경우 인슐린내성검사나 ACTH 자극검사에서 대부분 정상반응을 보인다.

(2) ACTH자극검사

ACTH자극검사는 부신피질 기능평가를 위해 시행한다. 자극검사에 사용되는 합성 ACTH(1–24) (cosyntropin)는 천연 ACTH(1–39)의 완전한 효능을 가지고 있다. 정상인에서 코신트로핀에 대한 반응은 오후보다 아침에 더 높지만, 부신부전 환자에서의 반응은 아침과 오후가 거의 동일하다. 따라서 정상인에서는 부적절한 자극검사결과를 피하기 위해 아침에 검사할 것을 추천한다. 부신피질자극검사에는 표준고용량검사(250 μg)와 저용량검사(1 μg)가 있다. 고용량 자극검사는 코신트로핀 250 μg을 정맥주사 후 30분, 60분에 코티솔 농도를 측정하여 부신기능을 평가한다. 최근 일부 연구자들은 30분 코티솔 농도만을 측정하여 부신기능을 평가하기도 한다. 30분 혹은 60분 후 면역분석법으로 측정한 코티솔 농도가 18–20 μg/dL 이상인 경우 정상반응으로 판정한다. 그러나 질량분석법으로 측정한 검사에서는 16–18 μg/dL 이상인 경우 정상으로 판정한다. 저용량 자극검사는 코신트로핀 1 μg을 정맥주사 후 20분, 30분에 코티솔 농도를 측정한다. 정상 반응기준은 17–22.5 μg/dL로 더 넓게 제시되고 있다. 저용량자극검사는 표준고용량검사보다 민감도가 높다고 알려져 있어 경도의 이차부신부전(예: ACTH 부분결핍)이나 최근에 발생한 ACTH 결핍(예: 1–2주 이내 뇌하수체수술을 받은 경우)이 의심되는 경우 고려할 수 있다. 그러나 저용량검사는 250 μg 코신트로핀을 생리식염수로 희석하여 1 μg을 주사해야 하는 기술적인 문제로 부정확한 결과가 초래될 수 있다. 2016년 미국내분비학회 진료지침에서는 일차부신부전 진단을 위한 검사로 표준 고용량검사를 권고하였다.

2) ACTH 결핍(시상하부–뇌하수체–부신축)평가

부신부전이 일차인지 혹은 이차인지 결함의 위치를 확인하는 과정이다. 일반적으로 부신피질 기능평가 시 코티솔과 ACTH 농도를 동시에 측정한다. 당질부신피질호르몬 치료가 ACTH 분비를 억제하므로 ACTH검사는 당질부신피질호르몬 치료 전에 시행한다. 그러나, 이미 하이드로코티손과 같은 단기작용 당질부신피질호르몬이 사용된 경우에는 마지막 투여 24시간 이후에 ACTH를 검사한다. 덱사메타손과 같은 장기작용 당질부신피질호르몬을 투여한 경우 수일간 하이드로코티손으로 변경하여 투여하고, 마지막 투여 24시간 이후 아침 ACTH검사를 시행한다.

(1) 기저혈장ACTH

기저혈장ACTH 농도를 측정하여 부신부전이 일차인지 이차인지 감별할 수 있다. 기저혈청코티솔을 검사할 때 혈장 ACTH를 동시에 측정하면 부신기능부전을 진단하고 결함의 위치를 확인할 수 있다. 일차부신부전에서는 오전 8시에 측정한 혈장ACTH 농도가 매우 높고 무기질부신피질호르몬 결핍이 동반되기 때문에, 레닌은 상승되어 있으며 알도스테론은 낮다. 이차부신부전에서 혈장ACTH 농도는 낮거나, 낮은 정상범위에 있다. 이차부신부전에서 레닌과 알도스테론은 영향을 받지 않으므로 대부분 정상이다.

(2) 인슐린내성검사(insulin tolerance test)

인슐린유발 저혈당스트레스로 시상하부–뇌하수체–부신축 전체를 평가하는 부신부전 진단의 표준검사법이다. 그러나 최근에 발생한 ACTH 결핍 혹은 성장호르몬과 ACTH의 동반결핍이 의심되는 경우에 제한적으로 시행한다. 의사의 감독이 필요하며 발작이나 심뇌혈관질환의 병력이 없는 환자에게 인슐린내성검사를 시행하는 것은 비교적 안전하다. 인슐린(0.15 unit/kg, 기저코티솔수치가 낮은 환자의 경우 0.1 unit/kg)을 투여하여 저혈당을 유발한다. 혈당이 40 mg/dL 미만이며, 신경당 결핍증상이 동반되면 저혈당이 유발된 것으로 판정한다. ACTH와 코티솔을 0분, 30분, 45분, 60분, 90분, 120분에 측정하여 평가한다.

(3) 중환자에서 시상하부-뇌하수체-부신축 기능평가

중증질환에서는 다양한 요소들이 시상하부-뇌하수체-부신축에 영향을 주며 코티솔 합성과 대사에서도 변화가 발생한다. 따라서 코티솔 농도는 중증질환에서 다양하게 변할 수 있다. 또한 CBG나 알부민도 감소하므로 유리코티솔과 결합코티솔의 비율도 증가한다. 중증질환자에서 시상하부-뇌하수체-부신축을 평가하기 위해 표준 고용량(co-syntropin 250 μg)자극검사를 시행하며, 기저와 최고 코티솔 값의 차(delta)가 9 μg/dL 미만이면, 기능부신부전을 의심한다. 그러나 중증질환자에서 자극검사를 수행하기 어려운 경우가 많아 하이드로코티손 등 스테로이드 치료 전에 임의(random) 코티솔을 측정하여 10 μg/dL 미만인 경우 기능부신부전으로 진단하기도 한다.

3) 원인진단(그림 4-2-3)

부신부전이 진단되면 반드시 원인을 규명해야 한다. 이차부신부전에서는 자세히 병력을 청취하여 최근 스테로이드 사용 여부를 확인한다. 스테로이드 사용력이 없다면 뇌하수체 자기공명영상검사를 시행하여 뇌하수체종양이나 침윤성질환(림프구뇌하수체염, 육아종질환)을 감별하며, ACTH 이외의 뇌하수체전엽호르몬상태를 평가한다. 소아에서는 뇌하수체호르몬 결핍과 관련된 유전자검사를 고려한다.

일차부신부전에서는 우선 21-수산화효소 자가항체를 검사한다. 양성이면 자가면역일차부신부전으로 진단한다. 이런 경우에는 자가면역갑상선질환, 1형당뇨병 등 다른 내분비기관의 이상 여부를 확인하기 위하여 갑상선자극호르몬, 포도당, 칼슘, 인을 측정한다. 칼슘이 낮은 경우 부갑상선호

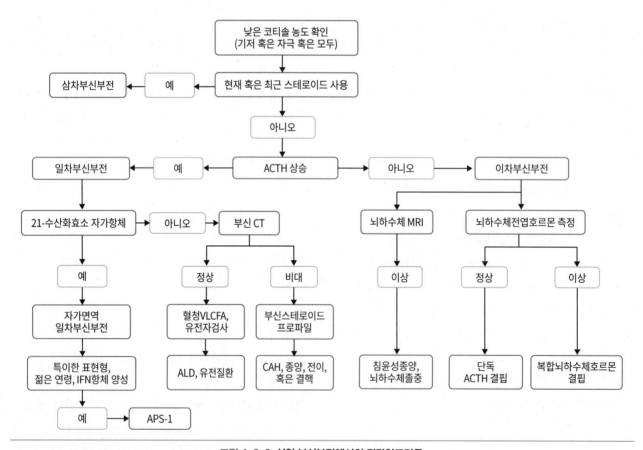

그림 4-2-3. 성인 부신부전에서의 진단알고리듬

ACTH, adrenocorticotropic hormone; ALD, adrenoleukodystrophy; APS-1, autoimmune polyendocrine syndrome type 1; CAH, congenital adrenal hyperplasia; VLCFA, very long chain fatty acids(출처: Lancet 2021;397:613-29).

르몬을 측정한다. 희발월경과 무월경이 동반된 여성에서는 난포자극호르몬과 황체형성호르몬을 검사하며, 성선부전이 의심되는 남성에서는 혈청테스토스테론과 황체형성호르몬을 측정한다. 20세 미만의 자가면역부신부전 환자에서 1형자가면역다분비선증후군이 의심되면 인터페론 자가항체를 검사한다.

21–수산화효소 자가항체가 음성인 경우, 보다 광범위한 평가를 시행한다. 먼저 복부 컴퓨터단층촬영(CT)검사를 시행한다. 부신의 종대나 석회화소견이 관찰되면, 감염, 출혈, 전이성 암을 의심할 수 있으며 자가면역질환은 배제할 수 있다. 흉부방사선촬영, 투베르쿨린(tuberculin)반응검사, 결핵균소변배양검사도 결핵성부신부전을 진단하는데 도움이 된다. 항응고제 치료병력이 없음에도 출혈소견이 관찰되면 항인지질항체를 검사한다. 전이성 암이 의심되면 CT유도 세침흡인검사를 시행하여 진단한다. 최근에는 전이 원발병소를 찾는 데 FDG–PET 활용이 증가하고 있어 부신 세침흡인검사는 줄어들고 있다. 모든 남성에서는 *ABCD 1*유전자 결함으로 발생하는 부신백질 형성장애와 부신척수신경병증을 감별하기 위하여 혈청VLCFA를 검사한다. 임상적

표현형이 선천유전질환(선천부신증식증, 선천부신형성저하증 등)을 시사하면, 관련 유전자에 대한 염기서열분석(sequencing)을 시행한다. 유전자변이에 의해 발생하는 일차부신부전에서 표현형이 겹치는 부분이 많기 때문에 최근에는 차세대염기서열분석패널(next generation sequencing panels) 또는 전체유전체염기서열분석(whole-genome sequencing)검사의 시행이 증가하고 있다.

6. 치료

일차부신부전 치료에서는 결핍된 당질부신피질호르몬과 무기질부신피질호르몬을 모두 보충해주어야 한다. 그러나 시상하부–뇌하수체이상에 의한 이차부신부전에서는 일반적으로 당질부신피질호르몬만 보충하면 된다. 일차 및 이차 부신부전에서 부신안드로젠이 결핍되어 있으나 안드로젠 치료의 이득은 명확하게 밝혀져 있지 않다.

1) 급성부신부전(부신위기)의 치료
부신위기는 생존을 위협하는 응급상황으로 즉각적인 치료가 필요하다. 진단 때문에 치료가 지연되면 안 된다. 우선 정

표 4-2-8. 성인 급성부신부전(부신위기)의 치료

응급처치
1. 큰 굵기바늘로 정맥 확보
2. 혈청전해질, 혈당, 혈청코티솔, 혈장ACTH 측정을 위한 채혈
3. 등장성 식염수(혹은 5% 포도당 포함된 등장성 식염수) 1–3 L 정맥주입, 체액과다를 피하기 위해 주기적인 혈역학 모니터링과 혈청 전해질검사
4. 하이드로코티손 100 mg 볼루스주사 후 24시간 동안 하이드로코티손 200 mg을 연속으로 주입(혹은 6시간마다 50 mg을 볼루스주사)
5. 필요한 보조적 처치수행

안정화 이후 처치
1. 24–48시간 동안 주입속도를 늦추어 등장성 식염수주사
2. 부신위기를 초래한 감염원인검사와 치료
3. 부신부전 진단을 위한 부신피질자극검사(부신부전 병력이 없는 경우)
4. 부신기능부전의 형태(일차 혹은 이차) 및 원인감별
5. 당질부신피질호르몬을 1–3일에 걸쳐 감량하고, 경구유지용량으로 전환(악화요인이나 동반질환이 호전된 경우)
6. 일차부신부전 환자의 경우 식염수 주입이 중단되면, 무기질부신피질호르몬 보충(매일 플루드로코티손 0.1 mg 경구복용)

맥을 확보하면서 채혈(혈청전해질, 코티솔, ACTH, 일반화학검사 등)하고 즉시 치료를 시작한다. 전해질 등 일반화학 검사결과는 초기치료 방향을 결정하는 데 유용하며, 코티솔, ACTH 등은 부신부전의 진단과 원인감별에 필요하다.

체액량상태와 소변량을 평가하면서 처음 12–24시간 동안 1–3 L의 0.9% 식염수 혹은 5% 포도당 함유 0.9% 식염수(동반된 저혈당을 교정하기 위하여)를 정맥으로 주입한다. 당질부신피질호르몬인 하이드로코티손 100 mg을 볼루스(bolus)로 주사한 후 활력징후가 안정되고 경구로 섭취가 가능할 때까지 24시간동안 하이드로코티손 200 mg을 연속으로 주입하거나 매 6시간 간격으로 50 mg을 볼루스로 주사한다. 최근에는 혈중 코티솔 농도를 일정하게 유지시켜줄 수 있는 연속주입법을 초기치료로 우선 권장하고 있다. 합병된 질환이 없다면 당질부신피질호르몬주사 치료는 1–3일에 걸쳐 서서히 감량하여, 스트레스 용량의 경구당질부신피질호르몬 치료로 전환한다. 하이드로코티손 40 mg은 오전에 투여하고 20 mg은 저녁 전(오후 3–6시 사이) 투여한다. 이후 환자상태를 고려하여 빠른 속도로 표준치료용량(오전 8시경 하이드로코티손 10–20 mg, 오후 3–6시 사이 하이드로코티손 5–10 mg)으로 감량한다. 당질부신피질호르몬 치료는 바소프레신의 부적절한 분비를 억제하고 유리수분(free water) 제거를 증가시켜 저나트륨혈증을 교정한다. 무기질부신피질호르몬 보충이 나트륨 유지효과를 나타내는데 수일이 소요되며, 식염수주사만으로 적절한 나트륨 보충이 가능하기 때문에 부신위기 치료초기에 무기질부신피질호르몬은 사용하지 않는다. 초기 응급처치 후 세균감염이나 장염과 같은 유발요인을 찾아 적절히 치료해야 한다(표 4-2-8).

2) 부신부전의 장기적인 관리

환자와 가족에 대한 교육은 장기적인 부신부전 관리에 있어 매우 중요하다. 평생 호르몬 치료가 필요하고, 스트레스 동안에 당질부신피질호르몬 용량을 늘려야 하며, 외과적 처치를 받게 되면 담당 의료진에게 부신부전으로 치료 중임을 알리도록 교육한다.

(1) 당질부신피질호르몬 보충

당질부신피질호르몬 장기치료의 목표는 정상인의 호르몬 분비량과 생리적인 분비패턴에 맞게 당질부신피질호르몬을 보충하는 것이다. 대부분의 국가에서 부신부전의 치료로 하이드로코티손을 사용하고 있다. 과거에는 하이드로코티손 25–30 mg을 생리적 용량으로 판단하였으나 최근 방사성동위원소검사로 측정한 1일 코티솔 분비량은 1일 8–15 mg ($5–10 \, mg/m^2$ 체표면적)으로 알려져 있으며, 장에서의 불완전한 흡수를 고려하면 생리적 용량은 하이드로코티손 15–25 mg에 해당한다. 대부분의 경우 하루 2–3회 나누어 복용하나, 일부에서는 하루 4회 이상 나누어 복용하는 것을 선호한다. 하루 용량의 절반 혹은 2/3는 아침 기상 후 투여하며, 마지막 용량은 수면장애를 피하기 위해 취침 4–6시간 이전에 복용한다. 하이드로코티손을 저녁에 투여하면 인슐린저항성을 증가시키므로 피해야 한다. 전통적인 하이드로코티손 치료에도 전신상태의 호전이 없다면 1일 1회(15–25 mg) 변형방출(modified-release) 하이드로코르티손 치료를 고려할 수 있다. 변형방출하이드로코르티손을 복용하는 환자에서 체중, 혈압 및 혈당에서 유익한 대사효과가 보고되고 있다. 변형방출하이드로코르티손은 속방형(immediate-release) 하이드로코티손보다 염증유발상태를 개선하고 시계유전자(clock gene)발현의 정상화를 촉진한다는 증거도 제시되고 있다. 18세 이하의 유아, 어린이 및 청소년에서 하이드로코티손용량을 조절하기 쉽도록 소아용 과립 제형도 개발되었다. 1일 다회 하이드로코티손요법에 적응도가 낮거나, 1일 다회요법으로 개선되지 않은 늦은 저녁 혹은 이른 아침에 심한 부신부전증상이 있다면 작용시간이 긴 프레드니솔론이나 덱사메타손 치료가 도움이 될 수 있다. 프레드니솔론과 덱사메타손의 1일 치료용량은 각각 5 mg과 0.5 mg이다. 덱사메타손의 단점은 개인 간 약물대사작용이 다양하며, 정확한 용량 예측이 어렵고, 의인쿠싱증후군과 같은 부작용의 위험이 높다(표 4-5-2 참고).

당질부신피질호르몬 치료의 적절성을 평가할 수 있는 생체지표는 없다. 일반적으로 체중, 혈압, 전신상태와 같은 임상지표로 치료가 적절한지 판단한다. 구역, 식욕부진, 체중감소, 피부 색소침착 증가 등의 소견은 당질부신피질호르몬 과소치료(under-replacement)를 시사한다. 반대로 체중증가, 불면증, 피부감염, 당불내성은 과다치료(over-replacement)를 의미한다. 일부 환자에서는 하루 중 특정 시간에 체력 감소, 피로, 두통 또는 졸음을 호소하는데 복용시간을 조정하거나 분복 횟수를 늘려 소량으로 복용하면 효과가 있을 수 있다. 혈청코티솔, 혈장ACTH 같은 검사로 치료의 적절성을 평가하기는 어렵다.

(2) 무기질부신피질호르몬 보충

대부분의 일차부신부전 환자에서 염분 결핍, 기립저혈압, 저나트륨혈증, 고칼륨혈증을 개선시키기 위해서 무기질부신피질호르몬과 염분 보충이 필요하다. 플루드로코티손(9α-fluorohydrocortisone)은 강력한 합성무기질부신피질호르몬으로 성인에서는 아침에 한 번 50–200 μg으로 치료한다. 신체활동이 많은 환자에서는 신체활동이 없는 노인보다 더 많은 용량이 필요하다. 무더운 여름철에는 평소보다 용량을 50–100 μg 증량한다. 하이드로코티손은 무기질부신피질호르몬활성을 가지고 있어 50 mg 이상 투여하는 경우 플루드로코티손은 보충하지 않을 수 있다. 일차부신부전 환자는 염분을 충분히 섭취해야 한다. 이차부신부전에서 무기질부신피질호르몬 치료는 필요하지 않다. 무기질부신피질호르몬 용량조절은 지속적인 염분갈망이나 현기증, 기립저혈압(누운 자세와 기립상태에서 혈압 및 맥박 측정), 혈청칼륨, 말초부종 등 임상적으로 평가한다. 고혈압, 저칼륨혈증, 부종은 과잉 보충을 시사한다. 혈장레닌이나 레닌활성도를 측정하여 무기질부신피질호르몬 용량을 조절할 수 있는데, 정상범위의 상부(upper normal range)에 위치하도록 한다. 그러나 레닌활성도는 하루 중의 시기, 체위, 무기질부신피질호르몬 복용 등에 따라 변할 수 있어 개별 환자에서 레닌이나 레닌활성도를 측정하여 호르몬 보충의 적절성을 평가하는 것은 도움이 안 될 수 있다.

(3) 부신안드로젠 보충

부신안드로젠 결핍은 일차 및 이차부신부전에 동반되며 여성에서 이차성모(sexual hair) 소실을 초래한다. 부신부전 환자에서 데하이드로에피안드로스테론(dehydroepiandrosterone, DHEA) 보충효과를 조사한 무작위연구 결과, DHEA의 효과는 미미하지만 1일 25–50 mg 보충은 성욕이나 정서 및 심리적 안녕을 개선시켰다. DHEA는 에스트로젠으로 전환되므로 에스트로젠에 민감한 암, 심혈관질환, 정맥혈전에 영향을 줄 수 있다. 장기적인 안전성관련 자료가 부족하기 때문에 미국내분비학회 가이드라인에서는 일상적인 사용을 권장하지 않고 있다. 따라서 DHEA는 당질부신피질호르몬과 무기질부신피질호르몬을 적절히 보충함에도 정서나 심리적 안정이 개선되지 않는 여성의 경우 1일 25–50 mg을 3–6개월 동안 투여해보고, 반응을 평가하여 용량을 조정하고 효과가 없다면 중단한다.

(4) 특수상황에서의 관리

스테로이드 치료를 받는 부신부전 환자는 동반질환(열, 독감, 설사, 상기도감염 등)이나 정신적 스트레스상황에서 복용량을 2–3배 증가시켜야 한다. 구토나 심한 설사로 섭취나 흡수에서 문제가 발생하면 병원에 방문하도록 하며 정맥주사로 변경하여 치료한다. 수술을 받는 경우 당질부신피질호르몬 보충은 수술의 종류(중증도)를 고려하여 시행한다. 소수술(예: 탈장, 치과수술, 조직검사 등)의 경우 수술 전 하이드로코티손 25 mg을 투여하고 수술 다음날부터 이전 용량으로 치료한다. 중등도 스트레스 수술(예: 담낭절제술, 관절치환술)의 경우 수술 전 하이드로코티손 50 mg을 정맥으로 주입한다. 이후 하루 동안 25 mg을 8시간 간격으로 투여 후, 그 다음날부터 수술 전 용량으로 치료한다. 대수술(예: 심장수술)의 경우 마취(수술) 직전 100 mg을 정맥주사하고, 이후 50 mg을 8시간 간격으로 투여하며 이후에는 빠른 속도로 감량하여 수술 전 용량으로 치료한다. 당질부신피질호르몬 치료 중인 여성이 임신을 하면 3삼분기에 하이드로코티손 용량을 2.5–10 mg 증량한다. 프로게스테론은 무기질부신피질호르몬 길항작용이 있어 임신 3삼분기에 플루드로

표 4-2-9. 부신부전의 장기관리

1. 당질부신피질호르몬 보충 • 하이드로코티손 15–25 mg을 1일 2–3회 분복 • 임상증상(체중, 혈압, 전신상태, 피부 색소침착 등) 관찰
2. 무기질부신피질호르몬 보충(일차부신부전에서만) • 플루드로코티손 0.1 (0.05–0.2) mg 경구투여 • 충분한 염분 섭취 • 임상증상(누운자세와 기립자세에서 혈압 및 맥박 측정, 부종) 관찰 • 혈청칼륨, 혈장레닌활성도 모니터링
3. 경미한 열성질환이나 스트레스상황에서의 스테로이드 치료 • 당질부신피질호르몬 용량 2–3배 증가, 무기질부신피질호르몬 용량변경 필요 없음 • 질병이 악화되거나 3일 이상 지속 혹은 구토 동반 시 병원 방문 • 합병증이 없는 국소마취하 외래 치과시술 시 당질부신피질호르몬 증량 필요치 않음
4. 수술 시 스테로이드 치료 • 국소마취하 소수술이나 영상의학검사 시 추가보충 필요하지 않음 • 중등도스트레스 수술 혹은 혈관조영술의 경우 하이드로코티손 50 mg을 처치 직전 정맥주사 • 대수술의 경우 하이드로코티손 100 mg을 마취 직전 정맥주사

코티손 용량을 증량해야 한다. 페니토인, 바비튜레이트, 리팜핀, 카바마제핀 등 간의 스테로이드대사를 가속화하는 약물을 복용하는 경우 당질부신피질호르몬 보충용량을 증가시켜야 한다. 패혈증쇼크가 동반된 중 환자에서 기능부전이 의심되는 경우, 1일 하이드로코티손 200 mg을 4회로 나누어 정맥주사하거나 시간 당 10 mg의 속도로 연속 정맥주사로 치료한다. 중증급성호흡부전증후군 환자에서는 메틸프레드니솔론을 kg당 1 mg 투여한다. 중환자부신부전에서 덱사메타손 치료는 권장되지 않는다(표 4-2-9).

7. 부신부전의 예후

당질부신피질호르몬 치료가 도입되기 전 부신부전은 예후가 불량해서 80% 이상이 진단 후 2년 이내에 사망하였다. 당질부신피질호르몬 치료 후 자가면역부신부전 환자의 수명은 정상인과 유사하며 격렬한 운동을 포함하여 활동적인 삶을 영위할 수 있다. 부신부전 환자의 예후는 많이 개선되었지만 사망률은 아직도 일반인보다 2배 정도 높다. 부신부전의 주된 사망원인은 암, 심혈관질환, 감염으로 인한 부신

위기 때문이다. 또한 부신기능부전 환자의 주관적 삶의 질은 심각하게 낮으며, 신체적 기능장애나 우울증이 동반된 비율이 일반인에 비해 유의하게 높다. 정상적인 코티솔 분비패턴과 유사한 당질부신피질호르몬보충요법이나 DHEA 보충치료가 이러한 문제를 개선하는 데 도움이 될 수 있을 것이다.

8. 최신정보 및 미래 전망

부신부전 환자는 여전히 부신위기로 사망하고 있으며 많은 환자에서 부신부전이 진단되기 이전에 부신위기가 발생하고 있다. 부신부전을 좀 더 일찍 인지할 수 있도록 의사들을 교육해야 하며 부신위기가 발생하기 전에 환자를 진단할 수 있어야 한다. 현재 생리적인 코티솔 농도 변화(하루주기리듬)에 맞게 코티솔을 보충하기 위한 다양한 시도들이 진행되고 있다. 장기적인 측면에서 자가면역에 의한 부신파괴를 멈추게 하고 이를 역전시키는 치료가 필요하다. 리툭시맙(rituximab)을 사용하여 B세포를 억제하거나 코신트로핀으로 장기간 부신을 자극하여 부신기능을 개선하려는 연구

들이 시도되고 있다. 부신부전 치료를 위한 자가 줄기세포 생산은 전도 유망한 새로운 치료법이 될 것이다. 부신피질 조직이식은 현재에도 시행 가능하며 수막구균성패혈증 때문에 발생한 이차적인 부신부전에서 신장이식과 부신피질 조직이식이 동시에 시행된 바 있다. 조직공학이 발전하고 자가면역일차부신부전의 병태생리에 대한 이해가 깊어짐에 따라 미래에는 면역조절과 재생치료도 부신부전의 치료로 시도될 수 있을 것이다.

III. 선천부신증식증

신충호

1. 선천부신증식증(Congenital adrenalhyper-plasia)

부신피질의 스테로이드호르몬 합성에 관여하는 효소의 결핍으로 코티솔, 알도스테론의 합성이 감소하여 부신부전이 발생하고 이로 인해 부신피질자극호르몬이 증가하여 부신의 비대와 과형성을 야기하는 질환으로 일부 형태에서는 부신성호르몬의 과잉 또는 부족에 의한 외부생식기의 남성화 또는 여성화를 초래한다. 보통염색체열성으로 유전되며 결핍된 효소에 따라 여러 가지 원인이 있고, 부족한 호르몬에 의해 초래되는 임상양상에도 차이가 있다(표 4-2-10). 선천부신증식증의 가장 흔한 형태(95%)는 21-수산화효소(CYP21A2)의 결함이다.

2. 21-수산화효소(21-Hydroxylase, CYP21A2) 결핍

21-수산화효소 결핍은 선천부신증식증의 원인 중 가장 흔하게 발생하여 95% 정도를 차지한다. 결핍효소의 잔여활성도에 따라 코티솔 결핍, 알도스테론 결핍, 부신남성호르몬과다의 정도가 다르며 임상양상과 발병시기도 다양하다. 염분

소실형은 10,000-15,000명 출생당 1명꼴로 발생한다. 신생아 선별검사에서 22,700명당 1명꼴로 진단된다.

1) 임상형태

임상적으로 임상증상형태와 나타나는 시기에 따라 전형적인 형태와 비전형적인 형태로 분류한다. 태아기부터 나타나는 전형적인 형태는 염분소실형과 단순남성화형으로 구분되며, 비전형적인 형태는 늦게 나타나는(late-onset) 형과 잠재(cryptic)형으로 구분한다. 46,XX는 모두 난소, 자궁, 나팔관을 가지고 있다.

(1) 염분소실형(salt-losing form)

CYP21A2 활성도의 완전한 결핍에 의해 코티솔과 알도스테론 결핍이 발생하며 전형적 형태의 3/4에서 관찰된다. 프로제스테론에서 11-데옥시코티코스테론(알도스테론 합성과정), 17α-하이드록시프로제스테론에서 11-데옥시코티솔(코티솔 합성과정)로의 변환에 장애가 생기면서 레닌과 ACTH가 증가된다. 이때 쌓이는 전구물질들이 DHEA와 안드로스텐다이온으로 변환되어 최종적으로 남성호르몬 과다가 발생한다. 출생 시부터 여아에서 음핵비대와 음순융합이 관찰되며 출생 후 첫 2주 내에 저혈당, 저나트륨혈증, 고칼륨혈증, 산혈증, 탈수, 저혈압이 발생하고 치료하지 않으면 사망한다. 부신부전의 정도는 남성화 정도와 일치하지 않으므로 경도의 남성화가 있는 여아도 첫 몇 주 동안은 주의 깊게 관찰하여야 한다.

(2) 단순남성화형(simple virilizing form)

염분소실 없이 남성화현상만 나타나는 형태로 50,000명당 1명 정도로 발생하며 전형적인 형태의 1/4 정도를 차지한다. 46,XX에서 외부생식기가 다양한 정도로 남성화되어 진단이 일찍 될 수 있으나, 46,XY에서는 외부생식기가 정상이기 때문에 이른 나이에 음경 크기의 증가 또는 음모 발현 등이 나타나기 전까지 진단이 되지 않을 수도 있다. 치료가 늦어지면 골성숙이 과도하게 촉진되면서 키 성장이 증가하고 성조숙이 발생할 수 있으며, 남녀 모두에서 근육질 증가, 여

표 4-2-10. **선천부신증식증의 특징**

결핍효소	유전자	임상양상	검사	치료
StAR CYP11A1	*STAR* *CYP11A1*	부신부전 46,XY 성발달이상	모든 부신스테로이드 결핍 ACTH/hCG자극반응 감소/없음 ↑ACTH ↑레닌활성도	당질부신피질호르몬 무기질부신피질호르몬, 소금 12세되면 여성호르몬 투여 46,XY에서 성선 제거
3β–HSD II	*HSD3B2*	부신부전 46,XX 성발달이상 46,XY 성발달이상	↑Δ5 스테로이드(기저, ACTH자극 후) ↑Δ5/Δ4 스테로이드 ↑ACTH ↑레닌활성도	당질부신피질호르몬 무기질부신피질호르몬, 소금 외부생식기교정 필요시 성호르몬 투여
CYP21A2	*CYP21A2*	전형적(염분소실, 46,XX 성발달이상, 출생 전/후 남성화) 비전형(음모조기발생, 빠른 성장, 월경장애, 다모증, 여드름, 생식기능장애)	↑17OHP(기저, ACTH자극 후) ↑안드로스텐다이온 ↓부신호르몬(당질부신피질호르몬 투여 후) ↑ACTH ↑레닌활성도	당질부신피질호르몬 무기질부신피질호르몬, 소금 외부생식기교정
P450c11β CYP11B1	*CYP11B1*	46,XX 성발달이상 출생 후 남성화 진행 고혈압	↑11-deoxycortisol과 DOC(기저, ACTH 자극 후) ↑혈청안드로젠 ↓부신호르몬(당질부신피질호르몬 투여 후) ↑ACTH ↓레닌활성도 ↓칼륨	당질부신피질호르몬 외부생식기교정
P450c11AS CYP11B2	*CYP11B2*	성장부전 위약감 염분소실	↓나트륨, ↑칼륨 ↑코티코스테론 ↓알도스테론 ↑레닌활성도	무기질부신피질호르몬, 소금
P450c17 CYP17A1	*CYP17A1*	46,XY 성발달이상 성적영아증 고혈압	↑DOC, 18-OHDOC, 코티코스테론, 18-하이드록시코티코스테론 ↓17α-hydroxylated steroids (기저, ACTH자극 후) ↓hCG 반응(46,XY 성발달이상) ↓부신호르몬(당질부신피질호르몬 투여 후) ↑ACTH, ↓레닌활성도 ↓칼륨	당질부신피질호르몬 성지정에 따른 교정수술과 성호르몬 투여(여성호르몬 > 12세, 남성으로 키우는 경우에는 남성호르몬)
POR	*POR*	46,XX 성발달이상 46,XY 성발달이상 Antley–Bixler증후군 불임	↑ACTH ↑프로게스테론, 17OHP ↓DHEA, 안드로스텐다이온, 테스토스테론 나트륨 정상, 칼륨 정상	당질부신피질호르몬 성호르몬 골격계 교정수술

17OHP, 17-hydroxyprogesterone; 18-OHDOC, 18-hydroxydeoxycorticosterone; ACTH, adrenocorticotropic hormone; DOC, deoxycorticosterone; hCG, human chorionic gonadotropin.

드름과 음성의 남성화가 이른 나이에 나타날 수 있다. 고환기능의 장애, 월경장애, 유방발달장애, 생식기능장애 등도 생길 수 있다.

(3) 비전형형(non-classic form)

증세가 경미한 비전형적인 형은 500-1,000명당 1명의 발생률을 보이는 가장 흔한 형태의 선천부신증식증이다. 임상증상은 다양하며, 출생 후 나이가 증가하면서 부신 성호르몬 과잉에 의한 증세가 나타난다. 남녀 모두에서 이른 나이(남아 9세 전, 여아 8세 전)에 나타날 수 있으며 골성숙이 촉진되면서 키성장이 빠르게 나타날 수 있으나, 성장판의 이른 융합으로 성인키가 작아질 수 있다. 여성에서 사춘기가 시작되면서 심한 여드름, 남성형체모(hirsutism)가 발생할 수 있으며, 부신성호르몬의 과다분비로 인한 성선자극호르몬 분비의 주기성이 깨지면서 불임, 다낭난소증후군 등이 나타나기도 한다. 남아에서 저정자증에 의한 불임이 발생하기도 한다. 골성숙의 촉진, 심한 남성화현상 또는 생식기능의 장애가 있으면 하이드로코티손을 일시적으로 투여한다. 때로는 남녀 모두에서 증상이 나타나지 않기도 한다(잠재형).

2) 임상경과

코티솔과 알도스테론의 부족 정도, 안드로젠, 성장기 유무, 유병기간, 치료약물과 용량에 따라 다양한 임상양상이 나타난다.

(1) 신생아기

남성의 외부생식기 모습은 정상이다. 가장 흔한 형태인 비전형형과 달리, 염분 소실형과 단순남성화형에 이환된 여성에서 외부생식기의 남성화현상이 다양하게 나타날 수 있다. 또한 염분 소실형에서는 출생 후 2주 이내에 부신부전이 발생할 수 있다.

(2) 사춘기시작 전 소아청소년

신생아시기에 진단되지 않은 단순남성화형 환자와 일부 비전형형 환자들에서 안드로젠 과잉에 의해 골성숙이 과도하게 촉진되면서 키 성장이 증가하고 음모가 이른 나이에 나타날 수 있다. 조기음모발생증 소아의 5-20%에서 비전형형 부신증식증이 발견된다. 또한 남녀 모두에서 근육질 증가, 여드름과 음성의 남성화가 이른 나이에 나타나기도 한다. 부신부전은 단순남성화형과 비전형형에서 스트레스상황에서 드물게 발생할 수 있다. 또한 당질부신피질호르몬 용량이 과다하면 키 성장저하와 비만같은 쿠싱증후군소견이 나타날 수 있다.

(3) 사춘기가 시작된 청소년과 성인

이 시기에 진단되는 형태는 비전형형이 대부분을 차지한다. 초경 이후 여성에서는 월경장애, 불임, 과도한 남성화현상(다모증, 여드름, 남성형 탈모) 등이 발생할 수 있으며, 남성에서는 남성화증상만으로 의심이 불가능하기에 생식능력의 저하가 의심되거나 고환 종괴가 있으면 검사를 진행하게 된다.

성인이 가지는 의학적 문제는 소아청소년과 달라 적절한 시기에 내과로의 성공적 이행이 중요하다. 성기능장애, 고안드로젠혈증(여성), 불임, 질병에 의한 장기 후유증, 당질부신피질호르몬 부작용(비만, 골소실, 근육위축, 다른 증상)과 무기질부신피질호르몬 부작용(고혈압)이 발생할 수 있다. 환자가 책임감을 가지고 남성호르몬, 칼륨과 혈장레닌활성도를 일정 수준 유지할 수 있는 최소한의 용량으로 당질부신피질호르몬과 무기질부신피질호르몬를 복용하면서 일상생활을 관리하는 것이 중요하다.

전형적 부신증식증 남성에서는 부신안드로젠에 의한 성선자극호르몬 억제와 고환부신잔류종양에 의해 정자 생성에 문제가 발생할 수 있다. 고환부신잔류종양은 질병조절이 불량하여 상승된 ACTH가 만성적으로 고환에 위치한 이소성부신조직을 과잉자극하여 생긴 종괴로 고환내 압력을 상승시키고, 혈류와 정액흐름을 방해하여 불임을 초래한다. 청소년(50%)과 성인 환자에서 초음파로 진단되며 당질부신피질호르몬 집중치료로 호전된다. 청소년기, 성인기, 이행 시 검사를 시행하며, 성인기부터는 매년 초음파로 추적하며,

FSH가 높으면 생식기능장애 가능성이 높다. 드물게 고환부신잔류종양 없이 고환 위축이 생기기도 한다.

비전형적 부신증식증 남성에 관한 보고는 적으며 고환부신잔류종양도 매우 드물게 발생한다.

전형적 부신증식증 여성에서는 월경장애, 고안드로젠증이 나타난다. 여드름과 다모증의 관리, 규칙적인 생리와 임신능력 유지를 위해서는 부족한 호르몬의 보충뿐만 아니라 적절한 안드로젠 억제가 필요하다. 임신계획이 없을 때는 충분한 당질부신피질호르몬과 무기질부신피질호르몬 투여 후 생리가 규칙적이고, 남성화현상과 여드름이 없으면 적절한 치료로 판단할 수 있으며 필요하면 경구피임제를 병용투여한다. 모든 형태의 선천부신증식증에서 부신성프로게스테론 증가로 인한 자궁경부점막과 자궁내막의 기능이상, 무배란, 질 협착(태생기 남성호르몬 노출, 과거 질성형술의 후유증), 심리적 요인, 만성적 무배란에 의한 난소에서의 안드로젠 합성 과다, 난소의 부신잔류종양 등이 복합적으로 작용하여 수정능이 저하될 수 있다. 임신을 시도하기 전 적어도 수개월은 난포기 프로게스테론 < 0.6 ng/mL을 유지할 수 있을 정도로 당질부신피질호르몬 투여가 필요하다.

비전형적 부신증식증 여성에서도 월경장애, 고안드로젠증이 나타나나 정도는 전형형에 비해 덜 심하다. 대부분 여성은 자연임신을 하나 자궁외임신, 조산, 사산, 쌍둥이 또는 다태임신의 비율은 일반인과 차이가 없지만, 자연유산의 비율은 25%까지 보고되고 있으며 가임연령여성의 10-30%에서 임신에 어려움을 겪는다. 임신시기에 하이드로코티손을 투여하면 자연유산이 감소한다.

(4) 장기결과
전형적인 형태에서 생식문제 이외에 다양한 성인기 문제가 발생한다. 골밀도는 소아청소년기에는 일반인과 차이가 없지만, 성인기골밀도는 특히 여성에서 낮은 경우가 많다. 골밀도는 최대골량획득연령(약 25세)에 측정하고 이후 골밀도, 당질부신피질호르몬요법 및 기타 위험요인을 바탕으로 주기적으로 측정하여 골건강을 평가한다. 비타민D 부족은 일반 성인과 비슷한 정도로 발생한다. 키는 예측키보다 1표준편차가 작으며, 비만이 35-41%에서 관찰되어 비만관리가 중요하다. 심혈관위험인자인 인슐린저항성과 대사증후군은 일반인에 비하여 더 흔하게 발견되며, 임신성당뇨병의 위험도 증가하며, 고콜레스테롤혈증의 빈도도 높다. 환자 스스로 삶의 질이 나쁘다고 인식하는 경우가 많으며, 하이드로코티손 투여보다는 프레드니솔론 또는 덱사메타손 복용과 비만, 인슐린저항성 지표와 관련이 있다. 일반인에 비하여 사망률이 높은데, 주요 사망원인은 부신위기, 심혈관이상, 암, 자살이었으며, 사망률은 남성과 염분소실형 환자에서 높은 것으로 알려져 있다.

비전형형태에 관한 연구는 많지 않다. 인슐린저항성과 대사증후군위험이 약간 증가한다는 일부 보고가 있어 다낭난소증후군에 준하는 주의는 필요하다.

3) *CYP21A2*유전자이상과 임상표현형

(1) 원인유전자
CYP21A2는 cytochrome P450계 효소로서 6번 염색체 단완(6p21.3)에 위치한 *CYP21A2*에 의해 만들어지며, 바로 옆에 기능을 하지 않는 98%의 상동성을 가진 가성유전자인 *CYP21A1P*가 존재한다. *CYP21A1P*는 3번째 엑손의 5 bp 결실, 7번째 엑손의 타이민 residue의 삽입, 8번째 엑손의 사이토신이 타이민으로 변환 등으로 효소가 본래 기능을 하지 못한다. 5%는 *CYP21A2*유전자자체의 돌연변이로 발생하며, 나머지 95%는 *CYP21A2*유전자와 *CYP21A1P* 가성유전자 사이의 재조합(recombination) 과정에서 발생한다. 재조합과정에서 75%는 미세유전자전환 이상에 의한 점돌연변이이며, 25%는 거대전환 또는 결실에 의한 것이다. 거대전환 또는 결실인 경우에는 multiplex ligation–dependent probe amplification (MLPA) 분석을 추가로 시행해야 진단할 수 있다.

일반적으로 염색체 분석은 진단에 필수기준은 아니지만 ACTH자극검사의 결과가 애매하거나, ACTH자극검사를 정확하게 시행하기 어려운 경우(당질부신피질호르몬 복용 중) 또는 유전상담의 목적에 한해서 시행이 제안되고 있지만, 국내 희귀질환 등록신청에는 유전자결과가 필요하여 유전자 분석이 시행되고 있다.

(2) 유전자변이와 표현형과의 연관성

유전형에 따라 임상형의 분류를 참조하면 증상의 심한 정도를 예측할 수 있는데 큰 결실, 8 bp 결실, E6 cluster (p.I236N, p.V237E, p.M239K), Q318X, R356W, 인트론 이상(IVS2-13A/C > G, c.293-13A/C > G) 경우에는 효소활성도가 0%라, 상기 이상이 2개 있으면 염분 소실형으로 나타난다. I172N (c.515T > A) 경우에는 효소활성도가 1-2% 정도되며 단순남성화형에서 흔히 관찰되지만, 일부 염분소실형에서도 발견된다. 소아청소년기에 염분소실형이 쉽게 진단되어 제한적이지만, 국내에서는 큰 결실(31.3%), IVS2-13A/C > G (28.5%), I172N (15.3%), R356W (9%), R483PfsX40 (c.1451_1452delinsC)(4.2%) 순으로 발견된다.

4) 신생아선별검사

신생아선별검사에서는 생후 3-5일경 발뒤꿈치를 찔러서 나온 혈액을 여과지에 채취하여 17α-하이드록시프로제스테론을 측정한다. 선별검사는 모든 21-수산화효소 결핍을 진단하기 위한 것이 아니고, 출생 후 위험한 급성부신위기에 의한 사망을 방지하기 위하여 염분소실형의 조기진단을 목표로 진행되고 있다. 증상이 없다면 단순남성화형 일부와 대부분의 비전형형은 성장이 멈출 때까지도 진단되지 않을 수 있다. 스트레스상태에서 신생아나 미숙아에서는 21-수산화효소결핍증이 없어도 17α-하이드록시프로제스테론이 증가할 수 있다.

5) 진단

임상양상과 신체진찰에서 이상소견이 관찰되는 경우에 17α-하이드록시프로제스테론, 안드로스텐다이온, 레닌, 전해질, ACTH, ACTH자극검사 등을 검사하여 진단할 수 있다.

(1) 임상양상과 신체진찰

모든 연령대에서 부신부전이 의심되는 경우에 검사를 진행한다.

신생아시기에는 ① 46,XX에서 애매한 성기, ② 양측잠복고환을 가진 표현형이 남성인 경우, ③ 쇼크 또는 심한 탈수 증상이 있거나 체중증가가 되지 않는 경우, ④ 입술, 잇몸과 음낭 등에 심한 색소 침착이 있으면 검사를 진행한다.

사춘기 소아청소년에서는 ① 키 성장이나 골성숙이 과다하게 진행하는 경우, ② 음모가 이른 나이에 생기는 경우, ③ 여아에서 남성화현상이 있는 경우, ④ 남아에서 음경이나 음모가 고환 크기에 비해 과도하게 발달되어 있으면 검사를 진행한다.

초경 이후 여성에서는 월경장애, 불임, 과도한 남성화현상 등이 있으면 검사를 진행하며 남성에서는 남성화증상만으로 의심이 불가능하기에 수태능력의 저하가 의심되거나 고환 종괴가 있으면 검사를 진행하게 된다.

(2) 검사

정상인에서는 코티솔 부족이 발생하면 ACTH가 증가하면서 콜레스테롤이 사립체 내로의 이동이 증가하고, 이어서 하위전구물질의 합성이 증가하면서 최종적으로 코티솔이 충분하게 분비되면서 ACTH가 정상화된다. 그러나 21-수산화효소의 결핍이 있으면서 코티솔합성장애가 있으면 지속적인 ACTH 과다증가에 의해 중간산물인 17α-하이드록시프로제스테론과 안드로스텐다이온의 과다축적이 발생한다. 비전형형에서는 코티솔 분비장애와 과도한 ACTH의 증가가 없으므로 중간산물의 축적 농도가 높지 않다. 알도스테론합성장애는 칼륨저하와 레닌증가로 확인할 수 있다.

21-수산화효소 결핍은 17α-하이드록시프로제스테론과 안드로스텐다이온의 증가로 진단할 수 있다. 아침 8시경 측정한 17α-하이드록시프로제스테론의 농도가 2 ng/mL 미만이면 질병을 배제할 수 있으며, 10 ng/mL 이상이면 21-수산화효소 결핍으로 진단할 수 있다. 아침 농도가 2–10 ng/mL인 경우에는 ACTH자극검사(2세 미만 0.125 mg, 그 외 0.25 mg)를 시행하여 10 ng/mL 이상으로 증가하면 21-수산화효소 결핍으로 진단한다.

비전형적인 효소 결핍에서는 17α-하이드록시프로제스테론의 값이 경계범위이거나 정상일 수 있으며 이때 ACTH 자극검사가 진단에 도움이 된다.

염분소실형은 대개 생후 6일 이후에 부신부전증의 임상양상을 갖기 때문에 식욕부진, 체중감소, 구토와 함께 저나트륨혈증, 고칼륨혈증, 산혈증이 동반되며 알도스테론의 혈장 농도가 낮고 혈장의 레닌활성도가 증가된 것으로 진단한다.

코티솔 농도는 염분소실형에서는 낮으나, 단순남성화형과 비전형형에서는 정상이다.

6) 일반치료
적절한 치료로 부신부전과 남성화현상을 방지하면서, 적절한 골격계 성장을 유지하고, 약물 부작용을 예방하는 것을 목표로 한다.

(1) 1세까지
염분소실형 또는 단순남성화형 21-수산화효소 결핍 환자에서 하이드로코티손을 매일 체표면적당 10–15 mg을 3회 나누어 복용한다. 질병발생 초기에는 시상하부-뇌하수체-부신축을 억제하기 위하여 좀 더 고용량이 필요한 경우도 있다. 알도스테론 결핍이 동반된 경우에는 플루드로코티손(fludrocortisone)을 체표면적당 0.05–0.2 mg을 1–2회 나누어 복용하며, 소금 1–2 g을 여러 번에 나누어 복용한다. 단순남성화형에서도 알도스테론에 비하여 레닌이 상대적으로 높은 경우에 플루드로코티손을 투여하기도 한다.

(2) 1세 이후 성장기 소아청소년
염분소실형 또는 단순남성화형인 경우에는 하이드로코티손을 매일 체표면적당 10–15 mg을 3회 나누어 복용한다. 사춘기시기에는 충분한 키 성장 획득을 위하여 적절한 효과를 보이는 최소용량을 투여하는 것이 바람직하다. 알도스테론 결핍이 동반된 경우에는 플루드로코티손을 체표면적당 0.05–0.2 mg을 1–2회 나누어 복용하며, 연령이 증가하면서 용량을 감량할 수 있다.

비전형형 중에서도 안드로젠 과다에 의한 증상(골격계의 과도한 성장, 생식기능장애)이 있는 경우에는 하이드로코티손의 효과와 부작용에 대한 상담 후 투여 유무를 결정하여야 한다.

(3) 키 성장이 종료된 청소년과 성인
염분소실형 또는 단순남성화형인 경우에는 하이드로코티손을 매일 체표면적당 15–25 mg을 3회 나누어 복용한다. 약 복용 적응도가 적절하지 못한 경우에는 프레드니솔론 4–6 mg/일(2회 나누어), 프레드니손 5–7.5 mg/일(2회 나누어), 덱사메타손 0.25–0.5 mg(한 번에)으로 변경하여 복용할 수 있다. 알도스테론 결핍이 동반된 경우에는 플루드로코티손을 체표면적당 0.05–0.2 mg을 1–2회 나누어 복용하며, 연령이 증가하면서 필요용량이 상대적으로 적어진다. 안드로젠과잉증상을 줄이기 위하여 드로스피레논을 함유한 경구피임제나 안드로젠수용체대항제를 추가하기도 한다. 스피로놀락톤은 사용하지 않는다. 임신 시에는 태반을 통과하는 덱사메타손을 사용하면 안 되며, 임신 28주부터 부신저하의 증상이 있으면 당질부신피질호르몬 용량을 올릴 필요가 있다. 분만이 진행되는 시기와 출산 시 스트레스 용량 투여가 필요하다.

비전형형 환자로서 소아청소년기부터 당질부신피질호르몬을 복용 중이라면, 환자와 상의 후 약 중단을 시도해 볼 수 있다. 성인 여성에서 고안드로젠증에 의한 증상 또는 불임이 있으면 하이드로코티손 또는 경구피임제를 사용할 수 있다. 임신 중에는 자연유산을 줄이기 위하여 하이드로코티손을 복용한다. 남성의 경우에는 불임, 고환 부신잔류종양, 부신종양, 전형적인 형태와 구분이 어려운 경우에는 당질부신피질호르몬을 복용한다.

(4) 외부생식기교정술

외부생식기 이상이 심하지 않은 경우에는 12개월 전에 수술을 시행할지, 혹은 환자가 자란 후 환자의 선택하에 수술할지를 부모와 상의하는 것이 중요하다. 비뇨생식기 입구가 1개인 경우에는 조기수술을 할 경우 이점이 많다.

7) 스트레스 시 대처법

당질부신피질호르몬 치료를 받고 있는 모든 환자들은 열성 질환(> 38.5℃), 탈수를 동반한 위장염, 전신마취를 동반한 대수술 및 주요 외상과 같은 상황에서는 당질부신피질호르몬 투여량을 증량하여 복용하여야 한다. 스트레스 용량은 의사마다 약간씩 차이가 있으나, 일반적으로 소아에서는 경구 섭취가 가능하면 유지 용량의 2-3배를 투여한다. 역가에 맞추어 하이드로코티손약물로 대체하거나 복용중인 장기간 지속하는 약물에 하이드로코티손 10-20 mg을 매회 추가하기도 한다. 경구섭취가 불가능하면 하이드로코티손 50-100 mg/m²을 정맥주사하고, 이후 50-100 mg/m²을 4등분하여 6시간 간격으로 정맥주사 혹은 지속정주한다(성인, 표 4-2-8 참고).

비전형형인 경우에는 당질부신피질호르몬 복용에 의해 부신억제가 있거나, ACTH자극검사에서 최고 코티솔 농도가 14-18 μg/dL 미만이면 주요 수술, 외상 또는 출산 시 스트레스 용량을 투여한다.

8) 치료 모니터링

(1) 당질부신피질호르몬 용량평가

소아청소년기에는 용량이 부족하면 성장속도와 뼈나이가 과도하게 증가하거나 남성화현상이 생긴다. 또한 용량이 과도하면 성장속도가 감소하거나 쿠싱증후군양상이 나타난다. 아침 8시경 17α-하이드록시프로제스테론은 4-12 ng/mL 정도로 유지하는 것을 목표로 한다. 안드로스텐다이온과 테스토스테론은 연령과 성에 따른 정상범위에 유지하도록 용량을 조절한다. 생후 3개월까지는 자주 추적하며 이후 3개월 간격으로 추적하다가 18개월 이후에는 4개월 간격으로 추적한다.

성인기 모니터링 시에는 호르몬수치를 정상범위로 유지하면서 생식기능과 만성합병증 등의 임상지표를 활용하여 용량을 조절한다. 임신이 잘 안 되는 여성인 경우에는 난포기 프로제스테론 농도를 0.6 ng/mL 미만으로 유지하는 것이 도움이 되며, 취침 시 프레드니솔론 투여가 도움이 된다. 남성에서 성선자극호르몬이 억제되어 있으면 불임을 의심하여야 하며, 고환부신잔류종양이 있으면서 FSH가 높으면 지속적인 고환 손상을, 아침 테스토스테론이 낮으면 라이디히세포의 기능이 저하되었을 가능성이 있다.

(2) 무기질부신피질호르몬 용량평가

플루드로코티손과 염분 용량은 혈압, 레닌 활성도, 혈청나트륨과 칼륨을 연령과 성에 따른 정상범위와 비교하여 평가한다. 무기질부신피질호르몬과 염분이 과다하면 고혈압이 유발될 수 있고, 부족하면 저혈압, 고칼륨혈증, 저나트륨혈증뿐만 아니라 당질부신피질호르몬전구체와 부신안드로젠의 분비도 증가한다.

9) 성인기 이행

청소년이 성인 의료팀으로 성공적으로 이행되기 위해서는 소아내분비진료가 종료되기 수년 전부터 내과내분비의사와의 관계를 강화하는 것이 이상적이다. 치료목표가 소아청소년기와 성인기에 다르다는 것을 인식하여야 치료의 적응도가 높아진다. 투여약물, 조절정도, 환자의 육체적 및 심리적 상태, 질병 인식도 등이 공유되어야 한다.

3. 드문 형

1) 선천지질부신증식(Congenital Lipoid Adrenal Hyperplasia, CLAH)

콜레스테롤을 사립체 내부로 이동시키는 StAR단백질(steroid acute regulatory protein)의 이상과 콜레스테롤을 프레그네놀론으로 전환시키는 사이토크롬P450scc (cholesterol side chain cleavage enzyme, CYP11A1)의 결핍에 의해 발생한다.

StAR단백질의 이상이 더 흔하며 *StAR*유전자이상은 한국환자의 90%에서 p.Q258X돌연변이가 관찰된다. 기전으로 'two hit model'이 제시되는데 StAR 자체의 결핍으로 호르몬 합성이 감소되고, 이어서 ACTH, LH의 증가로 인하여 cAMP가 증가하고 LDL수용체 합성이 증가하여 저밀도지단백질콜레스테롤이 세포 내에 축적되면서 사립체와 세포의 손상이 초래되는 second hit로 CLAH가 진행한다. 당질부신피질호르몬, 무기질부신피질호르몬, 부신성호르몬 모두가 결핍되어 영아기에 심한 탈수 및 전해질 불균형, 심한 피부착색 등이 나타난다. 남아에서 고환라이디히세포의 파괴로 테스토스테론 합성의 장애가 초래되어, 외부생식기는 여성으로 보이나, 내부생식기는 세르톨리세포가 파괴되지 않아 뮐러관억제인자가 생성되므로 복강 내에 자궁이나 나팔관은 없다. 여성인 경우는 일정 나이가 되면 에스트로젠 분비에 의하여 자연적으로 성적발달이 될 수도 있으나 프로제스테론 분비는 되지 않는다. 결핍이 덜 심한 경우는 비전형적으로 증상이 늦게 발현하여 소아기에 진단되는 경우도 있다.

사이토크롬P450scc인 콜레스테롤곁사슬절단효소의 결핍은 초기단계에서 콜레스테롤이 프레그네놀론으로 전환되는 과정이 억제되어 모든 부신 및 성선스테로이드생성이 일어나지 않는 질환으로 매우 드물다. 심한 탈수 및 전해질 불균형, 심한 피부착색 등이 나타난다.

2) 3베타-하이드록시스테로이드탈수소효소 결핍

3베타-하이드록시스테로이드탈수소효소가 결핍되면 부신스테로이드(코티솔, 알도스테론, 안드로젠)뿐만 아니라 성선스테로이드의 생성도 감소한다. 유전적여성신생아(46,XX)의 경우 높은 농도의 DHEA가 태반과 말초조직에서 테스토스테론으로 변환되어 음핵비대가 나타난다. 유전적남성(46,XY)에서는 DHEA에 의해 안드로젠이 생성되기는 하지만 태생기 완전한 남성 성기의 발달에는 부족하여 미소음경과 요도하열이 나타난다. 출생 후 신생아시기부터 코티솔, 알도스테론 결핍이 생길 수 있으며 돌연변이 효소가 정상 효소활성의 1-10%를 가지고 있으면, 알도스테론 합성이 충분히 이루어져 염분소실은 나타나지 않을 수 있다. 프레그네놀론, 17-하이드록시프레그네놀론, DHEA가 증가되어 있으며, 17α-하이드록시프레그네놀론/17α-하이드록시프로제스테론의 비도 증가한다. 치료는 21-수산화효소결핍증과 비슷하다.

3) 17알파-수산화효소/17,20-분해효소 결핍

부신피질, 고환(라이디히세포), 난소(난포막세포, 과립층세포)에서 발현되는 효소로, *CYP17A1*유전자의 돌연변이에 의해 효소활성도가 25% 미만으로 감소하면 경미한 당질부신피질호르몬 결핍증상과 함께 성호르몬합성장애에 의해 46,XY에서 외부생식기발달 이상이 발생하며, 청소년기에 사춘기가 진행이 되지 않으며, 여성형유방, 일차무월경으로 진단되기도 한다. 알도스테론전구물질인 11-데옥시코티코스테론의 생성이 증가되면서, 다양한 정도의 염분축적, 고혈압, 저칼륨혈증, 알칼리혈증이 나타나며, 이때 혈장레닌활성도가 감소하면서 알도스테론의 합성도 생리적으로 낮게 유지된다. 혈장내 11-데옥시코티코스테론, 코티코스테론, 프로제스테론은 증가되고, 17-하이드록시프로제스테론, 코티솔, 성호르몬은 감소하며, LH와 FSH는 증가되어

있다. 치료로 당질부신피질호르몬을 투여하면 혈압이 정상으로 회복되며, 저칼륨혈증성알칼리증이 교정된다. 적절한 시기부터 성호르몬을 투여한다.

4) 17,20-분해효소 단독결핍

P450산화환원효소로부터 P450c17으로 전자전달에 관여하는 여러 유전자이상에 의해 효소 결핍이 일어나는 매우 드문 질환으로, 환자는 애매한 성기를 나타내며 부신부전의 증상은 없다. 안드로스텐다이온과 테스토스테론의 기저치는 매우 낮고 17-하이드록시프로제스테론, 17-하이드록시프레그네놀론, 프레그네놀론 등의 농도는 높다. 사춘기연령에 성호르몬을 투여하고 외부생식기는 성형교정을 시행하는데 여성으로 키워질 경우 고환제거술을 시행하여야 한다.

5) P450산화환원효소 결핍

P450 oxidoreductase (POR)는 NADPH에서 전자를 P450c17, P450c21, P450aro 등을 포함한 여러 약물대사관련 P450 효소들에게 전달하는 역할을 한다. 스테로이드 프로파일링은 P450c17 결핍소견과 함께 다양한 정도의 P450c21과 P450aro 결핍소견이 나타난다. 임상소견은 성발달이상, 코티솔 결핍과 Antley-Bixler증후군이 동반되는 심한 형태부터, 경미한 형태인 다낭난소증후군 또는 고환부전까지 다양하다. 한국에서는 p.R457H 돌연변이가 가장 흔하다. 치료는 코티솔 결핍정도에 따라 당질부신피질호르몬을 투여한다.

6) 11베타-수산화효소(CYP11B1) 결핍

8q21-22에 위치한 *CYP11B1*에 의해 부호화되는 CYP11B1은 속상대에서 부신피질자극호르몬의 조절을 받아 데옥시코티코스테론을 코티코스테론으로, 11-데옥시코티솔을 코티솔로 변환시킨다.

CYP11B1 결핍은 선천부신증식증의 5-8%를 차지한다. CYP11B1결손으로 코티솔 부족이 발생하면 ACTH가 증가하면서, 염분 재흡수 능력이 있는 데옥시코티코스테론이

축적되면서 환자의 2/3에서 고혈압이 발생하며, 칼륨과 혈장레닌 활성도가 낮게 유지된다. 안드로젠 과합성에 의해 태생기여성 외부생식기의 남성화, 출생 후 과도한 골성숙과 골성장이 나타난다. 일부 환자는 효소의 결핍정도가 경미하여 고혈압이 없으면서, 신생아기 이후에 고안드로젠증상이 나타나기도 한다. 진단은 11-데옥시코티솔, 11-데옥시코티코스테론, 안드로젠, ACTH 상승과 함께 혈장레닌활성도와 칼륨의 저하를 확인한다. 당질부신피질호르몬을 투여하면 고혈압이 호전되며 생식기교정이 필요할 수 있다.

7) 알도스테론 합성효소(CYP11B2) 결핍

*CYP11B1*과 93% 상동성을 가진 *CYP11B2* (8q21-22에 위치)에 의해 부호화되는 CYP11B2는 사구대에서 안지오텐신II와 칼륨의 조절을 받아 코티코스테론을 18-하이드록시코티코스테론으로, 18-하이드록시코티코스테론을 알도스테론으로 변환시킨다. CYP11B2 결핍은 데옥시코티코스테론에서 알도스테론으로 변화하는 데 결함이 생겨 신생아 시기부터 저나트륨혈증, 고칼륨혈증과 성장부진이 발생하나, 어느 정도의 데옥시코티코스테론이 합성되기 때문에 21-수산화효소 결핍 시의 염분 소실보다는 정도가 약하다. 성발달과 성선의 기능은 정상이다. 치료로 무기질부신피질호르몬과 염분을 투여하며 나이가 들면 무기질부신피질호르몬에 대한 감수성이 증가하면서 염분소실 증상이 호전되기도 한다.

8) 17베타-하이드록시스테로이드탈수소효소 결핍

본 효소가 결핍되면 안드로스텐다이온에서 테스토스테론으로, 에스트론에서 에스트라디올로, DHEA에서 androstenediol로 전환되는 과정에 이상이 생긴다. 태아 성발달 과정에서 남성호르몬작용이 부족하여 46,XY 남성에서 남성화 현상이 불완전하게 이루어진다. 코티솔과 알도스테론 결핍증상은 없다. 성발달 정도에 따라 성지정을 하고 필요한 교정수술을 진행하여, 연령이 증가하면서 성호르몬 분비 정도에 따라 성호르몬 치료 유무를 결정한다.

IV. 부신종양

이승훈

1. 서론

전산화단층촬영(computed tomography, CT)이나 자기공명영상(magnetic resonance imaging, MRI)과 같은 영상기술의 발달과 검사 빈도가 증가되면서 부신종양이 발견되는 경우가 증가하였다. 부신질환이 의심되지 않은 상태에서 실시한 영상검사에서 발견되는 무증상의 부신종양을 부신우연종(adrenal incidentaloma, AI)이라 정의한다. 부신우연종의 대부분은 비기능부신선종(non-functional AI, NFAI)이나 치료적 중재가 필요한 상태, 즉 부신피질암(adrenocortical carcinoma, ACC), 갈색세포종(pheochromocytoma, PHEO), 쿠싱증후군, 일차알도스테론증 혹은 전이도 있다.

2. 역학

1) 부신우연종
부신우연종의 발생률과 유병률은 부검결과 혹은 영상검사 결과에서 연구되었다. 부검결과연구에 따르면 부신우연종의 빈도는 약 2%(범위: 1.0–8.7%)로 나이가 들수록 증가하였다. 영상검사 결과연구에 따르면 부신우연종의 빈도는 50세에서 3%, 나이가 들면 10%까지 증가한다. 부신우연종의 원인은 다양하여 부신피질, 수질에서 유래하는 양성 및 악성종양만이 아니라 부신 이외의 악성종양이 전이되어 나타나기도 한다.

2) 경도코티솔자율분비(Mild autonomous Cortisol Secretion, MACS) 혹은 무증상고코티솔증(Subclinical Hypercortisolism, SH)
분명한 코티솔 과다의 전형적인 증상 혹은 징후 없이 시상하부–뇌하수체–부신(hypothalamic–pituitary–adrenal, HPA)축에 변화가 있는 상태를 말하며 높은 유병률 때문에 많은 관심을 받고 있다. 통일된 진단기준이 없어서 정확한 유병률은 아니지만 부신우연종 환자의 12%(범위: 1.0–29%)에서 존재한다. 같은 진단기준이 아니라 정확한 비교는 안 되지만, 한국인 부신우연종 환자를 대상으로 연구결과를 보면 안 등의 연구에서는 1,005명 중 4.4%, 홍 등의 연구에서는 1,149명 중 7.1%에서 발견되었다. 부신우연종이 성인의 3–10%에서 발생한다는 것을 감안하면 경도코티솔자율분비의 유병률은 0.03–2.9%로 추정된다.

3) 부신피질암종
부신피질암종의 발생률은 연 100만 명당 0.7–2.0명이다. 부신피질암은 모든 연령에서 발생하나 40–60세에서 최대 발생률을 보이며 여성에서 잘 발생한다.

3. 임상특성

1) 부신우연종
대부분의 부신우연종은 비기능이다(표 4-2-11). 부신우연종의 호르몬 분비양상은 일중리듬, 성별, 연령, 분석방법, 약물상호작용, 참고치에 따라 많이 달라진다는 것을 고려해야 한다.

2) 경도코티솔자율분비
(1) 분명한 코티솔 과다의 전형적인 증상 혹은 징후(예: 자색 선조, 쉽게 멍이 듦, 몸통쪽 근육 허약, 홍조) 없이 HPA축에 변화가 있다. 과거에는 무증상쿠싱증후군(subclinical Cushing's syndrome)으로 불렸으나 질병의 자연경과에 따르면 쿠싱증후군으로 가는 것이 드물어 이 용어는 쓰이지 않고 있다.

(2) 미세한 코티솔 과다의 장기간 노출은 고혈압(약 2/3), 당뇨병(약 1/3), 골다공증 및 척추골절, 비만, 지질대사이상과 같은 동반질병(co-morbidity)과 연관되어 있다고 보고하고 있다. 심혈관질환의 발생률은 높다. 사망률도 높다고 알

표 4-2-11. **부신우연종의 양상**

	중앙값(범위), %	한국인을 대상으로 한 연구	
		COAR(1,025명) n, %	SNUH(1,065명) n, %
부신종양이 있는 환자를 모두 포함한 연구			
1. 선종	80 (33–96)		
1) 비기능(NFAI)	75 (71–84)		
2) 경도코티솔자율분비(MACS)	12 (1.0–29)		
3) 알도스테론 분비	2.5 (1.6–3.3)		
2. 크롬세포친화종	7.0 1.5–14)		
3. 부신피질암	8.0 (1.2–11)		
4. 전이암	5.0 (0–18)		
수술받은 환자만을 포함한 연구			
1. 선종	55 (45–69)	942 (91.9%)	888 (83.4%)
1) 비기능(NFAI)	69 (52–75)	837 (88.9%)	674 (75.9%)
2) 경도코티솔자율분비(MACS)	10 (1.0–15)	44 (4.7%)	82 (9.2%)
3) 알도스테론 분비	6.0 (2.0–7.0)	61 (6.4%)	132 (14.9%)
2. 크롬세포친화종	10 (11–23)	60 (5.9%)	84 (7.9%)
3. 부신피질암종	11 (1.2–12)	10 (1.0%)	14 (1.3%)
4. 골수지방종	8.0 (7.0–15)	6 (0.6%)	19 (1.8%)
5. 낭종	5.0 (4.0–22)	1 (0.1%)	29 (2.7%)
6. 신경절신경종	4.0 (0–8.0)	3 (0.3%)	25 (2.3%)
7. 전이암	7.0 (0–21)	3 (0.3%)	6 (0.6%)

NFAI, nonfunctioning adrenal incidentaloma; ACS, autonomous cortisol secretion; COAR, Co-work Of Adrenal Research; SNUH, Seoul National University Hospital.

표 4-2-12. **부신피질암종의 임상특성**

임상특성	빈도
자발성부신호르몬 과다	50–60
• 고코티솔증(쿠싱증후군)	50–70
• 여성에서 남성호르몬과다(남성화)	20–30
• 남성에서 여성호르몬과다(여성화)	5
• 무기질부신피질호르몬과다	2–3
복부종양에 의한 비특이증상	30–40
부신우연종	10–15

려져 있으나 대부분의 연구에서 낮은 사망숫자로 인해 영향은 불확실하다.

3) 부신피질암종

부신피질암종은 호르몬 분비과다(50~60%) 혹은 복부종양에 의한 증상이 나타난다. 쿠싱증후군 혹은 쿠싱증후군과 남성화증후군이 같이 발생할 수 있다(표 4-2-12).

4. 진단

1) 부신우연종의 진단: 악성 여부와 호르몬 분비 여부를 동시에 파악한다(그림 4-2-4).

(1) 부신우연종의 악성 여부 확인: 모든 부신우연종에 대하여 영상검사를 한다(그림 4-2-4, 표 4-2-13).

① 비조영컴퓨터단층촬영(Non-contrast CT)

균일하고 4 cm 미만이며 Hounsfield units (HU) ≤ 10으로 양성부신종양에 합당한 소견이면 더 이상의 영상검사는 필요 없다.

② 조영증강컴퓨터단층촬영(Contrast-enhanced CT)

부신선종이 조영제를 빨리 흡수하고, 빨리 소실하는 "조영증강 씻김(contrast enhancement washout)" 현상을 이용한다.

가. HU_{nativ}: 조영제 투여 이전, HU_{60sec}: 조영제 투여 60초 후, $HU_{10/15min}$: 조영제 투여 10분 혹은 15분 후

나. Absolute contrast enhancement washout = $100 \times [(HU_{60sec}-HU_{10/15min})/(HU_{60sec}-HU_{nativ})]$

다. Relative contrast enhancement washout = $100 \times [(HU_{60sec}-HU_{10/15min})/(HU_{60sec})]$

라. Absolute washout > 60%, relative washout > 40%는 부신종양이 양성임을 암시한다.

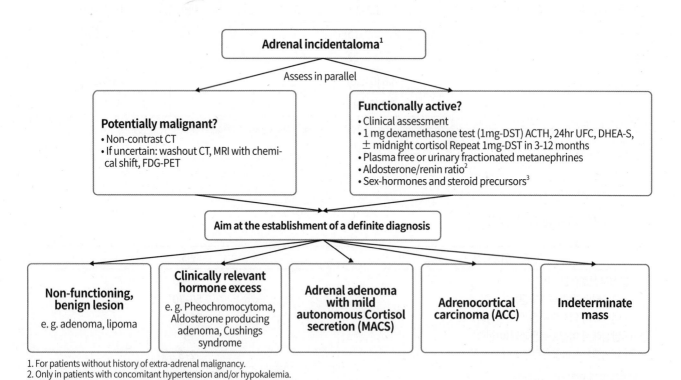

1. For patients without history of extra-adrenal malignancy.
2. Only in patients with concomitant hypertension and/or hypokalemia.
3. Especially in patients with clinical or imaging feature suggestive of ACC.

그림 4-2-4. 부신우연종의 진단

표 4-2-13. 양성부신종양을 암시하는 영상기준[1]

방법	기준
Non-contrast CT	≤ 10
CT with contrast washout[2]	Absolute contrast enhancement washout > 60%
	Relative contrast enhancement washout > 40%
MRI-chemical shift[2]	Out-phase imaging에서 signal intensity loss있어 지방이 풍부한 선종소견
18F-FDG-PET[2]	FDG uptake가 없거나 간보다 작은 uptake[3]

CT, computed tomography; MRI, magnetic resonance imaging; 18F-FDG-PET, 18F-2-deoxy-d-glucose positron emission tomography.
[1]병변의 75% 이상 측정 시 균일한 종양일 때 사용한다.
[2]CT with contrast washout, MRI, 18F-FDG-PET의 증거는 약하다.
[3]몇몇 악성종양(신장암전이 혹은 저등급 림프종)은 FDG 음성일 수 있다.

③ 자기공명영상(MRI)

가. Out-phase imaging에서 신호강도 손실: 부신선종은 세포내 풍부한 지방으로 인해 in-phase image에 비해 out-phase image에서 신호강도를 잃는 것을 이용한다.

나. 부신과 비장신호비와 신호강도지표를 사용하기도 하나, 컴퓨터단층촬영과는 달리 임의의 수치로 많은 기계적인 다양성이 있다.

④ 18F-2-deoxy-d-glucose positron emission tomography (18F-FDG-PET):

가. 18F의 섭취강도를 정량적으로 표시한 부신과 다른 기관의 표준섭취값(standard uptake value, SUV)을 비교한다.

나. 부신의 최대 SUV와 부신과 간의 SUV 비율을 사용한다. 117개의 병변에서 부신/간의 SUV 비율을 1.53-1.8로 하였을 때 민감도 82% (95% 신뢰구간: 41-97%), 특이도 96% (95% 신뢰구간: 76-99%)로 악성을 감별할 수 있다고 보고되었다.

(2) 호르몬 분비 여부 확인(그림 4-2-4)

① 모든 부신우연종 환자에서 부신호르몬 과다증상 및 징후 여부에 대하여 임상적인 검사를 한다.

② 모든 부신우연종 환자에서 갈색세포종을 배제하기 위해 혈장유리메타네프린 혹은 소변분획메타네프린을 측정한다.

③ 고혈압 및 설명되지 않은 저칼륨혈증이 있는 환자에서 일차알도스테론증을 배제하기 위해 알도스테론레닌비율(aldosterone renin ratio, ARR)을 측정한다.

④ 모든 부신우연종 환자에서 코티솔 과다분비를 배제하기 위해 1mg야간덱사메타손억제검사(1mg overnight dexamethasone suppression test, 1mg-DST)를 한다.

⑤ 부신피질암종을 암시하는 임상 혹은 영상특징을 보이는 환자들에게는 성호르몬과 스테로이드 전구물질들을 측정한다.

2) 경도코티솔자율분비 진단(그림 4-2-5)

(1) 경도코티솔자율분비 진단의 어려움

경미한 자율적코티솔분비 정의는 일치된 의견이 있으나, 진단을 위한 임상 혹은 생화학기준에 대한 일치된 의견은 다음과 같은 이유로 없다.

① 코티솔 분비는 같은 개인에서도 다양하다.

② HPA축검사 특히 ACTH 및 24시간 소변유리코티솔 (urinary free cortisol, UFC)의 신뢰도가 떨어지며 동

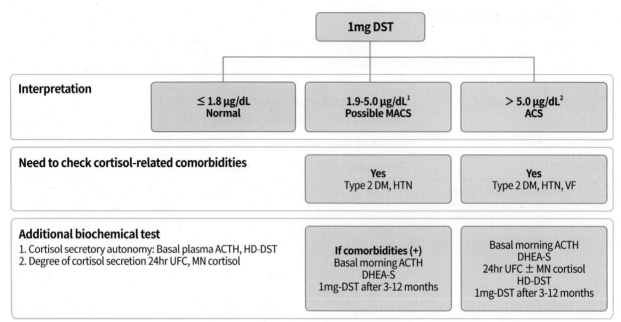

	1mg DST	
Interpretation	≤ 1.8 μg/dL Normal	1.9-5.0 μg/dL[1] Possible MACS	> 5.0 μg/dL[2] ACS

| **Need to check cortisol-related comorbidities** | | **Yes**
Type 2 DM, HTN | **Yes**
Type 2 DM, HTN, VF |

| **Additional biochemical test**
1. Cortisol secretory autonomy: Basal plasma ACTH, HD-DST
2. Degree of cortisol secretion 24hr UFC, MN cortisol | | **If comorbidities (+)**
Basal morning ACTH
DHEA-S
1mg-DST after 3-12 months | Basal morning ACTH
DHEA-S
24hr UFC ± MN cortisol
HD-DST
1mg-DST after 3-12 months |

1 mg-DST, 1 mg overnight dexamethasone suppression; MACS, mild autonomous cortisol secretion; DHEA-S, dehydroepiandrosterone-sulfate; DM, diabetes mellitus; HD-DST, high dose dexamethasone suppression test; HTN, hypertension; MN, midnight; VF, vertebral fracture.

그림 4-2-5. 경도코티솔자율분비 진단

반질환(당뇨, 비만) 혹은 약물이 덱사메타손억제검사결과에 영향을 미칠 수 있다.

③ 진단의 최적표준이 없어 (1) HPA축 호르몬검사 조합, (2) Iodocholesterol scintigraphy에서 일치하는 일측 방사성추적자의 섭취, (3) 부신절제 후 부신기능저하증 발생, (4) 코티솔 과다에 의한 공존질환(골다공증, 고혈압, 당뇨병)들의 동시 존재 여부, (5) 부신절제 후 혈압, 콜레스테롤, 체중, 공복혈당의 유의한 호전 여부 등으로 판단한다.

(2) 1mg-DST

최근 유럽내분비학회(European Society of Endocrinology, ESE)와 부신종양을 위한 유럽네트워크(European Network for the Study of Adrenal Tumors, ENSAT)에서 공동으로 제시한 권고안에서는 모든 부신우연종 환자에서 실시를 권고하고 있다.

① 1mg-DST 결과의 해석

가. 1mg-DST 후 코티솔 ≤ 1.8 μg/dL: 경도코티솔자율분비 배제

나. 1mg-DST 후 코티솔 1.9-5.0 μg/dL: 경도코티솔자율분비 가능

다. 1mg-DST 후 코티솔 > 5.0 μg/dL: 경도코티솔자율분비

② 1mg-DST 후 코티솔 > 1.8 μg/dL인 경우, 코티솔 분비의 자발성 여부 및 코티솔 분비정도의 확인이 필요하다.

가. 경도코티솔자율분비 가능(1mg-DST 후 코티솔 1.9-5.0 μg/dL)과 공존질환 존재 시 아침 기저ACTH와 3-12개월 후 1mg-DST를 재검한다.

나. 경도코티솔자율분비: 24시간소변유리코티솔 ± 야간 코티솔, 고용량덱사메타손억제검사 등이 필요할 수 있다.

③ 1mg–DST 후 코티솔 > 1.8 μg/dL인 경우, 임상적인 치료를 위해 코티솔과 관련된 공존질환 및 연령을 고려한다.

가. 경도코티솔자율분비 가능, 경도코티솔자율분비의 경우 2형당뇨병과 고혈압에 대한 선별검사가 필요하다.

나. 경도코티솔자율분비의 경우에는 무증상의 척추골절에 대한 선별검사가 필요하다.

(3) 24시간소변유리코티솔

적은 수의 연구에서 경도코티솔자율분비 환자에서 24시간 UFC가 증가한다는 것을 보고하고 있다. 일반적으로는 24시간 UFC는 적은 양의 코티솔 증가를 반영할 수 없고 측정과 관계된 기술적인 문제로 단독으로는 적당한 선별검사가 아니고 반드시 다른 지표들과 조합해서 사용하여야 한다.

(4) 코티솔 분비 하루주기리듬의 소실

몇몇 연구에서 경도코티솔자율분비 환자에서 높은 자정혈청코티솔 농도를 가지고 있다는 것이 보고되고 있어 진단에 유용한 도구로 기대되나 입원해서 사용하는 번거로움이 있어 몇몇 제한된 환자들에서 확진검사에 사용하는 것으로 권고되고 있다. 자정타액코티솔 농도도 편리하고 비침습적인 검사방법 및 입원이 필요 없다는 점에서 기대가 되나, 검사방법의 표준화 및 참고치를 결정할 수 있는 확실한 연구가 나올 때까지는 진단에 사용하지 말아야 할 것이다.

(5) ACTH 농도

부신쿠싱증후군과 같은 ACTH비의존코티솔 과다상태에서는 일반적으로 ACTH가 낮다. 그러나, ACTH비의존코티솔 과다상태에서도 ACTH 농도가 정상인 경우가 있어 ACTH 단독으로 경도코티솔자율분비를 진단할 정도로 충분하게 예민하지는 않다.

(6) Dehydroepiandrosterone–sulfate (DHEA-S)

DHEA–S는 부신에서 분비되는 안드로젠으로 ACTH에 의해 조절된다. 코티솔 과다분비에 따른 ACTH 분비의 지속적인 억제는 DHEA–S 농도를 감소시킨다. 따라서 DHEA–S

감소는 경도코티솔자율분비의 하나의 지표로 제시되고 있으나, 성별에 따른 차이가 존재하며 연령이 증가하면 감소하는 경향이 있다. 이 등은 수술 후 부신기능저하증 발생 여부를 예측하는데 1mg–DST 농도에 낮은 ACTH 농도 혹은 낮은 DHEA–S 농도의 조합을 경도코티솔자율분비의 진단기준으로 제시한 바 있다. 또한 Dennedy 등은 성별과 연령을 보정한 DHEA–S의 참고치와 DHEA–S 농도비를 이용하여 경도코티솔자율분비를 민감도 100%, 특이도 91.9%로 진단할 수 있다고 발표하였다.

3) 부신피질암종의 진단(표 4-2-14)

(1) 부신피질암종의 진단은 항상 명확하지는 않다.

(2) 임상검사
의심되는 모든 환자에서 과거력, 부신호르몬 과다증상 및 징후를 확인한다.

(3) 호르몬검사
의심되는 모든 환자에서 당질부신피질호르몬, 성호르몬, 무기질부신피질호르몬, 부신피질스테로이드전구체를 측정하며, 갈색세포종은 반드시 배제하여야 한다.

(4) 영상검사
① 의심되는 모든 환자에서 부신에 집중한 영상검사를 한다.
② 치료에 영향을 끼칠 수 있어 흉부컴퓨터단층촬영과 더불어 복부–골반 영상검사를 한다.
③ 전이병변이 의심되는 사람에게는 뼈와 뇌에 영상검사를 한다.

(5) 조직생검
전이되었다는 증거가 있어 수술이 금기이거나 종양치료에 정보를 줄 수 있는 병리조직학정보가 필요한 경우 외에는 부신조직생검은 금기다.

표 4-2-14. 부신피질암 의심 혹은 증명된 환자의 진단

지표	항목
호르몬검사	
1. 당질부신피질호르몬 과다	• 1mg-DST, 24시간소변유리코티솔 • 기저ACTH
2. 성 스테로이드 및 스테로이드전구체	• DHEA-S • 17-hydroxyprogesterone • Androstenedione • Testosterone(여성에서만) • 17-β-Estradiol(남성과 폐경여성에서만) • 11-Deoxycortisol
3. 무기질부신피질호르몬	• Potassium • Aldosterone renin ratio(혈압 ± 저칼륨혈증 있는 환자만)
4. 갈색세포종 배제	• 24시간소변분획 메타네프린 혹은 혈장유리메타네프린
영상검사	• 복부 및 골반 CT 혹은 MRI • Chest CT • ^{18}FDG-PET/CT • 뼈와 뇌 영상검사(뼈 혹은 뇌전이가 의심되는 경우)

1mg-DST, 1 mg overnight dexamethasone suppression; CT, computed tomography; DHEA-S, dehydroepiandrosterone-sulfate; ^{18}F-FDG-PET, ^{18}F-2-deoxy-d-glucose positron emission tomography; MRI, magnetic resonance imaging.

(6) 병리검사

① 부신피질암종 진단은 조직병리학적으로 확진하도록 한다.

② 부신피질암종 및 비부신피질종양을 감별하기 위해 steroidogenic factor-1 (SF1) 면역조직화학검사를 한다.

③ 양성 및 악성 부신피질 종양을 감별하기 위해 Weiss system을 사용한다(표 4-2-15).

④ 부신피질종양에 절제시료에서 Ki67 면역조직화학검사를 한다. 높은 Ki67지표(10%, 20%)는 나쁜 예후와 연관되어 있다.

⑤ 병리보고서에는 Weiss score(정확한 세포 분열 개수 포함), 정확한 Ki67지표, 절제상태, 종양단계(캡슐 ± 주위 조직 침범 여부), 림프절 침범 여부를 포함하여야 한다.

⑥ 전이병변이 의심되는 사람에게는 뼈와 뇌영상검사를 한다.

표 4-2-15. Weiss 조직병리학 기준

다음의 9개 기준 중 3개 이상 시 악성
• High nuclear grade (Fuhrman criteria) • > 5 mitoses per 50 high power field • Atypical mitotic figures • < 25% of tumor cells are clear cells • Diffuse architecture (> 33% of tumor) • Necrosis • Venous invasion (smooth muscle in wall) • Sinusoidal invasion (no smooth muscle in wall) • Capsular invasion

⑦ 전이증거가 있어 수술이 중지되었거나 종양치료에 정보를 줄 수 있는 병리조직학정보가 필요한 경우 외에는 부신 조직검사는 금기다.

⑧ 진단 시에 ENSAT 병기분류를 사용한다(표 4-2-16).

표 4-2-16. ENSAT 병기분류

ENSAT 기수	정의
I	T1, N0, M0
II	T2, N0, M0
III	T1–T2, N1, M0 T3–T4, N0–N1, M0
IV	T1–T4, N0–N1, M1

T1: 종양 ≤ 5 cm; T2: 종양 > 5 cm, T3: 주위조직 침윤, T4: 주위기관에 침범 혹은 하대정맥 혹은 신정맥에 정맥암혈전; N0: 림프절전이 없음; N1: 림프절전이; M0: 원격전이 없음; M1: 원격전이.

4) 특수한 상황에서의 진단

(1) 양측부신우연종
① 일측부신우연종과 마찬가지로 악성 여부와 호르몬 과다 분비 여부를 확인한다.
② 선천부신증식증을 감별하기 위해 17–hydroxyprogesterone을 측정한다.
③ 임상적으로 의심되거나 영상검사가 양측침윤성 질환 혹은 출혈이 의심되는 경우 부신기능저하증검사를 한다.

④ 양측부신우연종의 수술 적응증 및 경과관찰 방법은 일측부신우연종과 같다.

(2) 젊은 혹은 고령에서의 부신우연종
① 40세 미만, 임신한 여성, 소아, 청소년기의 부신종양은 악성 가능성이 높아 신속한 검사를 한다.
② 방사선피폭을 줄이기 위해 40세 미만, 임신한 여성, 소아, 청소년기의 부신종양에서 컴퓨터단층촬영보다는 자기공명영상을 권유한다.
③ 고령에서는 부신우연종이 많을 수 있어 악성이 의심되는 소견이 있고 환자의 이득이 기대될 수 있는 임상적인 수행상태(clinical performance status)가 있다면 수행한다.

(3) 부신외 악성종양 과거력이 있는 사람에게서 있는 부신종양(그림 4-2-6)
① 부신외 악성종양 과거력이 있는 사람에게서 불확실한 부신종양이 있으면 비록 전이된 것처럼 보이더라도 크롬친화세포종을 배제하기 위해 혈장유리메타네프린 혹은 소변분획메타네프린을 측정한다.

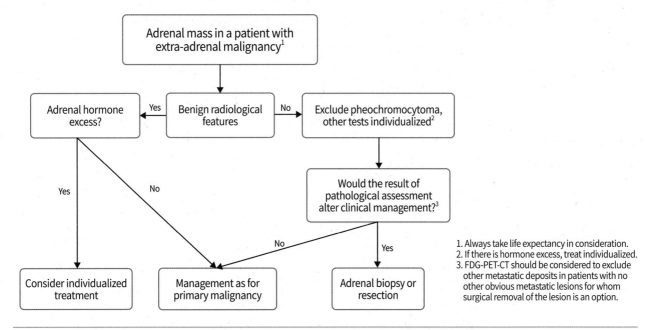

그림 4-2-6. **부신외 악성종양이 있으면서 부신종양이 동반된 환자에서 검사**

② 추가적인 호르몬검사에서 부신호르몬 과다가 있다면 부신종양이 일차부신병변임을 암시한다.

③ [18]FDG-PET/CT검사를 하는 것이 도움이 될 수 있다.

④ 부신외 악성종양 과거력이 있는 사람에게서 비조영CT검사에서 양성종양이 의심되는 경우는 더 이상의 추적관찰이 필요 없다.

⑤ 부신외 악성종양 과거력이 있는 사람에게서 불확실한 부신종양이 있으면 원발 악성종양의 영상 추적관찰 간격과 동일하게 부신종양의 크기 증가를 추적관찰한다. 다른 방법으로는 FDG-PET/CT, 수술적 절제, 조직검사를 고려해 볼 수 있다.

⑥ 진행된 부신외 악성종양이 있는 많은 환자에서 부신종양의 기원이 치료방향을 바꾸지 않겠지만, 부신병변이 전이된 것으로 치료방향이 바뀐다면 이를 구분하기 위한 모든 노력이 필요하다.

⑦ 오직 부신에만 전이되어 있고 이 부위를 제거하는 것이 도움이 된다면 수술을 고려한다. 이 경우에는 [18]FDG-PET/CT를 찍어 컴퓨터단층촬영 혹은 자기공명영상에서 보이지 않는 부신외 전이를 배제한다.

⑧ 부신종양의 조직검사는 다음의 모든 조건이 만족 시 실시한다.

　가. 갈색세포종은 배제되고 부신종양은 비기능이어야 한다.

　나. 부신종양이 영상검사에서 양성으로 확정되지 않았다.

　다. 부신종양이 조직검사결과에 따라 치료방향이 바뀔 수 있다.

⑨ 큰 양측부신전이가 있는 경우에는 잔존 부신기능을 확인한다.

5. 치료 및 경과관찰

1) 부신우연종의 치료(그림 4-2-7)

(1) 대부분의 부신우연종은 호르몬을 분비하지 않은 양성종양으로 수술을 하지 않는다.

(2) 임상적으로 확실한 호르몬 과다가 있는 일측부신종양(예: 갈색세포종, 알도스테론분비선종, 부신쿠싱증후군)**의 표준 치료로 부신절제술을 권한다.**

(3) 6 cm 이하의 악성이 의심되는 영상학적인 특징을 가지나 주위조직을 침범한 증거가 없는 일측부신종양의 경우에는 복강경부신절제술이 권유된다.

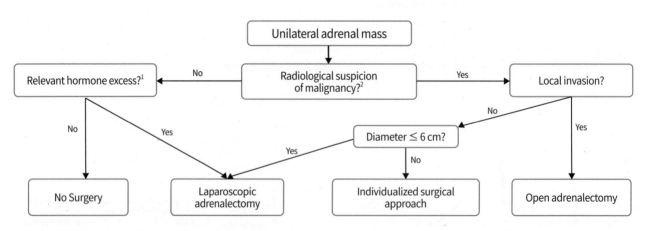

1. 'Autonomous cortisol secretion (ACS)' is not automatically judged as clinically relevant.
2. Surgery may be considered in larger tumors (e. g., > 4 cm) even if imaging characteristics suggest a benign nature of the mass, allowing for an individualized approach.

그림 4-2-7. 수술을 고려할 때 부신종양처치 흐름표

(4) 악성이 의심되는 영상학적인 특징을 가지며 주위 조직을 침범한 증거가 있는 일측부신종양의 경우에는 개복수술이 권유된다.

(5) 특수한 상황에서의 치료

① 양측부신우연종

가. 양측부신우연종의 수술 적응증 및 경과관찰방법은 일측부신우연종과 같다.

나. ACTH비의존 경도코티솔자율분비가 있는 양측부신종양이 있는 환자는 양측부신절제술의 적응증이 되지 않는다. 연령, 코티솔 과다정도, 일반적인 상태, 동반질환, 환자 선호도를 고려하여 일부 선택된 환자에서 주된 병변의 일측부신절제를 고려해 볼 수 있다.

2) 수술을 받지 않은 부신우연종의 경과관찰

(1) 4 cm 미만이면서 영상검사에서 양성의 특징을 가진 경우 더 이상의 영상 추적관찰은 필요하지 않다.

(2) 영상검사결과 비정형부신종양에서 초기검사 후 부신 절제를 하지 않은 경우, 중요한 크기 증가를 배제하기 위해 6–12개월 후에 비조영컴퓨터단층촬영 혹은 자기공명영상을 권유한다. 이러한 시기에 최대 직경이 20% 그리고 5 mm 초과하여 증가 시 수술을 권유한다. 이 정도의 크기 증가가 없는 경우 6–12개월 후 추가영상검사를 한다.

(3) 초기 호르몬검사에서 정상인 경우, 내분비질환을 암시하는 새로운 임상적인 징후가 발생하거나 공존질환(고혈압과 2형당뇨병)이 악화되지 않는 한 호르몬검사를 반복할 필요는 없다.

3) 경도코티솔자율분비의 치료(그림 4-2-8)

(1) 경도코티솔자율분비의 치료는 연령, 코티솔 과다정도, 일반적인 건강상태, 동반질환, 환자의 선호도를 고려한 개별화된 치료접근이 필요하다.

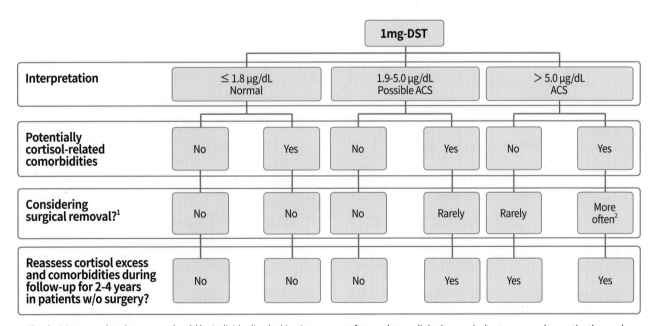

	1mg-DST					
Interpretation	≤ 1.8 μg/dL Normal		1.9-5.0 μg/dL Possible ACS		> 5.0 μg/dL ACS	
Potentially cortisol-related comorbidities	No	Yes	No	Yes	No	Yes
Considering surgical removal?[1]	No	No	No	Rarely	Rarely	More often[2]
Reassess cortisol excess and comorbidities during follow-up for 2-4 years in patients w/o surgery?	No	No	No	Yes	Yes	Yes

1. The decision to undertake surgery should be individualized taking into account factors that are linked to surgical outcome, such as patient's age, duration and evolution of comorbidities and their degree of control, and presence and extent of end organ damage. In all patients considered for surgery, ACTH-independency of cortisol excess should be confirmed by a suppressed or low basal morning plasma ACTH.

2. Overall, the group agreed that there is an indication of surgery in a patient with the presence of at least two potentially cortisol-related comorbidities (e. g., Type 2 diabetes, hypertension, obesity, osteoporosis), of which at least one is poorly controlled by medical measures.

그림 4-2-8. 경도코티솔자율분비 치료 및 경과관찰

① 1mg-DST 코티솔 > 5 µg/dL이면서 내과치료로 잘 조절되지 않는 코티솔 과다와 연관된 공존질환(예: 2형당뇨병, 고혈압, 비만, 골다공증)들이 있는 경우 수술의 적응증이다.

② 1mg-DST 코티솔 < 5 µg/dL이면서 공존질환이 없는 경우 수술이 필요 없다.

③ 젊은 연령이며 1mg-DST 코티솔 1.8-5 µg/dL인 경우 비록 내과치료로 조절되는 일부 동반질환이 있더라도 수술을 고려할 수 있다.

(2) 수술을 고려할 경우, 억제된 혹은 낮은 아침 ACTH 농도를 통해 ACTH비의존성 코티솔 과다를 증명하여야 한다.

(3) 경도코티솔자율분비 가능 혹은 경도코티솔자율분비로 부신절제를 받는 환자에서 스트레스 정도에 비례하는 당질부신피질호르몬을 투여한다.

4) 경도코티솔자율분비의 경과관찰(그림 4-2-8)

(1) 경도코티솔자율분비 혹은 동반질환을 동반한 경도코티솔자율분비 가능에서는 매년 코티솔 과다와 연관되는 것으로 알려진 동반질환을 추적관찰한다. 새로운 동반질환 발생 혹은 악화 시 호르몬검사를 다시 한다.

(2) 2-4년 정도 경과관찰한다.

5) 부신피질암종의 치료

(1) 국소부신피질암종의 수술치료(그림 4-2-9)

① 의심 혹은 확인된 부신피질암종은 경험이 풍부한 외과의 (연당 20회 이상 수술)가 수술한다.

② 의심되는 부신피질암종에 대해서는 종양 및 부신주위 후복막지방을 포함한 일괄절제술을 실시한다. 종양적출술이나 부분부신절제술은 추천되지 않는다. 주위기관

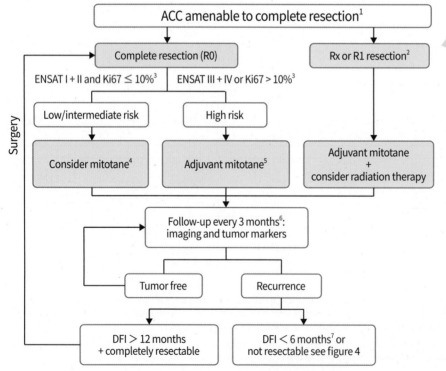

그림 4-2-9. 수술가능한 부신피질암종의 치료

침범(비장, 췌장 원위부, 위, 신장, 우측 간, 대장, 횡경막, 하대정맥 혹은 좌측 신정맥의 벽)이 의심되는 경우 일괄 절제술을 실시한다. 직접적인 신장침범이 없는 경우에 동측의 신장 절제는 필요 없다.

③ 의심 혹은 확인된 부신피질암종은 개복수술이 원칙이다. 특히 주변 침범이 있는 경우 개복수술을 한다. 6 cm 미만 주변 침범이 없는 경우 경험이 풍부한 외과의에서는 복강경수술을 고려할 수 있다.

④ 고코티솔혈증이 있는 모든 환자에서 수술 전후 기간에 당질부신피질호르몬을 보충한다.

(2) 부신피질암종의 보조치료 (그림 4-2-9)

① 악성가능성이 불명확한 부신종양의 경우 보조치료는 권고하지 않는다.

② 수술 이후 육안적인 잔존종양이 없으나 재발의 고위험군 (즉, ENSAT 병기 3기 혹은 R1 절제, Ki67 > 10%)의 경우 보조치료로 마이토테인(mitotane)을 사용한다. 그러나, 재발의 저/중등도 위험군(즉, ENSAT 병기 1-2기, R0 절제, Ki67 ≤ 10%)인 경우에는 마이토테인 보조치료에 대해서는 개별화가 필요하다.

③ 마이토테인은 최대한 빨리(6주 이내) 사용한다. 재발이 없고 마이토테인 치료를 잘 견뎌내면 보조치료로 최소 2년 이상 투여하고 5년 이상은 투여하지 않는다.

④ 보조적인 방사선 치료에 대해 일치된 의견은 없으나 EN-SAT 병기 1-2기이며, R0 절제 시에는 마이토테인 치료 첫 주의 내약성과 환자의 전신상태에 따라 용량을 증량한다. ENSAT 병기 3기 혹은 R1 혹은 Rx 절제 시 개별화된 치료전략으로 마이토테인 치료에 부가해서 방사선 치료를 고려해 볼 수 있다.

⑤ 보조적인 방사선 치료 시 임상적으로 가능한 빨리 시작하며, 기존 종양기저에 약 2 Gy 정도로 분획하여 50-60 Gy 정도 투여한다.

⑥ 항암제의 보조치료에 대해서는 명확한 합의에 도달하지 못하였다. 그러나 보조치료로 항암제의 기본 투여는 추천되지 않는다. 재발의 위험이 고위험(Ki67 > 30%, 정맥의 큰 종양혈전, ENSAT 병기 4기 혹은 R1 절제)인 경우 cisplatin ± etoposide를 고려해볼 수 있다.

⑦ 마이토테인 사용 시 고려사항

가. 마이토테인으로 치료를 시작하며, 첫 환자의 내약성과 전신상태에 따라 증량한다. 초기 용량은 1.5 g/day에서 시작하고 2일째는 3 g/day, 3일째는 4.5 g/day, 4일째는 6 g/day까지 증가시킨다. 치료시작 후 2-3주 후에 측정한 첫 마이토테인 혈액 농도가 나올 때까지는 6 g/day로 유지한다. 적은 초기 용량인 1 g/day로 시작하여 매 3일마다 0.5 g씩 증가시켜 3.0-4.0 g/day로도 사용한다. 이후에는 혈액 농도에 따라 용량을 변경한다.

나. 마이토테인 혈중 농도를 감시하여 14 mg/L 초과를 목표로 한다. 14 mg/L 초과를 이루지 못하는 경우 매 3-4주 간격으로 측정하다가 농도에 이르면 6-12주 간격으로 측정한다. 시료는 마지막 복용 후 12시간 후에 채취한다.

다. 마이토테인으로 치료받는 환자는 당질부신피질호르몬 보충을 한다. 스테로이드 청소 및 코티솔-결합 글로불린 증가 때문에 보통 표준 보충용량의 최소 2배 이상인 50 mg 정도가 필요하다. 마이토테인을 처음 복용하는 날 hydrocortisone 20 mg/day로 시작하거나 2-3주 후 혹은 부신기능저하증 증세가 있으면 시작할 수 있다. ACTH가 정상 상한치의 2배 초과하여 증가 시 부족하다고 판단할 수 있다.

라. 마이토테인 부작용(표 4-2-17)에 대해 정기적인 감시와 적절한 치료(표 4-2-18)가 필요하다.

마. 마이토테인의 특히 CYP3A4에 의한 약물 상호작용에 대해 알고 있어야 한다.

(3) 재발 혹은 진행된 부신피질암종의 치료 (그림 4-2-10)

① 처음 진단 시 수술로 절제가 모두 가능한 제한된 복부내 전이가 있는 환자와 복부외 전이가 있는 환자는 수술적 절제 후 최대한 빨리 마이토테인을 시작한다.

② 진행된 부신피질암종 수술에 다른 국소치료(예: 방사선 치료, 고주파절제, 동결절제, 극초단파절제, 생화학색전술)는 도움이 된다.

표 4-2-17. 마이토테인 부작용

Adverse effect	Frequency
Gastrointestinal: nausea, vomiting, diarrhea, anorexia	Very common
Adrenal insufficiency	Very common
CNS: lethargy, somnolence, vertigo, ataxia Confusion, depression, dizziness, decreased memory	Common
Confusion, depression, dizziness, decreased memory	Very common
Increase of hepatic enzymes (in particular gamma-GT)	Rare
Liver failure	Very common
Hepatic microsomal enzyme induction with increased metabolism of glucocorticoids and other steroids and barbiturates, phenytoin, warfarin, and many other drugs	Very common Common
Increase in hormone-binding globulins (CBG, SHBG, TBG, etc.)	Very common
Disturbance of thyroid parameters (interference with binding of T_4 to TBG, total $T_4\downarrow$, free $T_4\downarrow$, TSH$\downarrow$)	Very common
Hypercholesterolemia, hypertriglyceridemia	Very common
Gynecomastia	Very common
Skin rash	Common
Primary hypo gonadism in men	Common
Prolonged bleeding time	Common
Leucopenia	Common
Thrombocytopenia, anemia	Rare
Autoimmune hepatitis	Rare

very common (≥ 1/10), common(≥ 1/100–< 1/10), uncommon (≥ 1/1,000–< 1/100), rare (≥ 1/10,000–< 1/1,000), very rare (< 1/10,000).

③ 첫 진단 시 광범위 전이가 있는 경우 부신수술은 도움이 되지 않는다.

④ 진단 시 진행된 부신피질암종에는 마이토테인 단일치료나 예후가 좋지 않은 지표(예: 많은 종양 부하, 조절되지 않은 증상, 높은 증식 지표, 빨리 자라는 종양의 임상증거)가 있는 경우는 etoposide, doxorubicin, cisplatin (EDP) + miotatane (EDP–M)을 사용한다(표 4-2-19).

⑤ 무병생기간이 최소 12개월 이상인 재발 환자에서 완전한 제거/절제가 가능하다면 수술 혹은 다른 국소치료가 권유된다. 치료 후 최대한 빨리 마이토테인을 사용한다.

⑥ 마지막 수술/국소치료 후 재발까지의 기간이 6개월 미만인 경우, 국소치료를 반복하는 것보다 EDP–M을 일차요법으로 권유한다.

⑦ 마이토테인 단독요법 후 진행된 환자는 EDP를 추가한다.

⑧ 내과치료에 반응하는 환자는 긴 시간 종양조절을 위해 국소치료를 재고려한다.

⑨ EDP–M 치료 중에 진행되는 환자는 임상시험을 포함한 추가적인 치료를 고려한다.

(4) 다른 보조치료

① 호르몬 과다 시 호르몬 과다를 조절하는 치료를 한다.

가. 부신피질호르몬 과다: 마이토테인이 효과적이나 약 효과가 나타나려면 몇 주 걸린다. 일반적으로는 마이토테인 단독으로 효과적인 조절이 가능하다. 심한 쿠싱증후군은

표 4-2-18. 마이토테인 치료 중 감시

Parameter	Interval	Comment
Recommended monitoring		
Mitotane blood level	Every 3–4 weeks, as soon as plateau of blood level is reached every 2–3 months	Target blood level > 14 mg/L
GOT, GPT, bilirubin (gGT)	Initially every 3–4 weeks, after 6 months every 2–3 months	GGT is invariably elevated without clinical consequences. If other liver enzymes are rapidly increasing (> 5–fold of baseline), there is risk of liver failure: interrupt mitotane
Blood count	Initially after 3–4 weeks, then every 3–4 months	Check for rare and in most cases not significant leucopenia, thrombocytopenia, and anemia
Suggested monitoring		
ACTH	Suspected glucocorticoid deficiency or excess	Glucocorticoid status is difficult to determine Target: ACTH in the normal range or slightly above
TSH, free T$_4$	Every 3–4 months	Disturbance of thyroid hormones is frequent Thyroid hormone replacement is only recommended in patients with clinical symptoms of hypothyroidism
Renin	Every 6 months	If renin ↑ and clinical symptoms of hypoaldosteronism are present, add fludrocortisone
Cholesterol (HDL, LDL)	Every 3–4 months (in adjuvant setting)	If LDL/HDL cholesterol ↑↑ consider treatment with statins in selected cases
Testosterone and SHB in men	Every 3–4 months (in adjuvant setting)	If testosterone is low and clinical symptoms of hypogonadism are present add testosterone

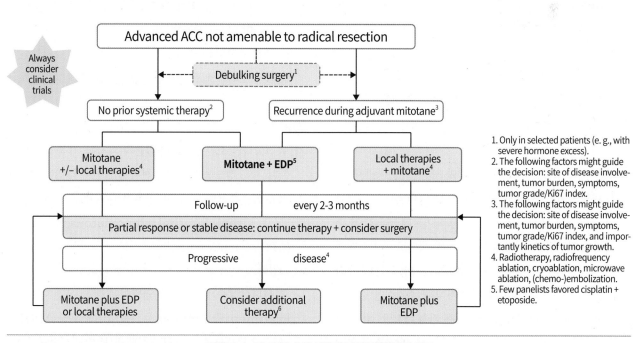

그림 4-2-10. 재발 혹은 진행된 부신피질암종의 치료

표 4-2-19. 재발 혹은 진행성 부신피질암종의 전신 약물치료

First-line therapies
- Surgery +/– other local measures
- Mitotane monotherapy
- Etoposide, doxorubicin and cisplatin (EDP) plus mitotane (EDP/M)
  - Every 28 days:
    - day 1: 40 mg/m² doxorubicin (D)
    - day 2: 100 mg/m² etoposide (E)
    - day 3 + 4: 100 mg/m² etoposide (E) + 40 mg/m² cisplatin (P)
  - Plus oral mitotane aiming at a blood level between 14 and 20 mg/L
- (E)P–M: In patients unfit for the EDP–M regimen
  - Every 28 days
    - day 1: 100 mg/m² etoposide (E)
    - day 2 + 3: 100 mg/m² etoposide (E) + 40 mg/m² cisplatin (P)

Additional therapeutic options
- Consider enrollment of patients in clinical trials (www.clinicaltrial.gov)
- Consider loco–regional therapies
- Gemcitabine plus capecitabine
  - 800 mg/m² gemcitabine on days 1 and 8 (repeated every 3 weeks)
  - 1,500 mg capecitabine orally per day in a continuous fashion
  - Mitotane can be continued (individualized decision)
- Streptozotocin plus mitotane (Sz/M)
  - Induction: day 1–5: 1 g Sz/day
  - Afterwards 2 g/day Sz every 21 days
  - Plus oral mitotane aiming at a blood level between 14 and 20 mg/L

빠른 조절이 필요하며, 항응고제와 pneumocystis에 대한 예방적 항생제를 사용한다. 메티라폰(metyrapone)은 내약성이 우수하며, 항암제와 마이토테인을 같이 투여해도 안정적이다. 메티라폰대사 및 제거도 마이토테인에 영향을 받지 않는다. 케토코나졸도 사용하는데 메티라폰보다 덜 효과적이며 간기능에 대한 주기적인 검사가 필요하다. Mifepristone도 이용 가능하지만, 치료 시 코티솔 농도가 증가하여 임상양상으로 용량을 조절한

다. 또한, 증가된 코티솔에 의해 고혈압과 저칼륨혈증이 발생할 수 있다. 약을 복용하지 못하는 심한 쿠싱증후군이 있는 경우 etomidate를 정주하기도 한다.

나. 여성에서 남성호르몬과다로 인해 다모증이나 남성화가 초래될 수 있으며, 남성호르몬수용체대항제인 bicalutamide, flutamide, spironolactone으로 치료한다.

다. 저칼륨혈증이 있는 경우 spironolactone, eplerenone, amiloride를 사용한다.

라. 남성에서 여성호르몬과다가 있는 드문 경우에는 여성수용체대항제 혹은 aromatase억제제를 고려해볼 수 있다.

② 골전이가 있는 경우 anti–resorptive약물을 사용한다.

③ 진행/전이된 부신피질암종 환자에서 증상 경감을 위해 고식적 방사선 치료를 권유한다.

④ 임신과 부신피질암종
가. 임신 중 부신피질암종이 의심되는 경우 시기와 무관하게 즉각적인 수술을 권유한다.
나. 부신피질암종 치료 후 안전한 임신을 얼마나 있다가 하여야 하는지 알려진 바 없다. 임신이 안 좋은 예후인자로 보고된 바 있다.
다. 마이토테인 치료 중에는 임신을 피한다.

⑤ 유전상담
가. 유전학적인 소인증후군이 있는지 과거력, 가족력을 확인한다. 5% 정도는 TP53유전자돌연변이 및 3%에서는 Lynch증후군이 있다. Beckwith–Wiedemann증후군(children), familial adenomatous polyposis (APC), Carney complex에서도 부신피질암종이 보고되었다.
나. 부신피질암종 생식세포돌연변이에 대한 유전자로 Li–Fraumeni증후군(TP53), Lynch증후군(MSH2, MLH1, PMS2, MSH6에 대한 면역조직화학검사,

MSH2, MLH1, PMS2, MSH6, EPCAM에 대한 현미부수체 불안전성검사 혹은 유전자검사)에 대한 검사를 한다.

다. 부신피질암종 체세포돌연변이검사에 대한 것은 결정된 바 없다.

6) 부신피질암종의 경과관찰

(1) 정기적인 복부, 골반, 흉부영상검사

(2) 완전절제 후 영상검사를 처음 2년간은 3개월마다, 이후 3년간은 3–6개월마다 실시한다. 5년 넘어서도 검사는 권유한다.

(3) 진행된 부신피질암종에서는 영상검사를 2–3개월마다 실시한다. 마이토테인 단독으로 사용 시 2–5개월마다 실시한다.

(4) 모든 환자에서 호르몬 분비에 대한 정기적인 검사를 한다.

6. 예후

1) 부신우연종의 예후

(1) 1,410명의 비기능부신선종 환자를 대상으로 한 14개의 연구결과상 악성이 될 위험성은 0.2%(95% 신뢰구간: 0.0–0.4)이다. 홍 등은 1,149명의 부신우연종 환자 중 6개월 이상(중간값: 4.0년, 사분위 범위: 2.0–6.0년) 경과를 관찰한 449명에서 연 변화는 0.03 cm 정도였다.

(2) 비기능부신선종에서 추후 임상적인 호르몬 과다를 보이는 경우(예: 일차알도스테론증, 쿠싱증후군, 갈색세포종)는 0.3% 미만이며 경도코티솔자율분비로 진행할 확률은 0–11% 정도로 알려져 있다. 홍 등은 1,149명의 부신우연종 환자 중 호르몬검사를 반복한(중간값: 2.9년, 사분위 범위: 1.6–4.9년) 193명에서 임상적인 호르몬 과다를 보이는 환자

는 없었으며 경도코티솔자율분비로의 진행은 25명(13.0%)에서 관찰되었다.

2) 경도코티솔자율분비의 예후

(1) 동반질환과의 연관성

경도코티솔자율분비는 분명한 코티솔 과다의 전형적인 증상 혹은 징후가 없음에도 불구하고 Dalmazi 등은 리뷰를 통하여 미묘한 코티솔 과다의 장기간 노출은 고혈압은 환자의 약 2/3, 당뇨병은 약 1/3, 골다공증 및 척추골절, 비만, 지질대사이상과 같은 동반질환이 연관되어 있다고 보고하고 있다.

(2) 심혈관계 질환과의 연관성

Dalmazi 등은 2012년에 338명 부신우연종 환자에서 경도코티솔자율분비 환자에서 심혈관질환의 유병률이 높다고 발표하였다. Dalmazi 등이 2014년에 198명 부신우연종 환자의 평균 7.5 ± 3.2년의 관찰기간에 경도코티솔자율분비 환자나 시간에 따라 코티솔이 증가하는 환자가 심혈관질환의 발생률이 높다고 발표하였다. Morelli 등이 2014년에 발표한 이탈리아의 다기관 연구 206명의 후향연구 분석에서도 경도코티솔자율분비는 심혈관질환의 높은 발생률과 관련이 있었다.

(3) 사망률과의 관계

Dalmazi 등은 2014년에 198명 부신우연종 환자에서 평균 7.5 ± 3.2년의 관찰기간에 경도코티솔자율분비 환자나 시간에 따라 코티솔이 증가하는 환자가 생존율이 낮다고 발표하였다. Debono 등이 2014년에 발표한 206명의 부신우연종 환자를 평균 4.2 ± 2.3년에 관찰한 연구에서도 경도코티솔자율분비는 높은 사망률과 관련이 있었다. 흥미롭게도 영국인들에서 추출한 사망률과 비교 시 부신우연종에서 코티솔의 영향과 관련이 있을 것으로 추측되는 심혈관질환 및 감염 합병증으로 인한 사망률이 높았다.

3) 부신피질암종의 예후

(1) 모든 부신피질암종 환자의 전체 생존율의 중앙값은 3-4년이다.

(2) 부신피질암종의 예후에는 ENSAT 병기, 절제 정도, Ki67 지표(혹은 세포분열 개수), 코티솔 분비, 환자의 일반적인 상태가 영향을 미친다고 판단된다.

(3) 부신 공간에 제한되었을 때 5년 생존율은 60-80%, 부분적으로 진행된 질환은 34-50%, 전이된 경우는 0-28%이다.

7. 최신정보 및 미래 전망

1) 부신우연종의 최신정보 및 미래 전망

(1) > 2 cm 부신종양이 있는 많은 수의 코호트에서 양성 여부를 결정하는 가장 적당한 영상검사법을 찾은 연구가 필요하다.

(2) 부신우연종 환자에서 매년 호르몬검사를 장기간 실시하여 장기간 호르몬검사의 필요성에 대한 연구가 필요하다.

(3) 부신우연종 환자에서 부신피질암종 혹은 임상적으로 확실한 호르몬 과다질환의 실제 발생률을 확인할 수 있는 연구가 필요하다.

2) 경도코티솔자율분비의 최신정보 및 미래 전망

(1) 최근 액체 크로마토그래피-질량분석법을 이용한 스테로이드 프로파일링을 통하여 경도코티솔자율분비를 감별하려는 연구가 시도되고 있다.

(2) 경도코티솔자율분비가 사망률 증가나 다른 임상적인 종점(예: 심근경색 혹은 중풍)과 연관되었는지에 대한 대규모 장기간 연구가 필요하며 이를 바탕으로 경도코티솔자율분비의 적당한 생화학적인 정의를 찾는 연구가 필요하다.

(3) 경도코티솔자율분비 환자에서 수술에 의한 잠재적인 이득을 볼 수 있는지에 대한 무작위연구가 필요하다. 이를 위해 대리종점(예: 고혈압, 당뇨병)을 결정하는 것이 중요하다.

3) 부신피질암종의 최신정보 및 미래 전망

(1) 진행된 부신피질암종 치료에서 EDP-M의 임상반응은 25% 미만으로 적다. 이를 위해 새로운 치료표적이 필요하다. Wnt/β-catenin, CDKN2A/TP53/Rb, IGF2/mTOR, telomere 등과 같은 치료 표적들이 고려되고 있다.

(2) 면역치료도 연구되고 있다.

(3) 현재 사용되는 전신치료는 제한적인 효과를 보여 좋은 효과를 예측할 수 있는 마커가 필요하다.

(4) 완전 절제 후 대부분 환자들에서의 재발률이 높아 보조치료 효과의 개선이 필요하다.

(5) 많은 연구에도 불구하고 마이토테인의 기전이나 약동학적 기전에 대해 잘 파악되고 있지 않다. 마이토테인의 약물학과 기전에 대한 이해를 바탕으로 마이토테인관련 약물의 개발이 필요하다.

(6) 중개연구를 통하여 분자적인 분류, 다른 예후를 가진 분자적인 아형들을 찾는 노력이 필요하다. 이러한 마커를 통하여 맞춤의학을 실현할 수 있다.

(7) 부신종양에 대한 검사에서 인공지능의 사용 및 부신피질암 진단 및 추적검사 시 비침습적인 방법(액체 크로마토그래피-질량분석법을 이용한 스테로이드프로파일링을 통하여 부신피질암종을 감별하려는 연구, 순환되는 종양세포를 찾기 위한 액체생검, 순환되는 miRNA, 순환되는 cell-free tumor DNA)들이 연구되고 있다.

참 / 고 / 문 / 헌

I.

1. 김성연, 조화영. 쿠싱증후군. 임상내분비학. 제3판. 고려의학; 2016. pp. 303-16.

2. 대한내분비학회 한국인 내분비질환 증례연구위원회. 한국 성인 쿠싱증후군 환자현황 및 임상양상. 대한내분비학회지 2000;15: 31-45.

3. Ahn SH, Kim JH, Baek SH, Kim HM, Cho YY, Suh SH, et al. Characteristics of adrenal incidentalomas in a Large, Prospective Computed Tomography-Based Multicenter Study: The COAR Study in Korea. Yonsei Med J 2018;59: 501-10.

4. Ahn CH, Kim JH, Park MY, Kim SW. Epidemiology and comorbidity of adrenal Cushing syndrome: a nationwide cohort study. J Clin Endocrinol Metab 2021;106(3):e1362-72.

5. Bonnet-Serrano F, Bertherat J. Genetics of tumors of the adrenal cortex. Endocr Relat Cancer 2018;25(3):R131-52.

6. Fassnacht M, Arlt W, Bancos I, Dralle H, Newel J, Sahdev A, et al. Management of adrenal incidentalomas: European Society of Endocrinology clinical practice guideline in collaboration with the European Network for the Study of Adrenal Tumors. Eur J Endocrinol 2016;175:G1-34.

7. Hong AR, Kim JH, Hong ES, Kim IK, Park KS, Ahn CH, et al. Limited diagnostic utility of plasma adrenocorticotropic hormone for differentiation between adrenal Cushing syndrome and Cushing disease. Endocrinol Metab (Seoul) 2015;30:297-304.

8. Hong AR, Kim JH, Park KS, Kim KY, Lee JH, Kong SH, et al. Optimal follow-up strategies for adrenal incidentalomas: reappraisal of the 2016 ESE-ENSAT guidelines in real clinical practice. Eur J Endocrinol 2017;177:475-8.

9. Hur KY, Kim JH, Kim BJ, Kim MS, Lee EJ, Kim SW. Clinical guidelines for the diagnosis and treatment of Cushing's disease in Korea. Endocrinol Metab (Seoul) 2015;30:7-18.

10. Kim JH, Shin CS, Paek SH, Jung HW, Kim SW, Kim SY. Recurrence of Cushing's disease after primary transsphenoidal surgery in a university hospital in Korea. Endocr J 2012;59:881-8.

11. Lee JM, Kim MK, Ko SH, Koh JM, Kim BY, Kim SW, et al. Guidelines for the management of adrenal incidentaloma. Endocrinol Metab (Seoul) 2017;32(2):200-18.

12. Lim JS, Lee SK, Kim SH, Lee EJ, Kim SH. Intraoperative multiple-staged resection and tumor tissue identification using frozen sections provide the best result for the accurate localization and complete resection of tumors in Cushing's disease. Endocrine 2011;40:452-61.

13. Park JS, Yun SJ, Lee JK, Park SY, Chin SO. Descriptive epidemiology and survival analysis of prolactinomas and Cushing's disease in Korea. Endocrinol Metab (Seoul) 2021;36(3):688-96.

14. Pivonello R, Isidori AM, De Martino MC, Newell-Price J, BILLER BMK, Colao A. Complications of Cushing's syndrome: state of the art. Lancet Diabetes Endocrinol 2016;4:611-29.

15. Reincke M. Cushing syndrome associated myopathy: it is time for a change. Endocrinol Metab (Seoul) 2021;36(3): 564-71.

16. Stewart PM, Newell-Price JD. The adrenal cortex. In: Melmed S, Polonsky KS, Larsen PR, Kronenberg HM eds. Williams textbook of endocrinology. 13th ed. Philadelphia: Elsevier; 2016

II.

1. Annane D, Pastores SM, Rochwerg B, Arlt W, Balk RA, Beishuizen A, et al. Guidelines for the diagnosis and management of Critical Illness-Related Corticosteroid Insufficiency (CIRCI) in Critically Ill Patients (Part I): Society of Critical Care Medicine (SCCM) and European Society of Intensive Care Medicine (ESICM) 2017. Crit Care Med 2017;45:2078-88.

2. Arlt W. Disorders of adrenal cortex. In: Jameson JL, Fauci AS, Kasper DL, Hauser SL, Longo DL, Loscalzo J eds. Harrison's principles of internal medicine. 20th ed. New York: McGraw-Hill; 2018. pp. 2733-38.

3. Bancos I, Hahner S, Tomlinson J, Arlt W. Diagnosis and management of adrenal insufficiency. Lancet Diabetes Endocrinol 2015;3:216-26.

4. Bergthorsdottir R, Leonsson-Zachrisson M, Odén A, Johannsson G. Premature mortality in patients with Addison's disease: a population-based study. J Clin Endocrinol Metab 2006;91:4849-53.

5. Bornstein SR, Allolio B, Arlt W, Barthel A, Don-Wauchope A, Hammer GD, et al. Diagnosis and treatment of primary adrenal insufficiency: an Endocrine Society clinical practice guideline. J Clin Endocrinol Metab 2016;101:364-89.

6. Burgos N, Ghayee HK, Singh-Ospina N. Pitfalls in the interpretation of the cosyntropin stimulation test for the diagnosis of adrenal insufficiency. Curr Opin Endocrinol Diabetes Obes 2019;26:139-45.

7. Cho HY, Kim JH, Kim SW, Shin CS, Park KS, Kim SW, et al. Different cut-off values of the insulin tolerance test, the high-dose short Synacthen test (250 μg) and the low-dose short Synacthen test (1 μg) in assessing central adrenal insufficiency. Clin Endocrinol (Oxf) 2014;81:77-84.

8. D.C. John., Newell-Price, Auchus JA. The adrenal cortex. In: Melmed S, Auchus RJ, Goldfine AB, Koenig RJ, Rosen CJ. Williams textbook of endocrinology. 14th ed. Philadelpia: Elsevier; 2019. pp. 517-27.

9. Donegan D. Opioid induced adrenal insufficiency: what is new? Curr Opin Endocrinol Diabetes Obes 2019;26:133-8.

10. Hong AR, Ryu OH, Kim SY, Kim SW; Korean Adrenal Gland and Endocrine Hypertension Study Group, Korean Endocrine Society. Characteristics of Korean patients with primary adrenal insufficiency: a registry-based nationwide survey in Korea. Endocrinol Metab (Seoul) 2017;32:466-74.

11. Husebye ES, Pearce SH, Krone NP, Kämpe O. Adrenal insufficiency. Lancet 2021;397:613-29.

12. Isidori AM, Venneri MA, Graziadio C, Simeoli C, Fiore D, Hasenmajer V, et al. Effect of once-daily, modified-release hydrocortisone versus standard glucocorticoid therapy on metabolism and innate immunity in patients with adrenal insufficiency (DREAM): a single-blind, randomized controlled trial. Lancet Diabetes Endocrinol 2018;6:173-85.

13. Iwama S, Kobayashi T, Arima H. Clinical characteristics, management, and potential biomarkers of endocrine dysfunction induced by immune checkpoint inhibitors. Endocrinol Metab (Seoul) 2021;36:312-21.

14. Kim SY. Clinical endocrinology. 3rd ed. Seoul: Korea Medical Book Publishing Company; 2016. pp. 317-26.

15. Liu MM, Reidy AB, Saatee S, Collard CD. Perioperative steroid management: approaches based on current evidence. Anesthesiology 2017;127:166-72.

16. Overman RA, Yeh JY, Deal CL. Prevalence of oral glucocorticoid usage in the United States: a general population perspective. Arthritis Care Res (Hoboken) 2013;65:294-8.

17. Perogamvros I, Ray DW, Trainer PJ. Regulation of cortisol bioavailability-effects on hormone measurement and action. Nat Rev Endocrinol 2012;8:717-27.

18. Ueland GÅ, Methlie P, Øksnes M, Thordarson HB, Sagen J, Kellmann R, et al. The short cosyntropin test revisited: new normal reference range using LC-MS/MS. J Clin Endocrinol Metab 2018;103:1696-1703.

III.

1. Carmina E, Dewailly D, Escobar-Morreale HF, Kelestimur F, Moran C, Oberfield S, et al. Non-classic congenital adrenal hyperplasia due to 21-hydroxylase deficiency revisited: an update with a special focus on adolescent and adult women. Hum Reprod Update 2017;23:580-99.

2. Choi JH, Yoo HW. Management issues of congenital adrenal hyperplasia during the transition from pediatric to adult care. Korean J Pediatr 2017;60:31-7.

3. CORRIGENDUM FOR "Congenital adrenal hyperplasia due to steroid 21-Hydroxylase deficiency: An Endocrine Society* clinical practice guideline". J Clin Endocrinol Metab 2019;104:39-40.

4. Hong G, Park HD, Choi R, Jin DK, Kim JH, Ki CS, et al. CYP21A2 mutation analysis in Korean patients with congenital adrenal hyperplasia using complementary methods: sequencing after long-range PCR and restriction fragment length polymorphism analysis with multiple ligation-dependent probe amplification assay. Ann Lab Med 2015;35:535-9.

5. Kang MJ, Kim JH, Lee SH, Lee YA, Shin CH, Yang SW. The prevalence of testicular adrenal rest tumors and associated factors in postpubertal patients with congenital adrenal hyperplasia caused by 21-hydroxylase deficiency. Endocr J 2011;58:501-8.

6. Lim SG, Lee YA, Jang HN, Kong SH, Ahn CH, Kim SW, et al. Long-term health outcomes of Korean adults with classic congenital adrenal hyperplasia due to 21-Hydroxylase deficiency. Front Endocrinol (Lausanne) 2021;12:761258.

7. Livadas S, Bothou C. Management of the Female With Non-classical Congenital Adrenal Hyperplasia (NCCAH): a patient-oriented approach. Front Endocrinol (Lausanne) 2019;10:366.

8. Maccabee-Ryaboy N, Thomas W, Kyllo J, Lteif A, Petryk A, Gonzalez-Bolanos MT, et al. Hypertension in children with congenital adrenal hyperplasia. Clin Endocrinol (Oxf) 2016;85:528-34.

9. Ng SM, Stepien KM, Krishan A. Glucocorticoid replacement regimens for treating congenital adrenal hyperplasia. Cochrane Database Syst Rev 2020;3:CD012517.

10. Pignatelli D, Carvalho BL, Palmeiro A, Barros A, Guerreiro SG, Macut D. The complexities in genotyping of congenital adrenal hyperplasia: 21-Hydroxylase deficiency. Front Endocrinol (Lausanne) 2019;10:432.

11. Speiser PW, Arlt W, Auchus RJ, Baskin LS, Conway GS, Merke DP, et al. Congenital adrenal hyperplasia due to steroid 21-Hydroxylase deficiency: An Endocrine Society clinical practice guideline. J Clin Endocrinol Metab 2018;103:4043-88.

12. Witchel SF, Lee PA. Ambiguous genitalia. Pediatric endocrinology. 5th ed. Philadelphia: WB Saunders Co; 2020. pp. 447-59.

IV.

1. Ahn SH, Kim JH, Baek SH, Kim H, Cho YY, Suh S, et al. Characteristics of Adrenal Incidentalomas in a Large, Prospective Computed Tomography-Based Multicenter Study: The COAR Study in Korea. Yonsei Med J 2018;59:501-10.

2. Debono M, Bradburn M, Bull M, Harrison B, Ross RJ, Newell-Price J. Cortisol as a marker for increased mortality in patients with incidental adrenocortical adenomas. J Clin Endocrinol Metab 2014;99:4462-70.

3. Dennedy MC, Annamalai AK, Prankerd-Smith O, Freeman N, Vengopal K, Graggaber J, et al. Low DHEAS: A sensitive and specific test for the detection of subclinical hypercortisolism in adrenal incidentalomas. J Clin Endocrinol Metab 2017;102:786-92.

4. Di Dalmazi G, Pasquali R, Beuschlein F, Reincke M. Subclinical hypercortisolism: a state, a syndrome, or a disease? Eur J Endocrinol 2015;173:M61-71.

5. Di Dalmazi G, Vicennati V, Garelli S, Casadio E, Rinaldi E, Giampalma E, et al. Cardiovascular events and mortality in patients with adrenal incidentalomas that are either non-secreting or associated with intermediate phenotype or subclinical Cushing's syndrome: a 15-year retrospective study. Lancet Diabetes Endocrinol 2014;2:396-405.

6. Di Dalmazi G, Vicennati V, Rinaldi E, Morselli-Labate AM, Giampalma E, Mosconi C, et al. Progressively increased patterns of subclinical cortisol hypersecretion in adrenal incidentalomas differently predict major metabolic and cardiovascular outcomes: a large cross-sectional study. Eur J Endocrinol 2012;166:669-77.

7. Fassnacht M, Arlt W, Bancos I, Dralle H, Newell-Price J, Sahdev A, et al. Management of adrenal incidentalomas: European Society of endocrinology clinical practice guideline in collaboration with the European Network for the Study of Adrenal Tumors. Eur J Endocrinol 2016;175: G1-34.

8. Fassnacht M, Dekkers OM, Else T, Baudin E, Berruti A, de Krijger R, et al. European Society of Endocrinology Clinical practice guidelines on the management of adrenocortical carcinoma in adults, in collaboration with the European Network for the Study of Adrenal Tumors. Eur J Endocrinol 2018;179:G1-46.

9. Hong AR, Kim JH, Park KS, Kim KY, Lee JH, Kong SH, et al. Optimal follow-up strategies for adrenal incidentalomas: reappraisal of the 2016 ESE-ENSAT guidelines in real clinical practice. Eur J Endocrinol 2017;177:475-83.

10. Lee SH, Song KH, Kim J, Park S, Ahn SH, Kim H, et al. New diagnostic criteria for subclinical hypercortisolism using postsurgical hypocortisolism: the Co-work of Adrenal Research study. Clin Endocrinol (Oxf) 2017;86:10-8.

11. Morelli V, Reimondo G, Giordano R, Della Casa S, Policola C, Palmieri S, et al. Long-term follow-up in adrenal incidentalomas: an Italian multicenter study. J Clin Endocrinol Metab 2014;99:827-34.

04
부신

부신수질질환

김경아 진상만

I. 부신수질과 교감신경계

김경아

1. 서론

자율신경은 부신수질, 심장, 혈관 평활근, 내장기관의 평활근을 조절하여 부신수질 카테콜라민의 분비, 심박수와 출력, 혈압, 비뇨생식기 및 장의 운동성을 조절한다.

자율신경은 중추신경계 내에서 발생하며 해부학적 위치에 따라 두 개의 주요 분지를 가지고 있다(그림 4-3-1).

1) 부교감신경계(Parasympathetic nervous system)
부교감신경절전신경(parasympathetic preganglionic nerves)은 뇌신경(cranial nerves)과 천골척수신경(sacral spinal nerves)을 통해 중추신경계(central nervous system, CNS)를 빠져나간다.

이들의 분포는 경부에서 가장 많고 비크로마핀부신경절(nonchromaffin paraganglia)에서 종결된다. 주요한 부신경절로는 경동맥체(carotid body)가 있다. 다른 부신경절들은 경정맥영역(jugulotympanic region)에서 발견된다. 신경절전(preganglionic)과 신경절후(postganglionic)

신경전달물질은 아세틸콜린이다.

2) 교감신경계(Sympathetic nervous system)
교감신경절전신경(sympathetic preganglionic nerves)은 흉추신경과 요추신경을 통해 중추신경계를 빠져나간다. 교감신경절전신경은 주로 척추주변 신경절(ganglia)과 척추전 신경절에서 끝나는데, 여기서 아세틸콜린을 신경전달물질로 분비한다. 따라서 이들은 콜린신경으로 알려져 있다. 이 신경절을 총칭하여 부신경절(paraganglia)이라 하며 크로마핀과 면역조직화학적 염색에 의한 광학현미경검사에서 부신수질세포와 유사한 신경내분비세포를 포함하고 있다. 교감신경계는 신경절후신경세포(postganglionic neuron)에서 카테콜라민을 분비해 심박출량과 근육으로의 혈류를 자극하는 동시에 혈액의 흐름을 내장기관으로 우회하게 하고, 부신수질을 자극하여 카테콜라민을 방출함으로써 신체의 자동 싸움-도피반응(automatic fight-flight response)을 조정한다. 예외로 에크린땀샘에 가는 콜린신경세포는 아세틸콜린이 신경전달물질이다.

3) 부신
부신수질은 교감신경계의 일부이다. 부신수질은 변형된 형태의 교감신경절로 신경절전신경이 부신수질에서 종료되면, 신경절후 섬유 없이 카테콜라민을 혈액으로 직접 방출한다. 부신수질은 생존에 필수적인 것은 아니지만 스트레스

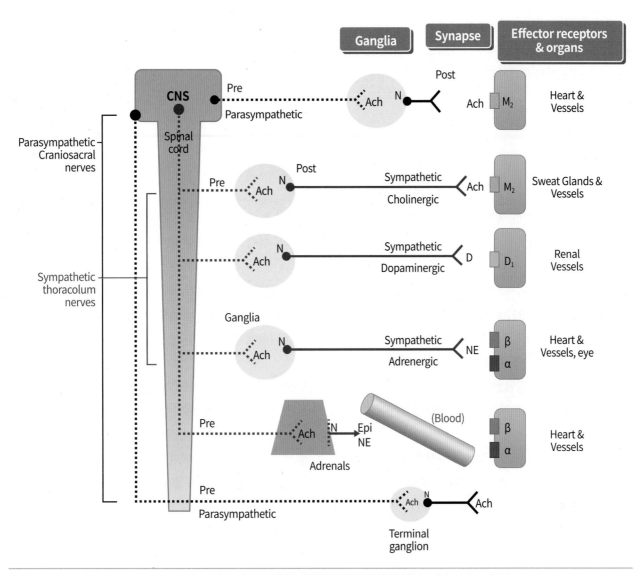

그림 4-3-1. 중추 및 말초신경계. 자율신경계분지(교감, 부교감), 부신과 해당 신경전달물질

α, α-adrenoceptor; Ach, acetylcholine; β, β-adrenoceptor; CNS, central nervous system; D, dopamine; D1, dopaminergic receptor; Epi, epinephrine; M2, muscarinic receptor; N, nicotinic receptor; NE, norepinephrine; Pre, preganglionic; Post, postganglionic.

동안 에피네프린(아드레날린)과 기타 화합물의 분비로 신체의 항상성을 유지하는 데 필수적이다.

교감신경계와 부신수질은 해부학적, 생리학적으로 한 단위를 구성하므로 교감신경-부신계라고 통칭한다. 교감신경-부신계에 대한 연구는 다양한 카테콜라민수용체의 발견과 교감작용제 및 대항제의 발전에 기여했다.

자율신경계와 부신수질의 질환으로는 카테콜라민 결핍 또는 종양이 있다.

갈색세포종은 부신수질에서 발생하는 종양이고 에피네프린과 노르에피네프린 모두를 과도하게 분비할 수 있다. 반면, 비두경부부신경절종(non-head-neck paraganglioma)은 부신수질 이외의 교감신경절에서 발생한다. 대부분의 비두경부부신경절종은 노르에피네프린(노르아드레날린)을 분비한다. 반면 두경부부신경절종(head-neck paragangliomas)은 부교감부신경절(parasympathetic paraganglia)에서 유래하고 카테콜라민 분비종양은 드물어 4% 정도이다.

2. 발생과 구조

교감신경-부신계세포는 교감신경절전신경세포의 자극을 받아 카테콜라민을 합성, 저장 및 분비할 수 있는 세포로 크롬친화반응을 보인다.

발생학적으로 교감신경세포와 부신의 크롬친화세포(chromaffin cells)는 신경외배엽에서 유래하고 전구세포들은 신경릉으로부터 전방으로 이동하여 교감신경세포가 될 세포들은 척추 주위 및 대동맥전신경절을 형성하고 여기에서 신경절후신경세포가 발달한다. 한편 다른 전구세포들은 발생 중인 부신피질을 침투하여 부신수질을 생성한다.

성인에서 크롬친화세포는 대부분이 부신수질에 있고 소수는 교감신경절이나 그 주위에 존재한다. 태아나 신생아에서는 크롬친화세포가 모여서 캡슐에 둘러싸인 크롬친화세포체(chromaffin body)를 형성하여 대동맥 전방 또는 하장간막 동맥 아래에 주케르칸들기관(organ of Zuckerkandl)기관으로 존재한다. 태아기와 출생 후 몇 년간은 이 기관에서 주로 카테콜라민을 분비한다. 부신 외에 존재하는 크롬친화세포는 대개 생후에 퇴화한다.

부신경절은 종격동과(특히 심방과 인접하여) 척추주위 및 척추전 위치의 교감신경사슬을 따라 복부에서 발견된다. 부신경절은 대동맥을 따라 풍부하며, 특히 셀리악(celiac) 축, 부신, 신장수질 및 대동맥 분기점(주케르칸들기관) 주변에 풍부하다. 부신경절은 또한 골반, 특히 방광에 인접해 있다.

부신경절에서 유래하는 교감신경절후 신경섬유(sympathetic postganglionic nerve fibers)는 신경지배를 받는 조직으로 이동한다. 이들은 시냅스 접합부에서 신경전달물질로 노르에피네프린을 분비한다.

부신수질은 피질에 의해서 둘러싸여 있으며 양측부신수질의 무게를 합치면 1 g 정도이고 이는 전체 부신질량의 10% 정도를 차지한다. 부신피질과 수질 사이의 명확한 경계는 없다(혈액공급은 CHAPTER 01-I-1. 부신피질의 구조 참조).

부신수질세포는 기본적으로 축삭(axon)이 없고 신경전달물질을 혈액으로 직접 분비한다.

부신수질은 거의 전부가 크롬친화세포(chromaffin cells 또는 pheochromocytes)로 구성되어 있다. 크롬친화세포는 코티솔에 반응해서 부신 중앙에서 분화한다.

부신수질에는 직경이 100-300 nm의 소포(vesicle) 내에 많은 양의 에피네프린이나 노르에피네프린이 함유되어 있다. 부신수질에 존재하는 크롬친화세포 내의 카테콜라민 중 80%는 에피네프린이다. 그 외 노르에피네프린과 여러 종류의 비카테콜라민계 물질을 함유한다.

3. 카테콜라민의 생합성

카테콜라민(catecholamines)은 카테콜 그룹(catechol, ortho-dihydroxybenzene)에 아민(amine)이 붙은 구조이다(그림 4-3-2). 카테콜라민은 도파민, 노르에피네프린 및 에피네프린을 포함한다.

카테콜라민 합성의 전구물질인 타이로신(tyrosine)은 식사를 통해 섭취되거나 간세포에서 페닐알라닌으로부터 합성된다. 타이로신에서 도파(DOPA, L-dihydroxyphenylalanine)로 전환되고 이때 필요한 타이로신수산화효소(tyrosine hydroxylase)는 세포질 또는 세포막에 결합된 형태로 존재하는데 카테콜라민을 합성하는 조직에만 있으며 카테콜라민의 생합성과정에서 반응속도 결정단계(rate

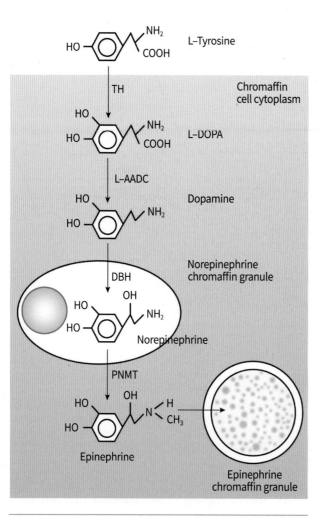

그림 4-3-2. 부신 크롬친화세포에서 카테콜라민의 생합성

DBH, dopamine-β-hydroxylase; L-AADC, L-aromatic amino acid decarboxylase; PNMT, phenylethanolamine N-methyltransferase; TH, tyrosine hydroxylase.

determining step)이다. Tyrosine hydroxylase 활성은 다양한 화합물에 의해 억제될 수 있다. 알파 메틸타이로신(α methyltyrosine), 메타이로신(metyrosine)은 갈색세포종 또는 부신경절종 환자에서 카테콜라민 분비를 감소시키는데 사용될 수 있는 억제제이다. 반면 tyrosine hydroxylase 활성은 코티솔에 의해 자극된다.

도파를 도파민(dopamine)으로 전환시키는 방향성 L-아미노산탈카르복실라아제(aromatic l-amino acid de-

carboxylase, L-AADC, DOPA decarboxylase)는 탈카르복실작용의 촉매작용을 한다. 이 효소는 모든 조직에서 발견되며 간, 신장, 정관(vas deferens), 뇌에서 가장 높은 농도를 나타낸다. 도파민은 뇌, 교감신경절의 특수 신경세포, 경동맥체에 고농도로 존재하고 뇌에서 중요한 신경전달물질이다. 또한 부신수질과 교감신경세포에서 노르에피네프린의 전구체이다. 도파민은 근위세뇨관(proximal renal tubule)에도 존재한다. 나트륨 배설을 촉진하고 위장관에서 파라크린기능을 한다.

도파민은 과립저장소포(granulated storage vesicles)로 들어가 노르에피네프린으로 수산화(hydroxylated)되는데 이때 필요한 효소가 도파민-β-수산화효소(dopamine-β-hydroxylase, DBH)이고 이는 소포막 내에서 발견된다. DBH는 카테콜라민을 합성하고 저장하는 조직에서만 발현된다. 노르에피네프린은 부신수질 외에 주로 중추신경계와 말초교감부신경절과 신경에서 발견된다. 노르에피네프린은 소포벽의 이중 지질층에 위치한 소포모노아민 전달효소(vesicular monoamine transferase, VMAT)에 의해 세포질에서 소포 안으로 능동적으로 수송된다. 그러나 노르에피네프린이 지속적으로 소포 밖으로 확산되므로, 노르에피네프린이 소포에 저장되기보다는 소포에 농축되어 있다고 생각된다.

과립저장소포는 세포표면으로 이동하고 세포외방출(exocytosis)을 통해 내용물을 분비한다(그림 4-3-3). 노르에피네프린과 DBH는 모두 세포외방출 동안 방출된다. 신경에서는 분비된 대부분의 노르에피네프린은 신경말단으로 다시 재흡수 된다.

일반적으로 순환하는 노르에피네프린의 약 93%는 교감신경세포 시냅스로부터 확산되는 반면, 7%만이 부신수질에서 발생한다.

신경축삭(neural axons)은 표적기관의 세포와 시냅스접

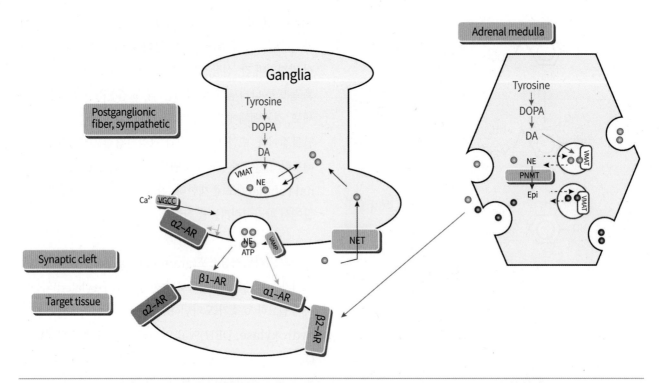

그림 4-3-3. 말초교감신경계의 노르아드레날린성접합부(noradrenergic junction)와 부신수질도식도

AR, adrenergic receptor; DBH, dopamine–β–hydroxylase; Epi, epinephrine; NE, norepinephrine; NET, norepinephrine transporter; PNMT, phenylethanol-amine–N–methyltransferase; VAMPs, vesicle–associated membrane protein; VGCC, voltage–gated calcium channels; VMAT, vesicular monoamine trans-ferase; DA, dopamine.

합(synaptic junctions)을 형성한다. 신경전달물질은 노르에피네프린으로 이는 타이로신으로부터 *de novo*로 합성되거나 또는 노르에피네프린수송체(norepinephrine transporter, NET)에 의해 재흡수된다.

신경분비소포의 세포외방출과 전달물질 방출은 활동전위(action potential)에 의해 voltage–gated calcium channels(전압감응성칼슘채널)이 열리고 세포내 칼슘이 증가될 때 생긴다. 소포와 표면막과의 융합은 노르에피네프린, cotransmitters 및 DBH를 방출한다.

방출된 노르에피네프린은 시냅스 틈으로 확산되거나 신경 자체의 세포질로 운반되거나(흡수 1), 시냅스후 표적세포로 운반된다(흡수 2). 조절수용체는(regulatory receptors) 시냅스전 말단에 있다(synaptosome–associated pro-

teins; SNAPs, vesicle–associated membrane pro-tein; VAMPs).

부신수질 및 갈색세포종세포에서 노르에피네프린은 소포에서 세포질로 지속적으로 확산되며, phenylethanol-amine–N–methyltransferase(페닐에탄올아민–N–메틸전이효소, PNMT)에 의해 에피네프린으로 전환될 수 있다.

부신수질에서 노르에피네프린을 에피네프린으로 전환시키는 효소는 페닐에탄올아민N–메틸전이효소(phenyletha-nolamine N–methyltransferase, PNMT)로 부신수질의 에피네프린 함유세포 외에도 일부 에피네프린을 신경전달물질로 이용하는 중추신경계와 망막의 신경세포에 존재한다. PNMT는 세포질에 존재하기 때문에 과립에서 생성된 노르에피네프린은 세포질 내로 나와서 N–메틸화과정에 의

해 에피네프린으로 된 후 다시 과립으로 흡수되어 저장된다. 당질부신피질호르몬은 PNMT유전자의 전사를 유도한다. 외인스테로이드의 투여는 ACTH 및 내인부신코티솔생산의 억제에도 불구하고 부신수질의 PNMT 발현을 증가시킨다.

정상인 부신수질에서 카테콜라민 함량의 약 80%가 에피네프린이고 20%가 노르에피네프린이다. 갈색세포종은 에피네프린과 노르에피네프린을 다양한 비율로 분비한다. 반면 부신경절종은 PNMT 발현을 유도하는 국소 고농도의 코티솔이 없기 때문에 에피네프린을 거의 분비하지 않는다.

크로모그라닌A (chromogranin A, CgA)는 세포외방출 시 카테콜라민과 함께 저장 및 방출되는 펩타이드이다. CgA수치는 정상혈압 환자보다 고혈압 환자에서 다소 높은 경향이 있다. CgA는 특히 비분비성인 부신경절종 환자에게 종양표지자로 쓰인다. 카테스타틴(catestatin)은 CgA 프로호르몬의 단편으로 콜린수용체(neuronal cholinergic receptor)에서 대항제 역할을 함으로써 카테콜라민의 추가방출을 억제한다.

4. 카테콜라민의 저장과 분비

1) 카테콜라민의 저장

카테콜라민은 실제로 세포내 소포에 저장되지 않는다. 오히려 소포와 주변 세포질 사이의 동적 평형상태로 존재한다.

카테콜라민은 지속적으로 소포에서 세포질로 누출되지만, 소포에 존재하는 모노아민수송체(vesicular mono-amine transporters, VMAT) 작용에 의해 다시 소포내로 능동수송되어 농축된다. 교감신경에서는 VMAT-2만 발현되고 부신수질에는 VMAT-1과 VMAT-2가 발현된다. ^{123}I, ^{131}I-labelled metaiodobenzylguanidine (MIBG)는 VMAT에 의해 저장소포로 수송되기 때문에 카테콜라민 분비종양의 진단 또는 치료로 쓰인다.

(1) 부신수질

부신수질에는 에피네프린과 노르에프네프린이 저장된다. 저장된 에피네프린(총 카테콜라민 대비)의 비율은 종에 따라 매우 다양하다. 인간의 부신수질에서 저장된 카테콜라민의 약 80%는 에피네프린이다.

부신수질은 약 0.5 mg/g의 농도로 카테콜라민을 포함하고, 다른 조직인 비장, 정관, 뇌, 척수 및 심장에는 1–5 μg/g, 간, 내장 및 골격근은 0.1–0.5 μg/g을 함유하고 있다.

카테콜라민은 직경 약 1 μm의 전자밀도소포(electron-dense vesicles)에 저장되며, 여기에는 카테콜라민과 ATP가 4:1의 몰비로 이외에 여러 신경펩타이드(adrenomedul-lin, ACTH, vasoactive intestinal peptide), 칼슘, 마그네슘 및 수용성단백질이 함유되고 있다. 막의 내부 표면에는 DBH와 ATPase가 포함되어 있다. 소포의 과립(granule)에서 카테콜라민의 흡수 촉진 또는 방출 억제는 Mg^{2+}의존성 ATP효소(Mg^{2+}-dependent ATPase)에 의한다.

부신수질과립은 카테콜라민, 크로모그라닌 및 엔케팔린을 비롯한 많은 활성펩타이드를 함유하고 방출하는 것으로 보인다. 이 중 크로모그라닌에서 파생된 펩타이드는 생리학적으로 활성이며 카테콜라민 방출을 조절할 수 있다.

에피네프린과 노르에피네프린은 서로 다른 세포에 저장된다. 에피네프린과 노르에피네프린 저장소포의 형태학적 차이는 적절한 염색 후 광학현미경으로 볼 수 있다.

(2) 교감신경세포

단일교감신경세포(single sympathetic nerve cell)는 축삭의 길이에 따라 최대 25,000개의 시냅스 돌출부(buldges)를 가질 수 있다. 각각의 시냅스는 노르에피네프린을 합성하고 표적세포에 인접한 시냅스소포에 저장한다.

2) 카테콜라민의 분비

(1) 부신수질

부신을 조절하는 신경절전신경섬유는 부신수질세포에서 끝나며, 시냅스에서 아세틸콜린을 방출하고 부신수질 니코틴수용체를 자극한다. 수용체의 활성화는 세포막을 탈분극시키고 칼슘이온의 유입을 유발한다. 세포내 증가된 칼슘 농도는 신경분비소포(neurosecretory vesicles)의 세포

외방출을 유발하여 결과적으로 카테콜라민, 크로모그라닌 및 가용성(soluble) DBH와 같은 내용물을 방출한다. 소포막결합 DBH (vesicular membrane–bound DBH)는 세포외방출 동안 방출되지 않는다.

부신수질에서 신경분비소포의 세포외방출은 에피네프린과 노르에피네프린을 혈액 내로 방출한다. 정상인에서 혈액내 에피네프린의 약 95%는 부신수질에서 유래되는 반면, 혈액

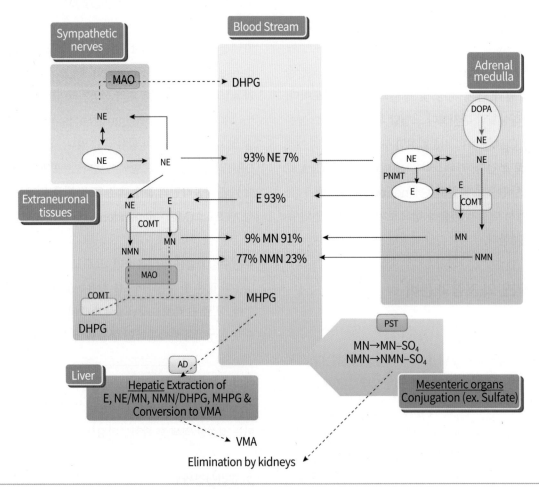

그림 4-3-4. 혈액에 순환하는 카테콜라민과 대사물질의 대사에 기여하는 교감신경조직, 부신수질, 신경외 주요조직, 간 및 장의 상호관계를 나타내는 모식도

대부분의 카테콜라민은 합성되고 분비되는 신경조직에서 대사된다. 교감신경말단에서 노르에피네프린은 MAO에 의하여 DHPG로 전환된다. 부신수질에서는 COMT가 존재하므로 카테콜라민을 NMN, MN으로 전환시키는데 정상적으로 이 과정의 대사는 소량에 불과하지만 갈색세포종이 발생하면 주요 대사경로가 된다.

NMN, MN은 소화기관에 풍부하게 존재하는 phenolsulfotransferase에 의하여 황산염과 포합되어 소변으로 배설된다. 교감신경에서 배출된 DHPG는 신경외 주요조직에서 o-methylation 되어 MHPG로 전환된 다음 간에서 VMA로 전환되어 소변으로 배설된다.

AD, aldehyde reductase; COMT, catechol-O-methyltransferase; DHPG, 3,4-dihydroxyphenylglycol; DOPAC, 3,4-dihydroxyphenylacetic acid; E, epinephrine; HVA, homovanillic acid; MAO, monoamine oxidase; MHPG, 3-methoxy-4-hydroxyphenylglycol; NE, norepinephrine; MN, metanephrine; MN-SO4,metanephrine-sulfate; NE, norepinephrine; NMN, normetanephrine; NMN-SO4, normetanephrine—sulfate; PST, phenolsulfotransferase; PNMT, phenylethanolamine-N-methyltransferase; VMA, vanillylmandelic acid.

표 4-3-1. 건강한 피험자와 갈색세포종 또는 부신경절종이 없는 환자에서 관찰된 혈장카테콜라민수치의 범위

	노르에피네프린(pg/mL)	에피네프린(pg/mL)
건강한 피험자		
기저(누운 자세)	112–658	25–50
보행 시	217–1,109	30–95
운동 시	800–4,000	100–1,000
환자		
고혈압	200–500	20–100
수술	500–2,000	199–500
심근경색	1,000–2,000	800–5,000
증상이 있는 저혈당	200–1,000	1,000–5,000

내 노르에피네프린의 약 7%만이 부신수질에서 유래한다(그림 4-3-4).

또한 카테콜라민은 신경분비소포에서 세포질로 확산된다. 세포질의 카테콜라민은 VMAT를 통해 소포로 다시 들어가거나 COMT (catechol O-methyltransferase, COMT)에 의해 카테콜라민대사 산물인 메타네프린과 노르메타네프린으로 변환되며 이들은 세포 밖으로 확산되어 혈액 내로 들어간다.

부신수질카테콜라민 분비는 운동, 협심증, 심근경색, 출혈, 에테르 마취, 수술, 무산소, 질식 및 기타 많은 스트레스 자극에 따라 증가한다(표 4-3-1).

(2) 교감신경세포

교감신경말단에서 노르에피네프린의 분비는 축삭막의 탈분극, voltage-gated calcium channels(전압감응성 칼슘채널)이 열리고 칼슘 유입, 그리고 세포외방출과정을 통해서 일어난다(그림 4-3-3). 교감신경에서 신경분비소포의 세포외방출은 노르에피네프린을 시냅스로 방출한다. 시냅스로 분비된 노르에피네프린은 노르에피네프린 운반체(norepinephrine transporters, NETs)를 통해 재흡수(reuptake)되거나 시냅스를 통해 혈액내로 방출된다.

이러한 시냅스 방출은 정상인에서 순환하는 노르에피네프린의 약 93%를 차지한다(그림 4-3-4).

방출된 노르에피네프린은 시냅스 틈으로 확산되거나 신경 자체의 세포질로 운반되거나(흡수 1), 시냅스후 표적세포로 운반된다(흡수 2). 조절수용체(regulatory receptors)는 시냅스전 말단에 있다(synaptosome-associated proteins, SNAPs; vesicle-associated membrane protein, VAMPs).

방출된 노르에피네프린은 시냅스전 $\alpha2$수용체를 조절해서 노르에피네프린 방출을 억제한다. 클로니딘(clonidine), 구안파신(guanfacine) 같은 약물은 $\alpha2$수용체를 자극하여 교감신경활성을 억제하여 고혈압치료제로 쓰인다.

5. 카테콜라민의 재흡수와 대사

혈액 중의 카테콜라민은 대사과정을 거쳐 소변으로 배설되거나 교감신경의 노르에피네프린은 교감신경말단에서 재흡수된다. 카테콜라민의 주요 대사과정은 산화적 탈아미노반응(모노아민 산화효소, monoamine oxidase, MAO), 메틸화반응(카테콜 O-메틸전이효소, catechol O-methyltransferase, COMT), 탈수소화반응(알데하이드탈수소효소, aldehyde dehydrogenase, AD) 및 황산염이나 글루쿠로니드(glucuronide)와의 포합(conjugation)으로 구성되어 있다(그림 4-3-4).

1) 부신수질에서의 카테콜라민대사

부신수질에서 카테콜라민대사는 주로 막결합(membrane-bound) COMT에 의해 에피네프린은 메타네프린으로, 노르에피네프린은 노르메타네프린으로 대사된다.

메타네프린대사물은 혈중으로 유리된다. 일반적으로 혈액 내 메타네프린의 약 91%는 부신수질에서 생성되며, 나머지 9%는 순환하는 에피네프린이 간 및 기타 부신 이외의 조직에서 COMT에 의해 메타네프린으로 대사되면서 생긴다. 마찬가지로 혈액내 노르메타네프린의 약 23%는 부신수질에서 생성되는 반면, 77%는 순환하는 노르에피네프린이 간 및 기타 부신 이외의 조직에서 COMT에 의해 노르메타네프린으로 대사되는 과정에서 파생된다(그림 4-3-4 참조).

2) 교감신경에서의 카테콜라민대사

교감신경시냅스에서 방출된 카테콜라민은 상대적으로 낮은 친화도로 수용체에 결합하고 빠르게 해리된다(그림 4-3-3 참조). 시냅스에서 노르에피네프린의 약 10%는 전신 순환으로 빠져나가고, 약 90%는 방출시킨 신경 또는 표적세포에 의해 재흡수된다. 재흡수과정은 코카인, sympathomimetics(교감신경흥분제), 일부 β차단제(예: phenoxybenzamine), 신경세포차단제, 삼환계항우울제 및 phenothiazines 등에 의해서 차단될 수 있다.

세포질노르에피네프린은 신경세포의 노르에피네프린 함량을 조절하는 모노아민산화효소(MAO)에 의해 사립체 외부막에서 3, 4-디하이드록시페닐글리콜(3, 4-dihydroxyphenylglycol, DHPG)로 대사된다. 교감신경에는 COMT 효소가 없다. DHPG는 신경세포에서 방출되고, 간 및 기타 조직에 흡수되어 COMT 효소에 의해 3-메톡시-4-하이드록시페닐글리콜(3-methoxy-4-hydroxyphenylglycol, MHPG)로 변환된다. 이는 알데하이드탈수소효소(aldehyde dehydrogenase, AD)에 의해 바닐릴만델산(vanillylmandelic acid, VMA)으로 전환되어 소변으로 배출된다. 정상상태에서는 대부분의 소변 VMA는 교감신경에서 방출되는 DHPG로부터 파생된다.

3) 갈색세포종에서의 카테콜라민대사

갈색세포종에서는 신경분비소포에서 방출된 카테콜라민이 막결합 COMT에 의해 메타네프린, 노르메타네프린으로 전환된다. 간헐적으로 분비되는 카테콜라민과 대조적으로 이러한 메타네프린대사물은 혈액 내로 지속적으로 유리된다. 따라서 갈색세포종 진단 시 혈장 또는 소변분획유리메타네프린검사는 다른 진단법에 비해 민감도가 높다. 여기서 분획은(fractionated) 메타네프린과 노르메타네프린 각각 측정되는 것을 의미하고 유리는 unconjugated를 의미한다. 갈색세포종 환자의 경우 순환하는 총 메타네프린의 90% 이상이 말초대사가 아닌 종양 자체에서 파생된다. 간혹 DBH 부족으로 인해 주로 도파민을 생성하는 종양이 있다. 부신에서 도파민은 먼저 COMT에 의해 3-MT로 O-메틸화 된다(그림 4-3-5).

4) 순환 카테콜라민 흡수 및 대사

순환계로 방출된 카테콜라민은 알부민 및 다른 단백질과의 결합 친화력이 낮다. 따라서 카테콜라민은 혈류에서 빠르게 제거되고 순환 반감기가 2분 미만이다.

혈액내 일부 유리카테콜라민은 소변으로 직접 배출되지만 대부분의 카테콜라민은 이들이 대사되는 다른 세포로 활발하게 운반된다. 카테콜라민을 순환계에서 제거하는 것은 유기양이온운반체(organic cation transporters, OCT)이며 많은 조직, 특히 간에 발현된다. 카테콜라민은 세포 내로의 능동수송 후 추가적인 대사를 거친다.

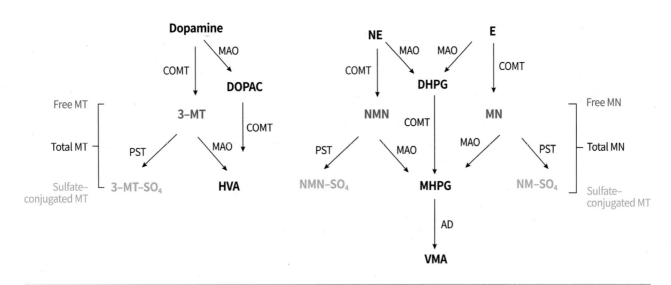

그림 4-3-5. 카테콜라민대사

카테콜라민대사에 관여하는 효소; catechol-O-methyltransferase(카테콜 O-메틸전이효소, COMT), monoamine oxidase(모노아민 산화효소, MAO), aldehyde dehydrogenase(알데히드 탈수소효소, AD), phenolsulfotransferase(페놀설포트랜스퍼레이스, PST).

DHPG, 3,4-dihydroxyphenylglycol; DOPAC, 3,4-dihydroxyphenylacetic acid; E, epinephrine; HVA, homovanillic acid; MN, metanephrine; MHPG, 3-methoxy-4-hydroxyphenylglycol; 3-MT, 3-methoxytyamine; NE, norepinephrine; NMN, normetanephrine; SO₄, sulfate conjugation; VMA, vanillylmandelic acid.

신경외세포(extraneuronal cells; 간, 신장)에서 카테콜라민대사는 MAO를 통해 에피네프린과 노르에피네프린 모두를 DHPG로 전환하는 경로로 이루어진다. DHPG는 수용성형태의(soluble form) COMT에 의해 MHPG로 대사되며, MHPG는 알데하이드탈수소효소에 의해 VMA로 전환되어 소변으로 배출된다. 또한 에피네프린은 적은 양이지만 수용성형태의(soluble form) COMT 통해 메타네프린으로 전환된다. 이는 대부분의 조직 특히 간, 신장, 혈관평활근, 혈액세포에서 발견된다. 수용성형태의 COMT는 막결합형태의 COMT(부신수질과 갈색세포종에 존재)보다 활성도가 낮다.

한편 카테콜라민은 위장관세포(gastrointestinal cells)에서 포합(conjugation)반응 대사과정을 거친다. 복부기관, 특히 장과 췌장의 교감신경은 신체의 노르에피네프린 생산량의 거의 절반을 차지한다.

카테콜라민, 메타네프린 및 MHPG의 페놀하이드록시기 (phenolic hydroxyl group)가 황산염(sulfate) 또는 글루쿠로니드와 포합된다. 장내세포에는 설파테아제(sulfatase)가 있어 메타네프린을 메타네프린-SO₄로 포합시켜(conjugation) 간문맥으로 들어가 간을 우회해 소변으로 배설된다. 또한 노르메타네프린은 노르메타네프린-SO₄로 포합된다.

혈장카테콜라민을 논할 때 유리카테콜라민이라 함은 대개 단백결합이 되지 않은 카테콜라민을 칭하는 것이 아니라 포합되지 않은(unconjugated) 카테콜라민을 칭한다(그림 4-3-5). 포합된 카테콜라민은 대사물로 교감신경활성의 급성변화를 반영하지 못하므로 임상에서 측정할 필요가 없다.

일반적으로 소변 카테콜라민 및 대사산물의 비율은 약 50% 메타네프린, 35% VMA, 10% 포합카테콜라민(conjugated catecholamines) 및 기타 대사산물, 5% 미만의 유리카테콜라민이다.

6. 카테콜라민(아드레날린)수용체와 생리적기능

신체 대부분의 세포들이 카테콜라민수용체(아드레날린수용체, adrenergic receptor)를 가지고 있다. 이로 인해 말초교감신경계와 카테콜라민의 중요한 조절역할에 대한 연구가 발전했고 α수용체, β수용체의 선택적 작용제(agonist), 대항제(antagonist) 개발로 이어졌다. 대표적으로 β1 대항제(atenolol, metoprolol)는 협심증, 고혈압, 부정맥 치료로 쓰인다. β2작용제(albuterol, terbutaline)는 기관지 평활근 이완을 유발해서 천식의 흡입제로 쓰인다.

카테콜라민수용체는 카테콜라민에 의해 활성화되는 G단백질연결수용체다. 수용체는 3가지이며(α, β, dopaminergic receptors) 아형이 있다(α1-2, β1-3, D1-2). 카테콜라민수용체는 중추신경계와 말초조직에 다양하게 분포되어 있다.

노르에피네프린과 에피네프린은 α 및 β1수용체를 활성화시키는데 거의 동등하다. 반면 에피네프린은 β2수용체활성화에 훨씬 더 강력하고 노르에피네프린은 β3수용체활성화에 더 강력하다.

카테콜라민수용체와 활성화 후 임상효과는 표 4-3-2와 같다.

α1수용체는 시냅스후(postsynaptic)수용체이고 α1수용체 자극은 혈관 수축, 자궁 수축 및 장 이완반응을 매개한다. α1수용체의 선택적 대항제로 프라조신같은 약물이 있다.

α2수용체는 시냅스전(presynaptic) 교감신경 말단에 존재한다. 활성화되면 노르에피네프린의 분비를 억제한다. α2수용체가 자극되면 중추교감신경계 작용을 억제하여 혈압을 감소시킨다. 클로니딘은 중심 α2작용제이다. 요힘빈은 α2수용체에 대한 선택적 대항제이다.

α수용체 비선택적 작용제로 에피네프린과 노르에피네프린이 대표적이고, α수용체 비선택적 차단제로는(α-1과 α-2) 페녹시벤자민(phenoxybenzamine)과 펜톨아민(phentolamine)이 있다.

표 4-3-2. 카테콜라민수용체: 위치 및 수용체활성화 후 임상효과

수용체	분포	생리적 효과	작용제/대항제
α1	혈관 평활근	혈관수축(혈압 상승)	[작용제] Norepinephrine, Methoxamine, Midodrine, Phenylephrine [대항제] Phenoxybenzamine, Phentolamine, Doxazosin, Prazosin
	간	글리코겐 분해(glycogenolysis) 및 포도당신생성 (gluconeogenesis) 증가	
	장	괄약근 긴장도(sphincter tone) 증가, 평활근(smooth muscle) 이완	
	눈	모양체근육(ciliary muscle)수축 증가(동공 확장)	
	피부	pilomotor 평활근(pilomotor smooth muscle) 수축 증가(erects hairs)	
	전립선	수축 및 사정 증가	
	방광	방광괄약근과 삼각근의 수축	
	자궁	임신 시 자궁수축 증가(gravid uterus)	
	비장 캡슐	비장수축, 혈액 배출	

표 4-3-2(이어서). **카테콜라민수용체: 위치 및 수용체 활성화 후 임상효과**

수용체	분포	생리적 효과	작용제/대항제
α2	신경절전 신경	신경전달물질 방출 감소	[작용제] Clonidine, Monoxidine [대항제] Phenoxybenzamine, Phentolamine, Yohimbine, Idazoxan, Tolazoline
	뇌	노르에피네프린분비 감소	
	혈관 평활근	혈관수축(혈압 상승)	
	췌도세포	인슐린과 글루카곤 분비 감소	
	지방세포	지방분해(lipolysis) 감소	
	혈소판	혈소판응집 증가	
β1	심근	수축력과 수축속도 증가(force and rate of contraction)	[작용제] Isoproterenol, NE, Dobutamine [대항제] Propranolol, Metoprolol, Atenolol
	신장	레닌(renin) 분비 증가	
	지방세포	지방분해 증가	
	대부분의 조직	열량 생성 증가(calorigenesis)	
	신경	전도속도 증가	
β2	세기관지 평활근	수축 감소(기관지 확장)	[작용제] Isoproterenol, Salbutamol, Terbutaline [대항제] Propranolol, Nadolol, Butoxamine
	혈관 평활근	혈관수축 감소(혈류 증가)	
	간	글리코겐분해 및 포도당신생합성 증가	
	근육	근육수축속도(muscle contraction speed) 및 글리코겐분해 증가	
	지방세포	지방 분해 증가	
	췌도세포	인슐린과 글루카곤 분비 증가	
	간, 신장	말초 $T_4 \rightarrow T_3$ 변환 증가	
	장 평활근	장의 운동성 감소; 괄약근 톤 증가	
	자궁 평활근	비임신 시 자궁 수축 감소(자궁 이완)	
β3	지방세포	지방분해 증가	[작용제] Isoproterenol, Solabegron, Amibegron
	장 평활근	장운동성 증가	
Dopamine1	혈관 평활근	혈관수축 감소(혈관 확장)	
	신장 세뇨관	나트륨이뇨(natriuresis) 증진	
Dopamine2	교감신경	노르에피네프린의 시냅스 방출 억제	[작용제] Bromocriptine
	Lactotrophs	Prolactin 분비 억제	
	뇌	신경전달물질	
	위장관	측분비기능(Paracrine functions)	

β수용체는 3가지 타입이 있다.

β1수용체는 심장효과를 매개한다. 심장에서 β1수용체는 동방(SA) 및 방실(AV) 결절, 심방, 심실 및 전도계에 위치한다. 이들 수용체의 활성화는 심박수 및 심장수축의 증가를 매개하고 심박출량의 전반적인 증가를 일으킨다. 심실에 있는 β1수용체의 자극은 또한 idioventricular pace-makers (특발심박조율기)의 발화를 증가시켜 과도한 자극이 심실이소증(ventricular ectopy)을 일으키는 경향이 있다. 트리요오드타이로닌(T$_3$)은 심장 β1수용체의 총 수를 증가시킨다. 한편 신장에서 레닌 분비 증가, 지방세포에서 지방분해에 관여한다.

β2수용체는 기관지, 혈관, 자궁평활근 이완을 매개하며, 자극 시 기관지확장, 골격근의 혈관이완, 글리코겐분해(glycogenolysis), 교감신경말단에서 노르에피네프린 유리 증가를 매개한다. β2수용체는 특히 에피네프린에 의해 활성화된다. 운동이나 저혈당 중에는 에피네프린이 분비되어 간의 β2수용체를 활성화시켜 심장 및 골격근 활동에 필요한 포도당생성을 위해 글리코겐분해와 포도당신생합성을 자극한다.

β3수용체는 갈색지방세포에 존재하며 지방분해와 에너지소비(energy expenditure)를 조절한다.

β수용체 비선택적 작용제로 에피네프린, 노르에피네프린, 그리고 합성교감신경 흥분아민인 이소프로테레놀(isoproterenol)이 있다.

D1수용체는 뇌, 신장, 장간막(mesenteric) 및 관상동맥의 혈관계에 분포하고 자극 시 이들 혈관의 이완을 유발한다.

D2수용체는 시냅스전수용체로, 교감신경말단, 교감신경절, 뇌에 분포한다. 자극 시 노르에피네프린 방출을 억제하고, 신경절전달 억제, 프로락틴(prolactin) 분비를 억제한다.

7. 자율신경저하증(Autonomic Insufficiency)

자율신경저하증은 자율신경실조증(dysautonomia)이라고도 한다. 이는 자율신경활동의 일반적인 감소를 나타낸다. 부신수질은 자율신경계의 일부이기 때문에, 일반적으로 혈액내 에피네프린 결핍과 관련이 있다.

대표적인 자율신경저하증으로는 유병기간이 긴 1형당뇨병 환자에게서 발생하는 당뇨병자율신경병증(diabetic autonomic neuropathy)으로 이는 포도당신경독성으로 인한 것일 수 있으나, 자가면역으로 인한 것일 수도 있다. 1형당뇨병이 있는 중년 환자에 대한 연구에서 교감신경절에 대한 보체고정항체, 부신수질에 대한 항체가 관찰되었다. 이들은 심각한 저혈당에 취약하게 된다.

가족성자율신경실조증(familial dysautonomia)은 기립빈맥이 나타날 수 있다. 노르에피네프린수송체(transporter) 결핍이 원인 중 하나로 알려져 있다.

자율신경저하증과 관련된 원인은 표 4-3-3에 열거되어 있다.

전신자율신경저하증(generalized autonomic insufficiency) 환자들은 대개 기립저혈압이 있다. 앙와위(supine) 고혈압도 관찰된다. 환자들은 종종 심장박동수고정, 동성빈맥, 땀 감소, 대사율 감소, 열과민증(heat intolerance), 신경인성방광(neurogenic bladder), 위마비와 위장운동장애가 있을 수 있다. 수면무호흡이 흔하다.

자율신경저하증의 진단은 일반적으로 임상적인 전형적 증상, 검사 시와 기립 시 혈압변화로 한다. 혈장과 소변 노르에피네프린수치는 일반적으로 매우 낮으며, 때로는 중증 환자에서 평균 정상치의 10%에 불과하다. 혈장에피네프린수치도 종종 낮다.

표 4-3-3. 에피네프린 또는 노르에피네프린 결핍을 유발하는 장애

질환	감소된 혈청카테콜라민
당뇨병자율신경병증(autonomic neuropathy) (포도당 독성 또는 자가면역)	노르에피네프린
울프람증후군(Wolfram syndrome); 요붕증, 당뇨병, 시신경 위축(optic atrophy), 청각장애 (DIDMOAD, Diabetes Insipidus, Diabetes Mellitus, Optic Atrophy, and Deafness)	노르에피네프린
자율신경병증과 관련된 신경계 질환	노르에피네프린
순수자율신경계부전(Pure autonomic failure)	노르에피네프린 및 에피네프린
일차부신피질기능저하증(Primary adrenocortical insufficiency)	에피네프린
선천부신증식증(Congenital adrenal hyperplasia)	에피네프린
알그루브증후군(Allgrove syndrome, AAA증후군); Achalasia, ACTH 저항성, Alacrima	에피네프린

증상이 있는 기립저혈압의 치료는 적절한 혈액량의 유지에 달려있다.

수면 시 발을 올리고, 앉을 때 다리를 꼬고, 다리 전체에 맞는 지지 스타킹을 착용하는 것 같은 신체적인 조치를 취해야 하며, 적절한 수분 섭취가 중요하다.

약물치료로는 플루드로코티손(fludrocortisone)이 효과적이다. 그러나 플루드로코티손은 저칼륨혈증, 앙와위 고혈압 및 부종을 유발할 수 있다.

α1수용체작용제인 미도드린(midodrine) 사용은 앙와위 고혈압, 서맥 및 다형홍반(erythema multiforme)을 포함하는 부작용에 의해 사용이 제한적이다. 그 외 pilomotor erection, 소양증 및 요정체(urinary retention)가 발생할 수 있어 다른 치료에 실패한 증상이 매우 심한 기립저혈압 환자들에게만 사용해야 한다.

옥트레오타이드(octreotide)는 다른 치료방법이 실패한 증증자율신경계부전(autonomic failure) 환자에게 단독으로 또는 미도드린과 함께 사용되어 왔다.

드록시도파(droxidopa)는 혈관수축제(vasopressor drug)로 말초조직에서 dopa-decarboxylase에 의해 노르에피네프린으로 전환된다. 드록시도파는 말초동맥과 정맥혈관수축을 유도한다. 적응증으로는 자율신경계 질환으로 인한 신경성 기립저혈압 환자에게 해당되는데 이에는 파킨슨병, multiple system atrophy, DBH결핍증, 순수 자율신경계부전 및 기타 자율신경병증이 있다. 드록시도파는 두통, 어지럼증, 메스꺼움을 유발할 수 있다. 또한 앙와위 고혈압을 일으킬 수 있으며 이는 수면 중에 머리와 몸통을 높임으로써 예방할 수 있다.

II. 갈색세포종과 부신경절종

진상만

1. 서론

갈색세포종은 카테콜라민을 분비하는 종양으로 대개는 부신수질의 크롬친화세포(80-85%)에서 유래하는데 부신외 크롬친화세포에서 유래할 때는 부신경절종(paraganglioma)이라고 한다. 부신경절종은 두 가지로 분류되어 두경부에 위치한 부교감신경조직인 뇌신경이나 미주신경의 분포를 따라 생기는 경정맥구종양(glomus jugulare tumor)과 경동맥소체의 화학감수체종(chemodectoma)이 있고, 골반, 종격동 및 경부의 교감신경절 주위에서 발생하는 부신경절종이 있는데 후자를 부신외갈색세포종(extraadrenal pheochromocytoma)이라고 구별하여 명명하기도 한다 (그림 4-3-6).

모든 갈색세포종과 부신경절종은 잠재적으로 전이의 가능성을 가지고 있으므로, 이전에 쓰이던 '양성', '악성'이라는 용어 대신 전이를 동반하지 않은 갈색세포종과, 전이를 동반한 갈색세포종이란 용어를 사용해야 한다. 2017년 WHO는 이러한 취지로 내분비종양의 분류를 개정하면서 갈색세포종을 '양성', '악성'의 구분 없이 '갈색세포종'으로만 분류하게 되었다. 또한 '악성(malignant)'이라는 용어를 '전이성(metastatic)'이라는 용어로 대체함으로써 국소 침윤이 있는 갈색세포종/부신경절종과 원격전이가 있는 갈색세포종/부신경절종을 명확히 구분할 수 있게 하였다. 이렇게 모든 갈색세포종과 부신경절종은 잠재적으로 전이의 가능성을 가지고 있는 것으로 간주한다. 이는 비록 병리소견

과 유전변이, 분자생물학적특성에 따라 전이의 잠재력을 평가하는 몇몇 지표들이 등장했으나 전이의 예측에 어떠한 의미가 있는지 충분히 검증되지 않았기 때문이다. 실제로 국내연구에서 갈색세포종/부신경절종의 진단 당시에 이미 9.0%에서 전이가 관찰되었고, 추적기간에 추가로 9.5%에서 전이가 관찰되었다. 2021년 대한내분비학회에서도 이러한 변화를 임상현장에 적용할 것을 추천하는 진료지침을 발표하였다.

2. 역학

매년 100만 명당 3-8명의 새로운 갈색세포종 환자가 발생하는 것으로 추정되고 있다. 역학연구 결과 유병률은 부검 조사연구에서는 0.05%까지 관찰되었고, 이는 상당수의 환자가 생전에 진단되지 않은 것을 시사한다. 진단지연의 중앙값은 약 3년으로 알려져 있다. 연구에 따라 지속적인 고혈압을 보이는 환자의 약 0.2-0.6%, 일반 인구의 0.05% 미만의 유

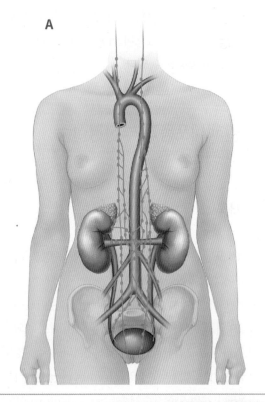
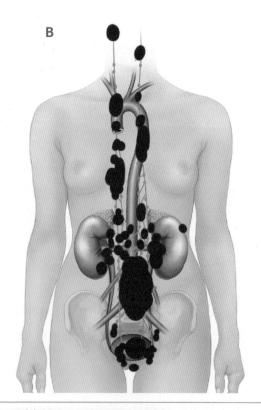

그림 4-3-6. 신생아기의 크롬친화조직의 분포(A), 부신외 갈색세포종의 분포(B)

병률을 보였다. 전체 갈색세포종 환자의 50% 정도가 고혈압을 보이고 나머지 절반 정도의 환자는 발작성 고혈압만을 보이거나 또는 혈압이 정상일 것으로 생각되고 있다. 최근에 네덜란드에서 시행된 인구기반연구에서 연령 표준화 발생률은 갈색세포종이 10만 명-연당 0.46 (95% 신뢰구간 0.39-0.53), 교감신경절 주위에서 발생하는 부신경절종이 0.11 (95% 신뢰구간 0.09-0.13)이었다. 이러한 발생률은 이전의 연구보다 현저히 높은 수준이다. 이는 최근 영상진단기법의 향상을 통해 약 2/3에 달하는 갈색세포종이 부신우연종으로 발견되고 있고, 가족 중에 갈색세포종/부신경절종 관련 유전자의 생식세포돌연변이가 있는 경우 감시(surveillance) 목적의 선별검사를 시행하면서 발견율이 높아지고 있기 때문으로 풀이된다. 최근 유럽에서 시행된 연구에서는 갈색세포종/부신경절종의 37%가 증상 및 징후에 의해 발견되고, 36%은 우연종으로, 27%는 감시에 의해 발견되었다. 일반적으로 증상 및 징후로 인해 검사한 환자의 1% 미만이 갈색세포종으로 진단되나 부신우연종으로 인해 검사한 환자의 약 7%가 갈색세포종으로 진단되었다. 따라서 전산화단층촬영영상에서 10 HU 이상의 영상 밀도를 보이는 종괴는 고혈압 여부와 관계없이 갈색세포종을 선별해야 한다.

3. 병태생리

갈색세포종/부신경절종은 비록 발생빈도는 희귀한 질환이지만 종양이 카테콜라민을 대량으로 저장 및 분비할 수 있어 극적인 증후군을 일으킬 수 있다. 진단되지 않는 경우 치명적인 부정맥, 심근경색, 뇌졸중, 급사 등을 일으킬 수 있으나, 의료진이 이 질환을 의심하고 정확한 진단과 적절한 치료를 한다면 완치될 수 있기 때문에 임상적 및 교육적으로 매우 중요한 질환이다.

갈색세포종 환자에서 볼 수 있는 특징적인 발작과 모든 증상은 종양의 카테콜라민 분비 효과로 인한 결과이며 간혹 드물게 같이 분비되는 기타 아민과 신경펩타이드에 의한 증상도 있을 수 있다. 종양에 의해 카테콜라민이 분비되는 양,

분율, 연속적 혹은 삽화적 양상에 따라 임상양상은 매우 다양하다.

산발성인 경우 종양이 단일병소인 경우가 많고 유전성인 경우 종양이 양측성이거나 다발인 경우가 많다. 유전성의 비율은 과거에 추정되던 약 10%로 추정되나가 그 비중이 점차 늘어났고, 차세대염기서열분석(next-generation sequencing, NGS) 등장 이후 적어도 30%의 환자가 유전성이라고 생각되고 있다. 다발내분비선종양(MEN2A, MEN2B), 신경외배엽증후군(neuroectodermal syndrome), 숙신산염탈수소효소(succinate dehydrogenase gene family syndrome) 등과의 연관이 대표적으로 알려져 있다.

4. 임상특성

1) 증상 및 징후

대부분의 환자에서 두통, 심계항진, 발한이 존재하고 이들 외의 다른 증상만으로 인해 갈색세포종을 의심한 경우는 갈색세포종의 가능성이 거의 없다. 다른 특징으로는 불안, 흉통, 복통, 오심, 구토, 그리고 종종 감각이상이 동반된다. 얼굴은 창백해지거나 심한 홍조를 일으키고 발작 후에는 달아오르고 따뜻한 느낌이 든다. 혈압이 때로는 위험한 수준까지 증가되며 고혈압에도 불구하고 빈맥을 볼 수 있다. 발작은 대개 수십분 내에 가라앉지만 때로는 수시간까지 지속될 수 있다. 또한 발작은 몸을 굽히거나 물건을 들어올리거나 강한 힘을 쓰는 등의 복강내압을 증가시키는 동작이나 격렬한 운동에 의하여 유발될 수 있다. 많은 환자에서 발작이 자주 발생하여 1-2일 관찰하면 목격할 수 있지만 일부에서는 발작간격이 수 주에서 수개월에 이른다. 최근의 메타분석연구들에 의하면 이러한 전형적 증상은 과거에 생각하던 것보다 적은 환자에서만 나타나서, 두통, 심계항진, 발한은 각각 60%, 59%, 52%의 환자에서 관찰되었다. 다른 증상은 훨씬 더 낮은 빈도로 나타났다. 한 전향연구에서는 65% 이상의 환자가 무증상이었다.

표 4-3-4. 갈색세포종 환자의 증상과 징후

증상	빈도	징후	빈도
두통	++++	고혈압	++++
빈맥	+++	빈맥 또는 반사성서맥	+++
발한과다	++	기립저혈압	+++
신경과민 혹은 불안	++	발작고혈압	++
떨림	++	체중감소	++
오심(구토)	++	창백	++
흉통/상복부 통증 탈진	++	대사항진	++
쇠약 혹은 탈진	+	공복혈당 상승	++
어지러움	+	진전	++
발열감, 홍조 또는 온감	+	빈호흡	++
무감각 혹은 감각이상	+	위장관운동 저하	++
변비	+	정신장애(환각)	+
호흡곤란	+	홍조	+
시력혼탁	+		
발작	+		

빈도: ++++, 76-100%; +++, 51-75%; ++, 26-50%; +, 1-25%

발작적으로 발생하는 고혈압이 갈색세포종/부신경절종에 특이적이지는 않다. 한편 지속적인 고혈압을 보이는 갈색세포종/부신경절종 환자에서도 특징적인 발작이 발생할 수 있다. 일부 환자에서는 평상시 무증상으로 있다가 발작만 나타나며 혈압 상승이 간헐적으로만 발견되거나 증상이 있는 경우에만 발견된다. 통상적인 항고혈압제 치료에 효과가 없어서 진단의 실마리가 되기도 하지만 갈색세포종 환자에서 고혈압은 흔히 프라조신, 테라조신 등의 알파차단제, 라베탈롤(laβlol), 칼슘통로차단제, 혹은 나이트로프러사이드(nitroprusside) 치료에 반응한다. 갈색세포종/부신경절종 환자의 24시간혈압감시결과를 보면 큰 폭의 혈압변동을 보이며, 야간혈압 저하가 감소하고, 야간의 nondipping양상을 보이기도 한다. 모든 고혈압 환자에서 갈색세포종을 검사하는 것은 비용적인 면에서 효과적이지 않다.

많은 환자에서 기립저혈압이 발생한다. 치료받지 않은 고혈압 환자에서 의미있는 기립저혈압이 발견되면 갈색세포종을 고려해야 한다. 기립저혈압의 발생기전에는 혈중 카테콜라민 증가로 인한 혈장용적의 감소가 중요한 역할을 하며 그 외에도 지속적인 카테콜라민 상승으로 인해서 기립자세에 대한 반사반응의 긴장도가 소실되는 것도 영향을 미친다.

임상경과 중에 치명적인 심혈관계 증상 발현이 발생할 수 있다. 이는 고혈압위기, 심근경색, 빈맥 혹은 서맥, Takotsubo 심근병증 및 급성심부전의 형태로 나타날 수 있다. 드물게 낮은 혈압이나 쇼크가 오기도 한다. 흉통, 협심증, 급성심근경색증은 관상동맥질환 없이도 발생할 수 있다. 이 경우 카테콜라민에 의한 심근산소소모량의 증가와 관상동맥의 연축이 원인이 될 수 있다. 심전도상 비특이ST-T파의 변화, 저명한 U파, 빈맥, 서맥, 심실상성 빈맥, 그리고 심실조기수축 등이 심계항진과 동반될 수 있고 전도장애로 우각차단과 좌각차단이 나타날 수 있다. 또한 심부전이나 비심인성폐부종도 발생할 수 있다.

대사율은 항진되어 발한과다가 흔하고 열에 대한 내성이 감소하며, 체온상승이 있을 수 있고, 체중은 대개 감소된다. 혈당이 증가하거나 내당능장애가 발생할 수 있고 혈당증가는 혈장인슐린 농도의 감소와 동반되어 있다. 드물게 종양으로부터 ACTH, CRH 혹은 GHRH가 분비되어 쿠싱증후군이나 말단비대증에 의한 증상이 먼저 나타날 수도 있다. 흔하지 않게 고칼슘혈증이 유전성인 경우 부갑상선항진증과 동반되어서 나타나거나 부갑상선질환이 없이도 나타날 수 있지만 수술 후에는 호전된다. 또한 갈색세포종에 의해서 PTHrP가 분비되어 고칼슘혈증이 발생할 수 있다. 소화기 증상은 오심, 구토, 복통 등이 있고 때로는 변비 혹은 설사가 발생할 수 있고 장폐쇄 또는 장천공의 응급상황이 합병될 수도 있다.

방광에서 갈색세포종이 발생하면 배뇨 중이나 배뇨직후에 심한 발작을 특징으로 하는 증후군이 발생할 수 있다. 종양이 크기가 작을 때에도 증상이 나타날 수 있으며 호르몬검사상 보통 다른 크기가 큰 갈색세포종 환자에 비해서 진단이 어려울 수도 있다.

갈색세포종의 여러 가지 증상과 발작은 정도가 심하게 발작성으로 나타나면서 말초기관 손상이나 출혈, 심근경색, 급성복증 또는 급성신부전 등의 응급상황으로 발전할 수 있으며 만약 진단이 안 된 환자에서 처음 증상이 응급상황으로 나타나게 되면 기저원인질환으로 갈색세포종을 놓칠 수도 있으므로 주의를 기울여야 한다(표 4-3-5).

두경부의 부신경절종의 경우 대부분 유의미한 카테콜라민 분비가 없어 카테콜라민 분비 과다에 의한 증상은 나타나지 않는다. 영상검사에 의해 발견되거나 경부 혹은 측두골의 종괴로 발견되기도 하며, 진행된 경우 인접 기관의 압박

표 4-3-5. 갈색세포종에서 카테콜라민의 과다분비로 발생할 수 있는 응급상태

임상구분	증후군
갈색세포종종합위기 (Pheochromocytoma multisystem crisis) 심혈관계	고혈압을 동반 또는 동반하지 않은 　다기관 부전증 체온 > 40℃ 뇌병변 졸도 고혈압위기 마취유도 직후 약물에 의한 것 기타 유발요인에 의한 것 쇼크 또는 저혈압 급성심부전 심근경색 부정맥 심근병증 심근염 대동맥박리증 하지허혈, 족지괴사 또는 괴저
호흡기	급성폐부종 성인형호흡곤란증후군
복부	복부 출혈 마비장폐쇄 급성장폐쇄 장염 또는 복막염 대장천공 장허혈과 복막염 장간막동맥 폐쇄 급성췌장염 담낭염 거대결장
신경계	반신마비 사지약화
신장	급성신부전 급성신우신염 혈뇨
대사	당뇨병케토산혈증 유산혈증

이나 침윤으로 인해 난청, 박동성 이명, 삼킴곤란이나 뇌신경마비로 나타나기도 한다.

2) 병리

(1) 갈색세포종의 병리

산발성갈색세포종은 대개 단일종양이고 종양의 경계가 잘 구분되어 있고 피막으로 쌓여 있으며 주로 부신내 혹은 부신 주위에서 발생한다.

부신 주위에서 갈색세포종이 발견되더라도 종양세포 주위에 정상 부신조직이 있다면 부신이 신장 상부에만 위치하는 것은 아니므로 부신내갈색세포종이라고 할 수 있다.

전이를 동반하는 갈색세포종은 전이를 동반하지 않는 경우에 비하여 크기가 더 크고, 괴사조직이 더 많고, 더 작은 크기의 세포로 구성되어 있는 경향이 있지만 병리조직을 가지고 '악성'과 '양성'으로 진단하는 것은 불가능하다. 비정형세포, 세포분열수 증가, 피막침범, 혈관침범, coarse nodularity, 세포내 유리체(hyaline granule)의 존재 등이 실제로 전이 여부와 관계없이 관찰되므로 감별점이 될 수 없

으며 종양의 주변 조직 침범소견이나 전이성 조직의 존재만이 의미가 있다.

갈색세포종의 크기는 대개 직경이 3–5 cm 정도인데 보고된 바로는 크기가 20 cm에 달하는 종양도 있다. 종양 단면에서 자주 출혈과 괴사가 관찰되며 낭종성 변화를 잘하므로(그림 4-3-7), 전산화단층촬영 등의 영상에서 종양 내부가 비균질성으로 보이게 된다. 광학현미경으로 관찰하여 보면 크기가 크고 형태가 다양한 크롬친화세포들이 모여서 구성된 둥지(nest) 형태와 지주(trabecular) 형태가 혈관기질과 함께 섞여서 종양조직을 구성하고 있다(그림 4-3-8).

전자현미경 상 특징적인 dense-core 크롬친화과립이 관찰되는데 과립 내에 있는 halo의 모양이 비교적 가느다란 에피네프린함유과립과 halo가 중심에서 치우쳐 있고 크기가 큰 노르에피네프린함유과립을 구분할 수 있다. 정상 부신수질 조직에서는 에피네프린함유과립이 많이 관찰되지만 갈색세포종 조직에서는 노르에피네프린함유과립이 주로 관찰된다.

산발성갈색세포종은 약 80–85%에서 부신 내에 발생하고

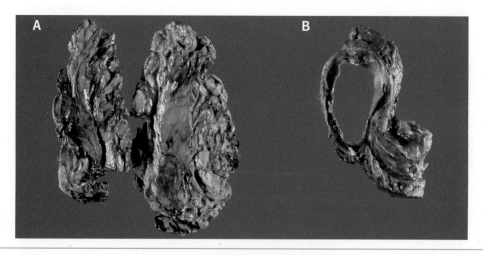

그림 4-3-7. 양측부신갈색세포종의 육안소견

A: 좌측 부신은 부신수질의 미만성 및 결절성 증식을 배경으로 두 개의 종양(2.2 × 1.5 cm 및 1.0 × 0.8 cm)이 관찰된다, B: 우측 부신은 경계가 분명하고 내부에 큰 낭종성 변화를 보이는 3.8 × 2.5 cm 크기의 종양이 관찰된다.

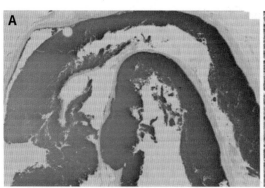
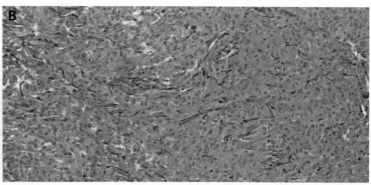

그림 4-3-8. 갈색세포종의 광학현미경소견

A: 저배율에서 chromogranin 염색에 양성반응을 보였다, B: 크롬친화세포들이 혈관이 풍부한 간질조직에 둘러싸여 둥지(nest) 형태와 지주(trabecular) 형태를 보이며, 이 증례에서는 종양세포의 spindling이 관찰된다(H&E, × 200).

나머지는 부신 외에 존재하며 대개 일측성이고 우측에서 조금 더 많이 발생한다. 유전성인 경우 부신외갈색세포종은 흔하지 않고 부신 내에 종종 양측으로 발생한다. 소아에서는 양측종양과 부신외갈색세포종의 발생빈도가 높다.

부신외갈색세포종은 전체 갈색세포종의 약 15-20%를 차지하고 크기는 대개 직경이 5 cm 미만이다. 대부분은 복강 내에 존재하며 방광, 후종격동 및 심낭막에 발생하는 경우도 있으며 드물게 경부나 기타 다른 부위에 위치할 수 있다. 약 20%의 부신외종양은 다발로 발생하며 전이발생의 경향도 부신외종양에서 더 크다.

크롬친화성세포는 여러 종류의 아민과 펩타이드호르몬 등을 분비할 수 있어 갈색세포종세포에서 ACTH, 크로모그라닌(chromogranin), 신경펩타이드Y (neuropeptide Y), 칼시토닌(calcitonin), 안지오텐신전환효소, 레닌, VIP, 아드레노메둘린(adrenomedullin), 엔케팔린(enkepha-lins), ANP 등에 분비되어 다양한 임상증상과 관련이 되기도 한다.

(2) 병리조직학지표를 이용한 전이의 예측

병리조직학지표만으로 갈색세포종/부신경절종의 전이를 예측할 수는 없다. 임상적으로 Pheochromocytoma of the Adrenal Gland Scaled Score (PASS) 및 Grading of Adrenal Pheochromocytoma and Paraganglioma (GAPP) 등 두 점수체계가 사용되어 왔으며 두 점수체계는 모두 높은 민감도를 보이지만(PASS: 100%, GAPP: 90%), 모두 낮은 특이도를 보인다. PASS의 경우 관찰자 간의 일치도가 낮고, 한 관찰자에서도 재연성이 낮았으며, 유전자의 돌연변이, 종양의 특성 등 중요한 지표들을 반영하지 않았다는 문제가 지적되어 왔다. 이에 따라 PASS에 포함된 병리조직학적 특성뿐만 아니라 Ki-67 index, 카테콜라민의 유형 등 추가적인 지표를 활용해 분화도를 평가하는 GAPP 점수체계의 사용이 시도되었고, 한 연구에서 GAPP 점수체계가 PASS 점수체계에 비해 관찰자에 따른 신뢰도의 저하가 적고 전이를 예측하는 것에 더 유용하다는 결과를 보이기도 했다. 그러나 여전히 두 점수체계 모두 갈색세포종/부신경절종으로 인한 사망률과 연관이 없었다. 따라서 두 점수체계 모두 높은 민감도를 보이지만 예후 판정에는 충분히 유용하지 않다고 할 수 있다.

종양세포의 면역조직화학 염색에서 succinate dehydro-genase subunit B (SDHB) 단백질이 소실된 것은 SDHx 유전자의 생식세포돌연변이를 시사하는 소견으로, SDHB 유전자의 돌연변이와 연관된 갈색세포종/부신경절종이 전이의 위험도가 높음을 고려할 때 유용한 지표가 될 수 있다.

SDHB의 생식세포돌연변이는 이환된 환자의 40% 이상에서 전이가 동반되는 고위험인자로 잘 알려져 있다. 첫 전이의 진단 후 5년 이상 생존할 확률도 SDHB의 생식세포돌연변이가 있는 경우 0.36 (0.15–0.57)으로 SDHB의 생식세포돌연변이가 없는 경우인 0.67 (0.47–0.81)에 비해 2.6배의 위험도 증가를 보였다(p = 0.019). SDHB 돌연변이군은 또한 중앙생존기간이 42개월로 돌연변이가 없는 군의 244개월보다 유의하게 감소하였고, 이는 진단 시의 연령과는 무관하게 나타났다. SDHx유전자들 중 어느 것이라도 생식세포돌연변이가 있으면 SDH단백복합체를 불안정하게 하므로 면역조직화학염색에서 SDHB의 표현이 소실된다. 따라서 종양조직의 면역조직화학 염색에서 SDHB 염색의 소실은 SDHx유전자의 생식세포돌연변이를 민감도 100%, 특이도 84%로 예측한다. SDHB 면역조직화학은 기술적으로 어렵지 않고 비용도 저렴하므로 모든 갈색세포종/부신경절종에서 시도할 수 있다.

3) 유전

(1) 갈색세포종/부신경절종의 유전자검사

갈색세포종/부신경절종은 인간에서 가장 유전성인 경우가 흔한 종양으로 과거에는 5% 정도의 갈색세포종이 유전성인 것으로 생각하였으나 새로운 유전자이상이 추가로 발견되고 진단기법이 발달하여 현재는 갈색세포종 증례 중 최소 30–40%가 25개의 감수성유전자의 생식세포돌연변이와 연관된 것으로 생각되고 있다. 가족력이 없는 경우라고 해서 감수성유전자의 생식세포돌연변이를 배제할 수는 없다. 뿐만 아니라 산발성 갈색세포종/부신경절종의 30–40%에서 추가로 유전자이상이 관찰되므로, 최근에는 유전변화가 모든 갈색세포종의 80%까지도 관여한다고 여겨지고 있다. 이에 따라 모든 갈색세포종/부신경절종 환자는 유전자검사의 고려대상이 된다.

모든 갈색세포종/부신경절종 환자에서 유전자검사를 고려해야 할 다른 이유들로 SDHB돌연변이가 있는 경우 40%

이상이 전이를 보이며, 유전갈색세포종/부신경절종은 산발성 갈색세포종/부신경절종에 비해 합병증 발생이 더 흔하다는 점이 있다. 또한 메타분석에 의하면 가족력이 없고 단일 병소로 발현하는 등 산발성갈색세포종/부신경절종의 표현형을 가진 경우에도 11–13%는 갈색세포종/부신경절종과 관련된 유전자변이를 가지고 있었다. 보고자마다 다양하지만 최고 약 20%에서 RET유전자돌연변이(10% MEN2A, 10% MEN2B)가 발견되었으며, 또한 다른 보고에서는 약 20%에서 VHL돌연변이 등이 발견되었고 산발성 부신외갈색세포종에서는 유전자이상이 없었다고 한다.

유전자검사는 또한 모든 유전갈색세포종/부신경절종 환자의 일차친척에서도 고려되어야 한다. 가족력이 있거나 갈색세포종/부신경절종과 관련된 특정한 증후군의 양상을 보이는 경우는 directly targeted germline mutation에 대한 검사를 추천한다. 또한 SDHD나 succinate dehydrogenase complex assembly factor 2 (SDHAF2)와 연관된 경우, 또한 SDHB, SDHA, SDHC, FH, transmembrane protein 127 (TMEM127), MAX돌연변이와 연관된 전이를 동반한 갈색세포종/부신경절종의 경우 이차친척에서도 유전자검사를 고려한다.

차세대염기서열분석(next generation sequencing, NGS)의 등장은 하나의 검사로 모든 갈색세포종/부신경절종관련 유전자를 선별할 수 있게 하므로, 갈색세포종/부신경절종과 관련된 유전자이상을 진단하기 위해 가장 선호하는 검사방법이다. 최근 국내에서 161명의 갈색세포종/부신경절종 환자를 대상으로 시행된 연구결과, 가족력이 없는 산발성 갈색세포종/부신경절종 환자의 21%에서 갈색세포종/부신경절종 관련 유전자의 생식세포돌연변이가 검출되었다. 또한 다른 연구에서 57명의 국내 갈색세포종/부신경절종 환자에서 11개유전자(EPAS1, KIF1B, MAX, NF1, RET, SDHA, SDHB, SDHC, SDHD, TMEM127, VHL)에 대해 28개의 생식세포돌연변이가 검출되었다. 생식세포 돌연변이의 유병률은 32.6%였다. SDHB (n = 11, 31.4%)가 가장 돌연변이

표 4-3-6. 차세대염기서열분석(next generation sequencing, NGS) 패널의 구성

구분	유전자
기본패널(10개 유전자)	FH, MAX, NF1, RET, SDHA, SDHB, SDHC, SDHD, TMEM127, VHL
확장패널(15개 유전자)	기본 패널의 유전자에 추가로 EGLN1/PHD2, EPAS1, KIF1B, MET, SDHAF2

FH, fumarate hydratase; MAX, myc-associated protein X; NF1, neurofibromatosis 1; RFT, rearranged during transfection; SDH, succinate dehydrogenase; TMEM127, transmembrane protein 127; VHL, von Hippel-Landau; EGLN1/PHD2, egl-9 family hypoxia inducible factor 1/prolyl hydroxylase domain 2; EPAS1, endothelial PAS domain-containing protein 1; KIF1B, kinesin family member 1B; MET, receptor tyrosine kinase; SDHAF2, succinate dehydrogenase complex assembly factor 2.

가 많이 발견된 유전자였으며, 이외에 RET (n = 8, 22.3%), VHL (n = 6, 17.1%), NF1 (n = 2, 5.7%), EPAS1 (n = 2, 5.7%)의 돌연변이가 발견되었다. 현재의 근거 수준에서 targeted NGS panel은 10개의 유전자로 구성된 basic panel (FH, MAX, NF1, RET, SDHA, SDHB, SDHC, SDHD, TMEM127, VHL) 및 5개의 유전자가 추가로 포함된 extended panel [egl-9 family hypoxia inducible factor 1/prolyl hydroxylase domain 2 (EGLN1/PHD2), endothelial PAS domain-containing protein 1 (EPAS1), kinesin family member 1B (KIF1B), MET, SDHAF2]을 추천할 수 있다.

갈색세포종과 연관된 유전질환은 다발내분비선종양(MEN2A 및 MEN2B), 1형von recklinghausen 신경섬유종증(NF-l), 폰히펠-린다우증후군(von Hippel-Lindau syndrome) 및 유전성부신경절종증후군(succinate dehydrogenase subunit B, C, D의 돌연변이) 등이며(표 4-3-7), 이들 질환은 대개 보통염색체우성유전을 한다.

① 다발내분비선종양
MEN2의 유전배경이 되는 유전자이상은 10번 염색체의 장완(10q11.2)에 위치하는 RET proto-oncogene의 점돌연변이이다. RET proto-oncogene은 타이로신인산화효소(tyrosine kinase)수용체를 기호화(coding)하며 중추신경계, 말초신경계, 신경내분비세포를 포함하는 신경릉(neural crest)으로부터 유래된 여러 조직에서 표현된다. RET수용

체타이로신인산화효소는 신경성장·펩타이드의 일종인 GDNF (glial cell-line derived factor)와 GDNF의 수용체인 GDNF-α를 포함하는 다수용체복합체의 일부이며, RET수용체타이로신인산화효소의 비정상적인 활성화는 세포의 과증식을 형성하고 종국에는 종양을 유발시키게 된다. MEN2A와 관련된 특정 돌연변이는 타이로신인산화효소의 세포 바깥쪽 리간드결합영역에 있는 시스테인(cysteine)잔기에 영향을 미치고, MEN2B와 관련된 특정 돌연변이는 타이로신인산화효소의 세포내 영역의 촉매장소에 영향을 미친다. 산발적 갈색세포종 환자에서 RET proto-oncogene의 돌연변이 유병률은 6-8% 정도로 알려져 있다.

MEN2는 보통염색체우성유전을 하는 유전질환으로 갈색세포종(발생빈도 50%), 갑상선수질암(발생빈도 90%) 및 부갑상선항진증(발생빈도 25%)으로 구성되어 있으며 약 4만 명당 1명 꼴로 이환되어 있다. 부신의 크롬친화세포는 조직학적으로 갑상선의 C세포와 유사하게 부신수질과증식증, 부신수질의 미만성 종대를 거쳐 종양으로 발전한다. 종양은 편측 또는 양측(70%)으로 발견되며 한쪽 부신에만 종양이 있는 경우에 반대측은 과증식증을 보일 가능성이 크고 부신외 갈색세포종의 발생은 드물다. 부신피막에 크롬친화세포의 침윤을 보이기도 하지만 전이는 드물어서 악성의 빈도(< 5%)는 매우 낮다. MEN2A 갈색세포종은 주로 에피네프린분비종양이고 초기에는 특히 에피네프린과 메타네프린의 증가가 유일한 검사실검사일 수 있다. 보통 산발적 갈색세포종에 비해서 MEN2A 환자에서의 갈색세포종은

표 4-3-7. 갈색세포종의 발생과 관련 있는 유전자이상과 질환

증후군	유전자이상	표현되는 질환과 이상
다발내분비선종양(MEN)		
MEN type 2A (Sipple증후군)	Chromosome 10(10q11.2) RET proto-oncogene mutations affect tyrosine kinase ligand-binding domain	갑상선수질암 부갑상선항진증
MEN type 2B	Chromosome 10(10q11.2) RET proto-oncogene mutations affect tyrosine kinase catalytic site 소장신경절신경종 Megacolon Marfanoid habitus	갑상선수질암 점막섬유종
신경외배엽증후군(Neuroectodermal syndrome)		
신경섬유종(von Recklinghausens disease) type 1 (NF-1)	Chromosome 17(17q11) mutations affect NF-1, tumor suppressor gene	말초신경섬유종
Cerebelloretinal hemangiomatosis (von Hippel-Lindau syndrome, VHL) type 2	Chromosome 3(3p25-26) missense mutations affect VHL, tumor suppressor gene	망막혈관종 소뇌 및 척수 혈관모세포종 신장암 췌장, 신장, 부고환 및 endolymphatic 낭종/종양
숙신산염탈수소효소유전자과증후군(Succinate dehydrogenase gene family syndrome)		
SDHB: 부신경절종(paraganglioma, PGL) type 4	Chromosome 1(1p36) missense, nonsense, and frameshift mutations	(악성)갈색세포종, 부신경절종
SDHB: PGL type 3	Chromosome 1(1q21)	부신경절종 갈색세포종(드묾)
SDHB: PGL type 1	Chromosome 11(11q23) missense, nonsense, and frameshift mutations maternal imprinting	부신경절종 갈색세포종

고혈압이 발작성일 가능성이 더 높고 50% 미만에서만 지속적인 고혈압을 보인다.

MEN2B는 종종 다발점막신경종 및 마르팡(Marfan)증후군과 비슷한 임상상을 동반할 수 있다. 이 증후군의 특징은 혀의 원위부와 입술, 각막하 및 위장관에서 특징적인 점막신경종이 관찰되는 것이다. 경부 및 복부수술 중 팽창된 신경종을 흔히 발견할 수 있고 위장관의 신경절신경종증은 장폐색이나 대장확장의 원인이 된다. 이 증후군의 갑상선수질암은 다른 2A형의 경우보다 더욱 악성도가 높으며 1세 미만의 어린 아이들에서도 전이성 암으로 발견되기도 한다. 상염색체우성으로 유전하지만 많은 예시에서 새로운 돌연변이를 보인다. 약 반수에서 나타나는 MEN2B의 갈색세포종은 조직학적으로 2A형과 유사한데 MEN2A 및 산발성보다 악성의 경향이 더 높다.

MEN1 (Wermer증후군)은 부갑상선항진증, 뇌하수체선종, 췌장췌도세포종양으로 구성되어 있고 대개의 경우 갈색

세포종은 MEN을 구성하는 종양이 아니지만 매우 드물게 갈색세포종과 췌장췌도세포종양과의 관련성이 보고되었고, 췌도세포종양이 포함되어 있는 유전질환에서는 갈색세포종의 발생빈도가 증가된다고 생각한다.

② 폰히펠-린다우증후군

MEN1형 또는 2형의 범주에 맞지 않는 내분비종양의 드문 조합이 유전성으로 나타나는 질환 중 대표적인 것으로 폰히펠-린다우증후군이 있다. 이 증후군은 중추신경계의 혈관모세포종, 망막혈관종, 신세포암종, 내장포낭(visceral cysts), 갈색세포종, 췌도세포종양들로 구성된다. 보인자의 90% 이상에서 60세 이상이 되면 하나 또는 그 이상의 증후가 발현된다. 또한 보인자의 70% 이상에서 하나 이상의 중추신경계 종양을 가지고 있으며 25-35%의 환자에서 일측 또는 양측성갈색세포종이 나타난다. VHL유전자는 염색체 3번 장완 25번 띠(3p25.3)에 위치하며 종양억제유전자의 일종이다. 따라서 이 유전자의 기능이 없어지거나 이 유전자의 양쪽 대립유전자에 불활성화돌연변이가 일어나면 종양형성이 유발된다.

갈색세포종을 가진 VHL가족들의 40%에서 238번 유전부호의 돌연변이가 확인되었으므로 이 유전부호의 돌연변이를 가진 가족에서는 갈색세포종에 대한 선별검사가 필요하다. 갈색세포종은 전체 환자의 약 30%에서 발생하지만 이 질환의 가계에 따라서 임상양상이 다양하므로 갈색세포종의 유병률도 가계마다 다르다. 종양은 주로 부신 내에 위치하며 약 50%에서는 양측성으로 발생하고 대부분 노르에피네프린을 분비한다. VHL 환자의 검사 시에 갈색세포종이 발견되는 경우가 많아 종양의 크기는 대개 작고 무증상인 경우가 많다.

③ 1형신경섬유종증

1형신경섬유종증(neurofibromatosis type 1, NF-1)에서도 매우 다양한 내분비종양이 동반된다. 구성질환들로는 갈색세포종, 부갑상선항진증, 성장호르몬억제인자를 생성하는 십이지장의 유암종, 갑상선수질암, 성조발증을 유발하는 시상하부 및 시신경종 등이다. 1형신경섬유종증의 원인유전자는 neurofibromin이라 불리우는 GTP 분해효소활성화단백질(GTPase activating protein, RAS GAP)을 기호화한다. Neurofibromin의 생리적인 역할은 세포막단백질의 일종인 P21 RAS에 대한 GTP의 가수분해를 촉진하는 것으로 알려져 있다. 1형신경섬유종증유전자의 돌연변이나 대립유전자 소실로 인해 neurofibromin에 의한 GTP분해효소가 활성화되지 않으면 결국 P21 RAS가 지나치게 활성화된다. 실제로 1형신경섬유종증과 연관된 갈색세포종과 산발성갈색세포종에서 이 유전자의 대립유전자 소실을 볼 수 있으며 생쥐에서 1형신경섬유종증유전자를 파괴한 경우 교감신경절의 증식을 볼 수 있다.

갈색세포종은 1형신경섬유종증 환자에서만 발생하고 1형신경섬유종증 환자의 1% 정도에서 발생하지만 고혈압이 있는 1형신경섬유종증 환자에서는 갈색세포종이 약 50% 이상에서 진단이 된다. 또한 전체 갈색세포종 환자의 약 5% 정도는 신경섬유종과 관련이 있다. 임상적으로 갈색세포종은 중년 이후(50대)에 발현되고 진단이 되는데 약 12%에서 양측으로 발생하고, 약 6%에서 악성경과를 취한다.

④ 숙신산염탈수소효소유전자과증후군

숙신산염탈수소효소(succinate dehydrogenase, SDH) 유전자과증후군의 돌연변이가 갈색세포종의 발생과 연관성이 있다. 숙신산염탈수소효소유전자과인 SDHA, SDHB, SDHC, SDHD는 사립체의 전자전달계의 복합체 II의 4가지 구성요소를 기호화하며 산화를 통한 ATP의 생산에 기여한다. 특히 SDHB와 SDHD의 돌연변이는 SDH 효소활성의 완전한 소실을 가져오고 세포에 저산소증과 같은 효과(warburg effect)를 나타내어 혈관생성유전자의 활성화를 가져와 종양의 유발을 촉진하게 된다.

SDHA를 제외한 SDHB, SDHC 및 SDHD돌연변이가 유전성과 산발성갈색세포종 및 부교감신경부신경절종과 관련이 있다고 밝혀졌다. 최근 보고에 따르면 산발성갈색세포종의 4-12%에서 유전성갈색세포종의 많게는 50%에서 SDHD 또는 SDHB돌연변이가 관찰되었다고 한다. SDHB, SDHC 및 SDHD의 유전형은 보통염색체우성유전을 하며 가족성부신경절종(paraganglioma, PGL) 4형, 3형 및 1형으로 불리운다.

SDHB돌연변이에서는 주로 전이의 가능성이 높은 부신외 갈색세포종이 발생하고 그 외에도 부교감신경성두경부부신경절종도 발생한다. SDHB돌연변이와 관련된 갈색세포종은 대부분 노르에피네프린 단독이나 노르에피네프린과 도파민을 분비하므로 의심되는 환자의 생화학검사에서 도파민대사물을 함께 측정하는 것이 권장된다. 또한 SDHB돌연변이 보인자로 밝혀진 사람은 갈색세포종양에 대한 선별검사, 생화학검사 및 영상검사를 주기적으로 받도록 권장하고 있다.

SDHD돌연변이는 다발부교감신경성 두경부부신경절종 및 양성부신 및 부신외갈색세포종과 연관되어 있고 종양이 전이를 동반하는 경우는 매우 드물다.

⑤ **유전 갈색세포종/부신경절종과 관련된 다른 증후군**
갈색세포종은 매우 드물게 보통염색체우성유전으로 유전되는 카르니 복합체증후군에서 동반되기도 한다. 이 증후군의 3주징(triad)은 위장 평활근육종, 폐연골증 및 부신외갈색세포종으로 구성되어 있으며 심장과 피부 또는 유방에 발생한 점액종, 피부의 얼룩덜룩한 색소침착, 고환이나 부신또는 뇌하수체에 발생한 종양, 말초신경에 발생한 신경초종(schwannoma) 등의 다양한 임상양상이 나타난다.

최근에는 위장관 기질종양과 부신경절종이 있는 환자에서 SDHB, SDHC 및 SDHD돌연변이가 발견되어 Stratakis-Carney증후군이라고 명명되었다.

5. 진단

1) 생화학진단

(1) 초기 생화학검사
갈색세포종 환자를 만났지만 처음 시행한 검사의 선택이 잘못되어 환자의 진단을 놓치게 된다면 매우 불행한 일일 것이다. 따라서 최초의 검사는 모든 갈색세포종 환자를 선별해내도록 예민해야 하며 결과가 음성으로 나올 경우에는 완전히 갈색세포종을 배제하여 추가적인 검사나 불필요한 영상의학검사를 진행하지 않도록 하는 신뢰성도 높아야 한다.

갈색세포종에서 카테콜라민의 분비는 지속적일 수도 있지만 일시적으로 분비되거나 불규칙하게 분비되는 경우도 많고 무증상인 경우는 미미할 수도 있다. 따라서 혈액과 소변의 카테콜라민의 단편적인 측정은 종양의 발견에 큰 도움이 안 된다. 특히 유전성갈색세포종관련 유전자를 보유한 가족구성원에 대하여 선별검사를 한 경우 종양조직이 존재하더라도 약 26-29%의 환자에서 혈장과 소변의 카테콜라민이 정상으로 측정되었다는 결과를 보면 이러한 상황을 실감할 수 있다. 따라서 혈장이나 소변의 카테콜라민검사는 반드시 고혈압이 있을 때에 측정하도록 권장하고 있다. 단, 고혈압은 갈색세포종의 카테콜라민 분비와 무관하게 있을 수도 있어 고혈압 때 측정한 카테콜라민수치가 정상인 경우 갈색세포종이 없다고 단정할 수 없다.

종양에서 불규칙하게 분비되는 카테콜라민과는 달리 그 대사물인 메타네프린(노르메타네프린과 메타네프린)은 지속적으로 방출되므로 메타네프린을 측정한다면 환자에서 고혈압의 동반을 기다릴 필요가 없게 된다. 이는 부신의 크롬친화세포나 갈색세포종/부신경절종의 종양세포에서 카테콜라민을 메타네프린으로 대사하는 catechol-o-methyltransferase의 작용이 지속적으로 이루어지기 때문이다. 따라서 현재 갈색세포종의 선별검사로는 혈장유리메타네프린 또는 소변의 분획구역 메타네프린의 측정을 권장하고 있다.

갈색세포종의 선별검사로써 혈장유리메타네프린의 유용성에 대해 조사한 3편의 NIH 보고서를 참고하면 850명(이 중 갈색세포종 환자 214명)에서 시행한 혈장유리메타네프린의 측정은 타 검사 측정치에 비하여 우수한 예민도(99%)와 특이도(89%)를 보였다고 한다. 혈장유리메타네프린 측정의 진단정확도는 소변 카테콜라민, 소변 VMA보다 유의하게 우월하였다. 한 메타분석에 의하면 혈장유리메타네프린의 예민도와 특이도는 각각 97%와 94%였고, 음성예측도는 99%를 초과했다.

혈장유리메타네프린 또는 소변의 분획구역 메타네프린의 진단 정확도를 비교한 몇몇 연구들에서 혈장유리메타네프린이 높은 민감도와 특이도를 보이는 경향은 있었지만 차이가 크지 않았고 통계유의성은 없었다. 따라서 현재는 혈장유리메타네프린과 소변의 분획구역 메타네프린 측정 중 어느 하나를 우선적으로 추천하지는 않는다. 국내 환자들을 대상으로 한 연구에서 한 단일기관연구는 혈장유리메타네프린의 측정의 민감도는 96%, 특이도는 76%였고, 소변의 분획구역메타네프린의 민감도는 96%, 특이도는 94%였다.

(2) 검체의 채취와 간섭
메타네프린의 정확한 측정을 위해 측정방법과 채혈방법 및 적절한 진단기준을 사용하는 것이 중요하다. 질량분광 분석 또는 전기화학적 검출방법을 사용하는 액체크로마토그래피는 높은 정확도를 보인다. 아직은 많은 검사실에 보급되고 있지는 않지만, 24시간소변에서도 유리메타네프린을 측정하는 것이 위양성을 줄일 수 있다.

혈장유리메타네프린 측정결과를 해석할 때 채혈 시의 자세를 고려하는 것이 중요한데, 이는 이전의 연구들은 바로 누운 자세(앙와위)에서 채혈을 한 것이기 때문이다. 앉은 자세는 노르에피네프린의 분비를 촉진하며, 이는 혈장노르메타네프린의 상승을 초래한다. 앉은 자세에서 채혈하는 것은 바로 누운 자세에서 채혈하는 것에 비해 높은 진단기준을 사용해야 하고, 특이도도 바로 누운 자세의 채혈보다 낮음이 잘 알려져 있다. 따라서 혈장유리메타네프린의 측정 시 20분 이상 바로 누운 자세에서의 채혈을 권장하며, 특히 이전의 결과가 모호했던 경우 반드시 바로 누운 자세에서 채혈하는 것이 좋다. 이것이 불가능한 경우 소변에서 유리메타네프린을 측정하는 것이 대안이 될 수 있다.

혈장카테콜라민 농도는 교감신경-부신계의 기능상태나 활성을 반영하므로 혈액채취 당시 환자의 생리적 상태가 검사결과를 해석하는 데 매우 중요하다. 혈액채취방법이나 환자의 상태에 주의하지 않고 일상적으로 혈액을 채취하여 시행한 검사는 믿을 만하지 못하다. 기저카테콜라민 농도를 측정할 때는 혈액채취 시 주사바늘로 찌르는 것에 의한 영향을 줄이기 위하여 미리 정맥도관을 삽입한 후 환자가 앙와위에서 최소한 30분 정도 안정된 상태를 유지한 후 혈액을 채취해야 한다. 혈액은 카테콜라민의 산화를 막기 위하여 환원제가 처리되고 미리 냉각된 시험관에 모아야 하고 바로 아이스박스에 담았다가 가능한 한 빨리 혈장을 분리하여 분석 때까지 −70°C에 보관한다.

24시간소변검사에서는 다음과 같은 주의사항이 필요하다. ① 소변수집의 적절성을 평가하기 위해 24시간 소변 크레아틴도 같이 측정한다. ② 가능하면 소변수집은 환자가 안정을 취하고 약물을 복용하고 있지 않은 상태, 그리고 방사선 조영제에 노출되지 않은 상태에서 한다. 약물을 중단하기 어려운 경우에는 측정에 영향을 덜 미치는 이뇨제, 일부 아드레날린 차단제, 혈관이완제, 칼슘통로차단제, 안지오텐신-전환효소억제제 등을 사용할 수 있다. ③ 소변은 산성화 시키고(pH < 3), 수집 동안과 수집 후에 차갑게 유지해야 한다. ④ 발작이나 위기가 있고 나서 소변수집을 시작하면 진단성적이 높아진다.

다양한 종류의 약물에 의하여 혈중 카테콜라민의 농도가 변하며 특히 α-및 β-아드레날린 차단제나 클로니딘 투여는 반드시 중지하여야 하며 많이 사용되는 삼환계 항우울제는 교감신경말단에서 아민의 재흡수를 길항하여 더 많은 노르에피네프린이 혈중에 출현하게 되므로 주의하여야 한다(표 4-3-8).

(3) 생화학진단의 알고리듬과 추가검사

최초 메타네프린검사 후에 추가로 카테콜라민을 측정하여 볼 수 있지만 메타네프린검사가 음성인 경우 카테콜라민검

사가 추가로 종양을 찾아내는 경우는 거의 없다. 그러나 도파민을 주요하게 분비하는 일부의 환자에서는 예외가 된다. 마찬가지로 일반적인 경우는 혈장3-methoxytyramine을 혈장메타네프린 측정에 추가하여 진단의 정확도를 높일 수 없으나, 혈장3-methoxytyramine은 도파민을 분비하는 갈색세포종/부신경절종에서 100배 가까이 상승하므로 도파민을 분비하는 경우에는 혈당메타네프린검사보다 높은 진단정확도를 보일 수 있다. 3-methoxytyramine

표 4-3-8. 혈장과 소변의 카테콜라민과 메타네프린을 생리적으로 상승시켜 갈색세포종에 대한 검사결과에 위양성을 나타낼 수 있는 약물들

	카테콜라민		메타네프린	
	NE	E	NME	MN
삼환항우울제 Amitriptyline (Elavil), imipramine (Topfrani), nortriptyline (Aventyl)	+++	−	+++	−
알파차단제 Phenoxybenzamine (Dibenzyline)	+++	−	+++	−
알파1차단제 Doxazosin (Cardura), terazosin (Hytrin), prazosin (Minipress)	+	−	−	−
베타차단제 Atenolol (Tenormin), metoprolol (Lopressor), propranolol (Inderal), laβlol (Normadyne)*	+	+	+	+
칼슘통로대항제 Nifedipine (Procardia), amlodipine (Norvasc), diltiazem (Cardizem), verapamil (Calan)	+	+	−	−
혈관확장제 Hydralazine (Apresoline), isosorbide (Isordil, Dilartrate), minoxidil (Loniten)	+	−	Unknown	
MAO대항제 Phenelzine (Nardil), tranylcypromine (Parnate), selegiline (Elderpryl)	−	−	+++	+++
교감신경흥분제 Ephedrine, pseudoephedrine (Sudafed), amphetamines, albuterol (Proventil)	++	++	++	++
자극제 Caffeine (coffee*, tea), nicotine (tobacco), theophylline	++	++	Unknown	
기타 Levodopa, carbidopa (Sinemet)*	++	−	Unknown	
Cocaine	++	++	Unknown	

E, epinephrine; MN, metanephrine; NE, norepinephrine; NMN, normetanephrine.

substantial increase, +++; moderate increase, ++; mild increase if any, +; little or no increase, -

*: 측정방법에 따라 검체 분석과정에 영향을 줄 수 있는 약물

의 상승은 또한 갈색세포종/부신경절종의 전이의 위험이 높음을 시사한다. 전이를 동반한 갈색세포종/부신경절종에서 3-methoxytyramine의 농도가 4배 가까이 증가함이 알려 있으며, SDHB돌연변이가 있는 경우 종양대사 산물에서 도파민 생성이 증가하고 높은 혈장 및 소변도파민 및 3-methoxytyramine수치를 보인다. SDHB돌연변이에서 전이의 위험도가 높다는 사실은 도파민 및 3-methoxy-tyramine의 상승이 전이의 위험도와 연관됨을 부분적으로 설명할 수 있다. 단 소변의 3-methoxytyramine을 측정하는 것은 의미가 없다.

증상으로 인해 혈장 또는 소변의 메타네프린검사를 시행했을 때 정상범위의 결과를 보인 경우 갈색세포종/부신경절종을 배제할 수 있다. 일반적으로 추가검사는 최초의 혈장 또는 소변의 메타네프린검사에서 양성이 나온 환자에게 진행하도록 하지만 유전성갈색세포종관련 유전자의 보인자이거나 종양 제거수술 후 추적관찰 중인 환자에서는 해당 유전자의 특성을 고려해 해석해야 하며 정기적인 선별검사를 하도록 한다.

많은 경우에 갈색세포종을 의심하여 처음 검사를 진행하여서 일부에서 양성결과가 나올 수 있지만 질환의 희귀성을 고려하면 상당수의 환자가 위양성결과를 보일 것이다. 따라서 추가검사로 애매한 결과나 위양성으로 나온 환자를 가려내야 한다. 처음검사에서 양성이 나왔다면 임상의는 최초에 갈색세포종을 의심했던 상황을 다시 한 번 감안하여 결과를 해석하는 데에 참고하도록 한다.

양성검사결과에서는 검사치의 증가 정도가 갈색세포종 진단의 확진에 중요하다. 일반적인 경우 혈장메타네프린이 참고치의 2배를 상회하는 경우 갈색세포종/부신경절종의 가능성이 높으므로 영상검사를 진행하는 것이 좋다. 정상인에서는 혈장노르메타네프린의 농도가 400 ng/L (2.2 nmol/L) 넘거나 메타네프린의 농도가 236 ng/L (1.2 nmol/L)를 넘는 예는 지극히 드물며 갈색세포종 환자의 약 80%에서는 이

수치를 넘는다. 마찬가지로 정상인에서는 소변 노르메타네프린의 농도가 1,500 μg/day (8.2 μmol/day)이거나 메타네프린의 농도가 600 μg/day (3.0 μmol/day)를 넘는 예는 지극히 드물며 갈색세포종 환자의 약 70%에서는 이 수치를 넘는다. 따라서 이 수치를 넘는 환자에서는 종양의 위치를 결정하는 검사를 진행하도록 한다(그림 4-3-9).

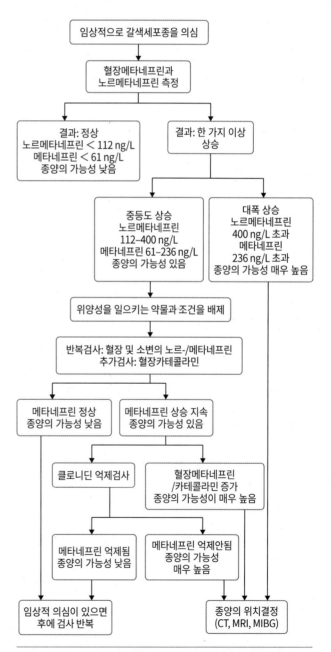

그림 4-3-9. 갈색세포종 생화학검사와 진단의 알고리듬

그러나 최초 혈액의 양성검사결과의 신뢰성에 의심이 갈 때에는 추가로 소변검사를 시행하도록 하며 반대로 소변의 양성검사결과에 의심이 갈 때에는 추가로 혈액검사를 반복하여 본다. 또한 최초의 검사가 양성이라도 갈색세포종의 의심이 덜 가거나 기타 다른 간섭요인이 잘 배제되지 않았을 때에도 추가검사를 반복하여 보도록 한다. 추가검사로 소변과 혈액에서 모두 메타네프린과 노르메타네프린이 증가되었다면 갈색세포종의 가능성이 높다고 할 수 있다.

추가검사를 하기 전에는 위양성을 유도할 수 있는 조건, 검체채취의 문제, 동반된 신체상태, 식이영향 및 투약 등을 다시 한번 살펴보아야 한다.

갈색세포종이 강력히 의심되지만 소변검사에서는 애매하게 결과가 나온 경우는 혈장카테콜라민 측정이 도움이 될 수 있다. 만약 기저혈장카테콜라민 농도가 2 ng/mL를 넘는다면 갈색세포종이 확실시되고, 0.5 ng/mL 미만이면 갈색세포종이 아닐 가능성이 높다.

소변의 VMA와 총 메타네프린의 측정은 진단가치가 떨어져서 검사로 권장되지 않지만 갈색세포종이 간이나 내장 기관으로 전이되었을 때에는 진단가치가 있다.

Chromogranin A는 신경내분비세포가 분비과립을 생성할 때 중요한 역할을 한다. 혈장 또는 혈청의 chromogranin A는 신경내분비종양 환자에서 증가하는데, 이는 갈색세포종/부신경절종 환자를 정상인과 구분하는 것에 높은 민감도와 특이도를 보인다. Chromogranin A는 메타네프린과 노르메타네프린 및 3-methoxytyramine이 정상인 생화학적으로 '숨어있는(silent)' 갈색세포종/부신경절종 환자에서 유용할 수 있다.

(4) 추가적으로 고려할 사항

갈색세포종의 크롬친화과립은 형태적, 물리적, 그리고 기능적으로 부신수질의 크롬친화과립과 비슷하다. 그러나 부신수질과 다르게 갈색세포종은 신경지배를 받지 않아 카테콜라민의 분비가 신경흥분에 의해서 유발되지 않고, 종양의 혈류변화, 종양에 대한 직접적인 압박, 화학물질, 약물 및 안지오텐신II의 자극에 의해서 카테콜라민이 유리될 수 있다.

정상 부신수질이 카테콜라민의 85%를 에피네프린으로 함유하는데 비해 갈색세포종은 노르에피네프린을 더 많이 함유하고 있다. 따라서 대부분의 환자에서는 소변에 노르에피네프린이 더 우세하게 배설되지만 드물게 에피네프린만 분비하는 종양도 있다. 이 경우에는 고혈압과 저혈압이 반복되고 고혈압 발작이 더 자주 생긴다. 유전성인 경우는 에피네프린을 더 많이 함유할 가능성이 높고 일부 유전종양의 초기에 종양의 크기가 작을 때에는 혈장이나 소변의 에피네프린의 증가가 검사상 유일한 이상소견일 수 있다.

부신외갈색세포종의 경우는 전형적으로 노르에피네프린만을 분비한다. 그러나 주케르칸들기관에 발생한 종양은 예외적인 경우가 있으며 흉곽 내에 발생한 갈색세포종에서도 에피네프린 분비증례가 보고되었다.

도파민과 homovanilic acid (HVA)와 같은 도파민 대사물질은 전이가 없는 갈색세포종 환자에서는 대개 정상이지만 도파민과 HVA 뇨배설이 증가한다면 전이의 가능성이 높음을 암시한다.

소변에 배설되는 카테콜라민의 양은 종양의 크기와 관련이 없으나 그 대사물질의 총량은 종양의 크기와 관계가 있다. 작은 종양은 생리적으로 활성이 있고 증상을 일으킬 수 있는 대사되지 않은 카테콜라민을 분비하고 종종 크기가 작을 때 발견되는 것 같으며 반대로 크기가 큰 종양은 카테콜라민 저장을 잘하고 종양 내에서 많은 양을 대사작용에 의해 처리해서 생리적으로 활성이 있는 카테콜라민은 적게 분비하기 때문에 발견 당시에 종양이 비교적 클 것으로 추측되고 있다.

갈색세포종은 정상 부신수질처럼 많은 수의 펩타이드를 함유하고 합성할 수 있고, 이러한 펩타이드의 혈중 농도가 증가될 수 있다. 이러한 펩타이드들의 임상적인 의의는 불확실하지만 특정 내분비증후군이 갈색세포종에 의한 이소성 호르몬생산에 의해서 발생할 수도 있어 PTH-rP에 의한 고칼슘혈증, 적혈구조혈인자의 유리에 의한 적혈구증가증이 생길 수 있다는 점도 유의하여야 한다.

2) 종양의 위치 결정

임상적으로 갈색세포종의 존재가 뚜렷할 경우에만 종양의 위치결정을 위한 검사를 진행하도록 한다. 즉 갈색세포종의 임상적인 증상이나 징후가 있고 생화학적 검사가 양성인 경우에 다음 검사를 진행한다. 이미 수술을 한 후 재발을 감시하는 경우나 유전성갈색세포종관련 유전자를 가진 보인자에서는 생화학적 검사가 양성이 아니더라도 영상의학검사를 진행할 수 있다. 영상검사에서 부신 위치에 종괴가 발견되더라도 반드시 갈색세포종이라고 확진할 수는 없고 다만 부신에 종괴가 있음을 확인할 뿐이다. 또한 영상에서 부신이 정상이더라도 갈색세포종이 전혀 없다고는 할 수 없다. 방광에 발생하는 부신경절종의 경우처럼 환자의 자세한 병력과 징후에 관한 정보도 위치결정검사에 중요한 요인이 될 수 있다.

단, 중환자실에 입원한 중환자에서 생화학검사는 신뢰도가 낮으므로, 이러한 환자에서는 예외적으로 생화학검사 없이 영상검사를 바로 시행하는 것이 좋다.

(1) 해부학적 영상

대부분의 갈색세포종/부신경절종이 복부에 위치하므로, 종양의 위치결정을 위해 첫 영상검사로 복부 및 골반을 포함하는 복부전산화단층촬영이 우선적으로 활용된다. 자기공명영상은 복부전산화단층촬영의 결과가 명확하지 않거나 조영제를 사용하기 어려운 경우, 혹은 임산부와 같이 방사선 피폭을 꼭 피해야 할 때 이차선택으로 시행할 수 있다. 조영제를 사용한 전산화단층촬영은 갈색세포종의 88–100%를 찾아낼 수 있다. 폐전이의 진단을 위해서는 전산화단층촬영을 선호한다. 단, 두개골 기저 및 경부의 부신경절종을 진단하는 것에는 90–95%의 민감도를 가지는 자기공명영상을 선호한다. 또한 자기공명영상은 심장과 대혈관 근처의 갈색세포종에 대해서도 주위 조직과의 구별이 우수하여 혈관의 침범 여부 확인에 도움이 된다. 따라서 두개골 기서 및 경부의 부신경절종은 현재 자기공명영상 혈관조영술이나, 성장호르몬억제인자유사체를 사용하는 양전자방출단층촬영/컴퓨터단층촬영(⁶⁸Ga-DOTA-SSA PET/CT)이 일차적인 영상검사로 추천된다.

갈색세포종 종괴의 전산화단층촬영영상은 10 Hounsfield unit (HU)를 초과하는 영상밀도와 이질적인 내부구조와 낭종성 변화 등이 특징적이다(그림 4-3-10). 거의 모든 갈색세포종은 10 HU를 초과하는 영상 밀도를 보이지만, 조영제의 washout으로 갈색세포종과 부신선종을 감별하는 것은 신뢰도가 낮다. 처음 진행하는 전산화단층촬영검사는 복부와 골반을 포함하도록 하며 이 부위에서 음성이면 다음으로 흉부 및 경부전산화단층촬영검사를 진행하도록 한다. 수술 후인 환자에서 재발 여부를 볼 때에 클립이 존재하면 전산화단층촬영영상에 방해가 된다. 또한 수술을 한 위치(surgical bed)는 전산화단층촬영검사로 재발을 확인하기가 어려운 장소가 된다.

자기공명영상검사에서 갈색세포종종양은 T1 영상에서 간, 신장 및 근육과 비슷한 신호강도를 보이고 혈관이 풍부하므로 T2 영상에서 고신호강도를 보인다. 그러나 이러한 고신호강도는 부신출혈, 혈종, 선종 및 악성종양에서도 보일 수 있으므로 감별진단을 요하고 낭종성 변화를 한 갈색세포종에서도 혼동을 가져올 수 있다.

(2) 기능적 영상

기능적 영상은 질환의 특성을 평가하고 전이를 발견하기 위해 시행한다. 특히 전이의 위험이 높거나 다수의 병변이 있는 환자에서는 해부학적 영상 외에 기능적 영상검사를 추가

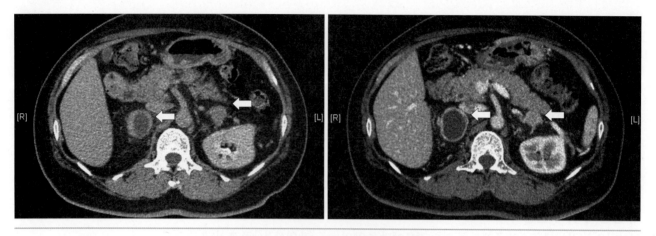

그림 4-3-10. 양측부신갈색세포종의 CT 영상

우측부신에 낭종성 변화를 가지고 있는 3.6 cm 크기의 종괴가 보이며, 좌측부신에도 1 cm 크기의 결절이 관찰되고 있다. 낭종성 변화를 보이지 않는 좌측부신의 결절은 조영증강 전 영상에서 attenuation이 40 HU가량으로 매우 높았으며, 수술후 양측갈색세포종으로 확인되었다.

로 시행하는 것이 추천된다. 예를 들어 종양의 크기가 5 cm 를 초과하는 경우, 부신외의 종양, 양측성종양, 유전성종양, 다수의 병소가 있는 경우(두개골 기저 및 경부의 부신경절 종은 제외), 재발한 병변의 경우는 기능적 영상검사를 시행 하도록 한다. 기능적 영상은 갈색세포종세포의 세포막과 카 테콜라민 과립층수송계(transport sytem)의 특성을 이용 하는 ^{123}I/^{131}I– MIBG scintigraphy가 전통적으로 많이 사용되어 왔으며, ^{68}Ga–1,4,7,10-tetraazacyclododec-ane–1, 4, 7, 10-tetraacetic acid (DOTA)–0–Tyr3–oc-treotate – (^{68}Ga–DOTA–TATE), ^{68}Ga–DOTA–D–Phe1–Tyr3–octreotide (^{68}Ga–DOTA–TOC)와 같은 성장 호르몬억제인자유사체를 사용하는 양전자방출단층촬영/ 컴퓨터단층촬영(^{68}Ga–DOTA–SSA PET/CT)은 이를 많은 부분에서 대체하고 있다. 특정한 경우 ^{18}F–fluorodihy-droxyphenylalanine (^{18}F–FDOPA), ^{18}F–fluorodeoxy-glucose (^{18}F–FDG)를 사용하는 PET/CT도 활용되고 있 다. 최근 다양한 기능영상검사가 등장하였고, 원발종양의 위치, 질환의 이환정도, 유전형에 따라 이들 검사의 진단가 치가 다르므로 이러한 인자와 함께 해당 방사성 의약품의 가용성, 임상상황에 따라 검사의 선택이 개별화되어야 한다 (그림 4-3-11).

① ^{123}I/^{131}I–MIBG scintigraphy

^{123}I/^{131}I–MIBG는 노르에피네프린수송체에 의하여 갈색세 포종 세포 내에 농축되기 때문에 부신종괴에 대한 기능적, 진단정보를 제공한다. MIBG 스캔은 갈색세포종 이외에도 화학감수체종, 비분비성부신경절종, 유암종, 갑상선수질암 등의 다른 신경내분비종양에서도 양성으로 나타날 수 있다.

이미 갈색세포종으로 확진된 환자에서 ^{131}I–MIBG 스캔을 해본 결과 최대 약 15%에서 위음성이 나왔다는 보고도 있 다. 비용이 더 비싼 ^{123}I–MIBG를 이용하면 ^{131}I–MIBG에 비하여 반감기가 짧으므로(13시간 대 8.2일) 더 많은 양의 시약을 주입할 수 있고 단광자방출전산화단층영상 (SPECT)을 얻을 수 있어 검사의 예민도를 높일 수 있다. ^{123}I–MIBG 스캔은 비전이성 갈색세포종의 경우 92–98% 의 예민도를 보이고 전이성 갈색세포종의 경우 57–79%의 예민도를 보인다. 따라서 비전이성 갈색세포종에서는 ^{68}Ga–DOTA–SSA PET/CT, ^{18}F–DOPA PET/CT와 견줄만한 진 단가치를 보여준다고 할 수 있으나, 부신경절종이나 전이를 동반한 갈색세포종에서는 특히 SDHx돌연변이와 연관된 경우 부족한 민감도를 보인다.

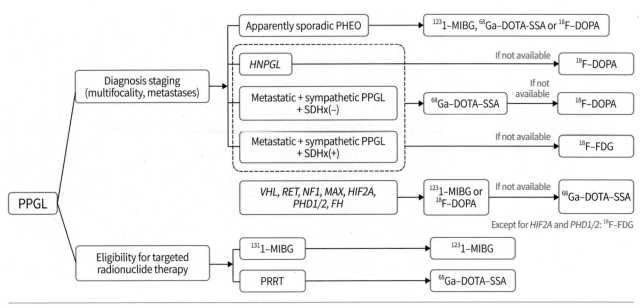

그림 4-3-11. 기능적 영상검사 선택알고리듬

PPGL, pheochromocytoma and paraganglioma; PHEO, pheochromocytoma; HNPGL, head and neck paraganglioma; SSA, somatostatin analogue; PRRT, peptide receptor radionuclide therapy.

MIBG 스캔의 질을 높이기 위하여는 카테콜라민의 대사에 영향을 줄 수 있는 약물, 코카인, 삼환항우울제, 알파(α-) 또는 베타(β-)차단제 및 칼슘통로차단제 등을 2주 전에 중단하여야 한다. 또한 갑상선의 요오드 섭취를 중지시키기 위하여 요오드용액(SSKI)을 일일 400 mg 1주일 정도 미리 투여하도록 한다. $^{123}I/^{131}I$-MIBG는 정상적으로 심근, 비장, 간, 방광, 폐, 침샘, 대장 및 소뇌에 침착이 되며 약 75% 정도에서 정상 부신에도 침착이 되는 음영을 볼 수 있다.

$^{123}I/^{131}I$-MIBG 시약이 종양조직에서 더 오래 잔류하는 경향이 있으므로 24시간, 48시간 및 72시간째에 얻은 영상도 주의깊게 보아야 한다.

② PET/CT

^{68}Ga-DOTA-SSA PET/CT는 최근의 체계적고찰 및 메타분석에서 유전상태를 알지 못하는 갈색세포종/부신경절종을 진단하는 민감도가 가장 뛰어난 검사로 제시되고 있다. ^{68}Ga-DOTA-SSA PET/CT는 부신 외의 부신경절종 및 두경부부신경절종에서도 우월한 진단가치가 있으며, 전이를

동반한 갈색세포종/부신경절종에서도 우선적으로 추천되는 검사이고, SDHx 돌연변이에 동반된 갈색세포종/부신경절종에서도 추천할 수 있다(그림 4-3-10, 4-3-12).

SDHx 돌연변이와 달리, von Hippel-Lindau (VHL), rearranged during transfection (RET), neurofibromatosis 1 (NF1), myc-associated protein X (MAX), hypoxia-inducible factor (HIF) 2A, prolyl hydroxylase (PHD)1/2, 및 fumarate hydratase (FH) mutation이 동반된 갈색세포종/부신경절종에서는 ^{18}F-DOPA PET/CT가 더 높은 진단가치를 가진다. 이러한 표현형의 정확한 기전은 아직 알려지지 않았다.

PET검사는 시약 주입 후 빠른 시간 안에 영상을 얻을 수 있고, 낮은 방사선 노출, 입체영상의 제공 및 $^{123}I/^{131}I$-MIBG 스캔보다 우수한 예민도 등의 장점이 있어 갈색세포종의 진단에 유용한 검사라고 생각되지만 고가의 시약과 장비가 필요한 검사라는 한계가 있다. ^{18}F-DOPA, $^{123}I/^{131}I$-MIBG, ^{18}F-FDG는 국내에서도 상용화되어 있지만, ^{68}Ga은 대형기

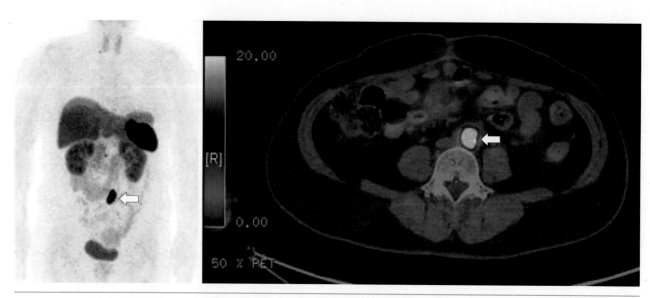

그림 4-3-12. 양측부신갈색세포종에 대해 양측부신절제술을 시행한 후 경과관찰 중 소변노르메타네프린의 농도 증가를 보인 환자의 ⁶⁸Ga-DOTA-SSA PET/CT소견. Iliac bifurcation 직하부에 SUVmax = 48.6인 intense DOTA-TOC uptake를 동반한 장경 3 cm 크기의 mass가 보인다.

관에서만 비용을 감당할 수 있는 생성기를 통해서만 생산할 수 있다. 따라서 각 의료기관은 각 방사성의약품의 가용성, 임상상황에 따라 일차로 추천되는 방사성의약품 또는 대체적인 기능영상검사를 적절히 선택하여 이용해야 한다.

3) 병기설정

American Joint Committee on Cancer (AJCC)는 2017년 처음으로 갈색세포종/부신경절종의 TNM병기체계를 출판하였다. AJCC TNM병기체계는 전이와 짧은 생존기간을 예측하는 인자들을 반영하는데, 이는 원발종양의 크기(5 cm 이상), 부신외종양, 원격전이의 존재(뼈, 간, 폐, 림프절 등)를 포함한다. 크기 5 cm 미만의 종양은 원격전이를 동반하는 경우가 드물지만, 5 cm 이상의 종양은 원격전이의 위험도가 증가한다. 간, 신장 등 인접장기를 침범한 경우 T_3로 분류하는데, 이는 광범위한 수술이 요구되고 종양의 공격성이 높은 성향을 보이기 때문이다. 원발종양의 위치도 재발의 예측에 중요한 요소인데, 부교감신경부신경절종은 종양의 크기와 상관없이 원격전이의 가능성이 증가하고 생존기간이 짧은 경향을 보인다.

전이가 있는 갈색세포종/부신경절종은 카테콜라민의 과다분비로 인해 높은 이환율, 사망률을 보이며 국내에서 시행된 인구기반 역학연구에서도 2배 이상 높은 사망위험을 보였다. 흔한 전이병소로 림프절, 뼈, 간, 폐가 있다. 이러한 전이병소 중 골전이는 다른 전이에 비해 낮은 공격성을 보이고 긴 생존기간(12년)을 보인다(골전이 이외의 전이는 5-7.5년). 원격전이의 병소에 따라 생존기간의 차이를 보임을 고려해 AJCC의 M병기는 원격전이의 병소를 구분하도록 하고 있다(표 4-3-9).

6. 감별진단

많은 다른 질병이나 신체의 상태가 갈색세포종의 증상과 유사하므로 감별진단이 중요하다. 가장 흔한 것은 교감신경항진성본태고혈압(hyperadrenergic essential hypertension)이며 빈맥, 발한, 불안, 심박출량의 증가 등을 볼 수 있고 혈중과 소변의 카테콜라민이 증가하지만 이는 자율신경중추의 활성화에 의한 것이지 갈색세포종에 의한 것이 아니다. 발작성고혈압도 주요 감별질환인데 이는 주로 여성에서 볼 수 있고 빈맥, 불안, 진전, 허탈감, 발한, 심한 두통,

표 4-3-9. **갈색세포종/부신경절종의 AJCC 병기체계**

TNM staging
Primary tumor (pT)[a]
pTX: primary tumor cannot be assessed pT1: pheochromocytoma < 5 cm in greatest dimension pT2: pheochromocytoma ≥ 5 cm or sympathetic paraganglioma pT3: invasion into surrounding tissues (including extra-adrenal adipose)
Regional lymph nodes (pN)[b]
pNX: regional lymph nodes cannot be assessed pN0: no regional lymph node metastasis pN1: regional lymph node metastasis
Distant metastases (pM)
M0: no distant metastasis pM1a: metastasis to bone pM1b: metastasis to non-regional lymph node, liver or lung pM1c: metastasis to bone and multiple other sites
AJCC prognostic stage groups
Stage Ⅰ: T1 N0 M0 Stage Ⅱ: T2 N0 M0 Stage Ⅲ: T1–2 N1 M0 or T_3 any N M0 Stage Ⅳ: any T any N M1

AJCC, American Joint Committee on Cancer; TNM, tumor-node-metastasis.

[a]Nonfunctional parasympathetic paragangliomas (arising from the head and neck) are excluded in this staging; [b]Regional lymph nodes includes aortic and retroperitoneal nodes for abdominal and pelvic tumors.

표 4-3-10. **갈색세포종과 감별진단이 필요한 질환**

- 신경아세포종, 신경절신경아세포종, 신경절신경종
- 부신수질증식증
- 아드레날린항진성본태고혈압
- 가성갈색세포종(Pseudopheochromocytoma)
- Baroreflex failure
- 갑상선중독증
- 불안, 공황장애
- 편두통 또는 cluster headache
- 자율신경계 간질
- 클로니딘의 갑작스러운 중단
- 암페타민 복용
- 코카인 복용
- 알코올중독
- MAO대항제 복용 중에 티라민 함유 음식 섭취
- 저혈당
- 빈맥성 부정맥
- 협심증 또는 심근경색
- Mitral valve prolapse
- 복부응급/대동맥박리증
- 심혈관반사소실(Cardiovascular deconditioning)
- 신실질 또는 신동맥질환
- 두개내병변(뇌혈관염 또는 출혈)
- 폐경기증후군
- 납중독
- 임신중독증
- 급성포르피리아(Acute intermittent porphyria)

작열감, 안면창백 등을 동반하는 고혈압이 자주 있는 경우를 임상적으로 가성갈색세포종(pseudopheochromocytoma)이라고 한다(표 4-3-10).

7. 치료

갈색세포종이 진단되면 가능한 빠른 시일 안에 수술치료를 하여야 하며 안전한 수술치료를 위하여 숙련된 내과의사, 마취과의사 및 외과의사가 필요하다. 수술 전 알파차단제를 사용한 적절한 전처치로 생명을 위협하는 수술 전후 심혈관계 합병증을 예방하는 것이 중요하다. 이러한 전처치가 일반화되면서 과거 기저질환의 악화, 폐색전증, 심근경색증 등으로 인한 갈색세포종수술 전후 사망률은 약 40%였으나, 현재는 0~3%로 감소하였다. 알파차단제를 사용한 전처치는 고혈압이 없는 환자에서도 동등하게 중요하며, 다만 두개골기저 및 경부부신경절종의 경우 수술 전 생화학검사에서 카테콜라민대사체의 상승이 있는 경우에만 적용한다.

1) 내과치료와 수술 전 준비

수술 전 치료로 적절한 약물을 사용하여 충분히 혈압과 발작을 조절하고, 수술 중에도 안정된 혈압을 유지하며 마취중에 다른 일이 발생하지 않도록 한다.

표 4-3-11. 갈색세포종 환자에서 사용상 금기 또는 주의를 요하는 약물

약물의 계열	임상적응증
베타차단제*	고혈압, 부정맥, 심근병증, 심부전, 공황장애, 편두통, 빈맥
도파민D2수용체대항제	오심 및 구토의 조절, 정신분열, 홍조, 안정제
삼환항우울제	불면증, 신경병증, 야간뇨, 두통, 우울증
기타 항우울제(세로토닌과 노르에피네프린재흡수억제제재)	우울증, 불안, 공황장애, 비만 치료
MAO억제제	우울증
교감신경흥분제*	마취 중에 발생한 저혈압, 부종완화, 비만 치료
화학요법제*	악성갈색세포종의 치료
마약성진통제*	마취유도
근육이완제*	마취유도
펩타이드 및 스테로이드호르몬*	진단검사

*이 약물들은 갈색세포종 환자에서 치료 또는 진단 목적으로 사용될 수 있으나 알파차단 효과가 충분히 나타난 상태에서 사용되어야 한다.

내과영역에서 자주 사용되는 일부 약물은 갈색세포종 환자에서 고혈압을 악화시키거나 발작을 유도할 수 있으므로 사용 상에 주의를 요한다(표 4-3-11).

수술이 결정되면 적어도 7-14일 이상 전에 투약을 시작하고 목표혈압을 만족할 때까지 점차 증량하며 투약을 하고 충분히 혈압을 조절하도록 한다. 목표혈압 및 심박수에 대한 명확한 기준은 없지만, 보통 앉은 자세에서 130/80 mmHg 미만, 선 자세에서 수축기혈압 90 mmHg 초과를 목표로 한다. 심박수는 앉은 자세에서 60-70회/분, 선 자세에서 70-80회/분이 일반적으로 추천된다.

일차약물로 페녹시벤자민과 독사조신이 동등한 유효성을 보인다. 페녹시벤자민은 장시간 안정적으로 수용체를 비경쟁적으로 차단하기 때문에 수술 전 치료에 유용하다. 보통 10 mg을 1일 2회 경구투여하며 혈압이 조절될 때까지 수일마다 10 mg씩 증량한다. 최대 용량은 30 mg씩 1일 3회까지이다. 페녹시벤자민은 가능하면 수용체를 완전히 차단시킬 수 있는 최적용량까지 투여해야 하는데 작용시간이 길어 치료효과가 서서히 증가되므로 최적용량에 서서히 도달

해야 한다. 페녹시벤자민으로 치료 중인 모든 환자는 기립저혈압에 주의하여야 한다.

선택적 알파차단제인 독사조신, 프라조신, 테라조신도 수술 전 치료에 이용될 수 있다. 첫 번째 투약은 기립저혈압의 발생을 피하기 위하여 취침 전에 투약하도록 한다. 독사조신은 2-5 mg을 1일 1회 투여하며, 목표혈압을 만족할 때까지 증량할 수 있고 최대 용량은 10 mg씩 하루 2회까지이다. 프라조신은 2-5 mg을 1일 3회, 테라조신은 2-8 mg을 1일 1회 투약한다.

알파 및 베타수용체를 동시에 차단시키는 라베탈롤도 경구 및 정주제로 사용될 수 있어 200-600 mg을 1일 2회 투약할 수 있지만 알파/베타수용체 차단율이 고정되어 있어 (1:4-1:6) 각각의 차단제를 따로 사용하는 것이 실제로 편리하다.

일단 혈압이 조절되면 충분한 수분 섭취와 함께 고염식이를 하도록 하여 혈장용적의 회복을 촉진하도록 한다. 혈장용적이 회복되면 기립저혈압도 사라진다. 고염식이와 더불어, 수

술전 24시간에 1–2 L의 생리식염수를 정맥투여하는 것이 일반적이다.

프로프라놀롤 혹은 기타 베타차단제가 빈맥의 치료에 도움을 주지만 반드시 알파차단이 효과적으로 이루어진 뒤에 사용되어야 한다. 알파차단이 이루어지지 않은 상태에서 프로프라놀롤을 투여하면 골격근에서 베타수용체 매개에 의한 혈관이완을 차단시켜서 혈압이 급격히 상승할 수 있는데 이러한 효과는 특히 에피네프린분비종양에서 더욱 심하다. 알파차단제 투여를 하는 동안에 빈맥이 발생하면 프로프라놀롤을 투여할 수 있다. 보통 소량 투여로 충분하고 10 mg을 하루 3–4회 투여로 시작한다. 프로프라놀롤은 마취 시에 카테콜라민–유발부정맥을 조절하는 데 유용하고, 또한 열생산을 차단하여 발한을 감소시키고, 빈맥을 조절하여 협심증을 호전시키는 데 도움이 된다.

고혈압위기가 발생하면 펜톨아민 1–5 mg을 정주한다. 작용시간이 짧으므로 혈압조절이 되기까지 2–3분 간격으로 정주하거나 지속적으로 주입할 수도 있고 나이트로프러사이드(nitroprusside)를 사용하거나 나이트로프러사이드 경구용약물을 투여할 수도 있다.

2) 수술

수술적 접근으로 최소침습수술이 선호되며, 경복부복강경부신절제(laparoscopic adrenalectomy) 및 후복막강경부신절제(retroperitoneoscopic adrenalectomy)가 흔히 이용되는 기법이다. 수술기법의 종류는 혈역학적 안정에 유의한 영향을 주지 않는다. 최소침습수술은 실혈을 감소시키고 수술 후 입원기간을 단축할 수 있다. 수술의 범위가 커서 양측부신절제를 하게 되는 경우 스테로이드 보충이 적시에 이뤄져야 한다. 과거에는 유전성인 경우는 병소 반대측 부신도 예방적 절제를 시행하였으나 병측 절제 후에 33%에서만 반대측에 갈색세포종이 발생하고 양측 절제 시에는 부신위기의 위험이 있으므로 예방적 절제는 권장되지 않는다. 영상진단검사상 한 쪽에만 국한되어 있으면 병측만 절제하고 반대측에 부신에 대해서는 갈색세포종의 발생에 대해서 감시하는 것이 좋다. 또한 MEN2 등 일부 유형의 유전성증후군의 경우 부신피질기능을 보존하기 위해 부분부신절제를 하는 것도 고려할 수 있다.

두경부부신경절종의 경우 대부분 유의미한 수준의 카테콜라민을 분비하지 않으므로 수술 전 알파차단제 사용은 카테콜라민대사체의 상승이 있는 경우에만 고려하나, 이러한 방법은 충분한 연구결과에 기반한 것은 아니다. 두경부부신경절종에서도 유일한 근치적 치료는 수술이나, 종종 인접기관 침범으로 인해 근치적 수술이 불가능하다. 이러한 경우 추적관찰하거나 정위방사선수술, 방사선 치료 혹은 성장호르몬억제인자 표적방사선 치료를 고려할 수 있다.

(1) 마취 및 수술 중 처치
스코폴아민과 작용시간이 짧은 barbiturate를 전처치에 이용할 수 있으며 pancuronium과 succinylcholine을 근이완제로 사용할 수 있다. 마취약물은 아산화질소, thiopental, 마약, enflurane을 병합하여 사용한다. Enflurane을 포함해서 모든 할로겐화 탄화수소는 카테콜라민의 부정맥성향에 대한 감수성을 증가시키지만 부정맥은 베타차단제에 의하여 효과적으로 조절될 수 있다. 마약은 아드레날린 차단이 잘 되지 않은 환자에서는 위험하지만 차단이 잘 된 환자에서는 부작용 없이 사용될 수 있다.

수술 중에는 동맥압, 중심정맥압, 심전도 감시가 필요하고 혈액손실에 대해서는 적절한 보충이 필요하다. 저혈압은 보통 승압제 치료보다는 용적보충 치료에 더 잘 반응한다. 고혈압반응이나 부정맥은 마취유도, 기관지삽관, 종양에 대한 직접적인 처치를 가할 때 가장 잘 발생하고 각각 펜톨아민 1–5 mg 정주와 프로프라놀롤 0.5–1 mg 치료에 잘 반응한다. 위 두 약물에 대한 반응이 불충분하면 리도카인과 니트로푸루시드를 추가로 사용한다. 승압제는 노르에피네프린, bitartrate 혹은 phenylephrine을 사용하고 간접적으로 교감신경흥분작용이 있는 약물은 사용하지 않는다.

양측부신절제를 시행하면 부작용으로 혈액량 감소, 저혈당 그리고 코티솔 감소 등의 위험이 있으므로 양측부신절제가 예상될 때는 수술 전에 당질부신피질호르몬을 투여해야 하며 수술 후 3시간 내에 혈당을 측정해보아야 한다.

(2) 수술 후 처치

수술 직후 수분이동이나 자율신경 불안정에 의하여 일시적으로 고혈압이 발생할 수 있다. 이러한 경우는 종종 이뇨제 투여에 반응한다. 또한 자율신경계의 자율조절성의 회복은 대개 수술 후 36시간 정도가 필요하다. 수술 후 고혈압이 지속된다면 잔존종양에 의할 가능성도 있고 기존의 일차고혈압이 같이 존재할 수도 있다. 이 때 펜톨아민을 투여하여 반응을 살펴보아 반응을 하면 종양이 완전히 제거되지 않았다는 것을 의미한다.

환자가 퇴원하기 전에 카테콜라민 및 대사물질의 소변 측정을 실시하여 종양이 완전히 제거되었는가를 확인하고 수술 후 2-6주 뒤 재검사 후에 이상소견을 보이면 영상검사를 시행해야 한다. 이후 증상이 없으면 모든 환자에서 최소한 10년 동안은 매년 추적관찰이 필요하다. 추적관찰은 적어도

증상, 혈압, 혈장 혹은 소변의 유리메타네프린의 검사를 포함해야 한다. 젊은 연령, 부신경절종, 생식세포돌연변이, 종양이 큰 경우 등 전이의 위험도가 높은 경우 추적관찰은 평생 지속되어야 한다(그림 4-3-13).

3) 전이성 갈색세포종/부신경절종의 치료

전이성 갈색세포종/부신경절종은 정상적으로 크롬친화성 세포가 존재하지 않는 장소인 림프절, 뼈, 폐 및 간 등에 전이 병소가 나타나는 것을 말한다. 전체 갈색세포종/부신경절종의 약 10-20%에서 경과 중 전이가 일어나며, 진단 당시에 이미 10-15%에서 전이병소가 존재한다. 전이성 갈색세포종/부신경절종 환자의 약 절반 정도는 갈색세포종/부신경절종 감수성유전자의 돌연변이를 동반하고 있으며, 이들 중 50-70%가 임상적으로는 산발성으로 간주된다. 감수성유전자 중 SDHB유전자돌연변이가 가장 흔하며 전이성 갈색세포종/부신경절종 환자의 40-50%가 SDHx 돌연변이를 가지고 있다.

전이성 갈색세포종/부신경절종의 90% 이상은 기능으로, 전이를 동반하지 않은 갈색세포종과 유사하게 주로 노르에피

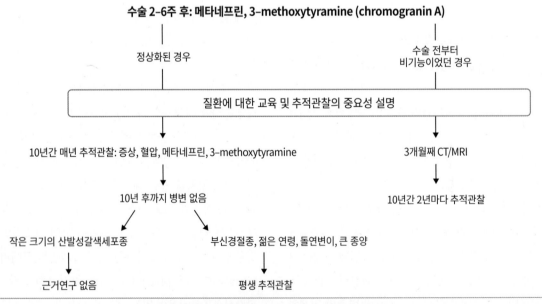

그림 4-3-13. 갈색세포종/부신경절종의 수술 후 추적관찰

네프린을 분비한다. 그러나 전이성 갈색세포종에서는 카테콜라민과 대사물의 혈중 농도 및 소변배설량이 압도적으로 높고 이는 종양의 크기를 반영한다. 도파민과 그 대사물인 VMA, 3-methoxytyramine이 악성갈색세포종에서 종종 증가되어 있는데 이는 세포가 역분화되면서 도파민 베타-수산화효소(Dopamine β-hydroxylase)를 잃었기 때문으로 생각된다.

통상적으로는 비전이성 갈색세포종/부신경절종과 비슷한 임상양상을 보이나, 다수의 환자에서 높은 종양부하(tumor burden)로 인해 심한 고혈압이나 카테콜라민의 삽화적인 분비에 의한 심한 혈압의 변동을 겪을 수 있고 종종 이는 장폐색, 심한 변비, 장기의 허혈, 투약에 반응하지 않는 고혈압, 빈맥 등의 카테콜라민유발장기기능부전으로 나타날 수 있다. 임상증상이나 징후로 갈색세포종/부신경절종의 전이 여부를 구별할 수 있는 구별점은 없다. 때로는 혈중 카테콜라민이 상당히 높음에도 불구하고 임상증상이 현저하지 않은 경우도 있는데 이는 고농도의 카테콜라민에 지속적으로 노출되어 생기는 탈민감 효과라고 생각되고 있다. SDHB유전자돌연변이와 연관된 전이성 갈색세포종/부신경절종 환자에서는 종양의 국소 침범으로 인한 증상이 나타날 수 있다.

갈색세포종의 전이 발생 여부를 예측할 수 있는 임상적지표들은 종양의 크기(5 cm 초과), 부신외갈색세포종, 다발인 경우, 도파민 분비의 표현형 등이 위험인자이고 이는 또한 기저의 유전적위험도와 연관되어 있기도 하다. 전이성 종양의 공격성은 특정한 유전형 및 종양의 크기와 관련이 있으며, 진단 시의 연령, 기능적 표현형과 다발종양 및 전이의 존재가 생존기간을 예측한다.

전이성 갈색세포종/부신경절종의 치료방법은 제한적이나, 다방면의 치료적 접근방법이 필요하다. 치료의 대원칙은 각 환자의 특성에 따라 과다호르몬 조절, 종양의 크기 감소(debulking) 및 국소 증상 조절 등 각각에 대한 치료의 중점이 개별화되어야 한다 (그림 4-3-14). 치료시작 전 적절한 병기결정이 선행되어야 하며, 질환의 진행속도를 평가해야 한다. 이는 보통 3개월 간격으로 영상검사를 함으로써 이루어진다. 예외적으로 광범위한 간, 폐, 뇌전이를 동반한 경우는 곧바로 치료를 시작하도록 한다. 빠른 속도로 진행하는 환자의 경우 항암화학요법이 추천된다. 고전적인 CVD (cyclophosphamide, vincristine, dacarbazine) 요법이 효과적일 수 있으며, 특히 SDHx유전자돌연변이가 있는

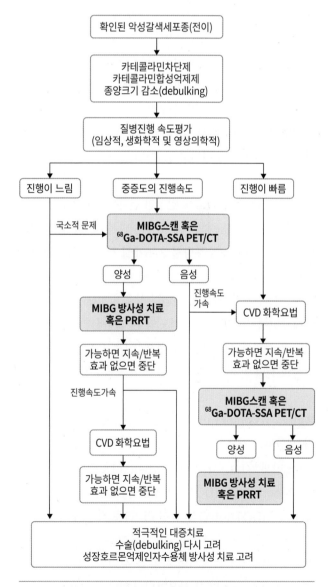

그림 4-3-14. 전이성 갈색세포종의 치료알고리듬

경우 환자의 약 70% 까지도 반응할 수 있고, 산발성갈색세포종/부신경절종의 경우는 약 30%에서 반응을 보인다. 다른 방법으로 temozolomide 단독 또는 temozolomide/capecitabine 병합요법, temozolomide와 Poly (ADP-ribose) polymerase (PARP)억제제의 병합, 타이로신인산화효소억제제와 성장호르몬억제인자유사체 등이 시도되고 있다. 화학요법치료 시에는 종양세포의 용해에 따른 카테콜라민의 유리로 인한 증상에 주의해야 한다.

중등도의 진행 속도를 보이는 전이성 갈색세포종/부신경절종에서는 일차치료로 표적방사성핵종종양 치료를 고려할 수 있다. 표적방사성핵종종양 치료로 크게 ^{131}I–MIBG와 peptide receptor radionuclide therapy (PRRT)가 있으며, ^{131}I–MIBG는 다시 재래식 ^{131}I–MIBG와 high-specific-activity ^{131}I–MIBG로 나눌 수 있다. 최근의 연구들은 PRRT와 high-specific-activity ^{131}I–MIBG의 효과가 90% 정도로 비슷하다고 보고하고 있다.

^{123}I–MIBG scintigraphy 양성인 전이성 갈색세포종/부신경절종의 경우 고용량의 ^{131}I–MIBG 반복치료를 시도할 수 있다. 대개 200 mCi 용량을 3–6개월 간격으로 투여해보는데 혈소판감소증 등의 부작용에 대하여 주의를 요하고 요오드를 전처치하여 갑상선의 손상을 방지해야 한다. 치료 성적보고에 의하면 약 1/3 정도의 환자에서 부분적인 치료 반응을 보였다고 한다. 치료 전후 ^{123}I/^{131}I–MIBG는 치료 대상의 선별 및 치료반응의 평가를 위해 필수적이다.

Peptide receptor radionuclide therapy (PRRT)를 계획하는 환자의 경우 ^{68}Ga–DOTA–SSA PET/CT를 시행해야 한다. 현재 ^{177}Lu, ^{90}Y, ^{225}Ac–labeled DOTA–D–Phe1–Tyr3–octreotide (DOTA–TOC) 및 DOTA–0–Tyr3–octreotate (DOTA–TATE) 등이 PRRT로 사용이 가능하다. 현재 국내를 비롯해 다수의 국가에서 비록 공식적으로 갈색세포종/부신경절종에서의 사용을 승인받지는 못했지만 ^{177}Lu–DOTA–TATE가 상용화되어 있다. PRRT의 전반적인 질환조절률(disease control rate)은 84%이며, 메타분석에서 생화학적인 반응률은 61–64%였다. 따라서 통상적인 항암치료나 ^{131}I–MIBG 치료의 대상이 되지 않는 전이성 갈색세포종/부신경절종에서 ^{68}Ga–DOTA–SSA PET/CT에서는 섭취가 있는 경우 PRRT를 고려할 것을 추천한다(그림 4-3-10, 4-3-14).

방사선 치료는 대개 효과가 없으나 증상이 있는 골격계 병변에 대해서는 의미가 있다. 방사선조사로 척수압박과 같은 국소 압박과 만성통증증상을 완화시킬 수 있다. 최근에는 종양혈관에 대한 색전술, 냉동치료, 고주파열치료 및 경피 마이크로웨이브응고술 등이 시도되고 있다.

전이성 갈색세포종/부신경절종이 있는 모든 환자는 평생에 걸친 추적관찰이 필요하며, 이는 매년 메타네프린의 측정과 해부학적/기능영상검사를 이용한 병기의 재설정을 포함한다. 이러한 추적관찰의 빈도는 종양부하에 따라 달라지며 크게 단축될 수도 있다.

전이성 갈색세포종/부신경절종의 예후는 임상적으로 전이성 병소가 주로 간이나 폐에서 발견되면서 약 2년 이내에 사망하는 단기생존군과 뼈에 전이병소가 생기고 장기간 생존하는 장기생존군으로 분류할 수 있다. 장기생존은 최장 20년까지도 보고된 바 있으며 전체적인 5년 생존율은 34–60%에 이른다. SDHB유전자돌연변이와 연관된 전이성 갈색세포종 환자는 조금 더 생존율이 낮다.

4) 임신 중의 갈색세포종의 치료

임신 중의 갈색세포종은 치료를 받지 않으면 산모와 태아에 높은 사망률을 보인다. 고혈압발작은 임신중독증으로 발전되는 경우가 있으므로 주의를 요한다. 임신 전반기에 진단이 되면 알파차단제를 사용하여 혈압을 조절한 후 종양제거수술을 하도록 하고 임신 후반기에 진단된 경우는 알파차단제로 혈압을 조절하면서 임신을 지속하다가 적절한 시기에 제왕절개수술과 종양제거수술을 동시에 하도록 한다.

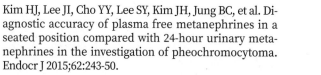

참/고/문/헌

I.

1. Eisenhofer G, Peitzsch M. Laboratory evaluation of pheochromocytoma and paraganglioma. Clin Chem 2014;60:1486-99.

2. Gardner DG, Shoback D. Greenspan's basic & clinical endocrinology. 10th ed. New York: McGraw-Hill Medical; 2018.

3. Melmed S, Auchus RJ, Goldfine AB, Koenig RJ, Rosen CJ. Williams textbook of endocrinology. 14th ed. Philadelphia: Elsevier; 2019.

4. Shen Y, Cheng L. Biochemical Diagnosis of Pheochromocytoma and Paraganglioma. In: Mariani-Costantini R, editor. Paraganglioma: A Multidisciplinary Approach. Brisbane (AU): Codon Publications; 2019.

II.

1. Ayala-Ramirez M, Feng L, Johnson MM, Ejaz S, Habra MA, Rich T, et al. Clinical risk factors for malignancy and overall survival in patients with pheochromocytomas and sympathetic paragangliomas: primary tumor size and primary tumor location as prognostic indicators. J Clin Endocrinol Metab 2011;96:717-25.

2. Brain KL, Kay J, Shine B. Measurement of urinary metanephrines to screen for pheochromocytoma in an unselected hospital referral population. Clin Chem 2006;52:2060-4.

3. Choi H, Kim KJ, Hong N, Shin S, Choi JR, Kang SW, et al. Genetic analysis and clinical characteristics of hereditary pheochromocytoma and paraganglioma syndrome in Korean population. Endocrinol Metab (Seoul) 2020;35:858-72.

4. Edge SB, Amin MB, Meyer LR, Gress DM, American Joint Committee on Cancer. AJCC cancer staging manual. 8th ed. New York: Springer; 2017.

5. Eu Jeong Ku, Kyoung Jin Kim, Jung Hee Kim, Mi Kyung Kim, Chang Ho Ahn, Kyung Ae Lee, et al. Diagnosis for pheochromocytoma and paraganglioma: a joint position statement of the Korean pheochromocytoma and paraganglioma task force. Endocrinol Metab 2021;36:322-38.

6. Fassnacht M, Arlt W, Bancos I, Dralle H, Newell-Price J, Sahdev A, et al. Management of adrenal incidentalomas: European Society of Endocrinology clinical practice guideline in collaboration with the European Network for the Study of Adrenal Tumors. Eur J Endocrinol 2016;175:G1-34.

7. Karagiannis A, Mikhailidis DP, Athyros VG, Harsoulis F. Pheochromocyotma: an update on genetics and management. Endocr Relat Cancer 2007;14:935-56.

8. Kim HJ, Lee JI, Cho YY, Lee SY, Kim JH, Jung BC, et al. Diagnostic accuracy of plasma free metanephrines in a seated position compared with 24-hour urinary metanephrines in the investigation of pheochromocytoma. Endocr J 2015;62:243-50.

9. Kim JH, Kim MJ, Kong SH, Kim SJ, Kang H, Shin CS, et al. Characteristics of germline mutations in Korean patients with pheochromocytoma/paraganglioma. J Med Genet 2022;59:56-64.

10. Kim KY, Kim JH, Hong AR, Seong MW, Lee KE, Kim SJ, et al. Disentangling of malignancy from benign pheochromocytomas/paragangliomas. PLoS One 2016;11: e0168413.

11. Lam AK. Update on adrenal tumours in 2017 World Health Organization (WHO) of endocrine tumours. Endocr Pathol 2017;28:213-27.

12. Lenders JWM, Kerstens MN, Amar L, Prejbisz A, Robledo M, Taieb D, et al. Genetics, diagnosis, management and future directions of research of phaeochromocytoma and paraganglioma: a position statement and consensus of the Working Group on Endocrine Hypertension of the European Society of Hypertension. J Hypertens 2020;38: 1443-56.

13. Pacak K, Eisenhofer G, Ahlman H, Bornstein SR, Gimenez- Roqueplo AP, Grossman AB, et al. Recommendations for clinical practice from the first international symposium in october 2005. Nat Clin Pract Endocrinol Metab 2007;3:92-102.

14. Pacak K, Timmeers HJ. L. M., Eisenhofer G. Pheochromocytoma. Endocrinology, 6th ed. 2010. pp.1990-2018.

15. Scholz T, Eisenhofer G, Pacak K, Dralle H, Lehnert H. Clinical review: current treatment of malignant pheochromocytoma. J Clin Endocrinol Metab 2007;92:1217-25.

16. Seo SH, Kim JH, Kim MJ, Cho SI, Kim SJ, Kang H, et al. Whole exome sequencing identifies novel genetic alterations in patients with pheochromocytoma/paraganglioma. Endocrinol Metab (Seoul) 2020;35:909-17.

17. Young WF Jr. Adrenal causes of hypertension: pheochromocytoma and primary aldosteronism. Rev Endocr Metab Disord 2007;8:309-20.

04
부신

내분비고혈압

임정수

I. 무기질부신피질호르몬의 과다로 인한 내분비고혈압

1. 일차알도스테론증

알도스테론증은 무기질부신피질호르몬인 알도스테론의 과다분비와 관련한 증후군이다. 일차알도스테론증은 알도스테론 과잉생산의 원인이 부신 내에 있는 경우이고, 이차알도스테론증은 그 원인이 부신 외인 경우이다.

일차알도스테론증은 1954년에 Jerome W. Conn이 부신선종이 있는 환자에서 고혈압, 전신근쇠약 및 간헐적인 마비증상, 저칼륨혈증 및 대사알칼리증을 가진 34세 여성 환자 증례를 처음으로 보고하면서 알려지게 되었다. 이 증례는 알도스테론을 분비하는 부신선종(콘증후군)이 원인이었다. 이처럼 일차알도스테론증은 부신에서 자율적인 알도스테론의 과생산 및 이와 동반된 고혈압을 특징으로 하며, 주로 양측부신증식증(bilateral adrenal hyperplasia, BAH)과 일측알도스테론생산부신선종(aldosterone–producing adenoma, APA)에서 기인하는 것으로 알려져 있다. 일차알도스테론증에서 알도스테론 생산은 레닌이 억제된 상황에서 염분과 혈액량상태에 부적절하게 이뤄지는데, 이는 혈액량 팽창과 염분저류, 칼륨과 수소의 요배설을 증가시켜 고혈압,

저칼륨혈증, 대사알칼리증을 유발한다.

1) 역학

1980년대까지는 전체 고혈압 환자의 1% 미만이 일차알도스테론증으로부터 기인할 것으로 생각되었지만 그 후 혈장 알도스테론과 레닌 활성도의 비측정이 보편화되고 알도스테론 분비억제검사 등을 이용하여 고혈압 환자를 선별검사한 연구보고들을 통해 일차알도스테론증이 과거 추정했던 것보다 빈도가 훨씬 높다는 사실이 밝혀졌다. 현재는 일차알도스테론증이 전체 고혈압 환자의 약 7–10%, 저항고혈압 환자의 약 20% 정도를 차지할 것으로 생각되고 있다. 그러나 최근 연구결과에서 일차알도스테론증의 유병률이 고혈압의 단계에 비례하여 증가되는 양상을 보이는 점, 정상혈압을 가진 일반인구에서도 이미 무증상 혹은 비전형적(non-classical) 일차알도스테론증이 약 14%에서 나타난다는 점, 5년간 추적연구에서 이들 중 약 85%에서 명백한 고혈압이 발생되었음이 알려지면서 일차알도스테론증에 대한 관심이 더욱 높아지고 있다.

과거에는 알도스테론생산부신선종이 일차알도스테론증의 가장 흔한 원인(60%)이고 나머지가 특발고알도스테론증으로 분류되던 양측부신증식증으로 여겨졌으나, 혈장알도스테론 및 레닌활성도의 비를 이용해 환자를 정밀하게 선별하게 된 이후로 최근에는 양측부신증식증이 전체 일차알

표 4-4-1. 일차알도스테론증의 아형

아형
• 알도스테론생산선종(aldosterone-producing adenoma)(일측성/양측성) 30-35%
• 양측부신증식증 혹은 특발고알도스테론증(bilateral adrenal hyperplasia or idiopathic hyperaldosteronism) 60%
• 일측부신증식증(primary unilateral adrenal hyperplasia) 2%
• 알도스테론생산암종(aldosterone-producing carcinoma) < 1%
• 가족성 고알도스테론증(familial hyperaldosteronism)
– I 형(당질부신피질호르몬치료가능알도스테론증) < 1%
– II 형 < 6%
– III 형 < 1%
– IV 형 < 0.1%
• 이소성 알도스테론생산선종 또는 암종(ectopic aldosterone-producing adenoma or carcinoma) < 0.1%

도스테론증 원인의 60%가량을 차지하는 가장 흔한 아형으로 생각되고 있다. 양측부신증식증의 경우 진단기준과 연구대상에 따라 차이는 있으나 많게는 전체 고혈압 환자의 5-10%에 달하는 것으로 보고되었다. 알도스테론생산부신선종은 대부분 선종의 크기가 작고 한쪽에 생기며 발생 빈도는 좌우 양쪽에서 동일하다. 30세에서 50세 사이에서 잘 발생하고 여성에서 남성에 비해 2배 더 높다. 산발 일차알도스테론증의 덜 흔한 아형으로는 복부컴퓨터단층촬영(CT)-양성양측알도스테론분비선종, 복부컴퓨터단층촬영으로 감지할 수 없는 일측일차알도스테론증, 드물지만 부신피질암종이 있다. 일차알도스테론증은 대부분 산발성으로 나타나나, 약 6%의 환자에서는 유전성으로 발생하기도 한다. 일차알도스테론증의 다양한 아형 및 그 빈도는 표 4-4-1에 기술되어 있다.

2) 병태생리

(1) 부신선종

알도스테론을 생산하는 부신피질선종은 현재 일차알도스테론증의 약 30%를 차지하는 원인으로 생각되고 있으나 병인에 대해서는 아직도 연구가 진행 중이다. 유전학기술의 발달로 2011년에 처음 *KCNJ5* 체세포돌연변이가 발견된 이후 지난 10년간 여러 이온통로와 펌프에 대해 부호화하는

유전자들에서 체세포돌연변이가 확인되었으며 CYP11B1(11β-수산화효소)과 CYP11B2(알도스테론 합성효소)에 특이적인 항체가 개발되면서 정상 및 병적 부신조직에서 해당 효소들의 발현패턴에 대한 연구가 가능해졌다. 최근 CYP11B2 면역조직화학에 기반한 차세대염기서열분석(next generation sequencing, NGS)을 통해 알도스테론생산부신선종의 약 90%에서 이러한 체세포돌연변이들이 발견되고 있다(최신정보 및 미래 전망 챕터 참고).

현재 알도스테론생산선종의 발생과 관련한 두 가지의 병인 모형이 있다. 첫 번째는 알도스테론생산세포군(aldosterone-producing cell clusters, APCC)모형으로서, 알도스테론생산부신선종을 유발하는 유전자체세포돌연변이로 인해 알도스테론생산세포군이 발생하고 이른바 possible APCC-to-APA translational lesions (pAATL)의 형성을 거쳐 알도스테론생산선종으로 발전할 것이라는 모형이다. 두 번째는 Two-hit모형으로, 유전 혹은 환경요인으로 인해 사구대에 비정상적인 세포증식 및 결절이 나타나면서 알도스테론생산부신선종을 유발하는 유전자에서 체세포돌연변이가 발생하기에 좋은 환경이 조성된다는 모형이다. 두 모형 모두 체세포돌연변이로 인해 칼슘신호가 활성화됨으로써 *CYP11B2* 발현이 증가되고 자율적인 알도스테론 생산이 촉진되는 것으로 추정하고 있다.

(2) 양측부신증식증

앞서 언급된 바와 같이 양측부신증식증은 현재 일차알도스테론증의 가장 흔한 아형이며 주로 부신 과다증식 혹은 알도스테론생산세포군의 축적으로 발생하는 것으로 생각되고 있다. 부신의 모양은 정상이거나 미만성 증식, 미세결절 또는 대결절 증식을 보인다. 대결절은 그 크기가 2 cm에 이르기도 하며 구성세포는 속상대세포의 모양과 유사하다. 양측부신증식증에 의한 일차알도스테론증의 임상증상은 대개 선종보다 덜 심하고 혈액내 알도스테론수치도 더 낮은 경향을 보인다. 또한 저칼륨혈증과 레닌의 억제도 덜 심하다.

증식된 부신 사구체조직에서 알도스테론 분비는 어느 정도 안지오텐신II에 의존성을 보이므로 사구체세포의 안지오텐신II에 대한 과민성이 부신피질증식의 병인으로서 역할을 할 것으로 추측되고 있다. 따라서 일부에서는 이를 "저레닌혈증성" 본태고혈압과 임상적으로 다르지 않다고 주장하기도 하지만 소듐 부하에 대하여 알도스테론 분비가 억제되지 않으므로 레닌-안지오텐신계와 부분적으로는 독립적이다.

(3) 부신증식증의 드문 형태

양측부신증식증의 한 형태로 부신아절제술로 완치된 일차부신증식증이 보고된 바 있고, 드물게는 일측부신증식증에 의해 알도스테론증이 유발되기도 하며 이는 환측부신절제로 치료된다. 두 질환 모두 병인은 확실하지 않으므로 향후 이에 대한 많은 연구가 필요하다.

(4) 가족성고알도스테론증

가족성고알도스테론증(familial hyperaldosteronism, FH)은 일차알도스테론증의 드문 원인으로, 알도스테론생산선종을 유발하는 일부 유전자들에서 생식세포돌연변이가 발견되면서 지금까지 5가지 아형이 알려져 있다. 모두 보통염색체우성으로 유전되거나 de novo로 발생하기도 한다(표 4-4-2 참고). 그 중 당질부신피질호르몬치료가능알도스테론증(glucocorticoid-remediable hyperaldosteronism,

GRA)은 일차알도스테론증의 약 1% 미만이며 제1형가족성고알도스테론증(FH-I)으로도 불리운다. 1966년 고혈압과 저칼륨혈증, 억제된 혈장레닌 활성도에도 불구하고 증가된 알도스테론수치를 보이면서 덱사메타손 투여에 의해 완화되는 아버지와 아들의 케이스가 보고되면서 알려졌다. 사이토크롬P450계 상과(superfamily)를 부호화하는 상동유전자 CYP11B1과 CYP11B2 간의 불균등교차가 일어나면서 새로운 유전자(chimeric gene)가 형성되는데 이 유전자는 부신피질자극호르몬에 반응하는 CYP11B1의 조절서열(regulatory sequence)과 CYP11B2의 부호화서열(coding sequence)을 결합시킴으로써, 부신피질자극호르몬 조절하에 있는 속상대에서 CYP11B2의 이소성 발현을 유도한다. 따라서 18-하이드록시코티솔과 18-옥소테트라하이드로코티솔(oxotetrahydrocortisol)과 같은 특징적인 대사산물의 배설이 증가한다. 이환된 환자는 젊은 나이에 중등도에서 중증의 고혈압, 심혈관질환의 조기 발병, 혹은 저칼륨혈증이 일어날 수 있으나 chimeric gene을 가진 모든 사람이 고혈압을 보이는 것은 아니다. 그러나 정상 혈압 대조군과 비교할 때 과도한 알도스테론수치로 인해 좌심실벽 두께가 증가하고 확장기능이 떨어짐이 보고된 바 있다. 진단은 유전자검사를 바탕으로 하며 치료는 무기질부신피질호르몬수용체대항제 또는 알도스테론 분비가 부신피질자극호르몬에 의존적이므로 당질부신피질호르몬을 이용한다(그림 4-4-1). 추가적인 내용은 표 4-4-2와 최신정보 및 미래 전망 챕터에서 기술하였다.

3) 임상특성

일차알도스테론증의 모든 증상은 알도스테론 과다분비에 의한 것으로서, 신장 원위세뇨관의 나트륨 재흡수의 증가로 체내 총 나트륨양이 증가되나 수분도 함께 저류되어 혈청나트륨 농도는 정상 범위를 유지한다. 무기질부신피질호르몬에 계속 노출되면 보상적인 심방나트륨배설펩타이드(atrial natriuretic peptide, ANP) 분비 증가에 의한 이탈현상(escape phenomenon)이 나타나는데, 이러한 이유로 알도스테론증에 의한 고혈압은 단순히 수분 증가뿐만 아니라

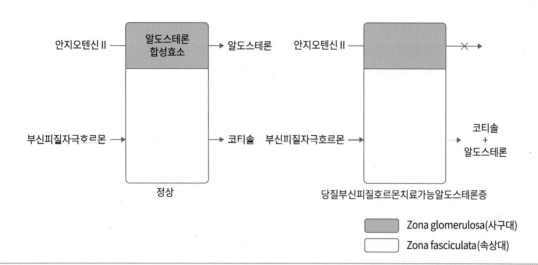

Zona glomerulosa(사구대)

Zona fasciculata(속상대)

그림 4-4-1. 당질부신피질호르몬치료가능알도스테론증의 병태생리학적 기전

표 4-4-2. 가족성고알도스테론증의 아형

질환	발병연령	특이양상	유전자	전달	치료
FH-I	다양하지만 보통 20세 전에 발병	젊은 연령(30세 이전)에 뇌혈관질환 발생	*Chimeric CYP11B1/B2*	보통염색체 우성	당질부신피질호르몬, MR대항제
FH-II	다양하지만 *CLCN2* 돌연변이를 가진 환자에서는 조기 발병	없음	*CLCN2*	보통염색체 우성	MR대항제
FH-III	20세 전이지만 경한 유형에서는 다양	심한 경우 심각한 양측 부신증식증을 보임	*KCNJ5*	보통염색체 우성	MR대항제, 심한 경우 양측부신절제
FH-IV	다양하지만 20세 전에 가장 흔함	일부에서 성장장애를 보임	*CACNA1H*	보통염색체 우성	MR대항제
일차알도스테론증, 발작 그리고 신경학적 이상 (primary aldosteronism, seizures and neurologic abnormalities, PASNA)	어린 시절	발작과 신경학적 이상을 보임	*CACNA1D*	? (*de novo*)	MR대항제, 칼슘이온차단제

FH, familial hyperaldosteronism; MR, mineralocorticoid receptor.

말초혈관저항의 증가도 기여한다고 알려져 있다. 무기질부신피질호르몬에 의한 고혈압의 동물모델에서도 혈관평활근세포의 증가된 나트륨이 혈관수축과 혈관저항성 증가를 유발함이 밝혀져 있다. 또한, 알도스테론은 원위세뇨관의 칼륨배설 증가에 의해 저칼륨혈증을 유발하며 수소이온의 배설과 함께 신장의 암모니아 생산이 증가되어 대사알칼리증을 유발한다. 이러한 저칼륨혈증이 지속되면 신장의 농축능력을 저하시켜 다뇨, 다음 증상이 나타날 수 있다. 혈장레닌활성도는 저하되며 혈장량이 감소하여도 저하된 레닌 활성도는 증가하지 않는다. 대부분의 일차알도스테론증 환자에서 확장기고혈압과 두통이 동반되며, 저칼륨혈증에 따른 근육세포막내 칼륨 결핍으로 근육쇠약감, 이완마비, 피로감을 유발하기도 한다. 그러나 몇몇 역학연구들에 따르면 저칼륨혈증은 약 10-40% 정도의 환자들에서만 나타난다고 알려져 있다. 경증의 환자, 특히 양측부신증식증 환자에서는 대개 정상 칼륨 농도를 보이며 저칼륨혈증의 임상증상이 뚜렷하지 않다.

알도스테론증으로 야기되는 고혈압은 심할 경우 악성고혈압의 형태를 보이기도 하며 유의한 혈관 손상을 초래할 수 있다. 고혈압 발생 초기에는 심박출량이 증가하며 정상적인 혈압 하루주기리듬의 변동 폭도 감소한다. 이후 시간이 경과함에 따라 모든 형태의 고혈압에서 공통적으로 보이는 과정인 심박출량의 감소와 말초저항의 증가를 볼 수 있다. 고혈압에 의한 이차변화로 흉부방사선영상과 심전도에서 좌심실비대의 소견이 나타날 수 있다. 심전도에서는 저칼륨혈증의 소견으로 뚜렷한 U파, 부정맥, 조기수축 등이 흔히 나타난다. 그러나 특징적으로 울혈심부전이나 신장병, 정맥염과 같은 선행질환이 없는 한 부종은 나타나지 않는다. 본태고혈압에 비해 좌심실비대와 고혈압 정도와의 연관성이 상대적으로 낮고, 이러한 좌심실비대소견은 알도스테론생산선종 제거 후 혈압이 뚜렷이 감소하지 않더라도 호전되는 것을 관찰할 수 있다. 단백뇨는 일차알도스테론증 환자의 50%에서 발생하며, 신부전이 15%까지 동반될 수 있다(표 4-4-3).

4) 진단

일차알도스테론증의 최신 임상진료지침에서는 알도스테론증을 진단함에 있어서 증례의 선별, 확진 및 원인질환의 분류라는 3단계 과정을 거칠 것을 권장하고 있다. 선별검사 대상군의 기준은 임상의와 센터마다 권장하는 사항이 다를 수 있으며 과거에는 주로 저칼륨혈증이 동반된 고혈압 환자를 대상으로 선별검사를 권하였으나 일차알도스테론증 환자에서 정상 칼륨수치를 보이는 경우가 많다고 알려진 이후 선별검사 대상이 더욱 확대되었다.

즉, 저항고혈압(혈압을 조절하기 위해 4개 이상의 약물을 필

표 4-4-3. 일차알도스테론증의 대표적 임상양상

- 고혈압 및 두통(수분증가 및 혈관저항성 증가에 기인)
- 저칼륨혈증, 대사알칼리증, 부정맥
- 단백뇨, 신부전
- 신성요붕증
- 근육 쇠약감
- 감각이상, 강직경련
- 이완마비

요로 하거나 3가지 약물을 복용함에도 불구하고 조절되지 않는 고혈압)을 보이는 환자, 150/100 mmHg를 넘는 심한 고혈압 환자, 부신우연종이 있는 고혈압 환자, 심방세동을 동반한 고혈압 환자, 혈압에 관계없이 저칼륨혈증(자발적 혹은 이뇨제 투여 후)이 발견된 환자, 젊은 연령에 발병한 고혈압 환자, 젊은 연령(40세 미만)에 조기발병한 고혈압이나 뇌졸중 가족력을 가지고 있는 고혈압 환자, 일차알도스테론증 환자의 모든 부모, 형제, 자녀들에 대해 일차알도스테론증에 대한 선별검사를 권고하고 있다. 또한, 최근에는 일차알도스테론증이 기존에 예상했던 것보다 중증도에 있어 경증에서부터 현성단계까지 넓은 임상스펙트럼을 가지고 있다는 사실이 밝혀지면서 일차알도스테론증증후군의 유병률이 상당한 140/90 mmHg 이상 고혈압을 가진 모든 환자에서 선별검사 시행을 강력히 고려하도록 권고하고 있는 실정이다.

저칼륨혈증은 알도스테론증 진단에 있어 중요한 단서이다. 그러나 환자가 저염식사를 하게 되면 신장에서 칼륨 배설과 교환할 나트륨의 양이 줄어들기 때문에 실제로 환자는 정상 칼륨 농도를 보이는 경우가 많다. 과거에 혈중 칼륨 농도만을 가지고 알도스테론증을 선별진단하였을 경우 진단예민도를 75-90%라고 추정하였으나 칼륨이 정상인 알도스테론증 환자들이 많다는 것이 알려진 뒤로 그 예민도는 약 50% 이하라고 생각되고 있다. 선별검사로서 혈장알도스테론 대 혈장레닌활성도의 비(aldosterone-to-renin ratio, ARR)를 이용하여 일차알도스테론증이 진단된 환

자들의 특성을 고찰하여 보면 정상 칼륨을 보이는 환자의 비율이 60-70%에 달했다고 한다. 혈중 나트륨수치는 약간 증가되어 있거나 많은 경우에 정상치의 상한을 보이는데 특발고알도스테론증보다는 선종 환자에서 그 경향이 뚜렷하다.

진단접근에 있어서는 일차알도스테론증과 알도스테론 증가 및 저레닌혈증을 동반한 다른 종류의 고혈압과의 감별이 중요하며, 역동검사와 영상진단을 통해 수술로 치료 가능한 아형과 약물로 치료가능한 아형을 감별해야 한다. 칼륨소실형이뇨제(퓨로세마이드, 싸이아자이드 등)를 복용하지 않고 정상적으로 염분을 섭취하는 환자에서 부종 없이 지속적으로 저칼륨혈증이 보이면 일차알도스테론증에 대한 선별검사가 필요하다. 칼륨소실형 이뇨제를 복용하는 고혈압 환자에서 저칼륨혈증이 동반된 경우 이뇨제를 중단하고 칼륨을 보충하면서 1-2주 후에 칼륨 농도를 재측정하고 일차알도스테론증 평가를 실시해야 한다. 또한 무기질부신피질호르몬의 나트륨저류 효과로부터의 이탈현상이 일어나기 때문에 특징적으로 부종은 나타나지 않지만 드물게 신병증과 고질소혈증이 동반된 경우에는 경골전부종(pretibial edema)이 나타날 수도 있다. 일차알도스테론증의 3가지 기본양상은 다음과 같다. (1) 기저레닌 분비의 억제, (2) 체액량이 부족한 상태(기립자세, 나트륨 결핍)에서 적절하게 증가되지 않는 레닌 분비(낮은 혈장레닌활성도), (3) 체액량이 증가된 상태(염류부하)에서 억제되지 않는 부적절한 알도스테론생산이다. 일차알도스테론증에 대한 최신진단알고리듬은 그림 4-4-2와 같다.

(1) 기저혈장알도스테론과 레닌활성도의 비를 이용한 선별

알도스테론 분비의 증가 또는 혈장레닌활성도의 단독 측정만으로는 특이도가 낮아 일차알도스테론증과 다른 원인의 고혈압을 감별하는 데 큰 도움이 되지 않는다. 현재 일차알도스테론증에 대한 선별검사로서 가장 유용하고 합리적인 방법은 ARR 측정이다. ARR 측정 시 아침에 일어나서 2시간 이상 경과 후 10-15분 정도 앉은 자세에서 혈액검사를 진행하도록 권장한다. 알도스테론의 단위를 ng/dL로, 혈장레닌 활성도를 ng/mL/h로 했을 때, 일반적으로 ARR이 20-30 이상이면서 알도스테론 농도가 15 ng/dL를 넘으면, 알도스테론 분비의 자율능이 증가됐음을 강력히 시사한다. 그러나 ARR 성능은 특히 민감도에 있어 환자집단과 진단 기준, 측정 방법에 따라 크게 달라질 수 있으므로 해석 시 하나의 ARR 문턱값을 사용하는 것을 권고하지 않는다. 저항고혈압을 가진 참여자들을 대상으로 한 연구에 따르면, ARR > 20을 기준으로 할 때 78%의 민감도와 83%의 특이도를 보이는 것으로 나타났다. 또한 β-차단제를 제외한 대부분의 항고혈압약물은 레닌과 알도스테론을 올리는 경향이 있어(균형적이지 않더라도) ARR을 사용할 경우 14-22% 가량의 환자에서 위양성이 발생하였다. 표 4-4-4는 일차알도스테론증 선별과정에서 대표적으로 나타날 수 있는 오류들을 보여준다.

따라서 ARR을 해석할 때 ARR의 정확성과 신뢰도에 대한 한계를 인지하고, 각각의 요소인 레닌과 알도스테론을 독립적으로 평가하여 레닌비의존알도스테론 생산을 시사하는 표현형을 확인하는 과정이 필요하다. 이전에는 검사 시 최소 2주 전에 레닌-안지오텐신-알도스테론계에 영향을 줄 수 있는 약은 중단하도록 권고했으나, 최근에는 환자와 의사 모두의 부담을 최소화하고 검사 기회를 극대화하기 위해 선별검사를 위한 약물 중단이나 특정 시간에 시행하는 것을 필수적으로 권고하지 않으므로 일차알도스테론증이 의심되는 환자가 있을 시에는 즉각 ARR을 측정한다.

레닌은 검사방법에 따라 결정치가 다르고 억제된 레닌에 대한 정확한 정의도 아직 없다. 일부 국가들에서는 직접 레닌 농도를 사용하는 경우도 있으나 우리나라에서는 혈장레닌활성도가 활용되고 있다. 일반적으로 혈장레닌활성도가 1.0 ng/mL/h 미만, 직접레닌 농도의 경우 8.2 mU/L 미만을 레닌 억제의 기준으로 활용할 수 있으나 최근에는 각각 0.6 ng/mL/h과 5 mU/L 미만이 레닌 억제의 기준으로 제시되고 있다. 만약 레닌이 억제되어 있다면 선별 및 확진검사, 부

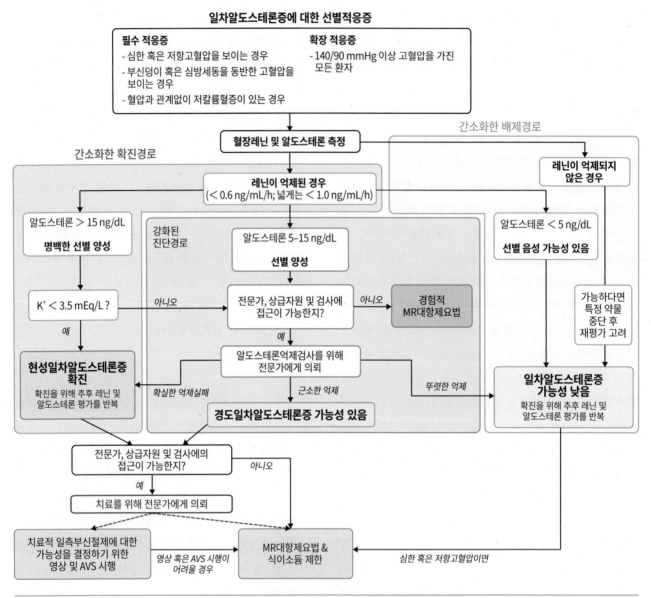

그림 4-4-2. 일차알도스테론증에 대한 진단알고리듬
MR, mineralocorticoid receptor; AVS, adrenal venous sampling.

신정맥채혈조차도 결과를 해석하기 위해 혈압약을 중단하는 과정은 필요하지 않다. 그러나 일차알도스테론증의 가능성이 높음에도 불구하고 레닌이 억제되어 있지 않은 환자라면 스피로놀락톤 같은 무기질부신피질호르몬수용체대항제, 아밀로라이드나 트리암테렌(triamterene) 등의 상피소듐통로억제제를 최소 4주 동안 중단하거나 감량한 상태에서 재검하는 것을 고려해야 한다. 기존 혈압제는 레닌-안

지오텐신-알도스테론계에 대한 영향이 적은 독사조신이나 프라조신 같은 α–아드레날린차단제 및/또는 지속 칼슘통로차단제, 베라파밀(느린 방출 제형), 하이드랄라진 등의 약물로 변경한 후 적어도 2주 이상 지나서 다시 ARR을 측정한다. 저칼륨혈증은 알도스테론 생산을 억제하므로 재검을 시행하기 전에 저칼륨혈증을 교정해야 하며 식이염분도 제한할 필요 없이 충분히 섭취하도록 한다. 안지오텐신전환효소

표 4-4-4. 일차알도스테론증 선별 시 나타나는 오류의 주요 원인

요인	기전
위양성	
고칼륨혈증	알도스테론 생산을 직접 자극함
ARR 계산 시	레닌 < 0.6 ng/mL/h일 때 비가 인위적으로 과장됨
직접적인 레닌억제제	혈장레닌활성도를 낮춤
경구피임제 혹은 에스트로젠	레닌농도를 직접적으로 낮춤
위음성	
저칼륨혈증	알도스테론 생산을 저해시킴
무기질부신피질호르몬수용체대항제	알도스테론을 증가시킬 수 있음 & 일차알도스테론증 환자에서 레닌을 올림
안지오텐신전환효소억제제 혹은 안지오텐신수용체차단제	알도스테론에 불균형적으로 레닌을 증가시킴
이뇨제 및 염분제한	일차알도스테론증 환자에서 드물게 레닌을 증가시킴
임신	레닌, 특히 혈장레닌활성도를 불균형적으로 상승시킴

억제제나 안지오텐신수용체차단제의 경우 일차알도스테론증에서 레닌을 유의하게 올리지 않기 때문에 이들 약물을 포함한 다른 약물들은 검사 동안 굳이 중단하지 않아도 된다. 당뇨병 치료약물로 많이 쓰이고 있는 글리플로진(소듐포도당공동수송체2억제제)은 생리적으로 혈관내 용적을 수축시키고 레닌을 증가시킬 수 있으나 실제로 검사에 영향을 주는지 여부에 대해서는 아직 보고된 바 없다.

레닌 억제가 있는 상태에서 알도스테론수치가 15 ng/dL를 넘으면 선별검사 양성으로 판단하며 여기에 3.5 mEq/L 미만의 저칼륨혈증을 동반할 경우 현성일차알도스테론증으로 확진할 수 있다(그림 4-4-2). 만약 5–15 ng/dL의 알도스테론수치를 보인다면 경증의 일차알도스테론증을 포함하여 레닌–독립적으로 알도스테론 과생산상태일 가능성이 높으므로 내분비전문의에게 전원하여 추가적인 확진검사를 시행해야 한다. 추가검사를 진행하기 어려운 상황일 경우에는 환자의 추정사구체여과율이 30 mL/min/1.73 m² 미만이거나 고칼륨혈증이 있는 것이 아니라면 최소한의 용량으로 무기질부신피질호르몬수용체대항제치료를 시작해볼 수 있다.

(2) 정상적으로 억제되지 않는 알도스테론 분비 증가에 대한 확진

선별검사과정에서 확실한 일차알도스테론증 표현형을 보인 환자를 제외하고 나머지 일차알도스테론증이 의심되는 '양성' 결과를 보인 환자들은 내분비전문의나 고혈압전문가를 통해 확진검사를 시행하고 아형을 확인하는 과정이 중요하다. 가능하다면 확진검사를 시행하기 4–6주 전에 레닌–안지오텐신–알도스테론축에 영향을 줄 수 있는 약을 중단하고 저칼륨혈증도 교정한다. 대표적인 확진검사로는 경구소듐부하검사, 생리식염수부하검사, 캡토프릴유발검사, 플루드로코티손억제검사 4가지가 있으며 일본에서는 퓨로세마이드바로선검사(furosemide upright test)도 활용된다. 이들 중 일차로 이상적인 단독검사로 추천되는 것은 아직 없으며 기관마다 사용하는 검사가 다를 수 있으나 가장 많이 사용되는 검사는 생리식염수부하검사이다. 이 검사는 아침에 일어나 적어도 30분 이상 앉은 자세를 유지한 상태에서 시작하며 생리식염수를 시간당 300–500 mL 속도로 4시간 동안 2 L를 정맥투여한 후 혈중 알도스테론 농도를 측정한다. 일차알도스테론증에서 보이는 자율능은 체액 증가 중 알도스테론 분비 억제에 대한 저항성을 일컫는다. 정상인의 경우 세포바깥액 증가로 인해 혈장알도스테론 농도가 5 ng/dL 미만으로 감소하나, 일차알도스테론증에서는 10 ng/dL 이상으로 억제되지 않는 소견을 보인다(표 4-4-5). 그러나 한 전향연구에 따르면 생리식염수부하검사 후 알도스테론수치가 6.8 ng/dL일 때 민감도는 83%, 특이도는 75%로 나타났으며 누운 자세가 아닌 앉은 자세에서 생리식염수부하검사를 진행할 경우 일차알도스테론증에 대한 진단 민감도는 더욱 높아져 결정치가 8 ng/dL로 낮아진다. 따라서 생리식염수 부하 후 혈장알도스테론 농도가 5-10 ng/dL인 경우 일종의 중간구역으로 일차알도스테론증 환자가 숨어있을 수 있으므로 확진검사결과를 해석할 때 치료자의 신중한 판단이 필요하다.

경구소듐부하검사는 3일 동안 6 g 이상의 고염식 이후에도 24시간소변의 알도스테론 배설이 12 μg을 넘으면 진단할 수 있다. 하지만 생리식염수부하검사와 마찬가지로 심하게 조절되지 않는 고혈압, 신부전, 심장부정맥, 심한 저칼륨혈증이 있는 환자에서는 시행하면 안 된다. 캡토프릴유발검사는 안지오텐신전환효소억제제가 안지오텐신II를 낮추어 알도스테론 농도를 감소시키는 원리를 이용한 검사로 신장이나 심장기능에 문제가 있는 환자들에서 볼륨 과잉의 위험을 피할 수 있다. 적어도 1시간 이상 앉거나 선 자세를 취하고나서 캡토프릴 25-50 mg를 경구투여하며 검사가 진행되는 동안 앉은 자세를 유지한 상태로 기저, 1시간 혹은 2시간째 채혈을 진행한다. 정상인에서는 캡토프릴 투여 후 혈장알도스테론 농도가 30% 이상 억제되는 반면, 일차알도스테론증 환자에서는 이러한 반응이 덜하여 혈장알도스테론 농도가 11 ng/dL이면서 레닌이 여전히 억제되어 있거나

표 4-4-5. 일차알도스테론증 확진검사의 임상해석

경구소듐부하검사
- 3일간 하루 200 mmol (6 g) 이상의 고염식 유지
• 비정상: 24시간소변알도스테론 배설 > 12 μg
• 정상: 24시간소변알도스테론 배설 < 10 μg
생리식염수부하검사
- 시간당 500 mL의 속도로 4시간 동안 2 L의 생리식염수 정주
- 기저치 및 검사 종료 시 혈장알도스테론 농도 측정
• 비정상: 부하 후 혈장알도스테론 농도 ≥ 10 ng/dL(누운 자세에서 시행), 8 ng/dL(앉은 자세에서 시행)
• 정상: 부하 후 혈장알도스테론 농도 < 5 ng/dL
*진단이 모호한 경우: 부하 후 혈장알도스테론농도가 5-10 ng/dL인 경우(일차알도스테론증 환자가 있을 수 있으므로 치료자의 판단이 중요)
캡토프릴유발검사
- 적어도 1시간 이상 앉거나 선 자세를 유지한 상태에서 캡토프릴 25-50 mg을 투여하며 기저, 1시간 혹은 2시간째 혈장알도스테론 농도 측정
• 비정상: 혈장알도스테론 농도 > 11 ng/dL 및 레닌 활성도가 여전히 억제되어 있거나 ARR > 20 ng/dL/ng/mL/h
• 정상: 혈장알도스테론 농도가 30% 이상 억제
플루드로코티손억제검사
- 4일간 매 6시간마다 플루드로코티손 0.1 mg을 경구투여
- 하루 4번 혈장칼륨 농도를 측정하여 4.0 mmol/L에 가깝도록 느린 방출 KCL 보충제를 6시간마다 함께 복용
- 식사 시 30 mmol의 느린 방출 NaCl 보충제와 충분한 식이소금 보충
- 4일째 앉은 자세로 오전 10시경 혈장알도스테론 농도 및 혈장레닌활성도 측정, 오전 7시와 10시에 혈장코티솔 농도 측정
• 비정상: 혈장알도스테론 농도 > 6 ng/dL, 혈장레닌활성도 < 1 ng/mL/h (10시에 측정한 혈장코티솔 농도가 7시 측정치보다 낮아야)

ARR이 20 이상으로 증가된 소견을 보인다고 알려져 있다. 그러나 상당수의 환자들에서 위음성 혹은 모호한 결과를 보일 수 있다는 한계점이 있고 혈관부종이 발생할 수 있다는 점을 유의해야 한다. 그 외에 플루드로코티손억제검사가 또 하나의 옵션이기는 하지만 다른 검사에 비해 덜 표준화되어 있고 복잡하며 혈압과 혈장칼륨을 모니터링하기 위한 입원이 필요하여 비용적인 부담과 안전하게 수행하기가 더 어렵다는 제한점 때문에 널리 시행되지 못하고 있다.

(3) 알도스테론 분비의 위치 확인

선별 및 확진검사에서 레닌 억제와 알도스테론 과분비가 증명된 모든 일차알도스테론증 환자에서 부신영상검사를 시행하는 것이 권고된다. 초기영상검사로는 운동허상이 발생할 가능성이 적은 복부컴퓨터단층촬영이 추천된다. 자기공명영상검사의 경우 컴퓨터단층촬영보다 예민도는 높은 것으로 알려져 있으나 특이도가 상대적으로 낮아 위양성이 생길 가능성이 더 높고 가격적인 이득도 없다. 영상검사를 시행하는 목적은 ① 알도스테론 분비암종을 비롯한 부신종양 유무를 확인하고, ② 부신정맥배액을 확인함으로써 부신정맥채혈을 시행하는 시술의에게 가이드를 제공함으로써 시술의 성공률을 높이기 위함이다. 알도스테론생산선종은 복부컴퓨터단층촬영에서 보통 직경 2 cm 미만의 작은 결절로 보이며 코티솔분비선종이나 갈색세포종보다 저밀도 음영을 나타내지만(그림 4-4-3), 알도스테론과 코티솔을 같이 분비하는 종양은 2-4 cm가량의 큰 선종으로 나타나기도 한다. 특발고알도스테론증의 경우에는 복부컴퓨터단층촬영에서 정상으로 보이거나 결절변화를 보인다. 알도스테론 분비부신피질암종은 전체 부신피질암종의 약 2-3% 정도를 차지하며 거의 언제나 직경 4 cm를 넘지만(보통 6 cm) 때로는 이보다 작은 경우도 있다. 그러나 알도스테론생산선종의 크기가 1 cm 이하로 작은 경우가 많아 특발부신증식증으로 잘못 판독되는 경우도 있으므로 부신 고해상도복부컴퓨터단층촬영을 이용한 알도스테론생산선종 진단의 정확도는 70% 정도로 알려져 있다.

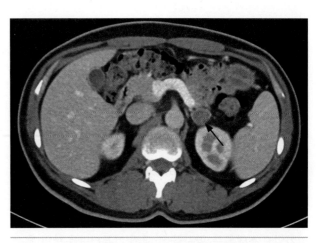

그림 4-4-3. 알도스테론분비선종의 고해상도복부컴퓨터단층촬영소견
좌측 부신에서 2 cm 크기의 부신선종이 관찰됨(화살표)

영상검사의 또 다른 제한점은 피검자의 나이가 많을수록 비기능부신우연종이 동시에 발견될 확률이 높은데 단층영상은 알도스테론을 분비하는 병터와 비기능선종을 구분하지 못한다는 점이다. 특발부신증식증 환자에서 대결절이 부신선종처럼 보일 수도 있다. 실제로 111례의 확진된 알도스테론생산선종 환자들을 후향적으로 분석한 보고에 따르면 50%에서만 컴퓨터단층촬영에서 종괴가 보였고, 특히 크기가 1 cm 이하인 종양에서는 컴퓨터단층촬영에서의 양성률이 25%였다고 한다. 일차알도스테론증 환자 950명을 포함하는 38개 연구에 대한 체계적문헌연구에서 컴퓨터단층촬영과 자기공명영상은 37.8%의 환자에서 일차알도스테론증의 원인을 잘못 진단한 것으로 나타났다. 더욱이 컴퓨터단층촬영과 코신트로핀-자극 부신정맥채혈소견을 비교한 연구들에서 약 절반가량의 환자들에서만 결과가 서로 일치했다. 컴퓨터단층촬영에서 음성소견을 보인 증례의 22%에서 부신정맥채혈에서는 한쪽 질환이 있는 것으로 나타난 반면, 부신정맥채혈에서 양측 혹은 반대쪽 결과로 나타난 증례들의 25%에서 컴퓨터단층촬영에서는 한쪽 덩이가 확인되었다. 최근 우리나라에서 후향디자인으로 진행된 한 연구에서는 저칼륨혈증과 30 ng/dL를 넘는 혈장알도스테론 농도를 보이면서 컴퓨터단층촬영에서 일측병변을 보이는 환자들의 경우 나이에 관계없이 일측일차알도스테론증의 위험이 높았음을 보고하기도 했다. 그러나 부신영상은 어느 부신이 일차알도스테론증의 원인인지(편측성)를 결정하는 데 부정확하므로 영상검사소견 단독으로 수술치료 여부를 결정하는 것은 충분하지 않다.

이렇듯 부신정맥채혈은 한쪽부신절제가 도움이 되는 환자를 확인하기 위해 중요한 검사이지만 현실적으로 일차알도스테론증이 진단된 모든 환자에서 침습적인 검사를 수행하기는 쉽지 않다. 또한 최근 무작위대조시험으로 200명의 일차알도스테론증 환자들에 대해 컴퓨터단층촬영 혹은 부신정맥채혈을 바탕으로 한쪽부신절제를 시행한 후 1년간 추적관찰한 SPARTACUS연구에 따르면 일차평가지표였던 부신절제 1년 후 목표혈압에 도달하는 데 필요한 약물치료의 강도는 컴퓨터단층촬영군과 부신정맥채혈군에서 유의한 차이가 없었다. 추가적인 이차평가지표였던 건강관련 삶의 질이나 생화학적 관해에 있어서도 양군 간 결과가 통계적으로 유의한 차이를 보이지 않았다. 그러나 코신트로핀 자극 후 부신정맥채혈이 수행되었음에도 부신절제 후 실패율이 이전에 비슷한 프로토콜을 사용했던 센터들에 비해 높게 보고되는 등 연구설계상 한계점이 보여 결과에 대한 논란은 여전히 있는 상태이다. 이처럼 일차알도스테론증의 아형을 확인하는 데 있어 부신정맥채혈이 컴퓨터단층촬영보다 우월한지에 대해 장기간 호르몬 변화에 대해 추적관찰한 연구가 아직 부족하다는 제한점이 있다.

따라서 일차알도스테론증 아형에 대한 컴퓨터단층촬영의 정확도가 35세 이전의 환자들에서 가장 높다는 점을 바탕으로, 전문가들이 합의한 가이드라인에서는 영상검사에서 단일부신결절을 보이면서 심한 일차알도스테론증을 가진 35세 이전의 환자들을 제외하고는 한쪽부신절제를 고려할 경우 부신정맥채혈을 진료표준으로 삼을 것을 지지하고 있다. 또한 수술치료의 후보가 되는 환자들에 대해 컴퓨터 단층촬영스캔과 덱사메타손억제검사를 시행함으로써 편측화에 대한 가능성과 더불어 부신절제로 상당한 임상이득을 얻을 가능성을 고려하여 부신정맥채혈을 진행할지를 결정

한다(그림 4-4-4). 실제로 일차알도스테론증 환자의 상당수에서 경한 부신피질자극호르몬–비의존코티솔 과다(mild ACTH-independent cortisol excess, MACE)가 발견되므로 비정상적인 덱사메타손억제검사결과를 보일 경우 고코티솔혈증 유무를 확진하기 위한 추가검사를 즉시 시행해야 한다. 1–2 cm를 넘거나 낮은 부신피질자극호르몬수치를 동반하는 부신피질선종을 가지면서 고코티솔혈증을 의심할 수 있는 다른 증거들이 있는 환자들에서는 부신절제를 진행하고 수술 후에 일차알도스테론증에 대해 다시 평가하는 것을 추천한다. 한편 크기가 크고 불규칙한 가장자리를 보이거나 괴사를 동반하는 고음영의 종양일 경우 부신피질암종에 대한 평가가 필요하다.

부신정맥채혈은 아침에 시행하게 되는데, 자세변화로 레닌-안지오텐신계의 자극에 미치는 영향을 피하기 위해 적어도 1시간 이상 누운 자세를 취하고 나서 부신피질자극호르몬에 의해 자극된 알도스테론 생산이 최대가 되었을 때 말초정맥(주로 하대정맥) 및 좌우 부신정맥에서 검체채취를 진행한다. 부신정맥채혈 프로토콜과 해석은 센터마다 차이가 있으며 도자삽입을 동시에 진행하는 경우와 순차적으로 진행하는 경우가 있고 부신피질자극호르몬의 합성유도체인 코신트로핀을 사용하지 않거나 한 번에 주입 혹은 지속주입하는 방법으로 투여하는 경우도 있다(표 4-4-6). 가능한 한 부신정맥채혈은 양쪽에서 동시에 실시하며 알도스테론과 코티솔 농도를 같이 측정하는데, 도자의 위치와 시간에 따른 혈액채취의 오차를 보정하기 위하여 알도스테론치를 코티솔치로 나눈 보정값(cortisol-corrected aldosterone ratio, CCARs)을 사용하여 편측화지표(Lateralization index, LI)를 계산함으로써 이환된 측의 위치를 확인하게 된다. 그러나 부신정맥채혈은 우측부신정맥에서의 도자삽입이 기술적으로 어려워 약 25%에서 실패하는 것으로 알려져 있고 시술 시 부신출혈, 조영제의 누수 및 부신경색 등의 합병증이 드물게 생길 수 있어 숙련된 영상의학과 의사에 의해 진행되어야 한다.

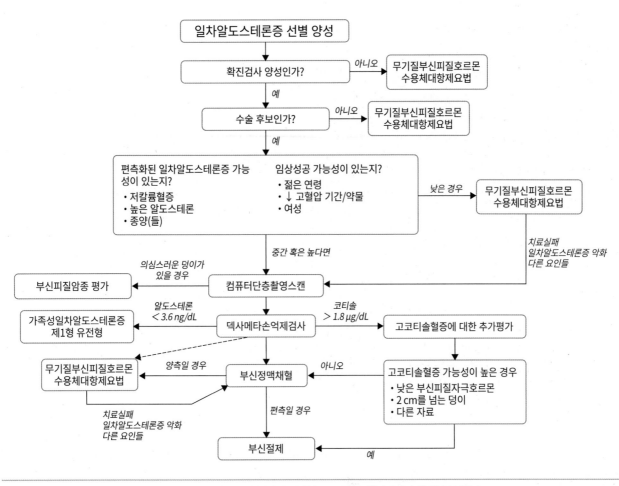

그림 4-4-4. 선별검사 양성인 일차알도스테론증 환자에서의 확장알고리듬

04

부신

부신정맥채혈결과를 해석할 때는 우선 부신정맥채혈이 성공적으로 이뤄졌는지 여부를 판단하는 과정이 필요하다(표 4-4-6). 부신정맥 코티솔/하대정맥 코티솔비인 선택성지표(selectivity index, SI)는 성공적인 부신정맥채혈을 나타내는 지표로서, 일반적으로 코신트로핀을 투여하지 않았을 경우 최소 2배, 투여했을 경우에는 최소 5배 이상일 때 부신정맥에 적절히 도관삽입된 것으로 판단하여 신뢰도 높은 결과로 본다. CCARs을 이용하여 구한 지표들에 대한 해석역시 센터마다, 코신트로핀 투여에 따라서도 기준이 달라진다. 일측성에서는 환측의 알도스테론치는 높지만 반대측의 알도스테론 분비는 억제되므로 코신트로핀을 투여한 경우 환측의 CCARs이 반대측에 비하여 4배 이상이면(편측화지표 ≥ 4) 편측화되었다고 판단한다(표 4-4-7). 하지만 코신

트로핀을 투여하지 않고 시술을 진행하는 일부 기관에서는 편측화지표가 최소 2 혹은 그보다 낮은 경우에도 편측화되었다고 판단하기도 한다. 반대쪽비(contralateral ratio, CLR)는 우세하지 않은 부신에 대한 CCAR을 말초혈액에서의 CCAR로 나눈 값으로, 보통 반대쪽비가 1 이하로 억제될 경우 알도스테론의 중요한 근원이 아닌 것으로 판단한다. 즉, 높은 편측화지표와 낮은 반대쪽비를 보일수록 일측일차알도스테론증의 강한 증거로 판단할 수 있다. 설사우측부신정맥의 도관삽입이 실패한 경우라고 하더라도 하대정맥과 좌측부신정맥의 검사결과치만을 가지고도 부신기능에 대한 제한적인 정보를 얻을 수 있다.

부신정맥채혈과정에서 코신트로핀을 투여하는 이유는 기술

표 4-4-6. 부신정맥채혈의 해석기준과 서로 다른 프로토콜

- 선택성지표(selectivity index, SI) = (코티솔)$_{부신정맥}$/(코티솔)$_{말초정맥}$
  부신정맥도관삽입이 성공적으로 이뤄졌는지 보는 지표임
- 편측화지표(lateralization index, LI) = (알도스테론/코티솔)$_{같은쪽부신정맥}$/(알도스테론/코티솔)$_{반대쪽부신정맥}$
  알도스테론 생산의 편측화 여부를 확인하는 지표임
- 반대쪽비(contralateral ratio, CLR) = (알도스테론/코티솔)$_{반대쪽부신정맥}$/(알도스테론/코티솔)$_{말초정맥}$
  비우세(non-dominant) 부신으로부터의 알도스테론 생산이 억제되는지 확인하는 지표로서, 일반적으로 반대쪽비 ≤ 1일 경우 반대쪽 억제가 있다고 판단함

센터	비자극 혹은 ACTH 주입	성공적인 부신정맥채혈 기준	편측일차알도스테론증의 진단기준
뮌헨, 파리	비자극	선택성지표 ≥ 2	편측화지표 ≥ 4
토리노	비자극 + 지속 ACTH 주입	선택성지표 ≥ 3	편측화지표 ≥ 4 혹은 편측화지표 ≥ 3이면서 반대쪽비 ≤ 1
브리즈번	비자극	선택성지표 ≥ 3	편측화지표 ≥ 2.5이면서 반대쪽비 ≤ 1
로체스터	지속 ACTH 주입	선택성지표 ≥ 5	편측화지표 ≥ 4
센다이	일시 ACTH 주입	선택성지표 ≥ 5	편측화지표 ≥ 2.6
요코하마	일시 + 지속 ACTH 주입	(코티솔)$_{부신정맥}$ > 200 μg/dL	(혈장알도스테론 농도)$_{같은쪽부신정맥}$ > 1,400 ng/dL

ACTH, adrenocorticotropic hormone.

표 4-4-7. 부신정맥도자삽입 후 부신피질자극호르몬(ACTH) 투여 전후 좌우측 부신정맥혈과 하대정맥혈에서 채취한 알도스테론(A, ng/dL)과 코티솔(C, μg/dL)을 측정하여 CCARs을 비교한 예시

시간(분)	우측		좌측		하대정맥	
	A	C	A	C	A	C
–5	2,352	297	125	404	61	18
0 (ACTH)	2,038	227	120	342	62	20
20	1,820	271	170	231	110	27
40	8,046	359	190	358	224	115

시간(분)	우측	좌측	하대정맥
	CCAR	CCAR	CCAR
–5	7.9	0.3	3.4
0 (ACTH)	8.9	0.3	3.1
20	6.7	0.7	4.1
40	22.4	0.5	5.1

음영으로 표시된 부분은 ACTH(코신트로핀 250 μg 정주) 자극 후 20분 및 40분에 얻은 결과이다. 좌우측 부신정맥혈에서 뽑은 혈장의 코티솔치가 하대정맥보다 10배 이상이므로 도자술은 적절하게 된 것으로 해석된다. 우측의 CCAR이 좌측에 비하여 4배 이상 높으므로 우측이 일차알도스테론증의 병소가 되며 수술로서 선종이 확진되었다.

적인 성공률을 높이고 알도스테론생산선종으로부터 알도스테론의 생산을 자극함과 동시에 비동시(non-simultaneous) 부신정맥채혈 동안 스트레스로 인해 부신피질자극호르몬분비에 의한 코티솔 및 알도스테론 변동을 줄이기 위함이다. 그러나 생리적인 상태에서와 비정상적으로 알도스테론이 생산되는 상태에서 코신트로핀 자극의 상대적인 효과에 대해 여전히 논란이 있다. 특히 고용량의 코신트로핀이 정상적인 사구대세포로부터 알도스테론을 자극함으로써 중등도의 자율능을 가지는 알도스테론생산선종에 대한 편측화를 가려 양측부신증식증으로 오인하게 할 수도 있으므로 결과를 해석할 때 주의를 요한다. 또한 일부 알도스테론생산선종은 부신피질자극호르몬수용체(MC2R)의 증가된 발현과 연관되어 코신트로핀에 대해 불균형적인 반응을 보이는데, 이러한 다양한 반응은 일차알도스테론증이 그만큼 복잡하고도 이질적인 장애의 집합임을 시사한다고 하겠다. 한편 자율고코티솔혈증을 가진 일차알도스테론증 환자의 경우 부신피질자극호르몬을 낮춤으로써 반대쪽 부신으로부터 나오는 코티솔 생산을 낮추므로 부신정맥채혈 결과에 영향을 줄 수 있다. 이러한 제한점을 극복하기 위해 메타네프린, 11-데옥시코티솔, 안드로스텐다이온, 11β-하이드록시안드로스텐다이온 등 여러 부신산물들을 이용해 부신정맥채혈 동안 알도스테론을 보정하려는 노력이 있으나 아직 표준화된 접근법은 없는 실정이다.

부신정맥시술의 성공률을 높이기 위한 노력도 계속되고 있다. 몇몇 연구들에 따르면 시술현장에서 코티솔 측정을 하거나 빠른 자동 CLEIA검사를 통해 코티솔을 측정하는 방법이 유의하게 시술 성공률을 향상시키는 것으로 나타났다. 또한 C-arm 컴퓨터단층촬영을 이용해 우측부신정맥으로 들어가는 도관의 위치를 보다 정확하게 확인하는 방법으로 약 95%의 성공률에 도달했음이 보고되기도 했다. 최근 일본연구자들에 의해 미세도관을 부신분절에 삽입하는 분절부신정맥채혈(segmental AVS)이 개발되어 알도스테론 과분비의 원천을 세부적으로 파악하려는 시도와 함께 이렇게 얻은 부신정맥채혈결과를 양측 혹은 재발일차알도스테

론증 환자의 치료에도 적용하려는 움직임이 있어 향후 그 유용성에 대해 추가적인 연구가 필요한 상태이다. 한편, 낮은 코티솔 선택성지표를 보이는 환자에서 부신특이적인 11β-하이드록시안드로스텐다이온과 11-데옥시코티솔을 활용한다거나, 시술 중에 18-하이드록시코티코스테론이나 18-하이드록시코티솔과 18-옥소-코티솔 등을 동시에 측정하여 부신정맥채혈결과를 해석하는 것도 도움이 될 수 있으나 이러한 스테로이드 프로파일링은 아직 일부 기관에서만 활용가능하다는 제한점이 있다.

부신정맥도관 삽입이 기술적으로 어려운 경우에는 방사성핵종영상 등의 추가적인 검사를 시행하기도 한다. NP-59 스캔은 동위원소주사 후 48시간의 비대칭성 섭취를 보일 경우 선종을, 72시간 후의 대칭성 섭취는 증식증을 의미한다. NP-59 스캔의 민감도는 약 72% 정도로 선종의 크기와 연관이 있어 직경이 1.5 cm 미만인 경우 정확한 영상을 얻기가 매우 어렵기 때문에 크기가 작은 알도스테론생산선종의 감별에는 한계가 있다고 생각되어 왔다. 그러나 최근 *KCNJ5*에 체세포돌연변이를 가진 일차알도스테론증 환자에서 해당 돌연변이가 없는 환자에 비해 증가된 NP-59 섭취량을 보였다는 연구결과가 보고된 바, 추후 일차알도스테론증에서 NP-59 스캔의 역할에 대한 추가적인 연구가 필요할 것으로 보인다. 이외에도 [^{11}C]-metomidate나 [^{68}Ga]-pentixafor 등의 양전자방출물질을 이용한 PET이 작은 종양들을 확인할 수 있다고 알려졌으나 비싼 가격과 제한적인 가용성으로 인해 아직 널리 사용되지 못하고 있다.

5) 감별진단

고혈압과 저칼륨혈증이 있는 환자는 일차 또는 이차알도스테론증의 가능성이 있으며 이들을 감별하는 유용한 방법은 혈장레닌활성도를 측정하는 것이다. 가속고혈압(accelerated hypertension) 환자에서의 이차알도스테론증은 혈장레닌치의 상승에 기인되나, 일차인 경우는 혈장레닌치가 억제되어 있다. 그러나 임상에서 보다 흔히 접하는 문제는 일측부신선종과 양측부신증식증에 의한 일차알도스테

론증의 아형 감별이다. 양측부신증식증의 경우 동반된 고혈압증상이 양측부신절제를 시행해도 호전되지 않으나, 알도스테론분비선종과 연관된 고혈압은 선종절제 후 완치될 수 있다는 점에서 감별은 중요하다. 임상적으로 양측부신증식증 환자는 일측일차알도스테론증에 비해 저칼륨혈증이 심하지 않고 알도스테론 분비가 상대적으로 낮으며 혈장레닌 활성도가 높은 경향이 있지만, 임상증상이나 생화학적 검사만으로는 감별이 어려운 경우가 많다. 선종이 있는 대부분의 환자에서는 자세변화에 따른 혈장알도스테론의 비정상적인 감소와 18-하이드록시코티코스테론치의 증가가 나타나기도 하나 선종이 있는 일부 환자에서도(레닌반응성 알도스테론 분비선종) 기립 시 알도스테론 농도가 증가되므로 이들 검사의 진단가치는 제한적이다. 따라서 앞서 기술한 양측부신정맥채혈 및 영상검사가 일차알도스테론증의 아형감별에 있어 최선의 방법이라 할 수 있겠다. 일차알도스테론증 환자 중에는 드물지만 가족성 고알도스테론증이 있을 수 있으므로 임상양상과 발병연령, 덱사메타손억제검사에 대한 반응을 종합하여 감별해야 한다(표 4-4-2, 그림 4-4-1). 드물게 일차알도스테론증은 다른 고무기질부신피질호르몬상태와도 감별이 필요하다. 일부 경우에서는 저칼륨혈성알칼리증이 있는 고혈압 환자에서 데옥시코티코스테론분비선종이 발견되기도 한다. 이 경우 혈장레닌활성도는 감소되어 있으며 알도스테론 농도 역시 정상이거나 감소되어 있어 알도스테론 외의 다른 호르몬에 의한 무기질부신피질호르몬 과잉상태임을 알 수 있다. 감별진단이 필요한 대표적인 질환들은 다음과 같다.

(1) 이차알도스테론증

이차알도스테론증은 레닌-안지오텐신계의 활성화에 따라 혈장레닌이 상승되어 알도스테론의 분비가 이차적으로 증가된 상태를 의미한다. 주로 고혈압의 가속기나 부종을 동반하는 질환과 관련되어 울혈심부전, 간경화증, 신증후군과 같이 유효순환용적이 감소된 상태에서 증가하게 된다. 임신 시 관찰되는 이차알도스테론증은 에스트로젠유발 혈중 레닌 농도와 활성도의 증가 및 프로제스테론물질의 항알도스테론 작용에 따른 생리적인 반응으로 해석된다. 고혈압을 동반한 이차알도스테론증은 신혈류량 혹은 신장관류압의 감소에 의한 레닌 증가가 원인이 되는 경우도 있는데, 이 경우 레닌의 과다분비는 죽상경화판이나 섬유근성증식증에 따른 신장주동맥의 협착증에 의해 나타날 수 있다. 또한 일차레닌증(primary reninism)의 범주에 속하는 레닌분비종양에 의해 이차알도스테론증이 유발될 수도 있다. 레닌분비종양은 신혈관고혈압의 생화학적인 특징을 가지고 있으나, 일차적인 결함은 사구체옆세포종양에 의한 레닌의 과다분비에 있다. 영상학적으로 신혈관구조는 정상이나 공간점유병터가 관찰되며, 신정맥의 한쪽에서만 레닌활성도가 증가되는 특징을 보인다. 드물지만 이들 종양이 난소에서 발생하기도 한다. 이뇨제 사용에 따른 과도한 혈액용적 감소가 이차알도스테론증을 악화시키기도 하며, 이러한 경우 저칼륨혈증과 대사알칼리증이 심하게 나타날 수 있다.

드물게 부종이나 고혈압 동반 없이 이차알도스테론증이 유발되기도 한다. 대표적으로 바터증후군(Bartter syndrome)과 지텔맨증후군(Gitelman syndrome)이 이에 속한다. 바터증후군은 소변으로 칼륨과 염분배설 증가, 저칼륨혈증, 고혈압이나 부종을 동반하지 않은 알칼리증 및 혈장레닌과 알도스테론치의 증가가 특징인 드문 질환이다. 바터증후군의 기전은 확실하지 않으나 신장의 사구체옆세포의 증식과 소변의 프로스타글랜딘 E2 증가 등이 관찰되며, Na-K-2Cl 공동수송체(cotransporter)의 과오돌연변이 또는 틀이동돌연변이(frameshift mutation)가 원인으로 생각된다. 대개 소아기에 나타나며 근위축, 경련, 다뇨, 성장지연, 지능발달저하 등을 특징으로 한다. 더 심한 변종은 유아기에 양수과다증, 조산, 칼슘배설 증가, 탈수 등의 증상을 나타낸다. 신장결석이 흔하고 이온화칼슘이 감소하며 부갑상선호르몬의 증가와 골량의 감소를 보인다. 지텔맨증후군은 저칼슘뇨증과 소변프로스타글랜딘 E2 배설은 정상인 변종으로서 혈청칼슘은 증가되나 이온화칼슘은 정상이고 부갑상선호르몬은 감소되나 골밀도는 정상이다. 지텔맨증후군은 싸이아자이드에 민감한 신

장 Na-Cl cotransporter유전자(SCL12A3)의 변이가 원인으로 생각되며 헨레고리 상행각의 염소 재흡수가 감소되어 있다. 주로 사춘기나 성인기 초반 혹은 검진에서 우연히 발견되기도 하며 소변 칼슘배설량으로 바터증후군과 감별이 가능하나 가장 정확한 것은 분자유전자검사이다.

(2) 선천겉보기무기질부신피질호르몬과다증후군

저레닌고혈압과 저칼륨혈증을 나타내지만 알도스테론 증가는 보이지 않고 스피로놀락톤에 반응하는 유전질환이다. 1979년도에 2명의 소아에서 심한 고혈압, 저칼륨혈증, 알도스테론과 레닌분비의 억제, 근육약화, 성장장애 및 다음/다뇨(신성요붕증)의 증상과 함께 특이하게도 소변에서 코티솔 대 코티손의 비가 증가되어 있음이 보고되면서 선천겉보기무기질부신피질호르몬과다증후군(syndrome of apparent mineralocorticoid excess, AME)이 알려지게 되었다. 보통염색체열성으로 유전되며 코티솔을 코티손으로 전환시키는 11β-하이드록시스테로이드탈수소효소2 (11β-hydroxysteroid dehydrogenase, 11β-HSD2)의 결핍에 의해 생긴다. 코티솔은 비교적 특이성이 적은 제1형 무기질부신피질호르몬수용체에 알도스테론과 비슷한 친화력으로 결합하여 무기질부신피질호르몬의 작용을 나타낼 수 있다. 정상신장의 알도스테론 작용조직에서 이 효소는 코티솔을 코티손으로 전환시키므로 코티솔이 무기질부신피질호르몬수용체와 결합하는 것을 방해하지만 이 효소가 결핍된 경우 코티솔은 심한 무기질부신피질호르몬 효과를 나타낸다. 이환된 소아는 24시간 소변의 유리코티솔 대 유리코티손의 비율이 정상치인 0.3-0.5보다 현저히 증가하여 5-18 정도를 보인다. 치료로는 덱사메타손 투여가 권장되지만 효과가 불충분하여 아밀로라이드나 스피로놀락톤을 추가하여야 한다. 11β-하이드록시스테로이드탈수소효소유전자에 결합이 없는 정상 신장을 이식하여 치료한 보고도 있다.

(3) 후천겉보기무기질부신피질호르몬과다증후군

후천적으로 장기간 과도한 양의 감초를 만성적으로 먹는 사람에게서 나타나는데, 감초에 함유된 그리키레티닉산 (glycyrrhetinic acid)은 신장에서 11β-하이드록시스테로이드탈수소효소2 활성을 억제함으로써 코티솔 농도가 증가하고 코티솔이 무기질부신피질호르몬수용체에 결합하여 무기질부신피질호르몬작용을 하면서 칼륨 배설을 유발하고 이차적으로 레닌-알도스테론의 작용을 억제하는 것으로 밝혀졌다. 감초 50 g에는 75 mg의 그리키레티닉산이 함유되어 있으며 이 용량 이상을 약 2주 이상 복용하면 고혈압, 저칼륨혈증 및 알도스테론과 레닌의 억제를 볼 수 있다. 특히 만성적으로 감초를 먹은 환자에서는 정상 코티솔수치에서도 무기질부신피질호르몬 활성을 현저하게 올릴 수 있다.

또한 감초와 유사한 화합물인 카베녹솔론(carbenoxolone)은 그리키레티닉산의 반석신산염(hemisuccinate)유도체로서 위궤양치료제로 사용되고 있는데 이 역시 11β-하이드록시스테로이드탈수소효소2 활성을 억제하여 고혈압, 저칼륨혈증 및 레닌, 알도스테론의 억제 효과가 나타난다. 카베녹솔론이 감초섭취와 다른 점은 카베녹솔론의 경우 저칼륨혈증을 일으키지만 신장의 칼륨 배설량을 증가시키지 않고 혈장의 코티솔반감기가 늘어나지만 코티솔 대 코티손 비가 증가되지는 않는다. 이러한 현상은 카베녹솔론이 11β-하이드록시스테로이드탈수소효소2뿐만 아니라 간과 지방세포에서 코티손을 코티솔로 전환시키는 11β-하이드록시스테로이드탈수소효소1에도 작용하기 때문이다.

(4) 이소성부신피질자극호르몬증후군

고혈압이나 심한 저칼륨혈증이 있는 환자에서는 이소성부신피질자극호르몬 생산도 고려되어야 한다. 고혈압, 저칼륨혈증 및 대사알칼리증이 이소성부신피질자극호르몬증후군에서 나타나지만 뇌하수체의존쿠싱병에서는 비교적 흔하지 않다. 이소성부신피질자극호르몬증후군에서는 코티솔이 극도로 과도하게 분비되어 체내 11β-하이드록시스테로이드탈수소효소2의 대사 한계를 넘어 코티솔이 알도스테론수용체와 결합하게 된다. 또한 데옥시코티코스테론도 과다 생산되므로 무기질부신피질호르몬 효과가 나타난다.

(5) 17α-수산화효소(CYP17) 결핍

CYP17 결핍은 선천부신증식증의 드문 형태로서 빈도는 50,000명당 1명 정도일 것으로 추정되며 부신과 성선에 이상을 가져온다. 보통염색체열성으로 유전되며 *CYP17*유전자에서 15개의 서로 다른 돌연변이가 밝혀졌는데 유전자 삽입에 의한 조기종결, 단일코돈의 결손, 무의미돌연변이, 과오돌연변이를 나타내는 여러 개의 점돌연변이 등이다.

*CYP17A1*유전자는 17α-수산화효소와 17,20-절단효소를 전사한다. 코티솔, 안드로젠과 에스트로젠의 합성을 위해서는 프로제스테론의 C17 위치의 수산화과정이 필요하고, C19 스테로이드인 남성호르몬(DHEA, 안드로스텐다이온, 테스토스테론)과 C18 스테로이드인 여성호르몬의 생성을 위해서는 스테로이드의 절단과정이 필요하다. 따라서 대부분의 CYP17 결함은 두 효소 활성 모두를 손상시키는 형태로 나타나며, 17α-수산화효소나 17,20-절단효소 단독의 결핍만을 보일 수도 있다. 복합적인 결핍이 있는 환자는 당질부신피질호르몬, 안드로젠과 에스트로젠의 생성이 저하되며 CYP17의 기질인 프로제스테론의 혈중 농도가 증가한다. 혈중 코티솔, 11-데옥시코티솔 및 17α-하이드록시프로제스테론수치는 낮고 부신피질자극호르몬은 증가한다. 테스토스테론, 에스트라다이올 및 DHEA 등 CYP17에 의해 합성되는 호르몬 생성이 감소하며 황체형성호르몬과 난포자극호르몬 농도는 증가한다. 무기질부신피질호르몬 생합성은 저해되지 않으므로 증가된 기질에 의해 데옥시코티코스테론과 18-하이드록시코티코스테론, 18-하이드록시데옥시코티코스테론 및 19-Nor-데옥시코티코스테론 등의 증가에 의한 무기질부신피질호르몬 과다상태가 되면서 이차적으로 레닌활성도와 알도스테론치는 감소한다.

CYP17 결핍은 사춘기에 고혈압, 저칼륨혈증 및 성선저하증으로 주로 진단된다. 여성은 거짓남녀한몸증으로서 여성 외부생식기를 가지지만 질의 끝이 막혀 있고 자궁과 난관이 없다. 고환은 대개 복강 내에 있고 라이디히세포의 비대증을 보인다. 대개의 환자는 고혈압을 동반하지만 10-15%는 혈압이 정상이다. 저칼륨혈증이 동반될 수도 있으나 대개 경미하고 부신부전은 나타나지 않는다.

치료는 부신피질자극호르몬 억제와 이에 따른 스테로이드 전구체 생성을 억제하기 위한 당질부신피질호르몬의 투여이다. 레닌-안지오텐신-알도스테론축의 억제는 스테로이드 치료로 회복될 수 있지만 일부에서는 지속되기도 하여 무기질부신피질호르몬수용체대항제를 사용할 수 있다. 여성에서는 이차성징의 발현을 위하여 여성호르몬을 투여하며, 남성에서는 이차성징이 없다면 수술과 호르몬 치료를 통해 여성화시키는 것이 바람직하다.

(6) 11β-수산화효소 결핍

CYP11B1 결핍은 보통염색체열성으로 유전되며 선천부신증식증의 8-16%를 차지하고 신생아 100,000명 출생당 1명으로 발생한다.

CYP11B1 결핍은 11-데옥시코티솔과 11-데옥시코티코스테론이 각각 코티솔과 코티코스테론으로 전환되는 과정에 장애를 유발하여 코티솔생성이 감소하므로 부신피질자극호르몬분비가 증가되어 11β-수산화 이전의 스테로이드전구체들과 부신안드로젠을 증가시킨다. 과다한 안드로젠에 의해 여아의 약 반수는 CYP21A2 결핍에서 보는 것처럼 심한 남성화를 보이나 경미한 경우는 아동기나 사춘기에 발현되기도 하며, 일부는 젊은 성인에게서 남성의 여드름이나 여성의 남성형다모증 및 월경불순으로 나타나기도 한다.

임상적으로 CYP11B1과 CYP21A2 결핍의 감별점은 고혈압이다. CYP11B1 결핍의 3분의 2는 혈압이 높고 이는 증가된 11-데옥시코티코스테론에 의한다. 그러나 고혈압이 모든 환자에게서 나타나는 것은 아니고 어떤 환자는 염분소실을 보이는 등 다양한 임상양상을 나타내는데 그 원인은 아직 밝혀지지 않았다. 또한 무기질부신피질호르몬의 과잉으로 저칼륨혈증을 보이기도 한다. 혈장부신안드로젠(DHEA, 안드로스텐다이온, 테스토스테론)이 증가되며 소변으로 배설되는 대사물(일부는 17-케토스테로이드로 검출)도 증가한다. 전형적 형태에서는 기저혈장11-데옥시코티솔과 소변 테트라하이드로-11-데옥시코티솔 측정으로 대개 진단이 가능하다.

치료는 당질부신피질호르몬의 보충이며 체표면적당 하이드로코티손 10-25 mg을 일일 3번 분복하여 투여한다. CYP21A2 결핍의 치료와 마찬가지로 여러 처방법을 사용할 수 있다. 적절한 치료에 대한 반응을 모니터링하는 생화학적 인자로서 혈장11-데옥시코티솔과 안드로젠이 감소하고 혈장레닌 활성도가 측정가능한 수치로 증가됨을 확인한다. CYP21A2 결핍과 유사하게 장기적 치료의 효과는 성장률과 골격계의 성숙도로 측정한다. 데옥시코티코스테론 억제 후에도 고혈압이 지속되어 스피로놀락톤, 아밀로라이드 또는 칼슘통로차단제 등이 필요할 수 있고 생식기 이상이 있는 여성은 수술로 교정해주어야 한다.

(7) 데옥시코티코스테론 과다상태

알도스테론과 달리 데옥시코티코스테론 분비의 조절은 부신피질자극호르몬에 의한다. 데옥시코티코스테론의 과다는 부신선종, 부신피질암종 및 증식증에서와 같이 일차로 생길 수 있으며, 과도한 부신피질자극호르몬 분비로 인한 이차로도 올 수 있다. 일차인 순수데옥시코티코스테론분비 부신선종의 경우 고혈압, 저칼륨혈증 및 저알도스테론증을 볼 수 있으며 치료는 알도스테론분비선종과 동일하다. 데옥시코티코스테론을 분비하는 부신피질암종은 매우 드물며 때로는 안드로젠, 에스트로젠 또는 코티코스테론을 함께 분비하기도 하는데 종괴가 거대하고 전이성 종괴를 볼 수도 있다. 부신선종에 의한 일차알도스테론증 환자에서 데옥시코티코스테론의 증가가 있을 수 있으며 저레닌 본태고혈압에서도 간혹 데옥시코티코스테론의 단독 증가를 볼 수 있다. 또한 모든 형태의 쿠싱증후군 환자에서 혈중 데옥시코티코스테론의 증가를 종종 볼 수 있다.

(8) 코티코스테론 과다상태

코티코스테론을 분비하는 부신종양은 매우 희귀하며 대개는 부신피질암종이다. 고혈압과 저칼륨혈증 및 고알도스테론증과 레닌분비의 억제를 보인다. 또한 17α-수산화효소 결핍 환자와 알도스테론분비선종 환자에서 간혹 코티코스테론이 과다분비되는 경우가 있다.

(9) 당질부신피질호르몬 저항상태

당질부신피질호르몬 작용에 결함이 있는 경우 부신피질자극호르몬의 증가로 인한 코티솔의 생산 증가와 이에 따라 부신안드로젠, 코티코스테론 및 데옥시코티코스테론의 생산도 증가되어 무기질부신피질호르몬 과잉효과가 나타난다. 당질부신피질호르몬저항은 당질부신피질호르몬수용체에 돌연변이를 보이는 보통염색체우성 또는 열성으로 유전되는 질환이다. 수용체의 스테로이드 결합부위의 점돌연변이(Val641 mutant), DNA결합부위의 돌연변이 및 수용체수의 감소 등이 병태생리로 알려져 있다. 고용량의 덱사메타손에 대하여 치료효과를 보이며 일일 3 mg까지 투여하였다는 보고도 있다.

(10) 본태고혈압

본태고혈압 환자의 약 25%는 저레닌고혈압 환자이고 무기질부신피질호르몬대항제에 잘 반응하여 혈압이 조절된다. 이러한 점 때문에 이들 환자에서 무기질부신피질호르몬의 활성이 증가되어 있을 것이라는 기대를 하게 되는데 실제로 혈장알도스테론치를 측정하여 보면 높지는 않다. 또한 무기질부신피질호르몬 활성을 가지고 있는 기타 다른 스테로이드, 18-하이드록시데옥시코티코스테론, 19-nor-데옥시코티코스테론, 17α, 20-다이하이드록시프로제스테론 등도 정상이다. 그러나 염분부하에 의한 알도스테론 억제반응이 정상적인 것보다 낮다.

본태고혈압 환자를 대상으로 동위원소가 부착된 코티솔의 대사율을 측정해보면 환자의 약 1/3에서 증가된 것을 관찰할 수 있다. 이를 근거로 11β-하이드록시스테로이드탈수소효소2의 부분적인 결핍 또는 활성의 저하를 추측하여 볼 수 있지만 이들 환자에서 무기질부신피질호르몬 과잉을 시사하는 전해질이상 또는 레닌의 억제 및 알도스테론의 증가는 관찰되지 않았다.

염분민감고혈압 환자에서 소변의 코티솔 대 코티손의 비가 증가된 소견이 관찰되었는데 이는 11β-하이드록시스테로이드탈수소효소2의 활성이 감소된 것을 시사한다고 볼 수 있다. 11β-하이드록시스테로이드탈수소효소2유전자의 인트론1의 현미부수체(microsatellite)를 조사한 연구를 보면 염분민감도와 연관이 있었다고 한다.

(11) 외인무기질부신피질호르몬 과잉
애디슨병이나 양측부신절제를 받은 환자의 치료과정 또는 기타 환자에서 스테로이드를 과다투여할 때 무기질부신피질호르몬 과잉증상이 나타날 수 있다. 치료 초기에 나트륨의 체내저류, 저칼륨혈증 및 레닌과 알도스테론의 억제가 나타나며 염분 섭취가 많으면 고혈압이 나타난다.

(12) 무기질부신피질호르몬수용체돌연변이의 활성화
무기질부신피질호르몬수용체의 돌연변이(S810L)에 이환된 환자는 수용체의 활성을 증가시키고 결합 특이성을 변화시켜 고혈압이 조기에 발현되며 임신 중 증가된 프로제스테론이 무기질부신피질호르몬수용체를 활성화시켜 고혈압이 악화된다.

(13) 리들증후군(Liddle syndrome)
리들증후군에 이환된 환자는 젊은 나이에 고혈압, 나트륨의 체내저류 및 다양한 정도의 저칼륨혈증을 나타낸다. 보통염색체우성으로 유전되며 알도스테론이나 다른 무기질부신피질호르몬의 증가는 관찰되지 않는다. 따라서 이와 유사한 선천부신증식증, 선천겉보기무기질부신피질호르몬과다증후군, 데옥시코티코스테론 분비부신종양, 이소성 부신피질자극호르몬 분비, 감초 복용 등과 감별이 필요하다.

신장피질의 주세포는 나트륨의 재흡수와 칼륨의 배설을 담당하는 세포이다. 이 상피세포의 아밀로라이드감수성소듐통로(epithelial sodium channel, ENaC)는 α, β 및 γ의 소단위로 구성되어 있는데 이를 각각 부호화하는 SCNN1A, SCNN1B, SCNN1G유전자의 생식세포돌연변이에 의해 발생하며 나트륨의 재흡수가 증가되고 이는 세포내 나트륨의 증가로 인한 길항을 받지 않는다.

나트륨 재흡수의 증가는 알도스테론에 의한 것이 아니며 무기질부신피질호르몬수용체활성화로부터 독립적이므로 스피로놀락톤 치료에 반응하지 않는다. 따라서 아밀로라이드 또는 트리암테렌 같은 ENaC차단제 투여로 증상이 호전된다.

(14) 제2형 거짓저알도스테론증(고든증후군, Gordon's syndrome)
고든증후군 혹은 가족성 고칼륨혈증성 고혈압으로 알려져 있는 제2형 거짓저알도스테론증은 신장에서 염분재흡수 변화로 인해 생기는 드문 유전질환이다. 고든증후군을 가지는 환자들은 정상 사구체여과율을 보임에도 불구하고 고칼륨혈증을 나타나는데, 이는 전형적으로 저칼륨혈증을 보이는 저레닌고혈압의 다른 가족성 유형들과 구별되는 점이다. 또한 낮거나 정상인 알도스테론수치와 함께 낮은 레닌수치, 고염소혈증, 대사알칼리증소견을 보이고 일부에서는 고칼슘뇨증을 동반하기도 한다. 보통염색체우성과 열성형질 모두로 전달될 수 있으며 최소 4가지 유전자(WNK1, WNK4, CUL3, KLHL3)에서 상이한 돌연변이들에 의해 생긴다. 그 중 WNK1과 WNK4유전자에 의해 부호화되는 WNK 인산화효소는 원위신장단위에 Na+/Cl- 공동수송체(Na+/Cl- cotransporter, NCC)의 발현을 조절하는 반면, CUL3와 KLHL3유전자에 의해 각각 부호화되는 scaffold단백질 Cullin3와 연결기(adaptor)단백질 Kelch3는 WNK 인산화효소의 ubiquitination 및 proteasomal degradation에 관여한다. 복잡한 세포내 상호작용을 통해, 형질막에 있는 NCC가 상향조절되면서 염분재흡수 증가를 유발

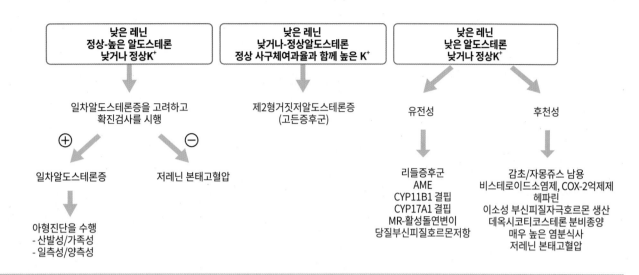

그림 4-4-5. 혈장레닌, 혈청알도스테론 및 혈장칼륨수치에 따른 저레닌고혈압의 감별진단
AME, apparent mineralocorticoid excess; MR, mineralocorticoid receptor; COX-2, cyclooxygenase-2.

하고 신장외수질칼륨통로(renal outer medullar K^+ channel, ROMK)의 발현 감소와 함께 뒤이어 고칼륨혈증이 발생한다. 특히 *WNK4* 돌연변이를 가진 환자들에서만 고칼슘뇨증이 보인다고 알려져 있다. 이러한 고든증후군의 표현형들은 NCC를 특이적으로 억제하는 싸이아자이드이뇨제 투여에 의해 복귀된다.

6) 치료

선종에 의한 일차알도스테론증은 환측 부신의 수술적 절제가 가장 좋은 치료이며 입원기간이 짧고 수술위험이 매우 낮은 복강경수술이 선호된다. 로봇을 이용한 부신부분절제(partial adrenalectomy)는 이미 반대쪽 부신적출을 시행받은 환자들에서 남아 있는 부신기능을 보존하고 부신부전을 피하기 위해 최근 생겨난 방법이지만 초선별적인 부신정맥채혈(superselective AVS)결과를 바탕으로 진행되어야 한다. 또한 높은 농도의 에탄올을 이용한 초선별적동맥색전술(superselective arterial embolization)은 통제되지 않은 소규모연구에서 혈압을 낮추는 것으로 보고되었으나 아직 널리 쓰이는 치료는 아니다. 수술 전에는 수 주간 스피로놀락톤을 투여하여 혈압을 조절하고 칼륨 농도를 정상화시킨다. 수술 전에 치료를 하면 좌심실비대와 심장기능

의 호전에도 도움이 되고 수술 전후의 과정 및 회복이 비교적 원활해진다. 전해질장애는 수술 후 즉시 소실되나 혈압은 수개월간 정상화되지 않을 수도 있다.

양측부신증식증 환자와 수술적응증에 해당하지 않거나 동반질병으로 인해 수술이 어려운 선종 환자의 경우에는 약물치료를 시행한다. 무기질부신피질호르몬수용체대항제는 단독 혹은 다른 약물과 같이 쓰이며 스피로놀락톤, canrenone, 포타슘 canrenoate, 에플레레논(eplerenone, 더 선택적이지만 다른 약물보다 약하고 짧게 작용하는)이 추천되는 약물들이다. 스피로놀락톤은 하루 12.5 mg에서 시작해 400 mg까지 사용 가능하나 미국내분비학회 가이드라인에서는 하루 100 mg을 초과하지 않도록 권고한다. 부적절한 용량은 질환을 조절하지 못하고 심혈관질환의 위험을 올리기 때문에 혈압 및 정상 칼륨혈증의 조절을 위해 가장 높은 허용 가능한 용량까지 증량해야 한다. 대개는 12.5–50 mg의 소량을 사용하여도 혈압과 저칼륨혈증을 조절하는 데 충분하며 반응은 수주에 걸쳐서 서서히 나타난다. 일차알도스테론증 환자들은 흔히 저칼륨혈증을 가지고 있어서 무기질부신피질호르몬수용체대항제 용량을 증량하면서 고칼륨혈증이 발생할 위험은 낮지만 만성신장질환 및/혹은

레닌/안지오텐신계차단제, 비스테로이드소염제를 함께 복용하는 노인들에서는 칼륨수치가 오를 수 있으므로 주의깊게 모니터링해야 한다. 스피로놀락톤을 시작하고 7–10일 후에 혈압과 칼륨수치를 확인하여 혈압 < 135/80 mmHg, 칼륨 > 3.5 mmol/L 소견을 보이면 용량을 그대로 유지할 수 있으나 5.2 mmol/L를 넘는 고칼륨혈증을 보이는 환자의 경우 무기질부신피질호르몬수용체대항제 용량 감량을 고려해야 한다. 또한 무기질부신피질호르몬수용체대항제 치료를 하는 동안, 용량이 부적절할 경우 레닌수치가 낮게 유지되므로 약물을 증량하는 참고로써 레닌활성도수치를 측정하고 1 ng/mL/h 이상을 유지할 수 있도록 한다. 일부 환자들에서는 수년간 약물치료만으로도 혈압조절과 칼륨의 정상 유지가 가능하나, 남성의 경우 장기적인 스피로놀락톤 치료로 인해 용량의존적으로 여성형유방, 발기장애, 성욕감퇴 등이 유발될 수 있다는 문제점이 있다. 여성형유방은 하루 50 mg 미만의 용량에서는 6.9% 미만이지만 하루 150 mg을 넘으면 52%까지 그 빈도가 증가된다고 알려져 있다. 여성에서는 높은 스피로놀락톤 용량에 보통은 괜찮지만 하루 100 mg이 넘는 용량을 복용할 경우 유방통이나 월경불순이 유발될 수 있다. 이러한 부작용을 줄이거나 피하기 위해 지속칼슘통로차단제, 베타차단제, 안지오텐신전환효소억제제나 안지오텐신수용체차단제를 병합하여 사용함으로써 스피로놀락톤 용량을 줄일 수 있다. 칼슘통로차단제인 니페디핀을 부신종양이나 부신피질증식증 환자에서 투여하면 혈압이 떨어질 뿐 아니라 칼륨치의 정상화 및 알도스테론 분비의 감소를 볼 수 있는데 이 약물이 세포내 칼슘 농도를 감소시켜 알도스테론의 생성을 억제하는 것으로 생각되고 있다. 또 다른 약물인 베라파밀을 투여했을 때에는 부신피질증식증에서만 약리학적 효과를 볼 수 있다고 한다. 안지오텐신전환효소억제제도 레닌–안지오텐신계를 차단하여 부신피질증식증에서 효과가 있고 혈압의 감소, 칼륨의 정상화 및 알도스테론 분비의 감소를 가져온다.

또한 부작용이 적은 에플레레논, 상피소듐통로억제제인 아밀로라이드나 트리암테렌도 일차알도스테론증 치료에 있어 무기질부신피질호르몬수용체대항제를 대체하거나 치료반응이 충분하지 않을 경우 추가할 수 있는 약물들인데 혈압 조절 효과는 스피로놀락톤보다 약하다. 양측부신증식증이 의심되는 일부 환자에서 저칼륨혈증이 심하고 증상이 현저하며 스피로놀락톤 등의 약물치료로 조절되지 않는 경우에는 수술치료를 고려해 볼 수 있다. 그러나 일반적으로 양측부신증식증에서 동반되는 고혈압은 부신절제로 호전되지 않는다. 과거에 일측부신 또는 양측부신절제로써 치료를 했던 99례의 부신증식증 환자들에서 19%에서만 수술이 임상적치료 효과가 있었다. 새로운 강력하고 특이적인 무기질부신피질호르몬수용체대항제로 apararenone, esaxerenone, finerenone 등이 심부전에서의 이차알도스테론증치료제로 개발 중이며 LCI699와 같은 알도스테론합성억제제제 혹은 CYP11B2-선택적 약물에 대한 연구도 진행 중이어서 이들 약물이 일차알도스테론증에서도 유용할지 추후 진행상황을 지켜봐야 할 것이다.

7) 예후

(1) 알도스테론과 심혈관 손상

만성적인 알도스테론증은 본태고혈압에 비해 혈압의 정도와 독립적으로 표적장기, 특히 심장, 신장 및 혈관 손상의 위험을 증가시키는 것으로 알려져 있는데 뇌혈관질환(4.2배), 심근경색증(6.5배) 및 심방세동(12.1배)의 위험도가 높다. 이는 지속적인 고알도스테론증이 염류저류로 인한 용적 팽창을 가져올 뿐만 아니라 산화스트레스로 인해 염증을 유발하고 내피기능장애, 조직의 염증, 섬유화 및 혈관재형성 등을 유도하여 직접적인 조직의 손상을 일으키기 때문이라고 생각되고 있다(그림 4-4-6).

일차알도스테론증 환자는 본태고혈압 환자보다 좌심실의 두께가 더 크고 원인에 대한 치료가 된 후에는 1년에 걸쳐 좌심실두께가 감소하는 것을 볼 수 있다. 또한 최근 많은 연구들을 통해 알도스테론 과다분비는 본태고혈압에 비해 안지오텐신II와는 독립적으로 심혈관계의 위험인자임이 강조

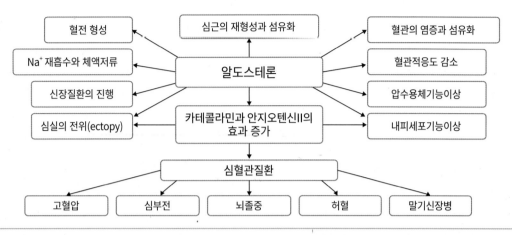

그림 4-4-6. 지속적인 알도스테론 증가가 세포조직에 손상을 입히고 심혈관질환이 생기는 과정을 나타내는 모식도

표 4-4-8. 알도스테론증에 동반된 대표적인 심혈관질환

- 뇌졸중(4.2배 증가)
- 심근경색증(6.5배 증가)
- 심방세동(12.1배 증가)
- 좌심실비대 및 이완장애
- 혈관경직도 증가

되고 있다. 혈중 안지오텐신II 농도가 매우 낮은 일차알도스테론증 환자에서 오히려 본태고혈압 환자에 비해 좌심실비대, 알부민뇨증, 뇌졸중의 빈도가 높다는 사실과 (표 4-4-8), 대표적인 알도스테론대항제인 스피로놀락톤 또는 에플레레논이 울혈심부전의 악화 및 심혈관질환의 발생을 유의하게 감소시켰다는 대규모 임상연구결과들은 이를 뒷받침해 준다. 알도스테론과 심혈관 손상을 매개하는 안지오텐신II의 역할에 대한 많은 연구가 있었지만, 알도스테론이 안지오텐신II에 비의존적인 역할을 한다는 추가적인 증거가 있다. 이차알도스테론증(안지오텐신 주입)과 일차알도스테론증(알도스테론 주입)의 실험동물모형은 일반적인 병태생리적 순서를 밝혀내었다. 처음 수일 내에 조직학적으로 혈관주위의 큰 포식세포 침윤과 염증을 나타내는 염증유도물질의 활성이 있었고 뒤이어 세포사와 섬유화, 심실비대가 동반되었다. 또한 이러한 결과는 알도스테론수용체대항제가 사용되거나 부신절제가 초기에 이루어진 경우 억제되었다. 이 과정에서 염분 섭취의 정도가 중요한 보조인자였다. 염분 섭취가 극도로 제한되어 있는 경우, 알도스테론이 상승하더라도 손상은 일어나지 않는다. 결과적으로 알도스테론 농도 자체가 손상에 직접적인 연관이 있는 것이 아니라, 개체별로 보이는 혈류량과 나트륨의 농도에 따른 알도스테론 농도가 관련이 있다.

RALES연구에서는 III/IV기의 울혈심부전을 가진 환자들을 일반적 치료군과 무기질부신피질호르몬수용체대항제인 스피로놀락톤 저용량투여군으로 무작위분류하여 치료하였는데, 36개월 후에 스피로놀락톤 투여군에서 심장원인을 포함한 모든 원인의 사망, 입원 위험이 각각 30%, 35% 감소되는 것으로 나타났다. 또 다른 연구는 심혈관 손상을 매개하는 안지오텐신II의 생성 감소와 무기질부신피질호르몬의 억제의 상대적 중요성에 대해 의문을 제시하였다. 환자들은 무기질부신피질호르몬수용체대항제인 에플레레논 복용군과 안지오텐신전환효소억제제제인 에날라프릴(enalapril) 복용군, 그리고 두 약물을 모두 복용하는 군으로 나뉘었다. 첫 번째 연구에서의 연구평가지표는 좌심실비대를 가진 환자에서 좌심실비대의 완화였으며, 두 번째 연구에서의 연구평가지표는 당뇨병과 단백뇨가 동반된 환자에서 단백뇨의 감소였다. 이 두 연구에서 모든 약물 투여는 일차평가지표를 상당치 감소시켰지만, 가장 강력한 효과는 두 가지 약물을 같이 투여한 경우였다. 단독투여의 경우 좌심실비대 측면에서는 비슷한 감소를 보였지만, 단백뇨 측면에서는 에플레레논군이 에날라프릴군보다 더 큰 감소를 보였다. 마지막으로 급성심근경색증 후 발생한 울혈심부전 환자를 대상으로 일반적인 치료프로그램에 더하여 소량의 에플레레논을 투여한 군과 투여하지 않은 군으로 무작위로 나누어 검사한 EPHESUS연구가 있다. 이 연구에 의하면 위약 투여군에 비해 에플레레논 투여군에서 사망(15-17%)과 심혈관질환으로 인한 입원의 유의한 감소를 보였다. 결과적으로 전체적인 합의는 아직 이루어지지 않았지만, 이 네 연구는 무기질부신피질호르몬수용체 억제가 일반적인 치료에 더하여 심혈관사망과 대리적인 종결점을 감소시키는 데 도움이 된다는 가설을 제시한다.

(2) 치료 후 경과 및 추적

완치를 이루고 심혈관 손상과 심장신장사례를 줄이기 위해서는 진단과 수술이 빠를수록 결과가 좋다. 부신정맥채혈에 따라 수술을 시행했을 때 80% 이상의 환자들에서 동맥고혈압을 완치시키거나 개선한다고 알려져 있으며 수술 후 항고혈압제 치료가 필요하다고 하더라도 혈압약 개수나 용량을 현저히 줄일 수 있다. 양측성고알도스테론증을 가진 환자에서조차 일측부신절제에 의해 부분적 혹은 일시적으로 일차알도스테론증이 해결되는 것이 보고되기도 했다. 수술 이후 환자들의 삶의 질과 관련된 여러 평가지표도 호전되었다. 선종을 수술로 제거한 뒤에 혈압은 수주에서 수개월에 걸쳐 서서히 감소한다. 60명에 대한 수술 후 결과를 보면 1달 뒤에 60%, 2년 뒤에 76%, 그리고 5년 뒤에 70%에서 정상혈압을 보였다고 한다. 20여 편의 임상보고를 종합하여 694명의 치료성적을 분석한 결과를 보면 수술 후 장기간 뒤에 혈압의 정상화율은 69%였다. 수술 후 혈압이 정상화되는 것에 영향을 미치는 인자를 분석한 연구에 따르면 수술 후 2개월에는 고혈압의 유병기간, 6개월-1년 뒤에는 조직학적 진단, 5년 뒤에는 고혈압의 가족력이 가장 중요한 인자였다. 고혈압의 가족력이 없는 경우,

2개 이하의 고혈압약물이 필요한 경우, 고혈압유병기간이 5년 이하인 경우, 수술 전 혈장알도스테론과 레닌활성도 비가 높았던 경우, 소변의 알도스테론 배출치가 높았던 경우 및 수술 전 스피로놀락톤에 반응이 좋았던 경우 등에서 수술 이후 고혈압이 더 많이 회복되었다. 수술적으로 완치에 실패하는 일차알도스테론증의 흔한 원인은 부정확한 진단(부신정맥채혈을 진행하지 않고 수술을 하는)도 있으나 더 흔한 것은 만성신장질환 및/혹은 본태고혈압의 동반이며 그 외에 고령이거나 장기간의 고혈압유병기간도 연관이 있다고 생각되고 있다.

2017년 PASO (The Primary Aldosteronism Surgical Outcome)연구에서는 국제전문가컨소시엄을 통해 일측일차알도스테론증 환자에서의 수술결과를 평가하는 척도에 대해 발표하였으며(표 4-4-9), 결과에 대한 첫 평가는 수술 후 3개월 이내에 시행하되 최종결과는 6-12개월째 평가하도록 하며 매년 재평가할 것을 권고하였다. 이 기준에 따라 18개 국제센터에서 부신정맥채혈을 바탕으로 일측부신절제를 시행받은 526명의 환자들의 결과를 컴퓨터단층촬영을 바탕으로 수술받은 235명의 환자들과 비교한 연구에서는 컴퓨터단층촬영군에서 부신정맥채혈군에 비해 완전생화학 성공이 낮았고(80% vs. 93%, $p < 0.001$) 생화학 성공 부재는 더 높았음을 보고하기도 했다(12% vs. 2%, $p < 0.001$).

부신절제를 받거나 양측일차알도스테론증 환자들 모두 정기적인 추적이 권고된다. 부신절제를 받은 일차알도스테론증 환자들은 수술 후 생화학적 완치를 확인하기 위한 정기적인 생화학적 재검이 필요하다. 수술 후에도 일차알도스테론증이 지속될 경우 양측질환을 의미하거나(부신정맥채혈을 바탕으로 수술이 이뤄지지 않았을 경우 원인이 아닌 부신을 제거), 드물게는 알도스테론생산암종의 재발 가능성도 있다. 고알도스테론증으로 인한 사구체과여과가 수술로 교정되면서 혈청크레아티닌이 소폭 상승하거나 일부 환자에서 수술 후 고칼륨혈증을 동반한 저알도스테론증이 보일 수 있으므로 적어도 첫 6개월 동안 생화학적재검과 함께

표 4-4-9. 일측일차알도스테론증 환자의 수술결과에 대한 국제합의

완전임상성공(complete clinical success) 항고혈압제의 도움 없이 정상혈압을 보이는 경우(가이드라인 혹은 측정 방법에 따라 기준은 다양할 수 있음)
부분임상성공(partial clinical success) 항고혈압제를 줄여도 수술 전과 같은 혈압을 보이거나 항고혈압제를 동량 혹은 줄인 용량을 쓰면서 혈압이 감소한 경우
임상성공부재(absent clinical success) 항고혈압제를 동량 혹은 늘린 용량으로 쓰면서 혈압이 변화가 없거나 상승하는 경우
완전생화학성공(complete biochemical success) 저칼륨혈증이 교정되고(수술 전에 있었을 경우) 알도스테론/레닌비가 정상화된 경우; 수술 후 높은 알도스테론/레닌비를 보이는 환자에서 알도스테론 분비가 확진검사에서 억제되는 경우
부분생화학성공(partial biochemical success) 저칼륨혈증이 교정되고(수술 전에 있었을 경우) 알도스테론/레닌비가 높으면서 다음 중 하나 혹은 둘 다 만족할 때(수술 전과 비교할 때): 기저혈장알도스테론 농도에서 50% 이상 감소; 혹은 비정상이지만 수술 후 확진검사에서 호전되었을 경우
생화학성공부재(absent biochemical success) 저칼륨혈증이 지속되거나(수술 전에 있었을 경우) 높은 알도스테론/레닌비가 지속되거나 혹은 둘 다 만족하면서, 수술 후 확진검사에서 알도스테론 분비가 억제되지 않는 경우

추적관찰을 시행해야 한다. 약물로 치료하는 환자들의 경우에도 장기적으로 혈장레닌, 혈청칼륨 농도, 혈압에 대한 세심한 모니터링과 더불어, 동맥고혈압 표적장기 손상에 대한 평가가 필요하다. 항고혈압치료가 잘 듣지 않는 경우에는 부신정맥채혈을 통해 일측성 아형을 확인하기 위한 재조사를 즉각 시행한다. 최근 우리나라 건강보험공단자료를 분석한 연구결과에 따르면, 일차알도스테론증 환자는 본태고혈압 환자에 비해 새로이 발생한 심방세동의 위험도가 증가하였으며 수술적 혹은 내과치료 후 첫 3년까지 증가되고 그 이후에는 본태고혈압 환자와 차이가 없었다. 또한 수술치료를 받은 환자에서 그 위험도가 내과치료를 받은 환자보다 더 높았다. 이는 일차알도스테론증 환자에서 치료를 시작했다고 하더라도 최소 3년까지는 심방세동의 발생에 대한 모니터링이 중요하다는 것을 시사한다. 다른 심혈관질환의 경우 무기질부신피질호르몬수용체대항제로 내과치료를 받은 환자군에서 본태고혈압에 비해 비치명뇌졸중(nonfatal stroke) 위험도가 1.5배 증가한 데 반해, 수술치료를 한 환자군에서는 본태고혈압 환자와 유의한 차이가 관찰되지 않았다. 일차알도스테론증 환자의 치료 후 장기예후에 대한 연구결과가 더 필요하다고 하겠다.

8) 최신정보 및 미래 전망

일차알도스테론증의 임상중요성이 높아짐에 따라 일차알도스테론증 환자들의 다양한 표현형을 설명하기 위한 분자유전학적 연구가 꾸준히 진행되어 왔다. 지난 10년간 알도스테론생산부신선종으로부터 얻은 DNA에 대한 whole genome sequencing (WES) 분석을 통해 이온통로(inwardly rectifying 칼륨통로 GIRK4를 부호화하는 *KCNJ5*; L형 칼슘이온통로 Cav1.3의 α1 소단위에 대해 부호화하는 *CACNA1D*)와 ATPase (Na⁺, K⁺-ATPase α1 소단위에 대해 부호화하는 *ATP1A1*; 형질막 칼슘을 수송하는 3형 ATPase에 대해 부호화하는 *ATP2B3*)에 대해 부호화하는 유전자들에서 체세포돌연변이가 확인되었다. 최근 CYP11B2 면역조직화학염색에 기반한 차세대염기서열분석(next generation sequencing, NGS)이 개발되면서 알도스테론생산부신선종의 약 88–93%에서 이러한 체세포돌연변이들이 발견되고 있다. *ATP1A1*을 제외한 대부분의 체세포/생식세포돌연변이들은 세포막전위 혹은 세포내

이온항상성에 영향을 미쳐 세포내 칼슘 농도를 증가시키고 칼슘신호전달을 활성화시킴으로써 CYP11B2 발현을 증가시키고 알도스테론 생합성을 자극하는 것으로 알려져 있다. 흥미롭게도 인종과 성별이 이러한 알도스테론생산선종의 체세포돌연변이 스펙트럼에 영향을 준다는 것이 밝혀졌는데, 특히 일차알도스테론증에서 가장 흔하게 발견되는 KCNJ5 체세포돌연변이는 아시아인의 알도스테론생산선종에서 흔하며 인종에 관계없이 젊은 여성에서 더 흔하다. 이는 일차알도스테론증 치료에 있어 인종과 성별을 고려해야 할 잠재적인 필요성을 시사한다.

한편 주로 양측특발고알도스테론증의 발병요인으로 생각되는 알도스테론생산세포군은 병리학적으로 부신피막(adrenal capsule) 아래에 위치한 사구대세포들로 구성되고 직경이 10 mm 미만이며 헤마톡실린-에오신염색에 의해 주변 부신피질세포와 형태가 구별되지 않으나 면역조직화학염색에서 CYP11B2-양성인 병터를 일컫는다. 이들 알도스테론생산세포군에서는 코티솔 생산에 관여하는 CYP11B1이나 CYP17A1 발현이 낮은 것으로 알려져 있으며 알도스테론생산선종과 달리 CACNA1D 체세포돌연변이가 가장 흔한 돌연변이 유형으로 보고되고 있다. 또한 나이가 들면서 부신피질에서 정상적인 사구대 CYP11B2 발현이 감소하고 알도스테론생산세포군 발현은 증가되는 패턴을 보이는 바, 감지하기 어려운 자율알도스테론증의 넓은 임상스펙트럼뿐만 아니라 나이와 연관된 고혈압 발병에도 이러한 알도스테론생산세포군이 연관되어 있을 것으로 생각된다. 최근 알도스테론생산세포군을 좀 더 명확한 병리학적 용어인 알도스테론생산미세결절(aldosterone-producing micronodules, APM)로 명명하자는 의견이 일측 일차알도스테론증에 대한 국제조직병리학합의(histopathology of primary aldosteronism, HISTALDO)를 통해 발표되기도 했다. 지금까지 대부분의 연구들이 알도스테론생산선종의 조직을 이용하여 진행되었기 때문에 알도스테론생산세포군이 양측부신알도스테론증의 발병기전에 어떠한 역할을 하는지를 규명하기 위해 향후 더 많은 연구가 필요하다.

가족성 일차알도스테론증의 경우 알도스테론생산선종에서 체세포돌연변이가 확인되었던 것과 동일한 이온통로를 부호화하는 유전자들, 즉 T형 칼슘이온통로 Cav3.2의 α1 소단위에 대해 부호화하는 CACNA1H와 염소통로단백질 2를 부호화하는 CLCN2에서 생식세포돌연변이가 발견됨으로써, 이들 선행유전 결손에 따라 표 4-4-2와 같이 4가지 유형으로(FH I-FH IV) 분류할 수 있게 되었다. 이 중 제1형과 제3형 가족성 고알도스테론증의 경우 전자는 당질부신피질호르몬으로, 후자는 양측부신절제 또는 무기질부신피질호르몬수용체대항제로 치료하기 때문에 침습적인 부신정맥채혈이 불필요하다. 그러므로 20세 미만의 조기발병 일차알도스테론증으로 진단된 환자나 40세 미만의 젊은 나이에 일차알도스테론증 혹은 뇌졸중의 가족력이 있는 경우 제1형가족성 고알도스테론증을 유발하는 융합 CYP11B1/CYP11B2유전자가 존재하는지에 대한 유전자검사가 권고된다. 또한 일차알도스테론증을 진단받은 매우 젊은 환자(예를 들면 20세 미만)에서는 제3형가족성 고알도스테론증을 유발하는 KCNJ5 생식세포돌연변이 유무에 대한 유전자검사도 고려해야 한다. 제2형 혹은 제4형가족성 고알도스테론 환자들은 무기질부신피질호르몬수용체대항제뿐만 아니라 일측부신절제에 의해 성공적으로 치료되어 왔으므로 이들 환자에서는 부신정맥채혈이 수행되어야 한다.

이렇듯 일차알도스테론증에서 확인되는 비균질적인 조직학적 소견 및 유전자형들은 스테로이드 프로파일링결과와도 연관성을 보이고 있으므로 이를 이용한 일차알도스테론증의 아형 감별과 더 나아가 수술 후 생화학적 결과의 예측지표로도 활용될 수 있는 가능성이 제시되고 있다. 향후 환자에서의 다양한 표현형과 관련해 이들 소견들이 어떤 임상중요성이 가지는지, 진단과정에서 의사결정 및 치료결과에 어떤 영향을 미치는지 등에 대한 추가적인 연구가 더욱 중요할 것으로 생각된다.

II. 내분비고혈압의 기타 원인

1. 쿠싱증후군

쿠싱증후군 환자의 75-80%에서 고혈압이 관찰된다. 고혈압은 심할 수 있으며 유의한 심혈관 손상을 초래할 수 있다. 혈압은 여러 가지 이유로 올라갈 수 있는데 여기에는 레닌기질 농도의 증가, 코티솔의 나트륨저류 효과, 다른 무기질부신피질호르몬의 과잉분비, 그리고 카테콜라민에 대한 혈관반응성 증가 및 심박출량의 증가 등이 원인이 된다. 지속적으로 높은 당질부신피질호르몬 농도 때문에 혈압의 일교차가 소실된다.

내인쿠싱증후군에서 알도스테론과 레닌은 대개 정상이며 데옥시코티코스테론은 정상 또는 약간 증가되어 있다. 부신암에서는 데옥시코티코스테론과 알도스테론이 증가되기도 한다. 쿠싱증후군 환자에서 동반되는 고혈압은 외과적 수술로 원인이 제거된 경우 수 주에 걸쳐 서서히 정상으로 회복되는 것으로 알려져 있다. 약물치료로는 무기질부신피질호르몬수용체대항제로 저칼륨혈증을 교정하고 혈압을 조절하며 추가로 싸이아자이드이뇨제를 사용할 수 있다.

2. 말단비대증

말단비대증 환자의 50%에서 고혈압이 관찰된다. 고혈압의 발생기전으로는 인슐린저항성으로 인한 레닌-안지오텐신-알도스테론계의 상향조절, 성장호르몬 과잉의 직접적인 영향에 의해 신장에서의 나트륨 및 수분의 저류와 그로 인한 체액 팽창, 입인두에 있는 연부조직이 비대해지면서 폐쇄수면무호흡이 생기는 등의 3가지가 가능한 원인으로 제시되고 있다. 말단비대증의 고혈압은 이뇨제 치료에 잘 반응하는 편이며 수술적으로 원인 제거를 하면 고혈압도 정상화된다.

3. 갑상선기능저하증

갑상선기능저하증 환자에서는 고혈압, 특히 확장기고혈압의 빈도가 높고 전체 확장기고혈압 환자의 약 1%가 갑상선기능저하증으로부터 기인한다고 알려져 있다. 혈관저항의 증가와 세포바깥액량의 증가가 주된 기전이다. 갑상선호르몬을 적절히 보충하면 고혈압은 대개 회복된다.

4. 갑상선기능항진증

갑상선중독증 환자에서는 갑상선호르몬의 과다방출로 인한 효과, 대사의 증가, 순환하는 카테콜라민에 대한 감수성의 증가 등으로 심박출량이 증가하고 수축기혈압이 상승하며 혈관저항은 감소한다. 이들에서 종종 빈맥, 발한, 진전 등을 치료하기 위하여 베타차단제를 사용한다.

5. 부갑상선항진증

일차부갑상선항진증 환자에서 고혈압의 빈도는 10-60% 정도로 보고되며 고혈압의 기전은 확실치 않다. 생체내 연구에서는 생리적 용량의 부갑상선호르몬을 주입할 경우 고혈압을 유발했다고 보고된 바 있는데 하나의 가설은 상승된 부갑상선호르몬이 혈관이완특징을 바꾸는 엔도텔린-1, 인터루킨-6, 반응산소종 생산을 증가시켜 혈관내피에 변화를 일으킴으로써 혈압을 올린다는 것이다. 다른 연구에서는 내피신호와 독립적으로 동맥확장성에 장애가 일어나는 것을 보여줬다. 또한 고칼슘혈증으로 인해 카테콜라민 분비와 혈관반응성이 증가될 뿐 아니라 부갑상선호르몬이 직접적으로 사구대를 자극하고 레닌-안지오텐신-알도스테론계를 활성화시킴으로써 알도스테론 증가에 영향을 준다는 것들이 가능한 기전으로 제시되고 있다. 고혈압은 부갑상선항진증을 치료한 후 호전될 수도 혹은 호전되지 않을 수도 있다.

부갑상선항진증 외의 고칼슘혈증상태는 고혈압과 간혹 관

련이 있다. 더욱이 많은 역학연구에서 총 혈청칼슘 농도와 높은 혈압 간에 양의 상관관계가 관찰되었다. 그럼에도 불구하고 하루 1 g의 칼슘 섭취는 일부 고혈압 환자에서 혈압을 감소시킨다. 칼슘 보충으로 인한 혈압하강효과는 낮은 이온화칼슘 농도와 높은 부갑상선호르몬을 가진 환자에서만 나타난다. 이들에서는 먼저 염분 과다섭취와 체액 팽창의 결과로 유의한 고칼슘뇨증이 나타난다. 고칼슘뇨증은 혈장이온화칼슘 농도를 감소시켜 부갑상선호르몬 분비를 자극하는데 칼슘 섭취는 이들을 정상으로 회복시킨다.

6. 가성부갑상선저하증

부갑상선호르몬에 대해 말초조직의 저항을 보이는 환자(가성부갑상선저하증 제1형) 중에 약 1/2에서 고혈압을 가지고 있다. 이 관련성은 가성부갑상선저하증에서 보통 관찰되는 비만 때문일 가능성이 높다.

7. 성스테로이드 치료

폐경여성호르몬 대체요법에서는 그렇지 않으나 에스트로젠–프로제스테론을 함유한 경구피임약은 고혈압을 유발한다. 약리 용량의 안드로젠 역시 체액 팽창과 고혈압을 일으킨다.

8. 스트레스고혈압

스트레스는 제거된 후에는 회복되나 의미 있는 고혈압을 초래할 수 있다. 급성뇌졸중과 같은 스트레스는 중추아드레날린기전을 자극한다. 그러나 대부분의 스트레스는 레닌–안지오텐신 증가와 함께 부신수질호르몬의 과다분비를 초래하여 혈압을 상승시키는데 그 예로는 화상, 급성췌장염, 알코올금단, 저혈당, 급성심근경색증 등이 있다.

이 때 임상적으로 중요한 것은 강력한 항고혈압제에 의한 과도한 치료를 피하는 것이다. 혈압상승이 즉각적인 위협이

된다면 정맥으로 라베타롤, 나이트로프러사이드, 작용시간이 짧은 베타차단제인 에스몰올(esmolol) 투여가 효과적일 것이다. 스트레스 동안이나 직후에 카테콜라민 농도를 측정하면 갈색세포종으로 오인하는 경우도 종종 있다.

9. 당뇨병

고혈압의 기준과 보고자에 따라 차이는 있으나 당뇨병 환자에서 고혈압의 빈도는 당뇨병이 없는 사람에 비해 약 2배 이상 높다. 50세 미만의 당뇨병 환자에서는 여성보다 남성에서 고혈압의 빈도가 높은 데 반해, 50세 이후에서는 여성에서 더 높으며 전반적으로 나이, 비만 및 당뇨병 이환기간에 따라 고혈압의 빈도가 증가한다.

고혈압의 동반은 1형과 2형당뇨병 환자 간에도 차이가 있는데 1형당뇨병 환자의 경우 당뇨병 발병 시 혈압은 대개 정상으로 이 상태가 5-10년간 유지되다가 당뇨병신병증이 나타나면서 고혈압의 빈도가 증가한다. 2형당뇨병 환자는 당뇨병으로 진단받을 당시 고혈압을 이미 동반하고 있기도 하며 당뇨병신병증이 동반되면 고혈압의 빈도는 더욱 증가한다.

당뇨병 환자에서 고혈압이 동반되면 대혈관합병증인 관동맥심장질환, 심비대, 울혈심부전, 뇌경색, 말초혈관질환 등의 심혈관계 및 뇌혈관계 질환의 발생위험도는 훨씬 높아진다. 당뇨병의 미세혈관합병증인 망막병증과 신병증의 발생 또한 고혈압을 동반할 때 증가하며 특히 기존의 망막병증 혹은 신병증은 고혈압이 나타나면 촉진되므로 임상적으로는 당뇨병 환자에서의 고혈압을 치료함으로써 이들 합병증의 진행을 지연시키거나 막을 수 있다.

당뇨병 환자에서 고혈압의 발생기전으로 말초저항 증가와 혈장용적 팽창이 거론되고 있다. 말초혈관저항의 증가와 안지오텐신II 및 노르에피네프린과 같은 승압물질에 대한 혈관수축반응의 항진은 당뇨병 환자에서 관찰되는 현상이다.

또한 고인슐린혈증은 신세관나트륨 재흡수와 체액량을 증가시키고 뇌간에서 교감신경계의 활성을 증가시켜 혈관의 긴장도를 높이므로 2형당뇨병 및 비만과 연관된 고혈압에서 공통인자가 될 수 있다.

10. 고인슐린혈증

안지오텐신 및 카테콜라민과 함께 고인슐린혈증은 고혈압 발생에 역할을 한다. 이러한 관련은 특히 고혈압의 빈도가 가장 높고 가장 심한 고인슐린혈증을 보이는 상체 비만을 가진 사람에서 더욱 뚜렷하다. 상체 비만을 가진 사람에서의 고인슐린혈증은 모든 형태의 비만에서 공통적으로 나타나는 인슐린 분비의 증가와 복강내 지방의 분해 증가로 인한 간에서의 인슐린 제거와 분해 감소에 의해 생긴다. 지방 분해에서 생기는 과도한 유리지방산은 상체 비만에서 흔히 관찰되는 고인슐린혈증과 고중성지방혈증의 원인이라 여겨진다.

고인슐린혈증은 혈액내 카테콜라민의 증가와 신장에서의 나트륨 재흡수를 자극하여 혈압을 상승시킨다. 또한 장기간의 고인슐린혈증상태는 단백질 합성과 비후의 가능한 스위치로 이미 알려진 세포막의 아밀로라이드민감나트륨/수소교환기(amiloride–sensitive Na$^+$/H$^+$ exchanger)를 활성화시키고 혈관비후를 초래한다.

또한 본태고혈압을 가진 비비만 환자에서 고인슐린혈증이 종종 관찰된다. 이들에서 고인슐린혈증은 말초 인슐린저항성에 기인하나 이 저항성의 이유는 확실하지 않다. 따라서 인슐린은 비만 혹은 비비만 환자의 본태고혈압 병인론에서 가능한 승압–성장촉진제의 명단 중에 높은 자리를 차지할 수 있을 것이다. 그러나 이와는 달리 인슐린이 고혈압 발생과는 직접적인 관련이 없으며 일반적으로 인슐린을 승압호르몬으로 생각하지 않는 견해도 적지 않다.

인슐린저항성과 그 결과로 나타나는 고인슐린혈증은 비만인에게서 항상 관찰되나 모두에서 고혈압이 발생하지는 않으며 마찬가지로 당뇨병 환자 모두에서 고혈압이 발생하지도 않는다. 또한 2형당뇨병의 발생빈도가 높은 피마(Pima) 인디언에서는 고혈압의 발생이 고인슐린혈증 혹은 인슐린 저항성의 존재와 반드시 연관되지 않는 것으로 밝혀졌다. 따라서 비만인과 2형당뇨병 환자 모두에서 인슐린저항성과 고혈압 사이의 명백한 관련성은 존재하지 않는다. 이는 아마도 인슐린저항성과 고인슐린혈증이 이들에서 고혈압의 원인이라기보다 고혈압 발생에 기여하는 수정가능한 인자라 할 수 있으며 고혈압의 발생에는 어떤 유전소인이 필요함을 시사하고 있다.

참 / 고 / 문 / 헌

1. Byrd JB, Turcu AF, Auchus RJ. Primary aldosteronism: practical approach to diagnosis and management. Circulation 2018;138:823-35.

2. Carey RM, Padia SH. Primary mineralcorticoid excess syndrome and hypertension. Endocrinology. 6th ed. Philadelphia: Elsevier; 2010. pp. 1959-79.

3. Cesari M, Seccia TM, Maiolino G, Rossi GP. Primary aldosteronism in elderly, old, and very old patients. J Hum Hypertens 2020;34:807-13.

4. de Silva T, Cosentino G, Ganji S, Riera-Gonzalez A, Hsia DS. Endocrine Causes of Hypertension. Curr Hypertens Rep 2020;22:97.

5. Fernandes-Rosa FL, Boulkroun S, Zennaro MC. Genetic and genomic mechanisms of primary aldosteronism. Trends Mol Med 2020;26:819-32.

6. Funder JW, Carey RM, Fardella C, Gomez-Sanchez CE, Mantero F, Stowasser M, et al. Case detection, diagnosis, and treatment of patients with primary aldosteronism: an endocrine society clinical practice guideline. J Clin Endocrinol Metab 2008;93:3266-81.

7. Funder JW, Carey RM, Mantero F, Murad MH, Reincke M, Shibata H, et al. The management of primary aldosteronism: case detection, diagnosis, and treatment: an Endocrine Society clinical practice guideline. J Clin Endocrinol Metab 2016;101:1889-916.

8. Holler F, Heinrich DA, Adolf C, Lechner B, Bidlingmaier M, Eisenhofer G, et al. Steroid profiling and immunohistochemistry for subtyping and outcome prediction in primary aldosteronism-a review. Curr Hypertens Rep 2019;21:77.

9. Kim KJ, Hong N, Yu MH, Lee H, Lee S, Lim JS, et al. Time-dependent risk of atrial fibrillation in patients with primary aldosteronism After Medical or Surgical Treatment Initiation. Hypertension 2021;77:1964-73.

10. Lechner B, Lechner K, Heinrich D, Adolf C, Holler F, Schneider H, et al. THERAPY OF ENDOCRINE DISEASE: Medical treatment of primary aldosteronism. Eur J Endocrinol 2019;181:R147-53.

11. Lee SH, Kim JW, Yoon HK, Koh JM, Shin CS, Kim SW, et al. Diagnostic Accuracy of Computed Tomography in Predicting Primary Aldosteronism Subtype According to Age (Endocrinol Metab 2021;36:401-12, Seung Hun Lee et al.). Endocrinol Metab (Seoul) 2021;36:914-5.

12. Lim JS, Rainey WE. The potential role of aldosterone-producing cell clusters in adrenal disease. Horm Metab Res 2020;52:427-34.

13. Lu CC, Yen RF, Peng KY, Huang JY, Wu KD, Chueh JS, et al. NP-59 Adrenal Scintigraphy as an Imaging Biomarker to Predict KCNJ5 Mutation in Primary Aldosteronism Patients. Front Endocrinol (Lausanne) 2021;12:644927.

14. Monticone S, Losano I, Tetti M, Buffolo F, Veglio F, Mulatero P. Diagnostic approach to low-renin hypertension. Clin Endocrinol (Oxf) 2018;89:385-96.

15. Morimoto R, Omata K, Ito S, Satoh F. Progress in the Management of Primary Aldosteronism. Am J Hypertens 2018;31:522-31.

16. Mulatero P, Monticone S, Deinum J, Amar L, Prejbisz A, Zennaro MC, et al. Genetics, prevalence, screening and confirmation of primary aldosteronism: a position statement and consensus of the Working Group on Endocrine Hypertension of The European Society of Hypertension. J Hypertens 2020;38:1919-28.

17. Mulatero P, Stowasser M, Loh KC, Fardella CE, Gordon RD, Mosso L, et al. Increased diagnosis of primary aldosteronism, including surgically correctable forms, in centers from five continents. J Clin Endocrinol Metab 2004;89:1045-50.

18. Nanba K, Rainey WE. GENETICS IN ENDOCRINOLOGY: impact of race and sex on genetic causes of aldosterone-producing adenomas. Eur J Endocrinol 2021;185:R1-1.

19. Pitt B, Remme W, Zannad F, Neaton J, Martinez F, Roniker B, et al. Eplerenone, a selective aldosterone blocker, in patients with left ventricular dysfunction after myocardial infarction. N Engl J Med 2003;348:1309-21.

20. Reincke M, Bancos I, Mulatero P, Scholl UI, Stowasser M, Williams TA. Diagnosis and treatment of primary aldosteronism. Lancet Diabetes Endocrinol 2021;9:876-92.

21. Rossi GP, Pessina AC, Heagerty AM. Primary aldosteronism: an update on screening, diagnosis and treatment. J Hypertens 2008;26:613-21.

22. Rossi GP. Primary Aldosteronism: JACC State-of-the-Art Review. J Am Coll Cardiol 2019;74:2799-811.

23. Sawka AM, Young WF, Thompson GB, Grant CS, Farley DR, Leibson C, et al. Primary aldosteronism: factors associated with normalization of blood pressure after surgery. Ann Intern Med 2001;135:258-61.

24. Turcu AF, Auchus R. Approach to the Patient with Primary Aldosteronism: Utility and Limitations of Adrenal Vein Sampling. J Clin Endocrinol Metab 2021;106:1195-208.

25. Vaidya A, Carey RM. Evolution of the primary aldosteronism syndrome: Updating the Approach. J Clin Endocrinol Metab 2020;105:3771-83.

26. Vaidya A, Mulatero P, Baudrand R, Adler GK. The Expanding spectrum of primary aldosteronism: implications for diagnosis, pathogenesis, and treatment. Endocr Rev 2018;39:1057-88.

27. Williams TA, Lenders JWM, Mulatero P, Burrello J, Rottenkolber M, Adolf C, et al. Outcomes after adrenalectomy for unilateral primary aldosteronism: an international consensus on outcome measures and analysis of remission rates in an international cohort. Lancet Diabetes Endocrinol 2017;5:689-99.

28. Williams TA, Reincke M. MANAGEMENT OF ENDOCRINE DISEASE: Diagnosis and management of primary aldosteronism: the Endocrine Society guideline 2016 revisited. Eur J Endocrinol 2018;179:R19-R29.

29. Young WF Jr. Adrenal causes of hypertension: pheochromocytoma and primary aldosteronism. Rev Endocr Metab Disord 2007;8:309-20.

30. Young WF Jr., Hogan MJ. Renin-independent hypermineralocorticoidism. Trends Endocrinol Metab 1994;5:97-106.

31. Young WF Jr. Minireview: primary aldosteronism--changing concepts in diagnosis and treatment. Endocrinology 2003;144:2208-13.

당질부신피질호르몬제 사용

김효정

I. 당질부신피질호르몬의 구조와 기능

1. 당질부신피질호르몬의 구조

코티코스테로이드의 생물학적활성은 델타(delta)–4, 3–케토(keto), 11β, 17α, 21–트리하이드록실기(trihydroxyl) 구성에 따라 다르다. 천연 및 합성당질부신피질호르몬의 통칭과 IUPAC명은 표에 기술하였다(표 4-5-1). 간에서 11β–하이드록시스테로이드탈수소효소(11β–hydroxysteroid dehydrogenase, 11β–HSD) 2에 의해 C11–하이드록실기

(–OH)가 C11–케토기(= O)로 전환되면(즉, 코티솔에서 코티손으로 전환되면) 스테로이드가 불활성화된다. 코티솔에 1, 2–불포화결합을 추가하면 프레드니솔론이 생성되며, 이는 간 글리코겐 침착, 호산구 억제 및 항염증작용과 같은 고전적인 당질부신피질호르몬 효능이 코티솔보다 4배 더 강력하다. 프레드니손은 프레드니솔론과 동등한 효과를 갖는 코티손으로, 간에서 11β–HSD1에 의해 활성형으로 전환된다. 플루드로코티손은 코티솔에 9α–플루오로기(–F)가 추가된 합성무기질부신피질호르몬으로 나트륨 재흡수를 자극하는데 코티솔보다 125배 더 큰 효능을 보이고, 당질부신피질호르몬효능도 코티솔보다 12배 더 높다(그림 4-5-1).

표 4-5-1. 천연 및 합성당질부신피질호르몬의 통칭과 IUPAC명

코티손	4–Pregnen–17α, 21–diol–3, 11, 20–trione
코티솔	1,4–Pregnadien–11β, 17α, 21–triol–3, 20–dione
프레드니손	1, 4–Pregnadien–6α–methyl–11β, 17α, 21–triol–3, 20–dione
프레드니솔론	4–Pregnen–11β, 17α, 21–triol–3, 20–dione
메틸프레드니솔론	1,4–Pregnadien–17α, 21–diol–3, 11, 20–trione
플루드로코티손	4–Pregnen–9α–fluoro–11β, 17α, 21–triol–3, 20–dione
트리암시놀론	1, 4–Pregnadien–9α–fluoro–11β, 16α, 17α, 21–tetrol–3, 20–dione
덱사메타손	1, 4–Pregnadien–9α–fluoro–16α–methyl–11β, 17α, 21–triol–3, 20–dione

IUPAC, international union of pure and applied chemistry.

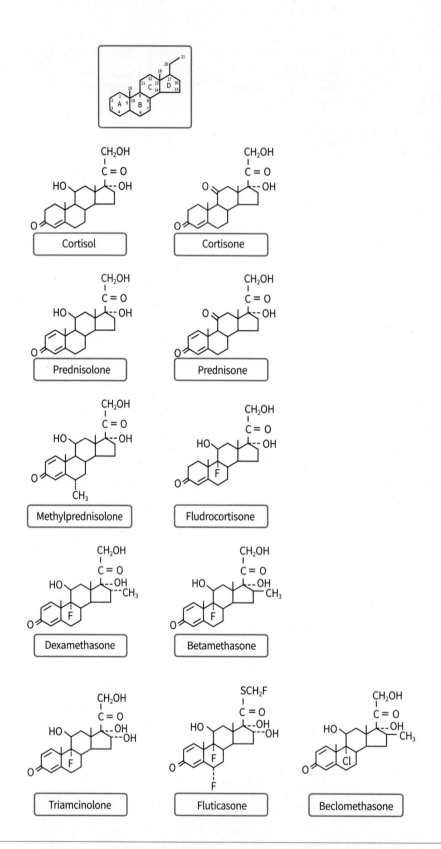

그림 4-5-1. 코티솔, 합성당질부신피질호르몬, 무기질부신피질호르몬인 플루드로코티손구조

플루드로코티손에 16α–메틸기(–CH₃)와 1, 2–불포화결합을 추가하면 덱사메타손이 생성되는데 당질부신피질호르몬활성이 코티솔의 25배로 매우 강력하고 무기질부신피질호르몬활성은 무시할 정도로 적다. 덱사메타손과 베타메타손은 구조에서 약간의 차이가 있을 뿐[16번 위치의 메틸기(–CH3) 방향이 다름] 분자식은 같다. 트리암시놀론은 덱사메타손의 16α–메틸기(–CH₃)가 16α–하이드록실기(–OH)로 치환된 것이고 플루티카손은 덱사메타손에 6α–플루오로기(–F)가 추가되고 21번 위치의 하이드록시메틸기(–CH₂OH)가 싸이오플루오로메틸기(–SCH₂F)로 치환된 것이다(그림 4-5-1). 베클로메타손은 베타메타손의 9α–플루오로기(–F)가 9α–클로로기(–Cl)로 치환된 것이다.

2. 당질부신피질호르몬의 기능

1) 당질부신피질호르몬의 생물학 효능
임상에서 사용되는 주요 코티코스테로이드를 당질부신피질호르몬과 무기질부신피질호르몬의 상대적인 효능과 함께 표로 정리하였다(표 4-5-2). 전신당질부신피질호르몬은 생물학 반감기에 따라 속효성(하이드로코티손), 중간작용(프레드니솔론, 프레드니손, 메틸프레드니솔론, 트리암시놀론) 및 지속성(덱사메타손, 베타메타손)으로 분류된다. 경구 프레드니솔론 5 mg은 하이드로코티손 20 mg, 메틸프레드니솔론 4 mg 및 베타메타손 또는 덱사메타손 0.75 mg과 동일한 항염증 효과를 보인다.

하이드로코티손은 부신부전으로 인한 호르몬 보충에 가장 자주 사용된다. 내인코티솔과 구조적으로 동등하고 당질부신피질호르몬 및 무기질부신피질호르몬을 이중으로 활성화시켜주기 때문이다. 프레드니솔론과 메틸프레드니솔론은 일반적으로 류마티스관절염 및 천식을 포함한 다양한 염증 및 면역장애를 치료하는 데 사용된다. 이 두 약물을 원발부신부전의 호르몬 보충 목적으로 투여할 경우에는 무기질부신피질호르몬의 활성 감소를 보상하기 위해 무기질부신피질호르몬제를 함께 투여해야 한다. 프레드니솔론은 반감기가 짧기 때문에 만성치료에 적합하며 전구약물인 프레드니손으로 경구투여되기도 한다.

덱사메타손은 염증, 알레르기 및 자가면역질환, 백혈병, 오심 및 구토의 치료에 사용되나, 무기질부신피질호르몬 활성이 없기 때문에 부신부전에 대한 스테로이드보충요법에는 거의 사용되지 않는다. 쿠싱증후군이나 우울증 같은 질병을 진단하기 위해 HPA축을 평가할 때나 다른 합성당질부신피질호르몬 분석을 위해 HPA축을 억제할 때도 사용된다. 덱사메타손은 심각한 HPA축 억제를 유발하므로 일반적으로 중증급성기상태의 단기치료에 사용된다.

표 4-5-2. 합성스테로이드의 상대적인 생물학적 효능

스테로이드	작용(시간)	항염증작용	시상하부-뇌하수체-부신축 억제	염분 저류
코티솔	8–12	1	1	1
프레드니손	12–36	3	4	0.75
프레드니솔론	12–36	3	4	0.75
메틸프레드니솔론	12–36	6.2	4	0.5
트리암시놀론	12–36	5	4	0
덱사메타손	36–72	26	17	0
플루드로코티손	12–36	12	12	125

2) 당질부신피질호르몬의 주요 작용부위와 관련 유전자들

다양한 당질부신피질호르몬이 염증질환, 자가면역질환 및 악성종양의 치료에 사용되고 있고 3개월 이상 장기간 사용자가 인구의 1%까지, 국소치료를 포함하면 3%까지 보고되고 있다. 흔히 사용되는 당질부신피질호르몬은 항염증효능, 무기질부신피질호르몬 활성 및 생물학 효과 지속기간이 다르다. 다음에 당질부신피질호르몬의 주요 작용부위를 그림으로 나타내었다(그림 4-5-2). 또한 최근 들어 코티솔의 다양한 작용에 따라 수백 가지의 당질부신피질호르몬반응유전자가 확인되었고 그 중 일부를 표에 기술하였다(표 4-5-3). 당질부신피질호르몬의 항염증 및 면역억제 효과는 일반적으로 전사억제기전에 의해 매개되고 대사질환과 독성은 전사활성기전이 관여한다.

3) 당질부신피질호르몬 과다노출 시 부작용들

당질부신피질호르몬작용기전의 다양성을 감안할 때, 경증에서 중증에 이르는 광범위한 부작용들이 발생할 수 있다. 당질부신피질호르몬이 과다할 때 나타날 수 있는 주요 부작용을 그림으로 나타내었고(그림 4-5-3) 각각에 대한 설명을 추가하였다.

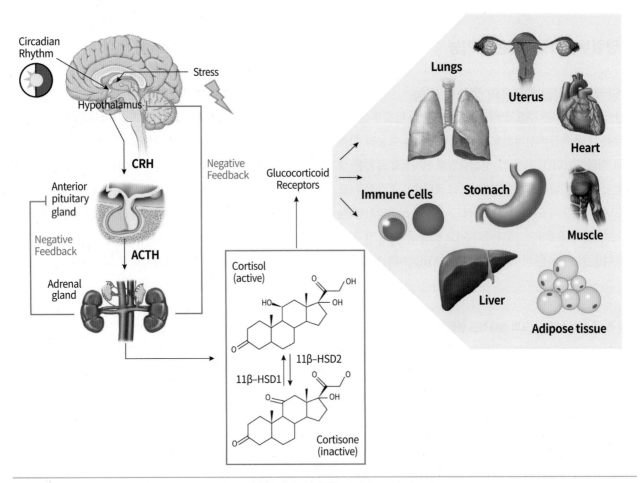

그림 4-5-2. 당질부신피질호르몬의 주요 작용부위와 조절기전

1. 당질부신피질호르몬 합성은 시상하부에서 부신피질자극호르몬방출호르몬(corticotropin-releasing hormone, CRH), 뇌하수체에서 부신피질자극호르몬(adreno-corticotropic hormone, ACTH)의 분비를 조절하는 자극 및 음성되먹임신호로 구성된 시상하부-뇌하수체-부신(HPA)축에 의해 조절된다.
2. 11β-HSD 효소계가 코티솔의 활성화 및 불활성화를 담당하여 부분적으로 코티솔의 국소부위에서의 조절을 담당한다.
3. 코티솔은 당질부신피질호르몬수용체 매개 작용을 통해 말초조직에 영향을 미친다.

표 4-5-3. 당질부신피질호르몬과 당질부신피질호르몬수용체의 조절을 받는 유전자들

작용부위	유도되는 유전자	억제되는 유전자
면역계	IκB (nuclear factor–κB inhibitor) Haptoglobin T–cell receptor (TCR)–ζ p21, p27, and p57 Lipocortin	Interleukins Tumor necrosis factor–α (TNFα) Interferon–γ E–selectin Intercellular adhesion molecule–1 Cyclooxygenase 2 Inducible nitric oxide synthase (iNOS)
대사계	PPAR–γ Tyrosine aminotransferase Glutamine synthase Glycogen synthase Glucose–6–phosphatase PEPCK Leptin γ–Fibrinogen Cholesterol 7α–hydroxylase C/EBP/β	Tryptophan hydroxylase Metalloprotease
뼈	Androgen receptor Calcitonin receptor Alkaline phosphatase IGFBP6	Osteocalcin Collagenase
통로와 수송체	ENaCα, ENaCβ, and ENaCγ SGK Aquaporin 1	
내분비계	Basic fibroblast growth factor (bFGF) Vasoactive intestinal peptide Endothelin Retinoid X receptor GHRH receptor Natriuretic peptide receptors	Glucocorticoid receptor Prolactin POMC/CRH PTHrP Vasopressin
성장 및 발달	Surfactant proteins A, B, and C	Fibronectin α–Fetoprotein Nerve growth factor Erythropoietin G1 cyclins Cyclin–dependent kinases

당질부신피질호르몬 부작용에 영향을 미치는 가장 중요한 독립적 위험요인은 투여량과 치료기간이다. 일반적으로 시상하부-뇌하수체축의 경미한 억제부터 생명을 위협하는 심한 감염에 이르기까지 심각한 부작용이 발생하는 경우는 "생리학적 용량보다 많은(supra-physiologic)" 용량의 스테로이드를 투여할 때이다. 그러나 저용량이나 중간용량의 당질부신피질호르몬도 장기간 사용하면 여러 심각한 부작용을 유발할 수 있다.

코티코스테로이드의 부작용은 사용한 용량과 시간에 따라

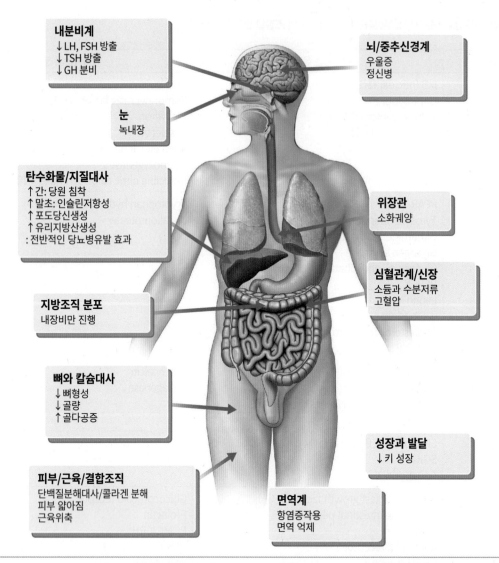

그림 4-5-3. 당질부신피질호르몬 과다노출 시에 당질부신피질호르몬 주요 작용부위에 발생하는 결과
FSH, 난포자극호르몬; GH, 성장호르몬; LH, 황체형성호르몬; TSH, 갑상선자극호르몬.

다르다. 일부 부작용들은 용량 증가에 따라 발생률이 증가하는 선형 용량반응양상을 보인다(예: 반상출혈, 쿠싱양외관, 양피지같은 피부, 다리부종 및 수면장애). 특정 임계값 이상에서 발생빈도가 증가하는 역치 용량반응양상을 보이는 부작용들도 있다(예: 1일 5 mg 이상의 프레드니손 투여 시 체중증가 및 코피 발생, 1일 7.5 mg 이상의 프레드니손 투여 시 녹내장, 우울증, 고혈압 발생 등). 그 외에도 고령, 동반질환(예: 당뇨병), 다른 면역억제제의 병용, 기저질환의 중증도 및 특성, 열악한 영양상태 등 여러 요인들이 당질부신피질호

르몬 부작용의 발생 및 규모에 영향을 미칠 수 있다.

(1) 근골격 부작용

① 당질부신피질호르몬유발골다공증(glucocorticoid-induced osteoporosis)

당질부신피질호르몬을 장기간 사용 시 발생하는 것으로 잘 알려져 있고 매우 심각한 부작용 중 하나이다. 장기간 당질부신피질호르몬을 사용하는 환자의 최대 40%에서 골절로 이어지는 뼈 손실이 발생하는데, 골모세포(osteoblast)와

골세포의 기능 및 수의 감소뿐만 아니라 RANK (receptor activator of NF-κB) 리간드를 촉진하여 파골세포를 활성화시키는 등 여러 기전들이 이에 작용한다. 처음에는 섬유주골(trabecular bone)이 영향을 받고 장기간 사용하면 피질골(cortisol bone) 손실이 나타난다. 섬유주골 소실은 치료 첫 6–12개월 이내에 발생할 수 있다.

② 스테로이드유발근병증(steroid-induced myopathy)

근육 파괴의 직접적인 결과로 나타나는 가역성 무통근병증이다. 스테로이드유발근병증은 보통 고용량의 당질부신피질호르몬을 장기간 사용 시 나타나며 상지와 하지 모두에서 발생할 수 있다. 근육효소(creatine kinase 및 aldolase)는 일반적으로 정상이며 근전도검사도 비특이적이다. 근육생검에서는 염증없이 Type–II 섬유의 위축을 보인다. 당질부신피질호르몬을 중단하고 운동을 하면 대개 근병증이 회복된다.

고용량의 당질부신피질호르몬주사제 및 신경근차단제를 필요로 하는 중환자실 입원 환자에서는 "중환자근병증(critical illness myopathy)"이 발생할 수 있는데 특징적으로 수일에 걸쳐 중증의 광범위한 근위부 및 원위부 쇠약이 발생한다. "중환자근병증"은 일반적으로는 가역적이지만 중환자실 입원 연장, 입원기간 증가, 중증괴사근병증으로의 진행 및 사망률 증가로 이어질 수 있다.

③ 골괴사(osteonecrosis)

골괴사는 특히 매일 20 mg 이상의 프레드니손을 장기간 사용하는 경우에 나타날 수 있고, 전신홍반루푸스(systemic lupus erythematosus, SLE) 환자와 어린이에서 더 발생 위험이 높다. 고관절과 무릎이 가장 흔히 침범되는 관절이고, 어깨와 발목이 덜 침범되는 관절이다. 통증이 초기 증상인데 결국에는 심해져 환자가 쇠약해진다. 자기공명영상이 조기발견을 위한 가장 민감한 검사법이고, 단순방사선사진은 처음에는 음성일 수 있지만 추적관찰에 유용하다. 치료는 초기에는 체중부하를 줄이고 고정시키는 것이지만, 심한

경우 수술과 관절 교체가 필요할 수 있다.

(2) 대사 및 내분비 부작용

① 고혈당

전신당질부신피질호르몬은 기존에 당뇨병이 없는 환자에서 공복혈당수치를 용량의존적으로 증가시키고 식후혈당수치는 더 유의하게 증가시킨다. 그러나 초기에 정상 내당능을 가진 대상에서 새로이 당뇨병이 발생하는 경우는 드물다. 당질부신피질호르몬요법 중인 환자에서 새로운 고혈당 발생에 기여하는 위험인자는 다른 환자들의 위험인자와 다르지 않다. 그러나 당뇨병이나 포도당불내성(glucose intolerance)을 가진 환자들은 당질부신피질호르몬을 복용하는 동안 혈당수치가 높아져 혈당조절이 어려워진다.

② 쿠싱양외관(Cushingoid features)

당질부신피질호르몬요법은 쿠싱증후군의 가장 흔한 원인이다. 쿠싱양외관의 발달(중심비만, 물소혹, 월상안 등 체지방의 재분배) 및 체중증가는 용량 및 기간에 따라 달라지며 조기에 발생할 수 있다. 특히 쿠싱양외관의 빈도는 투여용량에 따라 선형 증가를 보인다. 소아의 임상양상도 성인과 유사하여 중심비만, 피부변화 및 고혈압이 발생한다. 소아의 경우에는 성장감속도 특징 중 하나이다.

③ 시상하부–뇌하수체–부신축 억제

당질부신피질호르몬의 투여는 시상하부–뇌하수체–부신축을 억제하여 시상하부로부터 부신피질자극호르몬방출호르몬(CRH), 뇌하수체전엽으로부터 부신피질자극호르몬(ACTH) 및 내인코티솔을 감소시킬 수 있다. 장기간 ACTH가 억제되면 부신이 위축되고, 이러한 환자에서 당질부신피질호르몬을 갑자기 중단하거나 급격하게 줄이면 부신부전 증상이 유발될 수 있다.

부신 억제의 임상양상은 다양하다. 징후와 증상의 대부분이 비특이적이어서 병발질환이나 치료 중인 기저질환관련 증상들로 오인될 수 있다(예: 허약, 피로, 불쾌감, 구역, 구토, 설

사, 복통, 보통 아침에 나타나는 두통, 발열, 식욕부진, 체중감소, 근육통, 관절통, 정신증상, 소아의 성장부진 및 체중증가). 성인에서의 부신 억제증상은 비특이적이어서 생리적 스트레스(질병, 수술 또는 부상)에 노출될 때까지 상태가 간과되어 부신위기가 초래될 수 있다.

소아에서 부신 억제는 부신부전의 가장 흔한 원인이며 높은 사망률과도 관련이 있다. 부신 억제로 인해 부신위기가 발생한 소아에서는 저혈압, 쇼크, 의식저하, 혼수, 설명할 수 없는 저혈당, 발작, 심지어 사망도 발생한다. 소아의 성장장애와 사춘기 지연은 신증후군이나 천식같은 만성질환으로 당질부신피질호르몬을 투여받는 아동에서 흔히 나타난다. 이러한 부작용은 매일요법에서 가장 두드러지고 격일요법에서는 덜하며 흡입당질부신피질호르몬에서도 발생할 수 있다. 성장장애는 코티코스테로이드요법의 독립적인 부작용이지만 부신 억제의 징후일 수도 있다.

(3) 감염

중간용량 내지 고용량의 당질부신피질호르몬 사용은 생명을 위협하는 심각한 감염부터 일반적인 경증감염에 이르기까지 상당한 정도의 감염위험을 내포한다. 특히 일반 세균, 바이러스 및 곰팡이병원체의 경우 감염위험은 투여량 및 치료기간에 따라 선형으로 증가한다. 다른 면역억제제의 병용과 고령 자체도 감염위험을 더욱 증가시킨다. 하루 10 mg 미만으로 프레드니손을 투여하면 감염위험은 미미하거나 없다.

당질부신피질호르몬을 투여받는 환자는 감염이 발생해도 일반적인 징후와 증상을 명확하게 나타내지 않을 수 있다. 이는 당질부신피질호르몬이 사이토카인 방출을 억제하고 염증 및 발열반응을 감소시키기 때문인데, 이로 인해 감염을 조기에 인식하지 못할 위험이 있다.

(4) 심혈관 부작용

코티솔과 코티손에서 특징적으로 볼 수 있는 무기질부신피질호르몬효과는 포타슘, 칼슘 및 인산염의 신장배설을 증가시켜 체액저류, 부종, 체중증가, 고혈압 및 부정맥을 유발할 수 있다. 고혈압은 일반적으로 고용량에서만 발생한다. 그리고 중간용량 내지 고용량 당질부신피질호르몬의 장기간 사용은 용량-의존적으로 조기 죽상경화증에 영향을 미친다.

(5) 피부 부작용

피부 부작용은 당질부신피질호르몬 요법의 용량 및 기간에 따라 선형으로 증가하지만 저용량 사용 시에도 발생할 수 있다. 피부 부작용이 의사에게는 임상 측면에서 중요하지만 환자에게는 가장 큰 관심사일 수 있다. 이러한 병변에는 반상출혈, 피부위축, 여드름, 남성형다모증, 안면홍반, 줄무늬, 상처치유장애, 모발가늘어짐, 구강주위피부염 등이 있다.

(6) 눈 부작용

백내장 발생위험은 1년 이상 매일 10 mg 이상의 프레드니손을 복용하는 환자에서 상당히 높고 선형 용량의존성을 보인다. 그러나 저용량 당질부신피질호르몬을 사용하는 경우에도 백내장 위험이 증가하는 것으로 보고되었고, 일반적으로 양측성으로 천천히 진행된다.

안구내 당질부신피질호르몬 및 고용량 전신당질부신피질호르몬을 투여받는 환자, 특히 개방각녹내장(open-angle glaucoma)의 가족력이 있는 환자에서 안압상승이 관찰된다. 녹내장은 통증이 없는 경우도 있고, 시야상실, 시신경유두함몰 및 시신경위축을 유발할 수 있다. 안압상승은 전신요법을 중단하면 일반적으로 수 주 이내에 회복되지만 시신경손상은 영구적일 수 있다. 당질부신피질호르몬의 전신 또는 국소사용의 드문 부작용으로 중심장액맥락망막병증(central serous chorioretinopathy)이 있다. 이는 황반부에서 망막밑(subretinal) 액체가 생성되어 망막과 그 아래에 있는 광수용체가 분리되는 질환으로 이로 인해 중심시각 흐림현상이 나타나고 시력이 저하된다.

(7) 위장관 부작용

당질부신피질호르몬은 위염, 위궤양, 위장관 출혈과 같은 위장관 부작용을 증가시킨다. 만약 NSAIDs와 당질부신피질호르몬을 같이 사용하면 두 약물 단독사용에 비해 위장관 부작용 위험이 4배 증가한다. 당질부신피질호르몬 사용과 관련된 다른 합병증으로는 췌장염, 내장천공, 간지방증(지방간)이 있으며 드물게 간지방증이 전신지방색전증이나 간경화증을 유발할 수 있다.

(8) 신경정신의학 부작용

당질부신피질호르몬을 투여받는 환자는 종종 약물시작 후 며칠 이내에 복지감각(well-being sense)이 개선되는 것을 경험하고, 가벼운 행복감이나 불안도 발생할 수 있다. 치료 초기에는 우울증보다 경조증이 더 흔하지만 장기간 치료를 받게되면 우울증 유병률이 더 많아진다. 정신병이 발생할 수도 있는데 하루 20 mg 이상의 프레드니손을 장기간 투여하면 거의 그렇다. 정상적인 일중 코티솔 생성주기를 방해하는 시간대의 분할용량 투여는 수면장애를 유발할 수 있다. 그 외 좌불안석(akathisia)도 흔히 보고되는 부작용이다. 당질부신피질호르몬치료 후 신경정신의학질환의 발병위험은 병력이 있는 환자에서 증가할 수 있다.

한편 치료유도 및 유지를 위해 덱사메타손 또는 프레드니손을 투여받는 급성림프구백혈병(acute lymphoblastic leukemia, ALL) 소아에서 당질부신피질호르몬요법으로 인한 신경정신의학 부작용에 관한 보고가 있다. 취학전연령 아동에서 위험이 더 크고 더 높으며 일반적으로 당질부신피질호르몬요법 시작 첫 주에 증상이 나타난다.

당질부신피질호르몬제에 의해 유발된 급성신경정신의학장애는 행복감, 공격성, 불면증, 기분변동, 우울증, 조증행동, 심지어 정신병을 포함한 다양한 행동증상을 나타낼 수 있다. 이러한 정신장애는 당질부신피질호르몬제를 중단하면 시간이 지남에 따라 사라지는 경향이 있지만 소수의 환자는 약물중단 후에도 지속적인 증상을 경험하게 된다.

II. 당질부신피질호르몬의 사용과 중단

코티코스테로이드치료가 확실히 이점이 있는 경우 외에도 스테로이드과용 빈도가 증가하여(특히 호흡기 또는 류마티스질환 환자), 인구의 최대 1–3%까지 장기간 코티코스테로이드치료를 받고 있다. 행복감을 주는 효과 때문에 코티코스테로이드치료가 환자의 기분은 좋게 하지만 기저질환 매개변수를 객관적으로 개선시키지 못하는 경우가 종종 있다. 만성적인 당질부신피질호르몬 과잉의 장기 피해를 고려할 때, 치료 결정은 근거에 바탕을 둬야 하고, 효능과 부작용에 관한 정기적인 검토가 되어야 한다. 만성적인 당질부신피질호르몬과잉의 결과, 특히 HPA축의 억제는 현대의 임상진료에서 매우 중요한 측면이다. 내분비학자는 스테로이드의 장기치료효과 및 중단효과를 잘 알고 있어야 한다.

1. 당질부신피질호르몬의 사용

코티손의 극적인 항염증효과가 1950년대에 처음 입증된 이후, 치료 목적으로 일련의 합성코티코스테로이드가 개발되었다. 이러한 약물은 주로 항염증 및 면역작용에 의존하여 다양한 질병을 치료하는 데 사용된다(표 4-5-4). 이 장에서는 치료약물 선택을 위해 알아야 할 필수지식 및 투여 전에 고려해야 할 상황, 내분비영역에서의 치료 예, 치료효과를 높이고 부작용을 줄이기 위한 노력 등을 기술하였다.

1) 당질부신피질호르몬의 약동학 이해

일반적으로 합성당질부신피질호르몬의 임상효과는 약물의 용해도, 흡수율, 수용체친화성, 용량, 투여경로, 대사 및 약물상호작용 등에 따라 달라진다. 따라서 약물의 용량-노출-반응 관계를 최적화하기 위해서는 약동학에 대한 이해가 필요하다.

(1) 흡수 및 대사

합성당질부신피질호르몬은 경구투여형태의 생체이용률이 60–100%인 소수성약물이다. 당질부신피질호르몬은 경구

표 4-5-4. 치료를 위해 코티코스테로이드를 사용하는 질환들

내분비질환	보충요법(애디슨병, 뇌하수체질환, 선천부신증식증), 그레이브스안구병증
피부질환	피부염, 천포창
혈액질환	백혈병, 림프종, 용혈성빈혈, 특발성혈소판감소성자반
위장관질환	염증장질환(궤양성대장염, 크론병)
간질환	만성활동성간염, 장기이식, 장기거부반응
신장질환	신증후군, 혈관염, 장기이식, 거부반응
중추신경질환	뇌부종, 뇌압상승
호흡기질환	혈관부종, 아나필락시스, 천식, 유육종증, 결핵, 폐쇄폐질환
류마티스질환	전신홍반루푸스, 다발동맥염, 측두동맥염, 류마티스관절염
근육질환	류마티스다발근육통, 중증근무력증

투여 시 빠르게 흡수되며, 일반적으로 최대 농도는 속효성 제형의 경우 투여 후 1-3시간 이내에 나타난다. 프레드니솔론이 투과성과 용해도가 가장 높고, 다음이 프레드니손, 하이드로코티손 순이다. 메틸프레드니솔론과 덱사메타손은 용해도는 높지만 연구에 따라 투과도는 다르게 보고된다. 하이드로코티손과 프레드니솔론은 코티코스테로이드결합글로불린(corticosteroid binding globulin, CBG)과 알부민 모두에 결합하는 반면, 메틸프레드니솔론과 덱사메타손은 알부민에만 결합한다. 하이드로코티손 및 프레드니솔론은 CBG의 결합부위에서 내인코티솔과 경쟁하여 내인 유리코티솔 및 합성당질부신피질호르몬의 혈중 농도에 영향을 미친다. 치료용량 범위의 프레드니솔론을 사용하더라도 CBG가 포화되어 내인코티솔의 결합분율이 95%에서 60-70%로 비선형적으로 감소할 수 있다. 코티솔과 코티손의 상호 전환에서처럼 프레드니솔론과 프레드니손의 상호전환에도 11β-HSD 효소계가 작용한다.

모든 약물은 간에서 대사되거나 일부 대사되지 않은 약물 또는 비활성대사산물의 형태로 신장에서 배설된다. 하이드로코티손과 프레드니솔론은 일반적으로 혈중 반감기가 3.5시간 미만으로 짧아서 환자가 매일 여러 번 투여해도 투여 사이에 약물축적이 없기 때문에 짧은 투여간격이 필요

한 만성치료에 바람직하다. 메틸프레드니솔론의 혈중 반감기는 하이드로코티손 및 프레드니솔론과 비슷하며 보고된 값은 최대 2.5시간이다. 대조적으로, 덱사메타손은 혈중 반감기가 더 길고, 강력한 당질부신피질호르몬수용체활성을 보이며 작용시간도 길어 더 낮은 용량으로 투여된다. 프레드니솔론의 약동학은 혈장 결합단백질 또는 11β-HSD 효소에 의한 상호전환 등에 의해 달라지며, 결과적으로 조직으로의 약물분포 및 대사과정에도 영향을 줄 수 있다.

(2) 약물상호작용

당질부신피질호르몬대사는 간의 미소체효소(hepatic microsomal enzyme) 활성을 유발하는 페니토인(phenytoin), 바비튜르산염(barbiturate), 리팜피신(rifampicin) 등에 의해서 가속화된다. 이 약물들은 당질부신피질호르몬으로 기저질환을 조절하던 환자에서 질환의 갑작스러운 악화를 초래할 수 있으므로, 당질부신피질호르몬 투여 중인 환자에서는 가능하면 피하도록 한다. 부득이한 경우에는 치료기간 중에 당질부신피질호르몬 용량을 2배로 증량할 것을 고려한다. 한편, 다이아제팜(diazepam)과 시메티딘은 사이토크롬 P450 3A4 (cytochrome P450 3A4, CYP3A4) 대사를 억제하여 하이드로코티손 농도를 증가시킨다. 반대로, 케토코나졸(ketoconazole)은 CYP3A4 대사를 촉진

한다. 경구피임제 사용은 프레드니솔론 청소율을 감소시키고 이의 생체이용률을 증가시킨다. 프레드니손의 생체이용률은 임상적으로 사용되는 제산제 투여량에 의해서 감소하는데, 프레드니솔론 생체이용률은 수크랄페이트(sucralfate), H2수용체차단제, 콜레스티라민(cholestyramine)에 의해 저해되지 않는다. 마이토테인(mitotane)은 CYP3A4 대사를 유도하며, CBG를 증가시키므로 부신피질암종 등에서 이 약물을 장기간 사용할 경우에는 당질부신피질호르몬 투여용량을 2–3배 증가시킨다.

2) 당질부신피질호르몬 제형 및 투여경로
당질부신피질호르몬은 질환의 징후 및 중증도에 따라 정맥내 또는 경구로 투여될 수 있다. 응급상황에는 일반적으로 당질부신피질호르몬을 고용량으로 정맥내 투여하게 되고 반면 만성질환의 경우 낮은 용량의 경구약물로 관리한다. 흔히 사용되는 당질부신피질호르몬은 항염증효능, 무기질부신피질호르몬 활성 및 생물학 효과 지속기간이 다르다. 프레드니손, 메틸프레드니솔론 및 덱사메타손은 보다 강력한 항염증작용을 보이고 나트륨저류 효과가 적기 때문에 만성요법에 사용되고, 하이드로코티손은 작용시간이 짧아 HPA축 회복에 용이하므로 부신부전 환자의 보충요법 시 선호된다.

한편, 당질부신피질호르몬은 경구, 비경구 및 수많은 국소경로(예: 눈, 피부, 코, 흡입, 직장 좌약)를 통해 투여된다. 호흡기 및 비강 에어로졸 스프레이에 널리 사용되는 합성당질부신피질호르몬은 베타메타손, 베클로메타손 및 플루티카손이다. CBG에 높은 친화성을 갖는 하이드로코티손과 달리 대부분의 합성스테로이드는 이 결합단백질에 친화성이 낮아 유리스테로이드(~30%)로 순환하거나 알부민에 결합한다(~70%). 혈중 반감기는 개인의 다양성과 기저질환, 특히 신장 및 간장애에 따라 다르다. 코티손아세테이트는 간에서 활성코티솔로 대사되어야 하므로 비경구적으로 사용해서는 안된다.

3) 당질부신피질호르몬 용량 및 투여기간
HPA축 억제의 정도는 약물활성도가 IC50 이상으로 유지되는 시간의 길이에 의존하는 것으로 알려져 있는데, 이는 투여되는 약물의 용량, 제거율 및 효능의 함수이다. 대부분 부작용의 위험은 당질부신피질호르몬 치료의 용량 및 기간과 연관되어 있기 때문에 최소용량을 최단기간 투여해야 한다. 그 외 지켜야 할 원칙으로는 다음과 같은 것들이 있다. 장기간 치료를 필요로 하는 경우, 당질부신피질호르몬 격일요법을 반드시 고려한다. 전신당질부신피질호르몬을 처방할 경우, 무기질부신피질호르몬작용이 없는 약물을 선택한다. 용량을 수일간에 걸쳐 감량할 경우에는 장기간 작용하는 약물은 사용하지 않는다. 격일치료를 위해서는 반드시 나트륨저류를 일으키지 않는 단기간 작용약물(프레드니손, 프레드니솔론, 메틸프레드니솔론 등)을 반드시 선택한다.

4) 당질부신피질호르몬 투여 전에 고려해야 할 사항
쿠싱증후군은 생명을 위협하는 질환으로 당질부신피질호르몬과 부신피질자극호르몬 치료를 처음으로 시작하였던 초기에는 5년 사망률이 50% 이상이었고 감염과 심혈관계 합병증이 사망의 주된 원인이었다. 당질부신피질호르몬 고용량 치료는 이와 비슷한 위험을 내포하고 있다.

표 4-5-5는 당질부신피질호르몬 치료 시작 전에 고려해야 할 점들을 정리해둔 것으로 치료로 얻는 이득과 잠재적 위험요소를 평가하는 데 도움이 된다. 기저질환이 중할수록 전신 당질부신피질호르몬치료는 정당화될 수 있다. 따라서 당질부신피질호르몬은 중한 상태의 전신홍반루푸스, 유육종증, 천식, 이식거부반응, 천포창(pemphigus), 활성화된 혈관염 혹은 비슷한 정도의 중증도를 가진 타질환에서 투여되고 있다. 전신스테로이드치료는 경도의 기관지천식에서는 피해야 하며, 이 경우 흡입스테로이드 등의 보존치료를 선행하여야 한다. 전 연령에 있어 흡입당질부신피질호르몬은 천식에서 가장 효과적인 장기치료제이다(CHAPTER 02. 부신피질질환의 II. 부신부전 부분 참고).

표 4-5-5. 당질부신피질호르몬 사용 전 고려사항

- 기저질환의 중증도
- 치료기간
- 예상되는 효과적인 당질부신피질호르몬 용량
- 당질부신피질호르몬 치료의 위험요소 여부
  - 당뇨병
  - 골다공증
  - 소화궤양, 위염 혹은 식도염
  - 결핵 혹은 다른 만성감염질환
  - 고혈압과 심혈관질환
  - 정신과적 문제
- 사용하려는 당질부신피질호르몬 종류
- 당질부신피질호르몬 용량을 낮추고 부작용을 최소화하기 위한 다른 치료방안
- 격일요법(alternate-day regimen) 해당 여부

5) 내분비영역에서의 치료 예

내분비영역에서 당질부신피질호르몬이 투여되는 대표적인 경우는 급성부신부전의 치료, 만성부신부전의 장기 보충요법 및 스트레스상황에서의 용량조절일 것이다. 이에 대한 자세한 내용은 2장. 부신부전 챕터에서 기술되었으므로 이 장에서는 간략히 언급하겠다.

(1) 급성부신부전의 치료

급성부신부전은 생명을 위협하는 응급상황이며 확실한 진단증거를 기다린다고 치료를 지연시켜서는 안 된다. 그러나 코티코스테로이드 투여 전 부신피질자극호르몬과 코티솔을 측정해두는 것은 필요하며 환자가 위독한 상황이 아니라면 급속부신자극검사(Short ACTH stimulation test; short Synacthen test, SST)를 시행할 수 있다. 성인의 경우 6–8시간마다 하이드로코티손 100 mg을 정맥주사해야 하고 정맥로 확보가 어려운 경우 근육내 경로를 사용한다. 처음 24시간 후, 하이드로코티손의 용량을 일반적으로 6시간마다 50 mg으로 감량한 다음 경구하이드로코티손으로 전환하여 아침 10–20 mg, 오후 3–6시에 5–10 mg 정도의 표준 보충용량까지 빠르게 줄인다.

(2) 만성부신부전의 장기 보충요법

장기치료의 목표는 하이드로코티손 보충용량을 제공하여 정상적인 코티솔분비속도와 주기(그림 4-5-4)를 모방하기 위함으로 대부분의 환자는 30 mg/일 미만으로 적절하게 치료된다(보통 5–25 mg/일, 아침 10–15 mg과 오후 5–10 mg 분할). 25 mg/day 이상의 하이드로코티손을 투여받는 환자는 용량의존적으로 골밀도가 감소하므로 효과적이면서도 안전한 최소용량을 찾으려는 노력이 필요하다. IGF-1이 코티솔 제거율을 증가시킨다고 알려져 있기 때문에, 뇌하수체저하증에서 성장호르몬 결핍 환자의 당질부신피질호르몬 요구량은 원발부신부전 환자에서보다 낮다.

(3) 스트레스상황에서의 관리

당질부신피질호르몬 보충요법을 받는 환자는 경증의 열성질환 또는 사고의 경우에 하루 용량을 두 배로 늘리도록 조언한다. 환자가 구토를 하고 경구로 약물을 복용할 수 없는 경우에는 비경구하이드로코티손을 긴급히 투여한다. 국소마취하에 시행되는 경미한 시술이나 대부분의 영상검사 시에는 추가보충이 필요하지 않다. 경미한 수술의 경우 50–100 mg의 하이드로코티손을 수술 전처치 약물들과 함께 투여한다. 주요 수술의 경우 같은 전처치 후에 후속치료로 급성부신부전과 동일한 요법을 시행한다. 보충요법 중인 환자가 임신을 하면 일반적으로 마지막 삼분기에 하이드로코티손의 1일 용량을 완만하게 증량한다.

6) 현행 당질부신피질호르몬 치료의 한계와 극복 노력

(1) 현행 당질부신피질호르몬 치료의 한계

현행 당질부신피질호르몬 치료의 첫 번째 약점은 골다공증, 고혈당, 인슐린저항성, 지방침착장애, 고혈압 및 근육위축과 같은 광범위한 부작용이 발생한다는 점이다. 두 번째 약점은 중증천식, 만성폐쇄폐질환, 류마티스관절염 및 패혈증과 같은 수많은 질병의 치료 시 발생하는 당질부신피질호르몬저항성(glucocorticoid resistance)이다. 당질부신피

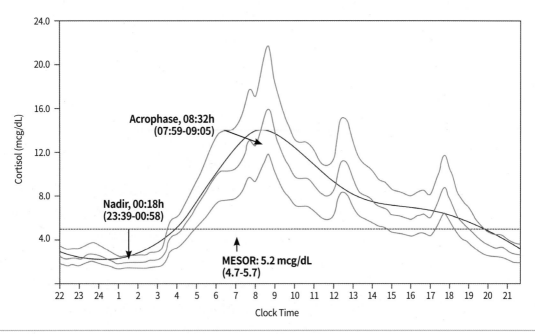

그림 4-5-4. 정상적인 코티솔순환주기

질호르몬의 항염증 및 면역억제 효과는 일반적으로 전사억제기전에 의해 매개되고 대사질환과 독성은 전사활성기전이 관여한다. 당질부신피질호르몬이 가장 강력한 항염증제 및 면역억제제이지만 당질부신피질호르몬저항성에 관한 문제들이 꾸준히 제기되고 있고, 천식 및 만성폐쇄폐질환 환자에서 당질부신피질호르몬저항성 개선을 위해 여러 연구들이 진행되고 있다. 이 기전을 충분히 이해한다면 염증질환과 자가면역질환을 치료할 때 부작용과 독성효과를 최소화한 새로운 항염증제의 개발에 도움이 될 것이다.

(2) 부작용을 최소화하기 위한 노력들
당질부신피질호르몬의 이러한 단점을 극복하려면 화학구조, 약동학, 전달의 개선, 그리고 무엇보다도 작용기전에 대한 더 깊은 통찰력이 필요하다. 또한 연구자들이 어떻게 당질부신피질호르몬의 유해한 대사효과를 최소화하면서 유익한 항염증작용과 균형을 맞추려고 시도하는지 아는 것이 필요하다.

① 지연방출형 하이드로코티손제제
최근 정상적인 일주기 코티솔 농도를 더 가깝게 복제하는 지연방출형 하이드로코티손(Plenadren®; 5 mg, 20 mg)이 허가 및 승인을 받았다. 원발부신부전에서 이 약물을 사용하였을 때 포도당대사가 개선되고, 심혈관질환 위험인자(특히 체중, 허리둘레, 혈압 및 콜레스테롤수치)가 감소하였으며, 감염재발이 줄었다는 보고가 있다(그림 4-5-5). 원발 및 중추부신부전을 대상으로 한 초기 임상시험에서 기존의 1일 2회 또는 3회 하이드로코티손 투여와 비교하여 삶의 질이 개선되었음도 보여주고 있다.

② 현행 약물의 개선 노력
가. 당질부신피질호르몬의 국소 전달(크림, 비강 스프레이, 흡입기)
  예: 흡입당질부신피질호르몬
  페길레이션(pegylation, PEG)을 통해 폐 체류가 더 높고 부작용이 적은 거대친수성 전구약물을 생성하였다.
나. 활성화된 대식세포를 특이적으로 공격하는 CD163항체와 덱사메타손의 결합체

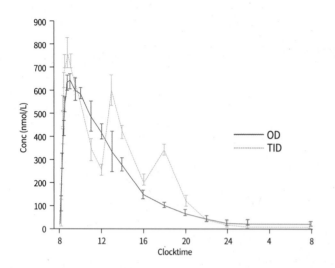

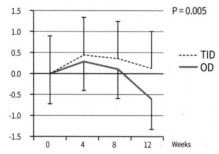

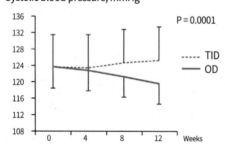

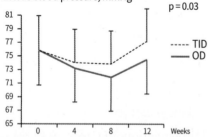

그림 4-5-5. 원발부신부전 환자에서 1일 1회 이중방출제제 투여와 1일 3회 표준용법 투여 간의 12주간 전향무작위배정연구

A: 원발부신부전 환자 64명에서 1일 1회 이중방출제제 투여와 1일 3회 표준용법(20-40 mg) 간의 12주 동안 혈중 코티솔 농도 비교, B: 체중, C: 평균 수축기혈압, D: 평균 이완기혈압(P값의 유의 수준 < 0.05).

다. 글루카곤유사펩타이드-1 (glucagon-like peptide-1, GLP-1)과 덱사메타손결합체

GLP-1수용체를 발현하는 세포에 덱사메타손을 선택적으로 전달하는 방법이며, 대사염증 및 비만에서 테스트되었다.

라. 당질부신피질호르몬의 캡슐화

예: 지방소체(liposomes)

류마티스관절염의 염증관절과 크론병, 대장염, 다발경화증, 죽상경화증의 염증병변에 대한 당질부신피질호르몬의 표적치료를 위해 개발되었다.

마. 대사 측면에서는 불활성인 당질부신피질호르몬 모방체

예1: 당질부신피질호르몬유도류신지퍼단백질(glucocorticoid-induced leucine zipper protein, GILZ)

관절염, 대장염 및 자가면역뇌척수염(autoimmune encephalomyelitis)에 대한 항염증치료제이다.

예2: 그 외 당질부신피질호르몬유도 단백질들(IkBa, ANXA1, DUSP1, SPHK1, IL10, KLF2 및 IL1수용체대항제인 IL1RA) 항염증활성을 보유하고 당질부신피질호르몬에 의해 유도되어 모방체로 작용한다.

③ 개발 중인 차세대 당질부신피질호르몬: 선택적 당질부신피질호르몬수용체작용제와 조절제

당질부신피질호르몬수용체의 기능을 조절하여 부작용을 줄이려는 노력의 일환으로 선택적 당질부신피질호르몬수용체작용제가 개발 중이다. 이는 당질부신피질호르몬의 항염증작용을 유도하는 전이억제 효과와 대체로 부작용 유발에 관여하는 전이활성 효과를 분리하는 것이 목적이다. 최근에는 스테로이드기반제제인 선택적 당질부신피질호르몬수용체작용제(selective glucocorticoid receptor agonists, SEGRAs)에서 비스테로이드기반제제인 선택적 당질부신피질호르몬수용체조절제(selective glucocorticoid receptor modulators, SEGRMs)까지 개념이 확장되었다. 예를 들어 compound A (CpdA)라는 물질은 당질부신피질호르몬수용체조절인데 고전적인 당질부신피질호르몬과 마찬가지로 NF-kB의 작용은 억제하지만 대사질환은

활성화시키지 않는다. 즉, 고혈당이나 고인슐린혈증을 유도하지 않고 관절염 및 신경염증 모델에서 염증을 감소시켰다. 그러나 화합물의 불안정성으로 인해 약물개발은 되지 못했다. 현재까지 임상시험 단계로 들어갔던 제제는 두 개 정도이다. Mapracorat®는 SEGRAs계열 약물로 개발되었고 알레르기결막염, 염증 및 백내장수술 후 통증의 국소치료를 위한 안과 현탁액과 아토피피부염 연고제로 테스트되었다. Fosdagrocorat®는 SEGRMs계열 약물이고 류마티스관절염치료제로 2019년 IIb상 임상시험을 마쳤는데 부작용은 적고 프레드니솔론보다 좋은 효과를 보여주었다.

2. 당질부신피질호르몬의 중단

당질부신피질호르몬은 항염증 및 면역억제 효과로 인해 널리 사용되고 있고 현재 1–3% 인구가 이 치료를 받고 있다. 당질부신피질호르몬 감량이나 중단의 최종 목표는 불필요한 스테로이드 투여를 줄이면서도 기저질환 또는 부신부전의 재발을 피하는 것이다. 과거에는 원발부신부전 환자에서 당질부신피질호르몬보충요법이 우수한 임상결과를 보여주는 것으로 생각되었으나 현재는 이런 환자들이 높은 이환율과 조기 사망을 경험한다는 인식이 점차 늘어나고 있다. 이는 고전적인 보충요법이 생리적인 순환주기와 다르게 이루어져왔기 때문일 것으로 생각된다. 당질부신피질호르몬을 투여하면서 지속적으로 관심을 가져야 할 부분들은 기저질환의 중증도, 당질부신피질호르몬 종류와 효과적인 용량, 치료기간, 당질부신피질호르몬 치료의 부작용과 부작용을 최소화하기 위한 투여방법 등이다.

1) 당질부신피질호르몬 중단 시 고려사항

(1) 당질부신피질호르몬 투여와 HPA축의 변화
외부에서 당질부신피질호르몬을 투여하면 음성되먹임기전에 의해 부신피질자극호르몬방출호르몬과 부신피질자극호르몬방출이 순차적으로 억제된다. 그로 인해 스트레스에 대한 부신의 반응이 부적절해지고 기저당질부신피질호르몬 농도가 감소된다. 장기간(4–6주 이상) 부신피질자극호르몬 분비가 부족하게 되면 부신의 속상대(zona fasciculata) 및 망상대(zona reticularis)가 위축되고 코티솔 분비능이 감소된다. 당질부신피질호르몬의 용량을 줄이면 부신피질자극호르몬수치가 상승하고 이후 정상적인 부신기능과 코티솔분비가 회복되어 HPA축의 회복을 돕는다. 그러나 장기간의 당질부신피질호르몬 치료는 부신피질자극호르몬방출호르몬과 부신피질자극호르몬의 되먹임작용을 억제해 부신부전을 일으키고 결국 부신피질저형성 및 위축을 유발함으로써, HPA축이 스트레스에 반응하여 코티솔을 생성하는 과정을 막는다. HPA축 억제는 고용량 및 장기간의 당질부신피질호르몬 투여 후에 발생 가능성이 더 높다. 그러나 투여량, 치료기간, 투여형태 또는 무작위혈청코티솔값 등으로 코티코스테로이드 사용 후 부신부전 발생을 정확하게 예측하기는 어렵다. 당질부신피질호르몬 감량 또는 중단을 고려할 때는 사용 중인 약물을 하이드로코티손으로 전환할 것을 권장하고 있는데 근거는 하이드로코티손의 부신피질자극호르몬억제시간(반감기)이 다른 전신당질부신피질호르몬에 비해 짧기 때문이다. 따라서 이론적으로 하이드로코티손 투여 시 부신부전의 위험이 가장 낮고 HPA축의 회복시간도 단축될 수 있지만(동일한 용량 대비) 명확한 근거는 아직 부족하다. 현재 문헌에는 당질부신피질호르몬 중단기간 및 요법에 관한 특정지침이 없으므로 각 환자의 HPA축 억제위험을 고려하여 개별적인 접근이 필요하다.

(2) 당질부신피질호르몬 중단 시 고려할 임상상황
당질부신피질호르몬 중단 시에는 다음 임상상황들을 고려해야 한다. 첫째, 하이드로코티손을 보충하다가 중단했을 때 발생할 수 있는 당질부신피질호르몬유발부신부전을 고려해야 한다. 실제로 당질부신피질호르몬 치료요법 자체가 부신부전의 가장 흔한 원인이기 때문에 중단 시 부신부전 동반 유무를 잘 모니터링해야 한다. 둘째, 당질부신피질호르몬 치료 중단 후 혈액검사상 부신부전이 없는 환자에서도 일부는 금단증상을 보일 수 있음을 파악해야 한다. 금단증후군은 높은 당질부신피질호르몬 용량과 관련있을 수 있다. 일반적으로 식욕부진 및 체중감소, 오심 및 구토, 두통 및 혼수, 발열, 근육통 및 관절통, 피부 박리, 그리고 기립저혈압과 같은 비특이증상들로 나타나며 부신부전증상과도 유사하여 감별이 필요하다. 셋째, 기저질환의 악화 여부를 잘 관찰해야 한다.

① 당질부신피질호르몬유발부신부전
가. 유발 원인

HPA축 억제는 일반적으로 당질부신피질호르몬을 경구 또는 주사경로로 투여 후에 발생하고, 생리학적 용량이 넘는 용량으로 전신투여한 경우 국소치료에 비해 부신부전 유발 가능성이 더 높다. 그러나 피부과, 이비인후과 또는 안과에서 국소적으로 투여한 후에도 나타날 수 있고 단일관절내 당질부신피질호르몬주사도 전신흡수 및 부신부전과 관련이 있음을 명심해야 한다. 치료요법에 의한 당질부신피질호르몬유발부신부전의 위험을 평가할 때 용량, 치료기간, 투여경로와 같은 요인이 상호 연관되어 있음을 인식하는 것도 중요하다. 예를 들어, 관절내 치료는 고용량데포제형을 사용하므로 전신흡수를 피할 수 없고 이런 점 때문에 부신부전의 비율이 높다. 대조적으로, 국소부위에 쓰이는 당질부신피질호르몬은 낮은 생체이용률을 갖는 저용량 제형이며, 이 점이 부신부전의 비율을 낮춘다. 최근 연구에 따르면 단기(< 4주) 또는 저용량(1일 5 mg 미만의 프레드니손 등가) 당질부신피질호르몬치료도 HPA축을 억제할 수 있고, 당질부신피질호르몬을 사용한 만성치료가 부신부전의 가장 흔한 원인임이 알려졌다. 생물학적 반감기는 부신피질자극호르몬 억제시간을 직접 반영하므로, 지속성제제는 속효성 당질부신피질호르몬(동일한 용량 및 치료기간 기준)에 비해 부신부전의 위험을 증가시킬 수 있음을 고려해야 한다.

나. 유병률

구조적인 병변에 의한 원발 및 이차부신부전은 드물지만, 즉각적인 진단이 필요한 심각한 상태로 인식되고 있으며 호르몬 보충요법이 생명을 구하는 것으로 간주된다. 반면, 당질부신피질호르몬유발부신부전은 훨씬 유병률이 높지만 임상

적 의미는 덜 명확하다. 수많은 연구에서 생화학적으로 정의된 당질부신피질호르몬유발부신부전을 조사하여 체계적문헌연구 및 메타분석을 시행한 바 있다. "Broersen 외"의 2015년 시행된 체계적문헌연구 및 메타분석에는 74개의 연구에서 3,753명의 환자(12세 이상)가 포함되었으며 당질부신피질호르몬 중단기간 동안 또는 중단 전후에 부신부전이 동반된 환자의 합산백분율을 투여경로에 따라 나누어 추정했다. 이 보고에 따르면 경구사용의 경우 50%, 관절내 투여의 경우 52%, 흡입당질부신피질호르몬의 경우 8%, 국소투여의 경우 5%, 비강내 투여의 경우 4%였다(그림 4-5-6). 또한 고용량 및 장기 당질부신피질호르몬 치료가 당질부신피질호르몬유발부신부전의 위험을 높였다. 그러나 어떤 치료용량이나 기간에서도 위험이 완전히 배제되지는 않았다. "Joseph 외"의 2016년 시행된 체계적문헌연구에는 73개의 연구에서 3,166명의 환자(16세 이상)가 포함되었는데 전신 당질부신피질호르몬 사용 시 당질부신피질호르몬유발부신부전에 대한 중앙값 비율이 37%라고 보고했다. 이들은 전신 당질부신피질호르몬의 1일 평균 복용량, 기간 또는 누적 복용량을 나누어 분석했지만 명백한 패턴을 찾지 못했다.

다. 위험을 최소화하는 방법

부신부전은 생명을 위협할 수 있으므로 적절히 당질부신피질호르몬을 감량 또는 중단하는 것이 중요한데 권장되는 당질부신피질호르몬 감량요법을 따랐음에도 불구하고 부신 억제가 발생할 수 있다. 당질부신피질호르몬유발부신부전은 신중한 진단과정과 신속한 당질부신피질호르몬 보충치료가 필요한 과정이다. 경구치료 중단 이후 부신부전 환자의 비율은 시간이 지남에 따라 감소하지만, 중단 후 6개월에 40%, 중단 후 2년에 20%, 중단 후 3년에 5%에서 잔존한다고 보고되었다. HPA축의 회복을 예측하기 위한 구체적인 지침이 아직은 없지만 많은 연구에서 부신위축은 대부분의 경우 천천히 회복되므로 당질부신피질호르몬 중단 후 2-4년까지 지속될 수 있다고 보고하고 있다. 당질부신피질호르몬유발부신부전 환자는 HPA축 회복시간을 정확히 예측하기 어렵기 때문에 신중하고 장기적인 모니터링 및 치

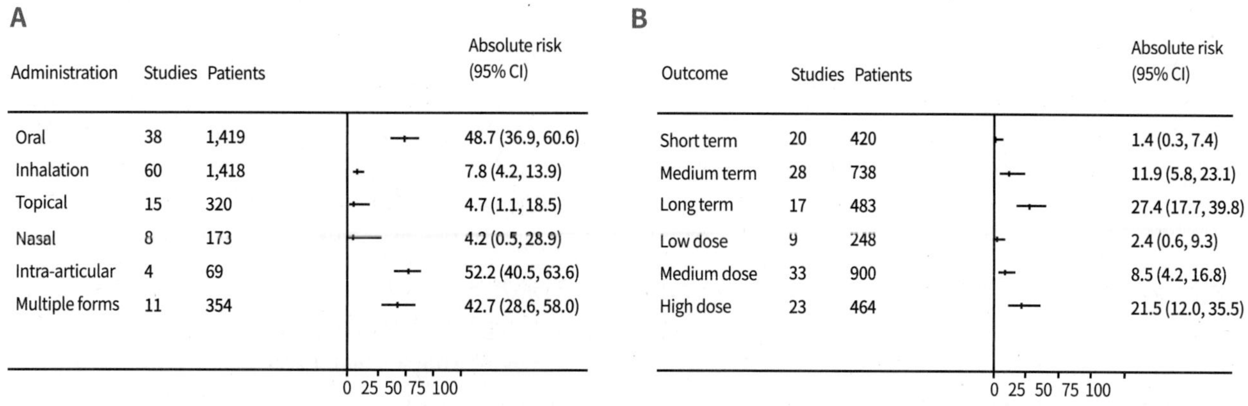

A

Administration	Studies	Patients		Absolute risk (95% CI)
Oral	38	1,419		48.7 (36.9, 60.6)
Inhalation	60	1,418		7.8 (4.2, 13.9)
Topical	15	320		4.7 (1.1, 18.5)
Nasal	8	173		4.2 (0.5, 28.9)
Intra-articular	4	69		52.2 (40.5, 63.6)
Multiple forms	11	354		42.7 (28.6, 58.0)

0 25 50 75 100

B

Outcome	Studies	Patients		Absolute risk (95% CI)
Short term	20	420		1.4 (0.3, 7.4)
Medium term	28	738		11.9 (5.8, 23.1)
Long term	17	483		27.4 (17.7, 39.8)
Low dose	9	248		2.4 (0.6, 9.3)
Medium dose	33	900		8.5 (4.2, 16.8)
High dose	23	464		21.5 (12.0, 35.5)

0 25 50 75 100

그림 4-5-6. 메타분석. 천식환자에서 당질부신피질호르몬 중단기간 동안 또는 중단 전후에 부신부전이 동반된 환자의 합산 백분율
A: 투여경로에 따른 결과. 비강 코티코스테로이드의 경우 4.2%에서 관절내 코티코스테로이드의 경우 52.2%로 증가하였다. B: 투여기간과 투여용량에 따른 결과. 투여기간에 따라 1.4%(< 28일)에서 27.4%(> 1년)까지, 투여용량에 따라 2.4%(저용량)에서 21.5%(고용량)까지 다양하였다.

료가 필요하다. 환자에게 약물 중단 후 부신부전의 위험과 증상에 대해 교육해야 하고, 고용량 또는 장기 코티코스테로이드 치료를 중단한 후에는 부신기능을 평가하는 검사를 필수적으로 시행해야 하며, 비특이증상이 있는 환자에서도 적극적인 검사를 고려해야 한다.

② 당질부신피질호르몬중단증후군

당질부신피질호르몬 중단으로 기저질환은 악화되지 않더라도 당질부신피질호르몬 중단에 따른 증상으로 식욕부진, 근육통, 구역, 구토, 졸음증, 두통, 발열, 표피탈락, 관절통, 체중감소 및 기립저혈압 등이 나타날 수 있다. 정상 혈중 당질부신피질호르몬 농도를 보이고 HPA축 평가검사에 정상반응을 보이는 환자에서도 중단으로 인한 증상들이 나타날 수 있다. 당질부신피질호르몬 치료에 심리적으로 의존하게 되어 중단증상이 유발될 수도 있기 때문에 치료중단 시 어려움이 있을 수 있다. 당질부신피질호르몬이 프로스타글랜딘(prostaglandin, PG) 생성을 억제하는데 당질부신피질호르몬 중단증상은 외부에서 투여한 코티코스테로이드를 중단한 후 PGE2와 PGI2 생성이 갑자기 증가되어 발생하는 것으로 추정된다. 또한 혈중 인터루킨-6 (IL-6) 농도 증가도 당질부신피질호르몬 부족으로 발생하는 증상 및 징후를 설명해 준다.

③ 기저질환의 악화

당질부신피질호르몬 용량을 서서히 줄여나가면서 기존질환의 악화를 객관적인 기준으로 면밀히 관찰한다. 기저질환이 악화될 가능성이 있다고 판단되면, 당질부신피질호르몬은 수주에서 수개월 사이의 기간을 두면서 서서히 중단해야 하며, 주기적으로 환자를 재평가하도록 한다. 기존질환이 악화된 경우에는 그 시점에서 감량 중이던 당질부신피질호르몬 용량을 단기간 다시 증량시킨다. 질환이 호전되면 다시 감량을 시도한다.

2) 당질부신피질호르몬 중단방법

(1) 당질부신피질호르몬 감량 및 중단

당질부신피질호르몬을 장기간 매일 용량을 분할하여 투여하면 HPA축 억제가 유발된다. 또한 정상 HPA축을 가진 환자에서도 중단증상을 경험할 수 있으며 기저질환이 악화될 수도 있다. 당질부신피질호르몬을 감량할 때는 일반적으로 10-20%씩 안정적으로 감량하면서 환자의 임상반응을 모니터링하도록 권유되고 있다. 하루에 20-30 mg의 프레드니손 용량(또는 이에 상응하는 용량)에 도달하면 용량이 10 mg이 될 때까지 매 1-2주마다 5 mg씩 줄이는 것이 좋다. 이후 격일 투여량을 매 1-2주마다 2.5 mg씩 감량하

표 4-5-6. 당질부신피질호르몬 감량에 대한 임상가이드라인 권장사항

임상가이드라인	질환	권고내용(프레드니솔론, 1일 용량 기준)
Dasgupta et al, 2010	거대세포동맥염 또는 측두동맥염 (Giant cell arteritis or temporal arteritis)	• 4주간 40–60 mg 치료 시작(0.75 mg/kg보다 많은 용량 사용) 1. 20 mg이 될 때까지 2주마다 10 mg씩 감량 2. 10 mg이 될 때까지 2–4주마다 2.5 mg씩 감량 3. 재발되지 않는 한, 1–2개월마다 1 mg씩 감량
Robinson, 2014	면역관련독성(Immune-related toxicity)	• 3–6주에 거쳐 감량 시작 1. 10 mg이 될 때까지 3일마다 10 mg씩 감량 2. 5일마다 5 mg씩 줄이다가 중단
Furst & Saag, 2018	류마티스질환	• 40 mg으로 치료 시작하여 1–2주마다 5–10 mg 감량 1. 20–40 mg이 되면 1–2주마다 5 mg 감량 2. 10–20 mg이 되면 2–3주마다 2.5 mg 감량 3. 4–5–10 mg이 되면 2–4주마다 1 mg 감량

여 격일 스테로이드 투여량이 필요없을 때까지 줄인다. 그러나 다양한 감량요법들이 근거의 질이 매우 낮아 상당한 개인차를 고려해야 한다. 당질부신피질호르몬 중단 후 부작용을 줄이기 위해 대부분의 임상가이드라인이 가능한 가장 낮은 유효 당질부신피질호르몬 용량을 사용한 다음 감량할 것을 권장하고 있으나(표 4-5-6) 그럼에도 불구하고, 저용량경구당질부신피질호르몬 치료를 받는 환자의 최대 1/3에서 생화학적으로 부신부전이 확인되고 있음도 고려해야 한다.

① 당질부신피질호르몬 격일요법
쿠싱증후군의 임상증상을 예방하거나 개선시키므로 당질부신피질호르몬을 장기간 투여해야 하는 환자에서는 언제든지 가능하다면 격일요법을 시도해야 한다. 당질부신피질호르몬 격일요법은 질환치료의 초기 혹은 기저질환이 악화되는 동안에는 불필요하거나 적절치 않을 수 있고, 48시간 주기의 마지막 12시간 동안에 부신부전을 유발할 수 있다. 당질부신피질호르몬을 장기간 복용하였거나 혹은 부신부전이 의심되는 환자에서는 격일요법을 시행하기 전에 HPA축이 정상인지를 반드시 검사하도록 한다.

당질부신피질호르몬 격일요법은 작용시간이 짧은 당질부신

피질호르몬을 사용하지 않았거나 정확하게 투약되지 않는다면 쿠싱증후군의 임상증상 혹은 HPA축 억제를 예방하거나 개선하는데 실패할 수 있다. 만일 당질부신피질호르몬 유발부신부전, 당질부신피질호르몬중단증후군 혹은 기저질환의 악화 등이 발생되면 이전에 용량을 다시 적용하도록 하며 좀 더 천천히 감량해 나가도록 한다. 보조치료방법은 가능한 적은 용량의 당질부신피질호르몬을 사용할 수 있도록 한다. 당질부신피질호르몬 격일요법과 함께 보조치료방법을 사용할 경우 증상이 나타날 가능성이 높은 두 번째 날 오후에 보조치료를 권장한다. 당질부신피질호르몬 과잉으로 인한 위험성에 대해서 충분히 설명하여 이해시키는 것이 격일요법 성공의 관건이 될 수 있다.

② 당질부신피질호르몬을 단독 용량으로 매일 투여하는 방법
격일요법은 때때로 환자가 둘째날 마지막 몇 시간 동안에 기저질환에 의한 증상이 악화되어 실패할 수 있다. 이 상황에서는 당질부신피질호르몬의 매일 1회 투여법이 더 효과적일 수 있다. 매일 1회 투여법에 의한 치료는 HPA축 억제가 발생할 가능성을 줄이지만 쿠싱증후군의 임상증상을 예방하거나 개선해주지는 않는다.

(2) 당질부신피질호르몬 중단 시 모니터링

① 임상상 평가

당질부신피질호르몬 중단 후 유발된 부신부전의 증상과 징후들은 비특이적이고 서서히 발생한다. 일부 환자는 초기에 메스꺼움, 구토, 복부 경련 및 설사를 경험하고 대부분의 환자들이 피로, 쇠약감, 어지럼을 호소한다. 체중감소, 무월경, 성욕감소, 우울증으로 나타나는 경우도 있다. 피부의 과색소침착, 고칼륨혈증 또는 저혈압 등의 원발부신부전과 관련된 특이징후는 없으며 비특이증상으로 인해 종종 진단이 지연된다. 원발 및 이차부신부전 환자 216명을 대상으로 한 연구에서 47%는 진단 전 1년 이상 증상이 있었고 20%의 환자는 진단 전 5년 이상 고통을 겪었다. 이전에 당질부신피질호르몬치료를 받았다면 누구든지 부분적인 부신부전을 경험할 수 있고 급성스트레스 동안 부신위기증상을 나타낼 수 있다. 위중한 환자에서 이러한 가능성을 고려하는 것이 중요하며 예상치 못한 복통, 구토, 저나트륨혈증 및 저혈압을 호소하는 환자에서 의심해볼 수 있다. 이 모든 점을 감안할 때 당질부신피질호르몬 치료 후 부신부전의 진단은 정확한 판단과 높은 수준의 임상적 의심이 요구된다.

② 활용 가능한 검사법

가. 기저호르몬 측정

여러 코티솔 참고치가 제시되었지만 결론적으로 아침 코티솔 단일검사로는 100 nmol/L (3.6 μg/dL) 미만일 때 부신부전을 진단할 수 있다. 반면 아침 코티솔이 400–550 nmol/L (14.4–19.8 μg/dL) 범위에 있다면 부신기능이 정상이라고 볼 수 있다. 그러나 이 값 사이의 단일 기저 코티솔 수치로는 부신부전을 완전히 배제하기 어렵다. 검사 판독시 기저코티솔은 반드시 아침 8–9시 사이에 채취해야 하며 그 결과가 스트레스, 운동 및 음식 섭취에 의해 영향받을 수 있음을 고려해야 한다. 또한 코티솔은 CBG에 결합되어 있으므로 이 결합단백에 변화가 있으면 코티솔결과에 영향을 미칠 수 있다. 예를 들어 경구피임제를 사용하는 여성의 경우와 같이 에스트로젠이 많은 상황에서 CBG가 증가할 수 있다. CBG는 또한 갑상선기능항진증, 간질환 및 신증후군에

서 감소할 수 있다.

나. 코티솔자극검사

인슐린내성검사(insulin tolerance test, ITT)는 중추에서 HPA축을 평가하는 검사로 이차부신부전의 표준진단법으로 간주된다. 가장 널리 사용되는 급속부신자극검사(SST)는 원래 원발부신부전을 진단하기 위해 고안된 검사법으로 부신 단계에서 HPA축을 평가한다. 아침 코티솔 및 부신피질자극호르몬 측정이 부신기능을 평가하는 실용적인 대안이지만 근거가 충분하지 않고, 임상에서 가장 일반적으로 사용되는 SST가 우수한 평가방법으로 여겨진다. 비정상적인 코티솔반응을 정의하는 코티솔값은 유럽내분비학회 가이드라인에서 내인부신부전의 경우 Synacthen 투여 30분이나 60분 후 최대 코티솔 농도를 500 nmol/L (18.0 μg/dL) 미만으로 제시했다. 그러나 LC-MS/MS검사법을 이용한 최근 연구에서는 30분 및 60분 코티솔 농도 cut-off를 412 nmol/L (14.8 μg/dL) 및 485 nmol/L (17.5 μg/dL)로 제시하기도 하였다.

2018년 "Pofi 외"는 HPA축의 회복을 예측할 수 있는 구체적인 지침이 없는 현 상황에서 SST 시행 30분 후 코티솔 농도나 Δ코티솔(주사 30분 후 코티솔−기저코티솔)이 HPA축의 회복시간을 예측하는 임상도구가 될 수 있음을 보고하였다. 이 연구에는 비기능뇌하수체종양, 뇌하수체염 등 HPA축 회복가능성이 남아있고 2회 이상 SST검사를 시행한 776명이 포함되었다. 4년간 검사결과를 후향적으로 분석하였을 때, SST 30분 후 코티솔이 > 350 nmol/L (> 12.7 μg/dL)인 환자군에서 99%가 4년 이내에 부신기능을 회복한 반면, < 350 nmol/L (< 12.7 μg/dL)인 환자군에서는 49%만 부신기능이 회복되었다.

연구 당시 이미 HPA축 억제를 유발할 수 있는 용량의 당질부신피질호르몬을 복용 중인 110명의 환자들만 따로 분석하였을 때는 SST 시행 후 Δ코티솔(주사 30분 후 코티솔−기저 코티솔)이 가장 좋은 예측인자였다. Δ코티솔 > 100

nmol/L (> 3.6 µg/dL)인 환자에서 HPA축이 회복되는 시간의 중앙값은 262일(212–312일)이었고, △코티솔 < 100 nmol/L (< 3.6 µg/dL)인 경우 974일(633–1314일)로 길었다. 초기 SST결과 △코티솔 < 100 nmol/L (< 3.6 µg/dL)인 환자들만 대상으로 1년 후 무작위 아침 코티솔을 측정하였을 때 (마지막 대체 용량 후 18시간 간격을 두고 채혈), 무작위코티솔 > 200 nmol/L (> 7.3 µg/dL)인 경우 HPA축회복되는 시간의 중앙값은 322일(134–357일)로 감소하였고, 무작위코티솔 < 200 nmol/L (< 7.3 µg/dL)인 환자들은 4년의 연구기간 동안 부신부전에서 회복되지 못했다. 이를 기반으로 저자들은 SST 후 30분 코티솔 < 12.7 µg/dL이거나 △코티솔이 < 3.6 µg/dL일 때는 SST를 1년 후 추적관찰하고, 30분 코티솔 > 12.7 µg/dL 또는 △코티솔이 > 3.6 µg/dL인 경우는 SST를 6개월마다 시행해서 적절한 약물 중단시기를 놓치지 않을 것을 제안하고 있다.

SST검사결과가 의심스러운 경우 또는 임상적으로는 의심이 되는데 반응이 정상인 환자에서 인슐린내성검사(Insulin tolerance test, ITT)가 필요할 수 있고, ITT가 금기인 경우 다른 검사들도 고려해야 한다. 당질부신피질호르몬유발 부신부전의 진단 시 특히 경증에서는, 이차부신부전환자를 정확하게 감별할 수 있는 단일검사는 없음을 알아야 하고, 이러한 환자의 평가, 재평가 및 추적관찰에서는 임상적인 판단이 결정적 역할을 한다.

3. 요약

다양한 당질부신피질호르몬제제가 염증질환, 자가면역질환 및 악성종양치료에 사용되고 있고 3개월 이상의 장기간 사용자가 인구의 1%까지, 국소치료를 포함하면 3%까지 보고되고 있다. 최근 들어 코티솔의 다양한 작용에 따라 수백가지의 당질부신피질호르몬반응유전자가 확인되었는데 당질부신피질호르몬의 항염증 및 면역억제 효과는 일반적으로 전사억제기전에 의해 매개되고 대사질환과 독성은 전사활성기전이 관여한다. 내분비학자는 당질부신피질호르몬

을 투여하면서 이러한 작용기전뿐만 아니라 기저질환의 중증도, 당질부신피질호르몬 종류와 효과적인 용량, 치료기간, 당질부신피질호르몬치료의 부작용과 부작용을 최소화하기 위한 투여방법 등을 잘 알고 있어야 한다.

당질부신피질호르몬을 사용하다가 중단 시 특히 경증에서는, 이차부신부전 환자를 정확하게 감별할 수 있는 단일검사는 없고, 이러한 환자의 평가, 재평가 및 추적관찰에서는 임상적인 판단이 결정적인 역할을 함을 알아야 한다. 그러나 HPA축의 회복을 예측할 수 있는 구체적인 지침이 없는 현 상황에서 SST 시행 30분 후 코티솔 농도나 △코티솔(주사 30분 후 코티솔–기저 코티솔) 등으로 HPA축의 회복시간을 예측하려는 연구들이 있어 주목할 만하다. 최근 각광받고 있는 LC–MS/MS검사법을 이용하여 혈청코티솔을 측정하면 기존 측정법에 비해 위양성결과를 피하고 검사실간의 편차를 줄일 수 있어 더 정확한 결과를 얻을 수 있을 것으로 기대된다.

참 / 고 / 문 / 헌

1. 유순집. 당질코르티코이드제 사용. 대한내분비학회. 내분비대사학. 제2판. 군자출판사; 2011. pp. 376-92.

2. 성연아, 오지영. 부신기능부전. 임상내분비학. 제3판. 고려의학; 2016. pp. 317-26.

3. Newell-Price JD, Auchus RJ. The adrenal cortex. In: Melmed S, Auchus RJ, Goldfine AB, Koenig RJ, Rosen CJ. Williams textbook of endocrinology. 14th ed. Philadelphia: Elsevier; 2019. pp. 480-98.

4. Broersen LH, Pereira AM, Jorgensen JO, Dekkers OM. Adrenal insufficiency in corticosteroids use: systematic review and meta-analysis. J Clin Endocrinol Metab 2015; 100:2171-80.

5. Ceccato F, Scaroni C. Central adrenal insufficiency: open issues regarding diagnosis and glucocorticoid treatment. Clin Chem Lab Med 2019;57:1125-35.

6. Determinants of glucocorticoid dosing. UpToDate. Available from: https://www.uptodate.com/contents/determinants-of-glucocorticoid-dosing?search=Determinants%20of%20glucocorticoid%20dosing&source=search_result&selectedTitle=1~150&usage_type=default&display_rank=1#H198637278

7. Escoter-Torres L, Caratti G, Mechtidou A, Tuckermann J, Uhlenhaut NH, Vettorazzi S. Fighting the fire: mechanisms of inflammatory gene regulation by the glucocorticoid receptor. Front Immunol 2019;10:1859.

8. Fardet L, Fève B. Systemic glucocorticoid therapy: a review of its metabolic and cardiovascular adverse events. Drugs 2014;74:1731-4.

9. FG Pérez, AP Marengo, CV Artero. The unresolved riddle of glucocorticoid withdrawal. J Endocrinol Invest 2017;40: 1175-81.

10. Filipsson H, Monson JP, Koltowska-Häggström M, Mattsson A, Johannsson G. The impact of glucocorticoid replacement regimens on metabolic outcome and comorbidity in hypopituitary patients. J Clin Endocrinol Metab 2006;91:3954-61.

11. Fleseriu M, Hashim IA, Karavitaki N, Melmed S, Murad MH, Salvatori R, et al. Hormonal replacement in hypopituitarism in adults: an Endocrine Society clinical practice guideline. J Clin Endocrinol Metab. 2016;101:3888-921.

12. Giordano R, Guaraldi F, Marinazzo E, Fumarola F, Rampino A, Berardelli R, et al. Improvement of anthropometric and metabolic parameters, and quality of life following treatment with dual-release hydrocortisone in patients with Addison's disease. Endocrine 2016;51:360-8.

13. Hahner S, Loeffler M, Bleicken B, Drechsler C, Milovanovic D, Fassnacht M, et al. Epidemiology of adrenal crisis in chronic adrenal insufficiency: the need for new prevention strategies. Eur J Endocrinol 2010;162:597-602.

14. Ingawale DK, Mandlik SK. New insights into the novel anti-inflammatory mode of action of glucocorticoids. Immunopharmacol Immunotoxicol 2020;42:59-73.

15. Isidori AM, Venneri MA, Graziadio C, Simeoli C, Fiore D, Hasenmajer V, et al. Effect of once-daily, modified-release hydrocortisone versus standard glucocorticoid therapy on metabolism and innate immunity in patients with adrenal insufficiency (DREAM): a single-blind, randomized controlled trial. Lancet Diabetes Endocrinol 2018;6:173-85.

16. Johannsson G, Falorni A, Skrtic S, Lennernäs H, Quinkler M, Monson JP, et al. Adrenal insufficiency: review of clinical outcomes with current glucocorticoid replacement therapy. Clin Endocrinol (Oxf) 2015;82:2-11.

17. Johannsson G, Nilsson AG, Bergthorsdottir R, Burman P, Dahlqvist P, Ekman B, et al. Improved cortisol exposure-time profile and outcome in patients with adrenal insufficiency: a prospective randomized trial of a novel hydrocortisone dual-release formulation. J Clin Endocrinol Metab 2012;97:473-81.

18. Joseph RM, Hunter AL, Ray DW, Dixon WG. Systemic glucocorticoid therapy and adrenal insufficiency in adults: a systematic review. Semin Arthritis Rheum 2016;46:133-41.

19. Koetz KR, Ventz M, Diederich S, Quinkler M. Bone mineral density is not significantly reduced in adult patients on low-dose glucocorticoid replacement therapy. J Clin Endocrinol Metab 2012;97:85-92.

20. Laugesen K, Broersen LHA, Hansen SB, Dekkers OM, Sørensen HT, Jorgensen JOL. Management of endocrine disease: glucocorticoid-induced adrenal insufficiency: replace while we wait for evidence? Eur J Endocrinol 2021; 184:R111-22.

21. Lightman SL, Birnie MT, Conway-Campbell BL. Dynamics of ACTH and cortisol secretion and implications for disease. Endocr Rev 2020;41:470-90.

22. Omori K, Nomura K, Shimizu S, Omori N, Takano K. Risk factors for adrenal crisis in patients with adrenal insufficiency. Endocrine J 2003;50:745-52.

23. Oster H, Challet E, Ott V, Arvat E, de Kloet ER, Dijk DJ, et al. The functional and clinical significance of the 24-hour rhythm of circulating glucocorticoids. Endocr Rev 2017; 38:3-45.

24. Pelewicz K, Miśkiewicz P. Glucocorticoid withdrawal-an overview on when and how to diagnose adrenal insufficiency in clinical practice. Diagnostics (Basel) 2021;11: 728.

25. Pofi R, Feliciano C, Sbardella E, Argese N, Woods CP, Grossman AB, et al. The short Synacthen (corticotropin) test can be used to predict recovery of hypothalamo-pituitary-adrenal axis function. J Clin Endocrinol Metab 2018;103:3050-9.

26. Raff H, Sharma ST, Nieman LK. Physiological basis for the etiology, diagnosis, and treatment of adrenal disorders: Cushing's Syndrome, adrenal insufficiency, and congenital adrenal hyperplasia. Compr Physiol 2014;4: 739-69.

27. Scherholz ML, Schlesinger N, Androulakis IP. Chronopharmacology of glucocorticoids. Adv Drug Deliv Rev 2019;151-152:245-61.

28. Ueland GÅ, Methlie P, Øksnes M, Thordarson HB, Sagen J, Kellmann R, et al. The short cosyntropin test revisited: new normal reference range using LC-MS/MS. J Clin Endocrinol Metab 2018;103:1696-703.

29. Vandewalle J, Luypaert A, De Bosscher K, Libert C. Therapeutic mechanisms of glucocorticoids. Trends Endocrinol Metab 2018;29:42-54.

30. White K, Arlt W. Adrenal crisis in treated Addison's disease: a predictable but under-managed event. Eur J Endocrinol 2010;162:115-20.

생식

여성생식생리와 생식질환

성연아

I. 여성생식생리

여성생식기관은 시상하부, 뇌하수체, 난소 및 자궁내막의 주기적인 상호작용으로 세밀하게 조절되어 정상적인 배란과 월경을 가능하게 한다.

1. 시상하부와 뇌하수체에 의한 난소기능의 조절

성선자극호르몬방출호르몬(gonadotropin releasing hormone, GnRH)은 뇌하수체문맥계로 박동성 분비 후 뇌하수체세포의 약 10%를 차지하는 뇌하수체성선자극세포에서 황체형성호르몬(luteinizing hormone, LH)과 난포자극호르몬(follicle stimulating hormone, FSH)의 분비와 합성을 자극한다. GnRH신경세포들은 상피세포중추신경계 외부에 있는 상피세포로부터 발달되어 후각신경세포가 있는 부위에서 기저시상하부 안쪽까지 이동 후 약 7,000개가 뇌하수체문맥계의 모세혈관과 정중융기에서 연결된다. GnRH신경세포와 문맥계의 기능연결은 태생 전반기에 형성되어 생식계의 시상하부–뇌하수체–난소의 조절이 시작된다. 태반에서 생성되는 높은 농도의 FSH와 프로제스테론은 태아의 시상하부–뇌하수체–난소의 호르몬 분비를 억제한다. 출생 이후에 태반 스테로이드의 영향이 없어지면 신생아의 성선자극호르몬 농도가 증가한다. 신생아의 FSH 농도는 남아보다 여아에서 더 높다. 시상하부–뇌하수체–난소축은 생후 12-20개월에 다시 억제되고 사춘기 전까지 휴지기상태로 있게 된다. 사춘기가 시작되면 GnRH의 박동성 분비는 뇌하수체의 성선자극호르몬 분비를 유도한다. 사춘기 초기에는 LH와 FSH 분비는 수면 중 증가하나 사춘기가 진행될수록 지속적으로 증가하여 분비된다. 시상하부–뇌하수체–난소축이 유년기에 정지기에 머물러 있다가 사춘기에 활성이 증가되는 기전은 확실하게 알려져 있지 않다. 유년기에는 성선스테로이드의 억제에 대한 감수성이 커져서 GnRH 분비가 억제된다. 지방세포에서 유래되는 렙틴과 같은 대사호르몬들 또한 생식기능에 중요한 역할을 한다. GnRH 결핍으로 사춘기의 시작이 지연되는 경우 G단백연결수용체(G protein–coupled receptor 54, GPR54)의 변형이 있는 것을 볼 수 있었다. 이 수용체의 리간드인 메타스틴(metastin)은 kisspeptin–1 (KISS1)이라는 펩타이드로부터 유래하며 강력한 GnRH촉진제로 작용한다. 사춘기의 시작에 중요한 역할을 하는 메타스틴은 사춘기에 시상하부에서 KISS1과 GPR54전사로 증가한다. KISS/GPR54계는 성선자극호르몬 분비에 대한 에스트로겐 되먹임과정과도 연관이 있다.

2. 난소

1) 난포의 발달과 성숙

난소는 성숙된 난모세포의 성숙과 방출을 조절하고, 사춘기발달에 중요한 호르몬인 프로게스테론, 에스트로겐, 인히빈 등을 분비하여 난모세포가 자궁에 착상하여 임신이 가능하도록 한다.

원시생식세포는 임신3주부터 확인할 수 있으며, 임신 6주에 생식융기로 이동한다. 생식세포는 생식융기 안에서 난원세포로 성장하고 고환의 발달과는 달리 정상적인 난소발달을 위해 필수적이다. 임신 8주에 난원세포는 일차감수분열 후 제1난모세포로 되고 난모세포는 과립세포 한 층으로 둘러싸여 원시난포를 형성한다. 과립세포는 중신세포로부터 유래된다. 난원세포는 유사분열, 감수분열과 폐쇄과정을 통해 제태20주에 600–700만 개까지 증식한 이후 빠른 속도로 모두 소실되어 출생 시에는 생식세포 100–200만 개가 남아 있게 된다.

성숙난모세포는 일차감수분열의 전기부터 감수분열이 종료되는 배란기 직전까지 남아있게 된다. 휴식원시난포들은 가임기간 동안 체계화된 증식과 분화가 조절되어 난포발달을 지속한다. 원시난포들이 제1난포를 형성하는 과정은 난모세포의 증식과 편평형과립층세포가 입방형과립층세포로 이행하는 것을 특징으로 한다. 증식하는 난포를 둘러싸는 내난포막세포는 제1난포가 증식하면서 형성되기 시작한다. 난모세포가 투명대를 침범하고 입방형과립층세포를 둘러싸는 수 개의 층들이 생기면서 제2난포가 형성된다. 이 단계에서 과립세포가 FSH, 에스트로겐, 안드로겐수용체들을 형성하며 세포간연접(gap junction)을 형성하여 교통한다. 난모세포와 이를 둘러싸는 체세포 간에 양방성의 신호들이 정상 난포형성에 필수적이며 그 예로 생식계열 α에 있는 난모세포유래인자(oocyte–derived factor in the germ-lineα, FIGα)는 초기난포형성에 필요하다. 항뮐러관호르몬(Anti–mullerian hormone, AMH)과 체세포에서 유래된 악티빈은 원시난포에서 제1난포의 형성을 유도한다. 난모세포유래성장분화인자9 (oocyte–derived growth differentiation factor 9, GDF–9)은 난포막세포형성 전 단계의 세포들을 증식하는 난포표면쪽으로 이동시키기 위

해 필요하다. GDF–9은 과립세포유래 KIT리간드(granulosa cell–derived KIT ligand, KITL)와 forkhead전사인자(forkhead transcription factor, Foxl2)와 함께 제2난포를 형성하기 위해서 필요하다. 이 유전자들 모두 여성에서 조기난소부전을 유발할 수 있는 유력한 인자들이며 FOXL2 유전자돌연변이는 조기난소부전과 관련되어 있다.

난포성장의 초기 단계는 난소내부인자들로 조절되나 난모세포의 감수분열의 재개를 포함하는 배란기까지 성장하게 하는 단계에는 FSH와 LH의 복합적인 자극이 필요하다. 휴식기난포들에서 제2난포들을 모으기 위해서는 FSH의 자극이 필요하다. 과립층세포층들 사이에 난포액이 축적되면서 난포강을 형성하게 되어 난포막에 배열되는 기저막과 난모세포를 둘러싸는 협막세포로 분열된다. 월경시작 첫 5–7일 이내 한 개의 우세한 난포만이 성장하는 난포들 사이에서 빠져나올 수 있게 되며 나머지 대부분의 난포들은 떨어져 나가게 되어 성장하지 못하고 폐쇄된다. 과립층세포에서 유래되는 액티빈과 BMP–6 (bone morphogenic protein 6)의 자가분비활동과 난모세포에서 유래되는 GDF–0, BMP–15, BMP–6의 주변분비활동이 과립층세포 증식과 FSH반응을 조절한다. 각 인자들에 의해 난포들이 다르게 영향을 받게 되기 때문에 하나의 난포만이 배란 전단계까지 성장할 수 있다. 우세난포는 크기, 과립세포의 증식, FSH수용체수, 방향화효소 활성 및 난포액의 난포자극호르몬과 인히빈A의 농도로 감별할 수 있다. 우세난포는 배란 5–6일 전부터 빠르게 확장하기 시작하여 과립층세포증식과 난포액 축적을 유발한다. FSH는 과립층세포에서 LH수용체들을 자극하고, 그라아프(전배란) 난포는 배란준비를 위해 난소의 외부 표면으로 이동한다. LH surge에 의해 감수분열이 재개되고 과립층세포증식이 억제되며 cylooxygenase (COX–2), 프로스타글랜딘, 프로게스테론수용체가 유도되는데 이를 통하여 배란을 위해 필요한 과정인 충란과 난포액의 방출이 일어난다. LH에 의한 황체화과정은 GDF–9, BMP–15와 BMP–6와 같은 난모세포유래황체억제인자의 소실과 동시에 진행된다.

2) 난소스테로이드

난소스테로이드생성세포들은 정상 월경주기에 LH와 FSH의 자극으로 스테로이드호르몬을 합성한다. 스테로이드호르몬 합성에 관여하는 효소와 합성과정은 난소, 부신, 고환에서 유사하나, 각각의 호르몬 합성과정에 관여하는 특정한 효소들은 세포의 종류에 따라 분포하는 정도의 차이가 있다.

에스트로젠은 증식하는 난포 안에서 과립층세포와 난포막세포가 융합할 때 합성되며 이를 2세포스테로이드합성모델(two-cell model for steroidogenesis)이라고 한다. FSH수용체들은 과립층세포에 있고 LH수용체들은 과립층세포에도 있으나 난포형성후기까지는 난포막세포에만 있게 된다. 난포를 둘러싸는 난포막세포는 혈관생성이 풍부하며 LH자극에 의해 안드로스텐디온과 테스토스테론을 합성한다. 안드로스텐디온과 테스토스테론은 직접적인 혈액공급 없이 바닥판으로부터 과립층세포까지 운반된다. 벽 과립층세포는 방향화효소가 풍부하며 FSH하에 난포기에 분비되는 일차스테로이드인 에스트라다이올과 에스트로젠을 형성한다. 난포막세포에서 형성되는 에스트라다이올과 테스토스테론은 말초혈액으로도 분비되어 피부에서 디하이드로테스토스테론으로, 지방세포에서는 에스트로젠으로 변환된다. 난소에서 문간질세포는 라이디히(Leydig)세포와 유사하며 안드로젠을 분비할 수도 있다. 기질세포는 안드로젠에 반응하여 증식하나 안드로젠을 분비하지는 않는다.

배란기 난포의 파열은 혈관내피성장인자(vascular endothelial growth factor, VEGF)와 같은 혈관형성인자들로 인해 모세혈관망을 형성하여 저밀도지단백과 같은 거대분자들이 황체과립층세포와 난포막황체세포에 도달할 수 있게 한다. 황체과립층세포에는 프로제스테론 합성과 연관된 유전자들이 발현되어 있다. 난포막황체세포는 황체과립층세포에서 방향족화(aromatization)를 위해 사용되는 기질인 17-하이드록시프로제스테론을 생성한다. 황체에서는 주로 프로제스테론을 분비하나 에스트라다이올과 17-하이드록시프로제스테론도 분비한다. LH는 황체의 정상 구조와 기능 유지에 중요하며 사람융모성선자극호르몬(human chorionic gonadotropin, hCG)과 같은 수용체에 결합하는데 임신 중에는 황체를 유지하는 LH의 작용을 hCG가 대체한다.

에스트로젠과 프로제스테론은 여성에서 이차성징 발현에 결정적인 역할을 한다. 유방에서 에스트로젠은 유방세관의 발달을 유도하고 프로제스테론은 유선발달에 관여한다. 생식기관에서 에스트로젠은 자궁내막의 변화, 질점막 비대, 자궁경부점막 위축, 자궁증식과 수축을 유발하여 수정, 임신 유지와 분만이 가능한 환경을 조성한다. 프로제스테론은 에스트로젠에 의한 자궁내막의 분비활동을 조절하며 자궁경부의 점액의 점도를 증가시키고 자궁수축을 억제한다. 성선스테로이드는 성선자극호르몬 분비의 양과 음의 되먹임에 중요한 역할을 한다. 이와 더불어 프로제스테론은 기초체온을 증가시키기 때문에 임상적으로 배란의 표지자로 이용되기도 한다.

순환하는 대부분의 에스트로젠과 안드로젠은 운반단백질에 결합하여 혈액을 통해 운반되는데 운반단백질과의 결합은 호르몬의 세포내 자유확산을 억제하고 호르몬의 제거율을 감소시킨다. 결합단백질에는 에스트로젠, 안드로젠과 주로 결합하는 성호르몬결합글로불린(sex hormone binding globulin, SHBG)과 프로제스테론과 결합하는 코티솔결합글로불린(cortisol binding globulin, CBG)이 있다. 인슐린에 의해 SHBG가 감소되면 테스토스테론의 생체이용률이 증가하며 결합단백질 농도가 증가하면 에스트로젠과 프로제스테론이 증가한다. 에스트로젠은 핵수용체인 에스트로젠수용체(estrogen receptor, ER)α, β와 주로 결합하여 작용한다. 전사보조인자들과 전사보조억제인자들이 ER활동을 조절한다. ER 아형들은 시상하부, 뇌하수체, 난소와 생식기관 모두에 존재한다. ERα와 β는 기능중복이 있지만 세포특이 발현을 하는데 ERα는 난포막세포에 주로 작용하며 ERβ는 과립층세포기능에 중요하다.

에스트로젠이 세포막의 수용체를 통하여 작용한다는 증거도 있다. 프로제스테론도 에스트로젠과 동일하게 프로제스테론수용체(progesterone redeptor, PR) α형과 β형을 통한 전사조절에 관여하며 세포막매개신호전달을 한다는 증거도 있다.

3) 난소펩타이드

성선에서 분리된 인히빈은 뇌하수체 FSH의 분비를 선택적으로 억제하며 하나의 알파소단위와 베타A 또는 베타B소단위로 구성되어 인히빈A 또는 인히빈B를 형성하는 이질이합체이다. 액티빈은 인히빈 소단위의 동질이성체로 FSH의 합성과 분비를 증가시킨다. 인히빈과 액티빈은 transforming growth factor β (TGF–β)계 성장인자에 속한다. 인히빈을 정제하는 과정에서 발견된 follistatin은 액티빈에 결합하고 액티빈의 작용을 중화시켜 FSH 분비를 억제한다.

인히빈A는 과립층세포, 난포막세포, 황체과립층세포에 존재하고 우세난포에서 분비되며 황체의 주요분비생성물이기도 하다. 인히빈B는 작은 난포강난포의 과립층세포에서 분비되며 FSH에 의해 혈중 농도가 증가하며 월경주기에 에스트라다이올과 독립적으로 FSH음성되먹임에 중요한 역할을 하여 난소기능의 주요표지자로 사용된다. 액티빈은 FSH 조절에 주요내분비적인 역할을 한다고 보기는 어렵지만 난소의 자가분비와 국소분비뿐 아니라 뇌하수체에서 FSH생성을 위해 국소적으로 작용한다.

Anti–mullerian hormone (AMH)로 알려져 있는 mullerian inhibiting substance (MIS)는 난소활동에 중요한 역할을 할 뿐만 아니라 남성에서는 뮐러관이 퇴행할 수 있게 해준다. MIS는 인히빈B와 같이 과립층세포에서 생성되고 난소기능의 중요한 표지자이며 방향화효소 발현을 억제하여 원시난포들이 난포에서 증가되는 것을 억제하기도 한다.

3. 정상 월경주기의 호르몬 조절

정상 월경주기는 GnRH의 박동성 분비, GnRH에 대한 뇌하수체반응과 성선호르몬에 의한 LH와 FSH 분비의 조절 등에 의해 완성된다. 박동성 GnRH 분비의 빈도와 진폭은 LH와 FSH의 합성과 분비를 조절하는 데 중요하다. GnRH 분비의 빈도가 많을수록 FSH의 합성을 증가시키며 진폭이 높을수록 LH 합성을 증가시킨다. 액티빈은 소포별세포(foliculostellate)에서 생성되며 FSH의 합성과 분비를 자극한다. 인히빈은 액티빈수용체를 격리시켜 액티빈의 강력한 대항제로 작용하고 FSH의 분비 억제에 주요 역할을 한다.

정상 월경주기의 유지에는 호르몬 간의 되먹임 조절이 중요하다. 에스트라다이올과 프로제스테론은 GnRH 분비를 억제하고 인히빈은 뇌하수체에서 FSH 합성과 분비를 선택적으로 억제한다. 음성되먹임 조절에 의한 FSH의 분비조절은 하나의 성숙난모세포의 발달에 중요하며 여성에서 정상 생식기능을 특징짓는다. 이러한 음성되먹임 조절 외에도 월경주기 중 성숙난포의 배란에 필수적인 LH surge는 에스트로젠에 의한 양성되먹임 조절에 의해 유발된다. 에스트로젠에 의한 성선자극호르몬의 음성 및 양성되먹임을 유발하는 신호전달체계는 확실히 규명되어 있지 않다.

1) 난포기

난포기는 제2난포들을 모아서 배란 전 우세한 난포 하나를 최종적으로 선택하는 과정을 특징으로 한다. 난포기는 생리 1일째에 시작되나 난포의 모집은 FSH의 증가와 난소스테로이드와 인히빈에 의한 음성되먹임소실이 동시적으로 일어나는 후기 황체기에 시작된다. 난포모집에는 FSH가 20–30% 증가되는 것이 적절하며 FSH에 대한 휴식기 난포들의 민감성을 통해 이를 확인할 수 있다. 과립층세포의 증식은 초기 난포기에 인히빈B 농도를 증가시킨다. 인히빈B는 에스트라다이올 및 인히빈A 증가와 함께 FSH 분비를 억제하여 한 월경주기 안에서 하나의 난포만 성숙할 수 있도록 한다. 고령산모 또는 불임치료로 외부에서 성선자극호르몬을 투여받아 FSH 농도를 증가시킨 경우에 다산의 위험이 증가되는 것으로 보아 FSH의 음성되먹임 조절은 월경주기에서 하나의 난포만 성숙되는데 중요함을 확인할 수 있다. 우세난포가 성장을 하게 되면 에스트라다이올과 인히빈A가 급격히 증가하며 난포는 LH수용체를 얻게 된다. 증가된 에스트라다이올 농도는 자궁내막의 증식을 유발한다. 에스트라다이올에 의한 양성되먹임 조절에 의해 LH surge와 경미한 FSH surge가 유발되어 과립층세포에서 배란과 황체화를 자극한다.

2) 황체기

황체기는 파열된 난포에서 황체를 형성하며 시작된다. 프로제스테론과 인히빈A는 황체과립층세포에서 생성되며 이는 난포막유도 안드로젠전구체들을 지속적으로 방향화시켜 에스트라다이올을 형성한다. 에스트로젠과 프로제스테론은 자궁내막의 분비 변화를 유발하여 착상이 가능하도록 한다. 황체는 LH에 의해 유지되나 LH에 대한 감수성이 점차 소실되므로 한정된 수명을 갖고 있다. 황체가 퇴화함에 따라 자궁내막의 호르몬에 의한 유지는 점차 소실된다. 염증반응, 국소저산소증과 허혈은 자궁내막의 혈관 변화를 초래하여 사이토카인의 분비, 세포의 사멸, 자궁내막의 탈락을 유발한다.

임신이 되면 영양층에서 hCG가 형성되어 황체의 LH수용체에 결합하여 스테로이드호르몬을 유지하고 황체의 위축을 방지한다. 황체는 임신 첫 6–10주 사이에 자궁내막의 호르몬 유지에 필수적이며 10주 이후에는 태반이 이 기능을 대신하게 된다.

II. 난소기능의 평가

월경주기는 월경 첫날부터 다음달 월경 첫날까지의 시기로 약 28일(21–35일)이며 월경주기 변이는 약 ± 2일이다. 황체기는 정상 월경주기의 12–14일로 비교적 일정하므로 월경주기가 다양한 것은 주로 난포기 기간의 변이에 의한 것이다. 월경기간은 보통 4–6일 정도이다. 월경주기는 서서히 단축되어 35세 이상의 여성들은 젊었을 때보다 짧아진다. 폐경에 가까워질수록 무배란주기가 증가하며 월경양상도 불규칙적으로 변한다.

월경주기가 4일 이상 변화하지 않고 일정한 경우 주로 배란주기라고 할 수 있다. 일부 여성들은 배란시기에 우세난포의 빠른 증식으로 인해 유발되는 배란통(mittelschmerz)이 있다. 팽만감, 유방통과 식욕 증가가 월경 전에 볼 수 있는 증세들로 배란기 혹은 월경시작 수일 전부터 있으나 이러한 증세가 없다고 하여 무배란이라고 할 수는 없다. 월경 시작 ~7일 전 혈청프로제스테론 농도(5 ng/mL 이상), 프로제스테론에 의한 기초체온의 상승, 소변의 LH surge검사로 배란상태를 확인할 수 있다. 배란은 LH surge ~36시간 이후에 일어나므로 소변 LH는 배란기를 확인하여 성교시기를 결정하는데 도움을 줄 수 있다. 초음파검사로 액체가 채워진 난포강성장의 확인, 난포기에 증가된 에스트라다이올에 의한 자궁내막의 증식, 황체기의 분비성자궁내막의 에코음영을 확인할 수 있다.

III. 여성생식질환

1. 사춘기질환

1) 정상 사춘기발달

초경은 부신 망상대의 성숙과 부신안드로젠 특히 디하이드로에피안드로스테론(dihydroepiandrosterone, DHEA) 증가에 의한 음모와 액와모의 발달 및 유방발육개시(the-larche) 보다 늦게 시작된다(표 5-1-1). 부신남성호르몬의 자극은 체질량지수 증가, 자궁과 신생아적 요인들이 관련되어 있고 유방발육개시에 관여하는 에스트로젠은 부신 안드로젠이 말초조직에서 전환되어 증가한다. 유방발육개시는 음모와 액와모보다 먼저 나타나며 유방발육개시 후 초경을

표 5-1-1. 사춘기 성성숙지표발달의 평균 연령

	유방/음모발달시기	유방/음모 도달연령	초경	최종 유방/음모발달	성인 신장
코카시안	10.2세	11.9세	12.6세	14.3세	17.1세
흑인	9.6세	11.5세	12세	13.6세	16.5세

하기까지 간격은 약 2년이다. 초경연령은 점차적으로 빨라지는 것을 볼 수 있는데 이는 영양상태의 호전, 지방세포와 조기성발달의 상호작용에 의하며 평균 초경연령은 12세 정도이다. 사춘기에 다양한 호르몬 변화가 있고 대표적으로 성장호르몬 농도가 사춘기 초반에 증가하는데 에스트로젠 증가에 기인한다.

2) 사춘기질환

(1) 성조숙
성조숙은 Marshall과 Tanner자료에 근거하여 8세 이전 이차성징의 발달로 정의한다. 최근에는 코카시안여성아이들은 7세 미만, 아프리카계 미국여성아이들은 6세 미만에 유방발육개시와 음모발달을 보이면 성조숙을 검사하도록 권유하고 있다.

진성성조숙은 시상하부−뇌하수체−난소축의 조기활성으로 인해 유발된다(표 5-1-2). 이는 LH의 박동성 분비와 외부 GnRH (2-3배 자극)에 대한 LH와 FSH의 증가된 반응을 특징으로 한다. 진성성조숙은 뼈나이의 > 2SD 증가, 성장과 이차성징의 급격한 진행을 특징으로 한다. 진성성조숙은 85%가 특발성이지만 기질적인 원인도 감별해야 한다(표 5-1-2). 뇌하수체 GnRH수용체탈민감을 유도하는 GnRH 유사제는 조기뼈끝폐쇄를 예방하고 최종신장을 유지하며 성조숙으로 인한 심리적인 영향을 덜어주기 위한 주요 치료법이다.

가성성조숙은 시상하부−뇌하수체−난소축을 활성화시키지 않고 에스트라다이올 증가에 의한 성선자극호르몬 억제를 특징으로 한다(표 5-1-2). 가성성조숙의 치료는 기저질환의 치료와 방향화효소억제제, 스테로이드합성억제제와 에스트로젠수용체대항제를 사용하여 성선호르몬의 영향을 감소시킨다.

불완전 또는 간헐적형태의 성조숙도 유발할 수 있다. 즉 유방의 조기발육이 2세 이전의 여아에서 생길 수 있으나 더 이상 발전하지 않을 수 있으며 다른 이차성징의 발달이 없을 수도 있다. 음모조기발생증도 진행성사춘기발달 없이도 일어날 수 있으며, 이는 이성조숙(heterosexual precocity)로 볼 수 있는 지연형(late onset)선천부신증식증이나 안드로젠분비종양과 감별을 해야 한다.

(2) 사춘기 지연
사춘기 지연은 13세가 될 때까지 이차성징이 없는 경우로 정의한다. 진단 시 고려사항은 일차무월경과 매우 유사하다(표 5-1-3). 사춘기 지연 여성아이의 25-40%는 난소요인에 의하며 터너증후군인 경우가 대부분이다. 기능저성선자극호르몬방출호르몬과 성선저하증은 셀리악병과 만성신부전과 같은 전신질환, 당뇨병이나 갑상선저하증 등의 내분비질환에 의한다. 선천저성선자극호르몬성선기능저하증은 다양한 유전자의 돌연변이에 의해 생길 수 있다.

2. 불임

1) 정의와 유병률
불임은 피임하지 않은 상태에서 정상적인 성관계 12개월 후에도 임신되지 않는 것으로 정의한다. 5,574명의 영국과 미국여성을 관찰한 보고에 의하면 3개월내 50%, 6개월내

표 5-1-2. 성조숙의 감별질환

진성성조숙(GnRH 의존)
• 특발성
• 중추신경계 종양들
과오종(Hamartomas)
별아교세포종(Astrocytomas)
선근종(Adenomyomas)
신경교종(Gliomas)
배아종(Germinomas)
중추신경계 감염
두부외상
• 의인성
방사선요법
화학요법
수술
• 중추신경계 기형
지주막 또는 안상낭종(Arachnoid or suprasellar cyst)
중격–시신경 형성장애(Septo-optic dysplasia)
뇌수종

가성성조숙(GnRH 비의존)
• 선천부신증식증
• 에스트로젠분비종양
부신종양
난소종양
성선자극호르몬/사람융모성선자극호르몬분비종양 (gonadotropin/hCG–producing tumors)
• 외인성에스트로젠 또는 안드로젠 노출
• 매큔–올브라이트증후군
• 방향화효소과다증후군(Aromatase excess syndrome)

GnRH, gonadotropin-releasing hormone; CNS, central nervous system; hCG, human chorionic gonadotropin.

표 5-1-3. 사춘기 지연의 감별진단

고성선자극호르몬(Hypergonadotropic)
• 난소
터너증후군
성선이상발육(gonadal dysgenesis)
항암요법/방사선요법
갈락토오즈혈증(Galactosemia)
자가면역난소염
선천지질증식증(Congenital lipoid hyperplasia)
• 스테로이드합성효소이상(Steroidogenic enzyme abnormalities)
17–수산화효소 결핍
방향화효소 결핍
• 성선자극호르몬/수용체돌연변이
FSHβ LHR, FSHR
안드로젠저항성증후군

저성선자극호르몬(Hypogonadotropic)
• 유전적
• 시상하부증후군(Hypothalamic syndromes)
렙틴/렙틴수용체(Leptin/leptin receptor)
HESX1 [중격시신경 형성장애(septooptic dysplasia)]
PC1 [프로호르몬 전환효소(prohormone convertase)]
• Idiopathic hypogonadotropic hypogonadism (IHH)와 Kallman syndrome
KAL, FGFR1
GnRHR, GPR54
• 뇌하수체발달/기능이상
PROP1
중추신경종양/침윤성 질환
두개인두종
별아교세포증, 배아종, 신경교종(Astorcytoma, germinoma, glioma)
프로락틴선종 등 뇌하수체종양
조직구증X (Histiocytosis X)
• 항암/방사선 요법(Chemotherapy/radiation)
• 기능적(Functional)
만성질환
영양실조
과잉운동
식사장애

72%, 12개월내 85%가 임신하였다. 이러한 결과는 한 월경주기에 임신할 수 있는 가능성인 수정능(fecundability)에 근거하고 있다. 수정능이 0.25라면 98%의 부부가 13개월내에 임신 가능한 것이다. 이 정의에 의하면 15-44세 기혼여성의 14%가 불임이다. 지난 30년간 자식이 없는 부부의 비율이 증가하였으나 불임률은 변화하지 않아 임신을 미루려는 경향을 반영하고 있다. 수정능은 35세에 감소하기 시작하여 40세 이후에는 현저히 감소하므로 임신연령이 증가되는 것은 불임의학에서는 주목해야 할 현상이다.

불임의 정도는 단순히 임신횟수가 감소된 경우에서 불가역적인 원인으로 의학적인 처치가 필요한 경우까지 매우 다양하다. 25%가 남성, 58%가 여성에게 원인이 있고 17%는 원인을 찾을 수 없으며 여성과 남성이 모두 불임의 원인을 가지고 있기도 한다.

2) 진단

(1) 최초의 평가사항

불임 부부에서 최초의 평가사항은 성교의 시기와 빈도이며 첫 면담에서 입양을 포함한 모든 불임의 치료방법을 설명해야 한다. 우선 불임의 일차적인 원인이 여성인지 남성인지 조사하기 위해 정액검사, 배란 여부의 확인, 난관 개방성 여부를 검사한다. 그러나 검사 후에도 부부 모두에서 원인을 찾을 수 없는 경우도 있다.

(2) 불임의 심리적 측면

불임으로 인한 심리적인 부담은 진단과 치료과정 및 임신은 되지 않으면서 새로운 치료가 시도될 때마다 기대와 실망이 주기적으로 반복되는 데 기인한다. 불임 환자는 흔히 친구 및 가족으로부터 고립감을 느끼므로 상담과 스트레스 대처방법은 불임의 평가초기에 도입되어야 하고 일부에서는 스트레스 자체가 불임의 원인이 되기도 한다. 그러나 불임과 그 치료가 장기적인 심리적 후유증을 남기지는 않는다.

(3) 여성불임의 원인

무월경이나 월경불순 등 월경이상은 여성불임의 가장 흔한 원인으로 배란장애, 자궁이나 자궁배출계의 이상 등이 포함된다. 병력청취와 이학적 검사 및 간단한 초기검사만으로도 월경이상의 원인이 (1) 시상하부나 뇌하수체(프로락틴 증가없이 에스트라다이올의 감소), (2) 다낭난소증후군(안드로젠 증가의 원인없이 고안드로젠증을 동반한 월경불순), (3) 난소(에스트라다이올 감소 FSH 증가), (4) 자궁과 자궁배출구의 해부학적 이상 중 어디에 있는지 감별이 가능하다. 이러한 진단의 빈도는 월경이상이 일차이상인지 정상적인 사춘기와 초경 이후에 시작된 이차무월경인지에 따라 다르다.

① 배란이상

월경주기가 규칙적인 여성에서는 소변을 이용한 배란예측 키트(배란 전 성선자극호르몬의 surge는 반영하나 배란을 확정하는 것은 아니다), 기초체온 측정, 황체기중반프로제스테론 농도의 측정으로 배란을 확인해야 한다. 대개 황체기중반프로제스테론 농도가 3 ng/mL 이상으로 증가하면 배란과 황체기능이 정상임을 확인할 수 있으며 이 기간 중 10일간 체온이 0.3℃ (0.6℉) 상승한다. 자궁내막생검은 황체기부전을 배제하는 검사이나 최근에는 불임 환자의 진단에 필수적검사로 시행되지는 않는다. 난소주기를 확인하더라도 35세 이상 여성에서는 월경주기 3일에 FSH를 측정하거나 클로미펜 혹은 에스트로젠대항제반응검사로 난소의 기능을 확인해야 하며 FSH가 10 IU/mL 미만이면 난소에 난모세포가 존재하고 있음을 반영한다. FSH를 선택적으로 억제하는 난소호르몬 인히빈B는 최근 난소기능을 반영하는 지표로써 사용되고 있다.

② 난관질환

난관이상의 원인은 골반염증질환, 충수돌기염, 자궁내막증, 골반유착, 난관수술, 자궁내장치 사용 등이며 난소성불임의 50% 환자에서 원인을 밝힐 수 없다. 난소성불임의 빈도가 비교적 높기 때문에 불임검사의 초기에 난관검사가 포함되어야 한다. 클라미디아 트라코마티스의 잠재적 감염은 진단되지 않은 채 난관성 불임의 원인이 될 수 있으며 부부가 함께 치료받아야 한다. 자궁난관 촬영은 가장 흔하게 사용되는 검사이며 난관의 개방성 여부와 자궁내 구조이상이 있는지 알 수 있다.

③ 자궁내막증

자궁내막증은 내막선조직이나 기질이 자궁내막과 자궁근육 이외의 장소에 존재하는 것이다. 성교통, 월경시작 전 악화되는 월경통이 있거나 골반내진에서 직장-질 중격의 비후나 자궁경부의 굴곡이 있는 경우 의심할 수 있다. 자궁내막증은 비정상적인 장소에 존재하는 정상 자궁내막에 의한 간접적인 효과와 자궁내막증이 진행되었을 때 주위조직과 유착되어 초래되는 직접적인 요인으로 인해 불임을 유발한다. 자궁내막증은 증세없이 복강경으로만 확인되기도 한다.

3) 치료

불임의 치료는 환자가 가진 문제에 맞춰져야 하고 원인불명의 불임, 경도의 자궁내막증, 정액검사에서 경계성 이상 등 다양한 원인을 가진 불임 환자의 치료는 가능한 한 모든 불임의 원인을 밝히는 노력과 이의 교정을 해야 하며 위험성이 적은 방법에서 침습적이고 위험성이 높으며 복잡한 방법으로 단계적으로 이행해야 한다. 불임치료는 (1) 임신이 되기까지 관망, (2) 클로미펜 사이트레이트와 자궁내정액주입(intrauterine insemination, IUI), (3) 성선자극호르몬과 IUI의 병행, (4) 시험관내수정(in vitro fertilization, IVF)의 순서로 단계적으로 시행되어야 한다. 30세 이하의 여성에서 불임원인을 평가하여 교정하고 임신되기까지 관망하는 시간은 길어질 수 있으나 35세 이상의 여성에서는 신속하게 진행되어야 하며 간혹 단순히 임신이 되기까지 관망하는 단계를 생략하기도 한다.

(1) 배란이상

배란이상은 원인질환의 진단과 이의 교정이 우선되어야 하며 고프로락틴혈증 환자에서 도파민작용제의 투여, 저체중

과 극심한 운동을 하는 여성에서 생활습관의 교정 등이 포함된다.

배란유도에 사용되는 약물로는 클로미펜사이트레이트, 성선자극호르몬, GnRH가 있다.

클로미펜사이트레이트는 비스테로이드성에스트로젠대항제로서 시상하부에서 에스트로젠의 음성되먹임을 억제하여 FSH와 LH를 증가시킨다. 환자에 따라 배란유도에 대한 클로미펜의 효과는 다양하며 PCOS에 의한 불임 환자에서 최선의 초기 치료로 70-80%에서 배란을 유도할 수 있다. PCOS 환자에서는 메트포민과 같은 인슐린민감제를 병행하면 더 효과적이다. 이차성선저하증에는 치료효과가 좋지 않다.

성선자극호르몬은 저성선자극호르몬기능저하증과 PCOS 환자의 배란유도에 효과적이다. 성선자극호르몬은 원인불명의 불임 환자와 고령의 불임여성에서 효과적으로 난포를 증식할 수 있다. 성선자극호르몬의 문제점은 다태아임신과 난소 과자극이며 난소자극에 대한 세심한 감시를 통하여 이러한 부작용을 최소화할 수 있다. 성선자극호르몬은 숙련된 시술자에 의해 시행되면 효과적이고 안전한 불임치료이다. 현재 사용 가능한 성선자극호르몬은 요중 LH와 FSH의 정제를 통해 추출한 제제, 고순도의 FSH 및 유전자 재조합형의 FSH 등이다. FSH가 배란의 유도에 핵심적이나 LH(hCG)와의 복합요법은 성선자극호르몬이 감소된 환자에서 치료효과를 향상시킬 수 있다.

GnRH의 박동성 투여는 시상하부성무월경에서 효과적이다. 생리적인 용량과 빈도의 GnRH를 자동주사펌프를 통하여 피하주사하여 정상 LH와 FSH의 분비를 유도할 수 있다. 박동성 GnRH와 성선자극호르몬 투여는 배란의 유도와 임신율 측면에서 효과가 동일하며 특히 박동성GnRH 투여는 다태아임신과 난소 과자극의 위험성이 적다.

조기난소부전 환자는 어떤 치료도 효과를 기대할 수 없으므로 난모세포공여자로부터 난모세포를 공여받거나 입양만이 유일한 치료방법이다.

(2) 난관질환

자궁난관촬영에서 난관이나 자궁내 이상이 의심되는 경우 35세 이하의 여성에서는 우선 복강경을 통하여 난관세척을 하거나 자궁경검사를 한다. 난관질환이 있는 환자에서 난관복원술을 시도할 수 있지만 자궁외임신의 위험성으로 인해 근래에는 IVF를 주로 시행한다.

(3) 자궁내막증

경도의 자궁내막증이 있는 환자는 특별한 치료 없이 대개 1년 이내에 60%가 임신을 할 수 있다. 복강경에 의한 자궁내막조직의 절제나 박리는 임신율을 향상시킨다. 진행된 중증 자궁내막증의 약물치료는 증세를 호전시키나 임신율을 개선시키지 않는다. 중등도 및 중증의 자궁내막증에서 치료하지 않는 경우 임신율이 각각 20%, 5%인데 비해 보전적 수술을 하는 경우 각각 50%, 39%로 향상된다. 일부 환자에서는 시험관수정이 최선의 치료이다.

Assisted Reproductive Technologies (ART)는 남성과 여성의 불임 치료를 획기적으로 변화시켰다. IVF는 다양한 원인의 불임 환자에서 전통적인 방법으로 임신을 할 수 없을 경우 시행한다. IVF나 ICSI는 남성에게 심한 불임의 원인이 있거나 난관질환이 있는 부부에게 적용이 되는 반면 난모세포공여에 의한 IVF는 조기난소부전 환자나 고령의 여성에서 시행한다. 성공률은 여성의 연령과 불임의 원인에 따라 다양하며 40세 미만의 여성에서 한 월경주기에 18, 24%의 성공률을 보이는데 반해 40세 이상의 여성에서는 난모세포의 수와 수정능력이 감소되면서 성공률이 급격하게 감소한다. IVF는 많은 경우에서 효과적인 불임 치료방법이나 고가의 시술이고 세심한 배란유도의 감시가 요구되며 다수의 난포를 흡입해야 하는 침습적인 치료방법이다. 또한 쌍생아 31%, 세쌍둥이 6%, 그 이상의 다태아 임신이 0.2%로 다태

아임신의 위험이 높다.

3. 월경이상

월경이상은 건강에 영향을 미칠 수 있는 기저적 기능이상을 의미할 수 있다. 자궁출혈이 자주 있거나 오래하면 진료를 받지만, 희발월경이거나 무월경인 경우에는 진료를 하지 않는 경우가 많다. 따라서 모든 여성 환자에게 자세한 월경력에 대해 물어보는 것은 중요하다. 골반통은 생식기관이상과 연관이 있는 주증세일 수 있지만, 위장관, 요로기관이나 근골격계이상을 의미할 수도 있다. 골반통은 원인에 따라 응급수술이 필요할 수도 있다.

1) 정의와 유병률

무월경(amenorrhea)은 주기적 월경이 없는 경우를 의미한다. 무월경은 호르몬 치료 없이 한 번도 월경을 하지 않은 경우를 일차, 3–6개월 동안 월경을 하지 않은 경우를 이차로 분류된다. 희발월경(oligoamenorrhea)은 월경주기 35일 이상 또는 1년에 월경횟수 10회 미만으로 정의한다. 희발월경에서 질 출혈의 빈도와 양은 불규칙하다. 이는 주로 무배란과 연관이 있으며, 월경간 출혈간격 24일 미만 또는 7일 이상의 질 출혈로 나타날 수도 있다. 자궁의 해부학적 병변 또는 출혈성질환 없이 빈번 또는 과다하게 불규칙적 출혈을 보이는 경우를 기능자궁출혈(dysfunctional uterine bleeding)이라 부른다.

(1) 일차무월경

여성인구의 1% 미만에서 발생하는 희귀한 질환이다. 그러나 3–5% 여성들은 가임기간 중 최소 3개월 동안의 이차무월경을 경험한다. 인종 또는 종족이 무월경 유병률에 영향을 준다는 증거는 없으나 정상 생식기능에 적절한 영양이 중요하므로 초경연령과 이차무월경의 유병률은 나라마다 의미있는 차이를 보인다.

16세까지 월경이 없는 경우를 전통적으로 일차무월경으로

정의한다. 그러나 성장, 이차성징, 주기적 골반통의 발생과 빠른 초경 연령의 경향은 미국여성아이들에서 특별히 일차무월경연령에 더 영향을 줄 것으로 생각되어 이에 대한 더 많은 연구가 필요하다. 무월경은 정상 성장과 이차성징이 있는 경우는 15 또는 16세; 이차성징이 없거나 신장이 3백분위수보다 작은 경우에는 13세; 유방발육 개시나 주기적 골반통이 있는 경우는 12-13세; 초경이 없는 경우는 유방발육 개시 후 2년 이내에 평가되어져야 한다.

(2) 이차무월경 또는 희발월경

무배란과 불규칙적 주기는 초경 후 2-4년 동안이나 폐경 이전 1-2년에 비교적 흔하게 나타난다. 폐경전 생리기간은 약 8일이며 정상 생리주기는 25-35일이다. 주기적으로 배란하는 여성에서 주기별변이는 2일이다. 임신은 무월경의 가장 흔한 원인이며 불규칙적 월경 초기에 반드시 감별되어져야 한다. 다수의 여성들이 월경을 1-2회 거를 수 있다. 3개월 이상의 이차무월경뿐 아니라 35일 이상 또는 21일 미만의 월경주기나 7일 이상 지속되는 자궁출혈이 있는 경우에는 신속히 검사를 받아야 한다.

2) 진단

월경이상의 평가는 생식기관의 4가지 주요요소들인 시상하부, 뇌하수체, 난소, 자궁과 생식기 유출로 간의 상호관계를 파악해야 한다. 이 체계는 난소스테로이드(에스트라다이올과 프로제스테론), 펩타이드(인히빈B와 인히빈A), 시상하부 GnRH와 뇌하수체 FSH와 LH의 복잡한 되먹임으로 유지된다.

월경기능장애는 자궁과 생식기유출로질환과 배란기질환으로 구분된다. 일차무월경을 유발하는 많은 원인들은 선천적이지만, 정상 사춘기 때까지는 이상이 발견되지 않는다. 이차무월경의 원인 모두 일차무월경을 유발할 수 있다.

자궁과 생식기유출로이상은 일차무월경에서 특징적으로 존재할 수 있다. 정상 사춘기발달을 보이나 질이 맹관인 경우, 횡질중격이나 처녀막폐쇄증으로 인한 폐색, Wnt4유전자돌연변이와 연관이 있는 뮬러관무발생(mullerian agenesis, Mayer-Rokitansky-Kuster-Hauser syndrome), X연관열성질환으로 일차월경의 ~10%를 차지하는 안드로젠저항성증후군(androgen insensitivity syndrome, AIS)은 아닌지 감별해야 한다. AIS 환자들은 46,XY유전자를 가지고 있지만 안드로젠수용체반응 결여로 남성화되지 못하고 여성외부생식기를 갖게 된다. 음모와 액와모가 없는 점이 뮬러관결손증과 감별할 수 있는 특징이다. Asherman증후군은 이차무월경 또는 과소월경 형태로 나타나며 자궁강의 협착으로 부분적 또는 완전폐쇄가 발생하여 정상 성장과 자궁내막의 탈락이 억제된다. 임신합병증으로 시행되는 소파술이 90% 이상의 원인을 차지하며 성기결핵도 중요한 원인이다.

3) 치료

(1) 자궁 또는 생식기유출로질환의 치료

생식기유출로의 폐색은 수술치료가 필요하다. 이 경우 자궁내막증의 위험이 증가하게 되는데 이는 아마도 역행성 월경 때문일 것이다. 뮬러관결손증도 수술치료가 필요할 수 있으나 일부 환자들은 질 확장만으로도 치료가 가능하다. 난소기능은 정상이므로 보조생식술과 대리모임신을 고려할 수 있다. 안드로젠저항성증후군은 성선이형성증으로 인해 생식아세포종 발생위험이 있으므로 성선절제술을 해야 한다. 이 수술을 초기아동기에 시행할지 유방발육개시가 완성된 이후에 시행할지에 대해서는 논란의 여지가 있다.

(2) 배란장애

자궁과 생식기유출로질환을 배제하면 배란장애를 무월경의 나머지 원인으로 생각할 수 있다. 임신반응검사, 성선자극호르몬, 테스토스테론 측정이 초기 검사이다.

① 저성선자극호르몬성선저하증

시상하부 GnRH 분비나 GnRH에 대한 정상 뇌하수체반응을 방해하는 해부학적, 유전적 또는 기능이상이 있을 때 에스트로겐 감소와 정상 혹은 감소된 LH, FSH를 나타낸다. 종양과 침윤성 질환도 저성선자극호르몬성선기능저하증의 감별진단에 포함해야 한다. 성선질환들은 일차 또는 이차무월경을 유발할 수 있으며 저신장, 요붕증, 유루증이나 두통과 같은 시상하부나 뇌하수체기능이상에서 보일 수 있는 특징들과 연관되어 나타날 수 있다. 저성선자극호르몬성선기능저하증은 두부방사선조사, 뇌하수체괴사(쉬한증후군), 림프구성뇌하수체염에서 발생할 수 있다. 생식기능이상은 신경해부학적인 질병이나 약물로 인한 고프로락틴혈증과 연관된 경우가 많기 때문에 혈청프로락틴은 저성선자극호르몬성선기능저하증이 있는 모든 환자들에서 측정해야 한다.

단독 저성선자극호르몬성선기능저하증은 여성보다 남성에서 더 흔하며 흔히 무후각증을 동반하고 대개 일차무월경을 보인다. 저성선자극호르몬성선기능저하증을 유발하는 여러 개의 유전요인들이 밝혀졌다.

기능시상하부성 무월경은 에너지소모와 섭취간의 불균형으로 유발된다. 시상하부성무월경에서 렙틴 분비는 말초에서 시상하부까지 신호전달에 중요한 역할을 한다. 시상하부–뇌하수체–부신축도 영향을 줄 것으로 생각된다. 자세한 병력청취, 신체검진과 낮은 농도의 성선자극호르몬과 정상 프로락틴 농도로 진단할 수 있다. 식사장애와 만성질환도 반드시 감별해야 한다. 비전형적병력, 두통, 시상하부 기능이상의 증세나 경증의 고프로락틴혈증은 반드시 CT나 MRI로 신경해부학적 원인을 감별해야 한다.

② 고성선자극호르몬성선기능저하증

난소기능의 상실이 40세 이전에 발생하면 조기 난소부전이며 시상하부와 뇌하수체에 대한 에스트로겐의 음성되먹임이 소실되어 FSH와 LH 농도가 증가한다. 난소부전 표지자로는 LH보다 변이성이 적은 FSH가 더 좋다. 정상 폐경기와 같이 조기난소부전(premature ovarian failure, POF)에서 호르몬 농도는 계속 변화하기 때문에 진단을 위해서는 호르몬의 연속적인 측정이 필요하다.

POF 진단 후 POF와 관련된 다른 건강이상들이 있을 수 있으므로 추가적인 검사가 필요하다. POF는 터너증후군, 다분비선자가면역증후군, 방사선요법, 항암요법과 갈락토스혈증과 관련이 있으나 아직 명확한 원인이 규명되지 않았다. 조기난소부전이 fragile X증후군 보인자에서 일어난다는 것은 중요한데 이는 FMR1돌연변이가 있는 남성아이에서 심각한 정신지체의 위험을 증가시키기 때문이다. 고성선자극호르몬성선기능저하증은 FSH 또는 LH수용체돌연변이와 같은 질환에서는 매우 드물게 발생한다. 방향화효소 결핍이나 17α–hydroxylase 결핍은 성선자극호르몬 증가, 고안드로젠증, 고혈압 등의 증세가 있다. 가임여성에서 성선자극호르몬분비종양은 일반적으로 높은 농도의 에스트로겐, 난소과자극, 기능자궁출혈을 유발한다.

③ 배란장애로 인한 무월경의 치료

무월경은 대부분 저성선자극호르몬성선기능저하증이나 난소부전으로 인한 만성적인 에스트로겐 결핍이 있다. 이차성징의 발달은 에스트라다이올 농도의 점진적 보충과 프로게스테론의 첨가가 필요하다. 저에스트로젠증의 증세는 호르몬 보충요법이나 경구피임제로 치료할 수 있다. 임신을 원하는 저성선자극호르몬성선기능저하증 환자들은 박동성 GnRH나 FSH와 LH 투여가 필요하며 난소부전이 있는 환자들은 성공률이 비교적 높은 난모세포공여를 고려해 볼 수 있다.

다낭난소증후군(polycystic ovary syndrome, PCOS)은 무월경 또는 희발월경과 관련되어 임상적, 생화학적 고안드로젠증이 있는 경우 진단할 수 있다. 증세는 일반적으로 초경 이후에 시작되며 서서히 진행한다. 마른 PCOS 환자는 정상이거나 낮은 FSH와 에스트라다이올 농도에 높은 LH

농도를 보인다. 비정상 LH/FSH비율은 비만 환자에서는 뚜렷하지 않으며 이들에서는 인슐린저항성이 더 특징적이다. 대부분의 환자들은 초음파상 다낭난소소견을 보이나 이를 다낭난소증후군 진단기준에 포함을 해야 하는 지에 대해서는 논란의 여지가 있다.

다낭난소증후군 환자들에서 주요 문제는 배란기능의 장애이며 억제되지 않는 에스트로겐 노출로 인해 자궁출혈과 자궁내막증식증이 생기게 된다. 자궁내막보호는 경구피임제 또는 프로제스틴(medroxyprogesterone acetate, 5–10 mg 또는 prometrium, 1일 200 mg, 매달 10–14일간)을 복용함으로써 가능하다. 경구피임제는 고안드로젠증세 치료에 도움이 되며 경미한 안드로젠수용체길항작용이 있는 spironolactone도 치료제로 사용할 수 있다. 대사증후군과 연관된 치료도 일부 환자들에서는 도움이 된다. 임신을 원하는 환자들에서 체중조절은 중요한 치료의 첫 단계이다. Clomiphene citrate는 매우 효과적인 일차치료제이며 metformin의 추가 여부는 선택적으로 결정할 수 있다. 배란유도를 위해 성선자극호르몬을 사용하기도 한다.

4. 골반통

골반통을 유발하는 기전은 복통유발 기전과 유사하며 벽쪽 복막의 염증, 공동성장폐색, 혈관장애와 복벽에서 유래되는 통증을 포함한다. 골반통이 골반질환을 반영하기도 하지만 골반외 질환으로 인한 연관통일 수도 있다. 60%의 경우에서 골반통은 맹장염, 담낭염, 감염, 장폐색, 게실염이나 염증성장질환과 같은 위장관질환에 의해 유발된다. 요로계와 근골격계 질환도 골반통의 흔한 원인이다.

1) 진단
통증의 종류, 위치, 방사, 강도의 변화가 급성골반통의 원인을 찾는데 도움을 준다. 질 출혈, 성행위, 배변, 소변, 신체활동 또는 식사와 특정한 연관이 있는지 확인해야 한다. 자세한 월경력은 임신 여부를 확인하기 위해 필수적이다. 통증

표 5-1-4. 골반통의 원인

급성
골반염증질환
파열 또는 출혈성 난소낭종
난소낭종염좌
자궁외임신
자궁내막염
자궁근종의 급성성장 또는 퇴행
만성
월경전증후군
배란통
월경통
자궁내막염
골반울혈증후군
자궁의 협착과 후굴
골반종양
성기통
성적학대 과거력

양상의 급성과 만성 여부 및 주기성 유무가 진단방향을 제시해 줄 수 있다(**표 5-1-4**). 그러나 주기적 통증을 유발하는 질환이 비주기적 통증도 유발할 수 있고 그 반대의 경우도 가능하다.

2) 급성골반통
골반염증질환(pelvic inflammatory disease)은 양쪽 하복부통증으로 나타나는 경우가 흔하다. 일반적으로 최근에 발생한 통증이고 성교나 부딪힘에 의해 악화된다. 발열은 환자들 반 이상에서 있으며 1/3에서는 비정상적인 자궁출혈을 보인다. 질분비물이 있고 요도염과 오한이 있으나 이는 비특이적인 증세들이다. 부속기이상은 급성기 때 있으며 이는 파열, 출혈, 낭염전이나 난소, 나팔관이나 부난관종양에 의한 것일 수도 있다. 발열은 난소염전이 있는 경우에 보일 수 있다. 자궁외임신은 좌우 하복부 통증, 질 출혈과 월경주기이상과 연관이 있으며 이런 임상증세들은 마지막 정상 월경주기 6–8주 후에 나타난다. 기립증세와 발열도 보일 수 있다. 위험인자는 기저난관질환, 자궁외임신 과거력, 불

임력, 태생기 합성에스트로젠(DES) 노출이나 골반염의 과거력 등이다. 자궁 병리에는 자궁내막염과 퇴행성평활근종(fibroids)이 포함된다. 자궁내막염은 질 출혈, 감염의 전신 증세를 동반하며 성인질환, 자궁내피임기구 삽입이나 산욕기감염에 의해 유발된다.

정확한 임신반응검사, 일반혈액검사, 소변검사, 클라미디아와 임균성감염검사와 복부초음파가 진단과 치료에 도움이 된다.

급성골반통은 의심되는 원인에 따라 치료방법이 달라지며 수술 또는 부인과시술이 필요할 수도 있다. 난소낭종에서는 보존치료가 중요하며, 염전이 없다면 협착으로 인해 불임의 위험이 생길 수 있으므로 불필요한 골반수술은 피해야 한다. 대부분의 파열되지 않은 자궁외임신은 현재 metho-trexate로 치료하고 있으며 84–96%에서 효과적이나 수술치료가 필요한 경우도 있다.

3) 만성골반통

일부 여성들은 배란통을 경험하며 통증은 매우 강력할 수 있으나 주기는 일반적으로 짧다. 배란통은 우세난포의 갑작스런 확장으로 인한 것으로 생각되며 배란기에 분비되는 난포액으로 인한 복막자극에 의할 수도 있다. 배란통과 함께 유방통, 식욕 증가와 복부팽만 또는 복통이 있고 배란기를 예측하게 하는 인자일 수 있으나 이러한 증세 없이 배란통이 나타날 수도 있다.

월경통은 월경출혈과 함께 시작되어 12–72시간 이후 서서히 감소하는 하복부의 경련통이다. 오심, 설사, 피로, 두통이 동반되기도 하며 정상 배란주기가 시작된 이후 여성의 60–93%가 경험한다. 월경통은 임신 이후 또는 경구피임제 사용 후 감소한다.

일차월경통은 프로스타글랜딘 전구물질 저장의 증가로 인한 것으로, 에스트로젠과 프로제스테론의 연속적인 자극으로 유발된다. 월경기간 동안 프로스타글랜딘은 강력한 자궁수축, 혈류 감소, 말초신경의 과민성을 증가시켜 통증을 유발하게 된다.

속발성월경통(secondary dysmenorrhea)은 기저골반 질환으로 인해 생기게 된다. 자궁내막증은 자궁 이외의 장소에 있는 자궁내막으로 인해 호르몬 자극과 월경통이 유발되며 월경시작 수일 전부터 나타나게 된다. 자궁내막증은 성교통, 장운동의 통증, 자궁천골인대의 압통결절을 유발한다. 섬유화와 협착은 자궁경부의 외측전위를 유발할 수 있다. 증세만으로 자궁내막증의 정도를 예측할 수 없으므로 확실한 진단을 위해 복강경검사가 필요하다. 속발성 월경통의 다른 원인에는 자궁근육층에 자궁기질이 침범하는 자궁선근증과 외상, 감염 및 수술에 의한 자궁경부 협착이 있다.

치료는 국소 온열치료, 비타민B_1, B_6, E 및 마그네슘, 수지침, ibuprofen, naproxen, ketoprofen, mefanamic acid, nimesulide, 요가, 운동이 월경통 완화에 도움을 줄 수 있다. 비스테로이드소염진통제가 가장 효과적인 치료법이며 80% 이상의 지속적인 반응률을 보인다. 약물의 복용은 예정된 월경시작일 하루 전부터 시작하여 2–3일 정도 유지해야 한다. 경구피임제도 월경통을 경감시켜줄 수 있다. 진통소염제나 경구피임제에 반응하지 않는다면 자궁내막증과 같은 골반질환의 가능성이 있으므로 진단적 복강경술을 시행하여 치료방법을 찾아야 한다.

IV. 폐경

폐경이란 40세 이상의 여성에서 1년 이상 월경이 중단되거나, 난소의 기능이 소실되어 배란이 영구적으로 중단되는 것으로 정의한다. 또한 포괄적으로 폐경이라는 용어는 생식능이 있는 시기로부터 완전히 월경이 중단되는 시점으로 전환되기까지의 기간도 포함한다. 폐경기에 난소기능의 소실

외에 다양한 내분비적, 육체적, 정신적인 변화가 일어난다.

폐경은 난소내 난포가 소모되어 생기는 결과로서 난모세포의 수가 점차 감소하다가 난모세포가 거의 없으면 난소는 비기능상태가 된다. 남아있는 난모세포의 수가 거의 없고 난포의 발생이 중단되면 에스트라다이올, 인히빈 등 난소의 호르몬들도 감소된다. 이러한 호르몬들의 감소는 시상하부-뇌하수체축의 음성되먹임을 소실시키고 혈중 FSH가 먼저 증가하고 뒤를 이어 LH가 증가한다. 폐경여성에서 LH보다 FSH가 더 높은 이유는 난소에서 인히빈의 분비가 감소되고 혈중에서 LH보다 FSH가 더 느리게 제거되며 LH의 경우 에스트라다이올에 의한 양성되먹임을 받기 때문이다. 자연폐경은 난소의 막세포가 퇴화되어 성선자극호르몬에 더 이상 반응하지 못하여 에스트로젠을 생산하지 못하는 상태이다. 그 외 난소의 수술적 절제에 의한 폐경이 있으며, 조기폐경의 가족력, 흡연력, 성조숙 등이 폐경연령에 영향을 줄 수 있다.

1. 증세

폐경이 발생하는 평균 연령은 50–51세이다. 폐경기증세는 단계에 따라서 다양하게 나타난다. 대표적인 증세로 혈관운동불안정성(hot flashes), 월경의 완전한 중단 또는 월경주기의 불규칙성에 의한 월경량의 변화 등이 있다. 폐경에 앞서서 월경주기의 양상이 다양해지게 되는데, FSH 증가에 의해서 난포의 보충(recruitment)이 촉진되면서 월경주기에 변화를 준다. 비뇨생식기 상피의 위축증으로 인한 질부위의 소양증, 작열감, 출혈, 성교통증, 요실금을 동반할 수 있으며, 유방크기도 감소한다. 성적인 변화로 성욕의 감소가 나타나며, 정신적 기능장애로는 불안, 우울증, 집중 곤란, 불면증, 과민성, 신경쇠약 등이 나타날 수 있다. 장기적인 증세로 심혈관질환, 동맥경화증, 골다공증 등이 있다. 대략 폐경기여성의 40%가 약물치료를 필요로 하는 심각한 증세를 호소한다.

안면홍조(hot flash)의 기전은 확실히 규명되지 않았으나 LH 분비경향과 밀접한 관계가 있는 것으로 보인다. 낮은 에스트로젠 합성과 관련하여 카테콜라민, 프로스타글란딘, 엔돌핀, 뉴로텐신 등의 대사 변화도 기전으로 제시된다. 폐경기 비뇨생식기계 위축증 및 유방의 크기 감소는 에스트로젠 결핍과 관련이 있다. 대개는 질 점막 및 자궁내막이 얇아지고 위축증이 나타나지만, 폐경기여성의 20%는 내막증식증이 나타나기도 한다. 골다공증도 에스트로젠 결핍과 관련이 있으며 발생에 영향을 미치는 다른 인자들로 인종적 차이, 식이습관, 활동성, 흡연, 전반적인 건강상태, 질병력 등이 있으나 에스트로젠 결핍이 가장 중요한 인자이다. 그 외 폐경기 여성에서 HDL콜레스테롤이 감소하고, 저에스트로젠과 관련하여 혈관내막의 반응성이 변화하여 심혈관질환의 발생률이 증가한다.

2. 진단

폐경은 환자의 월경력과 혈관운동증세로 의심 후 FSH와 에스트라다이올 농도 등의 검사를 첨가하여 진단한다. 호르몬 농도는 반드시 반복해야 하며 호르몬 농도만 진단기준으로 적용해서는 안된다. 보통 에스트라다이올 20 pg/mL 미만이며 FSH가 증가해야 한다. Asherman증후군, 시상하부 기능이상, 갑상선저하증, 뇌하수체종양, 부신질환, 난소질환, 다낭난소증후군, 임신 등을 감별해야 한다.

폐경의 진단 이후 여성호르몬대체요법의 시행 여부를 결정하기 위해서 병력청취 및 키, 몸무게, 유방검사, 골반진찰을 포함한 이학적 검사를 시행한다. 심혈관질환, 골다공증, 간질환, 유방암, 응고질환, 이유없는 질 출혈 등의 과거력을 확인한다. 호르몬검사에서 FSH의 증가와 에스트로젠의 감소로 난소기능의 부전을 확인할 수 있다. 폐경 후 에스트로젠과 안드로젠은 감소하지만, 에스트로젠이 완전히 결여되지는 않는데, 이는 폐경 후에 에스트로젠이 난소 이외의 조직 특히 지방조직에서 형성되기 때문이다. 그외 TSH수치를 확인하여 갑상선저하증 여부를 확인하고 유루증이 있거나 뇌하수체종양이 의심될 때 프로락틴수치를 확인한다. 고지혈증에 대한 검사를 포함한 일반 생화학검사를 시행하고, 유방촬영 및 원인을 알 수 없는 질 출혈이 있을 때에는 자궁경부세포진검사, 자궁내막생검, 또는 소파술 등이 도움이 될 수 있다. 골다공증 여부를 확인하기 위한 골밀도검사를 시행한다.

3. 치료

폐경기호르몬치료(menopause hormone therapy, MHT)는 1970년대에 폐경기증세의 완화와 젊음의 유지를 위해서 사용되기 시작하다가, 1980년대에 몇몇 연구들을 통해서 골다공증 및 심혈관질환의 예방효과가 있음이 보고되면서 적용범위를 넓혀 사용되었다. 1993년도에 미국 국립보건원은 MHT의 효과를 검증하기 위해서 'Women's Health Initiative (WHI)'라는 대규모연구를 시작하였다. 미국국립보건원은 2002년도에 에스트로겐 + 프로제스테론 복합요법에 대한 결과가 발표된 후, MHT는 심혈관질환과 유방암 발생을 고려한다면 이득보다 실이 크고, 2004년도에 끝난 에스트로겐 단독요법 역시, 심혈관질환에 대하여 보호효과가 없다는 결론을 내리게 되었다. 그 이후 MHT에 대한 지침이 미국산부인과학회, 북미폐경학회, 세계폐경학회, 미국심혈관학회, 미국식품의약국(FDA) 및 미국내분비학회 등에서 제시되었다.

2015년 미국내분비학회는 MHT는 갱년기의 혈관운동증세와 다른 증세에 대한 효과적이고 폐경 10년 이내, 60세 미만의 환자에게 폐경기증세에 대한 치료의 이득이 위험에 비해 클 수 있으며 환자의 개인적 선호도와 임상요인에 의해 개별화되어야 한다고 하였다. MHT는 처방전 심혈관질환과 유방암에 대한 선별검사를 한 후 치료의 득실을 고려하여 적합한 방법이 선택되어야 하며 관상동맥질환, 유방암이나 치매 등의 예방을 목적으로 해서는 안된다고 권고하였다. MHT가 금기인 혈관운동증세가 있는 환자는 비호르몬 치료를 해야 하고 모든 폐경기여성은 적절한 생활습관을 교정하도록 하였다.

한편 2016년 세계 폐경학회도 MHT에 대하여 미국내분비학회와 비슷한 권고안을 발표하였으며 개개인의 상황에 적절한 시간과 제형의 개별화된 맞춤호르몬 치료는 매우 이득이 크다고 하였다. 특히 MHT의 시작을 폐경 후 빨리 시작하는 것을 강조하였다. MHT의 안정성은 환자의 연령과 폐경 후 경과기간에 의존하며 60세 미만의 연령이라면 위험성을 많이 우려할 필요가 없으며 폐경 후 1년 이내 빨리 MHT를 하면 이득이 클 뿐 아니라 골다공증에 의한 골절과 관상동맥질환의 일차예방과 전반적인 사망률의 감소에도 효과가 있다고 하였다.

폐경기호르몬요법에 대하여 금기사항은 임신, 원인을 모르는 비정상 질 출혈, 유방암의 과거력 또는 의심이 되는 경우, 에스트로겐의존성종양, 자궁내막암, 활동성심부정맥 혈전증, 폐색전증, 또는 이와 관련된 의학적 상황들, 활동성 또는 최근 수년 내에 있었던 뇌색전증, 심근경색증과 같은 동맥내 혈전색전성질환, 간질환이나 간부전이다.

폐경기 관리는 환자가 폐경의 어느 단계에 있는지, 치료가 필요한 폐경기증세를 가지고 있는지, 치료방법에 영향을 주는 의학적 상태는 무엇인지 고려해야 한다. 폐경 및 폐경으로의 이행단계가 여성호르몬대체요법의 시행을 정당화하는 것은 아니다. 여성호르몬대체요법을 고려하는 모든 여성은 호르몬대체요법을 통한 단기 및 장기적위험과 이득을 고려하고, 치료가 삶의 질에 미치는 효과 및 비호르몬적 대체요법에 대하여 검토해야 한다. 호르몬 치료를 받는 여성들은 1년 단위로 관찰하면서 현재 증세의 강도를 평가하여 여성호르몬을 중단할 수 있도록 교육받을 수 있다. 호르몬 대체요법을 중단하기로 결정하였다면 3-12개월 동안 서서히 감량하는 것이 좋으나, 성공적인 호르몬중단법에 대해서 충분한 연구가 있는 것은 아니다. 폐경기 증세가 있는 여성들에게 5년 이내의 단기간 여성호르몬대체요법을 유지하는 것이 권고된다. 하지만, 지속적인 심각한 혈관운동성증세,

골다공증의 고위험군, 유방암 과거력이 없는 경우, 개인적으로 여성호르몬제제에 대한 선호도가 높은 여성들에게는 5년 이상의 장기사용을 고려할 수 있다.

1) 혈관운동증세(Vasomotor symptoms)

에스트로겐은 혈관운동증세의 치료에 가장 효과적이다. 에스트로겐 복합 또는 단독요법은 약 80%의 여성에서 약물치료 후 1-2주 내에 증세의 호전을 얻을 수 있다. 에스트로겐제제는 증세의 완화를 얻을 수 있는 최소한으로 용량을 감소시키는 것이 좋다.

2) 생식기계통(자궁출혈/월경과다, 피임)

폐경기 이행과정 동안에 나타나는 질 출혈을 관리하는 방법은 저용량의 경구피임제이다. 약 50세경에 증세의 유무를 다시 평가하고 경구피임제는 중단할 수 있으며, 심각한 혈관운동성증세가 지속되고 있으면, 여성호르몬대체요법으로 바꿀수 있다. 무월경상태의 여성에게는 지속적인 에스트로겐 복합요법이 도움이 될 수 있으며, 2-3개월마다 간헐적인 질 출혈이 있는 여성이라면 프로제스테론 14일을 포함하는 주기적인 호르몬 복합요법이 도움이 될 수 있다.

3) 비뇨생식기계 위축증

비뇨생식기계 위축증에 의한 증세는 에스트로겐 사용 후 대개 2주 이내에 호전된다. 국소적으로 에스트로겐을 투여하는 방법도 효과적으로 증세를 호전시키나, 약물이 흡수되는 속도는 개인마다 차이가 있음을 고려하여야 한다. 호르몬 치료를 중단하면 비뇨생식기계 위축증에 의한 증세는 재발하므로 저용량으로 간헐적인 사용을 2-6주간 지속하는 것이 좋다.

4) 수면장애

혈관운동성불안증은 수면장애를 야기할 수 있다. 따라서 에스트로겐은 폐경기 이환단계에 있는 여성들 중에서 불면증이 있는 경우에 도움이 될 수 있다. 그러나, 혈관운동성 장애가 없는 폐경기여성에게서 나타나는 불면증에는 에스트로겐이 도움이 되지 않는다.

5) 성기능장애

성기능장애에 대한 치료는 그 원인에 따라 다르다. 정신, 사회적 원인이 주가 아니라면, 테스토스테론 치료가 도움이 될 수 있다. 에스트로겐-프로제스테론복합제제가 성욕이 감소된 여성에서 처방되어 지지만, 성욕 감소를 위해서 승인이 된 것은 아니다. 하지만, 비뇨기계 위축증에 의해서 생긴 성욕 감소는 에스트로겐 국소도포가 도움이 될 수 있다.

6) 조기폐경

40세 이전에 나타나는 조기폐경여성들에게서 여성호르몬대체요법의 시행이 주는 이득과 위험성에 대하여 단독으로 연구한 결과는 아직 없으나, 몇몇 연구들에서 폐경기증세의 호전과 골다공증 및 골감소상태를 호전시킨다는 보고가 있다. 조기폐경여성은 MHT를 적어도 50세까지 해야 하며, 자궁이 있는 여성에게는 프로제스테론을 병용하여야 한다. 조기폐경여성에게서 여성호르몬대체요법이 미치는 영향에 대해서 연구된 것은 없지만, 일반적으로 여성호르몬제제는 혈전색전성질환, 흡연자의 경우 심혈관질환, 고혈압이 있는 경우 뇌혈관질환 등의 위험성과 관련이 있다. 그러므로 정확한 연구결과가 나오기 전까지는 조기폐경의 여성들에게도 여성호르몬대체요법과 관련된 위험성을 적용시켜서 관찰해야 할 것이다. 또한 저에스트로겐증과 관련된 만성질환들의 진행에 대한 선별검사 및 관리도 필요하다.

현재 국내에서 시판되고 있는 여성호르몬제제로는 경구용, 겔, 크림 등으로 에스트로겐단일제제(CEE 0.3 mg/ 0.625 mg/1.25 mg, estradiol 1 mg/2 mg, estropitate 0.625 mg/1.25 mg) 및 월경을 유도하는 주기적 용법의 에스트로겐-프로제스틴복합제제와 무월경을 유도하는 지속적용법의 에스트로겐-프로제스틴복합제제가 있다. 저용량호르몬치료가 표준용량에 비하여 질 출혈이나 유방압통, 심혈관질환, 뇌혈관질환, 유방암 등의 발병이 낮을 것으로 기대되지만 아직 이를 증명하는 연구결과는 없다.

참 / 고 / 문 / 헌

1. Baber RJ, Panay N, Fenton A, IMS Writing Group. 2016 IMS recommendations on women's midlife health and menopause hormone therapy. Climacteric 2016;19:109-50.

2. Hall JE. Disorders of the female reproductive system. In: Jameson JL, Fauci AS, Kasper DL, Hauser SL, Longo DL, Loscalzo J. Harrison's principles of internal medicine. 20th ed. McGraw Hill; 2021. pp. e1-16.

3. Hall JE. Menstrual disorders and pelvic pain. In: Jameson JL, Fauci AS, Kasper DL, Hauser SL, Longo DL, Loscalzo J. Harrison's principles of internal medicine. 20th ed. McGraw Hill; 2021. pp. e1-9.

4. Manson JE, Bassuk SS. Menopause and postmenopausal hormone therapy. In: Jameson JL, Fauci AS, Kasper DL, Hauser SL, Longo DL, Loscalzo J. Harrison's principles of internal medicine. 20th ed. McGraw Hill; 2021. pp. e1-15.

5. Stuenkel CA, Davis SR, Gompel A, Lumsden MA, Murad MH, Pinkerton JV, et al. Treatment of symptoms of the menopause: an Endocrine Society clinical practice guideline. J Clin Endocrinol Metab 2015;100:3975-4011.

05
생식

호르몬피임제

정혜원 이지영

I. 호르몬피임제의 성분

정혜원

호르몬피임법은 합성에스트로젠과 프로게스테론을 혼합 또는 단독으로 투여하여 배란을 억제하는 피임법이다. 호르몬을 이용한 피임법으로는 경구제제, 주사제, 피하이식제제, 피임패치, 질링 및 자궁내시스템 등 투여경로에 따라 나눌 수 있다. 경구제제로는 합성에스트로젠과 합성프로게스테론(프로게스틴)이 함께 포함된 복합경구피임제과 합성프로게스테론 단일경구피임제가 있다. 주사제와 피하이식제제는 프로게스테론만 단독으로 사용되고, 피임패치와 질링은 복합제제로 복합경구피임제와 유사하나 투여경로만 변화시킨 것이다. 우리나라에서는 경구피임제가 가장 많이 이용되고 있으며, 피하이식제제, 경피패치제제 및 질내 삽입제제 등도 국내에서 시판되고 있다(표 5-2-1).

경구피임제는 에스트로젠과 합성프로게스테론의 복합제로 구성된 복합제제와 일명 minipill로 불리는 프로게스테론 단일제제가 있다. 보편적으로 사용되는 것은 복합제제이다. 프로게스테론 단일제제의 경우 부작용은 적으나 정확한 복용이 중요하고 실패율이 높아 에스트로젠에 대한 부작용이 우려되거나 금기사항이 있는 여성 혹은 수유 중인 여성에서 사용된다.

1. 에스트로젠

경구피임제의 성분으로 포함되어진 에스트로젠은 복합제의 또 다른 성분인 프로게스테론의 피임작용을 상승시키고 자궁내막을 안정시킴으로써 프로게스테론에 의한 불규칙한 질 출혈을 막아주는 기능을 한다. 여성호르몬인 에스트라다이올은 여성의 난소에서 분비되는 주된 에스트로젠으로 가장 강한 효과를 보이지만 경구로 투여할 경우 비활성화되는 제한점이 있다. 1938년 에스트라다이올의 17번째 탄소에 에틸기를 첨가한 에티닐에스트라다이올(ethinyl estradiol, EE)이 경구 복용으로도 효과적이라는 사실이 밝혀져 그 후 60여 년간 경구에스트로젠의 주성분이 되고 있다. 경구피임제에 사용되는 EE는 높은 생체이용률로 피임 및 출혈조절측면에서는 만족스러운 결과를 보여주었으나, 간에서의 단백생성 등과 관련된 간대사과정과 혈관내피세포에 미치는 영향이 있어 용량에 따라 혈전 생성 등의 부작용이 증가할 수 있다. 이러한 부작용을 줄이기 위해 EE의 용량을 줄이거나, 프로게스틴의 안드로젠 활성을 조절하는 등의 방법이 모색되어 왔고, 2009년 이후 EE 대신 복용 후 체내에서 에스트라다이올과 같은 작용을 보이는 에스트라다이올발러레이트(estradiol valerate, E2V)를 포함한 피임제가 상용화되었다. 최근 개발된 에스테트롤(estetrol, E4)을 함유한 경구복합피임제는 안전성과 적응도를 보다 향상시킬 수 있을 것으로 기대되고 있다(그림 5-2-1).

표 5-2-1. 우리나라에서 시판되는 호르몬피임제의 종류(2021년 기준)

상품명	에스트로젠	함량(mg)	프로제스틴	함량(mg)	세대
복합경구피임제					
미니보라, 쎄스콘	Ethinyl estradiol	0.03	Levonorgestrel	0.15	2
에이리스, 다온	Ethinyl estradiol	0.02	Levonorgestrel	0.1	2
트리퀼라(삼상성)	Ethinyl estradiol	0.03	Levonorgestrel	0.05	2
	Ethinyl estradiol	0.04	Levonorgestrel	0.075	
	Ethinyl estradiol	0.03	Levonorgestrel	0.125	
멜리안, 센스리베, 디어미	Ethinyl estradiol	0.02	Gestodene	0.075	3
마이보라, 미뉴렛	Ethinyl estradiol	0.03	Gestodene	0.015	3
머시론, 센스데이, 바리온	Ethinyl estradiol	0.02	Desogestrel	0.015	3
야스민	Ethinyl estradiol	0.03	Drospirenone	3	4
야즈	Ethinyl estradiol	0.02	Drospirenone	3	4
클래라(다상성)	Estradiol valerate	3/2/2/1/0	dienogest	0/2/3/0/0	4
응급피임제					
노레보원, 포스티노원, 애프터원, 레보니아원			Levonorgestrel	1.5	2
엘라원			Ulipristal acetate	30	SPRM*
비경구피임제					
이브라패취(피부패취)	Ethinyl estradiol	0.02/day	Norelgestromin	0.15/day	2
누바링(질링)	Ethinyl estradiol	0.15/day	Etonogestrel	0.12/day	2
임플라논(피하이식제)			Etonogestrel	0.03/day	2
미레나(자궁시스템)			Levonorgestrel	0.02/day	2

* Selective Progesterone Receptor Modulator

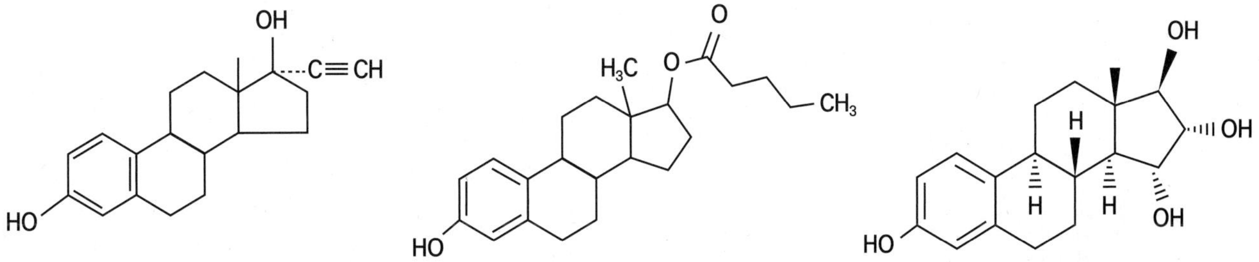

Ethinyl Estradiol

Estradiol Valerate

Estetrol

그림 5-2-1. 호르몬피임제의 에스트로젠 성분

2. 프로제스테론

경구피임제에 사용하는 프로제스테론은 작용이 강한 합성제제가 사용되며 합성된 경로에 따라 다양한 특성을 갖는다. 초기에 19-노르테스토스테론(nortestosterone)유도체로 분류되는 노르에틴드론(norethindrone), 노르에틴드론 아세테이트(norethindrone acetate), 레보노르게스트렐(levonorgestrel) 등이 사용되었다. 이러한 테스토스테론에서 유도된 프로제스틴의 안드로젠 효과로 인한 부작용을 줄이기 위해 사용된 새로운 프로제스틴이 데소게스트렐(desogestrel), 게스토덴(gestodene), 노르게스트메이트(norgestmate) 등으로, 낮은 안드로젠 활성으로 체내 콜레스테롤과 지단백질 등의 대사에 부정적 영향을 미치지 않는다. 또한 혈중 SHBG를 증가시켜 자유테스토스테론을 줄임으로써 여드름이나 다모증의 치료효과도 기대할 수 있다. 특히 4세대 프로제스틴으로 분류되는 드로스피레논(drospirenone)은 스피로놀락톤유도체로 화학적으로 프로제스테론과 매우 유사하며, 테스토스테론의 안드로젠수

용체 결합을 경쟁적으로 억제하여, 기존의 프로제스틴에 비해 강한 항안드로젠 효과를 보인다. 또한 항미네랄코티코이드(antimirenalocorticoid) 활성을 지니고 있어 에스트로젠에 의한 레닌-안지오텐신-알도스테론 체계의 활성화를 억제시키고, 나트륨뇨배설촉진제 작용을 나타내며 혈청칼륨치를 증가시킨다. 따라서 이 제제를 사용하는 경우, 신기능, 부신기능과 간기능의 이상이 있다면 혈청칼륨수치에 주의해야 한다. 그러나 일반 인구군에서 피임목적 사용 시 고칼륨혈증으로 인해 임상적인 문제가 보고되지는 않았다. 또 다른 4세대 프로제스틴 중 디에노게스트(dienogest)는 19-노르테스토스테론유도체이지만 항안드로젠효과를 가진다. 디에노게스트는 자궁내막에 대해 에스트로젠에 의한 내막증식을 억제하는 항에스트로젠작용을 보이며, 강한 프로제스테론수용체결합력을 가지고 있어, 생체이용률이 다소 낮은 E2V와 함께 4상성으로 사용되는 복합경구피임제가 상용화되어 있으며, 생리양 과다에 좋은 치료효과를 보이고 있다(그림 5-2-2).

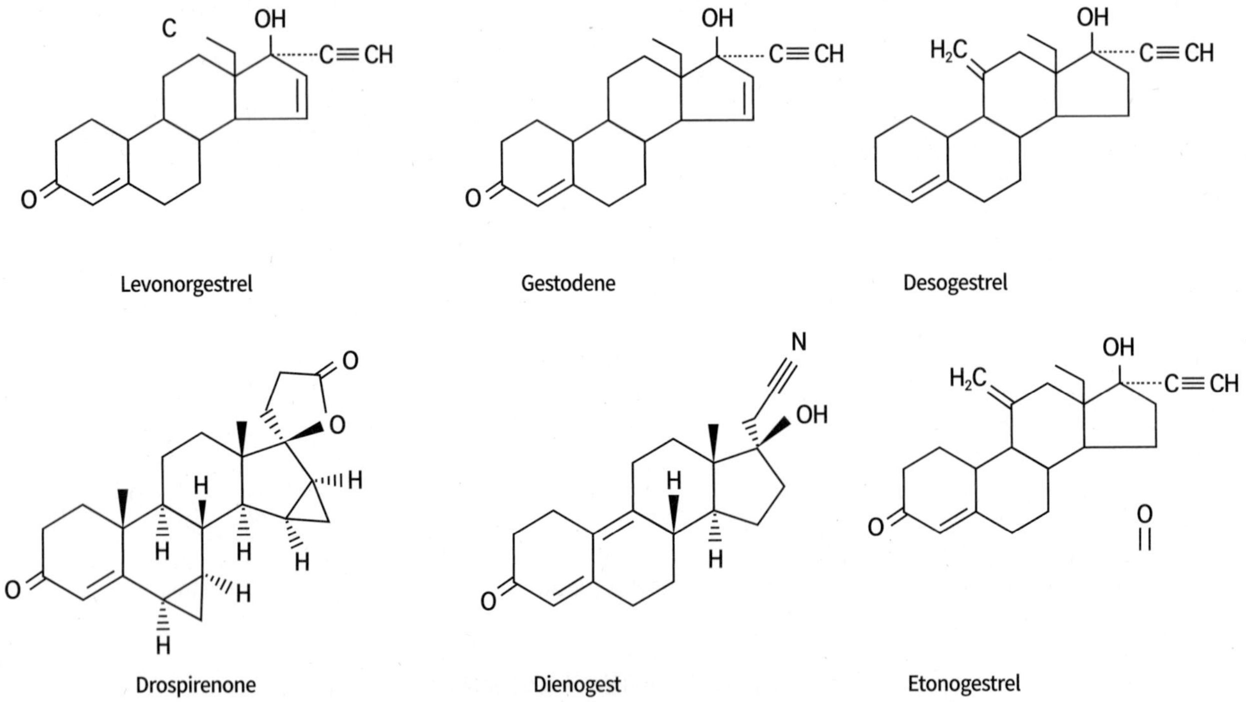

Levonorgestrel

Gestodene

Desogestrel

Drospirenone

Dienogest

Etonogestrel

그림 5-2-2. 호르몬피임제의 프로제스틴 성분

II. 호르몬피임제의 종류와 작용

이지영

1. 경구호르몬피임제

1) 복합경구피임제

(1) 종류
피임제는 함유된 에스트로젠의 양과 프로제스틴의 종류에 따라 분류되며, 주된 역학연구에서 사용되는 정의는 다음과 같다.

① 고용량경구피임제(high dose oral contraceptives) – 에티닐에스트라다이올 함량이 50 μg 이상 포함된 경구피임제

② 저용량경구피임제(low dose oral contraceptives) – 에티닐에스트라다이올 함량이 50 μg 미만 포함된 경구피임제

③ 초저용량경구피임제(ultra–low dose oral contraceptives)– 에티닐에스트라다이올 함량이 30 μg 미만 포함된 경구피임제

④ 1세대경구피임제(first generation oral contraceptives) – 1세대 프로제스틴인 노르에틴드론, 노르에틴드론아세테이트, 노르에티노드렐을 함유한 경구피임제

⑤ 2세대경구피임제(second generation oral contraceptives) – 2세대 프로제스틴인 레보노르게스트렐(levonorgestrel), 노르게스트렐(norgestrel)이 포함된 경구피임제

⑥ 3세대경구피임제(third generation oral contraceptives) – 3세대 프로제스틴인 데조게스트렐(desogestrel), 게스토덴(gestodene) 노르게스티메이트(norgestimate), 에토노게스트렐(etonogestrel) 등의 신세대 프로제스테론이 포함된 경구피임제

⑦ 4세대경구피임제(fourth generation oral contraceptives) – 4세대 프로제스틴인 드로스피레논(drospirenone), 다이에노게스트(dienogest)가 포함된 경구피임제

복합경구피임제는 한주기 동안 일정한 용량의 에스트로젠과 프로제스테론을 복용하는 단상(monophasic)제제, 자연 월경주기와 호르몬패턴과 유사하게 호르몬을 투여하여 부정출혈을 줄이면서 총 호르몬양을 줄이고 효과는 동일하게 하는 방안으로 세 가지 혹은 네 가지 조성의 호르몬을 복용하는 다상(biphasic or triphasic)제제가 개발되어 함께 사용되고 있다. 흔히 우리가 먹는 피임제라고 말하는 것은 복합경구피임제로 우리나라에서 현재 시판되고 있는 피임제 중에 프로제스테론 단일경구 피임제인 미니필은 없고, 합성여성호르몬과 합성프로제스테론을 함유하고 있는 복합경구피임제로, 대부분 단상성이고 사상성제제로는 클래라가 있다.

(2) 작용기전
복합경구피임제는 뇌하수체와 시상하부에 작용하여 성선자극호르몬방출호르몬을 억제하여 배란이 일어나지 않게 하는 것이 주된 작용으로, 프로제스틴성분은 주로 황체호르몬(luteinizing hormone, LH)의 분비를 억제하고, 에스트로젠은 난포자극호르몬(follicle stimulating hormone, FSH)의 분비를 억제한다. 저용량의 에스트로젠이 난포의 초기동원을 충분히 억제하지 못하여도 프로제스틴성분이 배란에 필요한 LH의 증가를 막기 때문에 배란이 일어나지 않는다. 또한 경구피임제의 에스트로젠은 자궁내막을 안정화시켜 불규칙한 출혈을 최소화하며, 세포내 프로제스틴수용체의 농도를 증가시킴으로써 프로제스틴의 작용을 증대하는 효과를 나타낸다. 이에 따라 경구피임제제에 포함되는 프로제스틴의 용량을 줄일 수 있어 프로제스틴에 의한 부작용을 줄일 수 있다.

또 다른 피임기전으로는 프로제스틴에 의한 영향으로 자궁내막이 탈락막화되면서 위축되게 되어 수정란의 착상이 억

제되고, 자궁경관 점액의 점도가 증가되면서 끈기가 없어지게 되어 정자의 이동을 억제하며, 난관의 분비기능과 연동운동을 저하시키게 된다.

(3) 경구피임제의 효과와 복용법

피임법은 피임실패율, 안전성, 편리성, 비용 등이 다르므로 각각의 장단점을 잘 따져서 피임기간, 건강상태, 성교빈도, 연령 등에 따라 자신에게 꼭 맞는 피임법을 선택할 수 있도록 전문가의 상담이 필요하다. 각 피임법에 따른 첫 1년간의 피임실패율을 표 5-2-2에 나타내었다. 호르몬피임법은 복용법을 잘 지키면 거의 수술적 피임법과 유사한 피임 효과를 보인다.

복합경구피임제는 3주간 복용하고 1주간 쉬며, 약 복용을 중단한 1주 중에 소퇴성출혈 즉, 월경이 일어난다. 배란이 임박한 시기에 경구피임제 복용을 시작하면 오히려 성숙난자의 배란을 촉진시킬 수 있고, 초기 임신 중에 약물복용을 할 수 있다. 피임약 복용은 월경 시작일로부터 7일 이내에 시작하는 것이 바람직하나, 그렇지 못한 경우 경구피임제 시작 첫 1주간은 차단피임법을 병행해야 한다. 피임약 21정을 다 복용한 후 7일간 휴약한 후에는 생리가 끝났거나 계속 중이거나에 관계없이 8일째부터 다시 복용을 시작한다. 복용시간은 어느 때라도 좋으나 가능하면 매일 같은 시간에 복용하는 것이 좋다. 응급피임제를 복용하거나, 유산 후에는 바로 경구피임제를 시작하도록 하고, 출산 후 수유를 하지 않는 경우에는 출산 후 3주에 시작한다.

통상 28일 주기에 맞추어, 21정의 호르몬제와 7일간의 휴약기 또는 위약으로 구성된 기존의 21 + 7 제형이 일반적인 복용법이었으나, 일부 여성에서 휴약기 4일 이후 난포자극호르몬의 상승과 함께 난포의 발달이 보이기도 하는 단점을 극복하고자 24일간 복용하고 4일간 휴약하는 연장요법(extend regimen)의 경구피임제가 사용되기도 한다. 휴약기가 4일로 짧아짐에 따라 휴약기 동안 초기 난포가 동원되는 현상과 이에 따른 내인에스트로젠 생성변동이 기존의 21 + 7 제

표 5-2-2. 각 피임법에 따른 첫 1년간의 피임실패율

피임방법	최저 실패율(%)	일반 실패율(%)
피임 안 함	85	85
호르몬피임제		
복합경구피임제	0.3	8.7
프로제스틴단일경구피임제	0.5	3.0
피임패치	0.3	8.0
주사용피임제(3달)	0.3	0.3
피하이식제	0.05	1.0
질링	0.3	8.0
자궁내장치		
구리자궁내장치	0.6	1.0
레보놀게스트렐분비자궁내시스템	0.1	0.1
차단피임법 및 주기조절법		
남성용콘돔	3.0	13.9
여성용콘돔	5.0	21.0
살정제	18.0	29.0
자궁경부 캡	26.0	32.0
피임격막	6.0	16.0
질외사정	4.0	18.4
월경주기조절법	9.0	25.3
불임수술		
난관불임수술	0.5	0.7
정관불임수술	0.1	0.2

형보다 적어 주기조절이 보다 잘 된다는 장점이 있다. 이러한 연장요법을 더 길게 확장하는 방법으로 2003년 FDA 공인을 받은 Seasonale®은 총 91정으로 된 피임제로, 12주 동안은 30 μg EE/150 μg levornogestrel (LNG)이 포함된 호르몬제를 복용하고, 1주 동안은 위약을 복용하게 구성되어 있다. 그래서 매달 생리를 하지 않고 3개월마다 한번 생리를 하게 되므로, 특히 생리전증후군으로 고생하는 여성들에게 획기적인 피임제로 알려지게 되었다. 그러나 생리주기가 3개

월로 길어지게 되므로, 혹시 임신이 된 경우엔 상당히 오랜 기간 동안 임신사실을 모를 수 있어서, 만약 위약기간 동안 생리가 없다면 반드시 임신테스트를 시행해봐야 한다는 것을 복용자들에게 주지시켜야 한다.

EE 30–35 μg 포함된 경구피임제를 복용하는 여성에서 피임제 복용을 잊었을 때 세계보건기구에서 권장하는 지침은 다음과 같이 한다.

① 1–2일 빼먹었거나, 시작을 1–2일 늦게 한 경우(EE 20 μg의 경우는 1일에 해당): 가능한 빨리 빠진 날 수만큼의 호르몬피임제를 복용하고, 이후 한 알씩 복용한다. 추가 피임은 권장하지 않는다.

② 3일 이상 빼먹었거나, 시작을 3일 이상 늦게 한 경우(EE 20 μg의 경우는 2일에 해당): 가능한 빨리 빠진 날 수만큼의 호르몬피임제를 복용하고, 이후 한 알씩 복용하며, 7일간은 다른 차단피임법을 병행한다. 복용 3주차째에 빼먹은 경우라면 남은 피임약은 버리고, 새로운 팩으로 다음날부터 시작한다. 만약 1주차 때 빼먹은 경우인데 다른 피임 없이 성관계를 하였다면 응급피임제 사용을 고려한다.

③ 경구피임제의 피임실패의 흔한 원인 중 하나가 구토와 설사로 알려져 있다. 복용 2시간 이내에 구토를 하였다면 추가로 다시 한 알 복용한다. 만약 24시간 이상 구토와 설사가 지속되는 경우라도 스케줄대로 복용해야 하며, 2일 이상 지속되는 경우라면 위의 복용을 잊은 경우의 지침(①, ②)을 따른다.

(4) 복합경구피임제의 대사효과
① 정맥혈전색전증(venous thrombosis)
혈전증의 빈도는 에스트로젠의 용량과 관계가 있다. 과거의 고용량 복합경구피임제는 정맥혈전색전증, 뇌혈관장애, 심장 발작의 위험을 증가시키는 것으로 보고되었으나, 최근에 사용되고 있는 20–35 μg의 에스트로젠이 함유된 저용량 경구피임제는 그 발생위험도가 매우 낮다.

복합경구피임제의 에스트로젠 성분은 응고과정과 관련 있는 혈청글로불린(factor VII, factor X, 피브리노겐)의 간에서의 합성을 증가시켜 정맥혈전색전증(venous throm-boembolism, VTE)의 위험성을 증가시킨다. 1995년에 시작된 유럽연구를 보면 35 μg 이하의 에스트로젠을 함유한 복합경구피임제를 사용 중인 그룹(3/10,000/yr)에서 비사용자(1/10,000/yr)에 비하여 정맥혈전색전증의 위험성이 3–4배 높다고 하였다. 그러나 이는 임신 동안 발생하는 정맥혈전색전증의 위험도(6/10,000/yr)보다는 낮다. 경구피임제를 복용한 첫 4개월 동안 혈전증의 위험도가 증가하였으나 장기 복용 시 더 증가하지는 않았으며, 복용 첫 1년 동안에 위험도가 가장 높았다.

원인불명의 또는 임신이나 외인에스트로젠과 연관된 VTE 병력이 있었던 여성에서 복합경구피임제는 금기이다. 연령이 높을수록, 비만, 당뇨, 수술이나 골절 등으로 움직이지 못할 경우에 복합경구피임제 복용에 의한 정맥혈전색전증의 위험이 증가한다. 이러한 정맥혈전색전증의 위험성을 고려하여 개개 여성에서 경구피임제 복용으로 인한 정맥혈전색전증의 위험성이 경구피임제의 장점을 능가하는지를 알아야 경구피임제 사용이 가능한 사람을 선별할 수 있을 것이다. 3세대프로제스틴(gestodene, desogestrel, norgesti-mate)이 함유된 피임제는 2세대프로제스틴인 levonorg-estrel이 함유된 제제에 비하여 혈전증의 위험성이 2배 증가한다는 보고가 있으나, 이는 정맥혈전색전증 고위험여성에서 주로 3세대피임제가 처방되었기 때문이라는 주장도 있어 아직 논란이 되고 있다.

Factor V Leiden돌연변이를 가진 환자가 경구피임제 복용 시 정맥혈전색전증의 위험도는 비사용정상인에 비하여 30배에 달한다고 하나 그 빈도가 미국여성의 5%, 한국인에서는 거의 없는 것으로 알려져 있어 국내에서 피임제처방 시 이에 대한 고려를 할 필요는 적다고 할 수 있다.

경구피임제 사용 시 혈전증에 대한 우려는 지난 20년 동안 상당히 감소하였다. 이는 최근 제제의 에스트로젠 용량 감소와 관련된 상대위험도감소 때문일 것이다. 현재의 저용량제제의 경구피임제와 관련된 혈전증의 위험성은 미미하다. 혈전증에 대한 몇몇 위험인자를 사전에 검사하는 것은 실용적이지도 않다.

② 허혈심장질환(ischemic heart disease)과 뇌졸중 (stroke)

과거에는 허혈심장질환과 뇌졸중이 복합경구피임제 사용자의 주요 사망원인으로 생각되었으나, 현재는 높은 연령과 흡연이 주요 원인으로 알려졌다. 최근에 사용되고 있는 저용량에스트로젠제제는 정상혈압을 가진 비흡연자에서 심근경색, 뇌경색 및 뇌출혈의 위험을 증가시키지 않는다. 흡연과 고혈압은 매우 중요한 위험요인이므로, 경구피임제를 복용하는 여성을 진료할 때는 정기적으로 혈압을 측정하고 금연을 권고해야 한다. 보통 35세 이상의 흡연여성에게 경구피임제는 추천되지 않는다. 또한 desogestrel 또는 gestodene 등이 함유된 3세대경구피임제는 심근경색을 덜 일으킨다고 알려졌다. 저용량경구피임제를 복용하는 건강한 여성에서는 뇌졸중의 위험도가 없으나, 고혈압, 당뇨병, 흡연자에서는 심혈관질환의 위험이 증가할 수 있다.

③ 혈압(blood pressure)

과거의 고용량경구피임제의 경우 약 5%에서 고혈압이 발생하였고 30 μg의 에스트로젠을 함유한 저용량경구피임제의 경우에도 약간의 혈압증가가 있음이 보고되었으나 임상적으로는 큰문제가 되지 않는다. 잘 조절되지 않는 고혈압을 가진 여성이 경구피임제를 복용하면 심근경색증이나 뇌졸중의 위험도가 높아질 수 있으므로 정기적으로 혈압을 측정하는 것이 바람직하다. 피임약 복용 전, 3개월 후(고위험군은 1개월 후), 그 후에는 6개월 간격으로 혈압을 측정한다. 복용 2년 후에는 위험인자가 없고 혈압 상승이 없었다면 1년에 한 번씩 혈압을 측정한다. 이러한 혈압에 미치는 기전으로는 레닌–안지오텐신과 관련되어 있다고 알려져 있다.

④ 당대사(glucose metabolism)

일반적으로 경구피임제는 인슐린작용에 대한 말초저항을 증가시키지만 대부분 여성들의 경우 인슐린의 분비를 증가시켜 포도당내성검사의 이상을 보이지는 않는다. 이러한 탄수화물대사의 변화는 경구피임제의 성분 중 주로 프로제스틴때문에 발생하지만, 에스트로젠도 작용하여 성장호르몬을 증가시켜 고혈당증을 초래한다. 경구피임제로 인한 고혈당증은 그 정도가 심하지 않고 가역적이다. 경구피임제 자체가 당뇨병을 유발하지는 않으며 당뇨병에 이환될 위험요소를 가지고 있는 여성에서도 그 위험을 증가시키지는 않는다. 임신성당뇨병이 있었던 여성에게 저용량경구피임제 혹은 다주기성경구피임제를 6–13개월 동안 복용한 경우 대조군과 비교해 당뇨병이환율에 차이가 없었다. 그러므로 임신당뇨병의 병력을 가진 여성들에서 당뇨병이 발생하기 전까지는 저용량경구피임제의 사용은 크게 문제될 것이 없다. 그러나 일단 당뇨병이 발병한 후에는 경구피임제의 사용이 혈전증의 위험을 증가시키므로 당뇨병 환자는 경구피임제가 아닌 다른 방법으로 피임을 하는 것이 좋다.

⑤ 다른 약물과의 상호작용

경구피임제를 복용하는 중에 다른 약물을 동시에 복용할 경우 경구피임제의 효과에 영향을 미치는 약물인지, 경구피임제가 영향을 주는 약물인지 확인하여야 한다.

간의 대사작용을 촉진시키는 약물로 rifampin, phenobarbital, phenytoin (dilantin), primidone (mysoline), griseofulvin (antifungal), carbamazepine, primidone, topiramate 등을 복용하는 경우에는 경구피임제의 효과를 감소시킬 수 있으므로 다른 피임방법을 사용하는 것이 좋다. 경구피임제가 다른 약의 작용에 영향을 줄 수 있는데 diazepam (valium), chlordiazepoxide (librium), alprazolam, nitrazepam, tricyclic antidepressant, theophylline, caffeine 등의 작용을 증대시키므로 경구피임제를 복용하고 있는 여성에서는 이들 약을 감량하여 사용하여야 하고, acetaminophene, aspirin, morphine 등의 배설을 촉진시키므로 투여용량을 늘려야 한다. 에탄올(ethanol)의 배설은 경구피임제 복용 시 감소하게 된다.

(5) 복합경구피임제와 암

① 자궁내막암

경구피임제는 자궁내막의 과도한 증식을 억제함으로써 자궁내막암으로 인한 사망률을 감소시킨다. 경구피임제를 한 번도 사용한 적이 없는 여성에 비하여 경구피임제를 복용한 경험이 있는 여성은 자궁내막암이 발생할 가능성이 50% 감소하며, 자궁내막암 발생 억제 효과는 경구피임제의 사용을 중단한 후에도 2–5년간 지속된다. 복합경구피임제에 의한 자궁내막보호효과는 주로 프로제스테론에 의한 것으로 생각되는데, 프로제스테론용량과 자궁내막보호효과와의 관계는 아직 분명치 않다. 경구피임제의 사용기간에 따라 자궁내막암발생이 지속적으로 감소하며, 경구피임제를 1년만 복용하여도 자궁내막암발생이 23% 감소하고 2년에 38%, 4년에 51%, 8년에 64%까지 감소하고, 12년 후에는 70%까지 감소한다. 이러한 효과는 약을 중단하여도 최소 15년간 지속된다.

② 난소암

복합경구피임제는 난소암의 발생위험을 줄인다. 1년만 사용해도 암 예방효과가 있으며, 지속사용 시 연간 암 발생위험도를 7% 감소시킨다. 암 예방효과는 경구피임제를 마지막 사용 후 15년간 지속된다. 미국 CDC와 NICHHD에서 시행한 CASH (Cancer and Steroid Hormone Study, 1987)연구결과에 따르면, 경구피임제 투여를 중단하여도 난소암에 대한 보호효과는 최소 10–15년간 지속된다. CASH연구는 경구피임제를 3–6개월만 투여한 경우에도 상피성 난소암 발생의 상대위험도가 0.6 (95% CI 0.5–0.7)으로 매우 낮음을 보여줬으나, 당시는 오늘날 사용되고 있는 경구피임제에 비하여 높은 용량이 함유된 것이었다. 21개국에서 시행된 45개의 역학분석에 의하면 저용량과 고용량 상관없이 복합경구피임제는 난소암 발생을 현저히 줄여주었으며(RR 0.73,

95% CI 0.70–0.76) 이러한 효과는 중단 후에도 30년간 지속되었다. 난소암의 가족력이 있는 사람이 10년 이상 복용할 경우 가족력이 없는 사람의 경우만큼 상피성난소암의 발병률을 감소시킬 수 있으며, BRCA1 또는 BRCA2 변이를 가진 여성에서도 난소암 예방의 효과를 볼 수 있다.

③ 자궁경부암

자궁경부암의 발생은 인유두종바이러스(HPV)의 감염이 관여하는데 인유두종바이러스 16, 18번에 감염되어 있는 여성의 경우 감염되지 않은 사람에 비해 위험도가 50배 증가한다. 이미 인유두종바이러스감염이 된 여성은 경구피임제가 자궁경부암의 위험도를 증가시키나, 인유두종바이러스 감염이 없는 여성에서는 증가하지 않았다.

1979년부터 1988년까지 9개국 11개 병원의 2,300여 명의 자궁경부암 환자와 13,000여 명의 대조군으로부터 수집된 자료를 바탕으로 한 WHO Collaborative Study of Neoplasia and Steroid Contraceptives연구는 경구피임제 사용경험이 있는 여성에서 자궁경부암 발생위험도가 약 1.3배 높았고 특히 4년 이상 사용한 군에서 높았으며 경구피임제 사용을 중단하고 약 9년이 경과하여야 위험도의 증가가 없어진다고 보고한 바 있다.

코호트연구, 환자–대조군연구 중 50개 이상의 연구를 메타 분석 하였지만 경구피임제가 자궁경부암 발생률을 증가시키는지는 분명치 않다고 하였는데, 이는 흡연, HPV에 대한 노출 정도 등이 교란변수로 작용하는 경우가 많기 때문이다. 경구피임제는 자궁경부 외번(ectropion)을 유발하고 경관점액과 면역반응을 변화시켜 성병감수성을 증가시킨다. 경구피임제가 자궁경부암발생을 증가시키는 기전은 인유두종 바이러스감염과 밀접한 관계가 있다고 생각되고 있으며, 경구피임제가 자궁경부세포에 형태학적 변화를 일으키고 엽산 결핍 및 바이러스전사와 세포형질변환을 초래함으로써 인유두종 바이러스의 암화작용을 가속화시키는 것으로 추정된다.

경구피임제를 복용하는 여성은 주기적으로 자궁경부세포 진검사등의 선별검사를 시행할 필요가 있다.

④ 유방암

아직 경구피임제와 유방암의 관련성에 대한 명확한 결론은 없는 상태이다. 유방암은 연령에 따라 발생률이 증가하고, 경구피임제를 포함한 호르몬요법에 따른 유방암 발생위험은 연령에 따라 소폭 증가한다. 5년 이상 경구피임제를 사용하는 경우 35세 여성과 45세 여성의 유방암 발생위험도 증가는 각각 1.0%와 1.1%로 1,000명당 1명 정도 증가하는 셈이다. 55세 여성이 경구피임제를 사용하는 경우 유방암발생률 증가는 약 2.3–2.6% 정도이다.

The Collaborative Group on Hormonal Factors in Breast Cancer연구(1996)는 유방암과 여성호르몬 간의 관련을 살펴보기 위하여 25개국 53,000여 명의 유방암 환자와 100,000명 이상의 대조군을 포함한 54개 연구를 분석하였다. 그 보고에 의하면, 현재 복합경구피임제를 복용하는 여성에서 유방암발생의 상대위험도는 1.24배 정도이지만, 복합경구피임제 복용을 중단하면 해마다 점차 감소하여 10년 후에는 비사용자와 같은 수준이 된다. 복합경구피임제의 복용기간, 처음 복용 시 연령, 용량 및 호르몬의 종류는 모두 유방암발생에 영향을 미치지 않으며, 더욱이 생존율에 영향을 주지는 않는다. 따라서 경구피임제는 유방암을 새로이 촉발하기 보다는 기존의 종양성장을 촉진하는 것으로 생각되며, 경구피임제를 사용하는 여성이 정기검진에 일반적으로 더 적극적이라는 점이 통계에 바이어스(bias)로 작용하였을 가능성도 제기되었다.

BRCA유전자와 유방암에 대해서는 연구결과가 아직 명확하지 않다. 환자–대조군연구에서 BRCA1돌연변이 보인자에서 최소 5년 혹은 30세 이전에 사용한 경우 유방암의 위험이 증가하였다는 보고도 있으나, 5개의 연구를 메타분석한 결과 BRCA유전자 혹은 유방암의 가족력이 있는 고위험군에서 경구피임제를 전혀 복용하지 않은 여성과 복용한 적

이 있는 여성들 간 유방암 발생률 차이는 없었다.

⑤ 대장직장암

경구피임제는 대장직장암의 발생을 감소시키며, 이는 주로 경구피임제가 담즙의 생성을 감소시키는 데 기인하는 것으로 추정되고 있다. 대규모전향연구인 Nurse's Health Study는 경구피임제를 8년 이상 복용한 환자에서 대장직장암 발생위험도가 40% [RR 0.6 (0.4–0.9, 95% CI)]까지 감소한다고 보고하였다. 경구피임제의 대장직장암 억제효과는 복용기간이 길수록, 최근에 복용하였을수록 뚜렷하다.

(6) 복합경구피임제의 금기증

복합경구피임제의 복용은 건강한 젊은 여성에서는 대개 문제가 없으나 표 5-2-3과 같은 금기증이 있는 경우에는 주의를 하여야 한다.

(7) 경구피임제의 피임외 이점

과거에 사용되었던 피임제들에 비해서 최근에 사용되는제제들은 호르몬의 양 및 구성성분에 많은 개선이 되어서 피임 효과는 확실히 하고 그 부작용은 최소화한 제제로 바뀌어서 사용되고 있다. 이러한 저용량호르몬피임법의 비피임 효과는 두 가지 주요 범주로 분류할 수 있는데, 피임 목적으로 사용되면서 우연히 발생하는 이점과 문제 및 장애를 치료하기 위해 호르몬피임제를 사용하여 생기는 경우이다. 복합경구피임제의 피임외 건강상 이점에 대하여 표 5-2-4에 정리하였다.

(8) 프로제스틴 단독피임제

소량의 프로제스테론 단일성분만 함유된 피임제의 작용은 배란 억제보다는 자궁경부점액이 정자가 통과하기 힘든 상태로 변하며, 자궁내막이 위축되어 수정란이 착상하지 못하게 하는 것이다. 프로제스테론단일피임제는 혈전증, 고혈압, 편두통, 35세 이상의 흡연자 등의 심혈관질환의 위험성이 있어 복합경구피임제를 사용할 수 없거나 수유 중인 여성에서도 모유의 양이 줄지 않으므로 사용할 수 있다는 이점이

표 5-2-3. 복합경구피임제의 금기증

절대적 금기증	상대적 금기증
① 혈전정맥염, 혈전색전질환(혹은 부모나 형제자매에서 정맥혈전의 유전감수성이 증가된 가족력) ② 간기능의 심각한 저하 혹은 간암. 간염환자에서는 간기능이 정상화될 때까지 스테로이드호르몬은 금기임 ③ 뇌혈관질환이나 관상동맥폐쇄의 과거력 ④ 전조증상이 있는 편두통 ⑤ 혈관질환을 동반한 당뇨 ⑥ 유방암에 진단되었거나 의심되는 경우 ⑦ 진단되지 않은 비정상자궁출혈 ⑧ 임신, 혹은 의심되는 경우 ⑨ 35세 이상의 흡연자 ⑩ 심한 고지혈증 혹은 고중성지방혈증 ⑪ 조절되지 않는 고혈압 ⑫ 분만 21일 이전의 수유모 ⑬ 수술 후 장기간 움직이지 못하는 경우 ⑭ 분만 후 심장근병증의 과거력	① 전조없는 편두통 ② 조절되는 고혈압 ③ 임신당뇨병 ④ 당뇨병 ⑤ 간질 ⑥ 임신 중 발생한 폐쇄성 황달 ⑦ 겸상적혈구병 ⑧ 담낭질환 ⑨ 승모판탈출증 ⑩ 전신홍반루푸스 ⑪ 고지혈증 ⑫ 35세 미만 젊은 흡연자 ⑬ 간질환

표 5-2-4. 복합경구피임제의 피임 이외의 건강상 이점

피임외 효과	치료 목적 사용 시 효과적인 질환
효과적인 피임 – 유도 임신중절의 필요성 감소 – 수술적 피임의 필요성 감소 자궁내막암 감소 난소암 감소 대장암 감소 자궁외임신 감소 보다 규칙적인 월경 – 월경량 감소 – 월경통 감소 – 빈혈 감소 난관염 감소 양성유방 감소 골밀도 증가 자궁내막증 감소 류마티스관절염의 감소가능성 죽상동맥경화증에 대한 보호가능성 난소낭종 발생 감소가능성	기능자궁출혈 월경통 배란기출혈 자궁내막증 예방 여드름과 다모증 뇌하수체성 무월경의 호르몬치료 월경포르피아증의 예방 생리전증후군의 감소가능성

있다. 그러나 복합경구피임제에 비하여 피임 효과가 떨어지고, 불규칙한 출혈, 무월경, 월경과다, 기능난소낭종발생 등의 단점이 있다. 수유 중인 여성이나 40세 이상인 여성에서는 좋은 피임 효과를 기대하며 적용될 수 있다.

월경 첫날부터 복용을 시작하며 반감기가 짧아서 매일 잊지 말고 같은 시간에 복용해야 피임 효과를 유지할 수 있다. 복용시간이 3시간 이상 경과 시에는 2일간 부가적인 피임방법을 사용해야 한다.

우리나라에서 피임약으로 판매되는 프로제스틴단독피임제는 없으며, 해외 판매되는 제제는 norethindrone 0.35 mg, levonorgestrel 0.03 mg 혹은 desogestrel 0.075 mg 함유된 제제가 사용되며 휴약기 없이 계속 복용한다.

(9) 응급피임제(사후피임약)

응급피임법(emergency contraception, EC)은 피임을 하지 않은 성교 후 수일 이내에 사용 시 임신을 예방할 수 있는 방법을 통틀어 칭하는 일반적인 용어로 경구호르몬요법과 구리자궁내피임장치를 이용하는 방법으로 나눌 수 있다. 경구호르몬용법에는 고용량복합에스트로젠-프로제스테론투여(Yuzpe 방법), 프로제스테론 단독투여, 프로제스테론대항제투여법 등이 있으며, 이중 Yuzpe방법은 초기 사용되었으나 부작용이 커서 현재 거의 사용되지 않는다.

프로제스테론 단독응급피임제는 levornogestrel (LNG) 1.5 mg을 성교 후 12시간 이내, 늦어도 72시간 이내에 한 번에 복용해야 한다. 복합응급피임제보다 오심, 구토 등의 부작용이 현저히 적으며, 성교 후 빨리 복용할수록 더욱 효과적이어서 피임 성공률은 85%에 달한다. 프로제스틴 단독응급피임법의 주된 피임기전은 배란을 억제 또는 지연시키는 것이다. 프로제스테론 성분은 자궁경부점액의 분비를 증가시켜 정자가 잘 통과하지 못하도록 작용하며 배란이 일어난 후에 투여할 경우 자궁내막의 호르몬수용체를 억제하여 자궁내막의 변형을 초래함으로써 착상을 방해한다. 이

미 착상된 배아를 유산시키는 작용은 없는 것으로 알려져 있어 낙태라는 윤리적 문제가 없다. 가장 흔한 부작용은 오심과 구토로 프로제스테론 단독제제의 경우 오심은 23%, 구토는 5.6%로 보고되었다. 특별한 금기증은 없으나 임신이 확인된 경우에는 투여하지 않는데, 이는 임신이 된 경우에는 투여효과가 없기 때문이다. 태아에게 기형발생위험(teratogenic effect)은 보고된 바 없다. 그 외 과민반응의 기왕력이 있거나 진단되지 않은 비정상적인 생식기 출혈이 있는 경우에도 주의해야 한다.

프로제스테론대항제는 울리프리스탈아세테이트(ulipristal acetate, UPA)와 미페프리스톤(mifepristone)이 있는데 국내에서는 UPA만 사용되고 있다. UPA는 30 mg을 성교 후 120시간 이내 복용하면 되는데, 72시간내 사용 시 피임 효과가 LNG 단독요법보다 약간 더 우수한 것으로 알려져 있다. 부작용은 LNG와 거의 유사하며 심하지 않다.

2. 비경구호르몬피임법

1) 경피복합호르몬피임법

2002년에 피임용패치로 처음 FDA공인을 받은 Ortho Evra®는 하루에 norgestimate의 활성대사물인 norelgestromin이 150 μg, EE이 20 μg씩 방출되는 20 cm^2 (4.5 × 4.5 ㎝) 크기의 패치로, 일주일에 한 번씩 엉덩이, 상박부, 유방을 제외한 상반신, 하복부에 붙이면 호르몬이 지속적으로 유리되면서 피부로 흡수되어 간대사과정을 거치지 않으며 7일간 피임 효과를 나타낸다. 복합경구피임제보다 EE 함량이 적지만 35 μg 포함된 경구피임제보다 에스트로젠 효과가 60% 증가하여 FDA에서 정맥혈전증의 위험도가 증가할 수 있음을 경고하였다.

3주 사용하고 1주 휴지기를 가지는 방식으로 사용하며, 연간 임신율이 0.8%로 전통적인 복합경구피임제제, 자궁내장치, 이식형 피임제제를 사용한 경우와 비슷한 피임실패율을 보이면서도 사용이 간편하고, 매일 신경을 쓸 필요가 없

어 매일 복용하는 경구에 비해 적응도가 높다는 장점을 가지고 있는 피임방법이다. 첫 2주간 불규칙한 출혈이 흔하며, 체중 90 kg 이상인 여성의 경우 피임실패율이 증가하므로 주의하여야 한다.

2) 경질호르몬피임법(질링)

피임용질링은 피임패치와 같이 간에서 바로 대사되지 않고 흡수돼서 혈중 호르몬치가 일정하게 유지되며 매일매일 복용하지 않아도 되므로 안정성과 적응도를 높일 수 있다는 장점이 있다.

피임용질링은 ethinyl estradiol과 desogestrel의 생물학적활성대사물질인 etonogestrel (ENG)이 함유된 얇은 링 모양의 피임기구(NuvaRing®)로 2001년 FDA공인을 받았다.

NuvaRing®은 링의 지름이 54 mm이고 심(core)의 지름은 4 mm이며 질내에서 하루에 ethinyl estradiol 15 μg과 etonogestrel 120 μg을 지속적으로 분비해 배란을 억제하여 피임 효과를 나타낸다. 생리초(1–5일째)에 질에 삽입하여 3주간 유지한 후 제거하고 1주 동안은 링을 사용하지 않는다. 링의 삽입과 제거는 환자 스스로 할 수 있도록 교육한다.

피임 효과에 대해서는 Pearl index가 1.23 (95% CI: 0.40–2.86)로 효과적인 피임법이다. 두통, 유방통, 오심의 부작용은 경구피임제과 유사하였지만 불규칙출혈의 빈도는 다소 적다고 알려져 있다. 링과 관련된 국소적인 부작용, 즉 질염의 발생이나 냉이 증가하는 것으로 알려져 있으며, 혈전증과의 관계는 명확하지는 않으나 복합경구호르몬피임제와 유사할 것으로 예측된다.

3) 피임용주사제

피임용주사제는 호르몬을 근육주사하여 높은 혈중 농도를 유지하여 LH surge와 배란을 억제함으로써 피임 효과를 얻는 방법이다. 3개월마다 주사하는 depot medroxy progesterone acetate (DMPA, depot–Provera), 그리고 1-2개월마다 주사하는 MPA와 estradiol cypionate, norethindrone enanthate, 그리고 dihydroxyprogesterone acetophenide와 estradiol enanthate제제가 있다.

최근에는 주로 프로제스틴 단일주사제인 DMPA제제만이 사용되고 있으며, 3개월마다 150 mg을 근육주사하거나, 역시 3개월마다 104 mg을 피하주사하는 제형들이 사용되고 있다. 매우 효과적이고 오래 지속되는 가역적인 피임법으로 연간 피임실패율은 0.3%이다. 프로제스틴작용으로 자궁내막은 위축되고 배란이 억제되어 혈청에스트로젠 농도는 평균 40 pg/mL로 나타나며, 폐경과 같은 혈관운동연축증상이나 질위축증상은 없으나 장기간 사용 시 골밀도 감소의 우려가 제시되고 있다. 주요 부작용들로는 불규칙한 출혈, 두통, 유방동통, 체중증가 그리고 우울감 등이 있다. 이들 중 불규칙한 출혈은 가장 흔한 부작용으로 나타난다. 피임이외의 장점으로 DMPA는 빈혈, 골반염, 자궁외임신, 자궁내막증과 자궁내막암의 발생을 줄인다. 자궁경부암, 난소암, 유방암발생 및 태아기형발생과 무관하며 수유여성에서 안전하게 사용할 수 있다.

DMPA 처방정보에는 과거 심부정맥혈전증의 병력이 있는 사람은 금기로 표시되어 있다. DMPA는 처음에 암 치료를 위한 호르몬제로 1960년대에 승인을 받았다. 암 환자들은 피임용량보다는 고용량으로 DMPA를 처방받았으며 암 때문에 혈전색전증의 잠재적인 위험성을 가지고 있었다. DMPA에 대한 초기 임상시험에서 혈전색전증은 치료의 합병증으로 간주되었고 따라서 금기증으로 표시하게 되었다. 그러나 프로제스테론제의 사용으로 심부정맥혈전증의 발생이 증가하지 않았으며 응고과정에도 영향을 주지 않았다. 이러한 이유들 때문에 미국산부인과학회에서는 DMPA 또는 프로제스틴 단독제제는 혈전색전증의 병력이 있는 사람들에게 적절한 피임법이라고 하였다. 혈전성향증(thrombophilia; activated protein C저항성, protein S/protein

C/antithrombin III결핍증, factor V Leiden돌연변이) 환자처럼 혈전증의 위험성이 높은 사람에서 DMPA사용 시 혈전증이 발생하지만 그러한 경우들은 DMPA 때문이라기보다는 질환 자체를 반영한다고 보인다.

4) 삽입형(피하이식형) 프로제스틴호르몬피임법

피하이식호르몬피임제로는 최초로 개발된 Norplant®이후 전 세계적으로 다양한 단일피하이식제가 사용되고 있으며 국내에서는 3세대로 개발된 임플라논(Implanon®)이 대표적이다.

임플라논은 desogestrel의 활동대사물질인 3-keto-desogestrel (etonogestrel, ENG)을 60 mg을 함유하여 하루 약 30 μg씩 분비하는 4 cm × 2 mm 크기의 막대모양피하이식피임기구이다. 주된 삽입장소는 상완의 안쪽 피하부위이다.

피임 효과는 프로제스테론이 시상하부와 뇌하수체에 작용하여 배란을 억제함으로써 얻게 되고 혈중 난포자극호르몬(FSH)과 에스트라다이올(E2)치는 크게 영향을 받지 않는다.

Pearl index가 거의 0에 가깝게 피임 효과가 탁월하며 Implanon®을 제거한 후에는 바로 가임력이 회복된다. 시술 시기는 자연주기에서 생리 초 1-5일 사이 또는 경구피임제를 복용하는 경우 마지막 복용 다음날, 그리고 프로제스틴제제를 사용해서 피임하는 경우는 사용 중 어느 때나 가능하다. 시술 후 피임 이외의 장점으로는 월경통의 감소효과가 있다. 그러나 부작용으로 생리주기 변화, 무월경과 불규칙적인 출혈, 프로제스틴에 의한 여드름, 두통, 유방동통, 체중증가 등이 있으며 제거 시 흉터가 남을 가능성이 있으므로 시술 전 이에 대한 상담이 필요하다.

참 / 고 / 문 / 헌

1. 대한산부인과학회. 부인과학. 제6판. 군자출판사; 2021.

2. Collaborative Group on Epidemiological Studies of Ovarian Cancer, Beral V, Doll R, Hermon C, Peto R., Reeves G, Schouten. Ovarian cancer and oral contraceptives: collaborative reanalysis of data from 45 epidemiological studies including 23,257 women with ovarian cancer and 87,303 controls. Lancet 2008;371:303-14.

3. Collaborative Group on Hormonal Factors in Breast Cancer. Breast cancer and hormonal contraceptives: collaborative reanalysis of individual data on 53,297 women with breast cancer and 100,239 women without breast cancer from 54 epidemiological studies. Lancet 1996;347: 1713-27.

4. Combination oral contraceptive use and the risk of endometrial cancer. The Cancer and Steroid Hormone Study of the Centers for Disease Control and the National Institute of Child Health and Human Development. JAMA 1987;257:796-800.

5. Comp PC, Zacur HA. Contraceptive choices in women with coagulation disorders. Am J Obstet Gynecol 1993; 168:1990-3.

6. Critchlow CW, Wolner-Hanssen P, Eschenbach DA, Kiviat NB, Koutsky LA, Stevens CE, et al. Determinants of cervical ectopia and of cervicitis: age, oral contraception, specific cervical infection, smoking, and douching. Am J Obstet Gynecol 1995;173:534-43.

7. Dieben TOM, Roumen FJME, Apter D. Efficacy, cycle control, and user acceptability of novel combined contraceptive vaginal ring. Obstet Gynecol 2002;100:585-93.

8. Duijkers I, Killick S, Bigrigg A, Dieben TOM. comparative study on the effects of a contraceptive vaginal ring NuvaRing and an oral contraceptive on carbohydrate metabolism and adrenal and thyroid function. Eur J Contracept Reprod Health Care 2004;9:131-40.

9. Farmer RDT, Preston TD. The risk of venous thromboembolism associated with low estrogen oral contraceptives. J Obstet Gynecol 1995;15:195-200.

10. Godsland IF, Crook D, Simpson R, Proudler T, Gelton C, Lees B, et al. The effect of different formulations of oral contraceptive agents on lipid and carbohydrate metabolism. New Engl J Med 1990;323:1375-81.

11. Grandi G, Facchinetti F, Bitzer J. Estradiol in hormonal contraception: real evolution or just same old wine in a new bottle? Eur J Contracept Reprod Health Care 2017; 22:245-6.

12. Guillebaud J. Contraception Today. 4th ed. London: Martin Dunitz; 2000.

13. Hanse TH, Lundvall F. Factors influencing the reliability of oral contraceptives. Acta Obstet Gynecol Scand 1997; 76:61-4.

14. International Agency for Research in Cancer (IARC). Monographs on the evaluation of carcinogenic risks to humans. Hormonal Contraception and Post-Menopausal Hormonal Therapy. Lyons: WHO IARC; 1999, vol 72.

15. Invasive squamous-cell cervical carcinoma and combined oral contraceptives: results from a multinational study. WHO Collaborative Study of Neoplasia and Steroid Contraceptives. Int J Cancer 1993;55:228-36.

16. Irwin KL. The association between oral contraceptive use and neoplasia of the cervix, vagina, and vulva. In: Hannaford PC, Webb AMC eds. Evidence-Guided Prescribing of the Pill. London: The Parthenon Publishing Group; 1996. pp. 145-56.

17. Jick H, Jick SS, Gurewich V, Myers MW, Vasilakis C. Risk of idiopathic cardiovascular death and non-fatal venous thromboembolism in women using oral contraceptives with differing progestogen components. Lancet 1995;346: 1589-93.

18. Kjos SL, Shoupe D, Douyan S, Friedman RL, Bernstein GS, Mestman JH, et al., Effect of low-dose oral contraceptives on carbohydrate and lipid metabolism in women with recent gestational diabetes: results of a controlled, randomized, prospective study. Am J Obstet Gynecol 1990;163:1822-7.

19. Loughlin J, Seeger JD, Eng PM, Foegh M, Clifford CR, Cutone J, et al. Risk of hyperkalemia in women taking ethinylestradiol/drospirenone and other oral contraceptives. Contraception 2008;78:377-83.

20. Martinez ME, Grodstein F, Giovannucci E, Colditz GA, Speizer FE, Hennekens C, et al. A prospective study of reproductive factors, oral contraceptive use, and risk of colorectal cancer. Cancer Epidemiol Biomarkers Prev 1997;6:1-5.

21. Moorman PG, Havrilesky LJ, Gierisch JM, Coeytaux RR, Lowery WJ, Urrutia RP, et al. Oral contraceptives and risk of ovarian cancer and breast cancer among high-risk women: a systematic review and meta-analysis. J Clin Oncol 2013;31:4188-98.

22. Narod SA, Dubé MP, Klijn J, Lubinski J, Lynch HT, Ghadirian P, et al. Oral contraceptives and the risk of breast cancer in BRCA1 and BRCA2 mutation carriers. J Natl Cancer Inst 2002;94:1773-9.

23. Porter JB, Hunter JR, Jick H, Stergachis A. Oral contraceptives and nonfatal vascular disease. Obstet Gynecol 1985;66:1-4.

24. Raman-Wilms L, Tseng AL, Wighardt S, Einarson TR, Koren G. Fetal genital effects of first-trimester sex hormone exposure: a meta-analysis. Obstet Gynecol 1995;85:141-9.

25. Raymond EG, Creinin MD, Barnhart KT, Lovvorn AE, Rountree RW, Trussell J. Meclizine for prevention of nausea associated with use of emergency contraceptive pills: a randomized trial. Obstet Gynecol 2000;95:271-7.

26. Rossmanith WG, Steffens D, Schramm G. A comparative randomized trial on the impact of two low-dose oral contraceptives on ovarian activity, cervical permeability, and endometrial receptivity. Contraception 1997;56:23-30.

27. Schlesselman JJ. Oral contraceptives and neoplasia of the uterine corpus. Contraception 1991;43:557-79.

28. Smith JS, Green J, de Gonzalez AB, Appleby P, Peto J, Plummer M, et al. Cervical cancer and use of hormonal contraceptives: a systematic review. Lancet 2003;361: 1159-67.

29. Taylor HS, Pal L, Sell E. Speroff's Clinical Gynecologic Endocrinology and Infertility. 9th ed. Lippincott Williams & Wilkins; 2019.

30. The Cancer and Steroid Hormone Study of the Centers for Disease Control and the National Institute of Child Health and Human Development. The reduction in risk of ovarian cancer associated with oral-contraceptive use. N Engl J Med 1987;316:650-5.

31. Trussell J, Ellertson C, Stewart F, Raymond EG, Shcochet T. The role of emergency contraception. Am J Obstet Gynecol 2004;190:S30-8.

32. Tuppurainen M, Klimscheffskij R, Venhola M, Dieben TO. The combined contraceptive vaginal ring (NuvaRing) and lipid metabolism: a comparative study. Contraception 2004;69:389-94.

33. von Hertzen H, Piaggio G, Ding J, Chen J, Song S, Bartgai G, et al. Low dose mifepristone and two regimens of levonorgestrel for emergency contraception: a WHO multicentre randomised trial. Lancet 2002;360:1803-10.

34. Waselenko JK, Nace MC Alving B. Women with thrombophilia: assessing the risks for thrombosis with oral contraceptives or hormone replacement therapy. Semin Thromb Hemost 1998;24 Suppl1:S33-9.

35. WHO. Selected practice recommendations for contraceptive use. 2nd ed. Geneva: World Health Organization; 2005.

36. WHO. Selected practice recommendations for contraceptive use. 2nd ed. Geneva: World Health Organization; 2005.

37. Yupze AA, Thurlow HJ, Ramzy I, Leyshon JI. Post coital contraception-a pilot study. J Reprod Med 1974;13:53-8.

38. Zheng SR, Zheng HM, Qian SZ, Kaper RF. A long-term study of the efficacy and acceptability of a single-rod hormonal contraceptive implant (Implanon) in healthy women in China. Eur J Contracept Reprod Health Care 1999;4:85-93.

고환장애

홍상모

I. 서론

성인 고환은 쌍을 이루는 난형기관으로 고샅굴(inguinal canal)로부터 정삭(spermatic cord)에 매달려 있으며 음낭에 의해 감싸져 복강 외부에 위치하고 있다. 각 고환의 부피는 15-30 mL이고 길이는 3.5-5.5 cm, 너비는 2.0-3.0 cm이다. 고환은 구조적으로 그리고 기능적으로 두 개의 구획으로 구성되는데 세르톨리세포(Sertoli cell)와 다양한 정자 생성 단계에서 발생하는 생식세포로 구성되어 고환부피의 80-90%를 차지하면서 정자 생성을 담당하는 정세관(seminiferous tubule) 구획과 남성호르몬인 테스토스테론을 분비하는 라이디히세포(Leydig cells)가 위치한 간질 구획이 있다.

고환은 성장발달 단계에서 중요한 생리학적 역할을 수행한다. 초기 태아시기에 고환은 테스토스테론 및 항뮐러호르몬을 생산하여 남성의 내부 및 외부생식기가 분화 및 발달하도록 역할을 수행한다. 사춘기시기에는 시상하부-뇌하수체-고환축의 활성화와 고환에 의한 테스토스테론 생산이 남성의 이차성징유도와 정자발생에 필요하다. 성인기에는 고환의 테스토스테론 생산은 남성화와 성기능, 정자발생, 생식력을 유지하는 데 필수적이다. 따라서 고환장애는 성적발달과 기능에 이상을 유발시키고, 신체습관 및 기능, 생식력의 이상을 초래하여 신체적, 정신적 건강 및 삶의 질에 부정적 영향을 미친다.

II. 고환생리: 성호르몬의 생산과 작용

테스토스테론은 19개 탄소로 구성된 스테로이드로 대부분 고환(~95%)에서 분비되며, 수컷에서 이차성징, 근육성장, 성 및 비성적 행동조절에 중요하다. 테스토스테론의 생성은 시상하부-뇌하수체-고환축(hypothalamic pituitary testicular axis)에 의해서 조절된다. 시상하부에서 분비되는 성선자극호르몬방출호르몬(gonadotropin-releasing hormone, GnRH)은 뇌하수체성선자극호르몬인 황체형성호르몬(luteinizing hormone, LH)과 난포자극호르몬(follicle-stimulating hormone, FSH)의 생산을 조절한다. GnRH는 약 90-120분 주기로 맥동성으로 분비되어 LH 및 FSH의 해당 맥동성 분비를 유발한다. 이 때 생성된 소량의 에스트로젠이나 다량의 테스토스테론은 시상하부와 뇌하수체에 대해 음성되먹임작용(negative feedback mechanism)을 하여 GnRH와 LH 분비를 억제한다. 또한 고환의 정세관에서 분비되는 인히빈B (inhibin B)는 뇌하수체에 대해 음성되먹임작용을 하여 FSH 분비를 억제한다. 시상하부-뇌하수체-고환축에 대한 지식은 고환장애의 원인, 분류, 감별진단, 임상결과 및 치료를 이해하는 데 필수적이다.

1. 남성에서 안드로겐 합성

남성에서 순환테스토스테론의 95%는 고환에서 분비되는데 하루 3–5 mg의 테스토스테론이 고환에서 분비되며, 부신에서 직접 분비되거나 안드로스텐다이온(androstenedione)의 전환에 의해 분비되는 양은 약 500 mg 정도이다. 반면 하루 70 mg 정도 소량의 다이하이드로테스토스테론(dihydrotestosterone, DHT)이 고환에서 분비되며, 순환하는 DHT의 대부분은 말초에서 테스토스테론의 전환에 의한 것이다. 라이디히세포에서 테스토스테론의 분비는 뇌하수체 당단백질호르몬인 LH에 의해 조절된다. LH는 측쇄분해효소(side chain cleavage enzyme)인 CYP11A1에 주로 작용한다. 라이디히세포의 테스토스테론 분비조절은 정세관과 고환 간질 내의 여러 가지 성장인자와 조절인자들(IGF–I, IGFBPs, inhibins, activins, TGF–β, EGF, IL–1, TNF–α, basic FGF, GnRH, vasopressin)에 의해 조절된다.

테스토스테론 합성의 조절단계는 콜레스테롤을 사립체내막으로 전달하는 과정이며 이곳에는 콜레스테롤측쇄분리복합체가 있어 프레그네놀론(pregnenolone)을 만든다. 스테로이드생산급성조절단백(steroidogenic acute regulatory, StAR)은 콜레스테롤을 측쇄분리복합체가 이용하도록 하며 테스토스테론 생합성을 조절한다(그림 5-3-1).

시상하부에서 GnRH가 분비되고 이는 뇌하수체에서 LH 분비를 유도하여 고환의 라이디히세포로 하여금 테스토스테론을 합성하도록 자극한다. 테스토스테론은 박동적이며 일중변동과 연중주기가 있어 기상 시 가장 높은 수치를 보이며 오후나 저녁에 낮은 수치를 보인다. 데하이드로에피안드로스테론(dehydroepiandrosterone)과 Δ–4 안드로스텐다이온(delta–4 androstenedione)은 약한 안드로겐이며 안드로스텐다이온은 고환외조직에서 에스트로겐으로 전환될 수 있다.

2. 안드로겐의 수송 및 대사

대부분의 순환테스토스테론은 성호르몬결합글로불린(SHBG, 30–44%)과 알부민(54–68%)에 결합되어 있으며 0.5–0.3%만이 결합되지 않은 형태인 유리테스토스테론으로 존재한다(그림 5-3-2). 유리호르몬가설에 의하면 결합되지 않은 테스토스테론은 지질친화적이어서 자유로운 확산에 의해 세포 내로 들어가 작용하는데, 알부민결합테스토스테론은 성호르몬결합글로불린(1.6×10^{-9} mol/L)과 달

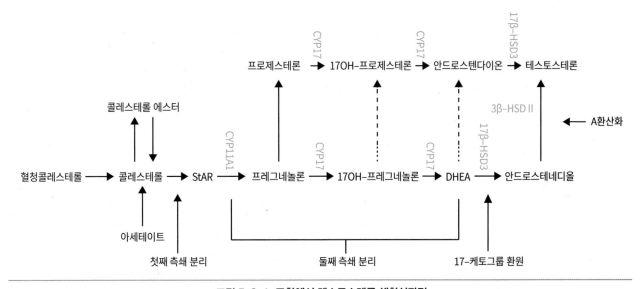

그림 5-3-1. **고환에서 테스토스테론 생합성과정**

리 결합친화도가 낮아(1.0 × 10⁻⁴ mol/L) 표적장기 부근에서 쉽게 해리될 수 있어 작용할 수 있다. 따라서 생물학적 이용이 가능한(bioavailable) 테스토스테론은 유리테스토스테론과 알부민에 결합되어 있는 분획을 합한 것을 의미한다. 성호르몬결합글로불린은 당단백질로 간에서 합성되며 테스토스테론과 에스트라다이올에 높은 친화성을 보인다.

안드로젠 투여, 비만, 고인슐린혈증상태, 신증후군의 경우 낮은 성호르몬결합글로불린을 보이며 갑상선항진증, 다양한 형태의 만성염증질환, 노화의 경우 성호르몬결합글로불린은 증가한다. 안드로젠의 대사는 주로 간에서 50–70%가 대사가 되며 일부 전립선과 피부에서 대사된다(그림 5-3-3).

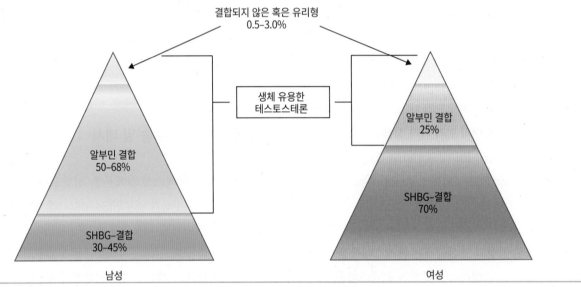

그림 5-3-2. 순환테스토스테론의 혈장 단백질과의 결합

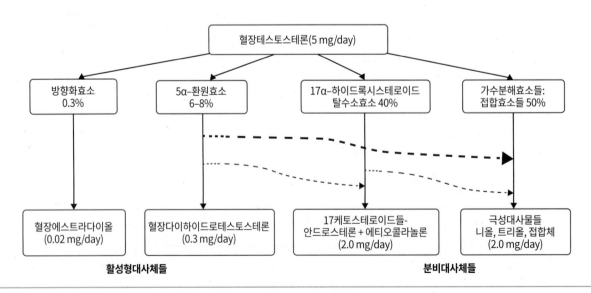

그림 5-3-3. 혈장테스토스테론의 대사경로

3. 전구호르몬으로서의 테스토스테론: 에스트라다이올 17β와 5α-DHT의 역할

테스토스테론은 많은 말초조직에서 활성대사물인 에스트라다이올 17β와 5α-다이하이드로테스토스테론으로 전환되며 이 활성대사산물을 통해 많은 조직에서 역할을 한다 (그림 5-3-4).

포유동물에서 에스트로겐의 역할에 대한 연구를 보면 에스트로겐수용체-α가 전혀 발현되지 않는 돌연변이의 경우 정자생산과 수정능력이 없어지고, 테스토스테론 및 LH의 증가, 늦은 뼈끝면 융합, 골량감소, 지방 증가 등을 보였다. CYP19 방향화효소(aromatase)유전자불활성돌연변이의 경우 여성에서 남성화, 사춘기시작 실패, 안드로겐과 LH, FSH 증가, 다낭난소, 큰 키를 보였으며, 남성의 경우는 테스토스테론의 증가, 낮은 에스트라다이올, 골다공증, 골교체의 증가, 지연된 뼈끝면 융합, 큰 키를 보였다. 스테로이드 5α-환원효소(SRD5A)의 두 isoform이 알려져 있는데 1형(SRD5A1)은 5pl5 염색체에 존재하며 비생식조직에 존재하고 적정산도는 8이다. 2형(SRD5A2)은 전립선과 다른 생식조직에 존재하며 염색체 2p23에 위치하고 적정산도는 5이다. SRD5A2는 전립선에서의 주요형으로 양성전립선비

대증, 다모증(hirsuitism), 남성형탈모의 병인에 연관되어 있다.

4. 안드로겐 작용기전

대부분의 안드로겐삭용은 테스토스테론이 직접적으로 또는 스테로이드 5-α 환원효소에 의해 DHT로 전환된 후에 안드로겐수용체에 결합하여 나타난다. 안드로겐수용체는 당질부신피질호르몬, 프로제스테론, 광물걸질호르몬수용체와 같은 다른 핵수용체단백질과 유사하다. 안드로겐수용체단백질은 핵과 세포질에 존재하나 안드로겐이 결합하면 핵내로 이동하게 된다. 이러한 결합복합체가 표적유전자의 프로모터지역에 작용하면 표적유전자의 전사율이 변하게 된다. 호르몬이 안드로겐수용체에 결합하면 조직특이적인 coactivator와 corepressor가 모이게 되고 이들이 호르몬의 조직특이성, 조직선택성을 결정한다. 테스토스테론은 DHT에 비해 반 정도의 친화도를 가지고 안드로겐수용체에 결합하나 최대 결합 정도는 같다. DHT-안드로겐수용체복합체가 테스토스테론-수용체복합체보다 더 큰 온도 안정성과 느린 해리속도를 보인다. 이러한 특성이 전립선과 같은 특정 조직에서 DHT가 안드로겐 효과를 매개하는 잠재성을 제공해 준다. 남성의 볼프관구조, 골격근, 적혈구 생성 및

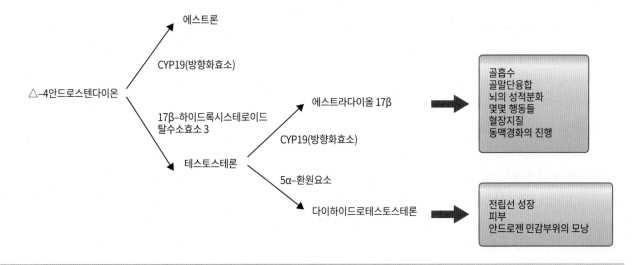

그림 5-3-4. 전구호르몬으로서의 테스토스테론

뼈에 대한 안드로젠작용은 테스토스테론 단독으로 가능하나 비뇨생식동(urogenital sinus)과 생식기결절(genital tubercle)의 남성화를 위해서는 테스토스테론의 DHT로의 전환이 필요하다. 방향화효소를 통한 테스토스테론의 에스트라다이올로의 전환은 테스토스테론의 골흡수, 뼈끝 폐쇄, 성욕, 혈관내피 및 지방에 대한 효과와 연관이 있다.

5. 고환내 생식세포 분화

고환은 하루에 약 1억 2천만 개의 성숙한 정자를 생산한다. 정세관에서 정자의 생산은 3단계로 일어난다. 첫 단계(증식기 또는 유사분열기)에서 정조세포줄기세포(spermatogonial stem cell)는 수차례 유사분열(mitosis)을 통해 정조세포(spermatogonia)를 생산한다. 인간 정세관에 있어 적어도 세 가지 형태의 dark typeA, pale typeA 그리고 typeB정조세포가 존재하는데 dark typeA정조세포는 상대적으로 낮은 유사분열속도 때문에 정자줄기세포로 여겨지고 있다. 소수의 dark typeA정조세포가 유사분열을 거쳐 pale typeA 그리고 typeB정조세포로 분화한다. 이 중 소수의 B형정조세포가 분화하여 프렙토텐 또는 휴지기 일차정모세포(primary spermatocyte)를 형성하고, 이는 이후 둘째 단계인 감수분열기로 진입한다. 둘째 단계에서 배수체(diploid)인 정모세포는 감수분열을 통해 4개의 정자세포(spermatid)를 생산하고 이들 각각은 단일 염색체를 가지고 있다. 정자생산의 마지막 단계는 정자세포의 분화와 구조 변경이다. 정자형성 동안 정자세포의 염색질(chromatin)이 응축되고 핵은 골지체의 막성유도체들에 의해 둘러싸이게 된다. 첨단체(acrosome)는 정자가 난모세포의 외층을 뚫을 수 있도록 소화효소를 포함하고 있다. 세포질은 중심소체(centriole)에서 나온 편모(flagella) 주위를 길게 둘러싸게 되며 정자형성이 진행됨에 따라 대부분의 세포질은 잔유체(residual body)를 형성하여 없어지게 된다. 정자세포는 2개의 inner singlet과 9개의 outer doublet microtubule의 축구조복합체에 의해 꼬리를 생산하여 정자가 된다. 사람에서 정자생산에 걸리는 시간은 74일이다.

정자는 이후 부고환에서 21일을 보내면서 더 성숙되고 수정능을 획득하게 된다.

1) 생식세포발달의 호르몬 조절
정상 정자의 생산은 생식세포와 세르톨리세포, 라이디히세포, 뇌하수체성선자극호르몬인 LH, FSH의 협동작용에 의한다. LH는 G단백결합수용체에 작용하여 라이디히세포에서 테스토스테론을 생산하도록 자극한다. 높은 농도의 테스토스테론은 고환에서 정자생산을 시작하고 유지하는 데 필수적이다. FSH는 세르톨리세포에 작용하여 여러 단백질과 성장인자들 예를 들어 안드로젠결합단백질, 인히빈, 액티빈, 줄기세포인자, 플라스미노젠활성인자, 철결합글로불린, 황산화당단백질(sulfated glycoprotein), 젖산 분비를 자극하고 혈액고환장벽을 형성한다. 사춘기발달 동안 증가되는 FSH가 LH에 의한 라이디히세포의 자극을 감작시킨다. 일단 성인 고환에서 정자형성이 확립되면 세르톨리세포는 FSH에 덜 반응하게 된다.

사람에서 정자생산 조절에 있어서 FSH의 역할은 완전히 알려져 있지 않다. FSH는 사춘기에 정자 생산을 시작하게 하는 데 필요한 것으로 보인다. 일단 이러한 프로그래밍이 시작되면 LH 단독으로 정자 생산을 재시작하고 유지할 수 있다.

2) 사람의 정자 생산에서 Y염색체의 역할
사람의 Y염색체는 작은 가성보통염색체지역(pseudoautosomal region)이 존재하는데 이는 X염색체의 상동영역과 재결합한다. 나머지 Y염색체의 95%는 대략 65 Mb에 달하는데 이는 X염색체와 결합하지 않으며 이를 Y염색체의 남성특이지역(the male-specific region of the Y chromosome, MSY)이라 한다. Y염색체의 남성특이지역에는 9개의 Y특이 다중복제유전자패밀리를 포함하여 26개의 단백질 유전 정보가 156개 전사단위에 저장되어 있고 이는 고환특이적이고 정자 형성에 필수적이다. 무정자증이 있는 불임 남성의 약 15%와 정자부족을 보이는 남성의 6%에서 Y염색체의 미세결실(microdeletion)이 관찰된다.

6. 에너지균형과 생식기능의 연관성 및 추정 경로

정상생식기능은 적정한 영양 섭취를 요구한다. 칼로리제한과 이에 따른 체중의 감소뿐만 아니라 과다한 음식 섭취와 비만 또한 생식기능장애와 연관이 있다. 몸의 구성 특히 체지방량은 사춘기의 시작, 생식기간, 자녀의 수, 폐경나이에 영향을 미친다. 기근, 식사장애, 운동에 의한 체중감소는 생식기능에 영향을 준다. 여성에서 체중감소는 사춘기발달 지연, 월경의 멈춤, 성선자극호르몬의 분비 감소와 연관된다.

시상하부GnRH 분비를 조절하는 대사신호는 렙틴과 신경펩타이드Y를 통해 매개된다(그림 5-3-5). 렙틴은 지방세포에서 분비되는 호르몬으로 에너지 결핍 시 LH의 농도 감소와 동시에 혈중 농도가 감소한다. 또한 이러한 대상자에게 렙틴을 투여하면 LH의 분비가 정상화된다. 렙틴은 성선자극호르몬분비세포(gonadotropes)에서 NO 합성효소를 활성화하여 LH 분비를 자극한다. 렙틴은 또한 신경펩타이드Y 분비를 억제하는데 반면에 신경펩타이드Y는 렙틴과 GnRH 분비에 긴장성 억제효과를 가지고 있다. 렙틴은 또한 중저기저(mediobasal) 시상하부에서 NO생산을 자극하며, NO는 시상하부GnRH분비신경세포에서 GnRH 분비를 자극한다. 그러므로 NO자극 효과와 신경펩타이드Y 억제를 통한 렙틴의 실제적 효과는 뇌하수체 LH 분비와 시

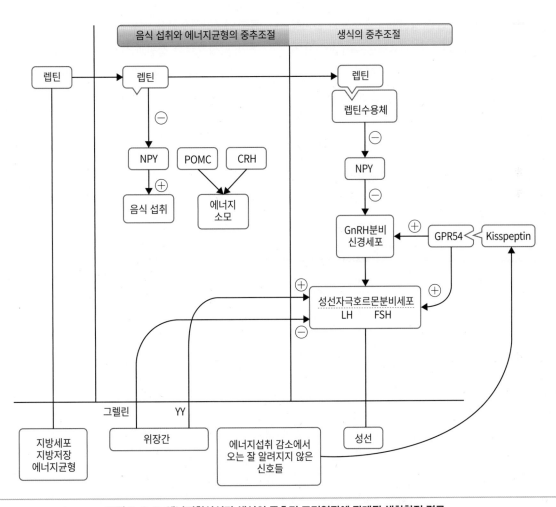

그림 5-3-5. 에너지항상성과 생식의 중추적 조절연관에 관계된 생화학적 경로

상하부의 GnRH 분비를 자극하는 것이다. 그렐린(Ghrelin)은 성장호르몬분비촉진수용체의 자연리간드로서 에너지 부족에 의한 생식기능 이상과 연관이 있는 것으로 여겨져 왔다. 위장관세포에서 분비된 그렐린은 LH 분비와 GnRH에 대한 LH반응, LH에 대한 테스토스테론반응을 억제하는데 이는 식욕과 성장호르몬 분비와는 부가적이고 독립적으로 나타난다. 폴리펩타이드 YY3–36은 위장관에서 분비되는 또 다른 호르몬으로 신경펩타이드수용체아형 Y2와 Y5에 결합하며 음식섭취를 억제하고 LH, FSH 분비를 증가시키며 GnRH에 대한 LH반응을 증가시킨다. 최근 클론된 G단백연관수용체54 (GPR54)는 에너지항상성 경로와 성선자극호르몬 분비조절 간의 연관신호체계에 중요한 역할을 한다. 생쥐에서 음식 박탈은 kisspeptin (GPR54리간드) 감소, GPR54 mRNA 발현 증가와 연관된다. 영양결핍모델에서 kisspeptin의 장기간주입은 성선자극호르몬의 분비를 야기하고 질 개방을 재기한다. 이들 자료들은 위장관에서 기인한 호르몬과 에너지저장이 GPR54수용체신호를 통해 생식기능의 중추적 조절에 중요한 역할을 함을 보여준다.

III. 고환질환

남성호르몬 결핍은 일차성선저하증(고환기능의 장애)과 이차성선저하증(시상하부 혹은 뇌하수체장애), 안드로젠불감성증후군(표적장기에서 안드로젠작용에 문제가 있는 경우)으로 나누어 볼 수 있다.

1. 남성일차성선저하증

일차성선저하증의 흔한 원인으로는 클라인펠터증후군, 치료받지 않은 잠복고환, 항암치료, 방사선 치료, 외상, 고환제거술 등이 있다(표 5-3-1).

1) 클라인펠터증후군

클라인펠터증후군은 매우 작고 단단한 고환과 무정자증 및 불임, 남성호르몬 결핍과 유사고자증(eunuchoidism), 상승된 성선자극호르몬 등을 특징으로 한다. 클라인펠터증후군은 가장 흔한 성염색체이상이며 일차성선저하증의 가장 흔한 원인이다. 출생 남아 500–1,000명당 1명꼴로 발생하고

표 5-3-1. 남성에서 낮은 테스토스테론수치와 연관된 경우들

흔한 경우	덜 흔한 경우	드문 경우
일차고환기능부전		
클라인펠터증후군 치료하지 않은 잠복고환	방사선, 항암치료, 고환염 외상 양측고환염좌 혹은 고환소멸증후군에 의한 무고환증 약물들(케토코나졸)	누난증후군 근육긴장퇴행위축 LH수용체 혹은 아단위돌연변이 제1형다분비선자가면역증후군
이차고환기능상실		
만성질환(HIV 감염, COPD, 말기신장질환), 중한질병, 고프로락틴혈증 약물(예: 아편, 합성대사스테로이드)	시상하부-뇌하수체종양 술, 마리화나 약물남용 두부 손상, 수술, 침윤성 질환(예: 혈색소침 착증, 유육종증, 조직구증) 심한 비만, 심한 운동, 식사장애	원인불명의 저성선자극호르몬성선기능저하 증, 칼만증후군 감염(예: 결핵) 뇌하수체졸중 프라더-빌리증후군
일·이차 모두		
노화, 술 중독증	혈색소증, 겸상적혈구병	선천부신저형성증(DAX-1 돌연변이)

가장 흔한 핵형은 47,XXY (93%)이나 46,XY/47,XXY, 48,XXXY, 48,XXYY, 그리고 49,XXXXY핵형도 보고되고 있다. 47,XXY를 가진 남성은 무정자증을 보이는 것으로 되어 있으나, 모자이크교잡형을 가진 경우 특히 어린 나이에는 고환에 생식세포가 있을 수 있다. 조직학적으로 정세관의 유리질화와 정자 생산의 부재를 보인다. 모자이크교잡의 경우 사춘기에 정상 크기의 고환과 정자 생산을 보일 수 있으나 사춘기 이후로 점차적인 퇴화와 정세관의 유리질화가 발생한다. 라이디히세포는 수는 증가하나 그 기능은 손상되어 있다.

47,XXY핵형의 클라인펠터증후군 환자는 일차생식세포의 감수분열 시 비분리염색체에 의해 발생하며 모계의 비분리가 약 2/3를 차지하고, 고령의 산모가 비분리의 위험인자로 알려져 있다. 대부분의 클라인펠터증후군 환자들은 진단되지 않고 살아가게 되는데, 남아의 경우 발달지연이나 행동이상을 검사하다 진단되는 경향이 있다. 성인 남성은 보통 성선기능저하증 혹은 불임을 검사하다가 진단된다. 아이들의 경우 보통 정상 사춘기발달을 거치는데 초기 사춘기에 고환생검을 하면 이배체생식세포가 관찰되나 사춘기가 진행되면서 소실됨을 볼 수 있다. 일반인과 비교해 클라인펠터증후군 환자는 전신홍반루푸스와 쇼그렌증후군, 유방암, 당뇨병, 비호지킨병, 폐암 발생위험이 높고 전립선암 발생위험은 낮다.

2) 잠복고환(Cryptorchidism)

잠복고환은 고환이 복강에서 음낭으로 불완전하게 하강할 때 발생한다. 발생학적으로 태아의 고환은 후복막강에 위치해 있다가 복강과 샅굴을 따라 이동한 후 임신8개월이 지나면서 음낭까지 내려오게 된다. 잠복고환증은 이러한 하강과정 중 어느 곳에 머물러서 불완전하게 내려온 상태를 말하는데, 드물게는 고환이 정상 하강경로를 벗어난 곳에 위치하거나 음낭까지 내려왔다가 다시 위로 올라가서 잠복고환의 형태로 나타나기도 한다. 만삭아의 약 3%와 미숙아의 30%에서 출생 시 최소 하나의 잠복고환이 관찰될 수 있으나 고환의 하강은 일반적으로 생후 첫 몇 주 이내에 완료된다. 잠복고환증의 발병률은 생후 9개월까지 지켜볼 때 1% 미만이다. 일반적인 편측성 및 양측성잠복고환에서는 남성호르몬의 결핍과 남성호르몬 내성은 동반하지 않고(정상테스토스테론수치) 단지 정자 생산에 이상만 관찰된다. 편측성잠복고환증 환자에서 사춘기 전에 교정된 경우에도 정자수 감소가 관찰된다. 또한 양측성잠복고환은 원발성선기능저하증(예: 클라인펠터증후군 및 누난증후군 등)과 이차성선기능저하증(예: 칼만증후군과 여러 선천기형 또는 결함과 관련된 복합유전질환(예: Prader-Labhart-Willi증후군 또는 Laurence-Moon-Biedl증후군 등), 남성호르몬 내성증후군(예: 라이펜슈타인증후군) 환자 등에서 관찰될 수 있다. 추가로 잠복고환 환자에서 악성종양, 불임, 서혜탈장 및 비틀림의 위험이 증가한다고 알려져 있다.

3) 항암치료의 성선독성

급성백혈병과 호지킨병 등의 혈액암이나 고환암에 대한 병용화학요법은 라이디히세포기능을 손상시키고 불임을 유발할 수 있다. 이 질환들의 발병 연령이 젊고 질병의 예후가 좋기 때문에 불임과 남성호르몬 결핍은 암화학요법의 중요한 장기합병증 중 하나이다. 성선기능장애의 정도는 화학요법제의 유형과 요법의 용량 및 기간에 따라 다르다.

알킬화제(싸이클로포스파마이드와 이포스파마이드, 프로카바진 등)는 특히 고환에 독성이 있다. 호지킨병 환자에서 MVPP (mustine, vinblastine, procarbazine, and prednisolone) 혹은 MOPP (mustine, vincristine, procarbazine and prednisolone) 같은 복합화학요법을 받을 경우 90%에서 프로카바진에 의해 무정자증이 발생하고 20–25%에서 낮은 테스토스테론과 높은 LH 농도를 보여 라이디히세포 손상이 의심된다. 새로운 치료법인 ABVD의 경우 프로카바진을 포함하지 않아 무정자증의 발생이 적다. 골수이식전의 고용량 화학요법은 역시 무정자증 또는 정자부족증 등을 야기할 수 있으며 대부분의 치료받은 환자에서 FSH의 상승을 볼 수 있다. 시스플라틴으로 대표되는 플래티넘계열 항암제를 포함하고 있는 복합 화학치료를 받은 고환암의 경우 대다수 사람들이 치료 후 정자 밀도의 감소를 보이나 5년 이상 생존한 환자의 80%에서는 정상정자 밀도를 보인다. 현재까지는 항암치료의 성선독성을 완벽히 막을 수 있는 방법은 없으며 항암치료 전 정자보관이 필요하고, 고환에 자가모세포이식에 대한 결과는 기대해 볼 수 있다.

4) 고환외상

고환은 복부 밖에 노출되어 있기에 외상을 받기 쉬우며 외부에서부터 음낭에 강한 충격을 받은 환자의 50%에서 고환위축이 발생할 수 있다.

5) 감염성고환염

볼거리, 에코바이러스, B군아르보바이러스, 림프구성맥락수막염이 고환위축을 야기한다. 볼거리감염경과 중 고환염은 바이러스에 감염된 남성의 약 25%가량에서 발생하며 침샘염발생 4–8일 후에 발생한다. 볼거리고환염 환자의 1/3에서 급성기가 지난 후 수개월에 걸쳐 고환위축이 점차 발생한다. 절반 이상의 환자에서 한쪽에만 발생하며 이 환자들은 감염 후 1–2년 내에 정자 밀도가 정상으로 돌아온다.

6) 사람면역결핍바이러스 감염

항레트로바이러스약물이 개발 전에는 사람면역결핍바이러스에 감염된 남성의 40–50%가 낮은 테스토스테론수치를 보였다. 하지만 최근 항레트로바이러스 약물치료를 받은 경우에서 20–30%에서만 낮은 총 테스토스테론과 유리테스토스테론 수치를 보였다. 사람면역결핍바이러스감염 환자에서 SHBG는 증가된다. 낮은 테스토스테론 수준을 보이는 사람면역결핍바이러스 감염 환자의 80%에서 낮거나 정상 LH, FSH를, 20%에서 증가된 LH, FSH를 보인다. 병태생리학적 기전은 복잡하여 시상하부–뇌하수체–고환축의 모든 수준에서 이상이 관찰된다. 사람면역결핍바이러스 감염 환자의 고환조직검사소견은 정세관구조의 소실, 유리질화, 생식세포의 소실, 단핵세포의 침윤이 관찰된다.

7) 무고환증(고환소멸증후군)

무고환증은 46,XY 표현형남성에서 고환조직이 없는 것을 말한다. 무고환증은 정상외부남성생식기, 정상볼프관구조를 가지고 있으며 뮐러관구조물 등은 없다. 이는 성분화의 결정적 시기에 고환이 존재하고 테스토스테론, 뮐러관억제인자를 분비하였음을 의미한다. 고환이 위축되고 사라지는 기전은잘 모른다. 가족들 내에서 발생하는 점, 46,XY 성선이 형성증과 연관되어 발생하는 점들은 고환의 결정 혹은 하강과 연관된 유전요인이 관여될 것임을 추측케 한다. 양측무고환증의 경우는 남성 20,000명당 1명, 일측무고환증의 경우 5,000명당 1명꼴로 발생이 보고되는데 이는 잠복고환으로 오인되는 경우가 있으므로 더 높을 것으로 생각된다. 46,XY 핵형을 가진 남성에서 고환이 만져지지 않을 경우 고환을 찾으려는 노력이 필요하다. 뮐러관억제물질, hCG자극검사와 테스토스테론 측정, 복부자기공명영상촬영이 복부고환을 찾는 데 도움이 된다. 만약 MRI촬영과 hCG자극검사가 복부고환 존재를 확인하는 데 실패하면 고환을 찾아 음낭에 고정시키기 위해 복강경검사나 심지어 개복술까지도 필요할 때가 있다.

8) 기타 일차고환기능부전 연관 질환

LH수용체유전자의 비활성돌연변이는 성선기능저하증과 라이디히세포형성저하증과 연관된다. 남성의 경우 46, XY 남성의 외부생식기 여성화에서부터 라이디히세포저형성증, 일차성선기능저하증, 지연된 성적발달까지 다양하게 나타난다. 고환조직검사는 긴정자세포(elongated spermatid) 단계에서 정자생산중지와 성숙라이디히세포의 결여를 보인다. 46,XX여성의 경우 이차성징의 정상 발달을 보이나 증가된 LH와 무월경을 보인다. 2p21 FSH수용체유전자의 기능 상실은 고성선자극호르몬난소발생장애와 연관이 있다. 핀란드 가족을 대상으로 한 결과는 C566T변이는 189번 위치의 알라닌이 발린으로 치환되면서 일차무월경, 난포발달 정지, 불임을 초래한다. 고환기능부전은 1형, 2형, 4형 자가면역다발내분비장애의 일부분으로 나타날 수 있다. 이들 환자들은 특징적으로 낮은 테스토스테론과 증가된 LH, FSH를 가진

다. 17a–탈수산화효소와 CYP측쇄 절단효소에 대한 항체가 발견된다. 다운증후군(21 세염색체) 남성의 경우 증가된 LH, FSH와 감소된 정자생산을 보인다.

2. 남성이차성선저하증(저성선자극호르몬성선기능저하증)

뇌하수체성선자극호르몬 LH와 FSH는 고환자극호르몬이기 때문에 뇌하수체성선자극호르몬의 분비장애는 저성선자극호르몬성선기능저하증을 유발한다. 따라서 저성선자극호르몬성선기능저하증 환자에서는 테스토스테론이 정상 이하로 감소되어 있고 그럼에도 불구하고 LH 및 FSH는 적절하게 정상 수치이거나 정상 이하로 감소되어 있다. 성선자극호르몬이 심하게 결핍되어 있으면 이차성징 발현이 없고, 성적영아증, 잠복고환, 요도하열 등이 관찰된다. 부분적 저성선자극호르몬이 있는 환자는 성발달이 지연되거나 정지되어 있다. 이차성선기능저하증 환자에서의 24시간 LH 분비프로파일은 이질적으로 LH펄스(pulse)빈도 또는 진폭에 다양한 이상소견이 관찰된다. 심한 이차성선기능저하증 경우 기저 LH가 낮고 LH펄스(pulse)가 없다. 이차성선기능저하증은 선천원인과 후천장애로 구분할 수 있다. 선천장애는 가장 일반적으로 GnRH 결핍과 관련되며, 이는 성선자극호르몬 결핍으로 이어진다. 후천장애는 선천장애보다 훨씬 더 흔하며 시상하부 또는 뇌하수체의 다양한 종괴 또는 침윤성 질환, 또는 약물의 영향, 영양 또는 정신장애 또는 전신질환으로 인해 발생할 수 있다.

1) 후천이차성선기능저하증
고프로락틴혈증, 만성질환, 노화, 아편유사제 등 약물들의 사용, 식사장애, 그리고 뇌하수체종양들이 이차성선기능저하증의 흔한 원인들이다.

고프로락틴혈증 환자는 테스토스테론 농도가 낮고 성선자극호르몬 농도가 낮으며 성기능장애(성욕감소 및 발기부전), 불임 및 여성형유방을 나타낸다. 고프로락틴혈증은 여러 가지 기전으로 남성호르몬 결핍을 초래한다. 고프로락틴혈증 환자에서 LH박동 분비빈도는 낮아져 있으며 이는 브로모크립틴 치료로 회복된다. 프로락틴 자체는 신경세포주에서 GnRH 유리를 억제한다. 또한 프로락틴은 성선조절장치(gonadostat)의 조절점(setpoint)에 영향을 미쳐 성선자극호르몬에 대한 성선반응을 억제할 수 있다. 큰 종양의 경우 종양 자체의 크기가 성선자극호르몬분비세포에 영향을 줄 수 있다.

(1) 노화
노화는 시상하부–뇌하수체–고환축의 모든 수준 즉, GnRH에 대한 LH반응, LH에 대한 테스토스테론의 반응에 영향을 준다. 또한, 노화는 이들 축의 양성과 음성되먹임 기전도 영향을 주어 테스토스테론의 감소 정도에 비해 LH의 증가정도가 적으며 이는 뇌하수체기능의 감소와 성선조절장치의 재조정을 시사한다. 따라서 노화에 연관된 테스토스테론 감소를 보이는 노인에서 혈청LH 수준은 정상이거나 약간의 증가를 보인다.

(2) 약물
암과 연관된 통증으로 인한 아편유사제의 사용과 헤로인 중독자, 메타돈(methadone)유지요법 환자들에서 낮은 테스토스테론과 LH, FSH가 관찰된다. 테스토스테론의 감소 정도는 약물의 용량, 제제의 종류와 연관이 있다. 부프레노르핀(bupronorphine)은 메타돈의 경우보다 테스토스테론 감소가 덜 한 것으로 알려져 있다. 기전은 잘 알려져 있지 않으나 아편이 내인테스토스테론에 대한 GnRH 분비 억제되먹임기전의 민감도를 변화시켜 낮은 테스토스테론에 대한 조절점을 재조정하여 GnRH 분비를 억제한다고 여겨지고 있다. 이러한 테스토스테론 감소는 임상적으로 성기능장애, 골다공증, 피로 증가, 불안과 우울, 근육 양과 힘의 소실, 삶의 질 감소와 연관된다.

(3) 영양

1945년 독일 점령 당시 네덜란드에는 음식이 많이 부족하게 되었는데 기근상태의 도시에 있는 50%의 여성들이 무월경을 경험하였고 임신율 또한 인근에 비해 53%까지 떨어졌다. 또한 이 도시들은 주산기 높은 사망률과 선천기형, 정신분열증, 비만이 증가하였다. 거식증의 경우 LH, FSH 분비가 사춘기 이전 수준의 분비를 보이며 GnRH에 대한 반응 또한 낮다. 식사를 잘하여 체중이 늘어나게 되면 이런 이상은 정상으로 돌아오게 된다. 젊은 남성에서 실험적 칼로리 제한이 생식기능에 미치는 효과를 본 미네소타실험의 경우 32명의 젊은 남성을 대상으로 필요한 열량의 2/3를 공급하면서 관찰하였을 때 이들은 평균 23%의 체중감소를 보였으며 이는 70%의 체지방과 24%의 제지방무게 손실을 가져왔다. 지속적인 몸무게의 손실은 전립선액과 정자운동성의 감소를 가져왔으며, 몸무게 손실이 25%에 가까워지자 정자생산 또한 줄어들었다. 모든 지원자에서 몸무게의 회복 후 상기 언급된 이상은 회복되었다. 기아, 영양실조 및 식사장애(신경성 식욕부진)는 성선자극호르몬과 테스토스테론 분비를 억제하여 이차성선기능저하증 유발하여 성욕 감소, 성적활동 감소 및 정자 생산 감소를 유발한다. 이러한 문제는 음식/칼로리 섭취 및 체중증가의 회복으로 호전된다. 3–5일 동안의 단식은 성선자극호르몬과 테스토스테론 분비를 억제하고 LH맥성 분비의 진폭과 빈도를 감소시킨다. 만성지구력운동은 낮은 혈청테스토스테론과 낮은 정상수치의 성선자극호르몬 농도를 보여 이차성선기능저하증의 특징이 보이며 정자 생산 및 정자운동이상이 동반된다. 시상하부–뇌하수체–고환축의 억제는 훈련을 중단하고 칼로리 섭취를 증가시키면 해결된다.

(4) 비만

비만은 순환하는 성호르몬의 혈청 수준, 분비패턴, 제거 등과 연관이 있다. 비만남성에서 총 테스토스테론의 변화는 SHBG의 변화 때문이다. 비만 정도와 반비례하여 SHBG은 변하는데 유리테스토스테론 수치는 반면에 정상 수치를 보인다. 비만은 고인슐린혈증을 유발하고 그 결과로 간에서 SHBG생산이 감소한다. 반면에 노화나 만성염증질환의 경우 SHBG이 증가한다. 그러므로 비만한 중년, 노인의 경우 지방의 효과는 연령과 질환에 의해 SHBG증가가 다소 경감된다. 고도비만을 보이는 남성의 경우 시상하부–뇌하수체축의 결함을 가질 수 있는데 이 경우 성선자극호르몬의 증가 없이 낮은 유리테스토스테론수치를 보인다. 비만한 남성에서 혈청에스트라디올수치가 증가될 수 있는데, 고도비만의 경우 매우 높은 에스트로젠이 GnRH와 성선자극호르몬 분비를 억제할 수 있다. 대부분의 비만남성에서 재조합LH에 대한 테스토스테론 반응은 정상을 보인다. 체중의 감소를 통하여 이차성선기능저하증에서 회복될 수 있다. 선천시상하부증후군들, multiple lentigenes syndrome, Laurence–Moon and Bardet–Biedel증후군, 코헨증후군, Borjeson–Forssman–Lehmann증후군, congenital ichthyosis, Lud증후군, cerebellar ataxia, opticoseptal dysplasia, 뫼비우스증후군은 비만을 동반하면서 저성선자극호르몬성선기능저하증이 관찰된다고 알려져 있다. 이러한 질환들에서 병태생리학적 기전은 잘 알려져 있지 않으며 진단은 이들 증후군과 연관된 특정 신체이상을 발견함으로써 진단할 수 있다.

2) 선천저성선자극호르몬성선기능저하증

선천저성선자극호르몬성선기능저하증은 GnRH맥발생(pulse generator) 또는 성선자극호르몬의 기능장애로 인해 성선자극호르몬 분비감소와 고환기능장애를 특징으로 하는 여러 질환을 통칭하여 지칭한다. 이 환자들의 대부분의 일차병소는 시상하부이며 성선자극호르몬 결핍의 원인은 GnRH 분비의 이상이다. 원인이 알려진 돌연변이가 아닌 경우 특발성저성선자극호르몬성선기능저하증(idiopathic hypo gonadotropic hypo gonadism, IHH)으로 진단하는데 이 환자의 10%에서는 테스토스테론 치료 후 성선자극호르몬 부족이 호전되기도 한다. GnRH 분비의 이상의 정도에 따라 이차성징 발현이 없고 성적영아증, 잠복고환, 요도하열 등이 동반할 수도 있고 다른 경우에서는 지연된 이차성징, 정상 생식능력을 보이기도 한다. 또한

IHH가 있는 소수의 남성은 정상적인 사춘기발달을 거친 후 성인기에 남성호르몬 결핍과 불임을 나타낼 수 있다. 시상하부와 연관있는 영양, 감정 또는 대사스트레스 등이 영향을 줄 수 있는 유전자의 이상이 있으면 이런 자극에 의해서 저성선자극호르몬성선기능저하증이 발생할 수 있다. 선천저성선자극호르몬성선기능저하증에서는 후각상실증 또는 후각저하만 보일 수 있으며, 다른 신체이상 즉, 말굽신장, 감각신경성난청, 고도비만, 과식증, 다지증, 망막색소변성, 정신지체 등도 동반되기도 한다.

선천저성선자극호르몬성선기능저하증 환자에서 대부분의 GnRH분비신경의 발달과 이동과 연관된 유전자의 돌연변이가 연관있지만 2/3 환자에서 유전자변이가 불분명하다. 가족성저성선자극호르몬성선기능저하증은 X-연관(20%), 보통염색체열성(30%) 또는 보통염색체우성(50%)형질로 유전될 수 있다. 선천저성선자극호르몬성선기능저하증과 관련된 유전결함은 편의상 후각상실증을 동반한 칼만증후군 또는 후각상실증을 동반하지 않은 선천저성선자극호르몬성선기능저하증으로 분류될 수 있다. 칼만증후군(Kallmann's syndrome)은 후각기원판으로부터의 후각신경의 형성과 GnRH신경의 이동과 관련된 하나 이상의 유전자돌연변이로 인해 발생할 수 있다. 따라서 KAL1의 돌연변이, 섬유모세포성장인자(FGF) 신호전달에 관여하는 유전자(FGF8, FGFR1, FGF17, IL17RD, DUSP6, SPRY4 및 FLRT3), NELF, PROK 신호전달에 관여하는 유전자(PROK2 및 PROK2R), WDR11, SEMA3, HS6ST1, CHD7 및 FEZF1은 칼만증후군 환자에서 관찰된다. X-연관된 IHH 경우 후각구 및 GnRH생성신경세포의 신경전구세포의 이동을 매개하는 단백질인 아노스민을 코딩하는 KAL1유전자의 돌연변이에 의해 유발된다. 이러한 환자는 GnRH 결핍과 후각저하, 신장 결함 및 거울 움직임을 포함한 신경학적 이상이 있다. Kallmann증후군과 연관된 섬유모세포성장인자 및 prokineticin 신호전달에 관여하거나 KAL1과 연관된 단백질은 대부분 GnRH신경세포이동을 촉진하는 세포외기질과 헤파린설페이트 글리코소미노글리칸화합물

과 상호작용한다. 생쥐배아에서 GnRH신경세포는 초기 후각기 원판의 상피세포에 나타나고 그 후 전뇌로 이동, 마침내 시상하부지역을 이동하게 된다. 이러한 관찰은 IHH가 LHRH신경세포의 비정상적인 이동의 결과로 오는 발달결손으로 여겨진다. MRI는 IHH 환자 중 무후각증, 후각기능감소와 연관이 있는 경우 후 각망울(bulb)과 후각로고랑(sulcus)이 매우 발달되지 않은 것을 보여준다. 무후각과 IHH를 가진 경우에서 섬유모세포성장인자수용체 1(FGFR1)의 돌연변이가 연관이 있다. FGFR1돌연변이의 혈연의 경우 보통염색체우성의 유전양식을 보인다.

기타 선천저성선자극호르몬성선기능저하증과 연관된 드문 유전증후군들로는 선천부신형성저하증과 관련된 DAX-1과 SF1유전자변이, GnRH수용체유전자변이, G단백수용체54돌연변이, 코외배엽 LHRH인자(NELF)의 돌연변이, 난포자극호르몬 신-아단위유전자를 부호화하는 유전자의 돌연변이, LH 산유전자의 불활성돌연변이, LH와 FSH유전자의 활성형돌연변이, 프라더-빌리증후군, 호메오영역(Homeobox) 전사인자의 변이로 인한 뇌하수체 발달장애, Rieger증후군, Lhx3유전자의 과오돌연변이들이 있다.

3. 고환질환의 진단

진단은 첫째로 전반적인 건강상태를 점검하여 전신질환, 식사장애, 생활형태의 문제점(예를 들어 과도한 운동, 술, 마리화나, 아편 같은 약물중독)을 확인한다. 둘째 단계로 총테스토스테론을 가급적 이른 아침 혈액채취를 통하여 측정하고 세 번째 단계로 안드로겐 결핍이 의심되는 경우 LH를 측정하여 원인이 시상하부-뇌하수체의 문제인지 고환 수준의 문제인지를 알아낸다(그림 5-3-6).

1) 병력청취와 신체검사
병력청취는 사춘기와 성장급증과 같은 발달단계에 초점을 맞추어 진행해야 한다. 또한 이른 아침 발기와 성적생각의 빈도와 강도, 자위 또는 성교의 빈도와 같은 안드로겐 의존

이벤트에 대해서도 병력청취가 진행되어야 한다. 성선저하 남성에서 안드로젠의존이벤트가 감소되지만 젊은 성선저하 남성에서는 성적인 시각자극에 반응하여 발기가 될 수 있음을 고려해야 한다. 또한 안드로젠 결핍을 가진 남성은 종종 에너지 감소와 우울감을 호소하기도 한다. 고자모양체형은 양팔의 길이가 키보다 2 cm 초과로 긴 체형으로 정의되며 이는 안드로젠 결핍이 성장판유합 전에 발생하였다는 것을 제시한다.

신체검사는 이차성징과 연관되어 있는 신체특성에(모발 성장, 여성형유방, 고환 부피, 전립선, 신장 및 신체비율) 중점을 두어야 한다. 얼굴과 겨드랑이, 가슴, 음모부위의 모발 성장은 안드로젠에 의존적이나 장기적이고 심한 안드로젠 결핍이 아니라면 눈에 띄지 않을 수 있다. 이는 인종적으로 차이도 있을 수 있다. 고환 부피는 프라더고환측정기(Prader orchidometer)로 가장 잘 평가된다. 고환의 길이는 3.5-5.5 cm로, 12-25 mL의 부피에 해당한다. 노화는 고환의 크기에 영향을 미치지 않으나 단단함은 점차 감소한다. 신체크기에 차이와는 독립적으로 아시아남성은 일반적으로 서유럽보다 고환의 크기가 작다. 고환의 덩굴정맥류는 불임과 연관이 있기 때문에 신체검진 시 환자가 서있는 상태에서 촉진을 통해 확인하여야 한다. Klinefelter증후군을 가진 환자는 고환 부피(1-2 mL)가 현저하게 감소되어 있다. 선천저성선자극호르몬성선기능저하증의 경우 고환의 부피는 성선자극호르몬 결핍의 정도와 치료에 대한 반응성을 예측할 수 있는 좋은 지표이다.

2) 성선자극호르몬과 인히빈 측정
LH와 FSH는 다른 뇌하수체 당단백질호르몬 및 사람융모성선자극호르몬(hCG)과 매우 낮은 교차반응성을 가지고

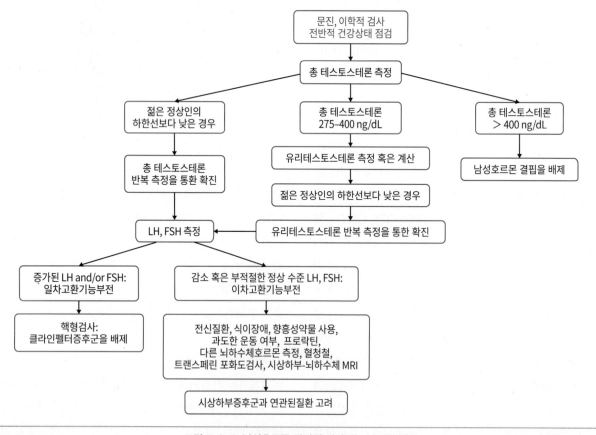

그림 5-3-6. 남성호르몬 결핍이 의심되는 남성의 진단

있고 성선자극호르몬성선기능저하증 환자의 낮은 농도에서도 잘 측정되는 민감도를 가지고 있는 two-site immunoradiometric, immunofluorometric, or chemiluminescent assays을 통해 측정한다. LH와 테스토스테론 측정을 통해서 일차 또는 이차성선저하증을 구분할 수 있다. 테스토스테론이 감소되어 있으면서 LH수치가 상승하면 고환 수준에서 일차성선저하증을, 낮거나 부적절하게 정상적인 LH수치는 시상하부-뇌하수체 수준에서의 이차성선저하증을 시사한다. LH는 매 1-3시간마다 박동성 분비를 하기 때문에 성선호르몬의 수치는 지속적으로 변동한다. 따라서 진단을 명확하기 위해서는 반복적인 측정이 필요할 수 있다. FSH는 더 긴 반감기를 가지고 있기 때문에 LH보다 수치의 변동성이 적다. FSH의 선택적 증가는 정세관의 질환을 시사하며 정세관에서 분비하며 FSH를 억제하는 인히빈B의 감소가 동반된다. 인히빈B는 α-βB 서브유닛을 가진 이합체로 two-site immunoassays로 측정한다.

3) GnRH자극테스트

GnRH자극테스트는 GnRH의 100 μg을 5 mL의 생리식염수에 희석하여 2-3분에 걸쳐 서서히 정맥주사하고, 주사 전과 후 30, 60분에 채혈하여 LH, FSH를 측정한다. 정상 판정은 기저치와 비교하여 LH는 10 IU/L 이상 및 FSH는 2 IU/L 이상 증가, 고환기능 소실 남성일 경우, LH 기저치 25 IU/L 이상일 경우 기저치비교 증가정도와 상관없이 판정한다. 사춘기전기 또는 심한 GnRH 결핍 시에는 GnRH의 단일주사로는 성선자극호르몬반응이 일어나지 않을 수 있다. 이는 뇌하수체가 내부 GnRH자극이 없어 성선자극호르몬 분비 준비가 되지 않았기 때문이다. 이 경우 GnRH에 대한 뇌하수체 응답성은 장기간 박동성 GnRH 투여에 의해 회복될 수 있다.

4) 테스토스테론

총 테스토스테론은 방사성면역 분석, 면역분석, 또는 액체크로마토그래피탠덤질량분석법(LC-MS/MS)에 의해 언바운드 및 단백질바인딩테스토스테론을 모두 포함하여 측정된다. LC-MS/MS는 낮은 농도에서도 테스토스테론 양을 민감하고 정확하게 측정할 수 있어 테스토스테론 측정에 가장 추천되는 방법이다. LH의 박동성 분비로 총 테스토스테론수치는 일중 변동하지만 공복 후 아침 채혈을 통한 총 테스토스테론 측정은 평균 테스토스테론 농도를 비교적 잘 반영한다. 노화와 비만, 당뇨병, 갑상선형진증, 특정 약물, 만성질환 등은 SHBG수치에 영향을 미쳐 총 테스토스테론 수치에 영향을 미칠 수 있다. 대부분의 테스토스테론은 SHBG와 알부민에 결합되어 있어 1.0-4.0%만이 유리되어 있어 유리테스토스테론 농도는 총 테스토스테론과 SHBG, 알부민수치를 이용하여 계산식으로 구할 수 있다.

5) hCG자극테스트

hCG자극테스트는 1,500-4,000 IU의 LH를 근육주사하고 주사 전과 후 24 및 48, 72, 120시간 테스토스테론수치를 측정한다. 다른 방법으로는 1,500 IU LH를 3일 연속 근육 주사 후 마지막 주사 24시간 후 테스토스테론수치를 측정하여 주사 전 테스토스테론수치와 비교한다. 정상 반응은 테스토스테론수치가 2배 이상 증가하는 것이다. 이차성징 발현 전 소아에서는 150 ng/dL 이상으로 테스토스테론이 증가하면 고환기능이 정상임을 의미한다.

4. 고환질환의 치료

남성호르몬 결핍 남성에서 치료목표가 남성호르몬 보충이라면 사춘기 전 남성호르몬 결핍 남성과 사춘기 이후 성호르몬 결핍 환자에서의 치료에는 차이가 없다. 반면에 치료의 목표가 생식능력 유도나 회복에 있다면 사춘기 전 남성호르몬 결핍 환자에서는 FSH와 LH 모두 활용한 치료가 필요할 수 있고 사춘기 이후 남성호르몬 결핍 환자에서는 LH만 활용한 치료가 필요하다. 테스토스테론 치료에 대한 대부분의 연구는 젊은 성선기능저하증 환자를 대상으로 한 위약 대조 없는 개방연구이고 소수의 무작위연구결과가 있지만 이 개방연구의 결과는 무작위연구결과와 일치한다.

사춘기발달이 이루어지지 않은 성호르몬 결핍 환자에서의 테스토스테론 치료는 얼굴 및 체모 성장, 목소리 변성, 근육 및 뼈 성장, 음경 확대 및 색소침착 등의 이차성징의 발달을 유도한다. 최근 체계적문헌연구와 메타연구에 따르면 테스토스테론 치료는 위약 대비 성호르몬 부족 환자에서의 성욕, 발기기능 및 성행위를 개선하였다. 하지만 테스토스테론 치료는 정상 테스토스테론수치 환자에서는 성기능 개선에 효과는 없다.

성선기능저하증남성에서 테스토스테론 치료는 골밀도와 골강도를 개선하지만 골절위험을 개선했다는 연구는 없다. 따라서 테스토스테론 치료는 승인된 골다공증 치료가 아니며 정상테스토스테론수치면서 골절위험이 높은 남성에서 골다공증 치료를 위해서 테스토스테론 단독치료를 하면 안 된다. 테스토스테론 치료 중인 성선기능저하증남성에서는 골절위험이 높으면 골다공증 치료를 동시에 진행해야 한다. 반면에 골절위험이 높지 않은 성선기능저하증남성에서는 테스토스테론 치료를 시작하는 경우 골다공증 약물치료를 동시에 시작하지 않고 1–2년 후 골밀도를 측정하여 테스토스테론 치료의 반응에 따라 골다공증 약물치료 시작을 고려할 수 있다. 성선기능저하증이 있는 남성의 테스토스테론 치료는 지방제외질량과 근력을 증가시키고 전신 및 내장, 근육내지방량을 감소시킨다. 건강하고 거동이 제한된 노인남성을 대상으로 한 위약대조연구에서 테스토스테론 치료는 위약에 비해 지방제외질량, 근력 및 일부 수행기반 신체기능 측정에서 더 큰 개선을 보였다. 하지만 보행속도 또는 장애 개선에서는 일관적인 개선이 관찰되지 않았다.

테스토스테론 치료가 정맥혈전색전증 위험을 증가시킨다는 근거를 약물역학 및 환자대조연구, 메타분석에서는 확인되지 않았다. 하지만 테스토스테론 치료의 무작위대조연구에서 정맥혈전색전증위험을 적절히 평가하기에는 정맥혈전색전증사건이 너무 적었다. 사례 일련연구에 따르면, 적혈구 증가증이 없는 경우에도 테스토스테론으로 치료를 받은 환자에서 정맥혈전색전증 위험이 증가한다는 보고가 있었고 이후 FDA에서는 모든 테스토스테론제제에 대한 처방 정보에 정맥혈전색전증 위험에 대한 경고를 추가할 것을 요구하였다.

1) 테스토스테론제제 및 각 제제의 임상약물학적 특성

(1) 주사용 테스토스테론 에스터

테스토스테론의 17β–수산화 위치에 에스터화하여 분자를 소수성으로 만들어 작용 시간을 연장시켰다. 측쇄길이가 길수록 소수성이 증가하여 작용시간도 길어지게 된다. 테스토스테론 에난쎄이트(enanthate)와 씨피오네이트(cipionate)가 프로피오네이트(propionate)보다 길게 작용한다. 200 mg 테스토스테론 에난쎄이트 혹은 씨피오네이트를 근육내주사 후 24시간 내에 혈청테스토스테론수치는 높은 정상 혹은 생리적수치 이상의 범위로 증가되어 이후 2주간에 걸쳐 성선기능저하 수준의 범위까지 서서히 감소한다. 혈청테스토스테론수치가 높고 낮음이 반복되게 되고 이러한 변화에 따라 환자의 기분, 성적욕구, 성적행동 및 에너지 변화가 있을 수 있다. 테스토스테론 에스터 투여로 인해 혈청에 스트라다이올과 다이하이드로테스토스테론 농도는 증가되는데 에스트라다이올/테스토스테론비율과 다이하이드로테스토스테론/테스토스테론비율은 정상이다. 적절히 추적관찰하면 주사용 테스토스테론 에스터는 용량을 적절히 조절할 수 있고 큰 부작용 없이 사용할 수 있고 가장 저렴한 제제이다. 주사형 테스토스테론 운데카노에이트는 한번 근주 후 12주까지 정상 테스토스테론수치를 유지시킨다. 초기 1 g을 근주 후 6주 후 이차 1 g을 주사하며 이후 매 12주마다 1 g을 근주한다. 상대적 장점은 장기간 작용한다는 점과 혈청테스토스테론의 변동 폭이 에난쎄이트나 시피오네이트에 비해 크지 않다는 장점이 있으나 많은 양의 기름성분과 같이 투여하므로 불편한 점이 있다.

(2) 테스토스테론 겔

매일 피부에 적용하면 성선저하증 환자에서 정상의 중간정도수치로 혈중 테스토스테론을 유지할 수 있다. 평균 총 및 유리테스토스테론수치는 24시간 동안 일정한 편이다. 권고용량으로 시작하고 혈청테스토스테론수치에 따라 용량을 조정한다. 적용이 쉽고, 눈에 잘 띄지 않으며, 용량 조정이 용이한 장점이 있으나 성관계자나 밀접한 접촉을 한 어린이에게 전달될 가능성이 있다는 단점이 있다. 치료 시 혈청DHT/테스토스테론 비율이 성선기능저하증 환자에서 정상 성기능 남성보다 높다. 피부자극과 이상반응 발생은 낮다.

(3) 경피테스토스테론패치

한 개 혹은 두 개의 5 mg 비생식기 테스토스테론패치를 음낭 이외의 피부에 부착한다. 패치를 부착 후 4–12시간에 혈청테스토스테론과 에스트라다이올수치는 정상의 중간수치가 된다. 이는 생리적 수준의 다이하이드로테스토스테론수치를 보이며 경우에 따라서 하루 2개의 패치를 사용해야 목표치의 테스토스테론에 다다를 수 있다. 몇몇 환자에서는 피부자극반응이 있을 수 있다.

(4) 구강접착형 테스토스테론

구강접착형 30 mg 테스토스테론 정제로 일정한 속도로 분출되며 12시간마다 입안 점막에 적용한다. 16% 환자에서 잇몸 문제가 발생한다.

(5) 경구투여 테스토스테론

테스토스테론은 경구투여 시 잘 흡수되지만 전체 순환체계에 들어가기 전에 빨리 대사되어버린다는 단점이 있다. 17α–알킬화유도체는 간에서 대사되는 것을 막아준다. 그러나 이는 간독성이 있어 권고되는 치료는 아니다. 테스토스테론 운데카노에이트(undecmoate)는 올레산으로 경구투여 시 림프계를 통해 흡수되어 일차 간 통과 시 파괴되는 것을 막을 수 있다. 보통 40–80 mg을 하루 두 번 혹은 세 번 투여한다. 임상반응은 다양하다. 혈청다이하이드로테스토스테론/테스토스테론 비가 상승한다.

(6) 테스토스테론환약(pellets)

테스토스테론환약을 피하에 심는 방법은 200 mg 4–6개 정도를 심는 것으로 혈청테스토스테론치를 정상의 중간치에서 높은 정상치까지 약 6개월간 유지할 수 있다. 이는 삽입을 위해 피부절개가 필요하고 배출과 투여자리의 섬유화 등의 문제점이 있다.

(7) 새로운 안드로젠제형

좀 더 좋은 약물역동학과 더욱 선택적인 작용을 가진 새로운 안드로젠제형들로 biodegradable testosterone microsphere제형, long–acting testosterone ester, testosterone buciclate, testosterone undecanoate, 7–α–메틸–19–노르테스토스테론, 비스테로이드성선택적안드로젠수용체조절제(SARM)가 개발 중에 있다.

2) 테스토스테론 치료의 금기증

테스토스테론은 전이된 전립선암 혹은 유방암의 경우 종양을 키울 수 있어 금기이다. 테스토스테론 치료 시 위험성이 높은 경우는 진단되지 않은 전립선결절 혹은 경결, 설명되지 않은 PSA 증가, 기저 PSA수치가 > 3 ng/mL인 경우, 적혈구증가증, 적혈구용적률 > 50%, 미국비뇨기과학회의 전립선비대증증상이 심한 경우/국제전립선증상점수 > 19점, 불안정한 심한울혈성심부전Class III 혹은 VI, 단기간 사이에 임신계획이 있는 경우이며 이 경우 치료는 신중해야 한다.

3) 테스토스테론 치료와 관련된 부작용들

건강한 젊은 성선저하증 환자에서 테스토스테론 치료 시 부작용은 적다. 가장 흔한 테스토스테론 치료와 관련된 부작용들은 적혈구증가증, 여드름, 기름진 피부, 유방통이 있다. 비록 여성형유방, 폐쇄수면무호흡의 유도와 악화가 보고되고 있으나 빈도는 낮다(표 5–3–2). 생리적 수준 이상과 이하의 테스토스테론수치는 심혈관질환의 위험 증가와 연관이 있는 것으로 여겨지나 결론을 내리기에는 이른 감이 있다. 무작위임상시험에서 테스토스테론 치료의 동맥경화

표 5-3-2. 테스토스테론 보충 시 잠재적 부작용들

연관성이 확실한 것
• 적혈구증가증
• 여드름과 기름진 피부
• 무증상전립선암의 발견
• 전이된 전립선암의 성장
• 정자 생산 및 운동성의 감소

연관성이 약하게 있는 것
• 여성형유방
• 남성형탈모(가족성)
• BPH증상의 악화
• 폐쇄수면무호흡의 유도 혹은 악화

제형-특이적

경구정제
- 간기능이상(메틸테스토스테론)
- HDL 콜레스테롤의 감소(메틸테스토스테론)

펠릿이식
- 감염, 흉터, 방출

테스토스테론 에난쎄이트 혹은 씨피오네이트의 근주
- 기분과 성욕의 기복이 심함
- 주사부위의 통증
- 적혈구증가증(특히 노인의 경우)

경피패치
- 적용한 곳의 피부반응

경피 겔
- 다른 사람과 피부접촉을 통한 테스토스테론 전달위험(배우자 등)

구강접착형 테스토스테론
- 입맛의 변화
- 잇몸의 자극

진행과 심혈관계 사고발생률에 관한 효과는 아직 관찰되지 않았다.

4) 테스토스테론요법 중 추적

테스토스테론 치료를 받는 경우 3개월 후, 그 후 매년 증상개선의 유무와 부작용 조기발견을 위해 표준화된 감시계획을 이용하여 추적검사해야 한다. 치료는 정상의 중간정도 수치로 혈청테스토스테론을 유지하는 데 목표를 둔다. 일차고

환기능부전 환자에서 성적기능과 임상개선을 가져오는 농도의 테스토스테론이 혈청LH를 정상화 시키진 못한다. 그러므로, 안드로겐 결핍 환자에서 테스토스테론 치료 시 LH는 치료의 적절함을 감시하는 데 사용되지 않는다. 혈색소, 혈구용적률, PSA, 수지전립선검사는 일반적인 건강검사와 더불어 일정 기간마다 실시하여야 한다(표 5-3-3).

한편, 혈청PSA 농도가 4.0 ng/mL 이상인 경우, 테스토스테론 치료 12개월 내 어떤 때라도 혈청PSA 농도 증가가 1.4 ng/mL 이상인 경우, 수지직장검사에서 전립선이상이 발견될 때, 하부요로 증상 악화 시 경우 비뇨기과에 진료의뢰가 고려되어야 한다.

IV. 여성형유방

여성형유방은 남성에서 젖샘조직의 양성증식으로 유방이 커지는 것을 말하며, 이는 단순한 지방조직이 축적되는 것과 감별해야 한다. 일반적으로 양측성으로 나타나지만 크기가 비대칭이고 증상이 다양할 수 있다. 일측유방종대가 관찰되면 유방암의 가능성이 있기 때문에 반드시 감별해야 한다. 여성형유방은 에스트로겐과 안드로겐의 불균형으로 에스트로겐/안드로겐 비율이 증가되어 발생한다. 심한 여성형유방을 보이는 경우라 하더라도 유즙 분비는 드물다. 이러한 이유는 유방상피세포의 젖샘으로의 분화를 위해서는 프로제스테론의 존재가 필요한데 남성에서는 그 수치가 낮기 때문이다.

1. 남성에서 에스트로겐 생산

남성의 경우 95% 이상의 에스트로겐은 테스토스테론과 안드로스텐다이온의 고환외조직(대부분 지방과 피부)에서 전환되어 생산된다. 하루 생산되는 에스트라다이올과 에스트론은 각각 45 μg과 65 μg이다. 약 7 μg의 에스트라다이올은 고환에서 직접 분비되며 17 μg은 테스토스테론의 말초 전환

표 5-3-3. 테스토스테론요법 중 감시

1. 치료시작 후 3개월째와 그 후 매년마다 치료에 대한 증상의 반응과 부작용의 발생 여부를 검사
2. 치료시작 후 2–3개월에 테스토스테론수치를 측정: 치료의 목표는 혈청테스토스테론 수준을 정상의 중간값으로 한다. • 주사용 테스토스테론 에난쎄이트 혹은 시프로에이트: 주사 후 다음 주사 중간에 혈청테스토스테론 측정, > 700 ng/dL 혹은 < 350 ng/dL시 용량과 빈도를 조절 • 경피패치: 패치부착 후 3–12시간 뒤 테스토스테론 측정, 정상의 중간값에 도달하기 위해 용량조절 • 구강접착형 테스토스테론: 새 정제 투여 직전이나 직후에 혈청수치 측정 • 경피 겔: 적어도 일주일간 치료 후 아무때나 측정, 정상의 중간값을 목표해서 용량조절 • 경구테스토스테론 운데카노에이트(*): 복용 후 3–5시간 후 혈청 측정 • 주사용 테스토스테론 운데카노에이트(*): 투여 전에 혈청을 측정하여 투여간격을 결정
3. 혈구용적률을 기저, 3개월, 그 후 매년 측정할 것. 만약 혈구용적률이 54% 이상이면 안전한 수준(50% 미만)까지 내려갈 동안 치료를 중단하고 저산소증과 수면무호흡에 대해 검사하며, 안전 수준에 도달 시 감소된 용량으로 치료를 시작한다.
4. 요추 그리고/혹은 고관절경부위의 골밀도를 골다공증이나 약한 외상에 의한 골절을 가지고 있는 성선저하증 환자에서 테스토스테론 치료를 시작 후 1–2년 후 측정
5. 수지직장검사, PSA 측정을 시작 시, 3개월 후에 실시하며 그 후에는 각각의 나이와 인종에 맞는 전립선암 선별검사 방법에 맞추어 실시한다.
6. 매 방문 시마다 제형–특이부작용을 검사: • 구강접착형 테스토스테론: 입맛의 변화와 잇몸, 구강 점막의 자극을 검사 • 주사용 테스토스테론 에스터: 감정과 성욕의 동요에 대해 질문 • 테스토스테론패치: 부착한 부위에 피부반응 확인 • 테스토스테론 겔: 소아나 여성에게 전달될 수 있으므로 도포한 부위를 옷으로 감싸거나 피부 접촉을 실시하기 전 비눗물로 씻어내도록 한다. 혈청테스토스테론 수치는 도포 후 4–6시간 이후에는 씻더라도 유지된다.

*: 미국에서는 사용이 인정되지 않음

에 의해, 22 μg은 17β–하이드록시스테로이드탈수소효소의 작용에 의한 에스트론의 17-케토 환원으로부터 유래된다.

2. 여성형유방의 원인질환들

신생아의 20–30%에서 일시적인 여성형유방을 보이며 이는 태반을 통과한 산모의 에스트로젠이 작용한 결과이다. 사춘기 동안 여성형유방이 흔한데 이는 고환의 테스토스테론 생산이 완전하지 않은 시기인 초기 사춘기에 에스트로젠 증가가 테스토스테론보다 높아 에스트로젠/테스토스테론 비율이 증가하여 발생하기 때문이다. 대부분의 경우 사춘기가 진행되면서 좋아져 21세까지는 정상으로 회복된다. 여성형유방의 발생은 노화와 체질량지수 증가에 따라 발생이 증가하는데 이는 지방세포에서 방향화효소활성도가 증가하기 때문이다. 노화가 진행되면서 테스토스테론수치는 감소하고 SHBG은 증가하며 말초조직에서의 방향화가 증가되며 이러한 결과는 에스트로젠/안드로젠 비율을 증가시킨다. 나이든 사람에서 에스트로젠 증가는 지방조직에서 CYP19 활성도의 증가와 연관이 있다. 여성형유방과 연관된 질환들은 표 5-3-4와 같다.

3. 여성형유방의 진단

대부분의 여성형유방의 경우는 양성경과를 취하므로 모든 여성형유방남성에서 자세한 진단검사는 적용되지 않는다. 하지만 마른 남성에서 최근에 발생하고 빠르게 진행하며 통증이 있으면서 상당히 큰 유방조직이 있을 경우에는 자세한 검진이 필요하다. 진단검사는 자세한 약물 복용력, 고환검

표 5-3-4. 원인들과 병태생리학적 기전들

생리적 여성형유방
• 신생아 • 청소년기 • 노년기
병적 여성형유방
테스토스테론의 결핍 • 선천결손 • 선천무고환증 • 클라인펠터증후군 • 안드로젠저항 • 테스토스테론 합성의 결손 • 이차적고환기능부전(바이러스성고환염, 외상, 거세, 신경학적, 육아종성질환, 신부전)

에스트로젠 생산과잉
• 고환의 에스트로젠 과잉생산
  - 고환종양
  - 기관지폐암
  - hCG생산종양
  - 진성반음양증
• 고환외 방향화효소의 기질 증가
  - 부신질환
  - 간질환
  - 기아
  - 갑상선중독증
• 고환외방향화효소의 증가
• 약물
  - 에스트로젠이나 에스트로젠과 같은 작용이 있는 약(디에틸스틸베스테롤, 에스트로젠 함유 화장품, 피임제, 디기탈리스, 에스트로젠
    함유 약품, 식물에스트로젠)
  - 에스트로젠 합성을 촉진시키는 약(성선자극호르몬방출호르몬, 클로미펜)
  - 테스토스테론 합성이나 작용을 억제하는 약(케토코나졸, 메트로니다졸, 시메티딘, 에토미데이트, 알킬화약물, 시스플라틴, 플루타마이
    드, 스피로놀락톤)
  - 기전 미상의 약(부설판, 이소니아지드, 메틸도파, 칼슘통로차단제, 캡토프릴, 삼환계항우울제, 페니실라민, 다이아제팜, 마리화나,
    헤로인)
  - 원인불명의 여성형유방

사, 이차성징의 평가, 간기능, 혈청테스토스테론, 에스트라다이올, 안드로스텐다이온, LH, hCG를 측정한다(그림 5-3-7). 만약 고환이 작으면 핵형검사를 실시하여 클라인펠터증후군을 감별해야 한다. 진단은 절반 이하의 환자에서 가능하게 되는데 이는 에스트로젠/안드로젠 비율의 변화가 종종 크지 않기 때문이다. 클라인펠터증후군의 경우에서 유방암이 증가하며 일차고환기능이상과 고에스트로젠 남

성에서 유방암의 상대적 위험도가 증가하나 절대적 증가는 작다.

4. 여성형유방의 치료

사춘기 여성형유방은 일반적으로 1–2년 내에 치료 없이 자연적으로 소실되며 약 90%의 경우 18세까지 소실된다. 일

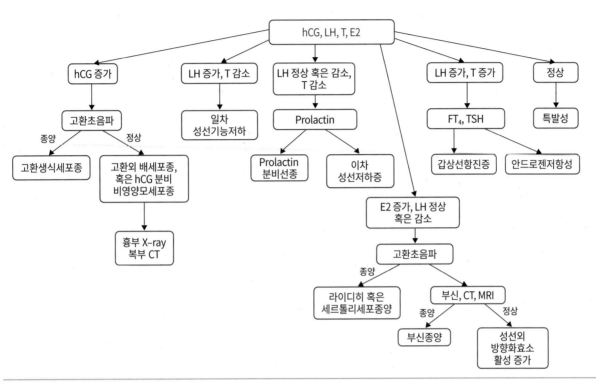

그림 5-3-7. 여성형유방의 감별진단

차원인이 진단되고 치료되면 수개월 내에 호전된다. 만약 여성형유방이 1년 이상 지속하게 되면 완전한 회복은 어려워 수술치료만이 효과적이다. 수술의 적응증은 정신적, 미용적 문제가 심각하거나 유방조직이 지속적으로 커지거나 통증이 있는 경우 혹은 암이 의심되는 경우이다. 통증이 지속되는 여성형유방 환자의 경우 항에스트로젠제제인 타목시펜(tamoxifen, 20 mg/d) 사용이 2/3 환자에서 통증을 줄이고 유방을 줄인다. 소규모시험에서 에스트로젠수용체 대항제인 타목시펜과 랄록시펜이 사춘기 여성형유방이 있는 남성의 유방크기를 줄인다는 보고가 있었지만 유방 확대가 완전히 정상화되는 것은 드물었다. 방향화효소억제제는 여성형유방 초기 증식기에 효과적일 수 있으나 여성형유방이 있는 남성을 대상으로 한 무작위시험에서 astrozole은 유방크기를 줄이는 데 위약보다 더 효과적이지 않았다. 타목시펜은 항안드로젠요법을 받고 있는 전립선암 남성의 유방 확대 및 유방통증의 예방 및 치료에 효과적이다.

V. 성호르몬작용에 문제가 있는 경우

테스토스테론은 호르몬으로서 역할을 할 뿐만 아니라 많은 조직에서 두 활성대사산물 즉, 에스트라다이올 17β-와 5α-DHT로 전환되어 작용한다. 그러므로 안드로젠수용체 변이, 스테로이드 5α-환원효소변이, CYP19 방향화효소변이, 에스트로젠수용체변이가 있는 경우 안드로젠 작용이 장애를 받게 된다.

1. 안드로젠수용체유전자돌연변이

완전안드로젠불감증 환자의 경우 남성거짓남녀한몸증(male pseudohermaphroditism)을 보여 여성형외관과 잘 발달된 유방, 여성외부생식기, 막힌 질주머니(blind vaginal pouch), 안드로젠에 민감한 부위의 체모가 없게 된다. 뮬러관에서 유래한 내부 구조물들이 없으며, 자궁, 경부, 나팔관이 없고 볼피안구조 또한 없다. 이 환자들은 주로 일차무월경으로 병원을 찾게 된다. 때때로 하강하지 않은 고환이 서혜관(inguinal cannal)에 남아 있어 이를 서혜부 탈장으로 오인되어 검사하다 발견되기도 한다. 이 질환은 X연관열성으로 유전되며 1/3 환자에서 가족력이 없이 새로이 발생한다.

부분안드로젠불감증의 경우 다양한 표현형을 보일 수 있다. 남성표현형에 요도하열증, 여성형유방, 불임과 같은 경한 이상을 보이는 경우 Reinfenstein증후군이라 한다. 다른 환자의 경우는 불분명한 외부성기, 혹은 큰 음핵과 외부 여성생식기의 다양한 정도의 융합을 보이는 외부표현형 여성을 보이기도 한다. 완전한 남성화와 정상 호르몬 수준을 보이는 불임 남성에서 안드로젠수용체불감증이 진단되기도 한다. 46,XY핵형과 안드로젠수용체변이를 가진 환자는 증가된 테스토스테론, LH, 에스트라다이올수치를 보인다. 그러나 혈청테스토스테론/다이하이드로테스토스테론비율과 테스토스테론/에스트라다이올비율은 정상이다. 정상테스토스테론/다이하이드로테스토스테론비율이 5α-환원효소변이(이 경우는 높은 비율을 보임)와 감별점을 제공해준다. 대부분의 부분 혹은 완전 안드로젠불감증 환자들은 안드로젠수용체유전자의 DNA결합구역과 안드로젠결합구역을 부호화하는 엑손 2-8에 몇 곳 점돌연변이를 가지고 있어 아미노산치환이나 조기 정지부호가 발생한다. DNA결합도메인의 변이는 안드로젠수용체단백질이상을 가져오고 이는 정상적인 호르몬결합을 보이나 전사활성도가 감소하게 된다. 리간드결합 도메인의 변이는 호르몬 결합이 감소되거나 없게 된다. 안드로젠불감증이 환자에서 변이가 발견되지 않은 경우 안드로젠수용체의 AF-1부위에 작용하는 보조활성화단백(coactivator)의 결손을 생각해 볼 수 있다. 안드로젠수용체유전자의 엑손 1에 있는 polyglutamine과 poly glycine을 부호화하는 CAG 반복과 CGA 반복 트랙의 길이는 안드로젠수용체단백질의 전사활성도와 역의 상관성을 보인다. 비정상적인 길이의 polyglutamine 트랙(> 40 glutamine)은 케네디병이라 알려진 척수연수근위축증 (spinal and bulbar muscular atrophy)과 연관이 있다.

2. 스테로이드 5α-환원효소 유전자돌연변이

보통염색체열성 제2형스테로이드 5α-환원효소 결핍은 전형적으로 46,XY남성으로 고환을 포함한 정상내부구조를 가지나 출생 시 애매한 외부생식기나 여성형태의 외부생식기를 가진다. 사춘기에 부분남성화가 발생하여 어려서 여성으로 자란 경우에도 경우에 따라서 남성으로 여겨지기도 한다. 선천제2형5α-환원효소 결핍의 경우 사춘기에 낮거나 정상의 DHT 수준을 보이며 이러한 이유는 제1형동종효소 역할 혹은 제2형동종효소의 남아 있는 낮은 활동도 때문이다.

3. CYP19 방향화효소 유전자돌연변이

C19성호르몬이 C18에스트로젠으로 전환되는 단계에 관여하는 효소로서, 테스토스테론은 에스트로젠으로의 전환을 통해서 섬유골의 흡수, 뇌의 성적분화, 혈청지질, 동맥경화의 진행, 뼈끝면융합, 몇몇 형태의 행동에 관여한다. 방향화효소유전자변이는 여성에서 남성형태를 띠게 하고 여성으로의 사춘기발달을 막으며 높은 안드로젠, LH, FSH와 다낭난소증후군, 큰 키를 나타낸다. CYP19 변이를 가진 남성의 경우 뼈끝융합이 지연되어 큰 키와 환관형외모를 보이며 골다공증, 증가된 골전환율, 정자 생산과 수정 등의 장애를 보인다. 이러한 남성들은 정상이거나 증가된 테스토스테론수치와 증가된 LH, FSH, 두드러지게 감소된 에스트라다이올수치를 보인다. 환자는 당불내인성과 고인슐린혈증을 보인다.

4. 에스트로젠수용체 α유전자의 불활성변이

에스트로젠저항을 보이는 일례가 보고되어 있으며 이 남성의 경우 큰 키에 사춘기 이후 성인기에도 성장이 지속되었고 골단이 융합되지 않았으며 골다공증, 정상외부남성생식기, 정상 테스토스테론 수준을 보이고 증가된 에스트라다이올, LH, FSH를 보였다.

VI. 남성불임과 수정능 감소

WHO는 남녀가 월경주기 중 임신 가능한 시기에 정상적인 성관계를 12개월간 가졌음에도 임신되지 않은 경우 불임이라 정의하였다. 불임 치료를 찾는 경우는 대략 4-17% 정도이다. 모든 쌍의 3-4%는 의지와 상관없이 일생 동안 자식을 가지지 못한다. 임신 가능성은 한 주기에 약 20% 정도이며, 1년 85-90% 정도이다. 12개월간 임신하지 못할 경우 다음 36개월 동안 55%가 출산을 하며, 불임의 기간이 4년을 넘어설 경우 매달 임신율은 1.5%로 감소된다. 불임의 약 20%에서 일차문제는 남성에 있으며 26%에서는 남녀 공히 문제가 있어 남성이 불임원인의 반 이상을 차지하는 것으로 보고되고 있다.

1. 원인과 병태생리

불임 남성의 15-20%는 무정자증이며, 10% 정도는 mL당 백만 개 미만의 심한 정자부족증이다. 약 40-60%의 남성에서는 불임의 근본 원인을 찾지 못하며, 대부분의 불임 남성은 원인 미상의 정자부족증을 가진다.

1) 불임과 연관된 유전질환

(1) 성선자극호르몬 분비 및 기능장애와 연관된 유전질환

성선자극호르몬 분비 및 기능장애와 연관된 질환들은 "성선저하증" 부분에서 자세히 다루었다.

(2) 정자 생산의 일차장애
① 성염색체장애

불임 남성의 5% 가량이 염색체이상을 가진다. 이 중 대부분이 성염색체에 이상이 있으며(약 4%) 나머지 1%가량이 상염색체와 연관되어 있다. 불임 남성에서 성염색체와 보통염색체 이상은 일반인에 비해 각각 15배와 6배 많다. 이 중 클라인펠터증후군이 남성불임과 연관된 가장 흔한 염색체이상이다.

② Noonan증후군, 남성터너증후군

46, XY 핵형을 가지고 남성외부생식기를 보이며 터너증후군의 임상징표를 보인다. 고환의 크기는 축소되어 있으며 테스토스테론수치는 낮다. 잠복고환이 흔하며 불임 경향을 보인다.

③ XYY증후군

감옥이나 정신병원수용자 중 큰 키와 결절낭포여드름을 보이는 남성에서 47, XYY가 높은 빈도로 존재한다. 낮은 지능과 낮은 교육 수준을 보인다.

④ 혼합성선발생장애(Mixed gonadal dysgenesis)

보통 45, X/46, XY 핵형을 보이며 한쪽에는 고환을, 다른 한쪽에는 흔적성선을 가진다. 외부생식기는 다소 애매하다. 남성표현형을 보이는 혼합형성선발달장애 환자의 경우 복강내고환을 종종 가지는데 이 경우 라이디히세포는 정상이나 생식세포는 없거나 감소되어 있다. 이러한 경우 성선종양 발생이 높다.

⑤ XX남성

남성적인 모습과 정상모양의 고환을 가지며 무정자증을 보이고, LH, FSH는 증가되어있다. 경우에 따라서는 SRY (sex-determining region Y)유전자가 있는 Y염색체의 일부가 X염색체 혹은 보통염색체에 전위될 수 있으며, 소수의 환자는 모자이크로 46,XY세포를 가지고 있을 수 있다. 이들 환자는 정자 생산에 필요한 다른 Y-특이유전자가 없기 때문에 보통 생식능력이 없다.

⑥ Y염색체미세결손증후군

대부분의 Y결손을 가진 불임 남성의 경우 정자생산에 심한장애를 가지고 있으며, Y미세결손을 가지는 남성의 상당수가 약간 감소된 고환 크기(< 15 mL)와 증가된 FSH수치를 보이나, 나머지 경우는 정상 고환 크기와 정상 FSH수치를 보인다. Y결손남성에서 고환조직소견은 세르톨리세포만 보이거나 생식세포정지(germ cell arrest) 표현형을 보

인다. 고환조직소견과 미세결손의 위치 및 크기 사이 상관성은 없다.

⑦ 안드로젠수용체단백질 polyglutamine 트랙의 길이와 불임

사람 안드로젠수용체의 엑손1은 2개의 polymorphic 트랙을 가지는데 polyglutamine과 polyglycine 트랙이다. CAG 세뉴크레오티드 반복길이는 안드로젠수용체단백질의 전사촉진활성과 역상관관계를 보인다. 몇몇 보고에서 정자 감소증 환자에서 좀 더 긴 polyglutamine 트랙을 가지는 경향을 보인다고 보고되었으나, 다른 연구에서는 불임남성에서 CAG 반복길이는 정자생산장애와 연관성이 없다고 보고되고 있어 이에 대해서는 더 연구가 필요하다.

⑧ Cyclic AMP-반응요소조절자(CREM)유전자발현과 정자생산 정지

Cyclic AMP-반응요소조절자유전자는 생식세포 감수분열 후 발현되는 전사인자를 부호화하는데 이들은 정자생산에서 생식세포분화와 고사 사이의 균형을 조절한다. 정자 생산시 감수분열후생식세포(postmeiotic germ cell)에서 CREM억제자(repressor)가 CREM활성자(activator)로 교환이 일어나는데, 불임 남성의 고환조직검사에서 생식세포정지가 일어난 경우 CREM 활성자가 없다. 이는 정세관에서 CREM의 정상적인 억제자형에서 활성자형으로 이환이 이루어지지 않으면 생식세포 정지가 발생함을 알 수 있다.

2) 불임과 연관된 다른 질환

(1) 선천양측무정관증과 cystic fibrosis conductance regulator (CFTR) 변이

전형적인 섬유성낭포증의 폐를 가지고 있는 환자의 경우 정관이 막혀 무정자증을 보인다. CTFR의 변이가 있는 경우 정관의 선천생산장애만 보이고 전형적인 폐병변은 보이지 않을 수 있다. 선천무정관증 환자의 거의 70%가량에서 CTFR유전자변이가 존재한다.

(2) 겸상적혈구병 및 베타-지중해빈혈과 연관된 성선장애

겸상적혈구병의 상당한 환자에서 낮은 테스토스테론을 보인다. 이들 대다수가 일차고환기능장애로 기인하는데 이는 혈관폐쇄에 의한 미세혈관경색이 고환에 발생하여 생기는 것으로 추정하고 있다. 그러나 저성선자극호르몬성선기능저하증이 보고되고 있어 시상하부-뇌하수체기능장애가 있을 것으로 보인다. 지중해빈혈에서는 뇌하수체와 고환에 철분이 침착되며, 저성선자극호르몬성선기능저하증이 두드러진다. 이는 성선자극호르몬 보충으로 치료가능하고 예방적으로 철분킬레이트 치료를 할 수 있다.

(3) 근육긴장퇴행위축(myotonic dystrophy) 환자에서 고환장애

DMPK유전자의 CTG반복의 늘어남이 질병을 유발하는데 보통염색체 우성으로 근육긴장증, 이마부 탈모, 진행성 근약화와 고환위축을 보인다. 환자의 75%가 고환위축을 보이며 이는 주로 정세관의 퇴행에 의한다. 라이디히세포는 유지되나 혈청테스토스테론은 낮다.

3) 당뇨병과 연관된 수정능 감소

당뇨병 환자의 경우 여러 가지 이유로 수정능 감소를 보이는데 장기간 동안 당뇨치료를 한 환자는 자율신경병증에 의해 역행성사정이 발생할 수 있다. 10년 이상된 환자의 경우 발기부전이 높게 발생하고 당뇨병 환자가 일반인에 비하여 낮은 테스토스테론을 보이는 경우가 더 많다.

2. 불임 남성의 진단

1) 임상검사

불임의 경우 남, 여 모두를 동시에 검사해야 한다(그림 5-3-8). 초기검사는 일반 건강상태와 존재하는 의학적 문제, 예를 들어 발기부전, 당뇨병, 역행성사정과 연관된 자율신경병증, 식사장애, 심한 운동, 마리화나나 코카인, 술, 아편 등의 사용 여부를 검사한다. 불임의 기간, 남녀에서 이전의 임신과거력, 피임약의 사용, 성기능, 월경주기와 연관한 성교

표 5-3-5. 불임 남성의 흔한 원인질환

진단명	유병률(%)
원인미상	50–60
일차성선기능부전(클라인펠터증후군을 포함한 염색체이상, Y염색체 미세결손, 정류고환, 방사선조사, 고환염, 약물들)	10–20
생식기계폐쇄(선천무정관증, 정관절제술, 부고환 폐쇄)	5
성교장애	< 1
저성선자극호르몬성선기능저하증(뇌하수체종양, 범발성뇌하수체저하증, 원인 미상의 저성선자극호르몬성선기능저하증, 고프로락틴혈증)	3–4
정계정맥류(*)	15–35
기타(정자 자가면역, 약물, 독극물, 전신질환)	5

* 불임 남성에서 많이 보고되고 있으나 불임과의 연관성 및 기전은 불명확함

빈도와 타이밍, 성교습관을 확인해야 한다. 사춘기발달의 시기, 면도횟수, 체모소실, 체모의 분포 또한 확인해야 한다. 음낭의 외상력, 비뇨생식기감염, 성병과 음낭과 서혜부수술력(탈장수술과 정관절제술), 암, 항암치료와 서혜부 혹은 음낭부의 방사선 치료병력 등을 검사한다. 안드로겐 결핍징후를 검사하고 몸의 비율(키/상지를 편 길이의 비율, 상체/하체의 비율), 목소리(고음 여부), 체모분포, 근육량과 체형, 여성형유방의 존재를 검사한다. Prader Orchidometer를 사용하여 고환의 부피를 측정하고, 매우 작은 고환의 경우 클라인펠터증후군 혹은 심한 성선자극호르몬 결핍을 의심한다. 잠복고환, 정계정맥류, 정관의 결절성마디가 있는지 검사한다. 전립선의 크기를 관찰하기 위해 직장수지검사를 실시한다.

2) 실험실검사
전혈구검사, 생화학적 검사, 소변검사를 포함한 전반적 건강에 대한 검사가 필요하다. 세 번 이상의 정액검사가 필요하며 이는 적어도 48시간 금욕 후 실시되어야 한다. 정액의 양과 정자수, 밀도, 운동성, 모양을 관찰한다. WHO에 의하면 정상의 경우 양은 2 mL 이상, 밀도는 2천만/mL, 총 정자 수는 매 사정 시 4천만 개 이상, 50% 이상이 전방 운동이 관찰되고, 30% 이상이 정상적인 외형을 가지고 있어야 한다.

총 테스토스테론, LH, FSH의 측정이 성선기능저하증의 유무와 일, 이차를 감별진단하는데 도움이 된다. LH, FSH의 증가와 낮은 테스토스테론을 보일 때 일차성선기능장애를 진단하고 핵형분석을 통해 클라인펠터증후군(47,XXY)과 그 변이형을 감별해야 한다.

증가된 테스토스테론과 이를 보이면서 성선기능저하증세를 보이는 경우 안드로겐불감증을 의심한다. 이 경우 피부 섬유모세포의 안드로겐 결합을 조사하거나 말초림프구 DNA를 이용하여 안드로겐수용체변이나 노-환원효소유전자변이를 검사한다. 혈청FSH 단독 증가를 보이고 정상 LH와 테스토스테론을 보인다면 이는 생식세포구역의 선택적실패를 의미한다. 저성선자극호르몬성선기능저하증을 보이는 경우 고프로락틴혈증, 뇌하수체 공간점유병소와 혈색소증을 감별해야 한다.

정상 LH, 테스토스테론을 보이면서 무정자증을 보이는 경우 생식기관의 막힘을 의심하고 선천적으로 정관 혹은 부고환이 없는 경우, 혹은 후천적으로 막힌 경우를 감별해야 한다. 사정 후 소변검사를 실시하여 역행성 사정이 있는지 검사한다. 정액혈장내 매우 낮은 과당 농도는 정낭(seminal vesicle)이 없거나 막힌 것을 시사한다. 이러한 경우 비뇨기

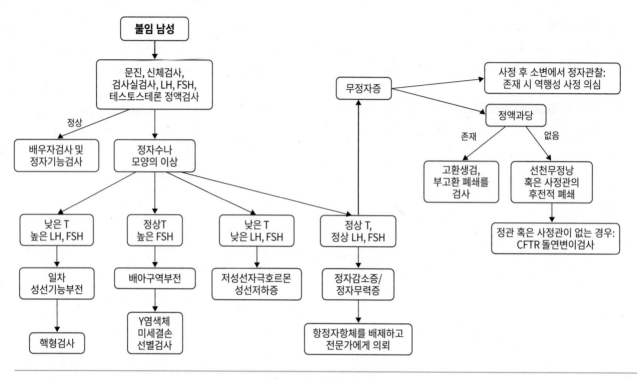

그림 5-3-8. 불임 남성의 진단

과의사에 의뢰하여 검진과 고환조직검사를 하여 폐쇄와 생식세포부전(germ cell failure)을 감별한다. 정관 혹은 정낭이 선천적으로 없는 경우 CTFR유전자변이검사를 실시해야 한다.

3) 특수한 정자기능검사
정자기능검사는 경관점액투과실험, 첨단체반응(acrosomal reaction), zona-free 햄스터난모세포투과실험과 사람 투명대결합검사(zona pellucida binding test)이며, 이 검사들은 정상 호르몬수치를 보이면서 정상이거나 적은 정자수를 보일 경우 고려해야 한다.

4) 고환생검
이는 정상테스토스테론과 LH 농도를 보이는 무정자증 환자에서 도움될 수 있다. 이 환자들에서 사정 후 소변검사를 통하여 역행성사정을 감별하고, 정낭액에서 과당 측정을 하여 만약 정낭과당이 존재하면 고환조직검사와 조사를 통하

여 고환에서의 정자생산 유무와 정관의 폐쇄를 감별한다. 이는 또한 세포질내정자주입(intracytoplasmic sperm injection)을 위해 정자나 정자세포를 얻는 데 도움이 될 수 있다.

5) 유전자검사
이는 특히 ICSI (intracytoplasmic sperm injection)를 고려하는 경우에서 중요할 수 있다. 정관 혹은 정낭의 폐쇄가 의심되는 경우 CTRF유전자변이를 검사해야 한다.

무정자증 혹은 심한 정자결핍증의 불임 남성에서 불임의 원인이 확실하지 않다면 Y염색체 미세결손을 선별검사해야 한다. 비폐쇄성무정자증의 경우 핵형검사를 실시하여야 하며 특히 ICSI를 향후 고려한다면 실시하여야 하는데 무정자증의 남성불임의 경우 원인 중성염색체이상이 상당하고, ICSI로 태어난 아이에서 성염색체의 이수성(aneuploidy)이 매우 빈번히 발생하기 때문이다. 감수분열후생식세포정

지를 보이는 경우 CREM유전자변이를 고려해야 한다. 여러 전신적질환–당뇨병, 혈색소질환, 긴장성근육이영양증의 경우 유전질환으로 유전상담이 필요하다.

3. 남성불임의 치료

1) 저성선자극호르몬성선기능저하증(Hypo gona- dotropic hypo gonadism) 남성에서 수정능 유도

원인미상의 경우 성선자극호르몬이나 박동성 GnRH 점적으로 정자 생산을 유도할 수 있으며, 정자 생산유도 효과는 비슷하다. 한 연구를 보면 치료 2년 후 GnRH 치료의 경우 40% 에서, hCG/hMG 처방의 경우 80%에서 정자를 생산한다. 두 치료에서 첫 정자가 나타나는 시간이나 임신율에 있어서는 차이가 없다. GnRH의 성공치료를 위해서는 성선자극호르몬분비세포가 있어야 하며, 따라서 범뇌하수체저하증의 경우는 효과가 없다.

(1) 성선자극호르몬제제

사람융모성선자극호르몬(human chorionic gona- dotropin, hCG)은 임신부 소변에서 얻은 것으로 주로 LH 유사효과를 가지며 LH/hCG수용체와 작용하여 고환의 라이디히세포에서 테스토스테론 생산을 자극한다. hMG 의 경우 폐경여성의 소변에서 얻은 것으로 LH와 FSH 활성도는 비슷하게 보인다. 합성형hFSH 또한 FDA에 의해 원인불명의 저성선자극호르몬성선기능저하증 환자에서 정자 생산을 유도하는데 인정받고 있다.

(2) 성선자극호르몬치료

hCG 1,000 units를 주3회 근주방법으로 치료시작하고 6–8주간 치료 후 혈청테스토스테론을 hCG 주사 후 48–72시간 후 측정한다. 테스토스테론수치를 정상의 중간범위에 도달하도록 용량을 조절하며 매달 정자 수를 측정하도록 한다. hCG 단독치료 6개월 후 혈청테스토스테론이 정상의 중간값을 유지함에도 정자수가 낮을 경우 FSH를 추가할 수 있다. 이는 hMG(잘 정제된 FSH) 또는 합성FSH를 이용하여 할 수 있다. FSH용량의 선택은 경험적이며, 75 IU FSH를 hCG와 함께 주 3회 투여한다. 만약 3개월간 복합치료 후에도 정자밀도가 여전히 낮다면 용량을 150 IU 로 증가시킨다. 18–24개월 이상으로 치료기간이 길고 비용이 많이 드는 점에 대해 환자와 충분한 상의가 필요하다. 보통은 문제없이 치료하고 부작용도 적으나 값이 비싸다. hCG 에 대한 항체가 형성되어 실패할 수 있는데 이는 1% 미만으로 드물다. 여성형유방이 흔하지 않은 부작용으로 생길 수 있으며 아주 드물게 알레르기 반응이 있다.

성선자극호르몬 치료에 대한 성공을 예견하는 가장 좋은 인자는 내원 시 고환 부피와 저성선자극호르몬성선기능저하증의 발생시기(사춘기 전 혹은 사춘기 후)이다. 발병이 사춘기 이후인 경우 정자 생산은 보통 hCG 단독치료로 재기되며, 성공률은 높으나, 사춘기 이전의 경우 hCG와 FSH 복합치료가 장기간 필요하며 전체 성공률은 낮다. 이전의 안드로젠 치료는 성선자극호르몬 치료에 대한 반응에 영향을 주지 않는다. 성선자극호르몬 결핍정도는 치료 전 고환의 부피가 반영할 수 있는데 이는 성선자극호르몬 치료에 대한 반응의 중요한 결정인자이다. 일반적으로 고환의 크기가 8 mL 이상인 경우가 4 mL 이하인 경우보다 높은 반응을 보인다. IHH 환자 중 잠복고환이 있는 경우 hCG에 대한 반응이 좋지 않을 수 있다.

(3) 박동적 GnRH 치료

이 치료는 기본적으로 정상적인 뇌하수체와 고환기능을 가지고 있어야 한다. 시작은 2시간마다 피하로 25 ng/kg의 GnRH를 펌프를 이용하여 박동적으로 투여한다. 혈청테스토스테론, LH, FSH를 추적검사하여 혈청테스토스테론이 정상의 중간정도로 유지되도록 용량을 조절한다. 개인마다 차이가 있으나 체중 kg당 25–200 ng 정도 투여가 남성화를 유도하는 데 필요하게 된다. 이차성징이 성공적으로 유도된 후 혈청테스토스테론, LH, FSH에 영향이 없다면 용량을 감량할 수 있다. 성선자극호르몬과 성선기능은 수개월에서 수년간 유지될 수 있다. 항GnRH항체의 형성이 있을 수 있으나 치료 실패의 원인으로는 흔하지는 않다. 점적부위의 홍조, 경결, 피하감염이 발생할 수 있으며 펌프를 몸에 지니고 다녀야 하는 단점이 있다. 70%의 치료 환자에서 정자수의 증가와 고환용적의 증가를 보였으며, 90% 이상에서 성기능 개선과 남성화가 개선되었다. 잠복고환을 가진 IHH 환자의 경우 효과는 좀 덜하다. 박동적 GnRH 치료는 성선자극호르몬 치료에 비하여 더 효과적이지는 않다.

2) 무정자증 환자에서의 치료

완전기형정자증 또는 무정자증을 동반한 일차고환부전의 경우 예후는 좋지 않다. 이러한 경우 입양이나 정자 제공을 통한 인공수정이 적절한 선택이다. ICSI (intracytoplasmic sperm injection)의 대두로 무정자증 환자에서 예후는 향상되었다. 이를 이용할 경우 성염색체이배수체와 다른 유전질환의 전달 가능성에 대해 반드시 상담을 해야 한다. 이는 1992년 처음 성공한 이후로 많은 수에서 실시하고 있으며, 임상적 임신성공률은 27-29%이다. 다태임신이 25-35%정도 보고되고 있다. 임신은 사정된 정자와 부고환 정자가 고환정자세포보다 좋다. 임신율은 폐쇄성과 비폐쇄성 무정자증의 경우 차이가 없었다.

3) 폐쇄성 병변

미세수술을 통하여 교정하면 70-90% 교정성공률을 보이나 임신성공률은 40-50%로 낮다.

4) 불임 남성에서 정계정맥류

불임 남성의 10-30%에서 정계정맥류가 발견된다. 그러나 이는 정상남성에서도 흔하다. 이의 불임에 영향을 주는 기전은 잘 모른다. 모든 불임 남성에서 정계정맥류를 치료할 것을 권할 순 없고 다른 대안이 없는 경우에 한하여 수술적 제거나 경화요법을 권고할 수 있다.

VII. 남성호르몬의 남용

과거 조사에서 상당수의 직업운동선수와 올림픽참가선수가 남성호르몬을 남용하고 있으며, 미국의 경우 고등학생 남성의 4-6%와 여성의 1-2%가 적어도 한 번은 남성호르몬을 사용하였다고 조사되고 있다. 가장 많이 남용되고 있는 다섯 가지 안드로젠은 테스토스테론, 난드롤론(nandrolone), 스탄노졸(stanozol), 메싼디에논(methandienone), 메쎈놀올(methenolol)이다. 흔한 남용 유형으로 경구보다 근주제제를 더 많이 사용하고 여러 제제를 복합하여 사용하며, 고용량을 사용한다. 또한, 남성호르몬사용자의 많은 수가 근육을 키우고, 모양을 갖추고, 힘을 증대시킨다고 알려진 다른 약물을 남용하고 있다. 이러한 약물들로는 암페타민, 클렌부테롤(clenbuterol), 에페드린, 타이록신, 성장호르몬, IGF-I, 인슐린들이며, 안드로젠의 부작용을 감소시키고자 hCG, 방향화효소억제제, 에스트로젠대항제 등을 사용하는 것으로 알려져 있으며 이러한 약물들의 부작용이 더 심각하다.

남성호르몬 사용과 연관된 심각한 부작용 발생의 빈도는 낮으나, 연관된 부작용으로는 HDL의 현저한 감소를 포함한 심혈관계 위험인자의 악화, 응고인자의 변화, 정자 생산의 감소로 인한 불임, 간수치의 증가 등이 있다. 방향화되지 않는 17α-알킬화경구테스토스테론은 정주테스토스테론보다 HDL 감소가 더 심하다. 마찬가지로 간수치의 증가, 간신생물, 간자색반병(peliosis hepatis)이 경구17α-알킬화 테스토스테론 투여 시 보고된 바 있으나 테스토스테론이나 테스토스테론에스터 정주에는 발생한 바 없다. 안드로젠 사용과 분노반응에 관한 일화성 보고들이 있으나 위약대조군 실험결과는 일관성이 않다. 고농도의 남성호르몬 사용은 이미 존재하던 정신병력 환자에서 분노반응을 유도할 수 있다. 경구17α-알킬화 안드로젠은 인슐린저항성과 당불내인성과 연관이 있다. 전립선과 심혈관질환의 위험에 대한 잠재적 장기효과에 대한 우려가 있다. 유방통증과 커짐이 방향화가능한 남성호르몬 사용 시 발생 할 수 있으며, 운동선수

들에서 유방발달을 막기 위해 아로마타아제억제제나 에스트로젠대항제와 같이 사용하는 경우가 흔하다.

남성호르몬 투여는 시상하부–뇌하수체–고환축을 억제하여 내인테스토스테론을 억제하고 정자 생산을 억제하여 불임을 유발하거나 수정능력 부족을 야기할 수 있다. 스스로 근주하는 것은 감염, 근농양, 심지어 패혈증까지도 발생할 수 있다. 또한 바늘을 공유하는 것으로 HIV 감염이 전파될 수 있다. 건, 결체조직의 적응 없이 과도한 근육의 비대는 건 손상이나 파열, 관절의 비통상적 스트레스를 가져올 수 있다. 한편, 90% 이상의 남성호르몬 남용자가 다른 약물들을 사용하므로 이들 약물들의 부작용이 심각하다.

정상인의 경우 소변의 testosterone/epitestosterone 비율이 6 이하이면서 이 비율은 지속적으로 유지되는데 외부에서 테스토스테론을 투여 시 소변의 글루큐론 테스토스테론이 증가하여 이 비율이 6 이상을 넘게 된다. 이 경우 이전에 채취된 소변을 이용하거나, 시간을 두고 다시 소변을 채취하여, 만약 이 비율이 지속적으로 6 이상 유지되는 경우 유전문제로 인한 가능성을 염두에 두어야 하며, 만약 이 비율이 이전의 검체에서 보다 높게 측정된다면 양성으로 판정한다. 만약 외부에서 사용된 가능성이 있게 되면 gas chromatography combustion isotope ratio mass spectrometry를 사용하여 확인한다. 이 방법은 테스토스테론에 있는 13C/12C isotope 비율을 측정하는데 자연계에서 1.1%의 탄소가 13C이나, 합성테스토스테론의 경우 13C/12C 비율이 낮게 측정된다. 도핑검사의 경우 감시 하에 소변을 채취하고 이를 두 개로 나누어 하나의 검체를 검사하여 양성으로 판정될 경우 나머지 검체를 운동선수나 이를 대변하는 감시자의 존재하에 검사하여 양성 여부를 판정하게 된다.

Δ4–안드로스텐다이온은 테스토스테론 생합성과정의 전구체로 몸에서 17–하이드록시스테로이드 탈수소효소에 의해 테스토스테론으로 전환된다. 이는 직접 판매약물(over the counter)로 FDA에 의해 제한받지는 않으나 미국의회에서 최근 금지된 합성대사호르몬 목록에 추가됐다. 100 mg 경구투여로 7일간 투여 시 혈청테스토스테론 농도를 의미있게 변화시키지 않았으며, 300 mg은 약간의 증가를 가져왔으나 에스트라다이올과 에스트론 농도를 많이 증가시켰다. 500 mg 하루 세 번 12주간 성선기능저하증 환자에게 투여 시 테스토스테론을 정상 수준으로 증가시키고 제지방량과 근력을 증가시켰다. 여성의 경우 100 mg 안드로스텐다이온의 투여는 생리적 수준 이상으로 테스토스테론을 증가시킨다. 경구투여한 안드로스텐다이온의 대부분은 문맥을 통과하면서 대사되어 소변으로 배설되어 약간의 혈중 테스토스테론수치 증가를 보인다. 이들의 합성과 판매는 FDA에 의해 규제를 받지 않기에 질관리 문제가 따르며, 잠재적 부작용으로 단기간 투여 시 에스트라다이올이 증가된다. 이는 남성에서 정액의 질에 영향을 미치고 심혈관질환 위험의 증가와 연관되어 있는 inflammation–sensitive marker의 증가, 여성형유방을 야기할 뿐만 아니라 정자에 유전자외적(epigenetic) 및 세포유전학적(cytogenetic) 효과를 유도한다. HDL을 감소시키고, LDL/HDL 비율을 증가시켜 혈청지질 이상을 초래할 수 있으며, 적혈구증가증, 여드름, 수면무호흡, 전립선문제 위험 증가를 야기시킬 수 있다. 따라서 현재까지는 임상사용이 권고되지는 않는다.

데하이드로에피안드로스테론(dehydroepiandrosterone, DHEA)은 정상적으로 부신의 망상대에서 만들어지는 약한 안드로젠으로 말초조직에서 테스토스테론과 에스트라다이올로 전환된다. 노화에 따라 DHEA는 두드러지게 감소되고 60대가 되면 청년기 최고치의 20% 정도가 된다. 부분적 부신기능저하 환자, 나이든 남녀, 폐경전후나 폐경기 여성, 자가면역질환을 가진 경우에서 DHEA의 효과를 평가한 연구가 보고된 바 있으며, 대부분 하루 50 mg의 DHEA를 3개월에서 6개월 사용하였다. Cochrane 조사에 의하면 나이든 남녀에서 인지능력에 대한 DHEA의 장점은 아직 불충분한 것으로 나타났다. 현재까지는 어떠한 질환에도 DHEA 투여가 일관된 효과가 있다는 무작위대조군 실험결과는 없다.

VIII. 고환종양

고환암은 남성에서 발생하는 악성종양의 1-2%를 차지하며, 노르웨이, 덴마크 등 북유럽에서 가장 높은 발생률이 보고되었다. 고환종양의 위험성은 잠복고환이 있거나 이전에 잠복고환을 교정받은 남성에서 50배 증가한다. 고환 위축, 서혜부 탈장, 불임 또한 위험인자이다. 부신잔류종양은 주로 잘 조절되지 않은 선천부신증식증 남성에서 일어난다.

고환종양은 대부분 생식세포에서 기원하며 고환의 비생식세포종양은 상대적으로 드물다. 생식세포종양의 흔한 유형은 정상피종, 배아세포암, 기형종, 융모막암, 그리고 하나 이상의 세포유형이 포함된 혼합성암종이다. 고환의 비생식세포종양에는 라이디히와 세르톨리세포종양, 부신잔류종양, 기질(stromal)종양, 혼합세포종양이 있다. 고환종양 중 정상피종(seminoma)이 40%를 차지하며 비정상피종이 나머지를 차지한다.

고환생식세포종양은 태아발달 시 정지되어 있던 생식세포로부터 발생한다. 이 종양은 일반적으로 "달리 분리되지 않는 세관내생식세포(intratubular germ cell neoplasia unclassified, IGCNU)" 또는 "제자리암종(carcinoma in situ)"으로 불리는 비침습적인 단계를 거쳐 발생한다. 고환의 상피내암종(carcinoma in situ)은 정세관 내에 국한되어 세관의 기저막을 따라 혹은 세관의 내강에 위치하며 깨끗한 세포질과 이수성을 보이는 악성생식세포 존재를 특징으로 한다. IGCNU의 약 50%가 5년 내에 악성생식세포종양으로 진행할 수 있으며, 대부분에서 7년 이내에 악성종양으로 진행한다.

고환종양은 보통 단단한 고환 혹이 만져지거나 전이병변에 의해 발견된다. 생식세포종양의 5-10%는 고환 밖에서 발생하는데 주로 후복막강 또는 종격동에서 발생한다. 두개강내생식세포종양은 드물며 일반적으로 송과체나 터키안 상부에 위치한다. 많은 생식세포종양은 β-hCG나 α태아단백, 일부에서는 CEA를 분비하며 이들은 진단 및 치료, 항암 치료 후 추적관찰에 유용한 종양표지자로 사용될 수 있다. 라이디히세포나 세르톨리세포종양의 경우 안드로젠이나 에스트로젠을 분비한다. 이들 종양을 가진 환자는 동성성조숙 혹은 여성형유방을 나타낼 수 있다. hCG를 분비하는 생식세포종양 또한 남아에서 동성성조숙을 보이거나 남성에서 여성형유방을 보일 수 있다.

세침흡인검사의 사용이 상피내암종을 발견할 수 있으나, 진단은 고환생검을 통해 이루어진다. 성조숙이나 여성형유방을 보이는 남성아이에서 혈청테스토스테론, 에스트라디올, hCG를 반드시 측정해야 한다. 라이디히세포종양은 테스토스테론과 에스트로젠을, 세르톨리세포종양은 전형적으로 에스트로젠만을 분비한다.

고환생식세포종양은 진행된 단계에서도 치료에 잘 반응한다. 편측의 IGCNU 환자에서 고환절제술이나 방사선 치료가 효과적인 치료이며 양측의 IGCNU 환자에서는 저용량의 방사선 치료가 권고된다. 고환세포종양의 치료는 고환절제술에 의한 일차병변의 수술적 제거와 함께 수술 후 보조 치료로 구성된다. I기 정상피종의 생존율은 보조치료로 방사선치료나 항암치료를 사용했을 경우 어떤 것을 사용하든 관계 없이 98% 이상 생존율을 보인다. 대동맥주위와 대정맥주위 림프절의 방사선 치료 시 완치율은 95-98%이다. 마찬가지로 carboplatinum 단독치료 또한 매우 낮은 재발률을 보인다. IIA/B기 정상피종에서 고환절제술 후 방사선치료 시 완치율은 90-95%이다. 진행된 질환에서 표준 치료는 cisplatin, etoposide, bleomycin (BEP)으로 구성된 일차 항암치료이며 치료 후 잔여 종양의 경우 수술을 시행한다. 일차 항암치료 후 치료에 반응하지 않거나 잔여 종양이 남은 환자에서 이차항암치료 시행 시 상당 부분에서 효과가 있다. 진행된 단계의 환자에서도 적절한 치료를 통해 거의 80% 완치될 수 있다.

비정상피종 환자에서 5년생존율은 좋은 예후, 중간 예후,

나쁜 예후를 보이는 종양에서 각각 94%, 83%, 71%를 보인다. Platinum에 재발하는 환자에서도 gemcitabine과 paclitaxel 또는 oxaliplatin–gemcitabine을 포함한 병합요법 시 반응률이 45%로 보고되었다.

고환생식세포종양의 항암치료 시 발생할 수 있는 단기 독성으로 골수 억제, 구역 및 구토, 폐독성, 신장병증, 신경병증이 있다. 장기 독성으로는 귀독성(ototoxicity), 불임, 신경병증, 심혈관질환, 이차악성종양의 발생이 있다.

참 / 고 / 문 / 헌

1. 대한내분비학회. 내분비대사학. 제2판. 군자출판사; 2011. pp. 420-43.

2. Basaria S, Harman SM, Travison TG, Hodis H, Tsitouras P, Budoff M, et al. Effects of testosterone administration for 3 years on subclinical atherosclerosis progression in older men with low or low-normal testosterone levels: a randomized clinical trial. JAMA 2015;314:570-81.

3. Glueck CJ, Prince M, Patel N, Patel J, Shah P, Mehta N, et. al. Thrombophilia in 67 patients with thrombotic events after starting testosterone therapy. Clin Appl Thromb Hemost 2016;22:548-53.

4. Jameson JL, Fauci AS, Kasper DL, Hauser SL, Longo DL, Loscalzo J. Harrison's principles of internal medicine. 20th ed. New York: McGraw-Hill; 2018.

5. Melmed S, Auchus RJ, Goldfine AB, Koenig RJ, Rosen CJ. Williams textbook of endocrinology. 14th ed. Philadelphia: Elsevier; 2019.

05

내과

4 성기능장애

정우식

I. 남성의 성기능장애

남성의 성기능장애라 함은 성욕감퇴나 조루증, 음경굽음증 (페이로니병) 등을 포함하여 성생활과 관련된 모든 장애를 일컫지만, 가장 흔하게 접하는 대표적인 질환은 발기장애 erectile dysfunction, ED)다. 발기장애란 다수의 성인에서 흔히 호소하는 증세로서 '만족스러운 성생활을 누리는 데 충분한 발기를 얻지 못하거나, 얻더라도 유지하지 못하는 상태'로 정의한다. 이런 증상이 자주 나타나며 3-6개월 이상 지속된다면 진료가 필요한 발기장애로 간주한다. 발기장애는 일반적으로 심혈관질환, 당뇨병, 고지혈증, 고혈압 등의 성인병과 연관되어 나타나는 경우가 많아 이러한 배경질환은 없는지 주의를 기울여야 한다. 반면, 배우자와의 갈등, 우울증 등의 순수하게 정신적인 원인만으로도 충분히 발생할 수 있다.

1. 역학

국내에서 이루어진 대규모 역학조사의 결과, 40세 이상 성인 남성의 약 40%에서 발기장애를 호소하는 것으로 나타나며, 치료받지 않고 있을 경우 부부간에 심각한 정신적 스트레스를 받을 수 있어 문제가 된다. 여러 역학조사에서 발견된 발기장애와 관련이 깊은 동반질환으로는 당뇨병, 고혈압, 심장질환, 고지혈증 등이며, 정신질환인 우울증과 전립

선비대증 등의 하부요로증상과도 관계가 깊다. 최근에는 대사증후군, 비만과의 관련성도 제기되고 있다.

2. 발기장애의 병태생리

발기장애의 병태생리를 이해하기 위해서는 먼저 정상적인 발기과정을 이해하여야 한다. 음경의 발기현상은 음경이 커지고 단단해지는 현상이라 할 수 있는 바, 이는 다른 근육들처럼 수축해져서 단단해지는 것이 아니라 오히려 음경 내의 혈관과 근육이 이완되므로 공간이 커지면서 그 공간 내로 혈류가 충만하여 생기는 현상이다. 이를 위해서는 신경계, 혈관계, 내분비계 등이 모두 조화롭게 작동되어야 하며, 이들 중 하나라도 어긋난다면 만족스러운 발기를 얻지 못하는 것이다. 이 장에서는 정상적인 발기가 일어나는 원리를 바탕으로 발기장애의 병태생리를 이해하고자 한다.

1) 음경발기기전의 이해

음경발기의 현상은 음경구조 내에 혈류가 유입되어 음경이 커지고 단단해지는 현상을 일컫는다. 이는 신경계, 혈관계, 내분비계 등이 복합적으로 작용되는 복잡한 과정으로 자극을 받아 분비되는 신경신호에 의해 음경해면체 평활근이 이완되면 해면체동맥을 통한 혈액의 유입이 증가되어 해면체에 혈액이 충만하게 되고, 충만된 혈액에 의해 음경의 압력이 증가되어 발기가 일어난다. 한번 일어난 발기가 유지되기

위해서 음경해면체로부터 나가는 정맥혈이 적절히 차단되어야 하며, 이는 해면체를 둘러싸고 있는 백막 밑을 지나는 정맥이 팽창된 음경해면체에 의해서 압박되어 막히게 된다(그림 5-4-1). 이러한 과정을 통해 비교적 단단한 조직인 백막이 팽창할 수 있는 한계까지 음경의 길이와 직경이 급격히 증가되는 현상이 발기이다. 이러한 음경의 일련의 발기과정은 혈류의 흐름과 음경 내의 압력의 변화에 따라 이완기, 잠복기, 팽창기, 발기기, 소실기 등의 단계로 구분할 수 있다(그림 5-4-2). 발기가 일어나지 않는 평상시의 이완기는 음경조직의 영양상태를 유지하기 위한 최소량의 혈액이 공급되는 단계이며, 충만기는 발기현상의 초기단계로서 해면체내압의 변화 없이 혈류량이 급격히 증가되는 단계로 음경길이와 둘레가 커지는 단계이다. 음경백막이 어느 정도 팽창된 상태에서 해면체내압이 증가하는 팽창기에 이르면 음경은 급격히 팽창하여 최장 길이에 도달하게 되며, 이때 혈류의 유입속도는 점차 감소하게 된다. 정맥의 대부분이 압박되어 혈액의 유입속도가 증감없이 일정하게 유지되며 해면체내압도 일정하게 유지될 때를 완전발기기라고 하는데 이때 동맥의 유입량과 정맥의 유출량이 같아지게 된다. 강직발기기는 보통 사정과 함께 좌골해면체근이 수축하여 음경해면체내압이 수축기혈압보다 높게 증가하는 시기로 매우 단단한 강직성발기가 일어나며 이때 해면체동맥의 혈류는 거의 차단

되어 있다. 사정 이후 또는 성적자극이 중단된 후 교감신경계의 활성이 다시 시작되어 음경해면체 내의 평활근이 수축하면서 동맥혈류가 감소하여 이완기로 돌아가는 시기를 발기소실기라고한다.

위의 혈류역동학적인 발기현상이 일어나기 위해서는 복잡한 신경계의 작용과 근육의 변화가 필요하다. 성적자극이 뇌로 전달되면 시상하부의 내시각교차전구역(medial preoptic area, MPOA)과 뇌실곁핵(paraventricular nucleus, PVN)에서 신호를 발생하게 되며 이는 척수를 경유하여 말초신경을 따라 음경으로 전달된다. 이렇게 전달된 신호는 음경해면체의 혈관과 평활근에 전달되어 혈관과 평활근의 이완을 유발하게 됨으로써 발기가 시작된다.

음경발기의 주된 신경조절은 교감신경과 부교감신경의 균형으로 이루어진다. 평상시에는 교감신경에 의해 음경의 평활근이 수축되어 있어 발기가 일어나지 않는다. 그러나 자극 등에 의해 부교감신경을 통해 해면체신경이 활성화되면 신경말단에서 아세틸콜린이 분비되어 음경해면체혈관의 내피세포에서 산화질소를 분비하게 하여 발기를 유발시킨다. 또한 비아드레날린비콜린신경말단에서 분비되는 산화질소는 음경발기에 있어서 가장 중요한 신경전달물질로 간주되

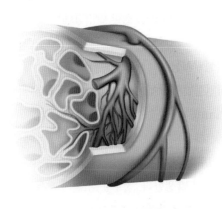
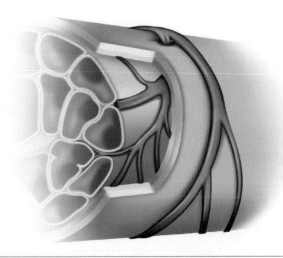

그림 5-4-1. **평상시(좌측)보다 발기 시(우측)에 동맥이 확장되어 혈류가 음경해면체의 소공내로 유입되어 커지면 백막 아래의 정맥이 눌리면서 막히게 되어 혈액이 충만되고 압력이 증가된 상태가 곧 음경의 발기현상이다.**

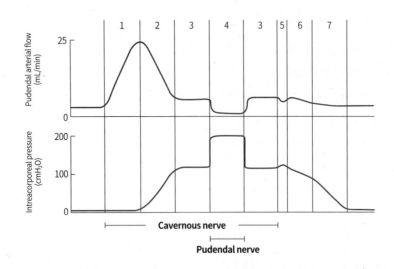

그림 5-4-2. 음경발기와 소실이 일어날 때, 음경 내의 혈류 변화와 그에 따른 해면체 압력의 변화

이완기(0), 잠복기(1), 팽창기(2), 완전발기기(3), 강직발기기(4), 완전발기기(3), 초기 소실기(5), 느린 소실기(6), 빠른 소실기(7)의 순서대로 압력이 변화됨을 알 수 있다.

는데, guanylyl cyclase를 활성화시켜 세포내 cGMP (cyclic guanosine monophosphate)의 생산을 증가시킴으로써 해면체평활근의 이완을 유도한다. cGMP는 포스포디에스터라제(phosphodiesterase, PDE)에 의해 분해되어 활성도를 상실하게 되는데 음경에서는 5형포스포디에스터라제가 주된 작용을 한다(그림 5-4-3). 최근에 나오는 모든 복용약물들의 기전이 바로 이 효소를 억제하여 평활근의 이완을 도모하는 것이다.

2) 병태생리

발기장애는 그 병인적원인에 따라 심인성과 기질성으로 대별하며, 기질성은 다시 신경인성, 내분비성, 동맥성, 해면체성(정맥성) 및 기타 전신질환이나 약물관련성으로 세분할 수 있다.

(1) 심인성발기장애

심인성발기장애란 '성행위에 필요한 만족스러운 발기를 지속적으로 얻거나 유지하기 힘든 발기장애의 원인이, 뚜렷하게 정신적인 이유나 인간관계에서 비롯된 경우'를 일컫는다. 여기서 주의해야 할 점은 원인이 모호할 때 무조건 부치는 진단이 되어서는 안 되며 반드시 정신사회적인(psychosocial)

요소가 발견되어야 하고, 만일 기질적인 원인이 함께 한다면 '기질 및 심인성복합발기장애(mixed organic–psychogenic erectile dysfunction)'라는 진단을 내려야 한다.

지금까지의 역학연구에 의하면 발기장애의 원인에 여러 가지 정신사회적 요인이 대두되고 있는 바, 우울증증세, 수행불안증, 수동적 태도, 비관적 성향, 감정적인 스트레스, 강압적인 성교경험 등이 발기장애의 발생에 3–4배 기여하는 것으로 나타나며, 사회적인 요인으로는 집안의 경제적인 수입 감소가 역시 크게 관여하는 것으로 나타났고, 이런 모든 요인들이 복합되면 더욱 심한 발기장애를 초래하게 된다.

(2) 기질성발기장애

① 신경인성발기장애(neurogenic, 유도장애; failure to initiate)

뇌, 척수, 혹은 해면체 및 음부신경 등의 장애로 발생하는 발기장애로 뇌나 척수손상, 근치적 골반수술 등을 받은 환자에서 흔히 발생한다. 척수손상 환자에서는 손상부위와 정도에 따라 발기장애의 정도가 달리 나타나며, 말초신경에 장애를 일으키는 당뇨, 만성알콜중독, 비타민 결핍 등에 의해서도 신경전달물질의 결핍을 초래하여 일어날 수 있다.

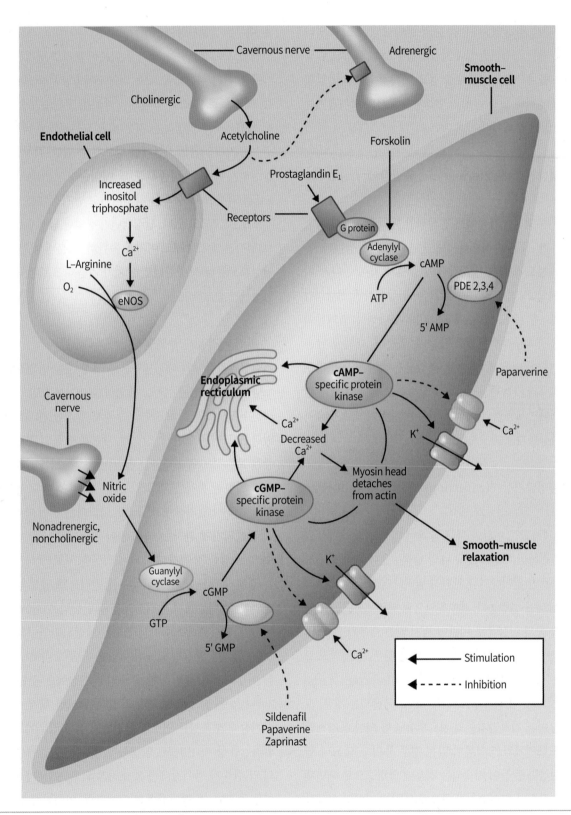

그림 5-4-3. 음경해면체평활근의 이완에 작용하는 여러 신경전달물질들.
특히 cGMP의 대사를 돕는 PDE5효소를 여러 약물들이 억제하면 평활근의 이완을 도모할 수 있다.

전립선암이나 방광암, 직장암 등의 골반강내 수술로 인해 음경으로 가는 신경다발이나 자율신경총 등의 손상으로 발기장애가 올 수 있다. 로봇수술 등의 내시경수술이 발달함에 따라 신경이나 혈관 손상의 합병증으로서의 발기장애는 감소하고 있는 추세이다.

② 동맥성발기장애(arteriogenic, 충만장애; failure to fill)

대부분의 동맥성발기장애는 전신적인 동맥질환과 병행하여 일어나며, 물론 손상이나 선천원인으로도 발생한다. 동맥의 폐쇄정도에 따라 발기장애의 증세가 차이가 나게 되며, 심하지 않은 경우 정맥폐쇄기전이 정상이라면 정상적인 발기가 가능할 수도 있다. 폐색의 위치에 따라 음경외동맥부전과 음경내동맥부전으로 나눌 수 있는데, 대개 골반손상과 관련되어 내음부, 내장골, 총장골동맥의 폐색인 경우는 수술치료가 가능하고, 노화, 죽상경화증, 당뇨 등과 관련된 음경내해면체동맥의 폐색인 경우는 다발이므로 수술치료가 불가능하다.

③ 해면체성발기장애(cavernous, 저장장애; failure to store)

음경해면체평활근 이완에 따른 압박에 의한 정맥의 폐색효과가 불완전하면 해면체 소공 내의 혈액누출에 의해 발기가 부분적으로만 일어나거나 완전히 일어나더라도 유지가 되지 않는 상태를 일컫는다. 세부원인으로 해면체평활근 자체의 섬유화 등의 이상으로 이완이 되지 않는 경우가 가장 많고, 신경전달물질의 분비가 충분치 못한 경우, 큰 정맥으로 유출되는 경우(주로 선천성), 페이로니병(Peyronie's disease)에서와 같이 백막구조의 이상으로 유출되는 경우, 그리고 손상이나 지속발기증의 치료후유증에 의한 음경해면체와 요도해면체와의 교통이 있는 경우 등이다. 당뇨나 혈관의 죽상경화증 등이 지속되는 경우에 합병증으로 해면체평활근의 감소와 콜라겐침착 등으로 인한 해면체의 섬유화와 내피세포의 감소 등이 해면체성발기장애의 가장 많은 병인으로 알려진다.

④ 내분비성발기장애(hormonal)

일반적으로 당뇨병을 제외한 내분비장애로 생기는 발기장애를 말하며 시상하부 또는 뇌하수체종양에 의한 성선저하증, 에스트로젠 또는 항안드로젠요법, 고환절제술 등에 의해 성욕저하로 발생하는 경우이다. 고프로락틴혈증도 성적 관심이 저하되어 발기장애를 일으킬 수 있다. 갑상선항진증, 갑상선저하증, 쿠싱증후군 및 애디슨병(Addison's disease) 역시 모두 성욕을 감퇴시키고 발기장애를 일으키는 것으로 보고되고 있다. 남성갱년기에 의한 남성호르몬 저하로 생기는 발기장애도 여기에 속한다. 내분비성발기장애는 남성호르몬을 보충한다면 완치가 가능하므로 적극적인 진단검사가 중요하다.

⑤ 관련 배경질환 및 약물

기질성발기장애의 배경원인으로 가장 흔한 단일질환은 당뇨병이다. 당뇨병은 성기능에 영향을 미치는 요인으로 잘 알려진 비만, 고혈압, 고지혈증 등과도 밀접한 관계를 가지고 있다. 당뇨병은 혈관계, 신경계, 내분비계 등의 전신적 합병증을 포괄적으로 초래하는 질환이라는 특성을 가지므로 이들과 밀접한 관계를 맺고 있는 발기기능의 장애도 예외일 수 없다. 그러나 발기장애가 급격히 나타나는 것이 아니라 서서히 진행되기에 환자는 대책 없이 지내다가 나중에 돌이킬 수 없는 심한 장애가 초래되어 적절한 치료의 시기를 놓치는 경우가 많은 것이 특징이다. 일반적으로 남성 당뇨병 환자의 반수 이상에서 발기장애를 동반한다. 2000년에 발표된 미국 매사추세츠주에서 진행된 남성노화연구의 결과를 보면, 당뇨병 환자가 당뇨병이 없는 사람에 비해 발기가 전혀 이루어지지 않는 심한 중증의 발기장애를 갖는 확률이 3배나 높은 것으로 보고하고 있다. 당뇨병 환자에서 오는 발기장애의 특징은 연령과 상관없이 젊은 경우에도 당뇨병 환자 3명 중 약 1명꼴로 발생하며, 전체 연령층에서는 환자의 약 반수가 발기장애를 호소하게 되고, 65세가 되어서는 이들 중 75%가 발기장애로 고생한다. 연령이 증가함에 따라 발병률이 급격하게 늘어나 20대 발기장애환자에서는 약 1%의 발기장애 유병률이, 43세가 넘어가면 약 47%로 증가한다. 또한 당뇨병 환자의 약 12%에서는 발기장애가 초기 발현증상으로 나타나 당뇨병으로 진단되므로 발기장애 환자의 경우 당뇨병 유무에 대한 선별검사의 중요성을 일깨워주고 있다. 이와 같이 당뇨병 환자에서 발기장애가 잘 동반되는 이유는 다른 심혈관질환 위험요소인 고혈압, 고지혈증 등을 갖고 있는 경우가 많기 때문으로 여겨진다. 이렇게 발기력이 감소하게 되는 원인은 음경발기에 필요한 자율신경과 혈관에 주로 병변을 초래하여 오게 되며, 일부에서는 내분비계에도 이상을 가져와 이렇게 여러 부분에서 복합적인 장애로 인하여 발기장애가 발생하게 된다. 발기에 관여하는 자율신경계의 해면체신경 손상, 말단에서 분비되는 신경전달물질들의 분비장애, 그리고 고혈당으로 인한 대사장애로부터 세포막 내의 전해질펌프에 이상이 초래하게 되어 발기조직의 근간인 음경해면체 평활근의 이완장애가 생기게 된다. 또한 발기조직내의 소공을 이루는 내피세포의 이완물질 분비장애, 해면체동맥의 경화 및 폐색 등에 의한 혈류유입장애, 해면체평활근의 위축과 변성으로 인한 평활근이완장애 등이 복합적으로 발기장애를 초래하게 되는 것이다.

당뇨병 이외에 말기신부전증투석 환자의 약 50%에서 발기장애가 발생한다. 혈중 남성호르몬치의 감소, 자율신경병, 혈관질환의 악화, 약물복용, 심리스트레스 등이 그 원인이 된다.

약물의 부작용으로도 올 수 있는데, 거의 모든 혈압강하제, 특히 methyldopa, clonidine 및 reserpine과 같은 중추신경에 작용하는 교감신경차단제는 발기장애의 원인이 된다. Propranolol과 같은 베타차단제는 spironolactone과 같이 성욕감퇴를 일으킨다. 이뇨제와 혈관확장제도 발기장애를 일으킬 수 있다. 삼환식화합물과 모노아민옥시데이스대항제와 같은 항우울제는 진정 및 항콜린작용에 의해 성욕을 감퇴시킨다. 주요정온제(major tranquilizer) 및 소정온제, 최면제도 성욕감퇴를 일으킨다. 히스타민수용체 대항제는 항안드로젠작용과 프로락틴을 증가시켜 성욕감퇴와 발기장애를 일으킨다. 전립선비대증이 전립선암에 쓰이

는 항남성호르몬제제들도 혈중 안드로젠의 감소와 작용을 억제하여 발기장애를 일으킬 수 있다. 기타 마리화나, 알콜, 마취제, 흡연도 발기장애의 직접 또는 성욕감퇴에 의한 간접원인이 된다.

3. 진단

최근까지는 발기장애가 환자의 생명을 위협하는 질환이 아니므로 진단을 위한 검사와 치료는 환자 개개인이 바라는 목적에 따라 맞춤식으로 진행하는 소위 환자의 목표지향적 접근법(patient's goal-directed approach)을 사용하였다. 즉, 환자의 신체적, 정신적 건강상태, 치료동기, 환자가 원하는 치료방법 등에 따라 필요하다고 여겨지는 적절한 검사와 치료를 선택적으로 시행하는 것이다. 더구나 효과가 좋으면서 광범위한 원인의 발기장애에 사용할 수 있는 복용약들이 보급됨에 따라 완치를 기대할 수 있는 원인-손상에 의한 혈관폐색이나 내분비성 원인을 알아보기 위해서가 아니라면 치료방침에 도움이 되는 최소한의 검사만을 시행해 온 것이다. 그러나 이제 발기장애가 단순히 증세로 끝나는 것이 아니라 그 뒤에 숨은 근본적 배경질환이 존재할 가능성이 여러 연구에 의해 제시되면서, 발기장애는 심혈관질환, 당뇨 등으로 대표되는 대사증후군의 초기 전구 증세일 수 있기에 이를 밝히는 노력이 강조되고 있는 실정이다.

1) 병력, 신체검사, 임상병리검사

자세한 질환 및 정신성적(psychosexual) 병력과 신체검사는 성기능장애의 감별진단에 가장 중요한 단계이다. 최근에는 발기장애의 증상을 객관적으로 점수화하기 위한 설문들이 개발되었는데, 그 중에서도 국제발기기능측정설문지(international index of erectile function, IIEF)가 가장 많이 사용되고 있다(표 5-4-1). 이는 증세를 점수화하여 증상의 정도를 평가하고, 치료효과의 판정에 이용한다. 이 중에 발기와 관련된 5문항(2, 4, 5, 7, 15)을 골라 IIEF-5라 하여, 발기력을 평가하는데 17-21점은 경증, 12-16점은 경중등증, 8-11점은 중등증, 5-7점은 중증으로 분류한다.

성적병력은 진단과정 중 가장 중요한 것으로 발기장애의 기간, 성욕감소 여부, 새벽발기 여부 등이 포함되어야 한다. 이외에도 심리학적, 신경학적, 심혈관계, 위장관계 및 비뇨생식기 전반에 걸친 문진과 약물복용, 흡연, 음주, 손상, 과거에 시행한 검사와 치료 등에 대해 상세한 문진이 있어야 하며, 말초혈관질환, 심혈관질환, 고혈압, 고지혈증, 당뇨병, 신부전증, 정신과나 신경과질환 등이 있는 경우에는 보다 자세한 평가가 필요하다. 전립선이나 직장암 등의 근치적 골반수술, 방사선 치료, 척수나 골반외상 등이 발기장애와 연관되어 흔히 발견된다. 한편 가능하다면 환자의 배우자를 함께 면담하는 것이 보다 정확한 성적병력을 알아내고 치료를 계획하면서 성공적인 결과를 얻어 내는 데 중요하다.

신체검사로는 내분비이상, 신경학적 이상, 혈관장애, 생식기 및 전립선질환 등이 있는지를 조사한다. 예를 들어 외성기 또는 고환의 위축이나 여성형유방이 있는 경우 성선저하증이나 고프로락틴혈증에 대한 내분비검사를 해야 한다. 당뇨나 퇴행성신경질환이 있는 경우 말초신경병증의 소견을 보일 수 있다. 생식기나 회음부의 감각이나 구해면체근반사(bulbocavernosus reflex)의 이상 유무를 검사하는 것은 신경인성 발기장애의 진단에 도움이 된다.

검사실검사로는 신부전증, 당뇨병, 내분비질환 등 발기장애를 유발할 수 있는 내과질환을 발견하기 위한 검사가 포함된다. 대개 일반혈액검사(CBC), 요검사와 혈액화학검사로 공복혈당 및 콜레스테롤 측정, 신기능검사, 혈중 테스토스테론 및 프로락틴 측정 등이 시행된다.

2) 야간음경발기검사

야간음경발기(nocturnal penile erection, NPE)는 REM수면과 관련되어 수면 중 수차례 반복되는 것으로, 그 기전이 성적인 흥분에 의한 발기와 유사한 신경혈관반응에 의해 일어나므로 심인성과 기질성발기장애의 감별에 이용된다. 심인성발기장애의 경우 야간발기가 정상(8시간 수면 중에 4-5회, 1회에 20-40분 지속)인 반면 기질적 원인인

표 5-4-1. 국제발기능측정설문지(IIEF)

(1) 지난 4주 동안 성행위 시 몇 번이나 발기가 가능했습니까?
0 = 성행위가 없었다
1 = 거의 한번도 또는 한번도 없었다
2 = 가끔씩(총 횟수의 50%에 훨씬 못 미친다)
3 = 때때로(총 횟수의 50% 정도)
4 = 대부분(총 횟수의 50% 이상이 훨씬 넘는다)
5 = 항상 또는 거의 항상

(2) 지난 4주 동안 성적 자극으로 발기되었을 때 성교가 가능한 정도로 충분한 발기는 몇 번이나 있었습니까?
0 = 성행위가 없었다
1 = 거의 한 번도 또는 한 번도 없었다
2 = 가끔씩(총 횟수의 50%에 훨씬 못 미친다)
3 = 때때로(총 횟수의 50% 정도)
4 = 대부분(총 횟수의 50% 이상이 훨씬 넘는다)
5 = 항상 또는 거의 항상

(3) 지난 4주 동안 성교를 시도할 때, 몇 번이나 파트너의 질 내로 삽입할 수 있었습니까?
0 = 성행위가 없었다
1 = 거의 한 번도 또는 한 번도 없었다
2 = 가끔씩(총 횟수의 50%에 훨씬 못 미친다)
3 = 때때로(총 횟수의 50% 정도)
4 = 대부분(총 횟수의 50% 이상이 훨씬 넘는다)
5 = 항상 또는 거의 항상

(4) 지난 4주 동안 성교하는 중에 발기상태가 끝까지 유지된 적이 몇 번이나 있었습니까?
0 = 성행위가 없었다
1 = 거의 한 번도 또는 한 번도 없었다
2 = 가끔씩(총 횟수의 50%에 훨씬 못 미친다)
3 = 때때로(총 횟수의 50% 정도)
4 = 대부분(총 횟수의 50% 이상이 훨씬 넘는다)
5 = 항상 또는 거의 항상

(5) 지난 4주 동안, 성교 시에 성교를 끝마칠 때까지 발기상태를 유지하는 것은 얼마나 어려웠습니까?
0 = 성교를 시도하지 않았다
1 = 지극히 어려웠다
2 = 매우 어려웠다
3 = 어려웠다
4 = 약간 어려웠다
5 = 전혀 어렵지 않았다

표 5-4-1(이어서). 국제발기능측정설문지(IIEF)

(6) 지난 4주 동안 몇 번이나 성교를 시도했습니까?

    0 = 시도하지 않았다.

    1 = 1–2회

    2 = 3–4회

    3 = 5–6회

    4 = 7–10회

    5 = 11회 이상

(7) 지난 4주 동안 성교를 시도했을 때 몇 번이나 만족감을 느꼈습니까?

    0 = 성행위가 없었다

    1 = 거의 한 번도 또는 한 번도 없었다

    2 = 가끔씩(총 횟수의 50%에 훨씬 못 미친다)

    3 = 때때로(총 횟수의 50% 정도)

    4 = 대부분(총 횟수의 50% 이상이 훨씬 넘는다)

    5 = 항상 또는 거의 항상

(8) 지난 4주 동안 성교 시 귀하의 즐거움은 어느 정도였습니까?

    0 = 성교를 하지 않았다

    1 = 즐겁지 않았다

    2 = 별로 즐겁지 않았다

    3 = 그런대로 즐거웠다

    4 = 상당히 즐거웠다

    5 = 매우 즐거웠다

(9) 지난 4주 동안 성적자극이 있거나 또는 성교를 했을 때 몇 번이나 사정을 했습니까?

    0 = 성행위가 없었다

    1 = 거의 한 번도 또는 한 번도 없었다

    2 = 가끔씩(총 횟수의 50%에 훨씬 못 미친다)

    3 = 때때로(총 횟수의 50% 정도)

    4 = 대부분(총 횟수의 50% 이상이 훨씬 넘는다)

    5 = 항상 또는 거의 항상

(10) 지난 4주 동안, 성적자극이 있거나 또는 성교를 할 때, 사정을 했던지 안 했던지 간에 몇 번이나 오르가즘(절정감)을 느꼈습니까?

    0 = 성행위가 없었다

    1 = 거의 한 번도 또는 한 번도 없었다

    2 = 가끔씩(총 횟수의 50%에 훨씬 못 미친다)

    3 = 때때로(총 횟수의 50% 정도)

    4 = 대부분(총 횟수의 50% 이상이 훨씬 넘는다)

    5 = 항상 또는 거의 항상

(11) 지난 4주 동안 얼마나 자주 성욕을 느꼈습니까?

    1 = 거의 한 번도 또는 한 번도 없었다

    2 = 가끔씩(총 횟수의 50%에 훨씬 못 미친다)

    3 = 때때로(총 횟수의 50% 정도)

    4 = 대부분(총 횟수의 50% 이상이 훨씬 넘는다)

    5 = 항상 또는 거의 항상

(12) 지난 4주 동안 귀하의 성욕의 정도는 어느 정도이었다고 생각하십니까?

    1 = 매우 낮거나 전혀 없었다

    2 = 낮았다

    3 = 그저 그랬다

    4 = 높았다

    5 = 매우 높았다

(13) 지난 4주 동안 대체로 귀하의 성생활에 대해서 얼마나 만족했습니까?

    1 = 매우 만족하지 못했다

    2 = 대체로 만족하지 못했다

    3 = 그저 그렇다 또는 보통이다

    4 = 대체로 만족했다

    5 = 매우 만족했다

(14) 지난 4주 동안 귀하의 파트너와의 성관계에 대해서 얼마나 만족했습니까?

    1 = 매우 만족하지 못했다

    2 = 대체로 만족하지 못했다

    3 = 그저 그렇다 또는 보통이다

    4 = 대체로 만족했다

    5 = 매우 만족했다

(15) 지난 4주 동안 발기할 수 있고, 발기상태를 유지할 수 있다는 것에 대한 귀하의 자신감은 어느 정도라고 생각하십니까?

    1 = 매우 낮다

    2 = 낮다

    3 = 그저 그렇다

    4 = 높다

    5 = 매우 높다

경우 야간발기가 저하되는 소견을 보인다. 리지스캔(Rigis-can®)장치를 이용하여 발기의 횟수와 지속시간, 발기 시 강직도와 팽창도(둘레 변화) 등을 쉽게 알 수 있다.

3) 내분비검사

시상하부–뇌하수체–성선축과 갑상선 및 부신의 기능도 평가한다. 혈중 테스토스테론과 프로락틴을 검사하여 비정상이면 반복시행하여 확인한다. 테스토스테론이 감소된 경우에는 LH, FSH도 검사하여 원발성과 속발성성선저하증을 감별한다. 프로락틴이 증가된 경우 뇌하수체종양에 대한 검사를 한다.

4) 신경학적 검사

신경학적 병변의 과거력이 있거나 신경학적 이상이 의심될 경우에는 보다 자세한 신경학적 검사를 시행한다. 감각체신경에 대한 검사로 배부신경의 기능을 측정하기 위해 음경진동각검사(biothesiometry)와 자율신경계의 반사중추를 평가하는 구해면체근반사 지연시간(bulbocavernous reflex latency time)검사, 유발전위검사로 배부신경전달속도와 척수신경유발전위검사 등을 할 수 있다. 자율신경병증에 대한 직접적인 검사방법은 없고, 간접적인 방법으로 방광내압측정(cystometry)을 시행하기도 한다. 야간음경발기검사와 EEG, EMG를 결합하여 중추신경계의 이상을 알아보기도 한다.

5) 혈관계검사

(1) 발기유발제를 이용한 인위발기유발검사

발기장애의 원인이 혈관성인가 아닌가를 감별할 수 있는 손쉬운 진단방법으로서 동시에 치료에 있어 음경해면체내 자가약물주사요법의 가능성도 함께 타진할 수 있는 방법이다. 복용약물이 개발되기 전에는 해면체내 자가주사요법이 치료의 주종을 이루었으므로 환자의 첫 면담 시에 외래에서 제일 먼저 간단히 시행해 왔던 검사이었으나, 최근에는 복용약물이 개발되어 널리 쓰이고 있으므로 복용약물을 먼저 투여하

여 효과 유무를 관찰하고 투여에 효과를 보이지 않아 다음단계로 주사치료를 고려하거나, 발기장애에 기여하는 음경혈관의 상태를 간단히 점검해보는 수단으로 이용되고 있다. 가급적 안락하고 조용한 방에서 환자의 음경해면체 내로 혈관작용제를 주사한 후 발기반응을 관찰하게 된다. 널리 쓰이고 있는 약물로는 과거에는 papaverine을 많이 사용하였으나 최근에는 비교적 안전하고 미국 식품의약국의 공인을 획득한 PGE1을 널리 사용하고 있는 추세다. 일정 시간(보통 15분 이상, 30분–1시간) 관찰하는 동안 약 10–30분 이상 지속되는 완전발기반응을 보이는 것을 양성으로 정의할 때 양성반응을 보이면 적어도 혈관계에는 큰 이상이 없음을 의미하게 되며 소수에서는 경미한 동맥부전증은 존재할 수 있으나 정맥폐쇄기능만큼은 정상적으로 유지하고 있다고 판정할 수 있다. 따라서 이 검사는 검사의 간편성을 고려할 때 해면체정맥폐쇄기능의 평가에 있어 가장 용이한 검사이다.

(2) 음경복합초음파촬영술(penile duplex ultrasonography)

발기장애환자에서 음경의 동맥혈류상태를 비침습적으로 가장 손쉽게, 그리고 비교적 정확하게 파악할 수 있는 방법으로 알려져 있으며, 혈관성발기장애가 의심되는 경우 시행해 볼 수 있다. 복합초음파란 우선적으로 초음파영상을 통하여 음경내부의 조직인 백막, 해면체 등을 조사하여 구조적인 이상 유무를 관찰한 후에 발기유발제를 통한 음경발기를 유도하는 과정에서 음경해면체동맥을 중심으로 음경해면체를 공급하는 동맥의 도플러 스펙트럼을 얻어 유속을 측정하게 된다. 발기유발제주사 전후에 음경해면체동맥의 수축기최고혈류속도(peak systolic velocity, PSV)를 측정하여 동맥혈유입의 기능평가가 가능하다. 또한 해면체동맥의 이완기말혈류속도(end–diastoloc velocity, EDV)가 증가되어 있는 경우 간접적으로 해면체성발기장애를 의심할 수 있다.

(3) 음경해면체내압측정술 및 음경해면체조영술

이 검사방법의 주목적은 원인이 해면체성인지를 알기 위해 발기유지에 필요한 정맥폐쇄기전의 기능을 평가하는 데에

있다. 비교적 침습적인 검사방법이므로 음경혈관재건술이나 정맥결찰술 등의 혈관수술을 시행하기 전, 혹은 후의 추적관찰 시, 또는 정맥혈의 누출을 확인할 필요가 있는 경우 등에서만 제한적으로 시행하는 것이 바람직하다. 검사의 원리는 인위적으로 해면체 내에 혈액이나 수액의 공급을 충분히 해준 상태에서 음경의 내압을 측정하거나 일정한 해면체 내압을 유지하는 데에 필요한 주입액의 양으로 혈액이 유출되어 나가는 정도를 파악하고, 정맥유출 당시의 조영제 사진을 얻어 유출 장소를 확인하는 것이다.

(4) 선택적 내음부동맥조영술(selective internal pudendal arteriography)

상기검사들을 통하여 동맥의 부전이 의심되고 환자와 치료방법에 대해 충분히 논의하여 동맥혈관의 재건술을 치료방법으로 고려하는 경우에 한해서만 제한적으로 시행되어야 한다. 이 검사의 목적은 동맥부전의 진단 자체를 의심하여 시행하는 것이 아니고 수술을 전제로 하여 폐색의 장소를 확인하고 수술에 필요한 해부학적 정보를 얻는 데에 있다. 따라서 혈관이 건강한 50세 이하의 비교적 젊은 환자에서 골반강 내의 손상에 의해 특정 부위의 동맥 손상이 의심되는 경우가 가장 좋은 적응증이다.

4. 치료

발기기능장애의 치료는 불과 20년 전만 하더라도 노화의 한 현상으로 받아들이며 치료에 대한 요구가 없이 살아왔지만 의학의 발전으로 80년대 이후에 들어서 음경보형물삽입술이나 해면체내 주사요법으로 침습적이긴 하나 비로소 효과적인 치료가 가능하게 되었고, 약 1998년부터는 효과적인 복용약 sildenafil이 성공적으로 개발되면서 이 분야의 약물치료에 일대 혁신을 몰고 왔다.

1) PDE5 (Phosphodiesterase type 5)억제제

간편한 복용 방법 때문에 많은 약물에 대한 연구가 이루어져, 과거에는 대부분 경험적 투여에 의해 위약효과 이상의

효과를 기대하기 힘들었으나 1998년 sildenafil citrate가 개발되면서 획기적인 전기를 이루었고, 이후 유사약리작용을 갖는 약물들이 속속 개발되면서 현재 여러 종류의 약들이 사용되고 있고, 다양한 복제약의 등장으로 경제적 부담도 많이 적어졌다.

음경이 발기되기 위해 부교감신경계의 말단과 혈관이나 해면체의 내피세포에서 분비되는 강력한 혈관확장물질인 일산화질소(NO)가 필요하며 이는 세포질 내에 cGMP라는 물질의 합성을 도와 평활근을 이완시킴으로 발기가 유발되고 유지된다. 이때에 cGMP는 PDE5라는 효소에 의해 대사되어 없어지는데, 바로 이 효소를 억제하는 물질이 PDE5억제제이며, 이는 화학구조식이 cGMP와 유사하므로 PDE5효소를 소진하게 만들어 세포질 내에 cGMP가 계속 대사되지 않고 남아있도록 도와주어 발기를 돕게 된다.

구조식의 차이에 따라 약물의 효과와 작용시간이 조금씩 차이가 나게 되는 바, 타달라필과 우데나필은 반감기가 뚜렷하게 길다는 특징을 갖고 있어 약효가 나타나는 시간이 타 약물에 비해 길다는 특성이 있다. 즉, 다른 기타 약은 복용 후 약 4시간 안에 관계를 갖도록 지도하지만, 타달라필은 24시간, 우데나필은 12시간 내외까지 작용시간을 늘려가질 수 있다.

약물의 용량은 환자 개개인의 증상의 정도에 따라 조절이 필요하다. 초기에 적은 용량으로 시작하여 효과가 나타날 때까지 늘리는 것이 원칙이며, 적어도 동일 용량으로 4회 이상 투여해보고 효과 여부를 판정하는 것이 원칙이다. 그러나 중증이 의심될 때에는 처음부터 최대용량을 투여하는 것이 약효를 일찍 판정할 수 있어 처방에 용이하다.

이들 약물에 대한 임상시험연구는 전 세계적으로 진행되어 약물 간에 다소 차이를 보이지만 대부분 70-80% 전후의 효과율을 보고하고 있다. 같은 발기기능장애환자라고 하여도 대상 환자군의 증세 정도에 따라, 평가방법에 따라 차이

가 있을 뿐 효과는 모두 비슷한 것으로 보여진다. 그러나 일반적으로 발기기능장애의 정도가 심한 당뇨병 환자들에서는 50% 내외에서, 근치적전립선적출술을 받은 환자에서는 40% 내외로 그 효과율은 떨어진다.

가장 흔한 부작용은 15% 전후에서 나타나는 두통이며 이는 뇌로 가는 혈관이 확장되어 발생한다. 마찬가지로 혈관 확장 증세로 인한 안면홍조, 코막힘, 어지럼 등도 2–10% 이내에서 나타나는 것으로 보고되며, sildenafil은 망막에 존재하는 PDE 제6형에 대한 동반 억제로 청색시야증이나 기타 시각장애가 드물게 나타날 수 있고, tadalafil의 경우에는 PDE 11에 대한 억제작용으로 인한 요통 등도 매우 드물게 보고되고 있다.

병력청취 시 환자가 성행위의 운동량을 감당할 만한 심장을 지니고 있는가에 대한 평가가 중요하며, 원칙적으로 필요시에만 복용하는 방법이지만 저용량으로 매일 복용하는 방법으로 사용되기도 한다.

2) 음경해면체내 자가주사요법
복용약에 효과가 없거나 부족한 경우 고려해볼 수 있다. 음경발기에 이용되는 혈관확장제들은 해면체평활근 이완물질들의 분비를 촉진하거나 직접 해면체내평활근을 이완시키게 되거나 교감신경계를 억제하는 작용을 갖게 되며, 이를 이용하여 생리적인 음경발기를 유도하게 된다. 많이 쓰이는 약물로는 papaverine, phentolamine, prostaglandin E1 (PGE1) 등이 주로 단독 혹은 병합하여(phentolamine은 단독으로 쓰이지 않음) 이용되고 있다. 사용할 때의 불편한 점은 대표 약물인 PGE1이 상온에서의 약물의 불안정성 때문에 냉장보관을 요하고 따라서 장거리여행 시 냉장도구가 필요한 점 등이다. PGE1 단독주사로 효과를 보지 못하는 경우에 phentolamine과 papaverine을 추가한 삼중복합제를 사용하여 왔는데 국내에서도 스탠드로 (Standro®, 신풍제약)라는 주사제로 개발되어 해면체내 주사요법에 이용되고 있다. PGE1에 비해 강한 효과와 함께 음경동통이 적다는 장점을 갖고 있다. 반면에 지속발기증 등의 합병증 발생률이 상대적으로 높으며 따라서 과다용량이 주사되지 않도록 주의를 요한다.

3) 남성호르몬치료
혈중 남성호르몬이 감소되어 있는 갱년기증후군이 확인되었다면 남성호르몬의 보충요법이 선행되어야 한다. 16개 연구의 메타분석결과 호르몬을 보충한 경우가 위약군에 비해 발기기능의 개선이 각각 57% 및 17%로 현저하였다. 복용제, 경피부 testosterone 도포제, 주사제가 쓰이고 있다. 주의할 점은 성선기능이 정상인 경우 효과를 기대하기 어려우며 남용할 경우 생기는 부작용 등을 고려하여 제한적으로 이용되어야 하겠다. 3개월 이상 투여해도 기능의 향상이 없으면 더 이상 쓸 필요가 없으며 전립선암관련 지표를 포함한 추적관찰이 반드시 병행되어야 한다.

4) 저강도충격파 치료
약물치료가 효과가 없거나 불충분하다면 고려해 볼 수 있는 방법으로 해면체로 가는 혈류를 증가시켜주는 효과를 기대한다. 충격파가 해면체 내의 내피세포를 자극하고, 신경전달물질, 자연적 생활성물질 등을 증가시키는 효과를 이용하는 방법으로 초기결과들은 일부에서 좋게 보고되었으나, 연이은 임상연구에서는 별 효과를 보이지 못해 아직 표준치료로는 자리를 잡지 못하였다.

5) 수술치료
음경으로 가는 혈관의 국소적인 손상으로 인한 발기기능장애가 확실한 경우에는 음경혈관재건술을 시행하여 발기의 근본적인 치료를 꾀한다. 40세 이전의 젊은 남성이 교통사고 등의 이유로 음경으로 가는 혈관의 국소 손상이 있을 때 적용된다. 그 이외의 경우에는 각종 성인병 등으로 전반적인 혈관의 상태가 건강치 못하므로 해당되는 경우가 거의 없다. 따라서 대부분의 수술치료는 음경조직을 기계로 대체하는 음경보형물삽입술이다. 약물치료로 효과를 보지 못하거나 금기증에 해당되어 약물을 쓰지 못하는 경우, 그리고 약물의 부작용이 심한 경우에는 수술치료인 음경보형물삽입술을 권하게 된다. 자연발기에 흡사한 세조각 팽창형이 주로 쓰이며 치료비가 고가인 단점이 있으나 치료만족도는 의외로 높은 편이다.

II. 여성의 성기능장애

여성의 성기능장애는 비교적 수십 년 전부터 알려지기 시작했지만 그에 대한 과학적 지식의 발전은 남성의 성기능장애에 비하여 훨씬 뒤떨어져 있었다. 그러나 새로운 혈관작용제들이 남성의 발기장애치료제로 개발되어 괄목할 만한 효과를 보이기 시작하자, 이제 그 관심의 대상이 여성의 성기능장애로 확산되기 시작하였다. 이러한 관심으로 인하여 여성 성기능장애에 대한 연구가 서서히 시작되었고, 학회도 결성되어 비교적 활발한 연구가 진행되어, 이제야 여성의 성기능장애 분야에 있어 용어의 정의나 진단에 필요한 기준이 확립되어 가고 있다.

1. 정상 성반응

여성의 성기능장애를 구체적으로 분류 및 이해를 위해서는 정상적인 성반응의 단계를 먼저 알아야 한다. 여성이 성행위 시 느끼는 정상적인 성반응의 단계는 Master와 Johnson의 이론에 기초하여 다음의 다섯 가지로 구성된다.

1) 욕구(Desire)
욕구란 성적흥분을 돋구는 역할을 하게 되며 욕구를 자극하는 것으로는 관심이 있는 대상자가 있거나 성적으로 자극하는 서적, 사진, 예술품 등이 있다. 또한 내적으로 환상이나 꿈 등도 욕구를 자극한다.

2) 흥분기(Arousal phase)
흥분은 애무와 같은 성적인 자극에 대한 반응으로 주로 부교감신경에 의해 매개된다. 여성이 흥분하게 될 때에 나타나는 신체변화를 살펴보면, 외성기와 질 쪽으로의 혈액순환이 증가되므로 질 내의 점액선 및 모세혈관에서 애액이 분비되어 질이 윤활해진다. 음핵과 음순이 충혈되어 음핵은 약 3배 가까이 커지고 감각이 예민해지며, 질이 길어지고 넓어지면서 땀을 흘리듯이 질 윤활액이 분비된다. 소음순과 대음순도 팽창되며 색이 짙어지고 자궁이 골반강내에서 올라가게 된다. 심장박동수도 증가하고 근육들이 수축하며 유방도 충만감을 느끼면서 유두가 일어서게 된다. 이 단계는 남성의 발기현상과 같은 단계로 남성의 음경으로 혈액이 충만되어 나타나는 것과 같이 여성에서도 음핵과 질로의 혈액공급이 중요한 생리기전이 된다.

3) 고조기(Plateau phase)
고조기는 흥분기와 극치감 사이의 단계로 이 때에는 성기로의 순환이 더욱 늘어나며 음순과 음핵이 보다 충혈된다. 음핵은 더욱 발기되어 거의 치골과 가깝게 위치하게 되고 질의 원위 1/3부위의 근육이 확장되면서 소위 'orgasmic platform'을 형성한다. 자극이 지속되면, 특히 음핵부분의 자극이 강한 경우 쉽게 극치감에 도달된다. 남성에서는 음경내압이 수축기혈압 이상으로 최대치에 도달하는 시기라 할 수 있다.

4) 극치기(Orgasmic phase)
극치기는 근육의 수축으로 표현되며 쾌감이 최고조에 이르는 극치감을 느끼는 단계로서 교감신경에 의해 매개된다. 이는 질, 회음부, 항문 등의 근육들의 일련의 수축과정으로 앞서 말한 orgasmic platform이 1초 미만의 짧은 주기로 10회 내외의 불수의적인 경련을 보이게 된다. 많은 수에서는 자궁의 수축도 느낀다고 한다. 따라서 자궁을 절제한 경우 극치감이 달라졌다는 보고도 있다. 일부 여성은 성기가 삽입되기 전에 극치감에 도달하여 성교 시 음핵이 보다 쉽게 자극받기를 원하는 경우도 있다. 대부분의 여성은 1회의 성교 시 성기 삽입 전, 후에 걸쳐 수차례 극치감에 도달할 수 있다. 남성에서의 회음부 근육의 수축과 함께 사정을 동반하게 되는 시기와 같다.

5) 해소기(Resolution phase)

해소기는 극치감 이후 근육의 긴장이 풀리면서 여성이 이완감과 행복감을 느끼는 시간이며, 그 동안 자궁이 골반강 내의 제 위치로 돌아가고 외성기와 질의 혈액순환도 이전 상태로 감소하며 모든 수축되었던 장기들이 이완상태로 돌아가게 된다.

2. 성기능장애

1) 분류

여성의 성기능장애라 함은 여성이 성행위를 통하여 만족을 얻지 못하거나 어려움이 있는 경우를 일컫는다. 그러므로 단일 증상이 아닌 여러 가지 형태의 장애가 포함되며 병행될 수 있다. 즉, 성욕장애(sexual desire disorders, namely hypoactive sexual desire or sexual aversion disorder), 성흥분장애(sexual arousal disorders), 극치감장애(female orgasmic disorder), 성동통장애(sexual pain disorders) 등으로 나누어진다. 최근 DSM-5 분류에서는 성욕과 성흥분장애를 합쳐서 여성의 성관심/흥분장애(female sexual interest/arousal disorder)로, 성관련 통증을 묶어서 외음부-골반 동통/삽입장애로 통합하여 분류하였고, 정신과영역에 가까운 성혐오증(sexual aversion disorder)은 여성성기능분류에서 제거하였다.

성욕저하증(hypoactive sexual desire)은 여성성기능장애의 가장 흔한 형태이다. 그러나 특히 여성에서는 남성의 조조발기 등과 같은 성욕과 관계된 신체현상이 없으므로 객관적이고도 정확한 진단이 불가능하다. 더욱이 성욕이 없어도 성관계가 가능하므로 성관계의 빈도만으로 판정하기도 어렵다. 약물이나 우울증 등의 심리적 원인에 의해서도 쉽게 장애가 오며, 극치감장애에 따른 이차적인 증상일 수도 있으므로 이들에 대한 세심한 문진이 필수적이다.

성흥분장애(female sexual arousal disorder)란 충분하고 적절한 성적자극에도 불구하고 서서히 혹은 반복적으로 흥분하지 못하거나 성교에 필요한 질 윤활액의 분비나 팽창반응이 없거나 유지하지 못할 때를 말한다. 유병률은 보고자마다 차이가 있어 14–19%로 보고하고 있다. 이 경우의 진단 역시 대부분의 여성이 적절히 질액이 분비가 되는지, 음핵이 커지는지 등의 신체변화에 대해 알지 못하므로 어렵고, 대부분 정신적 흥분 여부에 따라 판정하기가 쉽다. 또한 이들은 흥분이 안되므로 성욕이 저하되거나 혹은 극치감을 느끼지 못하게 되므로 성욕저하증 혹은 극치감장애로 잘못 분류될 수 있다. 최근에 남성발기장애의 주원인이 혈류이상으로 밝혀짐에 따라 여성에서도 음핵과 질의 혈류저하가 이들의 주원인이 될 수 있다는 가능성을 제시하고 있다. 따라서 과거에는 심인성으로 치부하던 것을 남성의 혈관성발기장애의 주 원인인 흡연, 당뇨병, 고지혈증, 동맥경화 등이 기질성원인으로 여기고 있다.

여성극치감장애(female orgasmic disorder)는 정상적인 성적흥분에도 불구하고 지속적으로 혹은 반복적으로 극치감이 없거나 지연되는 경우를 일컫는다. 그러나 개인적으로 극치감에 도달하는 자극과 흥분의 수준이 다르므로 무엇이 극치감에 이르는 적절한 흥분상태인지 알기 어렵고 따라서 진단의 기준도 모호하다. 어떤 여성은 단순히 상상이나, 유두의 자극만으로도 극치감에 이르는 반면, 어떤 여성은 심한 음핵의 자극에 의해서만 이를 수 있기 때문이다.

외음부-골반 동통/삽입장애는 성교통과 질경련이 포함되는데, 대부분 여성에서만 나타나는 질환으로 성행위와 관련되어 반복적으로 혹은 지속적으로 나타나는 통증을 가리켜 성교통이라 하고, 질 원위부 1/3부위의 근육의 불수의적 경련에 의한 이완장애로 성교가 불가능한 경우를 질경련이라 한다. 성교통은 10–15%의 발생률을 보고하며 폐경후 여성호르몬의 부족이나 질염, 자궁경부염, 만성골반염, 자궁내막증식증 등의 기질적원인이 많은 반면, 질경련은 성치료기관에 내원한 여성 환자의 12–17%에서 호소하는 것으로 보고하고 있고, 원인은 성교통과는 달리 성에 대한 죄책감, 부정적태도, 상대에 대한 거부감, 성폭행의 경험 등의 심

인성 원인이 많은 것으로 되어 있다. 그러나 감염, 수술이나 화학 물질에 의한 이차적인 질경련도 매우 흔하다. 실제적인 임상에서 상기한 두 질환을 명확히 감별해 내기란 쉽지 않다. 이유는 두 가지 증세가 겹친 경우가 많으며, 통증의 주관적인 호소 정도와 실제 신체검사와의 연관성이 결여되어 있으므로 객관적 진단이 어렵기 때문이나.

위에 열거한 장애 중 여성의 성흥분장애는 남성의 발기장애와 가장 흡사하다고 할 수 있으며 여성에서는 질내의 윤활작용이 원활치 못하거나 외성기의 감각이 둔화되는 증상을 호소한다. 따라서 최근에 남성발기장애를 위해 개발된 약물들을 이 부분의 여성성기능장애에 적용해 보려고 노력하고 있으나 실제로는 성욕장애를 호소하는 여성이 훨씬 많으므로 이 부분의 치료가 더욱 요구된다. 또한 이들의 진단은 남성의 발기장애의 진단이 비교적 명확하게 이루어지는 것과는 달리 다소 주관적이거나 독단적일 수 있고, 구체적 진단기준도 마련되어 있지 못한 실정이다. 또한 정확히 분류하는 데에도 어려운 점은 신빙성이나 타당성을 갖추기가 힘들며, 서로 단독적으로 나타나기보다는 복합적으로 상호 연관되어 나타나고, 대부분의 증상이 다른 여러 질환들, 약물, 손상, 혹은 정신질환 등의 한 증상으로 나타날 수 있기 때문이다.

2) 원인

여성성기능장애의 원인은 해부학적, 생화학적, 신경학적, 심리사회적이상 등의 광범위한 원인으로부터 발생한다. 생화학적 원인에는 내분비이상, 약물 혹은 질병들이 포함된다.

내분비적 원인으로 여성이 폐경기가 되면 혈중 에스트로젠이 감소되고 그에 따라 프로제스테론과 테스토스테론도 함께 감소하게 된다. 출산 직후나 모유를 주고 있는 여성도 여성호르몬수치가 감소하게 된다. 이들 시기의 여성은 낮은 테스토스테론의 영향으로 성욕구가 감소하며, 더불어 에스트로젠이 낮으므로 성적 흥분이나 극치감도 방해한다. 외성기로의 혈액순환도 감소하게 되어 외성기는 위축되고 음핵의

감각도 무뎌지며, 질벽은 얇아지고 윤활작용이 떨어져 성교행위 시 통증도 야기할 수 있다. 따라서 호르몬의 변화는 모든 단계의 성기능에 장애를 야기할 수 있다. 이 경우에는호르몬의 보충만으로도 문제가 쉽게 해결될 수 있다.

특정 약물들도 성욕구, 흥분 및 극치감 도달에 장애를 야기한다. 특히 몇 가지 항우울제는 성욕감퇴를 야기한다. 이외에도 혈압강하제, 항정신성약물, 수면제, 마약성 진통제, 경구피임제 등도 성기능장애를 야기한다. 이뇨제나 항히스타민제와 같이 탈수를 조장하는 약물들은 질 점막도 건조시켜 성감을 감소시킨다.

질염, 방광염 등의 염증질환들도 통증을 야기하여 성기능장애를 초래한다. 또한 당뇨가 남성발기장애의 대표적 질환이듯이 여성에서도 혈관과 신경의 장애를 일으켜 외성기로의 혈액순환과 감각에 이상을 일으키게 된다. 마찬가지로 고혈압, 동맥경화 등의 질환도 남성에서와 같이 성기능장애를 일으킨다. 자궁내막증은 항문과 자궁경부에 붙어있는 자궁조직이 통증에 민감하게 되어 성교통을 유발하며, 골반강내 염증질환, 과민성대장염 등에서도 통증을 유발할 수 있다. 만성우울증과 고혈압을 앓고 있다면 우울증으로 인하여 성욕이 감퇴할 뿐 아니라 고혈압과 혈압강하제로 인해 외성기로의 순환장애와 감각이상으로 더욱 심각한 성기능장애를 초래하게 된다.

이외에도 출산이나 교통사고 등의 골반 손상, 수술 등에 의하여 신경이 손상받아 외성기의 감각에 장애를 야기할 수 있다. 또한 나이가 먹음에 따라 질 근육의 긴장도가 떨어지고 자궁탈 등으로 성교가 어렵게 되며, 급성질경련 등으로 통증이 유발된다. 파트너와의 불충분한 관계, 성행위에 대한 부끄러움이나 죄의식, 성추행의 경험, 우울증이나 피곤함, 정신적 스트레스 및 불안증 등은 모든 부분의 성기능에 장애를 초래할 수 있다.

3) 진단 및 치료

여성성기능장애의 진단과정에 있어 아직 표준화되어 있지 못하지만 남성과 같이 문진, 신체검사, 성호르몬검사 등의 검사실검사 등으로 대략의 원인을 추정할 수 있고, 그 결과에 따라 원인별 치료를 고려하는 것이 원칙이겠다. 특수진단검사로서는 복합도플러초음파나 레이저도플러, 질광혈류측정법, 질벽의 산소분압 및 온도변화측정법 등을 이용한 외성기 혈류검사, 자기공명영상을 이용한 뇌활성도의 평가, 질유순도검사나 외성기감각검사 등이 실험적으로 이용되고 있다.

여성성기능장애의 치료는 남성에서처럼 대증적 방법으로만 접근하여 치료하기는 힘들다. 오히려 성기능장애의 원인을 파악하고 치료함에 있어서 성행위에 관계되는 전 과정을 고려하여야 한다. 따라서 치료를 할 때, 다방면적인 접근이 필요하며, 어떤 경우든지 심리적인 지지요법 또는 성생활에 영향을 줄 수 있는 잠재적인 스트레스나 우울성향에 대한 이해와 치료가 선행될 수 있음을 숙지하여야 한다. 현재 쓰이는 대표적인 치료방법으로는 약물요법으로 성호르몬 보충요법, 도파민대항제 등의 중추신경작용제, PDE5억제제나 알파차단제 등의 혈관확장제 등이 쓰이고 있지만 큰 효과를 보는 경우는 드물고, 성동통장애가 있을 때에는 음핵귀두염이나 외음부의 경화태선, 편평태선, 외상성신경염 등의 질환이 없는지 세밀히 관찰하여 수술적 병변 절제 등의 근본적인 치료를 하는 것이 중요하다.

참 / 고 / 문 / 헌

1. Bachamann G, Bancroft J, Braunstein G, Bruger H, Davis S, Dennerstein L, et al. Female androgen insufficiency: the Princeton consensus statement on definition, classification, and assessment. Fertil Steril 2002;77:660–5.

2. Brown JS, Wessells H, Chancellor MB, Howards SS, Stamm WE, Stapleton AE, et al. Urologic complications of diabetes. Diabetes Care 2005;28:177–85.

3. Clayton AH, Valladares Juarez EM. Female Sexual Dysfunction. Med Clin North Am 2019;103:681-98.

4. Guay AT, Spark RF, Bansal S, Cunningham GR, Goodman NF, Nankin HR, Petak SM, et al. American Association of Clinical Endocrinologists medical guidelines for clinical practice for the evaluation and treatment of male sexual dysfunction: a couple's problem––2003 update. Endocr Pract 2003;9:77–95.

5. Hawksworth DJ, Burnett AL. Pharmacotherapeutic management of erectile dysfunction. Clin Pharmacol Ther 2015;98:602–10.

6. Irwin GM. Erectile Dysfunction. Prim Care 2019;46:249–55.

7. Kupelian V, Shabsigh R, Araujo AB, O'Donnell AB, McKinlay JB. Erectile dysfunction as a predictor of the metabolic syndrome in aging men: results from the Massachusetts Male Aging Study. J Urol 2006;176:222–6.

8. Melman A, Feder M. Gene therapy for the treatment of erectile dysfunction. Nat Clin Pract Urol 2008;5:60–1.

9. Mobley DF, Khera M, Baum N. Recent advances in the treatment of erectile dysfunction. Postgrad Med J 2017;93:679–85.

10. Montorsi F, Salonia A, Deho' F, Cestari A, Guazzoni G, Rigatti P, Stief C. Pharmacologic management of erectile dysfunction. BJU Int 2003;91:446–54.

11. NIH Consensus Conference, impotence, NIH Consensus Development Panel on Impotence. JAMA 1993;270:83–90.

12. Rajfer J, Aronson WJ, Bush PA, Dorey FJ, Ignarro LJ. Nitric oxide as a mediator of relaxation of the corpus cavernosum in response to nonadrenergic, noncholinergic neurotransmission. N Engl J Med 1992;326:90–4.

13. Uckert S, Mayer ME, Jonas U, Stief CG. Potential future options in the pharmacotherapy of female sexual dysfunction. World J Urol 2006;24:630–8.

14. Uckert S, Mayer ME, Stief CG, Jonas U. The future of the oral pharmacotherapy of male erectile dysfunction: things to come. Expert Opin Emerg Drugs 2007;12:219–28.

임신 중 내분비변화

이혜진

I. 태반의 발달

정상태반의 형성과정은 수정(fertilization)과 함께 시작되는 일련의 과정이다. 영양막(trophoblast)세포에서 만들어지는 사람융모성선자극호르몬(human chorionic gonadotropin, hCG)은 임신 후 6-9일에 산모 혈청에서 처음으로 발견되는 호르몬으로 초기 임신 유지에 관련된다. hCG는 착상기와 임신 첫 6-7주 동안 황체에서 프로제스테론 합성을 자극하고 유지시키는 역할을 한다. 프로제스테론은 착상과정에 중요하게 작용하며, 황체-태반전이(luteal-placental shift) 이후에 임신 유지에 필요한 호르몬이다. 프로제스테론뿐 아니라, 다른 호르몬과 성장인자들이 태반에서 만들어지며(표 5-5-1), 융합영양막(syncytiotrophoblast)은 태아에 산소와 영양분을 공급하고 폐기물을 제거하는 주된 장소이다.

영양모세포는 태반과 태아를 자궁에 고정시키는 작용을 하며, 부성항원(paternal antigen)을 가지고 있는 태아가 모성 면역체계에 의해 거부되지 않도록 보호한다. 면역학적인 보호는 영양모세포의 높은 프로제스테론과 조직적합복합체항원(histocompatibility complex antigen), 사람백혈구항원-G (human leukocyte antigen-G)의 발현으로 매개된다. 영양모세포 양은 임신 첫 3개월 동안 대수적(logarkhmically)인 증가를 보이고 남은 임신기간 동안은 점진적으로 증가한다. 영양모세포 양은 사람태반젖샘자극호르몬(human placental lactogen, hPL), 임신 특이성 β1-당단백질 혈청 농도와 밀접하게 관련되어 있으며, hCG와는 임신 첫 3개월간만 관련성을 보인다.

II. 임신에 따른 모성적응

1. 생리적 적응

임신 중에는 어느 정도의 체중증가가 있지만, 과도한 체중증가는 신생아와 산모에게 좋지 않은 영향을 준다. Institute of Medicine에서는 산모의 임신전체질량지수를 기본으로 임신 중의 체중증가권고안을 제시하고 있다(표 5-5-2).

자궁의 부피는 임신전 10 mL에서 임신 말기에 평균 5 L로 증가하고, 자궁태반순환혈류량은 450-650 mL/min으로 10배가량 증가한다. 산모와 태아-태반 간의 적절한 관류를 유지하기 위해서, 혈액량은 임신 동안 증가하여 임신 말기에는 임신 전보다 40-45% 상승한다. 이러한 혈액량 증가는 알도스테론 자극에 의한 나트륨과 수분의 저류에 의한 것이다. 적혈구는 적혈구형성호르몬(erythropoietin) 분비가 2-3배 증가하면서 약 20%가량 상승한다.

표 5-5-1. 태반에서 생산되는 호르몬, 펩타이드, 성장인자

시상하부유사체
• 성선자극호르몬방출호르몬(gonadotropin-releasing hormone)
• 부신피질자극호르몬방출호르몬(Corticotropin-releasing hormone)
• 유로코틴(Urocortin)
• 성장호르몬억제인자(Somatostatin)
• 성장호르몬방출호르몬(Growth hormone-releasing hormone)
• 그렐린(Ghrelin)
• 갑상선자극호르몬방출호르몬(Thyrotropin-releasing hormone)
• 도파민(Dopamine)
• 신경펩타이드Y (Neuropeptide Y)
• 엔케팔린(Enkephalin)
뇌하수체유사체
• 사람융모성선자극호르몬(Chorionic gonadotropin)
• 태반유선자극호르몬(Placental lactogen)
• 융모막 부신피질자극호르몬(Chorionic corticotropin)
• 베타-엔도핀(β-Endorphin)
• 알파-멜라닌세포자극호르몬(α-Melanocyte-stimulating hormone)
• 태반변이성장호르몬(Placental variant growth hormone)
• 옥시토신(Oxytocin)
스테로이드호르몬
• 에스트로젠(Estrogens)
• 프로제스테론(Progesterone)
성장인자와 그 외 호르몬
• 액티빈(Activins)
• 인히빈(Inhibins)
• 폴리스타틴(Follistatin)
• 릴랙신(Relaxin)
• 칼시토닌(Calcitonin)
• 렙틴(Leptin)
• 부갑상선호르몬관련단백질(Parathyroid hormone-related protein)
• 적혈구형성호르몬(Erythropoietin)
• 레닌(Renin)
• 인터루킨(Interleukins)
• 산화질소(Nitric oxide)
• 전환성장인자-β (Transforming growth factor-β)
• 종양괴사인자-α (Tumor necrosis factor-α)
• 표피성장인자(Epidermal growth factor)
• 인슐린유사성장인자 1형(Insulin-like growth factor type1)
• 인슐린유사성장인자 2형(Insulin-like growth factor type2)
• 인슐린유사성장인자결합단백질1 (Insulin-like growth factor binding protein1)
• 집락자극인자1 (Colony-stimulating factor1)
• 기본 섬유모세포성장인자(Basic fibroblast growth factor)
• 부신피질자극호르몬방출호르몬-결합단백질(Corticotropin-releasing hormone-binding protein)
• 혈소판유래성장인자(Platelet-derived growth factor)
• 혈관내피성장인자(Vascular endothelial growth factor)
• 엔도텔린1 (Endothelin 1)
• 아나다미드(Anadamide, endocannabinoid)
• 간세포성장인자(Hepatocyte growth factor)
• 온코모듈린(Oncomodulin)

표 5-5-2. 임신 중 권장 체중증가(Institute of Medicine 지침)

임신전 체질량지수	총 체중증가	임신 2, 3분기 중 체중증가율
	kg	kg/week
< 18.5 kg/m²	12.5–18	0.51 (0.44–0.58)
18.5–24.9 kg/m²	11.5–16	0.42 (0.35–0.50)
25.0–29.9 kg/m²	7–11.5	0.28 (0.23–0.33)
≥ 30.0 kg/m²	5–9	0.22 (0.17–0.27)

신장혈류량과 사구체여과율(glomerular filtration rate, GFR)은 빠르게 상승하여 임신 중기에 최고조에 달하고, 크레아티닌청소율이 50% 증가하면서 혈청크레아티닌 농도는 감소한다. 심방나트륨배설펩타이드(atrial natriuretic peptide, ANP)의 임신 중 증가 또한 신장혈류량, GFR, 24시간 소변량, 나트륨배설증가 등에 일조하게 된다. hCG의 성선외효과에 의해, 바소프레신 분비와 시상하부갈증 중추활성화를 위한 삼투압역치가 변하게 되고, 이는 혈청삼투압을 약 4% (10 mOsm/kg) 감소시킨다.

임신 중 에스트로젠, 프로제스테론, 프로스타글랜딘, 안지오텐신 등의 증가에 의해 여러 가지 혈류역동학적 변화가 생긴다. 맥박은 분당 10-15회 증가하고 심박출량은 30-50% 상승하며, 이완기혈압은 10-15 mmHg 감소하고, 말초혈관저항성은 약 20% 감소하게 된다.

임신 중 폐혈관저항성은 약 1/3 감소하며, 폐 일회호흡량(tidal volume)은 약 30% 증가한다. 일회호흡량의 증가는 호흡알칼리증을 유발하며, 이는 신장에서 탄산수소염을 배출하고 환기량(ventilatory volume)을 30-40% 증가시키는 것으로 보상작용을 한다. 임신 중 호흡수, 최대호흡용량(maximal breathing capacity), 강제폐활량(forced vital capacity), 또는 단위시간폐활량(timed vital capacity) 등의 변화는 없다. 그러나 자궁크기가 커지면서 횡격막이 상승함으로써 날숨예비용적(expiratory reserve volume)은 약 40% 감소하게 된다.

임신 중 위장관기능도 변화한다. 하부식도조임근의 긴장도가 감소하고, 자궁에 의해 복강내 장기가 이동하면서 위식도역류가 증가한다. 장운동 또한 감소하면서 임신 초기에는 구역과 구토를 유발하고, 임신 말에는 변비를 유발한다. 담낭의 운동성 감소는 담낭크기 증가와 식후 담즙배출을 감소시켜, 담석을 형성하기 좋은 담즙을 만들게 되고 임신 중 담석증의 위험을 증가시킨다.

2. 대사적응

태아가 자궁에서 자라는 동안 신진대사에 필요한 연료를 일정하게 공급하기 위하여 고인슐린혈증, 인슐린저항성, 혈장지질 증가 등 모체의 대사에 많은 변화가 일어난다. 그 결과, 모체의 에너지 필요량은 주로 지방분해에 의해 공급되고, 포도당과 다른 탄수화물은 태아에 필요한 에너지를 제공하는 데 쓰이게 된다. 임신 중 증가된 저밀도지단백질(LDL), 초저밀도지단백질(VLDL)은 태반에서 생산되는 스테로이드호르몬의 주된 콜레스테롤 공급원으로 쓰인다.

3. 내분비변화

1) 뇌하수체

임신기간 중 프로락틴생산세포(lactotroph)의 크기 및 수가 증가하면서, 뇌하수체전엽은 평균 36% 정도 커진다. 성장호르몬분비세포(somatotroph)와 성선자극세포(gonadotroph) 수는 적어지고, 부신피질자극호르몬분비세포(corticotrope), 갑상선자극세포(thyrotroph)의 변화는 없다. 뇌하수체후엽은 전엽과 달리 임신 중 크기가 감소한다.

임신 중 에스트로겐의 상승은 프로락틴 합성과 분비를 증가시켜, 임신 말에는 평균 프로락틴 농도가 207 ng/mL에 이른다. 증가된 프로락틴은 모유수유를 하지 않으면 출산 7일 후에는 임신전 수준으로 회복되고, 수유를 할 경우에는 수개월 동안 증가된 상태로 유지되다 서서히 감소한다.

산모의 성장호르몬 농도는 면역반응성장호르몬(immunoreactive growth hormone)의 변화에도 불구하고 임신기간 중 변하지 않는다. 임신 중 황체에서 분비되는 릴랙신과 에스트로겐은 임신 초기에 성장호르몬 분비를 자극한다. GH1으로 알려진 뇌하수체성장호르몬 생산은 임신 25주 이후에 감소하고, 임신 4개월부터 태반의 융합영양막(syncytiotrophoblast)에서 변종성장호르몬인 GH2를 분비한다. 임신전, 후반에 성장호르몬을 분비하는 곳이 다르고, 자극에 대한 성장호르몬반응도 차이가 있다. 인슐린유발저혈당 또는 아르지닌 투여 시 임신 전반에는 성장호르몬 반응이 증가되고, 임신 후반에는 임신하지 않은 여성의 반응에 비하여 감소되어 있다.

인슐린유사성장인자 1형(insulin-like growth factor type 1, IGF-1)의 농도는 태반의 성장호르몬과 hPL의 영향으로 임신 후반에 증가한다. hPL은 성장을 자극하는 생물학적활성을 가지고, IGF-1과 함께 임신 중 증가된다. 임신 후반에 증가된 IGF-1은 GH1의 생산과 분비를 억제하게 된다.

태반이 생물학적활성이 있는 성선자극호르몬방출호르몬(gonadotropin-releasing hormone, GnRH)을 생산, 분비하는 반면, 뇌하수체성선자극호르몬은 임신기간 중 감소된다. 이는 임신 10주부터 성선자극세포에서 성선자극호르몬의 면역반응이 감소되어 있고, 황체형성호르몬(luteinizing hormone, LH)과 난포자극호르몬(follicle-stimulating hormone, FSH)의 혈청 농도가 감소되어 있는 것으로 알 수 있다. 이는 난소와 태반의 성스테로이드호르몬의 혈중 농도 상승과 태반의 인히빈 생성에 의해 매개된다. 외부의 GnRH 주입이 성선자극호르몬을 유리하는 것으로 보아, 성선자극호르몬 억제가 완전하지는 않다. 그러나 GnRH에 대한 반응은 임신하지 않은 여성과 비교할 때는 감소되어 있고, 이는 출산 한 달까지는 정상으로 돌아오지 않는다.

갑상선자극호르몬(thyroid-stimulating hormone, TSH)의 혈중 농도는 임신 첫 3분기에 임신 2, 3분기나 임신 전에 비하여 현저하게 낮으며, 이는 hCG의 갑상선자극작용에 의한 것이다. 모체 혈청에서 최대 생물학적 갑상선자극작용은 마지막 생리 이후 10-12주에 hCG가 최고 농도인 시점과 일치하며, hCG 상승과 TSH 감소는 상호관계를 보인다 (그림 5-5-1). 임신 중 유리 타이록신(thyroxine, T_4) 농도가 증가하는 시점은 hCG의 최고점, TSH의 최저점 시기와 일치하며, 이는 TSH 감소가 타이록신에 의한 되먹임 억제일 가능성을 시사한다. 임신 초기 TSH 농도는 감소하지만, 외부의 갑상선자극호르몬방출호르몬(tyrotropin-releasing hormone, TRH)에 대한 반응은 정상이다.

부신피질자극호르몬(adrenocorticotropic hormone, ACTH)은 임신 중 상승하여, 7-10주에 임신 전보다 4배 이상 증가하고, 이후 33-37주까지 서서히 증가하여 약 5배가량 상승한다. 그 이후에는 분만 직전에 50% 감소하고 분만 스트레스 중에는 15배가량 현저하게 증가하며, 출산 24시간 이내에 임신전 수준으로 돌아온다. 임신 중 ACTH는 뇌하수체와 태반에서 만들어지며, 외인부신피질자극호르몬방출호르몬(corticotropin-releasing hormone, CRH)은 두 조직 모두에서 용량 의존적으로 ACTH 유리를 자극한다. 생물학적으로 활성인 CRH가 태반에서 합성되고 분비되며, 일부는 탈락막과 태아막에서도 만들어진다. 글루코코티코이드가 뇌하수체 CRH를 억제하는 것과 달리, 태

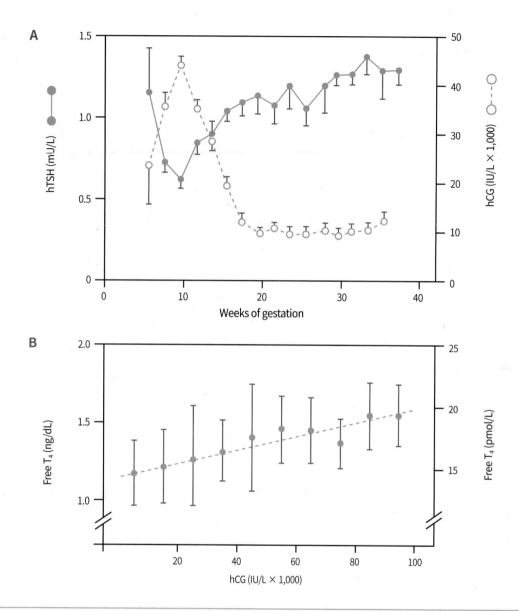

그림 5-5-1. 임신 중 혈청갑상선자극호르몬(hTSH, 채워진 원)과 사람융모성선자극호르몬(hCG, 열린 원)

A: 임신 8–14주에 hTSH와 hCG는 유의한 음의 상관관계를 보인다(p < 0.001). 각 점은 평균 ± 표준에러를 나타냄. B: 임신전반기에 모체의 유리 타이록신과 hCG 농도와의 선형회귀(p < 0.001).

반의 CRH의 발현을 자극한다.

임신 중에는 CRH와 ACTH 관계에 변화를 보인다. 생물학적으로 활성상태인 CRH가 ACTH 분비를 자극할 것으로 예상되지만, CRH가 임신전반기에 기하급수적 상승을 보이는 것에 비해 ACTH는 좀 더 완만한 상승을 보인다. 임신

중 모체 CRH와 ACTH의 유의한 관계가 없어지는 것은, 모체에서 상승된 유리코티솔이 CRH의 반응을 조절하기 때문으로 보인다. 하루주기리듬과 스트레스에 대한 반응은 임신 중 유지되지만, 임신 3분기에 외인성CRH에 대한 ACTH 반응은 둔화되고, 바소프레신에 대한 반응은 유지된다. 이는 모체의 CRH 상승이 CRH에 대한 반응성을 하향조절

하는 것으로 보인다.

임신 중 아르지닌바소프레신(arginine vasopressin, AVP) 농도는 임신 전과 유사하다. 임신 동안에 AVP의 합성은 증가하지만, 영양막에서 나온 vasopressinase에 의해 호르몬이 파괴되면서 대사제거율이 증가하기 때문이다. hCG의 성선외 효과로, 갈증에 대한 삼투압 설정점은 감소한다. 감소된 설정점을 고려해도 탈수나 수분부하에 대한 AVP반응은 정상으로 유지된다.

옥시토신은 산모에서 에스트라다이올과 프로제스테론 증가와 함께 점차로 증가한다. 분만 시 자궁경부와 질 확장과 함께 더욱 증가하여 자궁 평활근을 수축시켜 분만을 돕게 된다. 임신 중 자궁의 옥시토신수용체 역시 증가하여, 임신 말기에는 옥시토신 결합이 100배 증가한다.

2) 갑상선

임신 동안 갑상선은 난포의 크기가 증가하고 콜로이드와 혈액량이 증가하면서 약 18% 커진다. 갑상선의 크기 증가는 hCG의 갑상선자극효과에 대한 반응이며, hCG는 임신 중 갑상선글로불린 혈중 농도 증가에도 영향을 준다.

임신 중 에스트로젠 증가는 간에서 타이록신결합글로불린(thyroxine-binding globulin, TBG) 합성을 증가시키고, TBG의 시알화(sialylation)를 촉진시켜 대사제거율을 감소시킨다. 그 결과 TBG는 임신 중 2배가량 증가하고, 총 T_4, 삼요오드타이로닌(triiodothyronine, T_3)도 임신 중 증가하게 된다. 반면 유리T_4, 유리T_3는 임신 중 정상으로 유지된다.

가임기여성에서 갑상선저하증은 상대적으로 흔하게 나타난다. 임신한 여성에서 갑상선저하증을 치료할 때 주의할 점은, 모체가 첫 3분기 동안 태아의 T_4와 T_3의 출처가 된다는 것이다. 그 결과, 모체의 갑상선호르몬요구량은 임신 첫 5주 동안 증가한다. 임신 2분기에는 요구량이 일정하게 유지되지만, 많은 환자에서 임신 3분기까지 증가하게 된다. 임신한 여성의 50-85%에서 갑상선호르몬 증량이 필요하고, 약 50%의 용량이 증가한다. 따라서 기존에 갑상선저하증이 있던 여성은 첫 번째 산전방문에서 갑상선기능을 확인하여 추가적인 갑상선호르몬 공급이 필요한지를 확인하는 것이 필요하다. 임신이 확인된 후 갑상선기능검사를 하기 전에 갑상선호르몬을 경험적으로 증량하는 방법도 있다. 임신 중 매 4-8주 간격으로 검사를 하여 호르몬양이 적절한지 평가하여야 한다. 임신 중 갑상선기능의 선별검사는 아직 논란의 여지가 있고 권고되지 않고 있으나, 갑상선질환의 가족력이 있는 경우, 이전에 두경부방사선조사의 병력이 있는 경우, 비만, 30세 이상인 경우에는 검사를 해볼 수 있다.

3) 부갑상선

임신 중 약 30 g의 칼슘이 모체에서 태아로 전달되며, 주로 마지막 3분기 동안에 전달된다. 모체의 혈중 칼슘 농도는 임신 동안 감소하는데, 혈액량 증가로 인한 알부민감소와 더불어 임신 28-32주에 최저치를 보인다. 그러나 알부민을 보정한 총 칼슘과 이온화칼슘은 오히려 임신 전보다 약간 높다. 소변의 칼슘배설은 GFR이 증가하면서 함께 증가하고, 장에서의 칼슘흡수는 약 2배 증가한다.

일부 연구에서 임신 중 부갑상선호르몬(parathyroid hormone, PTH)이 증가한다고 보고하였지만, intact PTH는 임신 중 정상으로 유지된다. 반면 부갑상선호르몬관련단백질(PTH-related protein, PTHrp)은 상승하는데, 유선조직과 태반에서 증가되는 것으로 보인다.

25-하이드록시비타민D는 임신 중 변화하지 않으나, 에스트로젠에 의한 비타민D 결합글로불린 상승으로 인해, 1,25 디하이드록시비타민D의 농도는 모체에서 2배 증가한다. 또한 활성형의 유리 1,25 디하이드록시비타민D 분획이 증가하는데, 이는 모체 신장의 1α-수산화효소 활성의 증가와 태반에서 1,25-디하이드록시비타민D의 합성과 분비가 증가하기 때문이다.

부갑상선항진증과 저하증은 임신 중 드물지만, 심각한 합병증을 유발한다. 임신 중에는 태아의 칼슘 섭취가 모체의 칼슘을 감소시키기 때문에 부갑상선항진증에 보호효과가 있다. 임신 중 고칼슘혈증은 종종 경증 또는 중등도의 오심, 구토, 통증, 신장 통증 등의 증상을 보이나, 일부에서는 신장 결석, 췌장염, 고혈압, 골질환, 고칼슘위기 등이 발생한다. 고칼슘위기에 사용되는 비스포스포네이트, 플리카마이신 등의 많은 약물이 태아에 나쁜 영향을 줄 수 있기 때문에 치료가 어려워진다. 칼시토닌은 태반을 건너가지 않기 때문에 임신 중 사용할 수 있으나, 임신 중의 안정성에 대한 자료는 충분하지 않다.

부갑상선저하증은 일반적으로 덜 위험하지만, 심각한 경우 모체와 태아의 골절을 유발할 수 있다. 이러한 합병증은 충분한 경구칼슘과 비타민D 보충으로 예방할 수 있다. 임신 중에는 다량의 모체칼슘이 태아에 의해 소모되기 때문에 칼슘(1.0–1.5 mg of elemental calcium/day)과 비타민 D (50,000–100,000 unit/day) 섭취를 점진적으로 늘려야 한다.

4) 췌장

에스트로겐과 프로제스테론의 자극으로 췌장 β세포의 증식과 비후가 발생한다. 임신 초기에는 태반으로 포도당이 이동하면서 모체에서 공복저혈당이 발생할 수 있다. 기저 인슐린 농도는 정상이지만, 식후인슐린 과분비가 발생하게 된다. 인슐린의 반감기는 임신 중 변화되지 않기 때문에 인슐린의 증가는 합성과 분비의 증가에 의한 것이며, 그 결과 당원저장은 증가하고, 간에서의 포도당 생산은 감소하게 된다.

임신이 진행함에 따라 hPL과 당질부신피질호르몬이 상승하고, 임신 후반기에 인슐린저항성을 유발하게 된다. 따라서 임신 말기에 포도당섭취는 포도당과 인슐린의 농도를 더 높게 오래 유지시키고, 임신 전에 비하여 글루카곤 억제를 가져 온다.

5) 부신

임신 중 에스트로겐 상승으로 간의 코티솔결합글로불린 생산이 증가하며, 이는 모체의 코티솔결합글로불린 농도를 2배 증가시키고, 그 결과 코티솔의 대사청소율이 저하되어 임신 26주에는 혈중 코티솔이 3배에 도달하여 분만시작까지 높은 상태로 유지된다. 코티솔생산율 또한 증가하여 혈중 유리코티솔 농도를 증가시킨다. 코티솔생산의 증가는 모체의 ACTH 증가와 임신 중 ACTH자극에 대한 부신의 과반응에 기인한다. 코티솔 분비는 ACTH 분비를 따르고, 그 일중 리듬은 임신 동안에도 유지된다. 유리코티솔 농도가 증가하지만 임신한 여성에서 당질부신피질호르몬 과다로 인한 징후를 볼 수는 없는데, 이는 상승된 프로제스테론의 항당질부신피질호르몬활성으로 인한 것으로 보인다.

안드로스텐다이온과 테스토스테론 농도는 에스트로겐으로 유발된 성호르몬결합글로불린의 합성 증가로 상승하게 되지만, 유리안드로젠 농도는 정상 또는 낮게 유지된다. 부신에서 생성되는 데하이드로에피안드로스테론(dehydro-epiandrosterone, DHEA)과 황산데하이드로에피안드로스테론(dehydroepiandrosterone, DHEA–S)은 2배 증가하지만, 모체의 DHEA–S 농도는 임신전반기에 1/3에서 절반 수준으로 낮게 유지된다. 부신수질의 기능은 임신 동안 정상으로 유지된다. 따라서 24시간 소변 카테콜라민, 혈장에피네프린과 노에피네프린 농도는 임신전과 유사하다.

고코티솔증은 월경이상과 불임을 유발하기 때문에 임신 중 고코티솔증은 드물다. 임신기간 외에는 ACTH분비뇌하수체선종이 가장 흔한 고코티솔증의 원인이지만, 임신 중에는 일차부신증식에 의한 원인이 더 흔한데, 이는 일차부신증식을 가진 환자에서 월경이상이 적게 나타나기 때문이다. 고코티솔증은 고혈압, 당뇨병, 자간전증, 심지어 사망까지 이를 수 있다. 임신 중 쿠싱증후군은 43%의 조산 위험, 6%의 사산 위험과 관련되어 있다.

6) 레닌-안지오텐신체계

혈장의 레닌기질은 에스트로겐의 간에 대한 영향으로 증가되어 있다. 레닌 농도와 레닌활성도가 증가하면서 안지오텐신II 역시 상승하고, 이는 알도스테론생산과 혈중 농도를 8-10배 증가시킨다. 알도스테론은 임신 중기에 최고치에 달해 분만까지 유지된다.

호르몬 농도가 증가하지만, 레닌-안지오텐신-알도스테론 체계는 체위 변화, 염분제한 및 부하에 정상적인 반응을 보인다. 알도스테론이 증가해도 혈액나트륨 농도 증가나 포타슘 농도 감소 또는 혈압 상승은 발생하지 않는다. 이는 알도스테론을 신장의 수용체에서 전위시키는 프로게스테론 상승에 의한 것으로 보인다. 또 다른 무기질부신피질호르몬인 데옥시코티코스테론은 임신 말에 6-10배 상승하며, 이는 태반에서 만들어진 프로게스테론의 21-수산화에 의한 것이다.

가임기여성에서 고혈압은 점차로 증가하고 있다. 임신이 아닌 경우 안지오텐신전환효소억제제(angiotensin-converting enzyme inhibitor, ACEI)와 안지오텐신수용체차단제(angiotensin receptor blocker, ARB)가 고혈압 치료로 널리 사용된다. ACEI는 양수과소증, 태아 신장형성이상, 두개관형성저하증과 관련되어 있어 임신 중에는 피해야 한다. ARB는 같은 태아 부작용이 보고되지는 않았지만 임신 중 사용하지 않는다. 이러한 약물을 사용하는 환자는 임신 전, 혹은 임신 첫 3분기에 약물을 변경해야 한다. 메틸도파는 임신 중 안전하게 사용될 수 있는 약물이다. 연구결과가 적지만, 칼슘채널차단제인 니페디핀은 태아에 안전한 것으로 보이며 임신 중 자주 사용된다. β차단제도 종종 사용되지만, 이 약물은 태아 성장제한의 위험 증가와 관련되어 있다.

III. 태반호르몬의 생산

1. 모체-태아-태반 단위에서 성스테로이드 합성

성인 난소에서 성스테로이드 합성은 전형적으로 'two-cell process'로 표현된다. 난포막세포(theca cell)는 콜레스테롤을 프로게스테론, 테스토스테론 및 다른 안드로겐으로 변화시키지만, 난포막세포에는 결정적인 효소인 방향화효소가 없기 때문에 에스트로겐 합성을 하지 못한다. 이러한 문제는 방향화효소를 많이 함유해서, 안드로겐을 에스트로겐으로 신속하게 변환시키는 과립층세포에서 해결된다. 이러한 전략이 임신 중에도 사용되어 산모와 태아의 부신이 태반과 상호작용하여 많은 양의 프로게스테론과 에스트로겐을 생산한다(그림 5-5-2).

태반은 난소의 난포막세포처럼 프로게스테론을 합성하는 효소를 가지고 있다. 그러나 태반은 하이드록시메칠글루타릴 보조효소A 활성도가 낮아 모체 혈액 내의 콜레스테롤을 기질로 사용하여 프로게스테론을 합성한다. VLDL, LDL, HDL에 의해 태반으로 이동된 콜레스테롤은 융합영양막(syncytiotrophoblast)에서 CYP11A1 효소에 의해 프레그네놀론으로 전환되고, 이어서 3베타 하이드록시스테로이드탈수소효소(3β-hydroxysteroid dehydrogenase, 3β-HSD)에 의해 프로게스테론으로 전환된다. 태반은 또한 17α-수산화효소가 부족하여, 프로게스테론을 안드로겐으로 전환시킬 수 없다. 따라서 프로게스테론은 태반에서 더 이상 변형되지 못하고, 약 90%가 모체 혈액으로 유리된다. 그러나 태반의 프로게스테론은 태아 부신에서 글루코코티코이드와 미네랄로코티코이드 합성의 중요한 기질로 쓰인다.

영양막(trophoblast)에는 17α-수산화효소와 17,20-분해효소(CYP17) 활성이 없어서 프로게스테론을 에스트로겐으로 직접 전환하지 못한다. 태반에서 만들어진 프레그네놀

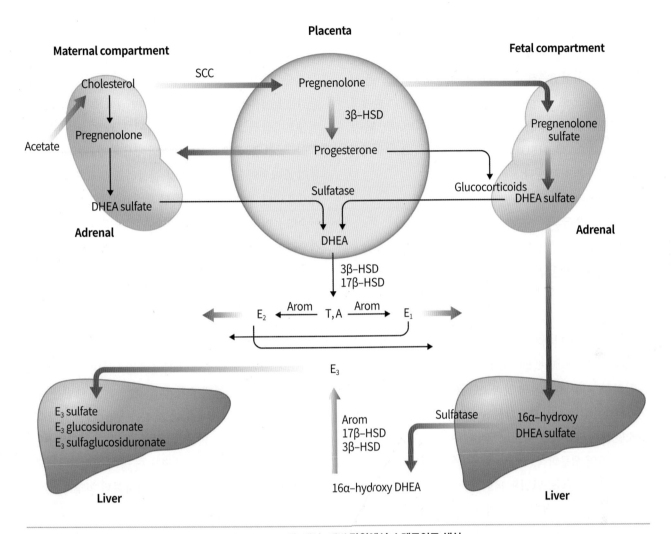

그림 5-5-2. 모체-태아-태반 단위에서 스테로이드 생산

A, androstenedione; Arom, aromatase-enzyme complex; DHEA, dehydroepiandrosterone; E1, estrone; E2, estradiol; E3, estriol; HSD, hydroxysteroid dehydrogenase; SCC, cholesterol side-chain cleavage enzyme; T, testosterone.

론은 태아의 부신피질로 들어가고, 태아부신피질 역시 태아의 LDL 콜레스테롤에서 프레그네놀론을 합성한다. 프레그네놀론은 태아의 간에서 스테로이드 설폰트랜스퍼라제(sulfotransferase)에 의해 황산염과 결합하여 황산 프레그네놀론을 만들고, 태아의 부신에서 17α 황산 17-α 하이드록시프레그네놀론으로 전환되고, 이어서 17α-수산화효소와 17,20-분해효소에 의해 DHEA-S로 전환된다.

DHEA-S는 태아순환으로 들어가, 태아의 간에서 수산화 과정을 거쳐 16α hydroxy DHEA-S를 만들고, 이는 태반의 황산염분해효소(sulfatase)에 의해 태반에서 16α DHEA로 전환된다. 영양막에서 3β-HSD1, 17β-HSD, 방향화효소(CYP19)에 의해 에스트리올이 만들어지고, 이는 임신 중 모체에서 주된 에스트로젠이 된다. 모체의 간은 에스트리올을 글루코시두로네이트(glucosiduronate), 황산염과 결합하여 소변으로 배설시킨다. 모체의 혈청과 소변에 있는 에스트리올의 약 90%는 태아전구체에서 유래된 것으로, 에스트리올 농도 측정은 태아의 상태를 측정하는 지표가 될 수 있다.

태아와 모체의 DHEA-S는 태반에서 황산염분해효소, 3β-HSD1, 17β-HSD, 방향화효소에 의해 에스트라다이올로 전환되거나, 황산염분해효소, 3β-HSD1, 방향화효소에 의해 에스트론으로 전환된다. 에스트리올은 태아 부신에서 16α DHEA-S의 15α수산화에 의해 만들어지며 태반의 황산염분해효소, 3β-HSD1, 17β-HSD, 방향화효소에 의해 효소적 전환을 하게 된다.

2. 단백질호르몬

1) 사람융모성선자극호르몬

(1) 화학구조

hCG는 α와 β 소단위가 소수성 비공유 결합으로 연결된 당단백질로, 다른 당단백질인 LH, FSH, TSH와 구조적으로 유사하다. 이들 호르몬의 알파소단위는 92개의 아미노산 염기서열이 같고 단지 탄수화물 구성의 차이만을 보이며, 베타소단위는 서로 다른 아미노산과 탄수화물구조를 가지고 각 호르몬의 생물학적, 면역학적 특징을 나타낸다. hCG의 22,200 Da의 베타소단위는 145개의 아미노산으로 구성되며, 처음 115개의 아미노산의 약 80%는 hLH의 베타소단위와 같고, hCG가 카복시말단에 가지고 있는 24개의 아미노산이 hCG의 생물학적활성을 향상시킨다.

hCG의 알파, 베타소단위는 N-글리코시드 연결을 통해 아스파라긴 잔기에 붙어 있는 두 종류의 소당류 사슬을 가지고 있고, 베타소단위는 카복실말단펩타이드에 4개의 O-세린(serine)으로 연결된 소당 단위를 추가적으로 가지고 있다. hCG의 탄수화물 구성의 미세한 차이는 호르몬 제거 및 생물학적활성에 영향을 주며, hCG의 3차구조는 탄수화물 조성과 각 소단위 내의 다중이황화 결합에 의해 결정된다. 알파소단위는 5개의 이황화결합을 포함하고 베타소단위는 6개를 포함한다. 각 소단위에서 3개의 이황화결합은 혈소판유래성장인자(PDGF)-β와 전환성장인자(TGF)-β에서 발견되는 것과 유사한 시스틴(cystine) 매듭을 형성한다.

(2) 생합성

6번 염색체에 위치한 단일 알파소단위유전자는 세포영양막과 융합영양막 모두에서 활발하게 발현된다. 반면, 베타소단위는 hLH-β유전자에 근접한 19번염색체에 위치한 6개의 유전자클러스터에 의해 암호화된다. hCG-β유전자 중 3개는 임신 중에 주로 융합영양막에서 활발하게 전사되어 유리 소단위와 intact hCG를 합성하고 분비하는 능력을 가지고 있다. 단백질코어의 합성 후, 각 소단위는 당화되고, 탄수화물의 트리밍을 통해 번역 후 추가변형을 거친 다음 결합하여 intact hCG를 형성한다.

hCG의 분비는 다른 많은 태반단백질의 분비와 다르다. hCG는 임신 후 6-9일에 산모 혈청에서 처음 검출된다. 수치는 로그방식으로 상승하여 마지막 월경기간 후 8-10주에 최고조에 달한 후 18주에 최저치로 감소하며 이후 수치는 분만할 때까지 일정하게 유지된다(그림 5-5-3). 태반은 또한 자유 소단위를 분비한다. 임신 첫 13주 동안에는 알파소단위보다 상대적으로 더 많은 베타소단위가 합성되고 나머지 임신 기간 동안에는 베타소단위가 더 많이 합성된다. 또한, 유리 베타소단위와 결합할 수 없는 과당화된 형태의 알파소단위(big α)가 산모 혈청으로 분비된다.

생체 내에서 hCG 분비를 조절하는 생리적 요인은 알려져 있지 않다. hCG 합성 및 분비를 자극하거나 억제하는 요인에 관한 많은 자료는 생체외 연구에서 파생되었으며 생체내 상황으로 추정하기 어렵다. GnRH는 세포영양막과 융합영양막 모두에서 합성되며, hCG 분비에 중요한 인자일 수 있다. 이 펩타이드는 시상하부 GnRH와 동일하며 생체외 및 생체내 모두에서 태반hCG 생성을 자극하는 반면, GnRH대항제는 기저hCG 분비를 감소시킨다. 태반조직에서 GnRH에 대한 면역조직화학염색은 임신 8주에 가장 높고 그 이후에는 낮아져 모체 혈청에서 측정된 GnRH의 수준과 마찬가지로 hCG 생성패턴과 대략 평행하다. 또한 태반에는 GnRH 수용체가 포함되어 있다. 태반GnRH 분비는 고리일인산아데노신(cyclic adenosine monophosphate, cAMP), 프

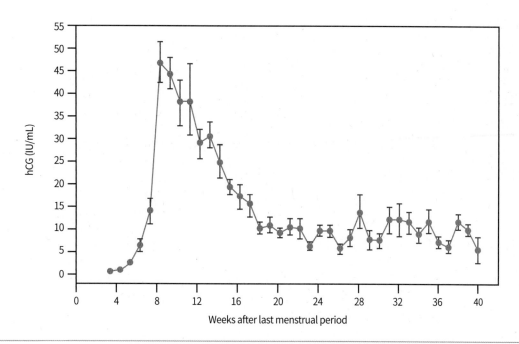

그림 5-5-3. 정상 임신기간 동안 산모hCG의 평균(± 표준오차) 수준

로스타글랜딘E2, 프로스타글랜딘F2, 에피네프린, 표피성장인자(epidermal growth factor, EGF), 인슐린 및 혈관활성 장펩타이드(vasoactive intestinal peptide, VIP)에 의해 자극되며, 생체 외에서 hGC 분비를 증가시키는 것으로 알려진 요인도 있다.

세포영양막에 의해 합성된 두 개의 다른 펩타이드인 액티빈과 인히빈도 GnRH와 hCG 분비를 조절한다. 액티빈은 GnRH와 hCG를 모두 증가시키고, 인히빈은 융합영양막에 대한 GnRH의 작용을 억제한다. 섬유모세포성장인자(fibroblast growth factor, FGF), 칼슘, 당질부신피질호르몬 및 포르볼 에스테르에 대한 영양막 노출 후에도 hCG생성 증가가 발견되었다. 반대로 전환성장인자(Transforming growth factor, TGF)-β, 폴리스타틴(fol-listatin), 프로제스테론 등은 hCG생산을 감소시킨다고 알려져 있다. 탈락막 또한 주변분비기전을 통해 hCG 생산에 영향을 미칠 수 있다. 탈락막 인터루킨1은 배양된 영양막에서 hCG 분비를 자극하는 반면, 탈락막 프로락틴과 8-10 kDa탈락막단백질은 hCG 생성을 억제한다.

마지막으로, hCG는 어느 정도 자체 생산을 자동조절할 수 있다. hCG수용체는 영양막세포의 표면에 존재하며 배양 중 태반세포에 hCG를 첨가하면 cAMP 생산뿐만 아니라 세포영양막이 융합영양막으로 증식 및 분화되도록 자극한다. hCG mRNA와 hCG 생산은 모두 cAMP의 유사체 또는 단백질키나제를 통해 아데닐산고리화효소(adenylate cyclase)를 활성화하는 제제에 의해 자극된다. 따라서 융합영양막 및 cAMP 증가의 순효과는 hCG 분비의 향상이 될 것이다.

태반은 hCG 합성의 유일한 부위가 아니다. 면역반응성 hCG는 면역세포화학 또는 면역분석을 통해 정자, 고환, 자궁내막, 신장, 간, 결장, 위 조직, 폐, 비장, 심장, 섬유모세포, 뇌 및 뇌하수체 등에서 발견되었고, 호르몬은 일부 태아 조직에서 합성되는 것으로 나타났다. 뇌하수체는 임신하지 않은 여성에게 존재하는 hCG 또는 hCG 유사물질의 주요 공급원으로 보인다. 면역활성 및 생리활성hCG는 뇌하수체에서 부분적으로 정제된다. 이 물질은 태아뇌하수체세포에 의해 생체외에서 분비되고 면역세포화학에 의해 hLH 또는 인간FSH를 포함하지 않는 성선자극세포 형태의 세포에 존재하는 것으로 나타난다.

면역반응성 hCG는 정상인, 비임신인의 혈청에서 측정되었으며, 폐경여성에서 가장 높은 농도로 발견된다. 폐경여성에서 이 물질은 hLH 펄스와 병행하여 박동 방식으로 분비되며, 정상적인 월경주기 동안 면역반응성 hCG는 hLH 피크와 함께 중간주기 피크를 나타낸다. 남성과 폐경여성 모두에서 GnRH는 호르몬의 분비를 자극하는 반면 여성의 경우 경구피임제에 의해, 남성의 경우 GnRH작용제에 의해 분비가 억제된다.

임신성 및 비임신성영양막종양 모두 hCG와 그 유리소단위를 분비한다. 비임신성영양막신생물에서 hCG 분비의 근원은 융합영양막세포이고 고환종에서는 영양막거대세포이다. 많은 경우에 종양은 불완전한 형태의 hCG 또는 그 소단위를 생성하며, 임신 중 hCG와 탄수화물 함량의 차이는 특히 명백하다. 광범위한 비영양막종양도 hCG를 분비하지만, 우세한 부분은 hCG의 유리 베타소단위인 것으로 보인다.

(3) 대사

hCG는 분비된 후, 6시간의 빠른 반감기와 36시간의 느린 반감기의 두 가지 청소율로 대사된다. 반면 유리 베타소단위는 41분의 빠른 반감기와 4시간의 느린 반감기를 갖고, 유리 알파소단위는 각각 13분과 76분의 반감기를 나타낸다. 전체호르몬의 약 22%가 변화 없이 그대로 신장을 통해 배설되고 나머지는 대사분해과정을 거친다(그림 5-5-4). 초기 단계 중 하나는 Val44-Leu45 및 Gly47-Val48에서 베타소단위의 단백질분해 절단(nicking)이다. 대식세포와 백혈구에 존재하는 인간백혈구엘라스타제는 베타소단위 절단의 일부를 담당하는 것으로 보인다.

Nicked hCG는 불안정하고 유리 알파소단위와 nicked 유리 베타소단위로 해리된다. 후자는 주로 신장에서 추가적 대사과정을 거쳐 임신 중 소변에 존재하는 주요 면역활성

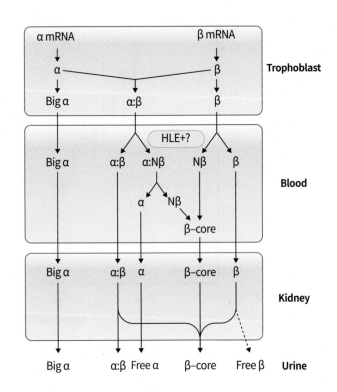

Also contains α:Nβ, Nβ, CTP fragment, α fragments messenger RNA.

그림 5-5-4. 사람융모성선자극호르몬(hCG)의 대사경로
α:β, intact hCG; α:Nβ, hCG with nicked β-subunit; Big α: hyperglycosyl-ated form of the α-subunit; HLE, human leukocyte elastase; Nβ, free nicked β-subunit; CTP fragment, carboxy-terminal fragment; mRNA, messenger RNA.

hCG인 분자량 10,479 Da의 핵심조각(core fragment)을 생산한다.

(4) 생리기능

hCG의 생리기능의 대부분은 호르몬과 hLH-hCG수용체의 상호작용 후에 발생한다. 수용체유전자는 2번 염색체에 위치하며 7개의 소수성막횡단도메인과 hCG(및 hLH)에 결합하는 큰 세포외 아미노말단이 있는 G단백연결수용체를 암호화한다. 이 수용체는 hFSH, hTSH, 아르지닌바소프레신(arginine vasopressin, AVP), 혈관작용장폴리펩타이드(vasoactive intestinal polypeptide, VIP), 부갑상선호르몬(parathyroid hormone, PTH)에 대한 수용

체 및 다양한 생체아민 및 신경전달물질에 대한 수용체를 포함하는 수용체의 수퍼패밀리의 일부이다. hCG-수용체 상호작용은 cAMP생산을 증가시키고 일부 조직에서는 포스포이노시티드 전환율을 증가시킨다.

hLH-hCG수용체와 다른 당단백질호르몬수용체의 구조적 유사성 때문에 hCG는 hTSH 및 hFSH수용체와 상호작용할 수 있으며 따라서 약한 고유 hTSH 및 hFSH 생물학적활성을 갖는다. hCG의 hTSH 유사활성은 마지막 월경기간 후 8주에서 12주 사이에 hCG 피크시점에 모체 hTSH의 상호감소에 의해 정상 임신 중에 임상적으로 나타난다. 이는 hCG수치가 100,000 IU/L를 초과하여 임상적으로 갑상선중독증을 유발할 수 있는 포상기태 및 기타 형태의 영양막질환이 있는 환자에서 특히 중요하다.

임신 중 hCG의 주요 기능 중 하나는 임신주기 동안 황체의 "rescue"이다. 임신하지 않은 월경주기 동안 혈청내 프로제스테론 농도는 황체기의 첫 6-7일 동안 증가하고, 그 후 3-4일 동안 안정기를 유지한 다음 감소하여 자궁내막의 탈락을 초래한다. 수정 및 착상 후 황체는 4-6주 동안 계속해서 프로제스테론과 17-하이드록시프로제스테론을 분비한다. 그 이후, 산모의 혈청프로제스테론과 17-하이드록시프로제스테론 농도가 감소하여 황체기능의 현저한 감소를 나타낸다. 17-하이드록시프로제스테론 농도의 감소는 계속되지만 프로제스테론 농도의 감소는 일시적이다. 이것은 난소프로제스테론생산에 대한 의존에서 태반프로제스테론분비(황체-태반 이동)로의 전환을 나타낸다. 마지막 월경기간 후 처음 50일 동안의 황체절제술은 프로제스테론수치의 감소 및 임신산물의 배출과 관련이 있다. 치료적 낙태 후 프로제스테론수치도 급격히 떨어진다.

따라서 태아-태반 단위는 황체를 유지하는 신호를 담당한다. hCG가 생리적신호라는 생각을 뒷받침하는 자료에는 다음이 포함된다.

• 황체에 hLH-hCG수용체의 존재
• 이식된 영양막에 의한 hCG의 조기 생산
• hCG에 노출된 후 생체 외에서 배양된 황체세포에서 cAMP, 프로제스테론 및 에스트라다이올의 용량의존적 증가
• 임신 초기에 프로제스테론과 hCG의 병행상승
• 황체기 동안 외인성hCG를 투여 받은 비임신여성의 증가된 프로제스테론 분비 및 월경주기 연장

hCG가 임신 6주에서 8주 이후로 황체의 수명을 연장할 수 없는 것은 아데닐산사이클라제체계가 상동 탈민감되고, 황체에서 높은 농도의 에스트로젠이 Δ^{5-4}-이성질화효소(isomerase), 3β-하이드록시스테로이드탈수소효소(HSD)를 억제해서 프로제스테론 합성을 억제하기 때문이다.

hCG의 또 다른 생리학적 역할은 볼프관(Wolffian duct) 구조의 분화 및 외부생식기발달이 일어나는 기간 동안 태아 고환라이디히(Leydig)세포의 hLH-hCG수용체를 자극하여 남성생식기를 분화시키는 것이다. 고환의 단위 중량당 최대 테스토스테론 생산은 발달 10-12주에 태아고환수용체에 대한 ^{125}I가 표지된 hCG의 최대결합과 일치하며, 태아 라이디히세포는 hCG에 노출된 후 생체외실험에서 cAMP와 테스토스테론을 생산한다. 태아 혈청의 hCG 농도는 태아 뇌하수체 hLH의 양이 테스토스테론 생성을 자극하기에 충분하지 않을 때 태아고환테스토스테론 수준과 평행하다.

정상적인 임신 중에 hCG의 몇 가지 다른 기능이 있다. 생체 외에서 hCG는 세포영양막에서 융합영양막으로의 분화를 자극하므로 융합영양막의 질량과 영양막호르몬 생산을 조절하는 데 중요한 주변분비 역할을 할 수 있다. hCG의 자동조절효과를 뒷받침하는 추가자료에는 cAMP의 태반합성의 생체외 자극, 글리코겐인산화효소의 활성화, hCG에 노출 시 태반단백질에 방사성 표지된 갈락토스 및 류신의 통합 등이 있다. hCG는 태반혈관신생에 중요할 수 있는 세포영양막에서 혈관내피성장인자(vascular endothelial growth factor, VEGF)의 분비를 자극한다. hCG가 혈관

hCG수용체에 결합함으로써 매개되는 자궁근육층 혈관의 혈관 확장은 임신 초기의 자궁혈류를 향상시킬 수 있다. 부신의 태아영역은 시험관내 hCG노출에 대한 반응으로 DHEA-S를 방출하므로 hCG는 태아뇌하수체 ACTH 및 태반 ACTH와 함께 부신피질자극활성을 가질 수 있다.

또한 hCG는 임신 중에 발생하는 면역 억제에 역할을 한다고 알려져 있고, 임신 중 갈증 및 AVP 방출에 대한 삼투역치의 감소와도 관련이 있다. 이 삼투역치 감소가 hCG의 직접적인 효과 때문인지 성선스테로이드의 자극을 통한 간접적 효과때문인지 또는 혈관평활근에 존재하는 hLH-hCG수용체와의 상호작용에 의한 것인지는 분명하지 않다.

2) 사람태반락토겐

융모몸젖샘자극호르몬(chorionic somatomammotropin)이라고도 하는 사람태반유선자극호르몬(human placental lactogen, hPL)은 191개의 아미노산 잔기와 2개의 이황화다리로 구성된 단일 사슬의 비당화폴리펩타이드이며, 분자량은 21,600 Da이다. hPL은 GH(아미노산

상동성 85%) 및 프로락틴(아미노산 상동성 13%)과 화학적 및 생물학적으로 밀접한 관련이 있다. hGH-hPL유전자 클러스터는 17번염색체의 긴 팔에 위치하며 hGH-N을 코딩하는 1개, hGH-V를 코딩하는 1개, 태반 hPL에 대한 3개의 유전자로 구성된다.

hPL은 융합영양막에서 합성되고 분비되며 임신 20-40일 사이에 모체 혈청에서 검출된다. 산모의 혈청수치는 빠르게 상승하여 34주에 최고조에 달한 후 안정기에 접어든다(그림 5-5-5). 혈청 농도와 태반 hPL mRNA 농도는 모두 태반 무게 및 융합영양모세포질량과 밀접한 상관관계가 있다. 만삭의 산모 혈청 농도는 평균 6-7 µg/mL이며, 이때 9-15분 순환소실 기준으로 hPL의 태반 생성률은 1 g/day를 초과한다. 태아 혈청의 농도는 산모의 1/50-1/100 수준이다.

태반질량과 관련된 생산 외에 hPL 합성 및 분비의 생리학적 생체내 조절은 알려져 있지 않다. 여러 연구에서 임산부의 hPL 분비에 미치는 영양소의 역할을 조사했다. 급성고혈당이나 저혈당은 hPL 농도를 변화시키는 것으로 나타나

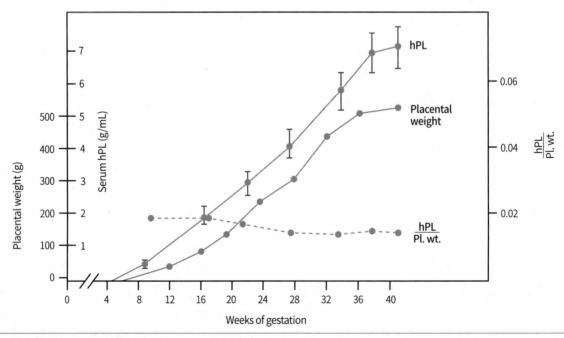

그림 5-5-5. 임신 중 태반중량(Pl. wt.), 사람태반유선자극호르몬(hPL)의 모체 혈청 농도 및 hPL 대 태반중량의 비율

지 않았지만 장기간의 포도당 주입은 hPL 농도를 감소시키고 장기간의 공복은 농도를 증가시켰다. 아르지닌 주입, 덱사메타손 투여 및 혈장유리지방산 수준의 변화는 산모의 hPL 농도에 영향을 미치지 않았다. 포도당, 에스트로젠, 당질부신피질호르몬, 프로스타글랜딘, 에피네프린, 옥시토신, 갑상선자극호르몬방출호르몬(thyrotropin-releasing hormone, TRH), GnRH 및 L-도파는 생체외시스템에서 검사되었으며 일관된 효과가 없는 것으로 밝혀졌다.

안지오텐신II, IGF-1, 포스포리파제 A2, 아라키돈산 및 표피성장인자가 시험관내에서 hPL 방출을 자극하는 것으로 나타났다. 표피성장인자는 세포영양막에서 융합영양막으로의 분화촉진을 통해 생산을 향상시키는 것으로 보인다. 아포지단백질(apolipoprotein) AI는 cAMP 및 아라키돈산 의존성경로를 통해 hPL 합성 및 방출을 자극한다. 모체 혈장 아포지단백질AI 농도의 변화는 임신 중 hPL의 변화와 유사하기 때문에 이 아포지단백질 단독으로 그리고 순환 HDL의 일부로써 hPL의 분비에 중요하게 작용할 가능성이 있다.

hPL은 hGH 및 프로락틴과 질적으로 유사한 많은 생물학적활성을 가지고 있으며 hGH 및 프로락틴수용체 모두에 결합할 수 있다. 다양한 생물검정체계에서 hPL은 약한 성장자극 및 젖촉진효과를 가졌다. 이는 IGF-1 생산의 주요 조절인자인 것으로 보이며, 임신 중 hPL 농도는 IGF-1 농도와 상관관계가 있다. hPL은 또한 모체영양소의 대사에 영향을 미친다. hPL은 직접적으로 또는 탄수화물 투여 후에 췌도의 인슐린 분비를 자극하며, 인슐린저항성을 촉진하여 임신 중 당뇨병을 유발하는 인자이다. hPL은 지방분해를 향상시켜 부분적으로 인슐린저항성의 원인이 될 수 있는 유리지방산을 증가시킨다.

hPL의 다양한 생물학적활성은 임신 중 hPL의 역할이 태아에게 포도당과 아미노산의 지속적인 공급을 제공하는 것이라는 가설로 이어졌다. hPL은 지방분해를 자극하여 산모가 금식하는 동안 유리 지방산을 에너지로 활용하게 하며,

포도당, 아미노산 및 케톤체가 태반을 통과하여 태아가 사용할 수 있도록 한다. 또한 hPL은 태아에 작용하여 근육의 아미노산흡수를 촉진하고 단백질 생성, IGF-1 생성 및 글리코겐 합성을 자극한다.

임신 중 산모 및 태아의 대사항상성에서 hPL이 중요한 역할을 하지만, hPL의 부재가 임신에 문제를 일으키지는 않는 것으로 보인다. 유전자결함과 관련되어 hPL 생산이 부족하거나 결핍된 경우에도 정상 영아를 분만한 경우가 여러 여성에서 보고되었다.

3) 태반성장호르몬

hGH-V는 융합영양막에 의해 합성되고 분비된다. hGH-V 유전자의 교대잘라이음(alternate splicing)은 22 kDa 및 26 kDa의 분자량을 갖는 2개의 비글리코실화이소형을 생성한다. 22 kDa변이체는 글리코실화되어 26 kDa 단백질로 순환할 수 있다. hGH-V는 임신 10주부터 산모 혈장에서 검출되며 임신 3분기에 최고조에 달한다(그림 5-5-6).

hGH-V는 신체자극활성을 갖고 IGF-1 생성을 자극하며, IGF-1 농도의 증가는 모체의 뇌하수체 hGH 분비를 억제시킨다. 뇌하수체 hGH와 달리 hGH-V는 박동방식으로 분비되지 않으며 GHRH에 의해 영양막에서 방출되지 않지만 포도당에 의해 억제된다. 만삭에 산모 혈청에서 GH 생물학적활성의 85%는 hGH-V에 기인하고, 12%는 hPL에 기인하며, 단지 3%만이 뇌하수체 hGH에 기인하는 것으로 추정되고 있다. 분만 후 48시간 이내에 뇌하수체에서 hGH 분비가 회복된다.

4) 사람융모부신피질자극호르몬

융합영양막은 ACTH유사펩타이드, 사람융모부신피질자극호르몬(human chorionic corticotrophin, hCC)뿐아니라 β-리포트로핀, β-엔돌핀 및 α-멜라닌세포 자극호르몬을 포함한 여러 프로오피오멜라노코틴유래펩타이드를 합성한다. ACTH의 산모 혈청 농도는 임신이 진행됨에 따

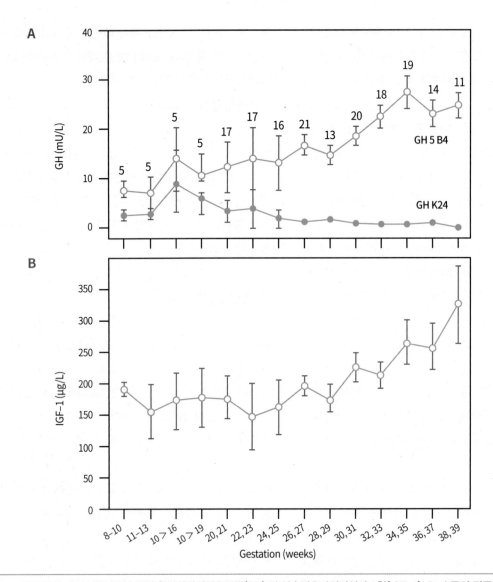

그림 5-5-6. A: 임신기간 동안 혈장인간성장호르몬(GH) 및 인슐린유사성장인자 1형(IGF-1), B: 수준의 평균(± 표준오차)

각 임신단계에서 GH 및 IGF-1의 개별 분석횟수는 수직막대 상단의 A에 표시됨. GH 5 B4, 태반 GH (GH2); GH K24, 뇌하수체 GH (GH1)

라 증가하며, 임신 중 유리코티솔수치의 상승은 태반 hCC 및 뇌하수체 ACTH 생성 모두와 관련이 있다.

hCC 분비는 CRH에 의해 자극되며, 이는 주변분비와 자가분비를 통해 펩타이드의 국소생산을 조절하는 가장 중요한 인자이다. 뇌하수체와는 달리 당질부신피질호르몬과 옥시토신은 태반배양에서 hCC 방출을 자극한다. 실제로, 글루코코티코이드 투여 후 모체 혈장에서 ACTH가 억제되지

않는데, 이는 태반 hCC에 의한 것이다.

5) 시상하부 펩타이드

(1) 성선자극호르몬방출호르몬

세포영양막과 융합영양막은 시상하부 성선자극호르몬방출호르몬(gonadotropin releasing hormone, GnRH)과 동일한 화학구조 및 생물학적활성을 가지는 GnRH를 합성

하고 분비한다. 태반의 GnRH mRNA 수준은 임신기간 내내 비슷하지만 임신 초기에 가장 높고, 세포영양막의 질량 및 hCG 농도와 상관관계가 있다.

생체외실험에서, 태반체외외식편 또는 정제된 영양막에 의한 GnRH 생성은 프로스타글랜딘, 에피네프린, 액티빈, 인슐린, 표피성장인자, VIP, 에스트라다이올 및 에스트리올에 의해 자극되고 GnRH 분비는 인히빈, 프로제스테론, κ-아편제제 및 μ-아편제제작용제에 의해 감소된다. 융합영양막에는 저친화 GnRH수용체가 포함되어 있으며, 그 농도는 hCG 분비패턴과 평행하다.

GnRH가 생체외에서 태반체외외식편 및 정제된 영양막세포에 의한 hCG 분비를 자극하고, 임신 초기에서 중기 태반의 반응이 임신말기 영양막의 반응보다 더 크기 때문에 GnRH가 hCG 분비의 중요한 자가분비 또는 측 분비조절인자로 생각된다. GnRH의 hCG자극효과는 GnRH 대항제 투여에 의해 차단될 수 있다.

(2) 부신피질자극호르몬방출호르몬

세포영양막과 융합영양막에서 시상하부부신피질자극호르몬방출호르몬(corticotropin releasing hormone, CRH)과 동일한 41개의 아미노산 펩타이드를 합성하고 분비한다. CRH mRNA는 임신 7주에 영양막에서 처음 발견된다. 이는 임신 첫 30주 동안은 낮게 유지되지만 마지막 5주 동안은 20배 증가하는데, 이는 태반의 CRH 함량 및 산모혈장의 농도 증가와 유사한 패턴이다. 모체 혈장에서 CRH는 태반, 간 및 뇌에서 합성되고 CRH의 생물학적활성을 감소시키는 37 kDa 단백질에 결합하여 순환한다.

생체외실험에서 태반 CRH생성은 프로스타글랜딘(E2 및 F2a), 노르에피네프린, 아세틸콜린, 옥시토신, 신경펩타이드Y, AVP, 안지오텐신II 및 인터루킨1에 의해 자극된다. 글루코코티코이드는 태반에서는 CRH mRNA와 펩타이드 모두를 증가시키지만, 시상하부에서는 억제시킨다. CRH 분비는 프로제스테론과 산화질소에 의해 감소된다. 태반에는 CRH 결합부위가 포함되어 있으며 배양된 태반세포에 CRH를 첨가하면 hCC, β-엔돌핀 및 α-멜라닌세포 자극호르몬 분비가 용량의존적으로 증가한다. 따라서 CRH는 태반에서 자가분비 또는 주변분비 효과를 가질 가능성이 있다.

CRH가 모체 뇌하수체의 ACTH 분비에 생리학적 영향을 미치는지 여부는 불분명하다. 순환하는 CRH는 결합단백질 때문에 생물학적으로 비활성일 수 있기 때문이다. 그러나 분만 직전에 결합단백질 농도가 약 50% 감소하고 CRH 수치가 상승한다. 이때 CRH는 탈락막, 영양막, 융모막에서 프로스타글랜딘의 합성 및 방출을 촉진하여 자궁경부 숙성을 촉진한다. 자궁근에는 CRH수용체가 포함되어 있으며 CRH는 자궁수축력을 증가시킬 수 있다. 따라서 CRH는 분만을 시작하고 촉진하는 역할을 할 수 있다. CRH는 또한 태아뇌하수체의 ACTH 생성을 자극할 수 있으며, 이는 차례로 태아 부신DHEA 생성을 증가시키고 궁극적으로 태아태반단위에 의한 에스트리올 합성을 유발할 수 있다. CRH 외에도 융합영양막과 태아막은 체외에서 CRH수용체를 통해 태반 ACTH, PGE2 및 액티빈 분비를 자극하는 유로코틴1을 분비한다.

IV. 임신과 분만의 내분비학

1. 에스트로젠과 프로제스테론의 역할

프로제스테론은 임신에 필수적인 호르몬으로 오랫동안 알려져 왔으며, 프로제스테론 스테로이드호르몬이라는 용어의 축약형이다. 임신 7주 이전에 프로제스테론 생산이 중단되면 유산으로 이어지기 때문에, 임신 초기부터 필수적인 호르몬이다. 임신 후기에는 프로스타글랜딘의 생산을 억제하고, 옥시토신수용체, 프로스타글랜딘수용체 및 자궁 수축에 관여하는 이온채널유전자의 발현을 제한함으로써 자궁의 안정상태를 유지하는 것으로 생각된다. 프로제스테론은 자궁안정상태를 유지함으로써 조산을 예방할 수 있어, 현재 조산위험이 높은 여성의 표준치료로 사용되고 있다.

에스트로젠은 임신에서 일정 역할을 하지만 프로제스테론보다 임신과 분만에 덜 중요하게 작용하는 것으로 보인다. 임신 중 에스트로젠은 융합영양막에서 LDL의 흡수를 증가시켜 스테로이드생성을 돕고, 자궁혈류를 증가시켜 적절한 가스교환과 태반을 통한 영양수송을 허용하고, 유방조직의 비대를 유발하여 수유를 위한 유방을 준비한다.

많은 동물모델에서 프로제스테론 농도의 감소가 분만을 시작하기에 충분하다는 것이 입증되었다. 그러나 사람의 경우 분만 전 몇 주 동안 프로제스테론수치가 자발적으로 감소하지 않는다. 이는 모순되는 것처럼 보일 수 있지만, 임신 후기 내내 호르몬수치가 일정함에도 불구하고 기능을 하는 프로제스테론이 줄어든다는 증거가 많이 있다. 프로제스테론수용체(PR)에는 PR-A와 PR-B의 두 가지 별개의 아형이 있다. PR-B는 프로제스테론 반응성유전자를 활성화하고 에스트로젠수용체(ER) 생성을 억제함으로써 자궁안정성을 유지하는 대부분의 프로제스테론 효과를 매개하는 것으로 생각된다. 반면에 PR-A는 주로 PR-B를 억제하는 역할을 한다. 분만의 시작은 자궁근육층의 PR-B에 비해 PR-A의 상대적 수준 증가와 관련이 있으며, 이는 다른 포유동물에서와 마찬가지로 인간에서도 프로제스테론 활성의 기능 감소가 발생함을 시사한다.

이 기능감소는 ER 발현의 증가와 함께 발생하며, 이는 차례로 프로스타글랜딘 생산의 증가를 포함하여 분만을 준비하는 수축성형태의 자궁을 만든다. 에스트로젠은 임신과 분만에서 중요하지만 필수적이지 않은 역할을 하며, 이는 태반 설파타제 결핍으로 인한 임신에서 알 수 있다. 이러한 임신은 일반적으로 임신기간 동안 매우 낮은 에스트로젠 생산에도 불구하고 만삭까지 유지된다. 분만 시작이 늦어지고 자궁이 상대적으로 프로스타글랜딘과 옥시토신에 대해 반응이 없지만, 분만은 궁극적으로 저절로 일어나기 때문에

어렵지만 성공적으로 분만을 유도할 수 있다.

2. 프로스타글랜딘의 역할

프로스타글랜딘이 분만매개체로 작용한다는 많은 증거가 있다. 프로스타글랜딘의 생산은 자궁 내에서 구획화되어 있으며, PGE_2는 태아막에서, $PGF_{2\alpha}$는 탈락막에서, PGI_2는 자궁근육층에서 생산된다. 이들은 구조적으로 매우 유사하지만 서로 다른 효과를 가질 수 있어, 프로스타글랜딘의 자궁활동 조절이 복잡함을 시사한다. 태아막에서 생성된 PGE_2와 자궁근육층에서 생성된 $PGI2_2$는 자궁 활동을 억제하지만, 탈락막에서 생성된 $PGF_{2\alpha}$는 강력한 자궁 수축작용을 하여 산후 출혈의 치료에 활용될 수 있다. 임신 중에는 $PGF_{2\alpha}$ 생성이 억제되며, 임신한 자궁의 프로스타글랜딘수치는 모든 월경주기의 임신하지 않은 자궁에서 발견되는 수치보다 낮다. 임신 후기, 특히 진통이 시작된 만삭에 산모의 혈청과 양수에서 프로스타글랜딘의 $PGF_{2\alpha}$수치가 증가한다.

프로스타글랜딘은 분만과정에서 광범위하게 이용된다. PGE_1과 같은 전수축성프로스타글랜딘은 일반적으로 자궁경부 성숙 및 분만유도에 사용된다. PGE_1 또는 $PGF_{2\alpha}$ 투여는 자궁이완증으로 인한 산후출혈 치료에 매우 효과적으로 사용될 수 있다. 또한, 인도메타신과 같은 프로스타글랜딘 합성억제제는 조산치료에 사용되는 가장 강력한 자궁수축억제제 중 하나이다.

3. 옥시토신의 역할

옥시토신은 시상하부에서 생성되어 뇌하수체후엽에 저장되는 폴리펩타이드호르몬이다. 옥시토신은 자궁수축을 일으키는 것으로 오래 전부터 알려져 있으며, 분만유도 및 자궁이완에 의한 산후출혈치료에 많이 사용된다. 옥시토신은 자궁 전체에 존재하는 G단백연결수용체에 결합하여 그 효과를 매개한다. 수용체는 자궁기저에 우선적으로 분포되어 있

고, 자궁의 낮은 부분과 자궁경부에서는 낮은 농도로 발견 되며, 이는 낮은 자궁부분에 비해 자궁기저의 수축성이 증 가하는 원인이 된다. 옥시토신수치는 임신 2기 말까지 예민 하게 증가하지 않지만 수용체 농도는 임신 1분기에 최대 100배, 임신 3분기에 최대 300배 증가한다. 주로 에스트로 젠에 의해 매개되는 수용체의 증가는 임신 2기에 옥시토신 에 대한 자궁근육층의 감수성을 증가시킨다.

V. 유전자검사에서 태반호르몬의 사용

다운증후군 및 다른 유전질환에 대한 선별검사는 태반에서 생성되는 호르몬 및 기타 단백질로 시행되고 있다. 예를 들 어, 임신 1분기 선별검사에서 산모의 hCG 및 임신관련혈장 단백질A (PAPP-A)수치를 태아목덜미투명도(nuchal translucency) 측정과 함께 시행한다. 일반적으로 hCG수 치는 다운증후군임신에서 더 높고 정배수체임신보다 18 삼 염색체(trisomy 18) 임신에서 더 낮다. PAPP-A수치는 정 배수체임신보다 일반적인 이수성(예: 다운증후군, 13 삼염 색체, 18 삼염색체)임신에서 더 낮다. 임신 2기의 선별검사 에는 hCG, 태반에서 생성되는 에스트리올 및 인히빈A, 태 아가 주로 생성하는 α-태아단백질이 사용된다. 에스트리올 은 다운증후군 및 기타 삼염색체 임신에서 더 낮은 반면, 다

운증후군임신은 정배수체임신에 비해 인히빈A수치가 더 높 다. 이러한 유전자선별검사에서 분석된 호르몬수치는 다른 유전상태에 대한 몇 가지 단서를 제공하고 미래의 임신 합 병증을 예측하는 데 도움이 될 수도 있다. 예를 들어, 태반 술파타아제(sulfatase) 결핍과 Smith-Lemli-Opitz증후 군(콜레스테롤 합성경로의 효소적 결함이 에스트리올을 포 함한 모든 스테로이드호르몬의 장애를 초래하는 장애)이 복합된 임신에서는 매우 낮은 수준의 에스트리올이 나타난 다. 이러한 분석물 패턴이 표 5-5-3에 요약되어 있다.

유전자선별검사에 사용되는 모체혈청분석물의 이상은 정 배수체의 기형이 없는 태아의 임신후기합병증과 관련이 있 다. 산모 혈청α-태아단백질(MSAFP) 및 인히빈A의 상승은 태아성장장애 및 자궁내태아사망의 위험증가와 강한 연관 성을 보이며, 또한 증가된 인히빈A는 조산의 위험증가와 관 련이 있다.

이러한 임신이 발견되면 성장장애를 평가하기 위해 연속적 인 태아초음파검사를 통해 모니터링하고 비정상적인 성장 이 발견되는 경우 태아의 웰빙을 지속적으로 파악해야 한 다. 연관성이 덜 확립되어 있지만, 정배수임신에서 비정상적 으로 낮은 PAPP-A는 성장제한 및 사산, 조산 및 자간전증 과 관련이 있다. 임신 1분기 PAPP-A가 낮고 2분기 인히빈

표 5-5-3. 유전질환의 혈청분석물 패턴

	PAPP-A	hCG	AFP	uE3	Inh A
유전질환					
다운증후군	↓	↑	↓	↓	↑
18 삼염색체	↓	↓	↓	↓	–
13 삼염색체	↓	↓	–	–	–
Smith-Lemli--Opitz증후군	–	↓	–	–	–
태반술파타아제 결핍	–	↓	–	–	–

AFP, α-fetoprotein; hCG, human chorionic gonadotropin; Inh A, inhibin A; PAPP-A, pregnancy-associated plasma protein A; uE3, unconjugated estriol; ↓, decreased; ↑, increased.

표 5-5-4. 혈청분석물 및 임신결과

분석물	자간전증	성장장애	태아사망	조산
PAPP–A (< 0.42 MoM)	↑	↑	↑	↑
Free hCG (< 0.021 MoM)	–	↑	↑	–
AFP (> 2.0 MoM) first trimester	–	↑	↑	–
hCG (> 2.0 MoM) second trimester	–	–	↑	–
uE3 (< 0.5 MoM)	–	↑	↑	–
Inh A (> 2.0 MoM)	↑	↑	↑	↑

AFP, α-fetoprotein; hCG, human chorionic gonadotropin; Inh A, inhibin A; MoM, multiples of the median; PAPP-A, pregnancy-associated plasma protein A; uE3, unconjugated estriol; ↓, decreased; ↑, increased.

A가 증가하면 자간전증위험이 증가한다. 비정상혈청분석물과 임신합병증 사이의 상관관계는 **표 5-5-4**에 요약되어 있다.

참 / 고 / 문 / 헌

1. David GG, Shoback D. Greenspan's basic and clinical endocrinology. 10th ed. McGraw-Hill Education; 2017.

2. Hadley J, Mac and Levine. Endocrinology. 6th ed. Pearson Custom Pub; 2009.

3. Holt E, Lupsa B, Lee G, Bassyouni H, Peery H. Goodman's Basic Medical Endocrinology. 5th ed. Elsevier; 2021.

4. Jameson JL. Harrison's endocrinology. 4th ed. Mc-Graw-Hill Education; 2016.

5. Kallen CB. Steroid hormone synthesis in pregnancy. Obstet Gynecol Clin North Am 2004;31:795-816.

6. Kodaman PH, Taylor HS. Hormonal regulation of implantation. Obstet Gynecol Clin North Am 2004;31:745-66.

7. Melmed S, Auchus RJ, Goldfine AB, Koenig RJ, Rosen CJ. Williams textbook of endocrinology. 14th ed. Philadelphia: Elsevier; 2019.

8. Molina PE. Endocrine Physiology. 5th ed. McGraw-Hill Education; 2018.

9. Strauss J, Barbieri R. Yen & Jaffe's Reproductive EEndocrinology: physiology, pathophysiology, and clinical management. 8th ed. Elsevier; 2017.

10. Taylor HS, Pal L, Sell E. Speroff's Clinical Gynecologic Endocrinology and Infertility. 9th ed. Lippincott Williams & Wilkins; 2019.

11. Wass JAH, Stewart PM, Amiel SA, Davies MJ. Oxford Textbook of endocrinology and diabetes. 2nd ed. Oxford University Press; 2011.

발달과 성장

성분화이상질환

최진호

I. 정상 성결정과 성분화과정

인간의 성결정과 성분화과정은 여러 단계에 걸쳐 일어나고, 많은 유전학적, 내분비학적, 정신사회학적 인자가 관련되어 있으며 최근 분자유전학의 발달로 성결정에 영향을 주는 많은 유전인자들이 알려지고 있다. 그러나 아직 그 과정에 대한 정확한 이해는 불충분한 상태이다.

유전적인 성(염색체)은 수정 시에 결정되며 이로 인해 성선이 분화되고 성선에서 분비되는 호르몬과 그 수용체에 의해 형태학적인 성의 분화과정이 이루어지게 된다. 성염색체에는 X염색체와 Y염색체가 있는데 X염색체는 전체 DNA의 6%에 해당하는 160 Mb의 핵산으로 구성되며 1,500-2,500개의 유전자가 존재하는 것으로 추정되고 있다. 현재약 200개 이상의 유전자가 발견되었다. Y염색체는 상대적으로 작은 염색체로 소수의 유전자를 포함하는데 SRY (sex determining region of the Y chromosome)유전자에는 고환결정인자(testicular determining factor, TDF)가 존재하여 성결정에 중요한 역할을 한다. 성결정에 관련된 유전자 및 성염색체의 수적 또는 구조이상에 의해 성분화의 이상 및 사춘기 발현의 이상 등 여러 가지 질환이 발생한다.

1. 성염색체와 성결정

1) Y염색체

(1) 가성보통염색체부위(pseudoautosomal region)

생식세포의 감수분열 시에 X염색체와 짝을 이루어 재조합이 활발히 일어나는 부위를 가성보통염색체부위라 하는데 염기서열의 동질성이 크다. 이 부위의 유전자들은 X염색체의 경우 "escape inactivation"되어 마치 보통염색체처럼 유전된다.

(2) Y염색체와 고환결정인자

① 고환결정인자(testicular determining factor, TDF) 유전자와 zinc finger protein of Y (ZFY)

감수분열기에 드물게 X와 Y염색체의 가성보통염색체부위 바깥의 부분들 사이에 잘못된 유전자재조합이 발생하면 XX 남성, XY여성이 발생하게 되는데, 이는 고환결정인자유전자의 결실 또는 획득에 의한다. 가성보통염색체부위를 포함한 Y염색체의 다양한 범위의 결실을 이용하여 고환결정인자의 유전정보를 지닌 유전자를 찾으려는 노력은 오래전부터 시작되었다. 1955년 Eichwald와 Silmser가 근친교배생쥐(inbred mice)를 이용한 연구에서 Y염색체에서 유래하는 Histocompatibility Y (HY)항원이 성결정에 관여하리라는 가설로부터 시작하여, 1971년 Goldberg는

HY항원과는 다른 serologically determined male specific (SDM)항원을, 1975년 Wachtel은 HY항원이 *TDY* (testis determinant of the Y chromosome)유전자의 산물이라 주장했으나 *TDY*부위는 Y염색체 단완에 있고(Y염색체 단완이 결실되면 여성형)유전자는 장완에 존재하므로 모순이 있었다. 1987년 Page는 Y;22 전이가 있는 여성에서 Y염색체 단완에 위치하는 140 kb(전체 Y염색체 DNA의 0.2%에 해당) 크기의 DNA를 발견하고 여기서 'zinc finger protein'의 구조를 지니는 유전자를 발견하여 *ZFY* (zinc finger protein of Y)라 하고 이것이 남성을 결정하는 유전자라고 하였으나 X염색체에도 *ZFY*와 동질적인 *ZFX*가 있고, *ZFY*가 없는 XX남성의 존재, 동물실험에 의해서 고환결정인자는 *ZFY*가 아님을 알게 되었다. 그러나 *ZFY*유전자가 남성결정에 있어서 이차적인 역할을 할 것이라는 점을 배제할 수는 없다.

② 고환결정인자(TDF)유전자와 남성결정부위유전자 (sex determining region of the Y, SRY)

1990년 Sinclair와 1991년 Goodfellow에 의해 *SRY*유전자가 발견되었다. 이는 Y염색체의 단완, 가성보통염색체부위에 위치한다. 35 kb의 Y fragment에서 pY53.3이라는 클론을 얻었는데 669 bp의 염기서열이 모든 포유류에서 동질성을 보이며 80 아미노산의 DNA binding motif가 중요한 구조이다(그림 6-1-1). 이 유전자를 *SRY*라 명명하고 이것이 남성을 결정하는 유전자임을 증명하는 여러 근거들이 있다. 첫째는 고환특이적(testis-specific)이며 태생기에 생식융기(gonadal ridge)에 발현하고, 둘째로 *SRY*는 XX 남성에 존재하는 경우가 있고, XY여성에서는 *SRY*유전자의 결실 또는 돌연변이가 있는 경우가 있으며, 셋째, *SRY* transgenic XX mice는 고환을 갖고 있다는 증거들이다.

2) X염색체

Barr 소체는 불활성화된 X염색체라는 가설(Lyon가설)이 1961년 영국인 유전학자인 Mary Lyon에 의해서 제시되었는데, 사람 및 모든 포유동물의 체세포에서 태생 초기에

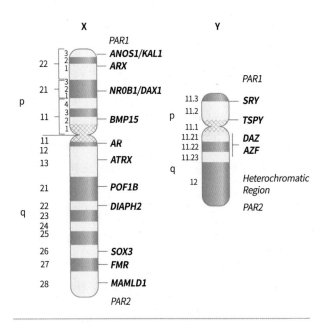

그림 6-1-1. X염색체와 Y염색체의 성결정과 성분화에 관련된 유전자의 모식도

무작위적으로 부계 혹은 모계에서 유래된 X염색체가 불활성화된다는 가설이다. Lyon가설의 몇 가지 예외가 있는데, X염색체의 결실 등의 구조이상이 있을 때 그 염색체가 주로 불활성화된다. 그러나 X염색체와 보통염색체 간에 전위가 있을 때는 정상 X염색체가 주로 불활성화된다. 또한 불활성화되는 X염색체의 일부 부위는 불활성화되지 않는데(escape inactivation) 특히 단완 끝의 몇 가지 유전자들이 이에 해당하고 이 부위를 가성보통염색체부위라 하며 Y염색체와 상동성이 있어서 감수분열 시에 유전자재조합이 자주 발생한다. 이외에도 중심절부위의 장완과 단완의 몇 가지 유전자가 불활성화되지 않는다.

X염색체가 어떻게 불활성화되는지 그 기전이 잘 알려지지 않았으나 Xq13부위의 X inactivation center에 위치하는 *XIST* (X inactivation-specific transcript)유전자가 중요한 역할을 하는 것으로 보인다. 이 유전자는 불활성화된 X염색체에서만 발현되며 non-coding RNA를 부호화 (encode)한다. 이 RNA가 핵막에 붙어 형성되는 Barr소체 형성과 관계가 있다고 추정된다. 불활성화된 X염색체의 일

부 유전자들은 "escape inactivation"에 의해 활성화되는데, 단완 말단에 존재하는 가성보통염색체부위의 *MIC2* (cell surface protein MIC2)유전자와 바로 이웃해 있는 *STS* [steroid sulfatase, 결핍되는 경우 반성유전양식의 어린선(ichthyosis)이 발병], *GS1*(기능은 알려져 있지 않음), *ANOS1* (anosmin 1), *ZFX* (zinc finger protein, Y염색체 단완의 *ZFY*와 상동성이 있음) 등이다. 또한 inactivation center부위의 장완에 위치하는 *RPS4X* (ribosomal protein S4) 등이 있다. 불활성화된 유전자, 특히 모든 조직에서 발현되는 '상존(housekeeping)'유전자의 경우는 CpG 염기가 과메틸화(hypermethylation)되어 전사되지 않는다. 그러나 또 다른 유전자들에서는 불활성화된 유전자가 저메틸화(hypomethylated)될 수도 있어서 'differential methylation' 양상을 보인다.

3) 성결정과 분화에 관계되는 유전자
성결정과 성의 분화에는 보통염색체와 성염색체에 두루 분포하는 여러 유전자들이 서로 연관되어 작용하는데, 최근까지 알려진 유전자들은 표 6-1-1과 그림 6-1-2에 기술되어 있다.

2. 성선의 발달

1) 미분화기
배란 후 약 4주가 되면 성선이 비로소 나타난다. 이때 요생식동(urogenital sinus)의 내측 표면을 따라 발육하여 체강상피(coelomic epithelium), 간엽(mesenchyme)과 원시생식세포(primitive germ cell)를 구성한다. 이러한 미분화기는 6-7주경 고환의 분화가 관찰될 때까지 지속된다. 생식세포는 성선 밖에서 유래하여 원시장관(primitive gut)의 내배엽 벽과 난황낭에서 처음 볼 수 있고, 배측 장간막을 따라 성선부위로 이동한다. 체강상피, 일명 생식상피와 그 아래 간엽조직은 왕성하게 증식하여 요생식동의 내측을 따라 긴 생식동을 만든다. Y염색체가 있으면 수질부위가 계속 발육하여 고환이 되고, 없으면 성선의 피질부위가 발

육하여 난소가 된다.

2) 고환의 분화
고환의 분화는 6-7주경 처음 관찰된다. 성선의 간엽부위에 상피삭이 점차 나타나 나중에 세정관(seminiferous tubule)이 된다. 고환의 분화는 전 태아기에 걸쳐 점차 분화하지만, 약 8주경에 가장 전형적인 과정을 거치게 된다. 약 60일경에 고환간질에서 기원하는 간질세포인 라이디히(Leydig)세포가 나타나며, 점차 수가 증가하여 5-6개월에 최고에 달한 후 점차 퇴화하여 출생 1개월 후에는 모두 사라진다. 상피 부분, 즉 고환삭(testicular cord)은 계속 증식하고 원시생식세포는 상피에 부착하게 된다. 고환삭은 정세삭과 고환세관(testicular tubule)과 고환망(rete testis)이 되어 세르톨리(Sertoli)세포와 정조세포(spermatogonia)를 함유하게 된다. 고환의 생식세포는 태아기 초기에 일차감수분열의 전기에 들어가 고환세관에서 사춘기가 시작될 때까지 감수분열을 하지 않는다. 고환은 서혜부관을 따라 하강하는데, 12주 후에는 앞 골반에 도달하게 되고 28주가 되면 내측 서혜부, 32주가 지나면 음낭에 도달한다.

3) 성분화와 관련된 고환호르몬
인체 태아에서 난소와 고환의 기능은 임신 6-8주 사이에 나타난다. 이때 여러 태내 외의 환경요인이 남성화와 여성화현상에 영향을 줄 수 있다. 태아의 성선은 3β-hydroxysteroid dehydrogenase의 활성도를 갖게 되는 것이 태아의 부신과 다른데, 특히 태아의 고환은 50배 이상의 효소활성도를 지닌다. Y염색체에 있는 유전성결정인자는 미분화 성선을 고환으로 발달하게 하는데, 이어지는 단계는 주로 고환에서 분비되는 호르몬인 뮐러관억제인자(Mullerian inhibitory factor; anti-Mullerian hormone, AMH)와 테스토스테론이 관여한다. 뮐러관억제인자는 미성숙 세르톨리세포에서 만들어지며, 고환 분화 직후부터 사춘기까지 계속 합성된다. 이 인자는 뮐러관유도체 즉, 자궁, 나팔관, 상부 질의 발달을 억제한다. 뮐러관억제인자는 고환의 세르톨리세포기능을 측정하는 유용한 임상지표이다. 테스

표 6-1-1. **성결정 및 성분화와 관련된 유전자**

유전자	위치	구조	임상형	OMIM
WT1	11p13	10 exons, 50 kb	Denys–Drash, Frasier증후군	*607102
SF1/NR5A1	9q33	7 exons, 30 kb	46,XY 부신부전을 동반한 성전환(sex reversal)	+184757
SRY	Yp11.3	Single exon, 14 kb	46,XY성선발생장애	*480000
SOX9	17q24.3–q25.1	4 exons, 88 kb	굴지형성이상(Campomelic dysplasia)	*608160
DHH	12q13.1	3 exons, 4.7 kb	성선발생장애	*605423
ARX	Xp22.13	5 exons, 12.5 kb	Robinow증후군	*300382
TSPYL1	6q22–q23	2 exons, 5.1 kb	고환이형성(dysgenetic testis)	*604714
Cxorf6 (MAMLD1)	Xq28	7 exons, 100 kb	요도하열	*300120
DMRT1	9p24.3	5 exons, 250 kb	고환이형성	*602424
ATRX/XH2	Xq13.3	36 exons, 300 kb	ATRX증후군	*300032
DAX1	Xp21.3	2 exons, 3.4 kb	선천부신저형성증	*300473
WNT4	1p35	5 exons, 25 kb	46,XX자궁무형성증 46,XY성전환(sex reversal)	*603490
DHCR7	11q12–q13	9 exons, 14 kb	Smith–Lemli–Opitz증후군	#270400
LHCGR	2p21	11 exons, 3 kb	Leydig세포저형성증	+152790
StAR	8p11.2	7 exons, 8 kb	지질선천부신증식증	*600617
CYP11A1	15q23–q24	9 exons, 20 kb	P450scc 결핍	*118485
HSD3B2	1p13.1	4 exons, 1.8 kb	3β–하이드록시스테로이드탈수소효소결핍증	+201810
CYP17	10q24.3	8 exons, 6.6 kb	17α–수산화효소/17,20–분해효소결핍증	*609300
POR	7q11.2	15 exons, 35 kb	Antley–Bixler증후군	*124015
HSD17B3	9q22	11 exons, 60 kb	17β–하이드록시스테로이드탈수소효소	*605573
SRD5A2	2p23	5 exons, 2.4 kb	5α–환원효소결핍증	*608160
AR	Xq11–12	8 exons, 10 kb	안드로젠저항증후군	*313700
AMH	19p13.3–p13.2	5 exons, 1.8 kb	뮐러관지속증후군	*600957
AMHR2	12q13	11 exons, 2.0 kb	뮐러관지속증후군	*600956
RSPO1	1p34.3	6 exons, 2.8 kb	46,XX성전환(sex reversal)	*609595
CYP19A1	15q21.1	10 exons, 70 kb	방향화효소결핍증	+107910
EMX2	10q26.1	3 exons, 2.5 kb	뇌갈림증(Schizencephaly)	*600035
FOXL2	3q23	Single exon, 2.9 kb	BPES (Blepharophimosis ptosis epicanthus inversus증후군)	*605597
INSL3	19p13.2	2 exons, 0.8 kb	잠복고환	*146738

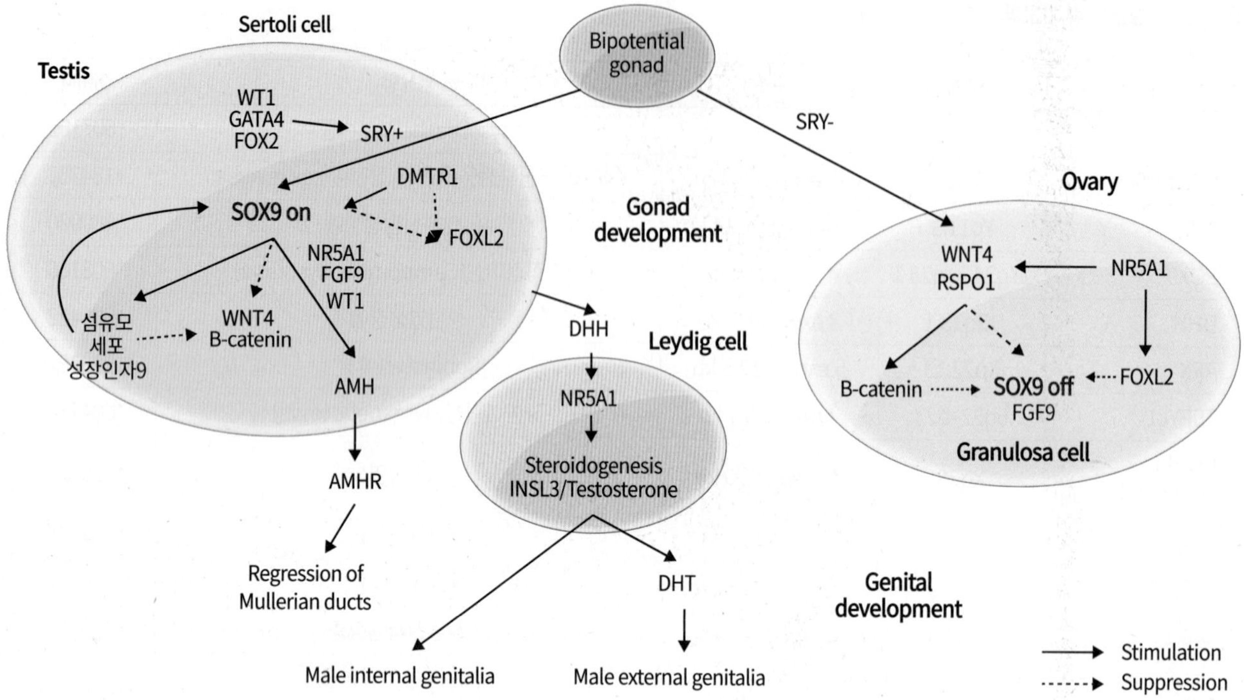

그림 6-1-2. 성결정과 분화의 연속단계(cascade) 및 성발달에 관여하는 유전자

토스테론은 라이디히세포에서 만들어지는데 8주경부터 출생 시까지 계속된다. 테스토스테론이 지속적으로 분비되려면 성선자극호르몬이 필요하다. 테스토스테론은 볼프관(Wolffian duct)유도체인 부고환, 정관(vas deferens), 정낭(seminal vesicle)의 분화를 유도한다.

4) 난소의 분화

배아가 6-7주일 때 미분화성선이 고환분화의 소견을 보이지 않으면 Y염색체가 없어 성선분화가 난소로 일어나고 있음을 의미한다. 그러나 난소분화의 시작은 50-55일경으로 고환보다 늦지만 최종 성숙 시에는 더 분화된 상태에 이르게 된다. 난소의 분화로 체강상피가 생식삭과 간엽으로 발육되고 난조세포(oogonia)의 수가 증가한다. 12-13주 피질의 가장 깊은 층에 위치한 난조세포들이 감수분열의 전기에 돌입하게 된다. 성숙은 성선의 중앙에서 말단부로 진행하는데, 이는 7개월이 되어서야 끝나게 되며 모든 생식세포들이 감수분열전기를 마치고 12-40년 이후에 있을 배란 직

전까지 더 이상의 분열은 보이지 않는다. 17주가 되면 원시난포가 나타나기 시작하는데, 이들은 상피세포로 둘러싸인 생식세포로 모여 있고 성숙난포(Graafian follicle)는 26주에 나타난다. 난소의 총생식세포는 20-25주에 최대치가 되는데, 200만 개의 난조세포와 500만 개의 난모세포(oocyte)로 총 700만 개가 존재한다. 이때 태아 뇌하수체의 난포자극호르몬(follicle-stimulating hormone, FSH) 농도는 최고치에 이르게 된다. 난조세포는 7개월이 지나면 사라지고 원시세포와 일차난포는 그 수가 감소하여 출생 시에는 약 200만 개가 되며, 이 중 1/2 정도가 퇴화소견을 보인다. 그러므로 대부분의 난조세포가 난포형성 전에 퇴화하고 난포형성 후에도 계속 퇴화과정에 있게 된다. 태아의 원시난소조직에서 에스트로젠을 생성하는 시기와 고환이 테스토스테론을 생성하는 시기는 8주경으로 비슷하나 이는 과립세포에서 분비되지는 않는다. 이것은 이 두 조직이 배아기 동안 유사한 요인에 의해 특별한 내분비기능을 하게 하는 효소활성을 얻는 것을 의미한다. 그러나 태아난소의 형

태학적분화는 고환보다 느려서 약 3개월 늦은 재태 20주경이 된다. 난소에서의 뮐러관억제호르몬의 합성과 분비는 출생 후에 시작되나 출생 후 나팔관 등은 뮐러관억제호르몬에 감수성이 없어서 별 영향을 받지 않는다. 태아는 태반에서 유래되는 에스트로젠의 영향을 훨씬 많이 받고 있으며 여자 태아의 난소는 남성 태아의 고환과는 달리 외부성기 분화에 별 영향을 주지 못한다.

3. 생식관과 내부성기의 분화

1) 미분화기

모든 배아에서는 볼프관과 뮐러관이 함께 발육하는데, 이를 미분화기라 한다. 남성 배아에서 볼프관은 부고환(epididymis), 정관, 정낭 등의 구조로 발달되고 뮐러관은 퇴화된다. 여성 배아에서는 뮐러관이 발달하게 되어 자궁, 나팔관, 질 상부가 형성되고 볼프관은 퇴화된다. 배아의 크기가 4–5 mm일 때 볼프관이 완전히 형성되고 하단부는 요생식동에 연결된다. 그 연결부위 근처에 요관게실이 발생되어 나중에 요관, 신우, 신배와 집합관이 된다. 요생식동은 배설강이 요직장중격에 의해 갈라져서 전면에 요생식동과 후면의 직장으로 구분됨으로써 형성된다. 남성 배아는 남성호르몬의 영향을 받아 요생식동이 요도, 전립선 등이 되고, 테스토스테론이 분비되지 않는 경우에는 여성으로 발육하게 되어 요도, 전정(vestibule), 질, 바르톨린샘(Bartholin gland)이 된다.

2) 남성생식관의 분화

성선이 고환으로 분화하게 되면 고환에서는 볼프관과 그유도체의 발육을 촉진시키고 뮐러관과 그 유도체를 억제시키는 물질을 생성하게 된다. 30 mm 배아에서 볼프관은 안드로젠의 영향을 받아 계속 발육하여 부고환, 정관, 정낭 등을 형성하게 된다(그림 6-1-3). 이와 동시에 뮐러관억제인자의 주변분비(paracrine)의 영향을 받아 뮐러관이 퇴화하기 시작하여 결국 남성의 특징소견을 보이는 내부성기가 형성된다. 뮐러관은 뮐러관억제인자에 대하여 임신 8주까지 반응을 하며, 이 기간 이후에 노출 시에는 뮐러관발달이 억제

되지 않는다. 뮐러관억제인자는 세르톨리세포에서 합성 분비되는 2가체의 당단백질로 단일체는 72 kDa의 크기이고 19번 염색체 단완에 유전자가 위치한다. 뮐러관억제인자유전자장애에 의한 뮐러관억제인자 결핍은 유전적인 남성에서 자궁 및 나팔관을 발달시킨다. 이러한 질환을 지속성뮐러관증후군(persistent miillerian duct syndrome)이라고 한다.

3) 여성생식관의 분화

미분화된 생식관은 테스토스테론의 영향을 받지 않는 경우 여성으로 분화된다. 약 32 mm (10주) 배아에서 테스토스테론의 영향이 없으면 볼프관은 퇴화되어 난소위체(paraovarium), 난소곁체(paroophoron)와 가르트네르관(Gartner duct)이 형성된다. 반면에 뮐러관은 계속 발달하여 나팔관, 자궁과 질의 일부를 형성하게 된다(그림 6-1-3).

4. 외부성기의 분화

1) 미분화기

외성기와 요생식동은 임신 2개월까지는 미분화된 상태로 있으며, 이 시기의 특징적인 소견으로는 생식결절(genital tubercle) 혹은 음경, 요도구, 음경 양측에 나타나는 생식융기(gonadal ridge) 등을 들 수 있다.

2) 남성외부성기의 분화

임신 2개월부터 Y염색체, 특히 *SRY*유전자의 존재 하에 원시 성선이 고환으로 분화하고 고환의 세르톨리세포에서 분비되는 뮐러관억제인자는 뮐러관을 퇴행시키고 고환의 라이디히세포에서 분비되는 테스토스테론에 반응하여 분화가 시작되는데, 테스토스테론은 볼프관을 남성화시킨다. 테스토스테론의 5α–환원물질인 다이하이드로테스토스테론(dihydrotestosterone, DHT)은 요생식동과 생식결절에 작용하여 외부성기의 남성화를 초래한다. 이들에 존재하는 안드로젠수용체(androgen receptor, AR)는 테스토스테론보다 다이하이드로테스토스테론에 더 높은 친화력을 나

06 발달과 성장

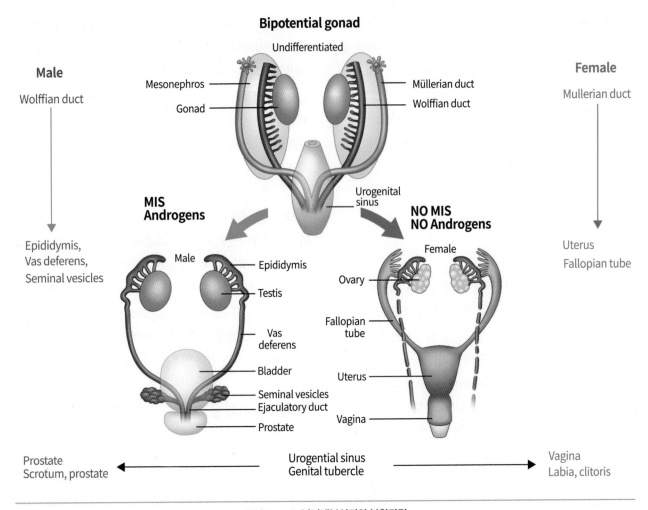

그림 6-1-3. **남녀내부성기의 분화과정**

타낸다. 요도주름이 서로 융합하고 음경이 길어지며 음순음 낭융기(labioscrotal swelling)의 융합이 일어난다. 음경 의 형성은 임신 12-14주 때 완성되며, 이 시기 후에 테스토 스테론에 노출될 때 음순음낭융합이 일어날 수 없다. 요도 주름이 계속 융합해 가면서 요생식동을 요도로 전환시켜 음경과 요도가 된다. 양측음순음낭융기가 서로 융합하여 음낭을 형성하게 된다. 남성에서의 정상적인 성결정과 성분 화를 요약하면 그림 6-1-4와 같다.

3) 여성외부성기의 분화
테스토스테론이 없으면 미분화된 외성기와 요생식동은 여 성으로 발달하게 된다. 음경 대신 음핵을 형성하고 양측 요

도주름에서 소음순, 전정을 형성하며, 음순음낭융기도 융 합하지 않아 대음순을 형성한다(그림 6-1-5). 임신 2개월경 외성기의 여성화가 처음 나타나며, 3개월에 외부성기의 주 요 부분이 완성되기 시작하나 질발달을 위한 공동화는 임 신 15주 때 시작되어 임신 18주에 완성된다.

5. 정신적 성분화

출생 후 정신사회적인 발달과 문화적인 영향이 성발달에 영 향을 준다. 성적인 인간의 행동은 다음과 같이 분류할 수 있 으며, 성분화이상질환의 평가와 치료를 위해서는 정신적 성 발달과 관련된 다음 용어를 이해해야 한다.

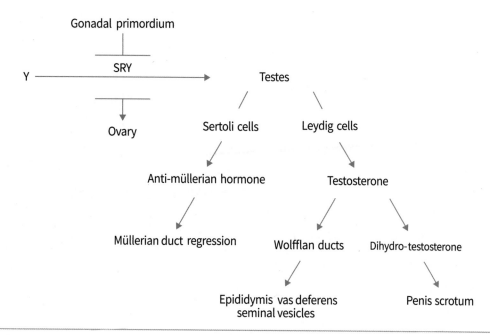

그림 6-1-4. **남성 성분화의 모식도**

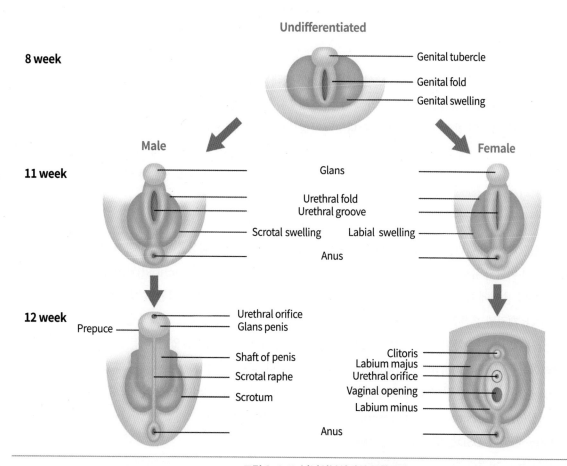

그림 6-1-5. **남녀외부성기의 분화과정**

1) 성정체성(Gender identity)

자기 자신을 남성 또는 여성으로 생각하는가를 의미한다. 신체적 행동과 성정체성은 남녀로 양분화될 수 있다.

2) 성역할(Gender role)

남녀에 따라 다른 행동양상과 선호하는 취향으로서 남성 또는 여성처럼 행동하는가를 의미한다.

3) 성취향(Sexual orientation)

성적인 흥분을 일으키는 대상을 어떤 성으로 택하는가를 의미한다. 일반적으로 성정체성과 성역할은 성적인 표현형과 일치하고 성적인 욕망은 반대의 성을 향한다.

4) 성결정(Gender assignment)

출생 시 남자 또는 여자로 키울 것인지를 결정하는 과정을 의미한다.

5) 성적불쾌감(Gender dysphoria)

성정체성의 이상으로 인한 성전환상태를 의미한다. 성전환증(transsexualism)은 태아기의 성결정과 성분화의 과정은 정상적으로, 성분화이상질환의 영역에 해당되지 않는다.

II. 성분화이상질환

성분화이상질환을 진단할 때 용어의 복잡성으로 인해 많은 혼란이 있었다. 2006년 미국과 유럽소아내분비학회에서 성분화이상질환의 분류와 용어에 대한 international consensus가 발표되었다. 개정된 분류체계는 성분화이상질환에 대한 분자유전학적 원인과 단순화된 용어를 고려하여 제정되었다. 거짓남녀한몸증(pseudohermaphrodism), 남녀한몸(intersex)과 같은 용어는 혼란이 되어 쓰지 않기로 하였으며 성발달이상(disorders of sex development, DSD)으로 통일하기로 하였다. DSD는 염색체, 성선, 해부학적인 성발달이 선천적으로 비전형적 경우로 정의된다. 분자

유전학의 발달로 DSD의 평가 및 분류에 많은 도움이 되고 있다. 진성남녀한몸증(true hermaphrodism)은 난소와 고환조직이 한 개체 내에 동시에 존재하는 경우로 난소고환성발달이상(ovotesticular DSD)으로 명명하기로 하였다. 성분화이상질환의 분류는 성염색체이상에 의한 DSD, 46,XY DSD, 46,XX DSD의 세 가지 범주로 크게 분류하였으나 난소고환성발달이상과 같은 일부 질환은 세 가지 범주 중 한 가지 이상의 범주에 속하는 경우도 있다(표 6-1-2).

1. 성염색체이상에 의해 초래되는 질환들

1) 클라인펠터증후군(Klinefelter syndrome)

(1) 역학

남성성선저하증의 가장 흔한 원인의 하나이다. 출생 남아 약 1,000명당 1명으로 비교적 흔하고, 정신 지체아 중 1%에서 볼 수 있으며, 산모의 연령 증가와 관계가 있다.

(2) 병태생리

세포유전학검사에서 대부분 47,XXY의 핵형을 가지며, 변형으로는 48,XXXY (Barr 소체는 2개) 혹은 모자이크현상(mosaicism)으로 46,XY/47,XXY 등도 있다. X염색체 수가 많을수록 지능저하의 정도가 심하다.

(3) 임상특성

표현형은 남성이며, 임상증상은 사춘기 지연으로 나타난다. 키가 크고 환관증형(eunuchoid)과 여성형유방(50–80%)을 나타내며, 대부분에서 고환이 작고 단단하며, 무정자증, 불임, 음모의 감소, 성욕감퇴 등의 증상을 보이며, 지능저하는 소수(10%)에서 볼 수 있다. 피문소견은 적은 융선 수가 특징이다. 폐질환, 정맥류, 유방암 등의 합병이 많으며, 성선 외에 특히 종격동과 뇌에도 생식세포종양(germ cell tumor)의 빈도가 높다.

표 6-1-2. 성발달이상과 관련된 용어의 변화

이전 용어	개정 용어
남녀한몸(Intersex)	성발달이상(Disorder of sex development, DSD)
남성거짓남녀한몸증(Male pseudohermaphridism)	46,XY DSD
여성거짓남녀한몸증(Female pseudohermaphrodism)	46,XX DSD
진성남녀한몸증	난소고환성발달이상(Ovotesticular DSD)
XX남성 혹은 XX성전환(Sex reversal)	46,XX 고환성발달이상(Testicular DSD)
XY성전환	46,XY 완전성선이형성증

(4) 진단

염색체검사로 핵형분석을 시행하여 진단할 수 있다. 검사소견으로는 성선자극호르몬의 증가, 테스토스테론의 감소, 소변 17-ketosteroid 배설의 감소와 고환의 생검소견에서 생식세포(germinal cells)의 결여, 섬유화, 세르톨리세포의 소실 및 세정관의 초자화(hyalinization) 등이 나타난다. 라이디히세포는 잘 보존되어 있다. X-선상 radioulnar dysostosis가 특징이다.

(5) 치료

치료는 테스토스테론제제로 11-12세에 치료를 시작하여 이차성징을 유도한다. 유방이 너무 커서 문제가 될 때는 성형수술을 하며, 정신과적인 진료가 필요한 경우도 있다.

2) 터너증후군(Turner syndrome)

(1) 역학

여아 신생아 약 3,500명당 1명의 빈도로 나타나고, 산모의 고령과는 무관하다. 이 증후군의 태아는 95%가 자연유산되며, 또 모든 자연유산의 5-10%를 차지한다.

(2) 병태생리

염색체핵형은 45,X의 핵형을 가지거나(57%), 그밖에 iso-chromosome, 45,X/46,XX 또는 45,X/46,XX/47,XXX의 mosaicism, 46,X del (Xq) 혹은 (Xp), r(X) 등의 변이형 등이 있다. 환자의 30%는 모자이크현상(mosaicism), 또는 부분결실의 핵형을 보인다. 모자이크현상으로는 45,X/46,XX가 가장 흔하다. X염색체 단완의 결손은 난소 기능에는 영향을 미치지 않으나, 단신 및 터너표현형을 초래하며, X염색체의 장완 q13-q27 band의 결실은 난소발달부전을 초래한다.

(3) 임상특성

표현형은 여성이며, 임상증상은 보통 저신장과 이차성징의 발현 이상, 무월경으로 진단된다. 신생아에서의 임상특징은 손, 발 등의 림프부종과 익상경이다.

성선형성이상은 원발성 무월경의 가장 많은 원인으로 약 1/3에 해당된다. 외부성기는 여성형이나 유아기형태로 유지되고, 내부성기 역시 발육하지 못하여 유아기형태를 띠고 난소는 4-10세 때 양쪽에 선상난소(streak ovary)가 90%에서 존재한다. 사춘기에 음모와 액모가 잘 나지 않고 유방도 유아기 형태로 존재하며 월경도 일어나지 않는다. 45,X의 2%, 모자이크의 12%에서 월경이 있고, 드물게 자연 임신의 보고도 있다.

심장기형으로는 대동맥축착이 약 15%에서 발견된다. 약 1/3에서 비폐쇄이판성대동맥판(bicuspid aortic valve)이 발견되며 그 밖에 폐정맥환류이상 등이 동반된다. 약 1/3에서 마제신(horseshoe kidney), double collecting system, 한쪽 신장의 무형성, 요관신우 이행부폐색 등이 발견된다. 재발중이염이 75%에서 보이고 감각신경난청이 흔하며, 빈도는 나이가 들수록 증가한다. 동반된 신체이상으로 수족의 림프부종, 아래로 처지고 변형된 귀, 저신장, 익상경(webbed neck), 안검하수 등을 보인다(그림 6-1-6). 뼈나이는 실제나이에 비하여 정상 혹은 약간 지연되어 있다. X-선상 넷째 중수골(metacarpal) 혹은 중족골(metatarsal bone)이 짧은 것이 특징이다.

(4) 진단

염색체검사로 핵형분석을 시행하여 진단할 수 있다. 내분비학적 소견은 유아기에 혈청FSH는 증가되고 초기 소아기에

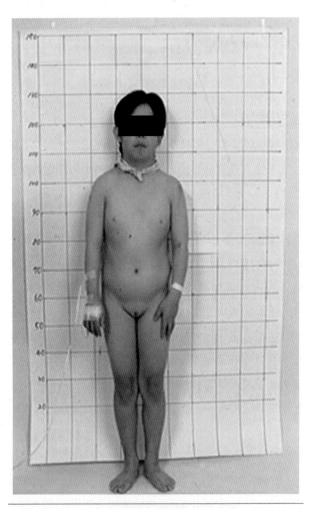

그림 6-1-6. 14세 터너증후군 환자의 전신모습
이차성징의 결여와 저신장 등이 특징이다.

감소하였다가, 9–10세 때 증가하며, 혈청에스트라다이올은 감소되어 40 pmol/L 이하이다.

(5) 치료

치료는 저신장에 대하여 성장호르몬을 투여해서 신장을 증가시킬 수 있으나, 정상적인 목표신장에 도달되지는 않는다. 이차성징을 발현시키고 정상 월경을 유도하기 위해 12–13세가 되면 에스트로젠을 3–6개월 동안 매일 투여하여 사춘기를 유발시키고, 이어서 에스트로젠과 프로제스테론 주기요법을 시도한다. 사춘기에 적절한 에스트로젠 보충요법이 유방, 음순, 질 자궁 그리고 난관의 발육을 시키고 신장도 증가시킨다. 그러나 뼈나이를 증가시킬 수 있어 성장호르몬 종결 전 6개월 이내에는 사용하지 않는다.

Y염색체를 포함하고 있는 경우 성선종양이 발생할 수 있어 난소를 제거한다. 심리적 지지요법도 필요하다.

3) 혼합성선이형성증(Mixed gonadal dysgenesis)

(1) 역학

발생빈도는 알려져 있지 않지만 선천부신증식증 다음으로 빈발하는 애매한 외성기의 원인으로 추정된다.

(2) 병태생리

여성 혹은 남성의 표현을 갖지만 한쪽에 고환을 가지고 다른 쪽에는 이형성성선(dysgenetic gonad)을 가진다(그림 6-1-7). 대부분 45,X/46,XY 핵형을 가지고, 그 외에도 45,X/47,XYY, 45,X/46,X/47,XXY 등의 핵형이 보고되어 있다.

(3) 임상특성

약 2/3에서 여성으로 양육되고 남성표현형을 보이더라도 출생 시 남성화는 불충분하며, 1/3에서 터너증후군과 유사한 신체특징을 나타낸다. 대부분 외성기는 애매하며, 고환은 복강 내에 위치하고 자궁, 질, 난관도 존재한다. 사춘기

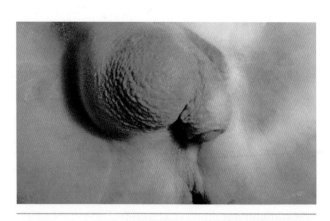

그림 6-1-7. 혼합성선이형성증(45,X/46,XY) 환자의 외부성기모습

(Hewitt JK, Warne GL. Mixed sex chromosome and ovotesticular. In: Huston JM, Warne GL, Grover SR. Disorders of sex development. Heidelberg: Springer; 2012.)

이전의 고환은 정상이고 사춘기 이후 다수의 라이디히세포를 가지나 세정관에서 생식세포는 없이 세르톨리세포만 가지고 있다. 선상난소는 광인대 혹은 골반벽에 위치한다. 고환에서는 안드로젠을 분비하여 남성화를 촉진한다.

성선종양은 25%에서 발생하며, 성선모세포종(gonadoblastoma oblastoma)보다는 정상피종(seminoma)이 빈발한다. 종양은 음낭 내의 선상난소, 복강내고환이 뮐러관구조물을 가지고 있을 때 발생률이 높고 복강내고환이 있을 때, 반대쪽 미분화성선에서 종양이 발생한다.

(4) 치료

여성외형을 가진 환자에서 진단이 내려지면 종양발생을 예방하고 종양에서 분비되는 안드로젠을 제거할 목적으로 성선을 절제한다. 영아기에 진단되어 외성기가 모호하면 여성으로 양육하며, 영아기에 외부성기에 대한 성형수술을 한다. 성선종양발생의 위험이 높기 때문에 성선 제거를 고려한다. 남성으로 양육된 경우에는 불임이 되고 외성기재건을 위해 수술이 필요하며 사춘기시기에 테스토스테론 치료를 고려한다.

2. 46,XX성발달이상[46,XX d sorders of sex development (DSD)]

여자 태아의 외부성기는 안드로젠에 노출되는 경우에 남성화된다. 그러나 여자 태아가 높은 농도의 안드로젠에 노출되어도 볼프관의 발육을 촉진하기에는 부족하므로 볼프관의 분화는 이루어지지 않는다. 46,XX DSD는 여자의 염색체 핵형을 가지고 있지만, 외부성기는 남자이거나 부분적으로 남성화되어 있고 내부성기는 자궁과 난소 또는 선상 난소를 가지고 있다. 46,XX DSD(표 6-1-3)에서는 난소와 뮐

표 6-1-3. 46,XX DSD의 분류

성선(난소)발달의 장애
• 성선이형성증
• 난소고환성발달이상
• 고환성발달이상(예: SRY+, dup SOX9, RSPO1)
안드로젠유래
1. 태아측요인
• CYP21결핍, 단순남성형
• CYP21결핍, 염분소실형
• 남성화와 고혈압을 동반한 CYP11B1 결핍
• 남성화와 부신부전을 동반한 3β–HSD II (HSD3B II) 결핍
• 당질부신피질호르몬수용체돌연변이
2. 태아–태반요인
• 태반의 P450 aromatase (CYP19) 결핍
• Oxidoreductase (POR) 결핍
3. 산모측요인
• 의인성
– 테스토스테론과 연관된 호르몬
– 합성경구프로제스테론제와 diethylstilbestrol
• 난소 또는 부신의 남성화종양
• 임신 시 남성화황체종(luteoma)
• 모체의 남성화선천부신증식증
안드로젠과 무관한 요로생식기 구조분화의 장애
• 증후군연관(예: cloacal anomalies)
• 뮐러관무형성증/저형성증(예: MURCS)
• 자궁의 이상(예: MODY5)
• 질폐쇄증(예: McKusick–Kaufman)
• 음순융합

06

발달과 성장

러관유도체가 정상이므로 해부학적인 이상이 외부성기에만 제한되어 요생식동에서 질이 분리되는 것을 억제하고 음순 음낭의 융합과 음핵(clitoris)의 비대를 촉진한다.

태아의 남성화의 정도는 임신 중 테스토스테론에 노출된 시기가 태아 분화의 어느 단계인지에 따라 결정된다. 정상 태아의 12주 때 여성의 질은 요생식동에서 완전히 분리되고 질 등 생식기구조는 더 이상 테스토스테론에 반응하지 않는다. 그러나 음핵은 태아 전 기간과 출생 후에 테스토스테론에 예민하다고 알려져 있다. 따라서 임신 4–12주 사이에 남성호르몬에 노출 시 다양한 정도의 음순음낭의 융합을 일으키며, 요생식동은 회음부에 위치한다. 태아 12주 이후 테스토스테론에 노출 시 음핵의 비대만 볼 수 있으며 음순음낭의 융합과 요생식동의 형성은 볼 수 없다. 여성에서 남성화현상을 일으키는 질환 중 가장 많은 원인은 부신피질 내에서 코티솔 생합성의 이상에 의해 발생하는 선천부신증식증이며, 산모가 임신기간 중 테스토스테론에 노출된 경우에도 46,XX DSD를 일으킬 수 있다. 애매한 외부성기를 가진 46,XX 환자가 선천부신증식증이 아니거나 임신 시 모친이 테스토스테론 복용 병력이 없을 때 사람융모성선자극호르몬(human chorionic gonadotropin, hCG)자극검사를 시행한다. 이때 테스토스테론의 농도가 증가하면 기능을 하는 라이디히세포의 존재를 의미하며 상승의 정도가 기능을 하는 고환조직의 기능을 반영한다. 애매한 생식기를 가진 46,XX 환자에서 선천부신증식증 또는 모친의 테스토스테론 복용 병력이 있는 경우를 제외하고는 모두 성선 절제술의 적응증이 된다.

1) 46,XX남성(46,XX male)

(1) 역학
46,XX 핵형을 가진 남성의 빈도는 출생 남아 20,000–30,000명당 1명꼴로 발생한다.

(2) 병태생리
발생원인으로 생각되는 요인은 ① Y염색체의 일부가 X염색체로 전이되었거나, ② 일부 세포군에서 모자이크 혹은 Y염색체의 조기 소실, ③ 보통염색체유전자의 변이, ④ X염색체에 존재하면서 고환발육을 저해하는 유전인자의 결손 등이다. 현재까지 모자이크형은 발견되지 않았으며, 보통염색체 변이의 증거가 없다. 대부분의 XX남성증후군 환자의 핵산에서 Y염색체와 관련된 핵산이 양성이어서 X–Y염색체의 재조합이 일반적인 원인으로 생각된다.

(3) 임상특성
내부성기는 없으며 정신적으로 남성화되어 있다. 임상양상은 클라인펠터증후군과 유사하여 작고 단단한 고환과 유방비대가 흔하고 음경크기는 정상에서부터 작은 것까지 다양하다. 무정자증과 세정관의 초자화가 흔하고 혈장테스토스테론은 낮고 혈장에스트라다이올과 성선자극호르몬은 증가되어 있다. 클라인펠터증후군과의 차이점은 환자의 키가 정상보다 작으며, 지능저하가 적고, 요도하열이 흔하다.

(4) 치료
치료방침은 클라인펠터증후군과 유사하다.

2) 난소고환성발달이상(Ovotesticular DSD)

(1) 역학
발생빈도는 알려져 있지 않다.

(2) 병태생리
난소고환성발달이상은 난소와 고환이 같이 존재하거나 혹은 조직학적으로 난소와 고환조직이 모두 존재하는 성선을 가진 경우로 이전에는 '진성반음양(true hermaphroditism)'으로 불리웠다(그림 6-1-8). 약 2/3에서 46,XX의 핵형을, 10%에서 46,XY의 핵형을 가지며 나머지는 모자이크형이다. 성선의 발육에 관한 기전은 알려져 있지 않으며, Y염색체로부터 고환의 분화를 시킬 수 있는 유전물질이 나오는

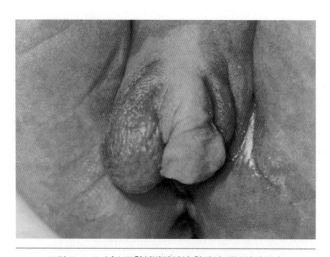

그림 6-1-8. 난소고환성발달이상 환자의 외부성기 모습
왼쪽 고환은 음낭에서 촉지되나 왼쪽 성선은 촉지되지 않는다(Hewitt JK, Warne GL. Mixed sex chromosome and ovotesticular. In: Huston JM, Warne GL, Grover SR. Disorders of sex development. Heidelberg: Springer; 2012.).

것으로 추정된다.

(3) 임상특성

외성기는 남성에서 여성에 이르기까지 다양하며, 3/4에서 유방비대증을 보이고 약 반수에서 월경도 있다. 남성에서 주

기적인 혈뇨의 형태로 월경이 있고 배란이 되는 경우에 고환의 통증을 호소한다.

(4) 치료

치료는 신생아나 유아기에 진단이 내려지면 해부학적인 형태에 맞게 적절한 싱역할을 지정해주어 양육한다. 종양의 발생은 드물지만, 성선아세포종의 발생이 보고되어 있어 성선을 보존하려고 할 때는 충분히 고려해야 한다.

3) 선천부신증식증

선천부신증식증은 유전적 여아에서 볼 수 있는 남성화 원인 중 대표적인 질환으로 애매한 외부성기를 가진 환자의 50%를 차지한다. 스테로이드호르몬의 합성에 관여하는 효소의 4개의 유전자(*CYP21A2*, *CYP17A1*, *CYP11B1*, *HSD3B2*)와 세포내 콜레스테롤전달단백질유전자(steroid acute regulatory protein, StAR)를 합해 모두 5가지의 유전자에 돌연변이가 생기면 선천부신증식증이 발생하고 그에 따른 생화학적, 임상특징을 보인다(그림 6-1-9). 보통염색체열성으로 유전되며 코티솔 합성을 저해하고 부신피질자극호르몬의 증가와 부신피질의 증식을 가져온다.

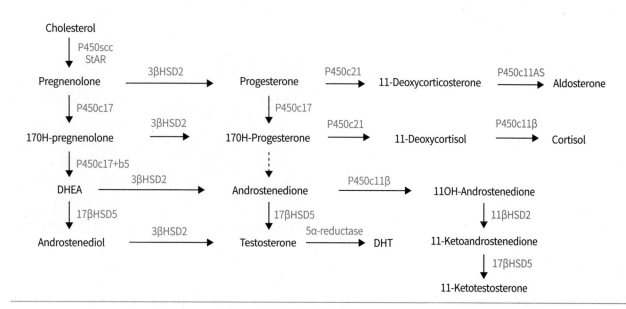

그림 6-1-9. 부신에서의 스테로이드 생합성 단계
DHEA, dehydroepiandrostenedione; DHT, dihydrotestosterone, HSD, hydroxysteroid dehydrogenase.

임상양상은 음핵 비대뿐만 아니라 음순음낭의 융합과 요생식동을 흔히 나타낸다. 태아의 부신은 임신 11-12주경에 안드로젠을 생성할 수 있으며 태아 부신의 주된 안드로젠은 안드로스텐다이온(androstenedione)이다. 남성화현상을 보이는 여성에서 테스토스테론의 농도가 상승하였는데도 볼프관의 분화가 없다는 사실로 보아 아마도 볼프관의 분화는 외부성기의 남성화를 일으킬 때보다 더 많은 테스토스테론의 농도가 필요한 것으로 보이며 또한 고환의 존재가 필요할 것으로 생각된다.

여성에서 남성화를 일으킬 수 있는 효소 결핍은 21-수산화효소, 11β-수산화효소, 3β-하이드록시스테로이드탈수소효소의 결핍 등 3가지가 있으며 이는 부신피질의 안드로젠과 안드로젠전구체가 과다생산되기 때문이다.

CYP17A1, HSD3B2, StAR 결핍은 코티솔 합성에 장애를 가져올 뿐 아니라 성선과 부신에 의해 생기는 성선스테로이드 생성에도 결함을 가져온다. 따라서 이환된 남자는 태아의 라이디히세포에서 생성되는 테스토스테론이 부족하므로 다양한 정도의 46,XY DSD를 나타낸다.

(1) 21-수산화효소(21-hydroxylase)결핍증
① 단순남성화형(simple virilizing form)
21-수산화효소결핍증은 영아에서 애매한 성기를 가진 경우의 가장 흔한 원인이 되며 보통염색체열성으로 유전된다. 21-수산화효소결핍증의 단순남성화형은 50,000명당 1명으로 발생하며 전형적 선천부신증식증의 약 25%를 차지한다.

21-수산화효소결핍증의 단순남성화형에서 나타나는 부신호르몬 생합성의 일차적인 이상은 프로제스테론(progesterone)과 17α-hydoxyprogesterone의 C-21에서 수산화(hydroxylation)의 결여이다. 이로 인해 프로제스테론과 17α-hydoxyprogesterone의 생성이 증가되고 코티솔 합성은 감소된다. 코티솔 합성의 감소로 인해 부신피질

자극호르몬이 증가하고 색소침착이 생기며 부신에서 다량의 코티솔전구체를 생성하게 된다. 이환된 환자에서는 혈장의 17α-hydoxyprogesterone과 21-deoxycortisol은 증가한다. 출생 후 이러한 스테로이드의 대사물은 17-ketosteroid, pregnanetriol, 11-ketopregnanetriol 형태의 소변으로 배설된다. 출생 전 태아가 임신 첫 3개월에 과다한 안드로젠이 합성되어 C19 스테로이드를 에스트로젠으로 변환시키는 태반의 방향화효소(aromatase)의 능력을 능가하게 되면 테스토스테론의 농도가 증가된다. 여성에서 외부성기 모양이 다양한 정도의 남성화로 나타난다(그림 6-1-10). 21-수산화효소결핍증에서는 유전적 성, 성선의 분화, 그리고 내부성기의 형태는 정상이다. 부신의 안드로젠 합성의 과다가 태아초기에 시작되므로 출생 시 남성화가 대부분 존재한다. 그러나 증가된 부신의 안드로젠의 농도가 볼프관에 영향을 미치지 않기 때문에 뮐러관에서 유래되는 자궁 및 나팔관은 정상적으로 분화된다. 즉, 음핵비대와 다양한 정도의 음순음낭융합이 있으며, 질은 요도와 함께 열려 있으며 요도가 음경 밑에 위치하므로 요도하열 또는 잠복고환으로 잘못 진단되는 수가 있다. 출생 후 치료하지 않으면 남성화가 진행되어 음모와 액모가 조기에 발현되고 여드름이 나타나며 음성이 남성화된다. 여성 환자에서 근육발달이 좋으며 남성의 체형을 갖는다. 내부성기가 여성이지

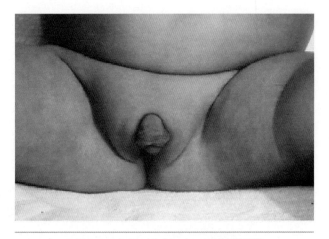

그림 6-1-10. **21-Hydroxylase결핍증에 의한 선천부신증식증 여아의 외부성기모습**

(Merke DP, Bornstein SR. Congenital adrenal hyperplasia. Lancet 2005;365:2125-36.)

만 유방발달과 월경은 적절한 치료를 받지 않으면 일어나지 않는다. 여성 환자들이 성인기까지 진단이 되지 않으면 남성으로 양육되는 수도 있다.

② 염분소실형(salt-losing form)

심한 21-수산화효소결핍증을 가진 환자에서는 남성화와 염분 소실이 모두 일어난다. 이 형은 선천부신증식증의 75%를 차지하며 부신의 21-hydroxylation의 완전한 결함에 의해 코티솔과 알도스테론 분비에 결함이 생기며 낮은 알도스테론에 의해 혈장레닌 활성도가 증가된다. 저나트륨혈증, 고칼륨혈증, 산혈증, 탈수, 저혈압이 생기고, 치료하지 않으면 사망한다. 환자의 50%가 첫 염분 소실의 부신위기(adrenal crisis)는 생후 6-14일경에 발생한다. 이환된 여아에서 외부 성기의 남성화는 21-수산화효소결핍증의 단순남성화형이나 11β-수산화효소결핍증보다 훨씬 심하게 나타난다.

염분 소실의 증상은 출생 후 곧 나타나는데 구토, 식욕부진과 체중감소와 탈수를 나타낸다. 청색증과 호흡곤란이 나타나며 치료하지 않으면 수 주 내로 사망한다. 염분 소실의 정도가 남성화 정도와 일치하지 않으므로 경도의 남성화가 있는 여아의 경우에도 생후 몇 주 동안은 부신기능저하 증세를 주의 깊게 관찰하여야 한다.

③ 비전형적인형(non classical form)

증세가 경미한 비전형적인형은 1,000명당 1명의 발생률을 보이는 가장 흔한 형태의 선천부신증식증이다. 임상증상은 다양하며, 전형적 21-수산화효소결핍증과는 달리 출생 시에 외부성기의 변화, 탈수증세는 없고 사춘기로 진행함에 따라 부신성호르몬의 과잉에 의한 증상을 보인다. 남성화현상이 나타난 여성에서 부신피질자극호르몬자극검사로 진단에 도움이 될 수 있다.

가장 흔한 증상은 사춘기가 발현된 후에 남성화가 나타나는 것이다. 소아기에서 조기음모를 일으킬 수도 있으나 대개는 사춘기 때부터 월경불순, 배란장애, 심한 여드름, 남성형

다모증(hirsutism), 불임 등의 증세를 호소하며 코티솔의 투여로 호전된다. 때로는 남녀 모두에서 무증상으로 지내기도 한다.

정상보다 높은 부신안드로젠에 의하여 뼈나이가 빨라져서 성장판의 조기융합을 조장하여 최종 신장은 예측치보다 작아지기도 한다.

다낭난소증후군(polycystic ovary syndrome, PCOS)이 비전형적인 21-수산화효소결핍증 환자에서 보일 수도 있는데 기전은 초기에 부신성호르몬의 과다분비가 난소에 대한 작용과는 상관없이 성선자극호르몬 분비의 주기성을 깨뜨리며 결국에는 난소낭종을 형성한다고 보며 이 경우는 다른 경우에 의한 PCOS와는 달리 부신피질자극호르몬에 대한 혈청17α-hydroxyprogesterone이 높다.

④ 21-수산화효소결핍증의 분자유전학

CYP21A2는 cytochrome P450계 효소로서 heme을 포함하는 세포질세망(endoplasmic reticulum)에 붙어 있는 monoxygenase이다. CYP21A2유전자는 염색체 6번 단완(6p21.3)에 위치하며 HLA-B와 DR 사이에 존재한다. HLA-BW47은 염분소실형과 높은 연관성이 있고 HLA-B5는 단순한 남성화만을 일으키는 형과 관계가 있으며 HLA-DR1, B14는 비전형적인형에서 더 흔히 발생한다.

CYP21유전자는 기능을 하는 단백질을 만드는 CYP21A2 (CYP21B)와 기능을 하는 단백질을 만들지 못하는 CYP21A1P (CYP21A) 가성유전자로 나눈다. CYP21A2와 CYP21A1P유전자의 길이는 3.3 kb이며 각각 10개의 엑손을 가지고 있고 염기서열은 98%의 상동성을 가진다. CYP21A1P는 가성유전자로 3번째 엑손에 5 bp 결실과 7번째 엑손의 thymidine residue의 삽입, 8번째 엑손의 cytosine이 thymidine으로 변화되어 있다. 이러한 변화가 정지 코돈이 되어 유전자가 기능을 하지 못하게 된다.

21-수산화효소결핍증을 일으키는 돌연변이의 95% 정도에서 CYP21A2유전자와 CYP21A1P 가성유전자 사이의 재조합(recombination)의 결과로 (1) 감수분열기의 unequal crossing over에 의한 결실/중복(75%)과 (2)유전자 전환(gene conversion)에 의한 돌연변이(20-25%)를 야기한다.

전형적인 염분소실형 CYP21A2 결핍은 유전자결실 또는 전환과 흔히 연관되어 있고 21-수산화효소 활성을 현저히 감소시키거나 없게 한다. 기능적으로 덜 심한 돌연변이는 비전형적인형을 유발한다.

⑤ 신생아선별검사

신생아선별검사가 생후 3-5일 사이에 다른 선천대사이상검사와 병행하여 시행되고 있다. 선별검사는 발 뒤꿈치를 찔러서 나온 혈액을 여과지에 채취하여 17α-hydroxyprogesterone검사를 하는 것으로 목적은 출생 후 위험한 급성부신위기에 의한 사망을 방지하는 데 있으며, 한국인은 신생아선별검사에서 1:20,000-25,000의 빈도로 21-수산화효소결핍증의 전형적인 형이 발생한다고 알려져 있다.

⑥ 진단

(1) 애매한 성기와 46,XX DSD의 모양을 가졌고, (2) 양측 잠복고환을 가진 표현형이 남자인 경우, (3) 쇼크 또는 심하게 탈수증상이 있거나 체중증가가 되지 않는 영아, (4) 사춘기 이전에 남성화가 있는 여아인 경우 21-수산화효소결핍증을 의심해야 한다. 가족력에서 이전에 이환된 형제가 있거나 영아기에 예기치 않은 죽음 또는 성조숙을 가진 형제가 있을 수도 있다. 21-수산화효소결핍증이 의심되는 환아에서 먼저 전해질검사와 17α-hydroxyprogesterone, 안드로스텐다이온, 테스토스테론의 값을 측정한다. 염색체검사를 시행해야 하며 골반초음파검사를 시행하여 내부성기를 확인해야 한다. 출생 후 남성화현상이 나타날 때 부신피질종양과 감별해야 하며 이외 감별진단에 남성화를 일으키는 간질세포종양과 진성성조숙을 고려해야 한다.

소변의 17-ketosteroid와 pregnanetriol의 배설 증가, 혈장의 17α-hydroxyprogesterone과 안드로스텐다이온의 증가로 진단할 수 있다. 혈청17α-hydroxyprogesterone은 제대혈에서는 정상적으로도 높아져 있으며 생후 24시간에 빠르게 감소한다. 생후 24시간 후에 21-수산화효소결핍증을 가진 영아에서는 17α-hydroxyprogesterone과 안드로스텐다이온의 값을 측정함으로써 정상 영아와 구별할 수 있다. 그러나 중한 질병이 있는 영아나 미숙아에서는 증가되어 있을 수도 있다.

환자에서는 대개 나이와 효소결함의 정도에 따라 혈장의 17α-hydroxyprogesterone의 농도가 2-10 ng/mL (6-30 nmol/L) 범위이다. 비전형적인형에서는 17α-hydroxyprogesterone의 값이 경계 범위거나 정상일 수 있다. 이러한 경우에는 부신피질자극호르몬을 투여하여 17α-hydroxyprogesterone이 증가되는 것을 확인함으로써 진단에 도움이 될 수 있다. 혈청의 코티솔 농도는 염분소실형에서는 낮고 단순남성화형에서는 정상이다.

염분소실형은 대개 생후 6일 이후에 부신부전의 임상양상을 갖기 때문에 식욕부진, 체중감소, 구토, 저나트륨혈증, 고칼륨혈증, 산혈증의 임상양상과 알도스테론의 혈장 농도가 낮고 혈장의 레닌 활성도가 증가된 것으로 진단한다.

⑦ 치료

선천부신증식증의 치료는 급성, 만성기의 치료로 나눌 수 있다. 염분소실형을 가진 영아의 부신위기(adrenal crisis)에서는 코티솔, 알도스테론의 부족이 탈수, 저혈당, 전해질장애, 저혈압을 초래하며 결국에는 심폐기능의 정지를 초래한다. 즉시 생리식염수를 투여하고 수액으로 체액을 유지하고 전해질 균형을 맞추어 준다.

저혈당이 동반된 경우 포도당 0.25 g/kg을 투여하고 혈압이 낮다면 생리식염수(20 mL/kg)를 빨리 투여한다. 하이드로코티손이 부신위기를 교정시켜 줄 뿐 아니라, 부신피질

의 테스토스테론 과잉생산과 남성화현상이 진행되는 것을 억제한다. 하이드로코티손(50 mg/m²)은 정맥을 통해 투여하고 50–100 mg/m²은 첫 24시간에 주어야 한다. 저나트륨혈증, 고칼륨혈증이 동반된 경우에는 fludrocortisone 0.1 mg을 투여하고 만약 경구섭취를 하지 못할 때는 고용량의 하이드로코티손과 식염수 치료로 충분하다. 무기질부신피질호르몬과 수액의 양은 혈청전해질, 탈수의 정도, 체중, 혈압 등에 따라서 조절한다. 무기질부신피질호르몬과염분이 과다할 때는 고혈압, 울혈심부전, 고혈압뇌증이 유발될 수 있고 부족할 때는 전해질불균형과 저나트륨혈증이 교정되지 않을 것이다. 심한 고칼륨혈증은 치명적인 심부정맥을 일으킬 수도 있다.

진단 후 안정이 되면 유지치료를 시작해야 한다. 신생아시기에는 20–40 mg/m²/일, 영아기에는 15–20 mg/m²/일의 하이드로코티손이 필요한데 이 시기에는 안드로젠을 억제하기 위해 생리적 용량 이상이 필요하다. 저나트륨혈증, 고칼륨혈증이 있을 때는 fludrocortisone 0.05–0.3 mg과 함께 1세 때까지는 소금을 1–3 mg 보충한다. 근육주사로 코티손을 투여하기도 하는데 이는 위식도역류 방지와 균일한 흡수를 위해 좋다. 영아에서 치료초기에는 안드로젠과 안드로젠전구체의 분비를 억제하기 위한 농도로 20–25 mg을 매일 5일간 근육주사한다. 그 이후에는 15–20 mg을 3일마다 한 번씩 주사한다. 발열, 감염, 수술 등의 스트레스가 있을 경우 매일 주사한다. 이러한 당질부신피질호르몬 투여는 18–24개월까지 계속한다. 당질부신피질호르몬 용량은 각 환자의 뼈나이, 신장, 17-ketosteroid의 24시간 배설량, 당질부신피질호르몬의 부족 또는 과다한지 등 임상양상을 보며 조절해야 한다.

18–24개월 이후는 경구투여로 하이드로코티손 하루 10–15 mg/m²을 3번(오전 50%, 오후 25%, 저녁 25%)으로 나누어 준다. 그러나 개인별로 임상양상, 성장패턴, 골성숙, 호르몬치를 보며 조절할 수 있다. 좀 더 강하고 작용시간이 긴 methylprednisolone이나 덱사메타손은 성장 억제, 쿠싱증후군이 발생할 수 있으므로 쓰지 않는 것이 좋다. 염분소실형 환자에서는 당질부신피질호르몬뿐 아니라 무기질부신피질호르몬도 장기간 치료해야 한다. 진단 후 환자가 안정이 되면 전해질, 혈압, 혈장레닌활성도의 안정을 위해 fludrocortisone (05–0.3 mg/일)을 준다.

키 성장이 완료된 청소년이나 성인에서는 prednisone을 5–7.5 mg/일(2회 분복), 또는 덱사메타손을 0.25–0.5 mg/일(1–2회 분복) 투여한다.

17-ketosteroid와 pregnanetriol의 소변 농도를 계속 측정함으로써 용량의 조절에 도움을 준다. 오전 9시경에 17α–hydroxyprogesterone 또는 안드로스텐다이온의 혈장 농도 측정이 부신피질의 억제정도를 정확히 반영하며 부족한 코티솔 농도를 소변검사보다 더 빨리 반영해 준다.

혈장레닌활성도의 측정이 무기질부신피질호르몬을 적절하게 투여되고 있는지에 대한 유용한 지표가 된다. 무기질부신피질호르몬과 염분이 부족할 때는 저혈압, 고칼륨혈증, 저나트륨혈증뿐만 아니라 당질부신피질호르몬전구체와 부신안드로젠의 분비 증가도 초래한다. 염분소실형을 가진 환자도 만 2–3세가 지나면 식사로써 염분을 조절할 수 있게 된다.

외성기의 수술적 교정은 부신부전이 안정화된 후에 시행해야 하며 생후 6개월–1세경에 시행한다. 조절이 잘 된 환자에서는 적절한 나이에 초경이 있다. 만일 16세까지 초경이 없을 때는 부적절한 조절의 가능성이 많다. 적절한 치료 시 성장과 골성숙이 정상에 가까우며 뼈나이가 12세 이상일 때 자연적인 사춘기가 올 수 있고, 하이드로코티손 치료로 부신의 안드로젠생성을 억제하고 적절한 시상하부의 성숙이 존재할 때 뇌하수체의 성선자극호르몬 분비를 자극한다.

(2) 11β-수산화효소결핍증

Cytochrome P450c11은 사립체(mitochondria)의 내막에 위치한다. 2개의 11β–수산화효소는 8q21–22에 위치

하며 2개의 유전자, *CYP11B1*과 *CYP11B2*가 있고 93%의 상동성을 가진다. *CYP11B1*은 11β-수산화효소를 부호화(encode)하고 있고 이 효소는 11-deoxycorticosterone을 corticosterone으로, 11-deoxycortisol을 코티솔로 변환시킨다. 반면에 *CYP11B2*는 알도스테론을 부호화하고 이 효소는 corticosterone을 18-hydroxycorticosterone으로, 18-hydroxycorticosterone을 알도스테론으로 변환시킨다.

*CYP11B1*은 zona fasciculata에서 발현되고 주로 부신피질자극호르몬의 영향을 받으나 *CYP11B2*는 zona glomerulosa에서 발현되며 안지오텐신II와 칼륨의 조절을 받는다.

*CYP11B1*결핍증은 선천부신증식증의 5-8%를 차지한다. CYP11B1 결핍의 전형적인 형에서는 부신에서 deoxycorticosterone (DOC, 무기질부신피질호르몬의 일종)에서 corticosterone으로, 11-deoxycortisol에서 코티솔로 변환하는 데 결함이 생겨 이러한 스테로이드의 전구체가 축적된다. 코티솔의 부족은 부신피질자극호르몬의 분비를 증가시키고 부신에서 11-deoxycortisol, DOC, corticosterone, 안드로젠의 분비를 증가시킨다. 고혈압이 특징적이며 환자의 2/3에서 나타나고 가끔은 생후 첫 몇 년 내에 나타나기도 한다. 고혈압은 과다한 DOC 분비 때문에 나타나며 그 결과 염분과 수분의 축적을 일으킨다. 전형적으로 혈장의 레닌 농도가 낮고(low renin hypertension) 저칼륨혈증이 흔하다.

자궁 내에서 자극을 받은 부신에 의해 과다한 안드로젠이 분비되어 여성의 외부성기의 남성화를 일으키고 46,XX DS를 일으키게 된다. 출생 후 치료하지 않으면 남성화가 진행되며 체격과 골성숙이 빨라진다. 경미한 후기발생형과 잠복형의 11β-수산화효소결핍증이 보고되는데 이 환자들은 정상적인 성기를 가지고 태어나고 소아기, 청소년기 또는 성인이 되어서야 안드로젠 과다의 증상 및 징후가 나타난다. 그

러나 대개 고혈압은 나타나지 않는다.

① 분자유전학

*CYP11B1*유전자의 돌연변이가 11β-수산화효소결핍증과 연관되어 보고되어 왔다. 그 중 상당수가 엑손 6-8번에 모여 있어 이 부분이 11β-수산화효소 활성에 결정적인 역할을 한다고 제시되고 있다.

*CYP11B2*유전자돌연변이는 DOC에서 알도스테론으로 변화하는 데 결함이 생겨 저나트륨혈증, 고칼륨혈증과 성장부진을 일으키나 성분화나 성선의 기능에는 영향을 주지 않는다. 여기에는 두 가지 형태가 존재하는데 CMO-I (corticosterone methyl oxidase I) 결핍은 corticosterone의 18-hydroxylation에 결함을 가져오고, 다른 하나의 CMO-II (corticosterone methyl oxidase II) 결핍은 18-hydroxycorticosterone에서 알도스테론으로 되는 18-oxidation에 결함이 생기는 것이다. 이 돌연변이는 코티솔의 합성이나 안드로젠의 분비에는 영향을 미치지 않는다. 21-수산화효소결핍증과는 달리 11β-수산화효소결핍증은 HLA와 연관성이 없다.

② 진단

11β-수산화효소결핍증은 혈액에서 기저 또는 corticotropin-induced deoxycortisol, deoxycortisone, corticosterone의 농도가 증가되고 소변에서 tetrahydrometabolite가 증가하는 것으로 진단할 수 있다. 무기질부신피질호르몬인 DOC의 분비를 증가시켜 염분과 수분의 축적을 일으키고 혈장의 레닌과 알도스테론의 활성을 감소시킨다. 소변에 17-ketosteroid와 17-lydroxycorticoid가 증가한다(tetrahydro-11-deoxycortisol이 17-hydroxycorticoid metabolite이다). CYP11B1 결핍의 이형접합체는 corticotropin 투여에 대한 11-deoxycortisol, DOC, corticosterone의 농도 변화는 정상인과 같다. 이질환은 출생 전 양수와 모친의 소변에서 tetrahydro-17-deoxycortisol의 농도가 증가된 것을 관찰하여 산전진단을

할 수 있다.

③ 치료

11β–수산화효소결핍증의 치료는 21–수산화효소결핍증의 비염분소실형과 비슷하다. 코티솔은 부신피질자극호르몬 분비를 억제하여 부신의 안드로젠 분비 증가를 막음으로써 남성화와 고혈압발생을 막을 수 있다. 오랜기간 고혈압이 지속되는 환자는 항고혈압제 치료도 필요하다. 외부성기의 수술이 필요하면 영아기 때 할 수 있다.

(3) 3β-hydroxysteroid dehydrogenase (3β-HSD)결핍증

3β–hydroxysteroid dehydrogenase는 3β–hydroxysteroid [pregnenolone, 17α–hydroxy pregnenolone, dehydroepiandrosterone (DHEA), androstenediol]에서 3β–ketosteroid(프로제스테론, 17α–hydroxyprogesterone, 안드로스텐다이온, 테스토스테론)으로 각각 변환시킨다. 이 효소는 프로제스테론, 알도스테론, 코티솔, 에스트로젠, 테스토스테론의 생합성에 중요한 역할을 하며,유전자는 염색체 1p13.1에 위치하며 2개의 다른 3β–HSD isoenzyme (3β–HSD type 1과 3β–HSD type 2)으로 부호화되어 있다. 3β–HSD type 1유전자는 주로 피부, 유선, 태반에서, 3β–HSD type 2유전자는 부신, 고환, 난소에서만 발현되며 3β–HSD결핍증 환자에서는 3β–HSD type 2유전자의 돌연변이가 발견된다. 3β–HSD는 부신의 성스테로이드 뿐만 아니라 성선스테로이드의 생성에도 필요하여결핍증 시에 성선의 안드로젠도 감소한다. 3β–HSD결핍증은 보통염색체열성으로 유전되며 3β–HSD의 완전결핍은 3β–hydroxysteroid에서 3β–ketosteroid로의 변환장애로 인하여 부신에서 알도스테론, 코티솔과 성선에서의 테스토스테론과 에스트라다이올의 합성장애가 생긴다.

신생아시기에 코티솔, 알도스테론 결핍이 생기며 이환된 여아는 음핵비대가 생긴다. 남아는 외부성기의 남성화가 불완전하게 나타나 성기의 모양이 애매해진다. 이환된 여아의 경미한 남성화는 과다한 DHEA의 안드로젠효과가 직접적인 원인이 아니라 태반과 말초조직에서 3β–HSD type 1 isoenzyme에 의해 DHEA와 다른 3β–hydroxysteroid가 테스토스테론으로 변환되어 발생한 결과이다. 이러한 변환은 안드로젠을 에스트로젠으로 aromatize하는 태반의 능력에 제한을 가져와 여성 태아에서 순환하는 안드로젠의 증가를 가져오고 중등도의 음핵비대를 가져온다. 염분 소실을 포함한 전형적인 3β–HSD 결핍을 가진 환자는 3β–HSD type 2유전자의 돌연변이를 가지고 있고, 부신과 성선에서의 3β–HSD 활성이 없다. 비염분소실형 환자는 정상 효소 활성의 1-10%를 가지고 있고 이러한 미미한 정도의 활성은 알도스테론 합성은 충분히 할 수 있어 염분 소실은 막을 수 있다. 17α–hydroxypregnenolone, DHEA, DHEA–S와 다른 3β–hydroxy C21–, C19–steroid가 증가한다. 혈액에서 17α–hydroxyprogesterone이 증가하는데 이는 말초조직에서 type 1 isoenzyme에 의해 17α–hydroxypregnenolone이 17α–hydroxyprogesterone으로 바뀌기 때문이다. 그러나 17α–hydroxypregnenolone/ 17α–hydroxyprogesterone의 비는 증가한다. 소변의 17-ketosteroid, 특히 DHEA가 증가한다. 치료는 21–수산화효소결핍증과 비슷하다.

4) 태반의 방향화효소 결핍

(1) 병태생리

방향화효소[aromatase (CYP19A1)]는 성선, 태반, 뇌, 간, 지방조직 등에서 테스토스테론을 에스트라다이올로, 안드로스텐다이온을 에스트론으로 변환시키는 효소이다.

태반의 방향화효소의 결핍은 CYP19A1유전자의 돌연변이로 유전되며 보통염색체열성으로 유전되어 46,XX DSD를 야기한다. 이 효소는 자궁 내에서 과다한 안드로젠 노출로부터 태아를 보호하는 역할을 한다. 환자에서 태반은 CYP17 효소의 활성이 부족해 C21–steroid (progesterone)가 C19–steroid와 에스트로젠으로 변환될 수가 없다. 임신 기간 중 엄마와 태아의 부신에서 DHEA–S가 많이 생성되며 이는 태아의 부신과 간에서 16α–hydroxylation되고 태아에서 생성된 hydroxy–DHEA–S와 태아와 엄마에서 생성된 DHEA–S는 태반으로 건너와 placental sulfatase에 의해 sulfate가 깨어진다. 이러한 스테로이드는 3β–HSD isomerase에 의해 안드로스텐다이온과 16α–hydroxy androstenedione으로 17β–HSD에 의해 테스토스테론과 16α–hydroxytestosterone으로, 태반 방향화효소에 의해 에스트로젠으로 변환된다. 그 중 안드로스텐다이온과 16α–hydroxyandrostenedione은 직접 aromatize되어 에스트로젠으로 될 수 있다. 방향화효소가 없으면 에스트로젠이 태반에서 합성될 수 없고 태반의 테스토스테론과 안드로스텐다이온은 태아와 엄마의 순환으로 가서 여자 태아의 요생식동과 생식결절(genital tubercle)의 남성화와 임신기간 동안 산모의 남성화를 유발한다. 뮐러관의 구조는 정상이다.

(2) 임상특성

영아기 동안 기저 농도와 GnRH–induced LH, FSH가 증가하고 영아기 때 난소의 조직은 정상이나 증가된 난포자극호르몬의 자극 때문에 여러 개의 거대 난포낭종이 발생한다. 여아에서는 사춘기 때 고성선자극호르몬성선저하증(hypergonadotropic hypogonadism)으로 이차성징이 발생하지 않고 남성화가 점점 진행된다. 사춘기가 지난 환자는 키가 크고 골성숙과 골피질 융합이 늦으며 골다공증을 유발하나 에스트로젠 치료로 예방할 수 있다.

(3) 진단

혈액에서 테스토스테론과 안드로스텐다이온이 증가하고 에스트론과 에스트라다이올은 낮거나 측정이 안된다.

방향화효소 결핍의 진단은 46,XX DSD를 보이는 환자에서 선천부신증식증이 진단에서 제외되었을 때 의심할 수 있다. 성선에서 유래된 테스토스테론과 안드로스텐다이온이 높고 혈장의 성선자극호르몬이 영아기 때 증가되어 있다. 산전 진단이 가능한데 산모의 남성화가 있고 안드로스텐다

이온, 테스토스테론과 다이하이드로테스토스테론이 높고 혈액과 소변에서 에스트리올이 낮다. 양수에서는 안드로스텐다이온과 테스토스테론이 높고 에스트론, 에스트리다이올디올, 에스트리올은 낮다.

(4) 치료

고성선자극호르몬증(hyper gonadotropism)은 에스트로젠 치료에 반응한다.

5) 산모의 안드로젠과 프로제스테론

여아의 외부성기 남성화는 태아의 안드로젠 노출시기에 따라 외성기의 형태가 좌우되는데, 8–15주 사이에 노출이 되면 음순음낭융합이 생기고, 임신 3개월 이후 노출이 되면 음핵비대가 생긴다.

대개 임신 첫 3개월 동안 테스토스테론이나 합성프로제스테론제제를 경구피임제로 임신을 모르고 복용하는 경우가 많아 8주 이전에 사용된다. 용량과 남성화 정도와는 관계가 없어 엄마에게는 아무런 영향이 없는 적은 양이라도 남성화를 일으킬 수 있다. 안드로젠에 노출된 태아에서 내인안드로젠은 증가되지 않으며, 성조숙이나 기타 난소부신의 병변은 관찰되지 않는다. 사춘기에는 정상적으로 월경과 배란을 한다.

Danazol은 자궁내막증의 치료를 위해 사용하는 제제로 태반을 통과하며 다른 안드로젠 합성제제와 마찬가지로 외부성기의 남성화를 일으킨다.

엄마의 난소의 남성화종양(대개 arrhenoblastoma 또는 Krukenberg tumor) 또는 부신종양, 엄마의 선천부신증식증의 단순남성화형, 임신 동안에 남성화를 일으킬 수 있는 다른 원인, 임신백막종(pregnancy luteoma), 난소의 가성종양(ovarian pseudotumor) 등이 남성화와 연관되어 있다.

모체에서 androgenic steroid가 태아에게 넘어가서 발생

한 46,XX DSD는 대부분 쉽게 치료된다. 호르몬 치료는 필요 없고 출생 후에는 남성화의 변화가 일어나지 않으며 이차성징도 정상적으로 일어난다. 미용적으로 적응증이 된다면 외과적인 수술을 고려할 수도 있다.

6) 기형과 동반된 46,XX DSD

신장, 위장관, 복벽의 기형과 동반된 46,XX DSD의 보고가 있으며, 복벽의 결손, 단일 제대동맥, 낭성이형성신장, 뇨관과 방광의 기형, 쌍각자궁, 정형외과적 기형 등이다. 이러한 기형의 발생은 태생학적 또는 발생학적으로 일정 범위의 파괴로 일어난다. 이러한 범위의 개념은 한 가지 기형이 발생하면 다른 기형을 유발한다는 개념이다.

3. 46,XY성발달이상 [46,XY disorders of sex development (DSD)]

46,XY DSD는 '남성가성반음양(male pseudohermaphroditism)'으로 불렸으며 유전적으로는 남성이나 외형상 일부분 혹은 완전한 여성의 모습을 갖는 경우를 말한다. 46,XY DSD에서는 성선은 정상일 수 있으며 뮐러관억제인자를 생성하므로 자궁 및 나팔관은 없다. 이에 속하는 대부분 고환에서의 테스토스테론 생성장애와 테스토스테론에 대한 표적장기 반응의 이상으로 인해 발생하며 다양한 형태의 볼프관 미발달과 외부성기의 부적절한 남성화를 보인다. 크게 네 가지로 분류할 수 있는데 첫째, 고환 형성과정의 변이, 둘째, 안드로젠 합성의 장애, 셋째, 안드로젠작용의 장애, 넷째, 기타 요인으로 성기발달에 관련된 각종증후군, 뮐러관억제인자의 생성, 분비반응의 이상, 임신기간 중 프로제스틴의 투여, 환경요인 등이다(표 6-1-4).

성선이형성증이 동반된 46,XY DSD와 뮐러관지속증후군을 제외한 나머지의 경우는 뮐러관유도체가 없는 것이 특징이고 산모가 프로제스틴을 복용하였거나 성선이형성증에 의한 46,XY DSD의 일부 변형형을 제외하고는 대부분 가족력을 보이며 유전다양성이 있다.

표 6-1-4. **46,XY DSD의 분류**

성선(고환) 발달의 이상
• 완전 혹은 부분성선이형성증(예: SRY, SOX9, SF1, WT1, DHH 등)
• 난소고환성발달이상(ovotesticular DSD)
• 고환쇠퇴증후군
안드로젠 합성의 장애
• Leydig세포 무형성 혹은 저형성증
• Smith-Lemli-Opitz증후군
• 지질선천부신증식증(StAR)
• 3β-hydroxysteroid dehydrogenase 2 (HSD3B2)
• 17α-hydroxylase/17,20-lyase (CYP17)
• P450 oxidoreductase (POR)
• 17β-hydroxysteroid dehydrogenase (HSD17B3)
• 5β-reductase (SRD5A2)
안드로젠작용의 장애
• 안드로젠저항증후군
• 약물과 환경조절자
기타
• 남성생식기발달과 관련된 증후군(예: cloacal anomalies, Robinow증후군, Aarskog증후군, hand-foor-genital증후군, popliteal pterygium증후군)
• 뮐러관지속증후군
• 고환소실증후군(Vanishing testis syndrome)

1) 성선발달이상에 의한 46,XY DSD

고환의 결정과 분화에 관여하는 유전자의 돌연변이와 결손 등이 46,XY DSD의 원인이 된다. 이형성(dysgenetic) 성선을 갖는 환자에서 생식관(genital duct), 요생식동(urogenital sinus) 그리고 외부성기가 애매하게 된다. 보통 테스토스테론 결핍과 더불어 항뮐러관호르몬이 결핍되기 때문에 뮐러관유도체와 애매한 외부성기를 보이게 된다.

(1) 단순성선발생장애(pure gonadal dysgenesis, Swyer syndrome)

46,XY성선발생장애(46,XY gonadal dysgenesis, Swyer syndrome)은 H-Y항원 또는 그 수용체에 관계된 성선 이

06
발달과 성장

상으로 Y염색체상에 있는 H-Y항원 유발유전자좌에 결함이 있거나, 보통염색체상에 있는 H-Y항원의 구조유전자의 결함으로 H-Y항원이 생성되지 않아 발생할 수 있으며, X염색체상에 있는 H-Y항원의 수용체유전자에 결함이 있을 때 H-Y항원은 생성되더라도 이 질환이 발생할 수 있다. 따라서 고환으로의 분화가 되지 않고 태아 초기에 난소로 분화되나 제2의 X염색체가 없으므로 후에 퇴화된다. 그러므로 성선이 삭상화되고 종양 발생률이 20-30% 정도로 높다. 성염색체열성유전을 하며, 여성 표현형이고 성선과 내부생식기가 여성형이나 양측 선상난소, 작은 자궁 및 난관을 보이며 신장은 정상이며 핵형은 46,XY이다. 이러한 질환은 터너증후군의 1/10 빈도이며, 고환의 뮐러관억제기능과 남성화의 실패로 인해 발생된다.

에스트로젠이 매우 부족한 경우에서부터 월경과 유방발육을 일으킬 정도까지 정상인 다양한 상태이다. 대부분 조기폐경이 있으나 40%에서는 임신이 가능하다. 선상난소에서 종양이 발생될 수 있으며, 골반종괴 혹은 남성화현상이 있을 경우 종양의 존재를 의심한다. 치료는 터너증후군에서처럼 에스트로젠 보충요법이 주된 치료이고, 성선종양의 위험이 높아 선상난소를 제거한다.

(2) 고환쇠퇴증후군(testicular regression syndrome)

대부분 원인을 모르며 태아기 때 고환의 기능이 정지되는 상태로서 발생양상이 이질적이다. 병인은 알려지지 않았으나 고환의 퇴화는 변이유전자 또는 기형 등에서 기인되는 것으로 생각된다.

이들 질환의 병인론은 XY성선이형성과 밀접한 관계가 있다. 임상소견은 임신 중 고환기능이 언제 퇴행하였는지, 또는 어느 정도 퇴행하였는지에 따라 다르다(표 6-1-5). 이증후군들은 공통된 유전결손을 가지고 있으며, 이 결손의 다양한 표현형으로 이 질환이 나타난다고 생각된다.

46,XY의 핵형을 가지고 고환이 없거나 흔적 기관으로 남아 있으며, 일부에서는 태아기에 뮐러관의 일부 쇠퇴와 테스토스테론의 합성 등 고환의 내분비기능이 존재하였던 증거가 있다.

임상양상은 단지 고환만 없는 완전 남성에서 불충분한 남성화에 이르기까지 다양하다. 가장 전형적인 형태는 46,XY에서 여성형 외형이고 고환이 없으며, 성적영아증(sexual infantilism)이 있으면서 뮐러관으로부터 발생하는 기관이나 남성생식기의 일부가 없는 것이다. 46,XY단순성선발생장

표 6-1-5. **고환발생장애와 고환쇠퇴증후군의 다양한 표현형과 고환발달의 시기**

	XY성선발생장애	진성무고환증	흔적고환증후군	선천무고환증
유전적 성	46,XY	46,XY	46,XY	46,XY
가족성발생	존재	드묾	드묾	드묾
고환기능부전의 시기	< 8주	8-12주	14-20주	> 20주
외부성기	여성	애매모호	미소음경	남성
질	존재	존재	없음	없음
뮐러관유래장기	존재	없음	없음	없음
월프관유래장기	없음	없음	존재	존재
성선	삭상 성선	없음	없음	없음

애와는 뮐러관잔유물이나 선상성선 같은 성선의 잔유물이 없다는 데 차이가 있다. 고환의 파괴는 뮐러관억제인자 형성과 테스토스테론 형성시기 사이에 존재한다. 즉, 세정관 형성은 있으나 라이디히세포의 기능이 생기기 전이다.

다른 형태는 고환의 파괴가 임신 말기에 이루어져 성역할의 결정에 문제가 생긴다. 어떤 경우에는 테스토스테론 분비의 저하보다 뮐러관 퇴화의 실패가 더 심각하여 외부에 남성화가 있으면서 내부에는 난관과 정관이 같이 존재하는 경우도 있다. 극단적인 경우 남성의 외형을 가지면서 양측 무고환 그리고 뮐러관구조물의 부재, 왜소음경 및 남성요도의 발생 실패 등을 동반한 경우를 볼 수 있다.

성적영아증을 가진 여성형에서는 터너증후군에서와 같은 에스트로겐 보충요법 및 외성기성형술 치료를 할 수 있으며, 남성형에서는 안드로겐의 투여로 이차성징의 발현을 도모하고 외부성기의 성형수술을 시행한다.

2) 테스토스테론 생합성의 선천이상

효소의 결핍으로 테스토스테론의 합성에 이상이 생기면 남성 태아의 불충분한 남성화가 일어나는데 콜레스테롤에서 테스토스테론으로 전환되는 과정 중 어느 과정에서도 이상이 일어날 수 있다. 이 중 세 가지 효소(P450scc, 3β-하이드록시스테로이드탈수소효소, 17α-수산화효소)결핍증은 부신호르몬 합성에 공통된 과정이므로, 46,XY DSD 뿐만 아니라 선천부신증식증을 일으키지만 두 가지 효소(17,20-lyase, 17β-hydroxysteroid dehydrogenase)의 결핍은 안드로겐 합성에 국한된 효소이므로 46,XY DSD만 초래한다. 테스토스테론의 기저 농도는 낮으며, 생화학적 전구물질의 농도는 증가된다. hCG자극 전후의 테스토스테론 농도는 진단가치가 있으며, hCG자극검사가 사춘기 전에 테스토스테론을 생성하는 고환의 기능을 판단하는 데 사용될 수 있다. 뮐러관의 억제는 보통 완전하나 외부생식기의 남성화는 그렇지 않으며 이는 세르톨리세포에 의한 뮐러관억제인자의 분비는 테스토스테론 합성과는 별개라는

것을 시사한다.

(1) 라이디히세포형성부전증

황체형성호르몬–사람융모성선자극호르몬(LH/hCG)수용체(LHCGR)의 유전 결핍으로 출생 전후 성선자극호르몬의 자극에 대한 라이디히세포의 무반응과 부적절한 테스토스테론의 생성으로 발생한다고 생각된다. 46,XY의 염색체 핵형을 가지며 외부식기는 여성이지만 hCG자극에 대하여 반응이 없고 hCG가 결합하는 수용체의 결함도 있다. 사춘기 전에 hCG를 투여한 뒤에도 테스토스테론의 증가가 없을 때 진단되며, 보고 중에서 뮐러관구조물을 갖는 예가 없어 뮐러관억제인자가 라이디히세포에서 분비되지 않음이 증명되었다. 환자는 뮐러관유도체가 없으며 볼프관유도체는 없거나 발달이 저하되어 있다. 고환은 잠복고환으로서 매우 크기가 작고 조직학적으로는 라이디히세포가 결핍되어 있으나 세르톨리세포는 정상이고 정상적인 정자형성과정이 정지되어 있다. 사춘기 후 검사 시 hCG와 LH가 현저히 증가되고 17-hydroxyprogesterone, 안드로스텐다이온, 테스토스테론은 거의 측정되지 않는다. 치료는 진단 시의 나이와 남성화 정도에 따라 결정되는데 hCG/LH에 대한 반응이 전혀 없고 외부성기가 여성형인 경우는 여자로 키워지고 성선은 제거되며 사춘기시기에 에스트로겐 치료를 하지만, 덜 심하고 외부성기가 남자에 가까우면 테스토스테론 치료를 시도해 볼 수 있다.

(2) 지질선천부신증식증(StAR 결핍)

지질선천부신증식증은 StAR 단백질의 이상으로 인해 발생한다. StAR 단백질은 콜레스테롤을 사립체 내로 이동시키는 역할을 한다. 콜레스테롤로 되어 있는 지방질의 침착이 부신피질세포와 성선내에 현저하여 일명 지질부신증식(lipoid adrenal hyperplasia)이라고 불린다.

심한 염분 소실이 있으며 무기질부신피질호르몬, 당질부신피질호르몬과 성호르몬 등 3개의 호르몬 합성이 모두 손상되고 남성 환자는 여성의 외부성기와 남성생식관을 갖는다.

보통 밀러관유도체는 없으며 볼프관유도체는 없거나 부분적으로 형성된다. 검사상 소변의(17-ketosteroi) 배설 감소가 있으며, 부신피질자극호르몬이나 hCG에 의하여 자극되지 않는다. StAR 단백질의 유전자는 8번 염색체에 존재하며 보통염색체열성으로 유전된다. 한국인과 일본인에서는 258번째 glutamine이 정지코돈(p.Q258*)으로 치환된 돌연변이가 가장 흔하여 창시자효과(founder effect)에 의한 것임을 시사한다.

치료하지 않을 경우 영아기에 당질부신피질호르몬과 무기질부신피질호르몬 부족으로 인한 부신위기(adrenal crisis)로 사망한다. 빨리 진단하여 당질부신피질호르몬과 무기질부신피질호르몬을 투여하여 적절히 치료 시 생존할 수 있다. 남성에서는 불충분하게 남성화되어 있어 46,XY남성 환자는 대부분 여성으로 키워진다.

(3) 3β-HSD결핍증

3β-hydroxysteroid dehydrogenase (3β-HSD) 결핍은 보통염색체열성으로 유전되며 부신과 성선에서 pregnenolone을 프로제스테론으로 변환시키는 3β-HSD-△4,5-isomerase type 2 isomer의 결핍으로 불충분한 남성화(요도하열, 미소음경)가 일어나는 질환이다. 주된 안드로젠은 DHEA로 여아에서 출생 시 약한 안드로젠의 작용으로 약간의 남성화를 보인다. 제1형 이성질체(isomer)는 태반과 말초조직에서 표현되는데 결핍 시 외부성기 이상을 초래하지 않는다.

무기질부신피질호르몬, 당질부신피질호르몬 및 테스토스테론 합성의 손상으로 46,XY DSD와 더불어 생명을 위협하는 염분 소실이 영아기에 발생한다. 이 효소 결핍이 있는 환자의 증상은 염분 소실을 동반한 21-수산화효소결핍증의 증상과 비슷하다.

볼프관의 분화는 정상이고 밀러관유도체는 없다. DHEA의 농도가 높지만 약한 남성호르몬이므로 남성화시키지 못한

다. 남성은 애매한 성기를 가지며 음경이 작고 요도하열증과 음순의 부분적 융합이 보이며 언뜻 보기에는 여성의 성기처럼 보인다. 보통 염분 소실의 증상을 갖고 애매한 성기를 갖는 신생아에서 3β-HSD결핍증의 가능성을 생각하여야 하는데 일부 환자는 출생 시 경미한 요도하열만 보이는 수도 있으며 일부 환자에서는 염분 소실이 발현되지 않는 수도 있다. 사춘기 때에는 남성화가 잘 일어나지 않고 여성형유방을 보이는 수가 많다.

검사상 소변과 혈장에서 △5-3β-hydroxy C21 및 C19 스테로이드(17-hydroxypregnenolone, DHEA, 대사물인 pregnanetriol)의 배설이 증가한다. 태생 즉시 DHEA와 DHEA-S의 농도는 정상 신생아에서도 스트레스에 의하여 증가될 수 있으므로 이 질환의 진단 전에 신생아에 대한 정상치를 얻어야 한다. 고환, 부신피질, 간에서 3β-HSD는 서로 다른 유전조절을 받고 있을 수 있어 보통 고환이 부신보다 덜 영향을 받는다고 알려져 있다. 이러한 가설은 일부 환자에서의 사춘기 발현현상을 설명할 수 있다.

치료는 필요한 환자에서 스테로이드를 투여하는 것이다.

(4) 17α-수산화효소(17α-hydroxylase)/17,20-lyase 결핍증

CYP17A1유전자의 돌연변이에 의해 일어나며 효소는 부신피질, 고환의 라이디히세포, 난소의 난포막세포(theca cell), 과립층세포(granulosa cell) 내에 존재하며 이 효소의 결핍으로 모든 당질부신피질호르몬과 성호르몬의 분비 감소가 있으며 부신피질자극호르몬 분비가 증가되어 코티코스테론과 deoxycorticosterone (DOC)의 생성이 증가된다. 보통 효소의 활성도가 25% 미만으로 되어야 증상이 나타난다.

여러 정도의 애매한 생식기를 나타내며 밀러관유도체는 없고 볼프관조직은 존재하나 저형성되어 있으며 사춘기 때에도 남성화는 거의 일어나지 않는다. 다양한 정도의 고혈압,

저칼륨혈증, 알칼리혈증이 나타나며 이는 DOC 생성의 현저한 증가로 인하여 초래된다. DOC 농도의 증가는 염분축적을 일으키고, 혈장레닌 활성을 감소시키며 알도스테론의 농도 및 생성을 감소시키며 소변의 17-ketosteroid 배설량은 낮다. 혈청의 테스토스테론 농도는 낮으며 LH와 FSH는 증가되어 있다.

치료는 당질부신피질호르몬을 투여하여 정상 혈압과 저칼륨혈증성 알칼리증을 교정시켜야 한다. 남성에서 고혈압은 드문데, 이는 부분적인 결손이 많은 것에 기인한다. 여성으로 키워질 경우 사춘기 때는 적절한 성선호르몬을 투여하고 성선제거술을 한다.

(5) 17,20-lyase 단독결핍증

CYP17A1유전자의 돌연변이에 의해 효소 결핍이 일어나며 환자는 애매한 성기를 나타내며 부신기능저하증의 증상은 없다. 17,20-lyase결핍증은 두 가지 형태가 있는데, 한 가지는 △4와 △5 과정 모두에서 불확실한 결핍이 있는 것이고, 다른 한 가지는 △4 과정의 완전한 결핍이다. 남성에서 전자는 불충분한 남성화현상 및 미소음경, 회음부 요도하열, 이열성(bifid) 음낭 등을 보이고 hCG에 어느 정도 라이디히세포가 반응하고 조직학적으로 정상처럼 보이며 정상적인 부신피질의 기능을 유지한다. 후자에서는 완전한 테스토스테론 분비부전으로 완전한 여성의 외형을 나타내나 짧고 끝이 막힌 질과 이차성징소실 등이 나타나고, 자발적인 사춘기의 발현부전이 있으며 대부분 볼프관조직이 존재하며 자궁은 없다.

검사상 안드로스텐다이온과 테스토스테론의 기저치는 매우 낮고 17-하이드록시프로제스테론(17-hydroxyprogesterone), 17-하이드록시프레그네놀론(17-hydroxypregnenolone), 프레그네놀론(pregnenolone) 등의 혈청 농도는 비정상적으로 높다. 이런 형태가 사람융모성선자극호르몬과 부신피질자극호르몬으로 자극 시 더 촉진된다.

치료에는 진단 시의 연령과 남성화의 진행정도가 중요하며 사춘기 때에는 성호르몬을 투여하고 외부생식기는 성형교정을 시행하는데 여성으로 키워질 경우 고환제거술을 시행하여야 한다.

(6) 17β-hydroxysteroid dehydrogenase (17β-HSD) 결핍증

본 효소의 결핍으로 안드로스텐다이온에서 테스토스테론으로, 에스트론을 에스트라다이올로, DHEA를 androstenediol로 전환되는 과정에 이상이 생기며 남성에서 이환이 많고 이환된 여성은 무증상이다. 본 효소에는 다섯 가지의 동종효소(isoenzyme)가 알려져 있다.

이러한 결핍은 46,XY남성에서 출생 시 끝이 막힌 질, 뮐러관 구조물의 결여, 서혜부 혹은 복강내 고환 그리고 남성화된 볼프관구조물을 특징적으로 나타낸다. 대부분의 환자가 남성화현상이 일어나는 사춘기 때 또는 후에 진단되며 영아기 때는 안드로젠무감각증후군과 혼동될 때가 많다. 사춘기에는 음경의 성장, 안면, 음부 등의 털이 정상적으로 나면서 남성화가 일어나는 것이 특징이고 다양한 정도의 여성형유방이 같이 나타난다. 부분적인 결손일 때는 에스트로젠에 대한 테스토스테론의 비가 높아 여성형유방은 나타나지 않는다.

혈액검사에서 높은 안드로스텐다이온/테스토스테론(androstenedione/testosterone) 비를 보이며 오직 성호르몬의 합성만 영향을 받으며 혈장의 LH와 FSH 농도가 증가한다. 라이디히세포는 과다증식되며, 테스토스테론의 전구물질인 안드로스텐다이온을 현저하게 분비하고 혈청내 테스토스테론으로의 전환은 건재하므로 말초혈액 내에서 측정한 안드로스텐다이온/테스토스테론 비는 고환의 유출정맥에서 측정한 것보다 정상에 가깝다. 에스트론에서 에스트라다이올로의 전환도 손상되어 있으나 정도가 덜 심하다.

신생아에서 애매한 성기를 가진 경우 남성 또는 여성으로 키울 것인가는 해부학적 결손 정도에 따라 결정되며, 일반적으로 심하게 이환된 경우에는 여성으로 키우고 고환제거나 성기성형술은 시행하지 않으며 이차성징의 발육을 위해서 사춘기 때 에스트로젠을 투여한다. 남성으로 키워진 경우 영아시기에 동반된 요도하열을 교정해 주어야 하며, 혈장안드로젠과 에스트로젠을 측정하여 테스토스테론 투여를 결정한다. 사춘기 때 남성화현상이 발생하므로 여성으로 키운 환자에서는 사춘기 전 고환조직의 제거와 에스트로젠제제의 투여를 요한다.

(7) 말초조직에서의 테스토스테론대사의 결함: 5α-환원효소(reductase)결핍증

정상 남성의 외부생식기를 나타내기 위해서 다이하이드로테스토스테론이 작용되어야 요생식동과 외부성기의 남성화가 이루어진다. 그러나 태아의 고환에서 테스토스테론이 분비되어 5α-환원효소의 작용으로 다이하이드로테스토스테론으로 전환되는 과정이 차단되면 불충분한 남성화가 일어난다. 보통염색체열성으로 유전되지만 남성에게만 이환된다.

5α-환원효소는 두 가지의 효소로 이루어지는데 두 가지 효소는 50%의 상동성을 가지며 미세소체(microsome)에 존재하며 NADPH 의존성으로 테스토스테론을 다이하이드로테스토스테론으로 전환시킨다. 제1형효소(SRD5A1)는 염색체 5p15에 부호화되어 있는데 생후 2-3년 후에는 자연적으로 그 효소의 발현역가가 줄어든다. 제2형효소(SRD5A2)는 염색체 2p23에 위치하고 있고 46,XY DSD를 나타내는 주된 원인이 된다. 환자는 출생 때 애매한 성기를 갖고 있으며 음핵비대가 있다. 요생식동이 존재하며 남성화 정도에 따라서 1개 또는 분리된 요도와 질의 입구를 갖는다. 대음순은 주름져 있으며, 부분적으로 융합되어 있다. 보통 맹관으로 된 질이 있다. 내부성기는 고환과 부고환이 복부, 서혜부 또는 대음순에 위치한다. 사춘기 때 특징적으로 부분적인 남성화가 일어나는데 음핵이 커지며 고환 역시 커지고 주름진 음순음낭 내로 내려온다. 남성의 신체특징이 나타나고 음성이 굵어지며 잦은 발기가 일어난다. 일반적으

로 여드름은 없다. 성인 남성에서 턱수염이 없으며, 측두두발선함요(temporal hairline recession)가 없다. 전립선은 작으며 거의 만져지지 않는다. 유방조직 또한 만져지지 않는다. 이는 태생 전 테스토스테론이 정상적으로 분비되므로 유방원기가 아마도 억제되었기 때문일 것이다.

hCG자극검사 전과 후에 테스토스테론/다이하이드로테스토스테론 비가 증가될 때 진단될 수 있다. 소변에서 17-ketosteroid의 5β-환원대사물인 etiocholmolone과 17-ketosteroid의 5α-환원대사물인 안드로스테론의 비가 2 이상이다(정상에서는 < 2). 이 방법은 이형접합체 보인자를 발견하는 데 유용한 검사법이다. 다이하이드로테스토스테론에 대한 테스토스테론의 수용체는 정상이다.

3) 테스토스테론의존표적세포의 결손

(1) 테스토스테론에 대한 말초기관의 저항성

안드로겐의 작용이상 즉, 혈중 농도가 높아도 실제로 작용이 안 되는 경우를 말한다. 남성호르몬에 대한 표적장기의 저항성은 전체 46,XY DSD의 3/4을 차지하며 이 분류에 속하는 질환의 임상특징의 범위는 대단히 넓다. 안드로젠무감각증후군은 46,XY남성에서 여성의 외성기와 막힌 질, 양측성고환을 가지며, 뮐러관구조물은 가지지 않는다. 불완전형에서는 애매한 외성기로 음순과 음낭융합과 음핵비대, 남성형음모발생을 나타낸다. 빈도는 남아 20,000-64,000명당 1명의 꼴로 나타나며, 터너증후군, 선천질 결여에 이어 원발성 무월경의 세 번째로 많은 원인의 하나이다. 모든 환자는 불임이며 주로 가족성으로 나타난다.

테스토스테론에 대한 저항성으로 LH가 증가하며 고환에서의 테스토스테론 분비가 증가하며 사춘기 때 여성화현상을 일으킨다. 에스트로젠 분비의 절대량과 여성화 정도는 직접적인 관계는 없다. 따라서 여성화는 사춘기 이후의 에스트로젠 생성 증가에 의하나 여성화 정도는 남성호르몬에 대한 저항성의 심한 정도에 의하여 결정된다. 즉, 에스트로

젠과 테스토스테론의 효율적 비가 여성화의 정도를 결정하는 인자이다.

모든 환자가 46,XY이고 고환을 가지며, 뮐러관조직은 없다. 진단은 테스토스테론 투여 후 임상반응이 불량할 때 의심할 수 있고 세포질과 핵내 테스토스테론수용체의 생체검사에 의하여 확인되어야 한다. 남성으로 키울 때는 테스토스테론에 대한 제한된 반응 때문에 더욱 문제가 되며 요도하열과 잠복고환은 수술로 교정되어야 한다.

① 완전안드로젠무감각증후군(complete androgen insensitivity syndrome)

고환여성화증후군(testicular feminization syndrome)이라고도 하며 일차무월경의 원인 중 성선발생장애와 선천질형성부전 다음으로 흔한질환이다. Y염색체가 있으므로 고환으로부터 분화되어 테스토스테론과 다이하이드로테스토스테론이 분비된다. 안드로젠무감각증후군은 X염색체상에 있는 AR유전자의 돌연변이가 원인이므로(X염색체 열성유전), 테스토스테론 또는 다이하이드로테스토스테론에 대한 반응이 없어 표현형이 여성으로 된다. 출생 남아 중 20,000–60,000명 중 1명 정도의 빈도로 추산된다.

태아 고환에서 정상적으로 뮐러관억제인자를 분비하므로 나팔관, 자궁과 질의 상부 1/3의 분화가 억제된다. 출생 시 서혜부탈장으로 발견될 수 있으며 사춘기 이후 일차무월경으로 발견될 수 있다. 사춘기에 정상 유방발달이 있으며 외부생식기는 확실한 여성이다. 정상보다 신장이 크고 유방의 발육은 우수하며 주로 원발성 무월경 혹은 서혜부종양으로 산부인과를 방문하게 된다. 사춘기의 체형이나 행동양상, 체내 지방의 분포는 완전한 여성의 형태를 하고 있다. 음모와 액모는 거의 없는 편이거나 상당히 적고 두발은 정상이다. 음핵의 크기는 정상이고 질은 맹관으로 되어 있으며 1/3에서 가족력은 없고 돌연변이에 의하여 새로이 발생한다. 정자형성은 일어나지 않는다. 20세 이전에서 고환종양의 위험도는 낮아 15세 이전에 종양의 위험도는 2.6%이고 그 후

서서히 증가되어 50세 때는 30%이다.

이 질환의 원인은 안드로젠수용체의 이상에 의하여 발생한다. 안드로젠수용체는 Xq11–q12에 존재하며 8개의 엑손(exon)으로 구성되어 있고 110–114 kd의 단백질로 구성되어 있다.

여기에는 최소한 3개의 유전변형이 있는데 첫째는 수용체가 없는 경우, 둘째는 수용체가 있으나 적은 경우, 셋째는 수용체가 정상적인 농도로 존재하고, 디하이드록시테스토스테론 결합능력도 있는 경우로 분류된다. 둘째 경우에는 구조적으로 디하이드록시테스토스테론결합단백질이 없거나, 다이하이드록시테스토스테론수용체에 특이한 X유전자의 변이로 변형된 단백질을 가지고 있는 경우이다. 셋째는 수용체의 질적이상 즉, 열에 변성이 되거나, 해리율이 높고, 혹은 수용체 안정화의 실패 등으로 작용되지 못하는 경우이다.

내분비학적 검사상 테스토스테론 생성은 정상보다 높거나 또는 정상이다. 테스토스테론 생성의 증가는 아마도 LH의 높은 농도 때문일 것이며, LH의 높은 농도는 시상하부–뇌하수체 수준에서 테스토스테론에 대한 저항성으로 인한 되먹임기전으로 발생한다. 황체형성호르몬의 높은 농도는 역시 고환에서 에스트로젠 생성을 증가시키며 이것이 사춘기 때 정상 여성의 이차성징을 나타나게 한다. FSH는 정상이거나 약간 증가되어 있고 부신의 테스토스테론인 DHEA–S 등은 정상이다.

사춘기 이전에 서혜부나 음순에 고환이 존재하여 불편이 있는 경우 수술을 고려하고, 복강 내에 있거나 증상이 없는 경우는 고환적출을 미룬다. 사춘기 때는 정상 성장촉진과 여성화현상이 나타나고 종양의 위험도가 적게 발생하므로 고환 제거는 이차성징의 성숙이 완성될 때까지 미루는 것이 좋다. 성선의 종양은 잠복고환에서보다 높지 않으나 악성이기 때문에 사춘기 이후에는 제거하는 것이 바람직하다. 만약 사춘기 전이나 영아기에 제거한 경우는 적절한 발육이나

조기폐경의 증상을 완화하기 위하여 에스트로젠을 투여한다. 자궁내막이 없으므로 주기적으로 에스트로젠 및 황체호르몬을 투여할 필요가 없다.

② 불완전안드로젠저항증후군 및 변형

표적 장기의 테스토스테론에 대한 수용체의 작용 또는 수용체의 양에 부분결함이 있어 발생하는 질환으로 유전 양식은 성염색체 열성이다. 생화학적 기준은 성인의 경우는 hCG로 자극 후 혈청테스토스테론 농도가 정상 또는 높은 수치를 보이며, 테스토스테론 전구물질의 농도 증가는 없으며, 다이하이드로테스토스테론의 결핍이 있다.

불완전형은 완전형보다 드물고 이환된 환자에서 보다 남성화되기 때문에 외형상의 성은 더욱 모호해진다. 핵형은 46,XY이며, 고환의 구조나 위치는 완전형과 유사하다. 외부성기는 완전 남성생식기부터 애매한 생식기까지 수용체의 부분적 결함의 정도에 따라 결정되는데, 보통 고환은 정상적으로 분화하여 뮐러관억제인자를 분비하며 주로 복강, 서혜부 혹은 음순에 위치한다(그림 6-1-11). 고환은 조직학적으로 정상 남성과 유사하나 라이디히세포는 정상이거나 약간 증가되고 정자 형성을 하지 않는 세정관이 있으며 대부분 세르톨리세포로 되어 있다. 고환종양의 발생위험도는

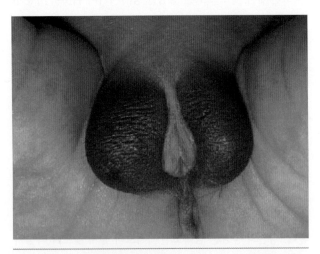

그림 6-1-11. 불완전안드로젠무감각증후군 환자의 외부성기 모습
(Wales JKH, Wit JM, Rogol AD. Pediatric endocrinology and growth. 2nd ed. Philadelphia; Saunders: 2003. pp. 165.)

높지 않아 성선종양은 2-5%에서 발생하는 것으로 되어 있다. 사춘기 때 여성화현상이 나타나며 남성화현상은 드물고 뮐러관구조물은 없으며 볼프관구조물은 있으나 비정상적이다. 다음의 2가지 군으로 나눌 수 있다.

가. 라이펜스타인(Reifenstein)증후군

라이펜스타인증후군은 성염색체열성으로 유전되며 테스토스테론 또는 다이하이드로테스토스테론에 대한 저항성이 다양한 정도로 나타난다. 외부생식기는 보통 남성이며 요도하열이 있다. 정상적으로 사춘기 때 음모와 액모가 나타나며 수염이 없고 체모의 발달이 없으며 불임증을 나타내며 유방발달이 있다. 잠복고환이 흔히 관찰되며 볼프관의 구조는 여러 정도의 남성화현상을 보이며, 뮐러관구조는 없다. 정자 생성은 일어나지 않는다.

내분비검사에서 테스토스테론 농도나 생성률은 정상이거나 증가되며, 안드로스텐다이온은 정상이고 LH는 증가된다. 증가된 LH 때문에 에스트라다이올과 테스토스테론은 증가되고 안드로젠의 불응 정도와 에스토로젠에 의한 여성화에 따라 외부성기의 애매한 정도가 달라지게 된다. 외형상 남성이고 정신적으로 남성인 대부분의 환자에서 잠복고환과 요도하열은 수술로 교정하고, 여성형유방은 수술로 치료가 가능하나 테스토스테론 대체요법은 효과가 없다.

나. 제2형(pseudovaginal perineoscrotal hypospadias)

제2형의 원인은 성발육과정 중 보통염색체열성의 변이로 요생식동과 요생식융기에서 다이하이드로테스토스테론 형성에 결함이 있는 것으로 추정된다. 일부 연구에 의하면 제2형은 5α-환원효소결핍증과 구분이 쉽지 않았으며 유사한 점이 많다고 한다. 보통염색체열성으로 유전되며, 46,XY남성에서 심한 요도하열과 발육이 덜 된 질을 가지고 있어 출생 시에는 여성으로 분류된다. 환자는 정상 범위의 테스토스테론을 가지고 사춘기에 여성형유방을 나타내지 않으며, 볼프관 발생도 정상적이다. 사정관은 막힌 질로 개구하고 요생식융기나 요생식동은 여성으로 분화한다. 뮐러관구조

물은 없으며 잠복고환 때문에 정자형성은 비정상적이다. 사춘기에 음경의 성장이 있고, 수염이 나고 목소리는 굵어지는 등의 남성화가 나타나고 외부성기는 다른 46,XX DSD와 유사하다.

③ 불임남성증후군

불임남성증후군(infertile male syndrome)은 성염색체열성으로 유전되며 테스토스테론의 수용체이상 중 제일 흔한 원인으로 표현형은 완전한 남성으로서 외부생식기는 정상 남성이고 수염 및 체모는 약간씩 관찰되며 가끔 여성형 유방을 보인다. 내부생식기는 고환이 존재하나 무정자증 또는 심한 정자감소증을 보이며 이것이 불임에 관계된다. 정상 남성의 볼프관구조를 가지며 뮐러관구조는 없다. 안드로젠수용체의 부분적 결함으로 생각하고 있다.

4) 기타

(1) 지속성뮐러관증후군(항뮐러관호르몬의 결함)

지속성뮐러관증후군은 뮐러관억제인자 형성의 장애, 방해인자의 형성, 뮐러관억제인자 결합의 장애, 혹은 뮐러관억제인자 작용의 장애 등에 의해 일어난다. 뮐러관이 계속 존재하면서 정상적인 고환과 외부성기를 가지고 있는 경우가 보고되었는데 이들에서 잠복고환, 양측성 난관, 자궁 및 질 상부가 같이 존재한다.

뮐러관의 퇴행부전으로 단순히 전립선난형낭(prostatic utricle)의 비후에서부터 완전한 자궁과 나팔관의 모습을 갖춘 것까지 다양하게 나타난다. 이 질환은 테스토스테론에 의존적인 조직의 분화에 손상이 있는 고환이형성(testicular dysgenesis)의 일종이다. 사춘기에는 고환의 내분비기능은 정상인 것처럼 보이며 정자 생성이 일어나고 수태가 가능한 것처럼 보인다. 그러나 고환의 종양 변화의 빈도가 증가될 수 있다. 치료는 잠복고환을 교정하고 자궁절제술을 시행하는 것이다.

(2) 산모의 프로제스타겐과 에스트로젠 섭취

프로제스타겐과 합성에스트로젠은 단독 혹은 복합적으로 46,XY DSD의 드문 원인이 된다. Courrier는 1942년에 합성프로제스타겐과 에티스테론(ethisterone)으로 태아에 항남성화 효과가 나타남을 보여준 바 있다. Aarskog는 요도하열이 있는 130명의 환자들을 후향적으로 조사하여 임신 기간 중 11명에서 경구프로제스타겐을, 5명에서 프로제스타겐과 에스트로젠을 동시에 투여했음을 밝혀내었다.

(3) 환경화합물

남성에서의 많은 생식기관의 이상이 환경에스트로젠에 의해 야기될 수 있음이 밝혀졌다. Diethylbesterol이나 환경에스트로젠인 4-octylphenol을 임신한 생쥐에 투여한 경우 자손에서 CYP17 mRNA 라이디히세포의 단백질 합성이 저하되었다. Dichlorodiphenyl trochlroethane (DDT)의 대사 물질인 p,p'-DDE는 DDT와는 달리 에스트로젠수용체와는 별다른 작용을 하지는 않지만 안드로젠수용체에 결합하여 쥐의 비뇨생식기발달에 영향을 끼친다.

4. 분류되지 않은 성분화이상 (Unclassified forms of abnormal sexual development)

1) 남성에서의 원인을 알 수 없는 성분화이상

(1) 요도하열증

남근요도(penile urethra)의 불완전한 융합으로 정의되는 요도하열증은 가장 흔한 선천이상의 하나이며, 그것은 1,000명당 4-8명의 빈도를 가지고 있다. 그 빈도는 점차 증가되고 있고 몇몇 지역에서는 1970년대와 80년대에 걸쳐 2배 이상으로 증가되었다. 요도하열증이 있는 환자의 가족력을 분석해 보면 이와 같은 가계에서 요도하열증이 증가한다는 것을 알 수 있다. 이론적 배경에서 보면 외부성기의 불완전한 남성화는 자궁 내에서의 라이디히세포의 정상 이하의 활성도를 보이거나 약간의 안드로젠 저항성을 보이거나 5α-환원제의 약간의 부족 또는 다이하이드로테스토스테론의 외부성기전구체에 대한 작용 부족에 의한다. 경한 형의 요도하열증은 85%를 차지하고 적어도 소년 중기까지 수술을 해주면 성적인 문제를 일으키지 않는다. 심한 형의 요도하열증은 완전한 평가를 요하며 염색체검사, hCG자극검사, 요도비뇨기계에 대한 영상의학검사가 필요하다.

(2) 잠복고환

잠복고환은 가장 흔한 기형증후군 중 하나로 40가지 이상의 증후군과 연관되어 있다. 비록 정상적인 고환이 동반되는 해부학적 이상으로 음낭 내로 들어가지 못하지만 많은 경우에 고환 자체의 문제로 말미암아 일어난다. 태아의 뇌하수체 성선자극호르몬의 부분적 혹은 완전한 결핍에 의해 일어난다고 알려져 있다.

2) 여성에서의 원인을 알 수 없는 성분화이상

선천적으로 질구가 없으면서 뮐러관의 구조가 없는 연관(association)은 100년 이상 전부터 알려져 있었고 보통 Mayer-Rokintansky-Kuster증후군으로 알려져 있다. 그 밖에도 GRES (genital-renal-ear-skeletal)증후군, MURCS (mullerian duct aplasia, renal agenesis, cervical somite dysplasia) 연관 등이 알려져 있다.

5. 성분화이상질환의 진단

애매한 외부성기를 지닌 신생아가 태어났을 때 신속하고 정확한 진단을 필요로 한다. 성분화이상질환의 한 징후로서 애매한 외부성기 모양이 나타나므로 이에 대한 자세한 기술이 필요하다. 가족력을 포함한 병력과 자세한 진찰소견이 진단의 방향을 설정하는 데 매우 중요한데 특히 성선조직이 음낭이나 서혜부에서 만져지느냐가 매우 중요하며 요도개구부의 위치, 숫자, 음낭의 주름 유무, 음경의 길이, 음핵비대 유무, 음순음낭융합 등을 조사해야 한다.

외부성기의 남성화 정도를 평가하기 위해서는 여러 가지 평가방법이 있으며 Prader stage가 선천부신증식증 환자의 남성화 정도를 평가하는 데 흔히 사용된다(그림 6-1-12). 46,XY DSD 환자에서 외부성기의 남성화 정도를 평가하는 데는 external masculinization score (EMS)를 사용한다(그림 6-1-13).

진찰소견을 자세히 기술하고 종합한 후 여성이 남성화한 46,XX DSD인지 남성의 남성화가 불완전하여 여성화한 46,XY DSD인지, 또는 남성, 여성성선조직을 모두 지니고 있는 난소고환 성분화이상인지 등을 분류하고 그 원인을

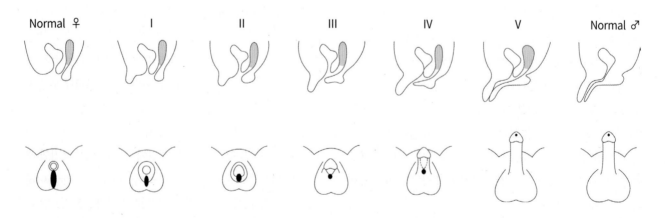

그림 6-1-12. **외부성기의 남성화를 평가하는 Prader stage**

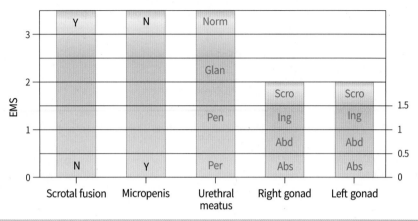

그림 6-1-13. **46,XY DSD 환자의 남성화 정도를 평가하기 위한 external masculinization score (EMS)**

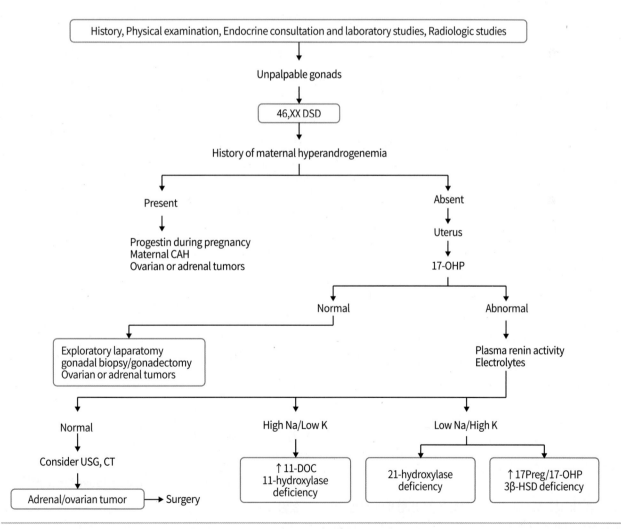

그림 6-1-14. **46,XX DSD 환자의 감별진단을 위한 알고리듬**

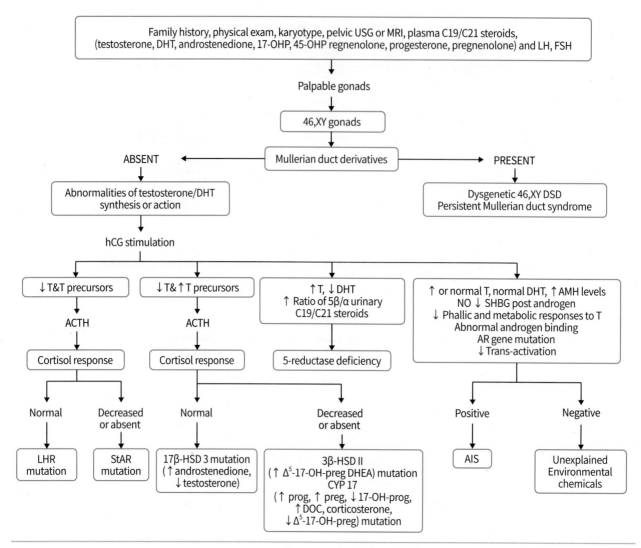

그림 6-1-15. **46,XX DSD 환자의 감별진단을 위한 단계알고리듬**

조사한다. 여러 가지 많은 검사항목들이 진단에 필요하여 무슨 검사부터 시행하여야 할지 당황하게 되는 경우가 많다. 단계적 진단접근을 위해 여러 종류의 알고리듬이 여러 문헌에 기재되어 있어서 임상에서 도움을 받을 수 있다(그림 6-1-14, 6-1-15).

1) 병력
(1) 출생 전 병력/출생력
(2) 가족력: 선천부신증식증의 증상을 보인 형제의 사망, 애매한 외부성기를 가진 가족 유무

(3) 근친결혼
(4) 불임 또는 사춘기 지연
(5) 모친의 임신 중 약물복용 또는 남성화 여부
(6) 가계도 조사

2) 진찰

(1) 애매한 외부성기의 기술용어(descriptive terms)에 대한 설명
① 이열음낭(bifid scrotum, clefting of the scrotum)

② 음핵비대(clitoromegaly): 만삭분만 여성신생아 음핵길이(clitoral length) > 1 cm

③ 요도하열(hypospadias): 요도의 개구부가 음경의 말단부가 아닌 부위에 위치

④ 음순음낭융합(labioscrotal fusion): 대음순이 융합되어 음낭 유사구조를 보이는 경우

⑤ 소음경(microphallus): 만삭분만 남성신생아에서 이완 음경길이(stretched phallus) < 2.5 cm

⑥ 후방음순융합(posterior labial fusion): a ratio of distance from anus to fourchette/anus to base of clitoris > 0.5

⑦ 음낭의 주름(scrotal rugae)

⑧ 비뇨생식동개구부위(urogenital sinus opening) 요도와 질개구부가 합하여 single opening 형성

(2) 성선(gonad)의 촉지 여부

서혜부나 labioscrotum에 성선이 존재하는가가 성분화이상질환의 감별진단에 매우 중요하다. 첫 진찰소견이 절대적일 수 없고 또한 생후 첫 수일간은 변화할 수 있기 때문에 수일에 걸쳐 반복적으로 진찰해야 한다.

① 외부에서 성선이 만져지지 않는 경우(no external gonad)

가. 남성화된 선천부신증식증 여아로서 21-수산화효소 또는 11-수산화효소결핍증이 가장 흔한 원인이다.

나. 산모의 안드로젠 노출로 인한 여아의 남성화: androgenic progestational agents

다. 여성의 특발성남성화: 정상 검사소견으로 사춘기 초기에 재평가를 요한다.

라. 성염색체성발달이상(sex chromosomal DSD): 때로는 혼합성선발생장애(45,X/46,XY)의 변이 또는 난소고환성발달이상의 경우 드물게 성선이 외부에서 촉지되지 않을 수 있다.

마. 불완전남성화: 매우 드문 원인 중의 하나이며 대개는 외부에서 성선이 촉지되나 장애가 심할수록 잠복고환의

양상을 보인다. 예를 들면 완전안드로젠무감각증후군, 5α-환원효소결핍증이다.

바. Denis-Drash증후군: XY염색체 핵형을 지닌 외형상 여성에서 신질환과 Wilms종양이 동반된다.

② 한쪽에서만 만져지는 성선(asymmetric gonad)

가. 난소고환성발달이상: 염색체핵형은 46,XX인 경우가 가장 흔하며 46,XX/46,XY 모자이크형 성염색체 이상일 수 있다.

나. 선천기형: amniotic band with disruption

③ 양측에서 만져지는 성선(symmetric gonads)

가. 뇌하수체기능부전 남아: 미소음경은 있으나 요도하열은 없을 때 의심하고 저혈당, 이차갑상선기능저하증이 동반되기도 한다.

나. 기형증후군을 지닌 남아: Pallister-Hall증후군(postaxial polydactyly, 시상하부과오종, 안면기형), septo-optic dysplasia, CHARGE증후군, Robinow증후군

다. 테스토스테론합성장애를 지닌 남아: 3β-hydroxysteroid dehydrogenase결핍증

라. 테스토스테론합성장애: 라이디히세포무형성증

마. 테스토스테론 작용의 장애: 안드로젠수용체, postreceptor 장애에 의한 안드로젠저항증후군

3) 내분비학적 검사

(1) 선천부신증식증에 대한 검사: 생후 24-48시간에 검사하는 것이 적절하다. 17α-hydroxyprogesterone, 전해질, 부신피질자극호르몬, 코티솔, 레닌, 알도스테론, 테스토스테론

(2) 안드로젠, 에스트로젠 전구물질

(3) 성선자극호르몬: 생후 2주 이후

(4) hCG자극검사

(5) ACTH자극검사

(6) 덱사메타손억제검사

4) 유전학적 검사

(1) 세포유전학적 검사: 염색체검사, interphase FISH, array CGH

(2) 분자유전학적 검사: 성분화이상질환과 관련된 의심되는 유전자의 염기서열분석

(3) 차세대염기서열분석

5) 영상검사

뮐러관구조물, vaginal pouch, 신장기형, 요생식동의 존재 등을 조사한다.

(1) 생식기조영술(genitogram)

(2) 골반초음파 또는 MRI

(3) 신장초음파

6) 조직검사

(1) 수술적 개복

(2) 복강경검사

(3) 성선조직검사

(4) 회음부 피부섬유모세포 배양: 안드로젠수용체 분석

7) 협진체제의 확립

(1) 소아비뇨기과 또는 소아외과(기형의 종류에 따라)

(2) 임상유전학

(3) 정신과, 사회사업사

6. 성분화이상질환의 치료원칙

성분화이상질환은 가능한 한 빠른 시일 내에 정확한 진단을 내려 성을 결정해야 하고 환자의 부모 또한 감정적으로 무척 불안한 상태이므로 자웅동체나 반음양이라는 표현보다는 성발육이 미숙하다는 표현을 사용하는 것이 좋다. 애매한 성은 유전학적으로 여성인 경우 남성화현상으로 또는 유전학적으로 남성인 경우 불완전한 남성화로 생길 수도 있지만 요도하열이나 방광외번 등으로 나타날 수도 있다.

임신 중 남성화를 일으킬 약물의 복용이나 요도하열과 관련된 약물, 염분소실형선천부신증식증으로 생각되는 형제 등의 가족력을 물어봐야 하고 자세한 진찰도 해야 한다. 혈액검사는 3–4일 내에 시행되어야 한다.

애매한 외부성기를 가진 신생아의 치료에 있어 여러 전문과에 의한 단계적, 종합적인 평가에 의해 정확한 진단이 내려진 후에 외부성기의 모양, 성기능 및 임신가능성, 내분비학적 상태와 호르몬 치료의 필요성, 부모의 의견 등을 종합하여 성결정을 하는 것이 중요하다.

양육성결정의 중요한 요소는 음경의 크기이고 이상적으로는 유전적 성에 기반해서 키우도록 하지만 궁극적으로 기능이 상반되는 경우를 고려해야 한다.

46,XX DSD는 임신이 가능하므로 여성으로 키우도록 하고 필요하면 음순음낭융합이나 음핵 축소술을 2–4세 이전에 시행한다. 46,XY DSD에서 음경의 크기가 수술로 정상 남성 역할을 할 수 있는지 결정하는 것이 중요하고, 만약 기능이 의심스러울 때는 여성으로 키우는 것이 바람직하며 외성기는 여성형으로 교정하고 에스트로젠 대체요법을 시행해야 한다.

대부분의 46,XY DSD는 수술적으로 외부성기를 재건하기에는 부족한 여성에 가까운 외형을 가지기 때문에 여성으로 양육하는 것이 바람직하다. 치료의 원칙은 외과적인 치료로 미용상, 기능상 여성으로 만들어 주는 것이고, 사춘기에 에스트로젠요법으로 이차성징의 발현에 도움을 주는 것이 있다. 일반적으로 수술은 기억이 있기 전인 18개월 이전에 하는 것이 좋고, 만약 반대의 성을 가지고 있다면 사춘기 후에 남성화 방지와 종양의 발생을 막기 위해 고환을 제거한다. 그러나 성선을 제거하는 시기에 대해서는 논란이 많은데, 비교적 정상 조직을 지니고 있는 경우 일정기간 간격으로 초음파, MRI 등으로 관찰하다가 환자, 가족과 상담 후 제거한다.

성에 대한 인지가 18–24개월 내에 완성되므로 확실한 치료 방침을 빨리 세우는 것이 중요하다. 적절하게 지정된 성에 의해 양육된 경우 성에 대한 인지는 일반적으로 정상적이다.

참/고/문/헌

1. Achermann JC, Domenice S, Bachega TA, Nishi MY, Mendonca BB. Disorders of sex development: effect of molecular diagnostics. Nat Rev Endocrinol 2015;11:478-88.

2. Ahmed SF, Warne G, Quigley CA, Cools M. Disorders of sex development. In: Sarafoglou K, Hoffmann GF, Roth KS. Pediatric endocrinology and inborn errors of metabolism. 2nd ed. McGraw Hill; 2017. pp. 681-715.

3. Arboleda VA, Sandberg DE, Vilain E. DSDs: genetics, underlying pathologies and psychosexual differentiation. Nat Rev Endocrinol 2014;10:603-15.

4. Carrillo AA, Damian M, Berkovitz G. Pediatric endocrinology. Chapter 15, Disorders of sexual differentiation. 5th ed. New York: Informa; 2007. pp. 365-90.

5. Chan YC, Hannema SE, Achermann JC, Hughes IA. Disorders of sex development. In: Melmed S, Auchus RJ, Goldfine AB, Koenig RJ, Rosen CJ. Williams textbook of endocrinology. 14th ed. Philadelpia: Elsevier; 2019. pp. 867-936.

6. Cools M, Kohler B. Disorders of sex development. In: Mehul D, Charles B. Brook's Clinical pediatric endocrinology. 7th ed. Oxford: Wiley; 2019. pp. 105-31.

7. Hiort O, Birnbaum W, Marshall L, Wunsch L, Werner R, Schroder T, et al. Management of disorders of sex development. Nat Rev Endocrinol 2014;10:520-9.

8. Hutson JM, Grover SR, O'Connell M, Pennell SD. Malformation syndromes associated with disorders of sex development. Nat Rev Endocrinol 2014;10:476-87.

9. Kim JH, Kang E, Heo SH, Kim GH, Jang JH, Cho EH, et al. Diagnostic yield of targeted gene panel sequencing to identify the genetic etiology of disorders of sex development. Mol Cell Endocrinol 2017;444:19-25.

10. Kim YM, Oh A, Kim KS, Yoo HW, Choi JH. Pubertal outcomes and sex of rearing of patients with ovotesticular disorder of sex development and mixed gonadal dysgenesis. Ann Pediatr Endocrinol Metab 2019;24:231-6.

11. Kyriakou A, Dessens A, Bryce J, Iotova V, Juul A, Krawczynski M, et al. Current models of care for disorders of sex development-results from an international survey of specialist centres. Orphanet J Rare Dis 2016;11:155.

12. Lee PA, Houk CP, Ahmed SF, Hughes IA, International Consensus Conference on Intersex organized by the Lawson Wilkins Pediatric Endocrine Society and the European Society for Paediatric Endocrinology. Consensus statement on management of intersex disorders: International Consensus Conference on Intersex. Pediatrics 2006;118: e488-500.

13. Leon NY, Reyes AP, Harley VR. A clinical algorithm to diagnose differences of sex development. Lancet Diabetes Endocrinol 2019;7:560-74.

14. Ono M, Harley VR. Disorders of sex development: new genes, new concepts. Nat Rev Endocrinol 2013;9:79-91.

15. Rey RJ, Josso N. Chapter 119, Diagnosis and treatment of disorders of sexual development. Endocrinology. 7th ed. Philadelphia: WB Saunders Co; 2015. pp. 2086-118.

16. Wales JKH, Wit JM, Rogol AD. Chapter 8, Abnormal genitalia. Pediatric endocrinology and growth. 2nd ed. Elsevier Science Ltd.; 2003. pp. 157-79.

17. Wisniewski AB, Batista RL, Costa EMF, Finlayson C, Sircili MHP, Denes FT, et al. Management of 46,XY differences/disorders of sex development (DSD) throughout life. Endocr Rev 2019;40:1547-72.

18. Witchel SF, Lee PA. Ambiguous genitalia. In: Sperling M. Sperling Pediatric Endocrinology. 5th ed. Philadelphia: Elsevier; 2020. pp. 123-73.

19. Witchel SF. Disorders of sex development. Best Pract Res Clin Obstet Gynaecol 2018;48:90-102.

06

발달과 성장

정상 성장 및 성장장애

이기형 황일태

Ⅰ. 정상 성장

이기형

1. 정상 성장양상

성장은 모든 다세포생물의 조직 질량이 커지면서 생기는 크기의 증가를 특징으로 하며 세포비대(hypertrophy), 세포증식 및 세포사멸 간의 균형에 의존한다. 정상적인 성장 패턴의 변이로 생기는 성장장애는 내분비질환과 비내분비적질환을 포함한 광범위한 질환의 첫 번째 발현양상으로 소아내분비의사들이 가장 많이 접하게 되는 질환이다.

성장은 태아기, 영유아기, 소아기 및 사춘기단계로(그림 6-2-1) 나눌 수 있는데 각 단계에서 성장에 영향을 미치는 요인은 뚜렷한 특징을 가진다. 태아기의 성장속도는 대략 40-60 cm/년 정도로 매우 빠르다. 태아성장을 조절하는 주요 내분비인자는 인슐린과 인슐린유사성장인자(insulin-like growth factor, IGF)-1, IGF-2 등으로 이들의 제대혈 농도는 출생 크기와 관련이 있다. 이 시기 동안 성장에 영향을 미치는 가장 중요한 비내분비적인 인자는 태반기능과 산모의 영양상태이다.

선천적인 성장호르몬결핍증을 가지고 태어난 소아가 출생

시 체중감소는 미미한 것으로 알 수 있듯, 성장호르몬은 태아기간 동안은 별다른 역할이 없으며, 이는 심한 인슐린저항증후군이나 IGF-1 결핍 신생아가 심각한 자궁내 성장장애를 가지고 태어나는 것과 극명한 대조를 이룬다.

생후 첫 년 동안 일 성장속도가 처음 25 cm/년에서 1세 말이 되면 10 cm/년으로 감소하고 이 기간 동안 영양과 갑상선호르몬, 그리고 성장호르몬이 성장에 중요한 역할을 한다. 생후 6개월에서 3세 사이는 영유아기에서 소아기로 이행하는 기간이며, 소아기시기가 되면 사춘기 전까지 성장속

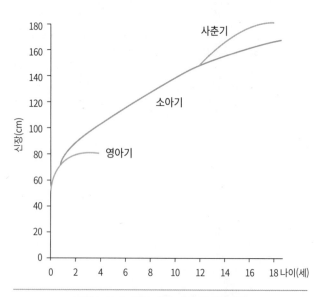

그림 6-2-1. **영아, 소아, 사춘기 성장모델**

도는 4–7 cm/년으로 비교적 일정하게 유지되는데, 성장호르몬, IGF-1과 갑상선호르몬 등이 성장에 관여하는 주요 인자이다.

이차성징이 발현하여 사춘기가 시작되고 사춘기시기를 거쳐 최종 성인 키까지 도달하게 된다. 일반적으로 여아는 남아보다 사춘기 급성장기가 평균적으로 약 2년 정도 빠르게 시작하는데, 사춘기시작과 동시에 최대 8 cm/년의 속도로 자란다. 남아는 고환 크기가 10–12 mL가 되는 사춘기시기 후반에 급성장기가 오며 최대 성장속도가 10 cm/년에 이른다. 남녀간의 키 차이는 남아가 여아보다 급성장기가 늦게 시작해서 사춘기 전에 성장하는 기간이 더 길고 사춘기 동안 더욱 급격히 성장하기 때문에 생긴다.

뼈끝성장판의 융합으로 성장이 멈추게 되는데 이는 에스트로겐수용체에 작용하는 에스트로겐에 의해 유도가 되며, 방향화효소 또는 에스트로겐수용체유전자의 결함이 있는 환자는 성장판이 융합하지 못하여 결국 상당히 큰 키가 초래된다.

2. 성장의 생리

1) 성장호르몬의 분비조절
뇌하수체에서 성장호르몬의 분비는 성장호르몬방출호르몬(growth hormone-releasing hormone, GHRH)의 시상하부 분비에 의해 조절이 된다. GHRH는 저장된 과립을 방출하는 역할을 하며 또한 GH1유전자의 상향조절발현을 한다. GHRH의 방출은 박동성이고 성장호르몬억제인자와 그렐린(Ghrelin)에 의해 조절된다. 그렐린은 위에서 생성되며 성장호르몬분비촉진제(secretagogue)수용체에 작용하여 성장호르몬 분비와 인슐린, ACTH 및 프로락틴의 분비를 촉진시킨다. 그렐린은 또한 식욕을 증가시키고 음식 섭취, 비만 정도와 대사를 조절한다. 따라서 성장과 대사 사이의 연결고리 역할을 하는데, 그럼에도 불구하고 인간의 성장에서 그렐린의 자세한 역할은 여전히 알려지지 않고 있다.

프레프로성장호르몬억제인자(preprosomatostatin)는 시상하부실방핵(periventricular nucleus)에 위치하는 신경세포에서 생성된다. 성장호르몬억제인자는 프레프로성장호르몬억제인자의 분열에서 14개와 28개의 아미노산 2가지 동형(isoform)으로부터 유래된다. 성장호르몬억제인자은 5개의 성장호르몬억제인자수용체(SSTR1–5)를 통해 작용하는데 SSTR 1, 3 및 5는 뇌하수체전엽에서 발현되며 성장호르몬억제인자에 의한 이들 수용체의 활성화는 GHRH 분비와 그렐린 분비 및 활성을 억제함으로써 성장호르몬 분비를 억제한다. GHRH가 나트륨채널을 열어 막 탈분극을 자극하여 호르몬 분비를 유도하는 반면, 성장호르몬억제인자수용체의 활성화는 칼륨채널을 열어 막 과분극을 시킨다. 성장호르몬억제인자는 성장호르몬의 최저 농도를 결정하고 성장호르몬억제인자의 감소는 성장호르몬 박동을 조절하는 주요요인이다. 성장호르몬억제인자와 그렐린에 의한 조절 외에도 성장호르몬은 저혈당과 운동에 의해 자극되고 IGF–1에 의해 억제된다.

성장호르몬억제인자 작용의 감소와 관련된 GHRH의 방출은 성장호르몬 박동성 분비패턴으로 이어지며, 이러한 박동성 분비는 주로 밤에 일어난다. 박동성 분비의 진폭은 소아기부터 증가하는데 가장 높은 성장속도와 IGF–1 농도를 보이는 사춘기시기에 최대를 보이고 사춘기가 끝나고 성인기가 시작되면서 감소한다.

성장호르몬 분비는 남녀 간에 차이가 있다. 남성은 성장호르몬 박동이 낮에는 진폭이 낮고 밤에 더 큰 반면, 여성은 주간 변동이 적고 잦은 박동을 보이며 기저(basal) 생산이 더 높다. 최저 성장호르몬 농도는 체질량지수(BMI) 및 허리–엉덩이 비율과 관련이 있고 IGF–1 농도와는 관련이 없는 반면 최고 성장호르몬 농도는 IGF–1 농도와 관련이 있다. 성장호르몬 분비를 조절하는 중추 및 말초요소는 그림 6-2-2에 나와 있다.

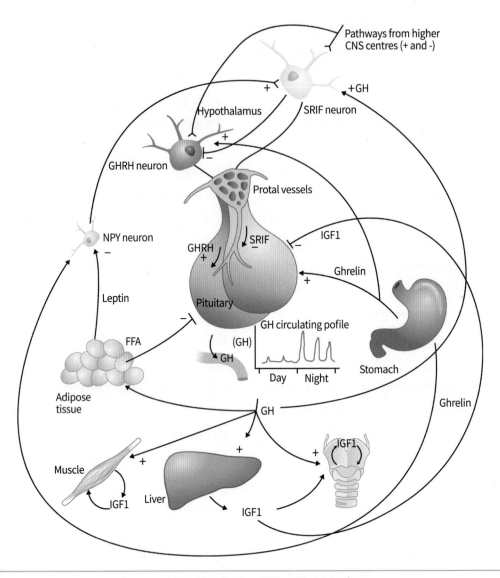

그림 6-2-2. **성장호르몬 분비를 조절하는 중추 및 말초구성요소**

2) 성장호르몬 및 성장호르몬(GH) 신호전달

염색체 17q23.3에는 2개의 GH1, GH2유전자가 있다. 22kDa의 분자량을 가진 191개의 아미노산으로 구성된 단일사슬폴리펩타이드인 뇌하수체성장호르몬은 GH1유전자에서 유래한다. GH2유전자는 뇌하수체가 아닌 태반조직에서 발현되는 성장호르몬 20kDa 변이체생성에 관여하며, 아미노산 32-46이 없는 더 작은 20kDa 이소형은 성장호르몬의 약 10-20%를 차지한다.

성장호르몬은 성장호르몬수용체(GHR)의 단백질분해절단 또는 GHR의 대체접합(alternative splicing)에 의해 생성된 GHR의 세포외 도메인으로 구성된 성장호르몬결합단백질(growth hormone binding protein, GHBP)과 결합하여 순환한다. 성장호르몬 22kDa 동형은 20kDa보다 GHBP에 대한 친화도가 더 높다. GHBP는 성장호르몬의 반감기를 11분에서 80분으로 연장할 뿐만 아니라 말초 GHR에 대한 결합을 감소시켜 성장호르몬의 순환 농도를 유지한다.

성장호르몬의 작용은 620개 아미노산세포외 도메인, 24개 아미노산으로 구성된 세포막 도메인 및 350개 아미노산세포내 도메인으로 구성된 GHR을 통해 매개된다. 성장호르몬 분자는 2개의 결합부위를 갖는데 부위1은 높은 친화성, 부위2는 낮은 친화성을 보이며 두 결합부위는 모두 GHR의 동일한 영역과 상호작용한다. 단일성장호르몬분자가 이합체화된(dimerized) GHR에 결합하면 GHR의 구조 변화가 유도되고 이러한 구조 변화는 Janus kinase 2 (JAK2)를 재배치시켜 성장호르몬 신호전달이 시작된다. JAK2는 signal transducer and activators of transduction (STAT) 분자를 인산화하는데 성장호르몬 신호전달의 주요 매개자인 STAT 1, 3, 5A 및 5B를 포함된다. JAK2는 STAT를 활성화하는 것 외에도 SHC를 인산화하여 미토겐 활성단백질인산화효소와 insulin receptor substrates (IRS) IRS-1, IRS 2 및 IRS-3을 활성화한다. IRS 분자는 phosphatidylinositol-3 kinase를 활성화하여 궁극적으로 GLUT4를 세포표면으로 이동시킨다. JAK2 비의존적인 유일한 신호전달경로는 Src 인산화효소계열의 활성화(MAPK 경로 활성화)와 phospholipase C가 매개하는 단백질인산화효소C (protein kinase C)의 활성화에 의한 것이다. 단백질인산화효소C는 지질 생성, c-fos 발현을 자극하고 칼슘채널을 활성화하여 세포내 칼슘 농도를 증가시킨다. 성장호르몬신호전달체계는 그림 6-2-3에 요약되어 있다.

성장호르몬 신호전달의 하향조절은 여러 기전을 통해 이루어진다. 타이로신인산가수분해효소 SHP-1은 JAK2에 결합하고 이를 탈인산화한다. 성장호르몬 자극은 세포막당 단백질 신호조절인자인 SIRPα1의 타이로신인산화를 유도하여 SHP-2의 인산화를 증가시키며 SHP-2는 차례로 SIRPα1, JAK2 및 GHR을 탈인산화한다.

성장호르몬 신호전달의 최종결과는 성장호르몬의존적인 유전자군의 전사(transcription)와 성장호르몬작용을 매개하여 세포증식, 골대사, 포도당항상성 및 혈청지질 등에 관여하는 IGF-1 생성이다.

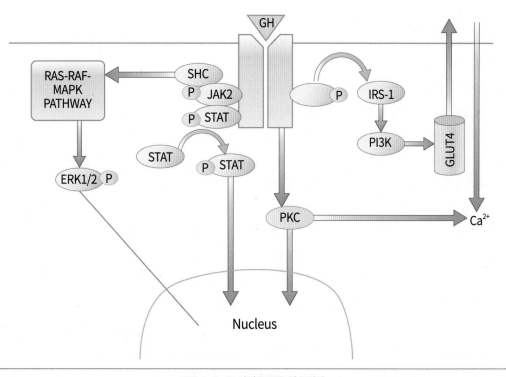

그림 6-2-3. **성장호르몬 신호전달**

06
발달과 성장

3) IGF-1, IGF-2 및 IGF 신호전달

인슐린유사성장인자(IGF-1 및 IGF-2)는 인슐린과 50% 상동성을 공유하는 7.5 kDa 단일사슬폴리펩타이드호르몬이다. 주로 간과 그리고 말초조직에서 생산되며 자가분비(autocrine) 및 주변분비(paracrine) 방식으로 작용한다. IGF-2보다 IGF-1이 GH의 유사분열촉진이나(mitogenic) 합성대사작용을 보다 많이 매개한다. IGF-1 및 IGF-2는 모두 간의 IGF 생산을 반영하는 혈청 농도로 표현되는데 IGF-1은 GH에 의해 조절되지만 IGF-2는 그렇지 않다. IGF-1과 IGF-2는 모두 인슐린수용체와 IGF-1R에 결합할 수 있고 IGF는 인슐린유사성장인자결합단백질(IGF-binding proteins, IGFBPs)에 결합되어 혈액내 순환하며 고친화를보이는 6개의 IGFBP이 있다. 혈중 주요 IGFBP는 IGFBP-3이며 GH에 의해 유도된다. IGF는 IGFBP-3 및 간에서 분비되는 단백질인 acid-labile subunit (ALS)과 150 kd의 삼원복합체(ternary complex)를 형성한다. 삼원복합체의 형성은 IGF의 혈청반감기를 연장하는 데 필수적이다.

IGF-1R은 2개의 세포외 알파소단위(subunits)와 2개의 세포막 베타소단위로 구성된다. 리간드 결합부위는 알파소단위에 있는 한편 베타소단위는 3개의 도메인을 포함하는데, 주요 신호전달단백질을 모집하는(recruiting) 역할을 하는 juxta-membrane 도메인, 수용체의 촉매활성에 필수적인 역할을 하는 타이로신인산화효소도메인, 카복시말단도메인이 이에 해당한다. 리간드결합 후, IGF-1R은 Shc와 인슐린수용체기질계열(IRS-1, -2, -3, -4) 단백질을 인산화한다. Shc의 활성화는 MAPK경로의 활성화로 이어지게 되고 한편, IRS단백질은 p85 조절소단위를 통해 PI3K를 활성화하고 다시 AKT의 활성화를 유도하며, AKT는 BAD를 인산화하여 세포자멸을 억제하며 또한 mTOR를 활성화하여 세포생존 및 성장을 유도한다(그림 6-2-4).

IGF-1이 IGF-1R에 대한 주된 리간드이나 인슐린과 IGF-2도 낮은 친화력에도 불구하고 결합할 수 있다. 인슐린수용

체 알파, 베타소단위와 IGF-1R 알파, 베타소단위로 구성된 하이브리드수용체는 거의 모든 조직에 존재하나 그들의 생물학적 역할은 아직 불분명하다. 하이브리드수용체는 IGF-1 및 IGF-2와 높은 친화도로 결합하지만 인슐린은 낮은 친화도를 보인다. IGF-2R은 또한 mannose-6-phosphate에 대한 수용체로 IGF-2의 성장촉진작용의 음성적인 조절 역할을 한다.

생쥐실험을 통해서 성장에 대한 GH/IGF축의 구성요소들의 상대적 기여도를 알 수 있다. IGF-1 또는 IGF-2가 결손되면 대조군 생쥐에 비해 출생 체중이 40% 감소하고, IGF-1R 결손은 출생 체중이 55% 감소된다. IGF-1 + IGF-1R 또는 IGF-2 + IGF-1R의 결손은 출생 체중의 70% 감소와 출생 시 호흡곤란으로 인한 사망으로 이어지는 반면, IGF-2R의 결손은 크기가 대조군의 130%로 증가한다. 따라서 생쥐모델에서 IGF-2R은 IGF-2의 작용을 음성적으로 조절하는 역할을 하는 것으로 보인다. 이러한 연구를 통해 포유류성장의 최대 70%가 GH/IGF 경로에 의존하는 것을 알 수 있으며 나머지 30%는 비내분비적 요소로서 기본 세포

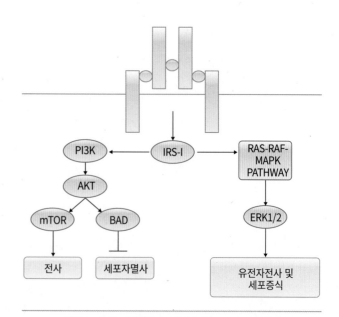

그림 6-2-4. 인슐린유사성장인자(IGF-1) 신호전달

IGF-1이 IGF-1R에 결합하면 수용체가 인산화되고 IRS-I이 활성화된다. 이후 IRS-I는 PI3K, AKT, mTOR 및 RAS-RAF-MAPK 경로를 활성화하여 세포증식 및 유전자전사를 유도한다.

과정을 조절하는 기전으로 설명된다.

4) 성장에 관여하는 다른 호르몬

(1) 갑상선호르몬

갑상선호르몬은 정상 길이성장(linear growth)을 위해 필요하다. 갑상선기능저하증 신생아가 정상 크기인 것을 감안하면 태아성장에는 크게 영향을 미치지 않으나 출생 후 지속적인 갑상선기능저하증은 길이성장에 심대한 장애를 가져오며 골격계 발달을 지연시킨다. 갑상선호르몬은 직접적으로 성장판연골을 증식시키고 간접적으로는 성장호르몬 분비를 자극한다. 또한 갑상선호르몬은 성장호르몬이 골격성장에 작용을 하게 하는 허용역할(permissive)을 한다. 즉 혈중에 GH가 있더라도 갑상선호르몬이 부족하거나 없을 경우 성장을 촉진시키지 못한다. 그 기전은 주로 IGF에 대한 연골의 반응이 감소되기 때문이다. 결국 갑상선호르몬은 IGF에 대한 연골의 반응을 증가시키는 작용을 하며 또한 연골의 성숙을 촉진시킨다.

(2) 부신피질호르몬

매일 분비되는 코티솔량의 2–3배 이상의 부신피질호르몬 제제를 투여할 경우 성장장애가 초래된다. 부신피질호르몬이 과잉분비되는 쿠싱증후군에서는 비만과 함께 성장장애가 필연적으로 나타나며 수술로 원인이 제거되어 부신피질호르몬의 농도가 정상으로 되었을 경우 성장속도도 다시 정상화된다. 부신피질호르몬이 성장을 억제시키는 기전은 GH 분비를 억제시켜 초래되는 것은 아니다. 과량의 부신피질호르몬을 성인에서 투여할 때는 GH 분비를 억제시키지만 소아에서는 GH 분비 억제는 거의 일어나지 않으며 IGF-1 농도도 감소되지 않는다. 부신피질호르몬이 성장장애를 초래시키는 기전은 성장판 연골세포(chondrocyte)에 직접 작용하여 성장을 억제시키는데 고량의 부신피질호르몬제제는 glycosamminoglycans의 합성과 연골세포의 미세구조와 세포외기질을 파괴시킨다. 이러한 변화들은 가역적이 아니어서 부신피질과잉증의 원인을 제거시켜도 성장이

완전하게 정상으로 회복되지 않을 수 있다.

(3) 여성호르몬

에스트로젠은 사춘기 남녀 모두의 길이성장(linear growth)을 촉진하여 사춘기 급성장을 일으킨다. 남아에서는 고환과 부신의 안드로젠방향화로 생성된 에스트로젠에 의해 사춘기 급성장이 야기되며, 이러한 성장촉진은 에스트로젠이 성장호르몬 분비를 자극하고 또한 성장판 연골세포에도 직접적으로 작용하기 때문이다. 한편 에스트로젠은 성장판 노쇠(senescence)작용에 관여하여 연령이 증가하면서 성장속도를 저하시키는 역할을 하며 따라서 에스트로젠 과잉은 너무 빠른 성장판융합을 일으켜 조기에 성장이 멈추게 된다. 이와 같이 에스트로젠은 성장에 있어 상반되는 두 가지 작용을 갖는 '양면의 칼'이라고 할 수 있다. 에스트로젠은 성장을 자극하여 성인키를 크게 하는 한편, 동시에 성장판 노쇠를 촉진시켜 성인키 저하를 일으킬 수도 있다. 성조숙환아가 키가 크더라도 치료받지 못한다면 성인키 저하를 초래하는 반면에, 치료받지 못한 성선저하증환아는 성장판이 늦게 닫혀서 결국 성인키가 크게 된다.

(4) 남성호르몬

안드로젠 역시 길이성장을 촉진하여 사춘기 급성장에 관여한다. 성선과 부신에서 생성되는 안드로젠은 신체 여러 조직에서 에스트로젠으로 방향화되는데, 주로 비만세포에서 이루어지지만 성장판의 연골에서도 국소적으로 에스트로젠으로 전환되어 성장을 촉진한다. 안드로젠은 에스트로젠의 전구물질 역할뿐만 아니라 안드로젠 자체도 성장을 촉진시키는데 방향화되지 않는 다이하이드로테스토스테론(DHT)은 사춘기 남아의 성장을 촉진한다.

(5) 인슐린

인슐린은 포도당대사에 주로 작용하지만 태아성장에도 자극제로서 작용한다. 당뇨병산모에서 거대아가 출생하며 인슐린결핍성당뇨병 소아에서 혈당조절이 잘 되지 않는 경우 성장장애가 초래된다는 사실은 인슐린이 태아성장에 중요

한 역할을 한다는 의미이다. Beckwith–Wiedemann증후군에서 고인슐린혈증으로 거대아가 초래되며 췌장 형성장애로 인슐린 분비가 절대적으로 부족할 경우에는 성장장애가 나타난다. 인슐린은 인슐린유사성장인자 형성을 증가시켜 태아성장을 촉진시키며, 출생 후의 성장에도 인슐린이 관계가 있다. 즉 인슐린 결핍 시에서는 성장장애가 초래되며 고인슐린혈증에서는 성장이 촉진된다. 과식으로 비만이 초래된 경우나 두개인두종(craniopharyngioma)에서 수술 후 과식하는 환아들은 혈중 인슐린 농도가 증가되며 성장이 정상인보다 촉진된다.

3. 성장의 평가

1) 신장 측정

성장평가에 있어 정확한 신장의 측정은 매우 필수적인 요소이다. 똑바로 서서 재는 standing height는 벽에 장착한 신장계를 이용하는데 'Harpenden stadiometer'를 가장 많이 사용한다. 측정대상 아동은 완전히 똑바로 서야 하며 머리는 눈의 하연과 외이도의 상연을 연결하는 선이 수평이 되게 하는 선, 즉 'Frankfurt plane'에 놓여야 한다. 뒷통수와 흉추, 엉덩이, 발꿈치는 신장계의 수직축에 닿아야 하고 척추가 옆이나 앞으로 휜 것으로 인한 오차를 줄이도록 노력해야 하며 일중변동이 있을 수 있기 때문에 하루 중 일정한 시간대에 측정한다(그림 6-2-5).

2세 이하의 영유아는 똑바로 서지 못하므로 누워서 재는 recumbent length를 측정한다. 머리가 닿는 쪽에 휘어지지 않는 판자가 있고 발이 닿는 쪽에 유아의 앙와위 평면과 수직이 되는 가동적인 발 받침대가 있는 기구를 이용한다. 정확한 측정을 위해 2명의 인원이 필요한데 1명은 Frankfurt plane으로 머리를 위로 보게 하여 움직이지 못하도록 하고 또 다른 1명은 무릎을 곧게 펴도록 하고 받침대를 발바닥에 닿도록 움직여 키를 잰다(그림 6-2-6).

적절한 장비와 숙련된 측정자 그리고 측정대상의 소아가 협

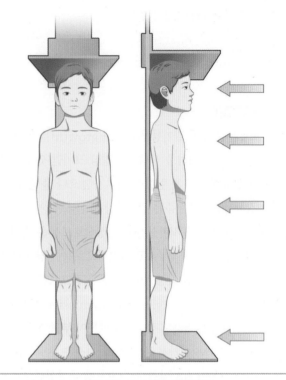

그림 6-2-5. **소아의 신장 측정**

그림 6-2-6. **영유아의 신장 측정**

조적일 때 정확한 신장의 평가가 이루어지며 키를 3회 측정하여 평균값을 취하는 것이 이상적이다. 성장속도를 구하기 위해서는 최소한 6개월 간격의 연속적인 측정이 필요하다. 12개월 이상의 기간 동안 모은 자료들은 측정오차를 최소화하고 성장속도의 계절적인 변화가 자료 내에 반영된 것들이라고 할 수 있다.

2) 성장도표

환아의 신장평가는 정상 기준치를 근거로 이루어져야 한다. Tanner가 1966년에 처음으로 단면자료로 작성된 성장도표를 만들었는데 개별적인 환아들을 3, 10, 25, 50, 75, 90, 97 백분위수의 개념으로 비교하였다. 그러나 이 차트들이 개별적인 소아에게 사용될 때는 두 가지의 제한점이 있다.

첫째는 정상에서 벗어난 3백분위수 이하와 97백분위수 이상의 경우를 통계적으로 정확하게 정의하지 못한다는 것이다. 그래서 신장의 평가에 표준편차(SD)점수가 더 도움이 되며 이것은 통계적 개념으로 저신장 환아를 –2.0 SDS 혹은 –3.0 SDS라고 기술한다.

둘째로 단면자료로 작성된 소아의 SD점수는 성장속도와 성성숙도의 변화가 큰 청소년시기의 성장평가를 하기에는 제한이 있을 수 있다. 이 문제를 해결하기 위해 Tanner는 연속적인성장곡선표(longitudinal growth chart)를 만들어 냈는데, 이것은 대규모의 단면자료로부터 각 개인의 연속적인 자료를 종합하여 백분위수곡선을 그려낸 것으로 사춘기시작에 따른 변이를 줄일 수 있다(그림 6-2-7). 이 같은 차트는 청소년 아동의 사춘기 성장을 평가하는 데 중요하고 대상 환아의 순차적인 성장자료를 기록할 수 있다. 대부분의 나라들은 그들 고유의 성장곡선표를 사용하고 있는데 우리나라도 2017년도에 새로운 전국 규모의 성장곡선표(그림 6-2-8)를 만들어서 사용하고 있다.

연속적으로 기록된 성장속도의 자료가 성장이상이 있는 환아를 평가하는 데에 매우 중요하다. 성선발생장애(터너증후군), 연골무형성증 등과 같은 성장이상과 관계된 증후군에 특정한 성장곡선표가 개발되어 있으며, 그 같은 질환특이성장곡선표는 위와 같은 질환이 있는 환아의 성장을 추척하는 데에 매우 중요하다. 질병에 특이한 성장곡선에서 벗어나 있는 경우는 또 다른 잠재적인 원인이 있을 가능성을 제시한다.

3) 신체비율

골격계는 균형적으로 성장하지 않는다. 상하절 신체비율은 출생 시 1.7로 체간(trunk)이 하지보다 길며 이후 하지가 체간보다 빨리 자라 10세가 되면 비율은 1.0이 된다. 상하절 신체비율은 세 가지의 다른 방법으로 구할 수 있다. 첫 번째, 상하절 비율은 상절길이를 하절길이로 나누어 구하는데 하절 길이는 선 상태에서 치골결합의 끝에서 바닥까지이고 선 키에서 하절길이를 빼면 상절길이가 된다. 두 번째, 양팔간격(arm span)은 체간에 수직으로 최대한 양팔을 벌려 양쪽 셋째 손가락 끝사이의 길이가 된다. 정상적으로 양팔간격은 8세까지는 키보다 작고, 8–12세 사이에 같아져서 12세 이후에는 양팔간격이 키보다 더 커진다. 세 번째 방법은 앉은키를 선 키로 나누어 앉은키지수를 구한다. 앉은키지수는 하지에 비해 체간의 성장에 불균형이 있는 *SHOX* 결핍이나 연골이형성증 같은 성장질환에서 특징적이다.

4) 골격계 성숙도(뼈나이)

장골의 성장 잠재력은 뼈끝내의 골화의 진행정도에 따라 평가될 수 있다. 정상 소아에서 골격내의 화골핵들은 예정된 순서대로 진행하고 골격의 성장은 같은 연령의 정상치와 비교될 수 있다. 이것이 '뼈나이'의 기본개념이며 뼈나이는 신체 성장을 양적으로 결정하는 데 이용할 수 있고 성숙을 반영하게 된다. 정상적인 골격성숙속도는 여성이 남성보다 빠르고 종족, 영양상태, 질병 등도 골성숙에 영향을 끼친다. 어떤 요소들이 골격성숙을 결정하는지는 아직 분명히 밝혀지지 않았으나 유전요소와 함께 갑상선호르몬, 성장호르몬, 성호르몬 등을 포함한 여러 호르몬들이 관계되어 있다.

뼈나이는 신생아기 이후에는 왼쪽 손과 손목의 X선사진을 찍어 측정하는데 Greulich–Pyle (GP)의 골격발달 도감을 이용하는 방법이 가장 많이 사용된다. 이 방법은 1931–1942년 사이의 미국의 백인아동을 대상으로 한 표준치이므로 우리나라와 같은 동양인을 대상으로 한 표준치가 필요하다. 또 다른 방법으로 손목의 각 뼈의 성숙도에 따라 점수를 점수매기기(scoring)하여 뼈나이를 평가하는 Tanner-

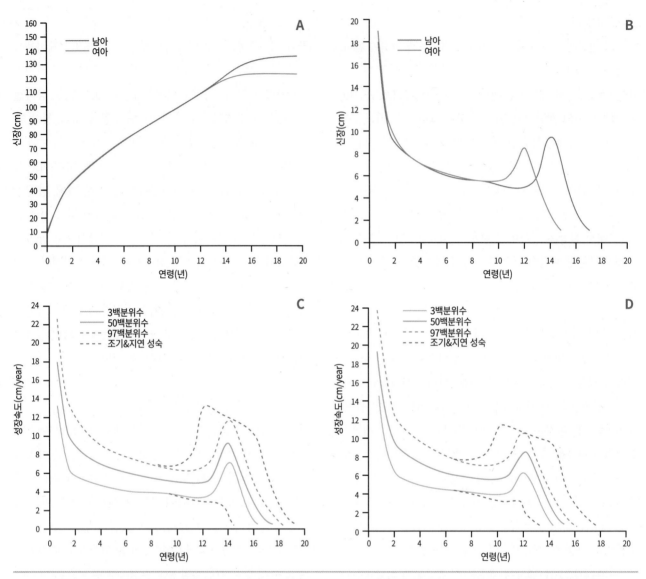

그림 6-2-7. A: 남아, 여아의 성장곡선표, B: 남아, 여아의 성장속도표, C: 남아의 사춘기 급성장시기, D: 여아의 사춘기 급성장시기

Whitehouse (TW) 방법이 있으며 GP 방법에 비해 정량적으로, 보다 정확할 수 있으나 시간이 많이 걸리는 단점이 있다. 뼈나이를 평가할 때 측정자의 오차를 최소화하기 위하여 숙련된 경험이 있는 1명의 판독자가 하는 것이 유익하다. 최근에는 AI프로그램을 이용하여 자동적으로 뼈나이를 계산해 주는 방법들이 개발되어 사용되고 있는데 이는 측정자 간의 오차를 줄이고 판독시간이 짧아지는 장점이 있다.

5) 최종 성인키 예측

키는 유전요소가 매우 크기 때문에 부모의 키로 잠재적 목표신장을 구할 수 있다. 즉 부모키의 합에서 남아는 13 cm (남녀 성인키 차이)를 더하고, 여아는 13 cm를 빼서 평균을 낸 값이 부모신장 중간치(midparental height)이며, 부모신장 중간치 ± 2 SD (1 SD, 약 5 cm)가 자녀의 정상 목표신장 범위가 된다. 그러나 부모신장 중간치는 양쪽 부모로부터 다원적인 방식으로 유전되는 것을 가정하며 한쪽 부

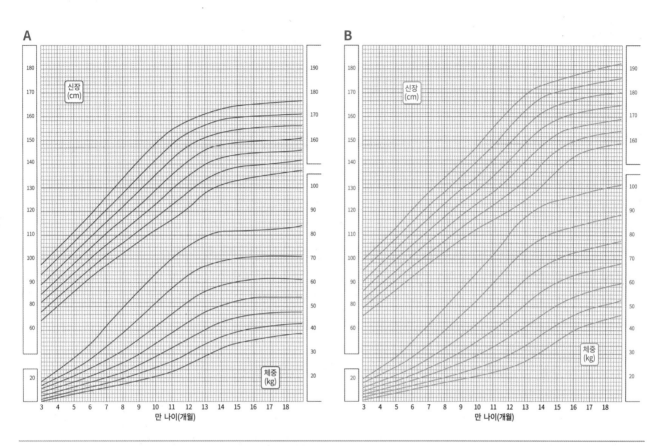

그림 6-2-8. **A: 한국 여아의 성장곡선표, B: 한국 남아의 성장곡선표**

모로부터 단일하게 유전되는 것은 반영하지 않은 단점이 있다. 예를 들어 만일 두 부모 중 한 사람이 *SHOX* heterozygous mutation으로 키가 작고 다른 한쪽은 정상일 때 자녀는 한쪽 부모를 닮아 키가 작거나 또는 정상 키가 되며, 양쪽을 반반씩 닮지는 않는다.

가장 간단한 다른 방법으로 성장도표의 현재키 백분위수가 성인까지 유지된다고 가정하여 성인키를 예측할 수도 있으나 이 방법은 정확하지 않으며 소아의 뼈나이가 촉진 또는 지연되어 있으면 적용하기 어렵다.

일반적으로 뼈나이를 이용하여 최종 성인키를 예측할 수 있다. Bayley–Pinneau (BP) 방법이 가장 많이 사용되는데 건강한 미국 소아들의 뼈나이를 GP 방법으로 종적연속측정하여 만든 BP 예측표를 이용하여 측정키와 당시의 뼈나이로

성인 예측키를 구한다. 또 다른 Tanner–Whitehouse (TW) 예측 방법은 TW 방법으로 만든 영국 소아들의 표준 뼈나이를 이용하여 측정키와 실제나이, 부모키 그리고 여아는 초경을 고려하여 최종 성인키를 예측한다. 그러나 뼈나이을 이용한 성인키의 예측도 아주 정확하지는 않으며 나이가 어릴수록 오차가 많다. 예를 들어 여아에서 BP 방법으로 예측했을 때 오차가 13세는 대략 3 cm 정도이나 9세는 7.4 cm나 날 수 있다. 뼈나이 예측방법들은 건강한 소아들을 대상으로 했기 때문에 질병이 있는 소아들에게 적용하기 어렵고 성조숙이나 터너증후군 환자들은 실제키보다 과다하게 예측된다. 또한 뼈나이 판정의 정확도, 사춘기 시작시기 및 진행속도에 따라 성인 예측키는 달라질 수 있다. 그러므로 의사와 환자, 부모 모두 성인키 예측은 본질적으로 한계가 있다는 것을 이해해야 한다.

II. 성장장애

황일태

1. 서론

성장장애는 성장속도가 연령, 성별 대비 낮거나 키 성장곡선 상 백분위수곡선이 두 선 이상을 가로질러 떨어지는 것을 말한다. 소아의 실제나이에 비교한 연간 성장속도가 −2.0 표준편차점수(standard deviation score, SDS) 미만일 경우를 의미하나 우리나라에서는 소아청소년의 성장표준치가 수년간 추적관찰한 것(longitudinal data)이 아니라 일정한 시점에서 키를 재어 산출한 것(cross-sectional data)이므로 성장속도에 대한 SDS를 구할 수 없을 뿐만 아니라 백분위수(percentile)도 구할 수가 없다. 단지 2세 이후부터 사춘기 전 연령까지 소아에서 연간 성장속도가 4 cm 미만일 경우를 성장장애로 간주하여 진단평가를 한다.

2. 저신장의 정의

저신장으로 진찰을 받는 대부분의 소아청소년들은 정상 변이에 속하는 저신장이다. 이런 소아들에서 느린 성장은 가족성 저신장 혹은 체질성 성장 및 사춘기 지연이 그 원인이다. 근래에는 이러한 정상변이저신장증을 특발성저신장(idiopathic short stature, ISS)의 범주에 넣는다. 따라서 의사는 느린 성장 또는 성장부전이 병리적 원인에 의한 것인지 혹은 정상적인 것인지를 감별해야 한다. 저신장은 같은 연령, 같은 성의 어린이의 평균키보다 키가 3백분위수 미만 또는 −2 표준편차 미만인 경우로 정의된다.

3. 성장장애(Growth disorder)의 원인

성장장애의 원인은 일반적으로 골격계의 내인결함과 외인인자에 의한 결함 등으로 발생하며 이를 일으키는 원인은 여러 가지 질환들이 있다. 골격계의 내인결함에 의한 성장

장애를 일차성장장애(primary growth disorder)라고 하며(표 6-2-1), 이 질환의 특징은 뼈나이가 실제나이에 비하여 지연이 없다는 것과 성장장애는 태생 전부터 존재하며 태생 후에도 지속된다는 것이다. 외인인자에 의한 성장장애는 이차성장장애(secondary growth disorder)라고 하며(표 6-2-2) 이 질환들의 특징은 성장장애가 후천적으로 발생하며 원인은 환경요인에 의해서 발생하게 된다. 이는 원인질환이 교정될 때 성장장애가 회복될 수 있다. 또한 일차성장장애와는 대조적으로 뼈나이가 실제나이에 비하여 현저히 감소되어 있다. 특발성저신장은(표 6-2-3) 전신질환, 영양장애, 내분비질환 및 염색체이상이 없으며 출생체중이 정상이고 성장호르몬 분비에는 이상이 없는 경우로 체질성성장지연과 가족성저신장이 포함된다.

1) 일차성장장애

(1) 골연골이형성증(osteochondrodysplasias)

골 및 연골의 내인결함으로 인해 발생하며 이 부류에 속하는 질환은 100가지 종류가 넘는 다양한 질환군이다. 그 중 가장 흔한 질환이 연골무형성증(achondroplasia)이다. 연골무형성증은 약 1:26,000의 빈도로 발생하며 4번 염색체 단완에 위치한 섬유모세포성장인자수용체3 (fibroblast growth factor receptor-3, FGFR3)유전자의 돌연변이에 의하여 발생하며 보통염색체우성으로 유전되나, 환자의 약 90%는 새로운 돌연변이에 의해 발생한다. 성장판의 형성부전으로 성장속도 감소가 있으며 키가 자라지 않게 되고 특히 상절이 하절보다 현저히 긴 현상을 보인다. 또한 장골에서도 근위부의 성장부전에 의한 rhizomelia를 보이며 머리가 몸통보다 크므로 영아기에 수두증이 발생할 수 있으며 수두증이 있을 경우 발달장애를 동반할 수 있다. 낮은 콧등, 짧은 삼지창손, 척추전만증(lordosis) 등이 나타난다. 최종 성인키는 남자 131 cm, 여자 124 cm 정도이며 최근에는 생후 2세 이후 성장호르몬 치료를 하여 최종 성인키를 증가시키려는 시도는 있으나 아직 결과에 대해서는 정립된 것이 없으며 성인이 되면 휜다리교정술과 다리연장술을 시

표 6-2-1. 일차성장장애의 원인

골연골이형성증(osteochondrodysplasias) • 연골무/저형성증
염색체이상 • 터너증후군, 다운증후군
부당경량아(자궁내성장지연)
저신장을 동반하는 기타증후군

표 6-2-2. 이차성장장애

영양결핍 • 소모증(marasmus) • 단백질열량부족증(kwashiorkor) • 비타민 결핍(비타민D) • 무기질 결핍(아연, 철)
만성전신질환 • 장질환 • 호흡기질환, 심혈관질환
정신사회적 저신장(감각박탈)
내분비질환 • 성장호르몬결핍증 • 갑상선기능저하증 • 성선발생장애(dysgenesis) • 당질부신피질호르몬 과다 • 가성부갑상선저하증 • 성호르몬 과다
탄수화물, 지질 및 단백질의 대사이상

표 6-2-3. 특발성 저신장

가족성 저신장
체질성 성장지연
단일유전자 원인 • 성장호르몬수용체, IGF-1, IGF-1수용체, *IGFALS*, *PAPPA2* • *SHOX*, *ACAN*, *NPR2 FGF3* 변이

도하기도 한다.

연골무형성증보다 임상형태가 경미한 골연골이형성증으로는 연골저형성증(hypochondroplasia)이 있으며 보통염색체우성으로 유전되고 FGFR3유전자의 돌연변이로 인하여 발생한다.

(2) 염색체이상

보통염색체 및 성염색체의 이상이 있을 때 저신장이 나타날 수 있으며 특히 보통염색체질환일 경우 발달장애와 지능저하도 동반된다. 성장장애의 원인은 확실히 밝혀져 있지는 않지만 성장호르몬-인슐린유사성장인자(insulin-like growth factor, IGF)의 분비장애보다는 정상 조직의 성장 및 발달장애 또는 IGF에 대한 반응이상으로 성장장애가 생기는 것으로 생각된다. 염색체이상 중 저신장이 현저히 관찰되는 대표적인 질환은 터너증후군(Turner syndrome)과 다운증후군(Down syndrome)이다.

① 다운증후군

성장장애와 관련된 가장 흔한 염색체질환으로 출생아 600명당 1명의 빈도이며 출생 시 체중과 키가 작고 출생 후에도 성장장애는 지속되며, 골성숙 및 사춘기시작이 지연되고 사춘기 급성장도 충분히 나타나지 않는다. 다운증후군에서는 자연발생적으로 백혈병의 발병위험이 높기 때문에 성장호르몬 치료가 추천되지는 않는다.

② 터너증후군

터너증후군은 여성에게서 발생하며 두 개의 X염색체 중 한 개가 소실되었거나 기능의 이상이 있을 경우 발생한다. 발생빈도는 여아 출생아 1,500-2,000명당 1명으로 비교적 흔하게 발생한다. 흔히 보는 염색체핵형은 45, X형이 가장 많으며 모자이크 현상은 45,X/46,XX, 45,X/46,X,i (Xq), 45,X/46,XX,+mar 등이 흔하며 이 중에서 45,X/46XY에서 Y염색체가 있을 경우 삭상성선(streakgonad)에서 성선모세포종(gonadoblastoma)의 발생가능성이 높기 때문에 미리 삭상성선을 제거하여야 한다.

X염색체의 단완(Xp22)에 있는 psuedoautosomal region (PAR1)에 위치하는 *SHOX* (short homeobox gene)유전자의 단배수결손(haploinsufficiency)이 터너증후군에서 보이는 저신장을 초래하는 주요 원인으로 알려져 있다. 출생 시 저체중, 저신장을 보이고 신생아시기에 손등과 발등이 붓는 림프부종(lymphedema)을 보일 수 있다. 출생 후 서서히 성장속도가 저하되어 키가 3백분위수 미만이 되며 특징적인 골격기형을 보인다. 목이 짧은 익상경(webbed neck), 팔에 외반주(cubitus valgus), 4, 5번째 손가락뼈가 짧은 소견(knuckle sign)도 보일 수 있다. 손과 손목이 총검모양의 변형(bayonet deformity)을 보이는데 이를 Madelung기형이라고 한다.

심장기형은 대동맥축착(coarctation of aorta), 대동맥판막기형(bicuspid aortic valve) 등이 선천적으로 올 수 있고 신장 및 심혈관계이상을 동반할 가능성은 35-70% 정도이며 가장 흔한 형태는 말굽형신장(horseshoe kidney)이다.

키는 계속적으로 작아 3백분위수 미만을 보이고 대부분의 환자에서 소아기 동안 성장호르몬과 IGF-1의 농도는 정상이다. 우리나라 터너증후군 환자의 최종 성인키는 139.6 ± 6.9 cm이다. X염색체의 소실 또는 기능부전으로 분화된 난소의 퇴화가 있어 사춘기 나이가 되어도 사춘기 징후가 없고 고성선자극호르몬성선저하증(hypergonadotropic hypogonadism)이 있다. 또한 자가면역질환의 발생빈도가 높아 특히 당뇨, 자가면역갑상선질환이 발생할 빈도가 높다.

이들 환자에서 가능하면 일찍 진단하여 어린 나이에 성장호르몬 치료를 하여야 하며 성장호르몬 치료로 인하여 최종 성인키의 증가를 가져올 수 있다. 12세 정도에 자연적 사춘기발달이 없고 FSH 농도가 증가한 경우에 여성호르몬 치료를 시작한다. 성인이 된 후에도 비만의 빈도가 높으며

대사증후군, 고혈압 발생과 심혈관계에서 특히 대동맥이상이 발생할 수 있기 때문에 주기적으로 검사가 필요하다.

(3) 부당경량아(small for gestational age, SGA)

부당경량아는 출생 체중 및/또는 키가 같은 성별 및 임신기간의 평균보다 −2 표준편차 미만인 경우로 정의한다. 이 외에도 임신기간이 37주 이상에서 출생체중이 2,500 g 미만이거나 또는 임신기간에 비해 출생체중이 3백분위수, 10백분위수 미만으로 정의한다. 부당경량아는 흔히 자궁내성장지연(intrauterine growth retardation, IUGR)과 혼동되어서 사용되는데 자궁내성장지연은 태아의 성장속도가 임신연령에 비해 감소되어 있는 경우를 의미한다. 출생 시 부당경량아라고 해서 태아기간 동안 반드시 자궁내성장지연을 의미하지는 않는다.

부당경량아의 90% 정도에서는 생후 2세까지 따라잡기성장(catch-up growth)을 하나, 나머지 10% 정도의 환자에서는 따라잡기성장을 못한다. 미숙아로 태어난 부당경량아는 만삭 부당경량아보다 더 천천히, 늦게 4-5세까지 따라잡기성장을 할 수 있다. 따라잡기성장을 못한 부당경량아는 저신장이 초래되고, 조기사춘기 또는 성조숙 등이 나타나며 사춘기기간 동안 사춘기 급성장이 적어서 성인이 되어서 저신장을 초래한다.

인슐린저항성으로 인해서 비만, 고혈압, 고지혈증, 당불내성 및 2형당뇨병을 포함한 대사증후군이 발생하며 인슐린저항성은 따라잡기성장이 주로 일어나는 2세 이전에도 나타나나 특히 체중의 따라잡기성장이 이루어진 경우에 더 증가한다. 영아기의 급격한 체중증가가 성인기의 대사증후군 발생을 증가시킬 수 있기 때문에 과도한 영양공급을 하지 않도록 주의하여야 한다.

부당경량아에서 인슐린저항성이 보고되고 있기 때문에 특히 비만이나 당뇨의 가족력이 있는 경우에는 공복 시 인슐린과 혈당 또는 당화혈색소(HbA1c)를 주기적으로 검사하

여야 한다.

(4) 기타 저신장증을 동반한 선천기형증후군

① 러셀-실버증후군(Russell–Silver syndrome)

출생 시 체중과 신장이 재태기간에 비하여 현저히 감소되어 있으며 성장하는 과정에서 계속 성장지연이 존재한다. 출생 후 성장장애, 선천편측비대, 얼굴의 역삼각형 모양과 만지증(clinodactyly) 등이 나타난다. 원인은 완전히 알려져 있지 않으나 7–10%는 7번염색체의 모계일측부모이염색체성(maternal uniparental disomy, UPD), 38% 이상에서 11p15의 imprinting control region 1 (IVR1)의 저메틸화(hypomethylation), 다른 염색체에 영향을 주는 복제수(copy number)의 이상 등이 보고되고 있다.

② 프라더-빌리증후군(Prader–Willi syndrome)

영아기에 현저한 근긴장도의 저하가 있으며 자라면서 비만, 발달장애를 동반한 지능저하가 관찰된다. 또한 성장장애를 보이면서 저신장증을 나타내고 사춘기가 발현되지 않으면서 저성선자극호르몬성선부전증을 보인다. 영아기에는 수유곤란을 보이고 2–4세경부터 점차 비만해진다. 심한 비만으로 대사증후군의 발생률이 높으며 심혈관질환의 빈도가 높다. 원인은 대부분 부계의 15q11–q13 결실(65–75%), 또는 모계일측부모이염색체성(20–30%), imprinting defect (1–3%)를 보인다. 영아기에 갑상선축이상이 나타나며 중추성부신부전(central adrenal insufficiency)이 올 수 있기 때문에 스트레스나 감염 시에는 당질부신피질호르몬 투여를 고려할 수 있다.

③ 누난(Noonan)증후군

출생 시 체중과 신장은 정상이고 출생아 1,000–2,500명당 1명이며 누난증후군의 70% 이상에서 저신장을 나타낸다. 일반적인 신체특징은 터너증후군의 표현형을 가지고 보통염색체우성으로 유전하며 남녀 모두에서 발생한다. 누난증후군은 터너증후군과 달리 염색체이상이 없으며 심장기형은 폐동맥협착증이 있고 미소음경 및 잠복고환이 흔하고 사춘기는 흔히 지연되거나 불완전하며 정신지체는 25–50%에서 보인다. 염색체 12q의 PTPN11 (Protein–Tyrosine Phosphatase, Nonreceptor–Type 11)유전자와 연관성이 보고되고 있다.

④ Laurence-Moon-Biedl증후군

심한 지능저하, 비만, 저신장, 성선기능저하 및 색소성망막염(retinitis pigmentosa) 등을 특징으로 한다.

2) 이차성장장애

(1) 영양결핍

영양실조는 성장장애의 가장 흔한 원인이다. 단백질 열량부족증(Kwashiorkor)에서는 혈장IGF-1은 저하되어 있으나 기저 및 자극혈장성장호르몬 농도는 흔히 증가되어 있으며, 전반적인 영양실조인 소모증(marasmus)에서는 성장호르몬이 정상 또는 낮을 수 있다.

극심한 다이어트나 신경성식욕부진(anorexia nervosa), 신경성폭식증(bulimia nervosa)은 의도적인 칼로리 결핍으로 성장장애가 유발되기도 한다.

(2) 만성질환으로 인한 성장장애

① 흡수장애

칼로리 및 단백질 흡수장애를 야기하는 복강병(celiac disease)과 크론병(Crohn disease)은 성장장애를 유발한다.

② 심혈관질환

청색증형 심장질환 및 울혈성 심장질환은 성장장애를 동반한다. 출생 후 성장장애는 대개 저산소증 및 심부전에서 심장의 에너지소모 증가로 생긴다.

③ 류마티스관절염 등 만성염증으로 광범위한 골격계 성장의 감소가 있다.

④ 신장질환

요독증, Fanconi증후군 및 신세뇨관산증에서 성장장애가 동반된다. 칼로리 섭취부족, 전해질의 소실, 대사성산증, 단백질 소실, 만성빈혈 등으로 기인한다. 혈장IGF–1과 IGF–2는 대개 정상이나 혈장IGFBP–1이 증가되어 있다.

⑤ 당뇨병

장기간 혈당조절이 불량한 당뇨병환아에서 성장장애가 발생한다. 아주 드물게 고혈당, 심한 성장장애 및 과도한 당원 축적에 따른 간비대가 나타나는 Mauriac증후군이 나타나기도 한다. 당뇨병에서 성장장애는 칼로리소모, 만성산혈증 및 당질부신피질호르몬 생산 증가 등에 의해 발생한다.

그 외에도 혈액질환, 당원병, 점액다당류증, 당단백질증, 점액지질증 등의 탄수화물, 단백질 및 지질의 선천대사이상, 폐질환 등의 만성질환 시에도 성장장애가 초래된다.

(3) 내분비질환

① 갑상선질환

선천갑상선기능저하증에서는 치료를 받지 않은 경우 성장장애가 발생한다. 후천갑상선기능저하증은 성장장애가 동반되려면 수년이 걸릴 수 있는데 뼈나이가 지연되고 상하절의 비가 증가한다. 오랫동안 치료받지 않은 갑상선기능저하증은 대체로 사춘기가 지연되나 성조숙이 올 수도 있다.

② 쿠싱증후군

소아에서 쿠싱증후군은 성장장애가 특징적으로 나타나는데 당질부신피질호르몬은 뼈끝에 직접 작용하여 골격성장에 영향을 미쳐서 성장장애를 일으킨다. 당질부신피질호르몬 사용 시에는 사용기간이 길어지고 사용량이 많을수록 성장억제 효과가 더 많이 나타난다.

3) 특발성저신장(Idiopathic short stature)

특발성저신장은 키가 나이에 비하여 3백분위수 또는 –2 표준편차 미만이면서 성장속도는 정상 또는 감소되어 있고 전신질환, 영양장애, 내분비질환 및 염색체이상이 없으며 출생체중이 정상이고 성장호르몬 분비에는 이상이 없는 경우로 정의한다. 대부분은 유전저신장증, 체질성 성장지연으로 성인키가 가족의 표적키 범위 내로 자라게 된다. 일부에서는 성장호르몬–인슐린성장인자–1축의 유전결함과 골/연골의 이형성 등으로 심하게 신장에 영향을 미치는 병적인 조건이 포함되어 특발성저신장은 다양한 표현형과 유전자형을 가진 이질적인 그룹이다.

유전자결함이 의심되는 특발성저신장에서 복제수변이 분석, 단일유전자분석(single gene approach), whole exome sequencing (WES)으로 25–40% 정도가 진단된다. 성장호르몬–인슐린성장인자–1축에 관여하는 유전자변이는 growth hormone receptor (GHR), IGF–1, IGF receptor (IGFR), IGF acid–labile subunit (IGFALS), pregnancy–associated plasma protein A2 (PAP-PA2) 등이 있고 그 외에 SHOX유전자의 돌연변이, aggrecan (ACAN)유전자, fibroblast g rowth factor3 (FGF3)유전자, natriuretic peptide 2 (NPR2)의 유전자변이가 특발성저신장의 단일원인유전자이다.

특발성저신장을 가진 소아는 키, 성장속도, 골성숙속도, 사춘기 진행속도 등 성장양상이 매우 다양하다. 성장호르몬 사용에 따른 치료효과에 대해서는 결과가 매우 다양하지만 최종 성인키가 증가한다는 보고가 우세하며 실제로 이에 대한 많은 임상연구 보고가 이루어지고 있다.

① 유전적 저신장증

'유전적' 또는 '가족적' 저신장증은 성장장애의 다른 원인이 철저히 배제되었을 때만 진단해야 한다. 부모의 키가 작으며 항상 신장이 낮은 백분위수에 있으며 1년에 4 cm 이상 성장하며 평균부모신장에 비하면 정상 범위의 최종 어른 신장에 도달한다. 뼈나이는 실제나이에 비하여 2 표준편차 범위 안에 있으며, IGF–1과 성장호르몬자극검사는 정상이다. 최종 성인키는 일반적으로 부모로부터 물려받은 표적키 범위에 속한다.

② 체질성성장지연

체질성성장지연(constitutional growth delay)에서는 실제나이에 비하여 골성숙이 지연되어 성장지연이 동반되며 사춘기 발현의 지연이 있다. 첫 2년 이내에 키와 체중증가가 지연되어 성장곡선이 서서히 떨어져서 3세 이후에는 3백분위수 미만으로 키가 감소한다. 그 후부터 정상적인 성장속도를 회복하며 3백분위수와 평행되게 성장곡선을 유지한다. 신장연령과 뼈나이가 실제나이보다 2-4년 정도 지연되며 사춘기의 발현도 2-3년 지연된다. 최종 성인키는 표적 키 범위내에 있으며 성발달은 정상이다. 일반적으로 부모나 친척 중 성장과 사춘기의 지연의 가족력이 있다.

4. 성장호르몬결핍증

1) 성장호르몬결핍증의 원인

(1) 특발성

분만 손상이나 신생아가사 등의 주산기 손상과 둔위분만(breech delivery), 전치태반, 겸자분만(forcep delivery), 출혈분만, 조산, 난산 등의 과거력을 갖는 경우가 많다. 시상하부, 뇌하수체발달과 기능에 관여하는 유전자 돌연변이로 인한 시상하부, 뇌하수체 형성부전 때문에 발생하는 성장호르몬결핍증이 있다.

(2) 뇌종양

성장호르몬결핍증을 일으키는 가장 흔한 뇌종양은 두개인두종(craniopharyngioma)이다. 이 종양은 라트케주머니(Rathke's pouch) 잔재조직에서 유래하며 45%가 터키안장 상부에서 발생한다. 뇌압의 증가로 구토, 두통 등의 증상이 있으며 특히 어린 소아에서 현저히 나타난다. 성장장애가 첫 증상일 수 있고, 시력장애가 있을 수 있어 유두부종, 시신경위축 등의 증후가 나타난다. 따라서 이유 없이 성장의 지연이 있으며 비만이 나타나고 골격계의 발달이 늦을

경우 반드시 이 종양을 생각하여야 한다.

이 외에도 배태아종(germ cell tumor), 시신경교종(optic glioma) 등으로 인하여 성장호르몬 결핍이 발생할 수 있다.

(3) 선천기형

중격-시신경이형성증(septo-optic dysplasia)은 시신경의 이상과 투명중격(septum pellucidum)의 형성부전 등을 특징으로 하는 질환으로 소아에서의 성장호르몬결핍증 원인 중 세 번째로 흔한 질환이다. 모친이 비정상적으로 나이가 적을 경우, 그리고 첫 아이일 때 이 질환의 빈도가 높으며 여러 뇌하수체호르몬 중 성장호르몬 결핍의 빈도가 제일 높다. 일차적인 병소는 시상하부이다.

(4) 두개강 내의 방사선조사

두개강 내의 방사선조사와 관련되어 성장속도의 감소를 동반한 뇌하수체기능저하증이 발생한다고 알려져 왔다. 주로 뇌종양 치료로 다량의 방사선에 노출 후에 올 수 있으며 급성림프구성백혈병에서 뇌에서의 발현을 예방하기 위하여 시행하는 예방적 방사선 치료 후에도 올 수 있다고 알려져 있다. 이 경우 성장호르몬의 분비가 뇌하수체호르몬 중 가장 처음으로 손상을 받으며 뇌하수체보다 시상하부가 방사선에 더 예민한 것으로 알려져 있다. 방사선의 용량에 따라서 성장호르몬 신경분비성기능장애(neurosecretory dysfunction)에서부터 범뇌하수체 기능저하증까지 성장호르몬의 결핍양상은 다양하다.

2) 임상소견

정상적인 상절과 하절의 비율로 정상 신체 균형을 가지면서 신장이 같은 연령, 같은 성의 소아의 평균 신장보다 3백분위수 미만 또는 -2 표준편차 미만의 저신장을 보인다. 실제나이에 비하여 성장속도가 감소되어 3세 이상의 소아에서 1년에 4 cm 미만의 성장속도를 나타낸다. 뼈나이가 실제나이에 비하여 낮고 전두부 돌출, 둥근 얼굴, 복부비만이 있고

남아에서 출생 전에 발현 시 미소음경(micropenis), 미소 고환과 미발달된 음낭 등을 보이고 지속적인 신생아 황달이 나타날 수 있다. 치아의 발육이 일반적으로 늦으며 골격계의 발달도 지연된다. 생후 첫 2–3년내에 10%에서 저혈당성 경련을 경험하며, 다른 10%에서는 증상이 없는 공복 시 저혈당을 나타내는데 이는 부신피질호르몬과 성장호르몬의 복합된 결핍이 존재할 때 더 심하게 나타나며, 단독으로 성장호르몬의 결핍이 존재할 때는 저혈당의 증상이 나타나지 않거나 가볍게 나타난다. 저혈당 또는 고빌리루빈혈증이 존재하지 않을 경우 이 질환에 대하여 인식을 못하므로 생후 초기부터 정확한 예측을 하지 못하며 이미 현저히 작아졌을 때에 비로소 발견을 하는 수가 많다.

3) 성장호르몬결핍증의 진단

자세한 병력청취와 이학적 검사소견에 의하여 의심할 수 있으며 과거 성장속도의 주기적인 측정이 도움이 된다. 정상적인 성장을 나타내는 아이의 약 30–50%까지도 성장호르몬자극검사에 대한 반응이 성장호르몬결핍증에서 보이는 범위까지 저하될 수 있으므로 확진을 위한 검사를 하기 전에 성장호르몬결핍증을 의심할 수 있는 임상증상과 성장속도에 대한 평가가 더 우선되어야 한다.

성장호르몬유발검사에는 생리학적 검사와 약물자극검사가 있다. 생리학검사는 수면 후, 운동 후의 성장호르몬 농도 측정과 24시간 동안의 성장호르몬의 농도측정법 등이 있다. 수면 시 뇌파상 제3 및 4기 수면상태에서의 농도 측정이 매우 신빙성 있게 성장호르몬 분비와 관계가 있으므로 성장호르몬결핍증에서 훌륭한 선별검사법이다. 격렬한 운동 후의 정상 성장호르몬반응을 보였다고 성장호르몬결핍증의 진단을 배제할 수는 없다. 정상인의 70%만이 이 자극에 반응을 하며 또 낮은 반응을 보인다고 해도 성장호르몬결핍증 진단을 확실하게 내릴 수 없다.

약물검사에는 레보도파, 클로니딘, 글루카곤, 아지닌, 인슐린, 성장호르몬방출호르몬을 사용한다. 이들 중 어느 방법

도 단독으로 시행하여 확실한 진단을 내릴 수 없고 2개 이상의 성장호르몬유발검사에서 반응이 없는 경우가 진단에 필수적이다. 일반적으로 이들 유발검사 중 2가지 이상의 검사에서 성장호르몬 최고치가 10 ng/mL 미만으로 나타나면 성장호르몬결핍증으로 진단한다. 과거기준에서는 성장호르몬의 반응이 5 ng/mL 이하일 때는 성장호르몬 완전결핍, 5–10 ng/mL일 경우를 성장호르몬 부분결핍으로 분류하기도 하였다. 그러나 이러한 성장호르몬유발검사가 임상에서 가장 일반적으로 이용되는 검사이기는 하나 성장호르몬 농도가 측정방법에 따라 다르고 재현성이 떨어지기 때문에 성장호르몬결핍증의 진단상에 기여도는 확실치 않다. 이는 성장호르몬유발검사로 성장호르몬결핍증으로 진단된 일부 환자에서 후에 다시 유발검사를 실시할 경우 정상 성장호르몬 반응을 관찰할 수 있기 때문이다. 이와 같은 문제로 생리적인 성장호르몬 농도 측정이 성장호르몬결핍증 진단에 도움이 되는데 12–24시간 동안 20–30분 간격으로 성장호르몬 농도를 측정하는 방법으로 성장호르몬자극검사에서 정상적인 반응을 보인 경우에도 이 검사를 시행하면 성장호르몬 분비상태가 정상 이하로 나오는 경우가 있다(neurosecretory dysfunction). 이 방법은 재현성은 자극검사에 비해 높으나 시간, 경제성, 편이성 등에 문제가 있어서 많이 사용하지 않는다. 소변에서 성장호르몬 농도를 측정하는 방법이 있으나 특이도 및 예민도가 낮고 연령과 성별에 따른 적절한 표준치가 없어서 더 많은 연구가 진행되어야 한다.

혈청IGF–1 농도는 성장호르몬결핍증이 있을 경우 감소하나, 연령의존적이고 영양상태, 전신질환상태에 따라 혈중 농도의 변화가 심하여 성장호르몬결핍증의 선별검사에서 진단가치가 낮다. 뼈나이는 왼쪽 손목과 손의 방사선촬영으로 측정하는데 성장호르몬 결핍 시 실제나이보다 지연된다. 뇌자기공명영상은 뇌하수체와 터키안 주위의 크기와 구조를 평가하는 가장 좋은 방법으로 성장호르몬결핍증으로 진단된 모든 아이에서 시행해야 한다.

5. 성장호르몬 치료

성장호르몬은 작용에 있어서 높은 종 특이성을 가지고 있다. 성장호르몬결핍증의 치료를 위해서 처음에는 인간 사체의 뇌하수체에서 추출한 성장호르몬을 1950년대 후반부터 사용하였고, 그 이후 25년이 넘는 동안 27,000명의 성장호르몬 결핍 소아에서 이러한 치료가 시행되다가 1985년 사체에서 추출한 성장호르몬 치료를 받던 환자에서 크로이츠펠트-야코프병(Creutzfeldt-Jakob disease)이 발생된 것이 확인되어 사체의 성장호르몬제제 사용을 법적으로 금지하게 되었다.

다행히도 뇌하수체추출성장호르몬의 위험성이 발견된 이 시기에 유전자재조합에 의한 성장호르몬의 안전성 및 효용성이 광범위하게 연구되고 있었다. 초기형태의 재조합인 성장호르몬(recombinant human growth hormone, rhGH)에는 아미노말단의 methionine을 함유하고 있었으며 이것은 전사의 시작신호로 사용되기 위하여 첨가되었는데, 이러한 합성물은 순수한 성장호르몬제제가 아니기 때문에 불순물로 인한 항체가 형성되는 경우가 많아 그 다음 세대의 rhGH에는 methionine기가 첨가되지 않은 성장호르몬이 사용되고 있다.

현재까지 소아에서 성장호르몬결핍증, 터너증후군, 이식 전 만성신부전증, 따라잡기성장을 하지 못한 부당경량아, 프라더-빌리증후군, 누난증후군, 특발성저신장 소아 등이 의학적 적응증으로 성장호르몬 치료가 사용되고 있다. 국내에서는 성장호르몬결핍증, 터너증후군, 만성신부전증, 따라잡기성장을 하지 못한 부당경량아, 프라더-빌리증후군, 누난증후군이 보험적용에 해당되는 질환들이다.

1) 성장호르몬결핍증
성장호르몬결핍증에서 추천되는 성장호르몬의 용량은 0.025–0.05 mg/kg/일(0.18–0.3 mg/kg/주) 용량으로 1주일에 6–7일, 저녁에 투여하며 성별, 연령별 정상적인 IGF–1 농도를 유지하도록 한다. 일반적으로 치료 첫 2년 동안 성장속도는 용량반응관계(dose–response relationship)양상을 보인다. 이러한 치료로 전형적인 성장호르몬결핍 소아에서는 치료 전 4 cm/년 미만의 성장속도가 치료 1년간 10–12 cm/년으로 증가하며 치료 2–3년간은 7–9 cm/년으로 증가하게 된다. 이러한 성장호르몬 치료 효과가 시간이 지남에 따른 지속적인 감소양상은 일반적으로 잘 관찰되지만 아직 그 이유는 잘 알려져 있지 않다. 그러나 이러한 효과의 감소는 성장호르몬의 용량을 증가시킴으로써 부분적으로는 해결될 수 있다.

성장호르몬결핍증이 범뇌하수체기능저하증의 일부분일 경우 다른 뇌하수체호르몬 투여에 대한 몇 가지 주의가 필요하다. TSH결핍증이 있음에도 불구하고 갑상선호르몬의 투여가 이루어지지 않을 경우 성장호르몬의 성장 작용이 충분히 이루어지지 못한다. 또 성장호르몬 치료 도중 성장호르몬에 의하여 시상하부에서 성장호르몬억제인자의 분비 증가로 뇌하수체에서 TSH 분비 억제로 갑상선기능의 저하가 올 수 있으므로 성장호르몬 치료 전과 치료 후 3개월 동안에는 갑상선기능의 검사가 필요하다. 비록 처음에는 정상으로 나타나더라도 갑상선기능은 주기적으로 검사되어야 한다. 뇌하수체-부신축은 성장호르몬결핍증의 인슐린자극검사 시에 같이 검사한다. 만약 ACTH의 분비가 손상되어 있다면 낮은 유지용량의 스테로이드 즉 10 mg/m^2/일의 하이드로코티손이 투여되어야 한다. 그러나 실제로 필요한 용량보다 많은 용량의 부신피질호르몬이 투여될 경우 성장 억제 효과가 있을 수 있으므로 세심한 주의를 요한다. 요붕증이 존재할 경우 다뇨가 있고 탈수현상이 있으므로 성장장애를 유발시킬 수 있다. 따라서 적절한 항이뇨호르몬의 보충요법이 필요하다.

성선기능장애가 동반될 경우 성호르몬의 투여시기는 신중하게 생각해야 한다. 성호르몬의 투여는 뼈끝(epiphysis)의 융합을 촉진시키므로 만일 조기에 성호르몬을 투여할 경우 성장호르몬에 대한 반응시기를 단축시킬 수 있다. 따라서 사춘기시기에 있는 뇌하수체기능저하증 환자들에서 사춘기의 인위적 유발을 언제 시킬지에 대하여는 의사뿐 아니라 환자 및 보호자들과 같이 상의하여 결정하여야 한다.

성장호르몬에 대한 임상반응이 부적절한 경우에는 투여를 잘 받지 않은 경우, 잘못된 투여방법, 무증상의 갑상선기능 저하증, 만성질환, 스테로이드 치료, 척추방사선조사의 과거 력, 뼈끝폐쇄, 성장호르몬항체 형성과 성장호르몬결핍증 진 단의 오류 등의 가능성을 생각해야 한다. 성장호르몬을 투 여하는 환아의 10–20%에서 성장호르몬의 항체가 발견될 수는 있으나 그러한 항체에 의한 성장부전은 극히 드물게 발생한다. 성장호르몬에 대한 최대의 효과를 얻기 위해서는 조기진단과 치료 그리고 제대로 투여되는지에 대한 관심과 정신적인 지지가 중요하다. 특히 성장호르몬결핍증의 조기 진단과 치료는 성장속도와 최종 성인키의 증가와 관계가 깊 다. 또한 성장호르몬 치료는 어린 나이에 시작할수록 치료 효과가 커서 성장호르몬 치료로 사춘기시작 전에 키를 키워 주는 것이 중요하다. 사춘기시작 전에 키가 충분히 크지 못 한 경우에는 성장호르몬 용량을 증가시키거나 사춘기억제 제와 병합 치료를 고려할 수 있다.

2) 터너증후군

터너증후군에서 저신장은 거의 모든 환자에서 나타나며 성 장호르몬 치료를 받지 않는 경우 한국 성인신장치는 평균 143 cm이며 성장호르몬 치료 후 성인신장은 152 cm 정도 로 보고되고 있다. 국내 보험에서는 2세 이후부터 성장호르 몬을 인정하고 있으며 미국 FDA에서 공인된 성장호르몬 주사량은 0.375 mg/kg/주이다. 성장호르몬 치료 시작시기 에 키가 클 경우, 부모 신장이 클수록, 치료시작 연령이 어릴 수록, 장기간 치료 및 성장호르몬 치료용량이 많을수록 성 장효과가 좋다고 알려져 있다.

터너증후군 진단이 늦어져서 성장호르몬 단독사용만으로 는 성인키에 대한 결과가 만족스럽지 않을 경우 최종 성인키 를 증가시키기 위하여 10세 이상에서 oxandrolone

(0.03–0.04 mg/kg/일)의 병합투여를 고려할 수 있으나 남 성화 등의 부작용이 발생할 수 있으므로 주의를 요한다. 사 춘기 전에 성인키를 증가시키기 위하여 소량의 에스트로젠 (100 ng/kg/일)을 성장호르몬과 병합투여하는 방법은 추 천하지 않는다. 터너증후군에서 자가면역질환의 발생빈도 가 증가하므로 자가면역갑상선질환이 발생할 수 있고, 이 경우 갑상선기능이 감소될 경우 성장호르몬 치료의 효과가 감소할 수 있으므로 정기적인 갑상선기능검사가 필요하다. 성장호르몬 치료를 받은 터너증후군에서는 고관절탈구, 뇌 압상승, 척추측만증의 발생 및 악화, 당대사이상에 대한 위 험도가 증가하므로 이에 대한 추적관찰이 필요하다.

3) 만성신부전(Chronic renal failure)

만성신부전을 가진 소아에서 여러 가지 대사이상으로 성장 장애가 초래되며, 성공리에 신장이식이 이루어졌다 하더라 도 따라잡기성장이 오지 않는 것으로 알려져 있다. 성장장 애의 주된 원인은 성장호르몬의 농도는 거의 정상이나 성장 호르몬결합단백질의 감소로 성장작용이 적게 일어나며 또 한 IGF–1의 작용도 감소되어 나타난다. 성장장애가 6개월 이상 지속될 경우 성장호르몬 치료를 시작하며 신장이식 수술 시까지 계속하는 것이 좋으며 신장이식수술 후에도 따 라잡기성장이 이루어지지 않는 경우가 75%에서 나타날 수 있으며 이러한 경우에는 이식수술 1년 후에 성장호르몬 치 료를 시작한다.

성장호르몬 용량은 0.045–0.05 mg/kg/일로 투여하며 치 료 첫 1년 동안의 성장속도가 성장효과 판정에 가장 중요한 예측인자이며 최종 성인키에 도달하거나 신장이식 때까지 치료한다. 성장호르몬 치료를 2–5년 치료 후 성인 신장은 7.2 cm 정도 증가한다고 보고되고 있다.

그러나 동물실험에서 성장호르몬 투여에 따른 사구체여과 율의 증가, 사구체경화증의 증가가 초래될 수 있다는 보고 도 있어 주의 관찰이 필요하다. 뇌압상승, 당불내성발생에 주의가 필요하며 성장호르몬이 부갑상선에 직접적인 자극

효과와 칼슘과 인의 항상성에 대한 미세한 효과로 심한 이차부갑상선증(부갑상선호르몬 > 500 ng/mL)이 발생할 수 있는데 이 경우에는 성장호르몬 치료를 중단하고 부갑상선호르몬수치가 목표 수치로 떨어지면 다시 시작한다.

4) 부당경량아(Small for gestational age, SGA)

부당경량아 소아 중 80–90%에서는 생후 2–3세까지 따라잡기성장을 하여 자기 나이 또래 아이들과 비슷한 체중 및 키를 가지나 따라잡기성장을 못한 10–20%의 소아들은 신장이 –2 표준편차 이하의 저신장상태가 된다. 이러한 아이들의 일부는 성장호르몬결핍증이 함께 동반되기도 한다. 따라잡기를 못한 부당경량아에서 성장호르몬 치료의 목적은 따라잡기성장을 유도하여 최종 성인신장을 증가시키는 것이다. 성장호르몬 치료 시작시기는 미국에서는 2세, 유럽에서는 4세이고 우리나라에서는 2014년 8월부터 부당경량아에서 만 4세 이후에도 신장이 3백분위수 이하인 소아에서 성장호르몬 치료가 보험 적용이 되고 있다.

성장호르몬 치료의 용량은 0.375 mg/kg/주로 치료를 하나 따라잡기성장이 안 되는 경우 0.48 mg/kg/주로 증가시킨다. 성장호르몬 치료에 대한 효과는 치료용량 및 시작시기와 연관이 높은데 일반적으로 치료를 일찍 시작할수록, 고용량을 사용할수록 치료 효과가 큰 것으로 알려져 있다. 성장호르몬 치료 2–3년 후에 성장호르몬 치료를 중단하면 성장속도가 감소되는 현상(catch down 현상)이 나타날 수 있으므로 성장호르몬 치료를 간헐적으로 하기보다는 지속적으로 하는 것이 좋다. 성장호르몬 치료를 하는 다른 질환보다 부당경량아에서 성장호르몬 부작용이 더 많지는 않다. 당대사에 대한 성장호르몬의 효과는 경하고 일시적이나 비만, 당뇨의 가족력이 있는 경우에는 당화혈색소나 혈당의 모니터링이 필요하다. 부당경량아에서 성장호르몬 치료가 고혈압, 심혈관질환, 2형당뇨병과 같은 대사증후군을 완화시키는지, 위험도를 증가시키는지에 대해서는 알려져 있지 않다.

5) 특발성저신장(Idiopathic short stature)

2003년 미국FDA에서 신장 표준편차가 –2.25 미만(1.2 백분위수)이면서 최종 성인키가 작을 것으로는 예상되는 경우에 성장호르몬 사용이 처음 승인되었다. 2016년 Pediatirc Endocrine Society에서 발표한 최신 가이드라인에서는 신장이 –2.25 표준편차 이하의 소아에서 성장호르몬 치료는 신체적, 심리적인 면과 치료에 대한 이득과 위험적인 면을 고려하여 사례별로 평가하여야 한다고 하였다. 특발성저신장에서 성장호르몬 치료에 대한 반응이 매우 다르며 치료 후 첫 1년 동안 치료반응과 장기간 치료반응에 대한 예측모델이 치료에 도움을 준다. 치료용량은 0.24 mg/kg/주로 시작하고 0.47 mg/kg/주까지 증량할 수 있다.

성장호르몬 치료를 시작하는 적절한 나이는 5세부터 사춘기 초기이며 성장호르몬 치료가 반응이 있다는 것은 치료 첫 1년 동안 신장표준편차점수가 0.3–0.5 이상 증가하는 것을 의미한다. 성장호르몬 치료로 인한 성인신장은 평균 4–7년 치료한 경우 3.5–7.5 cm 증가한다. 치료시작 시 나이가 어릴수록, 체중이 많을수록, 성장호르몬 용량이 높을수록 표적키에 비하여 적을수록 성장호르몬 치료의 반응이 좋다고 알려져 있다.

IGF–1 측정이 치료에 대한 효과, 안정성, 적응도를 평가하는 데 도움을 줄 수 있으며 IGF–1 농도가 2.5 표준편차 이상(> 2.5 SDS)인 경우에는 성장호르몬 용량을 줄이는 것을 고려하여야 한다. 성장호르몬 치료에 대한 안정성은 다른 성장호르몬 치료의 적응질환과 유사하다.

특히 특발성저신장 소아 중 일부에서 성장호르몬신경분비결손(neurosecretory dysfunction), 부분적 성장호르몬결핍증, IGF–1부분적 결핍증과 *SHOX*유전자돌연변이 등 원인이 다양할 수 있으므로 성장호르몬결핍증의 진단기준에 맞지 않는다고 해서 저신장증을 가진 소아에서 성장호르몬 치료의 부적절성을 주장하는 것도 타당하지는 않다고 생각된다. 실제로 이들 소아에서 성장호르몬의 투여로 성장

06 발달과 성장

지표의 호전이 관찰되는 예가 많으며 이들에서 성장호르몬의 투여로 성장지표의 호전과 예측 성인키의 호전이 관찰되었다는 보고들이 많이 발표되고 있다.

6) 프라더-빌리증후군(Prader-Willi syndrome)

성장호르몬 분비와 IGF-1이 낮은 상태로, 85% 이상이 성장호르몬결핍증상태를 나타낸다. 출생 시 신장은 정상이나 2-3세 이후부터 성장속도가 급격히 감소되어 성인신장은 -2 표준편차 이하가 된다. 사춘기 때 성선저하로 사춘기 급성장이 없어서 성인신장이 남자 155 cm, 여자는 148 cm 정도이다. 성장호르몬 치료로 신장이 증가하는 것 외에 체지방량 감소와 근육량이 증가되며 지질수치가 감소되고, 인지기능이나 행동장애가 좋아지게 된다. 이러한 성장호르몬의 효과 때문에 치료시작은 일찍 하는 것이 좋은데 우리나라에서는 2세 이상부터 성장호르몬치료가 보험적용이 되고 있으나 4-6개월 때 치료를 추천한다. 2000년 미국FDA와 2001년 유럽에서 성장장애와 저신장이 있는 프라더-빌리증후군 소아에서 성장호르몬 치료를 승인하였다. 추천용량은 0.18-0.3 mg/kg/주로 치료하며 치료 동안 IGF-1 농도가 높아지면 림프과형성으로 폐쇄수면무호흡이 발생하고 암 위험도가 증가할 수 있기 때문에 IGF-1 농도를 주기적으로 평가하여 최대 +2 표준편차점수 미만으로 유지한다. 성장호르몬 치료와 척추측만증 발생과 악화와는 뚜렷한 연관성은 없다고 하지만 주의깊게 관찰하여야 한다. 성장호르몬 치료 동안 인슐린이 증가하므로 혈당과 당화혈색소를 측정해야 한다. 유전원인에 따라 성장호르몬 용량이 달라지지 않으며 치료 효과에는 거의 차이가 없다. 성장호르몬 치료로 성장속도의 증가가 관찰되었다는 보고가 많으나 아직 최종 성인키에 대한 효과에는 알려진 바 없다. 심한 비만조절이 되지 않는 당뇨, 치료받지 않은 심한 폐쇄수면무호흡, 종양이 있는 경우, 정신병(psychosis)이 있는 경우에는 성장호르몬 치료는 금기이다.

성장호르몬 치료와 함께 식이요법, 생활방식의 개입이 함께 이루어져야 한다.

7) 누난증후군

누난증후군에서 저신장은 성장호르몬결핍증, 신경분비장애, 성장호르몬저항성 등이 관여한다. FDA에서 공인된 성장호르몬 주사량은 0.462 mg/kg/주이며 남아에서 9.9 cm, 여아에서 9.1 cm 신장치가 예상보다 증가된다. 성장호르몬 치료는 어린 연령, 치료기간이 길고, 사춘기 당시에 키가 클수록 성장호르몬에 반응이 좋다. 성장호르몬 치료로 비후성심근비대, 대사장애, 종양발생에 대한 부작용과 의미 있는 연관성은 보고되지 않으나 지속적인 추적관찰이 필요하다.

8) 골연골이형성증(Osteochondrodysplasia)

장기간 성장호르몬 치료에 대한 자료가 부족하나 성장호르몬 치료 첫 1년 동안 성장속도가 2-3 cm 증가하며 5년간 성장호르몬 치료 후 1 표준편차점수 정도 신장이 증가한다고 보고되었다. 성장속도의 최대의 반응은 치료 후 첫 1년에 나타나고 2년째와 3년째도 약간의 성장속도의 증가가 관찰되었으나 효과면에서는 연구자마다 차이가 있다.

6. 성장호르몬의 부작용

현재 사용되고 있는 유전자재조합 성장호르몬 치료가 다양한 질환에 사용됨에 따라 치료 효과뿐 아니라 부작용에 대해서도 주의 깊게 관찰하여야 한다. 성장호르몬 치료 후 장기적인 안정성에 대해서는 대규모의 종적인 관찰연구들의 보고가 많다.

1) 백혈병

성장호르몬 치료의 부작용으로서의 백혈병의 발생은 1988년 일본에서 5례가 처음으로 보고된 이래 성장호르몬 치료 중 백혈병이 발생한 경우가 30례 이상 발표되었다.

성장호르몬의 투여가 백혈병 발생의 원인인자로서의 역할에 대해서는 확실히 증명할 수 있는 방법은 없으나 과거에 백혈병이나 림프종이 있었던 경우, 방사선조사의 과거력,

Bloom증후군, Fanconi빈혈, 다운증후군 환자에서는 성장호르몬 치료 후 백혈병발생의 위험군으로 더욱 주의가 요망된다.

2) 중추신경계종양의 재발

중추신경계종양에 의해 또는 치료에 의해 성장호르몬결핍증이 생기게 되고 이들에게 성장호르몬 투여를 하는 경우 종양의 재발 가능성을 항상 염두에 두어야 한다. 성장호르몬 치료를 받기 전에 중추신경계종양으로 치료를 받았던 1,300명의 미국의 소아에 대한 광범위한 연구에서는 위험성이 증가하지 않는 것으로 보고되었고 유럽에서의 연구에서도 비슷한 결론을 얻었다. 그러나 중추신경계 종양 치료 후에 성장호르몬 치료로 인한 종양의 재발위험성이 있기 때문에 성장호르몬 치료 시 일정기간 종양의 재발에 대한 관찰 기간이 필요하다.

3) 가성뇌종양(Pseudotumor cerebri)

성장호르몬의 작용기전은 잘 모르지만 아마도 중추신경계 내의 유체역학에 관여하지 않을까 생각된다. 두통, 오심, 현기증, 실조, 시야 변화가 있을 때에는 가능성을 생각하여야 한다.

4) 대퇴골두뼈끝분리증(Slipped capital femoral epiphysis, SCFE)

갑상선기능저하증, 성선저하증, 성장호르몬결핍증, 성장호르몬 치료 자체가 대퇴골두뼈끝분리증 위험도에 관여한다. 성장호르몬 치료는 뼈끝의 증식성, 비후성영역을 증가시키는데 특히 뼈끝의 취약한 부분이 커지기 때문에 대퇴골두뼈끝분리증의 위험도를 증가시킨다. 성장호르몬 치료 후 고관절이나 슬관절의 통증, 다리절음 등의 증세가 있는 경우는 SCFE의 가능성에 대해 검사해 보는 것이 필요할 것이다.

5) 갑상선기능저하증

성장호르몬을 투여하면 성장호르몬억제인자의 분비가 증가하고 이 호르몬이 갑상선자극호르몬방출호르몬에 대한 갑상선자극호르몬반응을 감소시킬 수 있으므로 갑상선기능이 감소할 수 있다. 그러나 임상적으로 문제가 되는 경우는 없으며 만일 갑상선기능의 감소가 있다 하더라도 이는 원래 시상하부, 뇌하수체질환으로 인하여 늦게 발현되는 갑상선기능저하증일 가능성이 많다.

6) 고혈당 및 당뇨병

성장호르몬은 저혈당에 대한 길항호르몬으로 저혈당이 발생할 경우 혈당을 상승시키는 호르몬으로 알려져 있다. 성장호르몬 치료로 인하여 공복혈당과 식후혈당의 상승이 관찰되었으나 당뇨병으로 진단될 수준의 고혈당은 아니었으며 당화혈색소의 의미있는 상승은 관찰되지 않았다. 그러나 당뇨병의 가족력이 있거나, 당뇨병의 위험인자가 있는 경우, 프라더-빌리증후군에서 당뇨병으로 진행될 가능성이 있으므로 주의 깊은 관찰과 함께 정기적인 혈당검사가 이루어져야 한다.

7) 기타 부작용

일반적으로 흔히 발생하는 것으로 주사부위에 통증, 주사 후에 발적 등이 발생할 수 있고, 전신이 부을 수 있다. 이런 부작용이 있더라도 저절로 소실되므로 성장호르몬의 투여를 중단할 필요는 없다.

사춘기 전 유방비대, 모반의 크기 증가, 행동의 변화, 척추측만증의 진행, 신경섬유종증의 악화, 편도선과 아데노이드 비대, 수면무호흡 등이며 이외에도 성장호르몬과 같은 펩타이드호르몬은 다양한 대사작용과 합성대사작용을 가진 mitogen으로서의 역할을 하므로 성장호르몬을 투여받는 모든 환자는 부작용에 대한 세심한 관찰과 주의가 필요할 것이다.

7. 고신장증(Tall stature)

고신장증은 같은 연령, 같은 성의 평균신장보다 키가 +2 표준편차(또는 97백분위 수) 이상일 경우로 정의한다.

1) 고신장의 원인

(1) 가족성(체질성)고신장

고신장의 가장 흔한 원인으로 고신장의 가족력이 있으며 부모의 키가 큰 경우 발생한다. 일반적으로 소아기부터 서서히, 그러나 정상적인 성장속도를 유지하면서 성장이 이루어지며 사춘기도 늦게 발현하는 경우가 많으며 또한 성장판도 늦게 닫히는 경향이 있다. 기초적인 호르몬검사상 정상범위에 있으며 특히 성장호르몬 과분비에 의한 거인증과 감별을 요할 경우가 있다.

(2) 마르팡증후군(Marfan syndrome)

보통염색체우성유전의 결체조직질환으로 fibrillin유전자 돌연변이에 의하여 발생하는질환이다. 이 질환은 골격, 눈과 순환계의 기형을 나타내며 사지는 가늘고 긴 뼈가 특히 길어져 거미손가락(arachynodactyly)을 나타낸다. 근육은 이완되어 있고 관절의 신전(hyperflexion)이 심하다. 눈의 수정체가 전위(dislocation)되며 근시가 발생한다. 대동맥이 선천적으로 약하여 대동맥 확대, 박리성동맥류 등이 발생할 수 있어 주기적인 심장초음파검사가 필요하다.

키가 정상 이상으로 크므로 사춘기 초기부터, 필요하면 사춘기 전부터 성호르몬을 투여하여 성장판이 빨리 닫힐 수 있도록 시도하지만 실제적인 치료효과에 대하여는 아직 논란의 여지가 있다.

(3) 뇌성거인증(cerebral giantism, Sotos syndrome)

Nuclear receptor binding SET domain protein 1 (NSD1)유전자의 변이로 보고되며 출생체중은 정상이거나 약간 크다. 그러나 자라면서 성장속도가 평균보다 더 많이 증가하여 머리둘레, 키 등이 실제나이의 97백분위수 이상을 항상 유지한다. 영아기부터 운동발달장애가 나타나며 후에 언어발달과 지능발달장애를 나타낸다. 성장호르몬, IGF-1 및 다른 내분비검사는 일반적으로 정상이다. 비정상 뇌파가 흔하게 나타나고 간암종(hepatic carcinoma) 등

의 종양발생이 증가되기도 한다. 이 질환은 성장호르몬 과분비에 의한 거인증과 감별을 요한다.

(4) 성장호르몬 분비과다 및 뇌하수체거인증(pituitary gigantism)

성장호르몬 과다는 뼈끝이 열린 소아에서는 거인증, 뼈끝이 닫힌 성인에서는 말단비대증을 유발한다. 뇌하수체거인증은 소아에서는 드문 질환이고 뇌하수체선종(adenoma)이나 성장호르몬방출호르몬을 분비하는 시상하부 및 췌장종양에 의해 나타난다.

급격히 발현되며 성장호르몬 과다에 의한 길이성장이 가속화되고, 비정상적인 성장이 대부분 사춘기에 뚜렷해지고 두개골 둘레가 증가하고 코가 넓어지며 혀와 아래턱이 커지고 치아가 분산되어 거친 안면상을 나타내고 손가락, 발가락이 커지고 두터워진다. 성장호르몬 농도가 증가하여 100 ng/mL 이상을 보일 수 있고 IGF-1, IGFBP-3 농도가 상승되어 있다.

2) 고신장의 진단

먼저 가족성 고신장과 병적인 상태를 감별하여야 한다. 가족성 고신장인 경우에는 고신장의 가족력이 있고 신체검사에서 모두 정상인 경우이다. 병적인 경우에는 뇌질환, 성장호르몬 과다, 염색체이상 등의 확인이 필요하다. 성장호르몬과다인지를 진단하기 위해서는 선별검사로서 혈청IGF-1 및 IGFBP-3 농도를 측정하고 확진검사로 당억제검사(glucose suppression test)를 시행한다. 당억제검사는 1.75 g/kg(최대 75 g)의 경구당부하후 혈장성장호르몬 농도가 5 ng/mL 이하로 억제되지 않으면 성장호르몬 과다로 진단한다. 성장호르몬 과다가 확진되면 뇌하수체자기공명영상검사가 필요하다.

3) 고신장의 치료

예측 성인키가 3표준편차(한국남자 190 cm, 여자 175 cm) 이상이며 중대한 정신·사회적장애가 있는 경우에 치료가 고

려된다. 치료는 성호르몬을 투여하여 사춘기 및 뼈끝 융합을 가속화시킨다. 여아에서는 경구에스트로젠제제를 투여하고(ethinyl estradiol 0.15–0.5 mg을 매일 또는 conjugated estrogen 7.5–10 mg을 매일 투여), 치료 중 질 출혈이 확인되면 cyclic progesterone을 추가한다. 남아에서는 testosterone enanthate 500 mg을 매 2주마다 6개월간 근육주사한다. 성호르몬 투여는 사춘기 후반에 시행하면 효과가 없으므로 사춘기 전 또는 초기에 시행하는데 뼈나이 기준으로 여아에서는 12세 이전 남아에서는 14세 이전에 시행되어야 한다.

성장호르몬 분비과다인 경우 치료의 목적은 종괴를 제거 또는 축소시켜 성장호르몬 분비 및 IGF–1, IGFBP–3 농도를 정상화시키는 것이다. 만약 성장호르몬 농도가 수술로 정상화되지 않으면 방사선조사와 약물치료를 시행할 수 있다. 약물치료는 지속성성장호르몬유사체(long acting somatostatin analogues, octreotide, lanreotide), 도파민촉진제(dopamine agonists; bromocriptine) 및 새로운 성장호르몬수용체대항제(GHR antagonist, pegvisomant)가 사용된다.

참 / 고 / 문 / 헌

I .

1. Bayley N, Pinneau SR. Tables for predicting adult height from skeletal age: revised for use with the Greulich-Pyle hand standards. J Pediatr 1952;40:423-41.

2. Greulich WW, Pyle SI. Radiographic Atlas of Skeletal Development of the Hand and Wrist. Standford: Stanford University Press; 1959.

3. Hwa V, Oh Y, Rosenfeld RG. The insulin-like growth factor-binding protein (IGFBP) superfamily. Endocr Rev 1999;20:761-87.

4. Karlberg J, Engstrom I, Karlberg P, Fryer JG. Analysis of liner growth using a mathematical model I: from birth to three years. Acta paediatr Scand 1987;76:478-88.

5. Karlberg J, Fryer JG, Engstrom I, Karlberg P. Analysis of liner growth using a mathematical model II: from 3 to 21 years of age. Acta paediatr Scand Suppl 1987;337:12-29.

6. Mehul D, Charles B. Brook's Clinical pediatric endocrinology. 7th ed. Oxford: Wiley; 2019.

7. Sperling M. Pediatric Endocrinology. 5th ed. Philadelphia: Elsevier; 2020.

8. Tanner JM, Davies PS. Clinical longitudinal standards for height and height velocity for North American children. J Pediatr 1985;107:317-29.

9. Tanner JM, Whitehouse RH, Takaishi M. Standards from birth to maturity for height, weight, height velocity, and weight velocity in british children. Arch Dis Child 1966;41:613-35.

10. Unrath M, Thodberg HH, Schweizer R, Ranke MB, Binder G, Martin DD. Automation of bone age reading and a new prediction model improve adult height prediction in children with short stature. Horm Res Paediatr 2012;78:312-9.

II .

1. Ahn JM, Suh JH, Kwon AR, Chae HW, Kim HS. Final adult height after growth hormone treatment in patients with Turner syndrome. Horm Res Paediatr 2019;91:373-9.

2. Clayton PE, Cianfarani S, Czernichow P, Johansson G, Rapaport R, Rogol A. Management of the child born small for gestational age through to adulthood: a consensus statement of the International Societies of Pediatric Endocrinology and the Growth Hormone Research Sociaty. J Clin Endocrinol Metab 2007;92:804-10.

3. Cohen P, Rogol AD, Deal CL, Saenger P, Reiter EO, Ross JL, et al. Consensus statement on the diagnosis and treatment of children with Idiopathic Short Stature: a summary of the Growth Hormone Research Society, the Lawson Wilkins Pediatric Endocrine Society, and the European Society for Paediatric Endocrinology Workshop. J Clin Endocrinol Metab 2008;93:4210-7.

4. Collett-Solberg PF, Ambler G, Backeljauw PF, Bidlingmaier M, Biller BMK, Boguszewski MCS, et al. Diagnosis, genetics, and therapy of short stature in children: A Growth Hormone Research Society International Perspective. Horm Res Paediatr 2019;92:1-14.

5. Collett-Solberg PF, Ambler G, Backeljauw PF, Bidlingmaier M, Biller BMK, Boguszewski MCS, et al. Diagnosis, genetics, and therapy of Short Stature in children: A Growth Hormone Research Society International Perspective. Horm Res Paediatr 2019;92:1-14.

6. Deal CL, Tony M, Höybye C, Allen DB, Tauber M, Christiansen JS, et al. Growth Hormone Research Society workshop summary: consensus guidelines for recombinant human growth hormone therapy in Prader-Willi syndrome. J Clin Endocrinol Metab 2013;98:E1072-87.

7. Drake WM, Howell SJ, Monson JP, Shalet SM. Optimizing GH therapy in adults and children. Endocr Rev 2001;22:425-50.

06
발달과 성장

8. Drube J, Wan M, Bonthuis M, Wühl E, Bacchetta J, Santos F, et al. Clinical practice recommendations for growth hormone treatment in children with chronic kidney disease. Nat Rev Nephrol 2019;15:577-89.

9. Fjellestad-Paulsen A, Simon D, Czernichow P. Short children small for gestational age and treated with growth hormone for three years have an important catch-down five years after discontinuation of treatment. J Clin Endocrinol Metab 2004;89:1234-9.

10. GH Research Society. Consensus guidelines for the diagnosis and treatment of growth hormone (GH) deficiency in childhood and adolescence summary statement of the GH Research Society. J Clin Endocrinol Metab 2000;85:3990-3.

11. Gravholt CH, Andersen NH, Conway GS, Dekkers OM, Geffner ME, Klein KO, et al. Clinical practice guidelines for the care of girls and women with Turner syndrome: proceedings from the 2016 Cincinnati International Turner Syndrome Meeting. Eur J Endocrinol 2017;177:G1-70.

12. Hwang IT. Long-term care, from neonatal period to adulthood, of children born small for gestational age. Clin Pediatr Endocrinol 2019;28:97-103.

13. Hyun SE, Lee BC, Suh BK, Chung SC, Ko CW, Kim HS, et al. Reference values for serum levels of insulin-like growth factor-I and insulin-like growth factor binding protein-3 in Korean children and adolescents. Clin Biochem 2012;45:16-21.

14. Inzaghi E, Reiter E, Cianfarani S. The challenge of defining and investigating the causes of Idiopathic Short Stature and finding an effective therapy. Horm Res Paediatr 2019;92:71-83.

15. Jin DK. Endocrine problems in children with Prader-Willi syndrome: special review on associated genetic aspects and early growth hormone treatment. Korean J Pediatr 2012;55:224-31.

16. Jin DK. Systemic review of the clinical and genetic aspects of Prader-Willi syndrome. Korean J Pediatr 2011;54:55-63.

17. Jung MH, Suh BK, Ko CW, Lee KH, Jin DK, Yoo HW, et al. Efficacy and safety evaluation of human growth hormone therapy in patients with Idiopathic Short Stature in Korea-a randomised controlled trial. Eur Endocrinol 2020;16:54-9.

18. Kochar IS, Chugh R. Use of growth hormone treatment in skeletal dysplasia-a review. Pediatr Endocrinol Rev 2020;17:327-30.

19. Noonan JA, Kappelgaard AM. The efficacy and safety of growth hormone therapy in children with noonan syndrome: a review of the evidence. Horm Res Paediatr 2015;83:157-66.

20. Ranke MB, Lindberg A, KIGS International Board. Prediction models for short children born small for gestational age (SGA) covering the total growth phase. Analyses based on data from KIGS (Pfizer International Growth Database). BMC Med Inform Decis Mak 2011;11:38.

21. Ranke MB, Lindberg A. Observed and predicted total pubertal growth during treatment with growth hormone in adolescents with idiopathic growth hormone deficiency, Turner syndrome, short stature, born small for gestational age and idiopathic short stature: KIGS analysis and review. Horm Res Paediatr 2011;75:423-32.

22. Reiter EO, Rosenfeld RG. Normal and Aberrant growth. In: Kronenberg HM, Melmed S, Polonsky KS, Larsen PR eds. William's textbook of endocrinology. 11th ed. Philadelphia: Saunders; 2007. pp. 880-968.

23. Rhie YJ, Yoo JH, Choi JH, Chae HW, Kim JH, Chung S, et al. Long-term safety and effectiveness of growth hormone therapy in Korean children with growth disorders: 5-year results of LG Growth Study. PLoS One 2019;14:e0216927.

24. Rohree TR, Abuzzahab J, Backeljauw P, Birkegard AC, Blair J, Dahlgren J, et al. Long-term effectiveness and safety of childhood growth hormone treatment in Noonan syndrome. Horm Res Paediatr 2020;93:380-95.

25. Rosenfeld RG, Cohen P. Disorders of growth hormone and insulin-like growth factor secretion and action. In: Sperling MA eds. Sperling Pediatric Endocrinology. 3rd ed. Philadelphia: Elsevier; 2008. pp. 254-334.

26. Sas T, Mulder P, Hokken-Koelega A. Body composition, blood pressure, and lipid metabolism before and during long-term growth hormone (GH) treatment in children with short stature born small for gestational age either with or without GH deficiency. J Clin Endocrinol Metab 2000;85:3786-92.

27. Sävendahl L, Cooke R, Tidblad A, Beckers D, Butler G, Cianfarani S, et al. Long-term mortality after childhood growth hormone treatment: the SAGhE cohort study. Lancet Diabetes Endocrinol 2020;8:683-92.

28. Sävendahl L, Polak M, Backeljauw P, Blair JC, Miller BS, Rohrer TR, et al. Long-term safety of growth hormone treatment in childhood: two large observational studies: NordiNet IOS and ANSWER. J Clin Endocrinol Metab 2021;106:1728-41.

29. Seo GH, Yoo HW. Growth hormone therapy in patients with Noonan syndrome. Ann Pediatr Endocrinol Metab 2018;23:176-81.

30. Vimalachandra D, Craig JC, Cowell CT, Knight JF. Growth hormone treatment in children with chronic renal failure: a meta-analysis of randomized controlled trials. J Pediatr 2001;139:560-7.

정상 사춘기 및 사춘기이상질환

김호성 황진순

I. 정상 사춘기

김호성

사춘기는 소아에서 성인으로 이행되는 시기로 완전한 성적 성숙 및 수정능력을 갖추기 위해 성선 및 시상하부–뇌하수체–성선축의 기능이 활성화되는 시기이다. 따라서 사춘기시기를 통해 이차성징과 급성장이 발현되며, 수정능력이 갖추어지고 심리적으로도 많은 변화가 일어난다. 사춘기의 신체적, 정신적 변화는 일정한 순서에 의하여 일어나는 내분비 활동에 의하며 이는 10대의 새로운 현상은 아니고 태아 및 신생아시기에 있었던 내분비활동이 재개되어 일어난다.

사춘기시작연령과 사춘기발달의 진행속도는 과거보다 빨라지는 경향을 보여 흑인여성의 평균 월경시작연령은 12.2세, 백인여성은 12.9세, 우리나라 여성의 경우는 12.8세의 분포를 보인다. 이것은 사회경제 수준, 영양상태, 위생 및 보건수준의 향상에 기인하는 것으로 보이며, 그 외에도 만성적인 질환이나 체형, 인종, 유전요인에 의해 결정된다. 사회경제적 환경이 비슷하고 영양, 건강상태가 양호하다면 사춘기시작은 주로 유전요인에 의하여 좌우된다.

1. 사춘기의 신체변화

같은 연령이라도 키나 체중과 같은 신체 변화에는 차이가 있으므로 연령만으로 사춘기의 성숙을 평가할 수는 없다. 그러나 이차성징의 발달은 개인마다 정도의 차이와 시간의 차이는 있지만 개인 간의 비슷한 변화를 관찰할 수 있고 신체적 발달과도 잘 일치한다. 따라서 이차성징의 발달정도를 평가하는 것은 신체적 성장뿐만 아니라 사춘기시기에 관련된 질병을 찾는 데에도 유용하게 사용될 수 있다. 남성의 사춘기는 10–13.5세 사이에 고환의 크기가 커지는 것으로 시작된다. 고환이 커진 후 6–8개월이 지나면 음경의 크기가 커지며 음모가 발달된다. 일반적으로 이 기간은 6개월이 걸리나 때로는 18개월 정도로 오래 걸릴 수도 있다. 여성의 사춘기는 8세–13세경에 유방이 돌출되는 것으로 시작되며 대음순을 따라 음모발달이 뒤따른다. 대부분의 여성은 유방 발육개시(thelarche)와 음모발현(pubarche)이 동시에 나타나지만 우리나라의 소아는 서양의 소아보다 음모발현이 늦는 경우가 많다. 월경은 사춘기가 시작되고 2년 내지 2.5년 사이에 키가 급성장한 후 나타난다. 키가 커지는 시기는 여성에서는 성성숙도(sexual maturity rating) 2–3단계, 남성은 3–4단계에서 시작되며, 여성은 성성숙도 3–4단계시기, 남성은 성성숙도 4단계시기에 최고점(peak height velocity)에 이른다. 남성과 여성의 사춘기 변화과정은 그림 6-3-1에서 볼 수 있다. 이차성징의 성숙정도(성성숙도)는 객

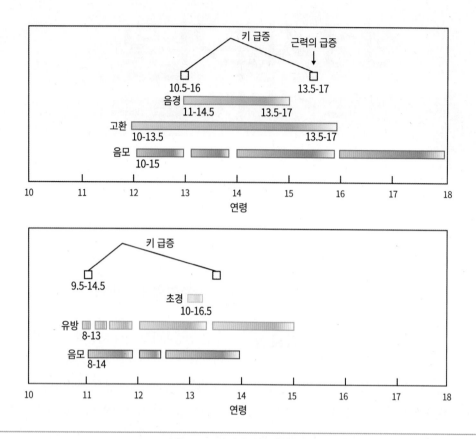

그림 6-3-1. **남녀의 사춘기발달과정**

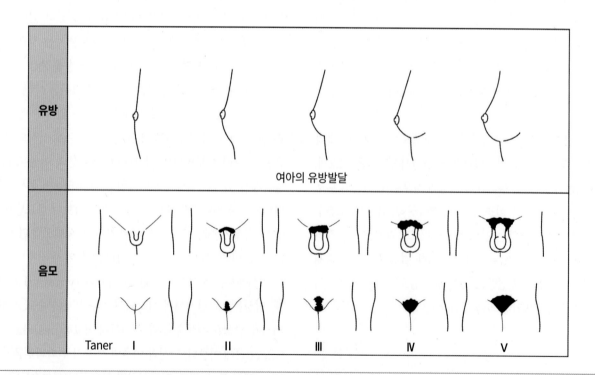

그림 6-3-2. **사춘기 성성숙도**

표 6-3-1. 성성숙도단계(Sexual maturity ratings)

단계	유방		음모
1	사춘기 전: 오직 유두만 융기		사춘기 전: 음모가 없다
2	Breast bud stage: 유방과 유두가 약간 불어 나온다.		음순 주위에 길고 대부분 곧은 솜털이 나온다.
3	유방과 유륜이 더 커지나 이중융기를 만들지는 않는다.		털이 많아지고 짙어지며 곱슬곱슬해진다.
4	유륜과 유두가 튀어나와 이중융기(double contour)를 만든다.		성인형이나 범위가 좁다.
5	유방이 더 커지며, 융기됐던 유륜이 유방과 동일선상으로 후퇴하며 single contour를 이루며, 유두만이 튀어나온다.		종인과 동일한 양과 분포를 보임(역삼각형) 범위도 대퇴 내측까지 퍼진다.
단계	고환	음경	음모
1	변화 없다.	사춘기 전	없다.
2	커진다. 음낭 착색	약간 커지거나 그대로	음경기부에 긴 솜털이 나온다.
3	더 커진다.	커진다. 특히 길어진다.	수가 많아지고 곱슬곱슬해진다.
4	더 커진다. 음낭은 검게 된다.	더 커진다. 특히 굵어진다.	성인형이나 범위가 좁다.
5	어른의 크기	어른의 크기	어른같이 대퇴 내측까지 범위가 넓어진다.

관적인 관찰로 단계가 정해지는데 현재로는 Tanner stage 가 가장 널리 사용되고 있다(그림 6-3-2, 표 6-3-1). 여성에서는 유방발달과 음모발달이 평가의 기준으로 사용되고, 남성에서는 음경과 고환의 변화와 음모발달이 사용된다.

1) 여성

(1) 유방과 음모의 발달

성장호르몬, 인슐린유사성장인자-1 (insulin-like growth factor-I, IGF-1) 그리고 인슐린 등도 유방 형성에 관여하지만 사춘기 유방발달은 주로 난소에서 분비되는 에스트로젠에 의하여 조절된다. 유방발달이 한쪽만 수개월간 지속될 수 있으며 이러한 경우 유방초음파검사나 외과 조직검사는 대부분 불필요하다. 유두의 직경은 사춘기발달 단계와 연관되며 유방의 모양, 크기와도 어느 정도 관계가 있다. 유두의 직경은 사춘기발달단계에서 음모 1-3단계나 유방 1-3단계에는 별로 커지지 않다가(직경 3-4 mm), 유방 3단계 이후에는 현저히 커져서 최종 직경은 9 mm 정도 된다. 음모나 액모는 주로 부신에서 분비되는 안드로젠에 의해 이루어지며 외국인의 경우 정상 여성에서 유방발달단계와 음

모발달단계는 거의 일치한다. 이 두 과정은 각기 다른 내분비기관의 조절을 받으므로 각각의 발달단계는 분리하여 평가해야 한다. 한국과 외국의 여성에서 성성숙도별 평균 연령은 표 6-3-2와 같다. 사춘기 시작시기나 월경시작 연령은 한국과 외국의 여성 사이에 큰 차이가 없으나 음모발달은 한국 여성에서 늦게 나타나는 경향을 보인다.

(2) 난소와 자궁의 발달

원시난포(primodial follicle)는 태생 4-5개월 사이에 나타나며 태생기와 소아기를 통해 보다 크기가 큰 방난포(antral follicle)로 발달하지만 월경이 있기 전에는 발달된 모든 난포가 퇴화한다. 출생 시 원시난포는 200-400만 개가 되나 초경 시에는 40만 개만 남고 실제로 배란에 사용되는 난포는 400-500개에 불과하며 그 나머지는 대부분 퇴화한다. 난포의 성숙과정은 난모세포(oocyte)가 커지며 입방형의 과립층세포(granulosa cell)가 난모세포를 둘러싸게 된다. 과립층세포들은 난모세포의 표면에 acellular glycoprotein을 축적시켜 두터운 막을 형성하고, 난포자극호르몬(follicle-stimulating hormone, FSH)의 영향으로 난포액(follicular fluid)과 난포방(follicular antrum)을

표 6-3-2. **여성에서 성성숙도별 평균연령**

단계	평균연령(세)		
	한국 여성[†]	영국 여성[‡]	스위스 여성[§]
유방발달단계 2	11.00 ± 1.03*	11.50 ± 1.10	10.9 ± 1.2
음모발달단계 2	12.86 ± 1.39	11.64 ± 1.21	10.4 ± 1.2
최대성장속도	–	12.14 ± 0.88	12.2 ± 1.0
유방발달단계 3	12.60 ± 1.39	12.15 ± 1.09	12.2 ± 1.2
음모발달단계 3	14.15 ± 1.49	12.36 ± 1.10	12.2 ± 1.2
유방발달단계 4	14.17 ± 1.52	13.11 ± 1.15	13.2 ± 0.9
음모발달단계 4	15.13 ± 1.27	12.95 ± 1.06	13.0 ± 1.1
초경	12.80 ± 1.00	13.47 ± 1.12	13.4 ± 1.1
유방발달단계 5	15.72 ± 1.13	15.33 ± 1.74	14.0 ± 1.2
음모발달단계 5	16.02 ± 0.91	14.41 ± 1.21	14.0 ± 1.3

*Mean ± SD, [†]홍 등; [‡]Marshall 및 Tanner; [§]Largo 및 Prader.

형성한다. 가임기 동안에는 난포가 황체화(luteinization) 되어 황체(corpus luteum)를 형성한다. 수정이 이루어지지 않으면 성선스테로이드가 8일간 분비된 후 난포가 퇴화하기 시작하며, 수정이 이루어진 경우에는 태아조직이 사람융모성선자극호르몬(chorionic gonadotropin)을 분비하여 황체가 임신기간 중 유지되도록 한다.

자궁은 사춘기 초기에 자궁근육이 확대되고 기저부(corpus)가 커져서 기저부/경부 비가 증가하여 원통형에서 둥그런 모양으로 바뀌며, 자궁의 길이도 2-3 cm에서 5-8 cm로 커진다. 난소의 크기도 사춘기 전에는 1 mL 미만에서 사춘기에는 2-10 mL로 커진다.

(3) 외부성기의 변화

질의 길이는 사춘기 초기부터 길어져서 최소한 초경 전까지 계속된다. 외부생식기와 질의 점막은 부드러워지고 두꺼워지며, 질입구주름(hymen)도 입구가 커지면서 두꺼워진다. 질점막의 변화가 현저한데 초경 전에는 질점막세포 중에서 표재(superficial)세포가 약 10%이며 에스트로겐의 자극

으로 층이 두꺼워지고 세포의 당원(glycogen) 성분이 많아지며, 초경 직전에 세포는 대부분 성인형의 각질(cornified) 세포로 된다. 질점막의 색깔은 사춘기 전에는 붉은색을 띠다가 초경 무렵에는 분홍색으로 바뀐다. 에스트로겐이 상피선(epithelial gland)을 자극하여 성인 여성의 생리주기 중간에 보이는 것과 같은 맑은 점액의 분비가 일어나고, 질액은 사춘기 전에는 중성 혹은 알칼리성이나 사춘기가 진행되면서 산성으로 변한다. 치구(mons pubis)는 지방질이 많아지며 커진다. 음순(labia)이 커지고 표면에 미세한 주름이 발달하며, 음핵도 사춘기발달에 따라 커지게 된다.

2) 남성

(1) 고환의 발달

남성의 고환이나 음경의 발달은 음모발달과 연관되는데 이는 모두 안드로겐의 조절을 받기 때문이다. 남성의 경우에도 음모발달이 고환발달에 비해 약간 늦는 경향을 보인다. 음모나 외부생식기의 정확한 발달단계의 평가는 개별적으로 이루어져야 하는데, 예를 들어 고환의 크기 증가 없이 음

모만 발달하는 것은 고환보다는 부신에서 분비되는 안드로젠의 영향을 시사한다.

고환 크기의 증가가 사춘기시작의 첫 신호이며 고환의 용적을 평가하는 방법으로 흔히 Prader orchidometer(그림 6-3-3)를 이용하는데 정해진 부피의 염주알과 대상 고환을 비교하게 된다. 일반적으로 고환의 장축이 2.5 cm 이상이거나, 용적이 4 mL 이상이면 사춘기시작으로 본다. 고환의 크기에 따른 사춘기 성성숙도 평가는 표 6-3-3과 같다. 고환 크기의 증가는 라이디히세포보다는 세르톨리세포가 커

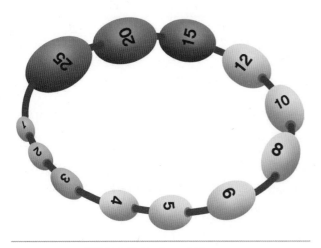

그림 6-3-3. **Prader orchidometer**
염주알에 표시된 숫자는 고환의 용적(mL)

져서 생긴다. 고환의 크기가 3 mL을 초과할 때 2a 단계라고 분류하기도 하는데, 2a 단계 이후 6개월 이내에 82%의 남아가 사춘기발달을 보이므로 유용하게 이용될 수 있다. 한국과 외국의 남성에서 성성숙도별 평균연령은 표 6-3-4와 같다. 사춘기시작시기는 한국인 남성이 외국인 남성에 비해 늦게 시작되는 경향을 보인다.

(2) 음경의 발달

음경의 길이는 발기되지 않은 상태에서 최대한 늘려서 측정하며 음경꺼풀은 포함시키지 않는다. 사춘기 전 시기에는 6.2 cm의 길이를 가지며, 성인이 되면 백인은 12.4 cm, 흑인은 14.6 cm, 아시아인은 10.6 cm 정도로 증가한다. 연령별 음경길이의 확인은 작은음경증(micropenis)의 진단에 유용하게 이용된다. 왜소음경의 기준은 신장 음경길이(streched penile length)가 발달단계의 연령별 평균치의 2.5 표준편차 이상 감소된 경우를 말한다. 외국과 우리나라의 연령별 신장 음경길이는 표 6-3-5와 표 6-3-6과 같다.

(3) 정자발생(spermatogenesis)

정자발생은 11–15세 사이에 시작되며 평균 13.3세경에는 이른 아침의 소변에서 정자가 발견된다(spermarche). 평균 13.5세경에는 사정(ejaculation)이 고환 용적이나 음모

표 6-3-3. **성성숙도에 따른 고환용적**

지표	성성숙도				
	1	2	3	4	5
TVI*	1.8	4.5	8.2	10.5	–
용적(cm³)†	2.5	3.4	9.1	11.8	14
용적(cm³)‡	1.8	4.2	10.0	11.0	15
용적(cm³)§	1.8	5.0	9.5	12.5	17

*Testicular volume index calculated by (length × width of right testis + length × width of left testis) ÷ 2. Data from Burr et al, and August et al.
†Orchidometer로 측정, Data from Zachman et al.
‡Orchidometer로 측정, Data from Waaler et al.
§Caliper로 측정, average volume calculated by 0.52 × longitudinal axis X transverse axis, Data from Waaler et al.

표 6-3-4. **남성에서 성성숙도별 평균연령**

단계	평균연령(세)		
	한국 남성[†]	영국 남성[‡]	스위스 남성[§]
유방발육개시단계 2	12.74 ± 1.17*	11.64 ± 1.07	11.2 ± 1.5
음모발달단계 2	13.20 ± 1.19	13.44 ± 1.09	12.2 ± 1.5
유방발육개시단계 3	14.17 ± 1.36	12.89 ± 1.02	12.9 ± 1.1
음모발달단계 3	14.42 ± 1.25	13.90 ± 1.04	13.5 ± 1.2
최대성장속도	–	14.06 ± 0.92	13.9 ± 0.8
유방발육개시단계 4	15.40 ± 1.30	13.77 ± 1.02	13.8 ± 1.1
음모발달단계 4	15.56 ± 1.22	14.36 ± 1.08	14.2 ± 1.1
유방발육개시단계 5	16.08 ± 1.04	14.19 ± 1.10	14.7 ± 1.1
음모발달단계 5	15.95 ± 1.03	15.18 ± 1.07	14.9 ± 1.0

*Mean±SD, [†] 홍 등, [‡] Marshall 및 Tanner, [§] Largo 및 Prader.

발달, 음경의 크기와 별 관계없이 일어나게 된다. 한편 뼈나이가 17세에 이르기까지는 정자가 성인의 완전한 형태나 운동력 및 농도를 가지지는 못한다.

(4) 여성형유방(gynecomastia)

사춘기 초기에 39–75%의 남성에서 유방발달이 정상적으로 나타난다. 이것은 상대적인 안드로젠작용의 감소, 에스트로젠-안드로젠 비의 증가, 프로락틴 농도의 상승, 에스트로젠의 일과성 상승, 에스트로젠에 대한 수용체감수성의 증가 등이 원인으로 제시되어 왔다. 대부분 2년 내에 저절로 없어지므로 환자를 안심시키고 심리적 안정을 갖도록 도와주는 것이 중요하다. 그러나 클라인펠터증후군, 무고환증, 후천고환부전, 테스토스테론합성장애, 11β-수산화효소 결핍에 의한 선천부신증식증(congenital adrenal hyperplasia), 고환의 라이디히세포종양, 부신의 여성화 종양, Reifenstein증후군, 안드로젠저항증후군, 간경화, 폐암 등의 질환과, cimetidine, spironolactone, digitalis, phenothiazine, 케노코나졸, 마리화나, 에스트로젠 등의 약물 사용 후에도 발생할 수 있으므로 감별이 필요하다. 2년 이내에 호전되지 않을 경우 치료를 고려할 수 있으며 유

선과 지방조직을 제거하는 수술치료가 우선적으로 적용될 수 있다. 약물치료로써 clomiphen citrate, tamoxifen, danazol, 테스토스테론, dihydrotestosterone heptanoate 등의 투여에 의한 치료효과가 보고되었지만 확정적인 연구결과는 미흡한 상태이다.

3) 그 외의 신체변화

사춘기시기의 남성에서 음성 변화(변성)는 성대가 길어지고 후두, 윤상갑상연골(cricothyroid cartilage) 및 후두근육이 확대되어 나타난다. 변성은 평균 13.9세에 일어나고, 이는 성성숙도 3–4단계 사이에 해당된다. 변성도 사춘기의 특징이지만 신체 변화의 좋은 지표는 되지 못한다.

안면의 털은 15세경에 윗입술의 가장자리와 뺨 윗부분부터 나기 시작해서 16세경에는 아랫입술의 가운데 부분과 뺨으로 퍼지며, 성성숙도 5단계경 또는 그 이후에는 턱의 양 옆과 아래 경계부에도 나타나게 된다. 사춘기 동안에 남성은 어깨가 넓어지고, 여성은 둔부가 커지며, 척추도 상절/하절의 비가 성인치에 도달할 때까지 자란다. 액모는 여성은 평균 12세, 남성은 14세경에 나타난다.

표 6-3-5. 외국 정상 남성에서 연령별 신장음경 길이

연령	평균 ± 표준편차 길이(cm)	-2.5 표준편차 길이(cm)
신생아		
조산아(30주)	2.5 ± 0.4	1.5
조산아(34주)	3.0 ± 0.4	2.0
만삭아	3.5 ± 0.4	2.5
영아 및 소아		
0–5개월	3.9 ± 0.8	1.9
6–12개월	4.3 ± 0.8	2.3
1–2세	4.7 ± 0.8	2.6
2–3세	5.1 ± 0.9	2.9
3–4세	5.5 ± 0.9	3.3
4–5세	5.7 ± 0.9	3.5
5–6세	6.0 ± 0.9	3.8
6–7세	6.1 ± 0.9	3.9
7–8세	6.2 ± 1.0	3.7
8–9세	6.3 ± 1.0	3.8
9–10세	6.3 ± 1.0	3.8
10–11세	6.4 ± 1.1	3.7
성인	13.3 ± 1.6	9.3

표 6-3-6. 한국 정상 남성에서 연령별 신장음경 길이

연령	평균 ± 표준편차 길이(cm)	-2.5 표준편차 길이(cm)
0–1세	3.6 ± 0.4	2.8
1–2세	3.9 ± 0.5	2.9
2–3세	4.0 ± 0.5	3.0
3–4세	4.3 ± 0.6	3.1
4–5세	4.2 ± 0.6	3.0
5–6세	4.5 ± 0.7	3.1
6–7세	4.4 ± 0.5	3.4
7–8세	4.6 ± 0.5	3.6
8–9세	4.7 ± 0.6	3.5
9–10세	4.6 ± 0.9	2.8
10–11세	5.2 ± 1.1	3.0
11–12세	5.9 ± 1.4	3.1
12–13세	6.9 ± 2.0	2.9
13–14세	8.2 ± 2.0	4.2

여드름은 여성에서는 사춘기의 첫 신호로 나타나서 가슴발달이 시작되기 전에 나타나며, 남성에서는 평균 12.2세경에 나타난다.

사춘기가 진행됨에 따라 상절과 하절의 비(상절, 머리–치골결합; 하절, 치골결합–발)는 감소한다. 사지가 동체보다 빨리 자라기 시작하여 최대 성장속도시기에는 비슷한 속도로 자라며 사춘기가 지나면 동체가 약간 더 빨리 자란다. 상절과 하절의 비는 12세경에 1.0이 되며, 백인성인은 0.92, 흑인성인은 0.85 정도이다. 남녀 사이에 상절과 하절의 비는 차이가 없으나 앉은 키와 선 키의 비는 여성에서 약간 크다. 성선저하증이 있는 경우에는 성장판이 늦게 닫히고 발육급진이 일어나지 않으므로 오랫동안 사지의 발육이 이루어져서

상절과 하절의 비가 감소하고 양팔 폭이 증가하게 되어 고자모양(eunuchoid proportion)을 나타내게 된다.

사춘기시기에는 키와 체중의 증가뿐만 아니라 머리둘레, 심장, 폐, 복부 장기, 뼈, 근육기관 등의 모든 기관들이 커지며, 심박수, 혈압, 적혈구 수, 혈색소, 기초대사율, 알칼리성인산염분해효소(alkaline phosphatase), 아포크린선 등의 증가도 관찰된다.

4) 골격성숙(Skeletal maturity)

뼈나이(bone age)의 측정은 손목을 포함한 왼쪽 손 X선사진을 찍어 평가하며 성장상태를 파악하거나 최종 성인키를 예측하는 데 이용된다. 뼈나이는 실제나이(chronological age)보다 생리적인 상태를 더욱 잘 반영하므로 월경의 시작을 예측하거나 사춘기 지연 환자에서 이차성징의 시작을 예측하는 데 도움이 된다.

06 발달과 성장

남녀 사이에는 서로 다른 표준이 사용되며 같은 실제나이에
서는 여성이 남성보다 골격성숙이 앞선다. 인종 간에는 흑인
이 백인보다 약간 골격성숙이 앞선다. 뼈나이는 인종 간에
도 차이가 있으므로 우리나라 소아의 뼈나이를 판독할 때
는 우리나라 기준을 사용하여야 한다. 뼈나이와 실제나이
사이에 2 표준편차 이상 차이가 날 때 생물학적으로 의미가
있다. 보통 미국에서는 뼈나이 측정을 Greulich–Pyle 방
법으로, 유럽에서는 Tanner–Whitehouse 방법으로 하고
있으나 어떤 방법이든지 숙련된 의사가 판독한다면 관계가
없으며 영상의학과의사라도 경험이 많지 않으면 판독이 정
확하지 않을 수 있다.

5) 골밀도(Bone mineral density)

골부착성장(bone accretion)의 가장 중요한 시기는 영아
기와 사춘기이다. 남녀 모두 사춘기 급성장이 끝난 시기, 즉
여성은 14–16세 사이에, 남성은 조금 늦은 17.5세에 무기질
침착(mineralization)이 가장 최고로 된다. 골밀도는 이중
에너지방사선흡수측정(dual energy x-ray absorptiom-
etry, DXA)을 이용하여 몸 전체, 요추, 대퇴골두에서 측정
하는 방법이 가장 많이 사용된다. 각 인종별 성인의 정상치
가 조사되어 이용되고 있으나 소아와 사춘기 연령의 청소년
에 대한 정상치는 아직 확립된 것이 없어 이용에 어려움이
있다. 골량(bone mass)의 감소는 유전요인이 중요하며 사
춘기 전의 운동과 칼슘섭취도 적절한 골량을 얻게 하는 데
중요하다. 그러나 너무 심한 운동은 사춘기 지연을 초래하
여 반대로 골부착성장을 감소시킬 수 있으며 극단적인 형태
의 운동으로 인한 무월경, 조기 골다공증 및 식이장애를 보
일 때를 "female athlete triad"라 한다. 에스트로겐으로
치료하는 터너증후군여성에서 칼슘흡수가 증가하고 골교
체(bone turnover)가 감소하는 것은 골격성숙 시 성선스
테로이드가 중요한 역할을 맡고 있다는 점을 말해준다. 골
교체 정도는 골특이알칼리성인산염분해효소, 오스테오칼
신, 소변 내 deoxypyridinoline 등을 측정하여 평가하며
사춘기 중기에 최고점에 이르렀다가 그 이후 감소한다.

6) 신체조성(Body composition)

신체의 지방제외체질량(lean body mass), 골량(skeletal
mass) 및 체지방(body fat) 성분은 사춘기 전 남성과 여성
사이에는 차이가 없다. 그러나 사춘기가 진행되면서 남성은
전체 골량과 지방제외체질량이 계속 증가하고, 반면 여성은
체지방이 증가한다. 지방제외체질량의 증가가 여성은 6세,
남성은 9.5세에 시작되는데 이는 사춘기 신체조성의 가장
초기 변화이다. 성인이 되면 남성은 지방제외체질량과 골량
이 여성의 약 1.5배가 되며, 여성은 체지방이 남성의 2배가
된다.

사춘기 급성장 후에는 근력의 급성장(strength spurt)이
일어난다. 성인 남녀 사이에 근력의 차이가 나는 이유는 남
성이 더 많은 근육세포를 가지고 있으며, 개개의 근육세포
도 더 크기 때문이다. 사춘기남성에서 근육이 차지하는 비
율은 체중의 54%인 반면 여성에서는 42%이다.

체중이 신체의 지방량을 꼭 반영하지는 않는다. 신체의 모
습 또는 비만을 평가할 때는 주로 체질량지수(body mass
index, BMI)를 이용한다. 전 세계적으로 비만과 과체중이
증가하고 있는데, 미국의 경우 10대에서 비만(BMI > 95백
분위수)은 유병률이 11%, 과체중(BMI > 85백분위수)은
22%에 달하며 이는 과거 10년 전보다 2배 이상 증가한 것
이다. 한국의 경우에도 전국적인 건강 영양조사에 의하면
비만의 유병률이 1998년 5.4–6.8%에서 2001년 8.6%,
2017년 9.8–15%로 급증하는 추세를 보이고 있다.

7) 사춘기의 급성장

(1) 성장의 양상

사춘기의 급성장은 신생아기 이후에 가장 빠른 성장기에 해
당되며 사춘기 이후에 성장속도는 감소한다. 남성의 급성장
은 여성보다 2년 늦게 시작된다. 미국의 경우 여성은 9세, 남
성은 11세에 급성장이 시작되어 여성은 11.5세, 남성은
13.5세경에 최대의 성장속도를 보인다. 이는 여성에서 유방

발달 3-4단계, 남성에서는 음경발달 4단계에 해당된다.

사춘기를 통해 남성은 28 cm, 여성은 25 cm의 키가 큰다. 남성과 여성의 성인키는 12.5 cm 정도의 차이가 진다. 키의 차이가 나는 이유는 사춘기의 급성장이 시작되기 전 시기에 남성이 더 많이 자라며(+1.5 cm), 급성장이 시작되는 시점에 여성에 비해 남성의 키가 더 크며(+6.5 cm), 사춘기의 급성장기 동안 남성이 더 많이 크며(+6 cm), 급성장기 이후에는 여성이 더 크는(-1.5 cm) 효과가 합쳐져서 나타나기 때문이다. 여성에서 초경은 뼈나이 13세 정도에 시작되며 초경 이후에는 키가 많이 자라지 않는다. 초경 이후에 성장이 완전히 멈출 때까지 외국의 여성의 경우 1-7 cm 정도 더 크며, 평균 2.5 cm 정도가 더 크는 것으로 보고되어 있다. 한국인 여성의 경우 평균 4-6 cm 정도 더 크는 것으로 추정된다.

(2) 사춘기의 성장과 호르몬
사춘기의 급성장은 여러 내분비요소에 의해 조절된다. 성호르몬은 성장연골에 직접적인 영향을 주며 간접적으로 성장호르몬의 분비를 증가시킨다(그림 6-3-4). 시상하부-뇌하수체질환이나 성선질환으로 성호르몬이 결핍된 환아는 사춘기 급성장이 나타나지 않는다. 사춘기 시 증가된 성호르몬은 자발적인 성장호르몬 분비의 폭을 증가시킨다. 자극

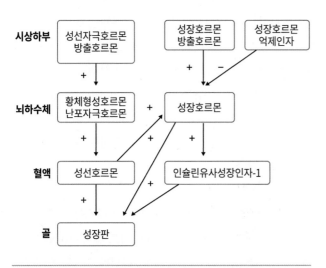

그림 6-3-4. **사춘기의 급성장 동안의 성장을 촉진하는 주요호르몬의 상호작용(+), 촉진 작용, (-), 억제작용**

에 의한 성장호르몬의 분비는 사춘기 전보다 사춘기에 훨씬 크며, 실제로 사춘기 전에는 성장호르몬 자극이 잘 안되어 성장호르몬결핍증으로 오진될 수도 있다. 사춘기에 증가된 성장호르몬은 인슐린유사성장인자-1의 생성을 자극한다. 즉 사춘기의 성장은 증가된 성호르몬뿐만 아니라 성장호르몬의 파동적 분비 증가 및 혈중 인슐린유사성장인자-1의 증가와 관계가 있다.

사춘기 동안의 혈중 인슐린유사성장인자-1의 증가는 여성이 남성보다 빨리 나타난다. 성조숙 환자에서 증가된 성호르몬의 영향으로 인슐린유사성장인자-1이 증가하며 성선자극호르몬방출호르몬작용제(gonadotropin-releasing hormone agonist)로 치료할 경우 인슐린유사성장인자-1은 감소한다. 사춘기 지연에서는 실제나이에 비해 인슐린유사성장인자-1이 감소되어 있어 성장호르몬결핍증으로 오인될 수도 있으므로 인슐린유사성장인자-1치는 반드시 뼈나이 또는 성성숙도에 준하여 해석되어야 한다.

에스트로젠은 사춘기 동안 성장호르몬 분비를 증가시킨다. 사춘기 전 소아에게 안드로젠, 즉 에스트로젠으로 전환될 수 있는 테스토스테론을 투여하면 성장호르몬이 증가된다. 그러나 에스트로젠으로 전환이 안 되는 다이하이드로테스토스테론을 투여하면 성장호르몬은 증가하지 않는다. 에스트로젠을 차단하는 타목시펜과 같은 약물을 사춘기 소아에게 투여하면 성장호르몬 분비가 감소한다. 에스트로젠은 성장에 대하여 양면성의 효과를 보이는데 소량으로는 성장을 촉진시키지만 너무 과도한 양은 오히려 성장을 억제한다. 에스트로젠은 성장판유합(epiphyseal fusion)의 마지막 시기에 중요한 역할을 한다. 에스트로젠수용체의 결합 또는 방향화효소(aromatase) 결핍이 있는 경우에는 긴뼈(long bone) 성장판유합이 안되어 20대까지 성장이 계속되므로 키가 커지게 된다. 이러한 경우 골교체가 증가하고, 골밀도는 감소하며, 골다공증이 생기고 사춘기 급성장은 나타나지 않는다. 에스트로젠이 성장판유합을 시켜서 키 성장을 멈추게 하므로 방향화효소억제제가 새로운 저신장치료제로 이

용될 가능성이 있다.

사춘기의 급성장을 위해 또한 충분한 양의 갑상선호르몬이 필요하다. 급격한 성장과 함께 골교체의 표지자들이 증가하는데 혈중 알칼리성인산염분해효소(alkaline phosphatase), 골특이알칼리성인산염분해효소, 오스테오칼신, type III procollagen의 아미노말단 propeptide들의 농도가 증가하며 이들은 성인기에는 수치가 낮아진다.

2. 사춘기의 내분비변화

사춘기는 성적성숙 및 수정능력을 갖추기 위해 성선 및 시상하부–뇌하수체–성선축의 기능이 활성화되는 시기이다. 이러한 과정을 위해서는 중추신경계의 변화와 성선자극호르몬방출호르몬 분비의 빈도와 크기가 증가하게 되며, 그 결과 성선자극호르몬과 성선스테로이드의 분비 증가를 유도하고 조절하여 성 성숙과 수정이 가능하게 된다. 또한 증가된 성선스테로이드로 인해 성장호르몬의 분비가 증가하며, 혈중 인슐린유사성장인자–1 농도가 증가하며, 여성에서 프로락틴의 분비가 증가한다(표 6-3-7).

1) 시상하부성선자극호르몬방출호르몬
성선자극호르몬방출호르몬은 10개의 아미노산으로 이루어진 펩타이드로서 유전자는 8번 염색체에 존재한다. 성선자극호르몬방출호르몬을 생성하는 신경세포(neuron)는 발생 초기에 원시후각기원판(primitive olfactory placode)에서 기원하여 시상하부로 이동한다. 이러한 이동은 X 염색체의 Xp22.3에 위치하는 KAL유전자에 의해 조절된다. KAL유전자가 없으면 칼만증후군이 초래되는데 성선자극호르몬의 분비가 감소되어 있으면서 동시에 후각망울(olfactory bulb)의 미발달로 후각 장애가 나타난다.

시상하부의 기능과 관계가 있는 여러 유전자들이 알려져 있다. DAX–1유전자는 저성선자극호르몬성선저하증을 수반하는 선천부신형성저하증(adrenal hypoplasia congen-

표 6-3-7. 사춘기의 주요 호르몬 변화

• 황체형성호르몬 파동의 크기와 빈도의 증가(초기에는 밤시간부터)
• 성선자극호르몬방출호르몬 정맥내 투여 후 황체형성호르몬 반응의 증가
• 여성에서 에스트라다이올 분비의 증가, 남성에서 테스토스테론 분비의 증가
• 성장호르몬 분비의 증가
• 혈중 인슐린유사성장인자–1 농도의 증가
• 여성에서 프로락틴 분비의 증가

ita)과 관련이 있으며, 5q의 PROP1유전자의 이상은 황체형성호르몬과 난포자극호르몬의 결핍을 가져와 사춘기 발달장애를 초래한다. 3p11의 Pit1유전자의 이상은 성장호르몬과 프로락틴의 결핍이 나타나며, 성선자극호르몬에 직접 장애를 주지는 않는 것으로 보이지만 성장호르몬결핍증 환아에서 자주 보이는 현상과 같이 흔히 사춘기가 늦어질 수 있다. 사춘기가 시작되면 시상하부의 성선자극호르몬방출호르몬이 파동적으로 분비되면서 성선자극호르몬도 파동성으로 혈중에 방출된다. 사춘기나 생식기능을 조절하는 중추신경계의 근간인 시상하부 성선자극호르몬방출호르몬 파발생기(pulse generator)는 아민계 신경전달물질, 펩타이드계 신경조절물질(neuromodulator), 신경흥분성 아미노산 및 신경전달계에 의해 영향을 받는데 아드레날린과 노르아드레날린은 성선자극호르몬방출호르몬의 분비를 증가시키는 반면, 도파민, 세로토닌 및 아편유사제(opioid)는 성선자극호르몬방출호르몬의 분비를 감소시킨다. 최근에는 kisspeptin과 그 수용체인 GPR54 (metastin 54 receptor, a G protein–coupled receptor of the rhodopsin family)도 사춘기를 조절하는 중요한 인자로 보고되고 있다.

사춘기시작 전 성선자극호르몬 분비의 감소는 중추신경계에 의해 조절되는 것으로 보이며 아마도 감마아미노뷰티르산(gamma aminobutyric acid, GABA)이 성선자극호르몬방출호르몬 분비를 억제하는 주된 인자로 생각된다. 두개

내압 증가나 종양에 의한 중추신경계의 손상은 GABA 분비를 방해하여 이른 사춘기를 초래할 수 있다. 주기적인 성선자극호르몬방출호르몬 자극은 성선자극호르몬의 분비를 증가시킨다. 그러나 지속적인 성선자극호르몬방출호르몬의 주입은 오히려 뇌하수체의 성선자극호르몬방출호르몬수용체 수를 감소시키며, 호르몬과 결합된수용체의 활동을 저하시켜 성선자극호르몬의 분비가 감소된다(그림 6-3-5). 이러한 현상을 이용하여 성선자극호르몬방출호르몬작용제를 투여함으로써 중추성조숙을 치료할 수 있다.

2) 뇌하수체성선자극호르몬

사춘기 전후시기가 되면 수면 중에 황체형성호르몬 파동성 분비가 나타나며, 정맥 내로 성선자극호르몬방출호르몬을 투여할 경우 황체형성호르몬의 분비반응이 증가한다. 사춘기 동안에는 성선자극호르몬 분비파동의 빈도와 진폭이 증가함에 따라 황체형성호르몬과 난포자극호르몬의 간헐적인 분비도 보다 뚜렷하게 된다. 사춘기에 들어가기 직전의 소아에서는 간헐적인 황체형성호르몬의 분비가 주로 밤 시간에 나타나다가 사춘기가 진행되면서 파동의 빈도와 진폭

이 증가하고, 낮 시간 동안의 분비도 증가하게 된다. 따라서 낮 시간에 황체형성호르몬 농도를 한 번 측정하는 것으로는 사춘기의 진행단계를 정확히 평가하기 어려울 수도 있다. 이런 경우에는 성선자극호르몬방출호르몬을 투여한 후 성선자극호르몬의 반응을 보는 것이 보다 많은 정보를 제공한다.

여성에서 난포자극호르몬 농도는 사춘기 초기단계에서 증가하고, 황체형성호르몬 농도는 말기단계에 증가하여 사춘기 기간 동안 약 100배가 증가한다. 남성에서 난포자극호르몬 농도는 사춘기 전 기간을 통해 꾸준히 증가하며, 황체형성호르몬 농도는 초기에 증가한 후 평형을 이룬다. 사춘기 전에는 외부에서 성선자극호르몬방출호르몬을 투여하여도 성선자극호르몬이나 성호르몬이 반응을 보이지 않다가 사춘기가 시작된 후에는 반응을 보이게 되며, 이것은 사춘기의 진행에 따라 시상하부–뇌하수체–성선축이 활성화됨을 보여준다. 일반적으로 성선자극호르몬방출호르몬 투여 후 황체형성호르몬 농도의 최대치가 일정 수준(5–10 mIU/mL) 이상 증가하면 사춘기 때 보이는 반응으로 간주한다.

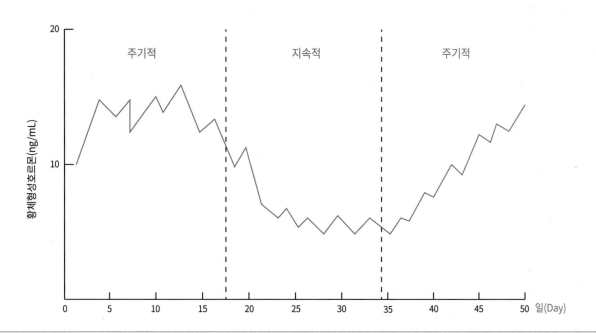

그림 6-3-5. **성선자극호르몬방출호르몬의 주기적인 투여와 지속적인 주입 시 혈중 황체형성호르몬 농도의 변화**

사춘기발달이 진행되는 동안 혈중 성선자극호르몬은 파동적으로 분비되므로 1회 측정하는 것만으로는 이들호르몬의 역동적인 분비양상을 파악하기 어렵다. 그러나 새로운 3세대 민감한 측정법은 자극받지 않은 상태에서도 1회의 기저 측정치로 사춘기시작을 알 수 있다. 사춘기가 시작되면 생물학적활성(bioactive) 황체형성호르몬이 면역반응성(immunoreactive) 황체형성호르몬보다 더 많이 증가한다. 생물학적활성 황체형성호르몬의 파동과 면역반응성 황체형성호르몬의 파동은 항상 일치하지는 않으며 생물학적활성 황체형성호르몬 농도를 측정하는 것이 사춘기의 발달단계를 평가하는 데 더 유용하다.

성선스테로이드는 성선자극호르몬 분비에 영향을 미치는데 음성되먹임기전으로 시상하부나 뇌하수체에 작용하여 성선자극호르몬 분비를 감소시킨다. 이러한 기전으로 정상 소아에서는 영아 및 사춘기가 되기 전 시기에 낮은 농도의 성선스테로이드로도 성선자극호르몬이 억제된다. 반면 성선스테로이드가 형성되지 않는 성선발생장애(gonadal dysgenesis) 환자에서는 영아 및 사춘기가 되기 전 시기에 성선자극호르몬의 농도가 매우 높은 상태를 유지한다. 난소와 고환에서 만들어지는 인히빈이나 난소에서 만들어지는 follistatin 또한 뇌하수체에 작용하여 난포자극호르몬 분비를 억제한다. 에스트라다이올은 낮은 농도에서는 성선자극호르몬방출호르몬 분비를 감소시키지만, 높은 농도에서는 양성되먹임기전으로 작용하여 월경 중기의 황체형성호르몬 surge를 야기해 배란을 일으킨다.

3) 성선스테로이드

(1) 테스토스테론

테스토스테론은 고환의 라이디히세포에서 콜레스테롤로부터 일련의 효소 전환과정을 거쳐 합성된다. 황체형성호르몬이 라이디히세포의 세포막수용체와 결합하면 아데닐산고리화효소(adenyl cyclase)를 통한 고리일인산아데노신(cyclic adenosine monophosphate, cAMP)의 증가가

일어나며, 이는 단백질인산화효소(protein kinase)를 자극하여 테스토스테론 생성의 첫 단계로 P450scc에 의하여 콜레스테롤이 pregnenolone으로 전환되게 된다. 테스토스테론은 고환에서의 직접적인 분비 외에도 고환과 부신에서 분비된 안드로스텐다이온(androstenedione)으로부터 전환되어 소량이 만들어지며, 여성에서 대부분의 테스토스테론은 난소에서 만들어지는 안드로스텐다이온이 말초조직에서 전환됨으로써 형성된다.

테스토스테론은 혈중에서 성호르몬결합글로불린(sex hormone-binding globulin, SHBG)과 대부분 결합하여 존재하며, 일부 유리(free) 테스토스테론이 활동성을 가진다. 테스토스테론은 표적세포에서 성호르몬결합글로불린으로부터 분리되어 세포 내로 들어가며, 5α-reductase에 의하여 다이하이드로테스토스테론으로 전환되거나 aromatase에 의하여 에스트로젠으로 전환된다. 다이하이드로테스토스테론은 테스토스테론과는 다른 효과를 나타내며 안드로젠수용체는 테스토스테론보다 다이하이드로테스토스테론에 더 큰 친화성을 가지고 있다. 테스토스테론은 황체형성호르몬 분비를 억제하며 볼프관(Wolffian duct)을 유지하고 남성다운 체격을 만들며, 다이하이드로테스토스테론은 주로 외부생식기의 남성화와 사춘기 동안의 음경의 성장이나 전립선의 확대 등에 관여한다. 또한 테스토스테론은 근육의 발달이나 간 효소의 활성을 자극하고 혈색소 생성을 촉진한다.

사춘기 전 시기의 혈장테스토스테론 농도는 남녀 모두에서 0.1 ng/mL 미만이며, 예외적으로 생후 3개월에서 5개월 사이의 남아에서는 사춘기 수준의 높은 테스토스테론 농도를 보인다. 남성의 경우 사춘기 초기 단계에 들어가면 수면 시 황체형성호르몬 분비가 증가하고 뇌하수체에서 성선자극호르몬방출호르몬에 대한 민감도가 증가하므로 밤 시간 동안의 혈중 테스토스테론 농도도 증가한다. 11세경이 되면 낮 시간에도 테스토스테론의 농도가 높아지며 이후 꾸준히 증가한다. 남성에서는 성성숙도 2단계에서 3단계 사

이에 테스토스테론의 농도가 급격히 증가하여 10개월 사이에 0.2 ng/mL에서 2.4 ng/mL 정도로 증가한다.

(2) 에스트로젠

여성에서 주요 에스트로젠인 에스트라다이올은 대부분 난소에서 분비되며 나머지 에스트라다이올은 테스토스테론과 안드로스텐다이온으로부터 전환되어 생성된다. 남성에서는 전체 에스트라다이올의 75%는 테스토스테론과 안드로스텐다이온이 말초조직에서 방향화(aromatization)되어 형성되며, 25%는 고환에서 분비된다.

태아기와 출생 시 에스트로젠의 농도는 높은 편이며 이것은 태반에서 태아와 모체의 C19-스테로이드가 에스트로젠으로 전환되기 때문이다. 혈중 에스트로젠 농도는 출생 수일 후 급격히 감소하였다가 그 이후 사춘기가 되어 성숙될 때까지 꾸준히 증가하여 난포기에는 50 pg/mL, 황체기에는 150 pg/mL 이상으로 증가한다. 에스트론 농도는 사춘기 초기에 증가하다가 중기에 이르면 평형을 이룬다. 사춘기 전 기간을 통해 남성에서는 에스트론의 농도가 에스트라다이올 농도보다 높으며, 두 에스트로젠 모두 여성보다는 낮다. 남성에서 에스트론과 에스트라다이올의 농도는 성성숙도 5단계시기에 1단계시기보다 높다.

(3) 부신남성호르몬

혈중 △5-스테로이드, 데하이드로에피안드로스테론(dehydroepiandrosterone, DHEA), 데하이드로에피안드로스테론황산염(dehydroepiandrosterone sulfat, DHEA-S)은 남녀 모두에서 8세경(뼈나이 6-8세)이 되면 증가하기 시작하여 13-15세까지 지속된다. 부신에서 남성호르몬과 그 전구물질의 분비가 증가되는 것을 부신성징발생(adrenarche)이라고 한다. 혈중 DHEA는 코티솔과 비슷한 형태의 일내 변동이 있으나 DHEA-S는 이러한 변화가 적고 부신성징발생을 알 수 있는 유용한 지표가 된다.

4) 테스토스테론결합글로불린(Testosterone-binding globulin, TeBG)

혈중에 존재하는 테스토스테론 중 실제로 유리활성형은 2% 미만이며, 나머지는 테스토스테론결합글로불린과 결합되어 있다. 안드로젠은 TeBG를 감소시키며, 에스트로젠은 TeBG 형성을 촉진한다. 사춘기 동안 남아는 테스토스테론의 분비로 TeBG가 감소하게 되므로 결국 유리테스토스테론이 증가하여 사춘기 동안의 안드로젠 효과가 극대화된다. 사춘기여성은 에스트로젠의 영향으로 TeBG가 상승되어 안드로젠의 효과가 감소하게 된다.

혈중 테스토스테론의 농도는 남성에서 여성에 비해 20배가 높으며, 유리 테스토스테론의 농도는 40배 정도 높다. 성호르몬결합글로불린의 합성은 성호르몬뿐만 아니라 타이록신, 프로락틴, 성장호르몬, 인슐린에 의해서도 조절된다.

5) 성장호르몬

성장호르몬은 단일쇄의 191개 아미노산으로 이루어지며 주로 22-kd 복합체로 존재한다. 사춘기가 되면 증가된 성선 스테로이드의 자극으로 인하여 성장호르몬 분비가 증가한다. 초기에는 성장호르몬 분비의 진폭은 커지나 파동의 빈도는 변화가 없다. 사춘기 지연이 있는 아동은 이러한 사춘기의 특징적인 성장호르몬의 증가가 부족하며, 이 경우 성장호르몬의 최고치는 성장호르몬결핍증 환자의 성장호르몬 농도 최고치와 유사한 정도이다. 사춘기에 성장호르몬 자극 hexapeptide를 투여하면 비록 서로 다른 수용체를 통하지만 성장호르몬방출호르몬에 대한 반응과 같이 성장호르몬의 분비 증가가 뚜렷하다.

6) 인슐린유사성장인자-1 (IGF-1)

인슐린유사성장인자-1은 성장호르몬과 함께 영양상태에 민감하다. 영양 결핍이 있으면 성장호르몬이 증가되어 있어도 인슐린유사성장인자-1은 저하되며, 비만이 있는 경우에는 성장호르몬 분비가 억제되어도 인슐린유사성장인자-1은 정상을 유지한다. 혈중 인슐린유사성장인자-1 농도는 출생 시에 낮으며 사춘기 급성장 시에 몇 배로 증가할 때까지 연령이 증가함에 따라 계속 증가한다. 성장호르몬 분비의 증가와 함께 성호르몬이 직접 연골세포에 작용하여 인슐린유사성장인자-1의 생성을 자극하여 혈중 인슐린유사성장인자-1 농도가 증가한다.

7) 프로락틴

프로락틴은 뇌하수체전엽의 프로락틴생산세포(lactotroph)에서 만들어지며 도파민과 같은 프로락틴억제인자에 의해 분비가 억제된다. 프로락틴은 여성에서는 사춘기기간 동안 증가하지만 남성은 사춘기시기에 뚜렷한 증가가 없다. 시상하부질환으로 프로락틴억제인자가 파괴되면 프로락틴 분비가 증가하며, 반면 뇌하수체질환으로 프로락틴생산세포가 파괴되면 프로락틴 분비가 감소하므로 프로락틴 농도 측정은 이들 질환의 감별에 중요한 역할을 한다.

8) 인히빈(Inhibin)

인히빈은 전환성장인자β (transforming growth factor β)군에 속하는 이종중합체(heterodimeric) 당단백질이며 남성에서는 세르톨리세포(Sertoli cell)에서, 여성에서는 난소의 과립층세포(granulosa cell)와 태반에서 만들어진다. 인히빈은 뇌하수체의 난포자극호르몬 분비를 억제한다. 액티빈(activin)은 인히빈의 소단위(subunit)로 반대의 효과를 나타내어 난포자극호르몬 분비를 자극한다. 남녀 모두에서 사춘기 초기에는 인히빈B 분비가 증가하였다가 이후 감소한다. 성선저하증으로 인하여 인히빈이 존재하지 않으면 사춘기시기와 성인에서 혈중 성선자극호르몬 농도가 증가한다.

9) 인슐린

공복 시 혈중 인슐린 농도는 최대 성장속도시기까지 2–3배 정도 증가하며, 당 투여 후 보이는 인슐린 분비 증가도 사춘기 전 수준보다 증가한다. 이러한 사실은 사춘기 동안 인슐린저항성이 증가함을 시사한다. 정상혈당클램프기법을 이용하여 측정한 결과 사춘기에는 인슐린에 의해 자극되는 당대사에 장애가 오며 특히 당뇨병이 있는 환자에서 심하다. 고혈당클램프기법을 이용한 연구결과 사춘기 때 보이는 당대사의 장애는 인슐린의 분비를 증가시킴으로써 보상이 이루어지며, 이러한 인슐린저항성이 아미노산대사에는 영향을 주지 않는 것으로 생각된다. 따라서 사춘기 때 보이는 당에 대한 인슐린반응의 증가는 인슐린의 단백질합성대사작용을 증가시킨다. 1형당뇨병 환자는 흔히 사춘기시기에 혈당을 정상 범위로 유지시키기 위해 보다 많은 양의 인슐린 투여가 필요하다.

10) 렙틴(Leptin)

렙틴은 지방세포에서 만들어지는 호르몬으로 시상하부에 작용하여 식욕을 억제시킨다. 유전적으로 렙틴이 결핍된 생쥐(ob/ob)는 사춘기시작이 없는데, 이들에게 렙틴을 투여하면 사춘기발달을 하는 것으로 미루어 렙틴은 사춘기발달에 중요한 작용을 할 가능성이 있다. 렙틴이 부족한 사람은 성선자극호르몬의 분비가 감소되고 사춘기발달이 없는데 렙틴의 투여로 성선자극호르몬 분비가 나타나는 것은 렙틴이 사춘기시작의 유발인자일 가능성을 시사하며, 비만아가 사춘기시작과 초경이 빠른 것은 이러한 사실을 뒷받침한다. 그러나 사춘기 동안 여아는 지방조직의 증가와 함께 렙틴이 증가하고, 반면 남아는 지방조직이 감소하고 지방제외 체질량이 늘어남에 따라 렙틴이 감소한다. 즉, 렙틴은 신체조성에 의해서만 변화하므로 렙틴이 사춘기를 유발한다는 확실한 증거는 없다. 렙틴은 사춘기시작 또는 진행의 원인요소는 아니나 필요한 인자로 생각된다.

3. 사춘기발달의 시작기전

사춘기시작의 기전은 아직 충분히 밝혀져 있지 않다. 이차성징의 발달과 사춘기의 급성장, 가임능력의 획득, 심리사회적인 변화 등은 성선의 성숙과 성선스테로이드 분비 증가의 결과로 나타난다. 성선기능의 발달은 소아기에는 성적분화와 시상하부–뇌하수체–성선축이 정지상태에 있다가 사춘기가 되면 다시 활성화가 되는 과정을 통해 이루어진다. 사춘기 전

후와 사춘기 동안의 성선스테로이드 분비의 증가에는 서로 독립적이지만 연관되어 있는 두 가지 변화에 의해 이루어진다. 첫째는 부신에서 안드로젠의 분비가 증가하는 부신성징발생(adrenarche)으로서 보통 사춘기시작보다 2년 정도 앞서서 나타난다. 둘째는 성선기능개시(gonadarche) 또는 시상하부-뇌하수체-성선축의 재활성화이다.

사춘기는 완전히 새로 시작되는 현상이라기보다는 시상하부에서 성선자극호르몬방출호르몬 파발생기(pulse generator)와 성선자극호르몬의 분비가 재활성화됨으로써 나타나는 현상이다. 이러한 복잡한 시상하부-뇌하수체-성선축은 태아기와 영아기에는 제대로 작용을 하다가, 소아기 동안에는 억제되어 성선자극호르몬의 농도도 낮은 상태로 유지된다. 따라서 소아기 동안 나타나는 성선자극호르몬의 억제가 어떤 기전에 의해 이루어지는지를 밝히는 것이 사춘기시작의 기전을 밝히는 데 도움이 된다.

1) 사춘기의 시작
사춘기가 시작되는 시기는 유전요인과 환경요인에 의해 영향을 받으며, 환경요인으로는 사회경제적 수준, 영양, 전신 건강상태, 지역, 고도 등을 들 수 있다.

사춘기의 시작에 영양요인이나 신체조성(body composition)이 중요하게 작용한다는 것은 잘 알려져 있다. 적당히 비만한 여성에서 월경이 빨리 시작되는데 반해 영양 결핍이나 만성질환, 운동선수나 발레를 하는 무용수, 신경성식욕부진(anorexia vervosa) 환자에서는 월경이 늦게 시작된다. 1970년 Frisch 및 Revelle는 건강한 여성에서 나이에 관계없이 일정한 체중(평균 48 kg)이 되면 사춘기의 급성장과 월경이 시작되는 것을 관찰하여 일정한 체내의 지방 조성이 사춘기의 시작을 유도하고, 연령이나 키는 부차적으로 작용한다고 하였으나 이에 대한 반대 의견도 있다.

오래전부터 신체내대사작용의 어떤 변화가 중추신경계에 영향을 주어 사춘기의 시작을 유도하고 진행시키는 데 중요한 역할을 하는 것으로 생각되어 왔다. 하나의 가설로는 신체조성과 연관된 대사신호가 시상하부의 성선자극호르몬방출호르몬 파발생기를 성숙시키고 활성화시킴으로써 사춘기가 시작된다고 제시하고 있다.

렙틴은 167개의 아미노산으로 구성된 호르몬으로 지방세포에서 만들어지며 시상하부에 작용하여 식욕을 억제시킨다. 이 렙틴이 신체의 영양상태 변화를 중추신경계에 전달함으로써 사춘기 유발과 관련이 있는 것으로 추측하고 있다. 유전적으로 렙틴이 결핍된 생쥐(ob/ob)는 비만이 초래될 뿐 아니라 생식능력이 없으나, 이들에게 렙틴을 투여하면 생식능력이 회복된다. 또한 렙틴이 부족한 사람은 성선자극호르몬의 분비가 감소되고 사춘기발달이 없는데 렙틴을 투여하면 성선자극호르몬 분비가 나타난다. 비만아가 사춘기 시작과 초경이 빠른 것도 이러한 가능성을 시사한다. 그러나 사춘기시작 시에 급격한 혈중 렙틴 증가가 없고, 체질성 사춘기 지연 남아에서 렙틴 농도의 증가 없이도 사춘기 발현이 되며, 동물실험에서 사춘기발달시기에 따른 시상하부의 렙틴유전자발현의 변화가 없는 것 등으로 미루어 현재까지는 렙틴이 사춘기 발현에 필요한 인자이나(permissive factor), 사춘기시작의 직접적인 유발요소(trigger factor)는 아닌 것으로 생각된다.

2) 사춘기시작 조절기전
영아 초기에는 황체형성호르몬과 난포자극호르몬의 분비가 증가되었다가 그 이후 시상하부의 성선자극호르몬방출호르몬파발생기가 억제되어 뇌하수체-성선자극호르몬-성선축이 작동하지 못하는 시기가 10년간 계속된다. 사춘기 전 시기에 난포자극호르몬/황체형성호르몬의 분비가 억제되어 있는 것은 다음과 같은 두 가지 기전으로 설명된다. 하나는 성선스테로이드에 의존적인 기전으로서 매우 민감하게 작용하는 시상하부-뇌하수체-성선의 음성되먹임기전이며 이것은 주로 영아와 소아 초기에 작용한다. 다른 하나는 성선스테로이드와 무관한 기전으로서 성선자극호르몬방출호르몬파발생기를 중추신경계가 내적으로 억제하는 기전

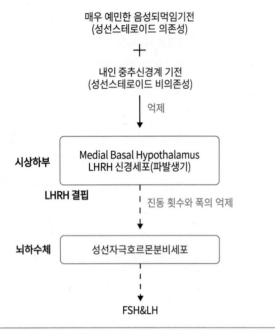

시상하부

Medial Basal Hypothalamus
LHRH 신경세포(파발생기)

LHRH 결핍

진동 횟수와 폭의 억제

뇌하수체 | 성선자극호르몬분비세포

FSH&LH

그림 6-3-6. 사춘기유발억제기전

이며 이것은 소아휴지기에 작용한다(그림 6-3-6).

(1) 성선스테로이드의존음성되먹임기전(gonadal steroid dependent negative feedback mechanism)

이 가설은 성선스테로이드의 성선자극호르몬을 조절하는 음성되먹임의 민감도(gonadostat)가 변환한다는 개념이다. 1932년에 이미 Hohlweg 등은 거세한 미성숙한 쥐는 적은 양의 성선스테로이드 투여로도 뇌하수체호르몬의 과분비가 차단되며, 반면에 성숙된 쥐는 많은 양의 스테로이드가 필요함을 관찰하였다. 사람에서도 태아기와 소아기를 통하여 적은 양의 에스트로젠으로 성선자극호르몬 분비를 억제하는 음성되먹임기전이 계속된다.

이러한 개념으로 음성되먹임의 민감도가 저하되어 사춘기유발이 시작되고 성선자극호르몬이 증가하며 차례로 성선스테로이드 농도가 상승한다. 사춘기 후반에는 이러한 성선스테로이드의 음성되먹임이 더 높은 설정치로 새로운 평형에 도달한다.

(2) 성선스테로이드비의존중추신경계의 내인억제기전 (gonadal steroid independent intrinsic CNS inhibitory mechanism)

성선저하증 환자에서 영아기부터 4세경까지는 난포자극호르몬과 황체형성호르몬의 농도가 높게 유지되며 이것은 성선스테로이드의 음성되먹임기전이 작용하지 못해서 성선자극호르몬방출호르몬이 효과적으로 억제되지 못한다는 것을 보여준다. 그러나 4세에서 11세 사이에는 이러한 환자에서도 성선자극호르몬의 분비가 감소하며 이것은 성선스테로이드와는 무관한 중추신경계의 내인기전에 의해 성선자극호르몬방출호르몬파발생기가 억제됨을 시사한다. 이러한 기전은 성선자극호르몬방출호르몬과 성선자극호르몬의 합성과 파동적인 분비를 억제함으로써 사춘기가 시작되는 것을 막아준다. 중추신경계의 내인억제기전은 사춘기가 되면 서서히 없어져서 성선자극호르몬방출호르몬 파발생기의 억제가 풀리고 재활성화가 이루어진다.

중추신경계에 내인억제기전이 존재한다는 간접적인 증거는 기질적 원인이 있는 진성성조숙 환자에 대한 연구결과에서 뒷받침된다. 시상하부의 별아교세포종(astrocytoma)과 같은 종양이 있거나 중추신경계에 방사선을 조사한 경우, 중격-시신경이형성증(septo-optic dysplasia) 같은 중추신경계의 발생학적 이상이 있는 경우 성선자극호르몬방출호르몬파발생기를 억제하는 신경로에 이상이 생겨 성선자극호르몬방출호르몬 파발생기를 재활성화시킴으로써 진성성조숙이 유발된다. 또한 시상하부의 과오종(hamartoma)의 경우는 이소성 파발생기로 작용함으로써 진성성조숙을 유발한다.

(3) 음성되먹임기전과 중추신경계의 내인억제기전의 상호작용(interaction of negative feedback mechanism and intrinsic CNS inhibitory mechanism)

사춘기를 억제하는 데는 성선스테로이드의 음성되먹임기전과 중추신경계의 내인억제기전이 모두 관여하지만, 4세까지는 성선스테로이드의 음성되먹임기전이 주로 관여하

며, 4–11세 사이에는 중추신경계의 내인억제기전이 주로 관여하고 성선스테로이드의 음성되먹임기전은 이차적이다. 사춘기가 시작되면 중추신경계의 내인억제기전이 점차 약해지며 우선적으로 야간의 수면 중에 약해진다. 또한, 시상하부의 성선자극호르몬방출호르몬파발생기가 성선스테로이드의 음성되먹임기전에 대해 덜 민감해진다. 사춘기가 시작된 후에는 성선스테로이드의 음성되먹임기전이 성인의 형태를 띄게 되어, 일차성선저하증 때 성선자극호르몬방출호르몬이 증가하는 것과 같은 양상을 보인다. 또한 이때는 인히빈도 중요한 조절인자로 작용한다.

(4) 중추신경계의 내인억제기전을 조절하는 인자(potential components of the intrinsic CNS inhibitory mechanism)

소아휴지기 동안 성선자극호르몬방출호르몬파발생기를 조절한다고 알려진 신경전달물질(neurotransmitter)과 신경조절물질(neuromodulator)을 표 6-3-8에 나열하였다. GABA는 가장 주된 시상하부의 내인억제인자이다. GABA와 GABAergic 신경원이 사춘기 전 시기에 성선자극호르몬방출호르몬 파발생기(pulse generator)를 강력히 억제하나 외부적으로 GABA를 투여하면 체내의 내인(endogenous) GABA 농도가 높아서 효과를 나타내지 못한다. Glutamic acid decarboxylase (GAD)는 글루탐산염(glutamate)을 GABA로 전환시키는 효소로서 GAD 65, GAD 67의 두 가지 종류가 있으며, 이들 모두의 GAD mRNA가 성선자극호르몬방출호르몬파발생기 장소인 중저부시상하부(mediobasal hypothalamus)에서 검출된다.

GABA는 소아휴지기와 성인 뇌에서는 주된 억제신경전달물질이지만 뇌발달 초기와 출생 후 유아기에는 반대로 자극성 신경작용을 나타낸다. 유아기와 소아초기에 성선스테로이드의존적 음성되먹임기전 우위에서 이후 중추신경계의 내인억제기전 우위로 이행하는 것은 GABAergic 시냅스전도(synaptic transmission)가 흥분성에서 억제적으로 이행되는 것과 관련이 있을 수 있다.

표 6-3-8. 내인중추신경계 억제기전을 조절하는 인자

억제인자
• 억제성중추신경계 신경전달–신경조절경로 - γ-aminobutyric acid(주요 억제인자) - Endogenous opioid peptides

자극인자
• 자극성중추신경계 신경전달–신경조절경로 - 자극성 아미노산 - Noadrenergic - 도파민성 - Neuropeptide Y - Nitric oxide - 프로스타글랜딘, PGE2 - Calcium–mobilizing agonists - Kisspeptin • 기타 뇌펩타이드 - Neurotrophic and growth peptides - Activin A - Endothelin–1, –2, –3

엔–메틸–디아스장산(N–methyl–D aspartate, NMDA)은 성선자극호르몬방출호르몬 신경원을 자극한다. 성선자극호르몬방출호르몬 신경원세포는 성선자극호르몬방출호르몬을 파동적으로 분비할 수 있는 신경학적 발진기의 성질을 갖는다. NMDA수용체는 시상하부를 포함하여 전체 중추신경계에 넓게 분포하는데 이 NMDA수용체에 작용하는 노르에피네프린과 글루탐산과 아스장산 등의 아미노산이 성선자극호르몬방출호르몬 분비의 중요한 조절인자로 작용한다.

또한 강력하게 식욕을 자극하는 물질인 신경펩타이드Y(NPY)도 성선자극호르몬방출호르몬 방출을 자극하여 황체형성호르몬 분비를 증가시키며, 이것은 에스트로젠과 식이제한에 의해 억제된다. 이외에 전환성장인자(transforming growth factor, TGF), 섬유모세포성장인자(fibroblast growth factor), 표피성장인자(epidermal growth factor), 인슐린유사성장인자–1 등의 성장펩타이드들도 성선자극호르몬방출호르몬을 조절한다. 최근에는 kisspeptin이 성선자극호르몬방출호르몬 신경세포에 존재하는 GPR54수용체와 결합하여 성선자극호르몬방출호르몬의 분비를 자극함으로써 사춘기의 시작을 조절한다고 보고되었다. 요약하면 사춘기 유발 시의 성선자극호르몬방출호르몬파발생기의 재활성화는 GABAergic 억제 신경전달의 감소와 동시에 자극성아미노산신경전달물질(글루탐산염)과 노르에피네프린, NPY같은 신경전달물질의 증가와 관계가 있다(그림 6-3-7).

(5) 수면 시 황체형성호르몬 분비의 증가와 사춘기의 시작

사춘기 발현 전후 동안 신체적인 변화가 있기 전에 제일 먼저 성선자극호르몬 분비가 야간에 일어난다(그림 6-3-8). 뇌하수체에서 황체형성호르몬과 난포자극호르몬의 분비는 간헐적이고 파동적으로 분비되며 이것은 시상하부의 성선자극호르몬방출호르몬파발생기에서 성선자극호르몬방출호르몬이 파동적으로 분비되기 때문이다. 성선자극호르몬의 분비는 성인 남성의 경우 120분마다 1번, 성인 여성은 난포 중기에는 60분마다 1번씩 파동적으로 이루어진다. 사춘기 전 시기의 소아에서도 매우 민감한 방사면역측정법을 사용할 경우 황체형성호르몬과 난포자극호르몬 분비의 진폭과 빈도가 작기는 하지만 파동적인 분비가 관찰된다. 성인 남성과 여성의 경우는 24시간을 통해 분비되는 파동의 진폭과 빈도가 거의 비슷하지만, 사춘기 소아의 경우에는 초기와 중기에는 주로 밤 시간에 황체형성호르몬의 분비가 일어나며, 후기가 되어야 낮에도 황체형성호르몬의 분비가 증가한다. 남녀 모두에서 야간에 황체형성호르몬 분비가 증가하는 것은 성선자극호르몬방출호르몬파발생기가 처음에는 수면 중에 재활성화된다는 것을 의미하며, 따라서 수면 중에 성선자극호르몬이 파동적으로 분비되는 현상은 사춘기가 시작됐다는 신경내분비적 신호가 된다.

남성에서 밤 시간 동안 황체형성호르몬의 분비가 증가하면 테스토스테론의 분비가 증가하며, 야간의 혈중 테스토스테론의 농도도 증가한다. 이와 같은 황체형성호르몬의 분비형태는 사춘기시기의 성선저하증 환자에서도 관찰되며,

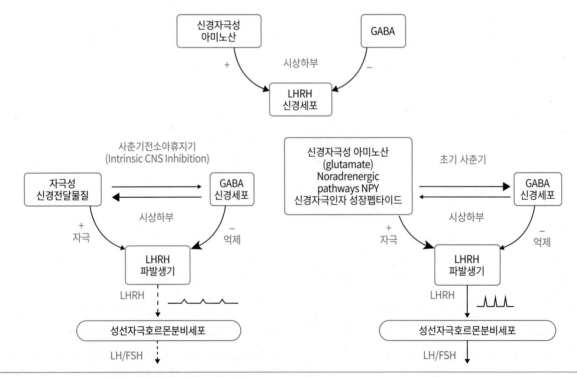

그림 6-3-7. 성선자극호르몬방출호르몬파발생기에 대한 내인중추신경계 억제와 자극에 따른 재활성화

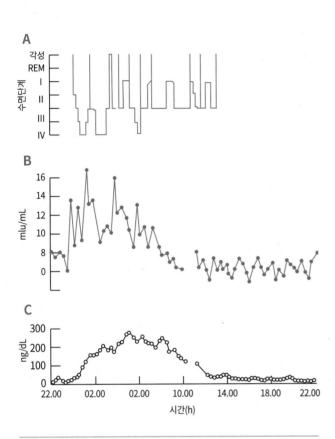

그림 6-3-8. Tanner 2기의 14세 남아의
혈중 황체형성호르몬과 testosterone 농도(매 20분)
A: 수면단계, B: 혈중 황체형성호르몬(mIU/mL), C: 혈중 테스토스테론(ng/dL)

뇌하수체성선자극호르몬 분비에서 성선자극호르몬방출호르몬에 대한 반응은 시기와 성별에 따라 다른 형태를 보인다. 성선자극호르몬방출호르몬 투여 후 황체형성호르몬의 분비 반응은 영아기를 지난 시기의 소아에서는 미약하지만, 사춘기를 통해 증가하며, 성인시기가 되면 최고조에 이른다.

반면 성선자극호르몬방출호르몬 투여 후 난포자극호르몬의 분비반응은 남성에서는 시기에 관계없이 비슷한 정도를 보인다. 따라서 사춘기 전 시기에는 난포자극호르몬/황체형성호르몬 비가 높지만 사춘기가 진행됨에 따라 변화한다. 또한 성선자극호르몬방출호르몬에 대한 난포자극호르몬과 황체형성호르몬의 반응은 성별에 따라 차이가 난다. 예를 들면 여성은 남성에 비해 어느 시기를 통해서도 난포자극호르몬의 반응이 높다. 사춘기 전 시기의 여성은 사춘기 전 시기와 사춘기시기의 남성보다 뇌하수체에서 난포자극호르몬을 분비할 수 있는 저장능력이 더 높다. 이와 같은 성별의 차이가 여성에서 특발성 진성성조숙과 유방조기발육증(premature thelarche)의 발생빈도가 더 높은 이유로 여겨진다. 실제로 유방조기발육증 환자에서 성선자극호르몬방출호르몬자극검사를 시행해 보면 난포자극호르몬의 반응이 더 강하게 나타나며 황체형성호르몬은 성별의 차이를 보이지 않는다.

합성성선자극호르몬방출호르몬에 대한 황체형성호르몬의 반응이 증가하는 것은 사춘기시작의 초기호르몬 변화이다. 성선자극세포가 성선자극호르몬방출호르몬에 여러 번 노출될수록 성선자극호르몬방출호르몬에 대한 반응이 증가하며, 이러한 작용을 자가시동(self priming)이라고 한다.

사춘기에는 성선에서 성선자극호르몬에 대한 반응도 증가한다. 예를 들면 사춘기에 들어간 남성에게 사람융모성선자극호르몬을 투여했을 경우 테스토스테론의 분비가 매우 높게 나타나는데, 이것은 체내의 황체형성호르몬이 라이디히세포에 시동효과를 나타냈기 때문이다.

이러한 사실은 황체형성호르몬의 분비가 성선기능과는 무관함을 보여준다. 또한 수면과 연관된 성선자극호르몬의 증가는 특발성진성성조숙 환자나 선천부신증식증에서 초래된 진성성조숙 환자에서도 관찰된다.

(6) 자극에 대한 뇌하수체와 성선의 반응

사춘기가 시작되면 성선자극호르몬방출호르몬 파발생기가 재활성화됨으로써 성선자극호르몬방출호르몬 파동의 진폭과 빈도가 증가하며, 성선자극호르몬방출호르몬 분비의 증가는 성선자극세포(gonadotroph)를 시동(priming)하는 효과를 주어 뇌하수체가 성선자극호르몬방출호르몬에 대해 더 잘 반응하도록 만들며, 따라서 뇌하수체에서 성선자극호르몬방출호르몬의 분비가 증가하고, 최종적으로 성선에서 성선스테로이드의 분비가 증가된다.

4. 양성되먹임기전과 월경주기

양성되먹임기전은 여성의 시상하부–뇌하수체–성선발달의 최종적인 단계로서 대략 사춘기 중기 이후에 발달한다. 에스트라다이올이 양성되먹임 효과를 갖는 것은 배란을 위한 전제조건이 된다. 양성되먹임 효과를 얻기 위해서는 충분한 양의 에스트라다이올이 분비될 수 있도록 난포자극호르몬에 의해 시동이 된 난소의 난포가 있어야 하고, 뇌하수체에 충분한 양의 황체형성호르몬이 저장되어 있어야 하며, 성선자극호르몬방출호르몬신경원에 충분한 양의 성선자극호르몬방출호르몬이 저장되어 있으면서 성인형태의 파동적인 성선자극호르몬방출호르몬 분비가 이루어져야 한다. 이 과정을 통하여 에스트로겐의 농도가 200–300 pg/mL으로 48시간 이상 유지되어 뇌하수체의 황체형성호르몬 분비의 급증(surge)을 유발하고, 이는 약 12시간 후 배란을 일으키게 된다. 또한 에스트라다이올은 성선자극호르몬방출호르몬에 대한 뇌하수체의 민감성을 증가시켜서, 성선자극호르몬방출호르몬 파동 빈도를 증가시키는 것과 아울러 황체형성호르몬 분비를 증가시킨다.

월경주기는 초기의 난포기(follicular phase), 중기의 에스트라다이올 및 황체형성호르몬 절정기 및 그 후의 황체기(luteal phase)로 구분한다. 난포기 말에 증가된 에스트로겐은 자궁내막을 자극하여 증식시키지만, 황체기 말 황체(corpus luteum)가 소멸하는 시기에 에스트로겐과 프로제스테론이 감소하면서 과증식된 자궁내막의 괴사가 일어나며 이로 인해 월경이 시작되게 한다.

성선자극호르몬이 주기성을 띄며, 에스트라다이올이 양성되먹임 작용을 갖게 되는 것은 사춘기 중기인 초경 전부터 일어나지만 완벽하게 작용하지는 못한다. 실제로 사춘기시기의 난소는 성선자극호르몬에 충분히 자극되지 못한 상태이므로 반응성이 떨어지고, 그 외에도 다른 국소적인 요인으로 인해 배란성 황체형성호르몬의 급증을 일으킬 정도로 충분한 에스트라다이올을 분비하지 못한다. 따라서 월경이

시작된 후 첫 2년간은 55–90%에서 무배란이며, 월경 시작 5년 후에도 월경주기의 20%는 배란이 일어나지 않는다.

5. 부신성징발생(Adrenarche)

부신피질에서 분비되는 주요 남성호르몬은 데하이드로에피안드로스테론(dehydroepiandrosterone, DHEA), 데하이드로에피안드로스테론황산염(dehydroepian drosterone sulfate, DHEA-S)과 안드로스텐다이온(androstenedione)이다. 부신남성호르몬은 테스토스테론과 에스트라다이올이 활발하게 기능하는 데 기여한다.

DHEA와 DHEA-S는 성선자극호르몬과 성선스테로이드가 증가하기 2년 전 또는 그 이전부터 상승하며, 부신에서의 남성호르몬 분비와 성증발현이 시작됐음을 알 수 있는 유용한 생화학적인 지표가 된다. 이러한 성증발현의 변화는 정상아에서 6–8세경에 시작되어 사춘기 후반까지 지속된다. 이차성징 발달시기에 일어나는 부신 활동 증가의 조절기전에 대해서는 아직 잘 모르며 성선자극호르몬에 의해 조절되는 것은 아닌 것으로 생각된다. 부신피질자극호르몬이 없는 경우에는 이러한 부신안드로겐의 변화가 없으나, 성증발현 시기에도 뚜렷한 부신피질자극호르몬 분비의 변화가 관찰되지 않아 부신피질자극호르몬은 성증발현의 발생에 필요는 하지만 충분한 것은 아닌 것으로 여겨진다.

성증발현 유무가 사춘기시작에 직접적인 영향을 미치지는 않는 것으로 보인다. 부신기능이 없어 부신 남성호르몬 분비가 없는 애디슨병 환자에서도 적절하게 당질부신피질호르몬과 무기질부신피질호르몬을 보충하는 경우 적절한 연령에 사춘기가 시작되며, 조기성증발현(premature adrenarche)의 경우에도 정상시기에 사춘기가 시작된다. 부신 남성호르몬 분비의 조기활성화가 항상 성조숙을 유발하지는 않으며, 또한 부신 남성호르몬의 결핍이 항상 사춘기 지연과 동반되는 것은 아니다. 성증발현은 정상 소아에서 시상하부–뇌하수체–성선축발달에 의한 사춘기과정과 관련

이 있으나 사춘기시작에 중요한 역할을 하지는 않는 것으로 보인다.

II. 사춘기이상질환

황진순

1. 성조숙

성조숙은 여아에서 8세 이전, 남아에서 9세 이전에 이차성징이 시작되는 것으로 정의한다. 그러나 최근 사춘기 변화가 과거보다 빨라지는 경향이 있어 진단 기준연령에 대한 논란이 있는 상태이다. 성조숙은 진성성조숙과 가성성조숙으로 구분할 수 있다(표 6-3-9). 진성성조숙은 중추성조숙(혹은 성선자극호르몬 의존성)이라 하며 시상하부–뇌하수체–성선축이 활성화되어 정상 생리적 사춘기가 시작되는

기전과 같다. 가성성조숙은 말초성성조숙(혹은 성선자극호르몬 비의존성)이라 하며 중추신경계의 활성화 없이 성호르몬 증가로만 유발된다. 그러므로 중추성조숙은 항상 동성으로 성조숙이 나타나며 가성성조숙은 이성형태의 성조숙이 나타날 수도 있다. 여아에서 사춘기시작은 유방발육 개시로 시작되고 남아에서는 고환이 커지는 것으로 시작되며 고환의 용적이 orchidometry로 측정해서 4 mL 이상이거나 고환의 장축이 2.5 cm 이상이면 사춘기가 시작되었다고 본다. 성조숙을 평가할 때에는 성장지표, 체질량지수, 뼈나이, 신장 예측치, 가족력, 정신사회적 상태 등의 개인적인 상황이 충분히 고려되어야 한다.

1) 성조숙의 변이형

이차성징이 단독으로 발생하는 조기유방 발육과 조기음모 발생은 성조숙의 변이형으로 분류된다. 조기유방 발육은 여아에서 유방이 조기발달되는 것이며 조기음모 발생은 남아, 여아 모두에서 음모가 일찍 발생되는 것이다.

표 6-3-9. **성조숙의 분류**

1. 사춘기발달의 변이형 • 유방 조기발육증, 음모 조기발생증, 초경 조기발생증
2. 진성성조숙(성선자극호르몬–의존성) • 특발성 • 뇌의 기질적 병변: 시상하부과오종, 뇌수종, 감염, 뇌상 등 • 기타: 뇌 방사선조사, 장기간 치료하지 않은 갑상선기능저하증 등

3. 가성성조숙(성선자극호르몬–비의존성)
• 여아
  - 여성화(동성) 가성성조숙, 매큔–올브라이트증후군, 자율성난포낭종, 난소종양, 성선자극호르몬분비종양, 여성화 부신종양, 외인에스트로젠
  - 남성화(이성) 가성성조숙성, 선천부신 과형성증, 부신종양, 난소종양, 외인에스트로젠
• 남아
  - 남성화(동성) 가성성조숙, 선천부신증식증, 부신피질종양, Leydig세포종
  - hCG분비종양: 뇌종양, 간모세포종, 종격종양, 외인안드로젠
  - 여성화(이성) 가성성조숙, 여성화 부신피질종양, 외인에스트로젠
  - 여성형유방

4. 가성에서 진성으로 이행(사춘기 진행 후) • 선천부신증식증, 매큔–올브라이트증후군

(1) 조기유방 발육

정확한 원인기전은 아직 잘 모르고 유아기에서 3세 사이의 여아에서 흔하며 사춘기시작 전 어느 때나 발생할 수 있다. 성장속도와 골격 성숙은 정상 연령 범위 내에 있다. 유방발달은 한쪽 또는 양쪽으로 생기며 일반적으로 Tanner III 단계를 초과하지 않는다. 유두는 미성숙하고 질 점막은 에스트로젠화되어 있지 않다. 매우 민감도가 높은 호르몬검사를 시행하여 에스트라디올을 측정하면 정상 여아보다 높게 나타난다. 그러나 중추성조숙과는 달리 난소와 자궁 크기는 사춘기 이전 범위에 있다. 일부 환자는 GnRH자극검사에서 LH가 우세한 반응을 보인다. 2세 미만에서 조기유방발육이 발현된 경우 대부분은 저절로 퇴화한다. 한 연구에서 조기유방발육환아의 약 14%에서 진성성조숙으로 진행한다고 보고하였다.

전형적인 조기유방 발육 환아들은 정기적인 추적만 하면 된다. 성장속도 등을 포함한 세심한 임상적인 평가를 3-6개월 간격으로 시행한다. 진단 시 뼈나이를 파악하는 것이 도움이 되며 향후에도 실제나이와 비슷한 진행을 하는 것을 확인해야 한다. 만약 이차성징이 관찰이 되고 성장속도가 급증하는 경우 진성성조숙으로 진행할 가능성 때문에 정밀한 진료가 필요하다. 유방의 종괴가 있을 경우 섬유선종, 농양, 출혈성 낭종, 드물게 전이성 질환 등이 있을 수 있다.

(2) 조기음모 발생

조기음모 발생은 사춘기 이전 소아에서 음모가 발현되는 경우이다. 다른 증상으로 액취, 여드름, 액모 등이 있다. 대부분은 조기 adrenarche (DHEA-S 등의 부신안드로젠이 사춘기 발현에 따라서 정상보다 상승되어 있는 상태)에 따른 이차적 증상이다. 보통 6-8세 소아에서 관찰되지만 더 일찍 관찰되는 경우도 있다. 유방발달과 같은 사춘기의 다른 징후가 없으면 진단에 도움이 된다. 비록 성장속도나 골격계의 성숙 등이 약간 진행되어 있다고 하더라도 목소리 변화, 음핵의 발달, 근육량 증가와 같은 뚜렷한 남성화는 나타나지 않는다. 조기음모발생은 부신피질증식증, 남성화를 유발하는 부신

종양 혹은 성선종양, 다낭난소증후군 등과 감별해야 한다. 음모만 있고 정상 성장을 하는 소아는 뼈나이를 먼저 확인한다. 비록 진찰소견이 정상이라도 부신안드로젠의 상승이 있다면 추가평가가 필요하다. 급속 성장, 골격 성숙, 음핵 비대 등의 분명한 남성화소견이 보일 경우 기저 혹은 자극 후의 혈중 부신안드로젠, 스테로이드 전구물질 등을 검사한다. 일단 조기음모 발생으로 진단이 되면 성장속도와 임상평가를 위해 3-6개월의 간격으로 추적하는 것이 좋다.

2) 병적성조숙

(1) 진성(중추성, 성선자극호르몬-의존성)성조숙

진성성조숙의 원인은 크게 두 가지로 나눌 수 있다. 해부학적 이상이 없는 특발성조숙과 중추신경계에 해부학적 이상이 있는 경우로 나눈다. 중추성조숙의 90%는 특발성이고 여아에서 많이 발생한다. 특발성조숙은 GnRH 분비의 신경 억제기능이나 분비자극기능의 조절이 되지 않아 발생한다. 보통염색체우성의 유전을 보이는 가족성성조숙도 흔히 보고된다. 원인으로 GPR54유전자의 돌연변이가 보고된 바 있다.

원인 중 두개내 병변이 있는 경우 시상하부과오종(hamartoma)이 가장 흔하며 드물게 경련, 특히 웃는 형태의 발작으로 나타날 수 있다. 다른 중추신경계이상은 시상하부 뇌하수체종양, 시신경 교차점의 종양, 송과체낭종, 터키안 낭종, 중격시신경 이상, 신경섬유종, 두부외상, 수두증 등이 있다. 오랫동안 치료받지 못한 갑상선기능저하증에서 성조숙을 보이는 경우가 있는데, 이러한 경우를 Van Wyk-Grumbach 증후군이라 부른다. 상승된 TSH와 함께 성선자극호르몬 분비가 증가되어 있고 상승된 TSH에 FSH수용체가 교차반응하면서 발생되는 것으로 보고 있다. 경우에 따라 가성성조숙으로 분류하기도 한다.

진단으로는 우선 진성성조숙과 가성성조숙을 감별하기 위해 GnRH자극검사를 한다. 진성성조숙에서는 시상하부-

뇌하수체-성선축이 활성화되어 LH가 사춘기 이후, 또는 성인 반응을 보인다. 진성성조숙 환자는 뇌병변을 감별하기 위해 뇌 MRI검사를 한다. 뼈나이검사는 골 성숙정도와 잠재 성장 가능성에 대해 매우 중요한 정보를 준다. 골반 초음파 검사를 통해서 자궁과 난소의 비대, 난소의 대칭성 또는 낭종의 존재나 다른 난소이상 등을 확인할 수도 있다. GnRH 자극검사에서 사춘기 이전 또는 억제된 반응을 보이는 경우에는 가성성조숙의 원인에 대한 정밀조사가 더 필요하다.

치료는 해부학적 원인이나 다른 원인질환이 있으면 먼저 치료를 고려한다. 특발성조숙인 경우 치료의 일차목표는 보다 향상된 성인키와 환자 또래들과 생리적 상태를 비슷하게 회복시키는 것으로 시상하부-뇌하수체-성선축을 일시적으로 억제시키는 성선자극호르몬방출호르몬작용제를 투여한다. 성선자극호르몬방출호르몬작용제는 뇌하수체의 GnRH수용체를 지속적으로 탈민감시켜 뇌하수체에서 LH, FSH 분비가 억제되고 이차적으로 성호르몬 분비가 억제되도록 한다. 약물은 leuprolin, histrelin, triptorelin 등이 있다. 대부분 성선자극호르몬방출호르몬작용제들은 4주 간격, 3개월 간격으로 투여하나 아직까지는 4주 간격을 가장 많이 사용하고 주사통증이나 부작용에서 4주 간격 유도체가 덜 하고 효과도 더 좋은 것으로 알려져 있다. 12개월 지속 삽입(implant) 제형도 있으나 삽입과 제거 시 수술을 해야 하는 점, 삽입 후 파손에 따른 부작용 등으로 우리나라에서는 사용되지 않는다. 최근 6개월 저장제형도 개발되었으나 효과와 장기적인 부작용은 아직까지 알 수 없다.

치료가 효과적일 경우에 성호르몬 농도와 성선자극호르몬 농도가 사춘기 이전 수준으로 감소하고 성장속도의 감소, 뼈나이의 진행이 늦어진다. 성성숙도 초기단계에 치료 시작한 군에서는 이차성징의 퇴화를 볼 수 있지만 이미 성성숙도가 많이 진행된 군에서는 사춘기 진행이 다소 늦어지는 것만을 관찰할 수 있다. 여아에서 치료의 효과를 보기 위해 골반 초음파로 자궁크기를 추적하고 남아에서는 고환용적을 추적할 수 있으나 큰 도움이 되지는 않는다. 조기에 치료를 시작하고 장기간 치료 시 최종 성인키의 예후가 더 좋으며 과거에는 6세 전에 성선자극호르몬방출호르몬작용제로 치료를 시작하지 않으면 최종 성인키에 효과가 없다고 보고되었으나 최근에는 치료가 8세 전후로 시작한 경우에도 최종 성인키 증가에 효과가 있다고 알려진다. 성선자극호르몬방출호르몬작용제 치료로 골밀도는 감소하지 않으며 치료를 중단해 사춘기 억제가 없어지면 다시 사춘기가 발달된다. 치료 후 치료를 받은 군과 정상 청소년들의 배란 주기에는 차이가 없으며 성인 이후 생식기능도 정상이다.

(2) 가성(말초성, 성선자극호르몬-비의존성)성조숙

시상하부-뇌하수체-성선축의 활성화 없이 다른 경로를 통한 성호르몬 노출에 의해 사춘기발달을 초래하는 경우이다. 검사와 감별진단으로 소아가 여아인지 남아인지, 임상상태가 에스트로젠이나 안드로젠 또는 두 가지 모두와 관련된 변화를 보여주는지에 따라 분류된다.

① 스테로이드 생합성효소의 이상
가. 선천부신증식증후군

선천부신증식증은 부신스테로이드 생성에 필요한 효소의 유전결핍으로 나타난다. 선천부신증식증에서 나타나는 과도한 부신안드로젠 분비는 소아에서 출생 후 남성화의 가장 흔한 원인이다. 코티솔 생합성의 장애와 뇌하수체 ACTH 분비가 증가하고, 스테로이드 전구물질들이 축적된다. 효소부족은 안드로젠 생합성에서 전구체들의 과다축적을 가져오고, 이어 부신안드로젠의 과형성을 초래한다. 비정상적 부신안드로젠 형성 및 사춘기 전 소아에서 남성화를 초래하는 부신 과형성의 세 가지 형태는 21-hydroxylase, 3β- hydroxysteroid dehydrogenase, 그리고 11-hydroxylase결핍증이다. 여아에서 전형적인 신체특징으로 음모, 액모, 체취, 성장 가속, 증가된 뼈나이, 큰 음핵증이나 이런 특징들이 모두 나타나는 것은 아니다. 남아의 전형적인 신체특징도 비슷하며, 성기크기 증가, 근육 증가를 볼 수 있다. 그러나 고환용적은 사춘기 이전 범위 내에 있으며 진성성조숙과 감별되는 점이다.

나. 방향화효소(aromatase)과다증후군

방향화효소는 생식기와 지방조직을 비롯한 여러 곳에서 안드로젠을 에스트로젠으로 전환하는 효소이다. 방향화가 증가하면 사춘기 이전에 발생되는 가족성여성형유방을 초래하게 된다. 보통염색체우성유전되는 경향이 있으며 에스트라디올과 에스트론의 증가에 의해 남아에서 여성형유방, 여아에서 성조숙을 초래한다.

② 매큔–올브라이트증후군

매큔–올브라이트증후군(McCune-Albright syndrome)은 성조숙, 다발섬유성골이형성증, 착색된 피부반점(café-au-lait spot) 등의 세 가지 특징을 가진 드문 질환이다. 분자유전학적으로 G단백질의 자극성소단위인 Gsa의 변이활성화에 의해 발생한다. 내분비선의 기능이 항진되는 것이 특징이며, 잠재적으로 부신, 부갑상선, 뇌하수체, 갑상선, 성선 등을 포함한 수많은 장기들이 영향을 받는다. 이 질환에서 드물게 간담관질환, 심장질환 등의 내분비 조직이 아닌 장기를 침범하는 경우도 있다. 사춘기 이전 소아에서 조절되지 않는 성선스테로이드의 분비가 성조숙의 원인이고 여아에서 더 많이 보고된다. 사춘기 이전 여아에서, 혈청에스트라디올수치 상승과 난소낭종이 특징적이다. 난소낭종의 갑작스러운 퇴화나 에스트로젠에 장기 노출로 질 출혈이 발생할 수 있다.

임상증세는 광범위한 피부, 뼈가 침범된 환자부터 단지 경한 증상을 보이며 진행하는 성조숙까지 매우 다양하다. 사춘기 전에는 가성성조숙형태를 보이나 사춘기가 시작되면 진성성조숙이 된다.

치료로 letrozole 또는 선택적으로 에스트로젠수용체에 작용하는 tamoxifen 등을 사용해 볼 수 있으나 효과는 연구자에 따라서 다르게 보고되고 있다. Faslodex와 같은 순수한 에스트로젠수용체 차단제의 사용도 연구 중이다.

③ 가족성남성성조숙

Testotoxicosis라고도 불리며, 가성성조숙의 형태로 남아에서 발생한다. 이 질환에서 LH수용체가 활성화되어 자율적인 성호르몬 분비를 일으켜 조기 사춘기발달을 일으킨다. 전형적인질환의 유전방식은 보통염색체우성유전이지만 산발적으로 돌연변이에 의해 발생되기도 한다.

환자는 어린 연령, 특히 4세에 성장가속과 음모, 성기의 발달 등 남성화를 보인다. 고환은 대개 남성화 정도에 비해 작고 딱딱할 수 있으며, 조직학적으로 라이디히(Leydig)세포의 과형성을 보인다. 혈청테스토스테론은 성인 남성 수준인 반면에, 혈청성선자극호르몬은 사춘기 이전 수준이다. GnRH자극검사에서도 사춘기 이전 반응을 보인다. 치료를 하지 않으면 뼈끝의 조기융합으로 저신장이 된다. 생식력은 대부분 정상이다. 치료로 ketoconazole, spironolac-tone 혹은 방향화억제제인 testolactone이 알려져 있다. 진성성조숙으로 진행된 환자에서 지속형 성선자극호르몬방출호르몬작용제의 추가적 사용이 효과적이다. 3세대 방향화효소억제제인 anastrozole을 mcalutamide과 병합해서 사용한 결과 효과적이었다는 보고가 있다.

④ 난소낭

난소낭은 초음파검사를 이용하면 모든 연령의 사춘기 이전 여아에서 발견할 수 있다. 증세는 없지만 일시적으로 기능하면서 에스트라디올을 분비하여 유방발달을 일으킨다. 낭종이 자연적으로 없어지면 유선조직이 줄고 가슴발달이 쇠퇴한다.

⑤ 종양

종양에서 성호르몬이 분비되어 성조숙이 오는 경우는 드물다. 그러나 종양은 가성성조숙의 중요한 원인이 된다. 증세는 종양의 위치와 타입에 따라 다르며 안드로젠, 에스트로젠 혹은 두 가지 모두 생산된다. 난소종양으로 과립층세포종이 가장 흔하다. 대부분의 난소종양은 에스트로젠을 생산해 여성화를 보이나 간혹 안드로젠생성도 하여 다모증

(hypertrichosis)과 남성화도 보일 수 있다. 증세로 복부의 통증, 팽만, 복수 또는 종괴를 만질 수 있다. 치료는 수술 후 필요에 따라 화학요법을 한다. 특히 청소년에서 과립층세포종이 생길 경우 대부분 예후가 좋다.

라이디히세포종은 모든 고환종양의 3%를 차지하며 가장 흔하다. 성인에서는 약 10%에서 악성이지만 소아에서는 대부분 양성이다. 혈청테스토스테론 상승과 남성화가 나타난다.

부신종양으로 부신피질의 선종과 악성종양이 성조숙을 유발할 수 있으나 매우 드물다. 이런 경우 대다수는 혈청안드로겐의 상승에 의해 남성화를 보이나 코티솔 농도는 높거나 낮을 수 있다. 소아에서 기능을 가진 부신종양의 대부분은 악성이다. 그러므로 수술적 제거가 가장 좋은 치료이다. 성선이 아닌 간, 폐, 종격동, 송과체, 기저핵, 시상하부 그리고 뇌하수체 등에서 배아세포종이 발생되고 성조숙이 생길 수 있다. α–fetoprotein이나 β–hCG, 임신특이 β–hCG의 종양특이인자가 진단에 도움이 된다.

⑥ 외인성성호르몬
외인성에스트로겐 혹은 안드로겐은 소아에서 이차성징을 유발할 수 있다. 흔한 예로 피임제나 에스트로겐 혹은 안드로겐이 포함된 연고 등이 있다. 다양한 화장품과 머리카락과 연관된 제품에 포함된 에스트로겐의 전신적인 흡수는 성조숙 발생과 연관이 있다. 최근 내분비교란물질 등의 환경요인에 대한 관심이 증가하고 있다. 조기유방발육을 보인 여아의 혈청에서 phthalates가 높다고 보고된 적이 있다.

(3) 여성형유방
남성에서 유선조직이 생기는 것을 말한다. 사춘기 진행과 함께 남아의 약 50-70%에서 여성형유방을 보인다. 사춘기시작과 함께 생기는 생리적 여성형유방은 대부분 Tanner 성성숙도 II–III 단계에서 나타나며 14세 전후에 흔하다. 여성호르몬에 대한 남성호르몬의 비율이 감소하여 호르몬균형

이 깨질 때 나타나는 것으로 생각한다. 대개 수개월 내에 자연 소실되나 드물게는 2년 이상 지속될 때도 있다. 양측성 혹은 일측성대칭 또는 비대칭으로 나타나고 만지면 통증이 있다. 혈중 FSH, LH, 성호르몬 등은 정상 남아와 같다. 병적인 경우로 가족성 여성형유방, 선천남성화부신증식증, Klinefelter증후군, Reifenstein증후군, 남성이성반음양, 갑상선기능항진증, 종양, 외인성여성호르몬에 노출되거나 약물복용(ketoconazole, spironolactone, methyldopa, digitalis 등) 등으로 나타날 수 있다. 여성형유방의 치료는 다른 질환의 감별과 함께 환자나 가족을 안심시키고, 심한 경우에는 항에스트로겐 효과가 있는 약물인 danazole, 방향화억제제인 testolactone, anastrozole 등을 사용할 수 있다. 외과적 수술은 특별한 경우에만 고려한다.

2. 사춘기 지연

사춘기의 신체 변화가 여아에서 13세, 남아에서는 14세까지 나타나지 않으면 사춘기 지연이라 정의한다. 사춘기는 일단 시작되면 James Tanner가 처음 기술한 것처럼 예측할 수 있는 이차성징의 발달과정으로 진행하게 된다. 사춘기시작이 늦어지는 경우는 사춘기발달의 변이형태로 종종 볼 수 있으나 일단 시작된 사춘기 진행과정이 멈추는 경우는 항상 정상이 아니며 그 원인을 찾아야 한다.

1) 체질성성장지연
체질성성장지연은 사춘기 지연의 가장 흔한 원인으로 정상성장의 변이형태이다. 병적인 상태인 성선자극호르몬감소성 성선저하증과 감별이 어렵다. 체질성 성장지연은 사춘기와 사춘기 급성장이 정상 연령보다 늦게 나타난다. 여성에서 초경 나이가 늦어지거나 남성에서 늦은 청소년기에 가서 성장이 되는 경우를 볼 수 있다. 발생 비율은 남녀가 비슷한 것으로 보고 있으나 진단되는 경우는 남아에서 더 많다. 진단 시 흔히 키가 3백분위수 이하로 작고 골성숙도 지연되어 있다. 대부분 부모 혹은 가족 중에 같은 내력을 가지는 가족력이 있다. 사춘기시작은 늦어도 정상적으로 발달되고 최종

성인키에서도 유전적인 예상 키에 도달한다.

진단은 저신장, 뼈나이지연, 정상 범위의 낮은 성장속도 등의 특징적 임상소견이 있으면서 다른 원인의 사춘기 지연이나 저신장 원인이 없으면 진단될 수 있다. 기저성선자극호르몬 농도가 낮으며 다른 혈액화학적 소견은 성선자극호르몬결 핍증과 감별이 어렵다. 성선자극호르몬방출호르몬작용제인 nafarelin, leuprolide, triptorelin 등을 투여한 후 LH 최고 반응을 보면 저성선자극호르몬성선저하증보다 훨씬 높은 반응을 보인다. hCG자극검사를 이용하거나 GnRH 자극 후 free α–glycoprotein을 측정하여 두 질환을 감별하기도 한다. 뼈나이가 여아에서 12세, 남아에서 13세가 되었어도 자연적인 사춘기발달이 없다면 병적인 성선저하증을 고려해야 한다.

치료로 남아에서는 과거에 뼈나이 촉진 없이 합성대사작용이 있는 소량의 fluoxymesterone이나 oxandrolone 혹은 경구나 경피용테스토스테론 등을 사용하기도 하였으나, 가장 많이 사용되는 방법은 소량의 테스토스테론을 수개월 내지 1년 동안 매달 근육주사한다. 여아에서는 소량의 에스트로겐을 사용한다. 최근 남아에서는 방향화억제제인 le-trozole을 투여하여 최종 성인키를 증가시킨 연구도 있다.

2) 병적사춘기 지연

사춘기 지연의 병적인 상태는 병변이 시상하부–뇌하수체–성선축의 어느 부위에 있는가에 따라 저성선자극호르몬성 선저하증(혹은 시상하부–뇌하수체성 성선저하증)과 고성 선자극호르몬성선저하증(혹은 원발성 성선저하증)으로 구분된다. 저성선자극호르몬은 병변이 시상하부나 뇌하수체, 혹은 두 부위 모두에 있으며 성선자극호르몬이 낮게 측정된다. 반면 고성선자극호르몬성선저하증은 병변이 난소 혹은 고환에 있어 LH와 FSH가 증가된다. 성선저하증은 어떤 형태이든 결국 난소 혹은 고환의 성선스테로이드생성에 장애가 있다.

(1) 저성선자극호르몬성선저하증

시상하부–뇌하수체성 또는 이차성선저하증이라하며 시상 하부의 GnRH나 뇌하수체의 성선자극호르몬, 혹은 두 호르몬 모두의 결핍이나 불활성화로 나타난다. 환자의 신체적 특징상 신장보다 양팔 길이가 5 cm 이상 크거나, 상하절의 비가 0.9보다 작은 환관증(eunuchoid)을 보인다. 적절한 치료가 안되면 성선스테로이드에 의한 골격계 성숙과 뼈끝의 융합이 잘되지 않아 키가 계속 성장한다. 시상하부–뇌하수체성성선저하증의 원인은 대부분 아직 잘 모르고 있으나 분자유전학의 발전으로 몇몇 질환에서는 유전자이상이 알려져 있다. 단일유전자결손에 의한 시상하부–뇌하수체성성선저하증은 약 30% 정도 되며 점차 비율이 증가되고 있고 표 6-3-10과 같다. 일단 시상하부–뇌하수체성으로 진단이 되면 뇌 MRI검사가 필요하다. 감수성이 높은 호르몬 측정검사나 GnRH자극검사가 진단에 도움이 된다. 일반적으로 성선스테로이드 투여로 사춘기시작을 유도하고 이차성징을 발달시킨다. GnRH 혹은 성선자극호르몬 투여로 수정이 가능한 경우도 있다.

① 선천원인

가. 유전자 결손

가) 핵수용체돌연변이(nuclear receptor mutation)

Steroidogenic factor–1 (SF–1)는 성분화, 스테로이드 합성 및 생식에 관여하는 중요한 유전자이며 성선자극호르몬 분비에 중요한 역할을 한다. SF–1유전자가 제거된 쥐에서는 시상하부발달에 이상이 오며 뇌하수체 성선자극호르몬분비세포의 발달에 장애가 생기며 성선의 발달장애 및 성선자극호르몬 결핍을 보인다. SF–1 돌연변이는 시상하부–뇌하수체에서 성선자극호르몬방출호르몬 수용체와 LH호르몬의 베타소단위에 장애를 일으킨다. 남성에서는 XY성반전, 고환형성장애, 부신부전을 일으킨다. 여성에서는 정상 난소발달과 함께 원발성 부신부전을 발생시킨다. DAX–1는 orphan nuclear수용체 생성에 관여하고 스테로이드 합성과 작용에 SF–1억제자로 관여한다. 남성에서 조기발견되는 부신부전과 이후 따라

표 6-3-10. **저성선자극호르몬성선저하증의 분자유전학적 원인**

유전자	유전형식	작용부위	추가적인 임상정보
SF-1	보통염색체열성 뇌하수체 시상하부 부신	남성에서 스테로이드생성	남성: 성의 전환, 부신부전 여성: 부신부전, 정상 난소기능
DAX-1	성염색체열성 뇌하수체 시상하부 부신	스테로이드생성 저성선자극호르몬성선저하증	남성: 부신부전
KAL-1	성염색체 열성	시상하부에서의 신경세포 가동	후각상실
섬유모세포 성장인자R1	성염색체우성 뇌하수체	시상하부의 섬유모세포성장인자수용체 뇌량 무형성증	구개열
GPR54	보통염색체열성 뇌하수체	성선자극호르몬방출호르몬분비신경	단독성저성선자극호르몬성선저하증
Prop-1	산발적 성염색체열성	성선자극호르몬분비세포발달	성장호르몬결핍증, 중추갑상선기능저하증
Hesx1	산발적 성선자극호르몬분비세포발달 중추성코티솔저하증 요붕증	Prop-1 중추갑상선기능저하증	중격-시신경이형성증
LEP	보통염색체 우성	시상하부	비만, 다식증, T세포 면역이상
LEPR	보통염색체 우성	시상하부	비만, 다식증, T세포 면역이상

발생되는 시상하부-뇌하수체성성선저하증을 유발한다. DAX-1돌연변이는 시상하부와 뇌하수체부위에서 기능장애를 유발할 수 있고 정자 생성에 장애를 만들 수 있다. 그러므로 DAX-1돌연변이는 SF-1돌연변이와 비슷하게 여러 경로에서 성선저하증을 발생시킬 수 있다.

나) Kallmann증후군

Kallmann증후군이란 후각상실과 함께 저성선자극호르몬 성선저하증이 있는질환이다. 발생학적으로 GnRH를 생성하는 신경원의 이동에 문제가 생겨 GnRH의 분비에 장애가 생긴다. X연관유전으로 발생되는 경우는 KALI유전자의 돌연변이에 의해 GnRH와 후각신경의 발생학적 이동에 장애가 생겨 발생한다. KALI유전자는 신경이동 및 성장기 중요한 작용을 하는 anosmin-1이라는 glycoprotein 합성에 관여한다. 환자는 MRI 상후각신경근(olfactory bulb)의 형성장애를 보인다. 보통염색체 유전형태의 Kallmann증후군도 흔히 보고되고 있다. 한 보고에서 가족성Kallmann증후군에서 KALI유전자 결손은 단지 14% 정도라는 보고도 있다. 보통염색체 유전형에서는 일부 GnRH 박동성 분비가 관찰되고 GnRH 분비신경원이 일부 보존된 것으로 보고 있다. Kallmmn 증후군의 약 10%에서는 섬유모세포성장인자R1 돌연변이가 발견된다. PROK2유전자의 돌연변이도 발견되는데 후각기능은 정상이고 저성선자극호르몬 성선저하증만 보일 수 있다.

다) 성선자극호르몬단독결핍증(isolated hypo gonadotropic hypogonadism, IHH)

성선자극호르몬단독결핍증은 GnRH수용체의 돌연변이에 의해 발생되고 점차 보고가 많아지고 있다. 보통염색체 열성유전 형식이며 남녀 같이 발생할 수 있고 후각기능은 정상이다. Kallmann증후군처럼 박동성으로 GnRH를 투여하면 정상 성선기능을 유지할 수도 있으며 수용체유전자의 일부만 불활성화 된 경우는 수정도 가능할 수 있다. 남성에서 성선저하증과 작은 고환을 보이고 여성에서는 원발성 무월경을 보인다. 다른 중요한 원인으로 GPR54유전자의 돌연변이가 있다. GPR54유전자는 시상하부GnRH 생성과 분비에 중요한 역할을 한다. Kallmann증후군과 성선자극호르몬단독결핍증이 같은 혈연에서 발견되는 경우도 있다.

라) 전사인자돌연변이

Prop-1 (Prophet of Pit-1)은 뇌하수체 성선자극호르몬분비세포의 발달에 중요한 전사인자로 초기 발생기의 뇌하수체발달에 관여한다. Prop-1 돌연변이로 성장호르몬결핍증, 중추갑상선기능저하증, 저성선자극호르몬성선저하증 등을 보이는 가족성복합뇌하수체호르몬결핍증이 발생한다. 전사인자 HESX1도 정상 뇌하수체발달에 꼭 필요하다. 1988년 중격-시신경이형성증의 원인으로 처음 밝혀졌으며 저성선자극호르몬감소성 성선저하를 동반할 수 있다. 기타 성선자극호르몬이 감소된 성선저하증을 유발할 수 있는 전사인자로 LHX4 및 SOX2 등도 있다. 뇌하수체저하증을 가진 모든 환자는 저성선자극호르몬성선저하증을 동반할 위험성을 가지고 있다.

마) 렙틴과 렙틴수용체 결함

선천렙틴결핍증을 유발하는 LEP유전자와 렙틴수용체유전자(LEPR)의 돌연변이에 의해서 저성선자극호르몬성선저하증이 생긴다. 렙틴결핍증의 전형적인 모습은 과식욕, 비만, 그리고 성선저하증 등을 볼 수 있고 LEPR 장애도 선천렙틴결핍증과 증세가 비슷하다. 여성에서는

저성선자극호르몬성선저하증이 나타나서 사춘기 발현이 늦고 사춘기 급성장이 없으며 이차성징의 발달도 부족하다. 간혹 에스트로젠에 의한 방향화에 의해 불규칙한 생리를 하기도 한다. 남성에서도 렙틴수용체 돌연변이는 성선저하증과 테스토스테론 생성 장애가 발생한다.

나. 증후군

많은 증후군에서 저성선자극호르몬성선저하증을 보인다. 대표적인 질환으로 Prader-Willi증후군, Bardet- Biedl 증후군 및 Noonan증후군 등이 있다. 이들 질환은 남성에서는 흔히 잠복고환과 미소음경을 잘 동반한다. 여성에서는 특징적 증세가 잘 보이지 않을 수 있지만 음핵의 발달미숙, 원발성 무월경, 사춘기 지연 등을 보인다.

② 후천원인

중추신경계 손상을 줄 수 있는 모든 경우가 저성선자극호르몬성선저하증을 유발할 수 있으며 소아에서 가장 흔한 경우는 두부외상과 중추신경계 종양이다.

가. 외상성뇌손상(traumatic brain injury)

외상성뇌손상에 의해서 신경학적 기능장애가 생길 수 있고 심각한 신경내분비학적 합병증을 초래할 수 있다. 과거에 뇌하수체전엽호르몬의 결핍만 주의하였으나 점차 다른 뇌하수체호르몬 부족도 많이 보고하고 있다. 한 보고에 의하면 두부외상 후 90-95%에서 성선자극호르몬 결핍이 있다고 하였고 두부 손상 후 초기에는 성선자극호르몬결핍증을 보이는 경우가 42% 되었으나 1년 후 저절로 회복되는 경우가 많았다는 보고도 있다.

나. 중추신경계 종양

저성선자극호르몬성선저하증이 종양 자체로 오거나 치료로 인해 생길 수도 있다. 소아뇌종양을 대상으로 한 보고에서는 치료 전에 이미 13%에서 성선자극호르몬 분비에 이상이 있다는 보고도 있다. 두개인두종의 경우 대부분 치료 후 성선저하증이 발생된다. 또 40 Gy 혹은 그 이상 방사선

표 6-3-11. **선천고성선자극호르몬성선저하증의 원인과 임상증상**

진단	임상증상	
Turner증후군	저신장, 익상경, 외반주, 삭상성선	
Klinefelter증후군	고신장, 환관형의 체형, 작고 단단한 고환	
X염색체이상질환	Xq–미숙한 난소부전, XXX–고신장, 비뇨생식기이상	
FSH와 LH 베타소단위 돌연변이	<남성> 사춘기 지연 무정자증 불임	<여성> 일차무월경 불규칙한 생리기간 다낭난포증후군
FSH와 LH수용체 돌연변이	<남성> 미소음경 양성생식기 XY성전환 불임	<여성> 일차무월경 성선 생성저하
Swyer증후군(46,XY)	고신장, 일차무월경, 사춘기 지연, 성선종양	
완전안드로젠불감증(46,XY)	일차무월경, 정상 유방발육개시, 체모부족, 뮐러관과 볼프관의 구조물이 없음	
선천부신증식증(결핍효소에 따라)	고혈압, 저칼륨혈증, XY성전환, 부신위기	
갈락토스혈증	난소부전	
고환쇠퇴증후군	정상 외부생식기	

조사를 받으면 성선자극호르몬 결핍이나 사춘기 지연이 잘 생길 수 있다. 방사선조사 후에는 몇 년 후에 서서히 성선자극호르몬 결핍 등이 나타날 수 있다. 그러므로 중추신경계 병변을 가진 소아들은 성선부전증 혹은 사춘기 지연에 대해서 계속 추적이 필요하다.

다. 시상하부성무월경

시상하부성무월경이란 신경성 식욕부진 같은 식사장애질환이나 여성 운동선수에서 볼 수 있다. 임상증세로 생리가 없고, 운동량이 증가하고 체중감소 등이 있다. 이런 여성에서는 GnRH 분비 감소가 LH와 FSH 분비를 약화시키고 에스트로젠 생성을 감소시킨다. 이들에서는 렙틴 농도도 감소되어 있고 유전자재조합 렙틴 투여로 교정이 되기도 한다.

(2) 고성선자극호르몬성선저하증(일차성선저하증)

일차 혹은 원발성성선저하증이란 성선의 장애로 성선스테로이드가 생성이 되지 않는 경우이다. 성선자극호르몬을 측정하는 일반적인 검사법으로는 일차성선저하증과 사춘기 이전 소아를 감별하기 어렵다. 그러나 최근 이용되는 예민한 호르몬검사법에서는 사춘기 전의 무성선인 소아들은 LH와 FSH가 비정상적으로 상승된 것을 확인할 수 있다. 일차성선저하증의 원인도 선천과 후천성선이상으로 구분할 수 있다(표 6-3-11).

① 선천일차(원발성)성선저하증

가. 염색체이상

선천일차성선저하증의 가장 흔한 원인은 성염색체의 배수성에 문제가 있는질환으로 터너증후군(Turner syndrome)과 클라인펠터증후군(Klinefelter syndrome)이 대표적이다.

가) 터너증후군

여아 출생 2,500명당 1명의 발생률을 보인다. 진단은 저신장을 비롯한 특징적인 모습과 함께 X염색체 하나가 부분 혹은 전체 결손이 있으면 발생된다. Turner증후군 여아의 반 이상에서 모자이크현상을 보인다. 약 30%에서 사춘기가 저절로 시작되나 초경을 보이는 경우는 많지 않다. 매우 드물게 임신을 보고한 예도 있다. Turner증후군에서 난소는 처음에는 정상일 수 있으나 퇴화가 가속되어 난소부전이 빨리 오며 출생 시부터 이미 난소부전을 보일 수 있다. Turner증후군에서는 염색체 수가 단배수인 경우보다 모자이크현상이 있는 경우 어릴 때의 FSH 농도는 훨씬 낮다.

나) 클라인펠터증후군

클라인펠터증후군은 남성에서 보는 가장 흔한 일차성선저하증으로 1,000명 출생당 1명의 발생빈도를 보인다. 가장 흔한 경우는 X염색체가 1개 더 많은 47,XXY이며 X염색체가 더 많은 경우도 있다. 키가 크며 환관증을 보이고 여성형유방, 작고 단단한 고환이 특징적 모습이다. 고환의 조직검사상 정세관의 발생장애를 보인다. Klinefelter증후군은 성선부전의 일종으로 대부분 청소년기에 사춘기발달이 없거나 늦어져서 진단되며 간혹 성인이 되어 불임검사를 하면서 진단되기도 한다.

다) 기타 X염색체이상질환

X염색체 장완의 결실이나 X삼체성질환 등을 포함한 기타 X염색체이상질환도 다양한 정도의 성선저하증을 일으킨다. Xq결손은 표현형이 Turner증후군과 유사하며 단독성 조기 난소부전증을 보인다. X염색체 삼체성(47, XXX)은 매우 다양한 표현형을 보이는데 키가 크고 정상적인 외부생식기를 보이면서 정상 난소기능을 보일 수도 있고 심한 비뇨생식기의 이상과 함께 난소부전을 보일 수도 있다.

라) 성선자극호르몬의 합성과 작용이상

성선자극호르몬의 베타소단위 돌연변이나 성선자극호르몬수용체의 돌연변이 혹은 성선자극호르몬에 저항성을 보이는 경우는 성선자극호르몬이 증가된 성선저하증을 보인다. FSH의 베타소단위돌연변이는 여성에서 원발성 무월경, 사춘기 지연, 이차성징의 발달미숙 등을 보이고 남성에서는 사춘기 지연과 무정자증을 보인다. LH의 산소단위 돌연변이는 남성에서 1례가 보고되어 있다. FSH와 LH의 수용체와 작용하는 G단백질의 돌연변이에서도 LH 및 FSH 베타소단위이상과 같은 증세를 보인다. LH와 FSH수용체의 돌연변이에 의해 LH 혹은 FSH 완전 저항성을 보인다. LH수용체 돌연변이의 남성에서는 미소음경부터 중성생식기나 완전여성생식기를 보이는 경우까지 다양한 모습을 보일 수 있다.

마) 성분화이상질환

성분화과정에 문제가 있는 일부 질환들은 사춘기 지연 혹은 일차무월경을 보이고 모두 여성생식기를 보인다.

스와이어증후군(Swyer syndrome; XY pure gonadal dysgenesis)은 XY 성선이발생증이라 하며 특징으로 외모가 여성이며 키가 크고, 원발성 무월경 및 사춘기 지연을 보인다. 성선자극호르몬이 상승되어 있으며 초음파검사에서 양측 삭상성선과 발달이 미약한 자궁을 볼 수 있다. 15–30%에서 SRY유전자의 돌연변이나 Y염색체의 변형이 있다. 성선 종양이 잘 생긴다.

완전안드로젠불감증후군은 안드로젠수용체의 돌연변이에 의해 발생되고 약 70%에서 X연관 열성유전을 보인다. 가장 흔한 형태는 청소년기 여성에서 정상 유방발달은 있으나 원발성 무월경을 보이고 체모가 없거나 미약하다.

선천부신피질증식증은 스테로이드 합성에 필요한 효소의 결핍으로 나타나는 유전질환이다. 이 질환의 흔한 형태는 부신안드로젠 생성이 과잉생성되는 경우이나, 드물게 안드로젠과 에스트로젠 생성이 되지 않아 성선저하증이 발생할 수 있다. 원인으로 17α–hydroxylase, 17, 20–lyase 결핍이나 콜레스테롤을 사립체로 이동시키는 StAR (Steroidogenic acute regulatory) 단백질의 결핍 등에 의해서 생긴

다. CYP17유전자의 돌연변이도 드물게 남녀 모두에서 사춘기 지연을 보일 수 있는데 이 경우 남성에서는 뮐러관구조가 없고 고환이 복강 내에 있다.

진단은 전구호르몬의 상승소견으로 진단하고 치료는 부신피질호르몬과 필요할 경우에 성호르몬 보충요법을 한다. 유전적 남아에서 심한 17α—hydroxylase 결핍이 있으면 여성으로 키우고 에스트로젠 치료를 한다. 그 이외 갈락토즈혈증, 고환퇴화증후군 등에서도 성선저하증을 보인다.

② 후천일차(원발성)성선저하증
대부분이 성선에 심한 손상이나 외상에 의해 생긴다. 성선의 외상이나 염전에 의해 올 수도 있으며 최근 소아에서 종양을 가진 환자의 생존율이 높아지면서 방사선 치료, 화학요법, 골수이식 치료 등에 따른 합병증으로 일차성선저하증이 많이 보고되고 있다. 자가면역질환과 연관되어 1형 및 2형 자가면역다선증후군(autoimmune polyglandular syndrome)에서도 성선저하증이 발생된다.

(3) 치료
성선저하증이 있는 소아의 치료목표는 정상 사춘기와 같은 경로로 이차성징을 발달하게 하는 것이다. 치료시작으로 소량의 성호르몬을 투여하고 점차적으로 용량을 증가시킨다. 일단 사춘기발달이 끝나면 성인용량으로 유지시켜 정상 성기능과 이차성징을 유지하도록 한다.

여아에서는 다양한 에스트로젠대체요법이 제안되고 있다. 경구용conjugated estrogen 혹은 unconjugated estrogen이나 경피용 에스트로젠을 사용한다. 성장, 골격 계 성숙(뼈나이), 성성숙도 등을 관찰하면서 6–12개월 간격으로 용량을 증량시킨다. 일단 질 출혈이 생기거나 유방발달이 Tanner 단계 IV가 되면 medroxyprogesterone acetate 혹은 micronized progesterone을 투여하여 매월 주기적 질 출혈이 있도록 한다. 일단 사춘기 성숙이 끝나면 경구피임제 사용도 편리한 방법이다. Turner증후군이나 여

성 성선저하증에서 매우 적은 용량의 에스트로젠 치료가 성장에 도움이 된다는 보고가 있으며 이에 대해서는 아직 연구가 진행 중이다. 남성성선저하증에서와 마찬가지로 여성 성선저하증에서도 성선스테로이드는 칼슘 흡수를 증가시키고 골밀도를 개선시킨다.

성선저하증 남아에서 가장 많이 사용되는 치료법은 지속성 테스토스테론인 testosterone enanthate 혹은 cypionate를 근육주사하는 방법이다. 시작 시 50–100 mg 용량으로 시작하여 성장 속도, 뼈나이, 성성숙도 등을 관찰하면서 6–12개월 간격으로 25–50 mg씩 증량시킨다. 성인에서 테스토스테론 유지용량은 200–300 mg으로 2–4주 간격 근육주사한다. 또 다른 치료방법으로는 경피용 테스토스테론 패치 혹은 겔 형태를 사용할 수 있는데, 이들 방법은 청소년기에서 사춘기를 시작하게 하는 방법으로는 아직 경험이 적으나 점차 안전하고 효과적인 방법으로 보고되고 있다.

참 / 고 / 문 / 헌

I.

1. 대한소아내분비학회. 소아내분비학. 제3판. 군자출판사; 2014. pp. 391-409.

2. Belchetz PE, Plant TM, Nakai Y, Keogh EJ, Knobil E. Hypophysial responses to continuous and intermittent delivery of hypothalamic gonadotropin-releasing hormone. Science 1978;202:631-3.

3. Boyar RM, Rosenfeld RS, Kapen S, Finkelstein JW, Roffwarg HP, Weitzman ED, et al. Human puberty, Simultaneous augmented secretion of luteinizing hormone and testosterone during sleep. J Clin Invest 1974;54:609-18.

4. Frisch RE, Revelle R. Height and weight at menarche and a hypothesis of critical body weights and adolescent events. Science 1970;169:397-9.

5. Hatipoglu N, Kurtoglu S. Micropenis: etiology, diagnosis and treatment approaches. J Clin Res Pediatr Endocrinol 2013;5:217-23.

6. Hong CH, Rho HO, Song SH. The sexual maturity rating of adolescent boys and girls in Korea. Korean J Pediatr 1994;37:193-8.

7. Largo RH, Prader A. Pubertal development in Swiss girls. Helv Paediatr Acta 1983;38:229-43.

8. Marshall WA, Tanner JM. Variations in pattern of pubertal changes in girls. Arch Dis Child 1969;44:291-303.

9. Palmert MR, Dunkel L, Witchel SF. Puberty and its disorders in the male. In: Sperling MA. Pediatric endocrinology. 4th ed. Philadelphia: Elsevier; 2014. pp. 697-705.

10. Park SK, Ergashev K, Chung JM, Lee SD. Penile circumference and stretched penile length in prepubertal children: a retrospective, single-center pilot study. Investig Clin Urol 2021;62:324-30.

11. Rosenfield RL, Cooke DW, Radovick S. Puberty and its disorders in the female. In: Sperling MA. Pediatric endocrinology. 4th ed. Philadelphia: Elsevier; 2014. pp. 569-606.

12. Styne DM, Grumbach MM. Puberty: ontogeny, neuroendocrinology, physiology, and disorders. In: Kronenberg HM, Melmed S, Polonsky KS, Larsen PR. Williams textbook of endocrinology. 11th ed. Philadelphia: Elsevier; 2007. pp. 969-1033.

13. Zachmann M, Prader A, Kind HP, Hafliger H, Budlinger H. Testicular volume during adolescence, Cross-sectional and longitudinal studies. Helv Paediatr Acta 1974;29:61-72.

II.

1. Aguirre RS, Eugster EA. Central precocious puberty: from genetics to treatment. Best Pract Res Clin Endocrinol Metab 2018;32:343-54.

2. Bergada I, Bergada C. Long-term treatment with low dose testosterone in constitutional delay of growth and puberty: effect on bone age maturation and pubertal progression. J Pediatr Endocrinol Metab 1995;8:117-22.

3. Carel JC, Lahlou N, Jaramillo O, Montauban V, Teinturier C, Colle M, et al. Treatment of central precocious puberty by subcutaneous injections of leuprorelin 3-month depot (11.25 mg). J Clin Endocrinol Metab 2002;87:4111-6.

4. Carlson HE, Narula HS. Gynecomastia. Endocrinol Metab Clin North Am 2007;36: 497-519.

5. Crowley Jr WF, Comite F, Vale W, Rivier J, Loriaux DL, Cutler Jr GB. Therapeutic use of pituitary desensitization with a long-acting LHRH agonist: a potential new treatment for idiopathic precocious puberty. J Clin Endocrinol Metab 1981;52:370-2.

6. Crowne EC, Shalet SM, Wallace W, Eminson DM, Price DA. Final height in girls with untreated constitutional delay in growth and puberty. Eur J Pediatr 1991;150:708-12.

7. Groth KA, Skakkebaek A, Host C, Hoibjerg Gravholt CH, Bojesen A. Clinical review: Klinefelter syndrome-a clinical update. J Clin Endocrinol Metab 2013;98;20-30.

8. Kaplowitz PB, Oberfield SE. Reexamination of the age limit for defining when puberty is precocious in girls in the United States: implications for evaluation and treatment. Drug and Therapeutics and Executive Committees of the Lawson Wilkins Pediatric Endocrine Society. Pediatrics 1999;104:936-41.

9. Kauli R, Galatzer A, Kornreich L, Lazar L, Pertzelan A, Laron Z. Final height of girls with central precocious puberty, untreated versus treated with cyproterone acetate or GnRH analogue: a comparative study with re-evaluation of predictions by the Bayley-Pinneau method. Horm Res 1997;47:54-61.

10. Kliegman RM, Geme JS. Nelson Textbook of Pediatrics. 21th ed. Philadelphia: Elsevier; 2019. pp. 2898-912.

11. Lee HS, Yoon JS, Park KJ, Hwang JS. Increased final adult height by gonadotropin-releasing hormone agonist in girls with idiopathic central precocious puberty. PLoS One 2018;13:e0201906.

12. Maya-Nunez G, Zenteno JC, Ulloa-Aguirre A, Kofman-Alfaro S, Mendez JP. A recurrent missense mutation in the KAL gene in patients with X-linked Kallmann's syndrome. J Clin Endocrinol Metab 1998;83:1650-3.

13. Reiter EO, Saenger P. Premature adrenarche. Endocrinologist 1997;7:85-8.

14. Sperling MA. Sperling Pediatric Endocrinology. 4th ed. Philadelphia: Elsevier; 2014. pp. 697-733.

15. Volta C, Bemasconi S, Cistemino M, Buzi F, Ferzetti A, Street ME. Isolated premature thelarche and thelarche variant: clinical and auxological follow-up of 119 girls. J Endocrinol Invest 1998;21:180-3.

16. Wickman S, Kajantie E, Dunket L. Effects of suppression of estrogen action by the p450 aromatase inhibitor letrozole on bone mineral density and bone turnover in pubertal boys. J Clin Endocrinol Metab 2003;88:3785-93.

17. Wilson DM, McCauley E, Brown DR, Dudley R. Oxandrolone therapy in constitutionally delayed growth and puberty: Bio-Technology General Corporation Cooperative Study Group. Pediatrics 1995;96:1095-100.

노화

노화 총론

남홍우

I. 서론

노화는 정의가 필요하지 않을 정도로 잘 알고 있다고 생각하지만 과학자들도 서로 다르게 정의하고 있다. 노화의 정의는 의미에 따라 크게 두 가지로 정의할 수 있다. 하나는 수정에서 죽음까지의 생체 변화를 이르는 광의의 노화이고, 다른 하나는 성숙기 이후의 생체 변화만을 가리키는 협의의 노화이다. 전자를 노령화(aging), 후자를 노화(senescence)라 한다. 실제로는 둘을 혼동하여 사용하고 있으나, 엄밀한 의미에서 후자를 노화라 하는 것이 일반적 추세이다. 노화에 대한 대다수의 정의는 구조와 기능의 전반적인 기능저하과정으로 항상성 유지 및 복구의 장애, 만성질환뿐만 아니라 암, 심뇌혈관질환, 퇴행성신경질환 등 질병에 대한 감수성이 증가되어 각종 질환에 이환될 가능성이 높아지고 생존의 가능성이 차츰 줄어들게 되는 변화과정으로 정의할 수 있다.

일반적으로 노화의 기본적인 특징은 조절가능한 인자가 아닌 내부요인에 의해 신체구조와 기능이 점진적으로 나빠지는 현상이 모든 개체에서 보편적으로 나타나는 것이다.

II. 노화의 기전

노화의 원인과 기전을 설명하기 위한 이론과 학설이 무수히 많지만 노화를 명쾌히 설명할 수 있는 단일이론이 없다는 사실은 노화의 발생기전이 다양하며 고도의 복잡한 과정이라 할 수 있다. 노화는 두 가지 개념으로 이해할 수 있는데 하나는 적응(adaptive)이고, 다른 하나는 비적응(non-adaptive)이다. 적응설은 늙은 개체의 도태와 제거에 의해 종의 공동의 이익을 확보하고, 환경의 변화에 대한 종의 적응을 개선시킨다는 것으로 예정(program)설의 입장이다. 이에 반해 비적응설은 자연도태력(force of natural selection)이 연령 증가에 따라 감소되고 결국에 너무 약해져서 노화가 온다는 것으로 오류(error)설의 관점이다. 최근에는 비적응설이 노화이론의 주된 근본개념으로 받아들여지고 있다. 노화학설은 세포 수준의 노화학설과 개체 수준에 의한 노화학설로 분류할 수 있다.

1. 세포수준

1) 산화스트레스와 자유라디칼이론
산화스트레스에 의한 세포 손상은 지난 50년간 노화이론에서 중요하게 생각되고 있는 기전이다. 자유라디칼은 짝을 이루지 않은 전자를 포함하고 있어 반응성이 크며 활성산소는 연쇄반응을 일으켜 생물학적 물질의 손상을 초래한다.

세포는 산화스트레스에 의한 손상을 막기 위해 효소(초과산화물불균등분해효소, 과산화수소분해효소, 글루타싸이온과산화효소)와 화학물질(요산, 아스코브산) 등의 항산화 방어기전을 가지고 있다. 1956년 Harman이 노화의 '자유라디칼이론(free radical theory of aging)'을 제시하였는데 대사과정 또는 방사선에 의해 생성된 활성산소가 노화와 관련된 손상의 원인이라는 내용이다. 연령이 증가함에 따라 산화스트레스는 증가하지만 세포 수준의 방어기전인 항산화효소 등은 감소한다. 노화의 자유라디칼이론에 따라 항산화제인 비타민E 등이 사람과 동물에서 노화를 억제할 수 있는지 알아보고자 많은 연구가 이루어졌지만 사람을 대상으로 한 임상시험 메타분석에서 항산화제 보충요법은 질병을 치료하고 예방하는 데 효과가 있음을 보여주지 못하였다.

2) 사립체기능 이상

연령이 증가함에 따라 사립체의 기능은 떨어지며 전자가 더 많이 누출된다. 누출된 전자는 산소와 결합하여 더 많은 활성산소가 생기고 사립체에서 유래된 활성산소는 다시 사립체의 손상을 촉진하는 악순환으로 세포 손상이 축적되고 노화가 초래된다는 이론이다. 연령이 증가할수록 사립체의 형태가 변화되어 ATP생성능력이 저하되면서 산화스트레스가 증가된다는 사실이 밝혀져 있다. 사립체기능 이상은 노화과정뿐만 아니라 근감소증, 노쇠, 인지기능저하 등 노인증후군과도 관련이 있다고 제안되고 있다.

3) 종말절(Telomere) 단축

세포배양 시 일정 횟수 이상 계대배양하게 되면 더 이상 분열과 성장이 일어나지 않는 상태를 세포복제노화(replicative senescence)라 한다. 세포수명의 한계성을 보여주는 현상으로 그 기전에 관심을 가지게 하였다.

종말절은 염색체 말단에 존재하는 구조로 세포분열 시 50-200 bp 정도 짧아지고 일정 길이 이하로 짧아진 경우 더 이상 세포분열이 일어나지 않는 상태로 유지되거나 세포자멸사(apoptosis)가 일어난다. 종말절을 세포시계(cellular clock)라고 하는데 이는 세포의 종말절길이(leukocyte telomere lengh, LTE)를 측정함으로써 세포의 나이를 추정할 수 있으며 수명을 예측할 수 있기 때문이다. 사람에서 말초백혈구의 종말절길이는 연령이 증가함에 따라 짧아진다. 하지만 노화는 세포분열을 하지 않는 신경세포에서도 일어난다.

4) 후성유전변화

노화과정에서 유전자와 단백질 발현에 변화가 온다. 연령이 증가할수록 사립체기능과 관련된 유전자와 단백질 발현이 감소하고 염증과 유전체 복구 및 산화스트레스와 관련된 유전자와 단백질 발현이 증가한다. 후성유전(epigenesis)은 DNA염기서열이 변하지 않으면서 유전자발현의 변화를 유도한다. 후성유전변화는 DNA메틸화, 히스톤아세틸화, micro RNAs (miRNAs)에 의한 조절 등이 있다. DNA메틸화 변화가 노화와 관련이 있을 것으로 생각되지만 아직까지 DNA메틸화 정도를 조절하였을 때 수명과 노화가 조절된다는 직접적인 증거는 없다. miRNAs는 18-25개 염기로 구성된 non-coding RNA로 mRNA 일부 서열과 결합하여 mRNA의 분해가 촉진되거나 번역이 억제되어 특정 유전자발현이 억제된다. miRNAs발현은 나이가 듦에 따라 감소하고 노화와 관련이 있는 특이 miRNAs로는 miR-21 (rapamycin pathway 연관)과 miR-1 (insulin/IGF-1 pathway 연관)이 있다.

5) 단백질항상성 소실

단백질항상성(proteostasis)은 단백질의 번역, 접힘, 이동과 분해를 조절하여 단백질이 정상 기능을 수행할 수 있도록 안정된 상태를 유지하는 것이다. 세포는 손상된 고분자와 소기관을 제거할 수 있는데 세포내 분해는 리소솜체계와 유비퀴틴-프로테아솜(ubiquitin-proteasome)체계에 의해 조절된다. 연령이 증가하면서 두 체계의 기능이 저하되어 세포내 부산물이 축적되면서 세포의 기능에 변화를 초래한다. 리소솜은 자가포식이라 하는 과정을 단백질분해효소, 지방분해효소, 뉴클레오타이드분해효소를 가지고 세포 내 고분자물질, 막단백성분, 기관 및 병원체 등을 분해한다. 연령이 증가할수록 리소솜의 자가포식과정 중 특히 거대자가포식(macroautopagy)과정이 저해된다.

2. 개체 수준

1) 자가면역설

연령 증가에 따라 혈중 C반응단백질, 적혈구침강속도, 인터루킨-6 등 사이토카인이 증가되어 염증반응이 항진된 염증노화(inflamm-aging)를 초래한다. 연령 증가에 따라 흉선이 위축되어 T세포가 감소하며 B세포는 자가항체를 많이 생성하여 감마글로불린양이 증가하고 자가면역질환을 유발한다. 그 때문에 생체방어기능이 저하되어 노화가 초래된다는 가설이다. 그러나 남성에 비해 자가면역질환 발생빈도가 높은 여성의 수명이 오히려 남성보다 길다.

2) 내분비조절설

노화에 따른 내분비계의 특징적인 변화는 여성/남성호르몬 감소(menopause/andropause), 부신DHEA감소(adrenopause), GH/IGH-1감소(somatopause)로 요약할 수 있다. 그러나 이러한 변화가 노화의 원인인지, 아니면 노화에 따른 결과인지는 불명확하다. 노화에 따른 호르몬 변화는 성호르몬을 보충하면 노화를 억제하고 회춘할 수 있다라는 잘못된 믿음으로 지난 세기 주 관심분야였다. 이러한 호르몬 변화는 근감소증이나 골다공증을 초래하며 호르몬 보충에 의해 늦출 수 있다. 하지만 장기간 호르몬 보충요법을 시행하였을 때 발생하는 부작용이 기대되는 이득보다 더 클 수 있다.

3. 노화의 유전영향

노화가 유전에 의해 결정된다는 가설로 노화의 유전학설 또는 프로그램설이라 한다. 같은 환경에서 자란 유전적으로 동일한 생쥐집단에서도 노화와 수명은 다양한 양상을 보인다. 또한 쌍둥이연구에서 수명의 유전성향은 25%이다. 이러한 두 가지 사실은 노화의 원인이 유전자에만 있지 않다는 것을 시사한다. 반면, 유전자 조절에 의해 노화가 촉진되거나 지연시킬 수 있다는 사실을 다양한 동물모델연구에서 보여주었다. 놀랍게도 이러한 변화는 하나의 유전 변화에 의해 나타난다.

드물지만 특정 유전자 결손에 의해 조기노화를 초래하는 증후군이 있다. 베르너증후군(Werner's syndrome)은 상염색체 열성질환으로 베르너유전자돌연변이로 발생한다. 10대에 진단되고 죽상동맥경화, 당뇨병, 골다공증 및 암이 조기에 발생하여 50세 이전에 사망한다. 허친슨-길포드증후군(Huchinson-Gilford progeria syndrome)은 lamin A유전자돌연변이로 발생하며 유아기 때부터 발달의 변화가 관찰되며 죽상동맥경화, 신기능부전, 피부경화증 등이 생기며 10대에 사망한다. 장수와 관련된 것으로 추정되는 유전자는 APOE와 FOXO3A이다. ApoE는 암죽미립에서 관찰되는 아포단백질로 ApoE4유전자형은 알츠하이머병과 심혈관질환의 위험요인이며 수명단축과 관련이 있다. FOXO3A는 insulin/IGF-1 경로와 관련이 있고 C. elegans의 노화에 중요한 역할을 하는 daf16과 유사성을 보인다.

III. 노화의 역학

지난 수십 년 동안 사람의 기대여명이 매 10년마다 약 2년씩 증가하면서 소위 우리 인간의 '고령화(graying)'를 가져왔고 우리나라는 더 빠르게 진행되고 있다(표 7-1-1). 2010년에는 전 세계 인구의 8%가 65세 이상이었고, 2050년에는 16%로 두 배가 될 것으로 예상된다. 문제는 고령인구 자체가 고령화되고 있다는 점이다. 한국의 통계청조사에서도 75세 이상 고령인구가 2020년 6.7%에서 2060년 27.6%로 증가할 것으로 추계되고 있다(표 7-1-2). 또한 모든 나라가 같은 속도로 고령화되고 있는 것은 아니다. 프랑스는 65세

표 7-1-1. 한국인 기대여명 추이(단위: 년)

나이	연도	2000	2005	2010	2015	2018
65세	전체(세)	16.4	17.7	19.1	20.3	20.8
	남(세)	14.3	15.5	16.8	18.2	18.7
	여(세)	18.2	19.6	21.2	22.4	22.8
75세	전체(세)	9.8	10.6	11.6	12.4	12.7
	남(세)	8.5	9.2	10.0	10.8	11.1
	여(세)	10.7	11.6	12.9	13.7	14.1

자료: 통계청 <생명표>

표 7-1-2. 연령계층별 인구 및 구성비 추이(천 명, %)

연도	2015	2020	2030	2040	2050	2060
인구수(총)	6,542	8,126	12,979	17,224	19,007	18,814
65-69세	2,106	2,660	4,094	4,284	3,848	3,698
70-74세	1,780	1,991	3,566	4,074	3,774	3,278
75세 이상	2,656	3,475	5,319	8,866	11,415	11,838
구성비	12.8	15.6	25.0	33.8	39.8	43.9
65-69세	4.1	5.1	7.9	8.4	8.1	8.6

이상 노인인구가 전체 인구의 7%에서 14%로 늘어나는데 110년이 걸렸다. 스웨덴 80년, 영국 50년, 일본 25년이 걸렸지만 우리나라의 통계청자료에 의하면 고령화사회에서 고령사회로 진입에 18년이 걸렸으며 20%인 초고령사회 진입도 7년 정도 소요될 것으로 추계하고 있어서 이에 대한 정치적, 사회적 적응이 훨씬 더 빨리 이루어져야 할 것이다. 연령이 증가함에 따라 기하급수적으로 증가하는 사망률 그래프는 곰페르츠곡선(Gompertz curve)으로 불린다. 지난 50여 년 동안 고령인구의 사망률이 현저히 감소하였다. 우리나라 조사에서도 2000년 이후 지속적으로 사망률이 감소하고 있다. 이런 사망률 감소는 예방과 치료의 발전에 기인하였지만 설명되지 못하는 부분도 있다.

노화는 항상성을 유지할 수 있는 능력을 저하시켜 질병에 대한 감수성이 증가되어 만성질환에 이환될 가능성을 증가시킨다. 우리나라에서도 65세 이상 노인에서 고혈압 56.8%, 당뇨병 24.2%, 고지혈증 17.1%, 골 또는 류마티스관절염을 16.5%가 앓고 있는 것으로 조사되었다. 이와 같은 만성질환으로 인하여 관상동맥질환, 뇌졸중, 치매 등의 유병률이 증가한다. 특히 치매는 나이가 5년 증가함에 따라 유병률이 약 두 배가 된다. 여기에 여러 가지 질병이 복합되어 나타나는 질병다발(multiple pathology, multimorbidity)이 보태어져 질병의 표현이 비전형적이 된다. 우리나라 조사에서도 65세 이상 고령인구에서 평균 1.9개의 만성질환을 앓고 있었으며 3개 이상인 경우도 27.8%였다. 이러한 질병다발의 특성을 보이는 노인 환자가 각각의 질환에 대하여 의료서비스를 제공받고 있으며, 이는 다약물복용(polypharmacy)이 약물 간의 상호작용 및 불필요한 사회경제적 부담 등을 증가시킬 수 있다. 또한 질병다발은 노쇠(frailty)를 유발하는 원인이 된다. 과거에는 기대여명이 인구집단의 건강을 대변하는 척도로 사용되어 왔지만 기대여명은 건강수명과 동일하지 않기 때문에 수명의 연장은 건강하지 못한 기간이 아닌 건강한 상태가 연장되도록 해야 한다.

IV. 성공노화

근육량의 감소, 사고속도의 저하, 여성의 자연폐경 등 단순히 시간에 따른 보편적인 변화들을 정상노화(normal aging)에 따른 변화로 본다. 그러나 그 기간 동안 노화를 촉진시킬 환경과 질병을 포함한 생리적 변화들의 축적을 의미하는 뜻으로 보통노화(usual aging)라는 용어가 더 정확할 수 있다. 이에 맞대어 성공노화(successful aging)는 연령에 따른 생리적 변화가 최소한인 사람들의 노화를 가리킨다. 성공노화는 아직까지 공통적으로 합의된 정의나 측정방법은 없다. 현재 일반적으로 사용되는 Rowe와 Kahn이 제시한 모델은 병적상태의 최소화, 신체–인지기능 양호, 사회관계 유지 등 세 가지다.

노화는 모든 생명체의 본질적인 특징이지만 인간은 노화를 조절하고자 하는 노력을 끊임없이 해오고 있다. 최근 동물모델에서 식이제한과 운동이 노화를 지연시켰다고 알려지고 있다.

또한 실험적장기간중재연구(resveratrol, rapamycin, spermidine, metformin 등)가 약물중재의 새로운 가능성을 검증할 것이다. 노화과정을 지연시킬 수 있는 중재연구에 대해 많은 관심을 가지고 있지만 이들 연구의 재현성을 밝히기 위해서는 평생에 걸쳐 관찰해야 한다는 제한점이 있다.

V. 결론

노화는 살아있는 유기체에서는 필연적이고 광범위한 현상이지만 개인에 따라서 노화과정은 매우 다양하게 나타나고 있다. 노화가 단일유전자 혹은 단순한 생화학적 또는 세포적 기전에 의해 조절되는 것이 아니고 내적 및 외적 원인 모두가 관여하여 일어난다고 생각하고 있다. 앞으로 노화의 기전 등 노화에 대해 더 깊게 이해하고 노화과정을 지연하거나 역전시키는 중재법이 개발되면 질병과 장애 없이 수명을 연장시키는 길을 열어갈 수 있을 것이다.

참 / 고 / 문 / 헌

1. 장래인구추계: 2017-2067년. 통계청. 출처: http://kostat.go.kr/portal/korea/kor_nw/1/2/1/index.board?bmode=read&bSeq=&aSeq=373873&pageNo=1&rowNum=10&navCount=10&currPg=&searchInfo=srch&sTarget=title&sTxt=2017.

2. de Cabo R, Le Couteur DG. Biology of aging. In: J. Larry Jameson, Anthony S. Fauci, Dennis L. Kasper, Stephen L. Hauser, Dan L. Longo, et al. Harrison's principles of internal medicine. 20th ed. USA: McGraw-Hill Companies; 2018. pp. 3413-9.

3. Lee WY. The epidemiology and mechanisms of aging. In: Korean Endocrine Society. endocrinology and metabolism. 2nd ed. Koonja publishing Inc; 2011. pp. 553-8.

4. Longo VD, Antebi A, Barke A, Barzilai N, Brown-Borg HM, Caruso C, et al. Interventions to slow aging in humans: are we ready? Aging Cell 2015;14:497-510.

5. Rowe JW, Kahn RL. Successful aging. Gerontologist 1997;37:433-40.

6. Saul D, Kosinsky RL. Epigenetics of aging and aging associated diseases. Int J Mol Sci 2021;22:401.

7. Schmeer C, kretz A, Wengerodt D, Stojiljkovic M, Witte OW. Dissecting aging and senescence-current concepts and open lessons. Cells 2019;8:1446-78.

8. Thomas BL, Kirwood. Evolution theory and the mechanisms of aging. In: Fillit H, Rockwood K, Young JB. Brocklehurst's textbook of geriatric medicine and gerontology. 8th ed. Amsterdam: Elsevier; 2016. pp. 22-6.

9. Yoo HJ. Aging and geriatric disease. In: Korean Diabetes Association. Elderly diabetes mellitus. 3rd ed. Seoul: Korea Med; 2018. pp. 1-12.

그림 7-2-1. 노화에 따른 호르몬변화

CHAPTER 2

노화와 내분비계의 변화

김미경

Ⅰ. 서론

인체의 모든 신체기능은 나이가 들어가면서 점차 감소된다. 내분비계에도 노화로 인한 여러 가지 변화가 일어난다. 대부분의 호르몬은 나이가 들면서 감소하는데, 이는 통상 30세 정도에 시작하고, 매년 약 1% 정도로 감소한다. 그림 7-2-1에서와 같이, 뇌하수체호르몬이 감소하고 이 호르몬들에 대응하는 말단 장기의 반응이 감소된다. 또한 노인에서는 말단 장기에서 호르몬 생성과 분비가 줄어들고, 분비된 호르몬의 수용체반응이나 후수용체반응이 감소하게 된다. 분비된 호르몬의 혈장청소가 감소되어 호르몬대체요법의 용량이나 혈중 농도에 영향을 끼칠 수 있다. 양성 및 음성 되먹임기능이 저하되고 호르몬의 일중변동 조절기능도 감소하게 된다. 나이가 들면서 호르몬이 증가하는 경우도 있는데 이는 대부분 수용체나 수용체 후 기전의 장애에 기인한다. 고령에서는 억제T림프구가 감소하고 자가항체가 증가하는 경향이 있어 자가면역내분비질환과 다발내분비기능부전이 일어나는 빈도가 증가한다.

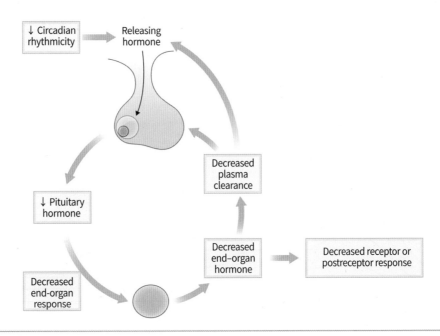

그림 7-2-1. **노화에 따른 호르몬변화**

같은 내분비질환이라 하더라도 노인에서는 임상발현이 비특이적으로 무증상이거나 고령에 의한 다른 증상과 구분이 어렵다. 또한 비전형적인 증상으로 나타날 수도 있어 임상적으로 진단하기 어려운 경우가 많다. 노인 환자들은 다른 동반질환들을 가지고 있고 이를 치료하기 위한 약물들을 많이 복용하고 있기 때문에 내분비질환의 증상들과 혼돈될 수도 있다. 연령에 따른 호르몬 변화로 노인에서는 내분비 검사수치의 정상 참고치가 따로 설정되어야 하지만, 실제로는 그렇지 못한 경우가 대부분이다.

이 장에서는 노화에 의한 내분비계의 생리적인 변화가 어떻게 일어나는지를 성장호르몬, 갑상선호르몬, 부신호르몬, 성호르몬으로 나누어서 살펴보고 뼈와 포도당항상성에는 어떤 변화가 일어나는지 살펴볼 것이다.

II. 성장호르몬

사춘기 이후 나이가 들수록 성장호르몬과 인슐린유사성장인자-1 (insulin-like growth factor-1, IGF-1) 혈중 농도는 지속적으로 줄어든다(그림 7-2-2). 이는 시상하부의 성장호르몬분비촉진호르몬(growth hormone-releasing hormone, GHRH)의 분비가 줄어들어 뇌하수체에서 성장호르몬의 합성과 분비가 감소하기 때문이다. 이러한 변화는

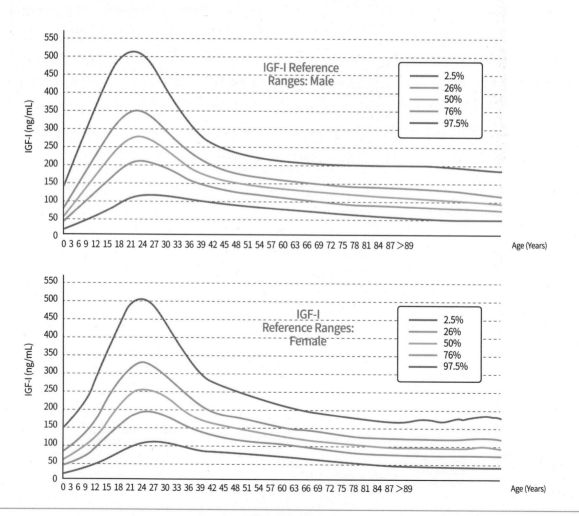

그림 7-2-2. **연령에 따른 IGF-1 혈중 농도**

남성보다 여성에서 더 두드러지게 나타나는데, 나이에 따른 여성호르몬의 급격한 변화 때문이라고 생각된다. 노인에서는 성장호르몬 분비 감소가 가속화되어 10년마다 약 14%씩 더 감소되는데, GH 분비의 최고피크횟수와 높이가 줄어들어 전체적으로 낮은 혈중 GH 농도를 유지한다. 노화는 GH 분비촉진제수용체에 대한 내인리간드인 그렐린(ghrelin)의 신호전달과 분비를 감소시킨다. 또한 GH결합단백질의 감소와 GH수용체의 제거나 표현이상도 함께 관찰된다. 그리하여 노인의 평균 24시간 GH 농도, IGF-1과 IGF-BP3 농도는 젊은 사람들보다 낮다.

Somatopause라는 용어는 감소된 GH 분비로 인해 생기게 되는 근감소증, 골감소증, 내장지방 증가와 인슐린저항성 같은 노화와 관련된 임상양상들을 의미한다.

노인에서 성장호르몬 분비축의 활성이 줄어드는 것은 감소된 신체활동과 에너지 섭취 같은 생활습관의 변화와도 관련이 있을 수 있다. 칼로리제한을 하는 경우 GH 분비 증가가 관찰되지만 IGF-1 농도는 감소되어 있는데, 이는 GH에 대한 반응이 말초기관에서 떨어져 있고 정상적인 IGF-1/GH의 음성되먹임기전이 소실되어 있다는 것을 의미한다. 단백질 부족이나 아연 같은 특정 미세영양물질이 결핍되어 있는 경우가 흔한 노인에서 이와 같은 일들은 악순환을 일으켜 정상적인 조직의 성장이나 재건에 중요한 역할을 하는 IGF-1의 생성이 줄어들게 된다. 아직 기전은 명확하지 않으나, 운동은 GH 분비를 증가시키는 중요한 자극이다. 노인에서의 자발적인 운동장애, 운동에 대한 저항성, 근력저하 등이 연령에 의해 감소된 GH 생성을 더 낮추는 데 기여할 수 있다.

선천GH-IGF-1 결핍이나 저항성은 수명을 연장시킨다고 알려져 있으나 연령에 따른 GH 감소가 노화에 이로운 적응인지, 그렇다면 치료를 필요로 하지 않는 것인지에 대해서는 아직 논란이 있다.

III. 갑상선호르몬

1. 노화에 따른 갑상선의 변화

나이가 들면서 갑상선의 기능과 형태에 여러 가지 변화가 생긴다. 탈요오드효소-1 (deioidinase I, DIO1)의 활성이 약해지고 영양과 환경요소에 따라 갑상선 활동이 약해진다. 갑상선자극호르몬(thyroid stimulating hormone, TSH)은 건강한 노인에서 나이가 들수록 점차 증가된다(그림 7-2-3). 노인에서는 갑상선에서 타이록신 분비가 감소하지만, DIO1과 DIO2에 의한 타이록신 대사율이 감소하여 혈중 타이록신 농도는 변하지 않고 유지된다. 젊은 생쥐와 비슷한 수치의 TSH를 보인 노령생쥐에서 DIO1 활성과 간에서 갑상선호르몬 운반체 역할을 하는 MCT8의 수치가 낮아져 있어 노인에서 갑상선호르몬의 반응성이 떨어져 있음을 보여준다. 게다가 노인에서는 갑상선호르몬의 수용체후 기능 활성화도 감소했다는 결과가 있다. 노인인 경우 T_3는 감소하고 reverse T_3가 증가하는 경향을 보인다. 아주 고령인 경우, 뇌하수체에서 TSH되먹임 조절포인트가 점차로 재조정되는 것이 관찰되었다. TSH의 야간 급등패턴

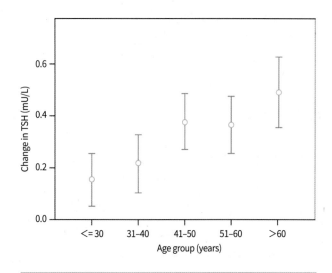

그림 7-2-3. **연령에 따른 TSH 농도 변화**

도 나이가 들수록 감소되며, 이는 노화에 따른 시상하부기능이상을 시사한다.

갑상선기능의 변화는 수명에 관여한다는 연구결과들이 있다. Ashkenazi Jews 백세인연구에서 100세 이상의 노인들에서 T_3 농도가 낮았다. 설치류에서도 타이록신 농도가 낮은 것은 수명연장과 관련이 있었다. TSH 농도가 약간 증가한 경우에도 수명의 증가와 연관이 있다.

최근에 연령이 갑상선의 해부학적 위치에 미치는 영향에 대한 흥미로운 연구가 발표되었다. 갑상선과 흉골절흔 사이의 거리가 18-39세 연령대보다 80세 이상에서 의미있게 줄어들었다. 목에서 다른 구조물과의 상대적인 해부학적인 위치는 변함이 없으나 노인에서 기관의 각도가 더 평행해지기 때문인데, 이는 수술 시 고려되어야 할 점이다.

2. 임상고려

1) 갑상선기능저하증

갑상선기능저하증은 30-40대와 비교하여 노인에서 훨씬 더 흔하고, 특히 자가면역갑상선기능저하증이 많다. 그러나, 병이 천천히 발생하여 몇 년에 걸쳐 느리게 진행하고, 증상이 뚜렷하지 않아 고령에서 나타나는 일반 증상들과 구분이 되지 않기 때문에 진단하기가 어렵다. 65세 이상 여성의 5명 중 1명 정도의 비율로 TSH수치가 정상보다 높아져 있어도 인지하지 못했다. 불현성갑상선기능저하증의 유병률은 70세에서 79세 사이 인구의 6%로 보고되고 있고, 80세 이상에서는 10%까지 올라간다.

불현성갑상선기능저하증은 몇 가지 심각한 질환들 및 사망률과 관련되어 있다고 보고되어 왔으나, 고령 환자들에서 진행된 대규모연구들에서는 그러한 관련성이 명확하지는 않았다. 실제로 역학연구들에서는 65세 이상의 불현성갑상선기능저하증 환자들에서 모든 원인에 의한 사망률은 더 낮았고, 어떤 부분에서는 신체기능도 더 우수했다. 타이록신 투여는 불현성갑상선기능저하증을 가진 노인의 인지기능을 개선하지 못했다.

2) 갑상선기능항진증

60세 이상의 노인에서 갑상선기능항진증 발생빈도는 연구에 따라 1%에서 15%로 다양하다. 노인에서는 젊은 사람들에 비해서 증상이 흔하지 않은 편으로, 노인갑상선기능항진증 환자의 50% 이상에서 빈맥만 나타난다. 다른 증상은 저명하지 않거나 없고 심방세동과 우울증만 상대적으로 흔하게 나타나 무감각(apathetic) 갑상선기능항진증이라고 한다.

60세 이상의 노인에서 현성과 불현성갑상선기능항진증은 심방세동, 심방확장, 심부전과 같은 심장병과 뇌졸중을 증가시킨다. 70-89세 노년남성에서 유리T_4와 TSH가 사망률에 어떤 영향을 끼치는지 본 전향연구가 있다. 유리T_4가 정상 범위 내에서 높은 수준(18.5-22 pmol/L)일 때 중간 수준(11.5-15.0 pmol/L)의 유리T_4를 가진 남성 노인보다 사망률이 높았다. 대부분의 전향연구에서 TSH 농도가 낮거나 유리 T_4 농도가 높은 노인에서 사망률이 높아지고 삶의 질이 낮아졌다. 지속적인 갑상선기능항진증상태인 생쥐에서는 수명이 짧아졌다. 노인에서 TSH 농도가 0.1에서 0.4 mIU/L인 불현성갑상선기능항진증의 치료는 비록 현성갑상선기능항진증으로 진행할 위험은 1년에 1% 미만으로 낮지만 심각하게 고려되어야 한다.

3) 갑상선결절

연령이 높아질수록 갑상선결절은 증가하고 암발생도 늘어나게 된다. 어떤 연구에서는 60세 이상 여성의 90%, 80세 이상 남성의 60%에서 갑상선결절이 발견된다고 보고했다. Belfiore A. 등의 연구에 따르면 70세 이상의 남성에서 냉결절의 50% 이상은 갑상선암이었다. 노인 갑상선암에서 BRAF유전자돌연변이의 빈도가 높고, 더 공격적인 조직변이를 가지는 경향이 있어 젊은 사람에 비해 사망률이 더 높다.

IV. 부신호르몬

1. 당질부신피질호르몬

나이가 들면서 시상하부–뇌하수체–부신축에는 다양한 변화가 나타난다. 뇌하수체의 부신피질자극호르몬(adrenocorticotropic hormone, ACTH) 농도나 부신피질자극호르몬방출호르몬(corticotropin releasing hormone, CRH)에 대한 ACTH반응은 차이가 없고, 코티솔 생산과 혈장코티솔청소율이 감소하여 혈중 코티솔의 농도는 변화가 없다. 그러나 늦은 오후와 저녁에 코티솔 혈중 농도가 증가하고, 더 이른 아침에 코티솔 농도가 최고에 달하며 일중 주기의 코티솔의 변화 폭은 감소하고 더 불규칙한 코티솔 분비 패턴을 나타내게 된다. 대부분의 연구에서 정맥이나 경구로 당질부신피질호르몬을 투여할 때 나타나는 코티솔 억제효과가 노인에서는 감소한다. 이러한 변화들은 노화 그 자체 때문이기도 하지만 연령과 관련된 염증, 수면장애, 사회적관계나 감정적 이유로 인한 스트레스 때문이기도 하다.

시상하부–뇌하수체–부신축이 더 역동적으로 변하는 노인에서 낮은 활동성을 보이는 노인보다 더 나은 신체능력과 인지기능을 보였다. 소변의 유리코티솔 농도가 정상보다 조금 높은 경우에는 알츠하이머질환과 연관이 있었다. 남성 노인에서 높은 아침 침샘 코티솔 농도와 여성 노인에서 높은 야간 침샘 코티솔 농도는 모든 종류의 사망률과 연관이 있었다.

나이가 들면서 11-β hydroxysteroid dehydrogenase 활성도가 증가하여 비활성상태인 코티손에서 활성상태인 코티솔로의 전환이 증가한다. 이러한 활성화가 증가되면 그 조직의 코티솔 생성이 증가되는데 노인에게는 이러한 변화가 나쁜 영향을 끼칠 수 있다. 예를 들어, 근육에서 높은 11-β hydroxysteroid dehydrogenase 활성은 근육의 강도를 낮출 수 있다.

2. 데하이드로에피안드로스테론

부신에서 데하이드로에피안드로스테론(dehydroepiandrosterone, DHEA)과 거기에 설페이트가 결합된 DHEA-S의 생성은 나이가 들면서 점차 감소한다(그림 7-2-4). 혈중 DHEA의 농도는 40세 이하의 젊은이와 비교하여 70-80세의 남성에서는 최고치의 20%, 여성에서는 최고치의 30% 정도까지 떨어진다.

DHEA와 DHEA-S는 말초조직에서 안드로젠과 에스트로젠으로 전환된다. 노인 남성에서는 남성생식기관에서 생성되는 안드로젠이 50% 미만으로 감소되기 때문에 이러한 경로가 중요하다. 높은 농도의 DHEA와 DHEA-S는 정신적 안녕과 근육의 강도 및 골밀도를 개선하고 항염증작용과 면역조절작용에 관계한다고 알려져 왔다. 50세 이상에서는 낮은 농도의 DHEA와 DHEA-S는 심혈관질환과 그로 인한 사망률 증가와 관련이 있다. 그러나, 노인 환자에게 DHEA를 투여했을 때 DHEA-S, 테스토스테론, 에스트로젠과 IGF-1의 농도가 증가했으나 성기능, 골밀도, 혈중 지질과 혈당에 유익한 효과는 거의 없었다.

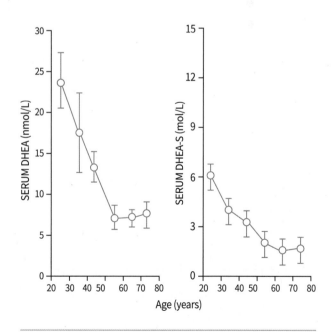

그림 7-2-4. 연령에 따른 DHEA/DHEA-S의 변화

V. 성호르몬

1. 여성호르몬

노화에 가장 취약한 기관 중의 하나는 난소로 다른 기관에 비해 노화의 속도가 빠르다. 난소의 노화로 난포의 양과 질이 점차 감소하여 결국 폐경기에 이르게 된다. 폐경기 이후 성선자극호르몬, 즉 LH와 FSH가 증가하는데, 이는 난소에서 에스트라다이올, 인히빈A, 인히빈B 생산이 감소되면서 되먹임 효과가 일어나기 때문이다. 나이가 들수록 성선자극호르몬방출호르몬 농도는 직접적인 노화의 영향으로 점차

감소하게 된다.

폐경기로 에스트로젠이 급격하게 감소하게 되면 생식기능 뿐 아니라 다른 여러 기관의 기능장애를 일으켜 심장질환, 골다공증, 암, 비만, 치매 등이 증가하게 된다. 폐경이 늦게 오는 여성이 사망률이 더 낮은 경향이 있다.

2. 남성호르몬

나이가 들수록 테스토스테론의 생성이 감소하고 혈중 청소율도 감소하지만 전체적으로 혈중 농도는 점점 떨어지게 된다(그림 7-2-5). 그 기전으로 일차로 노화로 인한 정소의 기

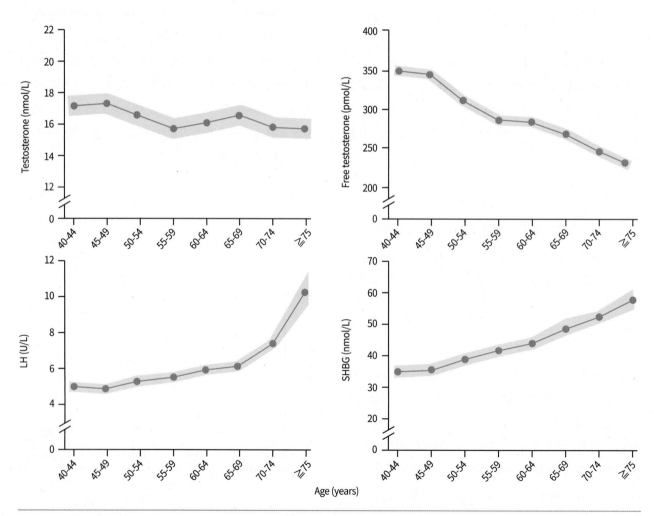

그림 7-2-5. 연령에 따른 남성호르몬의 변화

능부전으로 라이디히(Leydig)세포의 기능이 저하되기 때문이다. 되먹임기전으로 LH 농도가 증가하지만 노인에서는 일중변동과 펄스의 강도가 감소되고 시상하부의 성선자극호르몬 분비가 감소된다. 다른 요인으로 성호르몬결합글로불린(sex hormone-binding globulin, SHBG)은 매년 약 1% 속도로 증가하는데, 이로 인해 유리테스토스테론이나 생체유용테스토스테론(biologically active free testosterone)은 감소하게 된다. 추가적으로 노화에 따른 신체지방의 증가에 의한 시상하부의 기능이상으로 SHBG와 테스토스테론이 모두 감소하게 된다(그림 7-2-5).

노인에서 낮은 테스토스테론 농도는 여러 가지 다른 질환과 관계가 있다. 근육량 및 강도, 골밀도, 노쇠, 성적기능과 인지능력이 혈중 테스토스테론과 밀접한 관련이 있고, 테스토스테론이 낮으면 사망률도 증가한다는 보고가 있다. 테스토스테론 혈중 농도가 낮은 노인에게 테스토스테론을 투여했을 때 근육, 골, 성적기능 및 안녕감에 좋은 결과를 보였으나 그 효과가 크지 않았고, 장기간의 연구결과에서 심혈관질환과 전립선암에 대한 안정성이 확보되지 못했다.

VI. 뼈항상성

고령은 골밀도와 강도 및 근육량과 그 기능 감소의 주요 원인이다. 전통적으로 노인 여성에서의 에스트로겐, 노인 남성에서의 안드로겐 부족이 골다공증을 일으키는 중요한 내분비인자로 알려져 왔다. 최근 여러 가지 연구에 의해 골조직 내 세포간 작용, 예를 들면 산화스트레스 증가, 세포노화, 염증, 골세포의 자멸사, 자가포식현상, DNA 손상, 사립체 생성 및 근골격계세포의 변화 등이 노화에 따른 골다공증과 노쇠에 중요한 역할을 하는 것으로 밝혀지고 있다. 이처럼 나이가 들면서 변화되는 여러 가지 내적인자들은 노화로 인한 내분비계의 변화와도 연관이 있다.

성호르몬 부족은 나이에 따른 골밀도 감소에 직접적으로

기여하고, 부분적으로 산화스트레스, 염증 및 최종산화물을 증가시키고 면역계에 영향을 주는 등의 역할을 한다. 노인 여성에서는 폐경기 이후 변화된 프로제스테론, 안드로겐, 인히빈과 FSH 농도가 여성호르몬 부족에 의한 골소실을 더욱 악화시킨다. 노인 남성에서는 에스트로겐이 골소실을 조절하는 주요 성호르몬이고 골형성에는 에스트로겐과 테스토스테론 둘 다 중요하다.

성호르몬은 노인에서의 칼슘과 인항상성 변화에 중요할 것으로 생각된다. 폐경기여성들은 비슷한 연령의 남성들보다 인과 칼슘의 혈중 농도가 더 높은데, 이는 폐경기 이후 칼슘과 인항상성에 성적이형태성(sexual dimorphism)이 있고 성호르몬 농도와도 관련이 있음을 시사한다. 에스트로겐은 신장에서 인의 배출을 야기하여 저인산혈증으로 신장의 칼슘 배출을 줄이고 장에서 칼슘 흡수를 증가시킨다.

당질부신피질호르몬의 생성과 골세포에 대한 당질부신피질호르몬 감수성은 나이가 들수록 증가한다. 비타민D 혈중 농도도 나이에 따라 감소되어 장에서의 칼슘흡수가 감소되고 이차적인 부갑상선항진증을 야기할 수 있다. 혈중 부갑상선호르몬 농도는 비타민D, 이온화칼슘, 인, 신장기능에 관계없이 나이가 들수록 증가한다.

성장호르몬과 IGF-1은 최고 골밀도량을 결정하는 주요인자이다. 연령이 증가할수록 감소하는 성장호르몬과 IGF-1 농도는 노인의 골 감소와 연관되어 있다. 나이가 들수록 골기질의 IGF-1과 IGF-BP3이 감소하는 것도 골밀도 감소 및 대퇴골절에 영향을 준다.

VII. 포도당항상성

포도당항상성은 연령이 증가할수록 불균형으로 가는 경향이 있다. 공복혈당은 30대부터 10년당 약 0.055 mmol/L씩 증가하고, 75g포도당내성검사상 2시간 혈당도 연령이 증가

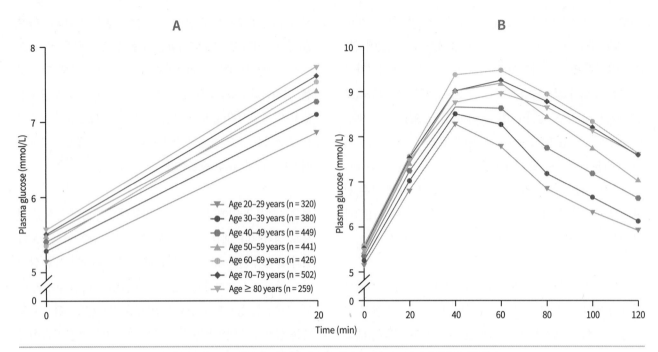

그림 7-2-6. 시간에 따른 연령별 공복혈당(A)과 75g포도당내성검사 후 혈당(B)

할수록 점차 증가한다(그림 7-2-6). 연령에 따라 포도당 섭취량이 변한다는 연구결과는 없다. 같이 고려해야 할 중요한 점은 대뇌의 포도당 대사장애가 알츠하이머질환의 조직학적 소견에 선행하고 아마도 그 병리를 악화시킬 것이라는 것이다.

건강한 노인에서도 인슐린 분비에 이상이 생기는데, 박동성 분비의 강도와 빈도가 감소하고 기초와 자극상태 모두에서 하루내 리듬의 빈도가 줄어든다. 또한 노인에서는 간에서 인슐린 청소율이 증가한다.

경구포도당부하 시 대부분의 포도당은 근육에서 제거되는데, 나이가 들수록 포도당의 제거가 점점 느려져서 포도당 섭취 시 포도당 농도가 올라간다. 고혈당 클램프연구에서 이것은 전체 인슐린 분비가 줄어들어서가 아니라 나이에 따라 인슐린작용이 점차 감소하기 때문이었다. 비만의 정도와 지방축적 위치에 따라서도 인슐린작용의 효율이 결정된다. 이러한 인자들은 전체 칼로리 섭취, 운동량 감소, 약물복용

및 동반질환에 의해서 영향을 받는다.

당뇨병의 유병률이 나이에 따라 증가한다는 것은 잘 알려져 있다. 노인 당뇨병 환자는 당뇨병과 연관된 고혈압, 뇌혈관 질환, 심혈관질환 등의 동반질환과 다약물복용, 인지기능장애, 요실금, 낙상, 통증 등의 노인증후군과 관련된 다양한 기능장애가 많이 일어난다. 당뇨병의 합병증인 말기신장질환, 실명, 심근경색증, 말초혈관질환, 말초신경병증 등도 연령 증가에 따라 늘어난다. 또한 치료에 의해 발생되는 저혈당이 잦고 그 정도가 심할 가능성이 높아 치료약물의 선택이나 관리에 특별한 주의가 더 필요하다.

VIII. 결론

노화에 의한 내분비계의 변화는 여러 가지 호르몬 분비량상과 그 패턴의 변화, 되먹임 조절 감수성의 장애 및 호르몬 작용의 이상으로 다양하게 나타난다(그림 7-2-7). 이러한 생

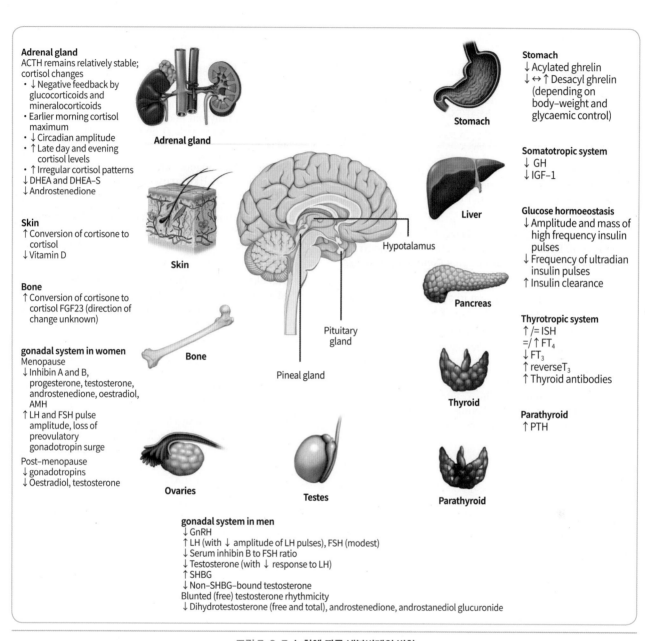

Adrenal gland
ACTH remains relatively stable; cortisol changes
- ↓ Negative feedback by glucocorticoids and mineralocorticoids
- Earlier morning cortisol maximum
- ↓ Circadian amplitude
- ↑ Late day and evening cortisol levels
- ↑ Irregular cortisol patterns
↓ DHEA and DHEA-S
↓ Androstenedione

Skin
↑ Conversion of cortisone to cortisol
↓ Vitamin D

Bone
↑ Conversion of cortisone to cortisol FGF23 (direction of change unknown)

gonadal system in women
Menopause
↓ Inhibin A and B, progesterone, testosterone, androstenedione, oestradiol, AMH
↑ LH and FSH pulse amplitude, loss of preovulatory gonadotropin surge

Post-menopause
↓ gonadotropins
↓ Oestradiol, testosterone

Adrenal gland

Skin

Bone

Ovaries

Testes

Parathyroid

Stomach
↓ Acylated ghrelin
↓ ↔ ↑ Desacyl ghrelin (depending on body-weight and glycaemic control)

Stomach

Somatotropic system
↓ GH
↓ IGF-1

Liver

Hypothalamus

Glucose hormoeostasis
↓ Amplitude and mass of high frequency insulin pulses
↓ Frequency of ultradian insulin pulses
↑ Insulin clearance

Pancreas

Pituitary gland

Thyrotropic system
↑ /= ISH
=/ ↑ FT$_4$
↓ FT$_3$
↑ reverseT$_3$
↑ Thyroid antibodies

Pineal gland

Thyroid

Parathyroid
↑ PTH

gonadal system in men
↓ GnRH
↑ LH (with ↓ amplitude of LH pulses), FSH (modest)
↓ Serum inhibin B to FSH ratio
↓ Testosterone (with ↓ response to LH)
↑ SHBG
↓ Non-SHBG-bound testosterone
Blunted (free) testosterone rhythmicity
↓ Dihydrotestosterone (free and total), androstenedione, androstanediol glucuronide

그림 7-2-7. **노화에 따른 내분비계의 변화**

리적인 변화는 노인에서 호르몬결과를 해석하거나 치료를 결정하고 유지할 때 꼭 고려해야 할 점이다. 그러나 이러한 변화들이 노화과정에서 생긴 변화인지 만성질환이나 염증, 영양상태 및 여러 가지 요인들이 복합되어 생긴 것인지 구분하기가 어렵다. 게다가 노인들 개개인마다 그 변화의 정도에 차이가 있고 노인에서의 참고수치가 확립되어 있지 않은 상태이기 때문에 임상적으로는 불확실성이 아직 많이 남아 있다. 또한, 내분비계의 변화가 단순히 나이 들면서 그 기능이 저하되는 것인지 오히려 노화에 적응하는 과정인지도 명확하지 않다. 그러므로 앞으로 이러한 문제점들에 대해 더 많은 연구가 진행되어야 할 것이다.

참 / 고 / 문 / 헌

1. Annewieke W, van den Beld, Kaufman JM, Zillikens MC, Lamberts SWJ, Josephine M Egan, Aart J van der Lely. The physiology of endocrine systems with ageing. Lancet Diabetes Endocrinol 2018;6:647-58.

2. Basaria S. Reproductive aging in men. Endocrinol Metab Clin North Am 2013;42:255-70.

3. Bremner AP, Feddema P, Leedman PJ, et al. Age-related changes in thyroid function: a longitudinal study of a community-based cohort. J Clin Endocrinol Metab 2012;97:1554-62.

4. Caputo M, Mele C, Ferrero A, Leone I, Daffara T, Marzullo P, et al. Dynamic tests in pituitary endocrinology: pitfalls in interpretation during aging. Neuroendocrinology 2021;112:1-14.

5. Duntas LH. Thyroid function in aging: a discerning approach. Rejuvenation Res 2018;21:22-8.

6. Elahi D, Muller DC, McAloon-Dyke M, Tobin JD, Andres R. The effect of age on insulin response and glucose utilization during four hyperglycemic plateaus. Exp Gerontol 1993;28:393-409.

7. Howard F, Kenneth R, John Y. Endocrinology of aging. In: Fillit H, Rockwood K, Young JB. Brocklehurst's textbook of geriatric medicine and gerontology. 8th ed. Amsterdam: Elsevier; 2016.

8. Kasapoğlu I, Seli E. Mitochondrial dysfunction and ovarian aging. Endocrinology 2020;161:bqaa001.

9. Khosla S. Pathogenesis of age-related bone loss in humans. J Gerontol A Biol Sci Med Sci 2013;68:1226-35.

10. Kwong N, Medici M, Angell TE et al. The influence of patient age on thyroid nodule formation, multinodularity, and thyroid cancer risk. J Clin Endocrinol Metab 2015;100:4434-40.

11. Sherlock M, Toogood AA. Aging and the growth hormone/insulin like growth factor-I axis. Pituitary 2007;10:189-203.

12. Snyder PJ, Bhasin S, Cunningham GR, Matsumoto AM, Stephens-Shields AJ, Cauley JA, et al. Effects of testosterone treatment in older men. N Engl J Med 2016;374:611-24.

13. Stuenkel CA, Davis SR, Gompel A, Lumsden MA, Murad MH, Pinkerton JV, et al. Treatment of symptoms of the menopause: an endocrine society clinical practice guideline. J Clin Endocrinol Metab 2015;100:3975-4011.

14. Wu FC, Tajar A, Pye SR, Silman AJ, Finn JD, O'Neill TW, et al. Hypothalamic-pituitary-testicular axis disruptions in older men are differentially linked to age and modifiable risk factors: The European Male Aging Study. J Clin Endocrinol Metab 2008;93:2737-45.

15. Yamamoto H, Sohmiya M, Oka N, Kato Y. Effects of aging and sex on plasma insulin-like growth factor I (IGF-I) levels in normal adults. Acta Endocrinol (Copenh) 1991;124:497-500.

CHAPTER 3

호르몬과 노화

박정현

I. 서론

노화는 모든 살아 있는 생명체들에서 다 나타나는 시간에 따른 점진적인 생리기능의 감퇴와 손실로 정의할 수 있다. 노화는 매우 복잡하고 이질적인 현상이다. 다양한 생물학적 종들에서 각각 다르게 나타나고, 동일 종 내에서도 조금씩 다르게 나타날 수 있으며 특히 한 유기체의 조직과 세포들에서도 각기 다른 속도와 양상으로(asynchronous stress induced accelerated senescence, ASIAS) 나타날 수 있는데, 그 정도와 속도가 지나친 경우는 자연적인 현상이기보다는 질병으로 봐야 할 수도 있다.

노화의 병태생리에는 아주 다양하고 복잡한 분자생물학적인 기전들이 관련되어 있다. 끊임없이 축적되는 세포와 DNA의 손상들은 세포의 구조적 및 기능 항상성을 손상시켜 노화의 과정을 촉진하게 된다. Lopez-Otin 등은 노화를 설명할 수 있는 9가지의 세포 및 분자생물학적 기전들을 제시하였다. 유전자의 불안정성(genomic instability), 종말절의 단축(telomere attrition), 후성변화들(epigenetic alterations), 단백질정체의 소실(loss of proteostasis), 영양소탐지의 교란(deregulated nutrient sensing), 사립체의 기능이상(mitochondrial dysfunction), 세포의 노화(cellular senescence), 세포내신호전달의 변화(altered intracellular signaling), 줄기세포의 소진(exhaustion of stem cells), 그리고 위에 기술한 모든 기전들 사이의 상호작용 등을 통해 노화를 설명한다는 것이다.

시상하부–뇌하수체축은 영양과 성장, 대사와 생식 등 인체의 모든 중요한 기능을 조절하는 중추적인 역할을 한다. 노화의 과정 동안 호르몬들의 네트워크와 특정 호르몬들의 결핍 혹은 과다, 조직의 호르몬들에 대한 감수성의 변화 등이 일어나게 된다. 이러한 변화들은 임상적으로 골격근의 감소, 지방량의 증가, 골소실, 인슐린신호전달의 변화, 면역기능의 손상, 그리고 결국에는 삶의 질 감소를 초래하게 된다.

이 장에서는 앞선 장에서 상세히 기술된 노화에 따른 내분비계의 변화를 간략히 요약한 후, 다양한 호르몬들을 사용한 대체요법이 노화의 과정과 결과에 대해 미치는 영향과 미래의 전망에 대해 알아보기로 하겠다.

II. 노화와 내분비계

앞에서 이미 노화에 따른 내분비계의 변화에 대해 상세하게 기술을 하였기 때문에, 이 장에서는 각각의 호르몬들이 노화과정에 미치는 영향을 기술함에 있어 도움이 될 수 있는 내용 위주로 간략히 살펴보기로 하겠다.

노화의 과정을 이해하기 위해 엄청나게 많은 병태생리에 대한 이론들이 제시되어 왔다. 최근에는 노화를 설명하는 단일 이론에 대한 추구에서 벗어나 노화라는 과정이 극도로 복잡하고 다방면에 걸친 과정이라는 시각이 주를 이루고 있다. 여러 개의 단위 과정들이 긴밀하게 얽혀서 각기 다른 기능적인 단계에서 작용을 하며 노화의 과정을 이끌어 간다고 보고 있다. 이러한 이론들 중에서 아마도 거의 최초로 주장이 되었고 지금도 광범위하게 받아들여지고 있는 것은 약 60년 전 Harman D에 의해 주장이 되었던 자유라디칼이론(free radical theory)이다. 산화물, 즉 반응산소종(reactive oxygen species, ROS)과 반응질소종(reactive nitrogen species, RNS) 등은 aerobic metabolism에서 정상적으로 생성이 되는 물질들이며 사립체 내의 전자전달체계(electron transport chain)에서 누출된 전자들 때문에 만들어진다. 대사과정 동안 항산화 방어체계에 의해 충분히 방어되지 못하고 과도하게 생성된 산화물들은 단백질, 지질 및 DNA에 비가역적인 손상을 입히게 되며, 이에 따라 세포들의 기능이 점진적으로 파괴되어 노화가 진행하게 된다는 것이다.

내분비계에서도 산화스트레스는 내분비기관들의 노화와 기능이상에 관여하는 것으로 알려져 있다. 노화에 대한 'nitric oxide theory'에 따르면, 시상하부-뇌하수체축을 포함한 중추신경계에서 자유라디칼들의 과도한 생산은 이들 구조물들의 노화와 긴밀한 관련이 있는 것으로 알려져 있다. Kondo 등은 사람에서 연령의 증가에 따라 뇌하수체에서 강력한 산화물질인 8-OHdG (8-hydroxy-2'-deoxyguanosine)의 축적을 보고하였고, Nessi 등은 노화과정 중에 뇌하수체에서 thyrotroph와 somatotroph세포들에서 자멸사가 증가함을 보고하였다. 또한 단백질 합성에 있어 필수적인 요소의 하나인 elongation factor 2는 ROS에 의한 지질의 과산화에 의해 감소될 수 있는데, 쥐의 노화과정 중 뇌하수체와 시상하부에서 감소함이 확인되었다. 강력한 항산화효과를 가지고 있으면서 ROS의 scavenger로도 작용을 하는 멜라토닌도 50세 이상의 중장년층부터 밤 시간에 그 분비가 극적으로 감소되는 것으로 잘 알려져 있다.

중추신경계 이외에도 산화스트레스는 다른 내분비기관들의 노화에도 물론 관여를 하는 것으로 잘 알려져 있다. 산화스트레스는 갑상선의 자가면역질환들의 병태생리에도 관여하며, 노인들처럼 혈액 속 셀레늄이 모자라는 경우에는 갑상선에 대한 산화스트레스의 효과가 더 크게 작용한다고 한다. 췌장의 베타세포에서도 만성적인 산화스트레스는 현저한 기능장애를 일으킬 수 있는데, 특히 베타세포에는 항산화효소들이 타 조직들과 대비해서 아주 적기 때문에 이러한 스트레스에 더 취약하다. 지금까지 베타세포에서 포도당 자극에 의한 인슐린의 분비조절에 관여하는 다양한 신호전달체계 및 이와 관련된 물질들이 세포내 초산화물(hyperoxide)의 하부 신호전달경로의 목표물들로 알려져 왔는데, 이들에는 voltage-gated K$^+$ channels, Ca^{2+} influx and release, c-Jun NH$_2$-terminal kinase, extracellular signal-related kinases, nuclear factor-κB, 그리고 SIRT1 deacetylase 등이 포함된다. 따라서 베타세포가 단기간 ROS에 노출이 되는 경우는 포도당 자극에 의한 인슐린 분비에서 유리할 수도 있겠으나 만성적으로 ROS가 과도하게 생산되어 한계를 넘게 되면 베타세포의 기능이상과 자멸사가 초래될 수 있고 이에 따라 전체 인슐린 분비량의 감소가 초래될 수 있다. 마지막으로, 산화스트레스는 난소와 고환의 노화에도 관여하며 깊숙이 자리 잡고 중요한 기능을 하는 세포들을 교란하고, 스테로이드의 생성과정을 억제할 수 있다.

산화스트레스와 ROS는 평상시에는 정상적인 세포의 기능에 반드시 필요한 작용을 하기도 하지만, 장기간에 걸쳐 어느 정도 이상의 산화스트레스가 세포에 가해지게 되면 오히려 노화를 촉진하는 역할을 하게 되는 것으로 현재 이해가 되고 있다.

III. 노인에서 내분비계의 변화: 치료할 것인가? 치료하지 않을 것인가?

노인에서 내분비계의 변화에 대한 치료를 고려함에 있어 노인에서의 이러한 변화들이 어디까지가 자연적인 적응과정이고 어느 정도부터 부적응인지에 대한 대답을 해야만 한다. 노인에서 동반될 수 있는 많은 질환들, 예를 들어 비만, 당뇨병, 영양결핍 등을 포함한 다양한 전신적인 질환들과 이에 따른 다양하고 복잡한 투약들 모두가 뇌하수체를 포함한 내분비계의 기능에 영향을 미칠 수가 있다. 또한 호르몬 대체요법들의 장기적인 이득과 가능한 부작용들에 대한 과학적인 증거들 역시 광범위하게 필요하다. 현재 시점에서 이러한 모든 것들에 대한 정보는 그리 충분하지 않다. 아울러, 호르몬 대체요법을 하는 궁극적인 목적에 대해서도 이견이 있을 수 있는 상황이기도 하다.

노화의 과정은 한 개체의 모든 기관과 조직에 공통적으로는 나타나지만, 그 진행속도와 정도가 늘 동일한 것은 아니다. 또한, 여러 질환이 동반되어 있거나 위험인자들이 있는 경우는 특정 기관에서의 노화가 훨씬 빠른 속도로 가속화되어 있는 경우도 흔히 있는데(ASIAS), 이러한 경우는 정상적인 노화가 아닌 일종의 질병으로 보아야 하며 치료를 필요로 하는 상황이라고 하겠다.

각각의 내분비기관별로 노화에 따른 이러한 임상적인 문제들을 살펴보고, 호르몬 대체요법을 포함한 치료의 의미에 대해 알아보도록 하겠다.

IV. 노인에서의 멜라토닌 대체요법

멜라토닌은 지구상에서 산소를 이용하는 모든 생명체들에 공통적으로 존재하는 강력한 항산화물질이다. 기본적으로는 산화스트레스에 대응하는 기능을 가지고 있지만, 수면/각성에 영향을 미칠 뿐만 아니라 면역기능 조절에도 관여하며, 신경계의 조절과 보호에도 관계가 있는 매우 다양한 기능을 가지고 있는 호르몬이다. 멜라토닌은 중추신경계내 송과선(pineal gland)에서 분비가 되며, 필수아미노산인 트립토판으로부터 세르토닌을 거쳐 합성이 된다. 멜라토닌의 합성의 끝에서 두 번째 과정에 관여하는 N-acetyltransferase라는 효소는 멜라토닌 합성에 rate limiting step으로 간주가 되며, 이것 때문에 'timezyme'이라는 별명을 가지고 있는데, 이 효소의 발현이 멜라토닌을 통한 하루주기리듬(circadian rhythm)에 대단히 중요한 역할을 하기 때문이다. 멜라토닌은 MT1과 MT2 두 개의 세포막수용체를 통해 효과를 나타낸다. 최근의 보고들에 따르면 멜라토닌은 신경계의 발달 및 신경세포의 증식과 보호에 깊이 관여한다. 멜라토닌의 분비는 연령과 깊은 관계가 있는데, 소아기 및 청소년기에 가장 많은 양이 분비가 되며 연령이 증가함에 따라 급격하게 분비량이 감소된다. 약 70세 전후가 되면 내인멜라토닌의 분비는 거의 없어지게 된다고 한다. 멜라토닌의 이러한 연령에 따른 분비량의 감소는 수면패턴 및 중추신경계의 기능 변화와 직접적인 관련이 있는 것으로 알려져 있기도 하다.

멜라토닌은 단순히 중추신경계의 수면/각성주기 조절에만 관여하는 것이 아니며 신경세포들의 에너지대사와 신경 발생에 관여하는 다양한 신호전달물질들의 합성에도 관여하고 신경계의 항상성에 대단히 중요한 신경계내의 자가포식(autophagy)과정에도 깊이 관여하는 것으로 알려져 있다. 이러한 모든 과정들은 생리적 및 병태생리적인 노화에 따른 인지기능의 감소를 지연시킴에 있어 대단히 중요한 작용을 한다고 알려지고 있다.

노인들에게 외부에서 멜라토닌을 투여하여 중추신경계에서의 멜라토닌 농도를 젊은 사람들의 수준으로 유지함은 노인들의 수면/각성장애를 치료하는 것뿐만 아니라 노화에 따른 뇌의 전반적인 기능저하를 예방함에 있어 상당한 도움이 될 수 있는 것으로 알려지고 있다. 최근 이러한 효과에 대한 많은 연구결과들이 발표되고 있으며, 다양한 동물실험들을 통해서도 뇌조직의 보호효과들이 구체적으로 증명이 되고 있다. 멜라토닌의 투여와 함께 규칙적인 운동을 같이 시행한 경우 알츠하이머병 모델에서 β-amyloid의 축적을 유의하게 억제하고 신경세포들의 사멸도 유의하게 억제하였음이 보고되기도 하였다. 이러한 많은 연구결과들은 멜라토닌을 노인들에게 투여함으로써 노화에 의한 뇌신경세포들의 사멸과 기능감퇴에 의한 인지기능의 저하를 예방할 수 있을 가능성을 강하게 시사한다고 본다.

멜라토닌은 체중과 중간대사(intermediary metabolism)과정에도 관여를 하는 것으로 알려져 있다. 연령에 따른 멜라토닌의 감소는 체중의 증가 및 비만과도 관련이 있다. 이러한 효과는 멜라토닌이 직접적으로 시상하부에 작용하는 과정과 함께 자율신경계와 수면/각성주기에 대해 미치는 간접적인 효과들과도 관련이 있다. 노인들에 대한 멜라토닌의 투여는 나이에 따른 체중의 증가를 억제할 수 있고, 특히 신경정신계 질환이 있을 때 atypical anti-psychotic drug (AAP)를 사용하면 흔히 나타나는 대사합병증인 비만과 대사증후군의 발생을 유의하게 억제할 수 있다고도 한다.

멜라토닌은 강력한 항산화물질이다. 인체 내의 거의 모든 항산화효소들의 발현에 직·간접적으로 영향을 미치는 것으로 잘 알려져 있다. 이 과정을 통해, 노화과정에서 대단히 중요한 역할을 하는 것으로 알려지고 있는 염증에 의한 노화(inflammaging)를 효율적으로 억제할 수 있다. 실제 유전적으로 노화가 촉진되어 있는 senescence accelerated mouse (SAM) 동물을 사용한 실험에서 효과적으로 노화의 전체 과정을 유의하게 억제할 수 있었음이 보고되어 있기도 하다.

현재로서는 불면증 치료에 대한 보조적인 약물로서 국내에 prolonged release (PR) 제형으로 출시되어 사용되고 있는데, 향후에는 수면장애뿐만 아니라 노화에 따른 다양한 중추신경계 장애들 및 노화 자체에 대한 예방과 치료 목적의 임상연구들이 많이 시행될 것으로 기대한다.

V. 노화에 따른 갑상선기능 이상에 대한 호르몬치료

노화에 따라 갑상선에서 나타나는 변화는 이 연령대에서 항상성을 유지하기 위한 적응기전의 소단위로 이해된다. 요오드의 섭취가 적절하거나 과도한 지역에서는 혈액내 TSH값이 높은 경향을 보이며 연령의 증가와 양의 상관을 가진다. 반대로 경도나 중증도의 요오드 결핍이 있는 지역에서는 TSH값이 낮은 경향을 보이며, 연령의 증가와 음의 상관을 보이는데, 이것은 갑상선의 자율적인 기능경향을 보여주는 것으로 이해할 수도 있다. 따라서 연령과 갑상선기능 사이의 관련을 볼 때는 시간에 따른 해당 인구집단의 요오드 결핍 여부를 반드시 같이 고려해서 봐야 한다.

치료받지 않은 자가면역갑상선질환에서 젊은 층과 노인들 사이에 TSH값이 4배 차이가 나는 것이 관찰되었다. 같은 정도의 갑상선기능부전에서 TSH값은 노인들에서 더 낮았는데, 이것은 혈액속의 낮은 갑상선호르몬에 대한 시상하부-뇌하수체축의 반응이 노화에 따라 둔화되었기 때문인 것으로 이해된다. 따라서 노인에서 TSH가 많이 증가한 경우는 갑상선기능저하증의 정도가 매우 심한 것으로 이해되어야 한다. 현재 사용되고 있는 혈액내 TSH값의 정상 상한선은 노인들에서 너무 낮은 경향이 있으며 이것 때문에 꼭 필요하지도 않고 때로는 해로울 수도 있는 치료를 받게 될 수가 있다는 것도 기억해야 한다. 실제 임상에서는 환자들에서 나타나는 호르몬 변화를 용의주도하게 판단해야 하며, 특히 갑상선기능이 약하게 나타나도, 이것이 즉시 치료를 필요로 하는 상황은 아닐 수도 있음에 유의해야 한다.

지난 수십 년간 갑상선에 대한 자가면역은 꾸준히 증가하여 65세 이상 여성에서 무증상갑상선기능저하증(subclinical

hypothyroidism)이 20% 이상의 유병률을 보임이 보고되었다. 준임상갑상선기능저하증은 혈액 속의 갑상선호르몬은 정상 수치이지만 TSH값이 정상 이상으로 증가되어 있는 상태를 말하며, 임상적인 갑상선기능저하증(overt hypothyroidism)으로 진행할 수 있고 심장기능의 저하를 초래할 수도 있다. 최근의 진료지침에 따르면, 지속적인 준임상갑상선기능저하증이 있으면서 TSH값이 10 IU/L 이상이고 항갑상선항체가 양성이거나 임상적인 증상들이 있는 경우는 levothyroxine으로 치료를 해서, 임상적인 갑상선기능저하증으로 진행하는 위험을 경감시키고, 심혈관질환에 대한 악영향을 줄이며 삶의 질을 향상시키도록 해야 한다. 특히 TSH값이 지속적으로 10 IU/L를 넘는 경우는 심혈관질환에 의한 사망위험이 증가되어 있음이 보고되어 있다. 노인 준임상갑상선기능저하증의 경우 대략 80% 정도의 환자에서 혈액TSH값은 10 IU/L 이하인데, 이러한 환자들에서 치료를 시작하는 결정은 환자들의 특성을 각각 모두 고려해서 매우 신중하게 이루어져야 한다.

최근 61개의 연구들을 조사한 메타분석에 의하면 2형당뇨병을 가진 환자들은 일반인들과 비교해서 준임상갑상선기능저하증이 동반된 경우가 명백히 더 많다고 한다. 따라서 2형당뇨병과 준임상갑상선기능저하증을 같이 가진 환자들의 경우는 당뇨병만성합병증 발생의 위험이 더 높아져 있기 때문에 환자 개개인의 상황을 고려해서 적절한 치료적 접근이 필요할 수 있다. 영국에서 이루어진 한 연구에 따르면 준임상갑상선기능저하증(혈액TSH 5.01–10.0 μIU/mL, 정상 혈액 유리T$_4$)에 대한 levothyroxine 치료는 오직 젊은 환자들(40–70세)에서만 유의하게 허혈심장질환을 예방하였고, 노인들(70세 이상)에서는 그러한 효과가 나타나지 않았다고 한다.

85세 이상 연령의 노인 643명을 대상으로 이루어진 한 코호트 분석에서는 이들이 자택에 머무르는 상태에서 전체적인 건강상태와 갑상선기능, 그리고 향후 최장 9년 동안 장애의 발생과 사망 등을 추적관찰하였는데 모든 원인에 의한

사망은 연구시작시점의 rT$_3$와만 관련이 있었고 free T$_4$나 TSH와는 관련이 없었다. 이 연구는 준임상갑상선기능저하증과 준임상갑상선기능항진증 모두에서 총 9년 동안 갑상선기능이 정상이었던 동 연령대 대조군과 비교해서 생존율에 차이를 보이지 않았으며, TSH가 높을수록 예후가 더 좋다는 결과를 보여주었다. 동시에, 연령 70–89세 사이 노인들 중에서 전체 갑상선기능은 정상이라도 free T$_4$ 치가 높을수록 모든 원인에 의한 사망 위험의 증가와 관련이 있었다.

극단적인 장수가 TSH가 높은 것과 관련이 있음은 이미 잘 알려진 사실인데, 연령의 증가에 따른 TSH값의 상승은 연속적으로 100세 이상의 초고령까지 이어진다. TSH와 free T$_4$의 역상관 관계는 지속적으로 이어지며 이것은 이들 사이에 음성되먹임제어(negative feedback control) 역시 계속 유지된다는 것을 의미한다. 재미있는 것은 100세 이상을 장수하는 소위 백세인(centenarian)의 자손에서도 대조군에 비해 혈액TSH의 증가가 나타난다고 한다. 이러한 사람들에서는 TSH수용체유전자에 독특한 단일유전자변이(single nucleotide polymorphism, SNP)가 관찰되는 경우가 있다. 이것은 TSH의 증가를 초래하는 유전되는 속성이 장수와 관련이 있을 수도 있음을 의미한다. 즉, TSH수용체유전자부위에 특정 SNP를 가진 사람들은 대조군보다 유의하게 높은 TSH값을 나타내며 이것이 장수의 한 지표가 될 수도 있다는 것이다. 갑상선의 노화는 TSH의 증가가 있지만 fT$_4$의 변화는 없는 것으로 표현할 수 있고 TSH의 증가는 연령의 증가에 따른 TSH set point의 변화가 주된 이유이지, 갑상선에 발생하는 질환 때문은 아니다.

노인들에서 LT$_4$ 치료의 이득을 증명한 대규모연구들이 부족한 상황에서, 치료지침은 개인적인 상황에 맞추어 이루어질 수밖에 없는데, TSH값의 변화만을 볼 것이 아니라 대상 환자의 연령과 동반된 질환들 모두를 같이 고려해서 결정이 이루어져야 한다. 이러한 측면에서 65세 이상의 노인에서 지속적으로 TSH가 5 U/L 이상을 나타낼 때는 환자가 임상 증상을 나타내거나 항TPO항체 역가가 높거나 2형당뇨병

과 이차적인 고지혈증 등이 동반되어 있는 경우에 한해서만 약물치료가 고려되어야 한다. 85세 이상에서 100세를 넘는 경우까지 아주 고령의 환자들인 경우는 "기다리며–지켜보는(wait-and-see)" 전략이 현재로써는 더 적절하다고 판단된다.

VI. 여성생식기능의 노화와 호르몬대체 요법

1. 항노화를 위한 방법들: 생식기능의 보존

여성은 한정된 숫자의 생식세포들만이 존재하기 때문에, 외부에서의 특정 자극들에 의해 난소의 생식세포들이 완전히 없어지거나 유효한 숫자가 줄어들 수 있고 이것 때문에 조기 폐경이 발생할 수 있다. 이러한 손상은 환자들의 연령과 관련이 있으며(젊은 환자의 경우 더 큰 기능적인 여력을 가지고 있다), 항암치료의 경우 사용된 약물의 종류(alkylating agent를 사용하는 경우는 용량의존적으로 난소기능의 감퇴를 초래한다)와 깊은 관련이 있다. 최근 암 환자의 치료에서 생식기능 보존을 위해 다음과 같은 진료지침이 추천되고 있다: "국제적인 진료지침은 의사는 가능한 빠른 시간 내에 생식가능 연령에 있는 모든 환자들에게 그들이 가진 질병과 치료 등에 의해 불임증이 될 수 있는 위험에 대해 상세히 설명하고, 암 치료 이후 임신을 할 의향이 있는지를 확인해야 하며, 생식기능을 보존하기 위한 방법 등에 대해 의논해야 한다."

이러한 치료들은 단순히 수태기능을 보존하기 위함은 아니다. 노화를 설명하는 여러 이론들 중에서 미국의 Richard Bowen과 Craig Atwood 등이 주장한 "Reproductive Cell Cycle Theory of Aging"에 따르면, 인체의 노화를 지배하는 가장 중요한 기전의 하나는 남녀 공히 성선(생식선)의 기능저하와 이에 따른 뇌하수체에서의 LH의 보상적 분비 증가라고 하였다. LH는 성선을 자극하는 기능 이외에

굉장히 강력한 mitogen으로 세포들의 성장을 촉진하는 기능이 있는데, 여성 및 남성호르몬들은 이러한 세포들이 섬세하게 분화되는 과정에서 중요한 역할을 하는 것으로도 알려져 있다. 따라서 성선의 기능저하에 따라 성호르몬들의 분비가 감퇴하면 세포들의 섬세한 분화과정에 문제가 발생하게 되는데, 증가된 LH는 강력한 mitogenic effect에 의해 세포들의 성장을 자극하기 때문에 결과적으로 문제가 있는 세포들이 체내에 축적하게 되고 이것들 때문에 중요한 조직과 기관의 기능에 장애가 발생하고 다양한 퇴행성질환들이 발생하게 되는 원인이 된다고 하는 가설이다.

따라서 질병 등에 의한 생식능력의 조기소실은 전체적인 노화의 측면에서 좋지 않은 결과를 초래할 수 있어 생식능력을 보존한다는 것은 꼭 수태능력의 측면이 아니더라도 항노화의 측면에서 대단히 중요한 의미를 가진다고 하겠다.

생식기능을 보존하기 위한 현재 가능한 의학적 기술 중에서 배우자가 있는 경우 난모세포를 자극하여 얻은 배아를 냉동보존하는 방법이 가장 좋다. 성공률은 매우 높으며 생존율과 착상 성공률은 각각 90%와 30%로 보고되고 있다. 난소조직의 냉동보관도 임신능력을 보존하기 위한 선택이 될 수 있다. 아직은 실험적인 방법으로 간주되지만, 난소피질조직을 채취하여 냉동보관 한 후 이식을 하는 방법도 많은 센터들에서 이미 시행되어 왔다. 체외에서 난포(ovarian follicle)를 배양하는 방법, 난포들을 생존할 수 있는 매트릭스 속에 넣어서 만든 인공난소를 이식하는 방법, 난원줄기세포(oogonial stem cell)를 찾고 induced pluripotent stem cell을 사용하는 방법 등도 시도되고 있다.

2. 항노화를 위한 방법들: 폐경호르몬치료 (Menopausal hormone therapy, MHT)

생리의 영원한 중단과 이에 수반된 호르몬들의 변화는 매우 다양한 임상증상들과 동반질환들의 발생 및 악화를 초래해서 여성의 삶을 매우 혼란스럽게 한다. 여성호르몬인

에스트로겐의 결핍과 이에 따른 문제들을 폐경호르몬치료를 통해 경감시키고자 하는 시도는 악성종양의 발생가능성과 혈관질환 합병증 문제들 때문에 논란이 있다.

폐경호르몬치료는 폐경에 따른 증상들과 비뇨생식기의 위축 및 골다공증의 예방을 위해 고려되어 왔다. 폐경과 관련된 증상으로는 안면홍조(hot flush), 야간발한, 수면장애, 무드의 변화, 불안, 피로, 근육과 관절의 통증 및 두통 등이다. 폐경호르몬치료는 모든 폐경여성들에게 다 처방이 되어서는 안 된다. 치료의 결정과 치료방법, 그리고 치료용량 및 호르몬의 구체적인 투여경로와 방법 등은 모두 개별화가 되어야 한다. 폐경의 종류와 폐경 시 연령, 다른 동반질환들 및 만성질환들에 대한 위험인자들의 보유 여부 등을 고려해서 개개인에게 가장 적절한 치료방법을 찾아야만 한다. 사용 가능한 치료방법들은 에스트로겐의 용량, 프로제스테론의 종류, 투여방법(지속적인 병합요법 vs. 주기적인 순환투여)과 투여경로(경피 vs. 경구) 등의 측면에서 조금씩 다 다르다.

1) 폐경호르몬치료와 허혈심장질환

폐경은 자연적인 호르몬들의 변화이지만, 심혈관계에는 좋지 않은 영향을 미친다. 에스트로겐의 결핍은 직접 및 간접적으로 혈관계에 영향을 미치며, 동맥경화증의 발생을 촉진하는 것으로 알려져 있다. 폐경여성에서는 연령의 증가 그 자체도 신체활동량의 감소, 무드의 불안정성 및 근감소증(sarcopenia), 그리고 내장지방의 증가 및 비만 등을 초래하여 동맥경화증의 진행을 보다 더 악화시키게 된다. 혈관내죽상경화판(atherosclerotic plaque)의 생성은 허혈심장질환(ischemic heart disease, IHD)과 뇌졸중의 위험을 증가시킨다. 최근 한 연구에 따르면, 혈관운동연축(vasomotor) 증상은 심혈관질환의 독립적인 위험인자라고 한다.

폐경호르몬치료의 효과는 마지막 생리 이후 치료를 시작한 시기에 따라 달라진다. 마지막 생리가 끝난 지 얼마되지 않은, 상대적으로 젊은 여성은 폐경호르몬치료에 대한 반응이

매우 좋으며 혈액내 지질과 인슐린민감성, 신체구성, 동맥혈관경직도 및 만성염증 등이 호전된다. 반면, 마지막 생리가 끝나고 오랜시간이 흐른 상대적으로 고령인 여성들의 경우는 이미 동맥경화증의 과정이 상당히 진행되어 임상적인 증상이 있을 가능성이 높다. 이런 상황에서의 폐경호르몬치료는 죽상경화판을 불안정하게 해서 오히려 급성혈전성합병증들이 초래될 위험이 높아질 수도 있다고 한다.

적절하게 시행된 폐경호르몬치료는 심혈관질환에 대해 명백하게 이득을 가져다준다. 핀란드에서 최근 발표된 국가수준의 조사자료에 따르면, 관상동맥질환의 위험은 18-54% 유의하게 감소하고, 평균 여명은 12-38% 증가하였다고 한다. 이 연구에서는 폐경호르몬치료의 기간과 심혈관질환에 대한 이득이 총 15년의 추적관찰기간 동안 선형적인 연관(linear association)을 보였다고 한다. 최근의 코크란분석논문에서도 폐경호르몬치료의 효과는 치료를 시작한 시기와 깊은 관련이 있다는 것을 재확인하였다. 폐경이 시작되고 10년 이내에 치료를 시작한 경우는 관상동맥질환의 위험이 48% 감소하고, 모든 원인에 의한 사망 위험이 30% 감소하였다. 무작위전향임상연구인 ELITE (Early

표 7-3-1. **심혈관질환 위험에 따른 여성호르몬치료의 개별화 전략**

심혈관질환 고위험군: 호르몬치료를 하지 말 것
• Age > 60 years
• 폐경 이후 > 10 years
• 유병기간이 길고 조절이 안 되는 당뇨병
• 임상적인 증상이 있는 심혈관질환
심혈관질환 중간위험군: 경피(transdermal)호르몬치료
• 폐경 이후 5-10 years
• 이상지혈증
• 비만
• 흡연
• 고혈압
• 당뇨병
심혈관질환 저위험군: 모든 종류의 호르몬치료가 가능

vs. Late Intervention Trial with Estradiol)연구는 에스트로겐 치료는 위약과 대비해서 무증상동맥경화증의 진행을 지연시킴을 확인하였는데, 이러한 효과는 폐경 이후 호르몬 치료가 일찍 시작된 경우에만 나타났다(폐경 시작 후 6년 이내 vs. 폐경 시작 후 10년 이상 경과). 허혈심장질환의 관점에서 폐경호르몬치료의 개별화방법은 표 7-3-1에 기술이 되어 있다.

2) 폐경호르몬치료와 유방암

과거의 역학연구들과 전향임상시험들은 비록 작지만 유의한 유방암 위험의 증가를 보고하고 있는데, 그 상대위험도는 1.25에서 1.35 사이이다. Million Women Study의 데이터는 보다 높은 유방암의 위험(RR = 1.66)을 보고하고 있는데, 이 연구는 무작위배정이 아니면서 이질적인 인구집단을 대상으로 한 연구였다는 한계가 있음이 고려되어야 한다. 마지막으로 WHI (Women's Health Initiative)연구에서 7년간 에스트로겐만 투여한 군에서는 오히려 낮은 유방암 발생위험(RR = 0.77)을 보고하였다.

임상진료 환경에서는 MHT와 관련된 유방암의 위험을 최소화하기 위해 개별화전략이 필요하다. 이러한 측면에서 환자에 대한 평가와 함께 MHT에 대한 평가도 당연히 필요하다(표 7-3-2). MHT처방의 특징 중에서 유방암의 위험과 관련이 있는 요인들은 ① 에스트로겐 단독치료 vs. 에스트로겐-프로게스테론 사용, ② 사용기간, ③ 프로게스테론의 종류, ④호르몬의 투여방법(순차적 vs. 지속적), 그리고 ⑤ MHT의 용량 등이다.

3) 폐경호르몬치료와 혈전증(Thormbosis)

경구MHT는 뇌졸중의 위험을 약간 증가시키며(RR = 1.3-1.5), 정맥혈전색전증(venous thromboembolism, VTE)의 위험을 2-3배 증가시킨다. 가능한 병태생리기전으로는 간에 대한 약물 첫째통과효과(first pass effect)를 통해 혈액응고인자들의 발현을 증가시키는 것과, 특히 뇌졸중의 경우는 죽상경화판(atheromatous plaque)을 불안

표 7-3-2. 유방암의 위험을 고려한 여성호르몬치료의 개별화 전략

1. Risk factors which interact with MHT
- Body weight
- Alcohol consumption
- Mammographic density

2. Risk factors which do NOT interact with MHT
- Family history of breast cancer
- Low parity
- Breast surgery for begin condition

Customization of MHT regimen
- Lowest effective estrogen dose
- Lowest breast exposure to progestogen (vaginal route/sequential regimens)
- Natural progesterone/dydrogesterone or SERMS for endometrial protection
- Sequential mode of administration
- Annual cost-benefit analysis and estrogen dose re-setting

정하게 하는 것 등이 있다. 이러한 것들에 대한 절대적인 위험의 증가는 최근 폐경이 된 상대적으로 젊은 여성들에서는 무시할 수 있을 정도이다. 사실 연령의 증가에 따라 위험은 지속적으로 증가하며 위험인자들, 즉 당뇨병, 비만, 고혈압, 이상지혈증, 좌심실비대, 심방세동, 고정(immobilization) 혹은 유전적혈전성향증(genetic thrombophilia) 등이 있는 경우도 위험이 증가한다. 한 대규모전향역학연구의 결과에 따르면 저용량(E2 ≤ 50 μg)의 경피(transdermal) MHT는 혈전증의 위험을 증가시키지 않았다. 또한, 혈전증의 위험은 MHT regimen 속의 프로게스토겐과 관련이 있었다. 표 7-3-3은 MHT를 처방함에 있어 정맥혈전색전증의 측면에서 고려되어야 하는 기본적인 원칙들을 정리하고 있다.

결론적으로 MHT는 폐경기와 관련된 증상들, 비뇨생식기계의 위축과 골다공증에 의한 골절위험을 감소시킴에 있어 효과적이며 안정한 치료방법이다. 폐경 직후에 빨리 투여가 되는 경우, 소위 "기회의 창(window of opportunity)"에

표 7-3-3. 혈전색전증의 위험을 고려한 여성호르몬치료의 개별화 전략

Screening for risk factors
Personal or family history of VTE (venous thromboembolism)
Increasing age
• Increasing menopausal age • Obesity • Immobilization • Diabetes mellitus • Smoking
Choice of MHT regimen
• On women with no risk factors, absolute risk is very small and any type of MHT can be chosen • In women with risk factors for VTE, low dose transdermal estradiol (≤ 50 μg) is recommended, in combination with micronized progesterone, preferable through the vaginal route

치료가 시작되는 경우는 MHT는 심혈관질환에 대한 예방 효과도 매우 유의하게 있음이 증명되어 있다. MHT의 치료 기간은 환자 개개인의 개별적인 필요와 위험 등에 따라 결정되어야 한다.

VII. 나이가 든 고안드로젠증 여성: 특별한 치료가 필요한가?

나이가 든 여성 혹은 폐경 이후의 여성에서 가장 흔한 고안드로젠증의 원인은 다낭난소증후군(polycystic ovary syndrome, PCOS; 임신이 가능한 젊은 연령에서도 있을 수 있음)과 고전적 혹은 비고전적인 형태의 선천부신증식증(congenital adrenal hyperplasia)이다.

PCOS는 몇 가지 대사과정들의 교란과 관련이 있는데, 가장 주된 것이 인슐린저항성이며, 과체중 혹은 비만과 그 이외 다양한 대사이상들과도 관련이 있다. 폐경 이후, PCOS를 가진 여성들은 혈액내 남성호르몬의 농도가 계속 높은데, 이것은

다양한 대사들의 측면에서 좋지 않은 영향을 미칠 수 있으며 일례로 심혈관질환의 발생위험을 증가시킬 수 있다.

PCOS를 가진 여성에서 대사증후군과 고안드로젠증(총테스토스테론, 안드로스텐다이온, 유리테스토스테론의 혈액 농도 증가) 사이에는 의미 있는 관계가 있으며 이러한 당대사이상에서 2형당뇨병으로 진행하는 위험도 PCOS를 가진 여성에서 나이의 증가에 따라 유의하게 더 증가되어 있음도 잘 알려져 있다.

심혈관질환들이 이러한 여성들에게 더 흔한가의 여부는 PCOS 자체가 심혈관질환의 여러 위험인자들과 강한 관련을 가지고 있고 비만보다는 인슐린저항성을 매개로 해서 연결이 되어 있지만, 아직도 논란이 있다. 이 문제에 대한 중요한 과학적 제한점의 하나는 여성들이 심혈관질환을 다룬 임상시험이나 역학연구들에서 소외가 되어 온 부분이 있어 인위적으로 데이터가 축소되었을 가능성이 매우 높다는 점이다. 또한, 심혈관질환에 대한 위험인자와 더불어 관상동맥의 석회화나 경동맥내중막의 두께가 증가하는 등의 동맥경화증이 진행됨을 나타내주는 지표들이 PCOS가 있는 여성들에서 대조군에 비해 유의하게 더 흔히 관찰된다는 보고도 있다. 재미있게도 PCOS가 있는 여성들의 경우 PCOS 자체가 2형당뇨병, 이상지혈증, 저준위의 염증(low grade inflammation) 및 다른 심혈관질환의 위험인자들과 강하게 연관이 되어 있음에도 불구하고 심혈관질환에 의한 사망률이 그리 현저하게 증가되지는 않는 것으로 알려져 있다. 최근 많은 연구들의 결과 역시 PCOS의 임상적인 특징을 가진 경우라도 심혈관질환에 의한 사망위험은 증가하지 않는 쪽으로 결과들을 보고하고 있다.

정리하자면 PCOS를 가진 여성들에서 평생에 걸친 대사의 이상들은 심혈관질환의 발생위험을 증가시키는데, 특히 폐경 이후에 더 문제가 된다. 비록 PCOS에서는 심혈관질환의 발생과 관련된 모든 간접지표(surrogate marker)들은 매우 흔히 발견이 되지만, 이들이 실제 심혈관질환과 관련이

있는지는 아직까지 명확하지 않다. 따라서 PCOS 자체가 여성에서 심혈관질환에 의한 사망을 증가시키는지에 대해서는 아직까지 불확실성이 있다. 이 주제에 대해 전향적인 다기관 연구가 필요하며 인종과 비만 여부 등 교란요인들의 영향도 명확히 배제가 되어야 하고, 유전소인에 대한 고려도 필요할 것이다.

여성에서 남성호르몬과다에 대한 또 다른 중요한 분야는 CCAH (classic congenital adrenal hyperplasia)와 NCCAH (non-classic congenital adrenal hyperplasia)이다. NCCAH를 가진 여성에서는, 나이가 들어감에 따라 안드로젠의 과다가 지속이 되는데, 불행하게도 이 분야에 대해서는 거의 참고할 수 있을 만한 연구결과들이 없다. 반면 CCAH를 가진 환자에서는 안드로젠의 과다와 함께 부신의 기능이상이 동반되어 있는데, 태어나면서부터 코티솔 단독결핍 혹은 알도스테론의 결핍이 같이 있어 평생 동안 이들 호르몬의 치환요법이 필요하다. 따라서 대사질환들 혹은 심혈관질환이 발생하였을 때 이들 질환이 그 자체로 발생하였을 수도 있지만 장기간에 걸친 호르몬 대체요법에 의해 촉발되었을 가능성도 있음을 기억해야 할 것이다. 하지만 불행하게도 이 중요한 부분에 대해 참고할 만한 연구는 거의 없다. 스웨덴의 과학자들은 인구집단을 바탕으로 전국적인 규모로 CCAH와 심혈관질환 및 대사질환에 의한 사망률 사이의 관계를 조사하였다. 이 연구는 비만, 2형당뇨병, 고혈압, 그리고 갑상선기능저하증 등은 CCAH 환자들(n = 335)에서 대조군(n = 33,500)과 비교해 유의하게 더 많았지만, 심혈관질환(뇌졸중, 급성관상동맥증후군, 심부전, 대동맥판막질환과 폐쇄수면무호흡)들은 유의하게 증가하지 않았다고 보고하였다. 또 다른 한 연구에서는 24시간 수축기혈압(P = 0.019)과 이완기혈압(P < 0.001) 모두가 CCAH에서 대조군에 비해 증가되어 있음을 보고하였다. 마지막으로 가장 최근의 한 연구에서는 잘 알려진 돌연변이를 가진 CCAH 환자들 588명을 아주 대규모의 대조군(n = 58,800)과 비교하였을 때 심혈관질환에 의한 사망률은 유의한 차이를 보이지 않았음을 보고하였다. 따라서 현재까지 대부분의 연구들은

CCAH를 가진 성인 및 고령 환자들에서 심혈관질환이 실제로 증가하는 것인지 확인하지 못하였다. 대신 현재까지의 연구결과들은 심혈관질환발생의 가능한 위험인자들 중에서, 안드로젠의 과다 혹은 더 가능성이 높은 것은 고용량의 당질부신피질호르몬 대체요법이 모종의 역할을 할 것이라는 생각을 더 지지하는 것처럼 보인다.

결론적으로 PCOS를 가진 여성에서 대사증후군과 2형당뇨병의 발생률 및 유병률은 모두 일반 대조군과 비교해서 유의하게 증가되어 있다. 반면, 폐경 이후 혹은 고령의 여성으로 PCOS와 같은 고안드로젠증이 초래되는 질환이 있는 경우 심혈관질환 혹은 이로 인한 사망률이 증가하는지의 여부는 아직까지 명확하지 않다. 재미있게도 CCAH를 가진 고령의 여성에서 대사질환과 심혈관질환에 대한 위험인자들이 더 많은 것은 CCAH라고 하는 해당 질병 자체보다는 당질부신피질호르몬과 무기질부신피질호르몬을 사용한 장기간의 치료와 관련이 있음을 시사하는 증거들이 있지만, 이 주제에 대해 참고할 수 있을 만한 전향적인 연구결과는 아직 유감스럽게도 없는 실정이다.

VIII. 남성생식기능의 노화와 남성호르몬 대체요법

비록 연령에 따른 남성의 성선축 변화는 여성과 비교해서 극적이지는 않지만, 혈액내 테스토스테론의 농도는 나이의 증가에 따라 지속적으로 감소한다. 여성들과는 달리, 남성에서는 "남성갱년기(andropause)"를 대표하는 공통적인 증상이 없으며 이러한 시기가 시작되는 연령도 명확하지 않다.

후기발병성선저하증(late onset hypogonadism, LOH)은 연령의 증가에 따라 나타나는 임상적 및 생화학적 증후군으로 성선저하증과 혈액내 테스토스테론 결핍에 의한 증상과 증후들이 나타나는데, 결핍의 기준은 건강한 젊은 남성들에서 관찰되는 참고치 이하로 규정한다. 당뇨병, 비만

과 연령의 증가는 후기발병성선저하증 발생위험에 다작용을 하며 악순환의 고리를 만들 수 있다. 테스토스테론 결핍은 인슐린저항성과 대사증후군 발생에 관련이 될 수 있으나, 인슐린저항성/고인슐린혈증상태와 비만은 고환에서의 테스토스테론 생산을 감소시킴으로써 근육과 지방조직의 기능에 나쁜 영향을 미칠 수 있다.

나이가 든 남성 대부분의 혈액 속 테스토스테론 농도는 젊은 남성들의 평균치 범위 내에 있지만, 몇몇 고령 남성들은 경도의 남성호르몬 결핍증상을 나타낸다. EMAS (European Male Ageing Study)의 데이터에 의하면, 후기발병 성선저하증의 유병률은 대략 2–3%라고 한다. EMAS는 후기발병 성선저하증과 과체중/비만 사이의 관련에 대해서도 보고하고 있는데, 후기발병성선저하증은 체질량지수(BMI) < 25kg/m² 남성에서는 0.4%에서 진단이 되고, BMI 25–30 kg/m²에서는 1.6%, 그리고 BMI > 30kg/m²에서는 5.2%에서 진단이 된다고 하였다. 기존의 여러 연구자료들을 보면, 테스토스테론의 결핍은 2형당뇨병에서 더 흔하게 나타난다.

혈액속 총 테스토스테론은 55세가 지나면 매년 약 1–2%씩 감소가 일어난다. 동일한 기간 동안 성호르몬결합글로불린(sex hormone binding globulin, SHBG)은 2–3%가 증가하는데, 따라서 혈액내 유리테스토스테론은 총테스토스테론보다 더 빨리 감소를 하게 되어 일 년에 대략 2–3%씩 감소를 한다. 후기발병성선저하증에서의 성선저하증은 혼합된 형태이다. 이것은 황체형성호르몬(luteinizing hormone, LH)의 증가가 특징적으로 나타나는 일차적인 고환기능부전에 의한 성선자극호르몬방출호르몬의 증가상태도 아니고, LH는 (부적절한) 정상 수준을 유지하고 있어 시상하부 혹은 뇌하수체의 기능부전에 의해 성선자극호르몬방출호르몬의 명백한 결핍이 초래된 상태도 아니다. 후기발병 성선저하증이 동반된 남성에서 중심성비만의 존재는 LH 농도가 낮은 것과 관련이 있는데 이것은 비만이 시상하부–뇌하수체–고환축에 미치는 영향을 보여준다. 2형당뇨병이 있는 남성의 약 25%에서는 성선저하증은 낮은 테스토스테론치와 낮거나 혹은 (부적절한) 정상치의 LH와 FSH를 나타내는데(저성선자극호르몬방출호르몬성 성선저하증), 당뇨병의 유병기간이나 당화혈색소(HbA1c)치와는 아무런 관련이 없다고 한다. 2형당뇨병 환자의 4%에서는 정상 이하의 테스토스테론치와 LH 및 FSH의 증가가 나타난다[고성선자극호르몬성선저하증(hypergonadotropic hypogonadism)]. 당뇨병에서의 후기발병 성선저하증 병인에 대해 몇 가지의 설명들이 있는데, 시상하부 키스펩틴(kisspeptin)의 변화, 지방조직에서 방향화효소(aromatase)에 의한 테스토스테론의 에스트라다이올로의 전환의 증가, 염증사이토카인, 아디포카인, 그리고 인슐린저항성 등이다. 그림 7-3-1은 정상 남성과 후기발병 성선저하증이 있는 경우 시간에 따른 테스토스테론 감소속도의 차이를 보여준다.

정의에 따르면, 후기발병성선저하증의 진단은 ① 성선저하증의 증상과 증후의 존재, ② 혈액내 낮은 테스토스테론 농도를 통한 성선저하증의 객관적인 확인이 필요하다. EMAS에 의하면 혈액내 총테스토스테론 농도가 < 8 nmol/L (230 ng/dL)이면 후기발병성선저하증을 진단할 수 있다. 만약 총 테스토스테론 농도가 8과 11 nmol/L (230–320 ng/dL) 사이라면, 유리테스토스테론이 < 220 pmol/L (63.5 pg/mL)인 경우 진단을 할 수 있다. 새롭게 등장한 진단기준은 보상된 성선저하증(compensated hypogonadism)으로, 혈액내 총 테스토스테론은 정상의 하한치이면서 LH 농도는 증가된 상황을 의미한다. 후기발병 선저하증의 적절한 진단과 성선저하증을 초래할 수 있는 다른 원인들을 나이가 든 남성에서 배제하는 과정은 주의깊은 병력청취와 직장수지검사를 포함한 임상적인 평가, 그리고 추가적인 실험실검사들(혈색소, prostate specific antigen, PSA, FSH, 프로락틴, SHBG, 페리틴, 그리고 복용하는 약물들에 대한 조사)과 영상진단(뇌하수체 MRI, 골밀도검사)이 필요한 경우, 이들을 통해 이루어진다.

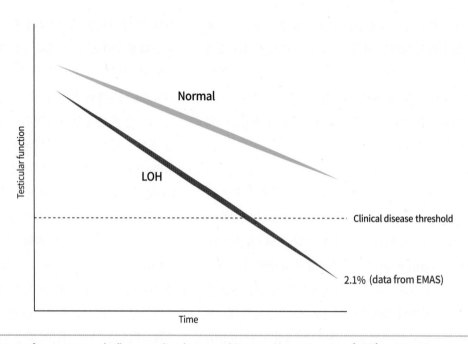

그림 7-3-1. **The different rate of testosterone decline over time between late onset hypogonadism (LOH) and healthy normal men**

혈액내 테스토스테론 농도를 평가함에 있어 혈액내 테스토스테론 농도를 억제할 수 있는 의학적 문제들과 기존에 사용하던 약물들에 대한 주의가 필요한데, 급성질환들, 마약성 진통제의 사용, 당질부신피질호르몬, 스타틴과 당뇨병치료약물들(예: 피오글라타존과 메트포민 등)이 이에 해당한다. 테스토스테론은 아침시간에 측정해야 하는데, 밤사이 금식한 경우 상당히 심한 일중변동이 있기 때문이다. 혈액내 테스토스테론 농도가 애매한 경우(8–11 nmol/L)에는 재검사를 하면서 동시에 혈액내 알부민과 SHBG 등을 같이 검사를 해서 "유리테스토스테론(free testosterone)"을 계산해 보아야 한다. 테스토스테론을 실제 측정함에 있어 가장 적절한 실험실 측정방법에 대해서는 아직도 많은 논쟁이 있다. Endocrine Society는 뇌하수체의 전체 기능에 대한검사와 영상진단검사는 혈액내 테스토스테론 농도가 5.2 nmol/L 이하인 경우만으로 제한이 되어야 한다고 하였다.

후기발병성선저하증의 가장 흔한 증상은 성기능장애와 관련이 있다. 아침시간의 발기가 없어지는 것, 발기장애와 성욕의 감퇴 등이다. 추가적인 증상들은 물리적인 것들(과격한 활동의 감소, 1 km 이상 보행할 수 있는 능력의 감퇴, 허리를 굽히거나 무릎을 굽히는 능력의 감소 등)과 심리적인 것들(슬픈 마음, 의욕의 감퇴, 에너지의 소실과 피로감 등)이 있다. 이러한 것들은 이차적인 근육의 약화와 노쇠, 비만, 골다공증과 우울증 등을 통해서 나타날 수도 있다. 후기발병 성선저하증은 대사의 변화와도 관련이 되어 있는데, 복부비만, 대사증후군(2형당뇨병), 심혈관질환과 만성폐쇄폐질환 등과도 관계가 있다. 낮은 농도의 테스토스테론은 이상지혈증을 악화시키는 쪽으로 관련이 있음이 알려져 있는데, 중성지방과 LDL콜레스테롤의 상승과 HDL콜레스테롤의 감소가 나타나면서 심혈관질환과 모든 원인에 의한 사망의 위험을 증가시킬 수 있다.

치료의 측면에서 후기발병성선저하증이 있는 남성에서는 특징적으로 테스토스테론의 혈액내 농도는 낮지만, 이들에게 테스토스테론을 투여하는 것이 이들의 임상상황을 늘 좋게 해주는 것은 아니라는 사실을 알아야 한다. 거기에 더해 노령의 남자에서 장기간에 걸친 테스토스테론 대체요법의 안전성은 아직 명확히 확립되지 않았다. 향후 후기발병 성선저하증의 치료에 있어 테스토스테론 대체요법의 효과와 안전성을 확립하기 위해서는 아주 뛰어난 방법론을 사용하는 위약대비무작위전향임상시험들이 꼭 필요하다. 어떠한 경우라도, 잘못된 생활습관의 교정, 체중감량과 동반된 질환들에 대한 적절한 치료들을 포함해서 신중하게 임상적으로 접근을 해야 한다. 테스토스테론 치료의 절대적인 금기증은 전립선암이나 유방암처럼 호르몬에 의존적인 악성종양이 있는 경우가 해당된다. 상대적인 금기증에는 PSA 농도가 > 4 ng/mL이거나, 적혈구과다증이 있는 경우(Ht 50%), 아주 심한 하부 요로계 증상이 있는 경우[International Prostate Symptom Score (IPSS) > 19], 조절되지 않는 심한 심부전이 있거나 폐쇄수면무호흡이 치료되지 않고 있는 경우 등이다. 나이 그 자체는 금기증이 되지 않는다. 테스토스테론 대체요법은 성기능 호전(특히 심한 성선저하증이 있는 남성의 경우에서)과 함께 신체구성에도 변화를 초래한다. 테스토스테론은 물리적인 기능, 골밀도와 대사증후군에도 이로운 효과를 나타낸다고 알려져 있다. 최근 몇몇 연구결과들은, 생화학적 및 임상적인 성선저하증이 명백히 존재하는 경우에 남성호르몬의 대체요법은 전체 생존율을 증가시키며 모든 원인에 의한 사망위험을 현저히 감소시킬 수 있음을 보고하고 있다.

결론적으로 후기발병성선저하증은 진단을 위해 해당되는 증상 및 증후들과 낮은 테스토스테론 농도가 반드시 같이 존재해야 하기 때문에 우리가 생각하는 것만큼 흔하지는 않다. 그렇기는 해도 이 질환은 이환율과 사망률의 증가와 관련이 되어 있는데, 이러한 관련은 특히 과체중/비만한 남성에서 더 문제가 된다. 따라서 꼭 필요한 환자들에게 생활습관의 개선과 테스토스테론 대체요법을 시행하는 것은 타당한 접근방법이라고 사료된다. 다만, 테스토스테론 치환요법의 효과는 향후 전향적인 임상개입연구들을 통해 더 명확히 확인을 하는 작업이 필요하다. 낮은 테스토스테론 농도 혹은 후기발병성선저하증은 2형당뇨병 환자들에서 비교적 흔하다. 테스토스테론 농도는 모든 당뇨병 환자들에서 다 측정이 필요한데, 호르몬 치환요법은 세심한 의학적 평가와 위험과 이득의 균형에 대한 철저한 고려를 거친 후에 개별화해서 조심스럽게 결정이 되어야 한다. 당뇨병 남성에서 낮은 테스토스테론 농도 혹은 후기발병성선저하증이 있는 경우에 대한 평가와 치료를 위한 진료지침을 확립하기 위해 대규모의 뛰어난 디자인을 가진 무작위배정임상시험들이 반드시 필요하며 생활습관의 개선 및 인슐린민감제(insulin senzitizer) 등과 비교해서 테스토스테론 대체요법의 탁월함을 확인하는 과정이 꼭 필요하다.

남성호르몬 대체요법에는 다양한 부작용들이 보고되어 있는데 이것들은 호르몬 자체의 효과에 의한 것도 있고, 사용된 합성남성호르몬들이 인체 내에서 분비되는 자연적인 호르몬과 구조 및 약동학적인 측면에서의 이질성이 있었기 때문이기도 하다. 이러한 것은 여성호르몬에서도 마찬가지이다. 따라서 최근에는 BIHR (bio-identical hormone replacement)이라는 개념이 중요하게 대두가 되고 있고 가급적 인체 내에서 분비되는 자연적인 호르몬과 유사한 구조 및 약동학적 특성을 가지는 호르몬을 사용하는 호르몬 대체 혹은 치환요법이라는 개념이 주목을 받고 있다. 가까운 미래에는 이 개념에 의한 성호르몬 대체요법이 주를 이루게 될 것으로 예상하며, 이것을 통해 과거에 문제가 되었던 많은 부작용들을 크게 경감시킬 수 있게 될 것으로 기대한다.

IX. 데하이드로에피안드로스테론 (DHEA)대체요법

1. DHEA와 DHEA-S의 합성과 생물학적 효과들

DHEA와 DHEA-S는 뇌하수체 ACTH의 자극에 의해 부신피질의 망상대(reticular zone)에서 합성과 분비가 이루어진다. 이들은 약한 남성호르몬의 효과를 가지고 있지만, 보다 더 강력한 남성호르몬과 에스트로겐으로 대사가 되는 전구호르몬(precursor hormone)으로 간주되고 있다. DHEA와 DHEA-S는 대부분이 부신에서 합성이 이루어진다. DHEA-S는 긴 반감기를 가지고 있어 혈액 속에서 안정된 농도를 형성하며 일중변동이 별로 없다. DHEA는 여성의 난소에서도 합성이 된다. 난소에는 DHE-sulfotranferase라는 효소가 없기 때문에 DHEA-S는 거의 전적으로 부신피질에서 합성과 분비가 이루어진다. DHEA는 androstenedione으로 대사가 되는데, 이것은 여성호르몬인 estrone으로 방향족화(aromatization)가 될 수 있다. DHEA와 DHEA-S는 높은 농도로 분비가 이루어지지만, androstenedione이 질적으로는 더 중요한데, 이것이 말초조직에서 가장 흔히 테스토스테론으로 전환이 이루어질 수 있는 물질이기 때문이다.

부신에서 분비되는 남성호르몬은 전구호르몬이기 때문에 활성형의 남성호르몬이나 여성호르몬으로의 전환은 특정 세포에서 특정 효소들이 얼마나 발현되어 있느냐에 달려 있다. 이것은 남성호르몬과 여성호르몬의 작용에 예민한 조직들이 이러한 성호르몬들의 국소적인 농도를 결정함에 있어 스스로 조절할 수 있는 부분이 있음을 의미하며, 주로 현재 해당 조직에서 특정 호르몬이 얼마나 필요하냐에 따라 전환이 이루어진다. 이러한 동일세포신호전달(intracrine) 기전은 다른 조직들이 불필요하게 강력한 남성호르몬이나 여성호르몬에 노출되는 것을 억제함으로써 부작용이 발생할 수 있는 위험을 경감시킨다는 의미가 있다. 여성에서 DHEA-S의 혈액 농도가 높은 경우 심혈관질환의 유병률 증가와 관련이 있다는 보고가 있다. 이러한 현상에 대한 가능한 설명은 DHEA와 DHEA-S의 증가된 농도, 특히 고안드로젠증(hyperandrogenism)이 있는 여성에서 볼 수 있는 예와 같이 세포핵 속에서 당류코티코이드수용체(glucocorticoid receptor, GR)의 전위를 활성화함으로써 GR의 기능적인 특성 변화를 초래하기 때문일 수도 있다.

DHEA와 DHEA-S는 20대에 가장 혈액 농도가 높으며 그 이후 점차 감소하게 된다. 폐경기시기에는 DHEA 농도는 대략 60% 정도로 감소되며 70-80대에서는 최대 농도의 80-90%까지 감소가 된다. 이렇게 부신에서 분비되는 남성호르몬이 감퇴되는 시기를 "adrenopause"라고 부르는데, 혈액 내 코티솔은 연령의 증가에 따라 감소되지 않고 오히려 증가한다. Adrenopause는 폐경기와는 전혀 관련이 없는 현상이며, 남녀 모두에서 유사한 양상으로 점진적으로 나타난다. 17,20-lyase라는 효소의 활성 감소가 나이에 따른 DHEA와 DHEA-S 감소의 원인으로 추정되고 있지만, 부신 망상대(reticular zone)의 위축과 IGF-1 및 IGF-2 농도가 감소되는 것과 같은 다른 요소들도 이러한 현상과 관련이 있을 것으로 추정되고 있다.

DHEA는 보다 더 강력한 남성호르몬과 여성호르몬으로의 대사를 통한 전환에 의해 효과를 나타내는데, 고유의 핵수용체를 통해서도 작용을 하게 되며 무수히 많은 다양한 신호전달체계들을 활성화시키게 된다. 여성호르몬과 남성호르몬수용체를 통한 효과들 이외에 G-protein coupled membrane수용체를 통한 DHEA의 직접적인 작용을 통해 혈관내피세포의 NO 생합성효소(eNOS)를 자극하여 (eNOS/cGMP signaling pathway) 내피세포에서 일산화질소(NO)의 합성을 증가시킨다. 이것은 여성호르몬이나 남성호르몬의 수용체와는 상관없이 혈관내피세포와 혈관평활근세포의 증식과 자멸사를 억제하는 효과를 DHEA가 가지고 있음을 의미한다.

연령에 의한 DHEA의 감소가 매우 특징적으로 나타나고, 과거 일본에서 지역주민들을 총 27년간 추적관찰해서 발표한 Tanushimaru연구는 DHEA 혈액 농도가 높은 남성들의 수명이 혈액 농도가 낮은 경우보다 현저히 유의하게 길다고 발표를 하였다. 따라서 DHEA가 노화과정과 관련이 있을 것으로 추정이 되었고, 이후 DHEA대체요법이 신체의 노화과정에 미치는 효과에 대한 임상연구들이 시행이 되었다. 이 연구들은 실제 생존율 및 사망률을 볼 수 있을 정도로 규모가 크지는 못했고 긴 시간 동안 진행되지도 못했지만, 피부노화를 포함한 여러 부분들에서 항노화 효과가 유의하게 있음을 보여주었다.

2. DHEA와 생식력(Fertility)

여성의 나이가 증가할수록 불임증의 빈도는 증가하며 유산이나 다운증후군과 같은 유전결함이 있는 자식을 낳을 위험도 증가한다. 난소의 잔존기능이 떨어진 여성에게 DHEA를 조심스럽게 사용하였을 때 임신성공률이 소폭 증가하였음이 보고되기도 하였다. "잘 반응하지 않은 여성들"로 분류가 된 피험자들에게 매일 75 mg의 DHEA를 3개월 동안 투여를 하였을 때, 성숙된 난모세포의 숫자가 증가하였으며 난포액(follicular fluid) 속에 HIF–1 (hypoxia inducible factor 1)의 농도가 유의하게 감소됨이 관찰되었다. 이것은 DHEA가 난포 속의 미세환경에도 영향을 미친다는 것을 의미한다. DHEA를 다양한 원인에 의한 불임증이 있는 나이가 든 여성들에게 투여를 하였을 때, 수확할 수 있는 난모세포의 숫자가 증가되고 성공적인 수정가능성이 증가됨도 보고되어 있다.

DHEA의 이러한 효과는 난포발달에서 구조적 및 호르몬을 통한 중요한 역할을 하는 난포막세포(theca cell)에 대한 효과와 관련이 있다. 난포막세포는 난소에서 DHEA와 남성호르몬을 생산하는 데 주된 역할을 하는 세포이다. DHEA는 난포막세포에서 합성된 후, androstenedione으로 전환이 되며, 이것은 과립층세포(granulosa cell)로 운반이 된 후 estrone과 estradiol 17β로 더 전환이 된다. 난포막세포에서 합성된 DHEA가 PPARα (peroxisome proliferator activated receptor α)의 생산을 증가시키는 것도 똑같이 중요하다. 노화가 진행되는 세포들에서 PPARα의 발현 감소는 아마도 노화가 된 난모세포세포질의 기능 이상을 초래하기에 충분한 것으로 생각되고 있다. Delta–9 desaturase는 PPARα의 조절에 있어 가장 중요한 효소의 하나이다. 이 효소의 농도가 낮은 경우는 ceramides의 생산이 증가하게 된다. 생쥐모델에서 나이가 든 생쥐의 모든 난구세포(cumulus cell)에 ceramides가 존재함이 확인

되었는데, 이 물질이 난모세포(oocyte)로 전달이 되면 자멸사가 유도가 된다. 발달하는 과정 중에 있는 전동난포(preantral follicle)에서 분비되는 인히빈B는 이러한 과정들에 매우 중요한 역할을 한다. 인히빈B는 주변 세포들에 영향을 미치며 난소의 난포막세포(theca cell)에서의 남성호르몬 생산을 촉진하는데, 이 과정은 난포막세포에서의 DHEA 생산을 자극하기 위해 필요한 과정이다.

따라서 치료적인 목적으로 DHEA를 투여하는 것은 atresia과정을 억제할 수 있으며 난소 내에서의 산화스트레스를 제거함으로써 더 나은 난포생성(folliculogenesis)을 하도록 할 수 있다.

X. 미래 전망

내분비계는 노화가 진행되면서 큰 변화를 겪게 되는데 이러한 변화는 신체의 거의 모든 기능에 중대한 영향을 미치게 된다. 노화에 의한 이런 많은 변화들이 전체적인 건강과 질병들에 미치는 영향에 대해서는 아직도 잘 모르는 부분들이 많다. 노화에 따른 내분비계의 변화들 중에서 어떤 것이 인체가 주변환경의 자극들에 대해 생리적으로 적응을 하는, 즉 인체에 도움이 되는 것인지 아니면 이러한 변화들이 인체에 궁극적으로는 해를 끼치는 것인지 구별하는 것은 매우 중요하다. 이것은 노화에 따른 변화들에 대한 의학적 대처, 즉 수명의 연장과 삶의 질을 개선할 수 있는 장기적인 호르몬 대체 혹은 차단요법 등을 고안함에 있어 매우 중요한 의미를 가질 것이다. 노화에 대한 이론들 중에서 "Disposable Soma Theory"는 우리들의 육체는 궁극적으로 일회용이며 영원히 사용할 수는 없는 것이라고 본다. 비록 이 이론대로 우리들의 육체가 영원히 존속할 수는 없다고 해도 살아 있는 동안은 최상의 삶의 질을 유지할 수 있도록 노력하는 것은 의학의 본질적인 의무일 수도 있다고 생각한다. 질병들의 예방과 치료가 발전하면서 평균 여명이 증가하게 되었는데, 노화는 피할 수 없는 것이라는 획일적인 사고에

서 탈피하는 것이 매우 중요하며 단순히 물리적인 수명이 길어지는 것뿐만 아니라 최상의 삶의 질을 영위할 수 있도록 함을 추구해야 할 것이다. 가까운 미래에는 이러한 노력들과 관련된 분야가 아마도 전체 기초 및 임상의학을 주도하게 될 것으로 예상한다.

참 / 고 / 문 / 헌

1. Auchus RJ. Overview of dehydroepiandrosterone biosynthesis. Semin Reprod Med 2004;22:281-8.

2. Beral V. Breast cancer and hormone-replacement therapy in the Million Women Study. Lancet 2003;362:419-27.

3. Bhasin S, Cunningham GR, Hayes FJ, Matsumoto AM, Snyder PJ, Swerdloff RS, et al. Testosterone therapy in men with androgen deficiency syndromes: an Endocrine Society clinical practice guideline. J Clin Endocrinol Metab 2010;95:2536-59.

4. Boardman HM, Hartley L, Eisinga A, Main C, Roque i Figuls M, Bonfill Cosp X, et al. Hormone therapy for preventing cardiovascular disease in post-menopausal women. Cochrane Database Syst Rev 2015;10:CD002229.

5. Canonico M. Hormone therapy and risk of venous thromboembolism among postmenopausal women. Maturitas 2015;82:304-7.

6. Carbone MC, Tatone C, Delle Monache S, Marci R, Caserta D, Colonna R, et al. Antioxidant enzymatic defences in human follicular fluid: characterization and age-dependent changes. Mol Hum Reprod 2003;9:639-43.

7. Chen TT, Maevsky EI, Uchitel ML. Maintenance of homeostasis in the aging hypothalamus: the central and peripheral roles of succinate. Front Endocrinol (Lausanne) 2015;6:7.

8. Davis SR, Lambrinoudaki I, Lumsden M, Mishra GD, Pal L, Rees M, et al. Menopause. Nat Rev Dis Primers 2015;1:15004.

9. Dhindsa S, Prabhakar S, Sethi M, Bandyopadhyay A, Chaudhuri A, Dandona P. Frequent occurrence of hypogonadotropic hypogonadism in type 2 diabetes. J Clin Endocrinol Metab 2004;89:5462-8.

10. Faubion SS, Kuhle CL, Shuster LT, Rocca WA. Long-term health consequences of premature or early menopause and considerations for management. Climacteric 2015;18:483-91.

11. Ferrari E, Cravello L, Muzzoni B, Casarotti D, Paltro M, Solerte SB, et al. Age-related changes of the hypothalamic-pituitary-adrenal axis: pathophysiological correlates. Eur J Endocrinol 2001;144:319-29.

12. Goulis DG, Lambrinoudaki I. Menopausal hormone therapy for the prevention of cardiovascular disease: evidence-based customization. Maturitas 2015;81:421-2.

13. Harman D. Aging: overview. Ann N Y Acad Sci 2001;928:1-21.

14. Hodis HN, Mack WJ, Henderson VW, Shoupe D, Budoff MJ, Hwang-Levine J, et al. Vascular effects of early versus late postmenopausal treatment with estradiol. N Engl J Med 2016;374:1221-31.

15. Hollowell JG, Staehling NW, Flanders WD, Hannon WH, Gunter EW, Spencer CA, et al. Serum TSH, T(4), and thyroid antibodies in the United States population (1988 to 1994): National Health and Nutrition Examination Survey (NHANES III). J Clin Endocrinol Metab 2002;87:489-99.

16. Jones CM, Boelaert K. The endocrinology of ageing: a mini-review. Gerontology 2015;61:291-300.

17. Kondo T, Ohshima T, Ishida Y. Age-dependent expression of 8-hydroxy-2'-deoxyguanosine in human pituitary gland. Histochem Journal 2001;33:647-51.

18. Lopez-Otin C, Blasco MA, Partridge L, Serrano M, Kroemer G. The hallmarks of aging. Cell 2013;153:1194-217.

19. McCann SM, Mastronardi C, de Laurentiis A, Rettori V. The nitric oxide theory of aging revisited. Ann N Y Acad Sci 2005;1057:64-84.

20. Mikkola TS, Tuomikoski P, Lyytinen H, Korhonen P, Hoti F, Vattulainen P, et al. Estradiol-based postmenopausal hormone therapy and risk of cardiovascular and all-cause mortality. Menopause 2015;22:976-83.

21. Muka T, Oliver-Williams C, Kunutsor S, Laven JS, Fauser BC, Chowdhury R, et al. Association of age at onset of menopause and time since onset of menopause with cardiovascular outcomes, intermediate vascular traits, and all-cause mortality: a systematic review and meta-analysis. JAMA Cardiol 2016;1:767-76.

22. Nessi AC, De Hoz G, Tanoira C, Guaraglia E, Consens G. Pituitary physiological and ultrastructural changes during aging. Endocrine 1995;3:711-6.

23. O'Reilly MW, Taylor AE, Crabtree NJ, Hughes BA, Capper F, Crowley RK, et al. Hyperandrogenemia predicts metabolic phenotype in polycystic ovary syndrome: the utility of serum androstenedione. J Clin Endocrinol Metab 2014;99:1027-36.

24. Payne AH, Hales DB. Overview of steroidogenic enzymes in the pathway from cholesterol to active steroid hormones. Endocr Rev 2004;25:947-70.

25. Raven G, de Jong FH, Kaufman JM, de Ronde W. In men, peripheral estradiol levels directly reflect the action of estrogens at the hypothalamo-pituitary level to inhibit gonadotropin secretion. J Clin Endocrinol Metab 2006;91:3324-8.

26. Rossouw JE, Anderson GL, Prentice RL, LaCroix AZ, Kooperberg C, Stefanick ML, et al. Risks and benefits of

estrogen plus progestin in healthy postmenopausal women: principal results from the Women's Health Initiative randomized controlled trial. JAMA 2002;288:321-333.

27. Tajar A, Huhtaniemi IT, O'Neill TW, Finn JD, Pye SR, Lee DM, et al. Characteristics of androgen deficiency in late-onset hypogonadism: results from the European Male Aging Study (EMAS). J Clin Endocrinol Metab 2012;97: 1508-16.

28. Tian Y, Serino R, Verbalis JG. Downregulation of renal vasopressin V2 receptor and aquaporin-2 expression parallels age-associated defects in urine concentration. Am J Physiol Renal Physiol 2004;287:F797-805.

29. Tosato M, Zamboni V, Ferrini A, Cesari M. The aging process and potential interventions to extend life expectancy. Clin Interv Aging 2007;2:401-12.

30. Van der Ven H, Liebenthron J, Beckmann M, Toth B, Korell M, Krussel J, et al. Ninety-five orthotopic transplantations in 74 women of ovarian tissue after cytotoxic treatment in a fertility preservation network: tissue activity, pregnancy and delivery rates. Hum Reprod 2016;31:2031-41.

31. Veldhuis JD. Changes in pituitary function with ageing and implications for patient care. Nat Rev Endocrinol 2013;9:205-15.

32. Vujovic S, Brincat M, Erel T, Gambacciani M, Lambrinoudaki I, Moen MH, et al. EMAS position statement: managing women with premature ovarian failure. Maturitas 2010;67:91-3.

33. Wang C, Nieschlag E, Swerdloff R, Behre HM, Hellstrom WJ, Gooren LJ, et al. ISA, ISSAM, EAU, EAA and ASA recommendations: investigation, treatment and monitoring of late-onset hypogonadism in males. Int J Impot Res 2009;21:1-8.

34. Wu FC, Tajar A, Beynon JM, Pye SR, Silman AJ, Finn JD, et al. Identification of late-onset hypogonadism in middle-aged and elderly men. N Engl J Med 2010;363:123-35.

35. Yaghjyan L, Colditz GA, Rosner B, Tamimi RM. Mammographic breast density and breast cancer risk: interactions of percent density, absolute dense, and non-dense areas with breast cancer risk factors. Breast Cancer Res Treat 2015;150:181-9.

36. Yen SS, Laughlin GA. Aging and the adrenal cortex. Exp Gerontol 1998;33:897-910.

07

노화

기타 내분비질환

자가면역내분비질환

김경수

I. 서론

대부분의 자가면역내분비질환은 1형당뇨병이나 자가면역갑상선질환처럼 단독으로 발생한다. 두 가지 자가면역질환(백반증과 과다색소침착)이 있는 환자의 일차부신부전에 대한 애디슨의 보고 이후 자가면역기전에 의해 여러 내분비

기관에 이상이 생기는 질환에 대한 관심이 커지게 되었다. 1926년 Schmidt 등이 보고한 증례에서 나타난 비결핵성부신부전과 만성림프구갑상선염이 자가면역기전에 의해서 동반된 것임이 알려진 이후, Neufeld 등에 의해 2개 이상의 내분비기관이 손상을 입게 되어 나타나는 내분비병적상태를 자가면역다발내분비증후군(autoimmune polyendo-

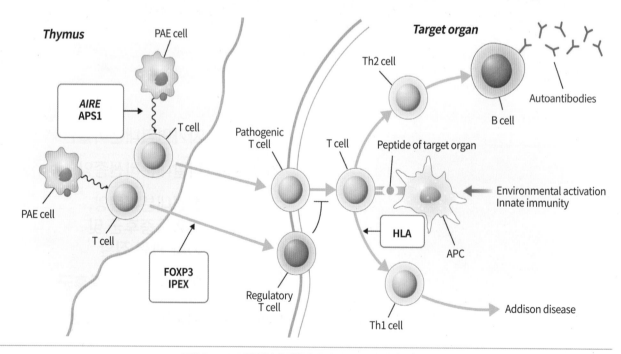

그림 8-1-1. 다발내분비질환에서 자가면역발생기전모델

AIRE, autoimmune regulator; APC, antigen-presenting cell; APS1, autoimmune polyendocrine syndrome 1; IPEX, immunodysregulation polyendocrinopathy enteropathy X-linked; PAE, peripheral antigen-expressing cell; Th1, type 1 helper T cell; Th2, type 2 helper T cell. (출처: N Engl J Med. 2004;350:2068-2079.)

crine syndrome, APS)으로 정의하였다(그림 8-1-1). 임상양상과 발생기전에 따라 1형과 2형으로 구분하는데 지속적인 자가면역으로 인해 결국 각종 내분비기관이 파괴되어 기능부전이 유발되거나 기능항진상태가 초래된다.

II. 1형자가면역다발내분비증후군

1. 임상특징

1형자가면역다발내분비증후군은 거의 모든 장기에 대한 자가면역질환이 발생할 수 있는 위험이 있는 질환이다. 점막피부칸디다증, 자가면역부갑상선저하증, 일차부신부전(애디슨병)이 흔히 동반되는 세 가지 질환이지만 세 가지 질환이 모두 있을 필요는 없으며 다양한 다른 징후들의 조합을 보인다(표 8-1-1).

89명의 환자를 조사한 핀란드의 한 연구에 의하면, 모든 환자가 한 때 점막피부칸디다증을 앓았으며 86%는 부갑상선저하증을, 79%는 애디슨병을 가지고 있었다. 성선부전(여성 72%, 남성 26%), 치아법랑질형성저하증(77%)도 흔히 볼 수 있었으며, 그 외에도 탈모(40%), 백반증(26%), 장흡수장애(18%), 1형당뇨병(23%), 악성빈혈(31%), 만성활동간염(17%), 갑상선기능저하증(18%) 등이 발견되었다. 이러한 질환들의 발생률은 10–20대에 가장 높고, 평생에 걸쳐 계속 발생할 수 있다. 따라서 보고된 다양한 질환들의 유병률은 추적관찰이 종료된 연령에 따라 크게 달라진다(그림 8-1-2).

1형자가면역다발내분비증후군은 대부분 소아기에 발현된다. 영아는 생후 첫 해에 만성 또는 재발성 점막피부칸디다증을 앓은 후 부갑상선저하증과 애디슨병이 뒤따르는 경우가 흔하지만 새로운 구성질환이 모든 연령에서 나타날 수 있다(표 8-1-2). 한 개인에서도 한 가지 질환이 나타난 다음 다른 질환이 나타날 때까지 십 년 이상 경과할 수 있으므로

표 8-1-1. 자가면역다발내분비증후군의 구성질환

1형	2형
내분비질환	
애디슨병	**애디슨병**
부갑상선저하증	노인성부갑상선저하증
일차성선저하증	일차성선저하증
1형당뇨병	**1형당뇨병**
갑상선기능저하증	**갑상선기능저하증**
	그레이브스병
	뇌하수체염
위장관질환	
점막피부칸디다증	복강병
만성활동성간염	
흡수장애	
구강편평세포암	
피부질환	
점막피부칸디다증	탈모
탈모	피부백반증
피부백반증	헤르페스양피부염
조갑이영양증	
혈액질환	
악성빈혈	악성빈혈
적혈구형성저하증	특발혈소판감소자반병
근육질환	
근육병증	중증근무력증
	강직증후군
	파킨슨병
기타질환	
치아법랑질형성저하증	IgA 결핍
각막증	장막염
고막석회화	굿패스처증후군
혈관석회화	(Goodpasture syndrome)
무비장증	특발심장차단

*가장 흔한 표현형은 굵은 글씨로 표기

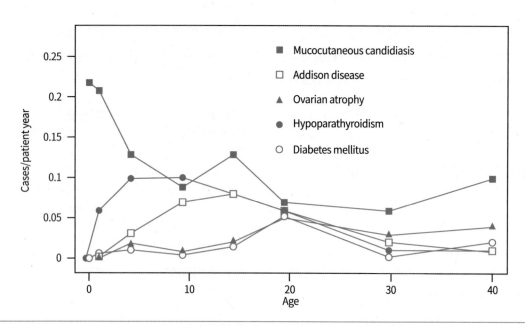

그림 8-1-2. 1형자가면역다발내분비증후군(APS-I) 환자의 연령별 질병 발병률
(출처: Endocrinol Metab Clin North Am. 2002;31:295-320.)

표 8-1-2. 자가면역다발내분비증후군의 임상양상 차이

	1형	2형
유전양식	보통염색체열성	다유전자성
관련 유전자	*AIRE*유전자돌연변이	HLA-DR3, DR4 관련
성별	남/여 동일	여성에서 흔함
발병연령	유아기	20-60세
임상양상	점막피부칸디다증 부갑상선저하증 애디슨병	1형당뇨병 자가면역갑상선질환
진단적 항체	항인터페론	

추가되는 질환의 조기발견을 위해서 일생에 걸친 추적관찰이 필요하다.

재발성칸디다증은 일반적으로 입과 손톱에 영향을 미치며, 피부와 식도에는 흔하지 않다. 만성구강칸디다증은 백반증이 의심되는 부위에 위축질환을 유발할 수 있는데 이는 높은 사망률을 보이는 구강점막의 암종 발생위험을 높인다.

움푹 들어간 손톱, 각막병증, 치아법랑질형성저하증 등으로 나타나는 외배엽형성장애는 1형자가면역다발내분비증후군의 또 다른 구성요소이며 부갑상선저하증에 기인하지 않는다. 치아법랑질형성저하증은 부갑상선저하증이 시작되기 전에 발생할 수 있으며 부갑상선저하증 발병 후에는 적절한 치료에도 불구하고 치아 형성에 영향을 줄 수 있다.

Friedman 등은 1형자가면역다발내분비증후군의 추가적인 특징으로 무비장증과 담석증의 빈번한 발생을 보고하였다. 이러한 질환이 동반되는 원인은 알려져 있지 않지만 무비장증은 15%에서 동반될 만큼 흔한 편이다. 무비장증은 면역결핍을 유발할 수 있으므로 무비장증이 확인되면 폐렴구균백신을 접종하고 추적항체가를 확인해야 한다. 만약 적절한 항체를 얻지 못한다면 매일 예방항생제가 필요할 수 있다.

2. 유전학

1형자가면역다발내분비증후군은 보통염색체열성으로 유전되며 AIRE (autoimmune regulator, 21번 염색체의 단완에 위치)유전자돌연변이에 의해 발생한다. 이 유전자는 흉선과 림프조직의 항원제시상피세포에 발현되어 있는 전사 조절단백질과 관련되어 있다. Aire가 자가항원의 발현을 촉진하는데 Aire에 결함이 있을 경우 말초의 조직특이 자가항원에 특이성을 가진 자가반응T세포가 흉선에서 제거되지 않게 되어 자가면역을 촉진하게 된다(그림 8-1-1).

1형자가면역다발내분비증후군을 가진 많은 환자에서 AIRE의 다중 돌연변이가 확인되었는데 특정 돌연변이의 빈도는 집단에 따라 다르다. 대부분의 1형자가면역다발내분비증후군 환자는 보통염색체열성으로 유전되지만 일부에서는 보통염색체우성으로 유전되었다는 보고도 있다. 특히 AIRE 단백질(G228W)의 SAND 도메인에 돌연변이가 있는 경우 이형접합상태가 자가면역과 연관되어 있었다.

3. 진단

1형자가면역다발내분비증후군의 진단은 주요 구성질환인 점막피부칸디다증, 자가면역부갑상선저하증, 애디슨병 중 두 가지 이상이 존재할 때 가능성이 높다. 환자의 형제자매는 이러한 질환 중 한 가지만 있어도 1형자가면역다발내분비증후군에 이환된 것으로 간주해야 한다. AIRE 서열분석을 통해 돌연변이를 확인하는 것이 1형자가면역다발내분비

증후군을 진단하는 데 도움이 될 수 있다. 모든 환자는 추가적인 질환이 발생할 수 있으므로 주의 깊게 추적관찰해야 한다.

인터페론α 및 인터페론ω에 대한 자가항체는 검사 당시의 연령에 관계없이 거의 모든 1형자가면역다발내분비증후군 환자에서 확인되었다. 또한 AIRE유전자의 다양한 돌연변이를 가진 환자에서 발견되었다. 이러한 자가항체는 1형자가면역다발내분비증후군에 해당하는 자가면역질환이 있는 환자의 선별검사로 제안되기도 하였다.

4. 치료 및 추적

부신기능저하증, 부갑상선저하증에 대한 치료는 산발성으로 나타나는 경우와 동일하다. 점막피부칸디다증의 치료에는 항진균제인 플루코나졸과 케토코나졸을 경구투여한다. 약물을 중단하거나 줄이면 재발할 수 있으며, 특히 케토코나졸은 치료용량으로도 스테로이드 생합성을 억제하여 부신부전을 유발할 수 있으므로 주의를 요한다. 일시적인 간효소의 상승이 있을 수 있고 드물게 간염으로 발전하기도 한다. 한편 플루코나졸은 간염 발생빈도가 적으며 치료용량으로 스테로이드 생합성을 억제하지 않는 장점이 있다.

추가적인 자가면역질환을 조기에 진단하는 선별검사로 자가항체검사는 1형자가면역다발내분비증후군 환자에게 유용할 수 있다. 항부갑상선 및 항부신항체를 포함한 다양한 자가항체가 보고되었다. 21-수산화효소(hydroxylase)가 산발성애디슨병과 2형자가면역다발내분비증후군의 애디슨병에서 주요한 자가항원인 반면, 1형자가면역다발내분비증후군의 애디슨병에서는 17α-수산화효소 및 사이토크롬 P450의 측쇄분할효소(CYP11A1)에 대한 자가항체가 보고되었다. Tuomi 등은 당뇨병 환자에서보다 많은 1형자가면역다발내분비증후군 환자(41%)가 항GAD65 자가항체를 가지고 있다는 것을 발견하였다. 이러한 사실은 단일자가항원에 대한 반응성이 이 집단에서는 낮은 예측력을 가진

표 8-1-3. 1형자가면역다발내분비증후군에서 권고되는 추적관찰검사

구성질환	40세에 발현되는 빈도	권고사항
애디슨병	79%	Na, K, 부신피질자극호르몬, 코티솔, 혈장레닌활성도, 21α-수산화효소자가항체
설사	18%	병력
외배엽이형성증	50-75%	신체검진
부갑상선저하증	86%	혈청칼슘, 인, 부갑상선호르몬
간염	17%	간기능검사
갑상선기능저하증	18%	갑상선자극호르몬, 항갑상선과산화효소항체 또는 항갑상선글로불린항체
남성성선저하증	26%	난포자극호르몬/황체형성호르몬
피부점막칸디다증	100%	신체검진
심한 변비	21%	병력
난소부전	72%	난포자극호르몬/황체형성호르몬
악성빈혈	31%	전체혈구계산(CBC), 비타민B_{12}
비장위축	15%	혈액도말검사(Howell Jolly bodies, 혈소판수치), 양성이면 복부초음파
1형당뇨병	23%	혈당, 당화혈색소(HbA1c), 당뇨병관련 자가항체(인슐린, GAD65, IA-2)

다는 것을 시사한다.

새로운 질병을 조기에 찾아내는 선별검사로 자가항체, 혈청 전해질, 혈청칼슘과 인, 갑상선과 간기능검사, 혈액도말검 사, 비타민B_{12} 등을 측정한다. 만일 부신부전의 위험이 크다 고 생각되면 기저 부신피질자극호르몬과 혈장레닌활성도 를 측정한 후 적절한 동적검사를 통해 진단할 수 있다(표 8-1-3). 복부초음파검사와 혈액도말검사를 통해 무비장증 에 대한 평가를 하고 무비장증으로 진단된 환자는 폐렴구 균백신과 적절한 항생제 치료를 한다.

III. 2형자가면역다발내분비증후군

1. 임상특징

2형자가면역다발내분비증후군은 1형자가면역다발내분비 증후군보다 흔한 형태이다. 여성에서 더 자주 발생하고, 종 성인기에 발병하며 가족성으로 발생한다. 구성질환으로 는 애디슨병, 그레이브스병, 자가면역갑상선염, 1형당뇨병, 일차성선저하증, 중증근무력증, 복강병(celiac disease) 등이 대표적이며 두 개 이상의 질환이 동반될 때로 정의한 다(표 8-1-1). 그 외 백반증, 탈모, 장막염, 악성빈혈 등이 2형자가면역다발내분비증후군 환자와 그 가족들에서 증가 한다.

이 증후군에 대한 정의는 어떤 한 가지 구성질환이 존재하 면 동반되는 질환의 발생빈도가 일반 인구들에서 나타나는 것보다 흔하게 발생한다는 사실에 기초한다. 또한 기관특이 자가항체가 명백한 임상질환이 발생하기 전에도 종종 존재 한다는 특징이 있다. 기관특이자가항체가 장시간에 걸쳐 발 생하므로 환자와 가족들에 대한 정기적이며 반복적인 내분 비적 평가가 필요하다. 따라서 환자의 가족들을 대상으로 조기 증상 및 징후에 대해 교육하고 3-5년 간격으로 의학적 인 병력, 이학적 검사, 항췌도세포항체, 갑상선자극호르몬, 비타민B_{12}검사 등을 시행해야 한다. 부신부전의 징후가 있

표 8-1-4. 2형자가면역다발내분비증후군에서 권고되는 추적관찰검사

구성질환	40세에 발현되는 빈도	권고사항
애디슨병	0.5%	21α-수산화효소자가항체, 양성이면 부신피질자극호르몬자극검사
탈모		신체검진
자가면역갑상선기능저하증	15-30%	갑상선자극호르몬, 항갑상선과산화효소항체 또는 항갑상선글로불린항체
복강병	5-10%	글루타민결합효소자가항체, 양성이면 소장조직검사
소뇌실조	드묾	해당 질환의 증상과 징후
만성염증탈수초다(발)신경병증	드묾	해당 질환의 증상과 징후
뇌하수체염	드묾	해당 질환의 증상과 징후
특발심장차단	드묾	해당 질환의 증상과 징후
IgA신(장)병증	0.5%	IgA수치
중증근무력증	드묾	해당 질환의 증상과 징후
심근염	드묾	해당 질환의 증상과 징후
악성빈혈	0.5-5%	항벽세포항체, 양성이면 전체혈구계산(CBC), 비타민B_{12}
장막염	드묾	해당 질환의 증상과 징후
강직증후군	드묾	해당 질환의 증상과 징후
백반증	1-9%	신체검진

1형당뇨병 인구집단에서 조사

으면 기저부신피질자극호르몬을 측정하고 부신피질자극호르몬자극검사를 시행한다(표 8-1-4).

Neufeld 등은 224명의 애디슨병 및 2형자가면역다발내분비증후군 환자 중 1형당뇨병(52%)과 자가면역갑상선질환(69%)이 가장 흔하게 동반되었다고 보고하였다. 반면 백반증(5%)과 성선부전(4%)을 포함한 다른 구성질환들은 드물었다. 1형당뇨병 환자는 자가면역갑상선질환과 복강병이 흔히 동반될 수 있다. 1형당뇨병을 가진 소아에서 항갑상선과산화효소항체가 10-20%에서 발견되는데 여성에서 더 흔하고, 연령 및 당뇨병 유병기간이 증가할수록 그 빈도가 높아진다. 한 연구에 따르면 15년 이상의 추적관찰 후 항갑상선과산화효소항체 양성인 1형당뇨병 환자의 80%가 갑상선기능저하증이 되었다. 따라서 1형당뇨병 환자에서 매년 갑상선자극호르몬수치를 검사해야 하며 이는 비용효과적인

측면에서 효율적이다.

2. 진단

2형자가면역다발내분비증후군의 진단은 하나의 자가면역내분비질환을 가진 환자에서 추가적인 자가면역질환의 위험이 있다는 것을 이해하는 것으로부터 시작한다. 철저한 병력 및 신체검사를 통해 추가적인 자가면역질환의 증상이나 징후를 확인하고 기관특이자가항체 등의 자가면역질환에 대한 표지자나 갑상선자극호르몬과 같은 내분비기관의 기능을 평가한다. 대부분의 내분비자가항원은 호르몬 또는 분화된 내분비기능과 관련된 효소이다. 대표적으로 갑상선염에서 갑상선과산화효소, 1형당뇨병에서 GAD, 펩타이드카복시말단분해효소 H 및 ICA 512/IA2, 애디슨병에서 17α-수산화효소와 21-수산화효소, 악성빈혈에서 벽세포

효소 H⁺/K⁺ ATP분해효소가 있다.

3. 치료

2형자가면역다발내분비증후군의 치료는 개별 질환의 치료법을 따른다. 여기서는 2형자가면역다발내분비증후군을 치료할 때의 고려사항에 대해 논의하겠다.

이 증후군에 속하는 많은 질병들은 전구기가 길며 현성질환으로 발전하기 전에 자가항체의 발현이 동반된다. 따라서 자가면역질환의 위험이 있는 사람을 질병의 임상발병 이전에 식별할 수 있으므로, 적절한 치료가 있다면 예방이 가능할 것이고 몇몇 임상적 시도가 있었다. 1형당뇨병의 예방에 대한 면역억제제의 사용이 잘 알려져 있으며 애디슨병, 성선저하증, 그레이브스병 등에서도 시도된 바 있다. 초기에는 주로 광범위 면역억제제가 사용되었는데 자가면역기전에 대한 이해를 증진시키는 데는 크게 기여하였으나 1형당뇨병의 예방에 대한 사이클로스포린A의 경우에서 보듯 광범위 면역억제제 치료는 대부분의 질환에서 효과가 없는 것으로 밝혀졌다. 새로운 면역억제제(sirolimus)가 연구되고 있으며, 항CD-20항체(rituximab), abatacept, 비분열성 CD3항체와 같은 생물학적 제제는 C-펩타이드생산을 증가시키고 치료에 필요한 인슐린 용량을 감소시키는 것으로 나타났다. 당뇨병관련 자가항체 및 포도당대사이상 환자에서 면역조절제제(teplizumab)에 대한 연구 또한 진행 중이다.

타이록신 치료는 치료되지 않은 부신부전 및 갑상선기능저하증 환자에서 생명을 위협하는 애디슨 위기를 촉발할 수 있다. 따라서 이러한 치료를 시행하기 전에 2형자가면역다발내분비증후군이 의심되는 모든 갑상선기능저하증 환자에서 부신기능을 평가할 필요가 있다. 인슐린의존당뇨병 환자에서 인슐린요구량이 감소하는 경우 과다색소침착 또는 전해질 이상이 생기기 전에 발생하는 부신부전의 초기징후 중 하나일 수 있어 주의를 요한다.

IV. 기타 다발내분비결핍자가면역증후군

1. 면역조절이상다발내분비병증장병증X연관증후군

1982년 처음 기술된 면역조절이상다발내분비병증장병증X연관증후군(immunodysregulation polyendocrinopathy enteropathy X-linked syndrome, IPEX)은 면역조절장애를 특징으로 하는 드문 X연관열성장애로, 여러 자가면역질환과 조기사망을 초래한다. 이는 FOXP3유전자의 돌연변이로 인해 발생한다. 임상특징은 매우 초기에 발병하는 1형당뇨병, 성장실패를 초래하는 심각한 장병증, 적절한 치료가 이루어지지 않을 경우 일반적으로 생후 첫 년 이내에 사망에 이르게 하는 피부염을 포함한다. 그 외에도 아토피, 혈소판감소증, 용혈빈혈, 갑상선기능저하증, 림프절병증, 신장병증 및 탈모 등이 보고되었다. 면역학적으로는 IgE 및 호산구증가증이 동반된다.

기저질환에 대한 치료가 중요하며 최종치료는 조혈모세포이식이다. 조혈모세포이식으로 장병증 및 기타 자가면역질환은 호전될 수 있으나 1형당뇨병과 갑상선질환은 해결되지 않는다.

2. CTLA-4, LRBA 및 STAT3돌연변이

CTLA-4유전자의 기능소실돌연변이는 자가면역과 관련되어 있으며 T조절세포의 기능결함과 연관되어 있다. 그러나 이러한 돌연변이와 관련된 자가면역은 면역조절이상 다발내분비병증장병증X연관증후군보다는 훨씬 약하다. 또한 최근 유사한 증후군이 LRBA유전자에 이형접합돌연변이가 있는 환자에서도 보고되었다. STAT3유전자의 우성활성돌연변이는 자가면역증후군과 관련되어 있는데 갑상선염, 혈구 감소, 1형당뇨병, 저신장을 비롯한 증상을 보인다. 정확한 기전은 아직 밝혀지지 않았지만 T세포의 부적절한 활성화와 관련되어 있을 수 있다.

3. 항인슐린수용체자가항체

이 질환은 매우 드물게 보고되고 B형인슐린저항성 또는 흑색가시세포증이라고도 한다. 인슐린저항성은 항인슐린수용체항체 및 항인슐린항체에 의해 유발되고 이러한 항체를 가진 환자의 약 1/3은 전신홍반루푸스 또는 쇼그렌증후군과 같은 자가면역질환을 가지고 있다. 주요 임상증상은 항인슐린수용체항체에 의한 인슐린저항성에 의해 발생하는데 인슐린저항성이 심하게 나타나는 경우 하루에 최대 175,000 U의 인슐린을 정맥주사해도 높아진 혈당을 낮추는데 효과가 없을 수 있다. 고혈당과 심한 인슐린저항성에도 불구하고 케토산증은 흔하지 않다. 사이클로포스퍼마이드, 펄스 코티코스테로이드, B림프구를 표적으로 하는 항CD-20항체(rituximab)를 사용하는 치료요법으로 질환의 호전을 보였다는 보고가 있다.

4. 포엠스증후군(POEMS syndrome)

POEMS는 *plasma* cell dyscrasia with *polyneuropathy*, *organomegaly*, *endocrinopathy*, *monoclonal* plasma cell disorders, and *skin* changes의 앞 글자를 따서 만들어진 용어로 당뇨병(3–36%), 일차성선부전(55–89%), 형질세포질환(plasma cell dyscrasia), 경화골병변, 신경병증 등으로 구성되는 증후군이다. 임상징후로는 진행성의 감각운동다발신경병증, 간비장종대, 림프절병증, 과다색소침착 등을 보인다. 주로 50–60대에 발병하며 진단 후 평균 생존기간은 14년이다.

병태생리는 잘 알려져 있지 않으나 M단백질 외에 IL1A, IL6 및 TNFα와 같은 사이토카인이 관련되어 있다는 일부 증거가 있다. 치료로는 동반가능한 질환에 대한 지속적인 모니터링, 형질세포장애에 대한 전신요법 및 확인된 골병변에 대한 방사선 치료가 포함된다. 당뇨병은 소량의 인슐린

으로도 잘 조절된다.

5. 컨스-세이어증후군 (Kearns-Sayre syndrome)

안근마비를 유발하는 근육병증 이상과 부갑상선저하증, 일차성선부전, 당뇨병, 뇌하수체저하증과 같은 내분비질환이 동반되는 드문 증후군이다. 근육조직생검에서 사립체내봉입체가 발견되며 일부는 소뇌에서도 관찰된다. 아직까지 사립체장애와 내분비이상과의 관계는 밝혀지지 않았다. 부갑상선에 대한 항체는 보고되지 않았으나 뇌하수체 및 횡문근에 대한 항체는 발견되었으며 이 질환에는 자가면역요소가 있을 수 있다.

6. 흉선종양

흉선종과 동반되는 질병들의 종류는 2형자가면역다발내분비증후군과 유사하나 발견되는 빈도는 다르다. 한 연구에 의하면 흉선종 환자에서 중증근무력증(44%), 적혈구무형성(약 20%), 저글로불린혈증(6%), 자가면역갑상선질환(2%), 부신부전(0.24%)이 발견되었다. 성인에서는 점막피부칸디다증도 동반될 수 있다.

7. 울프람증후군(Wolfram syndrome)

울프람증후군은 보통염색체열성으로 유전되는 드문 질환으로, DIDMOAD (diabetes insipidus, diabetes mellitus, progressive bilateral optic atrophy, and sensorineural deafness)라고도 부른다. 자기공명영상에서는 뇌의 위축변화가 발견되고 대부분의 환자에서 신경계 및 정신장애가 나타난다. 염색체 4p.16.1.116에 위치한 유전자인 WFS1에 의해 생성된 100kDa의 막경유단백질인 Wolframin에 돌연변이가 있는 환자에서 심각한 질환이 발생하였다.

울프람증후군은 자가면역이 아닌 췌장베타세포의 선택적인 파괴를 동반하는 서서히 진행되는 신경퇴행과정으로 보인다. 소아기에 발견되는 첫 번째 징후는 당뇨병이며 보고된 모든 경우에서 당뇨병과 시신경위축이 발견되지만 다른 특징의 발현은 환자에 따라 다양하다.

8. 염색체장애

다운증후군 또는 21삼염색체증후군(trisomy–21)은 1형 당뇨병, 복강병, 갑상선염의 발병과 관련되어 있다. 터너증후군 환자는 갑상선질환 및 복강병 발병위험이 증가한다. 다운증후군 및 터너증후군 환자에서 관련된 자가면역질환에 대한 정기적인 선별검사를 하는 것이 좋다.

참 / 고 / 문 / 헌

1. 박용수. Autoimmune regulator의 기능 소실과 다내분비성증후군의 발생. 대한내분비학회지 2003;18:439-49.

2. Ahonen P, Myllarniemi S, Sipila I, Perheentupa J. Clinical variation of autoimmune polyendocrinopathy-candidiasis-ectodermal dystrophy (APECED) in a series of 68 patients. N Engl J Med 1990;322:1829-36.

3. Betterle C, Scarpa R, Garelli S, Morlin L, Lazzarotto F, Presotto F, et al. Addison's disease: a survey on 633 patients in Padova. Eur J Endocrinol 2013;169:773-84.

4. Björses P, Halonen M, Palvimo JJ, Kolmer M, Aaltonen J, Ellonen P, et al. Mutations in the AIRE gene: effects on subcellular location and transactivation function of the autoimmune polyendocrinopathy-candidiasis-ectodermal dystrophy protein. Am J Hum Genet 2000;66:378-92.

5. Dispenzieri A, Kyle RA, Lacy MQ, Rajkumar SV, Therneau TM, Larson DR, et al. POEMS syndrome: definitions and long-term outcome. Blood 2003;101:2496-506.

6. Ferre EM, Rose SR, Rosenzweig SD, Burbelo PD, Romito KR, Niemela JE, et al. Redefined clinical features and diagnostic criteria in autoimmune polyendocrinopathy-candidiasis-ectodermal dystrophy. JCI Insight 2016;1: e88782.

7. Friedman TC, Thomas PM, Fleisher TA, Feuillan P, Parker RI, Cassorla F, et al. Frequent occurrence of asplenism and cholelithiasis in patients with autoimmune polyglandular disease type I. Am J Med 1991;91:625-30.

8. Manikas ED, Isaac I, Semple RK, Malek R, Führer D, Moeller LC. Successful treatment of type B insulin resistance with rituximab. J Clin Endocrinol Metab 2015;100: 1719-22.

9. Meager A, Visvalingam K, Peterson P, Möll K, Murumägi A, Krohn K, et al. Anti-interferon autoantibodies in autoimmune polyendocrinopathy syndrome type 1. PLoS Med 2006;3:e289.

10. Melmed S, Auchus RJ, Goldfine AB, Koenig RJ, Rosen CJ. Williams textbook of endocrinology. 14th ed. Philadelphia: Elsevier; 2019. pp. 1658-71.

11. Neufeld M, Maclaren NK, Blizzard RM. Two types of autoimmune Addison's disease associated with different polyglandular autoimmune (PGA) syndromes. Medicine (Baltimore) 1981;60:355-62.

12. Perheentupa J. APS-I/APECED: the clinical disease and therapy. Endocrinol Metab Clin North Am 2002;31:295-320.

13. Rando TA, Horton JC, Layzer RB. Wolfram syndrome: evidence of a diffuse neurodegenerative disease by magnetic resonance imaging. Neurology 1992;42:1220-4.

14. Su MA, Giang K, Zumer K, Jiang H, Oven I, Rinn JL, et al. Mechanisms of an autoimmunity syndrome in mice caused by a dominant mutation in Aire. J Clin Invest 2008;118:1712-26.

다발내분비선종양

김철식

I. 서론

다발내분비선종양(multiple endocrine neoplasia, MEN)은 한 개체에게 각각 고유한 양상을 갖는 내분비종양들이 발생하여 복잡한 임상양상을 보이는 드문 질환이다. 어떤 경우에는 종양이 악성이고 다른 경우에는 양성이다. 2개 이상의 내분비종양을 포함하며 비내분비조직의 종양도 다발내분비선종양의 일부로 발생할 수 있다. 임상양상에 따라 크게 1형(MEN1)과 2형(MEN2)으로 나뉘며 MEN2는 다시 A형과 B형으로 구분하는데 최근 사이클린의존인산화억제제(cyclin-dependent kinase inhibitor)를 부호화하는 *CDNK1B*의 돌연변이로 인한 MEN1 변종을 추가하여 MEN1, MEN2(이전의 MEN2A), MEN3(이전의 MEN2B), MEN4의 4가지로 구분하자는 주장도 있다.

다발내분비선종양은 보통염색체우성으로 유전되며 높은 투과도를 보인다. 각각의 고유한 종양 발생기전을 가지고 있으나 임상양상은 많은 공통점이 있다. 산발적으로 발생하는 종양과는 달리 다중심성으로 발생하고 재발하는 경우가 흔해 완치가 쉽지 않다. 일생 중 어느 시기에도 구성질환이 발생할 수 있으므로 일생 동안 지속적인 정기 추적관찰이 필요하다. 다발내분비선종양의 발생원인 유전위치가 확인된 이후 병인 규명에 많은 진보가 있었으며 진단과 치료에도 획기적인 발전이 있었다. 다발내분비선종양은 비록 드문 질환이기는 하지만 발견이 늦거나 치료를 소홀히 할 경우 치명적인 결과가 초래될 수 있으므로 조기 발견이 매우 중요하다.

II. 1형 다발내분비선종양(MEN1)

MEN1은 부갑상선, 뇌하수체전엽, 장관췌장 등에서 발생하는 종양에 대한 소인을 전형적인 특징으로 하는 희귀 유전질환으로 보통염색체우성으로 유전되며 가족성 또는 산발성으로 발생한다. 흔히 호발장기의 영문 첫 글자인 '3P' 질환으로 인식되어 있으나 최근 임상스펙트럼이 확장되었다 (표 8-2-1).

MEN1은 1954년도에 Wermer 등에 의해 처음 기술되었으며 인구 10만 명당 2명 정도의 유병률을 갖는 드문 질환으로 치료가 복잡하며 호르몬 과다분비와 악성화 정도가 예후를 결정한다. 이 질환의 병인은 종양억제유전자인 MEN1의 돌연변이에 의하는데 "two-hit hypothesis"로 종양의 발생을 설명한다. 가족형에서 돌연변이를 유전시킨 것이 "first hit"로 작용하고 이후 관련 내분비세포에서 체세포돌연변이가 "second hit"로 작용하여 종양이 발생되며, 산발성으로 나타나는 경우는 두 번의 돌연변이가 모두 체세포 수준에서 발생한다. *MEN1* 유전자는 11번 염색체의

표 8-2-1. MEN1의 임상양상(약 40세 기준)

- 원발부갑상선항진증(90%)
- 장관췌장내분비종양(30–70%)
  - 가스트린종(30–40%)
  - 인슐린종(10%)
  - 췌장폴리펩타이드를 포함한 비기능종양(20–55%)
  - 기타: 글루카곤종, VIP종, 성장호르몬억제인자종 등(2%)
- 전장유암종(foregut carcinoid)
  - 흉선유암종(2%)
  - 기관지유암종(2%)
  - 장크롬친화세포유사종양(10%)
- 뇌하수체전엽선종(30–40%)
  - 프로락틴선종(20%)
  - 기타: 성장호르몬 + 프로락틴, 성장호르몬,
    비기능(각 5%), 부신피질자극호르몬(2%),
    갑상선자극호르몬(희귀)
- 비기능부신피질종양(40%)
- 기타 동반질환
  - 지방종(30%)
  - 안면혈관섬유종(85%)
  - 아교질종(70%)
  - 갈색세포종(< 1%)
  - 뇌실막종(1%)

장완(11q13)에 위치하며 menin이라는 핵단백질을 번역하는데 menin은 세포의 성장과 주기를 조절하는데 결여 또는 불활성화되는 경우 종양 억제에 손실이 초래되어 다발종양이 발생하게 된다.

1. 원발부갑상선항진증

원발부갑상선항진증을 유발하는 다발부갑상선종양은 MEN1의 가장 흔한 구성요소로 50세까지의 투과율이 거의 100%이다. 원발부갑상선항진증 환자의 MEN1 발생률은 1–18%로 추정된다. 또한 원발부갑상선항진증은 MEN1 환자에서 가장 흔히 나타나는 호르몬이상이며 대부분의 경우 최초로 발견되는 임상징후이다. 최근 전향적인 생화학적 선별검사를 통해 조기검색이 가능해졌는데 현재

까지 보고된 최소 발병연령은 2세이다.

MEN1에서 나타나는 원발부갑상선항진증은 산발적으로 나타나는 경우와 다른 특징이 있는데, 일반적으로 산발성인 경우보다 약 20년 빠른 생후 2–40세에 나타나며 남성 대 여성 비율은 산발성인 경우 여성이 우세한 것과 대조적으로 MEN1에서는 동일하다. 또한 산발성의 경우 약 80–85%는 단일부갑상선종이 나타나지만 MEN1의 경우 병리검사결과 다발부갑상선종의 형태를 보이며 부갑상선 사이에 크기의 현저한 비대칭이 있을 수 있다. 수술치료 후 부갑상선저하증이 흔하게 나타나며 정상 부갑상선호르몬상태로 회복하기가 쉽지 않다. 또한 성공적인 부갑상선부분절제술 후 부갑상선항진증이 높은 비율로 재발할 수 있다. 산발성에서는 수술 후 재발은 매우 드물며 재발되는 경우 인식되지 않은 MEN1에 대한 가능성을 염두에 두어야 한다.

부갑상선항진증에 의한 임상양상은 산발적인 경우와 마찬가지로 골밀도 감소, 신장결석, 고칼슘혈증증상(예: 다뇨, 다갈, 변비) 등이 있다. 생화학진단은 다른 환자와 마찬가지로 고칼슘혈증과 부적절하게 높은 혈청부갑상선호르몬 농도를 근거로 한다.

치료원칙은 수술이 우선이며 적응증은 산발성인 경우와 유사하며 추가적인 적응증은 약물로 조절하기 어려운 가스트린종으로 인한 심각한 소화성궤양질환이 있는 경우인데, 고칼슘혈증이 고가스트린혈증을 악화시키기 때문이다. 하지만 수술시기와 방법에 대해서는 이견이 많다. 성공적인 초기 수술 후에도 높은 비율(10년 내에 약 50%)에서 고칼슘혈증의 재발이 있을 수 있는데 이렇게 재발이 높은 원인은 병리조직검사상 다발선과증식과 다선종의 형태로 발생하므로 수술 후 남아있던 조직이 재성장하거나 환자의 혈청에서 부갑상선의 성장을 촉진하는 물질이 존재할 가능성을 들 수 있다. 따라서 완치가 어려우므로 현재 통용되는 방법으로는 부갑상선아전절제술(3.5개)을 시행하는 방법이나 부갑상선 전절제술 후 팔이나 목의 근육에 부갑상선조직을 자가이식

하는 방법이 있으나 두 접근방식을 비교한 무작위연구 결과는 아직 없다. 두 경우 모두 흉선절제술을 함께 시행하는데 이는 흉선내 존재가능한 부갑상선조직 및 유암종종양조직을 미리 제거하기 위해서이다. 수술 후 재발하였으나 반복적인 수술을 거부하거나 할 수 없는 경우 cinacalcet과 같은 칼슘유사직용제를 사용하여 혈청칼슘과 부갑상선호르몬을 감소 또는 정상화시킬 수 있으나 장기적인 효과(골밀도, 골절, 신결석증, 사망률 등)에 대한 임상자료는 아직 없다.

2. 뇌하수체선종

뇌하수체선종은 MEN1 환자의 약 15-20%에서 발견되며 (컴퓨터단층촬영 또는 자기공명영상 기준) 병리학적 검사기준으로는 60% 이상에서 발견된다. 환자의 13% 정도에서 MEN1의 첫 번째 징후로 보고되었으며 산발성뇌하수체선종이 있는 경우 MEN1이 동반된 경우는 5% 미만으로 알려져 있다. 산발성의 뇌하수체선종과 마찬가지로 프로락틴 과다 분비가 가장 흔하며 다른 모든 유형의 선종이 발생할 수 있다(표 8-2-1). MEN1에서는 다발뇌하수체종양이 거의 나타나지 않으며 산발성으로 나타나는 뇌하수체선종보다 상대적으로 크기가 크며 치료에 대한 반응이 낮은데 이는 MEN1 환자의 뇌하수체선종은 산발성인 경우보다 공격적임을 시사한다. 한편 MEN1 환자의 뇌하수체선종의 임상양상, 진단방법 및 치료는 산발성 환자의 경우와 유사하다.

3. 장관췌장내분비종양

장관췌장내분비종양은 MEN1에서 나타나는 종양 중 두 번째로 흔하며 MEN1 환자의 1/3-2/3에서 동반된다. 증상이 있는 질병의 가장 흔한 원인은 다발소화궤양이나 설사를 유발하는 졸린저-엘리슨증후군(Zollinger-Ellison syndrome, ZES)이다. MEN1 환자의 60% 정도가 ZES 또는 혈청가스트린 농도의 무증상 상승을 보이는 것으로 추정된다.

한편 ZES 환자의 약 25%에서 MEN1이 존재한다. 증상이 있는 인슐린종도 10% 정도의 빈도로 발생하지만 혈관작용장펩타이드(vasoactive intestinal peptide, VIP)종과 글루카곤종은 드물다. 최근 전향적인 선별검사로 장관췌장내분비종양의 조기발견이 가능해졌으며 청소년기에 종양없이 생화학적인 이상만 나타나는 경우도 흔하다. 장관췌장내분비종양은 다발로 나타나며 악성잠재력이 크다. MEN1 환자의 약 1/3은 관련된 악성종양으로 사망하는데 이 경우 장관췌장에서 발생하는 악성인 경우가 가장 흔하다.

1) 가스트린종

가스트린종은 MEN1 환자의 30-40%에서 발생하며 설사, 식도역류, 소화궤양 등 심한 증상과 징후를 야기하는데 그 이유는 악성종양의 발생과 가스트린에 의해 야기되는 ZES 때문이다.

산발적으로 발생하는 가스트린종과 달리 MEN1 환자의 가스트린종은 다발성으로 종종 매우 작아서 간과되기 쉬우며 산발성과 마찬가지로 호발부위는 십이지장이며 췌장에서 발견되는 경우 보통 가스트린을 분비하지 않는다. MEN1관련 가스트린종의 악성확산으로 인한 사망위험은 산발성가스트린종의 경우보다 낮은 것으로 보이며 국소림프절전이는 흔하지만 반드시 나쁜 예후나 임상적으로 중요한 전이가 발생할 가능성이 높은 것을 의미하지는 않는다.

MEN1의 ZES에서 가스트린의 과분비는 다발소화궤양 또는 설사와 같은 증상으로 의심될 수 있으며 진단은 산발적인 경우에 사용되는 것과 동일한 생화학적 및 위산 배출 기준에 의해 내려진다. 부갑상선항진증으로 인한 고칼슘혈증은 ZES의 증상을 악화시킬 수 있으며, 고칼슘혈증을 교정하기 위한 부갑상선절제술은 공복 및 세크레틴 자극 가스트린수치 및 기저산 분비를 감소시킬 수 있다. 한편 ZES 환자에서 쿠싱증후군의 유병률이 증가하는 것으로 보고되고 있다.

치료는 다른 종양과 마찬가지로 수술에 의존하는 것이 원칙이나 몇 가지 이유로 인해 수술치료로 가스트린의 과다분비를 치료하기는 어렵다. 우선 산발성가스트린종과 달리 다중심성으로 종양이 발생하고 종양의 크기가 비교적 미세하므로 만져지는 종양만을 제거하거나 췌장의 부분절제만으로 재발과 전이를 막을 수 없다. 따라서 가스트린을 분비하는 모든 세포를 제거하기 위해 췌장전절제술이 주장되기도 하지만 이에 따른 당뇨병, 췌장기능부전과 같은 합병증 때문에 일반적인 치료방법으로 권장되지는 않는다. 또한 MEN1 환자에서 발생하는 ZES는 췌장뿐만 아니라 십이지장벽의 미세종양의 형태로 발생할 수 있으므로 췌장절제만으로 완치할 수 없다. 때문에 수술 시 십이지장절개술과 함께 감지 가능한 십이지장 벽종양의 절제가 권장되며 아전/원위부췌장절제술 및 췌장두부의 종양적출 병행이 추천되기도 한다.

다발의 가스트린종을 수술로 완전히 제거하는 것은 어렵지만 가스트린에 의해 유발되는 위궤양은 약물치료에 반응한다. 양성자펌프억제제는 효과적으로 위산 분비를 억제하고 장기간 동안 이러한 환자의 위산 과다증상을 완화시킨다. 성장호르몬억제인자제들은 위산과 가스트린 분비를 감소시키며 일부에서 종양의 성장을 억제하는 것으로 보고되고 있으나 아직 장기적인 치료효과에 대한 연구는 부족하다.

2) 인슐린종

MEN1 환자의 약 10%가 인슐린종이 동반되며, 인슐린종 환자의 약 4–10%가 MEN1을 가지고 있다. MEN1에서 인슐린종의 크기는 대개 2–3 cm 정도이나 종종 작고, 여러 개일 수 있다. 췌장의 어느 부위든 존재할 수 있으며 다른 췌도세포종양과 동시에 존재할 수 있다. 일반적으로 40세 이상에서 발생하는 산발성인슐린종보다 빠른 20–40세에 나타난다. 임상양상은 산발적으로 발생하는 인슐린종과 큰 차이가 없으며 공복저혈당과 함께 부적절한 고인슐린혈증, C-펩타이드 또는 프로인슐린치의 상승을 증명함으로써 진단한다.

다발인슐린종의 가능성, 다른 췌장신경내분비종양의 존재 가능성, 작은 종양을 놓칠 가능성, 수술 후 췌장종양의 지속적인 위험으로 인해 치료가 복잡하다. 선호되는 치료는 인슐린을 생성하는 조직을 수술로 제거하는 것이며, 췌장에서 우연히 발견되는 대선종의 경우에는 인슐린종이거나 악성으로 진행할 가능성이 있으므로 제거해야 한다.

3) 비기능종양

MEN1 환자에서 췌장십이지장부위의 가장 흔한 종양 중 하나로 소아 및 12–14세 사이에 발견된다. 임상적으로 증상은 없지만 종종 여러 호르몬을 합성하는데 이는 종양의 펩타이드호르몬 처리에 결함이 있거나 비효율적인 분비기전을 가질 수 있음을 시사한다. 종양은 악성일 수 있으며 간으로 전이될 수 있다. 579명의 MEN1 환자를 대상으로 한 연구에서 108명의 비기능췌장종양을 갖는 환자의 임상특징은 다음과 같다.

(1) 비기능췌장신경내분비종양의 투과율은 50세에 34%다.
(2) 20 mm 이하의 종양에서 전이 및 사망위험이 낮았다.
(3) 비기능췌장신경내분비종양 환자의 평균 기대수명은 가스트린종 환자(69–70세)와 유사하고 췌장종양이 없는 환자(77세)보다 짧다.

한편 비기능췌장종양을 감지하는 방법으로 크로모그라닌 A와 같은 종양표지자의 임상가치는 낮으며 내시경초음파가 컴퓨터단층촬영보다 성능이 우수하며 자기공명영상과 내시경초음파의 조합이 권장된다. [68]Gallium–DOTATATE 양전자방출단층촬영(positron emission tomography/ computed tomography, PET/CT)스캔은 MEN1에서 신경내분비종양을 감지하는데 높은 민감도를 갖는 것으로 보고되었고 ^{18}F–FDG PET/CT검사는 MEN1에서 췌장신경내분비종양의 악성가능성을 예측하는 데 유용하다고 보고되었다.

4) 기타 종양

흉선유암종은 MEN1 환자의 2.6-8%에서 발견되며 대부분 남성에서 발생한다. 심한 흡연이 위험요소일 수 있으며 MEN1 여성의 경우 유암종은 대부분 기관지에서 발생한다. MEN1에서 전방종격동종괴의 가장 흔한 원인인 흉선유암종은 일반적으로 비기능적이며 악성인 경우가 많다. 때문에 MEN1이 확실하거나 가능성이 있는 남성에게서 금연을 강력히 권고하고 부갑상선절제술을 시행하는 환자에서 예방적 흉선절제술을 함께 시행하는 것이 타당하다.

피부종양은 MEN1에서 흔하며 췌장의 내분비종양 환자에서 피부종양의 존재는 MEN1의 진단을 시사한다. 혈관섬유종 또는 아교질종의 존재는 원발부갑상선항진증이 있는 환자에서 MEN1의 진단을 제안하는 데 도움이 될 수 있다.

4. 진단

임상적으로 MEN1의 존재는 임상적으로 세 가지 주요 MEN1종양유형(부갑상선, 장관췌장 내분비 및 뇌하수체 종양) 중 2개의 존재로 정의되거나, MEN1의 임상진단을 받은 환자의 가족구성원에서 MEN1관련 종양 중 하나의 발생으로 정의되며 MEN1 진단을 위해 유전기준을 사용하는 경우도 있다. 임상적으로 MEN1의 진단이 명확하게 확립되지 않은 개인이나 무증상가족에서 종자계(germ-line) MEN1돌연변이를 확인함으로 이루어진다.

5. MEN1돌연변이분석

뒤에 언급할 MEN2에 비해 MEN1 환자에서 돌연변이분석은 임상역할이 명확하지 않다. 그 이유는 돌연변이분석의 임상가치가 분명한 MEN2 경우와 달리 MEN1관련 종양의 조기진단이 이환율 또는 사망률 개선으로 이어진다는 확실한 연구결과가 부족하기 때문이다.

유전자검사는 보인자를 확인하는 과정과 확인된 보인자를

추적하여 관리하는 검사가 포함되며 임상적 이점을 고려한 미국내분비학회의 권고는 다음과 같다.

1) 임상적으로 MEN1이 있는 환자(2개 이상의 원발MEN1 종양 보유)
2) 알려진 MEN1돌연변이 보인자의 1촌
3) 의심스럽거나 비전형적인 MEN1인 경우(예: 다발부갑상선종양, 가스트린종 또는 다발췌장신경내분비종양)

무증상가족구성원에게 돌연변이가 확인된 경우 정기적인 감시(예: 증상, 징후, 생화학적/영상검사 평가)의 필요성에 초점을 맞춰야 하며 무증상개인이 분명히 질병유전자를 갖고 있다는 사실을 알고 있으면 감시방문 및 검사에 대한 적응도가 높아질 수 있다. 하지만 유전자정보에 대한 엄격한 보호에도 불구하고 잠재적인 문제로 남아 있는 유전적 차별에 대한 주의도 필요하다.

6. MEN1의 선별검사

MEN1돌연변이분석을 하지 않은 경우 MEN1 환자의 무증상 가족구성원에 대한 간편한 선별검사는 혈청칼슘 측정이다. 또한 혈청부갑상선호르몬 및/또는 이온화칼슘 측정을 추가하고 비타민D결핍이 없는지 확인하면 선별검사의 민감도와 특이도가 향상될 수 있다. 또한 혈관섬유종 또는 아교질종의 존재는 이러한 맥락에서 MEN1 진단에 유용할 수 있다.

7. MEN1관련 종양의 모니터링

MEN1 환자, 알려진 MEN1 보인자, MEN1돌연변이검사에서 음성이 확인되지 않은 가족구성원의 경우 다음과 같이 MEN1관련 종양을 모니터링한다.

1) MEN1관련 종양으로 인해 발생할 수 있는 증상이나 징후: 신결석, 무월경, 유즙 분비, 성장이상, 쿠싱양 변화, 두통,

시력 문제, 기침, 발기부전, 소화궤양질환, 설사, 저혈당 등

2) 무증상부갑상선항진증 및 프로락틴선종을 감지하기 위해 매년 혈청칼슘, 부갑상선호르몬 및 프로락틴을 측정

3) 초기에 장관췌장종양에 대한 저방사선노출영상검사 시행(예: 내시경초음파 및 자기공명영상) 및 1–2년 후속검사 시행

8. MEN1 치료관련 논쟁과 전망

MEN1 치료와 관련된 논쟁은 아래와 같으며 최근 시행 중인 새로운 치료에 대한 소개는 아래와 같다.

1) 부갑상선부분절제술을 시행할지 아니면 자가이식과 함께 부갑상선전절제술을 시행할지 여부

2) 뇌하수체선종을 산발적인 것과 똑같이 치료해야 할지 또는 적극적인 치료를 시행할지 여부

3) 비기능십이지장 또는 췌장의 신경내분비종양에서 언제 수술을 시행해야 하는지 여부

4) 가스트린종에 대한 최선의 치료방법

5) 원발부갑상선항진증에서 시나칼세트(cinacalcet)의 역할

6) 십이지장 또는 췌장신경내분비종양에서 성장호르몬억제인자 유사체의 역할

7) 새로운 타이로신인산화억제제(tyrosine kinase inhibitor), mTOR (mammalian target of rapamycin)억제제, 파시레오타이드, 펩타이드수용체 방사성핵종 치료의 역할

III. 2형다발내분비선종양(MEN2)

MEN2는 인구 30,000명당 1명 정도의 유병률을 보인다. 10번 염색체의 *RET*전암유전자의 결함과 관련이 있으며 이 유전자가 발현되는 모든 기관에서 다중심성종양이 형성된다. 보통염색체우성형태로 유전되며 매우 높은 투과율을 보인다. MEN2는 갑상선수질암, 갈색세포종, 원발부갑상선항진증 등으로 구성되며 구성질환과 임상양상에 따라 A형(MEN2A), B형(MEN2B)의 두 가지 별개의 증후군으로 하위 분류된다(표 8-2-2).

MEN2는 MEN1과는 여러 면에서 다른 점이 있다. 먼저 침범되는 기관의 분포가 다른데 드물게 MEN1에서도 갈색세포종이 나타날 수 있지만 부갑상선항진증이 두 질환에서 중복되는 유일한 질환이다. 또한 MEN2에서는 종양에 선행하는 과증식이 존재하나 MEN1에서는 이러한 경향이 약하다. 그리고 MEN1에서는 불활성화를 일으키는 유전자돌연변이로 인하여 menin단백질이 제기능을 하지 못하지만 MEN2의 경우 타이로신인산화효소수용체의 활성화종자계 돌연변이가 발병원인이다. 이러한 특성 때문에 MEN2를 치료하는 전략으로 약물개발을 통해 돌연변이에 의한 활성화

표 8-2-2. 2형다발내분비선종양의 분류

MEN2A	MEN2B

• 고전적 MEN2A(갑상선수질암, 갈색세포종, 원발부갑상선항진증)
• 피부아밀로이드양태선이 동반된 MEN2A
• 히르슈스프룽병이 동반된 MEN2A
• 갈색세포종 또는 부갑상선항진증이 없는 가족성갑상선수질암
	• 갑상선수질암
	• 갈색세포종
	• 기타
	  - 점막신경종
	  - 장신경절신경종증
	  - 마르판양 체형

를 반전시키려는 시도가 있다.

1. MEN2의 분자유전학

MEN2A와 MEN2B는 투과율이 매우 높은 보통염색체우성 유전질환이다. MEN2가계를 이용한 연구결과 MEN2의 원인유전자가 10번 염색체의 중심절부위에 있다는 것이 1987년에 알려졌다. 이어서 가족성갑상선수질암, 히르슈스프룽병(Hirschsprung disease)을 동반하는 MEN2A와

MEN2B의 원인유전자가 동일한 유전자좌에 있다는 것이 밝혀졌다. 1993년에 와서 MEN2형의 원인유전자가 염색체 10번의 장완에 위치하며 *RET*전암유전자가 질환의 후보유전자로 인식되었다. 그 후 서로 다른 연구자들에 의해 독립적으로 MEN2, 가족성갑상선수질암, 산발성갑상선수질암 및 연관질환에서 *RET*전암유전자의 종자계돌연변이가 증명되었고 돌연변이부위와 질병유형 간의 관계가 설명되었다(그림 8-2-1).

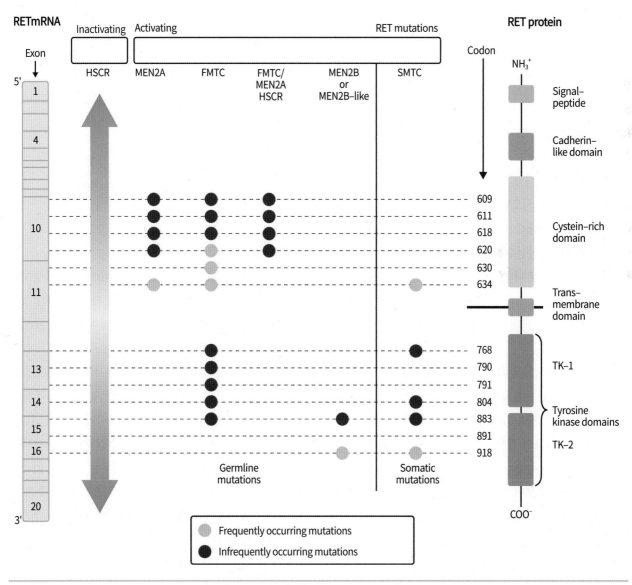

그림 8-2-1. MEN2, FMTC 및 SMTC에서 RET 타이로신활성효소수용체돌연변이

2. 2A형다발내분비선종양(MEN2A)

MEN2A에는 다음과 같은 4가지 변이가 있다(표 8-2-2).

1) 고전적 MEN2A(갑상선수질암, 갈색세포종, 원발부갑상선항진증)
2) 피부아밀로이드양태선이 동반된 MEN2A
3) 히르슈스프룽병이 동반된 MEN2A
4) 갈색세포종 또는 부갑상선항진증이 없는 갑상선수질암

MEN2A의 임상증상은 연관된 장기에 따라 달라지며 이는 특정 *RET*돌연변이에 의해 좌우된다. 갑상선수질암의 투과율은 거의 100%지만 MEN2A의 다른 징후는 가족 간 및 가족내 변동이 많다. 가족성갑상선수질암은 MEN2A의 변종으로 갑상선수질암에 대한 강한 소인이 있으며 MEN2A의 다른 임상징후는 없다.

1) 갑상선수질암

갑상선수질암은 칼시토닌을 분비하는 갑상선의 소포곁C세포(parafollicular C cell)에서 발생하는 신경내분비종양으로 대부분의 갑상선수질암사례(75%)는 산발적이지만 약 25%는 가족성으로 나타난다. MEN2 거의 모든 환자에서 발생하며 돌연변이 위치에 따라 생후 9개월에 발병되기도 한다(표 8-2-3).

MEN2A 환자의 갑상선수질암은 20대에서 가장 많이 발견되며 일반적으로 MEN2B 동반 시 더 일찍 발생하는데 *RET*돌연변이 위치와 갑상선수질암 발생시기와의 연관이 있다. MEN2 환자의 갑상선수질암은 다심성(multi-centric)으로 발생하며 갑상선의 상부 1/3 위치에서 집중 발견된다. 산발성의 경우에 비해 조기에 발견되는 것 외에는 임상적으로 유사하다. 한편 갈색세포종 또는 부갑상선항진증이 동반되는 경우 해당 증상이 함께 나타나며 드문 경우 이소성 부신피질자극호르몬 생성으로 인해 쿠싱증후군이 유발될 수 있다.

표 8-2-3. 갑상선수질암의 *RET* 유전형에 따른 첫 진단연령

갑상선수질암의 *RET*유전자형	첫 진단 시 가장 어린 연령
918	9개월
630	12개월
634	15개월
609	5세
620	6세
804	6세
611	7세
618	7세
790	10세
891	13세
912	14세
533	21세
791	21세
768	22세
666	35세
649	44세

2) 갈색세포종

갈색세포종은 MEN2A 환자의 약 40%에서 발생하며 *RET*돌연변이부위에 따라 발생빈도가 다르다. *RET* 코돈 634돌연변이가 있는 경우 갈색세포종의 투과율은 30세까지 25%, 50세까지 52%, 77세까지 88%로 보고되고 있다. 갑상선수질암과 마찬가지로 MEN2에서의 갈색세포종은 산발적 형태보다 더 일찍 발생하며 빠르면 8-12세에 발병할 수 있지만, *RET*돌연변이에 따라 나타나는 평균 연령은 25-32세이다. 갈색세포종이 갑상선수질암보다 먼저 발생하거나 MEN2의 초기징후가 되는 경우는 드물다. 따라서 MEN2의 갈색세포종은 일반적으로 선별검사 중 또는 MEN2가 알려지거나 의심되는 환자에서 시행되는 추가검사를 통해 발견된다.

산발성갈색세포종은 대부분 편측성이나 MEN2의 갈색세

포종은 30-100%에서 양측성이므로 MEN2에서 갈색세포종의 진단이 확정되면 양측성질환의 가능성을 주의 깊게 평가해야 한다. 드물지만 부신 외에서도 발생 가능하며 MEN2A관련 갈색세포종이 악성인 비율은 산발성갈색세포종에 대해 보고된 10%보다 상당히 낮다.

3) 부갑상선항진증

MEN2A의 원발부갑상선항진증은 거의 항상 다발로 발생하며 특정 *RET*돌연변이에 따라 MEN2A 환자의 10-25%에서 보고되는데 종종 경미하고 무증상이다.

4) 기타 관련 질병

MEN2A에서 히르슈스프룽병을 동반하는 경우가 있는데 가족력이 있는 경우 약 50%, 산발성인 환자의 15-35%에서 *RET*유전자의 돌연변이가 관련된다. 드물게 발생하는 피부아밀로이드양태선과 MEN2A와의 연관성이 확립되어 있다.

3. 2B형다발내분비선종양(MEN2B)

MEN2B는 갑상선수질암과 갈색세포종을 특징으로 하지만 원발부갑상선항진증은 제외되는 보통염색체우성유전질환이다. 갑상선수질암은 거의 모든 MEN2B 환자에서 발생하는데 MEN2A에 비해 더 이른 나이에 발생하며 보다 더 공격적이며 수술로 완치되지 않는 경우가 많아 조기진단과 예방이 아주 중요하다.

갈색세포종은 MEN2B 환자의 약 50%에서 발생하며 MEN2B의 갈색세포종은 산발적형태보다 더 일찍 발생한다. MEN2A와 마찬가지로 갈색세포종이 갑상선수질암보다 먼저 발생하고 MEN2의 초기징후가 되는 것은 이례적이다.

MEN2B에는 입술과 혀를 침범하는 점막신경종과 장신경절신경종증이 포함되며 또한 발달이상, 상/하체비율 감소, 골격변형(후만 척추측만증 또는 전만), 관절이완, 마르판양

체격 및 수초화된 각막신경이 나타날 수 있다.

4. MEN2 환자의 치료에 대한 접근

1) 갑상선수질암

MEN2 환자에서 갑상선수질암 치료는 원발종양부위 및 국소전이의 완전한 절제에 의해서만 가능하므로 유전성갑상선수질암이 있는 환자에게 갑상선전절제술이 권장된다.

수술 전 동반가능한 부갑상선 및 부신의 종양에 대한 검사도 시행하여야 한다. 만약 갈색세포종이 발견되면 먼저 제거해야 한다. 동반가능종양에 대한 초기 선별검사가 음성이면 갈색세포종(MEN2A 및 2B) 및 부갑상선항진증(MEN2A)을 정기적으로 평가한다(표 8-2-4).

MEN2A 환자의 갑상선수질암은 MEN2B의 경우보다 덜 공격적인데 1985년에 발표된 대규모연구에서 갑상선수질암으로 인한 사망은 MEN2B 환자의 50%에서 발생했지만 MEN2A 환자의 9.7%에서만 발생했다. 한편 수술 후 관리 및 장기 추적검사는 산발성인 경우와 동일하다.

MEN2 환자의 경우 갑상선수질암의 발생 확률이 100%에 가까우므로 확인된 *RET*돌연변이가 있는 환자는 암이 발생하기 전에 또는 갑상선에 국한되어 있을 때 예방적 갑상선절제술을 시행하는데 특정 *RET*돌연변이가 있는 경우 이른 나이에도 발생할 수 있으므로 이 경우 조기 갑상선절제술로 수질암이 치료되거나 예방될 수 있다. 예방적 수술시기는 아직 보편적인 동의는 없지만 특정 DNA돌연변이 발생위치를 기반으로 정해진다(표 8-2-5).

MEN2 계열의 1% 미만은 검출가능한 *RET*돌연변이가 없다. 임상적으로 MEN2로 진단이 되지만 *RET*돌연변이가 검출되지 않은 경우 펜타가스트린자극검사에서 최고 칼시토닌 수준이 200 pg/mL를 초과하면 예방적 갑상선절제술을 권고한다.

표 8-2-4. *RET*돌연변이보인자의 갈색세포종 및 부갑상선항진증 임상모니터링

위험도	*RET*코돈돌연변이	갈색세포종 연례검사 시작 권장연령[1]	부갑상선항진증 연례검사 시작 권장연령[2]
매우 높음	918	11세	해당 없음
높음	634, 883	11세	11세
중등	533, 609, 611, 618, 620, 630, 666, 768, 790, 804, 891, 912	16세	16세

[1]선별검사: 유리혈장메타네프린 또는 노르메타네프린, 또는 24시간소변메타네프린 및 노르메타네프린. 생화학적 결과가 양성이면 컴퓨터단층촬영 또는 자기공명영상으로 부신검사 시행
[2]선별검사: 혈청칼슘 및 상승된 경우 부갑상선호르몬

표 8-2-5. *RET*유전자돌연변이보인자의 예방적 갑상선절제시기

위험도	*RET*코돈돌연변이	연례검사 시작 권장연령[1]	예방적 갑상선절제술 권장시기
매우 높음	918	해당 없음	생후 수개월–수년
높음	634, 883	3세	5세 또는 그 이전
중등	533, 609, 611, 618, 620, 630, 666, 768, 790, 804, 891, 912	5세	16세

[1]경부초음파, 혈청 칼시토닌

2) 갈색세포종

한 쪽에 갈색세포종이 있는 경우 해당 부위 부신절제를 시행하며 양측갈색세포종이 있는 환자의 경우 양측부신절제가 필요하며 가족구성원이 비정상적으로 공격적인 양측부신수질질환을 앓은 경우 일측성질환이 있는 환자에서도 양측부신절제가 고려되어야 한다.

3) 부갑상선항진증

MEN2A 환자의 부갑상선항진증은 경미하고 무증상인 경우가 많아 수술 시 갑상선전절제술을 하더라도 부갑상선에 대해서는 보존을 시도하는데 소아시기에 예방적으로 수술을 하는 경우는 더욱 그러하다. 수술적응증과 방법은 MEN1의 경우와 같으며 부갑상선항진증의 재발은 MEN1에 비해 드물며 비가족성원발부갑상선항진증의 경우와 비슷하다.

5. MEN2 치료관련 논쟁과 전망

MEN2 치료와 관련된 논쟁은 아래와 같으며 최근 시행 중인 새로운 치료에 대한 소개는 아래와 같다.

1) 갑상선수질암에 대한 예방적 갑상선절제술 시 림프절절제술 범위
2) 갈색세포종 수술 시 부신보존술의 유용성과 장기적 결과
3) 새로운 타이로신인산화억제제, mTOR억제제, 파시레오타이드, 펩타이드수용체 방사성핵종 치료의 역할

참 / 고 / 문 / 헌

1. Asgharian B, Turner ML, Gibril F, Entsuah LK, Serrano J, Jensen RT. Cutaneous tumors in patients with multiple endocrine neoplasm type1 (MEN1) and gastrinomas: prospective study of frequency and development of criteria with high sensitivity and specificity for MEN1. J Clin Endocrinol Metab 2004;89:5328-36.

2. de Groot JW, Links TP, Plukker JT, Lips CJ, Hofstra RM. RET as a diagnostic and therapeutic target in sporadic and hereditary endocrine tumors. Endocr Rev 2006;27: 535-60.

3. Kornaczewski Jackson ER, Pointon OP, Bohmer R, Burgess JR. Utility of FDG-PET imaging for risk stratification of pancreatic neuroendocrine tumors in MEN1. J Clin Endocrinol Metab 2017;102:1926-33.

4. Kouvaraki MA, Shapiro SE, Cote GJ, Lee JE, Yao J, Waguespack SG, et al. Management of pancreatic endocrine tumors in multiple endocrine neoplasia type1. World J Surg 2006;30:643-53.

5. Sadowski SM, Millo C, Cottle-Delisle C, Merkel R, Yang LA, Herscovitch P, et al. Results of (68)Gallium-DOTATATE PET/CT scanning in patients with multiple endocrine neoplasia type1. J Am Coll Surg 2015;221:509-17.

6. Thakker RV, Newey PJ, Walls GV, Bilezikian J, Dralle H, Ebeling PR, et al. Clinical practice guidelines for multiple endocrine neoplasia type1 (MEN1). J Clin Endocrinol Metab 2012;97:2990-3011.

7. Triponez F, Dosseh D, Goudet P, Cougard P, Bauters C, Murat A, et al. Epidemiology data on 108 MEN1 patients from the GTE with isolated nonfunctioning tumors of the pancreas. Ann Surg 2006;243:265-72.

8. Wells SA Jr, Asa SL, Dralle H, Elisei R, Evans DB, Gagel RF, et al. Revised American Thyroid Association guidelines for the management of medullary thyroid carcinoma. Thyroid 2015;25:567-610.

9. Wells SA Jr, Dilley WG, Farndon JA, Leight GS, Baylin SB. Early diagnosis and treatment of medullary thyroid carcinoma. Arch Intern Med 1985;145:1248-52.

08

기타 내분비질환

신경내분비종양, 유암종증후군 및 기타 관련 질환

안철우

I. 신경내분비종양, 유암종증후군

1. 서론

신경내분비종양은 느리게 성장하며 침습적이지 않은 양성 종양으로 여겨졌으나, 1949년에 Pearson 등에 의해 전이를 동반한 신경내분비종양에 대해 알려지게 되었다. 이 종양은 우리 몸의 다양한 장기에서 발생하는데 그 중 폐와 위장관이 가장 흔하며, 그 외 갑상선, 난소, 고환, 심장, 중이 등에서도 발생하는 것으로 알려져 있다. 신경계와 내분비계조직이 뭉쳐 발병하는 종양으로 췌장, 위, 소장, 대장 등에서 발견된다. 암과 유사한 성질을 가졌다고 하여 '유암종'이라 부르며 '유암종종양(carcinoid tumor)'으로도 불린다.

2. 계통발생학

신경내분비종양의 기원을 살펴보면 세로토닌(serotonin)과 같은 아민(amine)과 뉴로키닌A (neurokinin–A), P물질(substance P) 등의 폴리펩타이드(polypeptides)를 분비하는 장크롬친화세포(enterochromaffin cell)가 가장 흔하고, 그 외에 장(gut)의 장크롬친화유사세포(entero-chromaffin–like cells)와 기관지의 내분비세포 등이 있다. 이들 세포에서 기원하는 종양은 가스트린(gastrin), 가

스트린방출펩타이드(gastrin–releasing peptide, GRP), 그렐린(ghrelin), 칼시토닌(calcitonin), 췌장폴리펩타이드(pancreatic polypeptide), 부신피질자극호르몬(adrenocorticotropic hormone, ACTH), 부신피질자극호르몬방출호르몬(corticotropin–releasing hormone, CRH), 성장호르몬방출호르몬(growth hormone–releasing hormone, GHRH), 성장호르몬억제인자(soma-tostatin), 글루카곤(glucagon), 칼시토닌유전자관련펩타이드(calcitonin gene–related peptide, CGRP)와 같은 다양한 호르몬들을 분비한다. 신경내분비종양에서 가장 공통적으로 분비되는 것이 당단백질크로모그라닌A (glyco-protein chromogranin–A, CgA)이며 이것은 이들 환자들에서 일반적으로 가장 중요한 종양표지자이다.

3. 분자유전학

신경내분비종양의 진단, 병기설정, 치료에 대해 많은 진보가 있었음에도 아직 질병의 원인인자에 대해서는 밝혀진 것이 없다. 다발내분비선종양[familial type multiple endocrine neoplasia type 1 (MEN1)]처럼 산발적인 전장(foregut)의 유암종도 염색체 11q13의 대립유전자의 소실을 나타내며, 산발적으로 발생하는 전장의 유암종의 1/3에서 MEN1유전자의 돌연변이를 보인다. 전장의 신경내분비조직, 유암종과는 달리 중장(midgut)에서 발생하

는 유암종의 경분자 및 세포유전학적자료는 밝혀진 것이 거의 없으며 이들 종양은 MEN1증후군에 포함되지 않는다. 위장관 유암종 환자에서 염색체 18q 소실이 38%에서 나타났고 18p 소실이 33%에서 관찰되었다. 신경내분비종양에서 유전자발현배열은 RET 원발암유전자의 상향조절(up-regulation)을 보인다고 하였으나 지금까지 돌연변이는 관찰되지 않았다. 최근 Notch signaling pathway가 위장관 유암종에서 신경내분비세포의 분화와 세로토닌 생산에 관여하는 조절인자라는 것이 밝혀졌다.

4. 분류

1963년 Williams 등이 신경내분비조직, 유암종의 발생기원과 조직학적, 생화학적 관계 및 임상적인 특성을 반영하여 신경내분비종양에 대해 다음과 같이 분류하였다(표 8-3-1).

전장(흉강내, 위, 십이지장의 유암종), 중장(소장, 충수, 근위부 결장의 유암종), 후장(원위 결장과 직장의 유암종)의 세

그룹으로 나누어 분류하였는데, 환자의 임상평가에 유용하긴 하지만 여러 단점들이 있었기 때문에 이후 세계보건기구(WHO)에서 종양의 기원과 병리조직학적인 특징을 고려한 다음과 같은 새로운 분류법을 제시하게 되었다(표 8-3-2).

서양에서 신경내분비종양의 발생률은 100,000명당 2.8-4.5명이지만 느리게 성장하는 종양의 특성상 실제 발생률은 더 높을 것으로 생각된다. 유암종증후군의 발생률은 100,000명당 0.5명이다. 신경내분비종양의 발생부위로 충수가 가장 흔하며, 다음으로 직장, 회장, 폐, 기관지 순으로 발생빈도가 높다. 보통 65세와 75세 사이의 연령대에서 많이 발생하며 여성보다 남성에서 많이 발생한다. 50세 이하에서는 남성보다는 여성에서 충수와 폐에서 많이 발생한다. 한편, 국내에서는 직장 및 위-십이지장의 발생빈도가 높은 것으로 보고되고 있다. 신경내분비종양의 진단율은 최근 위장관 내시경, 복부초음파, 복부컴퓨터단층촬영 등의 영상검사가 보편화되면서 증가하고 있는데 국내 연구에서 소화관 신경내분비종양의 부위별 빈도는 직장(71.7%), 위(13.6%),

표 8-3-1. 신경내분비종양의 분류

전장	중장	후장
조직병리		
은친화세포(Argyrophilic) CgA 양성 NSE 양성	은친화세포(Argentaffin) 양성 CgA 양성 NSE 양성	은친화세포(Argyrophilic) SVP-2 양성 CgA 양성, NSE 양성
분자유전		
염색체 11q13 소실	염색체 18q, 18p 소실	알려지지 않음
분비산물		
CgA, 5-HT, 5-HTP, 히스타민, 부신피질자극호르몬, 뉴로텐신, GHRH, GRP, 칼시토닌유전자관련펩타이드, 성장호르몬억제인자, AVP, 글루카곤, 가스트린, 뉴로키닌A, P물질	CgA, 5-HT, 뉴로키닌A, 물질 P, 브라디키닌, 프로스타글랜딘 E1, F2	췌장폴리펩타이드, 펩타이드YY, 성장호르몬억제인자
유암종증후군		
동반(30%)	동반(70%)	동반되지 않음

CgA, chromogranin A; NSE, neuron specific enolase; 5-HT, 5-hydroxytryptamine; 5-HTP, 5-hydroxytryptophan; AVP, arginine vasopressin; GRP, gastric releasing peptide; SVP-2, synaptic vesicle protein 2.

표 8-3-2. 장의 신경내분비종양의 임상조직학적 분류(세계보건기구)

고분화신경내분비종양
• 기능 또는 비기능
• 점막-점막하에 국한
• 혈관비침습성
• 직경 1–2 cm 이내
• 증식지수(PI) < 2% (Ki-67)
• 예: 세로토닌 분비종양(중장유암종)
고분화신경내분비암종
• 기능 또는 비기능
• 크기 > 2 cm
• 침습적 성장
• 전이
• 2% < 증식지수 < 15%
• 예: 세로토닌 분비암종(± 유암종증후군); 기관지유암종
저분화신경내분비암종
• 크고 침습적인 종양, 증식지수 > 15%(소세포종양)
내분비-외 분비혼합종양
종양유사병변

십이지장(8.6%) 등으로 보고되고 있다. 우리나라 신경내분 비종양 발생의 평균연령은 50세 전후이고 남성에서 약간 더 흔한 것으로 알려져 있다.

5. 생화학적 특징

1953년에 Lembeck이 신경내분비종양에서 세로토닌을 분 리했다. 그 이후 유암종증후군은 세로토닌 생산과다와 관 련되어 있음이 알려졌다. 세로토닌 합성과정은 그림 8-3-1과 같다.

수년 동안 유암종증후군이 이러한 생물학적으로 활성화된 아민의 분비에 의해 생기는 것으로 생각되었으나 그 후의 연구들을 통해서 세로토닌은 설사를 일으키는데 주로 관여 하고, 그 이외 다른 활성화된 물질들이 유암종홍조와 기관 지수축에 더 중요한 역할을 한다는 것이 밝혀졌다. 칼리크

레인(kallikrein)은 Oates 등이 발견한 효소로써 홍조와 관련이 있으며 혈장의 키니노겐(kininogen)을 자극하여 라이실브라디키닌(lysyl–bradykinin)과 브라디키닌(bra-dykinin)을 분비한다. 이 물질들은 혈관확장, 저혈압, 빈맥, 부종 등을 일으킨다. 또한 프로스타글랜딘(E_1, E_2, F_1, F_2) 도 유암종종양에서 중요한 역할을 한다. 위와 폐의 유암종 은 히스타민(histamine)을 분비하는데 이것은 선홍색의 밝은 홍조를 유발하는 원인물질이다. 도파민(dopamine) 과 노르에피네프린(norepinephrine)도 신경내분비종양 에서 발견된다.

P물질은 1977년에 Hakansson 등에 의해 처음 발견되었 는데, 이것은 타키키닌(tachykinin)이라는 카복시기 말단 기를 공유하는 폴리펩타이드의 일종이다. 뉴로키닌 A, 신경 펩타이드 K (neuropeptide K), 엘레도이신(eledoisin)과 같은 타키키닌과 관련된 많은 폴리펩타이드가 신경내분비 종양에서 발견되었다. 이들 물질은 중장유암종 환자에서 관 찰되는 홍조와 관련이 있다. 그 외에 많은 폴리펩타이드[인 슐린, 가스트린, 성장호르몬억제인자, S100단백질, 폴리펩 타이드YY, 췌장폴리펩타이드, 사람융모성선자극호르몬 (human chorionic gonadotropin-α, HCG-α), 모틸린 (motilin), 칼시토닌, 혈관작용장폴리펩타이드(vasoac-tive intestinal peptide, VIP), 엔도핀(endorphin)] 등이 면역조직 염색을 통해 발견되었다.

전장유암종는 이소성ACTH나 CRH의 분비를 보이기도 하 는데 특히 기관지유암종 환자는 쿠싱증후군을 나타내거나 이소성GHRH 분비에 의한 말단비대증을 보이기도 한다.

Chromogranin/secretogranin family는 CgA, CgB (secretogranin I), CgC (secretogranin II)로 이루어진 다. 그 중 CgA는 1965년 소의 부신수질의 크롬친화세포에 존재하는 수용성단백질로 처음 발견되었다. CgA의 면역반 응성은 위장관과 췌장의 모든 부분에서 나타나며 또한 모 든 내분비선에 존재한다. 그것의 분자량은 48 kDa이며 439

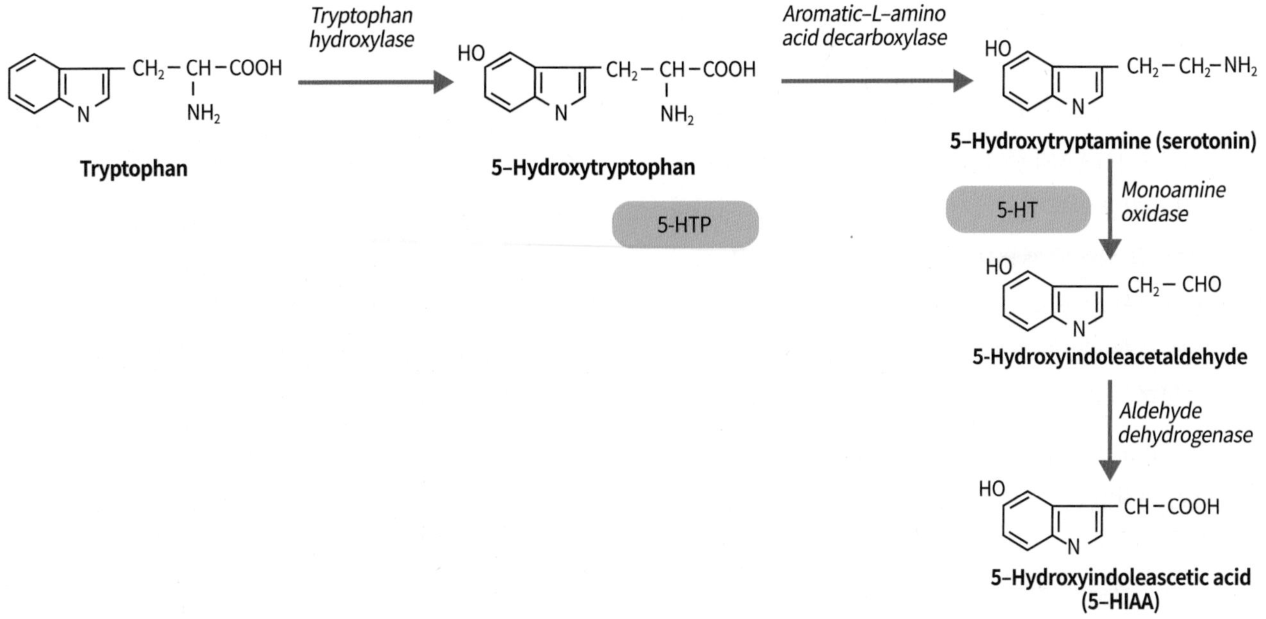

그림 8-3-1. 세로토닌 합성과정

아미노산의 산성을 띤 당단백질이다. 아민과 호르몬들은 세포 내에 크기가 큰 치밀소포(large dense-core vesicle)와 크기가 작은 시냅스 같은 소포(small synaptic-like vesicle)의 두 가지 형태의 소포에 저장되어 있는데, 크기가 큰 치밀소포들은 호르몬들과 하나 이상의 chromogranin/secretogranin family에 속하는 단백질을 포함하고 있으며 이들 호르몬과 아민들은 같이 분비된다. CgA의 생리적기능에 대해 명백하게 설명할 수 없지만 신경내분비 조직 내에 위치하며, 펩타이드호르몬과 아민이 함께 분비된다는 것은 분비과립 내에서 펩타이드의 저장소역할을 한다는 것을 시사한다.

CgA는 전장, 중장, 후장을 포함한 여러 종류의 신경내분비종양에서 나타나는 중요한 조직 및 혈청표지자이다.

6. 임상양상

신경내분비종양의 임상양상은 종양의 위치와 호르몬의 생성, 질환의 정도에 따라 다르게 나타난다. 대개 폐유암종은 우연히 흉부 X선단순촬영에서 발견되어 진단되며 중장유암종은 장폐색이나 복통의 증상으로 나타난다. 직장유암종은 출혈이나 폐색 등을 나타낸다.

그러나 폐유암종은 CRH나 ACTH 분비에 의해 쿠싱증후군으로 나타나거나 세로토닌, 5-hydroxytryptophan (5-HTP), 히스타민 분비에 의해서 유암종증후군으로 나타나기도 한다. 중장유암종의 경우 세로토닌, 타키키닌을 분비하는 유암종증후군을 보일 수 있다. 회장의 신경내분비종양의 가장 흔한 증상은 장폐색이고 두 번째로 흔한 증상이 복통이다. 유암종증후군의 증상인 홍조와 설사는 세 번째로 흔한 증상이다. 그러나 많은 환자들이 애매한 증상을 보이기 때문에 종양을 진단하는데 약 2-3년 정도 지연되는 경우가 많다.

1) 유암종증후군
1954년에 Thorson 등이 다음과 같은 특징 – 간전이를 동반한 소장의 악성유암종, 우심장의 판막질환(폐동맥 협착과 중격결손을 동반하지 않은 삼첨판역류), 말초혈관운동증상, 기관지 수축, 청색증 등의 드문 형태에 대해 유암종증후군이라고 처음 명명하였다. 유암종증후군은 신경내분비종양에 이차적으로 나타나며 홍조, 설사, 우심부전, 기관지수축, 소변의 5-HIAA의 증가를 동반한다. 이런 증상들이 전형적이긴 하지만 일부 환자에서는 한두 가지 증상만 나타나기도 한다. 그 외에도 체중감소, 발한, 펠라그라(pellagra)와 같은 피부증상 등으로 나타날 수 있다. 보통 소장과 근위대장에서 기원하는 종양에서 40-60%로 가장 흔하게 나타난다. 유암종증후군은 기관지유암종 환자에서는 드물게 나타나고 직장유암종에서는 발생하지 않는다. 증상들이 모두 나타나는 환자들은 대개 다발간전이를 동반한다. 간전이는 문맥순환으로 분비된 아민과 펩타이드들이 간에서 불활성화되는 것과 관련이 있다. 간전이의 정맥환류는 전신순환으로 직접 들어가서 간에서 불활성화되는 것을 피하게 된다. 간전이가 없이 유암종증후군을 유발하는 것으로 난소와 기관지유암종이 있다. 이 경우 문맥순환이 아닌 전신순환으로 직접 물질들을 분비한다.

2) 홍조

홍조에는 홍반(erythematous), 자색(violaceous), 지연(prolonged), 선홍색(bright red)의 4가지 형태가 있다. 가장 흔한 형태는 갑자기 퍼지는 양상의 홍반홍조로 얼굴, 목, 상체에 발생한다. 약 1-5분 정도 지속하고 초기단계의 중장유암종과 관련이 있으며 중장유암종 환자의 20-70%에서 나타난다.

자색홍조도 같은 부위에서 발생하나 안면의 미세혈관확장증을 동반하기도 한다. 중장유암종의 말기단계와 관련이 있으며 대개의 환자들은 홍조반응에 익숙해져 있기 때문에 증상을 느끼지 못한다.

지연홍조는 수 시간이나 수일에 걸쳐 지속될 수 있다. 전신에 발생하기도 하며 타액선이 붓는 증상, 저혈압, 안면부종 등을 일으킬 수 있다. 대개 악성기관지유암종에서 나타난다. 선홍색홍조는 만성위축위염, 장갈색세포과증식증, 장갈

색세포종 환자에서 나타나는 것으로 히스타민 분비 증가와 관련된다.

홍조는 저절로 생기기도 하지만 스트레스, 감염, 알코올, 매운 음식, 약물(카테콜라민, 칼슘, 펜타가스트린 등의 주사제)에 의해 악화되기도 한다. 유암종증후군에서 발생하는 홍조의 병태생리는 아직 다 밝혀지지 않았으나 세로토닌과 그 대사물의 과다생성과 관련되어 있음이 알려져 있다. 그러나 혈장세로토닌수치가 높은 환자에서 홍조를 보이지 않는 경우도 있고 세로토닌대항제가 홍조에 효과를 보이지 않은 경우도 있다. 펜타가스트린이나 알코올로 자극하여 홍조를 발생시킨 후 타키키닌, 신경펩타이드K와 A, P물질의 분비를 측정한 한 연구에서 홍조반응의 시작이나 강도가 타키키닌의 방출과 명백한 관련성이 있음을 보고하였다. 그 외에 홍조와 관련된 것으로 칼리크레인과 브라디키닌 등이 있다. 히스타민은 폐유암종과 위장관유암종에서 보이는 홍조의 매개물질이다. 타키키닌, 브라디키닌, 히스타민은 잘 알려진 혈관확장물질이고 성장호르몬억제인자유사체는 이들 물질을 감소시킴으로써 홍조를 완화시킬 수 있다.

유암종증후군과 관련된 안면홍조는 특발성홍조와 폐경후 홍조와 구별해야 한다. 특발성홍조 환자는 증상기간이 길거나 종양발생이 없이 홍조의 가족력이 있는 경우도 있다. 폐경후 홍조는 대개 전신에 발생하고 심한 발한을 동반한다.

3) 설사

유암종증후군 환자의 30-80%에서 발생한다. 설사의 병태생리는 아직 다 밝혀지지 않았지만 많은 원인과 관련이 있는데, 대개 복통을 동반하며 내분비, 주변분비, 기계적인 요인과 동반되어 발생한다. 세로토닌, 히스타민, 칼리크레인, 프로스타글랜딘 등의 많은 물질들이 연동운동, 전기기계적인 활동, 소장의 긴장을 자극한다. 분비성설사는 수분과 전해질 불균형을 일으킬 수 있다. 세로토닌이 증가된 유암종증후군 환자를 대상으로 한 연구에서 소장과 대장의 통과시간이 정상군에 비해 감소되어 있음을 보고하였다. 상행결

장의 면적이 정상군보다 감소되어 있었고 식후 대장의 긴장은 크게 증가하였다. 이것은 설사를 동반한 유암종증후군 환자에서 소장과 대장 모두에 영향을 미치는 장운동기능의 주된 변화가 일어난다는 것을 시사한다.

세로토닌은 유암종증후군에서 설사를 일으키는 것으로 알려져 왔다. 온단세트론(ondansetron)과 케탄세린(ketanserin)과 같은 세로토닌수용체 대항제가 설사를 어느 정도 완화시킨다.

4) 유암종심질환(Carcinoid heart disease)

유암종증후군 환자의 10–20%에서 심내막, 판막, 심방과 심실이 판(plaque)같이 두꺼워지게 되는데, 이러한 섬유화가 협착과 역류를 일으키게 된다. 이 질환의 발생률은 진단방법에 따라 다르게 나타난다. 심초음파는 유암종증후군 환자의 약 70%에서 조기병변을 발견할 수 있지만 일반적인 신체검사로는 단지 30–40%만을 발견할 수 있다. 최근 이 수치가 10–15% 정도로 크게 감소된 이유는 아마도 조기진단과 성장호르몬억제인자유사체와 α인터페론(α–interferon)과 같은 종양치료제 때문일 것이다. 15년 전 한 연구에서는 유암종증후군 환자의 40%가 심장합병증으로 사망하였다고 보고하였으나 최근 자료들은 이 합병증이 거의 드물며 대부분의 환자들에서는 병이 진행되어 사망하는 것으로 보고하고 있다. 우심의 섬유화를 일으키는 정확한 기전은 아직 밝혀지지 않았지만 간전이를 동반한 유암종증후군 환자들에서 주로 발생한다.

5) 기관지 수축

유암종증후군 환자에서 실제 천식발생은 드물다. 타키키닌, 브라디키닌 분비와 관련되는데 이들 물질들은 호흡기의 평활근을 수축시키고 국소적인 부종을 일으킬 수 있다.

6) 그 외

심장 이외 부위에서 발생하는 섬유화합병증이 유암종증후군 환자에서 나타난다. 복강내, 후복강내 섬유화, 장간막 동맥과 정맥의 폐쇄, 페로니병(Peyronie's disease), 유암종관절병증 등이 있다. 복강내 섬유화는 장유착과 장폐쇄를 일으킬 수 있으며 일차신경내분비종양 그 자체보다 장폐쇄를 일으키는 더 흔한 원인이 된다. 후복강내 섬유화는 신장기능상실을 일으키는 요로폐쇄를 일으킬 수 있다. 그 외에도 과각화증과 색소침착을 동반한 펠라그라유사피부병변, 근병증, 성기능장애 등을 보일 수 있다.

7) 유암종위기(Carcinoid crisis)

성장호르몬억제인자유사체 치료가 알려진 후부터는 거의 드물게 발생한다. 자발적으로 나타나기도 하고 마취유도 중이나 색전시술, 화학요법, 감염 등에 의해 발생하기도 한다. 유암종 위기는 심한 홍조, 설사, 저혈압, 저체온, 빈맥을 나타내는 임상상태이며 치료하지 않으면 환자가 사망할 수 있다. 수술 전후와 수술 중에 성장호르몬억제인자유사체의 정맥주사나 피하주사로 유암종 위기를 예방할 수 있다.

7. 진단

유암종증후군의 진단은 임상증상으로 의심을 하며 분자유전, 종양생물학, 조직병리, 생화학적, 병기 등을 고려해야 한다(그림 8-3-2). 수술 시 발견된 위장관유암종 환자 154명을 대상으로 한 연구에서 60%가 무증상 환자였다. 증상이 있었던 환자에서는 증상 시작 후 1–2년 정도 후에 진단이 되었다. 현재 종양의 생물학적특성은 증식지수인 성장인자[혈소판유래성장인자(platelet-derived growth factor, PDGF), 표피성장인자(epidermal growth factor, EGF), IGF-I (insulin like growth factor-I), 전환성장인자-β (transforming growth factor-β, TGF-β)]와 증식인자(핵항원 Ki-67)를 포함한다. 그것은 종양의 공격성(aggressiveness), 생존(survival)과 관계가 있다. CD-44 특히 엑손-V6과 엑손-V9와 같은 접합분자(adhesion molecule)는 생존율 향상과 관련이 있다. 성장호르몬억제인자유사체는 유암종증후군의 치료에 중요하다. 성장호르몬억제인자수용체에는 sstr-1~sstr-5의 아형이 있다.

유암종의 조직학적 진단은 CgA, 시냅토피신(synaptophysin), 신경세포특이엔올분해효소(neuron-specific enolase)를 이용한 항체를 사용하는 면역조직화학을 기반으로 하고 있다.

1) 생화학진단

홍조와 같은 유암종증후군의 전형적인 증상이 있는 경우, 소변의 5-하이드록시인돌아세트산(5-hydroxyindole-acetic acid, 5-HIAA)을 측정함으로써 진단을 하게 된다. 유암종종양이 있는 환자에서는 소변의 5-HIAA수치가 100-3,000 µM/24hr (15-60 mg/24hr)를 나타내게 된다 (참고치: < 50 µM/24hr, < 10 mg/24hr). 다양한 음식이나 약물들이 5-HIAA수치에 영향을 줄 수 있기 때문에 24시간 검사를 시행하는 동안에는 이들 음식이나 약들을 피해야 한다(표 8-3-3). 보통 2회의 24시간 소변수집이 추천된다. 소변의 5-HIAA 측정이 좋은 진단표지이지만 소변과 혈소판의 세로토닌 측정이 부가적인 정보를 제공할 수 있다. 일부 연구에서는 혈소판의 세로토닌 측정이 소변의 5-HIAA나 소변의 세로토닌보다 더 민감하며 환자의 식사에 영향을 받지 않음을 보고하였다. 흡수장애의 경우 소변의 5-HIAA 상승을 보일 수 있다. 전장유암종은 세로토닌이 아닌 5-HTP가 상승된 비전형적인 유암종증후군을 나타

표 8-3-3. 소변의 5-HIAA에 영향을 미치는 인자들

약제	음식
위양성을 일으키는 요인	
아세트아미노펜(acetaminophen) 아세트아닐리드(acetanilid) 카페인(caffeine) 플루오로우라실(fluorouracil) 구아이페네신(guaifenesin) 엘도파(L-dopa) 멜파란(melphalan) 메페네신(mephenesin) 메스암페타민(methamphetamine) 메토카르바몰(methocarbamol) 말레인산메티서자이드(methysergide maleate) 펜메트라진(phenmetrazine) 레서핀(reserpine) 살리실레이트(salicylates)	아보카도 바나나 초콜렛 커피 가지 피칸 파인애플 건포도 차(tea) 호두
위음성을 일으키는 요인	
부신피질자극호르몬(corticotropin) 클로로페닐알라닌(p-chlorophenylalanine) 클로로프로마진(chlorpromazine) 헤파린(heparin) 이미프라민(imipramine) 아이소나이아지드(isoniazid) 메텐아민만델레이트(methenamine mandelate) 메틸도파(methyldopa) 모노아민산화효소억제제(monoamine oxidase inhibitors) 페노티아진(phenothiazine) 프로메타진(promethazine)	없음

낸다.

CgA와 CgB는 사람의 내분비조직에서 CgC보다 더 많이 존재한다. 혈장의 CgA가 종양의 크기를 반영하는 것으로 알려져 있다. 혈장 CgA는 신경내분비종양을 발견하는데 있어서 소변 5-HIAA보다 더 민감한 검사이지만 다양한 신경내분비종양에서 분비되기 때문에 특이도는 더 낮다. 따라서 유암종증후군 환자의 진단과정에서 혈장의 CgA와 소변의 5-HIAA나 세로토닌을 같이 측정하여야 한다. 그러나 성장호르몬억제인자유사체로 치료하는 동안에 측정하는 혈장 CgA나 소변의 5-HIAA 측정은 종양크기를 반영하는 믿을만한 지표가 되지 못한다.

2) 병기설정
일차병소뿐만 아니라 전이병소를 찾기 위해 상부위장관내시경, 바륨관장, 흉부 X선단순촬영, 초음파, 컴퓨터단층촬영(computed tomography, CT), 자기공명영상(magnetic resonance imaging, MRI), 혈관조영술과 같은 다양한 방법들이 사용되고 있는데, 최근 들어 성장호르몬억제인자수용체섬광조영(somatostatin-receptor scintigraphy, SRS), iodinated meta-iodobenzylguanidine (^{131}I-MIBG)이 병소부위 결정과 병기설정을 위해 많이 사용되고 있다. 기관지유암종은 대개 흉부X선단순촬영, CT나 기관지내시경에 의해 발견되지만, 일차중장유암종은 크기가 작아서 바륨관장, CT, MRI 같은 진단도구를 사용해서는 발견하기 어렵다. 간전이는 대개 CT나 MRI로 발견된다. 현재는 CT나 MRI와 함께 SRS가 종양의 병기설정의 일차진단도구로 쓰인다.

SRS는 민감도(80-90%)가 높아서 병소부위 결정과 병기설정의 초기진단기구로 유용하게 사용된다. ^{123}I-MIBG는 SRS보다 민감도는 더 낮으나(50%), 중장유암종 환자에서 쓰일 수 있다. ^{11}C-5-HTP(세로토닌합성전구체)를 이용한 양전자방출단층촬영(positron emission tomography, PET)은 민감도가 더 높고 치료결과 판정에 유용하게 쓰인

다. 신경내분비종양의 80-100% 환자에서 성장호르몬억제인자에 높은 친화성을 갖는 수용체(sstr-1~sstr-5)를 갖고 있다. 이 수용체는 일차종양과 전이종양 모두에 존재하는데 유암종종양에서 가장 흔한 아형은 sstr-2이다. 가장 흔하게 쓰이는 성장호르몬억제인자유사체는 옥트레오타이드(octreotide)인데 이것은 sstr-2에 가장 높은 친화성을 나타내며 sstr-3과 sstr-5에 대해서는 낮은 친화성을 나타낸다. ^{111}In-DTPA- Phe-octreotide를 이용한 SRS는 유암종을 발견하는데 80-90%의 민감도를 보인다. 많은 연구들에서 다른 검사방법에 비해 SRS가 민감도가 더 높았다고 보고하고 있다. 육아종(유육종증, 결핵), 활성화된 림프구(림프종, 만성감염), 갑상선질환(갑상선종, 갑상선염) 등이 있는 경우에는 위양성을 보일 수 있다.

8. 치료

치료의 목적은 환자의 증상을 개선시켜 삶의 질을 향상시키고 동시에 종양의 성장을 억제하여 환자의 생존을 연장하는 것이다. 유암종증후군의 증상을 조절하기 위해 생활습관 변화, 식사내(나이아신, 비타민과 엽산) 보충, 증상을 줄이는 약물치료, 스트레스를 피하고 홍조를 악화시키는 알코올이나 약물 등을 피하는 방법 등을 고려할 수 있다.

1) 성장호르몬억제인자유사체
옥트레오타이드가 가장 많이 사용되며 그 외에 란레오타이드(lanreotide)와 바프레오타이드(vapreotide)가 있다. 성장호르몬억제인자유사체는 sstr-1과 sstr-5수용체에 결합하고 sstr-3과는 낮은 친화성을 가지며, G단백결합막수용체에 속하는 특정 세포와 투과막수용체와의 상호작용을 통해 세포활성을 나타낸다. 성장호르몬억제인자유사체의 증식 억제효과는 아마도 아형인 2와 5수용체의 활성화를 통해 mitogen-activated protein kinase (MAPK)와 칼륨, 칼슘 유입을 억제하여 세포주기정지를 일으키는 것으로 생각되지만 아직 정확한 기전은 밝혀지지 않았다.

08 기타 내분비질환

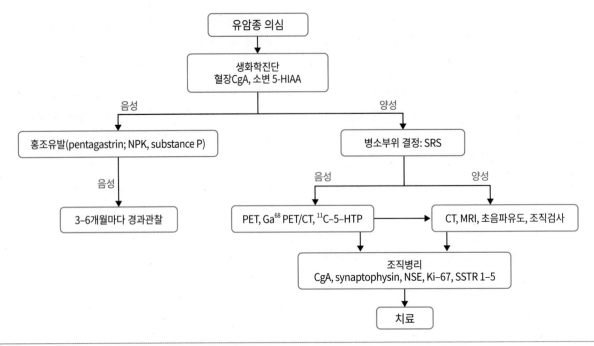

그림 8-3-2. 신경내분비종양의 진단알고리듬

옥트레오타이드, 란레오타이드를 8-12시간마다 피하주사함으로써 유암종증후군 환자의 60-70%에서 증상이 조절되고, 세로토닌과 소변의 5-HIAA, 혈장의 타키닌, CgA를 낮출 수 있다. 옥트레오타이드 100-150 μg을 하루에 2-3회 피하주사하는 것이 추천된다.

장기간 치료받는 환자에서 빠른내성(tachyphylaxis)이 발생할 수 있다. 장시간 작용하며 느리게 방출하는 제형의 경우 옥트레오타이드는 20-30 mg, 란레오타이드 오토겔은 90-210 mg의 용량으로 한 달에 한 번씩 피하주사할 수 있다.

고용량치료(란레오타이드 12 mg/day, 옥트레오타이드 3 mg/day)는 종양크기를 감소시킬 수 있으며 세포자멸사(apoptosis)를 유도할 수 있다. 유암종 위기의 위험이 있는 환자에서는 성장호르몬억제인자유사체가 최우선 치료제이며 성장호르몬억제인자유사체의 지속적인 주입(50-100 μg/hr)이 추천된다. 부작용은 일반적으로 심하지 않으며

20-40% 환자에서 발생하는 것으로 알려져 있다. 주사 시 통증, 가스생성, 설사, 복통 등이 있으며 장기간 사용 시 담석이 50-70%의 환자에서 발생할 수 있으나 수술치료가 필요한 경우는 10% 미만이다. 또 담낭슬러지(sludge), 지방변, 당불내성, 저칼슘혈증 등도 발생할 수 있다.

2) α-인터페론

α-인터페론은 단독 또는 성장호르몬억제인자유사체와 같이 사용할 수 있으며, 유암종증후군의 치료에 효과적이다. 용량은 IFNi-2a나 IFN-α-2b 3-5백만 단위를 주 3-5회 피하주사하는데, 환자의 40-50%에서 증상이 호전된다. α-인터페론은 G_1/s세포주기에서의 세포분열을 억제하고 단백질과 호르몬의 합성, 섬유모세포성장인자(basic fibrolast growth factor), 혈관내피성장인자(vascular endothelial growth factor) 억제를 통해 혈관생성을 억제함으로 종양세포에 직접적으로 작용하며 또한 면역계, 특히 T세포와 자연살해세포(natural killer cell)의 자극을 통해 간접적인 효과를 나타낸다. 부작용으로는 만성피로증

후군, 빈혈, 백혈구감소증, 혈소판감소증 등이 있으며, 대개 용량 의존적이고 성장호르몬억제인자유사체와 같이 사용 시 더 심하게 나타난다. 10–15%에서는 자가면역반응이 나타나며 드물게 갑상선질환, 관절염, 용혈성빈혈 등의 자가면역질환도 발생할 수 있다.

3) 화학요법

전형적인 중장유암종와 유암종증후군의 경우 종양 증식력이 느리기 때문에 화학요법을 사용하지 않는다. 좀 더 악성 양상을 보이는 전장유암종의 경우 세포독성 치료가 효과적일 수 있다. 치료반응률은 대개 5–10% 이내이고, 스트렙토조토신(streptozotocin) + 5–플루오로우라실(5–fluorouracil), 독소루비신(doxorubicin), 시스플라틴(cisplatin)+에토포사이드(etoposide), 다카바진(dacarbazine) + 5–플루오로우라실 등을 사용한다. 이러한 세포독성 치료는 성장호르몬억제인자유사체와 함께 사용할 수 있다.

4) 수술

특정 부위에 국한되거나 국소림프절에 전이가 국한된 유암종증후군 환자의 경우 수술로 완치되기도 하나, 대부분의 경우에는 전이가 되어 있으므로 수술적 완치는 어렵다. 그러나 근치적수술을 시행할 수 없더라도 용적축소수술(debulking procedures)과 우회수술(bypass)을 고려해야 한다. 그 외 간전이가 있는 경우 간이식, 간동맥색전술 등을 시행해 볼 수 있다.

5) 방사선 치료

외부 방사선조사는 거의 효과가 없고 주로 뼈와 뇌전이와 관련된 증상을 완화하기 위한 고식적 치료에 사용된다. 성장호르몬억제인자유사체를 기반으로 한 종양표적 방사성 치료(somatostatin analogue–based tumor targeted radioactive treatment) 시 40%에서 증상이 완화된다.

9. 예후

유암종 환자들의 생존율은 종양의 위치와 정도에 따라 다르게 나타난다. 국소질환의 경우 5년 생존율이 65%, 원격전이의 경우 39%를 나타낸다. 전이유무가 생존율에 중요하며 여성, 젊은 연령인 경우 예후가 더 좋다. 유암종 환자의 5–10%에서 대장선암 발생의 위험도가 증가한다. 진단 시 CgA수치가 높은 경우, 증식지수(Ki–67)가 높은 경우, 이차 악성종양의 발생 시 예후가 더 나쁘다. 최근 들어 유암종심질환은 10% 이하로 드물게 발생한다.

II. 홍조를 유발하는 기타 질환

1. 갑상선수질암과 VIP생산종양

갑상선수질암과 VIP생산종양(신경절신경종, 내분비췌장종양) 등의 신경내분비종양도 홍조를 나타낼 수 있다(표 8-3-4). 특히 VIP를 생산하는 종양의 경우 심한 분비성설사를 보일 수 있고 갑상선수질암 환자에서는 홍조와 설사가 드문 증상이지만 칼시토닌과 CGRP수치가 높은 환자에서 나타

표 8-3-4. **홍조를 일으키는 질환들**

• 알러지반응
• 선천질환
• 내분비질환
• 정신장애
• 폐경
• 알코올
• 심혈관질환
• 피부암
• 신경과장애
• 신경내분비종양
• 음식
• 약물
• 독소

날 수 있다. 정확한 기전은 아직 알려지지 않았지만 칼시토닌이 프로스타글랜딘의 분비를 자극하여 나타나는 것으로 보고되었다. 치료는 종양성장을 억제하는 것으로 수술을 시행하거나 간전이가 있는 경우 색전술을 시행할 수 있고 독소루비신을 기반으로 한 세포독성치료(doxorubicin-based combination therapy) 등을 고려할 수 있다. 성장호르몬억제인자유사체는 설사를 완화시킨다.

VIP생산종양 또는 WDHA (watery diarrhea, hypokalemia, achlorhydria)증후군은 심한 분비성설사와 관련이 있다. 이들 환자들의 종양은 췌장, 폐, 교감신경절 등에서 발견된다. 진단은 혈장의 VIP를 측정함으로 확진한다. 대개는 70 pmol/L 이상의 수치를 나타낸다. 치료는 종양과 호르몬 과다를 억제하는 것으로 성장호르몬억제인자유사체나 세포독성 치료를 고려할 수 있다.

2. 비만세포증과 관련된 질환

비만세포증 환자들은 대개 증상이 느리게 나타나며 발작적인 비만세포의 활성화와 관련이 있다. 피부를 침범해서 문지르면 두드러기를 동반한 다발의 작은 색소병변을 나타내기도 한다(darier's sign). 이것을 색소두드러기(urticaria pigmentosa)라고 부른다. 뼈를 침범해서 골다공증과 골경화증을 일으키기도 한다.

혈액학적으로 빈혈, 백혈구증가증, 호산구증가증을 일으킨다. 드물게 비만세포백혈병(mast cell leukemia)이 발생하기도 한다. 전신비만세포증은 홍조, 빈맥, 저혈압, 구역, 구토, 설사 등을 일으키는데 이것은 유암종증후군과 유사한 증상을 나타낸다. 히스타민이 주된 혈관확장물질로 비만세포에서 분비되며, 그 외에도 프로스타글랜딘 D2, 트립타제, 헤파린의 분비와도 관련이 있다. 비만세포증은 소변의 히스타민과 그 대사물을 측정하여 진단하는데, 히스타민보다 히스타민대사물질[N-메칠히스타민(N-methylhistamine)과 메칠이미다졸아세트산(methylimidazoleace-

tic acid)의 민감도가 더 높은 것으로 알려져 있다. 프로스타글랜딘 D2도 소변에서 측정이 가능하긴 하지만 특정화된 곳에서만 가능하며 트립타제의 경우 쉽게 측정이 가능하다. 치료는 질환의 중증도에 따라 다르다. 비만세포분비와 관련된 저혈압은 에피네프린이 효과적이다. 만성치료로 항히스타민제, 프로스타글랜딘합성억제제, 비스테로이드소염제(nonsteroidal antiinflammatory drug) 등을 사용할 수 있다.

참 / 고 / 문 / 헌

1. Chang JH, Kim SW, Chung WC, Kim YC, Jung CK, Paik CN, Park JM, et al. Clinical review of gastrointestinal carcinoid tumor and analysis of the factors predicting metastasis. Korean J Gastroenterol 2007;50:19-25.

2. Debelenko LV, Brambillia E, Agarwal SK, Swalwell JI, Kester MB, Lubensky IA, et al. Identification of MEN1 gene mutations in sporadic carcnoid tumors of lung. Hum Mol Genet 1997;6:2285-90.

3. Friedman BS, Metcalfe DD. Mastocytosis. Prog Clin Biol Res 1989;297:163-73.

4. Krenning EP, Kwekkeboom CJ, Oei HY, de Jong RJ, Dop FJ, Reubi JC, et al. Somatostatin reseptor scintigraphy in gastroenteropancreatic tumors. An overview of European results. Ann N Y Acad Sci 1994;733:416.

5. Melmed S, Auchus RJ, Goldfine AB, Koenig RJ, Rosen CJ. Williams Textbook of Endocrinology, 14th ed. Philadelphia: Elsevier; 2020. p.1691-1709.

6. Melmed S, Auchus RJ, Goldfine AB, Koenig RJ, Rosen CJ. Williams Textbook of Endocrinology. 14th ed. Philadelphia: Elsevier; 2020. pp.1691-709.

7. Lollgen RM, Hessman O, Szabo E, Westin G, Akerstrom G. Chromosome 18 deletions are common events in classical midgut carcinoid tumors. Int J Cancer 2001;92:812-5.

8. Modlin IM, Lye KD, Kidd M. A 5-decade analysis of 13,715 carcinoid tumors. Cancers 2003;97:934-59.

9. Quaedvlieg PF, Visser O, Larners CB, Janssen-Heijen ML, Taal BG. Epidemology and survival in patients with carcinoid disease in the Netherlands. an epidemiological study with 2,391 patients. Ann Oncol 2001;12:1295-300.

10. Yale SH, Vasudeva S, Mazza JJ, Rolak L, Arrowood J, Stichert S, et al. Disorders of flushing. Compr Ther 2005;31:59-71.

CHAPTER 4

이소성 호르몬증후군

문성대

I. 서론

종양에서 내분비호르몬의 활성이 알려진 것은 1920년경이다. 폐 및 흉선종양 환자에서 파종성암, 부신피질호르몬, 그리고 부갑상선유사호르몬의 활성이 존재하며 종양에 의해 저혈당이 발생함이 알려졌다. Albright와 Reifenstein은 부갑상선항진증에서처럼 신세포암 환자에서 부갑상선유사호르몬의 활성에 의해 고칼슘혈증이 발생한다고 하였다.

종양에서 내분비인자의 존재를 확인하기까지 정확하고 민감한 호르몬분석법의 개발이 필요하였다. 호르몬분석법의 발달로 이소성 부신피질자극호르몬(adrenocorticotropic hormone, ACTH)증후군 및 부적절항이뇨호르몬증후군(syndrome of inappropriate ADH, SIADH)에서 ACTH와 항이뇨호르몬(antidiuretic hormone, ADH)의 분리가 가능해졌다.

종양에서 호르몬의 과잉을 입증하기 위한 고전적인 기준으로 (1) 종양 환자에서 내분비병증의 존재, (2) 종양절제 후 내분비병증의 호전, (3) 종양에서 동정맥경사의 검출, (4) 종양조직에서 호르몬암호화단백질 및 메신저RNA의 확인 등이 있다. 종양절제 후 호르몬 농도의 호전을 확인하는 것은 호르몬분비촉진인자(예: 성장호르몬 자체보다 성장호르몬방출호르몬)에 의해서도 종양이 발생할 수 있어서 기준으로

보기엔 미흡하다.

종양에서 이소성 호르몬 분비 또는 부적절한 분비에 의한 전형적인 호르몬 과잉과 달리 호르몬수용체의 이소성 발현에 의해 내분비병증이 발생할 수 있다. 부신에서 황체형성호르몬 혹은 위산억제폴리펩타이드수용체의 이소성 발현으로 임신 혹은 식사와 관련된 쿠싱증후군이 발생할 수 있는데, 이를 부신피질자극호르몬-비의존대결절부신증식(ACTH-independent macronodular adrenal hyperplasia, AIMAH)이라 부른다.

II. 이소성 호르몬의 기원

순환호르몬은 전적으로 특화된 내분비선세포에서 유래한다. 그러나 낮은 수준의 호르몬 생성 혹은 유전자 발현은 이보다 훨씬 광범위하게 일어나고 있다. 예를 들면, ACTH를 암호화하는 유전자는 뇌하수체전엽 부신피질자극호르몬분비세포에서 높게 발현되나, ACTH 발현은 다양한 정상 세포 및 뇌하수체외 종양에서 확인된다. ACTH의 "이소성" 발현은 이소성 ACTH증후군을 유발하나, POMC (pro-opiomelanocortin)의 이소성 발현은 건강한 조직, 특히 태반, 림프구, 고환 및 폐에서 기능을 한다.

이소성 생산이 가장 빈번한 호르몬은 동시에 가장 넓게 분포하는 경향이 있다. POMC유전자는 비종양성, 비내분비조직에서 널리 발현되나, 종양에서도 빈번하게 과발현되어 이소성ACTH증후군을 유발할 수 있다. 인슐린은 종양에 의해 이소성으로는 거의 생산되지 않는다. 이는 오직 췌도 내의 베타세포에서만 인슐린이 제한적으로 발현되는 것과 일치한다.

양성종양, 악성종양 모두에서 다양한 펩타이드가 생성된다 (표 8-4-1). 펩타이드호르몬의 합성, 처리, 분비에 관계된 생화학적 경로 및 장치는 모든 세포에 존재한다. 그러나, 고활성스테로이드호르몬[예: 코티솔 또는 1,25-(OH)$_2$D]의 생성과 관계된 복잡한 효소단계는 드문 예외를 제외하고 스테로이드 생산세포 또는 전구세포에 국한되어 있다. 혈액 악성종양에서 드물게 1,25-(OH)$_2$D가 생성되는데, 이는 25-OHD에서 25-(OH)$_2$D로의 하이드록실화능이 있는 세포에서만 관찰된다.

1. 아민전구체 흡수 및 탈카복실화가설

신경내분비세포는 신경능선에서 유래하며 아민을 합성하고 저장할 수 있는 것으로 가정되어 아민전구체 흡수 및 탈카복실화(amine precursor uptake and decarboxylation, APUD)세포로 불려졌다. 칼시토닌을 분비하는 갑상선 C세포와 부신의 크롬친화세포와 같은 신경내분비세포가 이러한 APUD 특성을 지니고 있다. 이소성 호르몬증후군을 유발하는 조직(예: 폐 및 위장관)에도 APUD세포가 산재해 있다. 한때 이러한 세포들을 배아 신경능선의 공통된 원천에서 유래하는 세포로 생각하였다. 매력적인 개념이지만, 이러한 개념을 뒷받침해주는 증거는 아직 부족하다.

호르몬을 생성하는 많은 종양에서 APUD세포의 특징이 존재하는 것을 볼 수 있는데, 이러한 종양들은 APUD 전구세포에서 비롯되었을 수 있다. 그러나, 기타 다른 이소성 호르몬 생성종양에는 APUD의 특성이 없고, 이러한 종양들에서 종종 공격적이며 높은 농도의 호르몬이 생성되는

표 8-4-1. 양성 및 악성종양에서 이소성으로 생성되는 폴리펩타이드호르몬

호르몬	증후군
부갑상선호르몬관련단백질(PTHrP)	고칼슘혈증
부갑상선호르몬(흔하지 않음)	고칼슘혈증
부신피질자극호르몬(ACTH)	쿠싱증후군
부신피질자극호르몬방출호르몬(CRH)	쿠싱증후군
항이뇨호르몬(ADH)	저나트륨혈증
인슐린 및 인슐린유사성장인자(IGF)	저혈당
성장호르몬방출호르몬(GHRH)	말단비대증
칼시토닌	특이 증후군이 없음
사람융모성선자극호르몬(hCG)	소아: 성조숙 남성: 발기장애, 여성형유방 여성: 기능장애자궁출혈
섬유모세포성장인자(FGF) 23	종양유발골연화증
혈관작용장폴리펩타이드(VIP)	설사

것을 볼 수 있는데, 이런 점은 APUD의 특성과 모순된 증거이다.

과도한 양의 폴리펩타이드호르몬을 생성하는 종양세포는 기원조직이 APUD세포(예: 폐의 ACTH 분비세포)에서 독점적으로 발생한다고 인정해 왔다. 그러나, 연구를 거듭한 결과, 모든 APUD세포가 다신경능선에서 유래하는 것이 아니고, 이 세포들 중 일부는 내배엽에서 기원한다는 사실과, 펩타이드호르몬이 종종 비 APUD세포에서 생성된다는 것이 밝혀졌다.

2. 분화이상론

이전 이론들의 문제점들은 분화이상론으로 이어졌다. 종양화는 완전히 분화된 말단세포가 아닌 전구세포에서 발생한다고 보는 이론이다. 하나 이상의 돌연변이에 의해 형질이

변형된 전구세포는 다양한 분화를 겪는다. 이 이론이 사실일 경우, 여러 발달단계에서 혼합된 세포집단으로 이루어진 종양생성이 관찰될 수 있다. 정상 분화가 차단될 경우, 세포의 하위집합에서 내분비세포 유형의 종양이 발생할 수 있다 (그림 8-4-1).

종양은 모 조직과 동일한 유전자를 전사하는 경향이 있으므로 이 모델은 일부 조직에서 특정 호르몬이 생성되는 이유를 설명하는 데 적합하다.

3. 소세포폐암분비호르몬

소세포폐암은 가장 흔하고 공격적인 신경내분비종양이다. 정상 성인의 폐에는 ACTH, 성장호르몬방출호르몬 및 가스트린방출호르몬을 비롯한 매우 낮은 농도의 펩타이드호르몬을 합성하는 세포가 집단으로 흩어져 있다. 태아기에

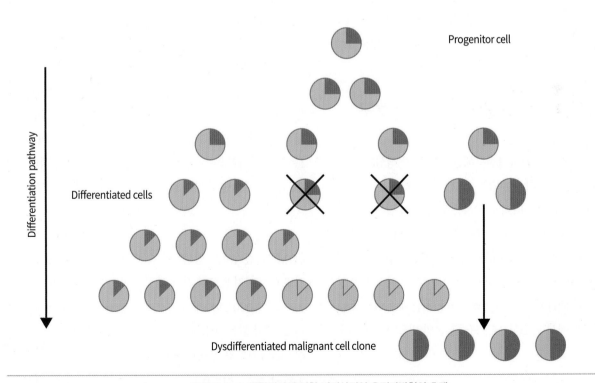

그림 8-4-1. 분화이상에 의한 비정상적인 유전자발현의 초래

전구세포의 악성형질전환에 의해 비전형적으로 분화된 세포들로 이루어진 복제집단이 형성된다. 이러한 세포들은 전구세포(음영 부분)와 일부 특징을 공유하며, 미성숙하고 불완전하게 분화된 세포 및 관련 유전자를 계속해서 발현할 수 있다. 세포의 악성형질전환은 증식하는 세포의 복제(짙은 음영영역)과정에서 지속적 혹은 강화된 호르몬유전자발현으로 이어질 수 있다.

이 세포는 더 조밀하고 더 높은 농도로 호르몬을 생성하는 것으로 보아 분화과정에서 역할이 있는 것으로 생각된다. 이렇게 흩어져 있는 내분비세포는 APUD의 특성이 있으며, 넓게 분포한 신경내분비계의 일부로 편입된다.

소세포폐암은 정상 기관지 상피에서 발견되는 대부분의 호르몬을 생성한다. ACTH, 바소프레신 및 칼시토닌은 임상증후군을 유발하고, 진단 혹은 치료반응의 잠재적인 질병 표지자이므로 가장 광범위하게 연구되었다. 157개의 원발 폐종양 추출물을 분석한 결과, 83%에서 하나 이상의 펩타이드호르몬이 발현되었다. 한 가지의 호르몬생산이 임상양상을 지배하는 경향을 보였으나, 일반적으로 여러 호르몬이 분비되었고, 이 중 20%에서 이소성 ACTH증후군이 발생하였다. 그러나, 소세포폐암 환자의 약 1%에서만 코티솔과잉에 의한 임상특징을 나타냈는데, 이는 아마도 질병의 이환기간이 짧았던 때문으로 생각된다. 펩타이드호르몬은 종종 불완전하게 처리되어 POMC는 ACTH로 효율적으로 절단되지 않아 종양추출물 혹은 순환혈액에서 고분자량 형태의 프로호르몬 POMC 및 프로ACTH 형태로 분비된다.

III. 이소성 부신피질자극호르몬증후군

많은 악성종양에서 ACTH전구체인 POMC가 생성되나, 이 전구체가 생물학적활성이 있는 ACTH로 처리되는 데 필요한 효소가 부족하다. 따라서 악성종양 중 극히 일부에서 쿠싱증후군이 유발될 정도로 충분한 ACTH가 방출된다. 1960년대 초 Grant Liddle과 동료들에 의해 이소성 ACTH증후군이 처음 보고되었는데, 대부분이 악성종양(예: 소세포폐암) 환자에서 발생하였다. 최근에는 양성종양, 특히 유암종에서 이소성 ACTH증후군의 빈도가 증가하고 있다(표 8-4-2).

양성병변은 특징적으로 종양이 확인되기 전 수개월에서 수년에 걸쳐, 미묘하게 임상특징을 나타낸다. 임상증후군의 점

표 8-4-2. 이소성 부신피질자극호르몬 분비와 관련된 종양

종양 종류	발생률(%)
소세포폐암	50
유암종종양(기관지, 흉선, 소장)	15
췌도세포종양	10
갑상선수질암	5
갈색세포종	3
암종[유방, 위장관(식도, 위, 대장), 난소, 자궁경부, 전립선]	12

진적인 발달과 포착하기 어려운 생화학검사 결과로 인해 이소성 ACTH증후군과 뇌하수체종양에 의한 쿠싱병을 구별하기란 쉽지 않다. 종양에 의한 ACTH 과잉은 미묘하므로 최상의 영상진단법을 이용하여도 명확히 진단되지 않는 경우가 있는데, 이를 잠복 이소성 ACTH증후군이라 부른다.

1. POMC유전자의 발현 및 조절

1) POMC유전자구조

뇌하수체부신피질자극호르몬분비세포는 POMC유전자를 높이 발현하는 유일한 세포이다. 사람 POMC유전자는 2번 염색체에 위치하며 3개의 엑손으로 이루어져 있으며, 엑손 1은 암호화하지 않는다. 엑손 2는 신호펩타이드를, 엑손 3은 ACTH를 포함한 대부분의 성숙한 단백질을 암호화한다(그림 8-4-2).

POMC유전자에서 생성된 성숙한 mRNA는 1,200개의 염기로 이루어져 있으나, 말초조직을 포함한 대부분의 조직에는 이보다 200–400개 염기가 부족한 mRNA가 낮게 발현된다. 이런 짧은 mRNA는 엑손 3의 서열만 암호화하므로 신호펩타이드가 부족하여 성숙한 POMC분자를 생성하지 못한다. 또한, 뇌하수체 POMC와 달리, 길이가 긴 POMC 전사체(~1,500개 염기)가 뇌하수체 외 조직과 종양에서 특이하게 발견되었는데, 이와 같은 전사체는 유전자의 전체

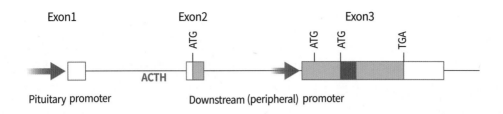

Exon1　　　　　　Exon2　　　　　　　　　　　Exon3

Pituitary promoter　　　　　Downstream (peripheral) promoter

그림 8-4-2. POMC유전자구조

Exon1은 RNA리더서열을 암호화하고, Exon2는 개시자 메싸이오닌(ATG), 신호펩타이드 및 전구체펩타이드의 여러 아미노말단잔기를 암호화하고, 나머지는 Exon3을 암호화한다. 부신피질자극호르몬분비세포의 발현은 앞쪽에 위치한 뇌하수체촉진자(긴 화살촉)에 의해 결정되나, 길이가 짧은 POMC mRNA의 말초발현은 뒤쪽에 위치한 촉진자(짧은 화살촉)에 의해 결정된다. 이처럼, 길이가 짧은 전사체번역은 Exon3의 메싸이오닌(ATG)에서 시작된다. 전구체펩타이드암호화영역은 밝은 음영으로, ACTH암호화영역은 어두운 음영으로 표시되어 있다.

암호영역을 포함하는 펩타이드이다.

2) POMC유전자의 발현과 조절

최근 POMC의 뇌하수체부신피질자극호르몬분비세포 발현에는 T-box 계열의 Tpit이라고 하는 엄격히 제한된 전사인자의 작용을 필요로 한다는 것이 밝혀졌다. Tpit은 호메오도메인단백질인 PitX1과 함께 작용하고, POMC촉진자에 SRC (steroid receptor coactivators)라고 하는 보조활성화제의 모집을 촉진하여 유전자전사를 향상시킨다.

CRH는 뇌하수체부신피질자극호르몬분비세포에서 cAMP (cyclic adenosine monophosphate)의 축적을 증가시켜 MAPK (mitogen-activated protein kinase)를 활성화시킨다. 또한, 고아핵수용체신경성장인자-유도클론B(또는 Nur77)를 활성화한다는 증거가 있다. 따라서, CRH는 신경성장인자-유도클론B에 SRC 보조활성화제의 모집을 촉진시켜 POMC의 전사를 증가시킬 수 있다. 또한 신경성장인자유도클론B와 Tpit은 상승작용이 있어서 Tpit, NGFI-B 및 SRC보조활성화제와 함께 POMC 촉진자에 조절복합제를 형성할 것이 시사된다. Tpit 발현은 부신피질자극호르몬분비세포의 분화를 촉진시키고, 또한, Tpit 발현은 POMC 발현보다 제한적이란 점이 중요하다. 실제로, 시상하부의 POMC를 발현하는 신경세포에는 Tpit이 발현되지 않는데, 이것은 Tpit이 POMC의 부신피질자극호르몬분비세포 발현에 특이적임을 시사한다. 사람뇌하수체ACTH분비선종에서 특이하게 Tpit이 발현되는 것이 확인되었다.

당질부신피질호르몬은 촉진자 5' 측면의 두 개의 DNA 요소에 결합함으로써 POMC유전자의 전사를 억제한다. 전사시작 위치의 보다 앞쪽에 위치하는 불완전한 회문구조의 63개 염기는 독특한 삼량체를 형성하여 3개의 당질부신피질호르몬수용체분자와 결합한다. DNA에 대한 이러한 수용체 형성은 강화보다 전사의 억제를 지시한다. 보다 상류에 위치한 -480에서 -320 사이의 또 다른 당질부신피질호르몬 조절요소는 두 DNA요소와 상호작용하여 당질부신피질호르몬의 효과를 완전히 차단하는 작용을 한다. 부신피질자극호르몬분비세포의 형(type)과 POMC 발현에 필수적인 Tpit 발현은 억제되는 POMC와 달리 당질부신피질호르몬에 영향을 받지 않는다는 것이 흥미롭다. 현재 활성 당질부신피질호르몬수용체는 Nur77의 작용에 길항할 수 있고, 양성타협활성화제(transactivator)의 제거로 POMC유전자는 억제될 것이 확실해졌다. 당질부신피질호르몬수용체와 Nur77가 상호작용하기 위해서는 결합안정화에 기여하는 염색질리모델링단백질 Brg1 (brahma-related gene-1)을 필요로 한다는 것이 명백해졌다. 또한 Brg1은 POMC유전자에 결합된 당질부신피질호르몬수용체에 추가적으로 염색질리모델링효소인 HDAC2 (histone deacetylase 2)의 모집을 돕는다. Brg1과 HDAC2의 병리생리학적인 중요성은 당질부신피질호르몬내성뇌하수체ACTH분비선종의 50%에서 하나 또는 둘 다의 발현결핍이 발견됨으로써 알려지게 되었다.

많은 다른 시상하부인자들이 뇌하수체피질호르몬분비세포에 작용하여 POMC 발현에 영향을 미칠 수 있다. 특히, 아르지닌바소프레신은 POMC 발현을 다소 약하게 자극하나, CRH작용은 증가시킨다. 아르지닌바소프레신에 의해 활성화된 세포내신호경로는 단백질인산화효소C에 의존적이나, 아르지닌바소프레신은 또한 cAMP생성에 대한 CRH의 작용을 촉진한다. 그러나 많은 다른 펩타이드성장인자와 사이토카인은 cAMP, MAPK, 그리고 JAK/신호변환기 및 전사활성인자(signal transducer and activator of transcription, STAT)를 활성화할 수 있어서, 이들은 잠재적으로 뇌하수체외 조직에서 POMC 발현을 조절할 수 있다.

3) POMC펩타이드 처리

POMC유전자에서 생성되는 시초전구호르몬인 POMC는 분해절단과정을 거쳐, ACTH, 멜라닌세포자극호르몬 및 베타엔돌핀을 포함한 일련의 작은 분자형태로 분비된다. 전방 뇌하수체에서 POMC는 전구호르몬전환효소1형(pro-hormone convertase type 1, PC1)에 의해 절단된다. 설치류의 중간엽 멜라닌자극세포에서 POMC분자는 전구호르몬전환효소2형(PC2)에 의해 멜라닌세포자극호르몬, 베타엔돌핀 및 부신피질자극호르몬유사중간엽펩타이드를 포함한 더 작은 단편으로 절단된다. 이소성 ACTH분비종양증후군에서 PC2의 발현과 순환혈액에서 ACTH의 단편이 검출되었다.

이소성 ACTH증후군을 유발하는 뇌하수체외 종양의 대부분에서 시초전구호르몬의 처리는 불완전하다. 따라서, 이소성ACTH증후군의 혈액에 고분자량형태의 ACTH가 특징적으로 존재한다. 처리효율은 종양의 신경내분비세포 분화 정도와 상관관계가 있고, 호르몬 발현은 호르몬의 처리능력이 상당한 종양에서만 관찰된다. 고도로 분화된 느리게

성장하는 다수의 종양(일반적으로 기관지유암종)에서 신경 중간엽에서처럼 POMC가 처리되어 부신피질자극호르몬유사중간엽펩타이드 및 알파멜라닌세포자극호르몬과 같은 작은 단편들로 쪼개져 순환계로 보내진다. 이들은 크기가 작음에도 불구하고, 일부 쿠싱증후군에서 진단적 보조도구로 사용된다.

4) 뇌하수체외 종양의 POMC 발현과 조절

뇌하수체외 종양의 POMC 발현은 당질부신피질호르몬에 내성을 나타내는 특징이 있다. 이것은 쿠싱증후군을 진단할 때 ACTH의 이소성 분비와 정상 분비를 구별하기 위해 사용하는 고용량당질부신피질호르몬억제검사의 기초가 되었다.

사람소세포폐암세포주의 POMC 발현은 당질부신피질호르몬 억제에 저항하며, 대부분 처리되지 않은 형태의 POMC와 부분 처리된 POMC로 분비된다. 당질부신피질호르몬유전자를 배양세포에 전달한 후 당질부신피질호르몬에 대한 리포터 발현을 측정한 결과, 뇌하수체세포에서는 활발한 발현의 유도가 관찰되었으나, 사람소세포폐암세포주에서는 천연 또는 합성당질부신피질호르몬에 의해 발현이 유도되지 않았다. 세포내 높은 농도의 야생형수용체는 당질부신피질호르몬 신호를 복구하기에 충분한 것으로 밝혀짐에 따라 저항은 내인수용체 수준에 달려 있음이 시사된다. 최근 사람소세포폐암세포에서 야생형당질부신피질호르몬수용체를 과도하게 억제할 경우 세포자멸사가 유도되는 것으로 나타났다. 흥미롭게도 이런 효과는 첨가된 당질부신피질호르몬이 없는 경우에서도 확인되었다. 더욱 흥미로운 것은 이소성 ACTH증후군을 유발하는 잘 분화된 유암종 종양에서 뇌하수체의존쿠싱병에서처럼 초생리적인 당질부신피질호르몬 농도에 의해 POMC의 억제가 유도되는 것이 확인되었는데, 이러한 종양들에서 당질부신피질호르몬수용체가 높은 농도로 발현되었다.

뇌하수체 외 조직에서의 POMC유전자는 전사적으로 침묵하는 변형이 초래될 수 있는데 이와 같은 비가역적인 변형

중의 하나가 DNA메틸화다. 종양조직에서 메틸화가 소실될 경우 공통 신호전달경로에 의해 유전자의 전사가 활성화될 수 있다. DNA메틸화에 대한 이러한 변화가 이소성 ACTH 증후군의 세포주모델에서 발생한다는 증거가 있다. 뇌하수체 부신피질자극호르몬분비세포와 대조적으로 대부분의 뇌하수체외 종양에서는 세포당 POMC의 발현이 상대적으로 낮게 관찰되는데, 이러한 뇌하수체외 종양에서 관찰되는 POMC 발현의 상대적인 비효율성은 유전자를 발현하는 세포의 수가 많아짐으로써 보상된다.

2. 임상특징

이소성 ACTH증후군은 기저종양에 따라 전형적인 쿠싱병 임상양상 중 일부 혹은 전부를 나타내거나 전혀 없을 수 있다. 일반적으로 이소성 쿠싱증후군은 천천히 진행하는 전형적인 쿠싱병의 특징과 달리 근병증, 체중감소, 전해질 및 대사장애가 보다 흔하게 나타낸다. 과색소침착도 쿠싱병보다 이소성 ACTH증후군에서 더 흔하다. 특히 폐종양동반 고령 남성에서의 코티솔과잉은 이소성 ACTH 생성에 의한 것이 흔하나, 젊은 중년여성에서의 코티솔과잉은 ACTH분비뇌하수체종양에 의한 것이 우세하다. 포도당불내성 혹은 현성당뇨병, 저칼륨성알칼리증은 이소성 ACTH증후군의 전형적인 대사장애이다. 이소성 ACTH증후군의 많은 경우 혈장코티솔 농도의 극도 상승으로 종종 진균 병원체의 압도적 기회감염의 위험 혹은 종종 사망에 이를 수 있다.

ACTH의존쿠싱병을 진단할 때 ACTH 생성에 의해 천천히 자라는 잠복종양과 뇌하수체종양에 의한 전형적인 쿠싱병이 정확히 같은 진단방법으로 진단된다는 점에 주의할 필요가 있다. 임상양상 및 검사실결과 모두에서 상당한 중복이 있기 때문에 잠복종양과 뇌하수체병변을 구별하기가 쉽지 않다. 또한, 쿠싱증후군의 전형적인 특징을 나타내는 소수의 환자에서 부신수용체의 비정상적인 발현에 의해 코티솔과다증이 발생할 수 있다. ACTH와 무관하게 다른 호르몬에 의해 당질부신피질호르몬의 과분비가 유도될 수 있다.

Lacroix 등은 G단백연결수용체의 기능돌연변이 획득이 원인이라고 하였다. 위산억제폴리펩타이드(GIP), 바소프레신(V2 및 V3), 세로토닌(5–HT7)수용체의 이소성 발현 및 베타아드레날린작용제 등이 알려져 있다. 부신 조직에서 세로토닌(5–HT4), LH 및 바소프레신(V1)에 대한 활성이 변하거나 과발현될 경우 코티솔 과잉이 생길 수 있다. GIP의 경우 음식이 자극이 되어 코티솔 과분비를 유도할 수 있다. 대결절부신증식 및 부신의 과도한 LH수용체 발현에 대한 사례보고에서 환자는 임신과 함께 경미한 쿠싱양상과 함께 폐경이 나타났으며, 점진적으로 본격적인 쿠싱증후군이 발생하였다. 이소성 또는 이소성 수용체매개쿠싱증후군을 나타내는 많은 환자에서 대결절부신증식이 동반될 수 있다.

3. 감별진단

다양한 종양에 의해 이소성 ACTH증후군이 유발된다(표 8-4-2). 그러나, 이소성 ACTH증후군은 쿠싱증후군의 약 10–20%를 차지하고 있다. 초기기록에 의하면 이소성 ACTH증후군은 악성종양, 특히 폐의 소세포암에서 압도적으로 많았다. 그러나, 지금은 이소성 ACTH증후군의 대부분이 양성종양에서 비롯된다는 것이 확실해졌다. 가장 최근, 특히 폐의 미세한 유암종에 의한 잠복 이소성 ACTH증후군이 발표되었는데, 이 종양은 표준진단방법으로 진단하기가 매우 어려웠다.

모든 원인에 의한 쿠싱증후군 및 종종 이소성 ACTH증후군에서 무작위 코티솔 농도가 상승되어 있다. ACTH 농도는 전형적인 이소성 ACTH증후군, 특히 악성폐신생물에 의해 이차적으로 발생한 경우 현저한 상승을 나타낸다. 그러나, 이러한 수치는 양성이면서 천천히 성장하는 종양에 의한 경미한 이소성 ACTH증후군과 뇌하수체종양에 의한 쿠싱병 간에 상당한 중복이 있다. 전자의 경우, 종양은 종종 작고 임상적으로 침묵하므로 잠복 이소성 ACTH증후군이라고 부른다.

표 8-4-3. 이소성 쿠싱증후군의 여러 원인과 특징

	소세포폐암	유암종
부신피질자극호르몬	매우 높다.	쿠싱병과 유사하다.
코티솔	매우 높다.	쿠싱병과 유사하다.
임상양상	쿠싱증후군 증상을 나타내지 않는다.	쿠싱증후군 증상이 나타난다.
혈중 칼륨 농도	현저한 저칼륨혈증을 나타낸다.	칼륨 < 3.2 mmol/L

임상적으로 명백한 종양이 있는 경우 혈장ACTH 농도는 종종 현저하게 상승되어 있다[방사선면역측정법에 의한 측정치, 390–2,300 pg/mL (87–511 pmol/L)](표 8-4-3). 잠복종양에 의한 이소성 ACTH증후군과 뇌하수체의존쿠싱병[42–428 pg/mL (9.3–95 pmol/L)] 간에 ACTH 농도는 서로 중복된다. 혈장ACTH 농도가 200 pg/mL (44.4 pmol/L) 이상일 경우 일반적으로 이소성 ACTH증후군의 가능성이 있으므로 종양 국소화를 위해 추가검사가 필요하다.

고코티솔증과 ACTH 과잉이 확인되면 외인당질부신피질호르몬에 의해 ACTH가 억제되는지를 확인한다. 전형적인 쿠싱병의 경우 초생리적인 용량의 덱사메타손에 의해 혈장코티솔 농도가 억제되나, 이소성 ACTH증후군은 일반적으로 억제되지 않는다. 고용량덱사메타손억제검사는 (1) 덱사메타손 2 mg을 2일 동안 6시간마다 투여하고, 둘째 날에 소변유리코티솔 또는 혈장코티솔 농도의 측정 혹은 (2) 전날 밤 덱사메타손 8 mg을 투여하고, 다음 날 오전 8시에 혈장코티솔 농도의 측정이다. 쿠싱병의 경우, 두 검사에서 소변유리코티솔 및 혈장코티솔의 예상 억제는 50% 이상이어야 한다. 그러나 이소성 ACTH증후군 환자의 15%–33%에서 이러한 억제기준이 충족되어(위양성) 쿠싱병과 유사한 반응을 나타낼 수 있다. 또한 쿠싱병의 10–25%는 고용량덱사메타손에 억제되지 않는다(위음성).

쿠싱병과 이소성 ACTH증후군 감별의 개선을 위해 CRH자극검사가 개발되었다. 쿠싱병은 일반적으로 CRH에 반응하고, 이소성 ACTH 생성 또는 부신병변에 의한 코티솔과잉이 있는 경우 반응하지 않는다. CRH에 의한 양성반응은 혈장ACTH가 50% 이상 증가하고 말초혈장코티솔 농도가 20% 이상 증가하는 것으로 정의한다. ACTH가 100% 증가하고 코티솔이 50% 이상 증가하는 경우 이소성 ACTH증후군의 가능성은 크게 감소한다. 그러나 위양성 및 위음성검사결과(최대 10%)가 보고되었다. 드문 경우 종양에 의해 CRH가 이소성으로 생성(동반 ACTH가 없음)되는 경우 위양성결과로 인해 뇌하수체의존쿠싱병으로 잘못 진단할 수 있다. 이 때문에 대부분의 센터에서는 CRH 투여 전후 ACTH에 대한 하추체정맥동채혈을 선호하는데, 이 검사는 이제 최적의 표준검사가 되었다. 말초 및 추체정맥동에서 동시에 혈액을 채취하여 중심:말초 ACTH의 비율을 계산한다. 쿠싱병에서 이 비율은 기저상태에서 2.0 이상, CRH 투여 후에는 3.0 이상이어야 한다. 이소성 ACTH증후군에서 기저 비는 일반적으로 2 미만이며, CRH 투여 후 상승하지 않는다. 드물게 이소성 CRH증후군에서 기저비가 2일 수 있다. CRH자극검사로 이소성 ACTH 분비와 ACTH 분비 뇌하수체종양은 거의 100%에서 감별된다.

이소성 ACTH증후군 환자의 대다수(70% 이상)는 다른 호르몬 혹은 종양표지자펩타이드를 함께 분비하는데, 그 예로 암배아항원, 성장호르몬억제인자, 칼시토닌, 가스트린, 글루카곤, 혈관작용장폴리펩타이드(vasoactive intestinal polypeptide, VIP), 봄베신, 췌장폴리펩타이드, 알파태아단백질 등이 있다(표 8-4-4). ACTH를 포함한 다른 호르몬의 존재 및 분비는 이들 환자에서 ACTH 출처가 뇌하

표 8-4-4. 이소성부신피질자극호르몬증후군의 검사방법

검사방법	검사결과
부신피질자극호르몬	이소성 질환에서 더 높다; 부분적으로 처리된 형태는 이소성 질환에서 더 흔하다.
코티솔	이소성 질환에서 더 높다.
저칼륨혈증	이소성 ACTH 분비에서 거의 100%; 쿠싱병 및 알칼리증에서 10%(< 3.2 mmol/L) 정도 나타난다.
고용량덱사메타손억제검사(8 mg)	이소성 질환의 89%에서 억제되지 않는다; 뇌하수체의존성질환의 78%에서 억제된다.
CRH검사	이소성 질환에서는 반응이 없다; 뇌하수체의존성질환에서 과장되게 반응한다.
종양표지자	높은 칼시토닌, hCG, 알파태아단백질, 5-HIAA의 존재는 이소성 질환을 시사한다.

CRH, corticotropin-releasing hormone; hCG, human chorionic gonadotropin; 5-HIAA, 5-hydroxyindoleacetic acid.

수체 외임을 시사한다. 펩타이드의 다양성과 함께 모든 선별방법에 드는 비용을 감안할 때 이소성 ACTH증후군 환자에서 위에 나열한 호르몬을 모두 측정하는 것은 권장되지 않는다.

이소성 ACTH분비종양의 국소화는 일반적으로 대부분의 종양이 위치하는 흉부 및 복부영상검사를 함으로 시작한다. 폐소세포암은 보통 흉부 방사선검사가 유용하나, 기관지유암종은 일반 방사선검사로 종종 발견되지 않는다. 드물지만 이러한 종양의 경우 종양발견 전부터 장기간(4-5년 정도)에 걸쳐 면밀히 추적관찰한다. 폐 또는 종격동병변(예: 흉선유암종)을 배제하기 위해 모든 이소성 ACTH분비 환자에서 흉부컴퓨터단층촬영을 시행한다. 또한 이소성 ACTH증후군 진단에서 반드시 확인해야 하는 양측부신비대의 존재와 증후군 발생과 관계가 있는 복부종양(예: 갈색세포종, 췌도세포종양)을 감별하기 위해 복부컴퓨터단층촬영을 시행한다.

이소성과 달리 뇌하수체의존쿠싱병의 진단에서 뇌하수체미세선종을 확인하기 위해 자기공명검사를 하는 것은 거의 유용하지 않다. ACTH생성 이소성 종양과 달리 많은(10-20%) 정상인에서 우연한 뇌하수체미세선종이 존재하기 때문이다. 그러나, 뇌하수체종양이 6 mm 보다 큰 경우는 예외이다.

옥트레오타이드(octreotide)스캔은 이소성 ACTH분비종양의 최대 80%에서 성장호르몬억제인자수용체를 발현하기 때문에 성공적인 국소화를 위한 유용한 검사이다. 요오드화 또는 ^{111}인듐 (^{111}In) 표지 octreotide스캔 또한, 갑상선수질암, 췌도세포종양, 췌도세포종양, 갈색세포종 및 기타종양의 확인을 위한 유용한 검사이다.

표준선량 이상을 사용하는 기능영상인 성장호르몬억제인자유사체 [^{111}In]-diethylenetriamine pentaacetate-D-Phe-pentetreotide (OctreoScan) 혹은 [^{18}F]-fluorodeoxyglucose positron emission tomography (FDG-PET)를 사용하여 표준영상검사로 진단되지 않는 이소성 ACTH증후군(하추체정맥동채혈기반) 환자 17명을 전향적으로 평가한 결과, CT 또는 MRI 스캔으로 진단되지 않은 종양은 FDG-PET로도 진단되지 않았다. 그러나 OctreoScan을 CT/MRI영상과 함께 병행한 경우에는 유용하였다. 또한 이소성 ACTH종양의 국소화를 위해 성장호르몬억제인자수용체 PET 추적자인 ^{68}Ga-DOTA-NOC [^{68}Ga-표지(1, 4, 7, 10-tetraazacyclododecane acid)-1-NaI3-octreotide] PET/CT스캔 및 조영증강CT를 서로 비교한 결과 PET/CT 스캐닝이 민감도가 낮았고, 위양성비율은 더욱 낮았다.

4. 치료

고코티솔혈증의 합병증을 줄이기 위해 신속한 치료를 해야 한다. 화학요법 및/또는 방사선과 함께 종양의 외과적 절제 및 용적축소를 위해 절제를 할 경우 빠른 증상완화를 기대할 수 있다. 수술이 불가능한 경우 메티라폰, 케토코나졸 및 마이토테인을 포함한 부신스테로이드생성차단제를 단독 또는 병용할 수 있다(표 8-4-5). 카버골린에 의한 도파민작용제요법 또는 옥트레오타이드에 의한 성장호르몬억제인자수용체를 기반으로 한 치료는 효과가 제한적이다. 당질부신피질호르몬, 프로제스테론 및 안드로젠수용체대항제인 미페프리스톤 등도 이소성 ACTH증후군 치료를 위해 사용할 수 있다. 이 약제는 당질부신피질호르몬의 작용을 신속히 차단할 수 있고, 수술에 실패했거나 내인쿠싱증후군에 의해 속발성으로 발생한 고코티솔증 환자에서 고혈당증 제어를 위해 승인되었다. 마취제인 에토미데이트는 심각한 코티솔과다증에 의해 급성으로 증상이 악화된 환자에서 스테로이드 생성을 신속히 차단할 목적으로 사용할 수 있다. 모든 내과적 치료법은 독성 및 부신기능부전을 포함한 완전한 부신차단이 생길 수 있으므로 신중히 투여해야 하고 면밀한 감시를 해야 한다. 고코티솔혈증을 확실하게 제어할 목적으로 양측부신절제를 하는 경우도 생길 수 있다.

표 8-4-5. 이소성 부신피질자극호르몬에 의한 쿠싱증후군의 내과적 치료

약제	작용기전
메티라폰	11 β-hydroxylase 억제
케토코나졸	여러 단계의 코티솔 합성 억제
Aminoglutethimide	콜레스테롤의 프레그네놀론으로의 전환 억제
Octreotide	부신피질자극호르몬 분비 억제
Etomidate	Adrenolytic작용제
RU486	당질부신피질호르몬수용체대항제
Mitotane	Adrenolytic작용제

IV. 이소성 부신피질자극호르몬방출호르몬 분비

이소성 CRH 분비가 기술된 지 30년이 지난 지금, CRH의 진정한 이소성 분비는 매우 드물다는 것이 명백해졌다. ACTH 펩타이드분비종양에서 호르몬증후군 발생의 주변분비 역할이 시사되는 CRH의 면역활성에 대한 보고가 빈번하였으나, 아직 이에 대해 명확히 정의된 것은 없다. CRH는 중추신경계 외부, 특히 염증부위에서 발현되며 혈관확장과 같은 다른 역할이 시사된다. CRH는 쿠싱증후군이나 염증질환의 말초혈액에서는 거의 측정되지 않는다. 따라서 말초순환에서 CRH의 진정한 내분비역할에 대해서는 아직 증거가 부족하다.

임상특징은 쿠싱증후군과 전형적으로 유사하며, 호르몬의 특징은 뇌하수체ACTH분비(이소성 원천이 순전히 CRH를 분비하는 경우) 또는 이소성 ACTH증후군(종양이 ACTH 관련펩타이드를 공동 분비하는 경우)과 유사하다. CRH 측정은 조직학적으로 부신피질자극호르몬분비세포의 증식과 뇌하수체에서 ACTH 생산이 확인될 경우 유용할 수 있다. 지금까지 기관지유암종, 갑상선수질암 및 전이전립선암 등에서 이소성 CRH 분비가 확인되었다(표 8-4-6).

표 8-4-6. 이소성 CRH호르몬 분비와 관계된 종양

- 췌장종양
- 소세포폐암
- 전립선암
- 시상하부신경절세포종
- 갑상선수질암
- 기관지유암종

V. 악성종양의 체액고칼슘혈증

고칼슘혈증은 암 환자의 약 20%에서 발생하는 가장 흔한 부종양증후군이다. 대부분의 환자(98%)에서 증상출현과 함께 종양의 정체가 명백히 확인된다. 그러나 악성고칼슘혈증 환자의 대부분은 6개월 이상 생존하지 못할 정도로 예후가 나쁜 편이다. 고칼슘혈증의 징후 및 증상은 메스꺼움, 구토, 심한 탈수(고칼슘혈증유발신성요붕증에 의해 악화됨) 및 정신상태 변화 등이다.

1. 발생기전 및 관련 악성종양

파골세포매개골흡수로 인해 혈청칼슘 농도가 상승한다. 종양유발골용해기전은 (1) 전신적으로 상승된 종양유래 인자의 체액효과 및/또는 (2) 골수내 악성세포에 인접한 국소 골용해이다(그림 8-4-3, 표 8-4-7). 악성고칼슘혈증증후군이 처음 인지되었을 때 골용해종양에 의한 직접적인 뼈침윤이 원인으로 생각되었다. 그러나 1980년경 국소용해 뼈전이가 있는 경우에도 체액이 가장 흔한(> 80%) 원인임이 밝혀졌다. 신장칼슘배설 감소 또한 기전으로 작용할 수 있다. 이를테면, 부갑상선호르몬(PTH)관련단백질(PTHrP)에 의한 저칼슘뇨 효과, 혹은 고칼슘혈증에 의해 신성요붕증이 유도

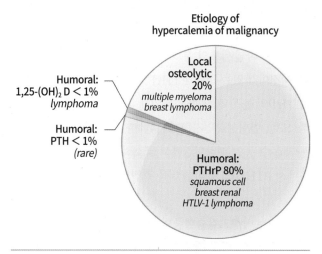

그림 8-4-3. 악성고칼슘혈증과 관련된 원인 및 종양유형의 도식적 표현

되는 것처럼, 사구체여과 감소에 의해 고칼슘혈증이 발생할 수 있다.

1) 체액매개체(Humoral mediators)

악성고칼슘혈증의 체액원인은 1940년대 Fuller Albright에 의해 뚜렷한 골전이가 없는 사례에서 처음 제안되었다. 초기에 이 증후군에서 관찰된 기저생화학적 검사결과는 높은 혈청칼슘, 낮은 혈청인, 증가된 신장 고리일인산아데노신 등으로서 이소성 부갑상선호르몬 생성에 의해 발생하는 것으로 생각하였다. 그러나 이 경우 혈청PTH 농도가 억제되어 있으므로 PTH는 원인이 아니다. 지금까지 기능이 잘 알려진 호르몬에 의한 대부분의 다른 부종양증후군과 달리, 현재는 PTHrP가 이소성 증후군의 체액매개체임이 최종적으로 확인되었다(그림 8-4-3).

PTHrP는 PTH와 많은 공통점이 있다. PTHrP의 아미노 말단 부분은 PTH와 상동성이 강하고, 두 펩타이드는 뼈와 신장의 공통수용체[PTH/PTHrP type 1 receptor (PTHR1)]와 유사한 친화력으로 결합한다. 따라서 종양에 의해 순환 PTHrP의 농도 상승이 있는 PTHrP매개고칼슘혈증의 생화학적 표지자는 부갑상선항진증과 유사하다. 그러나, PTHrP매개악성고칼슘혈증(일차부갑상선항진증과 비교)은 정상 혹은 억제된 1,25-(OH)$_2$ D 농도와 심각한 뼈 손실을 초래하는 골흡수와 형성 간의 불균형을 포함하여 설명되지 않는 것들이 있다. 추론되는 것들로는 (1) 1,25-(OH)$_2$D 농도를 억제하는 심각한 고칼슘혈증 자체의 능력, (2) 뼈 재흡수과정에서 인터루킨(IL)-1α 또는 IL-6 등 종양유래사이토카인의 기여, (3) PTH 및 PTHrP가 PTHR1과 상호작용하며 신호전달경로를 다르게 활성화할 수 있는 능력 등이 있다.

펩타이드에 관한 후속연구에 의하면 PTHrP와 PTH는 공통 유전자에서 복제되었으며, 정상 기능으로부터 분기되었음이 시사된다. 각각의 호르몬은 개별적으로 진화하여 고등 척추동물에서는 칼슘 항상성 조절과 같은 내분비적기능

표 8-4-7. 악성종양 관련 고칼슘혈증기전

기전	매개물질	종양 유형
용해전이	TGF-β	폐의 편평세포암
	IL-1	유방
	TNF	신장
	Lymphotoxin	골수종
	PTHrP	
체액효과	PTHrP	고형종양, 특히 피부, 폐, 신장, 두부 및 경부의 편평세포암
	PGE	고형종양
	TNF	다발골수종
	TGF-β	
	IL-1	
	Lymphotoxin	
	1,25-Dihydroxyvitamin D	T세포림프종 비호지킨림프종 호지킨림프종 흑색종 소세포폐암
	이소성 PTH	소세포폐암(매우 드물게)
고칼슘혈증의 다른 원인과 공존	일차부갑상선항진증 유육종증 비타민D 매개	난소암

1,25-DHCC, 1,25-Dihydroxycholecalciferol; IL-1, interleukin 1; PGE, prostaglandin E; PTH, parathyroid hormone; PTHrP, parathyroid hormone-related protein; TGF-β, transforming growth factor β; TNF, tumor necrosis factor.

을 하는 반면, PTHrP는 PTHR1발현세포에 결합하여 주변 분비 또는 자가분비에 의해 연골 내에서 뼈의 성장과 치아의 맹출, 유선과 심혈관계의 발달을 매개하는 작용을 하는 것으로 생각된다. 다른 조절단백질처럼 PTHrP는 성인의 항상성에 관해서는 역할이 약하나, 임신(수유유선 및 태반을 통한 칼슘조절), 손상 및 염증(허혈, 패혈증 및 염증 관련 골흡수에서 혈관긴장도 조절) 및/또는 종양형성(악성고칼슘혈증)을 포함한 유전자프로그래밍의 특정 변화에 반응하여 재발현될 수 있다.

PTHrP는 건강인과 질병에서 뼈의 재흡수 조절의 일차문지기인 RANKL (receptor activator of nuclear factor kappa B ligand)의 조골세포 또는 기질세포 발현을 자극한다. RANKL은 파골세포와 그 전구체의 RANK수용체에 결합하여 파골세포의 분화와 기능을 촉진하는 작용을 한다. 뼈전이가 있는 경우, PTHrP의 국소방출 또는 종양유래 PTHrP의 높은 전신 농도에 의해 파골세포의 수가 증가한다. 또한, 변형성장인자(TGF)-베타 같은 격리된 성장인자는 재흡수 동안 뼈바탕질에서 국소적으로 방출되어 종양세포에서 PTHrP의 분비를 더욱 촉진한다.

PTHrP는 악성고칼슘혈증의 가장 흔한 체액매개체이나(그림 8-4-3 참조), 다른 칼슘촉진호르몬에 의해서도 고칼슘혈증이 생길 수 있다(< 1%). 장내 칼슘흡수를 강화하고 파골

세포 분화를 자극하는 높은 농도의 1,25-(OH)$_2$ D 또한 종양관련 대식세포 및 림프구 증식세포 자체의 1α-하이드록실라제 활성 증가에 의해 림프종에서 고칼슘혈증을 유발할 수 있다. PTH의 이소성 생성은 극히 드물지만 신경내분비종양과 기타 고형종양에서 관찰되었다.

2) 악성고칼슘혈증과 관련된 고형암

고형종양에서 발생되는 고칼슘혈증의 대부분(80%)은 다음의 두 가지 유형의 편평세포폐암 및 유방암과 관련이 깊고, 주로 PTHrP의 체액효과에 의해 발생한다(그림 8-4-3 참조). PTHrP에 의한 고칼슘혈증은 신세포암에서도 관찰된다. 실제로, PTHrP는 이 세 가지 종양유형에서 처음으로 분리되었다. 대조적으로, 뼈로 자주 전이되는 전립선암을 포함한 다른 암(예: 결장암, 위암, 갑상선암, 소세포폐암)에서는 고칼슘혈증이 거의 발생하지 않는다.

(1) 편평세포암

편평세포암은 모든 악성고칼슘혈증의 1/3 이상을 차지한다. 종양유래 PTHrP의 체액효과는 심지어 골전이가 있는 경우에도 대부분의 고칼슘혈증의 병인임이 확인되었다. 편평세포폐암 환자의 25%에서 PTHrP매개 고칼슘혈증이 발병하며, 머리, 목, 식도, 자궁경부, 외음부 및 피부 등의 편평세포암도 고칼슘혈증의 높은 발병률과 관련이 있다.

(2) 유방암

골용해 뼈전이는 진행유방암의 특징이며 70%에서 발생한다. 그러나, 이러한 여성의 대부분에서 고칼슘혈증은 없다. 진행유방암의 30%에서 고칼슘혈증이 발생하나, 뼈전이가 없으면 고칼슘혈증이 거의 생기지 않는다. 뼈전이가 있는 대부분의 유방암(> 92%)에서 PTHrP가 발현된다. 따라서 PTHrP의 국소적 증가가 골용해에 의한 고칼슘혈증의 주된 동력으로 생각된다(그림 8-4-3 참조). 또한, 신장의 cAMP 증가에 의해 PTHrP의 순환 농도가 증가하는 것처럼, PTHrP의 체액효과는 뼈전이가 있는 고칼슘혈증 사례의 2/3와 뼈전이가 없는 대부분의 사례에서 확인되었다. 유

방암 말기 고칼슘혈증은 일반적으로 치료되지 않는 것과 몇 주에서 몇 달의 짧은 생존기간과 관련이 있다. PTHrP와 진행성 질환과의 밀접한 연관성에도 불구하고 원발유방암에서 PTHrP의 예후적 중요성과 병태생리학적 역할에 관해서는 알려진 것이 없다.

(3) 신세포암

신세포암은 편평세포 또는 유방암보다 덜 흔하지만 진행성인 경우 고칼슘혈증과 자주 연관된다. 뼈전이는 진행성 질환에서 흔하지만 고칼슘혈증은 주로 PTHrP의 체액효과가 원인이다. 일부 연구에서 신장세포종양의 100%에서 면역반응성 PTHrP가 양성으로 염색되나, 고칼슘혈증은 신세포암의 20% 미만에서만 보고되었다.

(4) 기타 고형암

덜 흔하지만 고칼슘혈증은 다른 고형종양과도 관련이 있다. 대부분의 경우 PTHrP의 체액효과가 원인이다. 방광암, 난소암, 폐의 대세포 및 선암, 내분비종양(췌도세포종양, 갈색세포종 및 유암종 포함)에서 PTHrP의 분비가 확인되었다. 또한, 다양한 신생물[예: 난소암, 위암, 폐암(소형 및 편평상피)]에 의한 이소성 PTH 생성의 드문 예도 보고되었다.

3) 악성고칼슘혈증과 관련된 혈액암

(1) 다발골수종

고칼슘혈증(진단 시 10-30% 존재) 및 용해 뼈병변(진단 시 최대 70% 존재)은 다발골수종(multiple myeloma, MM)의 진단기준 중 하나이다. MM에서 고칼슘혈증의 원인으로 작용하는 국소 골용해(그림 8-4-3)는 골수에 침투하여 파골세포의 분화와 활성을 자극하고 여러 인자가 분비되는 악성형질세포 근처에서 일어난다. 대식세포에서 분비되는 염증성펩타이드1인자가 핵심이며, 이 인자의 주요효과는 조골세포 계통세포의 RANKL 발현유도이다. 형질세포의 RANKL 발현에 관한 증거도 있다. 국소적으로 증가된 RANKL은 파골세포계통세포의 동족체인 RANK수용체

에 결합하여 분화 및 활성을 자극함으로써 골용해를 유발한다. 다른 종양인자(예: Dickkopf-1) 또한 Wnt신호전달경로 억제를 통해 뼈형성 결함을 유도하여 MM에서 용해뼈질환을 유발한다.

사례의 30%에서 골용해는 고칼슘혈증을 유발하는 것으로 나타났다. Bence Jones 단백질(IgG의 가벼운 사슬 단편)의 여과는 MM에서 신질환을 자주 발생시킬 수 있다. 따라서, 신장애를 동반한 환자에서 골흡수가 증가될 경우 고칼슘혈증이 발병하기 쉽다.

(2) 림프종 및 백혈병

고칼슘혈증은 림프종 환자의 최대 15%에서 발생한다. 뼈 침범이 있는 환자에서 주로 발생하며 다양한 세포유형에서 관찰된다. 대부분의 경우, 병인은 (1) MM에서 논의된 기전과 유사하게 골수내 종양유래인자의 국소용해 효과 또는 (2) 종양유래 $1,25-(OH)_2D$의 체액효과이다(그림 8-4-3 참조).

악성종양의 $1,25-(OH)_2D$매개고칼슘혈증은 림프종에서 특징적으로 발생한다. 악성종양매개고칼슘혈증의 근본적인 병리는 육아종질환에서 볼 수 있는 고칼슘혈증과 유사하다. 두 질환 모두 침투 동안 대식세포에서 생성되는 $1\alpha-$수산화효소 활성에 의해 $25-(OH)D$가 활성 $1,25-(OH)_2D$로의 조절되지 않는 전환을 초래한다. 그 결과 장내 칼슘 흡수 증가 및 골흡수 증가에 의해 고칼슘혈증이 발생할 수 있다. 또한, 비호지킨림프종(특히 B세포)에서 관찰되는 고칼슘혈증, 급성림프구백혈병 및 만성골수성백혈병에서의 돌발성 위기도 종양유래PTHrP의 체액효과에 의한다는 증거가 많다. 최초의 인간 레트로바이러스인 HTLV-1 (인간 T세포림프친화바이러스-1)에 의한 성인 T세포 백혈병/림프종도 고칼슘혈증의 가능한 원인임을 숙지하고 있어야 한다. 지금까지 열거된 환자의 2/3에서 고칼슘혈증이 발생하고 치료에 잘 반응하지 않는데, 이는 종양유래PTHrP의 체액효과때문인 것으로 생각된다. HTLV-1 유전체에서 암호화되는 전사인자 Tax1은 PTHrP의 전사활성화를 포함한 수백 개의 숙주유전자의 조절을 변경함으로써 T세포를 변형시킬 수 있다.

2. 진단

고칼슘혈증의 가장 흔한 원인인 원발부갑상선항진증은 여전히 악성 환자에서 잠재적인 고칼슘혈증의 원인이며, 약 10%를 차지한다. 이 경우 부갑상선호르몬 농도를 측정함으로써 간단히 선별할 수 있다. 신기능이 정상인 악성고칼슘혈증에서 부갑상선호르몬 농도는 적절히 억제되어 있다. PTHrP 증가는 뼈전이와 무관한 유방암, 그리고 HTLV-1유발T세포 림프종을 비롯한 고형암과 관련된 대부분의 악성고칼슘혈증에서 확인되고 있다. $1,25-(OH)_2D$ 농도는 림프종관련 고칼슘혈증의 모든 경우에 고려되며, 용해골병변은 일반적으로 종양이 진행되는 동안 확인된다.

3. 치료

식염수 주입으로 칼슘이뇨를 촉진시킬 수 있다. 당질부신피질호르몬은 MM에서 종양형질세포의 국소용해효과 또는 림프종에서 $1,25-(OH)_2D$ 생성 증가에 의한 고칼슘혈증 치료에 효과적일 수 있다. 골흡수가 악성고칼슘혈증의 모든 원인의 중심이므로, 파골세포를 표적한 비스포스포네이트는 주 치료이다. 이반드로네이트도 고려되나, 직접적인 일대일 비교연구가 부족하다. 보다 빠르게 급성으로 투여해야 할 경우 비스포스포네이트와 칼시토닌을 병용할 수 있다. 칼시토닌은 때때로 효과가 매우 빨라서 급성환경에서 사용되기도 하나 용량과 투여기간은 제한적이다. 파골세포의 분화, 생존 및 재흡수기능을 방지하는 RANKL을 표적한 단일클론항체인 데노수맙은 비스포스포네이트-불응성고칼슘혈증의 치료를 위해 미국에서 최근 사용이 승인되었다. 비스포스포네이트와 데노수맙 모두 고칼슘혈증 환자를 위한 완화치료의 주류가 되고 있다. 둘 다 골격관련 사건(전이 및 병적 골절)의 감소와 뼈통증 개선효과가 있음이 입증되었다. 유방암 및 기타 암에서 뼈전이의 일차예방을 위해 이

와 같은 제제를 사용하는 것은 아직 확립되어 있지 않다.

VI. 부적절항이뇨호르몬분비증후군

부적절항이뇨호르몬분비증후군(SIADH)은 악성질환과 관련된 호르몬증후군 중의 하나이다. 악성종양, 신경질환, 폐질환 및 약물 등 광범위한 기저질환에 의해 SIADH가 발생될 수 있다.

1. 병인 및 병리

종양은 SIADH의 흔한 원인이다. 기관지소세포암은 1957년 Schwartz와 Bartter가 처음으로 SIADH와 관련이 있다고 하였다. 소세포암은 SIADH와 관계된 폐종양의 80%를 차지하나 소세포암의 3-15%에서만 SIADH가 발현되고, 임상증후군이 없는 대부분의 경우에서 ADH에 대한 면역염색 발현이 양성이다.

바소프레신유전자의 발현은 다수의 흩어져 있는 신경핵과 말초조직에서 확인된다. 바소프레신의 발현조절은 부위에 따라 다르다. 고삼투압은 시각로위핵의 바소프레신 발현을 증가시키고 실방핵의 대세포 분열을 증가시키나, 다른 부위에서는 바소프레신의 mRNA 발현에 변화가 없다. 시신경교차상핵의 바소프레신 발현은 밤낮에 따라 조절을 달리한다. 안드로젠은 종말선조(striae terminalis)에서 바소프레신의 발현을 상향조절하나, 당질부신피질호르몬은 뇌실곁핵의 파르보세포(parvocellular) 분열에서 발현의 억제를 유도한다. 해부학적으로 관련된 부위 내에서도 신경세포의 호르몬수용체에 따라 차등하게 발현된다. 바소프레신유전자의 전사는 cAMP 및 C단백질인산화효소경로에서 양(positive)의 조절하에 있다. 중추신경계 외의 바소프레신 조절에 대해서는 아직 알려진 것이 없으나, 당질부신피질호르몬은 소세포폐암세포주에서 바소프레신의 발현을 억제하는 것으로 나타났다.

표 8-4-8. **부적절항이뇨호르몬분비증후군과 관련된 종양**

- 소세포폐암, 편평세포폐암
- 두경부암
- 십이지장, 췌장, 요도, 전립선, 자궁, 비인두 등에서 발생한 암
- 유방암
- 중피종
- 흉선종
- 림프종 및 기타 혈액악성종양

편평세포암, 소세포암, 신경모세포종, 췌장, 십이지장, 전립선, 요로상피종양 및 미분화암에서 바소프레신의 이소성 분비가 관찰되었다(표 8-4-8). 한 연구에서 소세포폐암의 16%에서 진단 시 저나트륨혈증(< 130 mmol/L)이 있었으나, 비소세포폐암에서는 저나트륨혈증이 전혀 없었다. 저나트륨혈증은 광범위 병기질환에서 불량한 예후를 나타내는 독립적인 예측인자로 밝혀졌다. 실험실연구에 의하면, 배양종양 11개 중 7개에서 바소프레신이, 11개 종양 중 9개에서 심방나트륨배설인자가 분비되었고, 11개 종양 중 5개에서는 두 호르몬이 모두 분비되는 것이 확인되었다. 저나트륨혈증 환자를 대상으로 한 모든 연구세포에서 두 호르몬 중 하나의 호르몬이 생성되었다. 종양에서 심방나트륨배설인자 mRNA가 발현되기는 하나 임상증상을 나타낸 경우는 없었다.

활성호르몬인 바소프레신은 뉴로피신 II와 카복시말단 당펩타이드를 생성하는 전구체펩타이드에서 절단된 산물이다. 이소성ACTH증후군의 순환혈에서 부분 처리된 ACTH가 확인된 것처럼, 바소프레신-뉴로피신전구체가 소세포폐암 유발SIADH 환자의 혈장에서 발견되었다. 이는 중추신경계 질환에 의한 SIADH 환자와 대조된다.

2. 임상 및 검사실검사

SIADH는 입원 환자에서 저나트륨혈증의 가장 흔한 원인이다. 많은 환자에서 증상은 없지만, 저나트륨혈증의 정도

표 8-4-9. 부적절한 항이뇨호르몬분비증후군 진단기준

- 저나트륨혈증
- 부적절하게 증가된 소변 삼투압(> 100 mOsm/kg)
- 소변으로 지속적인 나트륨 배설(> 30 mmol/L)
- 정상적인 신장, 갑상선 및 부신기능
- 혈액량 감소, 부종 또는 이뇨제 사용이 없음

와 만성경과에 따라 증상이 나타날 수도 있다. 대부분의 환자는 수분저류에 의한 체중 증가를 경험하지만 부종은 없다. 혈청나트륨이 125 mEq/L 이하가 아니면 대개 심각한 임상증상이 나타나지 않으며, 일반적으로 환자의 증상 정도와 혈청나트륨 농도 간에는 상관관계가 있다.

SIADH 환자는 저나트륨혈증, 혈청삼투압 농도의 저하, 최대로 희석된 소변, 소변내 나트륨의 존재가 확인된다(표 8-4-9). SIADH의 임상진단은 신장, 부신, 갑상선기능이 정상이고 정상 혈량이 아니면 내릴 수 없다. 복수를 동반한 간경변증, 신증, 울혈심부전, 최근의 이뇨제 사용이 배제되어야 한다. 소변나트륨 농도는 일반적으로 높으며(> 30 mmol/L), 혈액요소질소 농도는 일반적으로 혈청요산 농도와 마찬가지로 낮다. 드물게 SIADH 진단에 ADH 농도를 측정하는 것은 필요하지 않을 뿐만 아니라 도움도 되지 않는다. ADH 농도를 진단목적으로 사용할 수는 있지만 때로 오해의 소지가 있다. 최근 연구는 ADH분자의 카복시말단 부분인 코펩틴이 ADH에 대한 보다 안정적인 대리표지자일 수 있고 궁극적으로 진단에 유용할 수 있다는 가능성을 지지하고 있다. SIADH 진단이 내려지면 종양뿐만 아니라 다른 가능한 모든 원인을 고려해야 한다.

3. 치료

수분제한과 데메클로사이클린은 전통적인 치료법이다. 연구는 SIADH 치료에서 선택적바소프레신대항제(vaptans)의 효능을 입증하였으며, 이 접근법은 전통적인 치료법에 불응하는 경우 및/또는 데메클로사이클린을 사용하기 전

고려할 수 있다. 급성증상이 있는 환자 또는 혈청나트륨이 위험할 정도로 낮고 저나트륨혈증 증상이 있는 경우 고장성 식염수 주입 및 고리작용이뇨제(예: 퓨로세마이드) 투여를 선택적으로 고려할 수 있다. 저나트륨혈증의 급성교정에 관한 결정은 치료 후 교뇌(pontine) 및 교내외(extrapontine) 수초용해증(myelinolysis)이 모두 발생할 수 있기 때문에 복잡하다. 수초용해증 위험은 나트륨 농도의 변화 속도와 관련이 있다. 따라서 시간당 0.5-1.0 mmol/L의 나트륨 증가와 24시간 동안 최대 8 mmol/L의 증가로 항상 신중하게 접근해야 한다. 이를 위해 2-3시간마다 면밀히 감시해야 하고, 증상이 있는 환자의 경우 경련이 멈추고 의식수준이 향상될 때까지 이뇨제(furosemide)와 고장성식염수를 투여한다. 이는 일반적으로 나트륨 농도를 10%(~10 mmol/L) 증가시키고 수분을 제한함으로써 달성된다. 암에 의해 SIADH가 생긴 경우 근본적으로 암에 대한 효과적인 치료로 호전되며, 심지어 완치도 가능하다.

VII. 비췌도세포종양에 의한 저혈당

1. 원인 및 임상특징

종양에 의한 저혈당은 드물게 나타난다. 가장 흔한 원인은 췌도세포종양(인슐린종)에 의한 정상부위 인슐린 생성이며, 나머지 20%는 종양유래인슐린유사성장인자2 (IGF-2)의 생성이다. 종양에 의한 이소성 인슐린 분비는 거의 보고된 적이 없으며, 내인인슐린을 유도하는 다른 분비기전(GLP-1의 종양생성 혹은 인슐린 또는 인슐린수용체에 대한 항체)에 의한 경우로서 드물게 보고되었다.

비췌도세포종양의 IGF-2 이소성 발현에 의해 저혈당이 발생하는 가장 흔한 원인은 (1) 크고(> 2 kg), 주로 흉막에서 발생하고, 다른 부위(방광, 자궁)에서도 발생가능한 중간엽 기원의 천천히 자라고 분화가 좋은 고립성섬유성종양(22%), 또는 (2) 간세포암(17%) 등이다. 이 밖에 덜 흔한 종

양으로 선암, 위장관기질종양, 육종, 부신피질암, 엽상유방암, 신세포암 등이 있다(표 8-4-10).

1930년 Doege에 의해 처음 기술된 비췌도세포종양의 IGF-유발저혈당은 흉막중간엽종양(현재는 Doege-Potter증후군으로 구체적으로 알려짐)과 관계된 저혈당증 환자에서 확인되었다. 이는 원래 큰 종양에 의해 포도당이 이용되어 나타난 결과이다. 저혈당은 이러한 종양의 5%에서만 생긴다.

2. 병리 및 검사실검사

IGF-2 유전자 발현은 종양에서 증가하나, 번역 후 처리가 저해되어 대부분의 순환IGF-2는 전구체 형태의 프로-IGF-2 단백질(거대IGF-2)이다. 거대IGF-2는 IGF-결합단백질 3 (IGFBP-3) 및 산불안정소단위(acid labile subunit, ALS)와 함께 정상적인 삼원복합체를 형성할 확률은 낮으나, 생체이용률은 더욱 높을 수 있다. 일부 환자에서 IGF-2의 유리 농도가 증가하는 것으로 보아 거대 GF-2는 IGF-BP로부터 정상적인 IGF-1 및 IGF-2의 유리를 증가시킬 것으로 생각된다. 또한, 거대IGF-2는 피드백을 통해 성장호르몬(GH)분비를 억제하여 IGF-BP 농도를 더욱 낮춘다. 이러한 악순환은 인슐린 대비 인슐린수용체에 대한 친화력이 10배나 낮은 유리IGF 펩타이드의 생체이용률을 증가시킨다. 따라서, 비췌도세포종양 저혈당의 전형적인 호르몬검사결과는, 인슐린 및 C-펩타이드, 그리고 총 IGF-1의 억제, 총 IGF-2의 정상 혹은 경미한 상승, 유리IGF-2의 현저(20배)한 상승, 케톤체(베타하이드록시뷰티르산염)의 억제, 낮은 GH 농도에 의한 IGFBP-3의 억제 등이다(표 8-4-11). GH는 간 IGFBP-3의 주요 조절자이다. IGFBP-3 생산에 대한 효과적인 GH의 구동이 없을 경우 종양유래 IGF-2가 유리상태로 남아 인슐린수용체와 결합함으로써 저혈당증을 유발한다(그림 8-4-4).

인슐린수용체의 IGF 결합에 의한 골격근의 자극된 포도당

표 8-4-10. 비췌도세포종양저혈당증과 관련된 종양

암종
간세포암, 간암
부신피질암
췌장암
위암
대장암
폐암(소세포암, 편평상피암)
신장암
전립선암

중간엽종양
섬유종, 섬유육종증
중피종
횡문근육종
신경섬유종, 신경섬유육종증
평활근육종

기타
혈관주위세포종
혈액암
림프종

표 8-4-11. 비췌도세포종양저혈당증과 인슐린종 비교

	비췌도세포종	인슐린종
IGF-1	↓	↔
IGF-2	↔	↔
IGFBP-3	↓	↔
인슐린 및 C-펩타이드	↓	↑
혈당	↓	↓
성장호르몬	↓	↔ 혹은 ↑
베타하이드록시뷰티르산염	↓	↓

↑, Increased; ↓, decreased; ↔, equivocal; IGF, insulin-like growth factor; IGFBP, insulin-like growth factor-binding protein.

폐기는 이 증후군의 저혈당의 주요 원인이다. 또한, 간 인슐린수용체매개IGF-2의 간 포도당생성 감소가 저혈당의 원인으로 작용한다. GH 농도의 억제 동안 일부 말단비대증에서 IGF-2가 제1형 IGF수용체에 이차적으로 결합함으로써 쥐젖, 딸기코종과 같은 징후를 나타낼 수 있다.

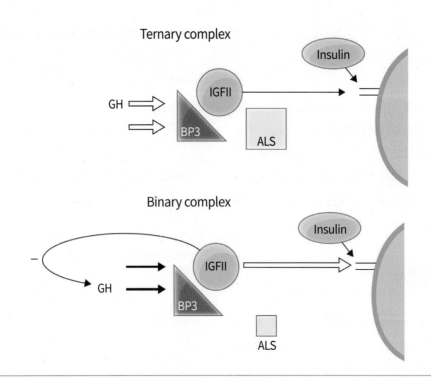

그림 8-4-4. 인슐린유사성장인자(IGF), IGF-결합단백질3 (BP3) 및 산불안정소단위(acid labile subunit, ALS) 사이의 삼원복합체 형성
정상 생리학(위), 종양에 의한 IGF(보통 IGF-2)의 이소성 생성(아래). IGF2의 활성 증가는 성장호르몬(GH)의 뇌하수체 생성을 억제하여 ALS 및 IGF-BP3의 간 생성을 감소시킨다. 생성된 이원복합체는 인슐린유사 활성을 증가시키고 인슐린수용체를 통해 작용함으로써 저혈당을 유발한다.

3. 치료

저혈당이 발생에 관여하는 부종양증후군의 치료는 대개 종양의 근치적절제 혹은 용적축소이다. 수술 전 환자는 증상 조절을 위해 지속적으로 포도당주사를 필요로 하며, 혈당수치를 급하게 올리기 위해 글루카곤이 사용될 수 있다. 병변이 양성인 경우 수술을 통해 보통 저혈당증을 완화시킬 수 있으며, 심지어 근치적인 치료효과도 기대할 수 있다. 수술치료법이 없는 경우, (1) IGF-1의 종양생성을 억제하고 간 포도당신생합성을 유도하기 위해 당질부신피질호르몬 치료 및/또는 (2) IGF-BP의 혈청 농도 증가를 위한 GH 치료 및 저혈당증상을 덜기 위한 추가적인 완화조치를 할 수 있다. 당질부신피질호르몬은 직접적으로 항인슐린 및 항IGF효과를 발휘하고, GH는 항인슐린작용과 IGFBP 농도를 증가시켜 과잉 IGF를 "제거"하는 작용을 한다.

VIII. 종양에서 분비되는 기타 호르몬

1. 프로락틴

뇌하수체 바깥에서 프로락틴의 광범위한 발현에 의해 임상적으로 중요한 이소성 호르몬증후군이 생기는 경우는 매우 드물다. 탈락막화된 자궁내막, T림프구, 유방상피세포, 피부, 땀샘 및 뇌에서 프로락틴이 발현될 수 있다. 뇌하수체 유즙분비세포에서의 프로락틴 분비는 Pit1의 조절을 받지만, 뇌하수체 바깥 조직에서는 Pit1의 발현은 없고, 유전자 프로모터 또한 침묵한다. 유전자는 더 앞쪽에 위치한 프로모터에 의해 독특한 5'-말단을 포함한 약간 더 긴 mRNA를 생성하나, 처리 후에는 동일한 아미노산 서열을 가진 단백질 형태로 분비된다. 뇌하수체 바깥의 프로락틴 분비 유전자는 다른 프로모터에 의해 전사되므로, 유전자전사의 제

어, 기저속도 및 외부신호에 의한 조절이 다를 수 있다. 예를 들면, T림프구의 프로락틴분비유전자의 전사는 사이클로스포린 A를 포함한 면역필린(immunophilin)에 반응할 수 있다. 뇌하수체 바깥의 프로락틴 기능은 아직 잘 알려져 있지 않다. ACTH 또는 바소프레신발현과 다르게, 악성질환에서 왜, 이러한 희귀하면서도 광범위한 발현이 일어나는지는 불분명하다. 프로락틴수용체는 모유생산이라는 고유한 작용과 별개로 다양한 조직에서 발견되므로, 프로락틴은 지금까지 확인된 것 이상의 다양한 역할을 할 것으로 생각된다. 드물게 기관지종양, 성선모세포종, 신세포암종 및 미분화폐암에서 프로락틴의 이소성 분비가 확인되었다. 유방암에서는 프로락틴과 프로락틴수용체 모두가 발현된다. 유방암세포주에서 프로락틴은 약하지만 종양촉진효과가 있다는 몇 가지 실험실적 증거가 있다. 이는 유방암의 발달 또는 진행에서 프로락틴의 주위분비역할이 시사된다. 특히 프로락틴의 16kD 단편은 항혈관신생가능성이 있어서 종양형성에 영향을 미칠 수 있으며, 생존촉진전사인자인 핵인자-κB를 활성화시킬 수 있다.

2. 성장호르몬 및 성장호르몬방출호르몬

이소성 성장호르몬 분비는 1968년 폐암 남성 환자에서 처음 보고되었다. 종양절제 후 혈중 성장호르몬 농도의 감소를 확인하였으나, 원발종양에서 성장호르몬이 측정되지 않았다. 이소성 성장호르몬 분비에 대한 진정한 기준을 만족하는 사례는 매우 드물다. Melmed와 공동연구자들은 췌도세포종양에서 성장호르몬 농도경사, 종양절제 후 성장호르몬 및 IGF-1분비가 정상화된 사례를 발표하였다. 또한, 종양절편에서 mRNA와 성장호르몬의 발현을 확인하였다. 말단비대증에 대한 특징은 아니나, 이소성 성장호르몬 분비에 의해 비대성 골관절병증이 생기는 것은 특이하다. 말단비대증은 대개 뇌하수체선종에서 GH의 정상부위 생성으로 발생하며, 나머지(< 2%)는 잘 분화된 신경내분비종양에서 GHRH가 이소성으로 생성되어 발생한다. 주로 폐에서, 그리고 때때로 위장관 또는 흉선유암종종양은 GHRH의 가장

표 8-4-12. 성장호르몬방출호르몬 분비와 관련된 종양

- 유암종종양(폐, 위장, 흉선)
- 췌도세포종양
- 갈색세포종
- 소세포폐암
- 부신선종
- 시상하부신경절세포종
- 갑상선수질암
- 자궁내막암
- 유방암

흔한 말초공급원(> 50%)이며, 다음은 췌도세포종양(30%)이다. 그 밖에 갈색세포종, 소세포폐암, 부신선종, 갑상선수질암, 자궁내막암 및 유방암 등이 있다(표 8-4-12).

GHRH 이소성 분비는 1974년에 처음 알려졌다. 그로부터 십년 후 췌장종양에서 GHRH가 처음으로 분리되었다. GHRH의 말초 과다분비는 뇌하수체성장호르몬분비세포의 증식을 유도할 수 있다. 이소성 GHRH에서 순환성장호르몬 및 IGF-1 농도의 상승, 경구포도당부하에 의해 성장호르몬이 억제되지 않는 등, 전형적인 말단비대증의 임상특징으로 인해 뇌하수체선종에 의한 성장호르몬 과분비와 이소성 GHRH 분비를 감별하기란 쉽지 않다. 이 때문에 오진과 불필요한 나비굴경유수술이 행해질 수 있다. 이소성 GHRH는 순환GHRH 농도의 상승으로 간단히 진단된다. 그러나 이소성 GHRH가 말단비대증의 원인인 경우는 드물기 때문에 GHRH 측정은 이소성 GHRH의 가장 흔한 원인인 유암종 및 췌장종양의 비전형적인 임상양상과 특이 징후가 있을 때 유용할 수 있다. 드물게 시상하부 GHRH 분비종양(과오종, 신경교종, 신경절세포종)에서 과도하게 GHRH가 분비되어 말단비대증이 발현될 수 있다. 이 경우, GHRH 생성부위가 시상하부 내에 있으므로 진정한 의미에서 이소성 GHRH 분비라고 할 수 없다. 이런 경우 혈액검사에서 순환GHRH 농도의 상승은 없다. 말단비대증 환자 177명을 조사한 결과, 단 한 명에서 혈장에서 검출 가능한 GHRH 농도의 상승이 있었다. 말단비대증의 모든 환자

에서 혈장성장호르몬 농도가 0.3 ng/mL 이상으로 상승되어 있는 경우 종양에 의한 이소성 GHRH 생성을 배재하기 위해 GHRH검사를 시행하게 되나, 이소성 GHRH 분비의 발생빈도가 매우 낮기 때문에 연구목적으로만 사용된다. 흥미롭게도, 유암종종양의 50%와 내분비종양의 25%에서 GHRH의 면역반응이 양성을 나타내는데, 이와 같은 종양의 소수에서 생체활성 GHRH순환 농도 상승과 면역반응 간에 연관이 있는 것으로 밝혀졌다. 천천히 성장하는 GHRH 생성 유암종은 말단비대증의 잠행성 증상과 관련이 있다. 이러한 유암종은 일반적인 영상촬영으로 쉽게 발견되나, 종종 성장호르몬억제인자수용체가 GHRH 분비종양에서 발현되기 때문에 옥트레오타이드스캔이 진단에 도움이 된다. GHRH 분비종양의 50%에서 진단 시 전이되었으나 많은 신경내분비종양의 느린 진행특성과 일치하듯 장기 생존율은 높은 편이다. 가장 좋은 치료법은 원발종양의 수술적 절제이다. 외과적 절제 외, 특히 여러 성장호르몬억제인자수용체아형에 결합하는 성장호르몬억제인자유사체가 이소성 GHRH유발말단비대증 치료에 유용할 수 있다.

3. 성선자극호르몬(Gonadotropins)

황체형성호르몬(LH), 난포자극호르몬(FSH) 및 사람융모성선자극호르몬(hCG)은 공통 알파소단위를 공유하는 구조적으로 유사한 이종이합체($\alpha\beta$) 당단백질이다. hCG는 임신 동안 영양막세포에서 분비되는 태반호르몬으로 알려졌으나, 세 종류 모두 정상 뇌하수체에서 분비되고 있다. LH와 FSH는 이소성으로는 거의 생성되지 않으나, hCG는 다양한 종양에서 과잉생성되는 것이 확인되었다. 이소성 hCG 생성은 영양막종양(포상기태, 융모막암종)에서 관찰되는데 이는 정상부위 분비와 구별된다. 영양막종양에서는 종종 정상 또는 심하게 글리코실화된 온전한 형태의 hCG 이종이합체가 분비되고, 특히 융모막암종 및 정상 임신에 의해 착상(세포영양막의 융모바깥침입)된 경우 베타소단위형태로 분비된다.

고환 또는 난소의 생식세포종양에서도 온전한 hCG(또는 베타소단위)가 분비된다. 실제로 고환생식세포종양의 20-50%에서 분비되는 온전한 hCG의 혈청 농도는 진단 및 감시표지자로 사용된다. 이와 대조적으로 비영양막, 비생식세포종양은 주로 유리hCG베타소단위(hCGβ) 분비 및 세포자멸사 억제, 그리고 종양성장을 촉진하는 작용이 있는 것으로 밝혀졌다. 높은 hCGβ의 순환 농도는 주로 비뇨생식기종양(방광암의 10-75%, 신장암의 25%), 비영양막세포부인암(자궁내막암의 20-75%), 위장관암(담도암, 췌장암, 위암의 40-60%; 간 및 결장직장암의 15-20%), 폐암(소세포암의 13%, 모든 암의 6%)을 포함한 여러 유형의 종양에서 관찰되었다. hCG의 높은 혈청 농도는 모든 경우에 나쁜 예후와 관련이 있다. 종양 hCG 생산과 예후 사이의 빈번한 역상관성을 고려할 때, hCG는 암 치료에서 관심의 대상이 되어 왔다. 생성된 hCG동형체(온전한 이종이합체 대 베타소단위)와 환자의 연령 및 성별에 따라, hCG과잉의 임상징후와 증상은 다양(소아의 경우 조숙한 사춘기, 여성의 경우 자궁출혈, 남성의 경우 성선저하증)하다.

4. 칼시토닌

고칼슘혈증에 반응하여 갑상선의 C세포에서 프로칼시토닌이 정상적으로 절단될 경우 칼시토닌의 순환 농도가 상승한다. 갑상선수질암에서 정소성으로 칼시토닌이 과잉생산될 때 그렇다. 전장(주로 췌장과 폐)의 신경내분비종양은 이소성칼시토닌 분비의 주요 공급원이다. 칼시토닌의 정확한 생리학적 역할에 대한 우리의 지식부족과 일관되게, 칼시토닌의 이소성 생산과 관련된 임상증후군은 종종 없는 편이다. 그러나 초기진단 후 칼시토닌 농도는 치료에 대한 반응을 추적하기 위한 종양표지자로 사용되어 왔다. 칼시토닌 과다분비 발생률은 췌장신경내분비종양(11%)보다 폐(53%)에서 더 높은 것으로 보이나, 높은 유병률로 인해 췌장신경내분비종양이 이소성 칼시토닌의 가장 흔한 공급원이다. 보고된 거의 모든 칼시토닌분비신경내분비종양은 간 또는 뼈에 전이가 있다.

신경내분비종양(또는 갑상선수질암)에 의한 칼시토닌 과분비는 종종 성장호르몬억제인자에 대한 반응이 떨어지는 설사(증례의 30%)와 관련이 있고, 칼시토닌 및/또는 다른 장에서 파생된 펩타이드는 자주 공동 분비되는 것과 관련이 있다. 칼시토닌 농도 상승은 갑상선종양과 관련이 있지만 신부전이 없는 경우 높은 혈청칼시토닌수치는 가능한 전장에서 비롯된 신경내분비종양에 의한 것일 수 있다. 순환 칼시토닌 농도는 균혈증과 같은 특정 염증자극에 반응하여 현저히 증가할 수 있는데, 이때 칼시토닌 농도는 단지 정상 혹은 중등도로 상승되어 있다.

IX. 종양유발골연화증

1. 원인 및 임상특징

종양유발골연화증은 흔하지 않은 중간엽종양과 관계된 증후군으로서, 드물게 전립선암과 다발골수종과 함께 동반된다. 종양유발골연화증 환자는 저인산혈증, 신장인산염 낭비, 그리고 1,25-(OH)$_2$D 혈청 농도의 저하 혹은 부적절하게 정상을 나타낸다. 뼈의 회전율을 반영하는 알칼리성인산염분해효소활성은 종종 증가되어 있다. 칼슘 농도는 대개 정상이나, 어떤 경우 부갑상선호르몬 농도가 상승되어 있고 칼슘 농도는 저하되어 있다. 저인산혈증은 신장의 인산염 재흡수 감소에 의해 생긴다. 임상증상은 뼈통증, 근위부근육약화, 골절, 요통, 뒤뚱 걸음 및 진행성쇠약 등이다. 종양골연화증은 종종 임상의로 하여금 심각한 진단 궁지에 빠지게 한다. 이는 원인이 되는 종양이 매우 작고, 위치가 모호하여 식별하기 어렵기 때문이다. 인산염 고갈과 낮은 1,25-(OH)$_2$D 농도는 뼈의 무기질화와 골연화증을 초래한다. 일반적으로 골연화증 진단은 전형적인 증상에도 불구하고 수년간 의심은 커녕 간과되는 경향이 있었다. 종양유발골연화증의 체액학적 근거는 종양절제 후 생화학적 이상이 소실되고 골연화증이 치유되는 것에 있다.

2. 병리 및 병인

종양유발골연화증과 관련이 있는 종양은 보통 크기가 작고 천천히 자란다. 병리조직학적으로 인산염뇨를 유발하는 간엽종양 및 변이 결합조직으로 구성되어 있다. 조직의 특이하고 예상치 못한 위치 때문에 Weiss와 동료들은 이 증후군을 "이상한 장소에서 생긴 이상한 종양"으로 불렀다. 종양이 발병하는 위치는 하지(45%), 두경부(27%), 그리고 상지(17%) 등이다. Gonzalez-Compta와 동료들은 종양유발골연화증유발 두경부종양의 57%와 20%가 부비동과 하악영역에서 각각 발생한다고 하였다. 일반적으로 종양은 단독 병변이고 양성이나, 다초점병변인 경우 악성의 표현형을 나타냈다.

종양은 주로 혈관종, 혈관주위세포종, 혈관육종, 연골육종, 전립선암(특히 거세저항성), 신경초종, 신경내분비병변, 중간엽종양 및 흔하지 않게 MM이 포함된다. 병리학적으로 혼합된 결합 조직종양으로 분류되며, 이 종양들 중 다수는 뼈에 위치한다. 파골세포유사거대세포와 기질세포, 그리고 고도로 혈관성인 것들이 이들 종양의 특징들이다. 진단이 19년 동안 지연된 경우가 있었는데, 이는 이러한 종양들이 느리게 성장한다는 가설을 뒷받침하고 있다.

종양유발골연화증을 유발하는 대부분의 종양은 정상적으로 인산염 항상성에 중요한 역할을 하는 단백질인 섬유모세포성장인자23 (fibroblast growth factor 23, FGF23)을 과잉 발현한다. FGF23 과발현은 종양유발골연화증의 중요 특징이며, FGF23 농도는 종종 현저히 상승되어 있다. 이처럼, 농도 상승은 종양을 절제할 경우 반응성으로 떨어지며, 생화학적 변화와 골연화증은 대체로 정상으로 회복된다. FGF23 외, FGF7, MEPE (matrix extracellular phosphogycoprotein), FRP4 (frizzled related protein 4)를 포함한 다른 유전자들도 종양유발골연화증의 발병과 관련이 있다.

08 기타 내분비질환

FGF23을 생성하는 종양의 약 40-60%는 FN1-FGFR1 (fibronectin-FGF-receptor 1) 융합유전자를 발현하며, 이 중 일부에서 FN1-FGF1융합유전자가 낮은 빈도로 발현된다. 이러한 발견은 FN신호가 자가분비/주위분비기전을 통해 FGF23생산을 증가시킬 수 있어서 병리학적으로 중요하다.

3. 진단 및 치료

종양유발골연화증을 발병하는 종양은 종종 작아서 쉽게 진단되지 않는다. 수술치료를 위한 해부학적 국소화를 위해 철저한 두개골, 흉부, 복부, 골반 및 사지 영상검사를 시행하는 것이 필수이다. 성장호르몬억제인자수용체기반스캔(scintigraphy)은 종종 111-인듐 옥트레오타이드 SPECT/CT를 사용하는 초기진단단계에서 시행된다. 68-Gallium DOTA-TATE PET/CT 또한 종양 국소화를 위해 성공적으로 사용되며, 보통 MRI 스캔을 통해 확실한 국소화가 이루어진다. 이와 같은 방법으로 국소화가 쉽지 않은 경우, 온전한 FGF23에 대한 선택적 정맥채취를 통해 성공한 예가 발표되었다. FGF23 자체를 표적하는 항체와 더불어 종양유발골연화증 환자의 전이병변을 치료하기 위해 섬유모세포성장인자R1을 표적한 치료약제 개발이 현재 진행 중이다.

4. FGF23을 과잉분비하는 기타질환

종양유발골연화증과 X연관저인산염혈구루병은 많은 특징을 공유한다. 즉, 성장기 어린이구루병, 저인산혈증과 함께 성인 골연화증, 낮거나 부적절하게 정상인 1,25-(OH)$_2$D 농도, 높아진 FGF23 농도 등이다. 이러한 유사성에도 불구하고 두 증후군 간에는 아직 해결되지 못한 것들이 있다. 첫째, 1,25-(OH)$_2$D의 농도가 X연관저인산염혈구루병 환자에서 부적절하게 정상이고, 종양유발골연화증에서 확실히 낮다는 것, 둘째, X연관저인산염혈구루병 환자에서 종양유발골연화증에서 볼 수 없는 골경화증과 부착부병증(enthesopathy, 건 및 인대의 석회화)이 존재한다는 것이다.

X연관저인산염혈구루병은 중성막결합펩타이드내부분해효소와 상동인 PHEX유전자생성물의 기능결함이 원인이다. PHEX는 phosphatonin이라고 하는 인산염대사와 관련된 순환인자를 활성화하거나 불활성화하는 것으로 알려졌다. Phosphatonin의 정상적인 기능은 신장인산염재흡수를 막는 것이라고 오랫동안 제안되어 왔다. 실제로 FGF23은 신장세포에서 인산흡수를 억제하는 것으로 확인되었다. PHEX유전자의 펩타이드내부분해효소산물인 PHEX는 FGF23을 분해할 수 있지만, FGF23은 PHEX의 생체내 기질로 생각되지 않는다. 종양유발골연화증 및 X연관저인산염혈구루병의 발병기전 및 임상증상 발현에 관하여 확립되어야 할 중요한 몇 가지의 세부사항이 아직 남아 있다.

X. 이소성 장호르몬증후군

종양에 의한 장호르몬의 이소성 생성으로 임상증후군을 발생하는 경우는 매우 드물지만, 전형적인 수양성설사의 원인인 VIP가 보고되었다. VIP, 성장호르몬억제인자, 가스트린방출호르몬 및 췌장폴리펩타이드를 포함한 장호르몬이 신경내분비종양(유암종, 췌장췌도 및 소세포폐암)에서 이소성으로 생산될 수 있다. 이 중 이소성 VIP 분비만 대량의 분비성설사, 무염소증 및 저칼륨혈증의 임상증후군을 나타낸다. 이러한 일련의 증상(Verner-Morrison증후군)이 췌장 VIP분비 췌도세포종양에 의해 유발될 때 이를 췌장콜레라라고 부른다. 폐의 소세포암종, 유암종, 갈색세포종, 갑상선수질암종 및 일부 대장선암종을 포함한 다양한 비내분비 및 신경내분비종양에서 VIP가 발현된다. VIP 그리고 VIP와 밀접한 관련이 있는 호르몬인 PACAP (pituitary adenylate cyclase activating peptide) 등 모두는 종양의 성장 및 혈관신생에 영향을 미친다. 이러한 펩타이드와 수용체들은 종양의 위치 및 전이장소의 분자학적 국소화를 위해 유용한 방사성유사체를 비롯하여 새로운 치료법 개발을 목표로 연구되고 있다.

XI. 이소성 레닌 분비

레닌 생산은 보통 신장의 사구체옆장치(juxtaglomerular apparatus)로 엄격히 제한되어 있어서 신장외 종양에 의해 진정한 이소성 분비를 나타내는 경우는 매우 드물다(표 8-4-13). 지금까지의 보고에 의하면, 고혈압은 저칼륨혈증을 동반하는 특징이 있다. 통상적인 처리과정을 거친 이소성 호르몬 생산의 경우처럼, 레닌전구체도 프로레닌:레닌 비율이 증가하는 것으로 진단된다. 원발종양이 확인될 경우 종양을 절제하면 완치되나, 난치성질환에서는 안지오텐신–전환효소억제제 또는 안지오텐신차단제 등에 의한 내과치료가 도움이 될 수 있다. 레닌 분비 신장외종양으로는 폐, 췌장, 난소, 간, 회장, 부신 및 안와 혈관주위세포종 등이 있다.

표 8-4-13. 이소성 레닌 분비와 관련된 종양

- 신장(빌름스종양, 신세포암종)
- 폐(소세포폐암, 선암종, 평활근육종)
- 췌장암
- 난소종양
- 간(간세포암종, 과오종)
- 회장암
- 부신경절종
- 안와혈관주위세포종

참 / 고 / 문 / 헌

1. Bansal S, Khazim K, Suri R, Martin D, Werner S, Fanti P. Tumor induced osteomalacia: associated with elevated circulating levels of fibroblast growth factor-7 in additon to fibroblast growth factor-23. Clin Nephrol 2016;85:57-62.
2. Bodnar TW, Acevedo MJ, Pietropaolo M. Management of non-islet-cell tumor hypoglycemia: a clinical review. J Clin Endocrinol Metab 2014;99:713-22.
3. Dimitriadis GK, Angelousi A, Weickert MO, Randeva HS, Kaltsas G, Grossman A. Paraneoplastic endocrine syndromes. Endocr Relat Cancer 2017;24:R173-90.
4. Ghazi AA, Amirbaigloo A, Dezfooli AA, Saadat N, Ghazi S, Pourafkari M, et al. Ectopic acromegaly due to growth hormone releasing hormone. Endocrine 2013;43:293-302.
5. Grant P, Ayuk J, Bouloux PM, Cohen M, Cranston I, Murray RD, et al. The diagnosis and management of inpatient hyponatraemia and SIADH. Eur J Clin Invest 2015;45:888-94.
6. Ilias I, Torpy DJ, Pacak K, Mullen N, Wesley RA, Nieman LK. Cushing's syndrome due to ectopic corticotropin secretion: twenty years' experience at the National Institutes of Health. J Clin Endocrinol Metab 2005;90:4955-62.
7. Jameson JL, De Groot LJ. Endocrinology: Adult and Pediatric. 7th ed. Philadelphia: Elsevier; 2015. pp. 2628-39.
8. Martin TJ. Parathyroid hormone-related protein, its regulation of cartilage and bone development, and role in treating bone disease. Physiol Rev 2016;96:831-71.
9. Melmed S, Auchus RJ, Goldfine AB, Koenig RJ, Rosen CJ. Williams textbook of endocrinology. 14th ed. Philadelphia: Elsevier; 2019. pp. 315-29.
10. Neville AM. Ectopic production of hormones by tumours. Pathological aspects of the para-endocrine syndrome. Proc R Soc Med 1972;65:55-9.
11. Shoback DM, Funk J. Humoral Manifestations of Malignancy. In: Gardner DG, Shoback DM. Greenspan's Basic & Clinical Endocrinology. 10th ed. McGraw-Hill; 2018. pp. 743-55.
12. Suh YH. POMC Gene Expression in Nonpituitary Tissues. J of Korean Society of Endocrinology 1991;6:299-304.
13. White A, Clark AJ. The cellular and molecular basis of the ectopic ACTH syndrome. Clin Endocrinol (Oxf) 1993;39:131-41.
14. Witek P, Witek J, Zielinski G, Podgajny Z, Kaminski G. Ectopic Cushing's syndrome in light of modern diagnostic techniques and treatment options. Neuro Endocrinol Lett 2015;36:201-8.
15. Yi Wj, Xiong G, Zhang H, Wang M, Zhu F, Qin R. Adrenocorticotropic hormone-producing pancreatic neuroendocrine Neoplasms: a systematic review. Endocr Pract 2021;27:152-7.

내분비 의존성 종양

서미혜

Ⅰ. 유방암

1. 서론

유방암은 유방에 발생하는 암세포로 이루어진 종괴를 의미하며 일반적으로 유관 또는 유소엽 상피세포의 악성증식으로 발생하는 암을 일컫는다. 유방암은 유방구성조직 어디에서나 발생할 수 있어 다른 암에 비해 종류가 다양하다. 2018년 국제 암 보고서에 따르면 유방암은 소득 수준이 높을수록 발생률이 높은 것으로 알려져 있으며 한국은 북미, 서유럽과 함께 유방암 발생률이 높은 국가에 속한다. 유방암은 특히 전 세계적으로 빠르게 증가하는 질환으로 발생률이 2012년에 비해 2018년에 23% 증가하였다. 유방암은 우리나라에서 여성에서 발생하는 암 중 가장 흔한 암으로, 보건복지부의 국가 암등록사업보고에 따르면 2017년 전체 여성 암의 20.3%를 차지한다.

2. 진단

1) 유방암 진행에 따른 병기구분

한국유방암학회 2020년 유방암백서(Breast Cancer Facts & Figure)에 따르면 암을 병기로 나누는 목적은 질병의 진행과 예후를 평가하고, 치료방법에 따른 결과를 예측하기 위함이다. 유방암의 병기는 유방 종괴의 크기(T), 액와(겨드랑이) 림프절전이 여부(N), 경부(목) 림프절전이를 포함한 뼈·폐·간 등의 전신전이 여부(M)에 따라 결정되는데, 이 세 가지(TNM)가 예후를 결정하는 데 중요한 인자이기 때문이다. 유방암의 해부병기는 TNM에 따라 0-4기로 구분한다. 2018년부터 적용하기 시작한 미국암합동위원회(American Joint Committee on Cancer, AJCC) 8판은 기존의 TNM 이외에 다양한 생체표지자들을 조합해서 예후 병기를 설정하고 있다. 이때 사용되는 생체표지자들은 조직학적 등급(grade G), 에스트로젠수용체(estrogen receptor, ER), 프로제스테론수용체(progesteron receptor, PR), 인간표피성장인자수용체2 (human epidermal growth factor receptor 2, HER2), 유전자예후패널(일부 검사)이다. 단, 예후병기는 항호르몬치료나 전신항암화학요법(HEGFR2 치료 포함)을 적절히 받은 경우를 기준으로 만들어졌다는 점을 주의해야 한다. 그러므로 유방암의 발생 및 치료에 있어 여성호르몬의 역할에 대해 살펴보는 것에 그 중요성이 있다.

3. 임상특성

1) 유방암과 여성호르몬

(1) 연관성

유방암의 원인은 유전요인, 환경요인, 그 외 다양한 원인에 의해 발생하는 것으로 보고되고 있다. 이 중 여성호르몬이 중요한 발생원인 중 하나이다.

특히 외인, 내인에스트로겐(estrogen)에 의한 지속적인 노출이 주요한 위험인자의 하나로 보고되어 있다.

외부에서 투여하는 에스트로겐은 유방암을 유발할 수 있는 것으로 알려져 있다. 유방내 에스트라다이올(estradiol)은 난소, 내분비선 이외의 조직, 그리고 유방조직에서 만들어진다. 지방과 근육조직에서 난소와 부신으로부터 유래한 안드로겐(androgen)이 에스트로겐으로 전환된다. 유방에서 에스트라다이올이 만들어지는 과정은 두 가지가 알려져 있다.

한 가지 과정은 안드로겐에서 에스트로겐으로의 방향화(aromatization)이며, 다른 과정은 술파타아제(sulfase)에 의한 에스트론황산염(estrogen sulfate)의 분할이다. 여러 인자들이 에스트라다이올 합성을 조절하지만 비만이 가장 중요한 조절인자 중 하나이다. 비만은 유방내 방향화효소(aromatase) 양을 증가시켜 에스트라다이올 합성을 촉진한다. 또한 유방암의 생물학적 예후인자로 에스트로겐수용체와 프로제스테론수용체가 있으며 한국 유방암학회에서 발표한 2000년도에서 2018년까지의 연도별 유방암호르몬수용체 발현율에 따르면, 국내 유방암 환자에서 호르몬수용체 발현율이 서서히 증가하고 있으며, 2018년 76.7%의 에스트로겐수용체 발현율, 64.9%의 프로제스테론수용체 발현율을 보고하고 있다.

(2) 에스트로겐과 유방암

에스트로겐에 의한 세포증식속도의 증가는 종양형질전환(neoplastic transformation)을 통해 돌연변이를 유발할 수 있으며 DNA 복구에 필요한 시간을 감소시킨다. 에스트

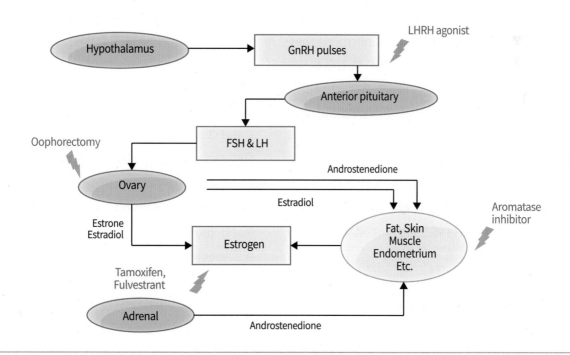

그림 8-5-1. **여성호르몬과 항호르몬치료**

GnRH, gonadotropin-releasing hormone, LHRH, luteinizing hormone-releasing hormone, FSH, follicle-stimulating hormone, LH, luteinizing hormone.

라다이올대사물질들로 돌연변이를 유발할 수 있다. 3,4-에스트라다이올키닌(3,4-estradiol quinine)과 같은 대사물질은 DNA 이중나선에 있는 구아닌(guanine)이나 아데닌(adenine)과 공유결합을 형성하여 DNA 이중나선구조를 불안정하게 만들고 점돌연변이(point mutation)를 유발할 수 있다. 또한, 내인 혹은 외인에스트로겐에 대한 노출기간과 강도가 유방암 위험과 관련 있다. 높은 혈액내 에스트라다이올수치, 늦은 출산, 20 kg 이상의 체중증가, 허리-엉덩이둘레비 증가 등은 유방암 위험을 증가시킨다. 조기임신, 지속적 모유수유, 35세 이전의 난소절제술은 유방암 위험을 감소시킨다.

(3) 폐경여성의 여성호르몬요법과 유방암

폐경호르몬요법과 유방암 위험성에 대한 연구결과는 다양하게 보고되고 있다. 여러 연구논문에 따르면 복용호르몬의 종류, 용량, 복용시작시기, 기간 등에 따라 상이한 결과가 보고되고 있다.

폐경후 호르몬요법과 유방암과의 연관성은 예전부터 많은 논란이 있었으며 연구결과도 다양하게 보고되고 있다. 폐경여성에서 여성호르몬 치료(menopausal hormone therapy, MHT)는 폐경후 에스트로겐 결핍으로 인해 발생할 수 있는 자각증상과 질환을 예방, 치료할 목적으로 시행할 수 있다. 여성호르몬치료는 에스트로겐단독요법(estrogen therapy, ET)과 에스트로겐-프로제스테론병합요법(estrogen-progestogen therapy, EPT) 등 두 가지로 분류할 수 있는데 일반적으로 자궁이 없는 여성에서는 에스트로겐단독요법을 시행하고 자궁이 있는 여성에서는 자궁내막 증식을 예방하기 위하여 에스트로겐-프로제스테론병합요법을 시행한다.

최근 발표된 2019년 British Menopause Society Consensus와 2019년 대한폐경학회의 폐경호르몬요법 치료지침 2019에 따르면 에스트로겐단독요법인 경우 유방암 위험이 증가하지 않는다고 보고하였고, 에스트로겐-프로제스

테론병합요법의 경우에는 유방암 위험도가 증가하는 경향성을 보고하였다.

Women's Health Initiative (WHI) trial은 폐경여성에서 여성호르몬요법이 심혈관질환 예방효과를 평가하기 위한 연구였으며, 유방암과 자궁내막암의 발생위험도에 대해서도 분석하였다. WHI연구에서 5.6년 동안 관찰한 결과 에스트로겐-프로제스테론병합요법군에서 침윤유방암의 발생위험도가 약 1.24배 정도 증가하였고, 이러한 증가는 연구 시작 전 이미 여성호르몬 치료를 받았던 여성에서 에스트로겐-프로게스토젠병합요법 5년 시행 이후부터 위험도의 증가가 관찰되었다. WHI연구 시작 시 여성호르몬 치료를 받지 않았던 여성에서는 11년간의 연구 추적관찰기간 동안 유방암의 위험도가 증가하지 않았다. 에스트로겐단독요법으로 치료한 환자의 경우 7.2년간의 관찰기간 동안 통계학적으로 유의하지 않지만 유방암 위험이 감소하는 경향성이 관찰되었다. 과거력상 여성호르몬 치료를 하지 않았거나 약물복용을 80% 이상 시행한 치료군에서는 통계적으로 유의한 유방암 위험도의 감소가 관찰되었다. 대한폐경학회의 폐경호르몬요법 치료지침 2019에 따르면 유방암 환자에서는 이러한 폐경후 여성호르몬치료가 권고되지 않는다.

4. 치료

유방암의 치료는 발생연령, 병기, 암의 병리학특성, 환자의 전신, 심리상태 등을 고려하여 수술, 방사선 치료, 항암화학요법, 항호르몬(내분비)요법 표적치료 등 적절한 치료법을 적용하게 된다. 유방암은 여러 가지 다양한 특징들이 같이 혼재되어 있다. 유방암의 여러 아형 중 에스트로겐수용체나 프로제스테론수용체와 같은 호르몬수용체 양성인 유방암이 가장 흔하다. 그러므로 항호르몬요법이 화학요법과 더불어 유방암 치료에 있어 중요한 치료법 중의 하나이다. 호르몬치료제의 종류와 특징에 대해 알아보고자 한다.

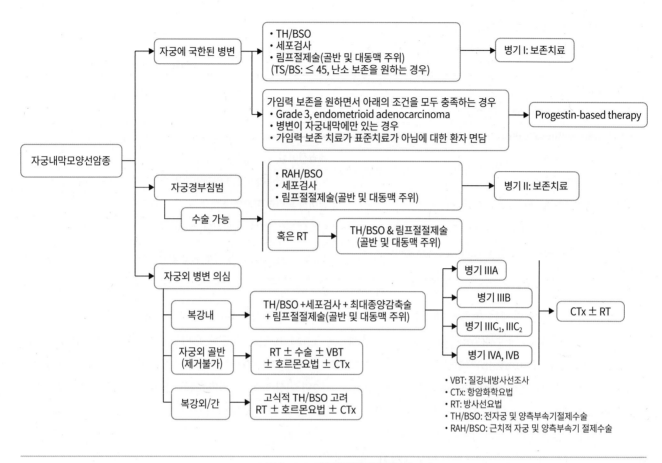

그림 8-5-2. 자궁내막암 진료권고안

5. 항호르몬(내분비)요법

에스트로젠수용체양성유방암은 호르몬 치료에 30–70%로 다양하게 반응한다고 알려져 있다. 가능한 호르몬 치료에 대해 표 8-5-1에 설명하였다.

여성호르몬이 유방암 발생 및 진행에 연관성에 대한 많은 연구가 있었고, 이를 표적으로 하는 치료제가 개발되었다. 유방암세포에서 발현되는 호르몬수용체는 에스트로젠수용체(estrogen receptor, ER) 그리고, 프로제스테론수용체(progesteron receptor, PR)로 나누어볼 수 있다. 에스트로젠수용체와 프로제스테론수용체 두 가지가 양성인 경우 약 70% 의 유방암 환자에서 이러한 항호르몬요법에 반응한다.

항호르몬요법은 크게 두 가지로 나누어 볼 수 있다. 에스트로젠의 생산을 막거나(방향화효소억제제, 황체형성호르몬분비 유사체), 에스트로젠의 작용을 방해하는것(선택에스트로젠수용체조절제, 에스트로젠수용체하향조절제 등)으로 나누어 볼 수 있다. 항호르몬요법은 다른 항암치료 등 보조치료요법에 비해 합병증이 적어, 호르몬수용체를 가진 유방암 환자에서 사용할 수 있다(표 8-5-1). 폐경전여성과 폐경여성에서 다른 항호르몬(내분비)요법이 권유된다.

임상에서 사용되고 있는 호르몬치료제의 작용기전은 그림 8-5-1과 같다. 기전적으로 호르몬치료제의 작용기전을 3가지로 나눌 수 있다. 첫째는 선택에스트로젠수용체조절제(selective estrogen receptor modulator, SERM)로 타목시펜(tamoxifen), 랄록시펜(raloxifene) 등이 대표적으

표 8-5-1. 유방암에서 항호르몬(내분비) 치료

치료	특징
수술(Surgery)	
황체형성호르몬작용제(LHRH agonists)	
항에스트로젠(Antiestrogens)	
타목시펜(Tamoxifen)	폐경전여성, 폐경여성에서 유용함
풀베스트란트(Fulvestrant)	타목시펜 저항과 아로마티제억제제 저항인 환자에서 치료반응
방향화효소억제제(Aromatase inhibitors)	전이성 유방암 환자의 초치료
고용량프로제스테론요법(High-dose progesterones)	방향화효소억제제, 타목시펜, 풀베스트란트 이후 4차치료제로 고려
부가적 안드로젠 또는 에스트로젠(Additive androgens or estrogens)	4차치료제로 가능함, 잠재적 독성 발생할 수 있음

로 알려져 있다. 이러한 약제는 세포의 에스트로젠수용체와 경쟁적으로 결합하고 대항제(antagonist) 또는 수용체의 하향조절(down regulation)기전을 갖는다. 에스트로젠수용체하향조절제(estrogen receptor downregulator)인 풀베스트란트(fulvestrant)는 에스트로젠 유사작용이 없는 에스트로젠수용체하향조절제로 선택에스트로젠수용체조절제와 다르게 대항제로써의 활성이 없어, 에스트로젠수용체에 결합하여 유방암세포에서 에스트로젠수용체단백질이 급속히 손실되도록 하여(세포 내의 ER에 결합하여 ER 분해를 가속화) 항에스트로젠 효과를 나타낸다.

폐경을 전후하여 유방암 호르몬 치료의 가장 대표적인 약물은 타목시펜이다. 타목시펜의 부작용은 여성호르몬 감소로 인해 부작용이 발생된다. 폐색전증, 심부정맥혈전증, 뇌경색, 백내장과 자궁내막암의 발생빈도는 매우 낮지만 약물투여기간 동안 주의 깊은 관찰이 필요하다. 매년 부인과 검진이 권고된다.

조기유방암에서 타목시펜 보조요법에 대해 Early Breast Cancer Trialists' Collaborative Group (EBCTCG)에서 71개의 연구를 메타분석한 결과 에스트로젠수용체 양성인 조기유방암에서 5년간의 타목시펜으로 보조요법을 시행한 경우 치료하지 않은 군에 비해 매년 사망률을 31% 감소시킬

수 있다고 보고하였다. 타목시펜지연 보조요법에 대한 TAM-02연구를 통해 조기유방암 환자 494명 환자에서 타목시펜으로 지연된 항암 보조요법 시, 즉 처음 치료시점에서 2년 이상 늦게 에스트로젠수용체 또는 프로제스테론수용체양성 환자에서 타목시펜 복용 시 사망률이 감소함을 보고하였다.

두 번째는 방향화효소억제제(aromatase inhibitor, AI)로 에스트로젠의 생성을 억제시키는 방법이다. 에스트로젠 합성에 필수적인 효소인 방향화효소를 억제함으로써 에스트로젠을 낮춘다. 1세대, 2세대 방향화효소억제제는 부작용이 있어 현재의 3세대 방향화효소억제제는 anastrozole, letrozole, exemestane이 많이 사용되고 있다. 방향화효소억제제는 폐경후(난소기능이 없는) 유방암 환자에게는 효과적일 수 있으나 폐경전여성(난소기능이 있는)에게는 난소기능이 유지되어 에스트로젠생성을 증가시킬 수 있기 때문에 사용되지 않는다. 폐경전유방암 환자에서 영구적으로, 난소의 기능을 억제하여 에스트로젠 농도를 낮추는 치료방법으로 수술적 난소절제술, 방사선요법, 그리고 황체형성호르몬 방출호르몬유사체(luteinizing hormon-releasing hormon, LHRH) 등이 고려된다. 이러한 방향화효소억제제는 안면홍조 및 근골격계 증상이 보고되나 자궁내막암 또는 혈전증의 빈도는 타목시펜보다 낮게 보고된다.

그러나 골다공증과 골절위험성이 증가할 수 있어 정기적인 골밀도검사가 필요하다. 세 번째는 프로제스틴이나 고용량 에스트로젠을 사용할 수 있으나 임상으로 많이 사용되지는 않는다. 이러한 내분비호르몬 치료의 순서는 다양하다.

초기 한 가지 호르몬 치료에 반응이 있었던 유방암 환자는 최소 이차호르몬 치료에 내분비호르몬 치료에 50% 반응한다고 알려져 있다. 삼차호르몬 치료에 반응하는 환자는 에 반응하는 환자는 흔하지 않다. 폐경전여성에서는 방향화효소억제제는 치료법으로 사용되지 않는다. 왜냐하면 시상하부에서 에스트로젠이 결핍되는 것에 반응하여 성호르몬(gonadotrophin)을 생산하여 에스트로젠 합성을 증가시키기 때문이다. 폐경여성에서는 방향화효소억제제 치료 후에 순차적으로 타목시펜과 풀베스트란트가 사용된다. 복합호르몬요법(combination endocrine therapies)은 초기에 치료에 대한 반응을 증가시킬 수 있으나, 최종적인 항암 치료까지의 시간을 지연시키지 못하고, 생존율도 증가시키지 못한다. 또한 항암화학요법과 호르몬요법과의 병합용법도 유용하지 않다. 일부 연구에서 에스트로젠수용체 양성인 전이성 유방암 환자에서 최소 두 가지 이상의 치료제가 호르몬 치료와 병합된 경우 환자의 치료결과를 향상시킨다고 보고하고 있다. mTOR억제제(mammalian target of rapamycin inhibitor)인 에베롤리무스(everolimus)와 방향화효소억제제, 타목시펜, 풀베스트란트 등의 호르몬치료제를 병합하여 사용한 경우 유방암의 진행을 감소시킬 수 있다고 일부 연구에서 보고하였다. 사이클린의존인산화효소4/6 (Cyclin D Kinase 4/6, CD4/6)억제제인 팔보시클립(palbociclib), 리보시클립(ribociclib), 아베마시클립(abemaciclib)도 방향화효소억제제 또는 풀베스트란트와 병합하였을 때 무진행생존기간(progressive-free survival, PFS)을 개선시키는 것으로 보고되었다. 이러한 약제들은 수술 후 보조요법에서도 연구되고 있다. mTOR억제제 또는 CD4/6억제제, 전체생존기간(Overall survival, OS)에 대한 연구가 현재 진행되고 있다.

6. 폐경전유방암에서 호르몬치료

호르몬수용체양성인 폐경전유방암 환자에서 타목시펜은 표준 치료요법이다. 황체형성호르몬방출호르몬유사체는 호르몬수용체 양성인 전이성 유방암 환자에서 수술(난소절제술)과 비교하여 약제치료를 중단하였을 때 난소기능이 가역적으로 회복되는 장점이 있다.

황체형성호르몬방출호르몬유사체와 타목시펜을 동시에 병합하여 사용하는 것에 대한 메타분석 연구결과가 보고되었다. 진행성유방암 환자의 폐경전여성에서 시행된 506개 임상연구가 포함된 메타분석연구에서 황체형성호르몬방출호르몬유사체 단독치료에 비해 병합요법 치료는 치료반응률(Odd ratio, 0.67)이 우월하고, 무진행생존기간(비교 위험도, 0.70)과 전체 생존기간(비교 위험도, 0.78)의 향상을 보여 폐경전호르몬수용체 양성인 유방암 환자에서 일차치료의 표준으로 권고된다. 또한 폐경전 전이성 유방암 환자의 치료에 수술적 방법(난소절제술 등)이 고려될 수 있으나, 젊은 여성에서는 장기적인 예후와 호르몬 감소 등 여러 측면을 고려하여 신중한 접근이 필요하다.

7. 폐경후유방암에서 호르몬 치료

폐경후호르몬수용체 양성 유방암으로 진단된 환자에서 타목시펜이 먼저 고려된다. 전이 또는 재발된 호르몬수용체 양성유방암에서는 방향화효소억제제나 타목시펜, LHRH유사체 및 선택적에스트로젠수용체파괴제(풀베스트란트)나 CDK4/6억제제인 팔보시클립(palbociclib)이 사용된다.

진행성 유방암 환자에서 시행되었던 제3세대 방향화효소억제제와 타목시펜을 비교한 8,504명의 25개 연구에 대한 메타분석에 의하면, 생존율 및 치료반응의 효과가 증명되면서 폐경후진행(전이)유방암 환자의 일차치료제로 사용되고있다. 또한, 수용체양성인 진행유방암 환자에서 일차치료제로서 폐경여성에서 호르몬 치료의 초치료효과에 대한 에스트로젠수용체하향조절제인 풀베스트란트와 제3세대 방향화효소억제제인 아나스트로졸(anastrozole) 1 mg을 비교한 FIRST연구에서 풀베스트란트가 아나스트로졸만큼 효과적이며 무진행생존기간에서도 풀베스트란트가 더 우수했다(23.4개월 vs. 13.1개월). 과거력상 선택에스트로겐수용체조절제를 투여받았으며 호르몬 치료 종료가 1년 이상 경과되지 않은 경우 진행성유방암 환자에게는 방향화효소억제제나 풀베스트란트를 이차호르몬치료로 고려해볼 수 있다.

II. 자궁내막암

1. 서론 및 역학

자궁체부암은 자궁에서 발생하는 암 중 자궁경부암을 제외한 암을 총칭하며 일반적으로 자궁내막암이라고 칭한다. 부인암 진료권고안에 따르면 한국에서 자궁체부암의 발생빈도가 서구지역에 비해 높지 않으나, 최근 빈도가 지속적으로 증가하는 추세에 있다. 2015년 발표된 국가 암 등록사업 연례보고서에 의하면 1991년 132건, 2002년 927건, 2012년 1,979명으로 급격히 증가하고 있다. 자궁내막암은 조기에 진단되는 경우가 대부분이므로 5년생존율은 거의 90% 이상으로 좋은 예후를 가지고 있다. 그러나 약 30%의 환자에서 stage III 또는 stage IV에서 발견되고, 5년 생존율은 각각 60%와 20%로 매우 낮다. 초기에 진단받은 자궁내막암의 경우 생존율에 대한 예후가 좋지만, 재발위험성은 높으며, 최근 지속적으로 증가 추세이므로 주기적인 부인과 검진이 필요하다.

대부분의 자궁내막암은 산발적변이(sporadic mutation)에 의해 발생하나, 약 5%에서는 유전성변이에 의해 발생하는 경우가 있으며 유전성변이에 의해 발생하는 경우 산발적으로 발생하는 암보다 10–20년 일찍 발병한다고 알려져 있다. 자궁내막암의 발생을 높이는 위험인자로 비만, 무배란, 낮은 출산력, 에스트로겐요법, 타목시펜복용, 당뇨병, 인슐린저항성, 대사증후군, Lynch syndrome (hereditary non-polyposis colorectal cancer, HNPCC) 등이 알려져 있다. 또한 자궁내막암의 예후에 영향을 주는 인자는 연령, 조직학적 유형, 조직학적 분화도 자궁근층 침범, 자궁경부/부속기 침범, 복강내종양, 임파선전이, 종양크기, 림프절 혈관침범, 복강내세포검사, DNA배수성(DNA ploidy), 분자적변이(molecular aberration), 에스트로겐/프로제스테론수용체(음성인 경우 좋지 않은 예후) 등이다.

2. 임상특성

자궁내막암은 병리학적 형태에 따라 두 가지로 분류할 수 있다. 첫 번째는 1형으로 자궁암 환자의 75–85% 환자가 분포되어 있으며 에스트로겐노출과 관련성이 있는 것으로 에스트로겐의존적(estrogen dependent) 형태이다. 폐경이행기, 폐경전 발생하고, 복합형 및 비정형자궁내막증식증이 동반되어 나타난다. 일반적으로 병리조직검사상 자궁내막모양선암종(endometriod adenocarcinoma) 형태가 관찰되고, 분화도 1,2와 같은 잘 분화된 양상이며, 에스트로겐수용체와 프로제스테론수용체가 강하게 발현된다. 대부분 낮은 병기에서 발견되어 예후가 양호하다.

두 번째는 2형으로 에스트로겐 자극 없이, 에스트로겐에 독립적으로(estrogen independent) 발생한 형태로 호르몬 영향과 관련이 없는 형태이다. 일반적으로 폐경기 이후 고령 여성에서 발생한다. 병리조직에서 분화도가 나쁘고, 에스트로겐수용체, 프로제스테론수용체가 거의 발현되지 않으며 예후가 좋지 않다. 조직검사에서 유두모양장액선암종(papillary serous adenocarcinoma) 혹은 투명세포암종(clear cell carcinoma)으로 진단된다.

이러한 자궁내막암에서 호르몬 치료가 치료방법의 하나로 그 근거가 되는 것은 우선 대부분의 1형자궁내막암에서 에스트로겐, 프로제스테론수용체가 발현되며, 또한 자궁내막암에서 성선자극호르몬방출호르몬수용체도 발현하는 것으로 보고하고 있다. 그러므로 자궁내막암에서 에스트로젠수용체, 프로제스테론수용체, 성선자극호르몬방출호르몬수용체가 발현된다는 여러 연구결과가 호르몬 치료를 시행하게 되는 근거가 되었다.

3. 여성호르몬 치료와 자궁내막암

자궁이 있는 여성과 자궁이 없는 여성에서 여성호르몬 치료의 자궁내막암 위험도가 다르다. 자궁이 있는 여성에서 에스트로젠만 단독으로 투여하는 경우 에스트로젠의 용량과 약물치료기간에 비례하여 자궁내막암의 위험도가 증가한다. 따라서 자궁이 있는 경우에는 병합요법(에스트로젠과 프로제스테론)을 고려해야 한다. WHI연구에서 6년간 에스트로젠과 프로제스테론을 지속적으로 복용한 경우 위약군과 비교하여 자궁내막암의 발생률에 차이가 없었다. 최근 여러 연구에서 자궁과 양측 부속기를 절제한 1, 2등급의 I, II기 자궁내막모양선암종(endometriod subtype)인 환자인 경우 에스트로젠과 프로제스테론수용체가 음성이라면 폐경호르몬요법을 시행하였을 때 사망률과 재발률이 증가하지 않았다. 반면에 자궁내막암 III, IV기 자궁내막암 또는 투명세포암종이나 유두모양장액선암종 환자에서는 폐경호르몬요법이 권고되지 않는다.

4. 치료

조기 자궁내막암의 일차치료로 병기 I, II에 해당하는 경우 수술에 의한 자궁절제와 보조적 방사선 치료가 주로 권고된다. 진행된 자궁내막암의 일차치료로 수술을 고려할 수 있고 방사선 치료와 보조요법으로 질강내 방사선 조사, 호르몬치료, 항암화학요법을 시행할 수 있다.

5. 자궁내막암 치료에 있어서 호르몬 치료

호르몬 치료에 사용되는 약물은 프로제스틴(progestin), 타목시펜, 방향화효소억제제가 있다. 자궁내막암에서 프로

제스틴이 보조치료제로 그 효과를 나타내는 것은 여러 연구논문에서 자궁내막암 종양세포의 분화를 통해 종양세포의 증식을 억제하기 때문이며, 종양세포가 증식상태에서 분화상태로의 성숙과 분화가 되어, 종양세포가 결손되는 방향으로 이동되는 것이라는 이론적 근거를 제시한다.

1) 가임력 보존을 위한 치료

조기자궁내막암의 경우 수술에 의한 자궁절제가 일차치료로 권고되지만, 자궁내막암에서 가임력 보존치료를 고려할 수 있는 대상이 있다. 이러한 가임력 보존치료의 대상이 될 수 있는 질병기준은 조직학적으로 확인된 자궁내막양의 자궁내막암이고, 낮은 등급(Grade 1), 자궁내막에 국한된 종양, MRI상 자궁근층 침범 없음, 자궁외 전이가 없는 경우 고려될 수 있으며, 환자 기준으로 환자가 가임력을 보존하고자 하는 강한 희망을 가지고 있고, 연령은 40세 이하(임신에 대한 상대적 기준), 약물사용금지 이유가 없고, 보존치료는 표준 치료가 아니며 재발위험이 높음을 인지하는 경우 고려될 수 있다. 보존적 치료방법으로는 프로제스틴요법을 사용하게 되며 메제스트롤(megestrol acetate, MA), 메드록시프로게스테론(medroxyprogesterone, MPA), 또는 레보노게스트렐 방출 자궁내장치(Levonorgestrel IUD)가 치료제로 사용된다. 3-6개월 간격으로 자궁내막 조직검사를 통하여 치료반응을 살펴보며, 6-9개월의 치료에도 반응이 없으면 수술치료를 고려해야한다. 그러나 가임력 보존을 위한 보조치료는 치료적 효과가 불분명하고, 예후가 나빠질 수 있으며, 질병이 진행하거나 출산을 완료한 경우 외과적 병기설정 수술시행을 반드시 고려해야 한다. Yamazawa 등의 연구자가 40세 미만의 병기1 (Grade 1)의 자궁내막암 환자 9명을 대상으로 전향적인 연구를 시행하였으며, 메드록시프로게스테론(medroxyprogesterone, MPA)으로 6개월간 투약 후 78%에서 완전관해, 10-22개월 사이에 2명이 재발하였으며, 4명이 임신하였고, 3명이 분만하였다고 보고하였다. 또 다른 연구로는 Ushihima 등의 일본연구자가 병기1 (Grade 1)의 자궁내막암 환자 28명과 비정형자궁내막증 환자 17명을 대상으로 전향적 2상연구시행에서, 아스피린과

메드록시프로제스테론(medroxyprogesterone, MPA) 26주간 투여 후 자궁내막암 환자 55%에서 완전관해되었고, 치료종료 후 7–36개월 사이 14명이 재발하였으며, 12명이 임신하여 7명이 분만하였다.

(2) 진행성 자궁내막암에서 보조치료

호르몬 치료는 주로 메제스트롤(megestrol acetate), 메드록시프로제스테론(medroxyprogesterone, MPA)를 포함하는 프로제스틴 치료이다. 프로제스틴은 진행성재발성 자궁내막암에서 보조치료요법으로 사용해왔으며, 15–40%의 치료반응률을 보였다.

Thigpen 등은 진행성자궁내막암에서 메드록시프로제스테론 저용량과 고용량으로 치료하여 무작위비교임상시험 연구를 시행했다. 전체 치료반응률은 저용량군에서 25%, 고용량군에서 15%를 나타냈으며, 중앙 무병생존기간이 두 군에서 2–3개월로 큰 차이가 없었다. Lentz 등은 63명의 재발성, 진행성 자궁내막암 환자에서 메드록시프로제스테론을 투여하였고 24%의 전체 치료반응률이 관찰되었다. 프로제스테론제제 복용 시 발생할 수 있는 부작용은 5–10% 에서 정맥염(phlebitis)이며, 고용량 사용 시 위험도가 낮지만 당뇨병, 고혈압, 고지혈증의 위험도를 증가시킬 수 있으며, 성욕감퇴, 체중증가, 감정변화가 나타날 수 있다.

III. 전립선암

1. 서론

전립선암은 2018년 국가암등록통계사업 연례보고서에 의하면 국내 남성암 발생순위 4위로, 인구의 노령화와 식생활의 서구화로 전립선암의 발생률이 매년 빠른 속도로 증가하고 있다. 2017년 미국에서 전립선암은 161,360명의 환자에게 발생했으며, 26,730명이 사망했다. 전립선특이항원(prostate specific antigen, PSA) 기반의 진단방법으로 조기진단율이 증가했으며 전립선암의 사망률은 감소했다.

2. 임상특성

1) 연관요인

전립선암의 연관인자로는 내인인자, 유적인자, 환경인자등 다양한 원인이 보고된다. 가족력상 HPC1 (hereditary prostate cancer 1)과 연관성이 크며, Genome–Wide Association Studies (GWAS)에서도 40개 이상의 전립선암 연관 유전성감수성부위(genetic susceptibility loci)가 발견되었다.

환경요인, 식이습관적 요인 또한 전립선암의 성장과 진행에 역할을 한다. 고지방 식이가 위험도를 증가시키며, 유방암과 유사하게 아시아인이 서구로 이주했을 때 전립선암의 위험도가 증가하였다. 전립선암의 발생에 여러 단계가 관련되며, 금연, 규칙적 운동, 적절한 체중 유지가 질병의 진행을 감소시킬 수도 있다. 여러 호르몬들 중 안드로젠(androgen)이 전립선암 유발에 중요한 역할을 하며, 30세 이전에 고환절제술을 시행받은 사람에게서 전립선암은 매우 드물었다.

2) 전립선암 성장의 내분비학 기본

남성호르몬이 전립선암 유발에 중요한 역할을 하므로 영향을 주는 호르몬의 기전에 대해 살펴보고자 한다. 안드로젠(androgen)이란 남성호르몬의 작용을 나타내는 여러 호르몬을 통칭하는 것으로, 남성생식계의 성장과 발달에 영향을 주는 호르몬을 모두 일컫는 말이다. 안드로젠은 스테로이드의 일종으로, 고환(testis)에서 분비되는 테스토스테론, 부신피질에서 분비되는 데하이드로에피안드로스테론(dehydroepiandrosterone, DHEA), 안드로스텐다이온(androstenedione), 안드로스테론(androsterone), 다이하이드로테스토스테론(dihydrotestosterone, DHT) 등이 포함된다.

황체형성호르몬방출호르몬(luteinizing hormon–re-

leasing hormone, LHRH)은 시상하부에서 박동성으로 분비되어 뇌하수체전엽에 작용한다. 또한 뇌하수체의 LHRH수용체에 결합하며, 황체형성호르몬(luteinizing hormon, LH)과 난포자극호르몬(follicle stimulating hormone, FSH)의 분비를 자극한다. 이러한 황체형성호르몬은 고환에 작용하여 라이디히(Leydig)세포의 수용체에 작용하여 테스토스테론을 합성하게 한다. 혈액 중 약 90%의 테스토스테론은 고환에서 생성된 것이며, 이러한 테스토스테론은 전립선에서 5α-reductase에 의해 디하이드로테스토스테론으로 전환된다. 이러한 디하이드로테스토스테론은 테스토스테론과 비교하여 안드로젠수용체에 대비 4배 이상 높은 친화력을 갖고, 전립선 및 전립선암의 세포질에 안드로젠수용체를 활성화시켜, 전립선 및 전립선 암세포의 성장과 진행에 관여한다.

또한, 이러한 테스토스테론은 시상하부-뇌하수체 음성되먹임기전에 의해 LHRH 및 LH의 분비를 억제할 수 있다. 박동성이 아닌 지속적으로 LHRH를 투여할 경우에는 LH, FSH가 증가되어 남성호르몬 분비를 촉진시키지만, 계속적으로 투여하면 결국 뇌하수체전엽의 LHRH수용체 감소 및 LH, FSH 생산이 감소하게 되며 약물 투여 후 2주 이내 혈중 테스토스테론수치는 수술에 의한 거세 수준까지 도달하게 된다. LHRH작용제(agonist)로는 고세렐린(goserelin), 류프로렐린(leuproelin), 트립토렐린(triptorelin), 데가렐릭스(degarelix) 등이 있다.

3. 진단 및 치료

질병위험도 및 분화도가 낮은지 아니면 위험도가 높고 빠르게 진행하는 질병인지를 확인하여 위험도를 먼저 평가하는 것이 필요하다(그림 8-5-3). 국가종합암네트워크(National Comprehensive Cancer Network, NCCN)의 위험분

08 기타 내분비질환

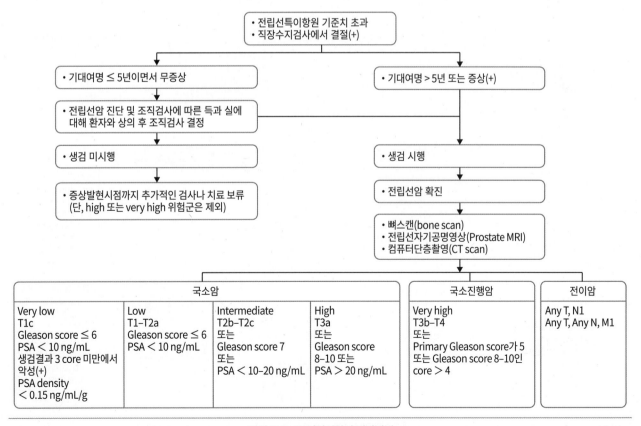

그림 8-5-3. 전립선암의 진단방법

류시스템(risk classification system)에 의하면 전립선암에 대한 위험도를 매우 낮은 위험(very low risk), 저위험(low risk), 중간위험(intermediate risk), 고위험(high risk)으로 분류한다.

4. 치료

전립선암의 치료방법으로는 적극적 관찰요법, 수술, 그리고 항암화학용법, 호르몬 치료 등이 있다. 대한비뇨기종양학회의 전립선암 치료지침(2018)에 따르면 저위험군, 중간위험군,

고위험군으로 나누어 치료하도록 권유하였다(그림 8-5-4). 위험군별 남성호르몬 치료적응증 및 기간이 각각 다르다. 25년간 장기 추척관찰하였던 다수의 연구가 진단 후 10년까지는 질병특이생존율이 82–87%였으며, T1/T2 Gleason 점수가 7점 이하인 경우 80–95%의 질병특이생존율을 보고하고 있다. 분화도에 따른 좋은군, 중간군, 나쁜군으로 나누어 보았을 때 10년간 관찰한 질병특이생존율은 91%, 90%, 74%로 관찰되었다. 남성호르몬박탈요법(차단요법)은 전이성전립선암 환자의 일차치료요법으로 사용된다.

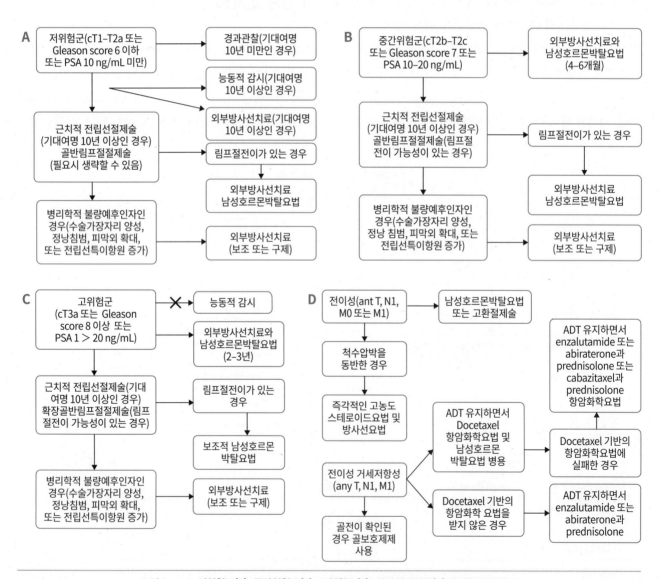

그림 8-5-4. 저위험도(A), 중간위험도(B), 고위험도(C), 전이전립선암(D)에 따른 치료전략

5. 남성호르몬박탈요법 (Androgen deprivation therapy, ADT)

전이성 호르몬감수성전립선암(metastatic hormone sensitive prostate cancer, MHSPC)은 안드로젠수용체 및 이를 통한 신호전달체계에 의존하는 종양이며, 남성호르몬박탈요법이 일차치료제로 권고되고 있다.

전이성 전립선암의 남성호르몬박탈요법에는 수술(양측고환절제술), 황체형성호르몬방출호르몬작용제[luteinizing hormone-releasing hormone (LHRH) agonist], 항안드로젠제 병용요법이 주로 사용된다. 대한비뇨기종양학회에서 발표한 전립선암 치료지침(2018)에 따르면 전이성 전립선암 일차치료는 남성호르몬박탈용법[외과적 거세술(양측고환절제술) 또는 황체형성호르몬방출호르몬작용제를 기반으로 한 내과적 거세술]이며, 병의 임상진행을 막고 증상을 호전시킨다고 level evidence 1A로 권고하고 있다. 또한 황체형성호르몬방출호르몬대항제 역시 전이성 호르몬감수성전립선암의 일차치료로 고려할 수 있다고 level evidence 2B로 권고하고 있다.

Samson 등의 연구자가 발표한 진행전립선암에 대한 황체형성호르몬방출호르몬작용제와 수술(양측고환절제술)을 비교한 메타분석에서 두 치료에서 2년, 5년 생존율에 큰 차이가 없었다. LHRH작용제인 leuprolide와 LHRH대항제인 abarelix를 무작위비교연구한 3상 임상연구에서도 거의 두 군에서 치료효과가 동일하였다.

6. 항안드로젠(Antiandrogen)제제

항안드로젠은 안드로젠수용체대항제로 세포 내에서 안드로젠수용체에 결합하며, 수용체기능을 소실시켜 종양의 성장 및 진행을 억제한다. 스테로이드성과 비스테로이드성으로 분류된다. 스테로이드성항안드로젠제의 대표적 약제는 cyproterone acetate와 megestrol acetate이다. 비스테로이드성항안드로젠제로 대표적인 것은 flutamide, bicalutamide, nilutamide 등이다. 스테로이드성항안드로젠인 cyproterone acetate는 LH 분비 억제효과가 있으며, 테스토스테론 분비를 감소시킨다. 간독성 및 심혈관계 위험성 등이 보고되어 거세-불응성전립선암의 이차호르몬치료제로 사용된다.

비스테로이드성항안드로젠제로 대표적인 flutamide, bicalutamide, nilutamide는 혈액내 테스토스테론수치를 유지시켜 다른 거세요법과 다르게 성욕감퇴나 발기불능은 유발하지 않는다.

7. 안드로젠수용체표적치료제(Androgen receptor targeted agent, ARTA)

전립선암치료지침(2018) 권고안에 따르면 전이호르몬감수성전립선암에서 남성호르몬박탈요법과 더불어 아비라테론/프레드니손(abiraterone/prednisolone), 엔잘루타마이드(enzalutamide) 또는 아팔루타마이드(apalutamide)의 병용요법을 level evidence 1B로 권고한다. 전이호르몬감수성전립선암의 일차치료제는 남성호르몬박탈요법이며 남성호르몬박탈용법에 도세탁셀을 병용하는 것이 표준치료법의 하나이나, 고령과 기저질환 등으로 도세탁셀(Docetaxel) 등의 병용치료가 제한적인 경우 안드로젠수용체표적치료제인 아비라테론, 엔잘루타마이드 또는 아팔루타마이드와 같은 약제를 병용하도록 권고하고 있다. 아비라테론은 CYP17을 비가역적으로 차단하여 안드로젠 생성을 억제하는 안드로젠수용체표적치료제로 혈중 테스토스테론을 감소시키고, 종양 자체의 남성호르몬생산도 억제한다. 엔잘루타마이드와 아팔루타마이드는 남성호르몬수용체를 통한 신호전달을 차단하고, 안드로젠수용체리간드 결합을 경쟁적으로 억제하며, 안드로젠수용체의 세포이동도 억제한다. 전이호르몬감수성전립선암에서 시행되었던 약물별 주요 3상임상시험결과를 살펴보면, 대표적 연구로 ENZAMET, TITAN, LATITUDE 등의 연구가 있다. ENZAMET연구는 1,125명의 전이성 호르몬감수성전립선암 환자를 대상으로 남성호르몬박탈요법과 함께 엔잘루타마이드의 병용요법과 남성호르몬박탈요법과 비스테로이드성 항안드로젠과의 병용요법을 비교한 무작위배정 3상임상연구였다. 일차평가변수는 전체생존율(overall survival rate)이었으며, 평균 34개월 동안 추적관찰하였다. 엔잘루타마이드군에서 대조군에 비해 전체 생존기간의 연장이 관찰되었다(3년 전체생존율 80% vs. 72%). TITTAN연구는 525명의 전이호르몬감수성전립선암 환자를 대상으로 한 무작위배정 3상연구로, 평균 22.7개월간의 추적관찰기간 동안 남성호르몬박탈요법과 아팔루타마이드(240 mg) 병용요법, 그리고 남성호르몬박탈요법과 위약과의 병용을 비교하였다. 아팔루타마이드군이 대조군에 비해 통계적으로 유의하게 생존연장이 관찰되었다(전체생존: HR, 0.76; 95% CI, 0.51–0.89; 무진행생존기간: 0.48; 95% CI, 0.39–0.60). LANTITUDE연구는 진단 당시 전이가 있었던 전립선암 환자 1,199명 대상으로 무작위배정 3상연구로 남성호르몬박탈요법과 아비라테론/프레드니손의 병용과 남성호르몬박탈요법과 위약의 병용을 비교하여, 아비라테론군이 전체생존의 연장과 방사선학적 무진행생존기간의 연장을 보고하였다.

8. 전이거세저항전립선암

거세저항전립선암(castration resistant prostate cancer)은 내과적, 외과적 거세치료로 혈중 테스토스테론수치가 거세 수준으로 유지됨에도 전립선암이 진행하는 경우를 일컫는다. 거세저항 진단은 혈중 남성호르몬이 거세 수준으로 매우 감소되어 있고, 이와 더불어 PSA 상승, 골전이 증가, 림프절전이 크기 증가 등이 있을 때 진단된다. 이러한 거세저항의 기전은 다양하게 설명되며 전립선암 내에 안드로젠 생성의 증가, 안드로젠수용체변이/과발현 및 다양한 성장인자와 관련이 있다. 거세저항전립선암 환자가 고환절제술을 받지 않은 상태에서 LHRH작용제 치료를 중단할 경우 혈중 테스토스테론의 증가로 일부 환자에서 전립선암이 악화될 수 있다. 그러므로 비전이거세저항암으로 진행된 환자에서도 남성호르몬박탈요법이 유지되어야 한다고 권고하고 있다.

9. 골 건강에 대한 관리

전립선암에서 골 건강에 대한 고려가 필요하다. 거세저항 전립선암 환자의 90%에서 골전이가 발생하며, 남성호르몬박탈요법이 이차호르몬결핍증과 관련되어 골다공증을 발생시킬 수 있다. 남성호르몬 박탈치료는 골밀도의 유의한 감소를 일으킬 수 있으며, 골다공증 및 골절위험을 증가시킨다. 전이전립선암 환자의 경우 골격전이를 흔히 동반하며 병적골절 등의 위험성도 증가되어, 이로 인해 질병 자체에 영향을 주고 사망률을 증가시킬 수 있다. 그러므로 다발골전이를 동반한 거세저항전립선암 환자에서 골 관련 합병증을 예방하기 위해 데노수맙 또는 졸레드로네이트 치료를 권고하고 있다. 또한 남성호르몬박탈 치료로 인하여 발생할 수 있는 골다공증예방 및 적절한 진료가 필요하다고 권고한다. 데노수맙과 졸레드로네이트가 전립선암 관련 골합병증을 감소시키는 효과는 거세저항전립선암 환자에서만 입증되었으며, 호르몬감수전립선암에서 골 관련 합병증을 감소시키는지에 대한 연구근거는 부족하다.

남성호르몬박탈요법을 시행받은 환자의 대규모연구에서 골절위험을 21–54%까지 증가시킬 수 있음이 보고되었다. 그러므로 남성호르몬박탈요법을 시행받는 경우 충분한 칼슘과 비타민D_3을 투여하도록 권고하고 있으며 추가적 골소실과 골절을 예방하기 위해 고절의 고위험군인 경우 골밀도 증가를 위해 데노수맙이나 졸레드로네이트, 알렌드로네이트 투여를 고려할 수 있다.

참 / 고 / 문 / 헌

1. 대한골대사학회. 골다공증 진료지침. 2018.

2. 대한내분비학회. 내분비대사학. 제2판. 군자출판사; 2011.

3. 대한부인종양학회. 부인암 진료 권고안version 4.0. 제4판. 대한부인종양학회; 2020.

4. 대한부인종양학회. 부인종양학. 제2판. 군자출판사; 2020.

5. 대한비뇨기과학회, 대한비뇨기종양학회. 전립선암치료 진료권고안. 대한비뇨기과학회; 2018.

6. 대한종양내과학회 대한항암요법연구회. 2020 전이성 전립선암 치료지침. 엠엠케이커뮤니케이션즈; 2020.

7. 대한폐경학회 학술위원회. 폐경호르몬요법치료지침. 대한폐경학회 기획위원회; 2019.

8. 조정진. WHI 연구와 호르몬대체요법의 최근 권고지침. 가정의학회지 2005;26:193-202.

9. 한국유방암학회. 2020 유방암백서. 한국유방암학회; 2020.

10. 2018 암등록통계 보도자료. 국립암센터. 출처: https://ncc.re.kr/cancerStatsView.ncc?bbsnum=538&searchKey=total&searchValue=&pageNum=1

11. Berek JS. Berek & Novak's Gynecology. 16th ed. LWW; 2019.

12. Davis ID, Martin AJ, Stockler MR, Begbie S, Chi KN, Chowdhury S, et al. Enzalutamide with standard first-line therapy in metastatic prostate cancer. N Engl J Med 2019;381:121-31.

13. EBCTCG. Effects of chemotherapy and hormonal therapy for early breast cancer on recurrence and 15-year survival: an overview of the randomised trials. Lancet 2005;365: 1687-717.

14. Fizazi K, Tran NP, Fein L, Matsubara N, Rodriguez-Antolin A, Alekseev BY, et al. Abiraterone acetate plus prednisone in patients with newly diagnosed high-risk metastatic castration-sensitive prostate cancer (LATITUDE): final overall survival analysis of a randomised, double-blind, phase 3 trial. Lancet Oncol 2019;20:686-700.

15. Hayes DF, Lippman ME. Breast cancer. In: Jameson JL, Fauci AS, Kasper DL, Hauser SL, Longo DL, Loscalzo J eds. Harrison's principles of internal medicine. 20th ed. New York: McGraw-Hill; 2018.

16. Hur SY. Conservative treatment of endometrial adenocarcinoma in young women with hormone therapy. Korean Journal of Obstetrics & Gynecology 2008;51:492-503.

17. Kang SY. Hormone therapy for metastatic breast cancer. Korean J Med 2017;92:251-58.

18. Klijn JG, Blamey RW, Boccardo F, Tominaga T, Duchateau L, Sylvester R, Combined Hormone Agents Trialists' Group and the European Organization for Research and Treatment of Cancer. Combined tamoxifen and luteinizing hormone-releasing hormone (LHRH) agonist versus LHRH agonist alone in premenopausal advanced breast cancer: a meta-analysis of four randomized trials. J Clin Oncol 2001;15:343.

19. Lee JL. Hormonal therapy and chemotherapy for advanced prostate cancer. J Korean Med Assoc 2015;58:30-41.

20. Marsden J, BMS. British Menopause Society consensus statement: The risks and benefits of HRT before and after a breast cancer diagnosis. Post Reprod Health 2019;25:33-7.

21. Mauri D, Pavlidis N, Polyzos NP, Ioannidis JPA. Survival with aromatase inhibitors and inactivators versus standard hormonal therapy in advanced breast cancer: meta-analysis. J Natl Cancer Inst 2006;98:1285-91.

22. McDonald ME, Bender DP. Endometrial cancer: obesity, genetics, and targeted agents. Obstet Gynecol Clin North Am 2019;46:89-105.

23. Menopause ACotKSo, Cho MK, Cho YJ, Chun SW, Hong SH, Hwang KR, et al. The 2020 menopausal hormone therapy guidelines. J Menopausal Med 2020;26:69-98.

24. Onstad MA, Schmandt RE, Lu KH. Addressing the role of obesity in endometrial cancer risk, prevention, and treatment. J Clin Oncol 2016;34:4225-30.

25. Paridaens RJ, Dirix LY, Beex LV, Nooij M, Cameron DA, Cufer T, et al. Phase III study comparing exemestane with tamoxifen as first-line hormonal treatment of metastatic breast cancer in postmenopausal women: the European Organisation for Research and Treatment of Cancer Breast Cancer Cooperative Group. J Clin Oncol 2008;26:4883-90.

26. Park YH. Drug therapy for breast cancer. J Korean Med Assoc 2009;52:963-74.

27. Robertson JFR, Lindemann JPO, Llombart-Cussac A, Rolski J, Feltl D, Dewar J, et al. Fulvestrant 500 mg versus anastrozole 1 mg for the first-line treatment of advanced breast cancer: follow-up analysis from the randomized 'FIRST' study. Breast Cancer Res Treat 2012;136:503-11.

28. Samson DJ, Seidenfeld J, Schmitt B, Hasselblad V, Albertsen PC, Bennett CL, et al. Systematic review and meta-analysis of monotherapy compared with combined androgen blockade for patients with advanced prostate carcinoma. Cancer 2002;95:361-76.

29. Scher HI, Eastham JA. Benign and malignant disease of the prostate. In: Jameson JL, Fauci AS, Kasper DL, Hauser SL, Longo DL, Loscalzo J eds. Harrison's principles of internal medicine. 20th ed. New York: McGraw-Hill; 2018.

30. Yao GL, Albertsen PC, Moore DF, Shih W, Lin Y, Dipola RS, et al. Outcomes of localized prostate cancer following conservative management. JAMA 2009;302:1202-9.

당대사질환

당뇨병의 분류와 진단기준

이지현   이원영

I. 당뇨병의 진단

이지현

1. 당뇨병 진단기준

우리나라의 당뇨병과 당뇨병전단계의 진단기준은 대한당뇨병학회의 2021년 진료지침에서 제안한 바와 같이 하고 있다(표 9-1-1). 당화혈색소(HbA1c)가 6.5% 이상이거나 8시간 이상 공복 후 혈장포도당 126 mg/dL 이상이거나 75 g 경구포도당부하 2시간 후 혈장포도당 200 mg/dL 이상이거나 당뇨병의 전형적인 증상(다뇨, 다음, 설명되지 않는 체중감소)이 있으면서 무작위 혈장포도당 200 mg/dL 이상인 경우이다. 한편 공복 시 정상혈당의 기준은 미국당뇨병학회나 세계당뇨병연맹과 같이 100 mg/dL 미만으로 한다. 만약 검사결과가 진단기준을 충족하지는 않더라도 기준에 근접하다면 고혈당 관련 증상을 잘 관찰하고 3-6개월 후 재검이 필요할 수도 있다. 일부 급성질환이 동반된 경우 임의 혈당이나 공복혈당이 높게 측정되었다가 건강을 회복한 이후 혈당이 정상화되는 경우가 있다. 그래서 급성기상태의 환자가 혈당이 높은 경우 정상 건강상태로 회복된 후에 혈당검사를 다시 해보는 것을 고려해야 한다.

2. 당뇨병 진단을 위한 검사법

1) 혈당

공복혈당은 전날 밤 적어도 8시간 금식 후 아침에 채혈한다. 검사결과와 관련하여 변동이 있을 수 있으므로 채혈 후 30분 이내 혈장을 분리하는 것이 정확한 혈당수치를 확인하는 데 도움이 된다.

혈장 중 측정된 포도당은 전혈 중 측정된 포도당보다 약 11% 높다. 또한 이 차이는 적혈구용적률에 영향을 받는데, 적혈구용적률이 0.55이면 15%까지 증가하고, 적혈구용적률이 0.30이면 8%까지 감소한다. 이러한 이유로 전혈에서의 혈당 측정은 부정확할 수 있으므로 결과해석 시 참고해야 한다.

2) 경구포도당내성검사

미국당뇨병학회에서는 경구포도당내성검사가 당뇨병을 진단하는 효과적인 방법이지만, 실제 임상에서는 검사가 불편하고 시간이 많이 소요되며, 비용이 증가하고 재현성이 낮다는 이유로 공복혈장포도당검사보다 우선으로 권고하고 있지는 않다.

한편, 세계보건기구에서는 공복혈장포도당검사만으로 당뇨병을 진단하게 되면 약 30%의 무증상당뇨병 환자를 진

단하지 못할 수 있으므로 경구포도당내성검사가 필요하다고 주장한다. 또한 공복혈당이 110-125 mg/dL인 경우 포도당내성을 확인하기 위해 경구포도당내성검사를 시행해야 한다고 권고하고 있다. 한국인 당뇨병 환자의 특징은 서양인에 비하여 비만하지 않고 인슐린 분비능이 상대적으로 낮으며, 특히 노인은 식후고혈당만을 보이는 경우가 흔하다. 따라서 공복혈장포도당검사만으로 선별검사를 하면 당뇨병을 진단하지 못하는 경우가 상당수 발생할 수 있다. 그러므로 당뇨병 및 당뇨병전단계 진단을 위한 선별검사로 경구포도당내성검사를 필요에 따라 시행할 수 있다. 특히 공복혈당장애가 있는 사람, 공복혈장포도당은 정상이나 당뇨병발병위험이 높은 군, 공복혈장포도당이 유용한 진단검사가 되기 어려운 60세 이상, 혈당검사결과가 모호하거나 산모인 경우에서 적극적으로 경구포도당내성검사를 고려해야한다. 경구포도당내성검사 방법은 표 9-1-2와 같다.

한편, 혈당이 정상에서 당뇨병으로 진행하는 범주를 당뇨병전단계(공복혈당장애와 내당능장애)라 하며, 당뇨병전단계에서도 심혈관 합병증으로 인한 사망률이 증가한다는 것이 여러 연구에서 입증되어 있으므로 이러한 환자들을 조기에 발견하는 것이 중요하다. 이상을 토대로 한 한국인의 당대사이상의 분류는 그림 9-1-1과 같다.

표 9-1-1. 당뇨병과 당뇨병전단계 진단기준

1. 정상혈당기준 　정상혈당은 8시간 이상 공복 후 혈장포도당 100 mg/dL 미만, 75 g 경구포도당부하 2시간 후 혈장포도당 140 mg/dL 미만이다.
2. 당뇨병 진단기준[1] 　1) 당화혈색소 6.5% 이상 또는 　2) 8시간 이상 공복 후 혈장포도당 126 mg/dL 이상 또는 　3) 75 g 경구포도당부하 2시간 후 혈장포도당 200 mg/dL 이상 또는 　4) 당뇨병의 전형적인 증상(다뇨, 다음, 설명되지 않는 체중감소)이 있으면서 무작위 혈장포도당 200 mg/dL 이상
3. 당뇨병전단계 진단기준 　1) 공복혈당장애: 공복혈장포도당 100-125 mg/dL 　2) 내당능장애: 75 g 경구포도당부하 2시간 후 혈장포도당 140-199 mg/dL 　3) 당화혈색소: 5.7-6.4%

당화혈색소는 표준화된 방법으로 측정해야 한다.

[1]2의 1)-3) 중 하나에 해당하는 경우 서로 다른 날 검사를 반복해야 하지만, 동시에 시행한 검사들에서 두 가지 이상을 만족한다면 바로 확진할 수 있다.

표 9-1-2. 경구포도당내성검사방법

1	검사 전 적어도 3일 동안 평상시의 활동을 유지하고 하루 150 g 이상의 탄수화물을 섭취한다.
2	검사 전날 밤부터 10시간 내지 14시간 금식 후 공복혈장포도당 측정을 위한 채혈을 한다.
3	250-300 mL 의 물에 희석한 포도당 75 g 이나 150 mL의 상품화된 포도당용액을 5분 이내에 마신다.
4	포도당을 마시고 2시간 후에 포도당부하 후 혈장포도당 측정을 위한 채혈을 한다. (포도당용액을 마시기 시작한 시간을 0분으로 한다.)
5	필요한 경우 포도당부하 후 30분, 60분, 90분째 혈장포도당을 측정할 수 있다.

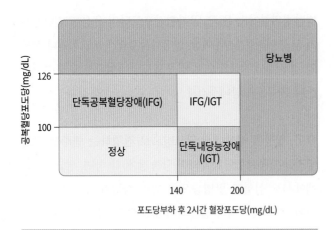

그림 9-1-1. 당대사이상의 분류

3) 당화혈색소

당화혈색소는 National Glycohemoglobin Standardization Program (NGSP)에 의해 인증되고 표준화된 방법[Diabetes Control and Complication Trial (DCCT) reference assay]으로 검사했을 때 나온 당화혈색소 6.5% 이상을 당뇨병 진단기준으로 하고 있다.

당화혈색소는 공복혈장포도당검사와 경구포도당내성검사와 비교하여 금식이 필요하지 않으므로 편리하고, 공복혈장포도당 및 식후 2시간 혈당과 좋은 상관관계를 보이며, 스트레스, 음식물 섭취, 질병 등에 의한 변동이 적은 장점이 있다.

국내에서 진행된 한 연구의 결과에서 공복혈장포도당 126 mg/dL 이상만을 당뇨병 진단기준으로 하였을 때 전체 당뇨병 환자의 55.7%만을 진단할 수 있어 당화혈색소기준도 함께 고려해야 한다고 하였고 이후 연구에서 공복혈장포도당과 당화혈색소의 일치도를 확인하였다.

당화혈색소검사를 당뇨병 진단에 사용할 때는 혈색소 당화에 영향을 미칠 수 있는 여러 가지 요인들을 고려하는 것이 중요하다. 낫적혈구병(sickle cell disease), 임신(특히 2, 3분기) 및 산후(puerperal), 6-인산포도당탈수소효소(glucose-6-phosphate dehydrogenase) 결핍, 혈액투석, 최근의 실혈, 수혈, 조혈제 치료와 같은 적혈구 수명에 관련된 상황의 경우와 사람면역결핍바이러스(human immunodeficiency virus) 치료제인 뉴클레오사이드계열역전사효소억제제(nucleoside reverse transcriptase inhibitors) 또는 단백질분해효소억제제(protease inhibitor)를 사용하는 경우의 당뇨병 진단에는 당화혈색소검사보다는 혈장포도당수치를 사용하여 당뇨병을 진단하는 것이 더 좋은 방법이 된다.

3. 무증상당뇨병전단계와 2형당뇨병에서의 선별검사

당뇨병선별검사의 목적은 당뇨병위험이 높은 대상을 조기에 진단하는 것이다. 당뇨병선별검사는 공복혈장포도당, 당화혈색소 또는 경구포도당내성검사로 한다. 2형당뇨병의 상당수는 무증상이며, 한 역학연구에서 당뇨병이 진단되기 전까지 10년 정도의 유병기간이 있음을 보여주었으며, 일부 환자에서는 당뇨병 진단 당시 당뇨병과 관련된 합병증이 동반되어 있으므로, 당뇨병전단계를 진단하여 당뇨병진행을 예방하기 위해서는 선별검사가 필요하다. 당뇨병선별검사는 40세 이상 성인과 위험인자가 있는 30세 이상 성인에서 매년 실시한다. 한국인에게서 2형당뇨병의 위험인자는 **표 9-1-3**과 같다.

표 9-1-3. 2형당뇨병의 위험인자

- 과체중(체질량지수 23 kg/m² 이상)
- 직계가족(부모, 형제자매)에 당뇨병이 있는 경우
- 공복혈당장애나 내당능장애의 과거력
- 임신당뇨병이나 4 kg 이상의 거대아 출산력
- 고혈압(140/90 mmHg 이상 또는 약물 복용)
- HDL콜레스테롤 35 mg/dL 미만 또는 중성지방 250 mg/dL 이상
- 인슐린저항성(다낭난소증후군, 흑색가시세포증 등)
- 심혈관질환(뇌졸중, 관상동맥질환 등)
- 약물(당질부신피질호르몬, 비정형 항정신병약 등)

국내외 연구들을 종합해보면 체질량지수가 23 kg/m² 이상인 성인에서 공복혈장포도당 100-109 mg/dL 또는 당화혈색소 5.7-6.0%인 경우에는 매년 공복혈장포도당 또는 당화혈색소 측정과 함께 경구포도당내성검사를 고려해야 하며, 공복혈당포도당 110-125 mg/dL 또는 당화혈색소 6.1-6.4%인 경우 경구포도당내성검사를 하도록 권고하고 있다.

II. 당뇨병의 분류

당뇨병은 유전요인 및 환경요인들의 복합적인 상호작용에 의해 발생하는 것으로 알려져 있으며 과거에는 발생연령과 치료방법들을 바탕으로 당뇨병을 분류하였다. 하지만 최근 들어 세포 수준에 기반한 병태생리적인 기전이 밝혀지면서 1형당뇨병과 2형당뇨병을 주된 분류로 하는 새로운 당뇨병 분류방법이 제시되고 있으며 이러한 분류는 당뇨병의 적절한 치료방법을 결정(특히 인슐린 치료 여부)하는 데 많은 도움이 될 수 있다(표 9-1-4).

1. 1형당뇨병

1형당뇨병의 임상특징은 베타세포의 파괴에 의한 인슐린결핍이 주발병기전이며 인슐린의 절대적 결핍은 고혈당뿐만 아니라 케토산증을 초래할 수 있다. 유소년기에서의 1형당뇨병 발생률은 연간 3-4%로 알려져 있으며, 남성과 여성에서 발생은 비슷하고, 대부분 소아기에 발생하지만, 성인에서도 발병할 수 있는데 임상적으로는 저체중, 진단 후 12개월 이내 인슐린 사용, 당뇨병케토산증의 위험이 증가하는 특징을 지니고 있다.

미국당뇨병학회에서는 1형당뇨병을 면역매개형태인 A형과 심한 인슐린부족을 동반한 다른 형태의 당뇨병인 B형으로 구분하고 있다. A형 당뇨병은 대부분의 자가면역질환에서와 같이 주요 조직적합유전자와 관련되어 있다. 또한 췌도세포 손상과 관련된 특정한 혈중 항체가 존재하는데 글루

탐산카복실기제거효소(anti-glutamic acid decarboxylase, GAD), 인슐린, 타이로신인산염분해효소췌도항원(tyrosine phosphatase-related islet antigen 2, IA-2), 아연수송체(zinc transporter 8, ZnT8)에 대한 자가항체가 하나 혹은 그 이상으로 존재한다. B형당뇨병은 특발성 당뇨병이라고 하며 특별히 알려진 원인이 없이 발병하며, 영구적인 인슐린 분비결핍이 있고 케토산증 발생이 가능하지만 베타세포와 관련된 자가항체는 없다.

전격1형당뇨병(fulminant type 1 diabetes mellitus)은 주로 동아시아에서 보고되는 급성으로 발병하는 당뇨병의 한 형태이며, 1형당뇨병A형의 아형으로 생각하고 있다. 주요 임상특징은 매우 짧은 기간(통상 1주일 미만)의 고혈당 증상, 진단 시 실질적인 C펩타이드 분비가 없고, 케토산증이 동반된다는 것이다. 대부분 자가항체는 음성이고, 췌장효소수치는 증가되어 있으며, 감기와 유사한 증상 또는 소화기계 증상이 선행한다. 전격1형당뇨병으로 사망한 환자의 부검에서 췌도염이 동반되어 있는 것을 확인하였는데, 이러한 사실은 바이러스가 감염된 췌도세포에 면역반응이 가속화되면서 베타세포가 급속히 파괴되었음을 시사하고 있다.

일부에서는 당뇨병 진단 시 1형당뇨병인지 2형당뇨병인지를 분명하게 구분하기 어려운 환자가 있다. 하지만 시간이 경과하면서 당뇨병의 진행상태를 살펴보면 당뇨병병형에 대한 구분이 가능해질 수 있다. 여러 국내연구에서 공복혈청 C-펩타이드가 0.6 ng/mL 미만인 경우 1형당뇨병으로, 공복혈청C펩타이드가 1.0-1.2 ng/mL 이상인 경우 2형당뇨병으로 분류하고 있다.

2. 2형당뇨병

2형당뇨병은 전체 당뇨병의 90-95%를 차지한다. 고령화와 더불어 급속한 경제적, 사회적 변화, 가공식품 및 당류, 음료의 소비 증가, 비만, 신체활동의 감소, 건강하지 못한 생활습관 등과 관련되어 세계적으로 심각한 건강문제로 대두되

표 9-1-4. **당뇨병의 분류**

1	**1형당뇨병** – 췌장베타세포 파괴에 의한 인슐린결핍으로 발생한 당뇨병 　1-1. 면역매개성 　1-2. 특발성
2	**2형당뇨병** – 인슐린저항성과 점진적인 인슐린분비결함으로 발생한 당뇨병
3	**임신당뇨병** – 임신 중 진단된 당뇨병
4	**기타 당뇨병** **4-1. 베타세포기능의 유전결함** 　MODY3(염색체 12번, HNF-1α), MODY1(염색체 20번, HNF-4α), MODY2(염색체 7번, glucokinase), 기타 드문 형태의 MODY (MODY4; 염색체 13번, IPF-1, MODY5; 염색체 17번, HNF-1β, MODY6; 염색체 2번, NeuroD1, MODY7; 염색체 2번, KLF11, MODY8; 염색체 9번, CELL, MODY9; 염색체 7번, PAX5, MODY10; 염색체 11번, INS, MODY11; 염색체 8번, BLK), 일과성신생아당뇨병(염색체 6번, ZAC/HYAMI imprinting defect), 영구적신생아당뇨병(KCNJ11 gene encoding Kir6.2 subunit of β-cell KATP channel), 사립체DNA **4-2. 인슐린작용의 유전결함** 　A형인슐린저항증후군, 요정증(leprechaunism), Rabson-Mendenhall증후군, 지방위축당뇨병 **4-3. 췌장외 분비기능장애** 　췌장염, 외상/췌장절제술, 췌장종양, 낭성섬유증, 혈색소증, 섬유결석췌장당뇨병 **4-4. 내분비질환** 　말단비대증, 쿠싱증후군, 글루카곤분비선종, 갈색세포종, 갑상선항진증, 성장호르몬억제인자분비선종, 알도스테론분비선종 **4-5. 간질환:** 만성감염, 간경화 **4-6. 약물유발** 　살서제(vacor), 펜타미딘(pentamidine), 당질부신피질호르몬, 니코틴산, 갑상선호르몬, 다이아족사이드(diazoxide), 베타아드레날린성촉진제, 싸이아자이드, 딜란틴, 감마-인터페론, 비정형항정신병약(olanzapine, clozapine, risperidone 등) **4-7. 감염:** 선천풍진, 거대세포바이러스, 기타 **4-8. 드문 형태의 면역매개성당뇨병:** 근육강직(stiff-man)증후군, 항인슐린수용체항체 **4-9. 당뇨병과 동반될 수 있는 기타 유전증후군** 　다운증후군, 클라인펠터증후군, 터너증후군, 울프람증후군, Friedreich운동실조증, 헌팅턴무도병, 로런스-문-비들증후군, 근육긴장퇴행위축, 포르피린증, 프라더-빌리증후군

고 있다. 2형당뇨병은 성인에게서 흔히 볼 수 있지만 어린이와 청소년에서의 발생도 최근 증가하고 있다. 2형당뇨병에서는 1형당뇨병 환자에서 관찰되는 자가면역표지자는 나타나지 않으며 대부분의 환자에서 근육, 지방조직과 간에서 인슐린저항성을 보인다.

2형당뇨병 초기에는 인슐린저항성으로 인해 인슐린수치는 증가할 수 있지만 베타세포기능장애가 기저에 있으므로 상대적인 인슐린결핍상태를 보여준다. 대부분의 2형당뇨병 환자는 과체중이거나 비만하므로 인슐린저항성은 더욱 악화된다. 당뇨병 환자 중 체질량지수 기준으로 비만이 아니더라도, 정상인과 비교하였을 때 주로 복부에 지방이 많이 분포하는 경향이 있다.

3. 병형구분이 어려운 당뇨병

1) 성인잠재자가면역당뇨병(Latent autoimmune diabetes in adults, LADA)

비교적 젊은 나이인 20-40세 사이에 발생하며, 1형당뇨병과 2형당뇨병의 특징을 모두 가지고 있는 성인형당뇨병 환자군들이 있다. 이 그룹의 환자들은 진단 당시에는 2형당뇨병으로 생각되지만 전형적인 2형당뇨병 환자에 비해 비만하지 않고 더 많은 인슐린결핍소견을 보이며 1형당뇨병 환자에서 관찰되는 자가면역 표지자(췌도세포, GAD, IA-2, 인슐린 또는 ZnT8)가 흔하게 동반되어 나타난다. 진단 당시에는 인슐린 치료가 필요하지 않고, 경구약물과 생활습관교정으로 혈당이 조절되지만, 전형적인 2형당뇨병 환자에 비하여 더 빨리 인슐린 치료를 하게 된다. 진단에 합의된 기준은 없지만 항GAD항체 양성, 진단 시 35세 이상, 진단 후 최초 6-12개월간 인슐린이 불필요하다는 세 가지 기준이 자주 사용된다.

2) 케톤증경향당뇨병(Ketosis-prone diabetes mellitus)

젊은 아프리카계 미국인에서 최초로 발견된 케톤증경향당뇨병은 최근 새로운 임상양상의 당뇨병아형으로 보고되고 있다. 이 아형의 환자들의 근본적인 병인은 분명치 않지만, 초기에 케톤산증이 동반되고 베타세포에서 일시적인 인슐린 분비장애로 심한 인슐린결핍이 있다가, 이후 인슐린 분비능의 현저한 회복을 보이며, 인슐린 치료가 더 이상 필요 없게 된다. 하지만 일부 보고에 따르면 이들 중 90%는 10년 안에 당뇨병케톤산증이 더욱 자주 발생한다고 한다. 자가면역항체는 관찰되지 않는다.

4. 임신당뇨병

임신당뇨병은 임신기간 동안 새로이 발생하는 경우를 말하는 것이지만 일반적으로 임신 동안 처음 진단되는 모든 당뇨병을 임신당뇨병이라 한다. 임신기간 동안에는 인슐린저항성이 증가하고 인슐린요구량도 증가하게 되어 고혈당을 초래할 수 있다. 한편 비만인구가 증가하게 되면서 가임기여성 중에서 진단을 받지 못했지만 임신 전에 이미 2형당뇨병을 가지고 있는 사람이 증가하고 있다. 그러므로 2형당뇨병의 위험인자를 가지고 있는 임신부는 임신 초기에 당뇨병에 대한 검사를 시행할 필요가 있다. 임신당뇨병을 진단받은 임신부는 분만 후 대부분 정상 포도당대사상태로 회복되지만 이후 약 10-20년에 걸쳐 약 35-60% 정도에서 당뇨병으로 진행할 수 있다.

5. 기타 당뇨병

1) Maturity onset diabetes of the young (MODY)

MODY는 베타세포기능의 유전결함을 특징으로 하고 있으며 보통염색체 우성으로 일반적으로 25세 이전의 젊은 나이에 발생한다. 환자들은 보통 비만하지 않고 약한 고혈당을 보이며 케토산증은 거의 발생하지 않는다. 여러 세대에 걸쳐 당뇨병이 발생하는 것이 특징이다. 현재까지 6종류의 아형이 발견되었으며 가장 일반적인 유전자 아형은 포도당인산화효소(glucokinase)유전자돌연변이(GCK MODY) 및 간핵인자(hepatic nuclear factor)유전자돌연변이(HNF1A MODY 및 HNF4A MODY)에 의한 것이다.

표현형과 치료반응은 다양한데, GCK MODY는 평생 경미한 공복고혈당을 일으키며 거의 악화되지 않는다. 미세혈관합병증 발생은 거의 없고 고혈당에 대한 약물치료는 필요 없다. HNF1A MODY는 MODY의 가장 일반적인 형태이며 진행하는 심한 고혈당을 동반하고, 미세혈관합병증과 대혈관병증 발병의 위험이 높다. 이들은 설포닐유레아의 혈당강하효과에 민감하며, 인슐린 치료를 받은 HNF1A MODY 환자는 설포닐유레아로 대체 가능하다. HNF4A MODY의 경우 HNF1A MODY와 비슷하나, 임신 시 거대아와 일시적인 신생아 저혈당을 더 많이 동반한다.

2) 인슐린작용의 유전결함

인슐린수용체돌연변이는 드물게 발생하지만 심한 인슐린저항성을 특징으로 하는 당뇨병이다. 흑색가시세포증(acanthosis nigricans)을 동반하는 A형인슐린저항증후군, 인슐린수용체의 비활성변이로 나타나면서 심한 인슐린저항성, 자궁내성장지연과 흑색가시세포증을 동반하는 요정증(leprechaunism), Rabson-Mendenhall증후군, 젊은 성인에서 사지의 지방위축을 특징으로 하면서 고지질혈증과 인슐린저항성을 보여주는 지방위축당뇨병(lipoatrophic diabetes) 등이 있다.

3) 이식 후 당뇨병

장기이식 후에 당뇨병이 발생할 수 있다. 신장이식의 경우 이식 후 첫 몇 주 동안 대부분의 환자에서 스트레스나 당질부신피질호르몬 사용으로 고혈당이 발생하며 서서히 호전된다. 하지만 면역억제제를 장기간 복용하는 상황에서는 당뇨병으로 진행하게 되고 이를 이식 후 당뇨병이라 한다. 이식 후 당뇨병의 위험요인에는 일반적인 당뇨병의 위험인자(나이, 높은 체질량지수, 당뇨병 가족력 등)와 더불어 퇴원 후에도 혈당조절을 위해 인슐린을 사용하는 경우, 면역억제제를 사용하는 경우 등이 있다. 면역억제제를 사용하는 것은 이식 후 당뇨병을 유발하지만, 이식거부의 위험이 이식 후 고혈당의 위험보다 크기 때문에, 면역억제제 종류에 관계없이 고혈당을 적절히 치료해야 한다. 그러므로 장기이식 후에는 고혈당에 대한 선별검사가 필요하며, 확정적인 이식 후 당뇨병의 진단은 급성감염이 없고, 안정적으로 면역억제제를 복용하는 상태에서 시행해야 한다. 이식 후 당뇨병의 진단을 위한 최적표준검사는 경구포도당내성검사이지만 공복혈당 및 당화혈색소검사를 이용하여 추가로 평가가 필요한 고위험 환자를 확인할 수 있다.

4) 췌장외 분비기능장애

췌장염, 외상, 감염, 췌장암, 췌장절제술 등 췌장의 손상을 주는 어떠한 상황에서도 당뇨병이 발생할 수 있다. 당뇨병이 발생하기 위해서는 광범위한 췌장의 손상이 필요하지만, 췌장선암의 경우 예외적으로 췌장 일부를 침범하여도 고혈당이 발생할 수 있다.

5) 내분비질환

특정 호르몬도 당뇨병과 관련되어 있다. 성장호르몬, 코티솔, 카테콜라민 같은 호르몬은 인슐린작용을 약화시킨다. 그러므로 상기 호르몬을 과잉 분비하는 질환인 말단비대증, 쿠싱증후군, 갈색세포종 등에서 당뇨병이 발생하거나 악화될 수 있다. 또한 갑상선항진증에서는 베타아드레날린의 항진에 의해 당뇨병이 악화될 수 있으며, 일차알도스테론증은 인슐린분비 감소소견을 보인다. 췌장에서 글루카곤, 성장호르몬억제인자 등을 분비하는 종양도 당뇨병 발생과 관련이 있다.

6) 간질환과 당뇨병

2002년 일본당뇨병학회 권고안에서 간질환에서 내당능장애가 흔하게 발생한다는 보고가 있었고, 국내의 연구에서도 만성간질환에서 당뇨병유병률이 15–30% 증가함을 보여주었다.

7) 약물유발당뇨병

여러 가지 약물들은 인슐린 분비 또는 인슐린작용을 저해할 수 있다. 인슐린저항성을 유발하는 대표적인 약물은 스테로이드제제이다. 올란자핀과 같은 항정신병약물은 체중을 증가시키고 인슐린저항성을 증가시켜 심한 고혈당을 유발한다. 이외에도 베타차단제, 싸이아자이드, 페니토인 등은 인슐린분비를 감소시켜 고혈당이 발생한다.

8) 감염관련 당뇨병

특정 바이러스가 베타세포 파괴와 관련이 있어 1형당뇨병을 유발할 수 있지만, 명확한 원인은 불명확하다. 풍진, 콕사키바이러스, 거대세포바이러스, 볼거리, 그리고 아데노바이러스와 관련이 있다고 알려져 있다.

III. 당뇨병테크놀로지

이원영

1. 서론

당뇨병테크놀로지는 당뇨병 환자를 치료하는 데 적용할 수 있는 하드웨어, 소프트웨어, 장비 및 디지털기술을 통합하여 일컫는다. 과거에는 펜 또는 펌프형태의 인슐린투여기술이나 자기혈당측정(self-monitoring of blood glucose, SMBG) 또는 연속혈당측정(continuous glucose monitoring, CGM)에 국한된 용어였으나 최근에는 센서강화인슐린펌프(sensor-augmented insulin pump), 하이브리드 인공췌장시스템 및 자기관리에 도움을 줄 수 있는 소프트웨어, 애플리케이션 및 장비들을 포함하는 것으로 기술이 발전되고 있다. 당뇨병테크놀로지가 적절한 교육과 함께 적용된다면 당뇨병 환자에서 혈당 호전과 더불어 삶의 질을 개선시킬 수 있겠다. 하지만, 사용의 복잡성 및 경제성 등의 이유로 아직 적용하기 쉽지 않은 측면들이 있으며 환자 이용의 문턱을 낮추기 위해 보험문제 및 진료수가 등 해결해야 할 문제들이 아직 많이 남아있다.

당뇨병테크놀로지가 빠르게 발전하고 있으나 이는 모든 환자에게 도움을 줄 수 있는 단순한 방법은 아니며, 환자마다 테크놀로지의 이용능력에 차이가 있어 개별 환자에 맞게 적용하는 것이 필요하다. 하지만 당뇨병테크놀로지는 점차 쉽게 적용될 수 있는 방향으로 개선되고 있으므로 많은 기대를 해볼 수 있다.

인슐린펌프 및 인공췌장은 1형당뇨병 치료 장에서 다루기로 하여 본 장에서는 자기혈당측정, 연속혈당측정, 디지털헬스기술 등에 대해 다루어 보고자 한다.

2. 자기혈당측정기

인슐린 치료를 받는 당뇨병 환자를 대상으로 한 많은 임상연구에서 자기혈당측정이 철저한 혈당관리에 도움이 된다는 것이 증명된 바 있다. 자기혈당측정은 인슐린 치료를 받는 당뇨병 환자에서의 중요한 관리방법 중 하나이다. 최근에는 연속혈당측정이 중요한 혈당모니터링의 방법으로 사용되고 있다. 자기혈당측정은 환자가 치료에 대한 개별반응을 평가하고, 목표 혈당에 도달하는지를 확인하는 중요한 도구가 될 수 있다. 또한, 자기혈당측정은 저혈당을 예방하고, 적절한 식사요법을 시행하는 데 도움을 주며, 치료자가 환자에게 적절한 약물을 선택하는 데에도 큰 도움을 준다. 자기혈당측정의 측정시기나 횟수는 환자상태에 따라 개별

화해 시행할 수 있으며, 연속혈당측정 또한 환자의 상태에 따라 적절히 적용될 수 있겠다.

1) 자기혈당측정기의 정밀도
미국 식약처에서는 정밀도가 높은 혈당측정기를 허용하고 있으며, 정확도 기준으로 가장 많이 사용되는 기준은 2가지이다. 즉, ISO (International Organization for Standardization) 기준과 FDA 기준이다. 혈당측정기 간의 효능이 비교된 연구는 많지 않다. 혈당기에 따라 덜 아픈 lancing device를 사용하는 시스템이 있거나, 혈액 샘플이 부족할 경우 다시 스트립을 사용할 수 있는 시스템이 갖춰진 혈당측정기가 있는 등 기계마다 특성의 차이가 있다. 환자들은 기한이 만료되지 않은 스트립을 사서 사용하도록 권고된다. 혈당측정기의 수치가 대부분 정확하지만, 정확도에 문제가 있을 경우를 염두에 두어야 하며, 혈당수치가 의심될 경우 재검사를 하거나 검사실혈당수치로 확인할 필요가 있다.

2) 자기혈당측정의 적절한 사용
자기혈당측정의 정확도는 기기와 사용자의 측정방법에 따라 달라질 수 있어 규칙적으로 정밀도에 대해 평가가 필요하며, 기기회사에서도 이 부분을 점검할 필요가 있겠다. 1형당뇨병 환자들에게 자기혈당측정빈도와 혈당조절은 상관관계가 매우 높다고 알려져 있다. 하지만, 실제 자기혈당측정을 하는 당뇨병 환자의 15% 정도는 자기혈당측정값에 따라 적절한 조치를 하지 않는다고 알려져 있으므로, 측정값에 따른 식사조절 및 운동 등 자기관리법에 대한 충분한 교육이 필요하겠다. 환자가 자기혈당측정을 적절히 관리에 적용시키지 못하면서 혈당 측정을 맹목적으로 하는 것은 아닌지에 대한 의사의 관심이 필요하겠다.

3) 다회인슐린주사요법 중인 환자에서의 자기혈당측정
특히 인슐린을 투여받는 당뇨병 환자에서는 저혈당과 고혈당을 예방하기 위해 자기혈당측정이 매우 중요하다. 특히,

다회인슐린주사요법을 사용 중인 환자들에서는 자기혈당측정 및 연속혈당측정을 하도록 권고하며, 매 식사 전후, 취침 전, 새벽, 운동 전후, 저혈당 시에 할 수 있으나, 환자상태에 따라 측정시기나 횟수는 개별화한다. 인슐린을 투여받는 성인 또는 어린이 당뇨병 환자에서 연속혈당측정을 적절히 사용하면 혈당을 낮추고 저혈당을 유의하게 감소시킬 수 있다. 다회인슐린투여자에서 자기혈당측정의 빈도는 환자마다 다르겠지만 하루 6-10회 정도 필요하다고 보고된다. 약 27,000명의 소아청소년 1형당뇨병 환자의 자료를 보면, 자기혈당측정 빈도와 당화혈색소는 유의한 상관성을 보인다(일 1회 자기혈당측정 당 당화혈색소 0.2% 감소함).

4) 기저인슐린 또는 경구혈당강하제 투여 환자에서의 자기혈당측정

2형당뇨병 환자에서 경구혈당강하제를 포함하여(또는 포함하지 않은) 기저인슐린을 투여하는 환자에서 자기혈당측정의 적절한 빈도는 아직 명확한 근거가 부족하다. 그러나 기저인슐린투여자에서 자가로 공복혈당을 측정하면 목표혈당에 도달하는지를 확인하여 인슐린용량을 스스로 정할 수 있고, 따라서 당화혈색소를 감소시킬 수 있는 이득이 있다.

경구혈당강하제만 투여받는 2형당뇨병 환자에서의 자기혈당측정은 이득이 제한적일 수 있으나, 적절한 교육과 함께 적용하면 제한적이지만 좋은 결과를 얻을 수 있다고 보고된다. 자기혈당측정을 통해 식사조절과 운동요법 등 생활습관교정을 할 경우, 혈당개선에 도움이 될 수 있다. 또한, 자기혈당측정은 저혈당을 평가하는 데 도움이 되고, 다른 동반질환이 있을 때 혈당변화를 확인할 수 있으며, 당화혈색소 값이 의심스러운 경우 실제 혈당과의 차이를 확인하는 데 도움이 된다. 메타분석에 따르면 자기혈당측정을 했을 때, 6개월 후 당화혈색소가 0.25-0.3% 감소되었으나, 1년 시점에서는 그 효과가 없어졌다. 또한, 자기혈당측정값에 따라 체계화된 치료약물 변경 등의 조절이 이루어진 경우에는 당화혈색소 감소효과가 더 컸으나(0.3% 감소), 그렇지 않은 경우에는 당화혈색소 변화가 없었다. 이는 자기혈당측정을 맹목적으로 하는 경우에는 혈당개선 효과로 이어지지 못하며, 체계화된 교육을 통해 자기혈당측정결과를 생활습관교정 또는 치료법의 조정 등에 적용을 하는 경우에 자기혈당측정이 혈당개선에 대한 이득이 있음을 보여주는 결과라 할 수 있겠다.

5) 혈당측정기기의 정확도

대부분의 혈당측정기는 정확하지만, 부정확하게 측정될 수 있는 경우도 있다. 그런 경우에는 재검사를 하거나 공인된 실험실에서의 검증을 해야 한다. 다음과 같은 경우를 유념할 필요가 있겠다.

현재 상용되는 혈당측정기들은 전기화학반응과 연결된 효소반응법을 통하여 혈당을 측정하고 있으며, 포도당산화효소(glucose oxidase) 또는 포도당탈수소효소(glucose dehydrogenase) 방법을 사용한다. 포도당산화효소방법은 산소 농도에 민감하며, 정상 산소포화도를 가진 환자의 모세혈관혈을 이용한 검사가 권고된다. 높은 산소 농도에서는 혈당값이 과도하게 낮게 나올 수 있으며(예: 산소치료 중인 경우) 낮은 산소 농도에서는 높게 나올 수 있다(고산지대, 저산소증, 정맥혈액검체 등). 하지만, 포도당탈수소효소방법은 산소분압에 좌우되지 않는다.

대부분의 효소반응법은 온도에 민감하여, 적절한 온도 범위 내에서 검사를 해야 한다. 적정온도를 벗어난 상태에서 검사를 할 경우, 보통은 오류메시지가 뜨게 된다. 효소반응법의 종류에 따라 측정에 혼란을 유발하는 물질들이 몇 가지 존재한다.

3. 연속혈당측정기기

연속혈당측정기기는 센서가 5분마다 피하세포 간질액의 포도당 농도를 감지하여 혈당수치를 간접적으로 알 수 있게 해주며, 실시간 혈당값과 약간의 시간 격차가 있지만 매번 손가락을 찌르지 않아도 되는 큰 장점이 있다(그림 9-1-2, 9-1-3). 연속혈당측정기기의 종류는 환자가 직접 사용하는 실시간연속혈당측정기기(real time CGM, rtCGM) 또는 간헐스캔연속혈당측정기기[intermittently scanned CGM (isCGM)] 그리고 의료진에 의해 사용되는 후향적전문가용연속혈당측정기기(professional CGM)가 있다(표 9-1-5). 많은 무작위대조시험(randomized controlled trial)에서 rtCGM이 당화혈색소를 낮추고 저혈당 위험을 낮출 수 있다고 보고하였다. 이러한 rtCGM은 블루투스기능을 통해 스마트폰에서 혈당수치를 확인할 수 있도록 되어 있으며, 저혈당 및 고혈당에 대한 알람기능이 있다. isCGM의 경우 블루투스기능이 아니라, 센서에 기기를 스캔할 때마다 혈당수치가 스마트폰에 게시된다. isCGM의 경우 센서스캔을 자주할수록 혈당이 개선될 수 있다고 알려져 있으며, 29개의 추적연구(longitudinal study)를 포함한 메타분석에 따르면(1형당뇨병 또는 2형당뇨병 환자 1,723명 대상) FreeStyle Libre® 2개월 사용시점부터 당화혈색소수치가 낮아지고, 1년 사용 시에도 이러한 혈당강하 효과가 지속된다는 것을 보여주었다(비교 대조군은 없었음). 또한 소아청소년 당뇨병 환자에서도 역시 FreeStyle Libre®의 혈당개선 효과가 유의하게 나타났으며 isCGM에 비해 rtCGM을 했을 경우 저혈당이 적었다는 소규모연구가 있었다. isCGM의 최신버전 기기(Free-Style Libre 2®)는 저혈당 및 고혈당에 대한 알람기능이 있으나 혈당 및 혈당추세화살표를 확인하기 위해서는 스마트폰으로의 근접접촉이

필요하며, 아직 무작위대조연구 결과가 없다. FreeStyle Libre 2 (isCGM)와 Dexcom G6 (rtCGM)는 자동화된 인슐린용량조정시스템과 연동되는 등 다른 디지털기기와 연동될 수 있으며, FDA에서는 이들을 integrated CGM으로 표기하기도 한다.

일부 CGM기기들은 사용자가 교정(calibration)을 해주어야 하며, 교정횟수는 기기마다 다르다. FDA에서는 CGM센서가 제시하는 부정확한 값을 교정하며, 적절한 치료결정이 이루어지게 하기 위해 자기혈당측정을 통해 이를 확인하고 교정하도록 제안하고 있다. CGM센서의 정확도를 위해 자기혈당측정을 함께 실시하여 보정을 해주는 것이 필요한 기기가 있고, 그렇지 않은 기기가 있다(덱스콤 G5와 가디안3 센서는 12시간마다 손끝 채혈로 보정 필요하고, 덱스콤 G6 및 프리스타일 리브레는 보정이 필요 없음, 표 9-1-5). RE-PLACE–BG연구에서는, T1D Exchange Clinic Network를 통해 혈당조절이 잘되는 1형당뇨병 환자를 대상으로 CGM단독군과 CGM + SMBG 일 2회측정군을 비교하여 저혈당위험도와 목표범위내비율(time in range, TIR)을 측정하였는데, 양군 간에 유의한 차이 없이 CGM 단독군에서도 CGM 사용이 안전하며 효과적이라는 결과를 보고하였다. 또한, rtCGM을 사용하는 1형당뇨병 환자에서 당화혈색소를 낮추는데 중요한 예측인자로서 센서이용횟수

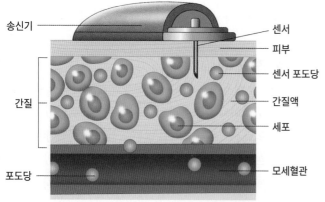
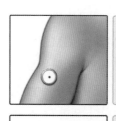

송신기 / 센서 / 피부 / 센서 포도당 / 간질 / 간질액 / 세포 / 포도당 / 모세혈관

연속혈당측정기기의 센서는 간질액의 포도당을 측정함 → 실제 혈당값보다 5–15분 지연되어 나타날 수 있음

혈당측정기는 혈관 내의 포도당을 측정함

그림 9-1-2. **연속혈당측정의 원리**

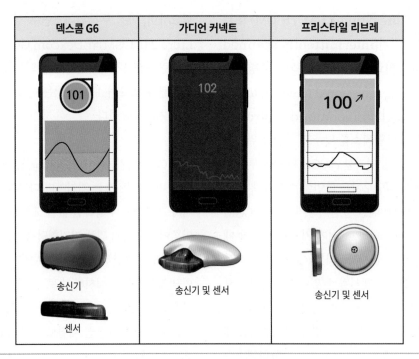

덱스콤 G6	가디언 커넥트	프리스타일 리브레

송신기

센서

송신기 및 센서

송신기 및 센서

그림 9-1-3. 연속혈당측정기기의 구성요소

가 중요함을 보여주었다. 특히, 이 연구에서는 25세 이상에서 전반적으로 센서이용도가 가장 높았고, 따라서 이들에서 당화혈색소 감소효과가 가장 좋았으며, 이보다 더 어린 연령에서는 센서이용도가 낮았음을 보여주었다.

CGM에서 제시하는 많은 혈당지표들이 있으며 활동혈당개요(Ambulatory Glucose Profile, AGP)라는 요약기록지에 여러 혈당지표들을 기술하도록 권고된다(표 9-1-6, 그림 9-1-4). 다회인슐린주사 또는 인슐린펌프 치료를 받는 소아청소년 및 성인당뇨병 환자에서 rtCGM과 isCGM을 적절히 사용하면 당화혈색소를 감소시키고 저혈당위험을 낮출 수 있다. 따라서 이러한 환자들에서는 진단시점부터 rtCGM 또는 isCGM의 사용을 적극 권장한다. 또한 그 외 형태의 인슐린주사를 투여받는 당뇨병 환자에서도(인슐린 1회 또는 2회 주사) CGM의 효과를 기대할 수 있다. 경구혈당강하제 단독 또는 기저인슐린을 투여받는 2형당뇨병 환자에서도 rtCGM 또는 isCGM을 간헐적으로 사용했을 때, 3개월 또는 6개월 후에 당화혈색소가 감소되었다. 당뇨병 환자에서 임신기간 동안에도 자기혈당측정에 추가하여 CGM을 적용하면 당화혈색소를 감소시킬 수 있다. CGM을 적용할 경우 피부알레르기반응이 발생할 수 있으므로 이를 유심히 관찰하는 것이 중요하다. 이러한 CGM 장비들의 혈당강하 효과는 환자들이 혈당수치를 쉽게 확인하면서 이에 대한 생활습관을 교정할 수 있게 되고 또한 인슐린용량을 조절하는 데 도움이 된다. CGM의 사용은 자기혈당측정 횟수를 줄일 수 있다는 장점이 있어 환자의 삶의 질을 높일 수 있다.

1) 연속혈당측정교육

CGM을 잘 사용하기 위해서는 교육과 추적관리가 매우 중요하다. 장비회사들은 온라인 교육체계를 갖추고 있으나 환자들은 의료진으로부터 직접 받는 교육이 효과적이다. 이러한 교육프로그램이 성인 및 어린이에서 모두 효과 있으며 결과를 좋게 한다고 보고된다. 자기혈당측정과 함께 사용하여 혈당수치를 교정하는 방법에 대해 교육이 필요하며 측정된 혈당값과 차이가 많이 날 경우에 대한 대처법 등에 대해서

표 9-1-5. 연속혈당측정의 정확도 및 기기별 특성

제조사	제품명	정확도* (%)	손끝 채혈을 통한 보정	스캔	혈당 측정 범위	혈당 측정 간격	센서 유효 사용 기간	방수	타이레놀 영향	송신기 (트랜스미터)	기타
덱스콤	G5	9.0	12시간 마다	불필요	40-400 mg/dL	5분	7일	가능	있음	3개월 사용 가능 충전필요 없음	• 최대 5명이 보호자가 팔로우앱으로 혈당 감시 가능
	G6	9.0	불필요	불필요	40-400 mg/dL	5분	10일	가능	없음	3개월 사용 가능 충전필요 없음	• 최대 5명이 보호자가 팔로우앱으로 혈당 감시 가능
메드트로닉	가디언3 센서	9.1 (팔) 10.6 (복부)	12시간 마다	불필요	40-400 mg/dL	5분	7일	가능	있음	1년 사용 가능 센서교체 시 송신기배터리를 충전해야 함	• 메드트로닉 인슐린펌프와 통합 가능 • CareLink 웹페이지를 통해 보호자도 실시간혈당 확인가능 • 최대 5명이 보호자가 혈당 경보 문자메시지 받을 수 있음
	엔라이트	13.6	12시간 마다	불필요	40-400 mg/dL	5분	6일	가능	있음	1년 사용 가능 센서교체 시 송신기배터리를 충전해야 함	• 메드트로닉 인슐린펌프와 통합 가능 • CareLink 웹페이지를 통해 보호자도 실시간혈당 확인가능 • 최대 5명이 보호자가 혈당 경보 문자메시지 받을 수 있음
애보트	프리스타일 리브레	9.4	불필요	필요	40-500 mg/dL	1분 (스캔 시) 15 (자동)	14일	가능	없음	센서와 송신기 일체형 2주마다 교체	• 실시간혈당은 스캔한 때만 볼 수 있음 • 국내에 출시된 1세대 제품은 알람 기능이 없으므로, 저혈당무감지증이 있는 환자에게는 권고되지 않음 • 최대 5명이 보호자가 앱 공유를 통해 혈당 감시가능
	프리스타일 리브레2	9.3	불필요	필요	40-500 mg/dL	1분 (스캔 시) 15 (자동)	14일	가능	없음	센서와 송신기 일체형 2주마다 교체	• 실시간혈당은 스캔한 때만 볼 수 있음 • 2세대 제품으로 알람 기능이 있으며, 음식과 운동에 대한 북마크를 추가하여 지료과 분석이 용이하게 함 • 포도당 측정기와 케톤 측정기로 사용할수 있음 • 국내 미출시(2020. 12월 기준)
센스닉스	에버센스	8.5	12시간 마다	불필요	40-400 mg/dL	5분	90일	가능	없음	적어도 이틀에 한 번 충전해야 하며, 센서 교체 없이 송신기만 별도 교체 가능함	• 3.5×18.3 mm 크기의 원통형센서를 피하에 삽입해야 하며, 송신기는 피부에 부착해야 함 • 센서삽입은 병의원에서 시술을 받아야 함 • 저혈당 또는 고혈당 시 앱을 통한 알람 외에 피부에 부착한 송신기가 진동으로 알릴 기능부여 • 국내 미출시(2020. 12월 기준)

* 정확도(MARD, %): 낮을수록 정확도가 높은 것을 의미함. 연구마다 MARD 값은 상이하며, 이 표에서는 회사에서 제공하는 값을 표기함(출처: 연속혈당측정을 이용한 혈당조절검이).

09 당뇨사전환

표 9-1-6. **연속혈당측정의 해석을 위한 핵심 측정기준**

핵심 측정기준	목표치
환자의 연속혈당측정기기 사용기간	14일 이상
연속혈당측정활성 사용시간 비율(%)	70% 이상
평균혈당치	해당 없음
혈당관리표시기(glucose management indicator, GMI)	
변동계수(coefficient of variation, %)	36% 이하
목표범위내비율(time in range, TIR)	70% 이상

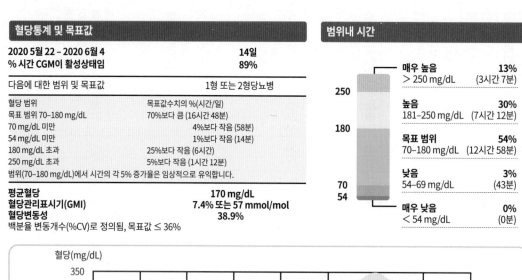

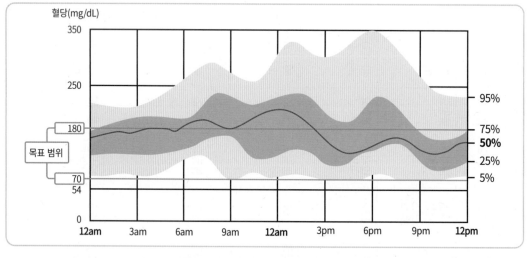

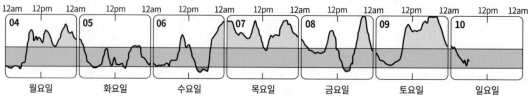

그림 9-1-4. **활동혈당개요(Ambulatory Glucose Profile, AGP) 보고서 예시**

도 교육이 필요하겠다.

2) 실시간연속혈당측정의 무작위대조연구

CGM의 효과는 일일다회주사(multiple daily injection, MDI) 또는 지속피하인슐린 주입(continuous subcutaneous insulin infusion, CSII)을 받고 있는 성인 및 어린이 당뇨병 환자에서 검증되었으며, 이는 1형당뇨병 환자뿐만 아니라 성인2형당뇨병 환자들에서도 모두 검증이 되었다.

1형당뇨병 환자에서 시행한 실시간연속혈당측정의 무작위대조연구에는 성인을 대상으로 당화혈색소를 일차종말점(primary endpoint)으로 진행한 연구들이 있으며, 성인을 대상으로 저혈당을 일차종말점으로 진행한 연구들도 있다. 그리고 성인 및 소아청소년1형당뇨병 환자를 대상으로 당화혈색소를 일차종말점으로 진행한 3개의 연구가 있으며, 저혈당을 일차종말점으로 진행한 3개의 무작위대조연구가 있다

(1) 성인1형당뇨병 대상 당화혈색소 감소 또는 저혈당 감소를 일차종말점으로 한 실시간연속혈당측정연구

MDI를 하는 1형당뇨병 환자를 대상으로 한 연구에서, 한 연구에서는 rtCGM군에서 0.6%의 당화혈색소 감소가 있었고 또 다른 연구에서는 rtCGM군에서 0.43%의 당화혈색소 감소가 있었다. 다른 소규모연구에서는 rtCGM군에서 당화혈색소 감소가 관찰되지 않았으나, 이 연구에서는 연속혈당측정기 사용에 대한 체계화된 교육이 충분히 이뤄지지 않았다. Juvenile Diabetes Research Foundation continuous glucose monitoring (JDRF-CGM) trial 에서는 인슐린펌프사용자에서 0.53%의 유의한 당화혈색소 감소가 있었으며 rtCGM을 더 오래 착용한 환자에서 혈당조절이 더 잘 된 것이 확인되었다.

많은 연구들에서 MDI또는 CSII를 받고 있는 성인 1형당뇨병 환자에서 rtCGM 사용이 저혈당 발생률을 감소시킬 수 있음을 보여주었다. 저혈당 위험이 높은 환자군에서 rtC-GM 사용 시 모든 형태의 저혈당 발생률 감소가 있었고, 특히 저혈당무감지증 환자 또는 저혈당을 빈번히 겪는 환자들에서 뚜렷한 저혈당 감소 효과가 있었다. 하지만, 일부 연구들에서는 rtCGM 사용이 중증저혈당을 줄이는 데에는 유의한 효과를 보이지 못했다는 보고도 있다.

(2) 소아청소년1형당뇨병 환자 대상 당화혈색소 감소 또는 저혈당을 일차종말점으로 한 실시간연속혈당측정연구

성인과 소아청소년이 모두 포함된 rtCGM 무작위대조연구들에서 rtCGM 사용 시 당화혈색소의 유의한 감소가 보고되었으나, JDRF CGM trial에서 연령별로 효과를 분석한 연구에서는(8-14세, 15-24세, 25세 이상 대상), 25세 이상에서만 rtCGM 사용 시 당화혈색소의 유의한 감소가 있었다. 그보다 아래 연령에서 혈당강하 효과가 없었던 것은 착용도 감소와 관련된다고 추정된다. 실제 그 연구의 후속 분석연구에 따르면, 소아청소년 환자군에서도 주 6회 이상 센서 사용을 많이 했던 군에서 rtCGM 사용 시 유의한 혈당강하 효과가 관찰되었다. 따라서 CGM 센서를 거의 매일 착용하는지가 CGM 사용의 혈당 개선 효과에 미치는 중요한 요인이라고 할 수 있겠다. 4-10세 대상의 한 무작위대조연구에서는 CGM 센서 사용빈도에 관계없이 rtCGM 사용은 혈당강하 효과가 없었다. 관찰연구에 따르면 8세 미만에서 rtCGM이 사용 가능하며 잠재적인 혈당강하 효과가 보고된 바도 있으나, 4-9세에서의 무작위대조연구에 따르면 6개월 동안 rtCGM 사용에서 혈당강하 효과가 관찰되지 않았다. 저혈당을 종말점으로 하는 소아청소년 환자만을 대상으로 한 무작위대조연구는 아직 없으며, 성인 및 소아청소년 1형당뇨병 환자가 모두 포함된 연구에서는 rtCGM이 저혈당 위험을 줄일 수 있다고 보고되었다.

(3) 2형당뇨병 환자 대상 실시간연속혈당측정연구

rtCGM연구에 포함된 2형당뇨병 환자들은 다양하다. 일부 연구는 기저인슐린투여자에서 진행되었고, 다른 연구에서는 경구혈당강하제만 투여되는 환자들에서 진행되었다. rtCGM은 MDI를 하는 2형당뇨병 환자에서 효과가 있었고,

09
당대사질환

기저인슐린만 투여하거나 인슐린을 투여하지 않는 경구혈당강하제 투여 환자에서도 효과가 있었다. 그러나 이런 연구들에서 rtCGM의 저혈당 감소효과는 관찰되지 않았다.

3) 간헐스캔연속혈당측정연구

isCGM 초기모델에서는 저혈당 알람기능이 없었고, 대부분의 isCGM 관련 임상연구들은 이러한 초기모델들을 이용하여 진행되었다. 저혈당 위험이 큰 1형당뇨병 환자에서 한 무작위대조연구에서 isCGM은 저혈당 발생을 유의하게 줄일 수 있다고 보고하였으나, 다른 무작위대조연구에서는 isCGM은 저혈당 발생 감소효과가 없었다고 보고하였다. 2형당뇨병 환자를 대상으로 한 isCGM연구에서는 isCGM은 혈당강하 효과는 없었으나 저혈당을 43%까지 줄일 수 있었다. MDI를 하고 있는 2형당뇨병 환자에서 시행한 연구에서는 대조군에서 당화혈색소가 0.33% 감소되었고, 중재군(isCGM 군)에서 당화혈색소가 0.82% 감소되어 유의한 차이가 있었으나, 저혈당 발생률에서는 두 군 간 차이가 없었다. 또한, 여러 관찰연구들에서 성인 및 소아청소년당뇨병 환자에서 isCGM의 당화혈색소 감소 및 저혈당 감소 그리고 생활의 질개선 효과가 보고된 바가 있다.

2017년 노르웨이 공공건강연구소에서 평가한 자료에 따르면, isCGM은 치료만족도를 증가시킬 수 있었고, 야간저혈당을 줄일 수 있으나 당화혈색소 감소나 생활의 질을 개선시키지는 못했다. 캐나다 식약처에서 보고한 isCGM정확도에 관련된 자료에 따르면, isCGM이 자기혈당측정을 대체할 수 있으며, 특히 혈당 측정을 자주 해야 하는 사람에서 도움이 될 수 있다고 하였다. 2020년 발표된 무작위대조시험들을 분석한 체계적 문헌고찰에서 isCGM은 일부 환자들에서 당화혈색소 감소 효과가 있으나, TIR, 저혈당 및 혈당변동성에 대해서는 효과가 명확하지 않다고 보고했다. 하지만 1형당뇨병 환자에서 체계화된 교육을 받은 경우 isCGM 사용의 효과가 좋았음을 보여주었다. 다른 종설에서는 isCGM이 당화혈색소 감소 및 생활의 질 증대에도 효과가 있었다고 보고했으며, 다른 메타분석에서 1형 및 2형당뇨병

환자에서 isCGM 사용은 당화혈색소 0.26% 감소 효과가 있었으나 TIR 및 저혈당 발생빈도에는 차이가 없었다고 보고했다. 이처럼 isCGM의 장점이 있으므로, 다회인슐린주사를 투여받는 당뇨병 환자에서 isCGM이 rtCGM의 대체방법으로서 좋은 방법이라는 보고가 있으며 많은 경우에서 isCGM이 SMBG를 대체할 수 있는 장점이 있고, 특히 혈당조절이 매우 불량한 환자에서 혈당감시를 유지할 수 있도록 하며, 치료를 유지할 수 있도록 도움이 된다고 보고된다.

4) 임신기간 동안의 실시간연속혈당측정기기 사용

MDI 또는 CSII 사용 중인 임신한 1형당뇨병 환자에서 CGM을 적용한 무작위대조시험결과에 따르면, rtCGM 사용 시, 당화혈색소의 경미한 감소가 있었고 임신나이과체중(large-for-gestational age, LGA)의 위험을 줄이고, 입원기간을 감소시켰으며, 신생아 저혈당 위험을 줄였다. 한 관찰연구에 따르면 CGM 사용자에서 TIR값이 클수록, 또한 표준편차값이 낮을수록 신생아합병증과 거대아 발생위험이 적었다. 또한 CGM에서 보고되는 평균 혈당값이 추정된 당화혈색소 또는 혈당표시관리기(glucose management indicator, GMI) 값보다 우수하다고도 보고되었다.

5) 전문가용연속혈당측정기기의 사용

전문가용연속혈당측정기기(professional CGM)는 후향적으로 혈당자료를 제공하며(blinded 또는 unblinded 모두 가능), 저혈당 및 고혈당패턴을 알게 해준다. rtCGM 또는 isCGM을 사용하지 못하는 환자들에게 짧은 기간 사용하면서 환자들을 평가하는 데 도움을 주며, 혈당변화에 대한 자료를 환자와 공유하여 생활습관 개선을 유도할 수 있다. 또한, 저혈당기록을 후향적으로 확인하여 약물변경을 할 수 있게끔 도움이 될 수 있다.

6) 입원 환자에서의 연속혈당측정기기 사용

최근 COVID-19 상황에서 입원 환자에서 CGM을 사용하는 해외사례들이 많아지고 있고, 입원 환자에서의 CGM 정확도 및 저혈당 예방 효과에 대한 연구들이 많이 보고되고

표 9-1-7. 입원 환자 대상으로 한 CGM 임상연구의 예시들

Study	Year	First author country	Patient population	CGM type	CGM manufacturer	Definition of hypoglycemia	Outcome
Steil et al.	2011	USA	Cardiac ICU (= 311)	Guardian	Medtronic MiniMed	Blood glucose <60 mg/dL (3.3 mmol/L)	No reduction if CGM alarm was set at 60 mg/dL. 18 out of 40 episodes of hypoglycemia detected when the alarm threshold set to 70 mg/dL. One to two false hypoglycemia alarms in each patient
Gomez et al.	2015	Colombia	T2DM, on basal bolus insulin (= 38)	iPro2 system	Medtronic MiniMed	Hypoglycemia was defined as blood glucose <70 mg/dL (3.9 mmol/L) or <60 mg/dL (3.3 mmol/L).	CGM is more effective than POC testing for detecting hypoglycemic episodes and asymptomatic hypoglycemia using either definition of hypoglycemia
Singh et al.	2020	USA	T2DM, on Basal=bolus Insulin (= 13)	Dexcom G4 Platinum CGM	Dexcom	Blood glucose <70 mg/dL (3.9 mmol/L)	A hypoglycemia prevention protocol using a specific Glucose Telemetry System can reduce incidence of inpatient hypoglycemia
Galindo et al.	2020	USA	T2DM, on Basal=bolus Insulin (= 97)	FreeStyle Libre Pro CGM	Abbott Diabetes Care	Hypoglycemia was defined as <70 mg/dL (3.9 mmol/L) or <54 mg/dL (3.0 mmol/L)	Hypoglycemic events were detected more often by CGM use than POC testing.
Singh et al.	2020	USA	T2DM, on Basal = bolus Insulin (= 72)	Dexcom G6	Dexcom	Hypoglycemia was defined as blood glucose <70 mg/dL (3.9 mmol/L) for over 15 minutes. Clinically significant hypoglycemia was defined as blood glucose <<54 mg/dL (3.0 mmol/L).	In patients with type 2 diabetes who have been treated with insulin, hypoglycemia can be decreased by a combination of RT-CGM use with a protocol for hypoglycemia prevention.
Chesser et al.	2021	USA	Children with postprandial Hypoglycemia Due to late Dumping Syndrome Following gastric Surgeries (= 3)	Dexcom G4 Dexcom G5 Dexcom G6	Dexcom	Hypoglycemia was not explicitly defined, but one patient whose glucose level was up to 65 mg/dL was considered hypoglycemic.	CGM can be used for early diagnosis of dumping syndrome by revealing glycemic dysregulation. It can also be used to evaluate the effectiveness of treatments and feeding regimens for postprandial hypoglycemia due to late dumping syndrome.

CGM, continuous glucose monitor; ICU, intensive care unit; T2DM, type 2 diabetes mellitus; POC, point of care; RT-CGM, real-time continuous glucose monitor[출처: Endocrinol Metab (Seoul) 2021;36:240–55].

69

당뇨병치료

있다. 병실에서 사용하는 CGM의 정확도에 대한 연구들이 대부분이지만 CGM의 저혈당 예방 효과에 대한 연구들도 있고, 그 외 입원 환자에서 CGM사용의 긍정적인 결과를 보고하는 연구들이 많이 있다. 미국 FDA에서도 병실에서의 CGM사용에 반대하고 있지 않으며, 병실에서 CGM사용은 병실 환자에서의 저혈당 및 고혈당 감소, 자기혈당측정 횟수의 감소 효과를 기대할 수 있다(표 9-1-7). 아직은 소규모연구들이 대부분이지만, 이에 대한 후속연구가 늘어날 것이고 따라서 입원 환자에서 CGM의 임상 적용이 확대될 것으로 전망된다. 따라서 병동 의사 및 간호사들도 이에 대해 친숙해질 필요가 있으며, 향후 잘 적용되기 위해서는 인력 및 보험에 대한 지원도 필요하겠다.

4. 디지털헬스테크놀로지

일부 당뇨병 환자 또는 당뇨병전단계에서는 디지털헬스테크놀로지를 함께 접목하는 것이 도움이 될 수 있겠다. 최근 정보기술이 발전되면서 많은 사람들이 인터넷 또는 스마트폰을 사용하여 건강관리를 하고 있다. FDA에서는 검증되지 않은 기술들이 사용되지 않도록 의학적 또는 정신질환을 치료하는 목적의 디지털헬스테크놀로지는 승인절차를 거치도록 규제하고 있다. 단순히 건강습관자료를 축적하고 제한된 임상정보를 제공하는 애플리케이션들도 있으며 상용화되고 있다. 당뇨병 치료에 이러한 디지털헬스테크놀로지를 접목하기 위해서는 승인된 방법을 이용할 필요가 있겠다.

또한 환자들의 개인정보보호가 중요하다. 미국에서는 의료진과 개인이 공유할 수 있는 몇 가지 승인된 클라우드시스템이 있고 이러한 시스템은 승인절차를 거치도록 되어있으며, 환자모니터링에 도움이 많이 된다고 알려져 있다.

체중조절과 적절한 운동요법에 도움이 되는 많은 온라인 프로그램들이 있으며, 당뇨병예방연구 발표 이후로 당뇨병을 예방하기 위한 온라인프로그램들도 많다. 일부 연구들에서는 혈당수치와 같은 환자정보를 원격으로 모니터링하여 당뇨병관리를 개선시킬 수 있는 방법들이 제시되고 있다. 이러한 중재 효과들은 보통 단기간의 효과들이고 장기간 추적자료가 없는 형편이나, 개별 환자들은 이러한 프로그램을 통해 도움을 받을 수 있겠고 유용한 방법이 될 수 있겠다(그림 9-1-5).

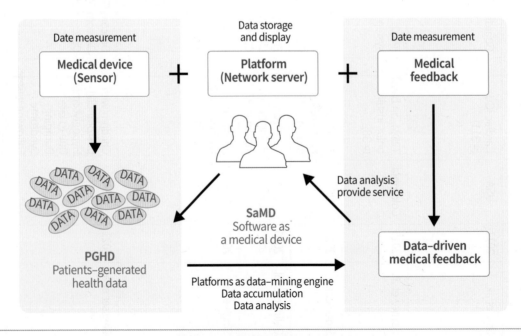

그림 9-1-5. 디지털헬스케어시스템모식도

COVID-19 유행상황에서 CGM과 같이 장착가능한 장비들로부터 정보가 의사에게 전달되고 이를 바탕으로 환자진료를 하는 방식도 대표적인 디지털 치료의 한 형태가 될 수 있으며 미국 등 다양한 국가에서 진행 중이다.

5. 미래 전망

디지털헬스테크놀로지의 발전이 매우 빠르게 진행되고 있으며, 매년 다르게 개선되고 있다. 이러한 정보기술의 발전을 당뇨병 진료가 쫓아가기 버거운 측면이 있다. 한 가지 중요한 사실은 이러한 기술도 환자에 따라 적절히 선별해서 적용할 필요가 있겠다. 환자의 조건이나 상황은 매우 다양하기 때문에, 좋은 기술을 가진 방법이라도 맞는 환자가 있으며, 개별화하여 진행하는 것이 필요하다. 단순히 그 기술을 적용하는 자체가 성공을 담보하진 않으며 경제적인 문제도 있겠다. 효과를 얻을 수 있는 적절한 환자를 선택해야 하고, 좋은 디지털헬스테크놀로지가 좋은 결과를 얻을 수 있도록 환자교육이 필요하며, 팀 운영을 해야 하는 등 의료진들의 많은 노력이 필요하겠다. 이를 위한 충분한 진료수가 책정이 필요하며 의료보험혜택도 늘어나야 하겠다. 이러한 기술이 당뇨병 환자의 모든 문제를 해소해주지 않는다는 현실인식도 필요하겠다. 어렵겠지만 디지털헬스테크놀로지가 발전되는 만큼 당뇨병 치료가 함께 개선될 것이라고 기대된다.

참 / 고 / 문 / 헌

I-II.

1. 대한당뇨병학회. 당뇨병 선별검사. 2021 당뇨병 진료지침. 제7판. 홍익대 미술디자인공학연구소; 2021. p. 16.

2. 대한당뇨병학회. 당뇨병 진단 및 분류. 2021 당뇨병 진료지침. 제7판. 홍익대 미술디자인공학연구소; 2021. pp. 8-12, 14.

3. American Diabetes Association. Classification and diagnosis of diabetes: standards of medical care in diabe tes-2021. Diabetes Care; 2021;44:15-33.

4. Burrin JM, Alberti KG. What is blood glucose: can it be measured? Diabet Med 1990;7:199-206.

5. Cowie CC, Rust KF, Byrd-Holt DD, Gregg EW, Ford ES, Geiss LS, et al. Prevalence of diabetes and high risk for diabetes using A1C criteria in the U.S. population in 1988-2006. Diabetes Care 2010;33:562-8.

6. DECODE Study Group. Will new diagnostic criteria for diabetes mellitus change phenotype of patients with diabetes? reanalysis of European epidemiological data: DECODE Study Group on behalf of the European Diabetes Epidemiology Study Group. BMJ 1998;317:371-5.

7. Fogh-Andersen N, Wimberley PD, Thode J, Siggaard-Andersen O. Direct reading glucose electrodes detect the molality of glucose in plasma and whole blood. Clin Cham Acta 1990;189:33-8.

8. Kim DL, Kim SD, Kim SK, Park S, Song KH. Is an oral glucose tolerance test still valid for diagnosing diabetes mellitus? Diabetes Metab J 2016;40:118-28.

9. Kim KS, Kim SK, Lee YK, Park SW, Cho YW. Diagnostic value of glycated haemoglobin HbA(1c) for the early detection of diabetes in high-risk subjects. Diabet Med 2008;25:997-1000.

10. Korean Diabetes Association. Diagnosis and classification of diabetes mellitus. Clinical practice guidelines for diabetes. 7th ed. Seoul: Korean Diabetes Association; 2021. pp. 8-9.

11. Korean Diabetes Association. Diagnosis and classification of diabetes mellitus. Diabetes. 5th ed. Seoul: Korean Diabetes Association; 2018. pp. 47-56.

12. Lee HC, Huh KB, Hong SK, Roh HJ, Choi BJ, An SH, et al. The prevalence of diabetes mellitus in chronic liver disease. Korean J Med 1999;57:281-7.

13. Lee HC, Kim DH, Nam JH, Ahn CW, Lim SK, Huh KB, et al. Follow-up study of clinical and immunogenetic characteristics and basal C-peptidein Korea young age onset diabetic patients. J Korean Diabetes Assoc 1999;23:288-98.

14. Park MN, Kang YI, Chon S, Oh S, Woo J, Kim SW, et al. The clinical characteristics of young onset diabetes according to etiology based classification. J Kor Diabetes Assoc 2006;30:190-7.

15. Sharif A, Hecking M, de Vries AP, Porrini E, Hornum M, Rasoul-Rockenschaub S, et al. Proceedings from an international consensus meeting on post transplantation diabetes mellitus: recommendations and future directions. Am J Transplant 2014;14:1992-2000.

16. Sharif A, Moore RH, Baboolal K. The use of oral glucose tolerance tests to risk stratify for new-onset diabetes after transplantation: an underdiagnosed phenomenon. Transplantation 2006;82:1667-72.

17. Tuomi T, Groop LC, Zimmet PZ, Rowley MJ, Knowles W, Mackay IR. Antibodies to glutamic acid decarboxylase reveal latent autoimmune diabetes mellitus in adults with a non-insulin-dependent onset of disease. Diabetes 1993; 42:359-62.

18. World Health Organization. Classification of diabetes mellitus. Geneva: World Health Organization; 2019. pp.5-25.

19. World Health Organization. Definition and diagnosis of diabetes mellitus and intermediate hyperglycemia: report of a WHO/IDF consultation. Geneva: World Health Organization; 2006. pp.13-33.

III.

1. 대한당뇨병학회 환자관리위원회. 연속혈당측정을 이용한 혈당 조절 길잡이. 마루; 2021년. pp. 60-81.

2. 대한당뇨병학회. 비알코올지방간질환. 2021 당뇨병 진료지침. 제7판. 홍익대 미술디자인공학연구소; 2021. p. 279.

3. American Diabetes Association. Diabetes technology: standards of medical care in diabetes-2021. Diabetes Care 2021;44:85-99.

4. Ang E, Lee ZX, Moore S, Nana M. Flash glucose monitoring (FGM): a clinical review on glycaemic outcomes and impact on quality of life. J Diabetes Complications 2020;34:107559.

5. Battelino T, Conget I, Olsen B, Schütz-Fuhrmann I, Hommel E, Hoogma R, et al. The use and efficacy of continuous glucose monitoring in type 1 diabetes treated with insulin pump therapy: a randomised controlled trial. Diabetologia 2012;55:3155-62.

6. Battelino T, Phillip M, Bratina N, Nimri R, Oskarsson P, Bolinder J. Effect of continuous glucose monitoring on hypoglycemia in type 1 diabetes. Diabetes Care 2011;34: 795-800.

7. Beck RW, Riddlesworth T, Ruedy K, Ahmann A, Bergenstal R, Haller S, et al. Effect of continuous glucose monitoring on glycemic control in adults with type 1 diabetes using insulin injections: the DIAMOND randomized clinical trial. JAMA 2017;317:371-8.

8. Beck RW, Riddlesworth TD, Ruedy K, Ahmann A, Haller S, Kruger D, et al. Continuous glucose monitoring versus usual care in patients with type 2 diabetes receiving multiple daily insulin injections: a randomized trial. Ann Intern Med 2017;167:365-74.

9. Bolinder J, Antuna R, Geelhoed-Duijvestijn P, Kroger J, Weitgasser R. Novel glucose-sensing technology and hypoglycaemia in type 1 diabetes: a multicentre, nonmasked, randomised controlled trial. Lancet 2016;388: 2254-63.

10. Canadian Agency for Drugs and Technologies in Health [Internet]. In CADTH Issues in Emerging Health Technologies; 2016. [cited 2020 Nov 1]. Available from: http://www.ncbi.nlm.nih.gov/books/NBK476439/

11. Chao DY, Lin TM, Ma W-Y. Enhanced self-efficacy and behavioral changes among patients with diabetes: cloud-based mobile health platform and mobile app service. JMIR Diabetes 2019;4:e11017.

12. Davis TME, Dwyer P, England M, Fegan PG, Davis WA. Efficacy of intermittently scanned continuous glucose monitoring in the prevention of recurrent severe hypoglycemia. Diabetes Technol Ther 2020;22:367-73.

13. Diabetes Control and Complications Trial Research Group, Nathan DM, Genuth S, Lachin J, Cleary P, Crofford O, et al. The effect of intensive treatment of diabetes on the development and progression of long-term complications in insulindependent diabetes mellitus. N Engl J Med 1993;329:977-86.

14. Ehrhardt NM, Chellappa M, Walker MS, Fonda SJ, Vigersky RA. The effect of real-time continuous glucose monitoring on glycemic control in patients with type 2 diabetes mellitus. J Diabetes Sci Technol 2011;5:668-75.

15. Evans M, Welsh Z, Ells S, Seibold A. The impact of flash glucose monitoring on glycaemic control as measured by HbA1c: a meta-analysis of clinical trials and real-world observational studies. Diabetes Ther 2020;11:83-95.

16. Feig DS, Donovan LE, Corcoy R, Murphy KE, Amiel SA, Hunt KF, et al. Continuous glucose monitoring in pregnant women with type 1 diabetes (CONCEPTT): a multicentre international randomised controlled trial. Lancet 2017;390:2347-59.

17. Haak T, Hanaire H, Ajjan R, Hermanns N, Riveline J-P, Rayman G. Flash glucose-sensing technology as a replacement for blood glucose monitoring for the management of insulin-treated type 2 diabetes: a multicenter, open label randomized controlled trial. Diabetes Ther 2017;8:55-73.

18. Halbron M, Bourron O, Andreelli F, Ciangura C, Jacqueminet S, Popelier M, et al. Insulin pump combined with flash glucose monitoring: a therapeutic option to improve glycemic control in severely nonadherent patients with type 1 diabetes. Diabetes Technol Ther 2019;21:409-12.

19. Heinemann L, Freckmann G, Ehrmann D, Faber-Heinemann G, Guerra S, Waldenmaier D, et al. Realtime continuous glucose monitoring in adults with type 1 diabetes and impaired hypoglycaemia awareness or severe hypoglycaemia treated with multiple daily insulin injections (HypoDE): a multicentre, randomised controlled trial. Lancet 2018;391:1367-77.

20. Hermanns N, Ehrmann D, Schipfer M, Kroger J, Haak T, Kulzer B. The impact of a structured education and treatment programme (FLASH) for people with diabetes using a flash sensor-based glucose monitoring system: results of a randomized controlled trial. Diabetes Res Clin Pract 2019;150:111-21.

21. Hermanns N, Schumann B, Kulzer B, Haak T. The impact of continuous glucose monitoring on low interstitial glucose values and low blood glucose values assessed by point-of-care blood glucose meters: results of a crossover trial. J Diabetes Sci Technol 2014;8:516-22.

22. Juvenile Diabetes Research Foundation Continuous Glucose Monitoring Study Group, Tamborlane WV, Beck RW, Bode BW, Buckingham B, Chase HP, et al. Continuous glucose monitoring and intensive treatment of type 1 diabetes. N Engl J Med 2008;359:1464-76.

23. Juvenile Diabetes Research Foundation Continuous Glucose Monitoring Study Group, Beck RW, Buckingham B, Miller K, Wolpert H, Xing D, et al. Factors predictive of use and of benefit from continuous glucose monitoring in type 1 diabetes. Diabetes Care 2009;32:1947-53.

24. Kaufman N, Ferrin C, Sugrue D. Using digital health technology to prevent and treat diabetes. Diabetes Technol Ther 2019;21:79-94.

25. Kim HS, Yoon KH. Lessons from use of continuous glucose monitoring systems in digital healthcare. Endocrinol Metab (Seoul) 2020;35:541-8.

26. Kristensen K, Ögge LE, Sengpiel V, Kjölhede K, Dotevall A, Elfvin A, et al. Continuous glucose monitoring in pregnant women with type 1 diabetes: an observational cohort study of 186 pregnancies. Diabetologia 2019;62:1143-53.

27. Law GR, Gilthorpe MS, Secher AL, Temple R, Bilous R, Mathiesen ER, et al. Translating HbA1c measurements into estimated average glucose values in pregnant women with diabetes. Diabetologia 2017;60:618-24.

28. Lind M, Polonsky W, Hirsch IB, Heise T, Bolinder J, Dahlqvist S, et al. Continuous glucose monitoring vs. conventional therapy for glycemic control in adults with type 1 diabetes treated with multiple daily insulin injections: the GOLD randomized clinical trial. JAMA 2017;317:379-87.

29. Malanda UL, Welschen LMC, Riphagen II, Dekker JM, Nijpels G, Bot SDM. Self-monitoring of blood glucose in patients with type 2 diabetes mellitus who are not using insulin. Cochrane Database Syst Rev 2012;1:CD005060.

30. Mauras N, Beck R, Xing D, Ruedy K, Buckingham B, Tansey M, et al. A randomized clinical trial to assess the efficacy and safety of real-time continuous glucose monitoring in the management of type 1 diabetes in young children aged 4 to <10 years. Diabetes Care 2012;35:204-10.

31. Perez-Guzman MC, Shang T, Zhang JY, Jornsay D, Klonoff DC. Continuous glucose monitoring in the hospital. Endocrinol Metab (Seoul) 2021;36:240-55.

32. Pickup JC, Freeman SC, Sutton AJ. Glycaemic control in type 1 diabetes during real time continuous glucose monitoring compared with self monitoring of blood glucose: meta-analysis of randomised controlled trials using individual patient data. BMJ 2011;343:d3805.

33. Reddy M, Jugnee N, El Laboudi A, Spanudakis E, Anantharaja S, Oliver N. A randomized controlled pilot study of continuous glucose monitoring and flash glucose monitoring in people with type 1 diabetes and impaired awareness of hypoglycaemia. Diabet Med 2018;35:483-90.

34. Riddlesworth T, Price D, Cohen N, Beck RW. Hypoglycemic event frequency and the effect of continuous glucose monitoring in adults with type 1 diabetes using multiple daily insulin injections. Diabetes Ther 2017;8:947-51.

35. Rosenstock J, Davies M, Home PD, Larsen J, Koenen C, Schernthaner G. A randomised, 52-week, treat-to-target trial comparing insulin detemir with insulin glargine when administered as add-on to glucose-lowering drugs in insulin-naive people with type 2 diabetes. Diabetologia 2008;51:408-16.

36. Secher AL, Ringholm L, Andersen HU, Damm P, Mathiesen ER. The effect of real-time continuous glucose monitoring in pregnant women with diabetes: a randomized controlled trial. Diabetes Care 2013;36:1877-83.

37. Sundberg F, Barnard K, Cato A, de Beaufort C, DiMeglio LA, Dooley G, et al. ISPAD guidelines: managing diabetes in preschool children. Pediatr Diabetes 2017;18:499-517.

38. Wong JC, Foster NC, Maahs DM, Raghinaru D, Bergenstal RM, Ahmann AJ, et al. Real-time continuous glucose monitoring among participants in the T1D Exchange clinic registry. Diabetes Care 2014;37:2702-9.

39. Yang Y, Lee EY, Kim HS, Lee SH, Yoon KH, Cho JH. Effect of a mobile phone-based glucose monitoring and feedback system for type 2 diabetes management in multiple primary care clinic settings: cluster randomized controlled trial. JMIR Mhealth Uhealth 2020;8:e16266.

40. Yoo HJ, An HG, Park SY, Ryu OH, Kim HY, Seo JA, et al. Use of a real time continuous glucose monitoring system as a motivational device for poorly controlled type 2 diabetes. Diabetes Res Clin Pract 2008;82:73-9.

09
당뇨병사전학

CHAPTER 2

2형당뇨병

조남한 박경수 차봉수 윤건호 이문규 우정택

I. 2형당뇨병 역학

조남한

1. 기술역학적 특성

1) 세계적 추세

전 세계적으로 당뇨병의 유병규모는 최근 들어 급증하고 있다. 국제당뇨병연맹(International Diabetes Federation, IDF)의 조사에 따르면 2021년 현재 전 세계적으로 당뇨병 유병자 수는 약 5억 3천 7백만 명(전체 유병률 9.8%)으로 추정되며, 2030년에는 6억 4천 4백만 명, 2045년에는 7억 8천 3백만 명(유병률 11.2%)으로 계속 증가할 것이라고 예측하였다. 1형당뇨병과 2형당뇨병의 유병률은 모두 증가하고 있는 추세지만 특히 2형당뇨병의 유병률은 산업화 이후 신체활동량의 감소와 비만의 증가, 스트레스, 잘못된 생활습관 및 인구고령화 등으로 더욱 급격하게 증가하고 있다. 실제 전 세계적으로 당뇨병전단계인 공복혈당장애와 내당능장애의 유병률 역시 지속적으로 증가하고 있는 추세이다. 2형당뇨병의 고위험군인 공복혈당장애의 유병인구는 2021년 약 3억 1천 9백만 명(유병률 5.7%), 내당능장애유병인구는 약 5억 4천 1백만 명(유병률 10.2%)으로, 2045년에는 각각 4억 4천만 명, 7억 3천만 명으로 더욱 늘어날 것으로 전망하고 있다.

지역별당뇨병의 유병률은 상당한 차이를 보인다(그림 9-2-1). 1형당뇨병은 스칸디나비아에서 가장 높은 발병률을 보이는 반면 환태평양지역의 1형당뇨병 발생률은 가장 낮으며 스칸디나비아지역과 비교하면 1/30배에서 1/20배 수준이다. 1형당뇨병은 특정 인종집단에서 고위험의 사람 백혈구항원(human leukocyte antigen, HLA) 대립유전자발현과 관련된 것으로 알려져 있다. 그러나 2형당뇨병은 중동지역과 북아프리카, 그리고 북아메리카와 캐러비안지역에서 유병률이 가장 높다. 이러한 차이는 유전요인뿐 아니라, 생활습관 및 환경요인의 차이로부터 기인한다고 볼 수 있다. 특히 중동 및 북아프리카지역은 최근 산업화 및 도시화가 진행됨에 따라 건강하지 못한 식습관, 그리고 신체활동량의 감소와 같은 급격한 역학적 변화로 인해 당뇨병 유병률이 급증하고 있다.

당뇨병은 주요 사망원인질환 중 하나이지만 사망의 원인으로 집계되지 않고 간과되는 경향이 있다. 국제당뇨병연맹자료에 따르면, 당뇨병으로 인한 초과사망자 수는 2021년을 기준으로 약 670만 명에 이르며, 이는 60대 이하 연령대에서 발생하는 총 사망자 수의 약 32.6%를 차지한다. 지역별로는 서태평양과 유럽지역의 당뇨병으로 인한 사망자 수가 가장 많다(표 9-2-1). 또한, 2021년 당뇨병으로 인한 전체 의료비 지출은 약 9,660억 달러이며, 1인당 당뇨병 관련 의료비 지출은 약 1,839달러로 추정된다. 지난 15년간 당뇨병으

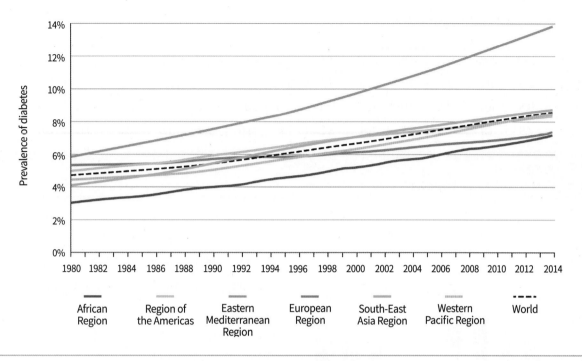

그림 9-2-1. 지역별 당뇨병유병률(1980-2014년)

표 9-2-1. 20-79세 연령군에서 발생하는 당뇨병으로 인한 사망자 수(2019년)

지역별 분류	당뇨병으로 인한 사망자 수
아프리카	416,163
중동 및 북아프리카	796,362
유럽	1,111,201
북아메리카 및 캐리비안	930,692
중앙아메리카 및 남아메리카	410,206
동남아시아	747,367
서태평양	2,281,732

출처: IDF Diabetes Atlas 10th edition 2021

로 인한 전체 의료비 지출은 약 316% 증가했으며, 전 세계적으로 당뇨병 인구수가 증가함에 따라 당뇨병 관련 의료비 지출도 점점 증가하여 2045년에는 당뇨병 관련 의료비 지출이 1조 54억 달러에 이를 것으로 추정하고 있다.

2) 국내 발생규모

당뇨병의 국내 유병률은 30세 이상 연령표준화유병률을 기준으로, 2005년부터 최근 10년간 약 9% 수준을 유지하다가 2018년 10.4%으로 전반적으로 증가하는 양상을 보이고 있다. 1971년 당뇨병유병률이 1.7%였던 것과 비교할 때, 최근 국내 당뇨병유병률은 50여 년에 걸쳐 약 6배가 증가했다.

(1) 당뇨병 유병규모

질병관리청의 국민건강영양조사 자료 분석결과에 따르면, 2018년 국내 만 30세 이상 성인의 연령표준화 당뇨병유병률(공복혈당 기준으로 진단했을 때)은 전체 10.4%, 남성 12.9%, 여성 7.9%였다. 2001년 이후로 당뇨병유병률은 전체, 남성, 여성에서 모두 증가한 양상을 보인다(표 9-2-2). 또한 남녀 모두 연령이 증가하면서 당뇨병유병률 역시 점차 증가하는 양상을 보인다(그림 9-2-2).

그리고, 최근 발표된 대한당뇨병학회 팩트시트 2020 자료에 따르면, 2018년 30세 이상 성인에서의 당뇨병유병률(다음

표 9-2-2. 국내 당뇨병 유병률(100명당) 추이

	2001	2005	2007	2008	2009	2010	2011	2012	2013	2014	2015	2016	2017	2018
전체	8.6	9.1	9.5	9.7	9.6	9.6	9.7	9.0	11.0	10.1	9.5	11.3	10.4	10.4
남성	9.5	10.5	11.8	10.6	10.7	11.0	11.9	10.1	12.8	12.5	11.0	12.9	12.4	12.9
여성	7.9	7.7	7.2	8.5	8.4	8.2	7.5	8.0	9.0	7.9	8.0	9.6	8.4	7.9

당뇨병유병률: 공복혈당이 126 mg/dL 이상이거나 의사진단을 받은 경우, 혈당강하제 복용 중이거나 인슐린주사를 투여받고 있는 분율, 만 30세 이상, 2005년 추계인구로 연령표준화

출처: 보건복지부, 질병관리본부. 2018 국민건강통계

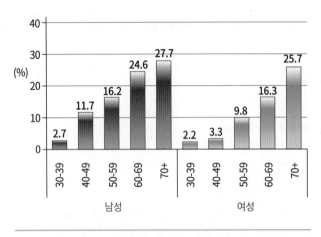

그림 9-2-2. 만 30세 이상 성인에서 연령군별 당뇨병유병률

4개 경우 중 하나 이상에 해당하는 경우를 당뇨병으로 진단했을 때: 의사로부터 당뇨병을 진단받은 경우/경구용 혈당강하제 복용 또는 인슐린 치료 중인 경우/공복혈당 126 mg/dL 이상인 경우/당화혈색소 6.5% 이상인 경우)은 13.8%(남성 15.9%, 여성 11.8%)로, 전체 30세 이상 성인 약 7명 중 1명이 당뇨병을 가지고 있다고 보고했다. 또한, 65세 이상 성인에서는 약 10명 중 3명(27.6%)이 당뇨병을 가지고 있다. 2018년 국내 당뇨병인구는 2018년 추계 인구를 적용했을 때, 30세 이상 성인에서 494만 명(남성 277만 명, 여성 217만 명), 65세 이상에서는 약 204만 명(남성 88만 명, 여성 117만 명)으로 추정된다. 모든 연령대에서 남성 당뇨병 환자 수가 여성 환자 수보다 많으나, 70대 이상에서는 여성의 당뇨병 환자 수가 남성보다 많다(그림 9-2-3).

당뇨병의 유병률은 가구의 사회경제적 수준과도 연관성을 보이는데, 2017-2018 국민건강영양조사결과, 가구소득을 4분위로 나누었을 때 소득이 가장 낮은 집단은 소득이 가장 높은 집단보다 당뇨병의 유병률이 약 1.6배 높았다.

당뇨병은 장기간 여러 병인요소에 노출되면서 발병하게 된다. 따라서 급격한 병인요소의 변화가 있어도 유병률이 급격히 증가하는 경우는 드물다. 유병률이 증가했다 할지라도 사회적으로 산업화, 서구화 및 생활습관 등 여러 사회적 위험요인의 변화가 일어난 후 일정기간이 지나서야 질병이 발생하기 때문에 급격한 유병률 증가보다 오랜기간 동안 점차적인 증가가 관찰되게 된다. 우리나라의 당뇨병유병률 증가의 원인은 식이 및 비만 등 위험요인노출의 증가와 함께 진단방법의 변화, 전국민종합검진으로 인해 미진단자들이 발굴되거나 국가보건정책에 따른 등록사업 등의 체계적인 확대 등도 기여했을 가능성이 있다.

(2) 당뇨병인지율, 치료율 및 조절률

대한당뇨병학회 팩트시트 2020 자료에 따르면, 국내 30세 이상 성인의 당뇨병인지율은 65%로 환자의 약 1/3 이상이 본인의 질병을 인지하지 못하고 있으며, 치료율은 60.1%로 유병자의 약 40%가 약물치료를 받고 있지 않는 것으로 나타났다(그림 9-2-4). 나아가 당뇨병 환자의 혈당조절률은 당화혈색소 6.5% 미만을 목표로 했을 때, 28.3%로, 전체 당뇨병 환자 10명 중 3명 정도만 목표혈당에 도달하는 상태이

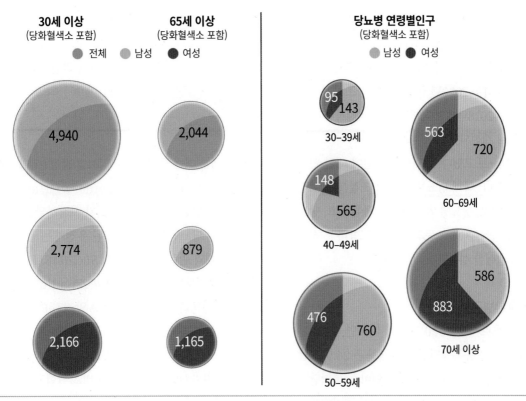

그림 9-2-3. 만 30세 이상 성인에서 당뇨병인구(2018년)

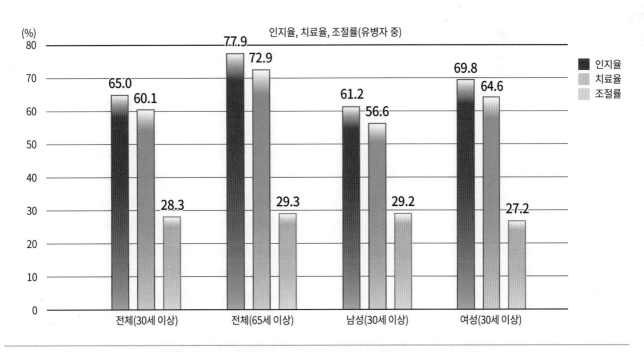

그림 9-2-4. 당뇨병관리 수준(2016-2018년 국민건강영양조사 통합자료)

다. 혈당조절 목표를 당화혈색소 7% 미만으로 한다고 하더라도, 국내 당뇨병 환자의 혈당조절률은 56.9%로, 여전히 낮은 혈당조절률을 보인다. 질방관리청의 2020 국민건강통계자료에 따르면, 2019–2020년 국민건강영양조사자료를 분석했을 때, 2016–2018년에 비해 최근 당뇨병인지율과 치료율은 전반적으로 개선되었으나, 당뇨병 치료자의 조절률은 소폭 감소했음을 보고했다. 이처럼 당뇨병에 대한 인지율은 높아지고 있으나, 국내 당뇨병 환자의 조절률은 여전히 30% 미만인 상태로, 당뇨병 발생 예방은 물론이고, 당뇨병 환자에 대한 인지율, 치료율 등의 향상을 포함하는 적극적인 관리방안이 절실한 실정이다.

(3) 공복혈당장애 유병규모

대한당뇨병학회 팩트시트 2020 자료에 따르면, 2018년 30세 이상 성인에서의 공복혈당장애 유병률은 26.9%(남성 32%, 여성 22%)로, 약 948만 명의 성인이 공복혈당장애를 가지고 있다고 추정된다. 또한, 65세 이상 성인에서는 공복혈당장애 유병률이 29.6%(남성 31.6%, 여성 28.1%)로, 약 217만 명의 노인에서 공복혈당장애를 동반하고 있다. 특히, 30대 성인에서 약 30만 명이 이미 공복혈당장애를 가지고 있다고 보고하고 있어, 젊은 연령대에서 당뇨병 발생을 예방하기 위해 보다 적극적인 노력이 필요할 것으로 생각된다.

2. 위험요인

2형당뇨병은 주로 성인에서 발생하며, 나이, 비만, 가족력, 인종, 운동량, 영양상태, 도시화 또는 서양문명화, 환경변화 등을 중요한 위험요인으로 보고 있다. 국내의 2형당뇨병 위험요인 연구결과에서도 여러 국가의 여러 인종들을 대상으로 한 연구결과와 매우 유사하였다.

(1) 가족력 및 유전요인

2형당뇨병 가족력이 없는 사람에 비해서 직계가족의 2형당뇨병 가족력이 있는 경우 당뇨병 발병위험도가 2–3배 증가

하는 것으로 보고되고 있으며, 부모 양측이 2형당뇨병이 있는 경우 발병위험도는 5–6배까지 증가하는 것으로 연구되고 있다. 가족력과 당뇨병 발병과의 연관성은 유전요인이나 생활습관(흡연, 신체활동량), 체형 등과 연계되어 나타난다.

유전요인에는 최근 국내외에서 당뇨병 발생원인을 규명하기 위한 전장유전체연관연구(genome–wide association study, GWAS) 분석이 이루어지기 시작하였는데, 서양인에서 규명된 당뇨병 발생과 관련된 유전자는 인슐린생산과 분비의 장애와 관련된 *TCF7L2, SLC30A8, HHEX, CDKAL1, CDKN2A*와 *B, IGF2BP2*과 adiposity를 통한 2형당뇨병 발생과 관련되는 것으로 알려진 FTO 등이 보고되었다. 또한 *CDKN2A/B*유전자는 2형당뇨병 발생 외 심혈관질환과도 관계된 유전자로 보고되었다. 그러나 지금까지 규명된 유전자들의 당뇨병 발생 비교위험도는 약 1.12–1.37로 관련성의 강도가 약한 정도였다. 우리나라의 유전자 연구결과는 서양인에서의 연구결과들과 매우 유사하여 동일한 유전자들이 당뇨병 발생과 관계가 있는 것으로 확인되었고 비교위험도 역시 유사하였다(RR = 1.13–1.35).

(2) 비만, 고혈압, 이상지질혈증

공복혈당장애 및 2형당뇨병은 비만도가 증가할수록 발병위험도가 증가한다. 비만이 당뇨병을 증가시키는 것은 인슐린이 관여하는 말초에서의 포도당섭취(glucose uptake) 작용에 대한 저항성 증가와 관련이 있다. 이와 관련하여 체내 과도한 지방조직의 분포 또한 인슐린저항성과 2형당뇨병을 증가시키는 주요 결정요인 중의 하나이다. 복부지방(내장지방)은 인슐린저항성과 관련하여 피하지방이나 후복막(retroperitoneal)지방보다 주요한 역할을 한다. 이러한 지방분포와 인슐린저항성과의 기전은 아직 명확하지 않지만 여성형비만으로 알려진 둔부와 허벅지부위의 지방은 심혈관질환이나 내당능장애와의 연관성이 떨어지는데 반해 복부비만은 2형당뇨병 발병을 증가시키는 것으로 연구되고 있다. 나아가 비만은 고혈압, 이상지질혈증 같은 질환과도

양의 상관관계를 보이고 있다. 고혈압 환자의 경우 10년내 당뇨병으로 이환될 가능성은 정상 혈압군에 비해 1.6배 (95% CI: 1.3–1.96), 고콜레스테롤혈증 환자는 정상군에 비해 1.23배(95% CI: 1.06–1.42)의 높은 발생률이 보고되었다(Cho 2015).

(3) 출생 시 체중

출생 당시 체중은 2형당뇨병 발병과 U곡선의 연관성을 보인다. 30여 개 연구를 분석한 메타분석연구에서 2형당뇨병 발병위험도 증가가 출생 시 저체중과 연관성이 있음을 입증하였으며, 정상 체중으로 태어났다 하더라도 생후 첫 3개월간 성장이 더딘 신생아에서 2형당뇨병 발생이 증가하는 것을 보여주었다. 이러한 결과는 췌장베타세포의 주요 발달기간이 태아기를 너머까지 미치는 것을 보여준다. 반대로 4 kg 이상의 과체중아에서도 2형당뇨병의 발병위험도가 증가하는 경향을 보였다. 메타분석연구에 따르면 과체중아에서 2형당뇨병의 발병위험도 수준은 저체중아의 당뇨병 발병위험도와 비슷했다. 신생아과체중은 모성의 임신당뇨병과 연관성이 높은데 고혈당에 대한 태아의 노출은 유전요인과는 독립적으로 2형당뇨병의 위험을 증가시켰다.

(4) 생활습관

2형당뇨병은 인슐린저항성 및 인슐린 분비결핍 등의 많은 부분에서 유전요인으로 설명이 되지만 신체활동량, 식이습관, 흡연, 음주, 수면시간 등의 생활습관관련 요인에도 상당한 영향을 받는다. 좌식위주의 생활습관은 에너지소비를 줄이고 체중을 증가시켜 2형당뇨병을 증가시키게 된다. 그러나 체중의 증가와 상관없이 신체활동량의 부족은 2형당뇨병을 증가시키는 위험요인 중 하나로 작용하며 반대로 일정 강도 이상의 운동을 통해 당뇨병의 발병을 예방할 수도 있다.

여러 전향연구를 통해 흡연과 2형당뇨병의 연관성이 밝혀졌다. 25개의 전향연구들을 분석한 메타분석연구에서는 현재 흡연자의 경우 비흡연자에 비해 2형당뇨병 위험도가 1.4배 (95% CI: 1.3–1.6) 높았다. 또한 비흡연자 중에서도 간접흡연 등으로 인한 흡연노출이 있는 사람은 없는 사람보다 2형당뇨병 위험이 증가하였다. 흡연과 2형당뇨병과의 연관성을 설명하는 기전은 명확히 알려지지 않았지만 몇몇 생물학적 연구결과를 통해 인슐린민감성 결핍, 인슐린 분비기능저하 및 혈중 당 조절장애 등이 관여하는 것으로 알려져 있다.

(5) 임신당뇨병

임신당뇨병은 인슐린분비의 저하 및 작용장애로 영양과다의 모태환경을 조성하게 된다. 이것은 모체 혈액 내의 증가된 포도당, 아미노산, 지방 등의 영양소가 태반을 지나 태아에게 전달되므로 태아에게서 추후 심혈관질환, 당뇨병 위험성의 증가와 같은 장기 부작용과의 관련성이 나타난다. 또한 임신당뇨병은 신생아들의 분만합병증을 증가시키는데, 정상 임신부에 비해 임신당뇨병을 가진 임신부의 경우 기형아 출산율, 거대아 출산, 저혈당, 선천기형 등이 더 많다. 임신당뇨병의 주된 병인요인으로는 당뇨병 가족력, 35세 이후 임신, 작은 키, 임신 중 10 kg 이상 체중증가와 인종적 차이가 있다. 임신당뇨병의 발생률은 중동지역이 7.5%로 가장 낮고, 아프리카 9.6%, 서태평양 12.3%, 남미 13.5% 유럽 16.3%, 북미 20.8% 그리고 동남아 27%로 지역, 인종 간 뚜렷한 차이를 보이고 있다.

3. 예방과 관리

당뇨병의 경우 일차, 이차, 삼차예방이 가능하다. 일차예방은 당뇨병 발생과 연관된 여러 병인들을 변화시키거나 중재하여 당뇨병의 발생을 최소화하는 방법으로, 전체 인구집단을 대상으로 한다. 당뇨병의 위험인자인 과체중, 운동부족, 잘못된 식습관, 고혈압, 음주, 흡연 등을 체계적으로 관리하여 당뇨병예방효과를 얻을 수 있다. 당뇨병고위험군에서는 일차적으로 정상 체중 유지, 식습관 개선, 정기적인 운동을 권장해야 하며 생활습관교정 대체 목적의 약물 사용은 아직 근거가 부족하다. 당뇨병전단계에서 당뇨병의 예방을 위한 예방지침을 요약하면 다음과 같다(표 9-2-3).

표 9-2-3. 당뇨병고위험군을 위한 예방지침

1. 당뇨병예방을 위해 개별화한 생활습관교정을 교육한다.
2. 체질량지수 23 kg/m² 미만인 당뇨병전단계 성인은 의학영양요법과 운동요법으로 생활습관을 교정한다. 　1) 의학영양요법은 개인의 식습관을 고려하여 개별화한다. 　2) 주 150분 이상, 중강도 이상의 신체활동을 한다.
3. 체질량지수 23 kg/m² 이상인 성인은 의학영양요법과 운동요법으로 생활습관을 교정하고 체중을 감량한다. 　1) 의학영양요법은 개인의 식습관을 고려하여 개별화한다. 　2) 주 150분 이상, 중강도 이상의 신체활동을 한다. 　3) 체중의 5-10%를 감량하고 유지한다.

2형당뇨병은 복합적인 위험요인을 가지는 질환으로 예방을 위한 중재 역시 이러한 복합요인을 고려한 중재방법이 적용되어야 한다. 전 세계적으로 증가하고 있는 비만을 줄이기 위한 인구집단 접근전략이 당뇨병과 관련 질환의 발생을 억제하는데 중요한 역할을 할 것이다. 특히 아동의 비만을 예방하고 성인비만 대상자들의 체중감량을 유도할 수 있는 신체활동의 증가 및 체중조절을 위한 공중보건 정책적 접근이 필요하다. 생활습관 변화의 효능은 입증되었으나 공중보건학적으로 효율적이고 비용효과적인 접근방법을 도출하고 고위험집단을 가려내어 적용하는 전략을 마련하고 실행할 필요가 있다.

이차예방은 당뇨병의 조기 발견이다. 내당능장애, 공복혈당장애 단계에서 적극적인 중재를 통한 접근이 당뇨병 발생 예방이나 억제를 위해 가장 바람직하지만 이미 당뇨병이 발생한 사람들도 가능한 조기에 발견함으로써 합병증으로 인한 신체 손상을 최소화해야 한다. 그러나 집단검진을 통한 당뇨병 조기 발견의 편익이 명료하게 확립되어 있지 않다. 당뇨병 집단검진의 근거가 분명하지 않음에도 불구하고 우리나라를 포함한 많은 국가단위조직이나 단체들은 집단검진을 권고하고 있다. 그만큼 진단되지 않은 당뇨병을 포함하여 당뇨병은 유병률이 증가하고 있을 뿐만 아니라 당뇨병 임상진단 당시 합병증이 동반하고 있는 경우가 많기 때문이다. 그러나 당뇨병 집단검진 여부의 의사결정은 계량적인 연구결과를 기반으로 건강을 향상시킬 수 있다는 결과가 도출되었을 때 수행되는 것이 가장 이상적이다. 그러므로 공중보건의 관점에서 2형당뇨병 집단검진에 대한 적절성 평가가 활발히 이루어질 필요가 있다.

당뇨병합병증을 최소화하기 위한 당뇨병의 삼차예방은 혈당의 엄격한 조절 및 모니터링이다. 당뇨병에 관한 여러 역학연구에 의하면 1형당뇨병과 2형당뇨병 환자에서의 적극적인 혈당조절은 당뇨병의 합병증인 미세혈관합병증(당뇨병망막병증, 당뇨병신장병증, 당뇨병신경병증)과 대혈관병증의 발생을 낮추고 합병증의 진행을 늦춘다고 보고되고 있다. 2형당뇨병 환자의 혈당조절 정도를 판단하고 감시하기 위하여 환자의 자기혈당측정자료와 당화혈색소를 이용한다. 당화혈색소는 검사 전 3개월 동안의 혈당조절 정도를 판단할 수 있을 뿐만 아니라 환자가 측정한 자기혈당측정치의 정확성도 판단할 수 있다. 자기혈당측정은 당뇨병 환자에게 개별적인 치료에 따른 반응이나 치료 후 조절목표에 도달했는지를 알려주는 중요한 요소이다. 또한 자기혈당측정은 저혈당을 방지하거나 의학영양요법, 운동요법, 약물치료의 정도를 조절하는 지표로서 사용되는 유용한 방법이다. 당뇨병 환자에게 자기혈당측정 및 결과를 해석하는 방법과 이에 따른 적절한 조치 방법에 대한 교육은 매우 중요하다.

한편, 당뇨병을 포함하여 만성질환 관리의 문제는 이미 외국에서도 중요한 이슈로 치료중심의 의료체계만으로는 성공적으로 수행하기 어렵다는 것이 공론이다. 즉 환자를 둘러싼

지역사회 내에 의료체계와 의료제공자는 물론 환자와 적극적으로 협력관계를 갖고 적극적인 자기관리를 지원하는 전문체계가 필요하다는 것이다. 치료 중심의 개인적 관리체계가 가지고 있는 문제를 극복하기 위해 제안된 모델이 지역사회기반 만성질환관리모델(CCM)이다(Wagner, 2001). 이는 지역사회 중심 관리체계로의 변화를 모색하는 것으로, 관리 프로세스를 구축하고 변화를 도모할 수 있는 인센티브를 도입하며, 치료와 관리를 위한 리콜리마인드 서비스와 전문적인 교육상담서비스를 제공하는 것이 주요 골자이다(Baptista 외, 2016). 국내에서는 지역사회 고혈압·당뇨병 환자의 자기관리 수준을 향상시킴으로써 합병증을 예방하고, 발생을 지연시키기 위해 일차의료기관과 연계하여 환자의 자가관리를 상시 지원할 수 있는 지역사회 고혈압·당뇨병 등록관리체계가 19개 시군구에서 시도되고 있다. 특히 고령화사회로 접어들면서 노인들에게서 당뇨병이 많이 발생되고 있으므로, 이를 체계적으로 관리할 수 있는 시스템이 매우 시급한 상황이다. 최근 의료정보통신 발전으로 채혈 없이 당뇨병 환자들의 혈당수치를 수시로 측정이 가능한 연속혈당측정감시체계(continuous glucose monitoring system, CGMS)도 개발되어 이를 활용해 당뇨병관리취약군을 체계적으로 관리할 수 있는 시스템도 개발 및 평가되어야 할 것이다.

II. 2형당뇨병의 유전학

박경수

1. 서론

2형당뇨병이 유전 배경이 강하다는 증거는 매우 많다. 첫째, 일란성쌍둥이에서 어느 한 쪽이 당뇨병일 때 다른 쪽이 당뇨병에 걸릴 확률이 매우 높다. 둘째, 당뇨병은 가족성 경향이 매우 뚜렷하다. 셋째, 인종에 따라 당뇨병의 유병률이 차이가 있다. 넷째, 젊은 나이에 발병하여 보통염색체우성형질(autosomal dominant trait)로 내려오는 당뇨병이나 모

계로 유전하는 당뇨병 등에서 유전이상이 밝혀진 점 등을 대표적인 증거로 들 수 있다.

이처럼 당뇨병은 유전 성향이 강하기 때문에 당뇨병의 유전원인을 규명하려는 연구는 상당히 일찍부터 진행되어 왔으며 일부 단일유전자이상에 의한 당뇨병의 유전원인도 규명되었다. 대표적인 예가 MODY (maturity-onset diabetes of the young)인데, MODY는 보통염색체 우성유전을 하며 전체 당뇨병 환자의 약 2%를 차지하고 지금까지 8개 이상의 유전이상이 규명되었다. 이외에도 신생아 당뇨병, 사립체 DNA 3243 점돌연변이에 의한 당뇨병, 매우 드물기는 하지만 인슐린수용체의 돌연변이에 의한 당뇨병, Wolfram증후군 등의 유전원인 등이 밝혀졌다. 그러나 유전원인이 밝혀진 경우들은 대부분 빈도가 낮은 단일유전자질환들로 전체 당뇨병의 5% 미만이며 우리가 흔히 보는 2형당뇨병은 다유전자질환으로 단일유전자당뇨병과 달리 유전원인규명에 어려움이 있었으나 최근 유전체 분석기술의 발전과 글로벌한 협력분석연구에 의해 유전구조(architecture) 및 연관된 변이들이 상당수 밝혀지게 되었다.

2. 단일유전자당뇨병

단일유전자당뇨병은 말그대로 단일유전자변이에 의해 발생하는 드문 형태의 당뇨병으로 젊은 나이에 발병함에도 불구하고 전형적인 1형당뇨병과 달리 성인에서 발병하는 당뇨병의 특징을 보인다고 하여 명명된 MODY, 신생아당뇨병(neonatal diabetes) 그리고 사립체DNA이상에 의한 당뇨병 등을 포함한다.

1) MODY

당뇨병의 유전연구에 서광이 비치기 시작한 것은 1960년에 Fajans가 360명 이상의 구성원 중 74명이 당뇨병인 R-W 가계를 보고하면서부터이다. 이 가계에서는 당뇨병이 6대에 걸쳐 우성유전되며 대부분의 환자가 25세 이전에 발병하였는데, 젊은 나이에 발병함에도 불구하고 전형적인 1형당뇨

병과 달리 성인에서 발병하는 당뇨병(maturity onset diabetes)의 특징을 보인다고 하여 MODY로 명명되었다. 이 가계의 유전이상은 30여 년 후에 밝혀지게 되는데 Bell 등이 1991년에 이 가계의 유전이상이 chromosome 20q에 있음을 보고하고 이를 MODY1으로 명명하였다. 그러나 chromosome 20q와 연관된 환자 수가 너무 적어 염색체 내의 대략적 위치는 알기는 했으나 그 영역에 너무 많은 후보유전자가 있어 질병유전자를 찾아내지는 못하였다.

MODY유전자 중에서 가장 먼저 밝혀진 것은 프랑스 등에서 가장 많이 발견되는 MODY2에서 규명된 것으로서, 7번 염색체의 포도당인산화효소(glucokinase)유전자의 결함에 의한 것이다. 이어서 그동안 밝혀지지 않았던 12번 염색체에 있는 MODY3의 유전자가 위치추적클로닝(positional cloning) 방법으로 규명되었으며 이는 전사인자인 간세포핵인자-1α (hepatocyte nuclear factor-1α, HNF-1α)임이 밝혀지게 되었다. 또한 그 발견을 기초로 하여 20번 염색체의 아데노신아미노기제거효소(adenosine deaminase)유전자와 밀접하게 연관되어 있으나 오랫동안 밝혀지지 않았던 MODY1의 질병유전자가 밝혀지게 되었다. 즉, R-W 가계에서 당뇨병을 일으키던 MODY1의 유전자는 20번 염색체의 연관부위에 MODY3의 질병유전자인 HNF-1α의 기능을 조절하는 HNF-4α라는 것이 밝혀졌다. 그 후 인슐린프로모터인자-1 (insulin promoter factor-1)의 돌연변이(MODY4)와 HNF-1α의 이질이합체 단백질(heterodimer protein)인 HNF-1β유전자변이(MODY5)가 추가로 발견되었으며 최근까지 14개의 유전이상이 보고되었다.

2) 신생아당뇨병(Neonatal diabetes)

신생아당뇨병은 신생아 혹은 영아기에 발병하는 당뇨병 중 1형당뇨병이 아닌 단일유전자당뇨병을 일컫는다. 신생아 당뇨병 환자 중 절반은 고혈당이 지속되어 평생 치료가 필요한 반면(permanent neonatal diabetes, PNDM), 나머지 반은 일시적으로 당뇨병이 발생한다(transient neona-

tal diabetes, TNDM). 유전이상은 매우 다양하게 보고되어 있는데 대부분 인슐린분비이상과 관련되어 있다. 그중 췌장베타세포의 KATP 이온통로 구성요소인 KCNJ11 혹은 ABCC8유전자의 활성화이형접합체변이는 PNDM의 가장 흔한 유전원인일 뿐 아니라 TNDM의 중요 원인이기도 하다. 이들 변이가 있는 KATP이온통로는 고혈당상태에서도 과분극화(hyperpolarization)되어 있어 인슐린분비가 일어나지 않으나 고용량의 설포닐유레아에 의해 극복되어 인슐린분비가 일어나 환자치료에 적용된다. 이외 전구인슐린유전자의 이형접합체변이도 PNDM의 흔한 유전원인이다.

3) 사립체DNA이상에 의한 당뇨병

사립체DNA가 당뇨병의 발병과 관련이 있다는 것은 사립체 질환에서 당뇨병이 흔히 발견되고, 또 2형당뇨병 환자 중 모성유전이 더 우세한 사실로 추측되어 왔다. 그러나 사립체DNA와 당뇨병과의 관계에 대해 본격적인 연구가 진행된 것은 1992년 Ballinger 등이 모계유전이 뚜렷한 난청을 동반한 당뇨병에서 10.4 kb의 사립체DNA결손을 보고하고, van den Ouweland 등이 leucine을 운반하는 tRNA[leu]을 코드하는 3,243번째의 염기가 A에서 G로 치환됨을 발견하면서부터이다. 이후 사립체DNA의 점돌연변이나 결손, 삽입 등 여러 형태의 사립체DNA변이가 당뇨병 환자에서 보고되었다. 사립체DNA 3243 A > G 변이는 서양인에 비해 동아시아인에서 보다 흔히 발견되며 변이된 사립체DNA의 빈도(heteroplasmy)에 따라 임상양상이 달라질 수 있다.

단일유전자당뇨병과 관련된 유전자변이가 늘어남에 따라 명명법도 원인유전자와 임상표현형의 조합(예: MODY2는 GCK-MODY, MODY3는 HNF1A-MODY)으로 변화하고 있다. 또한 단일유전자당뇨병과 관련된 유전변이들이 점점 더 많이 발견됨에 따라 과연 발견된 유전변이들이 이들 환자의 당뇨병 발병과 관련된 원인유전자인가에 대해 다양한 근거자료를 토대로 큐레이션이 이루어지고 있다(www.clinicalgenome.org).

3. 흔한 형태의 2형당뇨병

1) 연관분석(Linkage analysis)과 후보유전자접근법 (Candidate gene approach)을 통해 발견된 유전자

흔한 형태의 2형당뇨병은 앞서 기술한 단일유전자변이에 의한 당뇨병과 달리 유전자 상호 간 혹은 유전자와 환경인자와의 복잡한 상호작용에 의해 발병하기 때문에 유전원인을 찾기가 그리 쉽지 않을 것으로 예견되었다. 실제로도 연관분석과 후보유전자접근법을 이용하여 활발하게 연구가 진행되었음에도 불구하고 이러한 접근방법으로 여러 인종에서 일관되게 관련된 것으로 밝혀진 유전자는 PPARG와 KCNJ11 정도였다(표 9-2-4). PPARG유전자의 12번째 코돈(codon)이 프롤린에서 알라닌으로 바뀌는 변이(Pro-12Ala)는 당뇨병과의 관련성이 가장 명확히 밝혀진 첫 번째 예에 속한다. Peroxisome proliferator activated receptor γ (PPARγ)는 지방세포 분화, 인슐린민감성과 관련된 유전자들의 발현을 조절한다. 여러 연구들에서 PPARG Pro12가 당뇨병과 관련되어 있으며 오즈비(odds ratio, OR)는 약 1.14 정도로 보고되고 있다. 췌장베타세포의 세포막에 위치한 ATP 감수성 칼륨통로 Kir6.2 단백질을 부호화(coding)하는 KCNJ11유전자는 11번 염색체에서 SUR1 단백질을 만드는 ABCC8유전자와 나란히 위치한다. SUR1 단백질은 당뇨병 치료제로서 사용되는 설포닐유레아의 수용체역할을 하며 기능적으로 Kir6.2 단백질과 유사하다. KCNJ11유전자의 23번째 코돈이 glutamic acid에서 lysine으로 바뀌는 변이(E23K)는 당뇨병과 관련이 있음이 여러 연구를 통해서 밝혀졌으며 23 lysine 변이는 당뇨병의 위험을 높이고, 오즈비(OR)는 약 1.14 정도이다. 한편 TCF7L2 (transcription factor 7-like 2)는 Wnt 신호전달계를 통하여 세포의 증식과 분화를 조절하는 전사인자를 부호화하는데 2006년 deCODE Genetics의 연구자들은 기존의 연관분석에서 10번 염색체 장완에 당뇨병관련 유전자위(loci)가 있다는 사실을 바탕으로 그 주변 염기서열을 정밀하게 검색하여 백인에서 TCF7L2의 변이가 당뇨병과 강한 관련성을 보인다는 것을 보고하였다.

TCF7L2유전자는 이어진 전장유전체연관연구(genome-wide association study, GWAS)들에서도 가장 강하고 일관되게 나오는 신호이며 현재까지 알려진 당뇨병유전자 중에서 당뇨병의 위험을 가장 크게 높이는 것으로 보고되고 있다(오즈비 1.37). TCF7L2의 변이는 전구글루카곤(proglucagon)유전자발현 조절의 이상을 초래하여 결국 인슐린분비를 감소시키고 2형당뇨병의 발병위험을 높일 것으로 이해되고 있다.

2) 전장유전체연관연구를 통해 발굴된 유전자

사람의 유전자는 약 30억 개의 염기서열로 이루어졌으며 이 중에서 약 0.1%의 서열은 사람마다 차이가 있다. 즉 개인마다 300만(적게는 100만에서 많게는 약 1,000만)개 정도의 DNA변이를 갖고 있는 것이다. 이것을 단일뉴클레오타이드다형성(single nucleotide polymorphism, SNP)이라 하며 SNP에 의해 피부색, 머리카락 색, 질병감수성 등 다양한 개인 간의 형질 차이가 나타나게 된다. 지난 수년간 유전체 분석기술이 급속하게 발달하여 인간유전체 전장에 걸친 유전자변이를 빠르고 정확하게 검사할 수 있게 되었다. 2007년부터 2형당뇨병의 GWAS 결과가 보고되기 시작하였는데 각각의 연구와 이들 연구의 메타분석을 통해서 기존에 후보유전자연구로는 전혀 알려지지 않았던 다수의 새로운 당뇨병관련 유전자가 밝혀지게 되었다.

FTO (fat mass and obesity-associated)유전자는 당뇨병뿐 아니라 체질량지수와도 강한 연관성을 보인다. FTO의 정확한 기능은 아직 밝혀지지 않았으나 식욕 및 에너지소모 조절에 관여할 가능성에 대한 근거들이 제시되고 있다. 특히 FTO의 rs1421085는 지방세포 초기분화에 관여하는 것으로 생각된다. HHEX는 전사인자를 만드는 유전자로서 베타세포의 발달과 기능에 결정적역할을 하는 것으로 생각된다. 쥐에서 HHEX유전자가 결여되면 췌장이 제대로 형성되지 않는 것으로 알려져 있다. SLC30A8는 아연(zinc)을 수송하는 단백질을 만드는 유전자로서 베타세포에서만 발현이 된다. 이 아연수송단백질은 인슐린을 합성하고 분비하

표 9-2-4. 흔한 형태의 2형당뇨병에서 발견된 유전자

유전자명	단염기다형성	확인연도	발견방법	비차비(OR)*	추가적인 증거들
PPARG	rs1801282 (P12A)	2000	Candidate gene	1.14	당뇨병치료제의 표적
KCNJ11	rs5215 (E23K)	2003	Candidate gene	1.14	당뇨병치료제의 표적
TCF7L2	rs7901695	2006	Large scale association	1.37	인슐린분비능력과 관련됨
HHEX	rs1111875	2007	GWAS	1.15	쥐에서 HHEX유전자 결손 시 췌장형성이상 인슐린분비능력과 관련됨
SLC30A8	rs13266634	2007	GWAS	1.15	인슐린분비능력과 관련됨
CDKAL1	rs10946398	2007	GWAS	1.14	인슐린분비능력과 관련됨
CDKN2A–2B	rs10811661	2007	GWAS	1.20	CDKN2A 결손 시 베타세포 형성이상 관상동맥질환의 위험과 관련됨
IGF2BP2	rs4402960	2007	GWAS	1.14	IGF mRNA와 결합함
FTO	rs8050136	2007	GWAS	1.17	비만과 관련됨
HNF1B	rs4430796	2007	Large scale association	1.10	인슐린분비능력과 관련됨
WFS1	rs10010131	2007	Large scale association	1.12	잘 모름
JAZF1	rs864745	2008	GWAS	1.10	인슐린분비능력과 관련됨
CDC123/CAMK1D	rs12779790	2008	GWAS	1.11	잘 모름
TSPAN8/LGR5	rs7961581	2008	GWAS	1.09	잘 모름
THADA	rs7578597	2008	GWAS	1.15	잘 모름
ADAMTS9	rs4607103	2008	GWAS	1.09	잘 모름
NOTCH2	rs10923931	2008	GWAS	1.13	잘 모름
KCNQ1	rs2237892	2008	GWAS	1.29	인슐린분비능력과 관련됨

는 과정에 중요한 역할을 하는 것으로 알려져 있다. CD-KAL1 (CDK regulatory subunit associated protein 1–like 1)은 베타세포기능부전을 유발하는 CDK5/p35 복합체를 억제하는 역할을 하기 때문에 CDKAL1변이는 고혈당이 장기간 지속되는 상황에서 베타세포기능부전을 유발할 수 있을 것으로 추정되고 있다. 실제로 CDKAL1변이를 가진 사람들은 그렇지 않은 사람들에 비하여 인슐린분비능

력이 감소되어 있었다. CDKN2A/2B유전자는 당뇨병과 관련성 이외에도 관상동맥질환의 위험과도 관련성이 밝혀졌다. CDKN2A는 p16INK4a라는 단백질을 만드는 유전자이며 이를 생쥐에 과발현시키면 베타세포의 분열이 감소하는 것을 관찰할 수 있었다. 최근 사람의 CDKN2A/2B유전자부위와 일치하는 생쥐의 유전자부위를 결손시킨 결과 관상동맥질환의 표현형이 나타남이 보고되어 비록 이 SNP부

위가 부호화되지 않는 유전자사막(gene desert)이지만 아직 이해하지 못하는 다른 기전이 있을 가능성을 시사한다. IGF2BP2유전자는 insulin-like growth factor 2 mRNA-binding protein을 만드는데 이것은 베타세포에서 발현되고 인슐린신호과정에 관여하는 것으로 생각된다. 하지만 IGF2BP2의 정확한 역할에 대해서는 아직 잘 알려져 있지 않다. 이외에도 아시아인에서 먼저 보고된 KCNQ1의 SNP들은 베타세포기능과 관련이 있다. KCNQ1은 오즈비가 TCF7L2 다음으로 높다. 2형당뇨병 GWAS를 통해 새로 밝혀진 유전자들 중에는 아직 그 기능이 알려지지 않은 경우가 많다. Udler등은 기능이 알려진 2형당뇨병연관유전자들과 당뇨병 관련된 형질들 간의 클러스터 분석을 통해, 2형당뇨병연관유전자들을 인슐린결핍과 관련된 2개의 클러스터와 인슐린저항성과 관련된 3개의 클러스터 등 총 5개의 클러스터로 나누었다(그림 9-2-5). 인슐린결핍과 관련된 클러스터는 다시 전구인슐린 농도에 따라 나뉘었고, 인슐린저항성 관련 클러스터들은 각각 비만, 지방이영양증양 체지방분포, 그리고 간의 지방대사이상을 특징으로 하는 클러스터들로 나뉘었다. 한편 GWAS를 통해서 2형당뇨병과 연관된 비교적 흔한 변이들은 많이 발굴되었으나, 이들 각

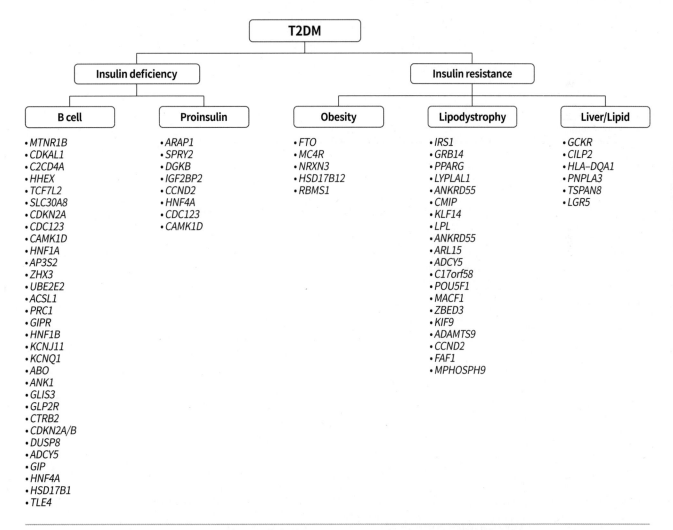

그림 9-2-5. 2형당뇨병의 흔한 유전자변이와 당뇨병 발병기전적 경로상의 클러스터링

크게 인슐린결핍과 인슐린저항성으로 구분되며, 인슐린결핍과 관련된 클러스터는 다시 프로인슐린 농도가 높은 클러스터(B cell)와 농도가 낮은 클러스터(Proinsulin)로 나뉜다. 인슐린저항성과 관련된 클러스터는 비만과 관련된 클러스터, 지방이상증클러스터(저 체질량지수, 낮은 아디포넥틴 농도, 낮은 HDL 농도 및 높은 중성지방 농도를 특징으로 하는 군집) 그리고 간, 지방대사이상클러스터(낮은 중성지방 농도)로 나뉜다.

각이 2형당뇨병의 발생에 기여하는 정도는 크지 않을 뿐 아니라 이들 변이의 총합으로도 2형당뇨병의 유전가능성(heritability)을 설명하는 데 큰 괴리가 있다. 이에 따라 드물지만 기능에 영향을 주는 변이가 관여할 가능성에 대해서도 연구가 진행되었고, 그 결과 2형당뇨병의 유전구조는 빈도가 낮은 기능적인 변이가 아니라 흔한 변이들에 의해 설명가능한 것으로 생각되고 있다. 하지만 빈도가 낮은 기능변이가 미치는 역할을 보다 정확히 평가하기 위해서는 더 큰 규모의 연구와 새로운 통계적 분석 방법이 필요하다. 또한 단백질기능을 억제하는 유전자변이가 당뇨병을 억제하는 효과가 있을 경우 새로운 치료 타깃이 될 수 있으므로 이에 대한 연구도 아직 진행 중이다.

3) 한국인 2형당뇨병의 유전자

한국인을 포함한 동아시아인 2형당뇨병은 서구인에 비해 비비만형이 많고, 인슐린 분비능이 상대적으로 작은 역학적 특성이 보고되어 있다. 이에 따라 당뇨병 발병에 영향을 주는 유전적인 배경도 다르지 않을까 하는 의문이 있었다. 최근의 일련의 연구결과를 종합하면 서구인에서 2형당뇨병과 연관되었다는 흔한 유전변이들은 거의 모두 한국인을 포함한 동아시아인에서도 유의하게 나오며 오즈비도 비슷한 것을 알 수 있다(그림 9-2-6). 다만 각각의 유전변이의 빈도는 상당한 차이를 보이는 것을 알 수 있는데 이로 인해서 인구집단기여위험도(population attributable risk)는 서구인과 다를 것이라는 것을 예측할 수 있다. 한편 한국인을 포함한 동아시아인에 특이적인 2형당뇨병 유전감수성인자도 있는데

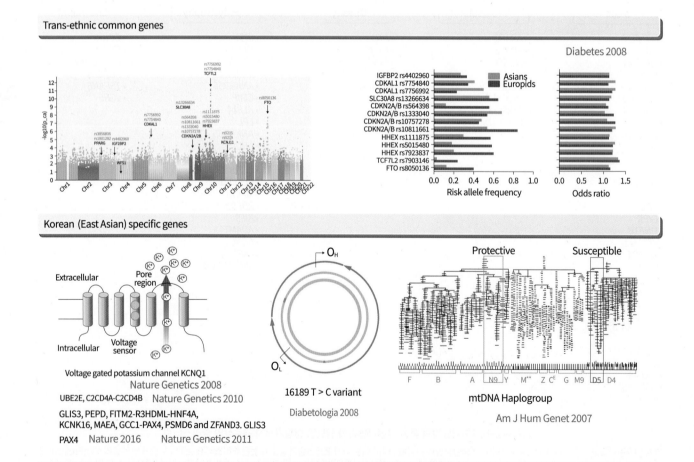

그림 9-2-6. 한국인 2형당뇨병의 유전감수성

KCNQ1과 사립체DNA 16189 T > C변이, PAX4, GLP1RA의 변이를 포함하여 상당수가 발굴되어 이들이 한국인 2형당뇨병의 특성에 기여했을 것으로 생각하고 있다.

4) 다유전자점수(Polygenic score)를 이용한 당뇨병 예측

현재까지 밝혀진 당뇨병유전자변이들은 우도비(likelihood ratio, LR)가 1.4를 넘지 않기 때문에 한두 개의 유전자변이로 당뇨병을 예측하는 데 한계가 있다. 또한 당뇨병의 유전구조에 대한 연구결과 수백 개 이상의 변이가 낮은 우도비로 당뇨병과 연관되어 있다. 이러한 사실에 기반하여 수백 개 이상의 변이를 조합하여 다유전자점수를 구성하고 이를 이용하여 당뇨병 및 합병증을 예측하려는 노력이 시도되고 있다. 하지만 당뇨병은 체중, 연령, 공복혈당 등 임상지표에 의하여 향후 당뇨병 발병 여부가 잘 예측되기 때문에 다유전자점수를 사용할 경우 추가적 예측력은 높지 않다. 다만, 다유전자점수의 상위5%처럼 극단값을 갖는 경우 위험도를 재분류하는데 유용하다는 보고들이 있어서 이에 대한 추가적인 연구들이 진행 중이다. 또한 1형당뇨병의 경우는 사람백혈구항원(human leukocyte antigen, HLA)을 포함하는 다유전자점수의 예측력이 비교적 높은 편이다.

4. 결론 및 향후 전망

2형당뇨병의 유전원인은 GWAS결과를 기점으로 하여 여러 인종에서의 GWAS 및 그 메타분석 등을 통해 현재까지 약 600개 정도가 밝혀지게 되었다. 하지만 실제로 상당수의 SNP들은 부호화하지 않는 영역에 존재하여, 비록 가장 인접한 유전자의 이름을 붙여놓기는 하였지만 기능적인 의미를 아직 잘 알지 못한다. 밝혀진 유전자변이가 어떻게 당뇨병의 병태생리에 관여하며 진단, 치료, 예후 예측에 도움이 될지에 대한 연구(maps to mechanisms to medicine, M2M2M)가 당분간 지속될 것으로 보이며 이에 대한 국제적인 공동연구가 International Common Disease Alliance (www.icda.bio) 등을 통해 제안되고 있다. 또한

유전과 환경의 상호작용의 결과로 DNA의 메틸화 혹은 microRNA를 통한 유전자 조절이나 copy number variation과 같은 유전체의 구조적인 변화가 올 수 있음이 알려져, 이와 관련된 연구들도 이루어지고 있는데 이러한 연구를 통해 2형당뇨병의 유전원인에 대한 이해가 한층 넓어질 것으로 기대하고 있으며 이미 단일유전자당뇨병으로부터 시작된 당뇨병의 정밀의료가 흔한 형태의 2형당뇨병으로 확장되게 될 것으로 기대한다.

III. 2형당뇨병과 인슐린저항성

차봉수

1. 서론

2형당뇨병은 고혈당, 인슐린저항성, 상대적인 인슐린 분비장애를 특징으로 하는 질환으로 오늘날 성인에게서 흔한 질환이며 전 세계적으로 유병률이 급증하고 있다. 당뇨병으로 인한 만성합병증들이 주된 사망원인 중의 하나로 부각되면서 사회적으로도 큰 문제가 되고 있다. 하지만 2형당뇨병의 병태생리를 이해하는 것은 매우 어려운 일로서 다양한 정도의 인슐린저항성과 상대적인 인슐린결핍이 환경인자 및 유전요인과 복합되어 개별 환자에서의 정확한 원인을 밝히는 것은 쉽지 않다. 게다가 고혈당 자체가 베타세포의 기능을 손상시키고 인슐린저항성을 악화시키는 악순환의 고리로 연결된다. 수많은 연구들을 통해서 2형당뇨병의 병태생리는 기저상태 및 자극 시 인슐린 분비장애(베타세포의 기능이상), 말초조직에서의 인슐린민감성저하(인슐린저항성)가 가장 중요한 요소로 알려져 있다. 이 두 가지 병인의 상대적 중요성에 대해 현재까지도 많은 논란이 있지만 주된 병인 중 한 가지만 존재하는 상태에서 2형당뇨병이 유발되는 극단적인 상황은 매우 드물기에 대부분의 환자에서는 이 두 가지 요소가 공존한다고 생각하는 것이 합리적이다.

이 장에서는 2형당뇨병의 중요한 병태생리이자 고혈압, 이상지질혈증, 그리고 심혈관질환 위험성을 높이는 것으로 알려진 인슐린저항성에 대해 이야기하고자 한다.

2. 인슐린저항성의 정의

인슐린저항성은 주어진 인슐린 농도하에서 인슐린에 대한 혈당의 반응이 정상보다 낮은 상태를 말한다. 이 단어는 1922년 최초로 인슐린 사용이 시작되고 수년 뒤 고혈당조절을 위해서 고용량의 인슐린을 사용해야 하는 당뇨병 환자들을 표현하기 위해 사용되기 시작했다. 그 당시 상당수의 환자는 동물로부터 추출하여 제대로 정제되지 않은 인슐린에 대한 항체 형성에 의한 것이었으며, 오늘날에는 이런 항인슐린항체에 의한 인슐린저항성은 관찰하기 힘들다. 오히려 현재의 인슐린저항성은 면역반응과 관련된 항인슐린항체보다 2형당뇨병, 비만, 스트레스, 감염, 요독증, 당질부신피질호르몬 과다, 임신, 말단비대증과 같은 질환들이 중요한 원인으로 부각되고 있다.

3. 정상적인 포도당 조절생리

공복혈당의 유지는 혈당과 췌장의 여러 호르몬 간의 상호작용에 의해 이루어진다. 공복상태에서 포도당생산은 간의 당원분해(glycogenolysis) 및 포도당신생성(gluconeogenesis)에 전적으로 의존하며 간의 포도당생산에는 간에 저장된 당원 및 포도당신생성에 필요한 전구물질이 필요하다. 간에 의해 생성된 포도당의 약 80%는 뇌 및 그 밖의 인슐린의 작용과 무관한 조직에서 이용되고 나머지가 근육 및 지방과 같이 인슐린에 예민한 조직에서 이용된다. 이러한 간의 포도당생성에는 여러 호르몬과 신경계가 관여하며 혈중 포도당도 간의 포도당생성을 조절하는 중요한 인자가 된다. 대표적으로 인슐린, 글루카곤 및 카테콜라민은 단기간에, 그리고 성장호르몬, 갑상선호르몬 및 당질부신피질호르몬 등은 장기간에 걸쳐 간의 포도당생산을 조절한다. 그러나 포도당생산에서 가장 중요한 것은 인슐린과 글루카곤으로 여기에서

는 이 두 호르몬의 상호작용에 대해서만 설명하기로 한다.

인슐린과 글루카곤은 췌장에서 간문맥으로 직접 분비되고, 간은 이들 두 호르몬에 대하여 매우 민감한 반응을 보여 매 순간 포도당생성을 조절하게 되는데 혈액내 인슐린 농도의 감소는 인슐린에 의한 간의 포도당생성 억제효과를 저하시켜 포도당생성을 점차로 증가시켜 혈당의 상승을 초래하며 이와 반대로 혈액내글루카곤 농도의 감소는 간에서의 포도당생산을 억제하여 점진적인 혈당의 감소를 초래하게 된다. 한편 혈액 내 포도당 농도는 인슐린과 글루카곤의 분비를 자극 또는 억제하는 중요한 매개체가 된다. 따라서 되먹임회로가 정상적으로 유지된다면 혈당 농도에 따라 췌장에서의 인슐린과 글루카곤의 분비가 조절되어 원래의 혈당 농도를 회복하게 된다. 그러나 정상혈당의 유지에는 말초조직에서의 인슐린민감성이 영향을 미치게 되는데 말초에서 포도당 이용이 감소될 경우 공복혈당의 상승이 일어나게 되고, 이는 다시 폐쇄되먹임고리를 따라 췌장에서 인슐린 분비 증가와 글루카곤 분비 억제를 통하여 간의 포도당생산을 억제함으로써 정상혈당을 회복하게 된다(그림 9-2-7). 그러나 이러한 변화에 대한 췌도세포에서의 호르몬 분비가 항상 완벽한 적응을 한다고 볼 수는 없으며 말초조직의 인슐린민감성 변화는 새로운 평형상태에서의 공복혈장포도당 농도를 결정하게

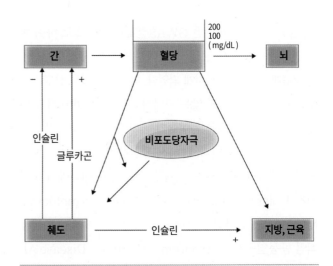

그림 9-2-7. 정상상태에서 폐쇄되먹임고리에 의한 혈당조절모델

된다. 식후혈당의 변동은 췌장에서 분비되는 호르몬의 변화와 밀접하게 연관되어 있다. 즉, 인슐린과 글루카곤의 분비는 포도당, 아미노산, 위장관호르몬 등의 영향으로 조절되어 궁극적으로 간에서 포도당생산을 억제하고 말초에서 포도당섭취를 증가시킴으로써 혈당의 변동을 최소화시키고 정상혈당으로의 빠른 회복을 유도한다. 이상에서 췌도세포와 간 및 말초조직으로 이루어지는 폐쇄되먹임고리의 정상적인 기능이 정상혈당의 유지에 필수적이며 이들 중 다른 변수들과의 상관성을 고려하지 않고 어느 한 부위의 결함만을 분리하여 당뇨병의 병태생리를 논하기는 어렵다.

4. 인슐린저항성의 병태생리

2형당뇨병 환자의 말초조직에서는 인슐린에 대한 포도당상승작용경사도가 우측 편향되어 있어서 인슐린민감성이 감소되어 있음을 알 수 있으며 이러한 현상은 고혈당에 의해서 더욱 악화된다. 정상혈당클램프기법(euglycemic insulin clamp technique)의 사용으로 2형당뇨병 환자에게

55% 이상의 당 처리율 감소가 증명되어 있고 이러한 인슐린반응성의 감소는 다음의 두 가지 결함에 기인하는 것으로 추정된다. 첫 번째는 세포막의 인슐린수용체의 감소가 원인이 될 수 있음이 실험을 통해 증명되었다. 하지만 이러한 인슐린수용체의 감소는 인슐린 농도를 상승시킴으로써 극복할 수 있으나 2형당뇨병 환자는 인슐린 농도 상승에도 최대의 포도당처리율에 도달하지 못하는데 이것이 두 번째 결함으로 수용체결합 후(혹은 세포내) 결함이다(그림 9-2-8, 9-2-9).

초기의 인슐린저항성에 대한 연구들은 인슐린수용체의 결함에 집중하였으며 이러한 인슐린수용체유전자변이로 인한 질환으로는 심각한 성장장애와 극심한 인슐린저항성 그리고 조기유아사망을 특징으로 하는 요정증(leprechaunism)과 송과체비대(pineal gland hyperplasia)와 치아 및 손발톱이상을 동반하는 Rabson-Mendenhall syndrome이 있다. 또한 젊은 여성에서 흑색가시세포증(acanthosis nigricans)과 다낭난소증후군에 다모증을

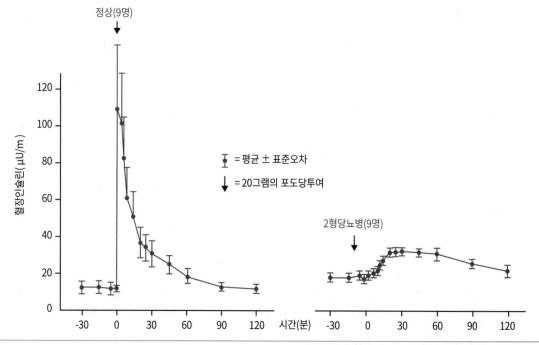

그림 9-2-8. 정상인과 2형당뇨병 환자의 정맥포도당내성검사 시 인슐린분비반응

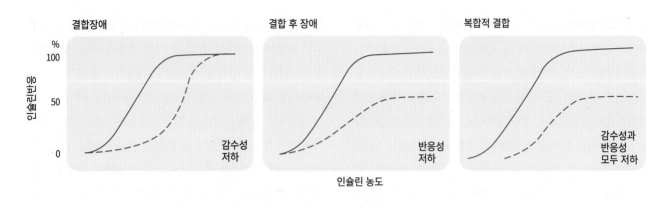

결합장애   결합 후 장애   복합적 결합

감수성 저하 / 반응성 저하 / 감수성과 반응성 모두 저하

인슐린 농도

그림 9-2-9. **인슐린-용량 반응곡선**

동반하는 A형인슐린저항증후군(type A insulin resistance syndrome)질환 등이 있다. 세포표면인슐린수용체에 대한 자가항체생성에 의해 발생되는 B형인슐린저항증후군(type B insulin resistance syndrome)질환은 중년 여성에서 인슐린저항성과 함께 고인슐린혈증, 안드로젠과다증과 자가면역질환이 관찰된다. 몇몇 2형당뇨병 환자에서 인슐린수용체결함이 발견되기는 하지만 당뇨병 환자에서의 인슐린저항성에는 수용체 후 경로 문제 즉, 인슐린에 의해 조절되는 인산화/탈인산화장애가 훨씬 크게 작용하는 것으로 알려져 있다. 이러한 기전 중에서 포스파타이드이노시톨-3-인산화효소신호전달장애는 GLUT4가 세포막으로 이동하는 것을 감소시킨다. 다른 이상으로는 당원합성장애가 밝혀졌지만 이러한 결함이 일차적인 문제인지 아니면 당대사장애에 의한 이차적 문제인지는 아직 확인되지 않고 있다. 하지만 세포내 인슐린신호전달의 다양한 유전이상이 단독 혹은 복합적으로 동일한 임상표현형을 나타내는 것으로 추측하고 있다.

현재까지 알려진 일련의 연구들에 의해 인슐린저항성상태에서는 혈관내피세포기능의 유지에 필수적인 산화질소(nitric oxide)의 생성이 저하되어 있으며 이를 보상하기 위해 발생한 고인슐린혈증은 포도당대사와 산화질소 생성을 완전히 회복시키지 못함이 밝혀졌다. 그 뿐 아니라, 이러한 보상적 고인슐린혈증은 인슐린의 고유한 작용인 혈관평활근

증식의 억제를 비롯한 항죽상형성효과, 항염증효과를 유지하지 못하고 오히려 혈관세포증식이나 염증반응을 촉진하므로, 동맥경화증의 발전에 기여하는 것으로 생각하고 있다(그림 9-2-10).

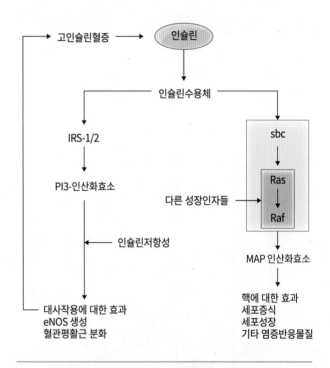

고인슐린혈증 → 인슐린

인슐린수용체

IRS-1/2

PI3-인산화효소

sbc

Ras

Raf

다른 성장인자들

인슐린저항성

MAP 인산화효소

대사작용에 대한 효과
eNOS 생성
혈관평활근 분화

핵에 대한 효과
세포증식
세포성장
기타 염증반응물질

그림 9-2-10. **인슐린저항성과 보상적 고인슐린혈증이 혈관내벽에서 동맥경화유발에 미치는 기전**

5. 비만과 인슐린저항성

모든 연령에서 체중이 증가함에 따라 내당능장애나 2형당뇨병의 위험이 증가한다. 그리고 많은 연구에서도 비만이 인슐린민감성을 결정하는 중요한 인자로 확인되었다. 비만환자(특히 상체 및 복부)의 경우에 인슐린저항성의 정도가 심해지는 것은 사실이지만 비만하지 않은 그룹에서도 인슐린저항성이 동일하게 작용하는지에 대해서는 확실하지 않다. 복강내 내장지방은 말초조직의 지방에 비해서 지방대사율이 항진되어 있어서 인슐린에 대한 저항성이 강하다. 게다가 항진된 지방대사율로 인해 체내에 증가된 유리지방산이 간과 근육으로의 지방축적을 유발하고 세포내 유리지방산은 인슐린신호전달에 관련된 세린인산화를 통한 복잡한 기전으로 인슐린저항성을 더욱 악화시킨다. 지방세포는 유리지방산 이외에도 레틴올결합단백질-4 (retinol-binding protein 4, RBP-4), 종양괴사인자-알파(tumor necrosis factor-α, TNF-α), 레지스틴(resistin), 아디포넥틴과

같은 물질들을 분비하며 이런 아디포사이토카인들은 체중, 식욕, 에너지소비에 관여할 뿐만 아니라 근육과 간의 인슐린저항성을 유발하여 인슐린민감성도 조절하는 것으로 알려져 있다. 또한 지방세포는 인터루킨(interleukin, IL), C반응단백질과 같은 염증물질들도 분비하여 염증상태를 유발하며 염증신호회로인 NF/cB 회로를 억제시키면 인슐린저항성과 고혈당이 개선되는 것을 동물실험에서 밝혀진 바 있다. 비만은 2형당뇨병의 중요 병리인자인 인슐린에 의한 말초조직의 포도당흡수를 저해하여 인슐린저항성을 유발하는 것으로 생각된다. 체중감량은 2형당뇨병의 발병위험성을 낮출 뿐만 아니라 이미 당뇨병을 가지고 있는 환자의 경우에도 혈당조절에 도움을 주는 것으로 알려져 있다. 이것은 체중감소가 인슐린 분비장애를 정상화시키지 않으면서도 인슐린저항성을 개선시킨 몇몇 연구를 통해 뒷받침되고 있다. 결론적으로 비만의 발생이 인슐린저항성발현에 중요한 요소인 것이다(그림 9-2-11).

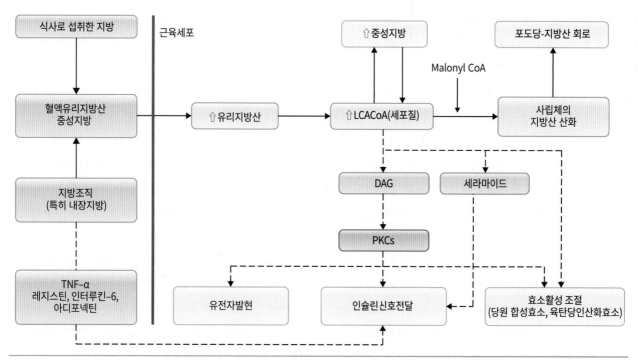

그림 9-2-11. 유리지방산과 사이토카인을 포함한 지방산대사이상이 인슐린저항성을 유발하는 기전들
DAG, diacylglycerol ; PKC, protein kinase C; TNF-a, tumor necrosis factor-alpha.

6. 인슐린저항성의 측정

1) 내인인슐린에 대한 저항성

내인인슐린에 대한 저항성은 정상혈당 또는 고혈당에 비해 높은 혈중 인슐린 농도로 확인된다. 하지만 임상적으로는 극심한 인슐린저항성의 임상양상들을 보이는 경우에만 측정하고 있으며 60 pmol/L 이상일 경우 인슐린저항성의 증거로 볼 수 있다.

2) 외인인슐린에 대한 저항성

외부인슐린에 대한 반응저하는 고혈당 방지를 위해 많은 용량의 인슐린을 사용해야 하는 당뇨병 환자들에게서 분명하게 확인할 수 있다. 하지만 인슐린저항성을 가진 대부분의 환자들은 인슐린 치료를 받고 있지 않으므로 인슐린내성검사(insulin tolerance test) 또는 정상혈당클램프기법으로 측정할 수 있다. 정상혈당클램프기법으로 측정 시 포도당주입속도가 7.5 mg/min 이상인 경우로 높다면 인슐린민감성이 있는 것으로 판단하며 4.0 mg/min 이하로 매우 낮은 경우에는 신체가 인슐린작용에 저항성이 있다고 진단한다. 4.0–7.5 mg/min 사이는 확정적이지는 않지만 인슐린저항성의 초기단계인 내당능장애로 진단할 수 있다. 정상혈당클램프기법이 가장 객관적이고 정량적인 방법이기는 하지만 쉽게 임상에서 사용하기는 어렵다. 인슐린내성검사는 전박정맥에 인슐린을 주사하고 반대편 수부정맥에서 채혈하여 측정한 포도당 농도의 기울기로부터 공식을 통한 계산을 거쳐서 구한 Kitt가 2.5%/min 미만인 경우를 인슐린저항성군, 그 이상인 경우를 인슐린민감성군으로 분류한다. 클램프보다는 덜 복잡하지만 역시 수차례의 혈액채취가 필요하고 분석을 위한 특수프로그램이 필요하다는 단점 때문에 연구목적으로 사용되고 있다. 임상연구와 역학연구에서 많이 사용되는 HOMA (homeostasis model assessment)와 QUICKI (quantitative insulin sensitivity check index)법은 일회의 공복혈당과 인슐린 측정치를 일정한 공식에 대입하여 인슐린민감성을 측정하는 방법으로 비교적 측정 간 오차가 적고 표준검사인 정상혈당클램프기

표 9-2-5. 인슐린저항성의 측정방법

기법
• 공복혈장포도당-인슐린
• 표준 포도당내성검사(경구 또는 정맥)
• 정맥인슐린내성검사
• 성장호르몬억제인자변형인슐린억제검사
• 변형된 정맥 포도당내성검사
• 정상혈당클램프기법(euglycemic insulin clamp)
• HOMA (homeostasis model assessment) IR
• QUICKI (quantitative insulin sensitivity check index)

법과의 상관관계가 높아서 임상에서 사용을 고려할 수 있는 방법이다(표 9-2-5).

7. 2형당뇨병에서 인슐린저항성과 인슐린분비와의 상관관계

앞서 설명한 바와 같이 췌장, 간 및 말초조직으로 구성되는 폐쇄되먹임고리에서 췌도의 기능은 기저혈당을 결정하는 매우 중요한 요소이다. 경구로 음식물 섭취 시간은 포도당 항상성 유지에 중요한 역할을 한다. 즉 음식물을 섭취하면 혈당, 인슐린 및 글루카곤의 문맥내 농도가 변화되고, 공복 시 포도당 생산기관이었던 간은 포도당섭취 및 포도당 합성기관으로 기능이 바뀌어 당원의 양을 보충하게 된다. 2형당뇨병에서는 포도당과 인슐린에 대한 간의 감수성이 저하되므로 음식물 섭취 후의 혈당상승에 상당 부분 영향을 미치게 된다. 또한 2형당뇨병 환자는 경구포도당섭취에 따른 조직의 포도당 이용도 및 그 효율성이 떨어진다. 말초조직에서 흡수된 포도당은 정상적으로 산화성 및 비산화성대사를 거치며 이 과정은 각각 파이루브산탈수소효소(pyruvate dehydrogenase)와 당원생성효소(glycogen synthase)에 의하여 조절된다. 낮은 농도의 인슐린하에서는 말초의 포도당 이용은 주로 산화성대사에 의해 일어나고 고농도 인슐린하에서는 주로 당원 합성을 통한 비산화성대사로 포도당이용이 일어나게 된다. 2형당뇨병 환자는 이러한 두 대사과정이 모두 저하되나 비산화성대사과정 즉, 포도당저장과정의

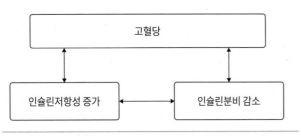

그림 9-2-12. 2형당뇨병에서 인슐린저항성과 인슐린분비의 상관관계

결함이 주된 이상이 된다. 당원생성효소의 활성도는 인슐린에 의하여 자극되는데 인슐린분비반응의 결함 및 인슐린민감성의 감소가 복합적으로 작용하여 정상적인 효소의 활성화를 억제한다.

만약 포도당에 대한 췌도의 인슐린분비 반응이 충분하다면 인슐린작용이상 자체 한 가지만으로 혈당이 상승하는 경우는 그리 흔하지 않다. 정상 췌도기능을 갖는 경우는 고인슐린혈증이라는 보상기전을 통하여 고혈당의 발생을 최소화할 수 있으나 이러한 보상기전은 언제까지나 지속되지 못하며 또한 완전하지 않다. 인슐린민감성이 정상인 경우 어느 정도의 베타세포 양의 감소가 공복 시 고혈당을 유발하는지 아직 불명확하지만 베타세포의 기능장애가 심할수록 조직의 인슐린민감성이 혈장포도당 농도를 결정하는 데 더 중요한 요인으로 작용할 것임을 예측할 수 있다. 결론적으로 인슐린저항성이 인슐린 분비장애보다 먼저 일어나지만 결국 당뇨병은 인슐린 분비기능이 부적절할 때 발생한다는 것을 알 수 있다. 상관관계를 간략하게 도식화하면 **그림 9-2-12**와 같다.

8. 한국인 2형당뇨병의 병인에서 인슐린저항성의 의의

당뇨병의 유병률은 나라와 인종에 따라 다소 차이가 있음이 여러 연구에서 보고된 바 있다. 우리나라의 경우 1990년대 2형당뇨병 환자의 평균 체질량지수가 23 kg/m^{2}였던 것이 2010년대에는 25 kg/m^{2}까지 증가하였다. 약 20년 동안

체질량지수가 급증하면서 2형당뇨병유병률도 급격히 증가하였다. 2형당뇨병의 병인이 크게 인슐린 분비장애와 인슐린저항성 때문이라고 한다면 최근 우리나라 2형당뇨병 발생이 급증한 것은 체중증가(인슐린저항성 증가)에 따른 인슐린 분비능의 (상대적)부족이 주원인일 것으로 추정할 수 있다. 체질량지수로 비만을 규정할 때 동양인은 25 kg/m^{2}인 반면 코카시안은 30 kg/m^{2}을 기준으로 하고 있다. 코카시안의 체질량지수 30 kg/m^{2}에 해당하는 비만의 정도가 동양인에서는 25 kg/m^{2}에 해당한다고 할 수 있다. 즉, 아시아인은 코카시안에 비해 비만에 대해 취약하다고 할 수 있다. 언젠가는 동양인의 기준도 상향 조정될 가능성이 있지만 지금 기준으로 본다면 비만이 2형당뇨병 발생과 밀접한 관련이 있는데 코카시안은 상대적으로 비만으로 인한 인슐린저항성이 좀 더 중요했고, 우리나라는 과거에는 인슐린분비능 부족이 좀 더 중요한 역할을 하였으나 최근 들어 점점 인슐린저항성의 원인이 좀 더 많은 비중을 차지해가고 있다고 볼 수 있겠다.

하지만 동남아시아 여러 나라에서 보면 환경이나 식습관이 매우 유사한 경우에도 2형당뇨병의 비만도나 병인이 매우 상이한 경우가 많아서 한 나라의 2형당뇨병의 특성을 한두 가지로 특징지어 설명하는 것은 매우 어려운 문제이다.

9. 결론

1형당뇨병은 인슐린을 분비하는 베타세포가 어떤 원인에 의해 지속적으로 파괴되어 결국 인슐린분비가 고갈되어 고혈당이 발생하는 질병이다. 그 주요 원인은 자가면역질환으로 알려져 있다. 이런 관점에서 본다면 2형당뇨병의 설명도 달리해볼 수 있겠다. 2형당뇨병의 원인은 인슐린을 분비하는 베타세포의 최대기능을 넘어서 더 이상 혈당이나 에너지대사를 조절해야 하는 인슐린역할을 못하게 되어 고혈당이 발생하는 질병이다. 인슐린기능은 일반적으로 태어나면서 정해지지만 약물이나 타 질병과 연계되어 기능이 감소할 수 있다. 비만과 육체적 활동 부족 및 노화과정은 인슐린저항성

을 일으켜 인슐린분비를 더 많이 지속적으로 자극하여 인슐린 분비능 감소에 영향을 주게 된다.

2형당뇨병의 병인을 잘 이해하는 것은 곧 2형당뇨병을 잘 관리하기 위한 것이다. 2형당뇨병은 매우 다양한 형태의 합병증을 일으키고 특히 노화와 관련된 성인질환의 이환 및 발생에 중요한 역할을 하기 때문이다.

2000년도 이전과만 비교하여도 상당한 변화가 있었음을 알 수 있다. 새로운 계열의 경구혈당강하제와 주사제, 매우 효율적이고 안전한 인슐린제형 출시를 포함하여 사회경제적 발전을 통해 이전보다 훨씬 건강에 대해 관심을 가지고 건강을 실천하고자 노력하는 사회분위기가 조성되었다. 2형당뇨병은 생활습관이 질병의 발생부터 관리 및 예후까지 영향을 주는 질병이다. 인슐린 분비능의 향상은 비교적 오랜 기간을 두고 변화를 관찰할 수밖에 없다. 아마도 몇 세대는 흘려야 변할 수 있을 것 같지만 인슐린저항성을 개선한 효과는 지금 바로 나타날 수 있다는 점을 고려하면 인슐린저항성의 의미와 개선효과에 대한 인식을 좀 더 확산해가는 것이 중요하다.

IV. 2형당뇨병과 인슐린분비

윤건호

1. 서론

우리나라를 포함한 아시아 지역에서 비교적 젊고 비만한 2형당뇨병 환자가 증가하면서 급격한 2형당뇨병 환자 수의 증가를 보이고 있으며 당뇨병 발생과 진행에 인슐린분비 이상의 역할이 강조되고 있다. 인슐린분비에 대한 생리적인 연구를 바탕으로 세포내신호전달 기전은 상당 부분 밝혀진 상태이며 당뇨병 환자에서 관찰되는 인슐린 분비이상과 이와 관련된 세포기능의 변화에 대한 기전도 규명되고 있다.

최근에는 인슐린 분비이상이 베타세포기능이상뿐 아니라 베타세포 양의 부족과도 연관성이 있음이 밝혀지고 있는데 이는 베타세포 생성부족과 여러 대사이상으로 유발된 증가된 베타세포 사멸이 원인으로 제시되고 있다. 이 장에서는 2형당뇨병 환자에서 관찰되는 인슐린 분비이상에 대해서 설명하고 나아가 병인에 대해 알아보고자 한다.

2. 베타세포의 양

베타세포는 췌장 전체에 산재되어 있는 랑게르한스섬 내에 위치한다. 췌도의 수는 100,000–2,500,000개이고 크기도 50–300 μm로 다양하며 각각의 췌도는 호르몬을 분비하는 수백 개에서 수천 개의 내분비세포로 이루어져 있다. 인슐린을 분비하는 베타세포는 전체 췌도의 70–90%를 차지한다. 약 1백만 개의 췌도가 췌장 전체에 흩어져 있으며, 이는 약 10억 개의 베타세포로 계산된다. 베타세포 질량은 아직 살아있는 환자에서 정확하게 측정할 수 없다. 정상적인 성인인간췌장에서 베타세포 질량은 췌장무게의 약 2%로, 췌장의 무게는 일반적으로 60 g에서 100 g 사이이므로 베타세포 질량은 1–2 g으로 추정된다.

1) 일생 중 최대 베타세포 양의 결정

(1) 유전결정인자
베타세포의 분화의 결정 조절인자는 밝혀지지 않았으나 베타세포의 분화과정은 췌장뿐만 아니라 다른 내배엽기관, 내분비세포, 외분비세포에서 이뤄져 매우 복잡하다. 그러므로 베타세포의 분화과정 내에서 적절한 시기에 전사인자가 발현하여 동적 변화가 이뤄져야 한다는 점이 중요하다.

배아발생기 동안 췌장은 전장(foregut) 내배엽에서 분화한다. 전장 내배엽의 줄기세포들은 췌관세포, 외분비 췌장세포 및 내분비세포로 각각 분화되게 된다. 분화의 초기에는 췌관세포의 특성을 보이는 세포가 우선 분화증식이 일어나게 되고 이후 이 세포에서 각각의 분화세포들로 분화증식되

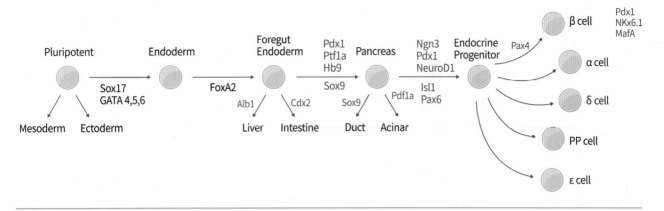

그림 9-2-13. 전장내배엽에서 내분비전구세포들로의 분화관련 전사인자들

며 췌장이 형성되게 된다. 내분비전구세포들은 알파, 베타, 델타, PP, 엡실론세포로 분화된다. 각 세포들의 분화과정 중에는 각 세포들에 특이적인 전사인자들이 순차적으로 발현되며 분화가 진행되는데 이는 그림 9-2-13과 같다. 전사인자 중 Pdx1은 췌장발달의 가장 중요한 특이 전사인자로서 전장세포에서 췌장으로의 초기 분화를 유도하는 역할을 하며 이후 인슐린, 포도당인산화효소(glucokinase), 아밀로이드폴리펩타이드의 발현을 유도하여 베타세포의 분화에 필수적인 역할을 하며, 성숙한 베타세포기능 유지에도 필수적이다.

(2) 최대 베타세포 양의 결정시기
베타세포는 주로 태생 말기와 태생 직후에 집중적으로 분화하고 증식하는 것으로 알려져 있으나 초기에 비만 및 임신과 같은 인슐린요구량이 증가하는 조건에서는 역동적인 변화가 관찰된다. 베타세포 분화는 배아 발생 동안 신생아시기의 베타세포 양이 결정되고 이후 성인의 초기 단계까지는 베타세포 양이 체내인슐린요구량에 적응하여 증가할 수 있으나 성인의 어느 시점부터 베타세포증식능은 점차 감소하는 반면, 증가된 인슐린저항성 및 대사이상에 의한 베타세포의 소실이 시간이 지남에 따라 점차 증가하여 총 베타세포 양은 지속적인 감소를 보이게 되는 것으로 추정한다. 그러나 이에 대한 사람에서의 연구는 매우 제한적으로 향후 많은 연구가 이루어져야 하는 분야이다.

당뇨병전단계 혹은 2형당뇨병으로 진단 당시 베타세포 질량이 이미 30-40% 감소되어 있다는 점에서 개인에서 최대 베타세포의 양이 언제 어떻게 결정되는지, 또한 베타세포의 소실 정도가 어떠한지를 측정하고 변화를 예측할 수 있는 방법이 개발된다면 당뇨병을 조기에 진단하고 예방할 수 있는 좀 더 적극적인 방안이 고안될 수 있을 것이다.

2) 베타세포 양의 결정요인
베타세포 양은 베타세포의 증식과 사멸의 균형에 의해 결정된다. 베타세포는 베타세포의 자가복제, 세포비대 및 줄기세포로부터의 신생성에 의해 증가된다. 베타세포의 소실은 세포자멸사, 탈분화(전구세포 혹은 췌관세포로) 및 전이분화(주로 알파세포)에 의하여 주로 일어난다.

그림 9-2-14는 췌도세포의 분화와 증식을 보여준다. 태생기 및 출산 초기에는 꽈리중심세포(centroacinar cell)와 관세포에 존재하는 전구세포에서 다양한 내분비세포로의 분화가 주로 베타세포의 증식을 주도하게 되고 이 과정의 중간 단계로서 여러 개의 호르몬(글루카곤 + 인슐린 혹은 췌장폴리펩타이드 + 인슐린)을 동시에 발현하는 중간 단계를 거친 다음 각 특이세포로 최종 분화가 일어나게 된다. 성인이 된 다음에도 베타세포의 신생성은 지속되나 그 양이 매우 제한적이므로 성인에서 베타세포 양의 증가는 주로 베타세포의 자가증식과 세포의 비대에 의해 일어난다.

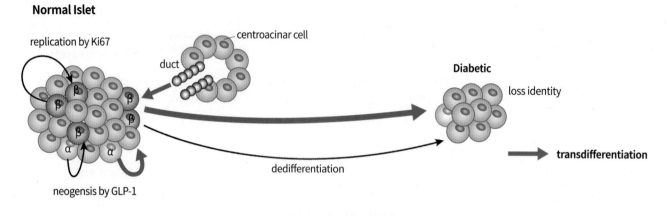

그림 9-2-14. 베타세포의 분화와 증식

베타세포는 자가복제, 꽈리중심세포와 관세포에서 전환분화, 알파세포에서의 전환분화, 신생을 통해 증식한다. 당뇨병상태에서는 베타세포에서 알파세포로 전환분화, 탈분화된다.

나이가 들어가며 만성적인 여러 대사이상이 진행되면 증가된 인슐린저항성에 비례하여 베타세포의 증식이 증가하다가 이러한 보상기전이 한계에 이르고 베타세포의 사멸속도가 증가하게 되면 베타세포의 양은 감소하게 되는데 인슐린저항성정도, 환자의 혈당 등에 비례하여 그 소실속도가 증가하게 된다. 베타세포의 비대는 적응 초기에 한계에 다다르게 되며, 자가증식이 왕성하게 증가하게 되면 매우 큰 췌도가 만들어지는 데 이 과정에 췌도 내에 축적되는 아밀린과 췌도 주변섬유화의 진행으로 자가증식이 한계에 이르게 되는 것으로 생각되고 있다. 최근 연구에 의하면 여러 대사이상에 만성적으로 노출된 베타세포는 일부 전구세포로 (precursor cell or duct cell) 탈분화되거나 이 중 일부 세포는 알파세포로 전이분화되고 대부분의 세포들은 사멸하는 것으로 보고되고 있다.

(1) 베타세포의 증식

임신 및 비만과 같은 상태에서는 인슐린 요구량이 증가함에 따라 베타세포 양이 변화하는 능력이 있음이 보고되고 있는데 임신부의 경우는 임신 중에 베타세포의 양이 40% 가량 증가하며, 비만의 경우 30%까지 증가하는 것이 보고된 바 있다. 이러한 연구들을 토대로 내분비췌장세포들은 가소

성이 있다는 견해가 지배적이다. 즉, 인슐린요구량이 증가하는 경우 베타세포의 증식을 촉진하기 위해서는 자가증식 뿐 아니라 중간단계의 줄기세포, 다른 말로 전구세포의 양이 증가되어야 베타세포의 신생을 촉진할 수 있으므로 췌장 내 존재하고 있는 전구세포들뿐 아니라 췌관세포, 췌장외 분비세포 및 내분비세포들의 일부가 역분화 단계를 통하여 자신만의 세포 특이기능을 소실하며 전구세포상태로 전환된 다음 다시 태생기에 관찰되는 분화증식과정을 통해 베타세포의 증식을 증가시키게 되는 것으로 알려져 있다. 이 과정에서 각 세포들의 다양한 역분화현상과 전이분화현상이 관찰되는 것으로 추정되고 있다.

성인이 된 다음에는 베타세포의 신생보다는 자가복제로 인한 베타세포의 증식능력이 베타세포 증가를 조절하는 주요 기전으로 생각되고 있으며, 이 과정에서 포도당과 인슐린이 생체내 및 시험관에서 베타세포 분화와 증식을 강력하게 촉진하는 것으로 보고되고 있다. 고혈당과 인슐린 이외에 글루카곤유사펩타이드-1 (glucagon-like peptide, GLP-1)은 췌장 상피에서 전구세포의 베타세포로의 분화, 그리고 베타세포의 세포사멸을 억제하고 자가증식을 자극하는 것이 알려져 있다.

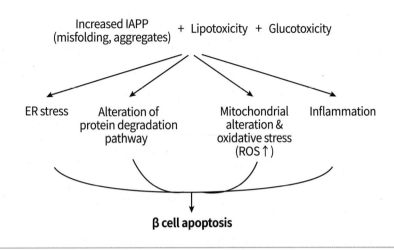

그림 9-2-15. 베타세포의 자멸사원인

아밀로이드 침착, 지방독성, 포도당독성으로 인한 세포질세망 스트레스, 단백질분해경로의 변화, 사립체 변화, 산화스트레스, 염증으로 베타세포자멸사가 일어난다.

(2) 베타세포의 사멸

세포사멸의 기전은 많은 연구가 진행되어야 하나 고혈당으로 유발된 산화스트레스로 인한 베타세포자멸사 증가가 주된 원인으로 생각되며 아밀로이드 침착, 지방독성(lipotoxicity)으로 인해서도 유발된다(그림 9-2-15).

당뇨병 환자에서 관찰되는 알파세포 증가의 원인은 잘 밝혀져 있지 않으나 베타세포의 신생성이 증가되기 위하여 다양한 공급원으로부터 전구세포가 증가된 다음 다시 베타세포로 분화되는 과정 속에 태생기의 분화과정과 흡사하게 베타세포뿐 아니라 알파세포의 신생성도 증가되는 것으로 생각되고 있다. 여러 이유로 증가된 알파세포는 당뇨병 환자에서 관찰되는 고글루카곤혈증의 원인이 될 가능성이 있다.

① 포도당독성

포도당독성은 선택적 포도당 무반응, 베타세포 탈진 그리고 포도당독성상태의 세 단계를 거친다. 선택적 포도당 무반응은 포도당자극에 의한 인슐린 분비만 선택적으로 소실되어 경미한 고혈당상태를 보인다. 베타세포 탈진은 더 진행되어 베타세포의 해부학적 이상은 없으나 베타세포내 인슐린과립이 거의 소실되어 포도당뿐 아니라 모든 자극에

대한 반응이 소실된 상태이다. 포도당독성의 초기에는 베타세포의 인슐린 분비반응의 이상이 관찰되는 데 이는 베타세포내 에너지대사를 조절하는 신호전달계, 베타세포기능과 분화에 관여하는 다양한 전사인자들 및 인슐린 분비반응에 관여하는 신호전달체계의 변화가 동반된다. 대표적인 신호전달물질은 PGC-1α로 이는 증가된 베타세포내 에너지원들을 신속하게 산화시킴으로써 건강한 상태를 유지하는 중요한 물질이다. 그러나 고혈당이 지속되어 지속적으로 과발현되면 인슐린생성에 관여하는 B2/NeuroD 전사인자와 인슐린유전자의 전사를 억제하여 인슐린생성을 감소시키게 된다. 또한 베타세포는 지속적으로 인슐린을 생산한 다음 세포 내에 생성한 인슐린과립을 저장하고 있는데 미리 생성된 인슐린과립은 효율적인 분비를 위하여 세포막에 붙어있다. 그러나 고혈당이 지속되면 분비를 생성이 따라가지 못하여 세포막에 결합되어 있는 인슐린과립이 감소하게 되고 이는 포도당 자극에 의한 급격한 인슐린 분비반응(제1기인슐린 분비)을 저하시키는 중요한 원인이 된다.

포도당독성이 장시간 지속되게 되면 베타세포의 급격한 사멸을 동반하고 심한 고혈당이 관찰되는데 고혈당으로 유발된 산화스트레스의 활성화, 사립체의 포도당산화 증가, 사립

체 기능장애 및 반응산소종(reactive oxygen species, ROS) 과잉생산으로 인한 베타세포자멸사 증가가 주된 원인으로 생각된다. 고혈당에 만성적으로 노출되면 베타세포기능은 심하게 손상되고 베타세포 사멸의 증가로 베타세포의 양 역시 지속적으로 급격한 감소를 보인다.

② 지방독성

유리지방산은 지방독성을 유발하는 가장 중요한 초기물질이다. 영양과다로 혈중 유리지방산이 증가하면 베타세포내 FFA-derived long-chain acyl-CoA esters (FACoAs)를 증가시키고 이는 세포 내로 유입된 포도당의 해당(gly-colysis)작용을 억제하여 포도당독성을 가속화한다. 또한 높은 수준의 유리지방산은 스테롤조절요소결합단백질(sterol regulatory element binding protein, SREBPs)의 활성화에 대한 반응으로 중성지방의 세포내 축적을 통해 또는 삼인산아데노신(adenosine triphosphate, ATP)을 생산하는 세포를 조절하는 사립체 짝풀림단백질-2 (uncoupling protein 2, UCP-2)의 발현 증가에 의해 베타세포기능장애를 유발한다.

③ 포도당-지방독성

두 가지 영양소가 모두 증가된 경우로 인슐린저항성 및 인슐린 분비기능의 이상이 더욱 심화된다. 정상 포도당 농도하에서 세포내 유리지방산이 증가하면 지질산화과정을 통해 이용되어 세포에 기능이상을 초래하지 않는다. 같은 상태로 세포내 포도당 농도가 증가되면 당분해작용으로 처리하거나 중성지방으로 전환, 저장함으로써 세포기능을 잘 유지한다. 반면 포도당과 유리지방산이 동시에 증가된 상황에서는 세포 내에서 두 영양소의 처리가 동시에 감소되어 세포의 기능부전과 자멸사가 유발된다. 당대사과정에서 생성된 말로닐CoA (malonyl-CoA)는 세포내 지질대사를 억제하고 지질산화과정의 중간산물인 FACoAs는 포도당대사를 억제한다. 이로써 만들어진 세라마이드를 비롯한 여러 대사 중간물질들이 산화스트레스를 급격히 증가시켜 베타세포의 기능장애 및 자멸사를 유발한다.

또한 고혈당과 고지질혈증상태에서 앞서 언급된 베타세포의 유전결정인자 중 PGC-1α는 베타세포기능을 감소시키고 포도당신생성을 증가시킨다. 이는 간에서는 간포도당생성 및 인슐린저항성을 증가시키고 근육에서는 포도당불내성을 감소시킨다. 그리고 췌장에서 인슐린 분비를 억제하고 인슐린결핍을 일으킨다.

3. 베타세포에서의 인슐린분비

1) 인슐린분비의 조절

베타세포는 순환하는 영양소, 호르몬 수준 및 자율신경계 활동의 변화를 감지하여 적절히 인슐린을 분비하는 기전을 가지고 있다. 인간에서 인슐린분비의 주요 생리학적 결정요인은 포도당과 아미노산 및 지방산을 포함한 기타 영양소들이다. 영양소가 위장기관에서 흡수될 때 베타세포는 혈액내 영양소의 변화를 감지하고 인슐린을 방출하여 표적조직에 의한 영양소의 흡수 및 대사 또는 저장을 가능하게 한다. 혈중 영양소들이 대사되거나 세포 내로 흡수되어 정상혈당상태로 되면 베타세포는 이를 감지하여 인슐린 분비를 멈추게 된다. 이때 중요한 결정인자가 베타세포 포도당전달인자인 포도당수송체2 (glucose transporter 2, GLUT2)와 베타세포내 당분해작용을 하는 주된 효소인 포도당인산화효소 (glucokinase)이다. GLUT2와 포도당인산화효소가 포도당을 흡수하거나 해당하는 반응포도당 농도는 포도당인산화효소의 경우 72-140 mg/dL에서 효소가 활성화되며, GLUT2의 포도당친화도는 90-360 mg/dL이므로 이 두 가지 인자에 의해 정상적인 혈중 포도당 농도에서 과다한 인슐린 분비를 막아 저혈당 발생을 적절하게 예방하는 것이다.

혈중 에너지원에 대한 베타세포의 인슐린분비반응은 영양소유도반응을 증폭시키거나 때때로 억제하는 작용을 하는 다양한 호르몬 및 신경전달물질에 의해 변형될 수 있다. 정상혈당조건에서는 이러한 물질이 인슐린 분비에 거의 영향을 미치지 않아 잠재적으로 유해한 저혈당을 초래할 수 있는 부적절한 인슐린분비를 방지하는 기전으로 작용한다. 이러한 물질은 인슐린분비 증강인자(potentiators: 포도당의 존재하에서 인슐린분비 반응을 증폭시키나 포도당이 없는 상태에서는 인슐린분비에 영향을 주지 않는 물질들)로 불리며 분비반응을 직접적으로 유도하는 영양소들과 구별된다. 전체 인슐린 생산량은 개별 베타세포 수준에서 인슐린분비 인자 및 인슐린분비 증강인자의 상대적 유입, 췌도 내 베타세포 간의 분비 활성 동기화 및 췌장에 존재하는 췌도 간의 분비 조정에 따라 변화된다.

2) 인슐린분비의 세포내 과정

정상 포도당 농도상태에서 베타세포는 세포 내부의 칼륨을 지속적으로 방출하여 막전위를 −90 mV로 안정상태를 유지한다. 이 칼륨 채널을 ATP민감포타슘통로(ATP-sensitive potassium channel)라고 한다. GLUT2를 통해 베타세포가 포도당을 흡수하면 포도당은 포도당인산화효소에 의해 인산화되어 해당 경로로 들어가 포도당 유도 인슐린분비의 주요 동인인 ATP를 생성한다. 세포내 ATP/ADP비가 상승하면 ATP민감포타슘통로 폐쇄 및 칼륨 방출이 점진적으로 감소하고 이는 베타세포막의 탈분극과 전압의

존 L-형칼슘통로를 통한 칼슘이온의 유입을 촉진한다.

세포내 칼슘은 영양소 유도 인슐린분비 반응의 주요 작용 요소로, 탈분극과 인슐린 분비과립의 세포외방출을 연결한다. 세포 외부 칼슘 농도는 내부에 비해 약 10,000배 높아 농도 차에 의하여 세포 내로 급격히 칼슘이 유입되고 베타세포내 칼슘의 증가는 칼슘신호전달계를 활성화시켜 인슐린 분비를 유발한다. 각 베타세포에는 약 500개의 L-형칼슘통로가 포함되어 있는 것으로 추정되고 세포내 칼슘의 상승만으로도 인슐린 분비를 시작하기에 충분하다.

고리일인산아데노신(cyclic adenosine monophosphate, cAMP) 경로를 통하는 인크레틴을 포함한 다양한 자극들은 직접적으로 인슐린 분비를 유도할 수 없으나 세포내 칼슘 농도를 증가시켜 인슐린 분비를 증폭시킨다(인슐린 분비 증강인자). P2Y 및 P2X 퓨린수용체를 통한 퓨린성 신호전달은 칼슘이동을 자극하고 포도당과 무관하게 인슐린 세포외방출을 조절한다(그림 9-2-16).

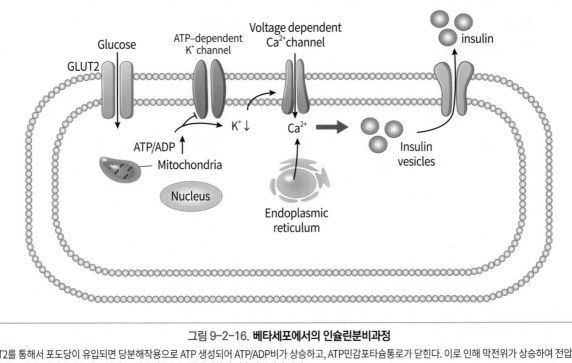

그림 9-2-16. 베타세포에서의 인슐린분비과정

GLUT2를 통해서 포도당이 유입되면 당분해작용으로 ATP 생성되어 ATP/ADP비가 상승하고, ATP민감포타슘통로가 닫힌다. 이로 인해 막전위가 상승하여 전압의존 L-형칼슘통로를 통해 칼슘이온이 유입되고, 칼슘이온 농도차에 의하여 인슐린분비가 된다.

3) 정상 인슐린분비양상

베타세포는 시초전구인슐린(preproinsulin)을 시작으로 인슐린을 생산한다. 시초전구인슐린은 세포질세망(endo- plasmic reticulum)에서 전구인슐린으로 형태적 변형을 거치며, 이 전구인슐린은 세포질세망에서 골지기관으로 옮겨져 미성숙 분비 소포에서 C펩타이드와 인슐린으로 분해된다. 이렇게 성숙된 인슐린은 분비 전까지 과립에 저장되어 있다.

인슐린은 과립층과 원형질막이 함께 융합되어 과립내용물을 간질공간으로 방출하는 과정인 세포외방출에 의해 분비과립에서 방출된다. 원형질막의 내부표면에서 과립의 세포막에의 결합(docking)은 분비과립 및 원형질막과 관련된 단백질 및 가용성 융합 단백질로 구성된 SNARE (soluble n–ethylmaleimide–sensitive factor attachment protein receptor)복합체로 알려진 단백질의 다량복합체 형성을 통해 이루어진다. 결합된 과립은 세포막과 융합하여 칼슘 결합 과립 단백질의 한 종류인 synaptotagmins에 의해 감지되는 세포내 칼슘수치가 상승한 경우에만 내용물을 방출한다. 분비과립은 베타세포 세포질 전체에 분포되어 있으며 원거리 위치에서 원형질막으로의 과립 수송은 최종 분비과정과 독립적으로 조절되며 장막 내부표면에 미리 결합된 과립저장소를 이용한다.

인슐린분비의 강화작용은 베타세포기능의 본질적인 특징으로 포도당의 존재하에 다양한 인슐린분비 자극인자들에 대한 인슐린분비 반응이 증폭되는 현상이다. 강화작용은 포도당 기억, 인크레틴 또는 글루카곤, 콜린성 자극, 과당과 같은 기타 영양소 또는 설포닐유레아를 포함한 약물과 같은 요인에 의해 생성될 수 있다.

췌도에서 포도당 유도 인슐린분비의 용량-반응곡선은 S자형이며 주로 포도당인산화효소의 활성에 의해 결정된다. 5 mmol/L 미만의 포도당 농도는 인슐린 방출 속도에 영향을 미치지 않으며 분비 속도는 5-15 mmol/L 사이의 세포

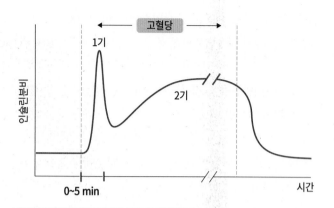

그림 9-2-17. 고농도포도당 수준에서의 인슐린분비
고농도포도당자극에 의해 첫 5분간은 제1기인슐린분비라고 하는 짧고 급격한 인슐린분비를 보이며, 이후 지속되는 포도당 자극에 대해서는 제2기인슐린분비로 서서히 인슐린분비가 지속되어 증가된다.

외 포도당 수준에서 점진적으로 증가한다.

포도당에 대한 반응으로 인슐린분비는 본질적으로 2상으로 몇 분간 짧게 지속되는 제1기인슐린분비와 이에 뒤따르는 포도당 수준이 증가되어 있는 한 지속되는 제2기인슐린분비가 있다(그림 9-2-17). 이는 췌도의 고유특성이다.

(1) 제1기인슐린분비

제1기인슐린분비는 베타세포 내로 포도당 유입의 급격한 상승에 의해 유도되며 인슐린 방출이 급격하고 분비기간이 짧다. 주로 세포내 칼슘이온의 급격한 증가로 유발된다. 정상혈당으로 인슐린이 방출되지 않는 기간 동안 생성된 인슐린 과립들은 쉽게 방출이 가능하도록 세포막에 융합되어 있다가 자극을 받게 되면 신속하게 인슐린 분비를 유도한다. 베타세포포도당민감성은 혈장포도당 농도의 증가에 비례한 분비속도의 증가로 측정한다. 제1기인슐린 분비는 간에서 포도당생성과 방출을 급격히 억제하며 일순간의 방출로 혈당을 급격히 감소시켜 저혈당을 피하고 표적세포에서 인슐린의 탈민감을 피해 인슐린저항성유발을 최소화한다. 내당능장애 환자 및 초기 2형당뇨병 환자에서 가장 조기에 관찰되는 인슐린 분비장애가 제1기인슐린 분비저하이다.

(2) 제2기인슐린분비

제2기인슐린분비는 세포내 칼슘이온의 증가와, 포스파타이드이노시톨 등 세포내 여러 물질에 의하여 인슐린분비가 지속되는 시기이다. 이때는 세포막에서 더 멀리 있고 더 큰 예비 풀에서 과립을 모집하고 새로운 인슐린 합성을 자극한다. cAMP는 영양소로 자극된 베타세포 분비 기능의 일차 유발인자로 작용하지 않지만 인슐린분비 증강인자로서 작용하는 세포내 이차전달신호로 중요하며 베타세포 cAMP의 포도당에 의한 농도의 변화와 인슐린분비의 작은 파동을 유발한다는 연구들은 영양소 유도 인슐린분비에서 이 메신저 시스템의 역할을 시사한다.

4) 인슐린분비에 영향을 주는 유전요인

인슐린분비의 사람 간 다양성은 이 과정에 영향을 주는 여러 요인이 있음을 시사한다. 전장유전체연관연구에서 당뇨병 또는 혈당특성과 관련된 것으로 나타난 150개 이상의 유전자 다형성은 인슐린분비의 결함과 관련이 있었다. 예를 들어, Wnt신호전달경로를 매개하는 전사 인자인 TCF7L2의 유전변이는 손상된 인크레틴 유발 인슐린분비와 관련이 있다. 다른 유전자변이체(GIPR, WFS1, KCNQ1)도 글루카곤유사인슐린자극펩타이드(glucagon-like insulino-tropic peptide, GIP) 또는 GLP-1 매개 인슐린분비에 영향을 미치는 것으로 나타났다.

PPAR감마보조활성체유전자와 ATP민감포타슘통로 Kir6.2 (KCNJ11)의 유전변이가 2형당뇨병과 연관되었으며, TCF7L2의 다양한 유전변이가 아시아인구의 2형당뇨병과 관련이 있다. 전사인자(HNF1α, HNF1β, HNF4α)의 공동 발현은 배아발달 및 성인기 동안 유전자발현을 제어하는데, 베타세포에서는 인슐린유전자의 발현과 포도당수송 및 대사에 관여하는 단백질을 코딩하는 유전자를 조절한다. 베타세포에서 발현되는 다른 MODY (maturity-onset diabetes of the young) 관련 유전자의 돌연변이도 마찬가지로 베타세포기능장애와 관련된 당뇨병을 유발한다. 이러한 전사인자는 다른 조직(간, 신장)에서도 발현되기 때문에 돌연변이는 췌도기능장애가 다른 이상, 특히 미세혈관합병증과 관련된 임상특징과 관련이 있을 수 있음을 시사한다.

향후에 정상, 당뇨병전단계 및 초기 당뇨병 환자들을 대상으로 한 대규모코호트연구를 통하여 이러한 유전자변이와 환경의 상호작용에 대한 연구가 진행되면 질병의 발생과 진행에 대한 좀더 중요한 정보를 얻을 수 있을 것으로 생각한다. 이를 위하여 미국에서는 100만 명에 대한 코호트연구인 "All of Us"연구가 이미 시작되어 30만 명 이상의 자원자가 모집이 되었으며 우리나라에서도 국가바이오빅데이터사업을 위한 준비가 진행되고 있다.

5) 그 외 인슐린에 영향을 주는 요인들

(1) 췌도호르몬

췌도 내분비세포에서 방출된 여러 인자들을 통한 복잡한 췌도세포 간의 상호작용이 일어난다. 베타세포가 인슐린수용체와 관련 세포내신호전달요소를 발현하며 이는 베타세포 기능의 자가분비(autocrine)및 주변 분비 피드백을 조절한다. 특히 베타세포에서 방출된 인슐린은 자가분비 기능을 통하여 베타세포의 증식 및 세포자멸사 억제 효과를 통해 베타세포 유전자발현 및 베타세포 양을 조절하고 있다.

글루카곤은 stimulatory G-protein (Gs)-coupled 아데닐산고리화효소(adenylcyclase)의 활성화와 세포내 cAMP의 상승을 통해 인슐린분비를 증가시킨다. 성장호르몬억제인자(SST)는 췌도델타세포와 위장관의 중추신경계 및 D세포를 비롯한 수많은 다른 부위에서 발현되며 주로 내분비 호르몬 및 외분비 소화효소 분비 억제작용을 한다. 세포는 5가지 다른 성장호르몬억제인자수용체(SSTR) 하위 유형을 발현하고 췌도 델타세포에서 방출된 SST-14는 각각 SSTR5 및 SSTR2의 활성화를 통해 인슐린 및 글루카곤 분비에 대한 강제 억제 효과가 있다. 성장호르몬억제인자수용체는 inhibitory G-protein (Gi)을 통해 아데닐산고리화효소의 억제 및 cAMP 형성 감소, 그리고 베타세포막의 과

분극 및 세포내 칼슘 감소를 유발하는 이온채널에 결합된다. PP 분비는 주로 콜린부교감신경자극을 통해 조절된다. PYY (petide YY)는 신경펩타이드(neuropeptide, NPY) 수용체 패밀리를 통해 인슐린분비를 억제하며 생체 내에서 PYY 발현세포의 제거가 베타세포 파괴 및 당뇨병의 유도를 유발하는 것으로 최근 보고되었으며, 이는 베타세포 질량을 유지하는 데 췌도 PYY의 역할을 시사한다.

(2) 인슐린분비의 신경조절

췌도는 콜린성, 아드레날린성 및 펩타이드성자율신경에 의해 신경지배된다. 췌도의 자율신경 분포는 인슐린분비를 조절하는 데 중요하며 부교감신경이 활성화되면 인슐린분비가 증가하고 교감신경활동이 증가하면 인슐린분비가 감소한다. 췌도 호르몬 분비의 자율신경 조절은 섭식 중 인슐린분비의 cephalic phase와 췌도를 동기화하여 호르몬분비의 진동을 생성하고 대사스트레스에 대한 췌도 분비반응 조절에 관여하는 것으로 생각된다.

① 신경전달물질: 아세틸콜린과 노르에피네프린

아세틸콜린은 주요 신경절후 부교감 신경전달물질이며 다양한 포유류종에서 인슐린과 글루카곤의 방출을 자극한다. 아세틸콜린은 알파세포에서 합성 및 분비되는데, 주로 베타세포의 M3수용체를 통해 작용하여 인지질분해효소C (phospholipase C, PLC)를 활성화하고, 세포질 칼슘을 높이고 단백질인산화효소C (proteinkinase C, PKC) 활성화함으로써 포도당의 인슐린분비 효과를 증폭시키는 작용을 하는 IP3 (inositol triphosphate) 및 다이아실글리세롤(diacylglycerol, DAG)을 생성한다. 베타세포 머스카린(muscarine)수용체의 활성화는 인지질분해효소 A2 (phospholipase A2, PLA2)의 활성화로 이어질 수 있으며 이후 아라키돈산(arachidonic acid, AA) 및 lysophosphatidylcholine이 생성되어 영양소 유도 인슐린분비를 더욱 향상시킬 수 있다. 아세틸콜린은 또한 나트륨이온 전도도에 영향을 주어 원형질막을 탈분극시키며, 이 추가탈분극은 세포질 칼슘의 지속적인 증가를 유도한다.

노르에피네프린은 베타2아드레날린수용체를 통해 베타세포에 직접적인 자극 효과를 발휘하거나 알파2아드레날린수용체를 통해 억제효과를 나타낼 수 있다. 베타2수용체에 의해 매개되는 자극효과는 아데닐산고리화효소의 활성화와 세포내 cAMP의 증가에 의해 발생하는 반면, 알파2수용체 활성화의 억제효과는 cAMP와 세포질칼슘의 감소, 자극-분비 결합 기전의 확인되지 않은 억제작용에 의해 발생한다. α2A 아드레날린수용체의 발현 증가 및 인슐린분비 감소는 인간 α2A 수용체 유전자의 단일뉴클레오타이드다형성(single nucleotide polymorphism, SNP)의 결과이며 α2A수용체대항제는 2형당뇨병 환자의 인슐린분비 결핍을 개선하는 데 사용된다.

② 신경펩타이드

췌도의 부교감신경 섬유에는 혈관작용장폴리펩타이드(vasoactive intestinal peptide, VIP), PACAP (pituitary adenylate cyclase activating polypeptide) 및 가스트린방출펩타이드(gastrin-releasing peptide, GRP)를 비롯한 생물학적으로 활성인 신경펩타이드가 많이 포함되어 있으며, 이들 모두는 미주신경 활성화에 의해 방출되며 모두 인슐린과 글루카곤의 방출을 자극한다.

교감신경에는 서로 다른 신경펩타이드 부교감신경이 포함되어 있으며 여기에는 신경펩타이드와 갈라닌이 포함되며 둘 다 췌도 내에서 억제작용을 한다. 두 신경펩타이드 모두 기저 및 포도당자극인슐린분비를 억제한다. 신경펩타이드와 갈라닌은 모두 특정 Gi 결합 수용체를 통해 작용하여 아데닐산고리화효소를 억제하며, 갈라닌은 세포외배출의 정의되지 않은 후기 단계에서 추가적인 억제효과를 가질 수 있다.

(3) 장 및 지방유래인자에 의한 인슐린분비 조절
① 인크레틴

췌도로부터의 인슐린분비는 포도당의 정맥투여보다 경구투여 후 더 크며 이러한 향상된 인슐린분비 생산량은 위장에서 유래된 "인크레틴"호르몬의 방출의 결과이다.

음식 섭취 후 흡수된 영양소에 대한 인슐린 반응의 증가와 관련된 주요 인크레틴은 GLP-1, 위산억제폴리펩타이드(gastric inhibitory polypeptide, GIP) 및 콜레시스토키닌(cholecystokinin, CCK)이다. 이 호르몬은 혈액에서 췌도로 운반되고 베타세포 표면의 특정 수용체와 상호작용하여 인슐린분비를 자극한다.

② 아디포카인

비만은 당뇨병의 위험요소이며 지방 저장소에서 방출되는 호르몬(아디포카인)은 비만 및 2형당뇨병과 관련된 인슐린저항성과 관련이 있다. 렙틴, 레지스틴, 아디포넥틴 등이 포함된다. 베타세포는 Ob-Rb 렙틴수용체를 발현하는데 이는 렙틴에 의해 활성화될 때 인슐린분비를 억제하고 베타세포 Ob-Rb 수용체의 특이결손은 인슐린분비 증진과 관련이 있다. 포도당자극인슐린분비에 대한 렙틴의 억제효과는 베타세포 ATP민감포타슘통로 또는 c-jun n-terminal kinase (JNK)의 활성화에 기인한다. 렙틴은 베타세포 질량의 감소를 통해 베타세포 기능을 더욱 손상시킬 수 있다. 레지스틴도 렙틴과 유사하게 포도당자극인슐린 방출을 억제하고 베타세포의 자멸사를 자극한다. 아디포넥틴은 인슐린민감성을 개선하여 보호효과가 있으며 혈장 아디포넥틴 수치가 감소하면 2형당뇨병 발병에 기여한다. 아디포넥틴은 인슐린분비를 자극하고, 베타세포 자멸사를 억제하며, 베타세포 재생을 촉진한다.

4. 당뇨병 환자에서 관찰되는 비정상적인 인슐린 분비

다양한 유전자들이 다양한 조합을 이루어 베타세포 기능 이상 및 양적 결핍을 유발하여 인슐린분비 이상을 유발한다고 생각되고 있다. 2형당뇨병 환자에서 베타세포의 비대가 관찰되는데 이는 같은 베타세포 부피 안에서는 베타세포 수의 감소가 일어남을 의미한다. 2형당뇨병 환자에서는 베타세포 부피 감소도 일어나므로 베타세포의 수는 상당히 감소한다. 감소된 베타세포에 의하여 각 베타세포에 더 심각한 보상적 부하를 유발하여 가속화된 베타세포 손실을 유발한다.

만성고혈당은 지속적인 베타세포 자극 및 인슐린 생합성과 관련이 있다. 2형당뇨병 환자에서 보이는 특징적인 인슐린 분비 이상은 전구인슐린분비 상승, 포도당자극에 의한 인슐린분비 감소, 일차인슐린분비반응 소실, 인슐린 분비의 역동성 소실 등이다.

포도당지방독성 때문에 소포체의 접힘(folding)이 손상되어 접힌 단백질이 축적되고 응집되는 현상을 소포체 스트레스라고 한다. 증가하고 지속적인 인슐린분비는 세포질세망에서 인슐린 단백질의 잘못된 접힘을 통해 베타세포 기능 장애 및 생존에 기여할 수 있다. 또한, 베타세포의 만성자극은 췌도아밀로이드폴리펩타이드(islet amyloid polypeptide, IAPP)의 합성을 증가시킨다. IAPP는 집합체(aggregates)와 파이브릴(fibrils)을 형성하여 염증반응, 대식세포 모집, 그리고 세포자멸사를 유발한다.

베타세포 기능의 점진적 저하, 포도당자극인슐린분비(glucose-stimulated insulin secretion, GSIS) 감소, 베타세포질량 감소 및 베타세포자멸사(apoptosis) 증가가 2형당뇨병에서 발견된다. 이외에도 다른 베타세포 질량 손실기전이 2형당뇨병에 기여하는 것으로 생각된다.

5. 베타세포 양과 인슐린분비의 연관성

아직 모든 과정이 확실하지 않으나 베타세포 양과 인슐린분비의 연관성을 다음과 같이 정리할 수 있다. 베타세포의 양은 태생 말기 및 직후에 분화, 증식하여 그 양이 정해진다. 아직 베타세포의 소실에 대해서 태생기에 결정되는 것인지 성인기에 점차 소실되는지는 불분명하지만, 현재 많은 연구에서 베타세포의 가소성 또한 밝혀지고 있어 태생기에 그 양이 정해지기는 하지만 변동이 있음을 예측할 수 있다. 당뇨병 소인을 가진 사람들은 여러 유전소인 및 형질에 의하여 태생기부터 제한된 수준의 베타세포의 양을 갖게 된다고 생각되며, 이러한 사람이 성장하며 유전, 환경요인에 의하여 인슐린저항성이 증가하게 되고 그 사람의 인슐린 분비능이 보상할 수 있는 한계를 지나게 되면 점차 혈당이 상승하게 된다. 증가된 인슐린저항성에 의하여 혈중 유리지방산의 농도 역시 증가하게 된다. 이후 포도당-지방독성의 결과로 인슐린저항성은 점차 심해지고 베타세포의 사멸이 진행되어 베타세포 양이 급격히 줄어들며 당뇨병이 진행된다고 가정할 수 있을 것이다. 당뇨병으로 진행함에 있어 베타세포의 인슐린분비 기능의 소실과 양의 부족은 무엇이 선행되는지는 불분명하다. 베타세포에서 특이하게 발현되는 많은 수의 전사인자들이 베타세포의 발달과 증식에 관여할 뿐 아니라 베타세포의 기능에도 밀접한 연관이 있음이 최근 밝혀지고 있어 두 이상은 서로 전혀 다른 것이 아니고 당뇨병을 진행하는 과정에서 보이는 동일한 현상의 두 얼굴일 수도 있다.

V. 2형당뇨병의 치료

이 문 규

1. 2형당뇨병의 치료원칙

1) 치료목표

당뇨병은 탄수화물, 단백질 및 지방대사의 장애를 특징으로 하는 만성질환으로 심혈관계와 신경계의 합병증을 일으키고 우리나라의 5대 사망원인 중 하나가 되고 있으며, 당뇨병의 만성합병증을 예방하기 위해서는 환자 자신의 철저한 자기관리와 함께 의사, 간호사, 영양사 및 그 외 전문가로 구성된 당뇨병교육팀의 지속적인 관심과 교육이 필요하다. 당뇨병의 치료에는 인슐린저항성과 베타세포기능의 저하와 같은 고혈당의 기저에 존재하는 대사이상을 개선하기 위한 다양한 접근방법들이 포함되어야 하고 당뇨병 치료의 목적은 정상에 가까운 대사조절의 유지와 만성합병증의 장기적인 예방이라고 할 수 있으며 이 두 가지 목적을 달성하기 위

하여 가장 중요한 것은 혈당을 정상에 가깝게 유지하고, 혈압, 혈청지질 및 체중을 조절하는 것이 당뇨병 치료의 목표라고 할 수 있다. 이를 위하여 당뇨병 환자에 대한 표준화된 진료지침이 필요함과 동시에 환자 개개인의 상태나 동반질환, 나이, 생활방식에 맞는 적절한 치료목표와 방법의 설정이 요구된다. 진단 후 체중조절 등의 생활요법을 위주로 관리하는 것이 원칙이지만 생활요법과 함께 메트포민 투여를 할 수 있으며 그와 같은 노력에도 효과가 불충분할 경우 경구 혈당강하제 및 주사제 병합요법을 시도할 수 있다. 영국에서 수행된 United Kingdom Prospective Diabetes Study (UKPDS)는 2형당뇨병 환자들을 대상으로 하여 철저한 혈당조절에 의하여 합병증을 예방 또는 지연시킬 수 있는가를 확인하고자 한 중요한 연구이며 5,000명 이상의 환자를 대상으로 10년 이상 진행되었는데, 집중치료군의 경우 당뇨병관련 사건의 발생위험이 12% 감소하였고 미세혈관합병증의 위험은 25% 감소하였다. 대한당뇨병학회(KDA)의 지침에 의하면 우리나라에서 2형당뇨병 환자의 혈당조절의 목표는 당화혈색소(A1C) < 6.5%로 하고, 환자의 신체적, 정신적, 사회적 여건, 기대여명, 동반질환의 중증도 혹은 저혈당 위험도에 따라 개별화하도록 강조하고 있다(표 9-2-6). 일본당뇨병학회(JDS)에서는 좀 더 세분화하여 정상혈당을 목표로 할 경우 A1C 6.0% 미만, 합병증 예방을 목표로 할 경우 7.0% 미만, 철저한 조절이 어려운 환자에서는 8.0% 미만으로 목표를 설정한 바 있다. 중국당뇨병학회(CDS)에서는 A1C < 7%, 공복혈당 80–126 mg/dL (4.4–7.0 mmol/L), 임의혈당 180 mg/dL (< 10 mmol/L)를 권하고 있다. 미국임상내분비의사회(AACE)에서는 원칙적으로 A1C 6.5% 이하, 공복혈당 < 110 mg/dL, 식후 2시간혈당 < 140 mg/dL을 권장하고 있다. 당뇨병 환자가 임신을 한 경우 A1C < 6%, 식전, 취침 시 및 야간혈당 60–99 mg/dL (3.3–5.4 mmol/L), 식후 최고혈당 100–129 mg/dL (5.4–7.1 mmol/L)가 조절목표이다.

2형당뇨병 환자에서 혈당을 철저히 조절할 경우 심혈관합병증에 대한 예방효과를 조사한 연구가 상당한 논란을 일

표 9-2-6. 2형당뇨병 환자에서 혈당, 혈압 및 혈청지질 조절의 목표

Cardiovascular disease	Present	Absent
A1C, %	$< 6.5^a$	$< 6.5^a$
Blood pressure, mmHg	$< 130/80$	$< 140/85$
LDL-C, mg/dL	< 70	$< 100^b$
Triglycerides, mg/dL	< 150	< 150
HDL-C, mg/dL	> 40 (men), > 50 (women)	

A1C, glycosylated hemoglobin; , LDL-C, low-density lipoprotein cholesterol; HDL-C, high-density lipoprotein cholesterol.
[a]A1C target should be individualized according to the patient's clinical condition.
[b]Target LDL-C is also < 70 mg/dL in the presence of target organ damage or cardiovascular risk factors.

으켰다. Action to Control Cardiovascular Risk in Diabetes (ACCORD)연구는 10,251명의 당뇨병 환자를 대상으로 하였는데 평균 62세, 심혈관질환의 과거력이 있거나, 위험이 높은 환자들을 포함시켰다. A1C 6% 미만을 목표로 하는 집중치료군과 A1C 7.0–7.9%를 목표로 하는 표준치료군으로 나누어 연구를 진행하였는데, 집중치료군의 사망률이 유의하게 높아 조기 종료를 하게 되었다(1.41% vs. 1.14% per year, HR 1.22). 두 군 간에 심혈관계 사망률은 비슷하였으나 심혈관질환 병력이 없으며 A1C가 8% 미만이었던 환자들의 경우 심혈관질환의 위험이 유의하게 감소하였다. The Action in Diabetes and Vascular Disease: Preterax and Diamicron Modified Release Controlled Evaluation (ADVANCE)연구는 비슷한 목적으로 11,140명을 대상으로 진행하였는데, 집중치료군의 사망률 증가는 관찰되지 않았으나, 심혈관 합병증의 이환율은 두 군 간에 유의한 차이가 없었다. Veterans Affairs Diabetes Trial (VADT)연구는 1,791명의 당뇨병 환자를 대상으로 5–6년간 추적하였는데 집중혈당조절군과 관행치료군 사이에서 심혈관합병증의 발생률은 유의한 차이를 보이지 않았다. 따라서 당뇨병 환자에서 철저한 혈당조절을 통해서는 약 5년 전후의 기간 동안 심혈관질환의 위험을 유의하게 감소시키지 못한다고 할 수 있겠다. 그러나 UKPDS의 연장 추적연구결과, 철저한 혈당조절 후 10년 이상 경과할 경우 심혈관질환의 위험이 유의하게 감소하는 사실이 증명된 바

있다. 많은 논란을 유발한 ACCORD연구에서 집중혈당조절군에서 사망률이 증가한 이유는 A1C값이 낮아진 것보다는 철저한 혈당조절을 이루기 위한 치료전략에 있을 가능성이 높다. 따라서 2형당뇨병 환자에서 비교적 어렵지 않게 A1C 값을 목표치 이하 또는 가까이 유지할 수 있는 경우 일부러 혈당수치를 높일 필요는 없으며 아직 미국당뇨병학회(ADA)나 KDA에서 제시하는 치료목표도 수정하지 않고 있다. 초기 당뇨병 환자에 있어서 치료 계획을 세울 때 치료하는 의사와 환자는 물론, 환자의 가족과 치료에 관여하는 모든 의료진 사이에 적절하면서 공통적인 계획을 세우는 것이 바람직하다. 즉, 약물 선택(인슐린, GLP–1유사체, 경구 혈당강하제, 고혈압 치료제, 혈청지질강하제, 그 외 다른 약물)은 당뇨병의 종류, 당뇨병상태, 합병증 및 동반질환상태 등을 고려하여 선택해야 하며 개개인의 식사요법 설정, 적절한 운동요법, 자기관리를 위한 환자 및 가족들에 대한 교육, 혈당 측정 및 소변 케톤검사 등에 대한 교육, 환자의 재방문 시기와 계속 관찰 시 방문횟수 등을 환자와 충분한 대화를 통해 결정해야 한다.

2) 혈당 관리의 평가

(1) 당화혈색소(HbA1c, A1C)

당화혈색소는 환자의 최근 2–3개월간의 평균혈당값을 반영해주는 지표로 치료의 효과를 평가하기 위해 측정할 수

있으므로 환자의 첫 방문 때 및 이후 3개월마다 주기적으로 측정할 필요가 있다. 치료법의 변화가 없이 안정적으로 조절될 경우 연 1-2회 측정할 수도 있다. 혈당변화가 심할 때, 약물을 변경한 경우, 임신과 같이 철저한 혈당조절이 필요할 때는 더 자주 검사할 필요가 있다. 당화혈색소의 한계도 있는데 최근의 혈당값과 A1C 간의 상관관계가 높지 않을 수 있으며, 빈혈 등 적혈구의 수명이나 회전율에 변화가 있는 경우, 혈색소 변이(variant)가 있는 경우 및 만성신장질환 등의 경우 평균혈당값과 A1C 간에 유의한 차이를 보일 수 있다(당화격차, glycation gap). A1C가 기대보다 낮게 측정될 경우 조절이 양호한 것으로 잘못 판단할 수 있으며, 출혈이나 철분 치료 등 적혈구 회전율이 증가했을 가능성을 감별해야 하고 반대로 치료되지 않은 철결핍빈혈 등과 같이 적혈구회전율이 감소한 경우에는 A1C값이 평균 혈당값보다 높게 측정될 수 있다. 그러나 A1C가 높게 측정되는 대부분의 경우는 드러나지 않는 고혈당을 의심하는 것이 좋고 식사 후 또는 야간고혈당을 찾아보는 것이 권장된다. A1C는 또한 혈당의 일중변동이나 하루하루의 변동을 반영하지 못한다. A1C와 함께 환자 자신이 스스로 체크한 혈당검사를 보아 환자의 혈당조절 정도를 판단할 수 있으며 또한, 측정한 당화혈색소와 자기혈당검사의 결과를 비교함으로써 자기혈당검사의 적정성을 평가할 수도 있다.

(2) 자기혈당측정(self-monitoring of blood glucose, SMBG)

환자의 자기혈당측정은 치료에 대한 각 개인의 반응을 평가하고 환자의 혈당 농도가 목표 수준에서 조절되는지를 알 수 있는 매우 좋은 방법이며 효과적인 치료의 한 부분이다. 또한 저혈당을 예방하고 약의 용량이나 식사 및 운동량을 조절하는데 매우 유용하게 사용될 수 있다. 특히, 1형당뇨병 환자나 임신부의 경우 매일 3-4차례 이상 혈당을 측정하여 무증상의 고혈당이나 저혈당을 예방하는 것이 좋고 투여방법이나 종류 등을 바꾸고 난 뒤 혈당이 안정될 때까지, 그리고 2형당뇨병 환자의 경우에도 인슐린 주사를 맞거나 설포닐유레아를 복용하는 경우는 매일 자기혈당측정이 필요하며, 인슐린을 사용하지 않는 성인2형당뇨병 환자도 혈당조

절을 위해 자기혈당측정을 권할 수 있다. 자기혈당측정은 매 식사 전후, 취침 전, 새벽, 운동 전후, 저혈당 시에 할 수 있으며, 환자상태에 따라 측정시기나 횟수를 개별화한다. 혈당검사의 빈도는 혈당조절목표에 따라 조정되는데 하루 1-2회 인슐린을 주사하는 관행인슐린치료(conventional insulin treatment)를 시행하는 환자라면 아침 공복 시 및 최대 인슐린 효과발현시간에 맞추어 하루 1-2회, 일주일에 2-3일의 혈당검사를 권장한다. 아침식사 전 혈당검사는 기저인슐린 투여를 시작하거나, 용량을 조정하기 위해 꼭 필요하며, 매 식사 전 혈당값은 초단기작용인슐린의 용량 결정에 필수적이다. 자기혈당측정을 포함하는 자기관리 프로그램은 혈당을 조절하고 합병증 예방에 유의한 도움이 된다는 사실이 증명된 바 있다. 인슐린을 투여받지 않는 환자의 경우 생활습관교정의 보완적인 관리법이 될 수 있고, 약물의 선택과 약물에 대한 조기반응 등을 볼 수 있으며, 무엇보다도 환자에게 동기를 부여할 수 있는 수단이 될 수 있다. 그러나 자기혈당측정의 정확성은 기기나 환자의 측정방법에 따라 좌우되므로 병원 방문 때마다 의료진들이 규칙적으로 점검하고 교육하는 것이 필요하다.

(3) 연속혈당측정(continous glucose monitoring, CGM)

최근 개발된 방법으로 피하조직액 내의 포도당 농도를 센서가 측정하여 그 결과를 실시간으로 확인하거나 7-14일간의 변화를 확인할 수 있다. 센서와 송신기 및 수신기로 구성되어 있으며, 수면 시의 저혈당 및 고혈당 여부와 혈당값의 일중 변동 등 다양한 정보를 확인할 수 있으나 아직은 가격이 비싼 단점이 있다. 1형당뇨병 환자에서 CGM의 유용성은 이미 확립되었으며, 우리나라에서도 센서와 송신기에 대한 비용 지원이 되고 있다. 실시간연속혈당측정(real-time CGM, rtCGM)은 지정된 범위 밖의 혈당값이 측정될 경우 경보음이 울리도록 할 수 있고 개인이 사용하는 스마트폰이 수신기의 역할을 하기 때문에 적절한 애플리케이션을 사용하여 실시간으로 혈당 변화를 확인할 수 있다. 추세화살표(trend arrow)로 혈당 변화의 정도 및 방향을 예측할 수 있고, 환자 본인뿐만 아니라 가족 및 의료진들도 같은 정보

를 확인할 수 있다. 간헐스캔연속혈당측정(intermittently scanned CGM, isCGM, flash CGM)은 판독기(스마트폰)를 센서 위에 접근시킬 때에만 혈당값을 보여 주며 동시에 추세화살표 및 이전의 혈당값의 변화 또한 보여준다. 2형당뇨병 환자 가운데 다회인슐린주사 투여를 하고 있는 경우 CGM의 유의한 효과가 보고된 바 있고 다른 형태의 인슐린치료, 또는 경구혈당강하제만 투여하는 환자는 혈당조절을 위해 rtCGM을 주기적으로 할 수 있다. CGM은 평균혈당값을 정확하게 계산해 줄 수 있어, A1C 값의 정확성을 평가할 수 있고, 당화격차(glycation gap)가 큰 환자들을 찾아내는 데에 많은 도움이 될 수 있다. CGM결과의 분석은 국제적으로 표준화된 핵심분석항목(core metrics)과 그 기준, 그리고 활동혈당개요(ambulatory glucose profile, AGP)를 사용하며 의료진 및 환자들에게 어렵지 않게 전달될 수 있지만 환자들에 대한 추가적인 교육이 반드시 필요하다(표 9-2-7). 혈당값의 변동이 클수록 산화스트레스가 증가한다는 연구결과가 보고된 바 있으며 목표 범위 내 비율(time in range, TIR)은 미세혈관합병증과 유의한 상관관계를 보이는 것으로 알려져 있고 time below range [< 70 and < 54 mg/dL (3.9 and 3.0 mmol/L)] 및 time

above range [> 180 mg/dL (10.0 mmol/L)]은 치료효과를 평가하는 데 유용한 변수이며, 이러한 혈당값의 변동을 가장 정확히 측정할 수 있는 방법이 CGM이라고 할 수 있다(그림 9-2-18).

2. 생활습관 관리

2형당뇨병의 대표적인 생활습관 관리방법으로 의학영양요법 및 운동요법이 있고, 최근에는 정신사회적인 상담과 스

표 9-2-7. 연속혈당측정의 해석을 위한 핵심측정기준(core metrics)

핵심 측정 기준	목표치
환자의 연속혈당측정기기 사용기간	14일 이상
연속혈당측정 활성 사용시간 비율(%)	70% 이상
평균혈당치	해당 없음
혈당관리표시기(glucose management indicator, GMI)	
변동계수(coefficient of variation, %)	36% 이하
목표범위내비율(time in range, TIR)	70% 이상

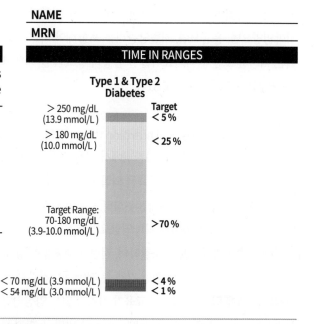

AGP Report

GLUCOSE STATISTICS AND TARGETS

14 days
% Sensor Time

Glucose Ranges
Target Range 70-180 mg/dL
Below 70 mg/dL
Below 54 mg/dL
Above 180 mg/dL
Above 250 mg/dL

Targets [% of Readings (Time/Day)]
Greater than 70 % (16h 48min)
Less than 4 % (58min)
Less than 1 % (14min)
Less than 25 % (6h)
Less than 5 % (1h 12min)

Each 5 % increase in time in range (70-180 mg/dL) is clinically beneficial.

Average Glucose
Glucose Management Indicator (GMI)
Glucose Variability

Defined as percent coefficient of variation (% CV); target ≤ 36 %

NAME
MRN

TIME IN RANGES

Type 1 & Type 2
Diabetes

> 250 mg/dL (13.9 mmol/L)
> 180 mg/dL (10.0 mmol/L)
Target Range: 70-180 mg/dL (3.9-10.0 mmol/L)
< 70 mg/dL (3.9 mmol/L)
< 54 mg/dL (3.0 mmol/L)

Target
< 5 %
< 25 %
>70 %
< 4 %
< 1 %

그림 9-2-18. 표준화된 CGM평가변수 및 참고치

트레스 관리, 휴식 및 수면관리 등이 중요한 부분이 되고 있다. 당뇨병의 진단 즉시 생활습관교정을 적극적으로 교육하고 지속하도록 모니터링해야 한다. 이러한 생활습관 관리의 효과를 증명하는 연구는 상당히 많이 보고된 바 있으며 대부분의 선진국에서 이러한 당뇨병 교육 프로그램에 대한 급여가 시행되고 있지만, 우리나라에서는 아직 급여가 되지 않고 있다. 이와 같은 생활습관 관리를 통해 당뇨병 관리의 중심이 의료진에서 점차 환자 중심으로 이동하게 된다.

1) 자기관리교육(Diabetes self-management education and support, DSMES)

2형당뇨병은 만성질환으로 환자들은 매일 부딪히는 상황에서 스스로 결정해야 하는 경우가 대부분이다. 이러한 자기관리를 위한 능력을 북돋워주는 과정이 자기관리교육인데, 교육은 자격을 갖춘 교육자가 시행해야 하며 그 목표는 혈당조절을 통해 당뇨병 예후를 개선하고 삶의 질을 높이는 데에 있다. 자기관리교육은 당뇨병을 처음 진단받을 때 반드시 필요하고 매년 검사를 통한 평가를 받을 때, 건강상태나 약물처방이 변경될 때, 재활치료나 혼자 살게 될 때 등에 추가로 교육을 받도록 안내해야 한다. 의사나 간호사, 영양사 등 직능별로 따로 진행하는 것보다 환자가 중심이 되는 팀 접근이 효과적이며 당뇨병에 관한 기본지식, 자기혈당측정, 의학영양요법, 운동요법, 저혈당관리를 포함해야 하고 최근에는 디지털 또는 원격의료기술을 활용하여 교육을 시행하는 다양한 시도가 진행되고 있다.

2) 의학영양요법(Medical nutrition therapy, MNT)

의학영양요법은 당뇨병의 자기관리에서 핵심적인 부분으로 모든 성인당뇨병 환자는 개별화한 의학영양요법 교육을 받아야 하며, 진단 6개월 이내에 3-6회의 교육이 권장되고 있다. 당뇨병의 치료에 있어서 의학영양요법의 목표는 혈당을 조절하고, 혈청지질 농도를 조절하며, 적절한 체중을 달성 또는 유지하고 심혈관질환의 위험 감소 등 전반적인 건강을 증진시키는 데에 있으며, 당뇨병 교육자 자격이 있는 임상영양사가 교육할 것을 권고한다. 과체중이거나 비만한 환자는

5% 이상 체중을 감량하고, 이를 유지하기 위해 열량섭취를 줄여야 한다. 탄수화물, 단백질, 지방의 섭취비율은 치료 목표와 환자의 선호에 따라 개별화하고 장기적인 이득을 입증하지 못한 극단적인 식사방법은 권고하지 않는다. 탄수화물은 식품섬유가 풍부한 통곡물, 채소, 콩류, 과일, 유제품의 형태로 섭취할 것을 권하고 당류 섭취는 최소화하되, 당류 섭취를 줄이는데 어려움이 있는 경우에는 인공감미료 사용을 제한적으로 고려할 수 있다. 식품섬유의 효과는 증명된 바 있으며 15 g/1,000 kcal 이상 섭취할 경우 혈당 및 지질이 유의하게 감소되는 사실이 확인된 바 있다. 단백질 섭취는 제한할 필요 없으며, 신장질환이 있는 경우에도 엄격하게 제한하지 않는다. 지방섭취량에 대하여는 포화지방산은 총 열량의 10% 미만, 고도불포화지방산(PUFA) 또한 10% 미만으로 섭취하도록 권장되고 있다. 탄수화물 섭취량의 일부를 단일불포화지방산(MUFA)으로 대체하는 방법이 권장되지만, 과다 섭취하지 않도록 주의를 요하며 불포화지방산 보충제의 섭취는 권고되지 않는다. 의학영양요법을 통해 A1C를 0.3-2% 감소시킬 수 있는 것으로 보고된 바 있으며 하루에 식사를 몇 끼 섭취하는지, 가족들과 함께 하는지, 음주나 간식습관은 어떤지 등 환자의 특성에 따라 개별화하여 처방 및 교육을 시행하는 것이 중요하다. 음식의 과다 섭취뿐만 아니라 혼자 사는 노인 등과 같이 식사를 제때 하지 못하는(food insecurity) 경우도 증가하고 있으며 이는 A1C 증가와 연관되므로 영양교육 때 관심을 갖고 파악해야 한다. 의학영양요법을 통해 5-10%의 체중감소를 이룰 경우 34%의 환자에서, 15% 이상 감소할 경우 86%에서 A1C < 6.5%를 달성하는 등 대사상태도 유의하게 개선되는 것으로 보고된 바 있다. 의학영양요법에서 영양소의 배분보다는 하루에 섭취해야 할 음식의 양(총 열량)과 감소된 체중의 유지가 더 중요하며, 영양소 가운데에는 탄수화물계산(carbohydrate counting)이 중요한데 특히, 식사인슐린(prandial insulin)을 투여받는 환자에서 중요하다. 1형당뇨병에 비하여 2형당뇨병 환자에서는 인슐린 탄수화물 비의 유용성이 다소 적은 것으로 알려져 있으나 인슐린 투여를 받지 않는 환자에서도 탄수화물 섭취량이 일정하도록 지속적인 교육이 필요

하다. 단백질 섭취는 즉각적인 혈당의 변화를 일으키지 않으며, 일반적으로 0.8 g/kg의 단백질 섭취가 권장된다. 만성신장질환이 동반된 경우 단백질 섭취량을 줄이는 것에 대하여는 아직 논란이 있어, 추가적인 연구가 필요하다. 소량의 알코올 섭취는 권장되지는 않지만 중대한 위험을 일으키지 않아 금기로 할 필요는 없으며 과량 섭취할 경우 특히 인슐린이나 설포닐유레아 복용 환자의 경우 delayed hypoglycemia의 위험이 증가하므로 주의를 요한다. 나트륨 섭취는 하루 2,300 mg 미만으로 권장되고, 고혈압이 동반된 환자는 이보다 더 적은 양을 섭취하도록 권한다. 현재까지 가장 연구가 많이 된 식사요법은 지중해식 식사, dietary approaches to stop hypertension (DASH) 식사 및 식물성 식사 등이며, 저탄수화물 고지방식이 등 기타의 식사에 대하여는 아직 장기간에 걸친 연구가 충분하지 않다.

3) 운동요법

2형당뇨병 환자의 경우 운동은 혈청지질, 혈압 및 혈류량 등을 개선하여 심혈관질환의 위험인자를 감소시키고, 체중감소 효과가 있으며, 인슐린민감성을 증가시켜 혈당조절을 용이하게 한다. 또한 인슐린과 경구혈당강하제의 용량을 감소시키고, 근력과 관절기능을 향상시켜 삶의 질을 증진시키며, 스트레스를 감소시키는 등의 장점이 있다. 그러나 저혈당 등의 위험성도 있기 때문에 당뇨병 환자들이 규칙적인 운동을 시작하기 전 반드시 당뇨병전문의를 찾아 심장질환 및 만성합병증 등에 대한 검진을 받은 후에 적절한 운동을 시작해야 하며, 환자의 연령, 신체능력, 동반질환에 따라 운동 시간, 종류, 강도, 빈도를 개별화한다. 환자 방문 시에는 환자의 운동습관과 운동을 어렵게 하는 인자를 확인하고 저혈당의 가능성에 대한 평가를 한다. 유산소운동 및 저항운동은 A1C를 평균적으로 0.4–0.9% 감소시키며, 두 가지 운동을 병행할 경우 가장 감소폭이 큰 것으로 알려져 있다. 운동에 의한 체중감소가 나타나지 않아도 A1C가 감소할 수 있으며, 운동에 의한 인슐린민감성의 개선은 48–72시간 이상 지속되지 않는다. 당뇨병이 없는 정상인의 경우 운동 시 근육조직의 포도당섭취가 증가하고 인슐린 농도가 감소하며, 대응조절호르몬(counterregulatory hormone)이 증가하여 간의 포도당신생성(gluconeogenesis)이 증가하고, 유리지방산의 농도가 증가하게 된다. 특별한 금기증이 없다면 당뇨병 환자들에게는 일반적으로 주당 150분 이상 중등도 강도(최대심박동수의 50–70%) 또는 75분 이상의 고강도(최대심박동수의 > 70%)의 유산소운동을 최소 주 3회 이상 시행할 것이 권장되고, 2일 이상 운동하지 않는 날은 없도록 권하고 있다. 저항운동은 금기가 없는 한 주 2회 이상 실시한다. 최대심박동수를 직접 측정할 수 없는 경우에는 (최대심박동수 = 220 – 환자의 연령)의 공식으로 구할 수 있으나 일정하게 조절된 상황에서 최대심박동수를 직접 측정하는 경우보다 부정확하며 또한 당뇨병자율신경병증이 있는 환자에서는 과대평가될 수도 있다. 유산소운동이란 전신의 움직임이 필요한 운동으로서 심폐기능을 향상시키고 적절한 양의 에너지를 소모하게 해주는 운동을 의미하는데, 빨리 걷기, 조깅, 수영, 자전거타기, 계단오르기 등이 이에 해당되며, 이와 반대로 무거운 중량들기와 같은 운동은 혈압을 악화시키거나 근육, 뼈 등에 손상을 입힐 위험이 높기 때문에 피하는 것이 좋다. 허혈심장질환의 위험이 높은 환자의 경우 저강도운동을 짧게 시작하고 점진적으로 시간과 강도를 증가시키도록 한다. 운동시간은 근골격의 손상을 예방하기 위하여 5–10분간 낮은 강도의 유산소운동 및 준비운동으로 시작해야 하며, 보다 높은 강도의 본격적인 운동은 25–45분간 지속한다. 관절통증을 호소하는 환자들에게는 수중운동이 도움이 될 수 있고, 증식당뇨병망막병증이 있는 환자에게는 망막출혈 및 망막박리의 위험이 있으므로 고강도의 유산소운동 및 저항운동을 권하지 않으며, 말초신경병증이 동반된 환자에서는 신발의 선택에 주의하고, 체중이 실리는 운동은 되도록 피하는 것이 좋다. 본격적인 운동이 아니더라도 일상 생활 중에서 앉아 있는 시간을 줄이고, 움직이거나 서 있는 시간을 늘리는 것이 중요하다. 그리고 운동 전후, 전신상태나 운동강도가 변하거나, 운동시간이 길어질 경우 저혈당이나 고혈당 여부를 확인하기 위해 혈당을 측정한다.

09
당대사질환

4) 스트레스 관리

자기관리에 미치는 정신사회적인 인자들의 중요성이 밝혀지고 있는데, 스트레스(diabetes distress)는 당뇨병 환자의 38-48%에서 동반된다고 알려져 있고, 우울증은 당뇨병 환자의 25%에서 나타나며, 그 밖에 만성불안, 공황장애, 수면장애 등이 동반될 수 있으므로 조기 발견을 위한 관심과 스크리닝, 사회복지사의 상담프로그램 등을 적극 활용, 필요 시 정신의학전문가에게 의뢰를 한다.

3. 경구혈당강하제 (표 9-2-8)

현재 사용 중인 약물들을 작용기전을 기준으로 분류하면 간에서 포도당신생성을 억제함으로써 혈당강하효과를 나타내는 바이구아나이드제, 인슐린분비촉진제(설포닐유레아, 글리나이드), 장에서 탄수화물의 소화를 저해하는 알파글루코시다아제억제제, 지방조직이나 근육 등과 같은 말초조직에서 인슐린에 대한 감수성을 증가시켜 인슐린저항성을 개선하는 싸이아졸리딘다이온, 신장근위세관에서 포도당의 재흡수를 억제하는 SGLT2억제제와 혈액내 인크레틴의 분해를 억제하는 DPP-4억제제가 있고 우리나라에는 없지만 담즙산억제제인 colesevelam (Welchol)과 도파민작용제인 브로모크립틴[bromocriptine (Cycloset)]이

미국 FDA로부터 허가를 받은 상태이다.

1) 바이구아나이드제

바이구아나이드계의 약물은 60여 년 전부터 유럽에 소개되어 사용되기 시작하였으나 초기에 사용하였던 phenformin과 buformin은 부작용인 유산산증(lactic acidosis)으로 인하여 그동안 미국을 비롯한 대부분의 나라에서 사용하지 않다가 정상 신장기능을 가진 환자에서는 유산산증의 위험이 거의 없는 메트포민이 1995년경부터 다시 사용되기 시작하였고, 대부분의 치료지침에서 일차약물로 권장되고 있다.

(1) 작용기전

간과 말초조직(특히 근육)에서 인슐린에 대한 감수성을 증가시키는 것이다. 즉, 간에서 포도당신생성을 억제하여 공복 혈당의 감소와 상관관계가 있으며 근육에서 인슐린 증강작용의 기전은 AMP-activated protein kinase (AMPK) 활성화, GLUT4 수송체 수와 활성도 증가, 당원 합성 증가, 사립체의 인산글리세롤탈수소효소(glycerophosphate dehydrogenase)를 억제시키는 기전을 통하여 이루어진다. 최근에는 장점막에 대한 직접 작용에 의하여 신경 및 호르몬신호를 중추신경으로 전달하고, 장미생물무리유전체

표 9-2-8. 경구혈당강하제의 종류

Class	기전	공복 혈당조절	식후 혈당조절	체중변화	혈압조절	단기 심혈관 보호효과
바이구아나이드	HGO 감소	+++	+	++	+	+
설포닐유레아	인슐린분비 자극제	+++	++	증가	-	-
TZD	인슐린저항성 개선	+++	++	증가	+	?
AGI	상부위장관에서 다당류 흡수 억제	+	+++	+	-	+
DPP-4억제제	인슐린분비 증가/ 글루카곤분비 감소	++	+	-	-	-
SGLT억제제	요당배출	++	+	+++	++	+++

TZD, thiaozolidinedione; AGI, α-glucosidase inhibitor; HGO, hepatic glucose output.

(gut microbiome)에 대한 효과를 통해 글루카곤유사펩타이드-1 (glucagon-like peptide-1, GLP-1) 분비를 증가시키는 효과가 보고된 바 있다. 메트포민은 체내에서 대사되지 않고 신장을 통해 배설된다.

(2) 효과

베타세포에 대한 직접적 효과가 없으므로 저혈당은 별로 발생하지 않으며, 단독투여로도 좋은 효과가 있지만 대부분 병합투여로 사용되고 있다. 특히 설포닐유레아에 대한 이차 실패의 경우 효과적이며, 설포닐유레아에 반응이 없더라도 중단하지 말고 메트포민을 추가해 본다. 공복혈당이 300 mg/dL 이상인 경우 인슐린 분비능이 현저히 저하되므로 설포닐유레아보다 포도당신생성을 억제하는 메트포민이 더 효과적이다. A1C값을 약 1–2% 감소시키는 것으로 알려져 있고 혈청지질, 유리지방산을 떨어뜨리며 인슐린이나 설포닐유레아에 비해 체중증가는 거의 없고 오히려 2–3 kg 정도 감소하는 경우도 있다. 하루 1,000–2,500 mg 범위 내에서 2–3회 분할투여하며 extended-release제제도 개발되어 사용하고 있고 저용량으로 시작하여 2–3주마다 SMBG에 근거하여 용량을 늘리도록 권장하고 있다. UKPDS연구에서 2형당뇨병 환자들의 심근경색증 및 사망률을 유의하게 감소시키고 그 효과가 장기간 지속되는 유산효과(legacy effect)가 보고된 바 있다.

(3) 부작용 및 금기

복부팽만, 설사 등 위장관 관련 증상이 가장 흔하여 약 30%의 환자에서 발생한다. 이 경우 시작용량을 소량(250–500 mg/day, QD)부터 시작하여 서서히 증량하고 증상이 발생하면 이전 용량으로 감량하여 최소 2주간 증상이 없으면 다시 증량한다. 신장질환, 간질환, 호흡부전증, 저산소증, 심한 감염, 알콜중독증 등 유산산증이 발생할 수 있는 상황에서는 금기이며 특히 신기능이 감소한 경우 주의를 요하는데 2016년 개정된 FDA label에 의하면 메트포민 투여 전 eGFR을 측정하여, 45 mL/min/1.73 m^2 미만일 경우 투여하지 말고, 30 mL/min/1.73 m^2 미만일 경우 금기가 된

다. 이미 투여 중인 환자에서도 eGFR < 45 mL/min/1.73 m^{2}일 경우 메트포민의 지속에 대한 이익을 평가해서 조절하고 eGFR < 30 mL/min/1.73 m^{2}일 경우 중단한다. 울혈심부전증으로 약물을 투여하는 경우 고령자에서도 신기능의 감소로 인해 메트포민의 배설장애가 발생할 수 있고 메트포민 복용 중 급성질환 등으로 조영제를 사용하는 경우는 일시적으로 메트포민을 중단하였다가 검사 후 신기능이 완전히 정상으로 된 것을 확인한 후 다시 사용한다. GFR > 30 mL/min/1.73 m^{2}인 경우 안전하게 사용할 수 있다고 보고된 바 있다. 일부 환자에서 비타민B$_{12}$ 결핍을 일으킬 수 있으므로, 정기적인 측정 또는 보충요법(1,000 ug QD)이 필요할 수 있다.

2) 설포닐유레아(Sulfonylurea)

1950년대부터 사용되기 시작하였으며, 베타세포기능이 어느 정도 남아 있는 초기의 환자들에서 좋은 효과가 보고된 바 있다.

(1) 작용기전

인슐린분비를 증가시키는 기전은 설포닐유레아가 췌도베타세포의 세포막 내측에 있는 수용체(SUR1)와 결합하여 나타낸다. 설포닐유레아가 수용체와 결합하면 ATP민감포타슘 통로가 폐쇄되고 K$^+$의 세포 밖으로의 이동이 억제되어 세포막의 탈분극(depolarization)을 유도하며, 이로써 전압의존 L-형칼슘통로(L-type voltage-dependent calcium channel, VDCC)가 열려 Ca^{2+}이 세포 내로 이동하여 세포내 칼슘 농도가 증가하게 된다. 증가된 세포내 Ca^{2+}은 베타세포의 세포뼈대(cytoskeleton)에 영향을 미쳐 인슐린 과립의 세포외방출(exocytosis)을 자극함으로써 인슐린의 분비를 증가시키는 것으로 알려져 있다. 당뇨병을 최근에 진단받은 경우(5년 이내), 경도 혹은 중등도의 공복 고혈당(220–240 mg/dL 이하), 베타세포의 기능이 잘 유지된 경우(high fasting C-peptide), 인슐린 치료를 받은 적이 없는 경우, 췌도세포항체나 항GAD항체가 없는 경우 설포닐유레아에 반응이 우수한 것으로 알려져 있다.

(2) 설포닐유레아의 금기증 및 치료실패

1형당뇨병, 임신부 및 수유 시(설포닐유레아는 태반을 통과하고 모유로 분비되어 태아와 신생아에 저혈당을 유발함) 금기나 최근 임신부에서 글리뷰라이드와 메트포민을 사용할 수 있다고 보고된 바 있다. 심한 간 및 신기능장애가 있는 경우, 설포닐유레아 혹은 다른 설파계약물에 대한 부작용이 있는 경우, 수술 전후, 심한 감염, 스트레스 혹은 외상, 케톤혈증, 고삼투질혼수 등에서도 사용을 피하도록 권하고 있다. 설포닐유레아를 사용한 환자 중 1개월 이상 최고 용량을 사용하였어도 공복혈당이 140 mg/dL 이하로 감소하지 않거나 치료 전에 비해서 20 mg/dL 이상 감소하지 않은 경우(일차실패; primary failure)와 치료 전에 비하여 30 mg/dL 이상 감소하긴 하였지만 공복혈당이 140 mg/dL 이하로 조절되지 않은 경우(partial response)를 초기실패로 볼 수 있다. 그 원인은 1형당뇨병 환자를 잘못 알고 선택하였거나 식사요법과 운동요법을 철저히 시행하지 않는 경우, 경구혈당강하제의 선택과 용량이 적절치 못한 경우 등이다. 해결방법은 우선 식사요법과 운동요법을 철저히 하도록 하고 다른 계열의 경구혈당강하제를 추가할 수 있으며 인슐린의존형 여부를 확인해야 할 것이다. 또, 초기에 설포닐유레아로 좋은 반응을 보였다 하더라도 매년 5-7% 정도는 치료에 대한 반응이 둔화되고 약 10년이 지난 경우에는 대부분의 경우에서 다른 경구혈당강하제를 추가하게 된다. 이를 이차실패(secondary failure)라고 하며 원인은 지진형 인슐린 의존형 당뇨병, 혹은 2형당뇨병으로서 췌장베타세포의 점진적 기능부전이 있는 경우, 그리고 비만 등으로 인한 인슐린저항성이 증가한 경우이다. 이런 경우 기저인슐린 병용투여, 다른 경구혈당강하제와의 병합요법, 또는 인슐린요법으로 변경할 수 있다. 심근 및 혈관평활근세포에 SUR2수용체가 발현하기 때문에 설포닐유레아의 부정맥 위험이 제기되었는데, 설포닐유레아가 SUR2수용체와 결합할 경우 허혈전처치(ischemic preconditioning)를 억제하는 것이 그 기전으로 알려져 있으며 톨부타마이트와 글리뷰라이드의 경우 이러한 부작용이 보고된 바 있다.

(3) 설포닐유레아의 종류

개발시기에 따라 1세대와 2세대로 나뉘며 우리나라에서는 주로 글리클라자이드(glicalzide), 글리피자이드(glipizide), 글리메피라이드(glimepiride) 등이 많이 사용되고 있다. 효과는 A1C의 감소 기준으로 1-2%로 알려져 있다. 1세대 설포닐유레아를 최대용량으로 투여할 경우 2세대 설포닐유레아와 비슷한 정도의 혈당강하 효과가 나타날 수 있으나 작용시간이 더 길고, 저혈당의 위험이 높으며 부작용의 발현 빈도가 높다. 설포닐유레아는 공복 및 식후혈당 모두 감소시키며 저용량으로 투여를 시작하여 SMBG에 근거하여 1-2주 간격으로 용량을 조정한다. 대부분의 설포닐유레아는 간에서 대사가 이루어지고 대사산물은 신장으로 배설된다. 따라서 심한 간 또는 신장기능의 이상이 있을 경우 사용을 권하지 않는다. 저혈당의 위험은 모든 설포닐유레아가 가지고 있으며 식사시간이 늦어지거나, 운동량이 많아진 경우, 음주, 신장기능 저하 등의 경우에 특히 그 위험이 증가한다. 체중증가 또한 흔히 나타나는데 인슐린 농도의 증가와 혈당조절의 개선이 주된 원인으로 생각된다. 알코올, 아스피린, 와파린, 케토코나졸, 알파글루코시다아제억제제, 플루코나졸 등과 약물 상호작용이 보고되어 있다.

3) 메글리티나이드

벤조산 유도체로서, 글리벤클라마이드의 비설폰요소부위와 동일하다. ATP민감포타슘통로와 결합하며 인슐린의 분비를 촉진한다. 시험관내 시험에서 영양소가 결핍된 상태(nutrient-deprived state)에서는 췌장췌도로부터 인슐린분비를 자극시키지 못하는 결과가 보고된 바 있다. 레파글리나이드, 나테글리나이드, 미티글리나이드가 대표적인 약물이다. 중요한 특성으로 전구인슐린 합성을 억제하지 않고, 중대한 부작용도 보고되지 않았으며, 유의한 식후혈당강하효과를 보인다. 비설폰요소 인슐린분비촉진제로서 ATP민감포타슘통로 차단 역할을 하며 설포닐유레아와 같은 SUR1 수용체의 다른 부위에 결합하는 것으로 알려져 있다. 2형당뇨병에서 초기에 사용할 수 있으며 약효가 매우 빠르기 때문에 식사 바로 직전에 복용한다. 최대 작용시간

은 복용 후 1시간 정도이며 간에서 분해되어 소실되는 시간은 3–4시간으로 알려져 있다. 다른 약물에 비해 신속히 제거되므로 장기간의 고인슐린혈증을 유발하지 않고, 식후 혈당조절효과가 설포닐유레아보다 우수하다. 혈청지질에 대한 효과는 없는 것으로 보고되었고 일부 보고에서는 체중증가가 보고되었다. 다른 혈당강하제에 비해 부작용은 비교적 적은 편이다. 레파글리나이드는 A1C 값을 약 1.5% 감소시키며, 나테글리나이드보다 약간 강한 효과를 보이는 것으로 알려져 있다. 나테글리나이드는 페닐알라닌유도체로 레파글리나이드보다 빠른 작용시작과 짧은 작용시간을 보인다. 설포닐유레아와 비슷한 정도의 체중증가가 보고되었고, 나테글리나이드의 경우 저혈당의 위험이 설포닐유레아보다 적다.

4) 알파글루코시다아제억제제

알파글루코시다아제는 소장점막의 솔가장자리(brush border)효소로서, 이당류를 단당류로 분해하는 기능을 갖는데 알파글루코시다아제억제제를 복용할 경우 이러한 효소가 억제되어 식후혈당의 상승이 완만해진다. 혈중으로 흡수되는 것은 극히 일부분이며 따라서 주로 위장증상이 부작용으로 나타난다. 현재 아카보스와 보글리보스가 사용되고 있다. 일반적으로 A1C는 0.5–0.8% 정도 감소하며 탄수화물의 흡수장애를 일으키지는 않는다. 설포닐유레아와 병합투여 시 설포닐유레아의 혈중 농도를 증가시키고 저혈당을 유발할 수 있다. 담즙산수지 및 제산제와 함께 복용하지 않도록 해야 한다.

(1) 아카보스

알파글루코시다아제억제제 가운데 가장 먼저 소개된 약물로서 단일요법 시 저혈당이 나타나지 않으며 혈청지질 농도에도 영향이 없으나 인슐린, 설포닐유레아 등과 함께 복용할 경우 저혈당이 나타날 수 있다. 일반적으로 A1C를 0.5–1% 정도 감소시키며, 탄수화물의 흡수장애를 일으키지는 않는다. 내당능장애 환자들을 대상으로 한 STOP-NID-DM 추적연구에서 당뇨병의 발생을 유의하게 감소시켰을

뿐만 아니라 심혈관질환의 발생 또한 유의하게 감소시킨 효과가 보고된 바 있다. 부작용으로 복부팽만, 설사, 잦은 방귀 등 위장관 관련 증상이 흔하며 메트포민과 마찬가지로 시작을 소량부터 시작하여 점차적으로 증량하면 부작용을 최소화할 수 있다. 인슐린분비를 촉진하는 작용이 없으므로 저혈당은 유발되지 않는다. 염증장질환, 위마비(gastroparesis), 혈청크레아티닌 > 2.0 mg/dL, 간경변 등의 경우 금기이다.

(2) 보글리보스

2형당뇨병 환자에서 혈당강하 효과가 증명되었고, 정상인에서도 혈청중성지방과 아포지단백질A-1 (apolipoprotein A-1)을 감소시킨다. 탄수화물 흡수지연뿐만 아니라 인슐린민감성을 향상시키는 효과도 있다. 혈당강하 효과는 아카보스와 비슷하나 다당류의 분해보다는 이당류가 단당류로 분해되는 과정에 더 억제력이 높아 복부팽만이나 복부불쾌감이 적다. 내당능장애 환자를 대상으로 한 VICTORY연구에서 당뇨병 발병의 위험을 유의하게 감소시킨 결과가 보고된 바 있다. 하루 0.6–0.9 mg을 3회 분복한다.

5) 인슐린민감제(Insulin sensitizers): 싸이아졸리딘다이온(Thiazolidinedione, TZD)

인슐린저항성은 2형당뇨병의 주된 원인 가운데 하나로서, 인슐린저항성을 개선시킬 경우 2형당뇨병 환자의 혈당이 개선되고 예방이 가능하다(DREAM연구, ACT-NOW연구). TZD의 혈당강하 효과는 인슐린의 표적장기인 근육, 간 및 지방조직에서 인슐린작용을 증가시키는데 있다. TZD의 수용체는 세포핵 내에 위치하는 peroxisome proliferator-activated receptor gamma (PPAR-γ)이며, TZD제제와 결합한 후 그 결합체는 전사인자로 작용하여, 인슐린에 반응하는 여러 종류의 단백질을 합성하도록 자극하여 그 결과 인슐린작용이 증진된다. 로시글리타존, 파이오글리타존, 로베글리타존 등의 약물이 있으나 구조적으로는 서로 비슷하며 저혈당을 유발하지 않고 인슐린분비를 유의하게 증가시키지 않는다. 현재 우리나라에서는 로시글리타존의 처방

이 불가능하다. A1C 값을 0.75-1.5% 감소시키고 저혈당의 위험이 없지만 부종, 체중증가(2-3 kg), 빈혈 등의 부작용이 올 수 있어 NYHA III 이상의 심부전이 있는 환자의 경우 금기가 된다. 혈청아디포넥틴 농도를 증가시키는 효과가 알려져 있다.

(1) 로시글리타존

시험관내 시험에서 PPAR-γ에 대한 친화도가 높은 것으로 밝혀졌고, 간기능에는 영향이 없으며, 지방세포에서 지단백질지방분해효소(lipoprotein lipase)의 발현을 유도하는 것으로 알려졌다. 인슐린민감성을 증가시키는 효과가 알려졌고 또한, 혈당 및 중성지방 농도를 감소시키며, 유리지방산 및 인슐린 농도도 감소시킨다. 하루 2-8 mg 용량으로 투여할 수 있다. 포도당수송체 GLUT-4의 양이 2.5배 증가하고, 특히 세포막에 존재하는 GLUT-4의 양이 2.6배 증가하는 것으로 보고된 바 있으나, 혈청저밀도지단백질(low density lipoprotein, LDL)콜레스테롤, 고밀도지단백질(high density lipoprotein, HDL)콜레스테롤 및 중성지방 농도를 약간 증가시키는 것으로 알려져 있다. 메타분석 결과 심근경색의 위험을 증가시키는 것으로 알려져 논란이 되어 미국식품의약품국(FDA)과 유럽의약품청(EMA)에서 사용중지를 권했고, RECORD연구에서 위험이 증가하지 않는 것으로 확인이 되어 FDA로부터 재사용 허가를 받았지만 현재 거의 사용되지 않고 있다. 일부 환자에서 황반부종이 악화될 수 있다는 보고가 있고 골절의 위험을 증가시키는 것으로 알려져 있어 고령의 여성 환자에서는 투여 전 골밀도를 확인하는 것이 권장된다.

(2) 파이오글리타존

로시글리타존보다 늦게 개발된 약물로서 효능은 로시글리타존보다 약하나 혈당강하 효과는 비슷하고, LDL콜레스테롤을 증가시키지 않으며, 중성지방 농도를 감소시키는 것으로 알려져 있다. 하루 15-45 mg 투여할 수 있다. PROACTIVE연구에서 이차연구변수로 심혈관질환의 위험을 감소시키는 효과가 보고된 바 있고, 비당뇨인을 대상으로 했던

IRIS연구에서 뇌경색증 및 심근경색을 유의하게 감소시키는 결과가 보고된 바 있다. 무작위대조시험이 아닌 보고자료를 분석한 연구에서 방광암의 위험을 증가시키는 보고가 있어 방광암의 과거력이 있는 환자에게는 권고되지 않는다.

(3) 로베글리타존

국내 제약사에 의해 개발된 TZD 제제로서 로시글리타존 및 파이오글리타존과 비슷한 효과를 나타내며 0.5 mg 이 허가 용량이다. TZD의 head group과 PPAR-γ의 AF2 및 helix 12간에 수소결합을 통해 ligand binding domain (LBD)의 구조적 안정성이 만들어지는데, 로베글리타존의 methoxyphenoxy group과 PPAR-γ의 Ω pocket간에 추가적인 혐수성 결합이 이루어지기 때문에 PPAR-γ에 대한 친화도가 로시글리타존이나 파이오글리타존에 비하여 12배 높은 것으로 알려져 있다. 위약군에 비하여 A1C가 0.6% 감소하며 파이오글리타존과의 비교시험에서 A1C 및 혈청지질의 변화가 비슷하였고 부작용 발현에도 유의한 차이가 없었다.

6) DPP-4억제제

L-세포에서 분비되는 내인 GLP-1의 분해를 억제하여 혈액내 농도를 약 2배 증가시키고, 그 결과 포도당자극에 의한 인슐린분비를 증가시키며 글루카곤의 분비를 억제하여 혈당을 떨어뜨리게 된다. DPP-4억제제 투여에 의하여 식욕저하, 체중감소나 위 배출시간 지연 등은 초래되지 않는다. 현재 우리나라에서는 시타글립틴(sitagliptin), 빌다글립틴(vildagliptin), 삭사글립틴(saxagliptin), 리나글립틴(linagliptin), 알로글립틴(alogliptin), 제미글립틴(zemigliptin), 테넬리글립틴(teneligliptin), 아나글립틴(anagliptin), 에보글립틴(evogliptin) 9가지가 있으며, 인슐린분비를 촉진하고 저혈당이나 체중증가가 없으며, 주로 식후혈당의 조절에 효과적이지만 공복혈당도 유의하게 감소한다. A1C값을 0.5-1.0% 감소시키고 신장기능에 따라 용량조절이 필요한 경우도 있다[리나글립틴, 테넬리글립틴, 제미글립틴, 에보글립틴(말기신장질환 제외)은 용량조정 불필

요]. 시타글립틴은 하루 1회 100 mg 투여하며 Ccr 30–50 mL/min일 경우 하루 50 mg, Ccr < 30 mL/min일 경우 하루 25 mg으로 용량을 줄여 투여한다. 빌다글립틴은 1회 50 mg씩 하루 2회 투여하며 신장기능저하 시 용량조정이 필요하다. 대부분의 연구에서 부작용은 위약군과 차이가 없었고 시판 후 보고에서 췌장염의 발병사례가 알려져 췌장염의 과거력이 있는 환자에서는 권장되지 않는다. 심혈관질환에 대하여는 증가시키거나 감소시키지 않는 것으로 보고되었고 삭사글립틴연구에서 심부전에 의한 입원이 증가한 보고가 있었다.

7) SGLT2억제제

경구혈당강하제 가운데 가장 최근에 개발된 약물로서 신장 근위세관에서 포도당재흡수의 90%를 담당하는 SGLT2 (high capacity, low affinity)를 억제하여 요당 및 나트륨 배출량을 증가시킴으로써 혈당을 떨어뜨리는 효과를 나타낸다. 유전적으로 SGLT2유전자의 돌연변이가 발생할 경우 familial renal glycosuria syndrome이 나타나는데 하루 170 g의 요당이 배출되고, 비만과 당뇨병의 빈도가 낮으며, 많은 요당의 배출에도 불구하고 신장기능은 장기간 유지되는 특징을 나타낸다. SGLT2는 공복 및 식후혈당을 모두 감소시키며, 체중과 혈압을 낮춰준다. 우리나라에서는 다파글리플로진(dapagliflozin), 엠파글리플로진(empagliflozin), 이프라글리플로진(ipragliflozin), 어투글리플로진(ertugliflozin)의 4가지 약물이 시판되고 있으며, 단독 및 병합처방이 가능하다. EMPA-REG OUTCOME 및 CANVAS연구 등을 통해 사망률, 심혈관사망률, 심부전에 의한 입원 및 단백뇨/신기능악화를 유의하게 감소시키는 괄목할만한 결과를 증명하였고 최근에는 당뇨병이 없는 심부전증 및 만성신장질환 환자에서도 유의한 효과를 보고한 바 있다. 부작용으로는 빈뇨, 생식기감염, 하부요로감염 등이 있으며 생식기감염은 주로 진균감염이고, 여성 환자의 10–15%에서 발생하며 재발이 드물지 않다. 카나글리플로진 (Canagliflozin)의 CANVAS연구에서는 하지 절단의 위험이 증가한 보고가 있으나, 다른 연구에서는 나타나지 않았고

확정적인 증거는 없지만 다파글리플로진의 약품설명서에 방광암 환자에서 사용을 금하는 경고가 있다. SGLT2억제제 투여 환자의 일부에서 정상혈당당뇨병케토산증(euglycemic diabetic ketoacidosis)이 발생할 수 있어 주의를 요하는데 특히 수술 후, 급성질환, 인슐린용량을 감량한 경우에 발생위험이 증가하는 것으로 보고된 바 있다.

4. 주사치료제

2형당뇨병의 주사치료제에는 인슐린과 GLP-1수용체작용제의 두 가지가 있으며, 대부분의 제품이 피하주사로 투여하지만 최근 흡입형인슐린이 개발되었고 설하 및 비강분무 등 다양한 투여법이 연구되고 있다. 일반적으로 강력한 혈당강하 효과를 고려할 경우 주사제를 포함한 치료를 우선하며, GLP-1수용체작용제와 기저인슐린을 병용할 수 있고 혈당조절 강화를 위해 다회인슐린주사요법을 고려할 수 있다.

1) 인슐린

인슐린은 이미 1920년대에 상품화되었으며 1형당뇨병의 필수적인 치료는 인슐린이다. 또한 2형당뇨병이라 하더라도 당뇨병의 병인자체가 만성적인 과정을 밟으므로 결국에는 인슐린이 필요하게 될 가능성이 많으며 일시적으로라도 포도당독성(glucose toxicity)을 해결하기 위해 혹은 급성질환에 이환되었을 경우 인슐린의 사용이 불가피하다. 이외에도 2형당뇨병 환자 중 인슐린을 사용할 수 있는 경우는 다음과 같다. 첫째, 공복혈당이 250 mg/dL 이상이면서 소변에 케톤체가 나올 경우, 둘째, 공복혈당이 250 mg/dL 이상이면서 증상이 있는 경우, 이 경우 대개 6–8주 정도 혈당조절이 잘 되면 다시 경구혈당강하제로 바꿀 수 있으며 포도당독성의 해소나 인슐린민감성 개선 등에 도움이 된다. 셋째, 의사와 충분한 대화 후 환자가 초기 치료로 인슐린을 원할 때, 넷째, 식사요법만으로 조절이 되지 않는 임신당뇨병 등이다. 인슐린 치료의 가장 흔한 부작용은 체중증가와 저혈당이다. 이는 낮 시간 동안 혈중에 증가된 인슐린 때문이며 메트포민과 같은 경구혈당강하제를 병용투여함으로

표 9-2-9. 인슐린의 종류 및 특성

Type	Onset (min)	Peak (hr)	Time of action (hr)
Rapid acting			
Lispro (Humalog®)	10–15	0.5–1.5	3–5
Aspart (NovoRapid®)	10–15	0.5–1.5	3–5
Glulisine (Apidra®)	10–15	0.5–1.5	3–5
Lispro–aabc (Lyumjev®)	2	1–2	~4.6
Aspart (Fiasp®)	4	1–3	3–5
Short acting			
Regular insulin	30–45	2–4	4–8
Intermediate acting			
NPH	60–120	4–8	12–20
Long acting			
Detemir (Levemir®)	60–120	6–10	16–24
Glargine (Lantus®)	60–120	No peak	~24
Degludec (Tresiba®)	60–120	No peak	up to 72
U–300 glargine (Toujeo®)	60–120	No peak	up to 72
Premixed			
70/30 NPH/R	30–40	4–8	12–20
50/50 Humalog Mix	10–20	4–8	12–20
75/25 Humalog Mix	20–30	4–8	12–20
70/30 NovoMix	30–40	4–8	12–20
50/50 NovoMix	10–20	4–8	12–20

써 인슐린 요구량을 감소시켜 부작용을 줄일 수 있다.

(1) 인슐린의 종류(표 9-2-9)

현재 사용되고 있는 인슐린은 DNA 재조합기술을 이용하여 합성한 사람인슐린과 화학적으로 합성 및 변형시킨 인슐린 유사체로 분류할 수 있다. 인슐린유사체의 특허가 만료됨에 따라 자연스럽게 유사생물학제제(biosimilar) 인슐린이 개발되어 원제품과 비슷한 효과를 나타내며 동시에 저렴한 가격으로 사용할 수 있게 되었다. 1970년 이전에 제조된 인슐린은 소나 돼지의 췌장에서 추출하여 정제한 것으로 많은 불순물을 함유하고 있었다. 불순물로는 프로인슐린, 인슐린 중간산물, 췌장 조직 단백질뿐 아니라 글루카곤, 성장호르몬억제인자, 또는 췌장 폴리펩타이드 등을 함유하고 있었다. 현재는 DNA재조합기법을 이용하여 합성한 사람인슐린과 1990년 이후 개발된 인슐린유사체가 널리 쓰이고 있다. 사람인슐린은 돼지 인슐린에 비하여 피하 흡수가 빠르고 작용시간이 다소 짧은 경향을 보이며 항체 생성이 적은 편이다. 대부분의 인슐린은 1 mL에 100단위의 인슐린이 함유되어 있으며, 최근 인슐린 글라진(glargine)의 인슐린 글라–300 (insulin glargine 300U/mL, Toujeo®)이 도입되어 사용

되고 있다. 단기작용인슐린은 레귤러인슐린(regular insulin, RI)제제로서 피하주사 후 작용시작시간은 약 30분이며, 2–4시간 후 최고작용시간에 이르고 약 5–8시간 동안 효과가 지속된다. 주로 정맥주사 및 인슐린펌프용으로 이용된다. 중기작용인슐린인 NPH인슐린은 중성프로타민이 첨가됨으로써 지속시간이 24시간까지 연장된 제제로서 피하주사 후 1–2시간에 효과가 발현되고 4–8시간에 절정을 이룬다. 근래에는 RI와 NPH인슐린을 미리 혼합 제조한 제품이 펜형 주사용기로 제작되어 휴대가 간편하다. 초단기작용인슐린으로 인슐린 리스프로(lispro), 인슐린 아스파트(aspart), 인슐린 글루리진(glulisine) 등이 미국 FDA의 공인을 받아 국내에서도 판매되고 있다. 기존의 인슐린은 피하주사 후 30–60분을 기다렸다가 식사를 하도록 처방하지만, 상당수 환자가 이 시간을 기다리지 못하는 경우가 많으나 초단기작용인슐린의 경우 주사 후 15분 이내에 식사할 수 있고, 최근 도입된 FIasp®, Lyumjev® 인슐린은 주사 후 4분 이내 작용을 시작할 수 있는 초단기작용인슐린이다.

① 기저인슐린

과거에 사용되던 울트라렌테(ultralente), 렌테(lente), 프로타민-아연인슐린[protamine zinc insulin (PZI)]은 현재 사용되고 있지 않으며 중기작용인슐린인 NPH인슐린은 아직 사용되고 있다. 인슐린 디터머(insulin detemir, Levemir®)는 인슐린 분자에 지방산 측쇄를 공유결합으로 합쳐 피하 흡수 및 혈액으로부터의 소실 모두 느리게 만든 장기작용인슐린이지만, 중기작용인슐린인 NPH인슐린과 비슷한 특징을 보이고 주사에 따른 변동이 적은 일관성을 보이지만, 24시간에 걸친 안정적인 효과를 위해서는 하루 2회 투여가 필요한 경우가 많다. 2형당뇨병 환자에서는 약 40%에서 하루 1회의 주사로 효과를 보이는 것으로 알려져 있고, 임신당뇨병에도 사용할 수 있다. 인슐린 글라진(Lantus®)은 인슐린 A chain의 21번째 아미노산인 asparagine이 glycine으로 치환되어 있고 B chain의 끝부분에 2개의 arginine이 붙어 있는 구조로 피하주사 후 장시간에 걸쳐 서서히 일정 속도로 흡수되어 혈중 인슐린의

peak가 없이 비교적 일정한 혈중 농도를 유지하는 특징이 있는데 산성 pH에서는 수용성이지만 피하조직의 중성 pH에서는 침전이 생겨 흡수가 지연됨으로써 작용 시간이 24시간 정도로 증가하게 되어 하루 1회 투여로 충분하며, NPH인슐린에 비하여 저혈당의 위험이 낮다. 인슐린 데글루덱(insulin degludec, Tresiba®)과 농축형인 인슐린 글라-300 (insulin glargine 300 U/mL, Toujeo®)은 최근에 도입된 인슐린이며 인슐린 디터머나 인슐린 글라진에 비하여 더 장시간 작용하고 혈중 농도가 flat한 모양을 나타낸다.

② 식사인슐린

레귤러인슐린과 초단기작용인슐린[인슐린 리스프로(lispro), 인슐린 아스장(aspart), 인슐린 글루리진(glulisine)]은 식후혈당을 조절하기 위한 목적으로 식사 전에 투여하고, 최근에는 작용시간이 더욱 빠른 초단기작용인슐린인 인슐린 아스파트(FIasp®), 인슐린 리스프로-aabc (Lyumjev®)가 개발되어 사용되고 있다. 레귤러인슐린은 피하주사 후 30분에 작용을 시작하고, 2–4시간에 최고효과를 나타내며, 6–8시간동안 작용이 지속된다. 초단기작용인슐린은 주사 후 5–15분에 작용을 시작하고 1시간에 최고작용을 나타내며, 약 4시간 동안 작용을 지속한다. 레귤러인슐린을 정맥 내로 주사할 경우 즉시 효과를 나타내고 반감기는 10분 정도이다. 초단기작용인슐린도 정맥주사를 허가 받았으나, 레귤러인슐린에 비하여 비용이 많이 드는 문제가 있다. 흡입형 인슐린도 개발되어 있는데, 투여 후 30분에 최고효과를 나타내어 초단기작용인슐린보다 빠르고 작용시간은 용량에 따라 달라져 저용량에서는 90분, 12 U에서는 180분 정도로 알려져 있다. 흡입형 인슐린 투여 전, 투여 후 6개월, 그 후에는 1년에 한 차례씩 폐기능검사(FEV1)를 시행해야 하고 천식이나 만성폐쇄폐질환(COPD) 환자에게는 금기이며, 폐암 환자나 흡연자에게는 주의를 요한다. 4 U, 8 U, 12 U의 용량만 생산되고 있어 용량조정에 한계가 있다.

③ 혼합인슐린

혼합인슐린 제품은 환자가 주사기로 각각의 인슐린을 혼합하는 방법에 비하여 정확한 용량을 투여할 수 있다는 편리한 장점이 있으나, 용량을 다양하게 조정하기 어려운 단점이 있다. NPH인슐린/레귤러인슐린이 70/30, 50/50 비율로 혼합된 제제와 중기작용인슐린과 초단기작용인슐린이 여러 농도 비율(중기작용인슐린: 초단기작용인슐린 75/25, 70/30, 50/50)비율로 혼합된 제제 및 장기작용인슐린과 초단기작용인슐린의 혼합제제가 주로 사용되고 있다. 혼합인슐린은 주사 후 4–8시간에 single peak action을 나타낸다.

(2) 인슐린수송체

최근 사용되고 있는 인슐린 주사바늘은 과거에 비하여 짧고, 얇으며, 표면이 부드럽고, 끝이 더 날카로워 피하주사 때 불편감이 감소하였다. 펜형 주사기는 정확한 용량을 편리하게 주사할 수 있게 하였으며, 인슐린 글라–300 (insulin glargine 300 U/mL, Toujeo®)의 경우 한 번에 160 U까지 주사할 수 있다. 1형당뇨병 환자보다는 적지만 2형당뇨병 환자에서도 인슐린펌프 치료가 증가하고 있으나 아직 고비용의 문제가 있다. 다회인슐린주사로 혈당이 조절되지 않는 성인2형당뇨병 환자에게 전문적인 교육체계를 통해 집중교육을 선행하는 경우 인슐린펌프를 고려할 수 있다.

(3) 인슐린 치료의 부작용

① 저혈당

인슐린 치료를 받고 있는 모든 환자에서 한 번쯤은 저혈당을 경험하게 된다. 1형 또는 증상이 심한 2형당뇨병 환자에서는 저혈당의 횟수가 많아지고, 저혈당으로부터 회복이 매우 느려진다. 저혈당은 식사를 거르거나, 운동이 과다할 때 흔히 나타난다. 저혈당이 되어도 증상을 느끼지 못하고, 곧바로 정신혼란으로 이어지는 경우를 저혈당무감지증이라고 하며, 엄격조절에서 자주 보인다. 이때는 혈당조절의 목표를 약간 높여서 저혈당무감지증을 개선시킬 수 있다. 환자들에게 포도당을 항상 몸에 지니고 다니도록 교육하여, 당뇨병 인식표와 20 g의 포도당 봉지를 동시에 가지고 다니면서 저혈당에 대비하도록 한다. 일단 저혈당이 발생하면 이에 대한 원인을 철저히 분석하여 대비한다.

② 인슐린부종

심한 고혈당이 있는 환자에 대하여 혈당을 빨리 조절하면 부종이 생길 수 있다. 특히 얼굴, 손발이 현저하며, 심할 때는 전신부종과 함께 울혈심부전이 생길 수도 있는데, 고혈당의 교정과 함께 탈수가 교정되면 초래되는 수분저류현상 때문이다. 또한 고혈당에 의한 모세혈관 투과력 상승도 한 원인으로 지적된다.

③ 인슐린항체

인슐린항체는 동물 인슐린, 특히 소 인슐린을 사용할 때 나타나지만 사람 인슐린을 쓴다고 하여 인슐린항체가 전혀 안 생기는 것은 아니다. 인슐린을 쓴 적이 없는 1형당뇨병 환자에서 인슐린항체가 자주 발견되며, 인슐린항체는 인슐린 사용에 따른 이차현상일 뿐 아니라 내인인슐린의 자가항체일 수 있다.

④ 체중증가

인슐린 치료와 함께 체중이 증가한다. 혈당조절이 엄격할수록 체중증가는 현저하다. 보통 2–3 kg이 증가하며, 엄격한 조절에서는 5 kg 이상 증가할 수 있다. 인슐린 사용으로 조직의 분해가 줄어들고, 간헐적인 저혈당성 공복감으로 음식섭취량이 늘어나며, 인슐린의 지방형성 작용이 어우러진 결과이다. 체중증가는 인슐린저항성을 초래하여 더 많은 인슐린이 필요하게 되며 음식제한과 적절한 운동으로 체중증가를 막아야 한다.

2) GLP–1수용체작용제(GLP–1 receptor agonist, GLP–1RA)

인슐린과 마찬가지로 GLP–1RA도 단기작용제제와 장기작용제제로 분류할 수 있다.

(1) 단기작용 GLP-1수용체작용제

가장 먼저 개발된 GLP-1RA는 exendin-4인데, 미국 사막 지역에 사는 도마뱀(gila monster, heloderma suspectum)의 타액에서 분리한 펩타이드로서 GLP-1과 아미노산 서열이 53% 일치하지만 GLP-1과 달리 DPP-4효소에 의해 분해되지 않는 특성이 있다. 엑센딘-4 (exendin-4)의 합성 유사체가 엑세나타이드(exenatide)이며, 피하주사할 경우 최고 효과는 2시간 후, 작용시간은 6시간 이상이다. L-세포 에서 분비되는 GLP-1과 비슷한 정도로, 포도당자극에 의 한 인슐린분비를 촉진시키고, 베타세포의 GLP-1수용체에 잘 결합하며, 식후 글루카곤의 분비를 억제하고, 위배출시간 을 지연시키며, 식욕을 억제한다. 2005년 미국 FDA의 승인 을 받았고, 하루 2번 주사할 경우 A1C값을 -1.0% 감소시키 는데, 주로 식후 혈당을 감소시킨다. 체중증가가 없고 대부 분의 환자에서 2–4 kg의 체중감소가 나타나며 장기간 투여 할 경우 혈압과 혈청지질이 개선된다. 경구혈당강하제와 병 합요법으로 승인되었으며, 인슐린과 병합투여도 허가되었다. 부작용으로는 ~50%의 환자에서 구역, 구토 및 설사 등 소화 기증상이 나타나며 대부분 시간이 경과하면서 감소하거나 소실된다. 최근 췌장염이 부작용으로 보고된 바 있으나, 아 직은 인과관계가 분명하지 않다. 릭시세나타이드(lixisenatide)는 엑세나타이드(exenatide)보다 다소 긴 작용시간을 나타내고 아침 식전 1회의 주사요법으로 승인되었다. 두 약 물 모두 가장 적은 용량으로 투여를 시작하여 수주에 걸쳐 점진적으로 용량을 늘려가도록 권장된다.

(2) 장기작용GLP-1수용체작용제

장기작용제제로는 리라글루타이드(liraglutide), 엑세나타 이드(exenatide) ER, 둘라글루타이드(dulaglutide), 세마 글루타이드(semaglutide) 등이 있으며, 리라글루타이드는 하루 1회, 나머지는 주 1회 주사투여한다. 단기작용제제보 다 A1C가 더 많이 감소하는데 공복혈당을 감소시키는 효과 가 큰 점이 주된 이유로 알려져 있다. 식후혈당은 단기작용 제제가 더 많이 감소하는 것으로 알려져 있으며 위장관 부 작용은 장기작용제제에서 더 적게 나타난다. 모든 제품에서

유의한 체중감소를 나타내지만, 현재까지 비만 치료제로 적 응증을 받은 제품은 리라글루타이드와 세마글루타이드뿐 이다. 최근 대규모 무작위대조시험(radomized controlled trial, RCT)에서 각 제제의 심혈관안정성을 비교하였는데, LEADER연구에서 3년 간 리라글루타이드투여군은 위약 군에 비하여 심혈관사망률, 전체 사망률, 단백뇨 악화율을 유의하게 감소시키는 결과가 보고된 바 있고, SUSTAIN-6 연구에서 세마글루타이드투여군에서 심혈관질환 및 신장질 환의 위험을 유의하게 감소시켰으나 사망률은 유의한 감소 를 보이지 않았다. REWIND연구에서 둘라글루타이드 투 여군도 심혈관질환의 유의한 예방효과를 보인 바 있다. SGLT-2억제제와 달리 심부전에 의한 입원을 감소시키지는 않는 것으로 알려져 있다. 저혈당을 예방하기 위하여 인슐린 을 투여받는 환자에서 GLP-1수용체작용제를 추가할 경우 인슐린의 용량을 20% 감소시키도록 권장된다. 시판후조사 에서 췌장염의 위험이 제기되었으므로 췌장염의 과거력이 있는 환자의 경우 투여하지 않도록 권장된다. 엑세나타이드 는 신장으로 배출되므로 eGFR < 30 mL/min/m^{2}인 환자 에서는 금기이지만, 나머지 제제들은 신장기능저하 환자에 서도 비교적 안전하게 투여할 수 있다. 동물실험에서 갑상선 수질암의 발생이 증가하여 우려가 제기되었는데, RCT에서 도 위험이 증가하지 않았지만 갑상선수질암의 과거력 또는 가족력이 있는 경우 투여하지 않을 것을 권한다.

5. 약물요법

1) 초기 약물요법

당뇨병 진단 초기부터 의학영양요법 및 운동요법을 중심으 로 한 생활습관교정을 시작하며 이와 동시에 메트포민단독 요법을 시작할 수 있는데, 금기나 부작용이 없는 한 유지하고 금기나 부작용이 있는 경우 다른 계열의 약물을 사용한다. A1C > 9.0%이며 고혈당에 의한 증상(다음, 다뇨, 체중감 소)이 동반된 경우 인슐린 치료를 우선 고려하며 약물치료 를 시작할 때 목표 및 현재의 A1C를 고려하여 단독 또는 병 합요법을 시행하는데, 혈당조절 실패의 위험을 줄이기 위하

여 초기부터 병합요법을 적극 고려한다. 약물선택 시 혈당강하 효과, 저혈당 위험도, 부작용, 동반질환(심부전, 죽상경화 심혈관질환, 만성신장질환) 여부, 치료수용성, 연령, 환자가 추구하는 삶의 가치, 비용 등을 고려하며, 약물치료시작 후 주기적으로 복약적응도를 확인하고 필요 시 약물을 조정한다. 그리고, 목표 A1C에 도달하지 못한 경우 기존 약물의 증량 또는 다른 계열약물과의 병합요법(2제 이상)을 조속히 시행하며, 심부전을 동반한 환자의 경우 심혈관보호효과가 입증된 SGLT2억제제를 포함한 치료를 우선 고려하고, 죽상경화심혈관질환이 동반된 경우 병합요법 시 SGLT2억제제 또는 GLP-1수용체작용제를 포함한 치료를 우선 고려한다. 알부민뇨가 있거나 사구체여과율이 감소한 경우 SGLT2억제제를 포함한 치료를 우선 고려한다(그림 9-2-18).

2) 병합요법

대한당뇨병학회에서 제시한 알고리듬 1에 따라 생활습관교정 및 메트포민 투여를 유지하는데도 불구하고 A1C값이 목표에 도달하지 못할 경우, 병합요법을 고려한다(그림 9-2-19). 현재 사용 가능한 모든 약물은 단일요법으로 사용할 수 있으나 설포닐유레아와 마찬가지로 일차 및 이차실패가 나타날 수 있고, 이 경우 다른 약물의 추가사용이 권장되며, 작용기전이 서로 다른 약물을 동시에 투여할 경우 상승작용을 기대할 수 있다. 병합요법을 시작할 때 고려해야 할 조건으로, 첫째, A1C > 9.0%이며 고혈당에 의한 증상(다음, 다뇨, 체중감소)이 동반된 경우 인슐린과의 병합을 우선 고려하며(그림 9-2-20), 둘째로, 알고리듬 1과 마찬가지로 심부전을 동반한 환자의 경우 심혈관보호효과가 입증된 SGLT2억제제를 포함한 치료를 우선 고려하고 죽상경화심혈관질환이 동반된 경우 병합요법 시, SGLT2억제제 또는 GLP-1수용체작용제를 포함한 치료를 우선 고려한다.

알부민뇨가 있거나 사구체여과율이 감소한 경우 SGLT2억제제를 포함한 치료를 우선 고려한다(그림 9-2-21). 그러한 조건에 해당하지 않는 환자의 경우, 병합할 약물의 효능, 저혈당 유발 위험 및 체중증가 등을 고려하여 결정할 것을 권장한다. 조절의 목적은 궁극적으로 고혈당에 의한 급만성합병증의 예방과 만성합병증의 지연 및 예방에 있으며 2형당뇨병에서도 공복 또는 식후고혈당의 정도나 비만도, 유리지방산의 농도 등 인슐린저항성에 영향을 미치는 인자, 공복 시 C펩타이드나 인슐린의 농도, 글루카곤 자극검사로 판단되는 현재의 베타세포의 인슐린 분비능 등을 판단하여 인슐린분비촉진제, 인슐린민감제, 탄수화물 흡수 억제제 등 서로 다른 작용기전의 약물을 병용하는 경구혈당강하제의 병합요법을 사용할 수 있으며 다양한 혼합형 제제가 개발되어 시판되고 있다. 경구약물의 병합요법으로도 혈당조절이 되지 않는 2형당뇨병의 경우에는 인슐린 치료를 시행하는데 단계별로 기존에 사용하던 설포닐유레아나 메트포민을 감량하면서 기저인슐린을 투여하는 경구약물-인슐린 병합요법, 혼합인슐린제제, 인슐린과 GLP-1수용체작용제 병합요법 및 다회인슐린주사도 가능하며, 매우 효과적일 수 있지만 환자의 교육, 합병증상태 및 동반질환 등을 고려하여 결정해야 한다. 병합주사요법은 기저인슐린에 단기작용/초단기작용인슐린을 식사 전에 추가하는 방법이며 단기작용/초단기작용인슐린 추가 대신에 혼합인슐린을 하루 2회 주사하는 방법을 시도할 수 있고, 또한 GLP-1수용체작용제와 경구혈당강하제의 병합요법도 가능하다. 미국당뇨병학회에서는 인슐린 치료 전에 GLP-1수용체작용제를 시도할 것을 권하고 있으며 인슐린요법 단계에서 사용하던 경구약물은 대부분 중단하고, 메트포민은 그대로 유지할 것이 권장된다. 진료 중 환자들에게 인슐린 치료를 강요해서는 안 되며 2형당뇨병이 진행성 질환인 점을 강조하여 인슐린 치료의 효능과 장점을 숨김없이 설명하여 거부감을 줄이는 것이 중요하다. 인슐린은 냉장보관(4℃)을 하되 2℃ 이하는 피해야 한다. 그리고 사용 중인 인슐린은 실온에 보관하되 30℃ 이상은 피해야 한다. 주사 놓을 부위를 알코올 솜으로 닦은 후 피부를 가볍게 집어 올리고 수직방향으로 하며, 피하지방층이 얇은 부위에 주사할 경우 45도 각도로 주사한다. 피하지방이 있는 피부라면 어느 곳이나 가능하며 복부, 상박, 대퇴부 또는 둔부가 흔히 이용된다. 피하에서 인슐린이 흡수되는데 영향을 미치는 인자로 모세혈관면적이 중요

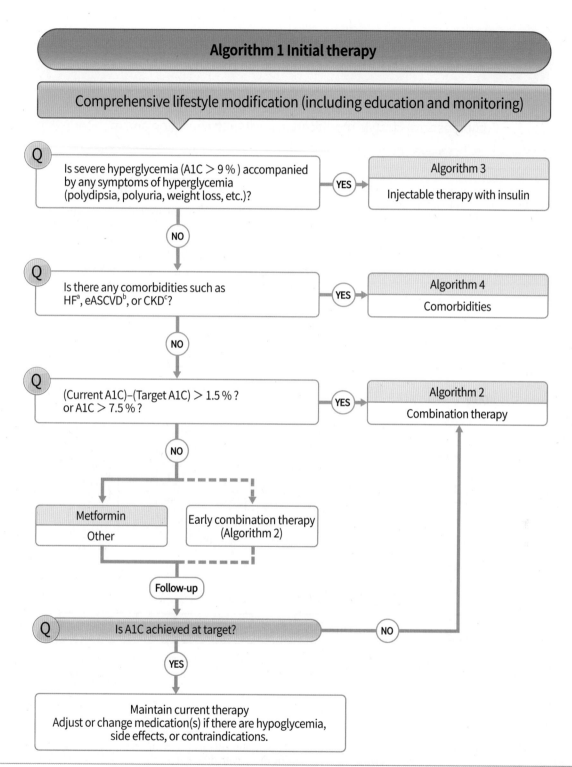

Algorithm 1 Initial therapy

Comprehensive lifestyle modification (including education and monitoring)

Q Is severe hyperglycemia (A1C > 9 %) accompanied by any symptoms of hyperglycemia (polydipsia, polyuria, weight loss, etc.)? — **YES** →

Algorithm 3
Injectable therapy with insulin

NO ↓

Q Is there any comorbidities such as HF[a], eASCVD[b], or CKD[c]? — **YES** →

Algorithm 4
Comorbidities

NO ↓

Q (Current A1C)–(Target A1C) > 1.5 % ? or A1C > 7.5 % ? — **YES** →

Algorithm 2
Combination therapy

NO ↓

Metformin
Other

Early combination therapy (Algorithm 2)

Follow-up

Q Is A1C achieved at target? — **NO** →

YES ↓

Maintain current therapy
Adjust or change medication(s) if there are hypoglycemia, side effects, or contraindications.

그림 9-2-19. **2형당뇨병의 초기 약물요법**

a: HF with reduced ejection fraction (HFrEF, EF ≤ 40%), b: History of ACS or MI, stable or unstable angina, CHD with or without revascularization, other arterial revascularization, stroke, or atherosclerotic peripheral arterial disease, c: eGFR < 60 ml/min/1.73 m² or UACR ≥ 30 mg/g

09
당뇨병학

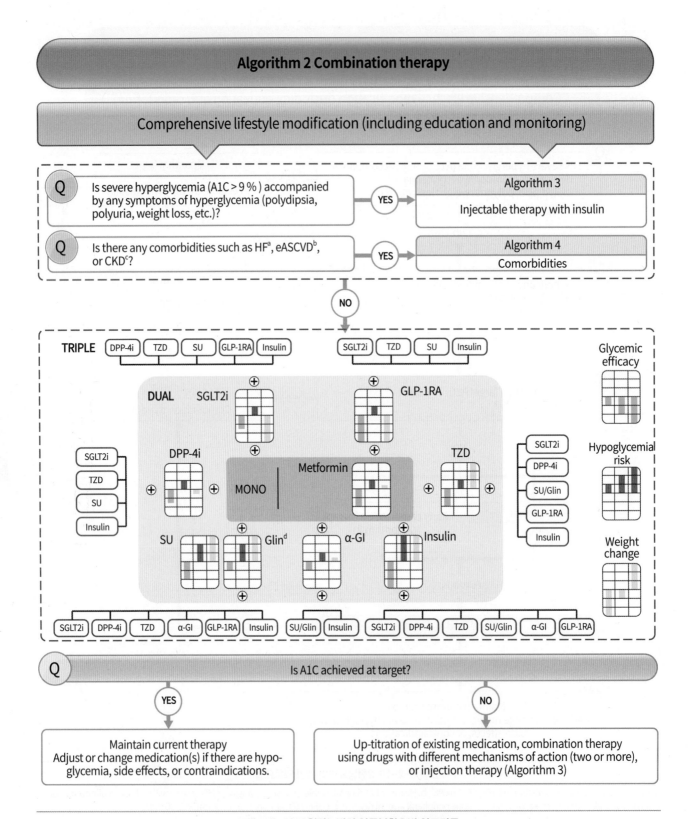

Algorithm 2 Combination therapy

Comprehensive lifestyle modification (including education and monitoring)

Q Is severe hyperglycemia (A1C > 9 %) accompanied by any symptoms of hyperglycemia (polydipsia, polyuria, weight loss, etc.)? — YES → **Algorithm 3** Injectable therapy with insulin

Q Is there any comorbidities such as HF[a], eASCVD[b], or CKD[c]? — YES → **Algorithm 4** Comorbidities

NO

TRIPLE DPP-4i | TZD | SU | GLP-1RA | Insulin   SGLT2i | TZD | SU | Insulin

DUAL SGLT2i ⊕   GLP-1RA ⊕

SGLT2i / TZD / SU / Insulin   DPP-4i ⊕   **Metformin** / **MONO**   TZD ⊕   SGLT2i / DPP-4i / SU/Glin / GLP-1RA / Insulin

SU ⊕ / Glin[d] ⊕ / α-GI ⊕ / Insulin ⊕

Glycemic efficacy

Hypoglycemial risk

Weight change

SGLT2i | DPP-4i | TZD | α-GI | GLP-1RA | Insulin   SU/Glin | Insulin   SGLT2i | DPP-4i | TZD | SU/Glin | α-GI | GLP-1RA

Q Is A1C achieved at target?

YES → Maintain current therapy. Adjust or change medication(s) if there are hypoglycemia, side effects, or contraindications.

NO → Up-titration of existing medication, combination therapy using drugs with different mechanisms of action (two or more), or injection therapy (Algorithm 3)

그림 9-2-20. **2형당뇨병의 약물복합요법 알고리듬**

a: HF with reduced ejection fraction (HFrEF, EF ≤ 40%), b: history of ACS or MI, stable or unstable angina, CHD with or without revascularization, other arterial revascularization, stroke, or ahterosclerotic peripheral arterial disease, c: eGFR < 60 mL/min/1.73 m^2 or UACR ≥ 30 mg/g

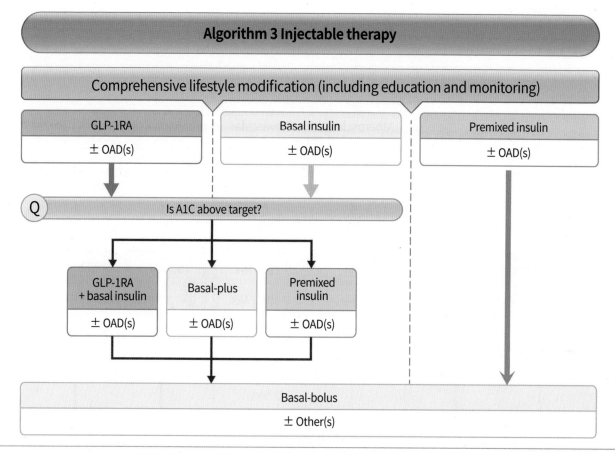

그림 9-2-21. **2형당뇨병의 주사제 치료 알고리듬**

하다. 복부는 상박이나 대퇴부에 비해 모세혈관면적이 넓어 인슐린의 흡수속도가 빠르나 지방층이 매우 두터운 경우 근육층과 거리가 멀어 흡수가 지연된다. 안정적인 혈당조절을 위해서는 피하주사한 인슐린의 흡수 속도가 매일 일정하게 유지되는 것이 좋으므로 주사부위를 매일 바꾸는 것은 바람직하지 않다. 특히 인슐린주사 후 운동을 한다면 저혈당을 예방하기 위해 상박이나 대퇴부보다 복부가 좋을 것이다. 환자 스스로 혈당검사를 통해 자신의 하루 중 혈당 변화를 모니터할 수 있는 능력이 인슐린요법의 성패를 좌우하는 중요한 요소이다.

3) 집중인슐린요법(Intensive Insulin Therapy)

집중인슐린요법에는 기저인슐린과 식사인슐린을 하루 3회 이상 투여하는 다회인슐린주사법(Basal/bolus)과 지속피 하인슐린주입(continuous subcutaneous insulin, CSII)이 있다. 기저인슐린은 가장 간단하고, 비교적 용이한 인슐린주사법으로서 0.2–0.5 U/kg/day의 용량으로 시작하여, 공복혈당값의 변동에 따라 용량을 점차 증가시키며, 간의 간포도당배출(hepatic glucose output, HGO)을 억제하고, 공복혈당 및 식사 간 고혈당을 예방 및 조절하며, 인슐린 글라진 및 레버미어는 NPH인슐린에 비하여 유증상 및 야간저혈당의 위험을 감소시킨 결과가 보고된 바 있고, 인슐린 데글루덱이나 인슐린 글라–300은 인슐린 글라진에 비하여 저혈당의 위험이 더 감소하는 것으로 보고된 바 있다. 기저인슐린의 용량이 높은 경우(0.5 IU/kg 이상의 용량), 식사 전후 혈당값 차이가 > 50 mg/dL인 경우, 저혈당 발생, 혈당변동성이 큰 경우에는 overbasalization을 의심하고, 혈당조절을 위해 기저인슐린에 다른 종류의 약물

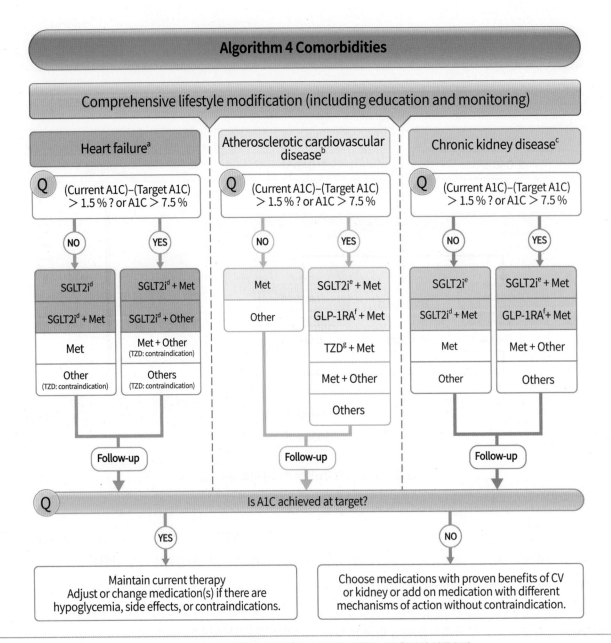

그림 9-2-22. **심혈관질환/신장질환이 동반된 2형당뇨병 환자의 약물요법**

a: HF with reduced ejection fraction (HFrEF, EF ≤ 40%), b: History of ACS or MI, stable or unstable angina, CHD with or without revascularization, other arterial revascularization, stroke, or atherosclerotic peripheral arterial disease, c: eGFR < 60 mL/min/1.73 m² or UACR ≥ 30 mg/g, d: Dapagliflozin, empagliflozin, ertugliflozin, e: dapagliflozin, empagliflozin, f: Dulaglutide, liraglutide, semaglutide, g: pioglitazone

을 추가하는 치료로 변경을 고려해야 한다. 기저인슐린을 주사하는 2형당뇨병 환자의 많은 수에서 식사 전 볼러스인슐린(bolus insulin)을 필요로 하게 되는데, 4U 또는 기저인슐린의 10% 용량을 가장 식사량이 많은 식사 때 1회 주사로 시작하여 용량을 조종해 간다. 2형당뇨병 환자들은 1형에 비하여 상대적으로 인슐린저항성이 더 크므로, 식전인슐린의 용량도 −1 U/kg 정도로 더 크고, 저혈당의 위험이 상대적으로 낮다. 자기혈당측정 또는 A1C값에 따라 인슐린 용량을 증량 또는 감량해야하며, 단기작용인슐린과 초단기작용인슐린 간에 저혈당의 위험은 차이가 없는 것으로 알려져 있다. 인슐린저항성이 심한 환자들에게 사용할 목적으로 농축인슐린이 개발되었는데, U-500 레귤러인슐린이 가장 농축된 제제이고, U-300 글라진(glargine)과 U-200 데글루덱(degludec)도 사용되고 있다. U-200 insulin lispro 와 U-200 insulin lispro-aabc도 FDA의 허가를 받았다. 기저인슐린 치료로 공복혈당이 조절되나 A1C가 높은 경우 주사제 병합요법을 고려하는데, 기저인슐린에 GLP-1수용체작용제를 병합하거나 집중인슐린요법을 시도한다. 기저인슐린/GLP-1수용체작용제 병합은 혈당강하 효과가 우수하며, 다회인슐린주사에 비하여 체중증가가 적고 또한 저혈당의 빈도가 유의하게 낮다. 기저인슐린/GLP-1수용체작용제 고정복합제제(fixed dual-combination)도 출시되어 있으며, 글라진/릭시세나타이드[lixisenatide (Soliqua®)] 와 데글루덱/리라글루타이드[liraglutide (Xultophy®)] 가 대표적이다.

2형당뇨병 환자에서 인슐린 치료의 알고리듬은 다음과 같다. 취침 시 중기작용인슐린 또는 취침 전 혹은 아침 식전 장기작용인슐린을 10 U 또는 0.2 U/kg의 용량으로 시작하고, 자기혈당측정을 통해 공복혈당을 매일 측정하여 공복혈당이 목표값에 도달할 때까지[3.9-7.2 mmol/L (70-130 mg/dL)] 인슐린의 용량을 3일마다 2U씩 늘린다. 이 경우 공복혈당 값이 10 mmol/L (180 mg/dL)를 초과할 경우 4 U씩 늘릴 수 있다. 저혈당이 발생하거나 공복혈당 값이 3.9 mmol/L (70 mg/dL) 미만이 될 경우 인슐린의 용량을 4 U 또는 10%

가운데 더 큰 용량으로 줄인다. 2-3개월 후 당화혈색소 값을 측정하고, 공복혈당이 목표에 도달할 경우 점심, 저녁 식전혈당과 취침 전 혈당을 측정하여 식사인슐린을 추가한다. 이때 보통 4U으로 시작하고 3일마다 2U씩 용량을 조정한다. 그 후에도 3개월마다 당화혈색소를 측정하고, 매 끼 식전혈당에 따라 식시인슐린의 용량을 조정한다. 다회인슐린주사를 투여하고 있는 2형당뇨병 환자 가운데 펌프를 안전하게 다룰 수 있는 환자는 인슐린펌프가 좋은 방법이 될 수 있으며, 최근 센서강화인슐린펌프(sensor-augmented insulin pump)나 폐쇄회로인슐린펌프(closed-loop insulin pump)도 개발되어 사용되고 있다. 다회인슐린주사법과 마찬가지로, 교정계수(correction factor), 인슐린탄수화물비, 활성인슐린(active insulin) 등을 고려하고 또한 계산하여 기저인슐린 및 단기작용인슐린의 용량을 결정하며, 인슐린펌프의 부작용으로는 infusion set의 막힘이나 분리 등 기계적인 결함에 의한 당뇨병케토산증 위험의 증가, 지방비대(lipohypertrophy), 지방위축(lipoatrophy) 및 펌프설치부위감염 등이 있다. 인슐린펌프를 중단하는 경우는 과거에 비하여 많이 감소하였지만, 가격문제, 착용에 따른 불편감, 펌프에 대한 선호도 변경, 혈당조절이 불량한 경우, 불안이나 우울증 등 정서장애의 경우 등이 대표적이다.

6. 기타의 치료법

우리나라에서는 아직 일부 센터에서만 시행하고 있지만, 미국과 대만 등 외국에서는 비만수술(bariatric surgery)을 시행하는 경우가 증가하고 있다. 최근 대한당뇨병학회에서는 체질량지수가 30 kg/m² 이상인 2형당뇨병 환자 가운데 비수술치료로 체중감량 및 혈당조절에 실패한 경우 비만수술을 고려한다는 지침을 제시한 바 있다.

7. 입원 환자의 혈당관리

병원에 입원한 환자들 가운데에는 이미 당뇨병으로 진단받고 치료 중인 환자도 있지만 다른 질병으로 입원하였지만,

그 전까지는 전혀 당뇨병의 진단을 받은 적이 없는 환자들도 있다. 미국당뇨병학회 및 대한당뇨병학회에서는 다음과 같이 지침을 제시한 바 있다. 당뇨병의 병력에 관계없이 중증질환으로 치료 중인 환자의 경우 180 mg/dL 이상의 고혈당이 지속될 경우 인슐린 치료를 고려하고 입원 중 혈당 조절목표는 140–180 mg/dL (7.8–10 mmol/L)를 권장하고 있다. 당뇨병을 진단받았거나 고혈당(> 140 mg/dL)을 보이는 입원 환자는 3개월 이내의 A1C결과를 확인하고, 당뇨병 환자가 입원하면 당뇨병전문의나 당뇨병관리팀의 협진을 진행한다. 철저한 혈당조절을 시도할 경우 저혈당 발생에 주의하면서 목표를 100–140 mg/dL로 낮출 수 있다. 경구섭취를 하는 환자는 매 식전과 취침 전에 혈당을 모니터링하고, 금식 또는 장관영양을 하는 경우에는 4–6시간 간격으로 모니터링을 하며, 정맥인슐린 주입을 하는 경우 1–2시간 간격으로 모니터링을 권한다. 전신상태, 식사 여부, 사용 중인 약물에 따라 기저, 식사, 교정계수를 고려한 인슐린 치료 또는 정맥인슐린 주입을 결정하고 슬라이딩스케일 인슐린처방은 권하지 않는다. 중환자들에게는 정맥내 인슐린 투여가 좀 더 효과적인 방법이며, 중증질환이 아닌 경우 환자의 상태에 맞추어 판단하도록 하고 있는데 이들 환자에서 인슐린 치료를 시작한 경우 공복혈당 값은 140 mg/dL 미만, 임의 혈당값은 180 mg/dL 미만으로 유지하는 것을 원칙으로 하지만, 과거에 조절이 잘되던 환자는 더욱 철저한 조절을 권하며, 정맥내 인슐린 투여보다는 피하주사로 기저인슐린 투여와 함께 필요 시 초단기작용인슐린을 투여한다. 병원차원의 저혈당관리프로토콜을 마련하여 각 환자마다 저혈당을 방지하고 치료하기 위한 계획을 수립하며 저혈당이 발생할 경우 재발방지를 위해 현재 치료방법을 검토하고 필요시 조정하며, 퇴원 시에 다시 조정한다.

8. 결론

당뇨병은 만성질환이므로 중증질환으로 입원을 했던 환자라도 퇴원 후 장기적인 통원치료가 필요하게 된다. 당뇨병 치료의 목적 가운데 하나가 합병증을 예방 또는 지연시키는 데에 있으므로 장기적인 통원치료 시에는 혈당조절만이 아니고 혈압, 혈청지질 및 체중조절과 합병증검사 등 전반적인 관리가 필요하게 된다. 따라서 다음과 같이 당뇨병 환자들의 관리를 꾸준하게 시행해 나아가야 하며, 이 과정에서는 의료진뿐만 아니라 환자 및 보호자와의 끊임없는 의사소통과 그에 따른 치료 및 검사법의 결정이 필수적이다.

1) 자기혈당측정(횟수는 환자의 상태에 따라 결정)
2) A1C 측정(연 2–4회)
3) 당뇨병 및 영양교육(연1회)
4) 눈검사(연1회)
5) 발검사(연1–2회, 본인은 매일 확인)
6) 신장합병증검사(연1회)
7) 혈압 측정(병원방문 시마다)
8) 혈청지질 및 크레아티닌 측정(진단 시 및 최소 연1회)
9) 독감 및 폐렴(연 1회), COVID–19 예방접종

VI. 2형당뇨병의 예방

우정택

1. 서론

전 세계적으로 식생활의 서구화와 산업의 발달로 육체적인 활동이 줄어들고 정신노동의 강도가 커지면서 2형당뇨병의 발병률은 계속 증가하고 있다. 그러나 최근 진행된 여러 연구결과들에서는 2형당뇨병은 예방될 수 있다는 확실한 근거를 보여준다. 현재까지 진행된 대부분의 연구에서는 당뇨병전단계(공복혈당장애 및 내당능장애)와 같은 2형당뇨병 발생 고위험군에서 행동양식의 변화와 약물요법으로 상당 부분의 사람들이 당뇨병으로 발전하는 것을 예방하거나 지연할 수 있었다는 결과를 보여주었다(표 9-2-10).

표 9-2-10. 당뇨병예방 관련 중재연구

연구	대상	대상자 수	중재	기간 (년)	당뇨병 발생위험도 감소효과
생활습관중재연구					
CDQDPS	내당능장애	577	식사, 운동, 식사와 운동병행	6	식사 31%, 운동 46%, 식사와 운동 병행 시 42% 감소
DPS	과체중, 내당능장애	522	생활습관교정	3.2	생활습관중재군 58% 감소
DPP	과체중, 공복혈당장애, 내당능장애	3,234	생활습관교정, 메트포민 850 mg bid	2.8	생활습관중재군 58% 감소
약물중재연구					
DPP	과체중, 공복혈당장애, 내당능장애	3,234	생활습관교정, 메트포민 850 mg bid	2.8	메트포민군 31% 감소
STOP-NIDDM	내당능장애	1,429	아카보스 100 mg tid	3.3	아카보스군 25% 감소
XENDOS	체질량지수 30 kg/m^2 이상, 정상 혹은 내당능장애	3,305	올리스타트 120 mg tid	4	올리스타트 + 생활습관중재군 37.3% 감소(vs. 생활습관중재군)
TRIPOD	임신당뇨병 과거력이 있는 여성	1,754	트로글리타존 400 mg qd	0.9	트로글리타존군의 당뇨병 발병률 5.4% vs 위약군의 당뇨병 발병률 12.1%
DREAM	공복혈당장애, 내당능장애	5,269	로시글리타존 8 mg qd	3	로시글리타존군 60% 감소, 라미프릴군 17%에서 정상혈당으로 전환
ACT NOW	체질량지수 25 kg/m^2 이상, 내당능장애	602	파이오글리타존 45 mg qd	2.4	파이오글리타존군 75% 감소
SCALE	체질량지수 30 kg/m^2 이상인 당뇨병 전단계, 체질량지수 27 kg/m^{2}이면서 이상지질혈증 또는 고혈압동반	2,254	리라글루타이드 3 mg qd	3	리라글루타이드군 79% 감소
NAVIGATOR	심혈관질환 혹은 심혈관질환위험인자를 동반한 내당능장애	9,306	생활습관교정과 함께 발사탄 최대 160 mg/일	5	발사탄군 14% 감소

2. 생활습관중재연구

인종에 따라 생활습관중재의 2형당뇨병 예방효과는 약간의 차이를 보이고 있으나 전체적으로 의미있는 결과를 보여주고 있다. 생활습관중재의 체계적인 전달, 중재강도 및 인종에 따른 생활습관의 차이에 따라 예방효과가 상이할 수 있다.

1) 중국다칭당뇨병예방연구(China Da Qing Diabetes Prevention Study, CDQDPS)

이 연구는 1997년 발표되었으며 식사와 운동요법이 당뇨병을 예방할 수 있었다는 것을 보여주었던 첫 번째 대규모 연구이다. 이 연구는 북경시에 인접한 도시에 거주하는 내당능장애가 있는 577명의 중국인을 대상으로 진행되었으며, 33군데 클리닉에서 대조군, 식사요법, 운동요법, 그리고, 식사요법과 운동요법을 병용하는 군으로 대상자들을 무작위배정하였다. 이후 2년마다 추적하였고 그 결과, 약 6년 후 대조군에서는 67.7%에서 당뇨병으로 진행하였으나, 채소 섭취를 늘리고 술과 탄수화물 섭취를 줄이도록 했던 식사요법군은 31%, 하루에 20분 이상 고강도의 걷기활동을 권장했던 운동요법군은 46%, 그리고 식사요법과 운동요법을 병용한 군에서는 약 42%의 당뇨병예방효과를 보였다. 이러한 예방효과는 기저의 체중이나 체중감량의 정도와 연관성을 보이지 않았다. 그 당시 중국인은 일반적으로 저지방함량의 저열량식사를 했기 때문에 식사요법군의 효과가 운동요법군에 비해서 적은 것으로 보였으며, 운동요법과 식사요법 병용군에서도 핀란드와 미국의 연구결과에 비해 당뇨병예방효과가 다소 떨어졌던 것으로 보인다.

2) 핀란드당뇨병예방연구(The Finnish Diabetes Prevention Study, DPS)

이 연구는 잘 짜인 지침에 의한 생활습관중재를 통해 2형 당뇨병의 예방을 목적으로 시행된 첫 번째 연구이고, 522명의 과체중이면서 내당능장애가 있는 사람들을 대상으로 하였다. 생활습관중재 방법에는 기저 체중의 5% 이상 감소 목표, 저지방식사와 고섬유질식사의 섭취 및 일주일에 210분 이상의 중강도 이상의 운동과 금연이 포함되어 있었다. 이 연구에서는 2번의 경구포도당내성검사(oral glucose tolerance test, OGTT)로 당뇨병을 진단하였는데 연구결과, 생활습관중재군은 대조군에 비해서 3.2년의 추적기간 동안 약 58%의 당뇨병예방효과를 보였다. 연구가 종료된 7년 후에도 생활습관중재군에서 43%의 당뇨병예방효과가 있었으며, 9년 후에는 38%의 당뇨병예방효과가 지속되는 것을 확인할 수 있었다. 이 연구를 통해서 유럽인에서 생활습관중재가 당뇨병예방에 효과적이라는 것을 확인할 수 있었다.

3) 미국당뇨병예방프로그램(Diabetes Prevention Program, DPP)

이 연구는 가장 규모가 큰 연구로 4개의 군으로 계획되었다. 총 3,234명의 여러 인종이 포함된 과체중이면서 내당능

장애와 공복혈당장애가 있는 미국인들로 생활습관중재군, 메트포민군, 그리고 트로글리타존군을 대조군과 비교하였다. 트로글리타존군은 간독성으로 인한 부작용 우려로 중지되었다. 생활습관중재군은 핀란드의 DPS연구와 비슷한 방법으로 7%의 체중감소를 목표로 하여, 저지방식사 및 최소한 일주일에 150분 중강도 이상의 운동을 하도록 하였다. 약 2.8년간의 추적관찰기간 동안 핀란드 당뇨병예방 연구결과와 비슷하게 대조군에 비해 생활습관중재군에서 58%의 당뇨병예방효과를 보여주었다. 체중감소가 당뇨병 발생과 가장 밀접한 관계가 있었으며 체중 1 kg 감소당 16%의 당뇨병예방 효과를 보여주었다.

4) 기타 연구

일본과 인도에서 유사한 생활습관중재연구가 시행되었으며, 이 연구들에서는 생활습관중재를 통해 약간의 체중감소가 이루어졌음에도 불구하고 생활습관중재군에서 각각 67%와 28%의 당뇨병예방 효과를 보였다.

3. 약물중재연구

당뇨병 발생의 위험인자에 영향을 줄 수 있는 다양한 약물들 즉, 메트포민, 알파글루코시다아제억제제, 올리스타트, 싸이아졸리딘다이온, GLP-1수용체작용제등은 당뇨병 발생을 예방하거나 지연할 수 있었다.

1) 메트포민

DPP연구의 메트포민군은 대조군에 비해서 2.8년 동안 31%의 당뇨병 예방효과가 있었다. 이 연구에서는 메트포민을 850 mg 하루 2회 투여하였다. 특이한 점은 특정 군(체질량지수 35 kg/m^2 이상, 남성, 젊은 연령, 높은 공복혈당)에서 매우 효과적이었다는 것이다. 그러나 60세 이상에서는 거의 효과가 없었다. 인도와 중국의 소규모연구에서도 비슷한 결과를 보였다.

2) 알파글루코시다아제억제제

STOP-NIDDM (Study to prevent non-inusulin dependent diabetes mellitus)연구에서 아카보스(100 mg 하루 3회 복용)는 내당능장애 또는 공복혈당장애가 있는 사람에서 25%(2번의 OGTT에서 내당능장애가 진단된 경우에는 36%)의 당뇨병 발생을 감소시켰다. 약물의 심각한 부작용은 없었으나 아카보스군에서 31%의 사람들이 주로 위장관 부작용으로 약물을 조기에 중지하였다(위약군에서는 19%). 아카보스투여군에서는 메트포민과 달리 혈압강하, 체중감소 및 지질대사의 개선 효과가 있었다. 이차임상결과에서 아카보스는 심혈관질환의 발생을 10% 감소시켰으며 고혈압의 발생을 34% 감소시켰다. ACE (Acarbose cardiac evaluation)연구에서 관상동맥질환이 동반된 중국 내당능장애 환자에서 아카보스(50 mg 하루 3회 복용)를 투여했을 때, 위약군에 비해서 당뇨병 발생을 16% 감소시켰다.

3) 올리스타트

XENDOS (Xenical in the prevention of diabetes in obese subjects)연구에서 체질량지수 30 kg/m² 이상인 사람들을 대상으로 생활습관중재에 추가하여 올리스타트(120 mg 하루 3회 복용)를 투여하였다. 연구대상자들 중에는 내당능장애가 있는 사람들이 21% 포함되었다. 올리스타트군은 위약군에 비해서 당뇨병의 발생이 37.3% 감소되었다(52% vs. 37%). 이러한 올리스타트의 당뇨병예방효과는 내당능장애군와 정상혈당군에서 체중감소 효과는 비슷하였으나(5.7 kg vs. 5.8 kg) 내당능장애가 있는 사람에서만 통계학적으로 의미 있는 당뇨병 발생 예방효과가 있었다.

4) 싸이아졸리딘다이온

(1) 트로글리타존

TRIPOD (troglitazone in the prevention of diabetes)연구에서 임신당뇨병이 있었던 히스패닉 여성들을 대상으로 트로글리타존(400 mg 하루 1회)을 투여했을 때, 위약군에 비해 연간 당뇨병 발생률의 의미있게 감소하는 것을 보여주었다(트로글리타존군의 당뇨병 발병률 5.4% vs. 위약군의 당뇨병 발병률 12.1%). 이러한 예방효과는 약물을 중단하고 8개월간 유지되었으며, 당뇨병 예방효과의 기전은 트로글리타존이 인슐린저항성을 개선함으로써 인슐린 분비능을 보존시키는 것과 관계가 있었다.

(2) 로지글리타존

DREAM (The diabetes reduction assessment with ramipril and rosiglitazone medication)연구에서는 내당능장애와 공복혈당장애가 모두 동반되어 있는 사람들에서 로지글리타존(8 mg 하루 1회 복용)을 3년 간 투여하였을 때, 위약군에 비해 60%의 당뇨병 발생위험도를 감소시키는 결과를 확인하였다(11.6% vs 26%). 또한, 로지글리타존 투여군에서 50.5%의 환자에서 정상혈당화를 보였다(위약군 30.3%).

(3) 파이오글리타존

ACT NOW (Actos Now for Prevention of Diabetes)연구에서 내당능장애 또는 대사증후군의 진단기준 1가지 이상 충족하는 환자 602명을 대상으로 파이오글리타존군과 위약군을 무작위배정하여 2.4년간 추적한 연구로 파이오글리타존군에서 위약군에 비해 72%의 당뇨병 발생위험도 감소효과를 보였다.

5) 복합약물연구

CANOE (Low-dose combination therapy with rosiglitazone and metformin to prevent type 2 diabetes mellitus)연구에서는 내당능장애를 진단받은 207명을 무작위배정하여 로지글리타존과 메트포민을 병용투여군과 위약군을 3.9년간 추적했을 때, 위약군에 비해 병용투여군에서 당뇨병 발생위험도가 66% 감소하는 효과를 보여주었다.

6) GLP-1수용체작용제

SCALE 비만 및 당뇨병전단계연구에서는 체질량지수 30 kg/m² 이상인 당뇨병전단계, 체질량지수 27 kg/m² 이상이면서 이상지질혈증 또는 고혈압 동반 환자 2,254명을 대상으로 2:1 무작위 배정하여 각각의 군에서 리라글루타이드와 위약을 각각 매일 투여한 후, 3년 동안의 당뇨병 발생위험도를 비교하였다. 그 결과, 리라글루타이드군에서 위약군 대비 약 79%의 당뇨병 발생위험도 감소효과를 보였다.

7) 기타

(1) 안지오텐신전환효소억제제(angiotensin converting enzyme inhibitor, ACEI)

DREAM (the diabetes reduction assessment with ramipril and rosiglitazone medication)연구에서는 라미프릴군(15 mg/day까지)과 위약군에서 당뇨병 발생에는 차이가 없음을 보여주었다(18.1% vs. 19.5%). 그러나 정상혈당으로 전환되는 비율은 라미프릴군에서 17%로 통계학적으로 의미 있게 높았다.

(2) 안지오텐신II수용체차단제(angiotensin II receptor blocker)

NAVIGATOR (the nateglinide and valsartan in impaired glucose tolerance ourcomes research)연구에서는 심혈관질환 혹은 심혈관질환 위험인자를 동반한 내당능장애 환자에서 생활습관교정과 함께 발사탄(160 mg/일)을 5년 간 투여하였을 때, 위약군에 비해 14%의 유의한 당뇨병 발생위험도 감소효과를 보였다(33.1% vs. 36.8%).

(3) 단기작용인슐린분비촉진제

NAVIGATOR 연구로 내당능장애가 있는 심혈관질환 발생위험이 높은 사람들에서 나테글리나이드(180 mg/일까지) 5년 간 투여하였을 때, 위약군과 나테글리나이드군에서 당뇨병 발생위험도에 차이가 없었다(36% vs. 34%).

(4) 비타민D₃

당뇨병전단계 환자 2,423명을 대상으로 비타민D₃ 투여군과 위약투여군으로 무작위배정하여 2.5년간 추적한 연구로 두 군에서 당뇨병 발생에 있어서 유의한 차이가 없었다.

4. 비만수술(Bariatric surgery) 연구

비만수술에 대해서는 당뇨병 환자에서 당뇨병 관해에 관한 연구들이 대부분이다. 당뇨병예방과 관련된 연구로는 대표적으로 스웨덴 비만연구(SOS)가 있으며, 이 연구는 고도비만인에서 비만수술 후 당뇨병 발생을 추적관찰한 대규모 장기추적관찰연구이다. 1,658명의 비만수술을 받은 사람들과 1,771명의 대조군을 전향적으로 15년간 관찰하였다. 15년 후, 추적관찰이 누락된 케이스가 많아 추적관찰이 유지된 사람이 적기는 했으나(53.5%), 비만수술군에서는 연간 1,000명당 6.8명, 대조군에서는 28.4명으로, 비만수술군에서 다변수 조정 후에도 당뇨병 발생률이 0.17로 현격히 낮았다. 흥미로운 것은 가장 중요한 당뇨병 발생 예측인자는 기저 체중이 아닌 공복혈당수치와 공복혈당장애의 유무였다.

5. 결론

생활습관중재 치료는 당뇨병 발생 고위험군에서 2형당뇨병의 발생을 효과적이고 지속적으로 지연시키고 예방할 수 있다. 아직 어떠한 약물도 당뇨병 예방 목적으로 FDA에 승인받지 못했다. 단, 미국당뇨병학회에서는 체질량지수가 35 kg/m² 이상이거나 임신당뇨병 과거력이 있는 당뇨병전단계 사람들에서 메트포민 사용을 강력히 추천하고 있다. 대한당뇨병학회에서는 체질량지수 23 kg/m² 이상인 당뇨병전단계 성인(30-70세)에서 메트포민 사용을 고려할 수 있다고 권고하고 있다. 비만수술의 당뇨병예방 효과는 매우 주목할 만하나 이것은 모든 비만 환자에서 당뇨병을 예방할 수 있는 것도 아니며 비만수술에 대한 합병증 등을 고려할 때 아직은 수술 이외의 방법을 우선 고려하는 것이 좋을 것이다.

참 / 고 / 문 / 헌

Ⅰ.

1. 대한당뇨병학회. 총론. 2015 당뇨병진료지침. 골드기획; 2015. 18p.

2. 대한당뇨병학회. Diabetes Fact Sheet 2020. 대한당뇨병학회; 2020.

3. 대한예방의학회. 과학적 증거에 기반한 임상예방의료. 계축문화사; 2011.

4. 보건복지부. 2020 국민건강통계. 질병관리본부; 2018.

5. 이순영. 고혈압 및 당뇨병 관리를 위한 지역사회중심의 접근전력과 발전방향. 보건교육건강증진학회지 2016;33:67-77.

6. 질병관리본부. 실무자를 위한 당뇨병 교육 모듈. 경기도: 고혈압·당뇨병 광역교육센터; 2015.

7. Baptista DR, Wiens A, Pontarolo R, Regis L, Reis WC, Correr CJ. The chronic care model for type 2 diabetes: a systematic review. Diabetol Metab Syndr 2016;8:7.

8. Biggs ML, Mukamal KJ, Luchsinger JA, Ix JH, Carnethon MR, Newman AB, et al. Association between adiposity in midlife and older age and risk of diabetes in older adults. JAMA 2010; 303:2504-12.

9. Cho NH, Chan JC, Jang HC, Lim S, Kim HL, Choi SH. Cigarette smoking is an independent risk factor for type 2 diabetes: a four-year community-based prospective study. Clin Endocrinol 2009;71:679-85.

10. Cho NH, Kim KM, Choi SH, Park KS, Jang HC, Kim SS, et al. High blood pressure and its association with incident diabetes over 10 years in the Korean Genome and Epidemiology Study (KoGES). Diabetes Care 2015;38:1333-8.

11. InterAct Consortium, Scott RA, Langenberg C, Sharp SJ, Franks PW, Rolandsson O, et al. The link between family history and risk of type 2 diabetes is not explained by anthropometric, lifestyle or genetic risk factors: the EPIC-Inter Act study. Diabetologia 2013;56:60-69.

12. International Diabetes Federation. IDF diabetes Atlas. 10th ed. Belgium: International Diabetes Federation; 2021.

13. Meigs JB, Cupples LA, Wilson PW. Parental transmission of type 2 diabetes: the Framingham Offspring Study. Diabetes 2000;49:2201-7.

14. Saeedi P, Petersohn I, Salpea P, Malanda B, Karuranga S, Unwin N, et al. Global and regional diabetes prevalence estimates for 2019 and projections for 2030 and 2045: results from the International Diabetes Federation Diabetes Atlas, 9th edition. Diabetes Res Clin Pract 2019;157: 107843.

15. The United States National Diabetes Data Group. Diabetes in America. 2nd ed. Bethesda: National Institutes of Health; 1995.

16. Wagner EH, Austin BT, Davis C, Hindmarsh M, Schaefer J, Bonomi A. Improving chronic illness care: Translating evidence into action. Health Aff (Millwood) 2001;20:64-78.

17. Whincup PH, Kaye SJ, Owen CG, Huxley R, Cook DG, Anazawa S, et al. Birth weight and risk of type 2 diabetes: a systematic review. JAMA 2008;300:2886-97.

Ⅱ.

1. Frayling TM. Genome-wide association studies provide new insights into type 2 diabetes aetiology. Nat Rev Genet 2007;8:657-62.

2. Fuchsberger C, Flannick J, Teslovich TM, Mahajan A, Agarwala V, Gaulton KJ, et al. The genetic architecture of type 2 diabetes. Nature 2016;536:41-7.

3. Grarup N, Sandholt CH, Hansen T, Pedersen O. Genetic susceptibility to type 2 diabetes and obesity: from genome-wide association studies to rare variants and beyond. Diabetologia 2014;57:1528-41.

4. Kim H, Bae JH, Park KS, Sung J, Kwak SH. DNA methylation changes associated with type 2 diabetes and diabetic kidney disease in an East Asian population. J Clin Endocrinol Metab 2021;106:e3837-51.

5. Kwak SH, Chae J, Lee S, Choi S, Koo BK, Yoon JW et al. Nonsynonymous variants in PAX4 and GLP1R are associated with type 2 diabetes in an East Asian population. Diabetes 2018;67:1892-902.

6. McCarthy MI, Zeggini E. Genome-wide association studies in type 2 diabetes. Curr Diab Rep 2009;9:164-71.

7. Meigs JB, Shrader P, Sullivan LM, McAteer JB, Fox CS, Dupuis J, et al. Genotype score in addition to common risk factors for prediction of type 2 diabetes. N Engl J Med. 2008;359:2208-19.

8. Park KS. The search for genetic risk factors of type 2 diabetes mellitus. Diabetes Metab J 2011;35:12-22.

9. Riddle MC, Philipson LH, Rich SS, Carlsson A, Franks PW, Greeley SA, et al. Monogenic diabetes: from genetic insights to population-based precision in care. Diabetes Care 2020;43:3117-28.

10. Spracklen CN, Horikoshi M, Kim YJ, Lin K, Bragg F, Moon S, et. al. Identification of type 2 diabetes loci in 433,540 East Asian individuals. Nature 2020;582:240-5.

11. Udler MS, Kim J, von Grotthuss M, Bonàs-Guarch S, Cole JB, Chiou J, et al. Type 2 diabetes genetic loci informed by multi-trait associations point to disease mechanisms and subtypes: a soft clustering analysis. PLoS Med 2018;15: e1002654.

12. van Tilburg J, van Haeften TW, Pearson P, Wijmenga C. Defining the genetic contribution of type 2 diabetes mellitus. J Med Genet 2001;38:569-78.

III.

1. 대한당뇨병학회. 제2형 당뇨병의 병태생리-인슐린저항성. 당뇨병학. 제5판. 범문에듀케이션; 2017. pp.193-205.

2. 대한당뇨병학회. 제2형 당뇨병의 병태생리. 당뇨병학. 제4판. 고려의학; 2011.

3. Broome DT, Pantalone KM, Kashyap SR, Philipson LH. Approach to the patient with MODY-monogenic diabetes. J Clin Endocrinol Metab 2021;106:237-50.

4. Chen KW, Boyko EJ, Bergstrom RW, Leonetti DL, Newell-Morris L, Wahl PW, et al. Earlier appearance of impaired insulin secretion than of visceral adiposity in the pathogenesis of NIDDM. 5-year follow-up of initially nondiabetic Japanese-American men. Diabetes Care 1995;18:747-53.

5. Chiasson JL, Rabasa-Lhoret R. Prevention of type 2 diabetes: insulin resistance and β-cell function. Diabetes 2004;53:34-8.

6. DeFronzo RA, Tripathy D. Skeletal muscle insulin resistance is the primary defect in type 2 diabetes. Diabetes Care 2009;32:157-63.

7. Gerich JE. The genetic basis of type 2 diabetes mellitus: impaired insulin secretion versus impaired insulin sensitivity. Endocr Rev 1998;19:491-503.

8. Hauner H. Chichester. Obesity and diabetes. Hoboken: John Wiley & Sons; 2017.

9. Kahn CR, Vicent D, Doria A. Genetics of non-insulin-dependent (type-II) diabetes mellitus. Annu Rev Med 1996;47:509-31.

10. Kahn SE, Porte D Jr. Pathophysiology of type II diabetes mellitus: diabetes mellitus. Stamford: Appleton and Lange; pp. 487-512.

11. Kahn SE. The relative contributions of insulin resistance and β-cell dysfunction to the pathophysiology of type 2 diabetes. Diabetologia 2003;46:3-19.

12. Khalid M, Alkaabi J, Khan MAB, Adem A. Insulin signal transduction perturbations in insulin resistance. Int J Mol Sci 2021;22:8590.

13. Kim DJ, Lee MS, Kim KW, Lee MK. Insulin secretory dysfunction and insulin resistance in the pathogenesis of Korean type 2 diabetes mellitus. Metabolism 2001;50:590-3.

14. Langenberg C, Lotta LA. Genomic insights into the causes of type 2 diabetes. Lancet 2018;391: 2463-74.

15. Matsumoto K, Miyake S, Yano M, Ueki Y, Yamaguchi Y, Akazawa S, et al. Glucose tolerance, insulin secretion, and insulin sensitivity in nonobese and obese Japanese subjects. Diabetes Care 1997;20:1562-8.

16. Petersen MC, Shulman GI. Mechanisms of insulin action and insulin resistance. Physiol Rev 2018;98:2133-223.

17. Randle PJ, Garland PB, Hales CN, Newsholme EA. The glucose fatty-acid cycle: its role in insulin sensitivity and the metabolic disturbances of diabetes mellitus. Lancet 1963;1:785-9.

18. Rena G, Hardie DG, Pearson ER. The mechanisms of action of metformin. Diabetologia 2017;60:1577-85.

19. Tripathy D, Carlsson M, Almgren P, Isomaa B, Taskinen MR, Tuomi T, et al. Insulin secretion and insulin sensitivity in relation to glucose tolerance : lessons from the Botnia Study. Diabetes 2000;49:975-80.

20. Udler MS, McCarthy MI, Florez JC, Mahajan A. Genetic risk scores for diabetes diagnosis and precision medicine. Endocr Rev 2019;40:1500-20.

IV.

1. 김성연. 임상내분비학. 제3판. 고려의학; 2016. pp. 744-8.

2. 대한내분비학회. 내분비대사학. 제2판. 군자출판사; 2011.

3. 대한당뇨병학회. 당뇨병학. 제5판.범문에듀케이션; 2018. pp. 185-92.

4. Boland BB, Rhodes CJ, Grimsby JS. The dynamic plasticity of insulin production in β-cells, Mol Metab 2017;6:958-73.

5. Butler AE, Dhawan S. β-cell identity in type 2 diabetes: lost or found? Diabetes 2015;64:2698-700.

6. Christensen AA, Gannon M. The β cell in type 2 diabetes. Curr Diab Rep 2019;19:81.

7. Ferrannini E, Mari A. Physiology of insulin secretion. In: Melmed S, Auchus RJ, Goldfine AB, Koenig RJ, Rosen CJ. Williams textbook of endorinology. 14th ed. PA: Elsevier; 2019. pp. 1338-48.

8. Galicia-Garcia U, Benito-Vicente A, Jebari S, Larrea-Sebal A, Siddiqi H, Uribe KB, et al. Pathophysiology of type 2 diabetes mellitus. Int J Mol Sci 2020;21:6275.

9. Holt RIG, Cockram C, Flyvbjerg A, Goldstein BJ. Normal Physiology, Pathogenesis of Diabetes. Textbook of diabetes. 5th ed. NJ: Wiley-Blackwell; 2017. pp. 87-102, 161-73.

10. Ling C. Epigenetic regulation of insulin action and secretion-role in the pathogenesis of type 2 diabetes. J Intern Med 2020;288:158-67.

11. Mezza T, Cinti F, Cefalo CMA, Pontecorvi A, Kulkarni RN, Giaccari A. β-cell fate in human insulin resistance and type 2 diabetes : a perspective on islet plasticity. Diabetes 2019;68:1121-9.

12. Remedi MS, Emfinger C. Pancreatic β-cell identity in diabetes. Diabetes Obes Metab 2016;18:110-6.

13. Rutter GA, Pullen TJ, Hodson DJ, Martinez-Sanchez A. Pancreatic β-cell identitiy, glucose sensing and the control of insulin secretion. Biochem J 2015;466:203-18.

14. Saadati M, Jamali Y. The effects of β-cell mass and function, intercellular coupling, and islet synchrony on Ca_{2+} dynamics. Sci Rep 2021;11:10268.

15. Weir GC, Gaglia J, Bonner-Weir S. Inadequate β-cell mass is essential for the pathogenesis of type 2 diabetes, Lancet Diabetes Endocrinol 2020;8:249-56.

V.

1. 대한당뇨병학회. 2형당뇨병의 약물치료. 2021 당뇨병 진료지침. 제7판. 홍익대 미술디자인공학연구소; 2021. pp. 128-131.

2. 대한당뇨병학회. Diabetes and Complications in Korea. 대한당뇨병학회; 2018.

3. 대한당뇨병학회. Diabetes Fact Sheet in Korea 2020. 대한당뇨병학회; 2020.

4. ACCORD study group. Effects of intensive glucose lowering in type 2 diabetes. N Engl J Med 2008;358:2545-59.

5. ADVANCE collaborative group. Intensive blood glucose control and vascular outcomes in patients with type 2 diabetes. N Engl J Med 2008;358:2560-72.

6. American Diabetes Association. Pharmacologic approaches to glycemic treatment: standards of medical care in diabetes-2021. Diabetes Care 2021;44:111-24.

7. Battelino T, Danne T, Bergenstal RM, Amiel SA, Beck R, Biester T, et al. Clinical targets for continuous glucose monitoring data interpretation: recommendations from the international consensus on time in range. Diabetes Care 2019;42:1593-603.

8. Farmer A, Wade A, Boyder E, Yudkin P, French D, Craven A, et al. Impact of self monitoring of blood glucose in the management of patients with non-insulin treated diabetes: open parallel group randomized trial. BMJ 2007;335: 132.

9. Handelsman Y, Bloomgarden ZT, Grunberger G, Umpierrez G, Zimmerman RS, Bailey TS, et. al. American association of clinical endocrinologists and american college of endocrinology-clinical practice guidelines for developing a diabetes mellitus comprehensive care plan-2015. Endocr Pract 2015;21:1-87.

10. Haneda M, Noda M, Origasa H, Noto H, Yabe D, Fujita Y, et al. Japanese clinical practice guideline for diabetes 2016. J Diabetes Investig 2018;9:657-97.

11. Holman RR, Paul SK, Bethel MA, Methews DR, Neil HA. 10-year follow-up of intensive glucose control in type 2 diabetes. N Engl J Med 2008;359:1577-89.

12. Hur KY, Moon MK, Park JS, Kim SK, Lee SH, Yun JS, et al. 2021 Clinical practice guidelines for diabetes mellitus in Korea. Diabetes Metab J 2021;45:461-81.

13. International expert committee. Internal expert committee report on the role of the A1C assay in the diagnosis of diabetes. Diabetes Care 2009;32:1327-34.

14. Jin SM, Park CY, Cho YM, Ku BJ, Ahn CW, Cha BS, et al. Lobeglitazone and pioglitazone as add-ons to metformin for patients with type 2 diabetes: a 24-week, multicentre, randomized, double-blind, parallel-group, activecontrolled, phase III clinical trial with a 28-week extension. Diabetes Obes Metab 2015;17:599-602.

15. Jung CH, Son JW, Kang S, Kim WJ, Kim HS, Kim HS, et al. Diabetes fact sheets in Korea, 2020: an appraisal of current status. Diabetes Metab J 2021;45:1-10.

16. Lee MA, Tan L, Yang H, Im YG, Im YJ. Structures of PPARr complexed with lobeglitazone and pioglitazone reveal key determinants for the recognition of antidiabetic drugs. Sci Rep 2017;7:16837.

17. Lee MK. Blood glucose control: where are we? J Diabetes Investig 2021;12:1762-4.

18. Nauck MA, Meier JJ. Management of endocrine disease: Are all GLP-1 agonists equal in the treatment of type 2 diabetes. Eur J Endocrinol 2019;181:211-34.

19. Nissen SE, Wolski K. Effect of rosiglitazone on the risk of myocardial infarction and death from cardiovascular causes. N Engl J Med 2007;356:2457-71.

20. Ohkubo Y, Kishikawa H, Araki E, Miyata T, Isami S, Motoyoshi S, et al. Intensive insulin therapy prevents the progression of diabetic microvascular complications in Japanese patients with non-insulin-dependent diabetes mellitus: a randomized prospective 6-year study. Diabetes Res Clin Pract 1995;28:103-17.

21. Riddle MC, Ahmann AJ. Therapeutics of type 2 diabetes mellitus. In: Melmed S, Auchus RJ, Goldfine AB, Koenig RJ, Rosen CJ. Williams textbook of endocrinology. 14th ed. Philadelphia: Elsevier; 2020. pp. 1371-402.

22. UK Prospective Diabetes Study (UKPDS) Group. Intensive blood-glucose control with sulphonylureas or insulin compared with conventional treatment and risk of complications in patients with type 2 diabetes (UKPDS 33). Lancet 1998;352:837-53.

23. UK Prospective Diabetes Study. Effect of intensive blood glucose control with metformin on complications in overweight patients with type 2 diabetes (UKPDS 34). Lancet 1998;352:854-65.

24. VADT investigators. Glucose control and vascular complications in veterans with type 2 diabetes. N Engl J Med 2009;360:129-39.

25. Weng J, Ji L, Jia W, Lu J, Zhou Z, Zou D, et al. Standards of care for type 2 diabetes in China. Diabetes Metab Res Rev 2016;32:442-58.

09

당대사질환

VI.

1. 대한당뇨병학회. 2021 당뇨병진료지침 7판. 대한당뇨병학회; 2021.

2. Buchanan TA, Xiang AH, Peters RK, Kjos SL, Marroquin A, Goico J, et al. Preservation of pancreatic β-cell function and prevention of type 2 diabetes by pharmacological treatment of insulin resistance in high-risk Hispanic women. Diabetes 2002;51:2796-803.

3. Carlsson LM, Peltonen M, Ahlin S, Anveden A, Bouchard C, Carlsson B, et al. Bariatric surgery and prevention of type 2 diabetes in Swedish obese subjects. N Engl J Med 2012;367:695-704.

4. Chiasson JL, Josse RG, Gomis R, Hanefeld M, Karasik A, Laakso M, et al. Acarbose for prevention of type 2 diabetes mellitus: the STOP-NIDDM randomised trial. Lancet 2002;359:2072-7.

5. DeFronzo RA, Tripathy D, Schwenke DC, Banerji M, Bray GA, Buchanan TA, et al. Pioglitazone for diabetes prevention in impaired glucose tolerance. N Engl J Med 2011;364:1104-15.

6. Defronzo RA, Tripathy D, Schwenke DC, Banerji M, Bray GA, Buchanan TA, et al. Prevention of diabetes with pioglitazone in ACT NOW: physiologic correlates. Diabetes 2013;62:3920-6.

7. Diabetes Prevention Program Research Group, Knowler WC, Fowler SE, Hamman RF, Christophi CA, Hoffman HJ, et al. 10-year follow-up of diabetes incidence and weight loss in the Diabetes Prevention Program Outcomes Study. Lancet 2009;374:1677-86.

8. DREAM (Diabetes REduction Assessment with ramipril and rosiglitazone Medication) Trial Investigators, Gerstein HC, Yusuf S, Bosch J, Pogue J, Sheridan P, et al. Effect of rosiglitazone on the frequency of diabetes in patients with impaired glucose tolerance or impaired fasting glucose: a randomised controlled trial. Lancet 2006;368:1096-105.

9. DREAM Trial Investigators, Bosch J, Yusuf S, Gerstein HC, Pogue J, Sheridan P, et al. Effect of ramipril on the incidence of diabetes. N Engl J Med 2006;355:1551-62.

10. Holman RR, Coleman RL, Chan JCN, Chiasson JL, Feng H, Ge J, et al. Effects of acarbose on cardiovascular and diabetes outcomes in patients with coronary heart disease and impaired glucose tolerance (ACE): a randomised, double-blind, placebo-controlled trial. Lancet Diabetes Endocrinol 2017;5:877-86.

11. Investigators DO, Gerstein HC, Mohan V, Avezum A, Bergenstal RM, Chiasson JL, et al. Long-term effect of rosiglitazone and/or ramipril on the incidence of diabetes. Diabetologia 2011;54:487-95.

12. Knowler WC, Barrett-Connor E, Fowler SE, Hamman RF, Lachin JM, Walker EA, et al. Reduction in the incidence of type 2 diabetes with lifestyle intervention or metformin. N Engl J Med 2002;346:393-403.

13. le Roux CW, Astrup A, Fujioka K, Greenway F, Lau DCW, Van Gaal L, et al. 3 years of liraglutide versus placebo for type 2 diabetes risk reduction and weight management in individuals with prediabetes: a randomised, double-blind trial. Lancet 2017;389:1399-409.

14. Li G, Zhang P, Wang J, Gregg EW, Yang W, Gong Q, et al. The long-term effect of lifestyle interventions to prevent diabetes in the China Da Qing Diabetes Prevention Study: a 20-year follow-up study. Lancet 2008;371:1783-9.

15. Lindstrom J, Ilanne-Parikka P, Peltonen M, Aunola S, Eriksson JG, Hemio K, et al. Sustained reduction in the incidence of type 2 diabetes by lifestyle intervention: follow-up of the Finnish Diabetes Prevention Study. Lancet 2006;368:1673-9.

16. Pan XR, Li GW, Hu YH, Wang JX, Yang WY, An ZX, et al. Effects of diet and exercise in preventing NIDDM in people with impaired glucose tolerance: the Da Qing IGT and Diabetes Study. Diabetes Care 1997;20:537-44.

17. Pittas AG, Dawson-Hughes B, Sheehan P, Ware JH, Knowler WC, Aroda VR, et al. Vitamin D Supplementation and Prevention of type 2 Diabetes. N Engl J Med 2019;381:520-30.

18. Torgerson JS, Hauptman J, Boldrin MN, Sjostrom L. XENical in the prevention of diabetes in obese subjects (XENDOS) study: a randomized study of orlistat as an adjunct to lifestyle changes for the prevention of type 2 diabetes in obese patients. Diabetes Care 2004;27:155-61.

19. Tuomilehto J, Lindstrom J, Eriksson JG, Valle TT, Hamalainen H, Ilanne-Parikka P, et al. Prevention of type 2 diabetes mellitus by changes in lifestyle among subjects with impaired glucose tolerance. N Engl J Med 2001;344:1343-50.

1형당뇨병

김재현 이명식 권혁상 원규장 임성희

I. 1형당뇨병의 면역유전학적 특징

김재현

1. 서론

1형당뇨병은 자가면역에 의해 췌장 베타세포의 파괴가 일어나고 다양한 무증상의 기간을 거쳐서 인슐린결핍과 고혈당이 발생하는 만성내분비질환이다. 1형당뇨병 발생에 관여하는 인자는 매우 다양하나 베타세포의 파괴를 유도하는 췌도세포에 특이적인 자가항체가 가장 대표적인 요인이다. 대표적인 자가항체로는 항췌도세포항체(islet cell autoantibody, ICA), 인슐린자가항체(insulin autoantibody, IAA), 항GAD항체(anti-glutamic acid decarboxylase antibody, GADA), 췌장항원-2자가항체(insulinoma associated antigen-2 antibody, IA-2A), 아연수송체(zinc transporter, ZnT8A)자가항체 등이 있다. 그중 IAA와 GADA는 비교적 어린 시절에 발현이 되지만, IA-2나 Zn-T8A 자가항체의 경우 초반에 거의 나타나지 않는다. 그러나 이들은 모두 1형당뇨병 진단 시 흔하게 나타나는 자가항체다. 질환의 예후와 관련되는 다른 위험인자로는 1형당뇨병 관련 사람백혈구항원(human leukocyte antigen, HLA) 유전형과 비HLA유전형과 같은 유전감수성, 자가면역항체가 나타난 연령, 성별, 여러 환경요소가 있다. 무증상의 기간

이 1형당뇨병 환자에서 매우 다양한 이유는 유전요소 이외에 비만과 같은 환경요소가 중요한 인자로 작용하기 때문이다. 또한 최근 1형당뇨병 중 HLA 고위험인자의 비율이 줄어든 것에 비해 1형당뇨병의 유병률은 매년 3% 이상 증가하고 있어 다시 한번 환경요소의 중요성이 제기되고 있다.

다수의 자가항체가 순차적으로 나타나는 경우에는 20년간의 추적기간 동안 1형당뇨병이 100% 발생하는 것으로 밝혀졌다. 이를 계기로 1형당뇨병의 발생기전은 HLA DR3/DR4와 같은 유전요소에서부터 기인한 베타세포의 자가항체의 유발과 그로 인한 1형당뇨병의 임상적 발병을 일련의 진행과정으로 설명하고 있다. 이에 2015년부터 1형당뇨병의 발생과정은 0기부터 3기까지 총 4단계로 나누고 있다. 0기는 베타세포의 자가항체가 발견되지 않거나 1개만 측정되며, 췌장의 베타세포의 기능이 100% 남아 있어 임상적으로 정상혈당을 보이는 단계이다. 1기는 0기와 마찬가지로 베타세포의 기능이 그대로 남아있는 것은 같으나 자가항체가 2개 이상 발견된 상태를 말한다. 2기는 여러 개의 자가항체로 인해 베타세포의 기능이 감소하기 시작하면서 이상혈당을 보이는 단계이다. 마지막으로 3기는 베타세포의 기능이 10-20% 정도만 남아 있게 되어 당뇨병으로 이행된 상태를 말한다. 이처럼 자가항체 발견이 당뇨병으로의 이행에 핵심적 역할을 하기 때문에 조기에 개별마다 자가항체가 있는 사람을 선별하여 1형당뇨병으로 이행할 위험이 큰 환자를

찾는 것은 매우 중요하다. 조기에 진단되는 경우, 당뇨병 합병증이 발생하는 시간을 늦출 수 있다고 판단한다. 최근에는 2기단계에 있는 환자들에게서 면역치료를 통해 3기로 이행하는 시간을 늦출 수 있음이 증명되어, 1형당뇨병 환자 고위험군을 선별하고, 예방하는 것에 대한 관심이 급증하고 있다.

이 장에서는 1형당뇨병의 임상적인 진행과 췌도 자가면역 증가에 관여하는 유전적, 면역학적, 환경적 요소에 대해서 기술하려고 한다.

2. 원인

1형당뇨병은 어느 한 가지 요인에 의해 발생하기보다 여러 유전인자와 면역학적 요인, 그리고 환경인자 등 복합적인 요인에 의해서 발생한다. 면역학적으로는 많게는 5가지의 자가항체의 유무와 개수, 항체 역가에 따라서 당뇨병의 진행속도가 달라진다. Class II 주조직적합복합체(major histocompatibility complex, MHC) HLA DR3/4와 같은 유전소인이 중요하게 작용하지만, 그 외에도 바이러스, 비만 등과 같은 환경요인이 관련되어 있다. 1형당뇨병의 발병률이 30여 년 동안 매년 3–4%씩 증가한 것에 반해, 1형당뇨병 환자에서 고위험의 HLA유형을 가진 경우의 비율은 줄어들고 있다. 이에 1형당뇨병의 원인으로 유전보다는 비만과 같은 환경요인에 대한 중요성이 부각되고 있다. 1형당뇨병의 위험인자와 보호인자는 **표 9-3-1**에 정리하였다.

1) 유전요인

(1) 유전요인의 근거

1형당뇨병 발생에는 가족력이 연관되어 있어 유전요인이 관련되어 있음을 알 수 있다. 일란성쌍둥이에서는 1형당뇨병의 일치율이 30–50%로 이란성쌍둥이의 10–19%에 비해 높다. 또한, 가족력을 동반한 경우 1형당뇨병 발생에 대한 위험도는 정상인에 비해 15배 정도 상승한다. 백인의 경우

표 9-3-1. 1형당뇨병 발병 및 진행과 관련된 위험 혹은 보호인자

위험인자
• HLA class II DR3–DQ2 홀배수체형
• HLA class II DR4–DQ8 홀배수체형
• HLA class I의 A와 B 대립 형질유전자
• INS, PTPN22, SLC30A8, and BACH2유전자 단일염기 다형성
• 높은 유전인자점수(High genetic risk score)
• 자가면역 발현 당시 나이가 어릴 때
• 다수의 자가면역항체 양성
• IAA의 혈청전환
• 어린 나이에 1A–2A로 혈청전환
• IAA, IA-2A, GADA가 혈청전환 시 역가가 높을 때
• FOXP3 양성
• 심각하거나 치명적인 스트레스
• 친족 가족력
• 출생 시 제왕절개
• 영아기 짧은 모유 수유 기간
• 조기에 글루텐 포함 음식을 섭취
• 조기에 그리고 많은 양의 우유 섭취 시
• 당, 탄수화물의 과한 섭취
• 장내미생물의 변화
• 콕사키바이러스 B, 엔테로바이러스, 로타바이러스
• 출생 시 체중과 첫 해 체중이 무거울수록
• 비만

보호인자
• GADA 혈청전환
• 어린 나이에 ZnT8A 혈청전환
• 모유수유
• 비타민D 섭취와 높은 25-OH 비타민D 농도
• 홍역, 독감백신

아버지, 어머니 단독으로 1형당뇨병인 경우 자녀의 1형당뇨병 위험성은 각각 5%, 3%이며 형제가 1형당뇨병인 경우는 8%, 부모 모두가 1형당뇨병인 경우 위험성은 30% 이상으로 증가한다.

또 다른 증거로는 1형당뇨병이 다른 유전결함에 의한 질환과 같이 동반된다는 것이다. 예를 들어, 1형자가면역다발내분비증후군(autoimmune polyendocrine syndrome

type 1)은 자가면역조절인자(autoimmnue regulator, AIRE) 유전자 변형에 의해 발생하며 이는 1형당뇨병, 부갑상선저하증, 애디슨병, 점막피부칸디다증, 간염, 갑상선저하증, 난소염, 림프구뇌하수체염을 동반한다. 그 밖에 1형당뇨병과 관련된 유전자에는 FoxP3, STAT3유전자가 있다.

(2) 사람백혈구항원부위

1형당뇨병의 발병 예측에 있어 염색체 6p21에 있는 HLA는 가족적 위험성의 50%를 차지할 정도로 강한 연관성을 가지고 있다. HLA는 T백혈구세포의 항원을 나타내는 세포표면수용체로 1형당뇨병의 발병과 관련된 HLA유전자부위는 두 군데로 나눌 수 있다. 하나는 class I α–사슬(A, B, C)이고, 또 다른 하나는 세 쌍의 Class II α와 β–사슬(DR, DQ, DP)이다. HLA class I 항원은 CD8+ T세포의 발현과 연관성이 있으며, HLA class II 항원은 CD4+ T세포와 연관이 있다. 이 중에서 1형당뇨병과의 연관성은 HLA DR과 DQ가 가장 크다.

HLA class II DR4–DQ8 홀배수체형(DR4–DQA1* 03:01–DQB1*03:02)은 1형당뇨병의 위험을 가장 많이 증가시키는 유형이다. 특히 HLA DRB1 대립유전자 중 *04:05, *04:01과 *04:02를 갖는 경우가 그렇다. DRB1* 04:05를 갖는 경우 오즈비가 11이며, DRB1* 04:01를 갖는 경우는 8로 그 위험성이 매우 높다. DR3–DQ2 (DRB1* 03:01–DQA1* 05:01–B1*02:01)도 1형당뇨병의 고위험군으로 분류되며, 홀배수체형을 갖는 경우 1형당뇨병의 위험은 3.6배이다. 1형당뇨병 환자 중 90% 이상에서 DR4–DQ8이나 DR3–DQ2 중 하나를 가지고 있으며, 30%에서 두 가지 모두를 가지고 있는 것으로 알려졌다. 두 가지 홀배수체형을 모두 가지고 있는 경우 1형당뇨병의 위험이 더욱 증가하게 되는데 그 위험도는 16배나 된다. DRB1과 DQ대립유전자보다는 연관성이 적기는 하지만 class II HLA–DPB1과 DPA1, class I유전자(A, B, C)도 1형당뇨병의 위험성과 관련이 있다. 여러 연구에서 Class I A와 B 대립 형질유전자가 1형당뇨병 발생연령과 연관성이 크다는 결과를 발표하였는데, 최근에 핀란드 연구에서도 같은 결과를 발표하였다. 반면 1형당뇨병 발병에서 예방역할을 하는 대립유전자도 존재한다. DQB1*06:02는 정상인에서는 20% 정도로 보고되지만, 1형당뇨병에서는 1% 정도밖에 발견되지 않았다.

HLA유전자는 췌도자가항체 발현과의 연관성도 가지고 있다. 1형당뇨병 환자에서 첫 번째 자가항체로 GADA 혹은 IAA를 보인 군이 각각 HLA DR3–DQ2와 DR4–DQ8의 홀배수체형과 연관이 있음이 밝혀졌다.

(3) 사람백혈구항원 이외 부위

전장유전체연관연구(genome wide association study, GWAS)에서는 HLA 이외에 50개가 넘는 비 HLA 유전인자가 1형당뇨병과 연관성이 있음을 밝혔다. Type 1 Diabetes Genetic Consortium (T1DGC), Diabetes and Autoimmunity Study in the Young (DAISY), Diabetes Prevention Trial–1 (DPT–1), TrialNet, BABYD-IAB, The Environmental Determinants of Diabetes in the Young (TEDDY) 같은 수많은 연구에서 이를 증명하였다. 그 중에서 11p15 염색체에 존재하는 인슐린유전자(insulin gene, INS)가 1형당뇨병과 강한 연관성을 보인다. INS는 흉선에서 인슐린 mRNA의 양을 조절하여 인슐린 다형성과 연관이 있으며 인슐린에 대한 면역에 내성을 일으킨다. 특히 IAA와 연관이 있다. Protein tyrosine phosphatase non–receptor type 22 (PTPN22)는 rs2476601 단일뉴클레오타이드다형성(single necleotide polymorphism, SNP) 형태로 흉선에서 T세포의 자가면역을 증진시킨다. 이는 IAA 단독 혹은 GADA 양성과 관련이 있다. cytotoxic T–lymphocyte associated protein (CTLA4) SNP의 minor G 대립유전자는 IAA가 아닌, GADA 단독 양성만의 위험을 증가시킨다. 또한, CD80/86에 선택적으로 결합하는 Abatacept (CTLA4–Ig)는 CD28과의 상호작용을 차단하고 공동자극을 조절하며 최근 진행된 임상연구를 통해 1형당뇨병으로 진단된 환자에서 베타세포 손실을 일시적으로 차단하는 것으로 나타났다. 그 밖에도

interleukin-2 receptor subunit α (IL2RA, CD25), protein tyrosine phosphatase non-receptor type 2 (PTPN2), interferon-induced with helicase C domain 1 (IFIH1), the basic leucine zipper transcription factor 2 (BACH2), ubiquitin-associated and SH3 domain-containing protein A (UBASH3A) 등이 1형당뇨병과 연관이 있다고 알려져 있다.

(4) 유전자를 이용한 1형당뇨병의 예측

1형당뇨병과 관련된 유전자형을 이용하여 진단, 선별검사 및 위험도 예측에 어떻게 적용할 것인지가 중요한 관건으로 남아 있다. 현재까지 위험도 예측에서 가장 중요한 부분은 HLA유전자형과 정확한 자가면역수치를 활용하는 것이다. 하지만 자가면역수치의 경우 질병이 이미 시작될 때 측정할 수 있다는 단점이 있다. 따라서 자가면역 발생 전에 베타세포의 이상 및 질병을 예측할 수 있는 혁신적인 도구가 절실하다. DAISY연구에서는 1형당뇨병의 형제자매와 자손, 고위험 HLA유전자를 가진 일반인구와 같은 고위험군에 속하는 신생아를 추적하였다. 이 연구에서는 HLA-DR, DQ 유전자형에 PTPN22 및 UBASH3A SNP를 추가하면 1형당뇨병 발생에 대한 위험도 예측이 향상됨을 보여주었다. 생존분석에서 PTPN22 rs2476601 TT 또는 HLA-DR3/4 및 UBASH3A rs11203203 AA유전자형을 가진 소아의 45%가 15세까지 1형당뇨병이 발병한 것에 비하여 기타 다른 유전자형을 가진 어린이는 1형당뇨병이 3%밖에 발병하지 않았다.

BABYDIAB연구는 1형당뇨병을 가지고 있는 부모의 자녀를 태어날 때부터 추적하면서 본 연구이다. 이 연구에서는 8개의 비HLA SNP (IFIH1, CTLA4, PTPN22, IL-18RAP, SH2B3, KIAA0350, COBL 및 ERBB3)로 유전자 점수를 매겼는데, 고위험 HLA유전자형을 가진 어린이의 1형당뇨병을 더 잘 예측할 수 있었다. 최근에 BABYDIAB 연구자들은 두 번째 유전자점수를 개발했으며 9개의 SNP (PTPN22, INS, IL2RA, ERBB3, ORMDL3,

BACH2, IL27, GLIS3 및 RNLS) 외에 HLA를 포함했다. 이 점수는 최근 1형당뇨병의 자손이나 형제를 추적하는 두 개의 DAISY 코호트에 적용하여, SNP만 사용하는 것보다 예측도가 좋은 것을 증명하였다. 최근에는 Exeter 그룹이 인슐린의존당뇨병이 있는 젊은 성인을 대상으로 단일유전자당뇨병(monogenic diabetes)과 구별하기 위해 1형당뇨병 예측 유전자점수를 개발했다. 이 점수는 Wellcome Trust Case Control Consortium (n = 3,887)에 참여하였던 환자를 대상으로 하였고 곡선하면적 0.88로 2형당뇨병과 구별할 수 있음을 증명하였다. 이 유전자 예측 점수는 다시 사우스웨스트잉글랜드 코호트에서 검증되었으며, 당뇨병이 있는 20-40세 청년 성인그룹(n = 223, 단일유전자 및 이차당뇨병 제외)에서 곡선하면적 0.7로 인슐린결핍이 있음을 증명하였다.

2) 환경요인

1형당뇨병에서 가족력은 매우 중요하다. 그러나 1형당뇨병 유병률이 높은 서구에서도 1형당뇨병 환자의 80% 이상에서 가족력이 동반되지 않는 것으로 보고하고 있으며, 가족력이 없는 경우에도 일반적으로 1형당뇨병 발병 확률은 0.4%로 보고하고 있다. 지난 30여 년 동안 1형당뇨병의 발병률이 미국에서는 3-4% 증가하였는데 이는 환경 혹은 생활습관의 변화가 영향을 미친 것으로 생각된다. 새로운 지역으로 이주한 이민자들의 1형당뇨병의 발생위험도가 그 지역 인구의 1형당뇨병 발생위험도와 유사해지는 경향을 보이고, 유럽에서 1형당뇨병의 위험이 유전적으로는 유사하나 사회경제적 차이에 따라서 1형당뇨병의 위험률이 다른 것으로 나타났다. 이러한 1형당뇨병 발생의 위험률은 이동이 자유로운 인구 집단 내에서 점차적으로 유사하게 나타나는 경향을 보인다. 또한 일란성쌍둥이의 50% 미만의 일치율, 1형당뇨병 발생률의 계절적 차이, 출생시간, 바이러스 감염과 1형당뇨병 발생의 관련성, HLA 감수성 대립형질을 가진 사람의 10%에서만 1형당뇨병이 발생한다는 것이 환경요인의 중요성을 시사한다. 가장 중요한 환경요인은 모성인자, 바이러스 감염, 식이, 출생 시 높은 체중과 성장률, 정신적 스트레스

와 독성물질이다. 췌도세포의 자가면역과 비만 및 가속된 성장 같은 인슐린저항성을 증가시키는 인자가 공존 시 베타세포의 자가면역 파괴가 가속화한다. 영유아는 어머니로부터 적은 양의 항체를 받으므로 엔테로바이러스와 같은 감염에 노출되었을 때 1형당뇨병의 위험성이 증가한다. 따라서 1형당뇨병의 환경요소에 대한 보다 심도있는 이해가 1형당뇨병의 발생을 지연시키고 예방하는 데 있어서 중요한 역할을 할 것이다.

(1) 산모 및 주산기요인

고령 산모, 산전 비만 및 조기 임신비만, 제왕절개가 늘어나면서 1형당뇨병의 유병률이 증가하고 있다. 메타분석에서도 산모의 나이가 35세 이상인 경우, 25–30세에 비해 아이의 1형당뇨병 발생위험은 1.1배 증가, 산전 비만이 있는 경우, 아닌 경우에 비해 1.3–1.4배의 위험이 증가하는 것으로 알려졌다. 제왕절개로 태어난 아이는 자연분만한 산모의 아이에 비해 1형당뇨병 발생에 대해 1.2배의 위험도가 있음을 보고하였다. 제왕절개를 시행한 경우 아기는 산모의 피부미생물과 비슷한 장내미생물을 갖게 되고, 자연분만한 경우 아기는 산모의 질내미생물과 같은 양상의 장관미생물을 갖게 된다. 아기는 태어난 후 1년 동안 다양한 미생물에 노출되어 면역체계를 구성한다고 알려져 있는데, 이 때 장관미생물의 구성에 따라 1형당뇨병의 발병이 달라진다고 가정하였다. 그러나 최근 산모와 관련된 여러 교란인자를 보정한 연구에서는 제왕절개와 1형당뇨병과의 연관성이 의미 있게 드러나지 않았다.

(2) 유아의 성장과 소아비만

태아의 출생 몸무게가 많이 나가고 생후 12–18개월 동안 체중증가가 급속하게 나타나는 것이 1형당뇨병과 연관되어 있다. 이러한 과한 체중증가는 이른 소아시기에 인슐린저항성을 유도하여 췌도자가면역이 발현되도록 하여 결과적으로 1형당뇨병으로 유도하게 된다. 아직까지 명확한 증거는 없으나 유전적으로 취약한 사람에서 인슐린저항성과 고혈당에 의한 독성이 베타세포의 사멸을 가속화, 베타세포의

신생 자가항원을 유도하고, 또한 인슐린 요구량의 증가가 베타세포의 스트레스를 유도하고 자가항원의 발현을 증가시킨다고 생각된다.

한 연구에서는 생후 첫 해의 체중증가에 따라 1형당뇨병의 위험비가 표준편차당 1.2배로 증가함을 보고하였다. TEDDY연구에서는 소아의 체중증가가 1형당뇨병의 위험과 관련이 있음을 입증했으며, 메타분석에서도 소아에 대한 체질량지수(body mass index, BMI) 표준편차가 1이 증가할 때마다 1형당뇨병의 위험이 1.2배 증가하는 것으로 나타났다.

(3) 모유수유와 그 외 식이요인
① 모유수유와 글루텐

많은 대규모 전향코호트연구에서 모유수유의 기간과 췌도세포의 자가면역 감소의 연관성을 밝히지는 못하였다. 이중맹검무작위배정대조군임상시험(double blind randomized controlled clinical trial)인 Trial to Reduce IDDM in the Genetically at Risk (TRIGR Pilot II)에서 유전적으로 1형당뇨병위험이 높은 230명의 유아에게 생후 6–8개월간 모유수유가 힘들 때마다 카세인 가수분해물 분유를 투여하였는데, 우유 기반의 분유를 복용한 유아보다 췌도자가면역의 위험이 낮았다. 그러나 더 큰 규모의 TRIGR 3상연구는 1형당뇨병에 대해 지속적으로 추적하였으나 이러한 효과가 췌도자가면역에 영향을 미치는지 증명하지 못했다. 또한 소아의 조기 이유식의 섭취와 1형당뇨병의 자가면역과는 관련이 없음이 보고되었다. 그러나 일부 전향연구에서 어린 시절의 유제품 섭취가 유전감수성이 아주 높지 않은 군에서 자가면역 발현 위험을 1.41배 증가시키고 자가면역이 발현되고 나면 1형당뇨병에 대한 자가면역의 진행을 1.59배 증가시키는 것으로 보고하였다. 최근 중국이나 일본에서 우유소비량이 증가하였으며, 미국에서는 전반적으로 1970년과 2014년 사이에 치즈의 섭취량이 늘어나면서 유제품의 섭취량이 늘어난 것으로 확인되었다. 이에 관련성이 높지는 않지만, 1형당뇨병의 유병률과 비슷한 패

턴을 보임으로써 유제품 섭취가 1형당뇨병 발생의 잠재적인 원인으로 보고 있다.

DAISY연구에 따르면 곡류를 복용하는 시점도 췌도의 자가면역의 위험 증가와 연관성이 있는데, 생후 4-6개월 시에 가장 위험성이 낮은 U자형 관계를 보인다고 보고하였다. 아직까지 글루텐을 포함하는 곡류에 노출되는 시점과 1형당뇨병 발병과의 관계에 대해서는 연구결과들이 분분하다. BABYDIAB연구에서는 글루텐에 대한 노출이 빠를수록, All Babies in Southeast Sweden (ABIS)연구에서는 글루텐에 대한 노출이 늦을수록, 핀란드 Type 1 Diabetes Prediction and Prevention (DIPP)연구에서는 글루텐과 아무 연관성이 없다고 보고하였다. 한 무작위대조시험 (randomized controlld trial, RCT)에서 생후 6-12개월에 글루텐이 포함되지 않은 식이를 한 경우에 유전적으로 취약한 유아에 있어서 췌도자가면역의 발현을 감소시키지 못했고, 이미 췌도자가면역이 발현된 소아에서는 자가항체의 수치를 감소시키지 못한 것으로 나타났다.

② 비타민D

한편 동물실험 및 인체연구에서 비타민D가 베타세포 기능부전 및 인슐린저항성에 중요한 역할을 하는 것으로 알려졌다. 핀란드에서 시행된 17년 관찰연구에서는 25-OH 비타민D 농도가 높은 군에서 낮은 군에 비해 1형당뇨병 발병률이 40% 감소함을 보고 했다. 비타민D는 체내 T세포반응에 있어서 T도움세포1 (T-helper cell 1, Th1 cell)의 면역반응을 감소하도록 균형을 조절하여 베타세포의 파괴를 막는다고 가정하고 있다. 1형당뇨병 환자에 있어서 계절에 따른 발병률의 차이도 햇빛으로부터 노출되어 얼마나 비타민D를 합성할 수 있는지와 관련이 있겠다. 벨기에 연구에서 하루 햇빛 노출 시간과 1형당뇨병 환자의 발생과는 역의 상관성을 보였으며, 한 노르웨이 연구에서는 임신 말기의 높은 혈중 25-OH 비타민D 농도가 1형당뇨병의 낮은 발생과 관련성을 보였다. 하지만, DAISY연구에서나 전향적 ABIS 연구, 추적연구인 DIPP연구에서는 유아나 소아시기의 혈중 25-OH 비타민D의 농도가 췌도자가면역이나 1형당뇨병으로의 진행에 있어서 연관성을 보이지는 않았다.

③ 오메가-3지방산

오메가-3지방산과 같은 긴사슬불포화지방산(long-chain polyunsaturated fatty acid)은 면역반응에 영향을 준다고 알려져 있는데, 핀란드 소아에서 낮은 혈청리놀렌산(linolenic acid) 농도는 췌도자가면역의 위험을 증가시킨다고 보고되었다. 또한 미국연구에서는 소아시기의 높은 오메가-3지방산 섭취와 적혈구막의 높은 오메가-3지방산이 췌도 자가면역을 낮춘다고 하였다. 하지만, 오메가-3지방산의 함유량이 적은 식사를 하는 지역에서의 1형당뇨병 발생률을 봤을 때 그렇지 않은 지역과 큰 차이가 없었다. 추후 1형당뇨병 발병기전에 있어서 식이기능을 명확히 하기 위해서는 추가적인 정보와 더 많은 코호트연구가 필요할 것이다.

④ 당 섭취

고탄수화물 섭취는 인슐린의 요구량을 증가시키며 이는 베타세포의 세포질세망스트레스(endoplasmic reticulum stress)를 야기하며 자가면역을 증진시켜 결국 세포사멸에 이르게 한다. DAISY연구는 당 섭취가 1형당뇨병으로의 진행과 관련이 있음을 보여주었다. 췌도세포에 대한 자가항체가 이미 있는 어린이의 경우, 혈당지수가 높은 당섭취가 증가하는 경우 1형당뇨병으로 진행될 위험이 더 높았다.

(4) 위생가설

미생물이나 감염에 조기에 노출되는 경우 면역시스템이 활성화되어 알레르기나 자가면역질환에 대한 위험도가 감소함이 가설로 제기되었다. 또한 백신이나 항생제의 사용이 자연적인 감염에 노출을 감소시켜 결과적으로 자가면역질환의 위험을 증가시킬 수 있음이 제기되었다. 30개 정도의 연구를 통합분석한 결과, 첫째 아이에 비해 둘째 또는 그 이후에 태어난 아이의 1형당뇨병 위험이 10% 낮았지만, 이 연구들 간에도 현저한 이질성을 보였다.

(5) 독성물질

음식이나 물의 독성물질이나 화학물질도 유전적으로 취약한 사람에서 췌장췌도의 자가면역반응을 활성화할 수 있다. 스웨덴의 환자대조군연구에 따르면, 1형당뇨병이 질산염, 아질산염 또는 니트로사민을 함유하는 많은 양의 음식물섭취와 관련성이 있다고 나타났고, ABIS 구에서는 1형당뇨병 환자의 가족이 마시는 물에서 정상 가족이 마시는 물보다 질산염의 함유량이 높다고 보고 했다. 또한 동물실험 결과, 최종당화산물(advanced glycation end products, AGEs)이 적은 식이를 한 생쥐가 당뇨병의 발생이 적다는 연구결과를 보였으며, 고위험군의 소아에서 혈중 최종당화산물이 1형당뇨병의 진행의 위험과 연관된다고 보고하기도 하였다. 그리고 최근 연구에 따르면, 최종당화산물수용체(receptors for advanced glycation end products, RAGE)도 사람 체내에 존재하며 RAGE를 코딩하는 유전자 또한 1형당뇨병의 발생과 연관성이 있고, 최종당화산물이 베타세포에서 산화스트레스를 유발하는 역할을 하는 것으로 알려졌다.

백신의 접종이 자가면역 자극과 관련이 있을 수 있다는 의견들이 있었으나 최근 Morgan 등의 메타분석결과에 따르면, 소아기 백신접종이 1형당뇨병의 위험성을 증가시키지 않는 것으로 보고하였다. 반면, BCG백신은 면역조절에 있어서 자가면역의 발현을 감소시킬 수 있으리라는 기대가 있었으나, 20년 추적 기간의 연구에서 1세 때 BCG백신을 맞은 소아에서 1형당뇨병의 발병과는 연관성이 없었으며 이는 독일 BABYDIAB연구에서도 BCG백신과 췌도자가면역의 발현에는 관련성이 없는 것으로 밝혀졌다. 또한, 임상시험에서도 1형당뇨병 진단 시의 BCG백신접종이 베타세포 기능을 보존시키지 못하는 것으로 보고하였다.

(6) 바이러스
① 엔테로바이러스(*enterovirus*)

바이러스 감염은 많은 동물 및 사람에서 1형당뇨병을 일으킨다고 알려져 있다. 많은 1형당뇨병과 연관된 유전자(MDA-5, PTPN22, TYK2)들은 항바이러스 면역반응들을 조절하고, 이러한 유전자들은 바이러스 감염의 과정을 다시 조율할 수 있다. 하지만 아직까지 이러한 바이러스-유전자의 상호작용과 1형당뇨병의 병인과의 관계에 대해서는 잘 알려지지 않은 상태이다. 특히 엔테로바이러스는 사람의 췌장 췌도에 편향성을 보이며 1형당뇨병이 최근 진단된 환자들의 췌장에서 검출된다. 엔테로바이러스는 췌장과 심장에서 만성적이고 지속적인 감염을 일으키고 유전적인 결손을 일으킨다. Gamble과 Taylor에 따르면, 1형당뇨병의 시작이 엔테로바이러스의 감염과 비슷한 계절적 변동을 보이고, 1형당뇨병 환자에서 엔테로바이러스에 대한 항체가 증가되어 있다. 최근 보고에 따르면, 엔테로바이러스 감염이 먼저 췌장췌도로 퍼져서 강한 감염반응을 일으키는데, 바이러스를 효율적으로 제거하지 못하는 경우에 베타세포 내에서 바이러스 RNA와 단백질을 합성하여 천천히 복제하면서 염증과 자가면역반응을 유도한다. 바이러스는 다양한 방식으로 세포기능을 직접적으로 조절하고, 바이러스와 숙주 단백질 사이에서 면역학적인 교차반응과 베타세포의 손상 과정에도 관여한다. 사람의 엔테로바이러스는 100여 가지의 다른 아형이 있으며 각각의 아형에 따라서 특정 기관 및 세포에 대한 편향성이 다르며, 나타나는 증상과 일으키는 질병도 다양하다. 따라서 베타세포에 손상을 일으키는 바이러스 특성은, 베타세포에서 발현되는 수용체에 바이러스의 부착을 매개할 수 있거나 만성적인 감염을 일으킬 수 있는 면역반응을 회피할 수 있는 경향을 가지는 경우이다. DIPP연구에서는 엔테로바이러스 종류에 따른 중화항체에 대한 분석, 그리고 혈청과 대변에서 직접적인 엔테로바이러스의 유전자 분석을 통해서 1형당뇨병과 연관된 엔테로바이러스를 확인하였다. 41가지의 다른 엔테로바이러스의 중화 항체에 대한 선별검사를 통해서 콕사키바이러스 B가 췌도자가면역의 발현과 연관되어 있다고 나타났다. 이 그룹에는 6종류의 장관 바이러스 아형이 있는데, 이 중 콕사키바이러스B1이 췌도자가면역의 위험을 증가시키고 다른 아형들은 면역학적 교차 보호와 관련되었다. 세 가지 다른 연구는 1형당뇨병의 원인에 있어서 콕사키바이러스B의 역할을 보고하였다. 첫 번째 연구는 사람베타세포가 콕사키바이러스B감염에 감수성을 가진다는 것이며, 두 번째 연구는 이러한 감염이 인슐린생산을 감소시킨다는 것이다. 세 번째 연구는 당뇨병에 감수성을 가지는 생쥐에서 콕사키바이러스B의 감염은 베타세포의 항GAD항체 발현을 증가시킨다고 보고하였다. Atkinson등은 GAD분자의 일정 부분이 콕사키바이러스 B의 한 부분과 유사하며, GAD 분자내 이 부분은 1형당뇨병 환자에서 추출한 T림프구를 자극하는 중요한 항원결정인자를 포함하고 있음을 보고하였다. 분자모방은 감염인자(또는 다른 외부물질)가 자가항체에 의한 면역반응을 유발시키는 기전의 하나이다. 바이러스 항원결정인자와 자가 펩타이드 사이의 구조적 유사성(분자모방)은 자기공격적인 CD4뿐만 아니라 CD8 T림프구의 반응을 유도한다. 바이러스 항원결정인자에 대한 T림프구 인식이 자가 펩타이드 인식으로 대체되고, 자가 펩타이드는 T림프구가 관여하는 병리생리학적 과정에 참여하게 된다. 자가항원에 대한 내성의 파괴와, 숙주구조물과 교차반응을 일으키는 병원체 특이적인 면역반응은 조직 손상과 질병을 유발하게 된다. 1형당뇨병 환자에 있어서, 바이러스 감염과 연관된 모방은 췌장 베타세포에 집중되어 있는 효소인 GAD 65와 콕사키바이러스 B 복제에 관련되는 효소인 콕사키바이러스 P2-C 사이의 염기서열상동성에 기초를 두고 제안되었다. 콕사키바이러스P2-C와 GAD 65 사이의 교차반응이 생쥐에서 보였고, Tians 등은 완전한 길이의 P2-C 단백질로 면역화한 생쥐에서 상동성펩타이드에 대한 면역반응이 존재한다고 보고하였다. 그러나 당뇨병 환자에서 채혈한 혈청항원과 T림프구에 대한 연구들에서는 GAD와 콕사키P2-C 사이의 교차반응이 항상 발견되지는 않는다.

② 그 외 바이러스

콕사키바이러스B 외에도 1형당뇨병을 일으키는 바이러스에는 뇌심근염바이러스(*encephalomyocarditis* virus), 맹고바이러스 2T, 그리고 레오바이러스 1형, 3형이 포함된다. 1형당뇨병과 귀밑샘염 사이에 연관성이 있다는 것을 지지하는 소견은, 볼거리바이러스가 시험관 내에서 사람 베타세포를 감염시킬 수 있고, 이하선염 바이러스에 감염된 사람 인슐린종세포에서 사이토카인이 변화되고, 사람백혈구항원 I형과 II형 표현이 달라지고, 당뇨병이 없는 소아가 이하선염이 걸리면 ICA가 흔히 발견된다는 점이다. 핀란드에서 볼거리백신 시행 이후, 이하선염에 대한 항체의 감소가 1형당뇨병 환자들에서 관찰되었고 증가 추세였던 1형당뇨병 발생이 더 이상 증가되지 않았음이 보고되었다. 그러나 어떠한 인구집단에서도 홍역볼거리풍진백신(measles-mumps-rubella vaccine, MMR) 집단 예방접종이 당뇨병 발생률을 변화시킨다는 증거는 없다. 로타바이러스 감염과 1형당뇨병의 연관성도 보고되었다. 로타바이러스는 유아기 위장관염의 가장 흔한 원인으로, 췌장 췌도세포 자가항원 GAD와 타이로신 인산분해효소(IA-2)에 대한 T림프구 항원결정인자와 높은 유사성을 가진 펩타이드 서열을 가진다. 그리고 이러한 사실은 로타바이러스 역시 분자모방에 의하여 췌장 췌도세포 자가면역을 유발시킬 수 있음을 시사한다. 바이러스 감염은 직접적으로 베타세포를 손상시킨다. 많은 양의 갑작스러운 베타세포 파괴는 때때로 1형당뇨병을 발생시키지만, 적은 경우 휴지기에 자가면역반응을 활성화시키는 초기 손상을 일으키거나, 전에 무수한 자가면역 공격에 의해 이미 손상된 베타세포에 최후의 타격을 입힌다.

바이러스 감염은 또한 인슐린저항성이나, 인슐린 요구량 증가를 유발하는 비특이촉진인자로도 작용할 수 있다. 만약 이전에 베타세포의 손상이나 파괴가 존재하여 증가된 인슐린 요구량을 감당하지 못하게 되면 임상적으로 당뇨병이 발생하게 된다. 바이러스 감염은 또한 1형당뇨병에 대해 보호작용을 유발하기도 한다. 뇌심근염바이러스 등에서 보여주는 바와 같이, 당뇨병을 유발하지 않는 바이러스들의 감염은 당뇨병을 일으키는 바이러스들의 감염에 대해 방어하는 면역반응을 유발한다. 바이러스 감염은 직접적으로 면역시스템에 영향을 미칠 수 있고 1형당뇨병에 대한 저항성으로 귀결된다. 1형당뇨병 동물모델인 NOD (non-obese diabetic) 생쥐와 BB (Bio-Breeding) 생쥐에서 림프친화성 바이러스 감염은 당뇨병 발생에 대한 방어를 제공한다. BB생쥐에서 Kilham 생쥐 바이러스는 면역시스템에 직접적으로 영향을 미쳐 1형당뇨병을 매개하는 면역세포들을 증가시킨다. 또한 베타세포 활동성을 변화시키는 환경인자들은 손상에 대한 베타세포의 감수성이나 베타세포 손상 회복기전에도 변화를 줄 수 있다. 항바이러스제를 이용하여 1형당뇨병을 예방할 수 있는지에 대해서도 임상시험이 진행되고 있는데, 이는 췌장의 췌도에서 만성적으로 감염되어 있는 장관바이러스를 제거하거나 바이러스에 의해 유도된 염증을 감소시켜서 베타세포의 기능을 향상시킬 수 있는지에 대해 접근한다. 추후 지속적인 전향연구 결과 발표가 주목된다.

3) 면역학적 요인

(1) 세포성 자가면역

면역관용의 소실과 베타세포의 자가면역적 제거에 기인한 1형당뇨병의 유전감수성은 항원제시 기전의 이상으로 설명된다. HLA MHC 클래스 II는 이질이합체(heterodimer)로 면역반응을 조절하며 거대세포와 같은 항원제시세포의 표면에 발현한다. 이질이합체는 세포 안에서 생성된 펩타이드 혹은 세포외의 항원, 자가단백질에 부착한다. 3개의 분자로 구성된 복합체는 T세포 수용체에 제시되어 상호작용한다. 3개의 분자로 구성된 복합체와 T세포 수용체의 상호작용은 T림프구를 활성화시킨다. 항원제시세포의 HLA MHC 클래스II는 CD4 T림프구에게 항원을 제시하는 역할을 한다. 항원 이외의 자극에 관련하여 1형당뇨병 환자와 고위험 DR3-DQ2, DR4-DQ8을 가진 환자의 거대세포는 전염증사이토카인과 프로스타글랜딘 E2를 과분비한다. 사이토카인은 T림프구, B림프구와 같은 세포를 활성화시킴으로써 베타세포를 직·간접적으로 손상시킨다. 그러므로 베타세포 자가항원을 발현하는 항원제시세포는 자가면역반응과 관련 있으며, 이는 자기인식의 실패에서 기인한다. 항원제시세포, CD4, CD8 T림프구는 발병 후 얼마 지나지 않아 사망한 환자의 췌장부검에서 발견되며 이는 췌도염의 중요성을 보여준다. 췌도염은 1형당뇨병의 발병에 특징적이며 사람에서는 주로 췌도 주변에 나타나는 형태를 띤다. 최근

보고에 따르면, 췌도염은 림프구 침윤이 존재하는데 하나의 췌도에 15개 이상의 CD45세포를 지니고 이러한 췌도가 적어도 세 개 이상 존재해야 한다. 보통 T림프구와 B림프구가 모두 췌도염 병변에 존재하나 세포독성CD8 T세포가 가장 많이 나타나고 자가면역에 의한 베타세포 파괴에 가장 중요한 역할을 한다. 전형석인 췌도염에서 세포외기질의 주요 구성성분인 하이알유론산(hyaluronic acid)의 축적과 췌도세포와 침윤된 림프구 주변의 하이알루로난 결합 단백질과 관련된 중요한 분자적 변화가 발견된다. 이러한 변화는 림프구의 부착, 이동을 촉진함으로써 췌도염에서 중요한 역할을 한다. 세포독성CD8세포는 HLA MHC 클래스 I이 많이 발현된 베타세포를 대상으로 할 수 있는데, HLA MHC 클래스 I(혹은 class II)의 과발현이 바이러스 감염과 연관되며 이는 1형당뇨병의 병인에서 주요한 역할을 하는 것으로 생각된다. 비정상적인 활동을 하는 소수의 자연살해세포(natural killer cell, NK cell)도 발견된다. 베타세포 파괴의 기전에 대해서는 아직 확실하게 정립되어 있지 않다. 한 가지 가능한 기전은 베타세포가 우선 바이러스와 같은 환경인자에 의해 파괴되고, 파괴된 베타세포는 활성화되어 췌장으로 이동하는 림프절을 따라 이동하는 항원제시세포의 포식작용에 의해 탐식된다. 항원제시세포에 의해 활성화된 CD4 T림프구는 림프절에 위치하여 CD8 림프구를 활성화시킨다. 이런 자가항원에 감작된 CD8 림프구는 혈류로 돌아와 결국 췌도세포로 이동하여 베타세포를 파괴시킨다. 이러한 베타세포 파괴는 췌도자가항원을 제시하는 새로운 순환을 만든다. CD4, CD25 조절 T림프구 또한 1형당뇨병의 병태생리에 중요한 역할을 하는 것으로 생각되며 이것은 췌도자가항원 특성화 CD4 T림프구를 방해한다. 이러한 세포들은 X염색체로부터 FOXp3을 발현하며 이는 말초관용발생에 중요하다. 췌도자가항원 특성화 T림프구는 연구 중이며 이런 자가항원을 표준화해 측정하는 방법의 개발은 아직 어려운 단계이다. 임상적으로 발병하기 전에 나타나는 췌도자가면역에서 자가항원특성T림프구는 췌도세포에 축적되어 말초순환에서는 나타나지 않을 수 있으며 이로 인하여 더욱 측정하기가 어렵다.

(2) 체액성 자가면역

1형당뇨병의 특징은 베타세포의 파괴로 인한 인슐린결핍이다. 1형당뇨병 환자의 90%가 자가면역에 의한 베타세포의 파괴를 보이며, 이를 type 1A라고 부른다. 10%에서는 자가항체 거짓음성이든, 측정이 안 될 정도로 자가항체의 양이 적든, 자가항체가 보이지 않는데, 이를 type 1B라고 부른다. 이런 type 1B의 경우는 우리나라처럼 백인이 아닌 경우 더 흔하다. IAA, GADA, IA-2A, ZnT8A 가 가장 주된 1형당뇨병에서 발견되는 항체이다. 1형당뇨병으로 새로 진단되는 환자의 95% 이상에서 임상증상 이전 수개월에서 수년 전에 이들 중 하나 이상의 자가항체가 검출될 수 있다. 4가지 주요 자가항체의 검출은 98% 이상 질병을 예측할 수 있다. 이 중 초기에 흔하게 나타나는 항체는 IAA와 GADA이며, 나머지 항체들도 질병 전반에 걸쳐서 흔하게 나타난다. IAA는 2세때 가장 역가가 높게 측정되며, GADA는 3세에서 5세 때 가장 높게 측정되고, 이후에도 지속적으로 높은 수치가 어린 시절에 유지된다. 췌도자가항체가 여러 개일수록 또는 젊은 나이에 발견될수록 1형당뇨병 발병 위험도가 증가한다고 알려져 있다. 1형당뇨의 임상발현의 시기와 자가면역의 진행에 대해서 IAA, IA-2A, GADA의 자가면역역가가 높을수록 그 진행이 빠르다는 연구결과도 나왔다. DIPP연구에서 사춘기 이전 1형당뇨병으로 진행된 소아에서 2세 이전에 64%에서 자가항체 양성으로의 혈청전환이 일어났고 3세 이전에는 82%에서 나타났다. 이러한 혈청전환은 2세 때 가장 높게 나타난다. 따라서 이 결과는 생애 첫 2-3년 동안 여러 환경요소에 의해 베타세포의 자가면역이 유도된다는 의미로, 베타세포 파괴 전 조기에 고위험군을 선별하고, 당뇨병으로 이행하는 환경요소를 조절하여 진행을 늦추거나 발병을 막을 수 있도록 하는 것이 중요하다.

① 항췌도세포항체(islet cell antibody, ICA)

ICA는 1974년 췌장의 동결절편과 간접적인 면역형광법에 의해 발견되었다. 4년 후 1980년에 췌도표면항체가 확인되었고, 보체의존항체연관췌도세포독성이 보고되었다. 췌도세포항체양성혈청에서도 췌도세포항체분석방법에 따라 췌도세포항체는 다양하게 나타나며, GADA, IA-2A, IAA, ZnT8A를 검출하기 위한 특이적인 분석법은 나중에 개발되었다.

② 항GAD항체(anti-glutamic acid decarboxylase antibody, GADA)

GAD효소는 신경세포와 췌장 베타세포에서 발견되며 억제성 신경전달물질인 gamma amino butyric acid (GABA)를 생성한다. 면역침강반응 후에 GAD로 확인된 65KD 단백질은 이전에 알던 GAD67과는 다른 GAD65로 확인되었다. GAD67과는 달리 10p11염색체에서 발현되는 GAD65는 주로 췌도에서 발현된다. GADA는 GAD65 아형(GAD65 항체)이 가장 흔하다. 이것은 새로 발병한 1형당뇨병 환아에서 70-80%, 1형당뇨병 일촌 이내의 친족에서 8%, 일반인에서도 1%는 발견된다. 췌도세포항체와 달리, GADA는 베타세포기능이 상실되고 수년 뒤에도 존재한다. 게다가 새로 발병한 1형당뇨병에서 연령이 증가할수록 GADA 양성률이 증가한다. 또한 이 역가는 지속성을 보이고 혈장C-펩타이드수치와 높은 관련성이 있어 현재 베타세포 기능부전의 예측과 질병 진행의 추적에 모두 유용한 표시자로 이용된다. GADA의 경우 1형당뇨병으로의 진행이 느린 환자에서 비교적 먼저 발견되는 경향을 보인다. 여러 개의 자가항체를 가지고 있는 환아의 경우에도 GADA에 의해 자가면역이 시작되면 그 진행이 비교적 느리다고 알려져 있다.

GADA는 고위험군 HLA 일배체형 DR4-DQ8 (DRB1* 04-DQA1*0301-B1*03:02)와 DR3-DQ2 (DRB1*03-DQA1* 05:01-B1*02:01)와 관련있다. GADA는 radio-binding 분석이나 효소결합면역흡착측정(ELISA)으로 검사가 가능하며 이들 분석은 최신 당뇨항체표준화프로그램 (diabetes antibody standard progrm, DASP)에서 평가되고 표준화된다. 고도로 향상된 이들 분석기술은 당뇨병 예측에 있어 자가항체의 가치와 1형당뇨병의 분류와 또한 고위험군에서의 스크리닝 도구로써 중요시되고 있다.

③ 췌장항원-2자가항체(insulinoma associated antigen-2 antibody, IA-2A)

이 자가항체는 세포막 단백질인 타이로신 인산분해효소군의 일종으로 두 가지 아형으로 구성된다. 즉 2번 유전자에 있는 40K단백질인 IA-2(이전에 ICA512로 알려짐)와, 7번유전자에 있는 37K단백질인 IA-2β(포그린)이다. 이들 두 아형은 많은 공통된 항원결정부위를 가지며 췌도세포를 포함하여 많은 신경내분비 조직에 존재하지만 효소 활성이 없기 때문에 명확한 기능을 가지지 않는다. IA-2의 자가항체활성도는 자가 항원의 세포질 부분과 관련되며, 1형당뇨병에서 면역활성도는 IA-2의 카복시말단부위와 관련된다. IA-2A는 새로 발병한 1형당뇨병 환자의 약 60-70%에서 검출되며, 일반 인구의 1% 미만에서 검출된다. IA-2A는 IAA, GADA, ICA보다 종종 먼저 나타나며, 발병 연령이 증가함에 따라 검출률은 감소한다. 특히 GADA와 다른 표지자들이 동반될 때 이러한 IA-2A의 발병 예측 능력은 어린 나이일수록 더욱 유용하다. 그러나 IA-2A 양성이 발견되는 경우 1형당뇨병 진행에 대한 예후는 좋은 않은 것으로 나타났다. 1형당뇨병 환자의 건강한 형제들 사이에서 항원결정부위 특이적인 IA-2A/IA-2βA를 검출하는 radiobinding검사를 이용함으로써, 1형당뇨병의 진행이 IA-2의 juxtamembrane부위에 대한 자가항체(IA-2-JM-항체)와 더욱 관련있다는 것이 밝혀졌다. IA-2-JM-항체가 양성이더라도 IgE-IA-2A 존재 시에는 1형당뇨병의 진행에 방어적인 것으로 생각된다. IA-2A의 높은 빈도는 DQ8보다 DRB1*04:01과 관련 있는 것으로 밝혀졌다. 게다가 DQ2를 가진 환자는 HLA의 유전구성과 관련된 추가적인 기전에 역할을 하는 IA-2A항체와 낮은 연관성을 가진다. IA-2A를 확인하는 분석법은 IA-2A, IA-2βA와 GADA를 침전시킬 수 있는 radiobinding검사를 이용함으로써 개발되고 표준화되었다. 이들 분석법은 높은 민감도와 특이도를 가지며 DASP 워크숍을 통해 점차 발전하고 있다. 이와 비슷하게, IA-2A 그리고 GADA와 결합하고 비오틴 부착물질을 이용한 ELISA분석법 또한 표준화되었고 최신 연구는 이 분석법의 진보된 능력을 보여 준다.

④ 인슐린자가항체(insulin autoantibody, IAA)

베타세포의 가장 특이적인 자가항원은 인슐린과 전구인슐린이다. 왜냐하면 이는 베타세포에서만 발현되기 때문이다. 1983년 radioligand-binding검사를 사용해서, 전에 인슐린으로 치료받은 당뇨병으로 새로 진단된 환자의 50%에서 인슐린지가항체(IAA)가 처음 검출되었다. 인슐린과 전구인슐린 모두와 반응할 수 있는 IAA는 췌도세포 자가면역의 가장 초기의 지표일 수 있다. 그러나 IAA의 수치는 종종 변동하고 낮은 역가를 나타내기도 한다. 1형당뇨병의 예측 값으로써 IAA를 단독으로 사용하는 것은 특정 연령에서 주로 의미가 있는 것으로 보인다. 어린 아이들에서 더 높고, 베타세포 파괴의 높은 비율과 관련된다. IAA는 5살 이전에 1형당뇨병이 진행된 아이들의 90%에서 발견되는 반면 15세 이전에 진행된 아이들에서는 40-50%에서만 발견된다. 높은 IAA 빈도와 관련된 DR4는 고위험군 DQ8 일배체군과의 연관불균형과 연관이 있다. IAA는 또한 IAA의 존재 유무와 상관없이 1형당뇨병과 연관된 것으로 알려진 일렬반복 서열이(VNTR) 있는 염색체 11p15의 인슐린유전자와 연관이 있다. IAA는 1형당뇨병 진단 시에 주로 IgG1으로 구성되고 적은 IgG4와 IgG2로 구성된다. 1형당뇨병으로 진행하는 환자에서 IgG1, IgG3의 아형이 강하게 나타나고 진행하지 않는 사람에서는 IgG3가 약하게 나타나거나 나타나지 않는다. 외인인슐린에 대한 자가항체는 1형당뇨병의 발병 시 나타나는 IAA와는 관련성이 없는 것으로 나타났고, 자가면역과는 독립적으로 보인다. 그러나, 이것들은 조금 유사한 결합 특성을 보였는데 IAA와는 달리 외인 인슐린에 대한 자가항체는 높은 특이도를 보이므로 1형당뇨병을 예측하지 않는 효소결합면역흡착측정(enzyme-linked immunosorbent assay, ELISA)분석법을 사용하여 발견할 수 있을 것이다. IAA액체상 방사면역측정법은 1형당뇨병을 발견하는 데 높은 민감도와 특이도를 보이고 'micro-IAA'로 알려진 새로운 분석법은 더 적은 혈청용량(600 μL 대신 25 μL)을 사용하는 것으로 알려져 있다. 그러나 실험실 간의 많은 차이가 IAA의 표준화를 지연시키고 있다.

09 당대사질환

⑤ ZnT8A (Zinc transporter 8 autoantibody, SL-C30A8)

ZnT8A는 인슐린 다음으로 두 번째 베타세포 특이적인 자가항원으로 알려져 있다. 이 자가항원을 암호화하는 다형성 SLC30A8은 1형당뇨병의 위험도와 연관이 있다. ZnT8은 아연-인 결정화와 인슐린 분비에 중요하다. 이것은 세포질 안에 있는 아연을 베타세포의 분비소포로 이동, 축적되는 것을 촉진한다. 이러한 소포 안에는 인슐린이 두 개의 아연2+ 이온들과 결정화되어 고체 육면체를 형성한다. 최근 발병한 1형당뇨병 환자의 약 60~80%에서 ZnT8A가 양성으로 나타난다. ZnT8A는 전통적인 췌도자가항체(GADA, IA-2A, IAA)에 음성을 보이는 환자의 26% 정도에서 양성으로 나타난다. 대조적으로 이는 대조군의 2%에서 2형당뇨병에서는 3% 이하에서 발견된다. 또한 ZnT8A는 당뇨병과 관련된 자가면역질환을 가진 환자의 30%에서도 발견된다. ZnT8A는 높은 베타세포 특이성을 보이는데, 이는 다른 췌도자가면역표지자와 독립적으로 작용한다. 이 독립적 작용으로 ZnT8A 역가는 나이에 따라 증가하기 때문에 나이가 많은 어린이 중에서 1형당뇨병을 예측하는 데 있어 유용성을 높여준다. GADA와 마찬가지로 조기에 ZnT8A가 발견되는 경우 1형당뇨병으로의 진행이 느린 것으로 보고되었다.

3. 예방

1형당뇨병의 고위험군에 대해서 당뇨병 발생의 예방을 보기 위한 연구들이 있었으나 이를 예방하거나 혹은 늦출 수 있다는 유의미한 결과를 보이지는 못했다. 그러나 2019년 보고된 RCT에서, 자가항체양성의 고위험군에서 면역요법(Teplizumab)이 1형당뇨병 발병을 평균 2년 정도 지연시킬 수 있음을 입증하면서 오랜시간 동안 해결되지 않았던 1형당뇨병 예방법이 주목받기 시작했다. 이 전에는 1형당뇨병 발생예방에 대한 유의미한 결과를 보여준 시험이 없었기 때문에 1형당뇨병의 선별검사에 대한 중요성이 인지되지 못했다. 그러나 1형당뇨병예방에 한 발짝 다가간 만큼 선별검사의 대상을 찾고, 고위험군에서 예방 혹은 병의 진행을 낮추는 치료를

진행할 대상을 찾는 것이 또 하나의 숙제가 되었다.

II. 1형당뇨병과 베타세포

이명식

1. 서론

1형당뇨병(type 1 diabetes mellitus, T1D)은 췌장췌도(pancreatic islet)의 베타세포가 자가면역 공격을 받아 선택적으로 파괴되는 질환이다. 1형당뇨병에서는 조직학적으로 췌도에 단핵세포(mononuclear cells)가 점진적으로 침윤하면서 염증반응이 생기는 췌도염(insulitis)이 관찰되며, 췌도염과정에서 베타세포가 괴사(necrosis), 세포자멸사(apoptosis), 또는 세포질세망(endoplasmic reticulum, ER)스트레스에 의해 파괴된다. 1형당뇨병의 진단 당시엔 베타세포의 10-30% 이하만 남아있다고 알려져 있으나, 최근에는 일부의 환자에서 1형당뇨병 발현 후에도 인슐린 생성세포가 관찰된다는 보고가 있어 1형당뇨병에서도 베타세포의 재생(regeneration) 또는 복제(replication)에 대한 논의가 관심을 받고 있다. 글루카곤유사펩타이드-1 (glucagon-like peptide-1, GLP-1)의 분해를 억제하는 DPP-4억제제(dipeptidyl peptidase-4 inhibitor) 또는 GLP-1수용체작용제는 1형당뇨병 동물모델에서 베타세포를 증식시키거나 또는 글루카곤을 분비하는 알파세포로부터 베타세포로의 분화를 촉진한다고 알려져 있고, 1형당뇨병 환자에서도 GLP-1수용체작용제가 일부 혈당강하 효과를 갖고 있다고 보고되어 있다. 또한 최근의 연구에 의하면 1형당뇨병동물모델에서 항 글루카곤항체의 투여 역시 알파세포로부터 베타세포로의 분화 등을 통하여 베타세포 증식을 유도한다고 하므로, 1형당뇨병 환자에서 소수의 베타세포의 증식은 불가능한 것은 아닌 것으로 생각되고 있다.

1형당뇨병은 베타세포 파괴가 서서히 진행되고, 베타세포 특이적인 자가면역질환이므로, 이는 1형당뇨병의 예방이 가능함을 시사한다. 그러나, 1형당뇨병의 대규모 예방중재연구였던 ENDIT (European Nicotinamide Diabetes Intervention Trial)와 DPT-1 (Diabetes Prevention Trial: Type 1)은 실패한 바 있다. 또한 주목을 받았던 췌도이식치료법도 2년 인슐린 비의존율이 30%밖에 되지 않아 실망을 안겨준 바 있다. 그렇지만 최근의 연구에서는 Teplizumab (Fc수용체비결합성 항CD3단세포군항체)으로 1형당뇨병 환자의 친척 중 1형당뇨병과 관련된 자가항체가 2개 이상 양성인 사람에서 1형당뇨병으로의 진행을 유의하게 감소시킬 수 있음이 보고되었고, 또한 Golimumab(항TNF-α항체) 투여에 의하여 청소년기 1형당뇨병 환자의 43%에서 인슐린 용량을 보정한 당화혈색소의 감소로 정의된 부분관해(partial remission)가 관찰되었고 C-펩타이드 반응의 곡선하면적도 유의하게 증가하였다는 것이 보고되어, 면역 중재에 의한 1형당뇨병의 예방 또는 치료가 가능할 것이라는 희망을 안겨주고 있다.

따라서 1형당뇨병에서 면역체계의 이상 또는 기타 원인에 의한 베타세포의 손상과정과 이에 대한 생체방어 기전이 명확히 연구되어야 임상에서 예방을 위한 프로토콜이나, 진단 직후의 중재치료에서 목표 타깃을 정확히 설정할 수 있다. 나아가 베타세포 손상 기전을 억제하는 면역학적 방법이 개발되면, 최근 활발히 개발되고 있는 유도다능성줄기세포(induced pluripotent stem cell, iPSC)-유래 베타세포 또는 기타 다른 줄기세포(stem cell)-유래 베타세포 분화 기술과 결합되어 1형당뇨병 환자 및 연구자의 꿈인 1형당뇨병의 완치가 이루어질 수 있을 것으로 생각된다.

2. 본론

1) 1형당뇨병에서 췌도염 및 췌장 베타세포 사멸

1형당뇨병의 발병과정은 짧지 않다. 임상적으로는 비교적 신속하게 발병하는 것 같으나 실상은 수년간에 걸친 자가면역 베타세포 사멸이 축적되어 일정한 임계치를 넘는 경우 임상적인 1형당뇨병이 발생하게 된다. 자가면역의 발생기전이 작동하더라도 결국은 췌장 베타세포가 사멸되어야 1형당뇨병이 발생하여 췌장 베타세포의 사멸은 결국 1형당뇨병의 최종 작동기전이 된다. 1형당뇨병에서 림프구의 췌장췌도로의 침윤 후 림프구 등 면역세포에 의해 베타세포가 자가면역으로 파괴되는 췌도염과정은 크게 3단계로 나누어 볼 수 있다(그림 9-3-1.).

(1) 췌도염의 개시(initiation): 자가면역당뇨병을 촉발하는 선천면역(innate immunity)의 역할

췌도염은 유전감수성이 있는 사람에서 여러 원인에 의해 베타세포에 대한 자가면역반응으로 시작된다. 이러한 자가면역현상의 시작이 되는 기작은 "초기사건"(the initial event)이라고 하며 초기사건의 분자학적, 세포학적 기작은 많은 면역학자들의 중요한 연구주제였다. 베타세포의 자가항원(autoantigen)이 항원제시세포(antigen-presenting cell, APC)인 대식세포(macrophage) 또는 가지돌기세포(dendritic cells)에 의해 T림프구에 제시되고 T림프구를 활성화시켜 자가면역을 발생시킨다. 이러한 현상이 일어나려면 항원제시세포에 의하여 당뇨병을 유발시키는 자가면역 T림프구의 감작(sensitization)이 일어나야 한다. 이러한 T림프구의 감작이 일어날 수 있는 기전을 살펴보면 우선 병적상태로 대표적인 것은 바이러스와 같은 환경인자가 베타세포 손상을 촉발하여, 격리항원(sequestered antigen) 또는 변질된 자가항원이 항원제시세포에 의하여 T림프구에 제시되는 상황이다. 생쥐모델의 연구결과에 따르면 발달과정에서 정상적으로 일어나는 베타세포 세포자멸사가 생후 14-17일째 최고점을 이루는데, 이때 대식세포의 포식작용(phagocytosis)에 이상이 있는 경우 세포자멸사에 빠진 세포가 탐식 작용으로 제거되는 과정이 지연되면 항원제시세포가 자극을 받아 T림프구의 항췌도 면역반응을 촉발 또는 감작시키는 초기자극이 될 수 있다는 것이 보고되었다. 즉 외부자극 없이도 항원제시세포의 활성화 및 그에 의한 자가면역 T림프구의 감작이 가능한 것으로 생각된다.

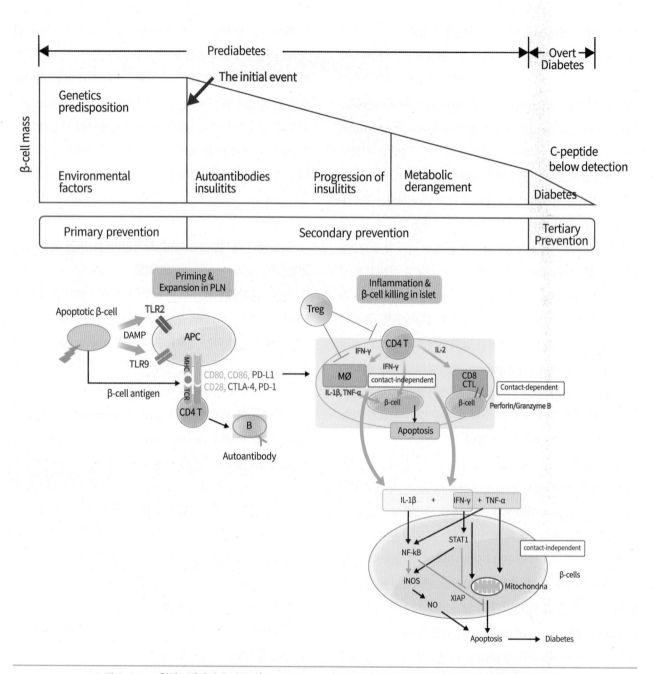

그림 9-3-1. 1형당뇨병에서 초기사건(the initial event), 자연경과 및 베타세포 자멸의 기전에 대한 모식도

자연적 또는 생리적 과정을 통해 자멸된 베타세포는 항원제시세포(APC)를 TLR2 또는 TLR9을 통해 자극할 수 있고 이로 인해 당뇨병유발T세포(diabetogenic T cell)의 감작(sensitization 또는 priming)이 췌장림프절(pancreatic lymph node, PLN)에서 일어나게 된다. 감작된 당뇨병유발T세포는 췌장췌도로 이동하여 베타세포자멸을 일으킬 수 있다. 이때 granzyme/perforin을 통한 직접 접촉에 의한 세포자멸과 IL-1β, TNF-α, IFN-γ 등의 수용성 매개체를 분비하여 세포자멸을 유도하는 양자의 기작이 있을 수 있다. 수용성 세포자멸인자인 사이토카인은 주로 단독보다는 시너지즘 형태로 베타세포 자멸의 기작을 유발하며 이때 CD4 T 림프구와 대식세포(MØ)가 협력하게 된다. 조절 T림프구(Treg cell)는 CD4 T림프구와 대식세포 활성을 억제할 수 있고 이것이 불충분한 것은 1형당뇨병 발생의 한 요인이 될 수 있다. 전사인자인 NF-κB은 세포 자멸에서 중요한 세포내 전달자로서 IL-1β 및 TNF-α 양자 모두에 의해 활성화된다. IL-1β에 의해 NF-κB가 활성화되는 경우는 산화질소(nitric oxide)를 생산하여 세포 자멸을 유도하는 반면, NF-κB가 TNF-α에 의해 활성화되는 경우는 XAIP 등의 항세포자멸사물질을 생산하여 세포자멸을 억제한다. IFN-γ에 의해 활성화된 STAT1은 항세포자멸사물질을 생산을 억제할 수 있다. 항원제시세포와 T림프구의 상호작용에 있어서 면역공동자극분자(co-stimulatory molecule) 및 그 수용체(CD80, CD86, CD28)는 청색으로 표시되었고 면역공동억제분자(co-inhibitory molecule) 및 그 수용체(PD-1, PD-L1, CTLA-4)는 적색으로 표시되었다. CD80 또는 CD86은 CTLA-4와 작용하면 면역억제신호를 전달하게 된다. 항암면역요법에 많이 쓰이는 면역관문억제제는 면역공동억제분자의 작용을 차단하여 베타세포에 대한 자가면역을 유발하든지 항진시켜 1형당뇨병을 유발할 수 있다.

1형당뇨병의 대표적인 동물모델인 NOD (non-obese diabetic)생쥐의 대식세포의 경우 세포자멸사에 빠진 베타세포를 제거하는데 결함이 있다는 보고가 있는데 베타세포가 적절한 시기에 대식세포에 의해 포식 처리되지 않고 이차괴사(secondary necrosis)로 빠지면 이차괴사세포로부터 분비된 death-associated molecular pattern (DAMP)이 선천면역수용체를 자극하여 염증반응 및 자가면역 반응의 발생에 기여할 수 있다. 1형당뇨병의 경우 이차괴사물이 대식세포 또는 가지돌기세포의 선천면역수용체의 하나인 톨유사수용체(toll-like receptor 2, TLR2)를 통해 대식세포 활성화와 가지돌기세포(dendritic cell)의 감작(sensitization)을 유발한다는 것 그리고 감작된 가지돌기세포는 췌장의 국소림프절(regional lymph node)인 췌장 림프절(pancreatic lymph node)로 이동하여 췌장 베타세포 항원에 대한 자가반응성을 갖는 당뇨병유발 CD4 T세포를 자극하여 증식을 초래할 수 있다는 것이 보고된 바 있다 (그림 9-3-1). 이에 대한 증거로써 NOD생쥐에 TLR2를 결핍시키면(TLR2-knockout NOD생쥐) 자가면역당뇨병의 발생 및 췌도염을 크게 감소시킬 수 있다. 이때 항원제시세포는 항원제시 이외에도 염증사이토카인과 케모카인을 생성해 췌도염을 더욱 진행시킬 수 있는 환경을 조성한다. 1형당뇨병 환자 또는 NOD생쥐에서 발견되는 선천면역 시스템의 조절이상이 직접적으로 1형당뇨병의 소인으로 작용하는지는 연구가 더 필요하나, TLR2 경로가 췌도 염증을 증폭시키므로 동물실험을 이용하여 TLR2를 통한 선천면역 반응을 특이적으로 조정하는 중재치료가 1형당뇨병을 예방 또는 약화시킬 수 있다는 증거가 제시된 바 있다.

TLR2 이외에 TLR9이 1형당뇨병의 개시과정에 중요하다는 보고도 있다. TLR9은 unmethylated CpG-rich DNA를 인지하는 선천면역수용체이다. 췌장 베타세포가 분화과정에서 자발적 세포자멸사를 거치면 double-stranded DNA (dsDNA)-specific IgG를 분비하는 B-1a세포가 유인되고 그 IgG에 의해 활성화된 중성구(neutrophil)가 immune complex-binding cathelicidin-related antimicrobial

peptide (CRAMP)를 분비하여 IgG-dsDNA-CRAMP complex가 형성되는데 이는 TLR9을 통해 플라즈마세포양 가지돌기세포(plasmacytoid dendritic cell)가 활성화되어 인터페론-알파(interferon-α, IFN-α)를 분비하여 자가면역반응이 개시될 수 있다고 보고되었다(그림 9-3-1). 또한 Tlr9-KO NOD생쥐에서는 당뇨병 및 췌도염이 유의하게 감소하였다고 보고된 바 있으며, TLR9 대항제인 IRS954 또는 ODN 2088는 NOD생쥐의 당뇨병을 억제하였다. 이 모델은 대표적 전신자가면역질환인 전신홍반루푸스(systemic lupus erythematosus, SLE)의 발병모델과 유사한 형태를 취하고 있다. 그러나 중성구의 CRAMP와는 달리 내분비세포의 CRAMP는 반대로 Foxp3를 발현하는 조절T림프구(regulatory T cell, T_{reg} cell) 및 IL-10을 분비하는 Tr1세포를 증가시켜 1형당뇨병의 위험을 낮출 수 있다는 보고도 있어 아직 논란의 여지가 있다.

TLR2, TLR9 이외의 다른 TLR, 또는 TLR 이외의 (Nod)-like receptor (NLR), RIG-I-like receptor (RLR), C-type lectin receptor (CLR), STING 등 다른 선천면역수용체가 1형당뇨병 발병에 부분적으로 관여한다는 결과도 보고된 바 있다.

(2) 췌도염의 증폭 및 췌장 베타세포 자멸

베타세포 항원에 대한 자가면역이 개시되면 췌장 췌도에서는 점차적인 대식세포, CD4 또는 CD8 T림프구 침윤에 의해 췌도염이 증폭된다. 항원제시세포는 췌도염의 발생 개시 때 작용하여 베타세포의 자가항원을 처리(process)하여 췌장 림프절에서 자가항원 펩타이드를 naïve CD4 T세포에 제시하여 감작화시켜 자가반응 T림프구를 활성화시킨다(T cell sensitization). 감작된 CD4 T림프구는 IL-2를 분비하여 CD8 세포독성T림프구(cytotoxic T lymphocytes, CTL)를 증식시키는 한편, 인터페론-감마(interferon gamma, IFN-γ) 분비를 통해 대식세포를 활성화시킨다(그림 9-3-1).

표 9-3-2. 베타세포자멸사와 관련된 세포자멸인자

접촉성 세포자멸사	비접촉성 세포자멸사
Perforin/granzyme (CD8$^+$ T림프구)	수용성 사이토카인(IFN-γ, TNF-α, IL-1β 등)
Fas ligand(일부 당뇨병유발 CD4$^+$ T cells)	산화질소, 반응산소종(ROS) (CD4$^+$ T 임파구 또는 대식세포 유래)
기타 세포막 부착 사이토카인	

베타세포 자멸의 주요 형태는 세포자멸사로 활성화된 T림프구나 대식세포와의 직접 접촉에 의해 유발되거나(contact-dependent) 또는 이들 면역세포에서 분비되는 수용성매개체(soluble mediators)에 의해 유발된다(contact-independent, 표 9-3-2). 접촉성으로 세포 사멸이 유발되는 경우에 CD8 T림프구는 granzyme/perforin 시스템을 통해 베타세포 세포막에 손상을 일으켜 caspase 활성화를 일으켜 접촉성 세포자멸사를 유발한다. 또한 활성화된 자가반응 CD4 T림프구의 파스리간드(Fas ligand)가 사이토카인 자극에 의해 발현이 증가된 베타세포의 Fas수용체에 작용해 베타세포세포자멸사를 촉발한다는 보고가 있었으나, 추후 이에 반하는 연구결과가 보고된 바 있다. 비접촉성세포사멸(contact-independent cell death)의 경우에는 활성화된 대식세포에서 독성 사이토카인(interleukin 1β, IL-1β; tumor necrosis factor α, TNF-α; IFN-γ), 케모카인, 산화질소(nitric oxide, NO), 반응산소종(reactive oxygen species, ROS) 등이 생성되어 베타세포 손상 또는 세포자멸사를 일으킨다. 활성화된 CD4 Th1림프구에서는 IL-1β, IFN-γ, TNF-α를 분비하고, 이들은 단독 또는 대식세포에서 분비된 사이토카인과의 시너지즘을 통해 비접촉성 세포자멸과정을 거쳐 세포독성을 유발한다(그림 9-3-1). 반면 활성화된 Th2 림프구는 B림프구를 활성화시켜 췌도 자가항체를 생성한다. 임상에서는 이러한 자가항체, 즉 항GAD항체(anti-glutamic acid decarboxylase antibody), 항islet antigen 2(IA-2)항체, 항phogrin항체, 항인슐린항체(anti-insulin antibody), 항zinc transporter 8 (ZnT-8)항체 등을 이용해 향후 1형당뇨병으로 발병할 고위험군 환자를 선별할 수 있다. 또한 B림프구는 항원제시세포의 기능이 있어서 최근에는 1형당뇨병 중재 치료의 타깃이 되고 있다.

이와 같은 T림프구의 활성은 조절T림프구(T$_{reg}$ cell)에 의해 억제될 수 있다. 조절T림프구는 췌장 림프절 또는 췌장 췌도 내의 췌도염 양자 모두에서 T림프구의 작동기능을 세포 살상, 사이토카인 분비 억제, 세포 간 상호작용 억제 등의 다양한 기전을 통해 억제한다(그림 9-3-1). 따라서, 조절T림프구의 주입 또는 활성화를 통해 1형당뇨병을 치료하려는 연구가 시행된 바가 있으며, 최근 NOD생쥐에서 프로바이오틱 미생물무리 투여에 의한 1형당뇨병 경과의 호전이 췌장 림프절에서의 조절T림프구 증가를 통해 이루어졌다는 것이 보고된 바 있다.

한편 1형당뇨병에서 Th17의 역할에 대해서는 아직 확실하지 않다. Th17이 확실하게 질병의 진행에 관여하는 것으로 알려진 experimental autoimmune encephalomyelitis의 경우와는 달리 Th17이 1형당뇨병 발병에 관여한다는 결과와 그렇지 않다는 결과 또는 조건과 환경에 따라 발병을 억제한다는 결과가 혼재되어 있어 향후 단일세포분석(single cell analysis) 등의 방법을 통한 추후 연구가 필요할 것으로 생각된다.

(3) 베타세포 세포자멸사의 세포내신호전달; 전사인자 NF-κB, STAT-1의 역할

베타세포는 사멸신호를 받으면 세포자멸사를 촉진 또는 방어하려는 복잡한 신호전달과정을 거친다. 대표적인 사멸신호는 사이토카인에 의한 것으로 베타세포에 IL-1β 또는

TNF-α를 단독으로 가하면 세포자멸사를 유발시키지 못하나 사이토카인조합(IL-1β+IFN-γ 또는 TNF-α+IFN-γ)에 노출시키면 세포자멸사에 빠진다. 이때 전사인자로 IL-1β 또는 TNF-α에 의해 NF-κB가 활성화되고 IFN-γ에 의해 STAT-1 (signal transducer and activator of transcription-1)이 활성화된다. IL-1β 또는 TNF-α에 의해 활성화되는 NF-κB는 상반된 역할을 하는데 IL-1β+IFN-γ의 시너지 모델에서는 NF-κB가 산화질소 생성을 통해 세포자멸사를 증가시킨다. 반면 TNF-α+IFN-γ 시너지모델에서는 TNF-α에 의해 활성화된 NF-κB가 X-linked inhibitor of apoptosis (XIAP)를 유도하여 세포자멸사를 방어한다. 그러나 IFN-γ 신호전달이 STAT-1을 활성화시켜서 XIAP를 억제해 NF-κB의 항세포자멸사기능을 소실시킨다(그림 9-3-1). 이와 같이 NF-κB의 역할은 사이토카인이 어떤 것인가에 따라 다를 수 있는데 실제 NF-κB를 NOD생쥐에서 베타세포 특이적으로 결핍시키면 자가면역당뇨병의 자연발생이 가속화되었다. 따라서 이러한 결과는 생체내에서 NF-κB는 베타세포에 대해 항세포자멸사가능을 갖고 있으며 결국 사이토카인조합에 의해 베타세포 사멸이 일어날 때 TNF-α 및 TNF-α 자극에 의한 NF-κB가 더욱 중요한 역할을 할 가능성을 보여준다. 또한 이러한 결과는 서론에서 언급한대로 항TNF-α항체 투여에 의하여 상당수의 청소년기 1형당뇨병 환자에서 부분관해가 관찰되고, C-펩타이드 반응 역시 증가하였다는 사실로 뒷받침될 수 있다. 반면 kanakinumab(항IL-1β 항체) 또는 anakinra(IL-1수용체대항제)는 1형당뇨병 환자에 대한 임상연구에서 유의한 효과를 보이지 못하였다. 이는 1형당뇨병 환자의 베타세포 사멸에서 TNF-α 또는 TNF-α + IFN-γ 시너지즘이 IL-1β 또는 IL-1β + IFN-γ 시너지즘보다 중요한 역할을 할 것을 시사한다. 한편 1형당뇨병의 모델의 하나인 저용량스트렙토조토신(streptozotocin)에 의한 면역-매개성 당뇨병모델에서는 NF-κB 억제에 의해 당뇨병 발생이 억제된 바 있어, 이 경우는 NOD생쥐모델과 달리 NF-κB가 세포자멸사를 증가시키는 역할을 하는 것으로 생각된다. 따라서 death effectors의 차이에 따라 세포내사멸신호전달 또는 NF-κB의 역할이 다른 것을 알 수 있지만, 저용량 스트렙토조토신모델은 사람의 1형당뇨병과는 거리가 있는 것으로 생각된다.

위와 같은 사이토카인 시너지모델에서 IFN-γ은 STAT-1을 통해 IL-1β에 촉발된 iNOS유전자발현을 강화시키며 STAT-1-knockout 베타세포에서는 IL-1β + IFN-γ에 의한 세포자멸사가 일어나지 않는다. STAT-1-knockout 베타세포에서는 아마도 위에서 언급한 XIAP 억제를 통한 기전이 작동하지 않으므로 TNF-α + IFN-γ에 의한 세포자멸사 역시 일어나지 않으며, 결국 STAT-1-knockout 마우스에선 NOD생쥐의 자가면역당뇨병의 발생도 감소된다(그림 9-3-1). STAT-1-knockout생쥐에서는 스트렙토조토신에 의해 유발되는 당뇨병 또한 잘 일어나지 않는다.

2) 전격1형당뇨병(Fulminant type 1 diabetes mellitus)에서의 베타세포

보통 임상적으로 보는 1형당뇨병과는 다른 전격1형당뇨병은 일본에서 처음 기술되었고 환자의 췌장췌도 생검연구를 통하여 하나의 새로운 형태로 인정받았으며 일본 이외에도 한국, 중국 등 아시아권에서 주로 보고되고 있다. 일반적인 1형당뇨병보다 훨씬 급속하게 발병하며 감기와 비슷한 증상 또는 소화기증상이 전구증상으로 나타난 후 빠른 시간 안에 케토산증에 빠지게 되는 임상양상을 보인다. 이를 통해 바이러스가 베타세포 파괴에 직간접적으로 관여할 가능성이 많음을 추정해볼 수 있겠다. 전형적 1형당뇨병 환자에서 보이는 자가항체는 대부분의 전격1형당뇨병 환자에서는 음성이며 췌장 생검소견상 과다한 췌도염이 췌장췌도 내에 발생할 뿐만 아니라 외분비 췌장에도 염증소견이 관찰되고 췌장염증은 비교적 빠른 시간 내에 소실된다. CD4 T림프구, CD8 T림프구, 대식세포 등이 주로 관찰되고 특히 대식세포가 베타세포 손상의 주요 작동세포로 생각되어 사이토카인 분비에 의한 by-stander기전이 세포 자멸의 주요 기전으로 간주된다. RIG-I 또는 MDA5 등의 RLR에 속하는, 즉 바이러스 RNA를 인지하는 선천면역 수용체가 관여할 가능성이 보고된 바 있다.

3) 면역관문억제제(Immune checkpoint inhibitor)에 의한 1형당뇨병의 베타세포

최근 종양면역 치료 분야에서 면역공동억제신호(immune co-inhibitory signal)를 억제하는 면역관문억제제가 개발되어 투여되면서 부작용으로 1형당뇨병이 발생한 사례들이 다수 보고되어 많은 당뇨병 연구자 및 면역학자의 관심을 끌게 되었다. 주로 많이 언급되는 약물은 항PD-1항체인 nivolumab과 항CTLA-4항체인 ipilimumab이다. 이들 약물의 투여 후 1형당뇨병 발생뿐 아니라 자가면역갑상선염 등 다른 내분비질환 또는 대장염 등도 발생하며, 50%가량에서 항GAD항체가 검출되어, 자가면역 1형당뇨병의 특징을 보인다고 알려져 있다. 실상 PD-1, CTLA-4 등의 면역공동억제신호가 1형당뇨병 환자의 췌장췌도에서 CD4 T림프구의 활성을 조절하는 등 1형당뇨병의 발병과 밀접한 관계가 있다는 것은 PD-1, CTLA-4의 발견 후 항종양면역억제제로 개발되기 이전부터 이미 보고된 바 있다. 그러한 동물모델 즉, PD-1-knockout NOD생쥐에서는 정상 NOD 생쥐에 비하여 췌장 췌도염 및 베타세포 손상이 훨씬 빠르고 광범위하게 나타난다.

4) COVID-19와 1형당뇨병

1형당뇨병과 바이러스는 예전부터 밀접한 관계가 있을 것으로 생각되어 왔다. 특히 엔테로바이러스(enterovirus), 그 중에서도 콕사키바이러스B (Coxsackie B virus)는 당뇨병에서 가장 중요한 자가항원인 GAD와 아미노산 서열이 유사한 부분이 있어, 자가면역 발생의 면역학적 기전 중 분자모방(molecular mimicry)모델을 설명하는 대표적인 예로 간주되어 왔다. 최근 COVID-19이 범세계적(pandemic) 감염을 일으켜 현재 세대에서 경험하지 못하던 미증유의 재앙을 불러일으키고 있다. COVID-19 감염은 특히 당뇨병 환자에서 치사율이 높아 그 면역학적 기작에 대해 관심이 급증하고 있다. 이 경우 대부분은 2형당뇨병에 해당된다. 그렇지만 일부에서는 COVID-19 감염과 1형당뇨

병 발생 또는 합병증 발생과 관련된 경우가 보고되고 있다. COVID-19 발병 직후 1형당뇨병이 발생 또는 진단되어 양자의 병인적 연관성이 시사되는 경우가 있다. COVID-19 발병과 케토산증 발병 위험이 높아진다는 것도 이와 관련하여 시사하는 점이 있다.

SARS-CoV-2 바이러스가 베타세포를 직접 감염시킬 수 있는 가는 매우 중요한 토픽이다. 2020년의 한 연구에 따르면 SARS-CoV-2 바이러스가 세포 내로 침윤하기 위해 필요한 바이러스 수용체인 안지오텐신전환효소2 (angiotensin converting enzyme2, ACE2)와 바이러스 스파이크 단백질 S를 절단하는데 필요한 transmembrane serine protease 2 (TMPRSS2)는 췌장췌도 내분비세포에는 발현하지 않고 내피세포(endothelial cell) 또는 도관세포 (ductal cell)에만 발현하는 것으로 보고되어 COVID-19 바이러스가 직접 베타세포에 손상을 가하지는 않을 것으로 추정하였다. 그러나 그 후, 2021년의 한 연구에서는 SARS-CoV-2 nucleocapsid단백질이 외분비 췌장세포 및 베타세포의 표지단백질인 NKX6.1 발현세포에서 발견되었다고 보고하였고 COVID-19 바이러스가 직접 베타세포를 감염시킬 수 있다고 하여 추후의 연구가 더 필요할 것으로 생각된다.

3. 결론

1형당뇨병에서 베타세포 파괴과정에는 다양한 기전이 작용하므로 이를 예방하려면, 베타세포 자멸에 관여하는 다양한 경로를 차단해야 한다. 면역세포에서 분비되는 수용성 매개체, CD8 T림프구의 세포살상인자(perforin, granzyme), 베타세포 표면의 세포사멸수용체(Fas, TNF receptor)와 이를 통한 신호전달, 베타세포내 전사인자, 세포질세망스트레스, 유전자네트워크, 세포사멸 유도물질 또는 기전(caspase 등) 같은 다양한 단계에서 세포자멸사를 막고자 하는 노력이 있었으나 부분적인 효과만이 관찰되었다. 따라서 베타세포 사멸의 다양한 경로에 대한 연구결과

가 좀 더 명확해져야 베타세포의 파괴와 1형당뇨병의 진행을 예방할 수 있을 것으로 생각된다.

또한 1형당뇨병의 연구들이 대개 환자의 혈청과 말초혈액의 림프구의 분석을 통해 이루어져 환자의 췌장에서 진행되는 실제적인 병변에 대한 연구도 많이 필요한 상황이다. 현재에는 Network for Pancreatic Organ Donors with Diabetes (nPOD) (www.jdrfnpod.org) 같은 컨소시움이 결성돼 췌도 자가항체가 양성인 무증상의 organ donors 또는 1형당뇨병 환자의 췌장에 관한 연구가 가능해져, 1형당뇨병 병인과 췌도염에 관한 많은 단서를 제시해 줄 것으로 기대된다. 이와 관련하여 최근 항CD3항체, 항TNF-α항체가 1형당뇨병 환자에서 인슐린요구량을 낮추는 등의 효과를 갖고 있음이 관찰된 것은 매우 고무적인 현상이다.

마지막으로 이미 발생한 1형당뇨병 환자에서는 베타세포 손상이 심각하게 진행되었을 가능성이 크므로 면역 중재술에 의하여 자가면역 현상 및 그에 의한 베타세포의 손상을 막을 수 있다 하더라도 이미 발생한 1형당뇨병을 치료할 수는 없다. 그러므로 췌장췌도 이식 또는 기타 다른 방법에 의하여 베타세포의 질량을 늘려주는 방법이 같이 동반되어야 이미 발생한 1형당뇨병을 치료할 수 있을 것이다. 이와 관련하여 최근 iPSC (induced pluripotent stem cell) 유래 또는 다른 줄기세포 유래 베타세포 및 췌장췌도organoid를 이용한 치료가 동물모델에서 부분적으로 성공한 것은 1형당뇨병의 완치에 청신호를 보내는 희망적인 결과이다. 그러나 베타세포의 질량을 성공적으로 늘려준다 하더라도 자가면역현상을 억제할 수 없으면 늘어난 베타세포는 즉시 자가면역에 의하여 파괴되어 1형당뇨병은 곧 재발하게 된다. 따라서 면역중재술을 이용한 자가면역 억제는 역시 매우 중요한 것이며 이를 위하여 베타세포를 회복시킴과 동시에 자가면역을 차단하는 즉, 췌장 베타세포 부피 증가 및 자가면역 억제의 양자가 결합된 복합치료에 대하여 좀 더 많은 연구가 진행되어야 할 것으로 사료된다. 이 양자 모두에 있어 첨단기법을 환자치료에 직접 도입하기에는 아직 현실적으

로 넘어야 할 장벽이 많으나, 최근의 진보를 감안할 때 머지 않은 장래에 1형당뇨병 환자에 직접 사용할 수 있는 현실적 치료법이 가능할 것으로 전망된다.

III. 1형당뇨병의 임상양상과 자연경과

권혁상

1. 서론

1형당뇨병은 인슐린을 생성하는 췌장 베타세포가 자가면역 기전으로 파괴되어 심각한 인슐린결핍에 의해 발생하는 질환이다. 주로 유아기 및 청소년기에 당뇨병의 전형적인 3多 증상인 다음, 다뇨, 다갈과 함께 심각한 고혈당을 통해 진단되므로 즉각적인 인슐린 치료를 시작해야 한다는 임상적인 특징을 가지고 있다. 유병률은 전체 당뇨병의 5-10%를 차지하는데 전 세계적으로는 인구 1만 명당 5.9명이며 발생률은 최근 50년간 급속히 증가하고 있으며 현재는 연간 인구 10만 명당 15명 정도로 추정된다. 1형당뇨병 관련연구를 통해 알게 된 사실은 기존에 알려진 것과는 달리 증상이 나타나기 전 확실한 형태로 예측이 가능하게 되었다는 것이다.

2. 역학: 발생률과 유병률

전 세계적으로 1형당뇨병의 유병률과 발생률은 증가 추세로 연간 2-3%가량 발생률이 증가하고 있다. 미국 자료에 따르면 2001년부터 2015년까지 65세 이하 인구 10만 명당 대략 22.9례의 1형당뇨병 발생률을 보이고 있으며 다른 대륙, 다른 국가통계도 유사하다. 가장 발생률과 유병률이 높은 나라는 핀란드로 매년 인구 10만 명당 60례 이상이 발생하는데 이에 반해 중국, 인도, 베네수엘라 등은 10만 명당 0.1례이다. 1형당뇨병 발생률이 가장 많이 증가하고 있는 나라도 지역별 차이가 있는데, 핀란드, 독일, 노르웨이가 대표적으로 연간 발생률 증가가 2.4%, 2.6%, 3.3%로 나타났

다. 또한 발생률 증가가 모든 연령층에서 보이는 것은 아니다. 유럽에서는 1형당뇨병 발생률이 가장 증가한 연령대가 15세 이하, 그 중에서도 5세 미만이다. 이러한 발생률 증가 추세의 지역별 분포가 상이한 원인은 현재까지도 불분명하지만 환경요인이 관여한다는 데 대체적으로 의견이 모아지고 있다. 그 밖에도 영아기/청소년기 식사요법과 비타민D 및 그 대사산물, 바이러스 등이 제시되고 있고 위생가설과 장미생물무리유전체(gut microbiome) 등도 언급되고 있다.

1형당뇨병의 발생률이 가장 높은 연령대는 10–14세 그룹이다. 자가면역질환은 대부분 여성에서 더 호발하지만 1형당뇨병은 소년과 남성에서 조금 더 많이 발생한다.

1형당뇨병은 계절과 출생시기에 따라 발생분포가 조금 다른데 계절 중 가을과 겨울에 많이 진단되고 출생시기는 봄에 태어난 경우 1형당뇨병 발병위험도가 높아지는 것으로 알려져 있다. 1형당뇨병의 발생률은 국가별, 대륙별로 다양해서 북반구 지역에서는 봄에 출생한 사람들이 1형당뇨병 발생위험도가 높다. 또한 본격적인 1형당뇨병 증상이 발현되기 수개월 혹은 수년 전부터 1형당뇨병과 연관된 자가면역항체 형성이 시작되고 이 역시도 계절에 영향을 받는 것을 감안한다면 1형당뇨병의 병인에 환경요인이 개시 혹은 유발요인으로 작용하리라는 것을 짐작해 볼 수 있다. 1형당뇨병 발생과 연관되는 대표적인 환경요인으로 영아기와 성인기의 식사요법, 비타민D결핍, 췌도세포 염증과 관련된 바이러스(예: 엔테로바이러스)의 조기 노출, 장미생물무리유전체 다양성의 감소 등이 제시되고 있다. 비만 역시 1형당뇨병에서의 발현이 증가되고 있어 비만이 베타세포 스트레스에 영향을 줘 1형당뇨병 발생에 관여한다는 것을 알 수 있다. 한편 유전학적으로 1형당뇨병의 발생위험도가 유사한 인종에서 사회경제적 요인에 의한 1형당뇨병의 발생률이 크게 다르게 나타난다든지 유전학적으로 위험도가 낮은 개체에서 발생률이 높아지는 현상은 1형당뇨병 발생에서 유전요인과 상관없이 환경요인이 중요하다는 사실을 다시 한번 상기

시켜준다. 1형당뇨병 병인에서 유전–환경요인 상호작용의 역할에 대한 연구를 통해 1형당뇨병 발생과정 중에 특정 유전인자가 어떤 단계에서 관여하는지가 명확히 밝혀져야 할 것이다.

3. 임상양상과 진단

1) 임상양상

(1) 면역학적 측면에서의 임상양상

1형당뇨병은 췌장베타세포와 선천 및 후천적응면역계 간의 복합적인 상호작용에 의해 발생한다. 베타세포에 대한 면역반응이 발생하는 특별한 유발요인이 존재하는지 아니면 단순히 무작위로 면역반응이 발생하는지에 대한 궁금증은 여전히 남아있다. 몇몇 바이러스 감염증과 1형당뇨병과의 연관성이 보고된 가운데 이 중 엔테로바이러스가 가장 많이 언급되고 있다. 즉 1형당뇨병 환자의 췌도세포에서 MHC class 1 과발현과 함께 엔테로바이러스의 주요 캡시드단백질인 VP1과 그 RNA가 관찰된 것이다. 설명하고 있는 가설 중 한 가지는 베타세포 내에 비정형적이고 지속적인 바이러스 감염이 발생하여 그 결과 만성염증과 함께 자가면역반응이 일어났다는 것이다. 이와 같은 바이러스가설은 입증하기가 매우 어렵지만 항바이러스치료와 엔테로바이러스에 대한 예방백신을 통해서 간접적이나마 관련성을 증명할 수 있겠다. 1형당뇨병 발생과 연관된 적응면역계에 대한 연구를 위한 말초림프구검사를 통해 췌도항원에 대한 특이적인 자가면역반응을 확인하는 등 다양한 연구들을 통해서 T세포가 1형당뇨병 발생에 중요한 역할을 한다는 것이 밝혀졌다. 또한, 췌도 특이 자가면역 CD8+ T세포의 증가와 면역조절 기능 감소도 1형당뇨병 발생과 관련된다는 것을 확인할 수 있었다. 다만 말초에 존재하는 췌도자가면역세포가 워낙 소량이기 때문에 질병 발생과정에서 혈액으로 진단가능한 자가면역세포의 검출이 어렵다. 조직병리학적으로는 이러한 면역반응들이 면역세포들이 침윤된 췌도염(insulitis)상태로 관찰되는데 CD8+ T세포가 병변에서 가장 많이 관찰되는 세

포이며 CD4[+] T세포가 소수 관찰되었다. 베타세포 소실정도와 진단 당시 연령 등에 따라 다양한 형태의 췌도염이 관찰되는데 실제 1형당뇨병 동물모델에서는 췌도염이 흔하고 중증으로 나타나는 반면, 사람에서는 드물게 관찰되고 그 정도도 보다 더 다양하게 나타난다.

(2) 베타세포 측면에서의 임상양상

1형당뇨병 진단 시 정상인에 비해 베타세포기능이 저하된 상태이지만, 이후 고혈당이 해소되면 인슐린 분비능이 부분적으로 회복되어 인슐린 요구량이 줄어들거나 필요치 않은 소위 '밀월기(honeymoon period)'를 갖게 된다. 이를 가능케 한 잔여 베타세포들은 시간이 지나면서 사라지게 되지만, 유병기간이 긴 1형당뇨병 환자의 췌장조직을 분석해보면 진단 후 수십 년이 지난 상태에서도 잔여 베타세포가 존재하고 C-펩타이드수치가 매우 낮지만 검출되기도 한다. 즉 당뇨병 유병기간이 길어짐에 따라 베타세포의 양과 기능이 떨어지지만 완전히 사라지는 것은 아니라는 것인데 DCCT (Diabetes Control and Complications Trial) 연구에서도 1형당뇨병 환자 중 C-펩타이드가 오래도록 남아있는 환자가 망막병증, 신장병증 및 저혈당의 발생위험도가 낮았고 저혈당에 대한 글루카곤 반응도 살아있었다는 사실로 확인된 바가 있다. 한편 Network for Pancreatic Organ Donors with Diabetes (nPOD)의 췌장조직을 분석한 결과에서는 1형당뇨병 환자의 췌장세포에서 세포신생 혹은 증식이 증가된다는 증거는 찾지 못했다. 아직까지 유병기간이 긴 1형당뇨병 환자에서 잔여 베타세포가 존재할 수 있는 기전에 대해서 명확히 알려진 바는 없다. 이를 밝혀낸다면 향후 1형당뇨병 환자에서 자가면역공격을 피하는 새로운 치료방향을 제시할 수 있을 것으로 기대된다.

베타세포 손상이 1형당뇨병 병인에 기여한다는 사실에서 소위 '베타세포 자멸(β-cell suicide)'개념이 생겨났다. 1형당뇨병 사망자의 췌장조직 베타세포에서 HLA class I 과발현이 흔하게 관찰되는데 이는 곧 세포독성 T세포(cytotoxic T cell)의 귀소신호(homing signal)로 생각된다. 하지만 여전히 이것이 베타세포 기능 자체의 문제에 의해 일차적으로 발생한 것인지 아니면 바이러스 감염 등 외부 자극으로 인한 면역반응의 이차적인 결과물인지는 명확하지 않다. 또한 베타세포의 세포질세망 스트레스(endoplasmic reticulum stress)의 증가가 베타세포사멸 가속화와 연관된다는 증거가 있다. 베타세포의 세포질세망 스트레스는 mRNA splicing 변화 및 단백질 번역, 접힘오류와 관련되므로 이 과정에서 생긴 단백질산물이 새로운 면역반응의 항원으로서 역할을 할 것으로 생각된다. 한편 췌장의 내분비기관인 췌도내 베타세포뿐만 아니라 췌도세포를 제외한 나머지 세포와 외분비 췌장에서의 변화도 보고되고 있다. 여기에는 췌도 세포외기질 및 췌도신경 및 혈관계 이상이 포함된다. 1형당뇨병 병인에서 외분비췌장의 병리학적 역할을 재조명한 연구결과에 따르면 건강한 성인과 비교할 때 1형당뇨병 환자의 췌장무게와 크기가 작고 유병기간이 길어짐에 따라 점차 축소된다고 한다. 이러한 현상은 발달과정에서의 결함으로 설명할 수도 있지만 인슐린이나 만성염증 혹은 자가면역 외분비 췌장세포 파괴에 의해 췌장 위축이 초래된 것으로 생각해볼 수 있다.

(3) 진단

당뇨병의 진단기준은 공복 후 혈장포도당 126 mg/dL (7.0 mmol/L) 이상, 경구포도당내성검사 2시간 후 혈장포도당 200 mg/dL (11.0 mmol/L) 이상, 당뇨병의 전형적인 증상을 동반한 무작위 혈장포도당 200 mg/dL (11.0 mmol/L) 이상 중 하나를 만족하면 된다. 2009년도부터 미국당뇨병학회에서 당화혈색소(A1C) 6.5% 이상을 당뇨병 진단기준 중 하나로 포함시켰지만 1형당뇨병의 경우는 고혈당의 진행이 급속도로 진행되면 당화혈색소가 다른 진단기준에 비해 민감도가 떨어질 수 있다.

1형당뇨병은 어떤 연령에서나 발생할 수 있고 전통적으로는 유소년기에 발생하는 것으로 알려져 있지만 최대 50%에서 성인이 되어 발생한다는 보고가 있다. 또한 2형당뇨병 환자의 5-15%가 실제로는 췌도자가항체가 양성인 1형당뇨병 환자라고도 하는데 이것이 사실이라면 1형당뇨병 환자의 절반이 2형당뇨병으로 잘못 분류된 셈이 된다. 결국 1형당뇨병의 유병률이 과소평가되었다는 얘기인데 그만큼 1형당뇨병의 진단기준을 표준화시키고자 하는 노력에도 불구하고 특히 성인에서 1형과 2형당뇨병을 구분하는 것이 어렵기 때문이다. 이러한 과정에서 성인잠재자가면역당뇨병(latent autoimmune diabetes of adults, LADA)혹은 케톤증 경향당뇨병(ketosis-prone diabetes mellitus)과 같은 아형이 탄생했다.

최근 발표된 미국당뇨병학회와 유럽당뇨병학회에서 소개한 성인1형당뇨병의 진단알고리듬은 다음과 같다(그림 9-3-2).

우선 1형당뇨병의 주요 임상소견으로는 35세 이전 발병, 체질량지수 25 kg/m² 미만, 체중감소, 케토산증, 고혈당(> 360 mg/dL)이 관찰될 때이며 그 밖에 산혈증을 동반하지 않은 케톤혈증, 가족력, 자가면역질환 기왕력 등이다.

진단을 위해서는 췌도자가항체검사를 가장 먼저 시행해야 하는데 항GAD항체(glutamic acid decarboxylase antibody, GADA)를 가장 먼저 측정하되 췌장항원-2 자가항체(insulinoma associated antigen-2, IA-2A) 혹은 아연수송체(zinc transporter, ZnT8A) 자가항체 측정도 추천된다. 자가항체가 양성이라면 1형당뇨병을 확진할 수 있지만, 음성일 경우 발병연령이 중요하다. 35세 이전에 발병한 경우는 우선 단일유전자당뇨병(monogenic diabetes)의 가능성이 있고, 1형당뇨병 환자의 5-10%에서는 자가항체가 확인되지 않기 때문에 2형당뇨병의 임상소견이 없다면 1형당뇨병으로 간주할 수도 있다.

단일유전자당뇨병은 다음 중 하나가 있을 경우 의심할 수 있는데 진단 시 A1C < 7.5%, 부모 중 한 명이 당뇨병, 단일유전자성향을 시사하는 소견들(예: 신장낭종, 부분지방이영양증, 모계유전난청, 비만을 동반하지 않은 심각한 인슐린저항성), 및 단일유전자당뇨병 예측모형에서 probability > 5%

(www.diabetesgenes.org/exeter-diabetes-app/ModyCalculator; accessed 20 August 2021) 등이다. 단일유전자당뇨병이 의심되면 1형당뇨병과의 감별을 위해 C-펩타이드검사를 시행하도록 한다. C-펩타이드검사는 공복보다는 자극 후 검사가 추천되며 반드시 혈당과 함께 측정하되 식후 5시간 이내 채혈하면 자극 후 검사로 간주한다. 만약 C-펩타이드가 ≥ 0.6 ng/mL (≥ 200 pmol/L)이라면 일단 단일유전자당뇨병의 가능성이 있으므로 유전학적검사를 시행한다. 그러나 유전검사에서 단일유전자당뇨병으로 진단할 수 없다면 병형 분류가 불가능하다. 만약 C-펩타이드가 < 0.6 ng/mL (< 200 pmol/L)이라면 1형당뇨병으로 진단가능하며 < 0.24 ng/mL (< 80 pmol/L 미만)이면 거의 확실하다. 한편 C-펩타이드가 > 1.8 ng/mL (> 600 pmol/L)이라면 1형당뇨병은 배제할 수 있다. 반면 C-펩타이드 ≤ 1.8 ng/mL (≤ 600 pmol/L)이라도 함께 측정된 혈당수치가 < 72 mg/dL (< 4 mmol/L) 혹은 공복상태에 시행한 검사결과라면 재검을 고려해야 한다.

2형당뇨병의 주요 임상소견으로는 체질량지수 25 kg/m² 이상, 케토산증 혹은 체중감소가 없을 때, 고혈당 정도가 상대적으로 경미할 때이며 그 밖의 의심소견은 백인이 아닐 때, 당뇨병 가족력이 있는 경우, 당뇨병전단계 기간이 길고 증상이 경미할 때, 대사증후군이 동반되었을 때, 자가면역질환의 가족력이 없을 때이다. 자가항체검사가 음성인 35세 이상의 환자라면 췌장 혹은 다른 형태의 당뇨병 가능성도 있지만 2형당뇨병일 가능성이 크므로, 인슐린보다는 경구혈당강하제부터 치료를 시작할 수 있다. 하지만 경구혈당강하제로 시작하더라도 1형당뇨병의 가능성이 조금이라도 의심된다면 추적관찰 중, 갑자기 혈당이 악화될 경우 인슐린을 바로 사용할 수 있도록 해야 하고, 추후 인슐린 치료 시작의 가능성을 환자에게 주지시킬 필요가 있다. 진단 3년 후에도 병형이 불확실하다면 자극 후 C-펩타이드검사를 시행한다. 이때 C-펩타이드가 > 1.8 ng/mL (> 600 pmol/L)이라면 2형당뇨병으로, < 0.6 ng/mL (< 200 pmol/L)이라면 1형당뇨병으로 진단할 수 있다. C-펩타이드 0.6-1.8 ng/

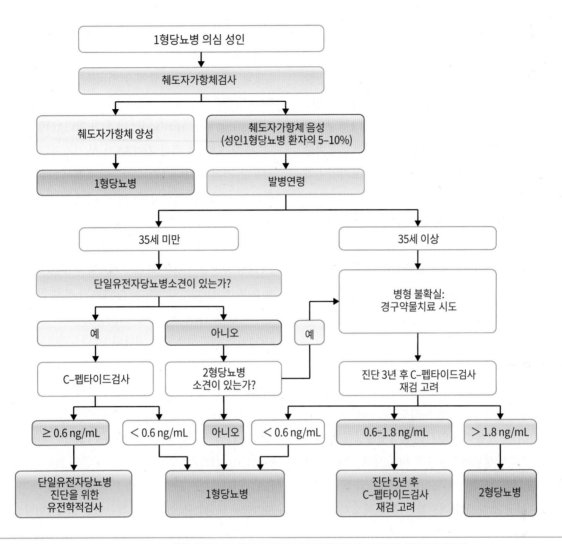

그림 9-3-2. 성인1형당뇨병 환자의 진단알고리듬(미국 및 유럽당뇨병학회 권고안)

mL (200–600 pmol/L)은 1형당뇨병 혹은 MODY (maturity-onset diabetes of the young)에서 흔하게 관찰되는 수치이지만 2형당뇨병 환자 중 정상 혹은 저체중을 가진 경우나 당뇨병유병기간이 오래된 경우에도 가능하므로 진단 5년 후에 C-펩타이드검사를 재검사한다.

(4) 감별진단

고혈당 및 고혈당의 전형적인 증상(다뇨, 다음, 설명되지 않는 체중감소)이 서서히 진행될 경우 성인1형당뇨병과 2형당뇨병을 혼동할 수 있다. 그 밖에 단일유전자당뇨병을 1형당뇨병으로 오인할 수 있다. 노인 환자의 경우 췌장암이 고혈당과 체중감소로 발현될 수 있으며 최근 많이 사용하는 면역관문억제제(immune check-point inhibitor)의 경우 인슐린결핍을 동반한 고혈당과 당뇨병케토산증(diabetic ketoacidosis, DKA)을 유발시킬 수 있다고 알려져 있다. 진단 후 3년이 경과한 당뇨병 환자의 경우 내인인슐린결핍의 지표인 낮은 C-펩타이드수치가 당뇨병의 분류와 치료계획 설정에 도움이 되는 것은 분명하지만 아직까지도 단한 가지 지표만으로 1형당뇨병을 정확히 감별하는 것은 불가능하다.

4. 자연경과

1형당뇨병 환자의 고위험 유아 및 친족의 자연경과를 전향적으로 관찰한 연구결과를 기반으로 2015년 미국당뇨병학회에서는 1형당뇨병 증상이 발현되기 이전부터 1형당뇨병의 단계별 특징을 요약한 표를 제시하였다. 1기는 2개 이상의 베타세포유래 자가항체 양성에 의한 베타세포자가면역이 확인된 가운데 무증상, 정상혈당범위상태를 의미한다. 2기는 역시 베타세포자가면역 존재하에서 무증상, 당뇨병전단계상태이며 3기는 증상이 발현된 1형당뇨병상태이다. 이러한 단계별분류는 1형당뇨병의 표준화된 분류를 가능하게 하였을 뿐 아니라 무엇보다도 1형당뇨병의 예방 혹은 조기발견을 위한 임상연구설계 및 정밀의료나 적정의료 개발체계 구축에 도움이 되었다(표 9-3-3, 그림 9-3-3).

1) 1기(Stage 1)

1기는 2개 이상의 1형당뇨병 관련 자가항체(인슐린, GADA, IA-2A, ZnT8A)를 보유하고 있지만 정상혈당상태를 의미하며 1형당뇨병의 발생위험도는 5년 44%, 10년 70%이며 일생동안의 발생위험도는 100%이다. 핀란드와 독일에서 출생이후 고위험군 소아를 추적관찰한 결과 췌도자가항체가 생후 6개월에 최초로 발견되었고 9-24개월사이(평균 생후 15개월)에 최고치를 보였다. TEDDY연구에서는 생후 6개월 이전에는 자가항체가 거의 나타나지 않았고 역시 9-24개월에 정점을 나타냈다. 대부분의 경우 인슐린자가항체(insulin autoantibody, IAA)가 항GAD항체보다 일찍 나타났고 IA-2A 혹은 ZnT8A가 첫 자가항체로 나타나는 경우는 거의 없었다. 1개의 자가항체에서 2개 이상으로 진행하는 시점은 주로 5세 미만으로 대개 최초로 항체양성이 확인된 후 2년 이내에 나타나고 4년이 지나면 드물다. 한편 TEDDY연구결과에 따르면 HLA-DQ2/8, DQ8/8, and DQ4/8 유전형의 경우 최초의 자가항체가 IAA일 가능성이 높은 반면, DQ2/2의 경우는 GADA가 주로 첫 자가항체로 발견되었다. IAA와 HLA-DQ8, GAD65 항체와 HLA-DQ2와의 연관성은 새로 진단된 1형당뇨병에서도 확인되었다. 2개 이상의 자가항체가 발견되면 향후 1형당뇨병의 발생위험도가 증가하는데 3개의 큰 전향적 출생코호트연구들 [U.S. Diabetes Autoimmunity Study in the Young (DAISY)연구, Finnish Diabetes Prediction and Prevention (DIPP)연구, 그리고 독일의 BABYDIAB 및 BABYDIET연구]에서 2개 이상의 자가항체가 확인된 585명의 고위험군 소아를 추적관찰한 결과 1형당뇨병의 발

표 9-3-3. **1형당뇨병 단계**

	1기	2기	3기
임상특징	• 자가면역 (+) • 정상혈당 • 증상발현 전	• 자가면역 (+) • 이상혈당(Dysglycemia) • 증상발현 전	• 새로이 발현된 고혈당 • 증상 (+)
진단기준	• 자가항체 다수 보유 • No IGT or IFG	• 자가항체 다수 보유 • 당뇨병전단계: IFG and/or IGT • FPG 100–125 mg/dL 　(5.6–6.9 mmol/L) • 2-h PG 140–199 mg/dL 　(7.8–11.0 mmol/L) • A1C 5.7–6.4% 　or ≥ 10% increase in A1C	• 당뇨병의 전형적인 임상증상 및 징후 • FPG ≥ 126 mg/dL (7.0 mmol/L) • 2-h PG ≥ 200 mg/dL (11.0 mmol/L) • A1C ≥ 6.5%

IFG, impaired fasting glucose; IGT, impaired glucose tolerance; 2-h PG, 2-h plasma glucose.

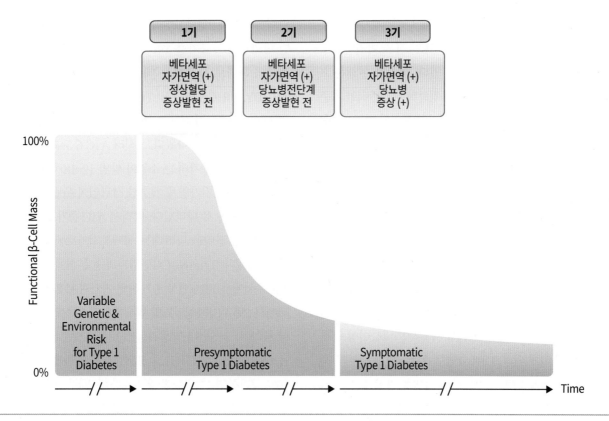

그림 9-3-3. **1형당뇨병 단계별 특징 모식도**

생위험도가 5년, 10년, 15년 후 각각 43.5%, 69.7% 및 84.2%였고 일생동안 1형당뇨병 발생위험도는 100%에 가까웠다. 한편 자가항체개수 역시 1형당뇨병 발생위험도와 관계된다. 위에 언급된 고위험군 출생코호트 연구결과에 따르면, 자가항체개수에 따라 1개, 2개, 3개가 양성인 경우 15년 후 1형당뇨병 발생위험도가 각각 12.7%, 61.6%, 79.1%였다. TEDDY연구에서도 역시 자가항체 1개, 2개, 3개 개수에 따른 5년 후 1형당뇨병 발생위험이 11%, 36%, 47%였다. 또한 DPT-1연구에서는 자가항체 2개, 3개, 4개 개수에 따른 5년 이내 1형당뇨병 발생위험도가 각각 25%, 40%, 50%였다. 한편 1형당뇨병으로의 진행이 자가항체개수와 관련되지만 IAA 및 IA-2A가 높은 역가로 존재할 경우 1형당뇨병이 조기에 발생된다는 연구결과도 있다.

1개의 자가항체만을 가진 경우 85%에서 10년 내로는 1형

당뇨병으로 진행되지 않는다는 결과를 포함하여 고려해 볼 때 2개 이상의 자가항체의 존재는 1기의 중요한 진단기준이 된다. 물론 그 한 개의 자가항체가 IA-2A이거나 아니면 하나만 존재하는 자가항체의 역가가 매우 높을 때는 5세 미만이라도 1형당뇨병으로 빨리 진행될 수도 있다.

2) 2기(Stage 2)

2기는 2개 이상의 1형당뇨병 관련 자가항체를 보유하면서 당대사이상을 동반한 당뇨병전단계 수준으로 진행한 상태이다. 1형당뇨병의 발생위험도는 2년에 약 60%, 4-5년에 약 75%이며 일생 동안의 발생위험도는 100%로써 5년내 양성예측치(positive predictive value)는 96%이다. 2기에서의 당대사이상의 정의는 여러 연구를 통해서 공복혈당장애(공복혈장포도당 ≥ 100 mg/dL 혹은 ≥ 110 mg/dL)이거나 75g 경구포도당내성검사 2시간 후 혈장포도당 ≥ 140

mg/dL의 내당능장애, 그리고 경구포도당내성검사 30, 60, 90분 후 혈장포도당이 ≥ 200 mg/dL인 경우, 마지막으로 A1C ≥ 5.7% 등으로 제시된 바 있다. 하지만 현재는 **표 9-3-3**에서와 같이 당뇨병전단계를 정의하는 일반적인 기준을 사용하도록 통일되었다. 물론 이러한 통일된 기준이 1형당뇨병으로의 진행 혹은 발생시점을 더 잘 예측한다는 증거도 확실치 않다. 하지만 당대사이상이 베타세포 기능이상을 반영하는 중요한 지표라는 것은 의심할 여지가 없다. 예를들어 정맥포도당내성검사에서 제1기인슐린반응(first phase insulin response)은 1형당뇨병 발병 전 0.5~1.5년 사이에 현저하게 감소되어 나타난다. 또한 제1기인슐린반응이 1백분위 미만인 경우 1년내 1형당뇨병 발생위험도가 50%나 된다. 대개 2기에서는 1형당뇨병 발생 이전 6개월 전까지 베타세포기능이 잔존하면서 지속적인 대사이상 악화상태가 공존하게 된다. DPT-1연구에서는 포도당부하 후 2시간혈당수치가 1형당뇨병으로의 진행을 가장 잘 예측하였는데 진단 0.8년 이전까지는 변동이 없던 수치가 이후 급격히 증가하는 것으로 나타났다. 또 다른 1형당뇨병 고위험 가족연구에서는 포도당부하후 베타세포 감수성이 성, 연령, 체질량지수 및 임상위험요인들과 상관없이 독립적으로 1형당뇨병으로의 진행 혹은 발생과 연관도가 높았다. 반면, 인슐린저항성지표 혹은 공복인슐린수치 등은 당뇨병으로의 진행에 대한 예측력이 없었다.

한편 경구포도당내성검사 시 변화수치에 비해 늦게 변하긴 하지만 포도당자극 후 C-펩타이드수치의 감소도 예측력이 있어서 1형당뇨병 발병 전 6개월 전에 포도당자극 후 C-펩타이드수치가 감소하는 것이 관찰되었는데 특히 3개월 전에 급격히 떨어졌다. 반면 공복 C-펩타이드수치는 이 시기에도 정상 수치를 유지했다. 한편 기저 C-펩타이드수치에 비해 20% 감소한 시점으로부터 4년째 1형당뇨병 발생위험도는 47%정도였고 5년내 양성예측치는 78%였다. 1형당뇨병으로의 진행 말기에 관찰되는 인슐린저항성 증가소견은 베타세포기능부전에 영향을 주기도 한다.

당화혈색소가 2형당뇨병의 진단기준으로 사용되기는 하지만 당화혈색소 증가를 1형당뇨병으로의 진행을 판단하는 기준의 하나로 사용하는 데에는 제한점이 있다. DPT-1, TEDDY, TRIGR 연구 및 TrialNet 자연경과연구 등에서는 A1C ≥ 6.5%가 1형당뇨병 진단에 있어서 특이도는 높았지만 민감도는 낮게 나왔다. 오히려 A1C 6.5% 미만의 범위에서는 A1C가 증가하는 소견이 발병 12~18개월전부터 공복고혈당 혹은 자가항체 개수와 상관없이 독립적인 예측력을 가지는 것으로 나타났다. 따라서 A1C 증가소견은 1형당뇨병으로의 진행을 나타내는 생체표지자로써 유용하다고 볼 수 있겠다. TrialNet 자연경과연구 분석에 따르면 기저 A1C수치에서 10% 이상 증가하면 자가항체 2개 이상인 상태에서 3년 이내 1형당뇨병 발생위험이 84%였고, 20% 이상 증가 시 3-5년내 발생위험은 100%, 5년내 양성예측치는 98%였다. 핀란드 HLA 고위험소아연구에서도 A1C가 10% 증가하면 1형당뇨병 발생위험이 6배가 높았는데 특히 연속적으로 A1C ≥ 5.9%일 경우는 12배나 높았다. 1형당뇨병 고위험군의 자연경과를 전향적으로 조사한 일부 임상연구 매뉴얼에서는 경구포도당내성검사, 정맥포도당내성검사 혹은 A1C를 정기적으로 측정하면서 2형당뇨병에 초점을 맞춘 기존의 진단기준에 따라 증상발현 전에 인슐린 치료를 시작하기도 했는 데 1형당뇨병 환자에 보다 적합한 기준이 마련되어야 할 것으로 생각된다.

3) 3기(Stage 3)

3기는 전형적인 당뇨병의 증상 및 징후가 동반된 상태로 다음, 다뇨, 체중감소, 피로감 및 당뇨병케토산증 등을 동반한다.

5. 합병증

1922년 인슐린의 발견은 1형당뇨병을 불치의 병에서 치료가능한 질환으로 바꾸었다. 치료영역에서 많은 발전이 있어왔지만 아직도 당뇨병은 상당한 의료, 정신, 경제적인 부담을 초래하며 저혈당과 케토산증은 여전히 생명을 위협하는 위험한 합병증이다. 심각한 저혈당 발생은 100인년당 16–20건 발생하며 저혈당과 관련된 의식소실 혹은 경련도 100인년당 2–8건으로 보고된다. 반복적인 저혈당은 정상 혈당으로 올리려는 생리적인 대응조절(counterregulatory) 반응을 무디게 함으로써 저혈당무감지증의 위험도를 높여서 또 다른 심각한 저혈당을 초래하게 된다. 저혈당무감지증을 예방하기 위해서는 반복적인 교육과 지원 그리고 저혈당을 예방할 수 있는 현실적인 혈당조절 목표 설정이 필요하다. 저혈당사건은 인지기능에 나쁜 영향을 끼치고 1형당뇨병 환자의 사망원인에서 4–10%를 차지하기도 한다. 관찰연구 결과에 따르면 혈당조절이 불량하더라도 심각한 저혈당위험도가 낮추어지는 것은 아니지만 최근 연속혈당측정 등 적정 혈당범위 내로 유지하기 위한 여러 가지 기술발달에 힘입어 심각한 저혈당 사건이 감소하고 있다. 입원치료가 필요한 당뇨병케토산증의 경우는 소아1형당뇨병 환자에서 100인년당 1–10건 발생하고 1형당뇨병 환자의 사망원인 중 약 13–19%를 차지한다. 당뇨병케토산증의 발생은 여성에서 좀 더 흔하게 나타나고 A1C가 높은 경우에 더 많이 발생한다. 망막병증, 신경병증 및 신장병증으로 나타나는 미세혈관합병증은 인지기능이나 심장 및 다른 기관에도 영향을 줄 수 있다. 고혈당은 미세혈관합병증의 가장 중요한 위험요인이므로 철저한 혈당조절을 통해 A1C를 감소시키면 특히 초기단계에서는 최대 70%까지 미세혈관합병증의 발생을 낮추고 진행을 지연시킬 수 있다. 그러나 혈당조절 정도만으로는 합병증 발생빈도와 중증도의 개별차를 설명할 수 없다. 최근에는 단기 및 장기 혈당 변동성이 이러한 개별 차이에 역할을 할 것으로 생각하고 있다. 한편 청소년기에 주로 발생하는 1형당뇨병은 다양한 합병증 발생을 촉진시킨다. 1형당뇨병 환자의 대혈관병증으로는 심장과 말초혈관 그리고 뇌혈관에 발생하는 죽상경화증과 혈전증이 대표적이다. 미세혈관합병증과 달리 대혈관병증은 철저한 혈당조절에 의한 예방효과가 크지 않다. 단백뇨와 신기능저하로 발현되는 당뇨병신장병증은 대혈관병증의 위험도를 증가시키는 것으로 알려져 있다. 대혈관병증은 여전히 1형당뇨병 환자에서 조기 사망의 주요 원인이며 여러 연구결과들에 따

르면 1형당뇨병 환자는 건강인에 비해 8–13년 여명이 짧다고 한다. 한편 정신운동속도(psychomotor speed), 인지유연성(cognitive flexibility), 집중(attention), 시지각(visual perception)과 같은 신경인지기능의 급성 혹은 만성변화도 겪게 되는데 이들 변화의 생리학적 병인은 아직 명확하지 않지만, 미세혈관 및 대혈관 변화와 뇌구조 변화, 신경세포 소실, 대뇌 위축이 연관된다고 보고 있다. 위험인자는 조기 당뇨병 발생, 만성고혈당, 반복적인 저혈당으로 생각된다. 최근 30년간 1형당뇨병 환자의 미세혈관, 대혈관병증은 상당히 많이 감소되고 있고 예후도 향상되었다. 이러한 개선은 적절한 혈당조절과 고혈압, 이상지질혈증과 같은 동반위험인자 관리에 힘입었다고 할 수 있다. 실제로 여러 연구들에서 혈당을 제외한 위험인자들과 합병증 발생과의 연관성이 확인되었다. 하지만 유전학적으로 특정 유전자변이와 합병증과의 강력한 연관성은 아직 밝혀지지 않았다. 다만 낮은 교육정도와 소득 수준은 미세혈관 및 대혈관병증과 연관된 것으로 생각된다. 성별도 다소 영향이 있어서 1형당뇨병 여성 환자의 경우 남성보다 모든 종류의 조기사망률과 혈관질환 발생위험도가 높다고 한다. 최근에는 여러 연구결과들에서 도출된 위험인자와 자연경과들을 바탕으로 이러한 당뇨병 합병증을 예측하는 새로운 모형들이 발표되고 있다. QDiabetes와 QRISK 웹모형은 803,044명의 당뇨병 환자(1형당뇨병 44,440명)의 전향적인 임상자료를 기반으로 만들어졌으며 미세혈관 및 대혈관병증의 10년 위험도를 예측한다. 그러나, 이러한 예측모형에 질병특이적인 생물표지자가 결합되는 등 향후 보완해야 할 부분이 많다. 한편 1형당뇨병 환자의 합병증 측면에서 놓치지 말아야 할 것이 삶의 질에 미치는 영향이다. 이는 1형당뇨병 환자 본인뿐만 아니라 그들의 가족, 친구 및 간병인까지 영향을 끼친다. 저혈당에 대한 공포가 가장 흔한 이슈이며 특히 소아 환자를 둔 가정의 경우 삶의 질이 떨어지면 혈당조절도 불량해진다는 점이 가장 큰 문제이다.

IV. 1형당뇨병의 치료

원 규 장

1. 다회인슐린주사 치료요법

인슐린은 가장 강력한 혈당강하제로 1형당뇨병 환자는 췌장 또는 췌도이식을 받지 않는 한 지속적인 인슐린 치료가 필요하다. 전형적인 다회인슐린주사요법은 하루 1회 장기작용인슐린 투약과 매 식전 초단기작용인슐린 투약으로 이루어진다. 장기작용인슐린은 야간과 공복 시의 혈당을 기준으로 용량을 결정하고 초단기작용인슐린은 매 식사 전에 투약하여 식후 혈당을 낮춰주며 식전 혈당과 식사 시의 탄수화물 양에 따라 용량을 결정한다. 1형당뇨병 환자를 대상으로 한 연구인 DCCT (The Diabetes Control and Complications Trial)에 따르면 다회인슐린주사 또는 인슐린펌프 치료 등의 집중인슐린요법은 인슐린을 하루 1–2회 투여하는 방법에 비해 혈당조절을 더 잘할 수 있으며, 미세혈관합병증의 발생률을 크게 줄이는 효과가 있다는 것이 입증되었다. 또한 DCCT 대상자를 10년간 추적관찰한 EDIC (Epidemiology of Diabetes Interventions and Complications) 연구에서 집중인슐린치료군에서 대혈관병증 및 사망률이 감소하는 것을 관찰할 수 있었다. 1990년대 이전 DCCT 연구를 수행할 당시에는 중기작용인슐린 및 단기작용인슐린을 주로 사용하였기 때문에, 중증저혈당의 발생위험이 높았다. 그러나 최근에는 보다 안전한 장기작용인슐린과 초단기작용인슐린이 개발되고 있어 저혈당 발생위험은 낮으면서 효과적으로 혈당을 조절할 수 있다. 특히 작용시간이 길어진 지속형 장기작용인슐린의 개발로 야간저혈당 발생을 낮추고 혈당변동성도 개선할 수 있게 되었다.

그러나 실제 임상에서 당뇨병 환자들의 혈당조절 정도는 과거에 비해 뚜렷한 개선을 보이지 않고 있다. 2020년 대한당뇨병학회에서 발표한 자료에 따르면 당뇨병 유병자 중 당화혈색소가 6.5% 미만으로 조절되는 경우는 28.3%에 불과하였고, 당화혈색소가 8.0% 이상으로 적극적인 치료가 필요한 경우는 19.1%였음에도 불구하고, 4.1%에서만 인슐린 치료를 받는 것으로 확인되었다.

인슐린 치료방법 중 인슐린펌프와 다회인슐린주사요법을 비교한 메타분석연구에서 당화혈색소수치와 중증저혈당 발생빈도는 두 치료방법에 있어 차이가 없어 1형당뇨병 환자에서 두 가지 방법이 모두 권장되고 있다. 최근 인슐린펌프와 연속혈당측정기가 연계되어 있는 형태의 인슐린펌프가 자기혈당측정을 기반으로 한 인슐린펌프에 비해 혈당조절 면에서 더 우수함이 보고되었다. 또한 저혈당 발생 시 인슐린주입이 중단되는 인슐린펌프를 사용할 경우 야간저혈당을 줄일 수 있다. 뿐만 아니라 연속혈당측정결과가 바로 인슐린펌프로 전달되어 자동으로 인슐린 주입 속도가 조절되는 인슐린펌프도 사용할 수 있게 되었다.

1) 인슐린의 역사

1921년 캐나다 토론토대학의 Frederick Banting과 Charles Best가 개의 췌장에서 인슐린을 추출하여, 1922년부터 상용화되었다. 1936년 Hans Christian Hagedorn은 작용시간을 연장시킨 Neutral Protamine Hagedorn (NPH) 인슐린을 개발하여 치료를 위해 여러 번 인슐린주사를 맞아야 하는 환자의 불편을 줄이고 혈당조절을 개선시켰다. 이후 순수정제 인슐린 및 유전자 재조합 인슐린이 개발되면서 면역반응이 감소되고 사람인슐린에 더욱 가까워지면서 인슐린 사용에 따른 부작용이 훨씬 줄어들었다. 1980년부터 사람인슐린이 개발되어 보급되면서 인슐린 사용량이 급속하게 증가되었고, 여러 종류의 인슐린유사물질들이 개발되었다. 인슐린유사물질은 분자생물학적인 방법을 통하여 인슐린 단백질구조를 변형시킴으로써 인슐린작용과 지속시간을 빠르거나 느리게 변화시켜 인체에서 나타나는 생리적인 패턴에 더욱 근접하게 되었다.

2) 인슐린의 구조와 순도

인슐린은 51개의 아미노산이 21개의 A와 30개의 B사슬을 이루고 이황화 결합으로 서로 연결되어 있다. 1970년대 초까지는 주로 재결정화 방법을 통해 인슐린을 정제하였으나, 그 후로 크로마토그래피 방법을 이용한 정제 방법이 이용되기 시작했다. 동물에서 추출하여 정제한 인슐린은 그 순도가 다르다. 일반적으로 인슐린의 순도는 전구인슐린이 포함된 정도로 나타낸다. 전구인슐린이 10 ppm 이하이면 순수인슐린, 1 ppm 정도이면 고순도 인슐린이라고 부른다. 순도가 높지 않은 인슐린을 일정 기간 사용하면 거의 모든 환자에서 인슐린 항체가 생성되며, 일부 환자는 주사부위에 지방위축과 같은 부작용을 경험하게 된다. 이러한 부작용은 인슐린에 포함된 전구 인슐린과 같은 불순물에 의해 유발된다. 세파덱스겔칼럼(sephadex gel column)을 이용하여 순수 정제 인슐린이 생산된 이후로는 인슐린에 의한 면역 부작용이 현저히 감소되었다. 사람인슐린을 사용하더라도 항인슐린항체가 생길 수 있지만, 인슐린 치료의 부작용을 감소시키려면 면역성이 낮은 순수정제사람인슐린을 사용하는 것이 바람직하다.

3) 인슐린의 종류

(1) 초단기작용인슐린

식후혈당을 효과적으로 감소시키고, 식전 10–15분에서 식후 즉시까지 투여시간의 범위가 넓은 장점이 있다. 인슐린 리스프로는 피하주사 후 42분에 최고 농도에 도달하며, 90% 흡수되는 데 걸리는 시간은 100분이 소요된다. 작용시간은 약 3시간이고, 최고작용시간은 투여량에 따라 변화되지 않는다. 작용시작시간이 짧기 때문에 식사 직전에 주사하여야 하며 빠르게 작용하므로 지속피하인슐린주입(continuous subcutaneous insulin infusion, CSII)인 인슐린펌프 치료에 유용하다. 반복 투여하더라도 경우 혈액 내 인슐린 농도의 변화율이 낮다.

(2) 단기작용인슐린

가용성 결정체형 아연 인슐린으로 맑은 용액이며, 혈당강하 효과는 피하주사 후 30분내 나타나고 2–3시간에 정점에 도달하며, 4–6시간 동안 지속된다. 정맥투여나 인슐린펌프 치료에 사용할 수 있다. 생리적인 인슐린분비 중 주로 식사 후 인슐린분비에 해당하는 작용을 하므로 식후 혈당조절을 위하여 사용된다. 그러나 초단기작용인슐린이 더 많이 사용되면서 상대적으로 사용빈도가 감소하고 있다.

(3) 중기작용인슐린

NPH 인슐린으로 투여 후 2–4시간에 작용이 시작되고 최고 작용시간은 8–10시간이며 작용지속시간은 12–16시간이다. 초단기인슐린 혹은 단기인슐린과 혼합하여 사용할 수 있다. 주로 기저인슐린분비를 대체하기 위해 주사하므로 인슐린 분비능이 남아있는 환자에서 주사하게 된다. 그러나 작용 시간이 12–16시간이므로 24시간 지속되는 기저인슐린의 작용을 유지하기 위해 적어도 2회 이상의 주사가 필요하다.

(4) 장기작용인슐린

주사 후에 서서히 작용이 발현하고 24시간 동안 최고 혈중 농도를 거의 나타내지 않으며 작용이 평탄하게 지속되다가 사라진다. 간에서 포도당 방출을 조절하는 생리적인 기저인슐린분비와 유사한 양상으로 작용하는 특성을 가지며, 대개 하루에 한 번 주사한다. 기저인슐린 치료에는 중기작용인슐린이나 장기작용인슐린을 사용하는데, 혈당조절 측면에서 두 인슐린 사이에 차이는 없지만, 장기작용인슐린으로 치료하는 경우 저혈당의 발생위험이 적다. 인슐린 글라진과 인슐린 디터머가 장기작용인슐린으로 사용되어 왔고, 이보다 작용시간이 더 길고 최고작용시점도 없어져 저혈당의 위험이 줄어든 인슐린 데글루덱과 인슐린 글라–300의 사용이 늘어나고 있다. 주 1회 주사가 가능하도록 작용시간이 더 길어진 인슐린 아이코덱도 개발되어 임상시험 중이다.

09 당뇨병학

(5) 혼합인슐린

투약횟수의 감소와 투약의 편의를 위해 기저인슐린과 식사작용인슐린을 여러 농도 비율로 미리 혼합해 놓은 인슐린도 있다. 이들은 운반과 사용이 간편하며 각각의 디바이스를 사용할 때 발생할 수 있는 오류를 줄일 수 있어 실용적이다. 그러나 기저인슐린과 식사인슐린의 혼합 비율이 고정되어 식사가 불규칙하거나 식사량이 달라질 경우 유연하게 대응하지 못한다. 따라서 1형당뇨병 환자 치료 시 다회인슐린요법의 차선책으로 고려해 볼 수 있다.

4) 인슐린 치료의 부작용

(1) 저혈당

인슐린 치료의 가장 흔한 부작용으로 특히 집중인슐린요법을 시행 중인 1형당뇨병 환자에서 발생률이 3배 증가하는 것으로 알려져 있다. 저혈당이 심한 경우에는 사망할 수도 있으므로 저혈당의 증상과 징후를 잘 이해하고 저혈당에 대처할 수 있도록 적절한 교육이 필요하다.

① 소모지효과(Somogyi effect)

과다한 인슐린 투여 후 급성저혈당에 대한 반응으로 카테콜라민, 코티솔, 성장호르몬이 분비되어 반동적인 고혈당이 나타나는 현상이다. 소모지현상이 발생하면 인슐린 용량을 줄이거나 밤 늦게 간식으로 탄수화물을 섭취해야 한다. 인슐린 감량에도 불구하고 혈당조절이 개선된다면 이는 소모지현상을 시사하는 소견이다. 일반적으로 공복 고혈당은 인슐린의 작용이 감소되어 나타나는 현상이지만 저혈당에 대한 반동적 고혈당의 가능성을 고려할 수 있어야 한다.

② 새벽현상(Dawn phenomenon)

인슐린으로 치료 중인 환자의 이른 아침 혈당이 선행하는 저혈당 없이 증가되는 현상으로 투여한 인슐린의 효과가 부족한 것이 주된 이유이다.

(2) 체중증가

저혈당만큼 흔한 부작용으로 기저 혈당 수준이 높거나 집중인슐린요법을 시행하는 경우 체중이 증가한다. 주로 복부지방의 증가로 인한 것이며 인슐린의 1일 용량 및 혈중 인슐린 농도와 관련이 있다.

(3) 인슐린과민성

인슐린에 대한 IgE항체가 원인이며 인슐린주사 후 홍반, 두드러기, 혈관부종부터 심한 경우 저혈압, 아나필락시스까지 다양한 양상으로 발생한다. 고순도 사람인슐린과 인슐린유사물질을 사용하면 이러한 부작용은 드물게 발생한다. 증상이 경미한 경우에는 투여하던 인슐린을 사람인슐린이나 인슐린유사물질로 바꾸고 항히스타민제를 처방할 수 있다. 그러나 증상이 심한 경우는 탈민감이 필요하다. 급속탈민감은 주로 극소량의 사람인슐린을 30분 간격으로 서서히 증량하는 프로토콜에 따라 시행하며 치료 중 항상 응급상황에 대비해야 한다. 탈민감에 성공하면 인슐린 치료를 중단해서는 안 된다.

(4) 인슐린저항성

면역원성이 높은 인슐린을 사용한 경우 고역가의 인슐린자가항체가 형성될 수 있다. 인슐린자가항체는 혈중 인슐린과 결합하여 인슐린의 작용을 방해하므로 고혈당을 유발할 수 있다. 한편, 항체와 결합되었던 인슐린이 해리되면 저혈당이 발생할 수 있다. 인슐린을 지속적으로 증량하여도 혈당조절이 불충분한 경우 혈당을 증가시킬 만한 요인이 없다면 의심할 수 있으며, 인슐린에 대한 자가항체를 측정하여 진단할 수 있다. 이 경우 당질부신피질호르몬을 단기간 사용하면 인슐린저항성이 개선될 수 있다. 면역학적 인슐린저항성도 사람인슐린과 인슐린유사물질을 주로 사용하는 현재에는 매우 드문 부작용이다.

(5) 지방이상증

지방위축 또는 지방비대의 형태로 발생할 수 있다. 지방위축은 인슐린 주사부위의 피하지방이 소실되는 현상이며 약

10% 미만의 환자에서 발생하고, 인슐린에 대한 면역반응이 활성화되고 피하조직에 면역복합체가 침착되어 발생한다. 지방비대는 동일부위에 인슐린 주사를 반복함으로써 고농도의 인슐린에 의한 지방 합성 작용으로 인해 중성지방이 축적되고 지방세포가 비대해져 발생한다. 주로 젊은 환자에서 인슐린 치료 초기에 발생하며 같은 환자에서 지방위축과 지방비대가 동시에 나타날 수도 있다. 따라서 인슐린주사 시 지방이상증부위는 피하고 인슐린의 종류와 투여방식을 변경하는 것이 도움이 된다. 지방이상증을 예방하는 방법은 주사부위를 잘 순환하고 가능한 한 주사부위를 넓게 사용하며, 바늘을 재사용하지 않는 것이다.

(6) 인슐린부종

혈당조절이 불충분한 환자에서 국소적으로 다리나 눈 주위가 붓거나 전신부종이 나타날 수 있다. 원인은 장기간 삼투이뇨상태에 있던 환자에서 투여한 인슐린이 신세뇨관에 작용하여 수분과 나트륨을 저류시키기 때문이다. 인슐린을 감량하면 대개 5–10일 후에 저절로 사라진다.

2. 인슐린펌프와 인공췌장

지속피하인슐린주입(CSII)인 인슐린펌프는 1형당뇨병치료에 매우 효과적인 치료방법이다. 인슐린펌프는 보통 본체, 주사바늘을 포함한 주입세트와 주사기로 구성돼 있으며 최근에는 피부에 부착하는 패치형 펌프도 개발되었다. 인슐린펌프는 초단기작용인슐린 사용되며 기계를 통해 기저인슐린이 시간당 주입되고 식사 시 볼러스 인슐린을 투여할

수 있게 하는 시스템이다. 인슐린펌프는 섭취하고자 하는 탄수화물 양과 현재 혈당상태를 기반으로 개별화된 알고리듬을 통해 인슐린 용량을 유연적으로 조절할 수 있다는 장점이 있다. 이러한 기기는 시간당 마이크로리터 단위로 아주 적은 양의 인슐린을 정확하게 주입할 수 있기 때문에 아래와 같은 몇 가지 장점을 가진다(표 9-3-4).

인슐린펌프는 위와 같이 여러 가지 장점이 있으나, 사용 시 주입부위 감염이나, 주입세트가 막혀 인슐린이 주입되지 않으면서 고혈당이 발생하거나, 기기가 연결해제되어 인슐린이 들어가지 않음으로써 당뇨병케토산증 등이 발생할 수 있다. 인슐린펌프에는 반감기가 짧은 초단기작용인슐린이 주입되기 때문에 인슐린펌프기기에 문제가 생겨 인슐린이 들어가지 않으면 즉시 인슐린결핍 상황이 된다. 따라서, 적절한 교육을 통해 자가혈당측정을 자주하고, 인슐린펌프기기를 안전하게 사용할 수 있도록 하는 것이 중요하다.

인공췌장은 당뇨병 환자에게 건강한 췌장을 대신하는 내분비기능을 제공하여 혈당을 자동적으로 조절하기 위해 개발된 기술이다. 췌장의 여러 외분비 및 내분비기능 중 특히 인슐린분비 부족에 대한 대체를 위해 개발되었으며, 주로 1형당뇨병 환자 혹은 집중인슐린요법이 필요한 사람을 대상으로 사용된다. 일부 바이오엔지니어링 또는 유전자치료 등 사람의 인위적 노력에 의해 정상 췌장기능을 대신하기 위한 치료기법을 광의의 '인공췌장'으로 간주하기도 한다. 하지만 일반적으로 혈당측정센서, 주입장비, 그리고 이를 통제하는 컴퓨터알고리듬으로 구성된 의료기기를 '인공췌장'으로 일

표 9-3-4. **인슐린펌프의 장점(다회인슐린주사요법 대비)**

- 기저인슐린 주입속도가 낮과 밤의 기저인슐린 요구량에 맞게 여러 단위로 조정 가능
- 기저인슐린 주입속도를 운동 시 변경 가능
- 식사의 조성에 따라 식사인슐린 볼러스 투여방법을 다양하게 조정 가능
- 인슐린 투여 전 현재 혈당값과 활성인슐린(직전 인슐린 투여량이 체내에 남아 있는 정도) 용량 등을 고려하여 체계화된 알고리듬을 통해 현재 투여되어야 할 인슐린 용량을 계산 가능

걷는다.

1) 역사

1960년대 Kadish 등에 의해 혈당조절의 자동화기전이 처음 시도되었다. 이후 1974년 컴퓨터에 의해 통제되는 폐 루프 인슐린펌프가 개발되면서 미국의 Biostator가 최초로 상용화되었다. 1980년대에는 정맥혈에 기반한 연속혈당측정장비와 복강내 인슐린 주입시스템을 연계한 이식형장비가 소개되었으나 침습적이고 지속사용이 어려워 널리 보급되지 못했다.

Keen과 Pickup은 1형당뇨병 환자에서 지속피하인슐린주입(CSII)을 위한 휴대용 인슐린펌프의 임상유용성을 보고하였다. 이를 통해 상대적으로 침습도가 낮고, 외래 및 일상생활에서 사용 가능한 인공췌장 도입이 가능하게 되었다. 특히 인슐린유사체가 도입되고, 1990년 후반 피하간질액(interstitial fluid) 포도당 농도를 이용한 연속혈당측정기술이 도입되면서 인공췌장 관련 기술이 급격히 발전하였다. 다만, 간질액의 포도당 측정과 실제 혈중 포도당 농도의 차이가 존재하여 이를 극복하기 위한 다양한 컴퓨터알고리듬이 발전하는 계기가 되었다.

최근 기술의 발전에 따라 인공췌장을 구성하는 여러 요소에 상당한 변화가 일어나고 있다. 각종 정보통신기술의 발전에 따라 관련 장비의 크기가 계속 작아지고, 성능은 대폭 향상되었으며, 기기 간 무선연계가 가능해져 많은 환자들이 사용할 수 있게 되었다. 미국 FDA에서는 2016년 말 폐쇄루프인슐린전달체계에 기반한 첫 번째 인공췌장시스템의 시판을 승인하였다.

2) 인슐린펌프의 구성요소와 종류

인공췌장의 기본구조는 센서, 인슐린 주입장비, 그리고 이를 제어하는 컴퓨터알고리듬이다. 인슐린펌프는 구성요소들의 작동방식에 따라 수동 또는 반자동방식의 개방루프인슐린전달체계(open-loop insulin delivery system) 또는 완전자동방식의 폐쇄루프인슐린전달체계(closed-loop insulin delivery system)로 구분할 수 있는데, 인공췌장은 궁극적으로 폐쇄루프인슐린전달체계로의 작동을 목표로 한다. 센서는 환자의 포도당 농도를 측정하는 장비로 최근에는 피하간질액의 포도당 농도를 매 5–10분 간격으로 측정할 수 있는 연속혈당측정(continuous glucose monitoring, CGM)체계를 포도당 측정에 이용하고 있다. 측정된 혈중 포도당정보는 사용자와 의료진에 전달될 뿐 아니라 인슐린주입장치를 제어하는 기본자료로도 활용된다. 주사장비는 통상 인슐린만을 주입하는 장비가 사용되지만, 최근에는 글루카곤 등 포도당대사에 관여하는 대응조절호르몬을 함께 공급하는 다중호르몬주입시스템(multihormonal injection system) 형태로 제작되기도 한다. 알고리듬은 센서에서 측정된 값을 이용하여 인슐린 주입장치를 제어하는 컴퓨터 시스템으로, 기술의 발전에 의해 점차 고도화되어 최근에는 생리적 인슐린분비 반응을 상당히 정확하게 모사하는 수준으로 발전하였다.

3) 개방루프인슐린전달체계와 폐쇄루프인슐린전달체계 (그림 9-3-4)

개방루프인슐린전달체계는 환자의 인슐린 사용량을 연속혈당측정기로 측정된 혈당값과 연계하지 않고 임의의 기준에 따라 통제하는 방식을 말한다. 단순한 시스템으로 구성 가능하기 때문에 제어가 안정적이며, 장비의 가격이 상대적으로 낮은 장점이 있다. 하지만, 급격한 혈당 변화에 대한 신속한 대처가 어렵고, 목표값과 실제값에 오차가 발생할 수 있는 단점이 있다. 모든 개방루프인슐린전달체계는 그 특성상 일정 수준의 환자 또는 의료진의 개입을 전제로 한다. 그리고 인슐린용량은 혈당, 식사량, 활동량 등의 상황에 대한 경험적 추정을 바탕으로 임의 계산된다. 따라서, 환자는 일상 생활에서 발생할 수 있는 여러 오차에 대한 문제를 줄이기 위해 가능한 규칙적이고 예측가능한 습관에 따라 생활해야 한다.

폐쇄루프인슐린전달체계는 연속혈당측정기에서 측정된 혈

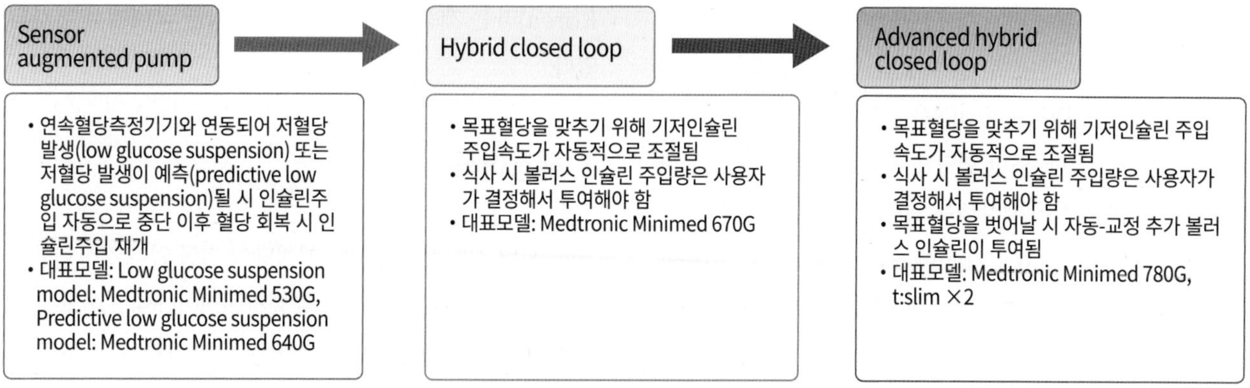

Sensor augmented pump	Hybrid closed loop	Advanced hybrid closed loop
• 연속혈당측정기기와 연동되어 저혈당 발생(low glucose suspension) 또는 저혈당 발생이 예측(predictive low glucose suspension)될 시 인슐린주입 자동으로 중단 이후 혈당 회복 시 인슐린주입 재개 • 대표모델: Low glucose suspension model: Medtronic Minimed 530G, Predictive low glucose suspension model: Medtronic Minimed 640G	• 목표혈당을 맞추기 위해 기저인슐린 주입속도가 자동적으로 조절됨 • 식사 시 볼러스 인슐린 주입량은 사용자가 결정해서 투여해야 함 • 대표모델: Medtronic Minimed 670G	• 목표혈당을 맞추기 위해 기저인슐린 주입 속도가 자동적으로 조절됨 • 식사 시 볼러스 인슐린 주입량은 사용자가 결정해서 투여해야 함 • 목표혈당을 벗어날 시 자동-교정 추가 볼러스 인슐린이 투여됨 • 대표모델: Medtronic Minimed 780G, t:slim ×2

그림 9-3-4. 센서강화인슐린펌프와 인공췌장의 종류별 특징

당수치가 인슐린펌프의 제어동작에 직접적인 영향을 주는 시스템을 말한다. 이러한 시스템은 상황에 관계없이 실시간으로 인슐린 요구량을 결정하고 조절할 수 있어야 한다. 이 시스템은 외부 조건의 변화에 따라 시스템이 능동적으로 대처할 수 있으며, 목표값에 상당히 정확하게 도달할 수 있는 장점이 있다. 다만 개방루프인슐린전달체계에 비해 장비가 복잡하고, 가격이 비싸다는 단점이 있다. 가장 이상적인 폐쇄루프인슐린전달체계는 신체 내부에 위치하여 외부장비 착용의 필요마저 배제되어야 한다.

현재 연속혈당측정기와 연결하여 저혈당이 예측될 때 기저인슐린 주입을 멈춰 저혈당의 위험을 낮춰주는 센서강화인슐린펌프(sensor–augmented insulin pump)가 사용되고 있다. 여기서 한 단계 더 나아가 연속혈당측정기의 정보를 바탕으로 기저인슐린용량을 자동으로 조절하는 하이브리드폐쇄루프인슐린전달(hybrid closed–loop insulin delivery) 시스템도 개발되어 사용되기 시작하였다. 그러나, 기저인슐린자동주입뿐 아니라 식사 시 볼러스인슐린투여까지도 자동으로 주입되는 진정한 의미의 인공췌장의 개발이 아직 과제로 남아있다.

4) 연속혈당측정

연속혈당측정기술은 지난 1990년대 후반 환자들의 혈당 변화에 대한 후향적 검토수단으로 처음 소개되었으며, 이후 혈당변화를 실시간으로 확인하기 위한 장비로 발전되었다. 하지만 초기 장비는 심한 고혈당 또는 저혈당범위에서는 그 성능이 제한적이었다. 이후 기술개발을 통해 정확하고 신뢰성 있는 혈당 측정이 가능하게 되었다. 인공췌장시스템에서 측정된 혈당값은 환자와 의료진에 혈당 측정값을 표시, 안내하는 역할에 그치지 않고, 폐쇄루프인슐린펌프알고리듬에 입력되어 인슐린 주사량을 결정한다. 하지만 연속혈당측정 기술을 이용하여 측정된 혈당수치는 정맥혈로 측정된 혈당과 근본적인 차이가 있어 그 해석에 주의가 필요하다. 특히, 혈중 포도당과 세포간질액포도당 농도는 식후 또는 저혈당 같이 혈당이 급격하게 변화하는 조건에서 상당한 차이를 보일 수 있다. 따라서 이 기술로 측정된 혈당의 정확성을 위해 하루 수 차례 수치가 보정되어야 한다. 또한 세포간질액 포도당 농도를 측정하기 위한 센서처리과정으로 인해 불가피한 '시간지연(time lag)'이 존재한다. 이러한 시간지연은 센서 자체의 성능에 따라 연속혈당측정의 정확성에 편차를 초래할 수 있다. 그리고 센서의 측정부와 수신부 사이의 송수신 오류가 발생할 수 있으며, 이러한 오류는 인슐린펌프 작동에 영향을 미칠 수 있다.

이러한 한계에도 불구하고, 연속혈당측정장비는 매일 수백 회(5분간격 측정 시 288회/일) 이상의 혈당측정결과를 제공하기 때문에 인슐린펌프주입량을 상당히 정밀하게 제어할 수 있는 장점이 있다. 또한 혈당의 추세변화 확인이 가능하여 가까운 미래시점에 예상되는 저혈당 또는 고혈당에 대한 경고와 이에 대한 대처가 가능하다는 장점이 있다. 최근에는 기술의 발전으로 연속혈당측정장비의 보정 없이도 높은 정확도를 유지할 수 있다.

5) 인슐린 주입

정맥도관을 이용한 인슐린 주입기법은 인슐린펌프의 도입 초기부터 널리 연구되었다. 그러나 효과에도 불구하고 혈액 응고로 인한 도관 폐색 등의 문제가 있어 현재는 거의 사용하지 않는다. 복강내 인슐린 주입은 생리적 인슐린분비와 가장 유사한 기전으로 작동하기 때문에 폐쇄루프인슐린전달체계에서 많은 주목을 받았다. 하지만 인슐린의 응집(aggregation), 항체 생성, 고비용, 침습성 등의 문제로 널리 활용되지 못하고 있다. 1990년대 이후 인슐린펌프를 이용한 연속피하인슐린주사기법이 인공췌장을 위한 주요 인슐린전달수단으로 활용되고 있다. 인슐린펌프는 인슐린 주입량을 미세조정할 수 있어 안전하고, 인체 삽입부 소재가 개선되어 사용자의 통증이 경감되었다. 또한 크기가 소형화되고, 인슐린유사체를 사용할 수 있어 안정적이고 효과적인 혈당조절이 가능하게 되었다. 인슐린펌프를 이용한 피하인슐린주입과 관련된 주요 문제는 피하주사된 인슐린의 흡수 후 실제 생리작용이 일어나는 데까지 발생하는 시간 지연에 대한 것이다. 식전 초단기작용인슐린 주입 후 약 100분까지 실제 생리반응보다 지연된 인슐린 농도의 상승이 발생한다. 이러한 작용기전의 한계로 폐쇄루프 인공췌장을 이용한 대부분의 임상시험에서 상대적인 식후 혈당상승이 관찰된다. 또한 지연된 인슐린작용으로 인해 식사 수시간 후 비정상적인 혈당의 하강이 일어날 수 있다.

최근에는 Insulet의 OmniPod과 같은 패치형체외용인슐린주입기가 국내에서 EOPatch (EOFLOW, Seongnam, Korea)라는 제품으로 개발되었고, 최근 국내에서 허가되었다.

3. 췌장이식

1형당뇨병 환자치료에 있어 저혈당의 위험 없이 정상혈당을 유지할 수 있는 유일한 방법은 췌장이식이나 췌도이식을 통하여 혈당 농도를 감지하고 인슐린을 분비할 수 있는 췌장 베타세포를 공급하는 것이다. 그 중 췌장이식 후 환자의 생존율은 10년간 90.4%로 환자들의 삶의 질 향상뿐만 아니라 환자 생존율 향상에도 기여한다.

4. 췌도이식

췌장에서 췌도만을 분리하여 간문맥을 통해 간으로 주입하는 췌도이식은 췌장이식보다 훨씬 덜 침습적이다. 췌도이식에는 타인의 췌도를 이식하는 동종이식(allotransplantation)과 자신의 췌도를 이식하는 자가이식(autotransplantation)이 있다. 췌도동종이식은 2000년 캐나다 에드먼턴의대팀에 의해 좋은 이식성적이 보고된 이후 1형당뇨병 환자의 치료방법으로 많은 관심을 받고 있다.

5. 인슐린 이외의 약물치료

1형당뇨병 환자에서 인슐린 이외의 약물보조요법에 대한 의견도 제시되고 있다. 아밀린은 췌장의 베타세포에서 인슐린과 함께 분비되는 펩타이드이다. 인슐린분비 결핍이 있으면 아밀린 결핍도 함께 있으므로 아밀린유사체인 pramlintide를 투여했을 때, 위 배출지연을 시키면서 글루카곤을 억제시키는 기전으로 식후 고혈당을 개선시켜줄 수 있다. 1형당뇨병 환자대상 무작위대조연구에서 pramlintide는 인슐린과 함께 사용 시 체중을 1–2 kg 줄이고, 당화혈색소를 0.0–0.3% 낮췄다. 현재, 미국에서는 pramlintide를 1형당뇨병 환자에서 사용을 승인하고 있으나 우리나라에서는 사용이 불가하다.

6. 그 외 치료: 세포 재생 치료

1형당뇨병은 췌장에서 인슐린을 생성하는 베타세포의 자가면역 파괴로 인한 결과이다. 앞서 살펴본 췌도이식은 성공적인 베타세포 대체 치료법으로 입증되었지만, 췌장 기증자의 부족과 평생 면역 억제의 필요성 때문에 임상 적용이 제한적이다. 지난 10년동안 이러한 췌도이식의 한계를 극복할 수 있는 베타세포 공급원의 대안을 찾기 위한 많은 노력이 있었다. 그 결과 사람다능성줄기세포(human pluripotent stem cell, hPSC)로부터 인슐린 생산 세포로의 시험관내 분화를 기반으로 한 베타세포 대체치료는 현재 임상시험단계에 있다. 또한, 베타세포와 태생학적 기원에서 관련된 세포 유형을 베타세포로 전환하거나 잔류베타세포의 증식을 촉진하여 베타세포의 양을 보충하기 위한 생체내 재생접근법도 실험 단계에 있다.

V. 1형당뇨병에서 면역치료와 이식치료

임성희

1. 1형당뇨병의 면역치료

1) 서론
1형당뇨병의 예방 및 치료에서 면역치료는 이 질병의 자연경과를 바꿀 수도 있는 치료법이다. 1형당뇨병의 유전감수성과 췌장췌도에 대한 자가면역의 증거가 있는 발병 전 고위험군에서 당뇨병 발병을 예방하거나 1형당뇨병의 증상이 나타난 직후 질병의 역전이나 진행지연을 목적으로 면역치료가 시도되어 왔다. 이러한 면역치료는 자가면역 억제를 통해 췌도 베타세포의 파괴를 최대한 막아 베타세포의 인슐린 분비기능을 보존하는 방법에 중점을 둔다. 당뇨병 발병 후에도 잔존 베타세포의 기능을 유지할수록 혈당조절이 개선되고 저혈당 및 혈관합병증의 위험이 감소된다. 1980년대에 처음 시도된 사이클로스포린 치료는 1형당뇨병이 면역개입

에 실제로 반응하는 자가면역질환임을 증명했으나 장기간의 약물 투여와 관련된 위험이 상당했다. 지난 20년 동안 과거의 광범위한 면역억제요법보다 부작용이 더 적은 치료제들이 개발되고 1형당뇨병의 면역발병기전에 대한 이해가 증가됨에 따라 과도한 독성 없이 질병경과를 변경할 수 있는 췌도특이 면역경로를 표적하는 새로운 면역치료가 개발되어 왔다. 아직 1형당뇨병의 예방이나 치료를 위해 임상에서 이용할 수 있는 효과 및 안전성이 입증된 면역치료법은 없고, 면역치료접근법이 1형당뇨병의 표준 인슐린요법을 대체할 수는 없다. 그러나 지난 10여 년 동안 다양한 기전의 면역치료제의 임상시험이 시행되어 왔고 이 중 질병 예방 또는 중재에 대해 잠재적 효과를 보인 약물들에 대해 진행 중인 II/III상 임상시험이 기대를 모으고 있다.

2) T세포 표적치료
T세포 표면의 CD3에 결합하는 단일클론항체인 테플리주맙[teplizumab, hOKT$_3$γ (Ala-Ala)]은 보다 특이적이고 독성이 덜한 T세포 표적치료제로써 자가면역 1형당뇨병에서 베타세포기능 보존을 위해 현재까지 평가된 면역치료 중 가장 효과가 있었다. 테플리주맙은 베타세포 파괴에 중요한 효과기세포(Teff)로 알려진 CD8$^+$ T림프구에 작용한다. 새로 발병한 1형당뇨병 환자에게 테플리주맙을 14일 투여한 I/II상 중재연구에서 2–7년 후에도 C-펩타이드분비저하의 속도가 감소됨이 관찰되었다. 최근의 II상연구에서는 테플리주맙의 단기투여로 고위험 환자의 임상 1형당뇨병으로의 진행이 위약군보다 2년 지연되었고 연간 당뇨병 진단율은 테플리주맙군에서 15%, 위약군에서 36%이었다. 테플리주맙이 새로 진단된 1형당뇨병 환자에서도 질병경과를 변경시키는지를 알아보는 III상 임상시험이 진행 중이다.

항흉선세포글로불린(anti-thymocyte globulin, ATG)은 항CD3요법보다 덜 특이적으로 T림프구를 고갈시킨다. 새로 발병한 1형당뇨병에 대한 II상 임상시험에서 저용량 ATG (2.5 mg/kg) 투여군은 치료 2년 후 위약군보다 유의하게 C-펩타이드로 측정한 베타세포기능소실의 지연 및

09
내분비질환

당화혈색소의 감소를 보였다. 보조자극신호를 차단함으로써 T림프구 활성화의 초기단계를 방해하는 아바타셉트(abatacept, CTLA4-Ig)를 새로 진단된 1형당뇨병에서 2년동안 매달 투여한 II상 임상시험에서 아바타셉트 투여군은 위약군보다 C-펩타이드로 측정한 베타세포기능의 감소가 9.5개월 지연되었고, 이러한 유익한 효과는 아바타셉트 투여 중단 후 최소 1년동안 지속되었다. 1형당뇨병 발병 후 투여된 저용량 ATG나 아바타셉트의 베타세포기능의 부분적 보존효과와 상대적으로 낮은 부작용을 고려하여 고위험군을 대상으로 1형당뇨병 예방연구가 진행 중이다.

3) B세포 표적치료

1형당뇨병은 T세포매개 자가면역질환으로 간주되지만 B세포도 병원성 역할을 한다. B세포를 고갈시키는 항CD20 단일클론항체인 리툭시맙(rituximab)을 1형당뇨병 발병 직후 1개월 동안 4회 주입하는 단기치료로 C-펩타이드의 감소가 8.2개월 지연되었으나 2년 후 C-펩타이드 및 베타세포기능의 감소는 위약군과 차이가 없었다. 반복투여가 C-펩타이드의 보존에 지속적인 효과를 보일지는 연구된 바 없으며, 리툭시맙과 아바타셉트 조합으로 1형당뇨병 예방연구가 진행 중이다.

4) 염증 표적치료

전염증사이토카인은 1형당뇨병의 발병 및 진행에 기여한다. IL-1β 차단은 전임상연구에서는 효과를 보였으나 카나키누맙(canakinumab)을 사용한 IL-1β 차단은 임상시험에서 효과가 없었다. 반면, 새로 발병한 1형당뇨병 소아 및 청소년을 대상으로 한 II상 임상시험에서 TNF-α 경로를 차단하는 에타너셉트(etanercept, 24주 투여)나 골리무맙(golimumab, 52주 투여)치료군이 위약군보다 C-펩타이드로 측정한 베타세포기능의 보존과 인슐린요구량의 감소를 보였다. 항IL-21제와 리라글루타이드를 병합투여(54주)한 II상 임상시험에서는 새로 발병한 1형당뇨병 성인에서 면역 억제에 따른 부작용을 줄이며 잔존 베타세포 기능의 보존에 효과가 있었다. 과거의 광범위한 면역 억제보다 진일보한 사이토카인 경로 표적 면역 억제는 1형당뇨병 진행지연을 목표로 하는 유망한 접근법으로 보인다. 그러나 적절한 투여시기나 투여기간, 부작용 프로파일 등이 앞으로 대규모 임상시험에서 평가되어야 한다.

5) 항원특이 면역치료

면역학적 백신접종의 개념으로 자가면역질환이 많이 진행되기 전에 질병특이 자가항원(예: 1형당뇨병에서 췌도베타세포 항원)을 투여하는 방법이 시도되고 있는데, 자가면역현상의 초기에 표적항원에 대해 반응하는 조절T림프구(regulatory T cell, T_{reg})를 인위적으로 활성화시켜 면역관용의 회복을 유도하고자 하는 것이다. 항원특이 개입은 전신 면역조절요법에서 관찰되는 표적외 효과를 피할 수 있는 상대적으로 안전한 접근법이다. 1형당뇨병이 췌도특이 다중 T세포항원 결정부위 및 여러 자가항체가 나타나는 다클론성 자가면역질환임에도 불구하고 인슐린, GAD, heat shock protein-60와 같은 단일항원 특이 면역치료는 1형당뇨병의 NOD생쥐모델에서 다클론성 면역반응을 억제하고 당뇨병을 역전시킬 수 있었다. 이를 근거로 인슐린을 표적으로 하는 임상시험에는 경구인슐린, 저용량 인슐린주사, 비강내인슐린투여, 인슐린B9-23에피토프(NBI-6024) 등이 시도되었지만 최근 발병한 1형당뇨병 환자에서 항인슐린 면역반응은 지속적으로 현저하게 둔화되었으나 잔존 베타세포기능의 손실을 지연시키지 못했다. 1형당뇨병의 고위험군에서 발병을 지연시키거나 예방하지도 못했다. 다른 주요 자가항원인 GAD65를 표적으로 하는 임상시험에서도 최근 발병한 1형당뇨병 환자에서 GAD-알루미늄수산화물 피하주사나 림프절내 주사는 인슐린분비를 보존하지 못했다.

6) 요약

위에서 살펴본 1형당뇨병의 면역치료 임상시험들 중에서 현재 가장 유망한 것은 T림프구를 표적으로 한 면역치료로, 질병을 역전할 정도로 베타세포의 심각한 결핍을 극복할 수는 없지만 베타세포 기능손실을 유의하게 지연시킬 수 있었다. 향후 더 큰 규모의 연구를 통해 이러한 치료에 더 좋은

반응을 보이는 환자군의 특성, 면역개입의 최적시기, 병용요법의 가능성, 잠재적 부작용 등이 밝혀질 것으로 기대된다.

2. 1형당뇨병의 이식치료

1형당뇨병치료의 주요 목표는 혈당을 정상 범위에 가깝게 유지하여 질병과 관련된 합병증을 줄이는 것이다. 많은 환자들이 집중인슐린요법으로 이 목표에 도달할 수 있지만 적극적 인슐린 치료와 관련된 빈번한 저혈당증을 경험하게 된다. 저혈당의 위험없이 정상혈당을 유지할 수 있는 확실한 방법은 췌장이식이나 췌도이식을 통하여 췌도 베타세포를 공급하는 것이다. 그러나 이식치료의 적용은 췌장 장기기증자의 수가 매우 적고 동종면역거부반응 및 자가면역반응 재발을 예방하기 위한 면역억제요법의 부담으로 인해 소수의 선택된 환자에게 제한된다. 췌장이식 또는 췌도이식은 신장이식이 필요한 1형당뇨병 환자 또는 최적의 내과치료에도 불구하고 불안정한 혈당조절 및 저혈당무감지증으로 심각한 저혈당이 반복적으로 발생하는 취약한 1형당뇨병 환자에게 고려될 수 있다. 이식 전에 저혈당 및 불안정한 혈당조절의 해결할 수 있는 다른 원인(예: 흡수장애, 부신부전, 알코올남용 등)을 배제하여야 하고, 최적의 인슐린요법을 위한 인슐린펌프나 연속혈당측정기 등 기술적접근을 시도해야 한다.

췌장이식과 췌도이식 모두 심각한 저혈당을 예방하며 거의 정상혈당 도달에 효과적이기 때문에 췌장이식과 췌도이식 중 선택은 부분적으로 이러한 절차에 대한 임상접근성에 달렸으나, 환자 특성(연령, 체질량지수, 신장기능, 심폐기능 등)과 치료목표에 따라 고려할 점이 있다. 췌도이식은 수술 합병증 위험이 낮고 심각한 저혈당 및 불안정한 혈당조절을 제거하는 데 매우 성공적이다. 그러나 인슐린 치료를 완전히 중단하기 위해서는 2명 이상의 췌장기증자가 필요할 수 있다. 이에 비해 췌장이식은 큰 수술에 따르는 합병증 및 위험이 있지만 이식 후 인슐린 치료를 중단할 수 있는 가능성이 좀 더 높다. 높은 인슐린 요구량과 높은 체질량지수를 가

진 환자는 췌도이식만으로 인슐린 요구량을 충족할 수 없기 때문에 췌도이식 보다는 췌장이식의 후보가 될 수 있다. 심폐질환이 있는 환자나 고령자를 포함하여 수술에 대한 위험도가 높은 환자는 췌도이식 절차를 더 잘 견딜 수 있다.

3. 췌장이식

1) 역사 및 현황

최초의 췌장이식이 1966년 미국에서 만성신부전증을 동반한 1형당뇨병 환자에서 신장이식과 동시에 시행된 이후 이식성적이 부진하여 거의 시행되지 않다가, 새로운 면역억제제의 개발과 수술기법의 발달로 1980년대 이후 췌장이식의 수는 증가되었다. 현재까지 전 세계적으로 300개 이상의 이식센터에서 50,000건 이상의 췌장이식이 시행되었고, 미국에서는 매년 약 1,000건이 시행되고 있다(그림 9-3-5A). 우리나라에서는 1992년 서울아산병원에서 만성신부전을 동반한 1형당뇨병 환자에게 뇌사자로부터 신장과 췌장의 동시이식이 처음으로 시행되었고, 현재까지 다른 이식센터에서 시행된 예를 포함하여 600건 이상의 췌장이식이 시행되었다. 성공적인 췌장이식으로 대부분 고혈당이 즉시 회복되고 이식성적도 향상되고 있다(그림 9-3-5B). 그러나 수술이 광범위하며 이식절차와 관련된 많은 잠재적인 합병증이 있고 특히 췌장기증자의 부족으로 인해 확립된 치료법임에도 덜 자주 적용된다.

2) 췌장수혜자

1형당뇨병 환자에서 췌장이식은 수혜자에 따라 다음 3가지로 나눌 수 있다.

- 당뇨병합병증으로 인한 만성신부전증 환자가 신장이식과 췌장이식을 동시에 받는 동시췌장신이식(simultaneous pancreas-kidney transplantation, SPK)
- 이미 신장이식을 받고 일정시간 경과 후 췌장이식을 받는 신장이식 후 췌장이식(pancreas after kidney transplant, PAK)

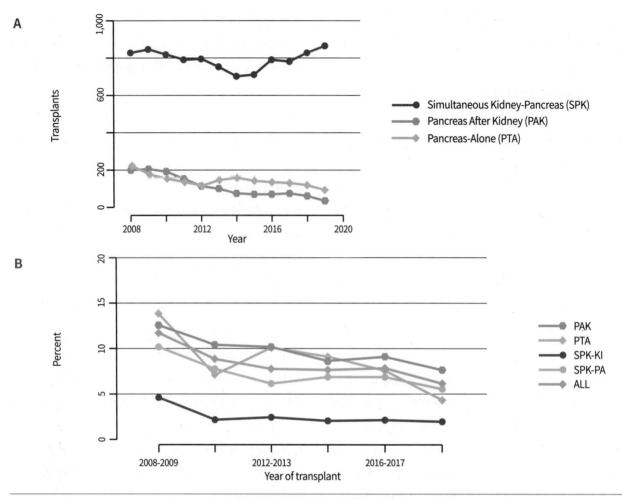

그림 9-3-5. 췌장이식 수혜자 카테고리별 이식 수와 이식 결과 추이

췌장이식 수(A), 이식 후 90일 내 이식실패율(B). 미국 Organ Procurement and Transplantation Network (OPTN)/Scientific Registry of Transplant Recipients (SRTR) 2019 보고

- 당뇨병합병증의 초기에 췌장이식을 받는 췌장단독이식 (pancreas transplant alone, PTA)

췌장이식의 약 80%는 SPK이며 이미 신장이식이란 큰 수술과 면역 억제가 필요한 환자에서 인슐린요법 없이도 혈당조절을 잘하여 당뇨병합병증의 진행을 막고 이식신장을 고혈당으로부터 보호하며 삶의 질을 높이는 것이 목표이다. 드물게 아직 신장이식이 필요하지 않은 환자에서 저혈당무감지증이 있거나 인슐린요법으로 혈당조절이 매우 불안정하고 당뇨병으로 인하여 삶의 질이 매우 낮은 경우에 면역억제제 사용의 위험을 감수하면서 PTA가 시행된다.

3) 이식수술

뇌사 공여자에서 췌장 전체와 십이지장 일부를 적출하고 비장동맥 및 상장간막동맥을 공여자의 장골동맥을 이용하여 이식 전에 Y형태로 단일문합한다. 이식췌장을 복강 내에 위치하게 하고 장골동맥 및 정맥에 동정맥을 문합한다. 췌장에서 생성되는 인슐린은 간을 거치지 않고 장골정맥을 통해 전신적으로 흡수된다. 췌관 재건은 췌액을 소장으로 배출시키는 췌관–소장문합술이 이상적이며 가장 널리 쓰이는 수술방법이나 소장절개에 따른 감염이나 누출이 문제점이다 (그림 9-3-6). 췌액을 소변으로 배출시키는 췌관–방광 문합술은 요배설에 함유되는 췌장효소인 녹말분해효소의 측정으로 거부반응 및 췌장기능의 변화를 예측하게 하는 이점이 있다. 그러나 방광염, 요도염, 점막출혈 및 대사산증 등의 많은 합병증으로 이상적인 방법은 아니다.

췌장이식은 혈전증 또는 췌장 외분비와 관련된 수술합병증에 대한 상당한 위험을 수반하므로 이에 대한 예방과 적절한 치료가 필요하다. 수술 후 면역 억제는 T세포고갈제인 ATG를 사용한 유도요법과 스테로이드, 타크롤리무스(tacrolimus) 및 미코페놀레이트(micophenolate)를 사용한 유지요법으로 구성된다. 최근 스테로이드의 사용을 최소화하고 칼시뉴린(calcineurin)억제제인 타크롤리무스 대신 신독성을 나타내지 않는 T세포 공동자극 선택적 차단제인 벨라타셉트(belatacept)로 대체하려는 시도가 있다.

4) 이식성적

수술술기, 면역억제요법 및 수술 후 환자관리에 대한 경험이 증가함에 따라 췌장이식의 성공률은 꾸준히 향상되었다. 미국에서 2016년까지 수행된 췌장이식에 대한 international pancreas transplant registry (IPTR) 자료에 의

하면 췌장이식 후 5년 환자생존율은 SPK의 경우 90%, PAK의 경우 87%, PTA의 경우 90%이다. 이식췌장의 5년 생존율(인슐린요법 없이 정상혈당 및 정상 당화혈색소 유지)은 SPK의 경우 73%, PAK의 경우 64%, PTA의 경우 53%이며, 10년 이식췌장 생존율은 각각 56%, 38%, 36% 이다. 이리한 이식췌장의 생존율은 사망기증자 신장 단독이식의 이식신장 10년생존율 47%와 유사하다. SPK에서 이식신장의 10년 생존율은 66%이다. PTA의 성적이 다른 두 군에 비하여 조금 저조한 이유는 이식신장의 거부반응에는 혈청크레아티닌의 상승과 같은 표지자가 있지만 이식췌장의 거부반응에는 좋은 표지자가 없어서 이의 발견 및 처치가 늦기 때문으로 보인다.

성공적인 췌장이식은 인슐린주사와 빈번한 혈당검사 및 식사의 많은 제한을 없앰으로써 1형당뇨병 환자의 삶의 질을 유의미하게 향상시킨다고 입증되었다. 또한 1형당뇨병 환자에게 흔한 급성합병증(저혈당이나 심한 고혈당 등)도 막을 수 있다. 대부분 당뇨병 발병 후 약 20년이 지나서 시행되는 췌장이식은 당뇨병의 만성신장병증, 망막병증이나 신경병증

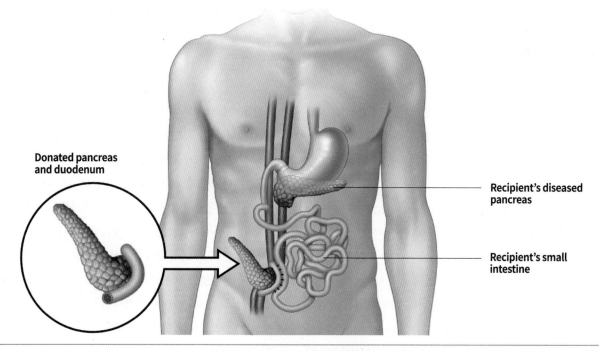

Donated pancreas and duodenum

Recipient's diseased pancreas

Recipient's small intestine

그림 9-3-6. **췌장이식술-소장문합술**

의 완화에 부분적으로 성공적이었다. 좀 더 일찍 시행할 경우 diabetes control and complications trial (DCCT) 의 결과와 같이 만성합병증 예방효과도 기대할 수 있을 것이다.

5) 췌장이식에 대한 임상권고사항

현재 1형당뇨병에서 췌장이식은 환자관리와 면역억제제의 개선으로 이식성적이 좋아져 다른 장기이식과 유사한 성적을 보여주고 있다. 그러나 이식수술에 수반되는 합병증 및 간과할 수 없는 사망의 위험을 고려할 때, 췌장이식 환자의 선택에 있어 고식적 치료를 택할 경우보다 더 큰 위험을 환자에게 주지 않으면서도 췌장이식의 잠재적 이점을 극대화하도록 신중을 기하여야 한다.

(1) 말기신장질환이 임박하였거나 이미 온 1형당뇨병 환자에서 신장이식을 받았거나 받을 계획이 있다면 췌장이식도 시행하는 것이 환자의 생존에 위해가 없으면서 이식신장의 생존에 도움이 될 수 있고 정상혈당을 회복시킬 것이므로 인슐린요법을 계속하는 것의 '합당한 치료대안'으로 고려되어야 한다. 췌장이식은 신장이식과 동시에 시행되거나 신장을 먼저 이식한 후에 별도로 시행될 수 있다.

(2) 신장이식의 적응증에 해당되지 않는 1형당뇨병 환자에서의 췌장이식은 인슐린을 위주로 한 당뇨병관리로 병원을 방문할 정도로 심한 급성합병증(중증저혈당, 당뇨병케토산증) 예방에 지속적으로 실패하는 경우에 치료법으로 고려될 수 있다.

4. 췌도이식

췌장에서 췌도만을 분리하여 간문맥을 통해 간으로 주입하는 췌도이식은 췌장이식보다 훨씬 덜 침습적이다. 타인의 췌도를 이식하는 동종이식(allotransplantation)과 자신의 췌도를 이식하는 자가이식(autotransplantation)이 임

상에서 시행되어 왔다. 췌도 자가이식은 주로 혈당이 정상인 만성췌장염 환자에서 드물게 약물로 통증조절이 안 되어 췌장전절제술을 하는 경우 이차당뇨병을 예방하기 위하여 시행된다.

1) 췌도수혜자

1형당뇨병 환자에서 췌도이식은 췌장이식과 마찬가지로 수혜자에 따라 다음 3가지로 나눌 수 있다.

- 당뇨병합병증으로 인한 만성신부전 환자가 신장이식과 췌도이식을 동시에 받는 신장-췌도동시이식(simultaneous islet and kidney transplant, SIK)
- 이미 신장이식을 받고 일정시간 경과 후 췌도이식을 받는 신장이식후췌도이식(islet after kidney transplant, IAK)
- 당뇨병합병증의 초기에 췌도이식을 받는 췌도단독이식(islet transplant alone, ITA)

ITA의 경우 새로이 면역억제제를 써야 하고 이에 따른 부작용을 감수해야 하므로 심한 저혈당무감지증이 있거나 집중인슐린요법(1일 3회 이상 인슐린주사 혹은 인슐린펌프사용 및 1일 3회 이상 자기혈당측정)에도 혈당조절이 매우 불안정하고 당뇨병으로 인하여 삶의 질이 매우 낮은 경우 등 엄격한 적응증에 따라 시행하여야 한다.

2) 역사 및 현황

지난 40년 동안 췌도이식은 1형당뇨병 환자에서 정상혈당을 달성하는 덜 침습적인 수단으로써 많은 관심을 받아왔다. 1974년 최초의 췌도이식이 미국 미네소타 의대에서 신장이식을 받았던 1형당뇨병 환자에게 시행된 이후 2000년 이전까지 전 세계적으로 40여 개의 의료기관에서 450건 이상 시행되었으나 이식 후 1년 이식췌도 생존율 즉, 인슐린 치료 없이 정상혈당이 유지되는 경우는 8%로 매우 낮았다. 췌도이식의 성적은 2000년 캐나다 에드먼턴의대팀에 의해 '에드먼턴 프로토콜'이 소개되면서 놀랍게 향상되었다. 이들은 스테로이드사용은 피하고 라파마이신(rapamycin)

을 포함한 새로운 면역억제제를 사용하고, 2-4명의 공여자로부터 분리한 충분한 수의 췌도(평균 총 800,000 islet equivalent, IEQ, 11,000 IEQ/kg)를 한 수혜자에게 반복이식하여 ITA를 받은 7명의 1형당뇨병 환자가 모두 인슐린을 끊을 수 있었다고 처음 보고하였다. 이후 전 세계적으로 많은 췌도이식프로그램이 시작되어 현재까지 40개 이상의 기관에서 1,500명 이상의 1형당뇨병 환자가 췌도이식을 받았다. 대부분은 ITA (81%)이었고, IAK는 덜(17%), SIK는 드물게 시행되었다. 여러 기관에서 이식성적이 다양했지만 췌도이식 1년 후 인슐린비의존율이 ~60%로 전반적으로 효과적이고 안전함을 확인하였다. 특히 이식의 목표가 중증저혈당의 예방인 심각한 저혈당이 있는 환자에서는 효과가 입증되었다. 현재 캐나다의 일부 지방과 호주, 많은 유럽 국가에서는 췌장이식과 췌도이식 모두 의료보험이나 국가의료시스템의 적용을 받는 임상치료법이고, 미국에서는 췌장이식은 임상치료 절차로 접근할 수 있는 반면 췌도이식은 장기이식이 아닌 '연구용신약' 프로토콜에 따라 관리되고 있다. 우리나라에서는 1999년 삼성서울병원에서 신장이식을 받은 1형당뇨병 환자에게 동종췌도이식이 처음으로 시행되었고 2016까지 3개의 기관에서 총 16건이 시행되었다.

3) 췌도이식술

이식을 위한 췌도의 분리는 청정실 안에서 무균적으로 시행된다. 뇌사자로부터 공여받은 췌장의 췌관에 콜라게네이즈를 주입한 후 부풀려진 췌장을 수 조각으로 자르고 기계적으로 흔들며 췌장을 소화시킨다. 소화된 조직에서 밀도 차이를 이용한 원심분리 방법으로 작게 부서진 외분비 췌장조직으로부터 췌도만을 순수분리한다. 췌도의 이식부위로는 여러 곳이 연구되어 왔으나 현재의 표준방법은 초음파유도 하에 경피적으로 간문맥정맥분지에 도관을 삽입한 후 췌도를 간 안으로 천천히 주입하는 것이다(그림 9-3-7). 간 안에 생착한 췌도는 혈당에 반응하여 인슐린을 분비하게 되고 이는 정상인에서 췌장에서 분비된 인슐린이 문맥을 통해 간에 유입되는 것과 유사하다. 일부 센터에서는 단일기증자 췌장에서 분리한 췌도만으로 최소 6,000 IEQ/kg를 이식하여

인슐린비의존성을 달성했다고 보고하였으나 일반적으로 인슐린비의존성에 도달하기 위해 반복이식을 통해 최소 9,000 IEQ/kg의 췌도를 이식한다.

이식 후 거부반응과 자가면역기전의 재발을 방지하기 위하여 면역억제제를 투여한다. 주입한 췌도의 50% 미만이 간에 생착되므로 이식부위의 비특이염증을 감소시키며 췌도 베타세포에 독성이 없는 약물의 선택이 중요하다. 장기이식 후 널리 쓰이는 당질부신피질호르몬은 고혈당을 악화시킬 수 있으므로 사용하지 않으며, 칼시뉴린억제제(사이클로스포린, 타크롤리무스)도 베타세포 독성이 있으므로 피하거나 최소량을 쓴다. 면역억제 유도를 위해 T세포고갈제(ATG)와 TNF-α억제제를 투여하고, 유지요법으로 저용량 타크롤리무스를 포함한 2제 면역억제제가 필요하다. 칼시뉴린억제제 투여를 줄이기 위한 대안으로 T세포 공동자극 선택적 차단제가 연구되고 있다.

췌도이식의 주요 위험은 이식절차 및 면역억제제와 관련이 있다. 경피 경간-문맥정맥 도관 삽입 후 문맥혈전이나 복강내 출혈 등의 합병증이 보고된 바 있으나 이식 직후 적절한 양의 항응고제 사용으로 예방할 수 있다. 췌도이식의 주요 장벽 중 하나는 면역억제제를 사용해야 한다는 것이다. 면역 억제의 가장 심각한 위험은 흔하지는 않지만 잠재적으로 심각한 감염 및 엡스타인-바바이러스(Epstein-Barr virus, EBV)에 의해 유발되는 림프구증식질환을 포함한 악성종양이 있다.

4) 췌도이식성적

초기 에드먼턴프로토콜의 5년 추적연구에서 이식 5년 후 11%에서만 인슐린비의존성이 유지되어 이식췌도의 기능이 지속되지 않는다는 우려가 제기되었다. 이후 췌도이식 프로토콜은 췌도 분리 및 배양, 이식기술, 항염증 및 면역조절 전략 등에서 꾸준히 개선되었다. 최근 collaborative islet transplant registry (CITR)는 1999-2015년에 북미, 유럽, 호주에서 1,086명에게 시행된 췌도이식의 분석에서 단

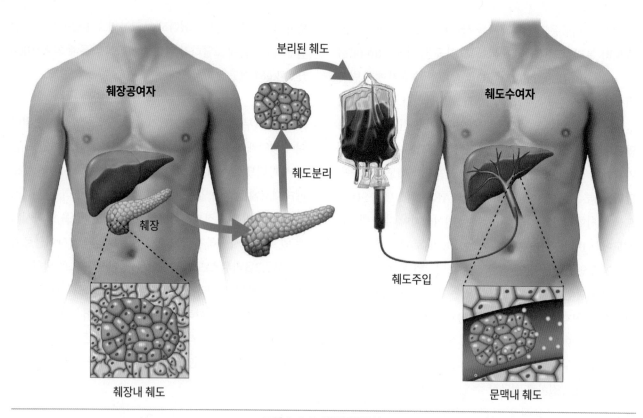

분리된 췌도

췌장공여자

췌도수여자

췌도분리

췌장

췌도주입

췌장내 췌도

문맥내 췌도

그림 9-3-7. **췌도동종이식**

기 및 장기결과의 현저한 향상을 보여주었다. 췌도이식의
5년 성적은 ITA와 IAK에서 유사하였으며, 이식 후 예후가
좋은 경우는 35세 이상의 수혜자, 325,000 IEQ 이상 이식,
T세포고갈제와 TNF-α억제제로 면역 억제를 유도하고
mTOR억제제와 칼시뉴린억제제로 유지한 경우였다. 이러
한 대상에서 이식 후 인슐린비의존성은 약 80%에서 달성
되었고, 이식 5년 후에도 약 50%에서 인슐린비의존성이 유
지되었다(그림 9-3-8A). 췌도이식 경험이 풍부한 기관에서
는 전체 ITA의 50-70%가 5년 후 인슐린비의존성을 유지
한다고 보고하고 있다. 이러한 결과는 PTA의 성적에 버금
가는 상당한 진전이다.

에드먼턴프로토콜의 추적연구에서 대부분의 피험자가 5년
후 인슐린비의존성을 상실했으나 약 80%는 당화혈색소
< 7%를 유지하기에 충분한 C-펩타이드 분비를 유지했다.
췌도이식 후 인슐린주사를 완전히 끊지 못하더라도 대부분

이식 전에 비해 인슐린요구량이 감소되고 대사적으로 안정
되고 심각한 저혈당 없이 혈당조절이 개선된다. 인슐린 치료
없이 당화혈색소 < 6.5%인 인슐린비의존 달성이 가장 좋
은 이식결과이나, 이를 위해서는 많은 양의 췌도를 이식해야
하므로 비용 및 기증자 췌장의 가용성을 고려할 때 달성이
쉽지 않다. 따라서 최근에는 심각한 저혈당 없이 당화혈색
소 < 7%인 경우 성공으로 간주하며, 이러한 목표는 인슐린
비의존 달성과는 별개로 환자에게 임상 이점을 나타낸다(그
림 9-3-8B, C). 2016년 보고된 북미의 다기관 III상 임상췌도
이식(clinical islet transplantation, CIT) 시험에서는
ITA가 저혈당무감지증 및 반복되는 중증저혈당을 동반한
1형당뇨병 환자의 치료를 위한 안전하고 효과적인 방법임을
확인하였다. 총 48명의 환자에서 1년 후 당화혈색소 < 7%
이며 중증저혈당의 완전한 해결이란 일차목표의 달성률은
1년 후 88%, 2년 후 71%이었다. 당화혈색소의 중앙값은 1년
과 2년 후 모두 5.6%이었고, 저혈당에 대한 두려움이 유의하

게 감소하고 당뇨병 관련 삶의 질이 개선되었다. 인슐린비의존율은 1년 후 52%, 2년 후 42%이었다. 2021년 보고된 III상 CIT시험에서는 IAK도 중증저혈당 예방에 효과가 있음을 확인하였다. 이식 1년 후 심각한 저혈당이 없고 당화혈색소 < 6.5%이거나 1% 이상 감소라는 일차목표가 총 24명의 환자 중 63%에서 달성되었다. 당화혈색소의 중앙값은 이식 전 8.1%에서 이식 1년 후 6.0%, 2년 및 3년 후 6.3%로 감소했으며, 심각한 저혈당이 없는 환자의 비율은 이식 전 0%에

서 이식 1년 후 79%, 2년 후 75%, 3년 후 63%이었다. 이식 신장의 기능은 3년 후에도 안정적으로 유지되었다. 인슐린 비의존율은 1년 후 38%, 2년 후 29%, 3년 후 17%이었다. 최근 Swiss-French GRAGIL 네트워크에서는 에드먼턴 프로토콜로 2003-2010년에 IAK나 ITA를 받고 10년 추적 관찰을 완료한 31명의 성적을 보고하였다. 당화혈색소중앙 값은 이식 전 8.0%에 비해 이식 5년 후 6.8%, 10년 후 7.2% 이었고, 심각한 저혈당이 없는 환자의 비율은 이식 전 37% 에 비해 이식 5년 후 86%, 10년 후 74%이었다. C-펩타이드 양성인 이식편(graft)의 기능은 5년 후 79%, 10년 후 52% 에서 관찰되었다. 이러한 임상연구들은 최적화된 내과치료 로 중증저혈당을 예방할 수 없었던 저혈당무감지증이 있는 1형당뇨병 환자에게 췌도이식이 이전의 신장이식 여부와 상 관없이 안전하고 최소 침습적인 치료대안임을 보여준다.

5) 췌도이식이 당뇨병합병증에 미치는 영향

당뇨병합병증의 예방 또는 진행지연은 췌도이식의 중요한 장기적 결과이다. 신장병증의 위험과 관련하여 개선된 혈당 의 장기적 이점은 칼시뉴린억제제의 잠재적 신독성보다 크 다. ITA 대기자명단에 있던 최적화된 인슐린요법을 받는 환 자와 이미 ITA를 받은 환자를 비교한 연구에서 췌도이식수 혜자는 사구체여과율 감소를 덜 경험했다. IAK에서 이식신 장기능은 변화가 없거나 개선되었고, 췌도기능 상실 후에도 장기간 신장기능에 대한 손상이 관찰되지 않았다. 신장기 능에 대한 췌도이식의 부작용의 대부분은 일시적인 것으로 보이며 칼시뉴린억제제의 투여시작과 관련이 있다. 따라서 면역억제제요법에 대한 면밀한 모니터링이 신장 부작용을 최소화하는 데 필요하다.

최적화된 인슐린요법을 받은 환자와 비교하여 ITA를 받은 환자는 망막병증의 진행 위험이 감소했다. 그러나 췌도이식 전 당화혈색소가 높았던 환자에서 혈당조절의 급격한 개선 은 이식 후 조기 유리체출혈의 위험을 제기한다. 여러 연구 에서 췌도이식 전과 비교하여 췌도이식 후 당뇨병말초신경 병증의 안정화 또는 개선이 나타났다. ITA로 대혈관병증의

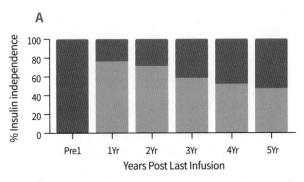

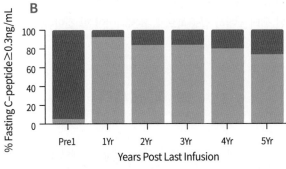

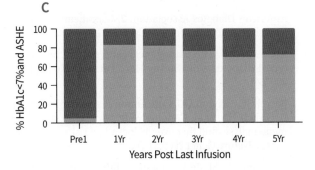

그림 9-3-8. Collaborative Islet Transplant Registry (CITR) 10차보고서의 ITA성적

대상: 수혜자 ≥ 35세, IEQ ≥ 325,000, T세포고갈제/TNF-α억제제와 mTOR 억제제/칼시뉴린억제제 사용

인슐린비의존성(A), C-펩타이드 ≥ 0.3 ng/mL (B), 당화혈색소 < 7%(C)이며 중증저혈당 방지(ASHE: absence of severe hypoglycemic events)

안정화 또는 경동맥내중막두께 및 관상동맥석회화와 같은 다양한 심혈관위험지표의 개선이 관찰되었다.

6) 췌도이식의 장점

췌도이식은 췌장이식수술에 비하여 훨씬 시술이 간편하고 안전하며 필요하면 반복하여 이식할 수 있다. 또한 췌장외 분비효소와 관련된 합병증들이 없다. 심각한 외과적 합병증이 없는 췌도이식은 성공적일 경우 인슐린주사 및 저혈당 위험으로 해방되어 환자가 느끼는 만족감과 삶의 질 향상, 만성합병증 예방이나 진행 지연 등 뚜렷한 장점이 있다. 이식 직후 인슐린비의존성에 도달하더라도 이식편기능은 시간이 지남에 따라 점진적으로 감소하지만 그럼에도 불구하고 장기적으로 만족스러운 대사조절이 가능하다. 중증저혈당의 감소는 췌도이식 후 관찰되는 가장 빠르고 가장 지속적인 이점이다. 여러 비무작위연구에서도 엄격한 혈당조절을 유지하면서 심각한 저혈당을 해결하는 방법으로써 췌도이식이 집중인슐린요법보다 우수함을 시사하였다.

분리된 췌도를 이식 전 체외에서 조작할 수 있으므로 앞으로 약물이나 유전자치료를 통해 베타세포의 증식이나 면역원성을 줄이고 면역 억제의 필요성을 줄이는 엔지니어링 전략을 위한 기회를 제공할 수 있을 것이다. 장기 부족의 문제를 해결하기 위한 이종이식에서도 췌도세포이식은 다른 장기들보다 먼저 성공적으로 적용시킬 분야로 기대된다.

7) 췌도이식의 문제점

1형당뇨병의 치료방법으로 널리 이용되기 위해서는 췌도의 부족이나 면역억제제의 독성 등이 해결되어야 할 과제로 남아 있다. 뇌사자의 장기기증이 활성화된 구미에서도 췌도이식을 위한 췌장의 기증은 수요를 따르지 못하며 앞으로 췌도이식의 성적이 더 좋아질수록 이식할 췌도의 부족현상이 더 두드러질 것이다. 꾸준한 이식원을 확보하기 위하여 돼지 췌도를 이용한 이종이식이나 줄기세포로부터 췌도세포로의 분화 등에 관한 연구가 진행되고 있다.

췌도이식 후 이식거부반응과 자가면역기전의 재발을 방지하기 위해서는 강력한 면역억제제를 평생 투여하여야 한다. ITA의 경우 이에 따른 독성 부작용과 감염 및 암의 위험 증가를 이식받지 않고 인슐린주사를 맞고 지낼 경우의 위험과 비교하여 이식 여부를 결정하게 된다. 앞으로 더 효과적이며 부작용이 적은 면역억제제가 개발되어야 췌도이식의 적용이 확대될 것이다. 전신적 면역 억제에 대한 대안으로 췌도의 매크로 또는 마이크로캡슐화로 국소적으로 면역보호되도록 하는 방안이나 단기치료로 면역관용을 유도하여 면역억제제 노출을 제한하는 면역조절전략에 대한 연구가 진행되고 있다.

희소한 췌장공여자로 인해 여러 기관에서 췌도 분리를 위한 무균시설 운영 및 기술 축적이 어려워 이 치료가 아직 보편적으로 이용되는 것은 불가능하다. 췌도이식을 필요로 하는 1형당뇨병 환자가 존재하고 췌도이식의 잠재적 이점을 감안할 때, 동종췌도이식의 성적을 개선하기 위한 노력이 선택된 센터들에서 집중적으로 유지되어야 할 것이다.

참 / 고 / 문 / 헌

I.

1. 대한당뇨병학회. 당뇨병학. 제5판. 범문에듀케이션; 2017. pp. 167-184.

2. American Diabetes Association. 2. Classification and diagnosis of diabetes. Diabetes Care. 2021;44:15-33.

3. Atkinson MA. The pathogenesis and natural history of type 1 diabetes. Cold Spring Harb Perspect Med 2012;2: a007641.

4. Barrett JC, Clayton DG, Concannon P, Akolkar B, Cooper JD, Erlich HA, et al. Genome-wide association study and meta-analysis find that over 40 loci affect risk of type 1 diabetes. Nature Genet 2009;41:703-7.

5. Cardwell CR, Stene LC, Joner G, Bulsara MK, Cinek O, Rosenbauer J, et al. Maternal age at birth and childhood type 1 diabetes: a pooled analysis of 30 observational studies. Diabetes 2010;59: 486-94.

6. Cardwell CR, Stene LC, Joner G, Cinek O, Svensson J, Goldacre MJ, et al. Caesarean section is associated with an increased risk of childhood-onset type 1 diabetes

mellitus: a meta-analysis of observational studies. Diabetologia 2008;51:726-35.

7. Cervin C, Lyssenko V, Bakhtadze E, Lindholm E, Nilsson P, Tuomi T, et al. Genetic similarities between latent autoimmune diabetes in adults, type 1 diabetes, and type 2 diabetes. Diabetes 2008;57:1433-7.

8. Eisenbarth GS, Jeffrey J. The natural history of type 1A diabetes. Arq Bras Endocrinol Metabol 2008;52:146-55.

9. Ferrara CT, Geyer SM, Liu YF, Evans-Molina C, Libman IM, Besser R, et al. Excess BMI in childhood: a modifiable risk factor for type 1 diabetes development. Diabetes Care 2017;40:698-701.

10. Floyel T, Kaur S, Pociot F. Genes affecting β-cell function in type 1 diabetes. Curr Diab Rep 2015;15:97.

11. Frederiksen B, Kroehl M, Lamb MM, Seifert J, Barriga K, Eisenbarth GS, et al. Infant exposures and development of type 1 diabetes mellitus: the diabetes autoimmunity study in the young (DAISY). JAMA Pediatr 2013;167:808-15.

12. Frohnert BI, Laimighofer M, Krumsiek J, Theis FJ, Winkler C, Norris JM, et al. Prediction of type 1 diabetes using a genetic risk model in the Diabetes Autoimmunity Study in the Young. Pediatr Diabetes 2018;19:277-83.

13. Hakola L, Takkinen HM, Niinistö S, Ahonen S, Nevalainen J, Veijola R, et al. Infant feeding in relation to the risk of advanced islet autoimmunity and type 1 diabetes in children with increased genetic susceptibility: a cohort study. Am J Epidemiol 2018;187:34-44.

14. Hyoty H. Viruses in type 1 diabetes. Pediatr Diabetes 2016;17:56-64.

15. Ilonen J, Kiviniemi M, Lempainen J, Simell O, Toppari J, Veijola R, et al. Genetic susceptibility to type 1 diabetes in childhood-estimation of HLA class II associated disease risk and class II effect in various phases of islet autoimmunity. Pediatr Diabetes 2016;17:8-16.

16. Imagawa A, Hanafusa T. Pathogenesis of fulminant type 1 diabetes. Rev Diabet Stud 2006;3:169-77.

17. Knip M, Siljander H, Ilonen J, Simell O, Veijola R. Role of humoral β-cell autoimmunity in type 1 diabetes. Pediatr Diabetes 2016;17:17-24.

18. Knip M, Veijola R, Virtanen SM, Hyoty H, Vaarala O, Akerblom HK. Environmental triggers and determinants of type 1 diabetes. Diabetes 2005;54:125-36.

19. Knip M, Virtanen SM, Becker D, Dupre J, Krischer JP, Akerblom HK. Early feeding and risk of type 1 diabetes: experiences from the trial to reduce insulin-dependent diabetes mellitus in the genetically at risk (TRIGR). Am J Clin Nutr 2011;94:1814-20.

20. Köhler M, Beyerlein A, Vehik K, Greven, S, Umlauf N, Lernmark Å, et al. Joint modeling of longitudinal autoantibody patterns and progression to type 1 diabetes: results from the TEDDY study. Acta Diabetol 2017;54:1009-17.

21. Lernmark A, Freedman ZR, Hofmann C, Rubenstein AH, Steiner DF, Jackson RL, et al. Islet-cell-surface antibodies in juvenile diabetes mellitus. N Engl J Med 1978;299:375-80.

22. Lund-Blix NA, Dydensborg Sander S, Størdal K, Nybo Andersen AM, Rønningen KS, Joner G, et al. Infant feeding and risk of type 1 diabetes in two large Scandinavian birth cohorts. Diabetes Care 2017;40:920-7.

23. Magnus MC, Olsen SF, Granstrom C, Lund-Blix NA, Svensson J, Johannesen J, et al. Paternal and maternal obesity but not gestational weight gain is associated with type 1 diabetes. Int J Epidemiol 2018;47:417-26.

24. Mikk ML, Heikkinen T, El-Amir MI, Kiviniemi M, Laine AP, Härkönen T, et al. The association of the HLA-A*24:02, B*39:01 and B*39:06 alleles with type 1 diabetes is restricted to specific HLA-DR/DQ haplotypes in Finns. HLA 2017;89:215-24.

25. Naik RG, Palmer JP. Latent autoimmune diabetes in adults (LADA). Rev Endocr Metab Disord 2003;4:233-41.

26. Norris JM, Johnson RK, Stene LC. Type 1 diabetes-early life origins and changing epidemiology. Lancet Diabetes Endocrinol 2020;8:226-38.

27. Orban T, Bundy B, Becker DJ, DiMeglio LA, Gitelman SE, Goland R, et al. Co-stimulation modulation with abatacept in patients with recent-onset type 1 diabetes: a randomised, double-blind, placebo-controlled trial. Lancet 2011;378:412-9.

28. Pihoker C, Gilliam LK, Hampe CS, Lernmark A. Autoantibodies in diabetes. Diabetes 2005;54:52-61.

29. Pociot F, Lernmark A. Genetic risk factors for type 1 diabetes. Lancet 2016;387:2331-9.

30. Pugliese A. Insulitis in the pathogenesis of type 1 diabetes. Pediatr Diabetes 2016;17:31-6.

31. Redondo MJ, Steck AK, Pugliese A. Genetics of type 1 diabetes. Pediatr Diabetes 2018;19:346-53.

32. Rewers M, Ludvigsson J. Environmental risk factors for type 1 diabetes. Lancet 2016;387:2340-8.

33. Rodacki M, Milech A, de Oliveira JE. NK cells and type 1 diabetes. Clin Dev Immunol 2006;13:101-7.

34. Uusitalo U, Lee HS, Andrén Aronsson C, Vehik K, Yang J, Hummel S, et al. Early infant diet and islet autoimmunity in the TEDDY study. Diabetes Care 2018;41:522-30.

35. Virtanen SM. Dietary factors in the development of type 1 diabetes. Pediatr Diabetes 2016;17:49-55.

36. Waernbaum I, Dahlquist G, Lind T. Perinatal risk factors for type 1 diabetes revisited: a population-based register study. Diabetologia 2019;62:1173-84.

37. Wilcox NS, Rui J, Hebrok M, Herold KC. Life and death of β cells in type 1 diabetes: a comprehensive review. J Autoimmun 2016;71:51-8.

69

당뇨병사전환

38. Xiang Y, Zhou Z, Deng C, Leslie RD. Latent autoimmune diabetes in adults in Asians: similarities and differences between East and West. J Diabetes 2013;5:118-26.

39. Yang Y, Chan L. Monogenic diabetes: what it teaches us on the common forms of type 1 and type 2 diabetes. Endocr Rev 2016;37:190-222.

II.

1. Aida K, Nishida Y, Tanaka S, Maruyama T, Shimada A, Awata T, et al. RIG-I-and MDA5-initiated innate immunity linked with adaptive immunity accelerates β-cell death in fulminant type 1 diabetes. Diabetes 2011;60:884-9.

2. Bisikirska BC, Herold KC. Regulatory T cells and type 1 diabetes. Curr Diab Rep 2005;5:104-9.

3. Bluestone JA, Tang Q. Therapeutic vaccination using CD4,CD25, antigen-specific regulatory T cells. Proc Natl Acad Sci USA 2004;101:14622-6.

4. Callewaert HI, Gysemans CA, Ladriere L, D'Hertog W, Hagenbrock J, Overbergh L, et al. Deletion of STAT-1 pancreatic islets protects against streptozotocin-induced diabetes and early graft failure but not against late rejection. Diabetes 2007;56:2169-73.

5. Coate KC, Cha J, Shrestha S, Wang W, Gonçalves LM, Almaça J, et al. SARS-CoV-2 cell entry factors ACE2 and TMPRSS2 are expressed in the microvasculature and ducts of human pancreas but are not enriched in β cells Cell Metab 2020;32:1028-40.

6. Diana J, Simoni Y, Furio L, Beaudoin L, Agerberth B, Barrat FJ, et al. Crosstalk between neutrophils, B-1a cells and plasmacytoid dendritic cells initiates autoimmune diabetes. Nat Med 2013;19:65-73.

7. Eldor R, Yeffet A, Baum K, Doviner V, Amar D, Ben-Neriah Y, et al. Conditional and specific NF-kappaB blockade protects pancreatic β cells from diabetogenic agents. Proc Natl Acad Sci USA 2006;103:5072-7.

8. Garcia-Romo GS, Caielli S, Vega B, Connolly J, Allantaz F, Xu Z, et al. Netting neutrophils are major inducers of type I IFN production in pediatric systemic lupus erythematosus. Sci Transl Med 2011;3:73ra20.

9. Gysemans CA, Ladriere L, Callewaert H, Rasschaert J, Flamez D, Levy DE, et al. Disruption of the g-interferon signaling pathway at the level of signal transducer and activator of transcription-1 prevents immune destruction of b-cells. Diabetes 2005;54:2396-403.

10. Hanafusa T. Fulminant type 1 diabetes: 20 years of discovery and development. Diabetol Int 2020;14:310-4.

11. Herold KC, Bundy BN, Long SA, Bluestone JA, DiMeglio LA, Dufort MJ, et al. An anti-CD3 antibody, teplizumab, in relatives at risk for type 1 diabetes. N Eng J Med 2019;381:603-13.

12. Herold KC, Reynolds J, Dziura J, Baidal D, Gaglia J, Gitelman SE, et al. Exenatide extended release in patients with type 1 diabetes with and without residual insulin production. Diabetes Obes Metab 2020;22:2045-54.

13. Hollstein T, Schulte DM, Schulz J, Glück A, Ziegler AG, Bonifacio E, et al. Autoantibody-negative insulin-dependent diabetes mellitus after SARS-CoV-2 infection: a case report Nat Metab 2020;2:1021-4.

14. Kim HS, Han MS, Chung KW, Kim S, Kim E, Kim MJ, et al. Toll-like receptor 2 senses β-cell death and contributes to the initiation of autoimmune diabetes. Immunity 2007;27:321-33.

15. Kim HS, Kim S, Lee MS. IFN-g sensitizes MIN6N8 cells insulinoma cells to TNF-a-induced apoptosis by inhibiting NF-kB-mediated XIAP upregulation. Biochem Biophys Res Com 2005;336:847-53.

16. Kim KA, Lee MS. Recent progress in research on β-cell apoptosis by cytokines. Front Biosci 2009;14:657-64.

17. Kim S, Kim HS, Chung KW, Oh SH, Yun JW, Im SH, et al. Essential role for STAT1 in pancreatic b-cell death and autoimmune type 1 diabetes of NOD mice. Diabetes 2007;56:2651-8.

18. Kim S, Kim KA, Hwang DY, Lee TH, Kayagaki N, Yagita H, et al. Inhibition of autoimmune diabetes by fas ligand: the paradox is solved. J Immunol 2000;164:2931-6.

19. Kim S, Millet I, Kim HS, Kim JY, Han MS, Lee MK, et al. NF-kappa B prevents β cell death and autoimmune diabetes in NOD mice. Proc Natl Acad Sci USA 2007;104:1913-8.

20. Kim TK, Lee JC, Im SH, Lee MS. Amelioration of autoimmune diabetes of NOD mice by immunomodulating probiotics. Front Immunol 2020;11:1832.

21. Lau K, Benitez P, Ardissone A, Wilson TD, Collins EL, Lorca G, et al. Inhibition of type 1 diabetes correlated to a Lactobacillus johnsonii N6.2-mediated Th17 bias. J Immunol 2011;186:3538-46.

22. Lebreton F, Lavallard V, Bellofatto K, Bonnet R, Wassmer CH, Perez L, et al. Insulin-producing organoids engineered from islet and amniotic epithelial cells to treat diabetes. Nat Commun 2019;10:4491.

23. Li J, Wang X, Chen J, Zuo X, Zhang H, Deng A. COVID-19 infection may cause ketosis and ketoacidosis. Diabetes Obes Metab 2020;22:1935-41.

24. Lo Preiato V, Salvagni S, Ricci C, Ardizzoni A, Pagotto U, Pelusi C. Diabetes mellitus induced by immune checkpoint inhibitors: type 1 diabetes variant or new clinical entity? review of the literature. Rev Endocr Metab Disord 2021;22:337-49.

25. Marek-Trzonkowska N, Mysliwiec M, Dobyszuk A, Grabowska M, Techmanska I, Juscinska J, et al. Administration of CD4+CD25 highCD127- regulatory T cells preserves β-cell function in type 1 diabetes in children. Dia-

betes Care 2012;35:1817-20.

26. Martin BN, Wang C, Zhang CJ, Kang Z, Gulen MF, Zepp JA, et al. T cell-intrinsic ASC critically promotes TH17-mediated experimental autoimmune encephalomyelitis. Nat Immunol 2016;17:583-92.

27. Moran A, Bundy B, Becker DJ, DiMeglio LA, Gitelman SE, Goland R, et al. Interleukin-1 antagonism in type 1 diabetes of recent onset: two multicentre, randomised, double-blind, placebo-controlled trials. Lancet 2013;381:1905-15.

28. Müller JA, Groß R, Conzelmann C, Krüger J, Merle U, Steinhart J, et al. SARS-CoV-2 infects and replicates in cells of the human endocrine and exocrine pancreas. Nat Metab 2021;3:149-65.

29. Quattrin T, Haller MJ, Steck AJ, Felner EI, Li Y, Xia Y, et al. Golimumab and β-cell function in youth with new-onset type 1 diabetes. N Eng J Med 2020;383:2007-17.

30. Rosado-Olivieri EA, Aigha II, Kenty JH, Melton DA. Identification of a LIF-responsive, replication-competent subpopulation of human β cells. Cell Metab 2019;32:327-38.

31. Schloot NC, Roep BO, Wegmann DR, Yu L, Wang TB, Eisenbarth GS. T-cell reactivity to GAD65 peptide sequences shared with coxsackie virus protein in recent-onset IDDM, post-onset IDDM patients and control subjects. Diabetologia 1997;40:332-8.

32. Shapiro AMJ, Ricordi C, Hering BJ, Auchincloss H, Lindblad R, Robertson RP, et al. International trial of the Edmonton protocol for islet transplantation. N Eng J Med 2006;355:1318-30.

33. Sherr J, Sosenko J, Skyler JS, Herold KC. Prevention of type 1 diabetes: the time has come. Nat Clin Pract Endocrinol Metab 2008;4:334-43.

34. Sosenko JM, Skyler JS, Palmer JP, Krischer JP, Cuthbertson D, Yu L, et al. A longitudinal study of GAD65 and ICA512 autoantibodies during the progression to type 1 diabetes in Diabetes Prevention Trial-Type 1 (DPT-1) participants. Diabetes Care 2011;34:2435-7.

35. Suk K, Kim S, Kim YH, Kim KA, Chang I, Yagita H, et al. IFNg/TNFa synergism as the final effector in autoimmune diabetes: a key role for STAT1/IRF-1 in pancreatic β-cell death. J Immunol 2001;166:4481-9.

36. Turley S, Poirot L, Hattori M, Benoist C, Mathis D. Physiological β cell death triggers priming of self-reactive T cells by dendritic cells in a type-1 diabetes model. J Exp Med 2003;198:1527-37.

37. Wang J, Yoshida T, Nakaki F, Hiai H, Okazaki T, Honjo T. Establishment of NOD-Pdcd1-/-mice as an efficient animal model of type I diabetes. Proc Natl Acad Sci USA 2005;102:11823-8.

38. Wang MY, Dean ED, Quittner-Strom E, Zhu Y, Chowdhury KH, Zhang Z, et al. Glucagon blockade restores functional β-cell mass in type 1 diabetic mice and enhances function of human islets. Proc Natl Acad Sci USA 2020;118: e2022142118.

39. Yoon JW. The role of viruses and environmental factors in the induction of diabetes. Curr Top Microbiol Immunol 1990;164:95-123.

40. Zipris D. Epidemiology of type 1 diabetes and what animal models teach us about the role of viruses in disease mechanisms. Clin Immunol 2009;131:11-23.

III.

1. American Diabetes Association. 2. Classification and diagnosis of diabetes: standards of medical care in diabetes 2021. Diabetes Care 2021;44:15-33.

2. Atkinson MA, Eisenbarth GS, Michels AW. Type 1 diabetes. Lancet 2014;383:69-82.

3. Atkinson MA, Eisenbarth GS. Type 1 diabetes: new perspectives on disease pathogenesis and treatment. Lancet 2001;358:221-9.

4. De Grijse J, Asanghanwa M, Nouthe B, Albrecher N, Goubert P, Vermeulen I, et al. Predictive power of screening for antibodies against insulinoma associated protein 2 β (IA-2β) and zinc transporter-8 to select first-degree relatives of type 1 diabetic patients with risk of rapid progression to clinical onset of the disease: implications for prevention trials. Diabetologia 2010;53:517-24.

5. DiMeglio LA, Evans-Molina C, Oram RA. Type 1 diabetes. Lancet 2018;391:2449-62.

6. Eisenbarth GS. Type I diabetes mellitus: a chronic autoimmune disease. N Engl J Med 1986;314:1360-8.

7. Ferrannini E, Mari A, Nofrate V, Sosenko JM, Skyler JS; DPT-1 Study Group. Progression to diabetes in relatives of type 1 diabetic patients: mechanisms and mode of onset. Diabetes 2010;59:679-85.

8. Gorus FK, Balti EV, Vermeulen I, Demeester S, Van Dalem A, Costa O, et al. Belgian Diabetes Registry. Screening for insulinoma antigen 2 and zinc transporter 8 autoantibodies: a cost-effective and age-independent strategy to identify rapid progressors to clinical onset among relatives of type 1 diabetic patients. Clin Exp Immunol 2013;171:82-90.

9. Helminen O, Aspholm S, Pokka T, Hautakangas MR, Haatanen N, Lempainen J, et al. HbA1c predicts time to diagnosis of type 1 diabetes in children at risk. Diabetes 2015;64:1719-27.

10. Holt RIG, DeVries JH, Hess-Fischl A, Hirsch IB, Kirkman MS, Klupa T, et al. The management of type 1 diabetes in Adults. a consensus report by the American Diabetes Association (ADA) and the European Association for the Study of Diabetes (EASD). Diabetes Care 2021;44:2589-625.

11. Hope SV, Wienand-Barnett S, Shepherd M, King SM, Fox C, Khunti K, et al. Practical classification guidelines for diabetes in patients treated with insulin: a cross-sectional study of the accuracy of diabetes diagnosis. Br J Gen Pract 2016;66:e315-22.

12. Insel RA, Dunne JL, Atkinson MA, Chiang JL, Dabelea D, Gottlieb PA, et al. Staging presymptomatic type 1 diabetes: a scientific statement of JDRF, the Endocrine Society, and the American Diabetes Association. Diabetes Care 2015;38:1964-74.

13. Krischer JP, Lynch KF, Schatz DA, Ilonen J, Lernmark Å, Hagopian WA, et al. The 6 year incidence of diabetes-associated autoantibodies in genetically at-risk children: the TEDDY study. Diabetologia 2015;58:980-7.

14. Krischer JP, Type 1 Diabetes TrialNet Study Group. The use of intermediate endpoints in the design of type 1 diabetes prevention trials. Diabetologia 2013;56:1919-24.

15. Lee YB, Han K, Kim B, Jun JE, Lee SE, Ahn J, et al. Risk of end‑stage renal disease from chronic kidney disease defined by decreased glomerular filtration rate in type 1 diabetes: A comparison with type 2 diabetes and the effect of metabolic syndrome. Diabetes Metab Res Rev 2019;35:e3197.

16. Lee YB, Han K, Kim B, Lee SE, Jun JE, Ahn J, et al. Risk of early mortality and cardiovascular disease in type 1 diabetes: a comparison with type 2 diabetes, a nationwide study. Cardiovasc Diabetol 2019;18:157.

17. Miao D, Guyer KM, Dong F, Jiang L, Steck AK, Rewers M, et al. GAD65 autoantibodies detected by electrochemiluminescence assay identify high risk for type 1 diabetes. Diabetes 2013;62:4174-8.

18. Miao D, Steck AK, Zhang L, Guyer KM, Jiang L, Armstrong T, et al. Electrochemiluminescence assays for insulin and glutamic acid decarboxylase autoantibodies improve prediction of type 1 diabetes risk. Diabetes Technol Ther 2015;17:119-27.

19. Parikka V, Näntö-Salonen K, Saarinen M, Simell T, Ilonen J, Hyöty H, et al. Early seroconversion and rapidly increasing autoantibody concentrations predict prepubertal manifestation of type 1 diabetes in children at genetic risk. Diabetologia 2012;55:1926-36.

20. Sosenko JM, Palmer JP, Greenbaum CJ, Mahon J, Cowie C, Krischer JP, et al. Patterns of metabolic progression to type 1 diabetes in the Diabetes Prevention Trial-Type 1. Diabetes Care 2006;29:643-9.

21. Sosenko JM, Palmer JP, Rafkin-Mervis L, Krischer JP, Cuthbertson D, Mahon J, et al. Incident dysglycemia and progression to type 1 diabetes among participants in the Diabetes Prevention Trial-Type 1. Diabetes Care 2009;32:1603-7.

22. Sosenko JM, Palmer JP, Rafkin-Mervis L, Krischer JP, Cuthbertson D, Matheson D, et al. Glucose and C-peptide changes in the perionset period of type 1 diabetes in the Diabetes Prevention Trial-Type 1. Diabetes Care 2008;31:2188-92.

23. Sosenko JM, Skyler JS, Beam CA, Krischer JP, Greenbaum CJ, Mahon J, et al. Acceleration of the loss of the first-phase insulin response during the progression to type 1 diabetes in Diabetes Prevention Trial-Type 1 participants. Diabetes 2013;62:4179-83.

24. Stene LC, Barriga K, Hoffman M, Kean J, Klingensmith G, Norris JM, et al. Normal but increasing hemoglobin A1c levels predict progression from islet autoimmunity to overt type 1 diabetes: Diabetes Autoimmunity Study in the Young (DAISY). Pediatr Diabetes 2006;7:247-53.

25. Thomas NJ, Jones SE, Weedon MN, Shields BM, Oram RA, Hattersley AT. Frequency and phenotype of type 1 diabetes in the first six decades of life: a cross-sectional, genetically stratified survival analysis from UK Biobank. Lancet Diabetes Endocrinol 2018;6:122-29.

26. Vardi P, Crisa L, Jackson RA. Predictive value of intravenous glucose tolerance test insulin secretion less than or greater than the first percentile in islet cell antibody positive relatives of type 1 (insulin-dependent) diabetic patients. Diabetologia 1991;34:93-102.

27. Vehik K, Beam CA, Mahon JL, Schatz DA, Haller MJ, Sosenko JM, et al. Development of autoantibodies in the TrialNet Natural History Study. Diabetes Care 2011;34:1897-901.

28. Vehik K, Cuthbertson D, Boulware D, Beam CA, Rodriguez H, Legault L, et al. Performance of HbA1c as an early diagnostic indicator of type 1 diabetes in children and youth. Diabetes Care 2012;35:1821-25.

29. Vehik K, Haller MJ, Beam CA, Schatz DA, Wherrett DK, Sosenko JM, et al. Islet autoantibody seroconversion in the DPT-1 study: justification for repeat screening throughout childhood. Diabetes Care 2011;34:358-62.

30. Xu P, Wu Y, Zhu Y, Dagne G, Johnson G, Cuthbertson D, et al. Prognostic performance of metabolic indexes in predicting onset of type 1 diabetes. Diabetes Care 2010;33:2508-13.

31. Ziegler AG, Bonifacio E, BABYDIAB-BABYDIET Study Group. Age-related islet autoantibody incidence in offspring of patients with type 1 diabetes. Diabetologia 2012;55:1937-43.

IV.

1. Albisser AM, Leibel BS, Ewart TG, Davidovac Z, Botz CK, Zingg W. An artificial endocrine pancreas. Diabetes 1974;23:389-96.

2. Albisser AM, Leibel BS, Ewart TG, Davidovac Z, Botz CK, Zingg W. Clinical control of diabetes by the artificial pancreas. Diabetes 1974;23:397-404.

3. Alsaleh FM, Smith FJ, Keady S, Taylor KM. Insulin pumps: from inception to the present and toward the future. Review J Clin Pharm Ther 2010;35:127-38.

4. American Diabetes Association. Pharmacologic Approaches to Glycemic Treatment: Standards of Medical Care in Diabetes-2021. Diabetes Care 2021;44:111-24.

5. Ballinger WF, Lacy PE. Transplantation of intact pancreatic islets in rats. Surgery 1972;72:175-86.

6. Bergenstal RM, Klonoff DC, Garg SK, Bode BW, Meredith M, Slover RH, et al. Threshold-based insulin-pump interruption for reduction of hypoglycemia. N Engl J Med 2013;369:224-32.

7. Choi JY, Jung JH, Shin S, Kim YH, Han DJ. Association between the pancreas transplantation and survival of patients with diabetes: A single center experience. PLoS One 2017;12:e0186827.

8. Dubernard JM, Traeger J, Neyra P, Touraine JL, Tranchant D, Blanc-Brunat N. A new method of preparation of segmental pancreatic grafts for transplantation : trials in dog and in human. Surgery 1978;84:633-9.

9. Epidemiology of Diabetes Interventions and Complications (EDIC) Research Group. Epidemiology of diabetes interventions and complications (EDIC): design, implementation, and preliminary results of a long-term follow-up of the diabetes control and complications trial cohort. Diabetes Care 1999;22:99-111.

10. Fogt EJ, Dodd LM, Jenning EM, Clemens AH. Development and evaluation of a glucose analyzer for a glucose controlled insulin infusion system (Biostator). Clin Chem 1978;24:1366-72.

11. Gliedman ML, Gold M, Whittaker J, Rifkin H, Soberman R, Freed S. Pancreatic duct to ureter anastomosis for exocrine drainage in pancreatic transplantation. Am J Surg 1973;125:245-52.

12. Health Quality Ontario. Continuous monitoring of glucose for type 1 diabetes: a health technology assessment. Ont Health Technol Assess Ser 2018;18:1-160.

13. Kawaguchi Y, Sawa J, Hamai C, Nishimura Y, Kumeda Y. Comparison of the efficacy and safety of insulin degludec/aspart (twice‐daily injections), insulin glargine 300 U/mL, and insulin glulisine (basal-bolus therapy). J Diabetes Investig 2019;10:1527-36.

14. Koh A, Imes S, Shapiro AM, Senior PA. Successful treatment of brittle diabetes following total pancreatectomy by islet allotransplantation: a case report. JOP 2013;14:428-31.

15. Korean Diabetes Association. Diabetes fact sheet in Korea 2020. Seoul: Korean Diabetes Association. 2020.

16. Korean Diabetes Assocication. Diabetes. 5th ed. Seoul: Korean Diabetes Assocication; 2018.

17. Leemkuil M, Messner F, Benjamens S, Krendl FJ, Leuvenink HG, Margreiter C. The impact of donor pancreas extraction time on graft survival and postoperative complications in pancreas transplant recipients. Pancreatology 2021;S1424-3903(21)00152-6.

18. Liu H, Li R, Liao HK, Min Z, Wang C, Yu Y. Chemical combinations potentiate human pluripotent stem cell-derived 3D pancreatic progenitor clusters toward functional β cells. Nat Commun 2021;12:3330.

19. Nagasaki H, Katsumata T, Oishi H, Tai PH, Sekiguchi Y, Koshida R. Generation of insulin-producing cells from the mouse liver using β cell-related gene transfer including Mafa and Mafb. PLoS One 2014;9:e11302.

20. Olczuk D, Priefer R. A history of continuous glucose monitors (CGMs) in self-monitoring of diabetes mellitus. Diabetes Metab Syndr 2018;12:181-7.

21. Petersen MC, Shulman GI. Mechanisms of insulin action and insulin resistance. Physiol Rev 2018; 98:2133-223.

22. Pfeiffer EF, Thum C, Clemens AH. The artificial β cell-a continuous control of blood sugar by external regulation of insulin infusion (glucose controlled insulin infusion system). Horm Metab Res 1974;6:339-42.

23. Pickup JC, Keen H, Parsons JA, Alberti KG. Continuous subcutaneous insulin infusion: an approach to achieving normoglycaemia. Clinical Trial Br Med J 1978;1:204-7.

24. Pickup JC, Keen H, Stevenson RW, Parsons JA, Alberti KG, White M. Insulin via continuous subcutaneous infusion. Lancet 1978;2:988-9.

25. Qin Y, Yang LH, Huang XL, Chen XH, Yao H. Efficacy and safety of continuous subcutaneous insulin infusion vs. multiple daily injections on type 1 diabetes children: a meta-analysis of randomized control trials. J Clin Res Pediatr Endocrinol 2018;10:316-23.

26. Samoylova ML, Borle D, Ravindra KV. Pancreas transplantation: indications, techniques, and outcomes. Surg Clin North Am 2019;99:87-101.

27. Srinivasan P, Huang GC, Amiel SA, Heaton ND. Islet cell transplantation. Postgrad Med J 2007;83:224-9.

28. The DCCT Research Group. Diabetes control and complications trial (DCCT): results of feasibility study. The DCCT Research Group. Diabetes Care 1987;10:1-19.

29. Weintrob N, Shalitin S, Phillip M. Why pumps? Continuous subcutaneous insulin infusion for children and adolescents with type 1 diabetes. Isr Med Assoc J 2004;6:271-5.

30. Yeh HC, Brown TT, Maruthur N, Ranasinghe P, Berger Z, Suh YD, et al. Comparative effectiveness and safety of methods of insulin delivery and glucose monitoring for diabetes mellitus: a systematic review and meta-analysis. Ann Intern Med 2012;157:336-47.

09

당대사질환

V.

1. American Diabetes Association. Pharmacologic approaches to glycemic treatment: standards of medical care in diabetes-2021. Diabetes Care 2021;44:111-24.

2. Boggi U, Vistoli F, Andres A, Arbogast HP, Badet L, Baronti W, et al. First World Consensus Conference on pancreas transplantation: part II-recommendations. Am J Transplant 2021;21:17-59.

3. Choudhary P, Rickels MR, Senior PA, Vantyghem MC, Maffi P, Kay TW, et al. Evidence-informed clinical practice recommendations for treatment of type 1 diabetes complicated by problematic hypoglycemia. Diabetes Care 2015;38:1016-29.

4. Collaborative Islet Transplant Registry [Internet]. CITR 10th Annual Report; 2017 Jan 6. Available from: https://www.citregistry.org.

5. Dean PG, Kukla A, Stegall MD, Kudva YC. Pancreas transplantation. BMJ 2017;357:j1321.

6. Foster ED, Bridges ND, Feurer ID, Eggerman TL, Hunsicker LG, Alejandro R, et al. Improved health-related quality of life in a phase 3 islet transplantation trial in type 1 diabetes complicated by severe hypoglycemia. Diabetes Care 2018;41:1001-8.

7. Gruessner AC, Gruessner RWG. Pancreas transplantation of US and non-US cases from 2005 to 2014 as reported to the United Network for Organ Sharing (UNOS) and the International Pancreas Transplant Registry (IPTR). Rev Diabet Stud 2016;13:35-58.

8. Haller MJ, Gitelman SE, Gottlieb PA, Michels AW, Rosenthal SM, Shuster JJ, et al. Anti-thymocyte globulin/G-CSF treatment preserves β cell function in patients with established type 1 diabetes. J Clin Invest 2015;125:448-55.

9. Haller MJ, Long SA, Blanchfield JL, Schatz DA, Skyler JS, Krischer JP, et al. Low-dose anti-thymocyte globulin preserves C-peptide, reduces HbA1c, and increases regulatory to conventional T-cell ratios in new-onset type 1 diabetes: two-year clinical trial data. Diabetes 2019;68:1267-76.

10. Hering BJ, Clarke WR, Bridges ND, Eggerman TL, Alejandro R, Bellin MD, et al. Phase 3 trial of transplantation of human islets in type 1 diabetes complicated by severe hypoglycemia. Diabetes Care 2016;39:1230-40.

11. Herold KC, Bundy BN, Long SA, Bluestone JA, DiMeglio LA, Dufort MJ, et al. An anti-CD3 antibody, teplizumab, in relatives at risk for type 1 diabetes. N Engl J Med 2019;381:603-13.

12. Jacobsen LM, Bundy BN, Greco MN, Schatz DA, Atkinson MA, Brusko TM, et al. Comparing β cell preservation cross clinical trials in recent-onset type 1 diabetes. Diabetes Technol Ther 2020;22:948-53.

13. Jacobsen LM, Newby BN, Perry DJ, Posgai AL, Haller MJ, Brusko TM. Immune mechanisms and pathways targeted in type 1 diabetes. Curr Diab Rep 2018;18:90.

14. Kandaswamy R, Stock PG, Miller J, Skeans MA, White J, Wainright J, et al. OPTN/SRTR 2019 annual data report: pancreas. Am J Transplant 2021;21:138-207.

15. Lablanche S, Borot S, Wojtusciszyn A, Skaare K, Penfornis A, Malvezzi P, et al. Ten-year outcomes of islet transplantation in patients with type 1 diabetes: data from the Swiss-French GRAGIL network. Am J Transplant 2021;21:3725-33.

16. Markmann JF, Rickels MR, Eggerman TL, Bridges ND, Lafontant DE, Qidwai J, et al. Phase 3 trial of human islet-after-kidney transplantation in type 1 diabetes. Am J Transplant 2021;21:1477-92.

17. Rickels MR, Stock PG, de Koning EJP, Piemonti L, Pratschke J, Alejandro R, et al. Defining outcomes for β-Cell replacement therapy in the treatment of diabetes: a consensus report on the Igls criteria from the IPITA/EPITA Opinion Leaders Workshop. Transpl Int 2018;31:343-52.

18. Robertson RP, Davis C, Larsen J, Stratta R, Sutherland DE, American Diabetes Association. Pancreas and islet transplantation in type 1 diabetes. Diabetes Care 2006;29:935.

19. Ryan EA, Paty BW, Senior PA, Bigam D, Alfadhli E, Kneteman NM, et al. Five-year follow-up after clinical islet transplantation. Diabetes 2005;54:2060-9.

20. Shapiro AM, Pokrywczynska M, Ricordi C. Clinical pancreatic islet transplantation. Nat Rev Endocrinol 2017;13:268-77.

21. Shapiro AMJ, Lakey JRT, Ryan EA, Korbutt GS, Toth EL, Warnock GL, et al. Islet transplantation in seven patients with type 1 diabetes mellitus using a glucocorticoid-free immunosuppressive regimen. N Engl J Med 2000;343:230-8.

22. Vallianou NG, Stratigou T, Geladari E, Tessier CM, Mantzoros CS, Dalamaga M. Diabetes type 1: can it be treated as an autoimmune disorder? Rev Endocr Metab Disord 2021;22:859-76.

23. Vantyghem MC, de Koning EJP, Pattou F, Rickels MR. Advances in β-cell replacement therapy for the treatment of type 1 diabetes. Lancet 2019;394:1274-85.

24. Warshauer JT, Bluestone JA, Anderson MS. New frontiers in the treatment of type 1 diabetes. Cell Metab 2020;31:46-61.

25. Xin GLL, Khee YP, Ying TY, Chellian J, Gupta G, Kunnath AP, et al. Current status on immunological therapies for type 1 diabetes mellitus. Curr Diab Rep 2019;19:22.

임신당뇨병

장학철

Ⅰ. 서론

19세기에 들어 일부 임신부에서 임신 중에 당뇨병이 발생하고, 분만 후에 당뇨병이 없어진다는 것이 알려졌다. 하지만, 임신당뇨병의 진단기준이 처음 설정된 것은 1964년 O'Sullivan 등이 경구포도당내성검사를 이용하여 당뇨병 발생위험에 따라 진단기준을 정한 것이었다. O'Sullivan이 제시한 임신당뇨병의 진단기준은 일부 수정을 통해 Carpenter-Coustan 진단기준으로 현재까지 사용되고 있다. 2010년 International Association of Diabetes and Pregnancy Study Group (IADPSG)은 Hyperglycemia and Adverse Pregnancy Outcomes (HAPO) 연구결과를 바탕으로 임신 성적에 근거한 새로운 임신당뇨병의 진단법과 진단기준을 제시하였다. 그러나 IADPSG에서 제시한 방법으로 임신당뇨병을 진단하면 임신당뇨병 발생률이 2배 이상으로 증가하여 현재 어떤 진단방법을 사용하는 것이 임상적으로 효율적인가에 논쟁이 계속되고 있다. 임신당뇨병에서 또 다른 논쟁은 임신당뇨병이 비만하거나 연령이 높은 임신부에서 잘 발생하기 때문에 임신부의 비만 또는 연령과 독립적으로 임신당뇨병이 임신성적에 나쁜 영향을 미치는지와 임신 성적에 나쁜 영향을 미치는 임신 중 고혈당의 정도이다. 향후 임상연구를 통해서 이러한 논쟁을 해결해야 할 것이다.

Ⅱ. 임신당뇨병의 정의

임신당뇨병은 임신 중에 처음 발견된 고혈당으로 당뇨병 아형 중 하나이다. 고혈당의 정도에 상관없이 임신 중에 처음 발생하였거나, 임신 중 처음 발견된 포도당대사장애로 정의하고 있다. 또 인슐린 치료가 필요한지, 분만 이후 당뇨병이 지속되는지는 고려하지 않는다. 하지만 비만의 증가와 당뇨병 유병률이 급증하면서 가임기여성에서 2형당뇨병이 증가하고 있고, 임신부 중 진단되지 않은 2형당뇨병 환자가 증가하고 있다. 따라서 2010년 IADPSG는 첫 산전 방문 시에 당뇨병선별검사를 시행할 것을 권장하였고, 첫 산전 방문 시에 당뇨병으로 진단받은 임신부는 임신당뇨병이 아니라 현성당뇨병으로 진단할 것을 권고하였다. 임신당뇨병과 1형당뇨병이나 2형당뇨병여성이 임신한 임신전당뇨병(pregestational diabetes)을 구별하는 것은 임신 중 고려해야 할 합병증과 관리방법이 다를 수 있기 때문이다(표 9-4-1).

당뇨병임신의 대부분을 차지하는 임신당뇨병의 임상중요성은 임신당뇨병이 산과 및 주산기 합병증의 위험과 깊은 연관이 있다는 것이다. 1형당뇨병 또는 2형당뇨병에서 임신 초기 임신부의 고혈당은 선천기형과 자연유산을 일으키고 임신 중-후반기 고혈당은 태아 고인슐린혈증을 초래하며, 이는 태아의 불균등 성장과 성숙장애를 일으켜 산과 및 주산기 합병증의 위험을 증가시킨다. 따라서 임신당뇨병이 임신에

표 9-4-1. **당뇨병임신의 분류**

임신당뇨병(Gestational Diabetes Mellitus, GDM)
태아의 위험
• 고인슐린혈증과 과다성장, 사산위험
임신부의 위험
• 임신고혈압, 분만 후 당뇨병 이환
혈당조절(인슐린 치료 결정)
• 공복혈당 < 95 mg/dL 또는 ≥ 95 mg/dL
임신전당뇨병(Pregestational Diabetes Mellitus, PGDM)
당뇨병 아형
• 1형당뇨병: 케토산증
• 2형당뇨병: 비만, 고혈압
혈당 조절시기
• 임신 초기: 선천기형, 자연유산
• 임신 후기: 고인슐린혈증, 과다성장, 사산, 적혈구증가증, 호흡곤란증
당뇨병만성합병증 유무
• 망막병증: 임신 중 악화
• 신장병증: 부종, 고혈압, 태아발육지연
• 동맥경화증: 임신부 사망위험

미치는 나쁜 영향은 고혈당의 발생시기와 정도에 차이가 있을 뿐 임신전당뇨병과 차이가 없다고 생각하고 있다.

III. 임신당뇨병의 발견과 진단

임신당뇨병은 특이한 증상을 동반하지 않기 때문에 경구포도당내성검사를 통해서 진단하고 있다. 현재 두 개의 검사방법 중 하나를 선택할 수 있다. 선별검사를 통해 임신당뇨병의 가능성을 살펴보고, 임신당뇨병의 가능성이 높은 임신부를 대상으로 진단검사를 시행하는 2단계 검사법과 IADPSG에서 권장한 선별검사없이 바로 진단검사를 시행하는 1단계 검사법이 있다. 2단계 검사법에서 임신당뇨병의 위험도에 따라 선별검사를 시행할 것인지, 또는 모든 임신부를 대상으로 선별검사를 시행하는 것이 유용한지에 대한 논란이 있었다. 1997년 미국당뇨병학회는 임신당뇨병의 위험도에 따라 선별검사를 권고하기도 하였지만 현재는 초기 산전 방문 시에 당뇨병의 위험도를 평가해서 고위험군인 경우에 당뇨병의 선별검사를 시행하고, 당뇨병이 아니라면 임신 24–28주에 임신당뇨병검사를 시행하는 것을 권장하고 있다.

1. 임신당뇨병 2단계 검사법

오래전부터 시행하여 왔던 2단계 검사법은 50g경구포도당내성검사를 선별검사로 권장한다. 50g경구포도당내성검사는 식사나 시간에 상관없이 실시할 수 있고 임신부가 내원한 당일 시행할 수 있다는 장점이 있다. 임신당뇨병 위험인자(거대아 출산 등의 산과력, 당뇨병의 가족력, 비만, 고혈압 등)를 선별검사로 이용하였을 때 임신당뇨병 진단의 민감도는 0.63이지만, 50g경구포도당내성검사를 이용하면 민감도가 0.79로 높아진다. 다른 연구에서는 임신당뇨병임신부의 약 50%에서만 위험인자가 발견되어, 임상위험인자를 선별검사로 이용하는 것은 민감도가 낮다고 하였다. 50g경구포도당내성검사에서 한계치 이상을 초과하면 임신당뇨병의 진단을 위해 100g경구포도당내성검사를 시행한다. 50g경구포도당내성검사의 한계치를 140 mg/dL 이상으로 하면 임신당뇨병임신부의 약 80%를 발견할 수 있고, 한계치를 130 mg/dL로 낮추면 임신당뇨병임신부의 약 90%를 발견할 수 있었다.

100g경구포도당내성검사를 이용한 임신당뇨병 진단기준의 근간은 1964년 O'Sullivan과 Mahan의 연구결과이다. O'Sullivan 진단기준은 임신합병증의 발생을 예측하기보다는 2형당뇨병의 발생위험을 예측하는 면에서 결정된 것이다. 그러나 O'Sullivan 진단기준은 임신 중에 실시된 연구이고 임신에 특이적으로 적용된 것이기 때문에 미국을 비롯하여 여러 국가에서 사용하기 시작하였다. 1979년 National Diabetes Data Group (NDDG)은 O'Sullivan 진단기준에서 검사방법의 차이를 보정하여 수정된 진단기준을 제시하였다. 이후 O'Sullivan 진단기준을 NDDG 진단기준으로 수정하였을 때, 검사방법에 따른 차이를 너무 높게 설정

하였다는 문제점이 제기되었고 Toronto Tri-Hospital연구에서 거대아 발생빈도와 제왕절개술 비율이 NDDG 진단기준에 의하면 임신당뇨병이 아니지만, Carpenter-Coustan 진단기준에 의하면 임신당뇨병인 임신부에서 높아짐이 보고되어 미국당뇨병학회는 Carpenter-Coustan 진단기준을 사용할 것을 권유하였다(표 9-4-2).

국내연구에서 NDDG 대신 Carpenter-Coustan 진단기준을 적용하여 임신당뇨병을 진단하였을 때, 임신당뇨병의 유병률이 약 60% 증가한다고 보고되었다. 또 Carpenter-Coustan 진단기준에 의해서 임신당뇨병으로 진단된 임신부의 임신결과를 선별검사 음성인 임신부와 비교하였을 때 조산, 제왕절개술, 전자간증의 빈도가 유의하게 증가하였고 임신나이과체중(large for gestational age, LGA)의 빈도

도 유의하게 높았다. Carpenter-Coustan 진단기준으로 임신당뇨병이 진단된 임신부에서 인슐린 치료가 필요한 경우도 18%나 되었다. 이러한 결과로 한국인임신부에서도 임신당뇨병의 진단에 Carpenter-Coustan 진단기준을 적용해야 한다고 하였다.

2. 임신당뇨병 1단계 검사법

HAPO연구는 임신부의 혈당이 높아질수록 임신나이과체중, 일차제왕절개술, 신생아 저혈당증, 태아 고인슐린혈증 등의 빈도가 연속적으로 증가하며 임신부의 혈당에 따른 임신합병증의 역치가 존재하지 않음을 보고하였다. 이에 IADPSG는 HAPO연구를 이용하여 전문가들의 합의에 의한 임신당뇨병의 새로운 진단기준을 설정하기로 하였다.

HAPO연구에서는 출생체중, 제대혈 C-펩타이드 농도, 신생아 체지방률 등이 임신부의 공복혈장포도당, 포도당부하 후 1시간 혈장포도당, 포도당부하 후 2시간 혈장포도당 등과 가장 높은 상관관계를 보였기 때문에(그림 9-4-1) 이들 지표

표 9-4-2. 임신당뇨병의 진단

2단계 검사법
50g포도당내성검사
• 임신 24-28주, 식사 여부와 상관없이 시행
• 당부하 후 1시간 혈장포도당 농도를 측정하여 한계치(130, 135, 또는 140 mg/dL) 이상인 경우 100g경구포도당내성검사 시행
100g경구포도당내성검사
• 8시간 이상의 공복상태에서 시행
• 4회의 혈장포도당 농도 중 2회 이상 기준치를 초과하면 임신당뇨병 진단
- 공복: 95 mg/dL
- 포도당부하 후 1시간: 180 mg/dL
- 포도당부하 후 2시간: 155 mg/dL
- 포도당부하 후 3시간: 140 mg/dL
1단계 검사법
• 임신 24-28주에 8시간 이상 공복상태에서 75g경구포도당내성검사를 시행
• 3회의 혈장포도당 농도 중 1회 이상 기준치를 초과하면 임신당뇨병 진단
- 공복: 92 mg/dL
- 포도당부하 후 1시간: 180 mg/dL
- 포도당부하 후 2시간: 153 mg/dL

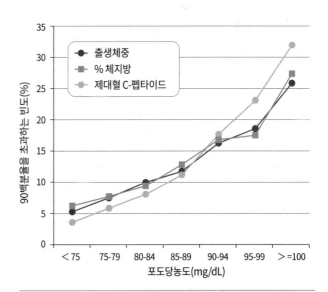

그림 9-4-1. HAPO연구에서 임신부의 공복혈장포도당과 임신결과의 상관성

임신부의 공복혈당이 증가할수록 임신나이과체중, 체지방률(> 90백분율), 제대혈 C-펩타이드(> 90백분율)를 초과하는 빈도는 연속적으로 증가한다.

표 9-4-3. IADPSG가 권장한 임신당뇨병과 임신전당뇨병의 진단기준

	75g경구포도당내성검사		HAPO연구참여자의 임신당뇨병의 유병률(%)
	mmol/L	mg/dL	
공복	5.1	92	8.3
1시간	10.0	180	14.0
2시간	8.5	153	16.1
임신전당뇨병의 진단기준			
측정방법		진단기준	
공복혈장포도당		≥ 126 mg/dL	
당화혈색소		≥ 6.5%	
무작위혈장포도당		≥ 200 mg/dL + 확진검사	

들을 이용하여 임신당뇨병의 진단기준 설정에 이용하였다.

IADPSG에서는 전체 임신부의 평균혈당값을 기준으로 교차비를 계산하였고 1.75배 이상의 교차비를 나타내는 임신부의 혈당을 임신당뇨병의 진단기준으로 결정하였다. 이들 진단기준 중에 하나 이상을 초과하면 임신당뇨병으로 진단하기로 하였고, 선별검사를 생략한 1단계 검사법을 권장하였다.

HAPO연구 참여자에서 IADPSG의 진단기준을 적용하였을 때 임신당뇨병유병률은 16%로, 임신당뇨병의 유병률이 약 2배 정도 증가하였다. 또 당뇨병 진단기준에 합당하면 임신당뇨병이 아니라 임신전당뇨병으로 진단할 것을 권장하였다(표 9-4-3). 진단기준의 변경으로 임신당뇨병 유병률이 급증하는 문제는 의료비의 증가와 함께 임신부에게도 경제적 그리고 심리적 영향을 미칠 것이다. 이러한 문제로 2013년 미국국립보건원이 주도하여 임신당뇨병 진단에 IADPSG가 권장한 1단계 진단법과 기존에 사용하던 2단계 진단법을 병용할 것을 합의하였다. 현재 대한당뇨병학회는 임신당뇨병 진단에 1단계 진단법과 2단계 진단법 중 선택하여 사용할 것과 임신당뇨병 진단기준으로 1단계 진단법인 경우 IADPSG 진단기준으로, 2단계 진단법인 경우 Car-penter–Coustan 진단기준을 권장하고 있다.

IV. 임신당뇨병의 역학

임신당뇨병의 유병률은 4-14%로 보고되고 있다. 2형당뇨병의 유병률이 인종과 지역에 따라 큰 차이를 보이는 것처럼 임신당뇨병의 유병률도 인종과 지역에 따라 차이를 보이고 있다. 또 2형당뇨병과 마찬가지로 임신당뇨병도 연령과 비만도가 증가함에 따라 유병률이 증가한다. 북미 연구에 의하면, 아시아계 이민여성의 임신당뇨병 유병률이 다른 인종여성과 비교하여 2-3배 높게 보고되었다. 시카고에서 시행된 연구에 의하면 아시아계 여성의 임신당뇨병 유병률은 10.5%이었다. 이러한 결과는 인슐린분비능이 상대적으로 낮은 아시아여성이 이민 후 체지방이 증가함에 따라서 임신당뇨병의 유병률이 급격하게 증가하는 것으로 추측된다. 또 인종 차이에 따른 체지방분포도 아시아계 여성의 높은 임신당뇨병 유병률에 기여한 것이다.

미국 캘리포니아지역에서 1999년부터 2005년 사이에 당뇨병임신의 유병률을 조사한 연구에 따르면 임신전당뇨병의 유병률은 전체 임신부의 1.3%이었고, 임신당뇨병의 유병률

은 7.6%이었다. 임신전당뇨병의 유병률은 1999년 0.8%에서 2005년 1.8%로 증가하였고 임신당뇨병의 유병률은 1991년 3.7%에서 1997년 6.6%로 증가하였으나, 1999년 이후에는 7.4-7.5%로 변화가 없었다. 아시아계 여성에서 임신당뇨병 유병률은 10.2%로 백인, 흑인여성 유병률의 두 배로 높았다. 임신당뇨병의 유병률이 비만도가 높을수록 증가한다는 것을 고려할 때, 체질량지수가 28-30 kg/m²인 백인, 흑인 그리고 히스패닉여성의 임신당뇨병 유병률이 5.8%, 5.8%, 9.1%임을 생각하면 체질량지수가 22-24 kg/m²인 아시아계 여성의 임신당뇨병 유병률은 매우 높은 수치이다.

1990년대에 한국인여성을 대상으로 조사한 임신당뇨병의 유병률은 1.7-3.9%로 보고되었다. 1995년에 한국인임신부 3,500명을 대상으로 한 연구에서 임신당뇨병 유병률은 2.2%이었다. 비슷한 시기에 동일한 방법으로 임신당뇨병을 진단하였던 미국 시카고지역의 연구와 비교하면 한국인여성의 임신당뇨병 유병률은 백인여성과 유의한 차이가 없었으나, 흑인 및 히스패닉여성에 비해서는 낮았다. 한국인여성에서 NDDG 진단기준 대신 Carpenter-Coustan 진단기준을 적용하면 임신당뇨병 유병률이 약 60% 증가한다는 것이 보고되어, 임신당뇨병의 유병률은 약 4%로 추정할 수 있다.

2009-2011년 국민건강보험공단 자료를 이용하여 조사한 연구에 의하면 임신당뇨병유병률은 7.5%로 보고되었다. 그러나 2014-2016년 산과전문병원에서 8,700명을 대상으로 조사한 연구에서는 Carpenter-Coustan 진단기준으로 임신당뇨병의 유병률은 2.1%, IADPSG 진단기준으로 4.1%으로 보고하였다.

V. 임신당뇨병의 병태생리

임신 중에는 인슐린저항성이 증가하지만, 이에 대응하여 췌장베타세포의 보상작용이 일어나 인슐린분비능이 증가하여 정상혈당을 유지한다. 따라서 임신당뇨병은 베타세포의 보상작용에 이상이 있어 인슐린분비능이 증가하지 못하는 경우 발생한다고 생각한다.

Buchanan 등이 정맥포도당내성검사를 이용하여 임신말기에 인슐린저항성을 측정하였을 때, 임신당뇨병 임신부와 정상 임신부 사이에 인슐린저항성의 차이는 관찰되지 않았다. Catalano 등도 포도당클램프기법을 이용하여 임신 중 인슐린저항성을 측정하였을 때, 임신당뇨병 임신부의 인슐린저항성은 임신 초기에 정상 여성에 비하여 약간 높았으나 임신 말기에는 정상 임신부와 임신당뇨병 임신부 사이에 인슐린저항성은 차이가 없었다. 또한 정맥포도당내성검사로 초기 인슐린반응을 연속해서 측정하였을 때, 임신 전에는 임신당뇨병 임신부의 초기 인슐린반응은 정상 임신부와 차이가 없었으나 임신 초기에는 정상 임신부에 비하여 다소 감소하였고, 임신 말기에는 현저한 감소를 보였다(그림 9-4-2).

한국인임신부에서도 경구포도당내성검사 시에 인슐린분비능을 측정하였을 때 임신당뇨병임신부의 인슐린분비능이 감소되었음이 보고되었다. 또 한국인임신당뇨병여성을 대상으로 분만 두 달 후에 초기 인슐린반응을 측정하였을 때, 연령과 체지방량이 유사한 정상 여성에 비하여 인슐린분비능지표(β-cell disposition index)가 50% 낮았다. 또 다른 국내연구에서도 임신당뇨병여성을 대상으로 분만 후 1년이 경과한 시점에서 초기 인슐린반응을 측정하였다. 분만 후 정상포도당내성을 보인 임신당뇨병여성의 초기 인슐린분비능은 정상 여성에 비하여 61%로 낮게 관찰되었고, 내당능장애를 보인 임신당뇨병여성의 초기 인슐린분비능은 38%로 현저하게 낮았다. 결국 임신당뇨병은 인슐린분비능에 장애가 있는 여성이 임신을 하였을 때 인슐린저항성 증가에 대한 보상작용을 충분히 하지 못하여 고혈당이 발생하는 것으로 이해할 수 있다.

임신당뇨병 임신부 중 소수(10% 이하)에서 췌장베타세포 자가항체가 발견되는 경우가 있다. 특히 1형당뇨병의 발생률이 높은 핀란드 등 북구유럽에서는 1형당뇨병이 임신 중

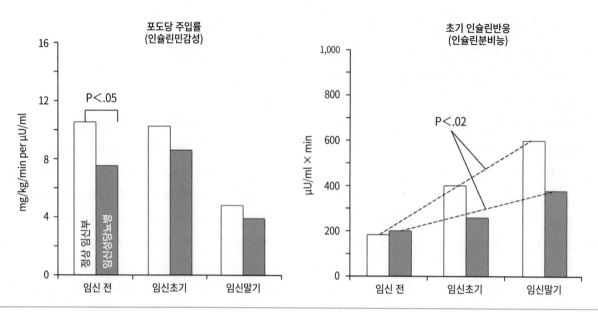

그림 9-4-2. **정상 임신부와 임신당뇨병임신부에서 임신기간에 따른 인슐린민감성과 초기 인슐린반응의 변화**
임신당뇨병임신부의 인슐린민감성은 임신 전에는 정상 임신부에 비하여 낮았으나, 임신 말기에는 차이가 없었다. 하지만 임신당뇨병임신부의 초기 인슐린반응은 정상 임신부와 임신 전에는 차이가 없었지만 임신 말기에는 현저하게 낮았다.

에 나타날 수 있다고 생각되고 있다. 그러나 다른 많은 나라에서는 임신당뇨병이 췌장베타세포의 비면역적, 보상기전의 결함으로 발생한다고 생각한다. 한국인임신당뇨병여성을 대상으로 베타세포자가항체를 검사하였을 때 베타세포의 자가항체가 양성으로 발견되는 경우는 드물었다.

당뇨병의 가족력이 있는 여성에서 임신당뇨병의 발생위험이 증가하므로 당뇨병의 가족력은 임신당뇨병의 중요한 위험인자 중 하나이다. 한국인여성에서도 부모 중에 당뇨병이 있으면 임신당뇨병의 위험이 2배 증가하고, 형제 중에 당뇨병이 있으면 임신당뇨병의 위험은 5배 증가한다고 보고되었다. 이는 임신당뇨병 발생에 환경요인과 유전요인이 함께 기여한다는 것을 암시하는 것이다.

여러 연구를 통해서 2형당뇨병 발생과 관련되어 있다고 알려진 유전자들이 임신당뇨병의 발생과 관련이 있는 것으로 알려졌고, 이들 위험유전자의 수가 많을수록 임신당뇨병의 발생위험도 증가하는 것으로 보고되었다. 인슐린분비능과 연관이 있는 CDK5 regulatory subunit associated protein 1-like 1 (CDKAL1), cyclin-dependent kinase inhibitor 2A/2B (CDKN2A/2B), 그리고 Hematopoietically-expressed homeobox protein (HHEX) 유전자가 임신당뇨병 발생과 관련이 있다고 밝혀졌다. 최근 한국인임신당뇨병임신부를 대상으로 한 전장유전체연관연구(genome-wide association study, GWAS)를 통해 CDKAL1과 melatonin receptor 1B (MTNR1B)가 임신당뇨병 발생과 관련이 있다고 보고되었고, MTNR1B 역시 인슐린분비능과 연관이 있는 것으로 밝혀졌다.

VI. 임신당뇨병과 합병증

임신부의 고혈당과 주산기산과합병증의 관계가 관심을 받기 시작한 것은 1940년대 중반이다. 비록 임신당뇨병의 개념과 진단기준이 확립되지 않았던 시기였지만, Miller는 중년에 당뇨병이 발생한 여성에서 태어난 신생아 주산기 사망률이 8%로 대조군의 2%에 비하여 높았고, 1952년 Jackson도 당뇨병이 발생한 여성에서 사산과 거대아 출산빈도가 높다고 보고하였다.

임신당뇨병의 진단이 가능해진 1970년대에 발표된 연구에서도 임신당뇨병 임신부의 주산기산과합병증과 사망률이 높음을 보여주었다. 그러나 최근의 연구에서는 임신당뇨병 임신부의 주산기사망률은 정상 임신부와 차이가 없음을 보여주었다. 이는 전반적인 산과의 발전과 함께 임신당뇨병을 적극적으로 진단하고자 하는 노력에서 비롯된 것이다. 임신당뇨병임신부의 주산기합병증은 정상 임신부와 차이가 없을 정도로 감소하였다. 그러나 아직도 임신당뇨병임신부에서는 수술분만율이 높고 자간전증을 포함한 임신고혈압, 조산, 어깨난산(shoulder dystocia), 양수과다증 등 산과합병증의 빈도가 정상 임신부에 비해 높다.

1. 임신 중 고혈당과 임신합병증

HAPO연구는 북미, 유럽, 아시아 등 15개의 센터에서 임신부 25,000명을 대상으로 임신 24–32주에 75g경구포도당내성검사를 실시하고 임신부의 혈당과 임신합병증의 상관관계를 분석하여 전 세계적으로 통용할 수 있는 임신당뇨병의 진단기준을 설정하는 것이 목적이었다. 연구결과, 임신부의 혈당이 증가할수록 임신나이과체중, 제왕절개술, 신생아 저혈당증의 빈도가 증가하였고 제대혈 C–펩타이드 농도도 연속적으로 증가한다는 것을 보고하였다(그림 9-4-1). 또 참여센터에 따른 임신부의 혈당과 합병증의 상관관계는 차이가 없었다.

경증의 임신당뇨병임신부를 대상으로 무작위중재연구(Australian Carbohydrate Intolerance Study in Pregnant Women, National Institute of Child Health and Human Development)에서 임신 중 혈당을 적극적으로 관리하면 출생체중 및 거대아 빈도가 대조군에 비하여 감소하고 자간전증 빈도도 감소함을 증명하였다.

2. 태아고인슐린혈증과 과도한 태아성장

임신 초기에 임신부의 고혈당이 정상적인 태아발달과 성장을 억제하는 것과는 달리 임신중기 및 말기에 발생하는 고혈당은 혈중 아미노산 및 지방산 농도 증가와 함께 태반을 통하여 과도한 영양소를 태아에게 전달한다. 영양소의 과다한 공급은 태아 췌장췌도세포를 자극하여 인슐린분비를 증가시킨다. 또한, 인슐린유사성장인자 농도도 증가하여 거대아 발생을 촉진한다(그림 9-4-3).

태아고인슐린혈증은 지방조직, 간, 심장 등 인슐린에 예민한 조직을 우선적으로 과도하게 성장을 일으켜 신생아의 흉부 및 복부둘레가 머리둘레에 비하여 상대적으로 크고, 피하지방의 두께도 증가되어 불균등성장을 나타낸다. 초음파를 이용하면 태아불균등성장을 임신 30–34주부터 관찰할 수 있다.

한국인 임신부의 거대아(출생체중 ≥ 4.0 kg) 발생빈도는 5–6%이지만, 임신당뇨병임신부의 거대아 발생률은 약 10–15%로 보고되었다. 거대아에서는 산소요구량이 증가하기 때문에 저산소증이나 질식이 쉽게 일어날 수 있다.

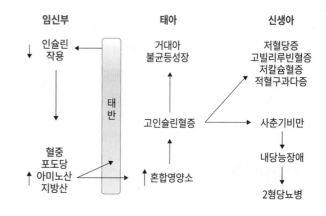

그림 9-4-3. Pedersen-Freinkel가설

임신 중 고혈당은 태아에게 과도한 영양소가 공급되고, 이로 인하여 태아고인슐린혈증이 발생한다. 태아고인슐린혈증은 태아의 불균등 성장과 거대아를 초래하며, 저혈당 등 주산기 합병률을 증가시킨다. 또 자녀가 성장하면서 비만, 내당능장애 등의 위험도 증가한다.

3. 신생아합병증

정상 신생아에서는 포도당신생성효소가 아직 성숙되지 않았고 글루카곤 자극에 의한 간에서 포도당신생성도 불안정하다. 분만 후 포도당 공급이 중단된 이후에 신생아에서는 혈중 인슐린 농도가 저하되고 글루카곤 농도는 상승하며, 저장된 지방을 이용한 케톤체의 생성이 증가한다. 임신당뇨병을 포함한 당뇨병임신부의 신생아에서는 인슐린 농도가 지속적으로 높고 글루카곤 농도는 낮아 혈중 포도당 농도가 매우 낮아질 수 있다. 또 저혈당증의 빈도는 임신부의 혈당조절 정도와 연관이 있으며 임신 중 철저한 혈당조절로 신생아저혈당증을 예방할 수 있다. 신생아저혈당증은 보통 증상이 없으나 진전, 무감동(apathy), 창백, 무호흡, 또는 청색증 등이 나타나기도 한다. 특히 출생체중이 적은 신생아에서 저혈당증이 발생하면 신경학적 후유증과 발달장애의 위험성이 높아진다.

과거 신생아호흡곤란증은 신생아사망의 주요 원인이었다. 태아고인슐린혈증은 태아폐성숙을 지연시킨다. 최근 당뇨병임신부의 태아에서 폐성숙도검사를 시행하였을 때, 폐표면활성물질의 생성이 정상 임신부에 비해 차이가 없다는 보고도 있지만, 이는 대부분의 당뇨병임신부에서 혈당조절이 잘 이루어졌기 때문이다.

신생아황달의 빈도는 15–30%로 보고되고 있으며, 황달의 빈도는 임신부의 혈당조절 정도와 비례한다. 신생아황달의 주요 원인으로는 조산과 태아 저산소증으로 인한 적혈구과다증이다.

4. 산과합병증

임신당뇨병을 포함한 당뇨병임신부에서는 임신 중 고혈압질환이 자주 발생한다. 임신 전 당뇨병임신부의 경우 당뇨병혈관합병증에 기인하기도 하지만, 혈당을 적극적으로 조절하면 자간전증의 발생이 감소한다. 당뇨병임신부에서 고혈압질환의 발생률은 혈관합병증이 없는 경우에 14%지만 혈관합병증이 있는 경우는 31%로 보고되었다. 임신당뇨병임신부에서도 10–15%로 보고되어, 정상 임신부의 2–5배 높게 발생한다.

양수과다증도 당뇨병임신부에서 흔히 나타나며, 양수과다증은 당뇨병 조절정도와 관련이 있다. 당뇨병임신부에서 양수과다증의 빈도는 약 18%로 보고되었다. 양수과다증의 원인으로 태아가 소변을 많이 보기 때문이라는 가설도 있고, 양수의 오스몰랄농도가 증가하기 때문이라는 가설도 있다. 양수과다증은 조산의 위험성을 높이고, 임신부의 호흡곤란을 초래할 수 있다.

임신당뇨병임신부에서는 조산의 빈도가 증가하며, 고혈당의 정도가 심하면 더욱 증가하는 경향을 보인다. 하지만 당뇨병 자체가 조산과 연관이 있는지는 확실하지 않다.

5. 장기간 후에 나타나는 합병증

임신당뇨병여성의 일부에서는 분만 후에 당뇨병이나 내당능장애가 지속되는 경우가 있고, 분만 후 정상포도당내성 상태가 되었지만 나이가 들면서 당뇨병으로 이환되는 경우가 많다.

미국 보스턴에서 임신당뇨병여성을 20년간 추적관찰한 연구에서 임신당뇨병여성의 40–60%에서 당뇨병이 발생하였다고 보고하였고 시카고에서 시행된 연구에서는 임신당뇨병여성을 5년간 추적관찰했을 때, 분만 후 1년 이내에 30%에서 당뇨병이 발생하고 이후 당뇨병이 매년 5% 추가로 발생한다고 하였다. 당뇨병으로 이환될 위험성은 임신 중 공복혈당이 높은 여성에서 높았으며, 경구포도당내성검사 시 인슐린반응이 낮은 여성이 당뇨병으로 이환될 가능성이 높았다고 보고했다.

국내에서도 임신당뇨병여성은 일반 여성에 비하여 당뇨병이

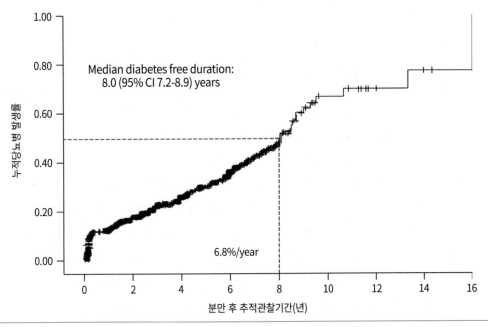

그림 9-4-4. 한국인 임신당뇨병여성에서 분만 후 누적당뇨병 발생률

발생할 위험이 3.5배가 높고 분만 후 2개월에 약 10–15%에서 당뇨병으로 진단되며, 임신 전 체질량지수, 임신당뇨병을 진단받은 임신나이, 임신 중 고혈당, 낮은 인슐린 농도 등이 분만 후 당뇨병 발생에 관련된 위험인자임이 보고되었다. 또 8년이 경과하면 전체 임신당뇨병여성의 약 50%에서 당뇨병이 발생하는 것으로 보고되었다(그림 9-4-4).

뿐만 아니라 임신당뇨병여성에서 당뇨병만성합병증의 발생빈도가 높게 보고되었다. 특히 임신당뇨병 환자에서는 심혈관합병증에 의한 사망률이 높은 것으로 알려졌다. 따라서 임신당뇨병여성은 분만 후에도 당뇨병 및 합병증 예방을 위한 정기적인 검진과 관리가 필요하다.

당뇨병임신부의 자녀에서 소아비만 빈도가 높고 사춘기에 내당능장애 또는 당뇨병의 빈도가 높아짐이 보고되었다. 임신당뇨병을 포함한 당뇨병임신부의 자녀를 10년 이상 추적하였을 때 내당능장애의 발생빈도가 대조군의 2.5%에 비하여 19.3%나 높게 보고되었다. 그리고 임신 중 혈당은 자녀의 내당능장애 발생과 상관관계가 있으며, 양수의 인슐린

농도가 자녀의 내당능장애를 예측하는 지표로 보고되었다. 최근 발표된 HAPO 추적연구는 경증임신당뇨병여성의 자녀(평균 11.4세)에서 과체중 및 비만의 위험이 21%나 높았고 임신 중 혈당은 자녀 과체중 및 비만의 위험과 상관관계가 있음을 보고하였다. 국내에서도 임신당뇨병여성자녀(평균 5세)의 체성분을 측정한 결과 대조군에 비교하여 체질량지수는 차이가 없었지만, 체지방량은 많았고 제지방량은 낮았다. 또 자녀의 체지방량은 임신 중 혈당과 양의 상관관계가 보고되었다. 결국 장시간 후에 나타나는 자녀의 비만 또는 내당능장애는 태생기 환경이 중요하다는 것을 입증한 것이다.

VII. 임신당뇨병의 관리

임신당뇨병임신부에서 임신부의 평균혈당이 높은 경우에 임신 중 태아의 과도한 성장이 일어나고 임신합병증이 증가한다. 철저한 혈당조절을 위해서는 당뇨병전문의, 산과전문의, 소아과전문의, 교육간호사 및 영양사 등으로 구성된 당

뇨병관리팀과 긴밀한 협조가 필요하다.

1. 임신 중 혈당조절 목표 및 자기혈당측정

임신 중 공복혈당은 다소 낮아지기 때문에 정상 임신부의 공복혈당 또는 식전혈당은 60–80 mg/dL, 식후혈당은 120 mg/dL를 초과하지 않는다. 따라서 임신 중 혈당조절의 목표는 공복 < 95 mg/dL, 식후 1시간 < 140 mg/dL, 식후 2시간 < 120 mg/dL를 유지하는 것이다.

자기혈당측정은 임신부가 자신이 혈당관리의 주체임을 인식해 스스로 혈당을 측정하며 적극적인 혈당관리에 대한 동기를 부여할 수 있다. 주산기합병증의 발생은 공복혈당보다는 식후혈당과 관련이 있기 때문에 혈당 측정은 아침 공복혈당과 함께 하루 세끼 식후혈당을 포함하여 시행한다. 또한 인슐린주사를 추가하여 혈당조절을 하는 경우 매 식전혈당 측정을 추가할 수 있다.

1형당뇨병임신부를 대상으로 연속혈당측정의 효과를 조사한 연구에 따르면 실시간연속혈당측정은 혈당조절을 개선시킬 수 있을 뿐만 아니라 거대아 출산을 낮추는 효과가 있었다. 하지만 임신당뇨병임신부에서 연속혈당측정을 적용하는 것은 고혈당과 저혈당을 발견하는 데는 유용하지만, 자기혈당측정에 비해 주산기합병증을 유의하게 개선시킨다는 근거는 아직 불충분하다. 따라서 현재까지 임신당뇨병 임신부에서는 자기혈당측정이 우선 추천된다.

2. 생활습관교정

임신당뇨병이 진단되면 산과적인 문제로 운동이 불가능한 경우를 제외하고 유산소운동을 권장한다. 임신부를 대상으로 시행한 대규모운동중재연구는 매우 제한적이지만 일반적으로 유산소운동을 30분씩 주당 5회 실시하거나 최소 주당 150분의 운동량을 유지하는 방법이 권장된다. 또 걷기와 같이 간단한 활동을 매 식후에 10–15분씩 시행하는 방법도 효과적이다.

임신당뇨병임신부는 당뇨병교육자에 의해 영양교육을 받아야 한다. 영양교육의 목적은 태아와 임신부에게 필요한 영양소를 공급하고 정상혈당 유지 및 케톤증 예방에 있다. 따라서 혈당조절을 위하여 칼로리를 너무 제한하거나, 극단적인 탄수화물 제한식이는 부적절하다. 다만 비만한 임신부에서 총 열량을 25칼로리/체중(kg)/일로 제한하는 것은 혈당조절과 거대아출산 예방에 효과적이다. 서구에서는 탄수화물 섭취량을 총 열량의 40% 내외로 추천하고 있으나 우리나라에서 그대로 적용하는 데에는 어려움이 있다. 탄수화물을 총 열량의 50%로 섭취하되 단순당질보다는 복합당질 섭취를 권장한다. 또한 하루 세끼의 식사와 2–3회의 간식을 배분하여 식후혈당의 상승 폭을 줄이는 방법을 추천한다.

3. 약물치료

메트포민과 글리뷰라이드에 대한 임상연구 결과에 따르면 의료접근성이 떨어지는 경우가 아니라면 이러한 경구약물들을 일차치료제로 추천하지 않는다. 메트포민은 임신부의 과도한 체중증가, 임신고혈압 발생을 예방하고 거대아 출산을 낮추는 데 유리한 결과를 보이고 있지만, 치료실패율이 높다. 또 장기간 관찰 시 자녀의 비만위험도가 증가하는 우려가 있다. 글리뷰라이드를 포함한 설퓨닐유레아는 태반을 통과하기 때문에 신생아 저혈당 위험을 높이며, 메트포민과 마찬가지로 치료실패율이 높다. 따라서 현재까지 약물치료의 근간은 인슐린 치료이다.

인슐린은 미국식품의약국의 임신안전성카테고리B에 해당하는 레귤러인슐린, NPH인슐린, 디터머, 리스프로, 아스장 등을 사용할 수 있다. 또한 혼합인슐린도 임신부에서 사용할 수 있다. 인슐린의 종류 및 주사횟수는 공복혈당만 높은지 혹은 특정 식후혈당만 높은지, 공복과 매 식후혈당이 높은지에 따라서 결정한다. 주로 아침식전혈당만 높은 경우에는 취침 전 NPH나 디터머와 같은 기저인슐린을 1회 투여

하는 것으로 시작할 수 있다. 반면 아침식전혈당은 양호하나 특정 시점의 식후혈당이 높은 경우에는 초단기작용인슐린인 리스프로나 아스장 또는 혼합인슐린을 해당 식사 전에 투여하는 방법이 적절하다. 식전과 매 식후혈당 모두 조절이 불량할 때에는 기저인슐린 1–2회 투여와 함께 매 식전 초단기작용인슐린을 투약하는 방법 또는 혼합인슐린을 하루 2–3회 투약하는 방법으로 인슐린 치료단계를 높일 수 있다. 인슐린용량은 자기혈당측정결과에 따라 조절하며, 개별화가 필요하다. 대부분의 경우 출산과 함께 인슐린 치료는 중단할 수 있다.

VIII. 분만 후 관리

임신당뇨병여성의 상당수에서는 나이가 들면서 2형당뇨병이 발생한다. 임신당뇨병여성은 2형당뇨병의 고위험군이기 때문에 이들 여성은 당뇨병 예방을 위한 노력이 필요하다.

미국 당뇨병예방연구를 포함한 여러 연구에서 규칙적인 운동과 식사요법을 이용하여 체중을 줄이면 임신당뇨병여성에서 효과적으로 당뇨병을 예방할 수 있다는 것이 증명되었다. 또한 메트포민 또는 싸이아졸리딘다이온 등을 이용하여 인슐린저항성을 감소시켜도 효과적으로 당뇨병을 예방할 수 있다는 것을 확인하였다. 그 뿐 아니라, 임신당뇨병여성이 분만 후 모유수유를 장기간 지속하면 체중감량의 효과 이외에도 베타세포의 기능을 잘 유지하여 당뇨병 예방에 도움이 된다는 것도 보고되었다.

따라서 임신당뇨병여성은 분만 후 6–12주에 경구포도당내성검사가 필요하고, 이후에도 정기검사를 통해서 당뇨병의 가능성을 확인하는 것이 필요하다. 또 다음 임신을 위해 가족계획이나 피임법에 대해서도 자세한 교육이 이루어져야 한다.

참 / 고 / 문 / 헌

1. American Diabetes Association. 13. Management of diabetes in pregnancy: standards of medical care in diabetes-2018. Diabetes Care 2018;41:137-43.

2. American Diabetes Association. 2. Classification and diagnosis of diabetes: standards of medical care in diabetes-2020. Diabetes Care 2020;43:14-31.

3. Aroda VR, Christophi CA, Edelstein SL, Zhang P, Herman WH, Barrett-Connor E, et al. The effect of lifestyle intervention and metformin on preventing or delaying diabetes among women with and without gestational diabetes: the Diabetes Prevention Program outcomes study 10-year follow-up. J Clin Endocrinol Metab 2015;100:1646-53.

4. Buchanan TA, Xiang AH, Peters RK, Kjos SL, Marroquin A, Goico J, et al. Preservation of pancreatic β-cell function and prevention of type 2 diabetes by pharmacological treatment of insulin resistance in high-risk hispanic women. Diabetes 2002;51:2796-803.

5. Butalia S, Gutierrez L, Lodha A, Aitken E, Zakariasen A, Donovan L. Short-and long-term outcomes of metformin compared with insulin alone in pregnancy: a systematic review and meta-analysis. Diabet Med 2017;34:27-36.

6. Carpenter MW, Coustan DR. Criteria for screening tests for gestational diabetes. Am J Obstet Gynecol 1982;144:768-73.

7. Cho YM, Kim TH, Lim S, Choi SH, Shin HD, Lee HK, et al. Type 2 diabetes-associated genetic variants discovered in the recent genome-wide association studies are related to gestational diabetes mellitus in the Korean population. Diabetologia 2009;52:253-61.

8. Chung HR, Moon JH, Lim JS, Lee YA, Shin CH, Hong JS, et al. Maternal hyperglycemia during pregnancy increases adiposity of offspring. Diabetes Metab J 2021;45:730-8.

9. Committee on Practice Bulletins-Obstetrics. ACOG practice bulletin no. 190: gestational diabetes mellitus. Obstet Gynecol 2018;131:e49-64.

10. Crowther CA, Hiller JE, Moss JR, McPhee AJ, Jeffries WS, Robinson JS. Effect of treatment of gestational diabetes mellitus on pregnancy outcomes. N Engl J Med 2005;352:2477-86.

11. Feig DS, Donovan LE, Corcoy R, Murphy KE, Amiel SA, Hunt KF, et al. Continuous glucose monitoring in pregnant women with type 1 diabetes (CONCEPTT): a multicenter international randomised controlled trial. Lancet 2017;390:2347-59.

12. HAPO Study Cooperative Research Group, Metzger BE, Lowe LP, Dyer AR, Trimble ER, Chaovarindr U, et al. Hyperglycemia and adverse pregnancy outcomes. N Engl J Med 2008;358:1991-2002.

13. International Association of Diabetes Pregnancy Study Groups Consensus Panel, Metzger BE, Gabbe SG, Persson

09 당뇨사절환

B, Buchanan TA, Catalano PA, et al. International Association of Diabetes and Pregnancy Study Groups recommendations on the diagnosis and classification of hyperglycemia in pregnancy. Diabetes Care 2010;33:676-82.

14. Jang HC, Cho N, Jung KB, Oh KS, Dooley SL, Metzger BE Screening for gestational diabetes mellitus in Korea. Int J Gynecol Obstet 1995;51:115-22.

15. Jang HC, Cho NH, Min YK, Han IK, Jung KB, Metzger BE. Increased macrosomia and perinatal morbidity independent of maternal obesity and advanced age in Korean women with GDM. Diabetes Care 1997;20:1582-8.

16. Jang HC. Gestational diabetes in Korea: incidence and risk factors of diabetes in women with previous gestational diabetes. Diabetes Metab J 2011;35:1-7.

17. Kim C, Newton KM, Knopp RH. Gestational diabetes and the incidence of type 2 diabetes: a systematic review. Diabetes Care 2002;25:1862-8.

18. Kim MH, Kwak SH, Kim SH, Hong JS, Chung HR, Choi SH, et al. Pregnancy outcomes of women additionally diagnosed as gestational diabetes by the International Association of the Diabetes and Pregnancy Study Groups criteria. Diabetes Metab J 2019;43:766-75.

19. Kim SY. Min Hun Ki's Clinical endocrinology. 3rd ed. Seoul: Korea Medical Book Publishing Company; 2016. pp. 765-84.

20. Koo BK, Lee JH, Kim J, Jang EJ, Lee CH. Prevalence of gestational diabetes mellitus in Korea: a National Health Insurance database study. PLoS One 2016;11:e0153107.

21. Korea Diabetes Association. KDA treatment guideline for diabetes. 6th ed. Seoul: Korea Diabetes Association; 2019. pp. 22-4, 145-9.

22. Kwak SH, Choi SH, Jung HS, Cho YM, Lim S, Cho NH, et al. Clinical and genetic risk factors for type 2 diabetes at early or late postpartum after gestational diabetes mellitus. J Clin Endocrinol Metab 2013;98:744-52.

23. Kwak SH, Kim SH, Cho YM, Go MJ, Cho YS, Choi SH, et al. A genome-wide Association study of gestational diabetes mellitus in Korean women. Diabetes 2012;61:531-41.

24. Landon M, Spong CY, Thom E, Carpenter MW, Ramin SM, Casey B, et al. A multicenter, randomized trial of treatment for mild gestational diabetes. N Engl J Med 2009;361;11-20.

25. Lawrence JM, Contreras R, Chen W, Sacks DA. Trends in the prevalence of preexisting diabetes and gestational diabetes mellitus among a racially/ethnically diverse population of pregnant women, 1999-2005. Diabetes Care 2008;31:899-904.

26. Lim S, Choi SH, Park YJ, Park KS, Lee HK, Jang HC, et al. Visceral fatness and insulin sensitivity in women with a previous history of gestational diabetes mellitus. Diabetes Care 2007;30:348-53.

27. Lowe WL, Jr., Scholtens DM, Lowe LP, Kuang A, Nodzenski M, Talbot O, et al. Association of Gestational Diabetes with maternal disorders of glucose metabolism and childhood adiposity. JAMA 2018;320:1005-16.

28. Major CA, Henry MJ, De Veciana M, Morgan MA. The effects of carbohydrate restriction in patients with diet-controlled gestational diabetes. Obstet Gynecol 1998;91:600-4.

29. Metzger BE, Buchanan TA, Coustan DR, De Leiva A, Dunger DB, Hadden DR, et al. Summary and recommendations of the Fifth International Workshop-Conference on gestational diabetes mellitus. Diabetes Care 2007;30:251-60.

30. Metzger BE, Cho NH, Roston SM, Radvany R. Prepregnancy weight and antepartum insulin secretion predict glucose tolerance five years after gestational diabetes mellitus. Diabetes Care 1993;16:1598-605.

31. Moon JH, Kwak SH, Jung HS, Choi SH, Lim S, Cho YM, et al. Weight gain and progression to type 2 diabetes in women with a history of gestational diabetes mellitus. J Clin Endocrinol Metab 2015;100:3548-55.

32. Rowan JA, Hague WM, Gao W, Battin MR, Moore MP, MiG Trial Investigators. Metformin versus insulin for the treatment of gestational diabetes. N Engl J Med 2008;358:2003-15.

33. Sénat MV, Affres H, Letourneau A, Coustols-Valat M, Cazaubiel M, Legardeur H, et al. Effect of glyburide vs subcutaneous insulin on perinatal complications among women with gestational diabetes: a randomized clinical trial. JAMA 2018;319:1773-80.

34. Stuebe AM, Rich-Edwards JW, Willett WC, Manson JE, Michels KB. Duration of lactation and incidence of type 2 diabetes. JAMA 2005;294:2601-10.

35. Xiang AH, Takayanagi M, Black MH, Trigo E, Lawrence JM, Watanabe RM, et al. Longitudinal changes in insulin sensitivity and β cell function between women with and without a history of gestational diabetes mellitus. Diabetologia 2013;56:2753-60.

당뇨병합병증

김수경　박근규　박규형　박태선　손현식
김재택　이형우　조용욱　안유배

I. 당뇨병케토산증과 고혈당고삼투질상태

김수경

1. 서론

당뇨병케토산증(diabetic ketoacidosis, DKA)과 고혈당고삼투질상태(hyperglycemic hyperosmolar state, HHS)는 당뇨병과 직접 연관되어 생명을 위협하는 응급상황이다. DKA는 과거 1형당뇨병의 특징으로 생각되었으나, 2형당뇨병(경구혈당강하제만 복용하는) 환자에게서도 종종 발생한다. HHS는 주로 2형당뇨병 환자에게서 발생한다. DKA는 고혈당, 대사산증, 케톤혈증을, HHS는 극심한 고혈당, 고오스몰랄농도(hyperosmolality), 탈수를 특징으로 하나 임상양상은 중첩될 수 있다(그림 9-5-1). 예방을 위한 노력과 함께 조기진단과 치료는 환자의 결과를 개선하는데 필수적이며, 특히 예상보다 높지 않은 혈당(< 200 mg/dL)을 보이는 정상혈당(euglycemic) DKA에서 더욱 중요하다.

2. 당뇨병케토산증

1) 역학

미국에서 1형당뇨병이 소아기에 발생한 환자의 약 30%, 성인기에 발생한 환자의 약 3%에서 DKA가 발생한다. 연간 발생률로 따지면 1형당뇨병 환자 1,000명당 4-8회이며, 당뇨병으로 인한 입원의 4-9%를 차지한다. DKA 환자의 약 20%는 당뇨병을 처음 진단받은 것으로 보고되었다.

국내에서는 1형당뇨병 환자의 36%가 평생 1회 이상 DKA를 경험하며, 25-35%는 DKA로 당뇨병을 진단받는다. 그러나 최근에는 건강검진이 활성화되면서 당뇨병을 비교적 조기에 진단하는 경우가 많아지고, 당뇨병관리에 대한 인식이 개선되면서 DKA 발생률은 약 15%로 낮아졌다. 당뇨병의 유병률이 높아지고 고령사회로 진입하면서 DKA 발생률은 연령별로 고른 분포를 보이나, 20대와 30대에서 조금 더 높다.

국내에서 DKA 환자의 사망률은 과거 약 13%로 보고되었으나, 최근에는 5% 미만으로 낮아졌다. 외국의 연구에서는 성인에게서의 사망률을 1% 미만으로도 보고했다. 사망과 관련된 요인은 고령, 저혈압, 높은 혈당과 혈액요소질소, 낮은 pH, 동반질환의 중등도 등이었다. 예후는 환자의 나이가 많은 경우 DKA를 유발한 원인질환의 중증도, 나이가 적을 때에는 대사장애의 정도에 따라 달라진다.

2) 병태생리

절대적 또는 상대적 인슐린결핍과 함께 대응조절호르몬(counterregulatory hormone)의 증가는 지방조직과 근육으로부터 간으로 유리지방산과 아미노산의 방출을 증가

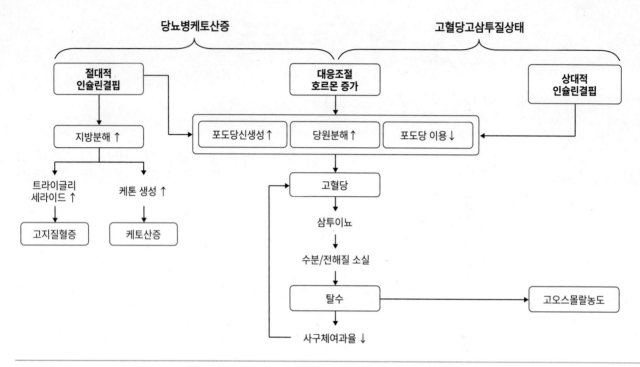

그림 9-5-1. 당뇨병케토산증과 고혈당고삼투질상태의 발생기전

시키고, 간에서는 포도당신생성, 당원분해, 케톤체 생산을 촉진시키며, 말초조직에서 포도당 이용장애를 일으켜 DKA 를 일으킨다. 글루카곤은 DKA 발생에 주요한 대응조절호르몬이며, 다른 호르몬(카테콜라민, 코티솔, 성장호르몬)의 증가가 필수적이지는 않다. 그러나 췌장절제 후에도 DKA 가 발생하는 것을 고려하면 글루카곤의 증가 역시 절대적인 요소는 아니다.

글루카곤/인슐린비와 코티솔 농도가 증가하면 간에서 포도당신생성효소인 1,6-이중인산과당분해효소(fructose 1,6-bisphosphatase), 포스포엔올파이루브산카복시인산화효소(phosphoenolpyruvate carboxykinase), 6-인산포도당인산염분해효소(glucose-6-phosphatase), 파이루브산카복실화효소(pyruvate carboxylase)가 자극된다. 이런 변화는 파이루브산염를 당분해보다는 포도당 합성에 사용하게 만들어, 케토산증에서 고혈당의 주된 기전인간포도당신생성을 촉진한다. 신장포도당신생성 또한 혈당을 높이는데 기여한다. 인슐린결핍상태에서 글루카곤과

카테콜라민의 증가는 당원분해를 촉진한다. 또한 인슐린결핍은 포도당수송체-4를 감소시켜, 골격근과 지방조직으로의 포도당섭취와 세포내 포도당대사를 감소시킨다.

심한 인슐린결핍과 대응조절호르몬의 증가는 지방조직에서호르몬민감지방분해효소(hormone-sensitive lipase)를 활성화시켜 혈중 유리지방산의 농도를 증가시킨다. 정상적인 경우 유리지방산은 간에서 초저밀도지단백질로 전환되어야 하나, DKA에서 글루카곤 증가는 카니틴팔미토일기전달효소(carnitine palmitoyltransferase, CPT)-1의 활성을 통해 간대사를 케톤체 형성에 유리하게 변화시킨다. CPT-1은 베타산화와 케톤체 전환이 일어나는 사립체로 지방산 이동을 조절하는 데 결정적인 효소이다. 결국 과잉의 유리지방산은 간사립체에서 아세토아세트산염과 베타하이드록시뷰티르산염으로 산화되어 케톤혈증을 초래한다. DKA에서는 케톤체의 과잉생산과 더불어 청소율 또한 낮아져 있다. 생리적 pH에서 케톤체는 케토산으로 존재하다 탄산수소염에 의해 중화되며, 탄산수소염이 고

갈되면 대사산증이 발생한다. 또한 유산 생산의 증가도 대사산증 발생에 일조한다. 과잉의 유리지방산은 초저밀도지단백질-중성지방 합성을 증가시킨다. 근육과 지방조직의 지단백질지방분해효소가 억제되면서 초저밀도지단백질의 청소율도 감소된다.

고혈당과 케톤체의 증가는 삼투이뇨를 일으켜 결국 혈량저하증과 사구체여과율의 감소를 초래한다. 뿐만 아니라 삼투이뇨는 소듐, 포타슘, 칼슘, 마그네슘, 염화물, 인산염의 절대손실을 촉진해 DKA와 관련된 전해질이상을 유발한다. 점진적인 체액량고갈은 사구체여과율을 떨어뜨려 포도당과 케톤체의 청소율을 감소시키고, 결국 고혈당, 고오스몰랄농도, 대사산증을 가속화시킨다.

3) 유발인자

DKA와 HHS의 가장 흔한 유발인자는 부적절한 인슐린 치료(낮은 순응도)와 감염이며, 다음으로 당뇨병 발병과 대사적 스트레스이다. 당질부신피질호르몬, 과량의 이뇨제, 비정형 항정신병제 등과 같은 일부 약물도 원인이 될 수 있다. 국내에서는 이런 유발인자의 비율이 다양하게 나타났는데, 감염은 27-50%, 부적절한 인슐린 치료는 20-55%였다. 그 외에 혈관질환(급성심근경색증, 뇌경색증, 장간막경색증 등), 급성췌장염, 심한 외상, 수술, 알코올남용, 각종 약물 등이 있고 특별한 유발인자가 없는 경우도 있다.

부적절한 인슐린 치료는 필요한 용량보다 인슐린을 적게 주사하거나 인슐린을 아예 중단하는 것을 의미한다. 인슐린 중단은 전 연령대에서 볼 수 있고 식사장애, 심리적 스트레스, 저혈당이나 체중 증가에 대한 두려움을 가진 환자에게서 흔히 관찰된다. 경제적인 문제나 질병 또는 식사를 하지 못할 때는 인슐린을 맞으면 안 된다는 잘못된 생각으로 중단하기도 하며, 비의도적으로 또는 인슐린펌프의 기능불량으로 인슐린이 중단되기도 한다. 동반질환, 스트레스 등으로 인슐린요구량이 증가했으나 인슐린을 증량하지 못한 것도 유발요인으로 작용할 수 있고, 이런 상황은 환자뿐만 아니라 의료진에 의해서도 초래될 수 있다.

1형당뇨병에서 인슐린 이외에 다른 혈당강하제를 사용할 수 없는 우리나라에서는 매우 드물지만, SGLT2억제제도 정상혈당 DKA를 유발할 수 있다. 이와 관련된 위험요인으로는 잠재자가면역당뇨병, 수술, 저탄수화물식사, 인슐린 중단이나 감량, 급성질환 등이 있다. 임신한 당뇨병 환자나 알코올남용으로 포도당신생성에 장애가 있는 환자들에게서도 정상혈당 DKA가 나타날 수 있다.

4) 임상양상

당뇨병 환자가 특별한 이유 없이 구역, 구토, 복통 등을 호소한다면 DKA를 먼저 의심해야 한다. 위장관증상 이외에 삼투이뇨에 의해 다뇨가 발생하고 탈수로 인해 구강건조, 다음증을 호소하는데, 케톤혈증에 따른 구역과 구토로 수분소실은 더욱 악화된다. 최근의 체중감소, 전신쇠약, 시각장애 등도 호소할 수 있다. 복통은 심한 대사산증을 가진 환자에게서 특히 흔하며, 치료 24시간 내에 증상은 호전된다. 그러나 증상이 심하거나 치료에도 호전되지 않는다면 급성췌장염, 장천공 등 다른 질환을 감별해야 한다. 기면부터 혼수까지의 의식상태 변화를 보일 수 있는데, 그 정도는 뇌세포내 수분소실을 일으키는 혈장의 오스몰랄농도에 비례한다. 의식상태에 변화가 있다면 이를 일으킬 수 있는 다른 질환들도 신속하게 감별해야 한다. 뇌부종은 극히 심각한 합병증으로, 특히 소아에게서 종종 발생한다.

대사산증에 대한 보상작용으로 과다환기와 쿠스마울호흡을 보일 수 있으며, 아세톤 증가로 환자의 호기에서 과일(서양 배)냄새가 난다. 탈수로 구강건조와 빈맥이 관찰되며, 심한 체액손실과 대사산증에 따른 말초혈관 확장은 저혈압과 체온저하를 초래하고 예후와 관련이 있다. 급성복증을 의심할 소견을 보이기도 한다. 이 밖에 DKA를 유발한 동반질환(감염, 심근경색증, 뇌경색증 등)의 증상과 징후도 보일 수 있다. 그러나 특히 노인에게서는 특이적인 증상 없이 동반질환을 가지고 있을 수 있어, 증상이나 징후가 없어도 유발질환의 유무를 파악해야 한다.

5) 진단과 검사실검사

특징적인 증상(구역, 구토, 의식변화 등)과 함께, 혈장포도당 250 mg/dL 이상, 동맥혈 pH 7.3 미만, 혈청탄산수소염 18 meq/L 이하, 혈액이나 소변에서 케톤양성, 음이온차 10 meq/L 초과의 소견을 보이면 DKA를 진단할 수 있다 (표 9-5-1). DKA가 의심되고, 현장검사에서 고혈당과 소변검사에서 케톤 양성을 보이면 검사실 결과가 보고되기 전이라도 DKA에 대한 치료를 시작한다. 초기평가를 위해 혈액에서 포도당, 혈액요소질소, 크레아티닌, 전해질, 오스몰랄농도, 케톤체, 감별혈구계산을 포함한 전체혈구계산, 당화혈색소 등의 검사를 하고, 동맥혈기체 분석, 소변검사를 한다. 혈장전해질수치를 이용해 음이온차를 계산한다. 더불어 감염 등 동반질환의 유무를 확인하기 위해 가슴X선, 심전도를 확인하고, 필요에 따라 혈액이나 소변, 비인두에서 세균배양검사를 한다.

일반적으로 혈장포도당 농도는 350–500 mg/dL이며, 800 mg/dL를 초과하는 경우는 드물다. 기아상태가 지속되었거나, 임신부이거나, SGLT2억제제를 복용 중이거나, 인슐린을 주사하고 응급실에 온 경우에는 혈당이 높지 않을 수 있으므로, 혈당만으로 DKA를 배제해서는 안 된다. 이런 이유로 DKA에서 고혈당기준을 200 mg/dL 미만으로 낮추자고 주장하기도 한다. 동맥혈pH는 산증의 정도에 따라 6.8–7.3에 이른다. 체내 총 포타슘양은 결핍되어 있음에도 불구하고, 산증과 수분고갈의 영향으로 세포내 포타슘이 세포 외로 이동하면서 혈청포타슘 농도는 초기에 약간 증가될 수 있다. 체내 총 소듐, 염화물, 인, 마그네슘의 양 또한 감소되어 있으나, 혈량저하증과 고혈당 때문에 혈장 농도로는 그 정도를 정확하게 반영하지 못한다. 혈액요소질소와 크레아티닌의 증가는 수분결핍과 탈수로 사구체여과율이 감소되어 있음을 의미한다. 혈청녹말분해효소(amylase)의 증가는 흔하게 관찰되나, 대개 타액선에서 유래한 것이다. 만일 복통을 동반해 췌장염이 의심된다면 혈청지방분해효소(lipase)를 측정해야 한다. 감염과 무관하게 체내 케톤체에 비례해 백혈구와 중성구가 증가할 수 있다. 그러나 백혈구 수가 25,000/mm³ 이상인 경우에는 반드시 감염동반 여부를 확인해야 한다. 혈청소듐 농도는 대개 낮게 측정되는데, 이는 고혈당에 의한 것으로 혈장포도당이 100

표 9-5-1. 당뇨병케토산증과 고혈당고삼투질상태의 진단기준

	당뇨병케토산증			고혈당고삼투질상태
	경도	중등도	중증	
혈장포도당(mg/dL)	> 250	> 250	> 250	> 600
동맥혈pH	7.25–7.30	7.00–7.24	< 7.00	> 7.30
혈청탄산수소염(meq/L)	15.0–18.0	10–14.9	< 10.0	> 15
혈액 베타하이드록시뷰티르산염(mmol/L)	> 3	> 3	> 3	< 3
혈장/소변 케톤	≥ ++	≥ ++	≥ ++	+/-
유효혈장오스몰랄농도(mOsmol/kg)*	-	-	-	> 320
음이온차(meq/L)†	> 10	> 12	> 12	-
의식상태	명료	명료-기면	혼미-혼수	혼미-혼수

* $[2 \times Na^+ (meq/L)] + [Glucose (mg/dL)]/18$

† $Na^+ (meq/L) - [Cl^- (meq/L) + HCO_3^- (meq/L)]$

mg/dL 높아지면 소듐 농도는 1.6 meq/L씩 감소한다. DKA 환자가 정상 혈청소듐 농도를 보인다면 심각한 수분 결핍을 의심해야 한다.

DKA에서는 케톤체 중 하나인 베타하이드록시뷰티르산염이 아세토아세트산염보다 3배 더 합성된다(정상적인 경우 1:1). 그러나 흔히 사용하는 반정량검사(나이트로프러사이드반응을 이용한)는 아세토아세트산염에 특이적이며, 베타하이드록시뷰티르산염과는 반응하지 않는다. 캡토프릴, 페니실아민과 같은 일부 약물은 가양성반응을 나타낼 수도 있다. 소변에서는 아세토아세트산염이 주된 케톤이므로, 소변검사는 혈청베타하이드록시뷰티르산염의 농도를 반영할 수 없다. 적절한 치료로 케토산증이 호전되기 시작하면 베타하이드록시뷰티르산염은 아세토아세트산염으로 전환되어 소변으로 배설되므로, 나이트로프러사이드반응을 이용한 검사로는 케톤체 농도가 더 증가하는 것으로 보인다. 따라서 케톤체 농도를 추적할 때는 혈청베타하이드록시뷰티르산염만을 측정하는 정량검사법을 이용해야 한다. 최근에는 현장검사로 쉽게 검사할 수 있다.

DKA에서 고혈당과 산증의 정도는 매우 다양하며, 다양한 요인들이 고혈당에 영향을 미치므로 산증과 고혈당의 정도가 반드시 비례하지도 않는다. 케톤혈증은 DKA에서 가장 중요하며 단순 고혈당과 감별되는 소견이다. 기아케톤증, 알코올케톤산증, 음이온차가 증가된 다른 원인의 산증과 감별이 필요할 수도 있다.

6) 치료

DKA 치료의 목표는 환자의 활력징후와 각종 이상 검사소견을 적극적으로 감시하면서 순환용적과 조직관류를 회복시키고, 고혈당을 치료하며, 케톤체 생성을 중단시키고, 전해질불균형을 교정 또는 예방하는 것이다. DKA의 유발인자를 확인하는 것도 중요하지만, 이로 인해 치료가 지연되어서는 안 된다. 환자가 구토를 하거나 의식이 없다면 흡인폐렴을 예방하기 위해 비위관(nasogastric tube)을 넣어야 한다.

DKA를 성공적으로 치료하기 위해서는 환자가 안정되고 대사이상이 개선될 때까지 면밀하게 감시하고 이상소견을 빈번하게 재평가해야 한다. 첫 24시간 동안 혈당은 1–2시간, 전해질, 음이온차, 혈액요소질소, 크레아티닌, 동맥혈pH는 2–4시간, 인, 칼슘, 마그네슘은 4–6시간마다 측정하며, 활력징후, 의식상태, 섭취량/배설량 등도 1–4시간 간격으로 감시한다. 치료에 따른 생체징후와 검사결과들의 변화, 치료내용을 한눈에 알아볼 수 있게 그때그때 표로 정리하거나 표준화된 프로토콜을 이용하면 도움이 될 수 있다.

DKA의 치료는 그림 9-5-2에 요약되어 있다. DKA 치료에서 혈관내 용적을 회복시키기 위한 수액요법은 가장 중요하다. 수분결핍량은 대략 kg당 100 mL 정도이다. 초기 수액치료로는 생리식염수를 사용하며, 첫 2–4시간 동안 시간당 500–1,000 mL 속도로 투여한다. 혈청소듐 농도 등 환자의 상태를 재평가하여 혈관내용적이 회복되면, 생리식염수 주입속도를 시간당 250 mL로 낮추거나 소듐 농도가 정상 이상이면 0.45% 식염수(시간당 250–500 mL)로 수액을 변경한다. 저장식염수로 변경하는 이유는 생리식염수를 지속적으로 사용함에 따라 발생할 수 있는 고염소혈대사산증을 방지하기 위해서이다. 일반적으로 케톤증이 해소되기 전 혈당은 200 mg/dL 이하로 떨어진다. 혈당이 200–250 mg/dL까지 떨어지면, 케톤혈증이 교정될 때까지 저혈당을 예방하면서 인슐린을 충분히 사용하기 위해 보충수액에 5–10% 덱스트로스를 추가해야 한다. 인슐린과 덱스트로스의 정맥주사는 식사가 가능해질 때까지 계속 유지한다.

인슐린 또한 DKA에서 필수적인 치료로 포도당신생성을 억제하고 말초조직에서 포도당섭취를 증가시켜 혈당을 떨어뜨리며, 지방분해와 케톤체 합성을 억제한다. 수액 보충을 시작하고 저칼륨혈증이 있다면 이를 교정한 후 단기작용 인슐린 0.1 unit/kg를 정맥 내로 볼러스 주사한다. 이후 산증이 해소되고 환자가 대사적으로 안정될 때까지 시간당 0.1 (또는 0.14) unit/kg를 지속적으로 정맥주입한다. 인슐린주입은 생리식염수 49.5 mL에 인슐린 50 unit를 혼합해

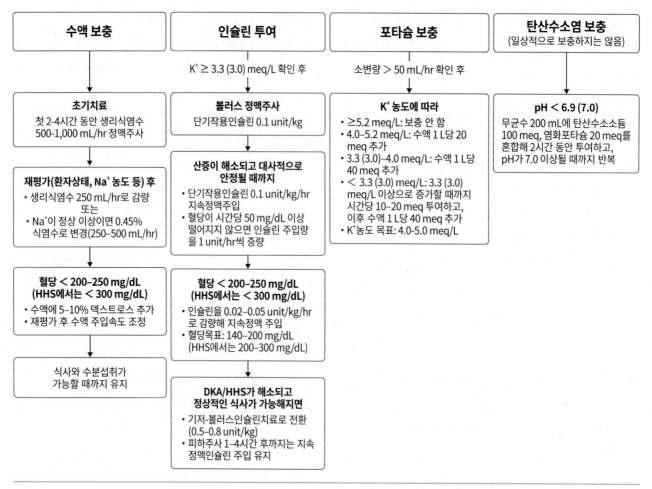

그림 9-5-2. 당뇨병케토산증(DKA)과 고혈당고삼투질상태(HHS)의 치료

1 unit/mL로 만들어 사용한다. 수액 보충과 인슐린 치료가 적절하게 이루어지면 혈당은 시간당 50–100 mg/dL씩 감소한다. 만일 혈당이 시간당 50 mg/dL 이상 떨어지지 않으면(또는 케톤이 시간당 0.5 mmol/L 이상 감소하지 않거나 탄산수소염이 시간당 3 meq/L 이상 증가하지 않으면) 인슐린 주입속도를 시간당 1 unit씩 높여야 한다. 혈장포도당 농도가 200–250 mg/dL에 도달하면, 5–10% 덱스트로스를 추가하고 혈당을 140–200 mg/dL로 유지한다. 이때도 케톤 생성을 억제하기 위해 시간당 0.02–0.05 unit/kg의 인슐린은 지속적으로 정맥주입한다. 정맥주사가 빠르고 확실하게 인슐린을 체내에 전달할 수 있고, 주입속도를 일정하게 또는 환자의 상태나 검사결과에 따라 빠르게 조절할 수 있어 선호되나, 말초조직에 관류저하가 없는 비교적 경미

하고 단순한 DKA에서는 단기작용인슐린을 피하 또는 근육주사할 수도 있다. 이때는 0.2 unit/kg를 볼러스 피하주사 후, 혈당이 250 mg/dL 미만으로 떨어질 때까지 1–3시간 간격으로 0.1–0.2 unit/kg를 투여하고, 이후에는 DKA가 해소될 때까지 인슐린을 50% 감량하여 1–2시간 간격으로 피하주사한다. 지나치게 빠르게 혈당을 떨어뜨리면 뇌부종을 촉진시킬 수 있으므로 주의가 필요하다. 인슐린 투여로 지방분해가 억제되고, 말초조직에서 케톤 사용이 증가하고, 간에서 케톤체 생성이 억제되며, 탄산수소염의 재생이 촉진되면 케토산증은 호전되기 시작한다. 그러나 산증과 케톤증은 고혈당보다는 느리게 호전된다.

정상혈당 DKA에서는 혈당이 250 mg/dL 미만이므로 바

로 덱스트로스를 시작하고, 인슐린을 시간당 0.1 unit/kg 지속정맥주입한다. 덱스트로스를 투여함에도 혈당이 떨어진다면 저혈당을 피하기 위해 인슐린 주입속도를 시간당 0.05 unit/kg로 낮춘다.

DKA에서 탄산수소염도 고갈되어 있으나 수액과 인슐린 치료가 적절히 이뤄지면 자연적으로 회복되므로, 대부분 탄산수소염 보충은 필요하지 않다. 오히려 불필요한 탄산수소염 보충은 심장기능을 악화시키고 조직산소 공급을 떨어뜨리며, 저칼륨혈증을 촉진할 수 있다. 다만 심한 산증[동맥혈 pH 6.9 (또는 7.0) 미만]에서는 탄산수소염을 투여할 수 있다. 이 경우 무균수 200 mL에 탄산수소소듐 100 meq, 염화포타슘 20 meq를 혼합해 2시간 동안 투여하고, pH가 7.0 이상 될 때까지 반복 투여한다.

DKA 환자에게서 포타슘이 결핍(kg당 3–5 meq)되어 있음에도, 초기 혈청포타슘 농도는 정상 또는 그 이상으로 측정된다. 그러나 수액 보충과 인슐린 치료를 하는 동안 산증의 해소와 인슐린에 의해 포타슘이 세포 내로 이동하고, 소변으로 포타슘이 배설되면서 저칼륨혈증이 발생하게 되므로 소변량이 적절하고 혈청포타슘이 정상으로 확인되는 즉시 포타슘 보충을 시작한다(표 9-5-2). 수액 1 L당 포타슘 20–40 meq를 혼합해 투여하여, 혈청포타슘 농도를 4.0–5.0 meq/L로 유지한다. 첫 혈청포타슘 농도가 5.2 meq/L 이상이면 포타슘이 정상범위로 떨어질 때까지는 투여하지 않는다. 인슐린이 포타슘의 세포내이동을 촉진해 저칼륨혈

증을 악화시킬 수 있으므로, 혈청포타슘이 3.3 (3.0) meq/L 미만인 경우에는 포타슘 보충 후 인슐린 투여를 시작한다. 포타슘을 시간당 10 meq 이상 투여받는 환자들에게서는 부정맥의 위험이 있으므로 지속심장감시가 권고된다.

인산염, 마그네슘, 칼슘의 소실 또한 동반되어 있으나, 특별한 경우를 제외하고 반드시 보충할 필요는 없다. 다만 혈청인산염이 1.0 mg/dL 이하이거나 심장기능장애나 호흡 억제가 있는 경우에는 혈청칼슘 농도를 감시하면서 인산염 보충을 고려해야 한다.

7) 합병증

DKA 치료 중 발생하는 합병증으로는 저혈당과 저칼륨혈증이 있으나, 대개 지속적인 검사와 감시를 하고 있으므로 빨리 발견하고 대처할 수 있다. 과다한 수액 보충으로 폐부종이 발생할 수 있으므로 신기능이 떨어져 있거나 고령인 환자에게서는 주의해야 한다.

뇌부종은 20세 이하의 소아 또는 청소년에게서 간혹 발생하며, 성인에게서는 드물다. 이를 예방하기 위해서는 과도한 수분공급이나 혈당과 전해질의 급격한 교정을 피해야 한다. 전형적으로는 치료시작 후 12–24시간에 발생하며, 두통, 구역, 구토, 의식저하, 발작, 산동/고정 등의 소견을 보인다.

사망률은 1% 미만으로 대개 감염, 심근경색증 등과 같은 동반질환 또는 유발인자의 악화와 관련이 있다. 정맥혈전

표 9-5-2. 성인에게서 포타슘 보충방법

첫 혈청포타슘 농도(meq/L)	투여량
≥ 5.2	보충하지 않음
4.0–5.2	수액 1 L당 20 meq 추가
3.3 (3.0)–4.0	수액 1 L당 40 meq 추가
< 3.3 (3.0)	포타슘 농도가 3.3 (3.0) meq/L 이상으로 증가할 때까지 시간당 10–20 meq를 투여하고, 이후에는 수액 1 L당 40 meq를 추가

증, 위장관 출혈, 급성호흡곤란증후군 등도 DKA에 합병될 수 있다.

8) 초기치료 후 관리

DKA해소의 기준은 혈당이 200 mg/dL 이하이면서 탄산수소염 15 meq/L 이상, pH 7.3 초과, 음이온차 12 meq/L 미만 중 2개 이상을 만족하는 것이다. 또는 pH가 7.3을 초과하고 혈중 케톤 농도가 0.6 mmol/L 미만일 때도 해소되었다고 판단할 수 있다. 이후 정상적인 식사가 가능해지면 인슐린을 정맥주입에서 피하주사로 투여방법을 변경한다. 피하주사한 인슐린의 혈중 농도가 어느 정도 오를 때(피하주사 1-4시간 후)까지 지속정맥인슐린 주입을 지속해야 한다. 피하주사 직후 지속정맥주입을 바로 중단하면 DKA가 재발하거나 반동고혈당이 나타날 수 있다. 이전에 인슐린을 사용한 적이 없는 환자에게서는 하루 인슐린양을 0.5-0.8 unit/kg로 시작하고 혈당수치에 따라 용량을 조정한다. 인슐린처방으로 기저-볼러스 치료가 선호된다.

DKA 치료 후 재발을 막기 위해 DKA가 발생한 이유를 검토해야 하며, DKA의 증상과 유발인자, 아픈 날 당뇨병관리 등을 환자에게 교육하는 것이 중요하다. 아프거나 음식섭취를 못할 때는 혈당을 더 빈번히 측정하고, 혈당이 250 mg/dL를 초과하면 소변이나 혈액에서 케톤을 측정하고, 수분공급을 늘리며, 인슐린은 유지하거나 혈당에 따라 증량하고, 탈수, 지속적인 구토, 조절되지 않는 고혈당이 있다면 바로 병원을 찾도록 환자를 교육한다.

9) 논의가 필요한 문제들

DKA에서 임상평가와 치료의 목적에 대해서는 이견이 없으나, 최적의 치료방법에는 여전히 논란이 되는 부분이 있다. pH를 동맥혈이 아닌 정맥혈로 측정하기도 하고, 최근에는 많은 병원에서 혈액내 케톤 측정을 현장검사로 하고 있다. 처음 사용하는 수액으로 링거유산용액과 생리식염수를 비교한 연구가 있지만, 최근에는 일반적으로 생리식염수를 권고하고 있다. 그러나 고염소혈대사산증을 초래하지 않고 탈

수를 교정할 수 있는 수액 보충 방법에 대해서는 추가적인 연구가 필요하다. 혈당의 목표나 포타슘을 투여하는 기준들도 명확하게 정립되지 않아, 본고에서는 괄호 안에 다른 기준을 기술하기도 했다. 포타슘염의 적절한 조합에 대한 연구도 필요하다. 인슐린 치료에서 투여속도와 방법에 대해서도 생각해 볼 필요가 있다. 일부 지침에서는 지속정맥인슐린 주입을 바로 시작할 수 없는 경우를 제외하고는 볼러스 인슐린을 투여하지 않기도 하며, 치료 초기에 장기작용인슐린을(이미 사용하고 있었다면 평소대로, 사용한 적이 없다면 0.25 unit/kg) 피하주사하도록 권고하기도 한다. DKA에서 연속혈당측정을 이용해 혈당감시를 할 수도 있고, 폐쇄루프인슐린펌프의 사용을 고려해 볼 수도 있다. 반복적으로 DKA가 발생하는 환자에게서 이를 예방할 수 있는 전략에 대해서도 고민이 필요하다.

3. 고혈당고삼투질상태

1) 역학

미국 질병통제예방센터의 보고에 따르면 HHS는 당뇨병 관련 입원의 1% 이하에 불과하다. DKA가 주로 젊은 사람에게서 발생하는 데 비해, HHS는 비교적 고령의 2형당뇨병 환자에게서 발생한다. 사망률은 점차 감소하고 있으나 DKA에 비해 높은 편(5-20%)으로, 일부 연구에서는 40%까지로 보고하였다. 나이가 많거나, 의식변화 또는 혈압저하가 있을 때 사망률은 더 높다.

2) 병태생리

기본적인 원인은 상대적인 인슐린결핍과 불충분한 수분섭취이다(그림 9-5-1). 인슐린결핍은 당원분해와 포도당신생성을 통해 간포도당생성을 증가시키고, 골격근에서 포도당 사용을 저해한다. 고혈당은 삼투이뇨를 초래해 혈관내 수분고갈을 일으키는데, 불충분한 수분 보충으로 더욱 악화된다. DKA의 병인과 가장 큰 차이는 탈수가 더욱 심하고, 케톤증 또는 케톤혈증이 없다는 점이다. HHS에서 케톤증이 없는 이유는 명확하지는 않으나, 인슐린결핍이 DKA에서

처럼 심하지 않기 때문일 것으로 추정한다. 일부 연구에서는 대응조절호르몬과 유리지방산의 농도도 DKA에서보다 낮다고 보고하는데, 이 또한 간에서 케톤체 합성에 유리하지 않은 요인이 될 수 있다.

3) 유발인자

HHS는 고령의 2형당뇨병 환자에게서 흔히 발생한다. 유발인자로는 폐렴(40–60%), 요로감염(5–16%), 뇌혈관질환, 심근경색증, 외상 등이 있다. 노화에 따른 갈증기전의 둔화 또는 신체장애로 인한 수분 접근성 약화 등 수분섭취가 불충분해질 수 있는 상황에서 HHS의 위험은 높아진다. 노화와 관련된 소변농축기능장애나 항이뇨호르몬에 대한 반응 감소도 수분소실의 요인이 된다. 고령의 당뇨병 환자가 홀로 지내거나 사회적으로 격리되어 있을 때, 특히 치매나 다른 선행질환으로 심하게 노쇠해 스스로 수분섭취를 할 수 없을 때 HHS가 발생할 위험이 커지며, 전체 발생률의 25–30%를 차지한다. 이런 상황에 있는 환자들에게는 주기적인 혈당측정뿐만 아니라 감염발생 시 즉각적인 치료와 감염에 대한 예방접종도 적절히 이뤄져야 한다.

4) 임상양상

전형적인 양상은 고령의 2형당뇨병 환자가 수주 동안 다뇨, 체중 감소, 음식섭취 감소를 보이다가 혼동, 졸음증, 혼수 등이 발생하는 것이다. 심한 탈수와 고오스몰랄농도로 신체검사에서 피부탄력 감소, 안구함몰, 저혈압, 빈맥, 의식변화 등을 관찰할 수 있다. 20%에서는 의식변화가 없을 수 있는 반면, 20%에서는 발작, 일시적인 마비 등 신경학적 증상으로 뇌졸중으로 오인될 수도 있다. DKA에서 흔히 관찰되는 구역, 구토, 복통, 쿠스마울호흡 등은 나타나지 않는다.

5) 진단과 검사실검사

HHS의 검사실검사는 표 9-5-1에 요약되어 있다. 가장 전형적인 특징은 심한 고혈당(600 mg/dL 초과), 고오스몰랄농도(350 mOsmol/kg 초과)와 신장전질소혈증(prerenal azotemia)이다. 심한 고혈당에도 불구하고 혈청소듐 농도는 정상이거나 낮으나, 교정 농도는 대개 높다(혈장포도당이 100 mg/dL 증가할 때마다 혈청소듐 농도를 1.6 meq/L씩 높임). DKA에 비해 산증과 케톤혈증은 없거나 경미하다. 유산이 증가해 이차적으로 음이온차 증가를 보이는 대사산증이 나타날 수 있으며, 기아로 인해 이차적으로 케톤뇨를 보일 수도 있다. 백혈구수치가 높은 경우가 흔하나, 반드시 감염증을 시사하는 것은 아니다. 그러나 백혈구가 25,000/mm³ 이상이라면 감염에 대한 평가와 항생제 사용을 고려해야 한다.

6) 치료

수분고갈과 고혈당은 HHS와 DKA의 주된 그리고 공통적인 특징이다. 따라서 이 두 질환의 치료는 상당 부분 유사한데(그림 9-5-2), 환자의 체액량, 검사결과, 인슐린 주입률을 주의깊게 감시하는 것이 중요하다. 선행 또는 유발인자도 적극적으로 찾고, 치료해야 한다. HHS는 오랜 시간에 걸쳐 발생하므로 DKA에서보다 수분소실과 탈수가 더욱 두드러진다. HHS 환자는 일반적으로 나이가 많고, 의식변화를 동반하거나 동반질환과 함께 생명을 위협할 수 있는 유발인자를 가지고 있는 경우가 많다. 따라서 적절한 치료에도 불구하고 DKA에서보다 높은 사망률을 보인다.

가장 먼저 수액 보충으로 환자의 혈류역학상태를 안정화시켜야 하는데, 첫 1시간 동안 생리식염수 1 L를 투여한다. 이후에는 환자의 혈류역학 및 전해질상태, 심혈관 또는 신장기능에 따라 정맥내 주입량을 조정하는데, 일반적으로 시간당 250–500 mL를 유지한다. 이때 교정한 소듐 농도가 정상 이상이라면 0.45% 식염수로 교체할 수 있다. 일부 지침에서는 시간당 혈당은 70–100 mg/dL, 혈장오스몰랄농도는 3–8 mOsmol/kg 감소하도록 수액량을 조정하기도 한다. 다량의 수액 보충에도 불구하고 저혈압이 지속되면 승압제를 고려해야 하며, 이후에도 저혈압이 지속되면 심근경색증, 패혈증, 췌장염, 위장관출혈 등 다른 질환의 동반여부를 확인해야 한다. 혈당이 300 mg/dL 이하로 떨어지면 DKA에서와 같이 5% 덱스트로스를 추가한다. HHS 환자에게서 유리수 결핍은 9–10 L로, 1–2일에 걸쳐 보충한다. HHS가 해소(정상 오스몰랄농도와 정상 정신상태)되면 수액투여를 중단할 수 있으나 음식섭취가 불충분하다면 유지할 수도 있다.

DKA에서보다 HHS 환자에게서 포타슘 결핍이 더 심하다. 따라서 소변량이 유지되거나 정상신장기능이 확인되면 포타슘 보충을 시작해야 한다. 혈청포타슘 농도가 5.2 meq/L 미만이면 수액 1 L당 포타슘 20–30 meq를 추가해서 주입하고, 혈청포타슘을 4.0 meq/L 이상 유지한다.

수액 보충을 시작하면 혈당이 떨어지기 시작하지만 인슐린 치료도 필요하다. 일부에서는 베타하이드록시뷰티르산염 농도가 1.0 (또는 1.5) mmol/L를 초과하지 않으면 인슐린 정맥주사를 늦추도록 권고하기도 한다. 수액이 적절하게 보충되지 않은 상태에서 인슐린을 빨리 투여하면 관류저하가 악화되어 순환장애나 혈전증의 위험이 증가하고, 수액 보충만으로도 혈당이 감소한다는 것을 근거로 하고 있다. 그러나 대부분의 경우에는 초기 수액치료를 하고 저칼륨혈증이 있다면 이를 교정한 후 인슐린 치료를 바로 시작한다. 인슐린시작용량은 통상적으로 0.1 unit/kg를 볼러스정맥주사한 후 시간당 0.1 unit/kg로 지속정맥주입한다. 인슐린치료 후 혈당이 시간당 50–75 mg/dL 감소하지 않으면 매 시간 인슐린주입을 늘려야 한다. 혈당이 300 mg/dL 이하로 떨어지면 덱스트로스를 투여하고 인슐린은 시간당 0.02–0.05 unit/kg로 감량해 지속정맥주입하면서, 혈당이 200–300 mg/dL 유지되도록 한다. HHS가 해소되고 식사가 가능해지면 인슐린은 피하주사 투여로 변경한다.

7) 합병증

가장 흔한 합병증은 저혈당과 저칼륨혈증이다. 뇌부종은 매우 드물다. 감염이나 순환혈액 부족이 지속되었을 경우 여러 기관의 허혈 손상이 문제되기도 한다. 사망률은 5–20%로 경련, 심부정맥혈전증, 폐색전증, 췌장염, 신부전 등이 주요 사인이다.

II. 당뇨병만성합병증의 발생기전

박근규

1. 미세혈관합병증의 발생기전

당뇨병은 인슐린저항성과 인슐린분비능 저하 등에 따른 만성적인 혈당 상승을 특징으로 한다. 만성적인 고혈당은 다양한 기전을 통하여 조직과 장기에서 미세혈관 손상을 초래한다. 미세혈관 손상에 크게 영향을 받는 장기는 대표적으로 망막, 신장, 신경이며 뇌, 심근, 피부도 영향을 받는다. 이러한 미세혈관 손상은 장기의 기능이상뿐 아니라 당뇨병 환자의 삶의 질과 기대수명에도 큰 영향을 미친다.

Diabetes Control and Complication Trial (DCCT)과 UK Prospective Diabetes Study (UKPDS)에서 고혈당과 미세혈관합병증의 상관관계가 확인되었다. 하지만 2형당뇨병에서 철저한 혈당조절은 심혈관질환을 예방하는데 큰 도움이 되지 않았다. 이와 같은 사실은 미세혈관합병증과 대혈관병증의 발생기전에 차이가 있음을 시사한다. 특히 인슐린저항성은 대혈관병증 발생에 중요한 요소이지만 당뇨병신장병증과 당뇨병망막병증에서는 부차적인 요소로 작용한다. 당뇨병은 없으나 대사질환이 있는 환자에게서 사구체질환과 망막병증 발생이 많지 않다는 사실은 이런 주장을 뒷받침한다.

만성고혈당은 미세혈관합병증 발생에 가장 중요하다. 하지만 고혈당만으로 당뇨병 미세혈관합병증의 발생을 모두 설명할 수는 없다. 미국 조슬린당뇨병센터의 후향연구에 따르면 당뇨병 유병기간이 50년을 초과한 1형당뇨병 환자의 30–35%는 혈당조절 여부와 관계없이 미세혈관합병증이 발생하지 않았다. 이는 미세혈관 손상기전에 유전 차이와 같은 다른 인자들이 존재함을 시사한다.

최근 대규모임상시험에서 SGLT2억제제(sodium glucose

transporter 2 inhibitor)가 당뇨병신장병증과 심부전에 고무적인 효과를 보여주면서, 당뇨병 치료의 주요한 약물로 사용되고 있다. 이외에도 당뇨병만성합병증 예방에 긍정적인 결과를 보여주는 약물들이 개발되고 있다.

1) 공통적인 병태생리학적 특징

미세혈관은 직경이 < 150 μm 미만의 세동맥, 모세혈관, 세정맥으로 구성된다. 고혈당으로 망막, 신장, 신경섬유에서 발생하는 미세혈관합병증은 유사한 병태생리학적 특성을 가진다.

(1) 세포내 고혈당

고혈당이 발생하면 대부분의 세포에서 포도당수송체의 발현이 감소된다. 하지만 내피세포에서는 포도당수송체가 하향조절(down-regulation)되지 않아 세포내 포도당 농도가 증가한다. 세포내 고혈당은 미세혈관합병증의 시작점이 된다. 고혈당으로 인한 당분해과정 산물의 증가로 인해 폴리올경로, 핵소사민경로, 단백질인산화효소C (protein kinase C, PKC)경로가 활성화되고, 세포내 최종당화산물 생성이 증가된다. 고혈당은 세포바깥바탕질에도 영향을 미친다. 고혈당에 의해 활성화된 PKC는 세포바깥바탕질에서 섬유결합소(fibronectin)합성을 촉진한다. 또한 전환성장인자(transforming growth factor, TGF)를 통해 1형과 4형 콜라겐의 합성을 증가시켜 세포바깥바탕질을 확장시킨다.

(2) 비정상적인 내피세포기능

내피세포는 산화질소(nitric oxide), 프로스타사이클린, 내피유래과분극인자(endothelium-derived hyperpolarizing factor)와 같은 혈관확장인자를 생성하여, 엔도텔린(endothelin, ET)-1, 안지오텐신II, 트롬복세인과 같은 혈관수축인자와 함께 혈관긴장도를 조절한다. 또한 내피세포는 조직인자(tissue factor)와 같은 혈관응고인자 및 조직인자경로억제제(tissue factor pathway inhibitor)와 같은 외인경로억제인자를 생성하여 미세혈관내 혈액응고를 조절한다.

산화질소는 주로 세동맥의 혈관평활근세포를 조절해 내피의존혈관확장을 담당하는데, 고혈당이 발생하면 내피세포에서 산화질소생성효소(eNOS)가 억제되어 산화질소의 생성이 감소한다.

이로 인해 세동맥 확장이 감소하고 모세혈관 압력이 증가한다. 모세혈관내 압력 증가는 사구체에서 알부민배설과 망막 모세혈관에서는 병적인 누출을 증가시킨다. 동물실험에서 내피세포의 eNOS 유전자제거생쥐는 신기능이 감소하고 심근병증이 악화되었다. 반면에 eNOS를 과발현시킨 생쥐는 신기능이 보존되고 심근병증 발생이 예방되었다.

고혈당에 의한 내피기능 이상은 염증반응을 유도한다. 만성적인 고혈당은 백혈구를 활성화시켜 종양괴사인자(tumor necrosis factor α, TNF)와 인터루킨(interleukin, IL)-1을 분비시킨다. TNF-α와 IL-1은 내피세포에서 NF-κB와 activator protein 1 (AP1)을 활성화시켜, E-셀렉틴(E-selectin), 세포간부착분자-1 (intercellular adhesion molecule-1, ICAM-1), 혈관세포부착분자-1 (vacular cell adhesion molecule, VCAM-1), cyclooxygenase-2 (COX-2), C-X-C motif ligand-8 (CXCL-8)과 같은 케모카인 합성을 증가시킨다.

또한 세포내 고혈당은 내피세포장벽을 약화시킨다. 인테그린은 내피세포와 기저막을 결합시키는 역할을 하는데, 고혈당 조건에서 내피세포를 배양하면 인테그린 합성이 증가한다. 반면, connecxins 30.2와 43, claudins 5와 11, zonula occludens-1과 같은 세포간 연접단백질은 약화된다. 이로 인해 혈액뇌장벽, 혈액망막장벽, 사구체여과장벽과 같은 내피세포장벽이 약해지고 비정상적인 투과가 발생한다.

(3) 혈관벽 단백질 축적 증가

고혈당으로 인한 미세혈관장벽의 약화는 혈관투과성을 증가시킨다. 혈관내피성장인자(vascular endothelial growth factor, VEGF)와 같은 성장인자와 ANGPT2 (angiopoietin 2)도 혈관투과성 증가에 기여한다. 혈관투과성이 증가하면 과아이오드산시프염색(periodic acid Schiff stain)에 발색하는 혈장단백질이 모세혈관 벽에 축적된다. 침착된 단백질은 혈관주위세포(pericyte)를 자극시켜 TGF-β1과 같은 성장인자를 분비한다. TGF-β1은 염증사이토카인의 분비를 촉진시키고 세포바깥바탕질 생산을 증가시킬 뿐 아니라 내피세포의 세포자멸사(apoptosis)를 유도한다. 이와 같은 미세혈관 내피세포의 기능이상과 혈관벽에 단백질 축적은 결국 혈관 내강의 협착을 발생시켜 폐쇄에 이르게 한다. 이러한 비가역적인 미세혈관 폐쇄는 당뇨병 미세혈관합병증의 핵심적인 병태생리학적 특징이다.

(4) 레닌-안지오텐신계(renin-angiotensin system, RAS)의 활성화

당뇨병에서 증가된 안지오텐신II는 미세혈관합병증 발생에 기여한다. 안지오텐신II는 혈관평활근세포의 안지오텐신II 1형수용체(AT1 receptor)에 결합한다. 안지오텐신II가 수용체에 결합하면 인지질지방분해효소(phospholipase) C를 통해 phosphatidylinositol 4,5-bisphosphate가 inositol trisphophate와 다이아실글리세롤(diacylglycerol, DAG)로 분해되고 DAG는 다시 PKC경로를 활성화한다. 또 안지오텐신II는 혈관평활근세포에서 성장인자와 함께 RAF kinase/유사분열촉진제활성단백질인산화효소(mitogen-activated protein kinase, MAPK)를 활성화시킨다. 활성화된 MAPK에 의해 혈관평활근의 비후와 증식이 발생한다. 이외에도 안지오텐신II는 신장조직에서 TGF-β를 통해 세포바깥바탕질 생성을 촉진시킨다. 많은 임상시험에서 안지오텐신II를 차단하는 RAS억제제가 당뇨병신장합병증과 당뇨병망막부종에 효과를 보였다. 특히 RAS억제제는 고혈압이 없는 1형당뇨병 환자의 당뇨병신장병증에서도 효과를 보였다. 이는 RAS억제제가 혈압조절 이외 다른 기전으로 당뇨병신장병증 예방에 효과가 있음을 의미한다. 경구레닌억제제인 aliskiren은 당뇨병신장병증 예방에 있어 안지오텐신전환효소억제제와 동등한 효과를 보여주었다. 레닌을 과발현하는 형질전환생쥐에서 aliskiren

은 망막의 무세포모세혈관(acellular capillaries)을 줄어들게 하고 VEGF를 감소시켰다.

(5) 세포질세망 스트레스의 증가

세포내에서 세포질세망은 단백질을 합성하는데, 전령 RNA 번역 후 단백질의 일차구조가 접힘 등으로 3차원 구조가 되도록 한다. 또 세포질세망은 세포내 칼슘조절과 산화환원 항상성 유지에 중요한 역할을 한다. 세포질세망 스트레스는 세포 내에 과다한 단백질이 생성되거나 접힘오류단백질(protein misfolding) 또는 미접힘단백질(unfolded protein)이 증가하는 경우 발생한다. 또한 비정상적인 칼슘 증가와 산화환원체계의 장애에 의해서도 발생할 수 있다. 세포질세망스트레스가 증가하면 미접힘단백질이 증가하는데 미접힘단백질은 C/EBP family단백질인 C/EBP homologous protein (CHOP)유전자의 활성을 통해 세포자멸 신호를 촉진한다. 특히, 당뇨병 환자의 신장세포에서 UPR유전자의 발현이 증가하는데, 이를 통해 세포질세망 스트레스가 당뇨병신장병증과 관계가 있음을 알 수 있다. 당뇨병 생쥐의 망막에서도 세포질세망스트레스에 의해 염증사이토카인과 VEGF가 증가하였다. 최근에는 샤페론(chaperone) 합성촉진 및 CHOP단백질 발현억제를 통하여 세포질세망스트레스를 감소시키는 약물에 대한 개발이 이루어지고 있다.

(6) 미세RNA와 미세혈관합병증

미세RNA (microRNA, miRNA)는 22개의 뉴클레오타이드로 구성된 논코딩 조절 RNA이다. 미세RNA는 핵 내에서 mRNA의 3' 말단에 결합하여 전사 후 유전자부호해독을 조절한다. 당뇨병 환자의 미세혈관합병증에서 미세RNA는 당뇨병이 없는 사람과 비교하여 내피세포의 기능 유지, 손상된 혈관의 복구기전, 혈관신생과 관련하여 발현의 차이를 보인다.

miRNA-146은 산화스트레스 감소와 염증유발사이토카인 합성에 관계한다. 당뇨병 환자에서 miRNA-146의 발현은

당뇨병이 없는 사람보다 많이 감소해 있다. 내피세포를 고혈당에 배양하면 miRNA-146의 발현이 감소하고 니코틴아마이드아데닌다이뉴클레오타이드산화효소[nicotinamide adenine dinucleotide phosphate (NADPH) oxidase, NOX]의 발현이 증가하였다. 당뇨병생쥐에서 miRNA-146a 또는 miRNA-146b를 과발현시키면 산화스트레스가 감소하고 염증사이토카인 분비가 감소하였다. miRNA-185는 글루타싸이온과산화효소(glutathione peroxidase, GPx)1의 발현과 관계가 있다. GPx1은 인체에서 가장 중요한 항산화효소로 과산화수소를 물로 환원시킨다. miRNA-185 발현을 억제(knockdown)한 내피세포를 고혈당에서 배양하면 GPx1의 발현이 증가하고 내피세포의 산화스트레스가 감소하였다. 또 miRNA-195는 SIRT1의 발현을 억제한다. SIRT1은 NAD$^+$ 농도에 의존하여 세포내 다양한 단백질을 탈아세틸화하는데 노화와 eNOS의 발현, 세포자멸사와 포도당대사에 관여하는 것으로 알려져 있다. 스트렙토조토신으로 당뇨병을 유발한 생쥐에서 miRNA-195를 슬라이싱시키면 SIRT1의 발현이 증가하고 당뇨병심근병증의 발생이 감소되었다.

miRNA-130은 혈관내피전조세포의 증식과 이주를 촉진시킨다. 당뇨병이 발생하면 혈관내피전조세포에서 miRNA-130이 감소하며 세포증식 및 이주가 감소하고, 세포자멸사가 유도된다. 이 과정에는 miRNA-130뿐 아니라 miRNA-26, miRNA-34, miRNA-103, miRNA-142 등 다양한 미세RNA가 관여하는 것으로 알려져 있다.

miRNA-200b는 망막과 심장의 혈관내피세포에서 VEGF 발현에 관계한다. 당뇨병생쥐에서 miRNA-200b의 발현을 증가시키면 VEGF가 감소하고 당뇨병망막병증과 심근병증 발생을 예방할 수 있었다. miRNA-503도 VEGF 발현을 감소시킨다. 특이하게도 miRNA-503은 하지허혈질환을 가진 당뇨병 환자의 근육과 혈액에서 증가하였다. 미세혈관의 주위세포가 miRNA-503을 섭취하여 VEGF의 발현을 감소시키고 혈관신생을 억제시키는 것으로 생각된다.

2) 고혈당으로 인한 세포 손상의 기전

(1) 폴리올경로의 역할

세포내 포도당 농도가 상승하고 과산화물에 의해 알도스환원효소(aldose reductase)가 활성화되면 폴리올경로로 포도당의 유입이 증가한다. 알도스환원효소는 폴리올경로에서 첫 번째 속도제한효소로 포도당에 대해 낮은 친화력(5-10 mM Km)을 지니기 때문에 정상적인 포도당 농도에서는 활성도가 높지 않으나, 세포내 포도당 농도가 증가하면 활성화된다. 알도스환원효소는 세포질에서 포도당을 폴리알콜인 소비톨(sorbitol)로 전환시키는데, 이 과정에서 NADPH를 NADP$^+$로 산화시킨다. 알도스환원효소에 의해 형성된 소비톨은 다시 소비톨탈수소효소에 의해 과당으로 산화된다. 이 과정에서 NAD$^+$가 NADH로 환원된다.

폴리올경로는 여러 기전을 통해 조직을 손상시킨다. 첫 번째 기전은 세포내 소비톨 증가에 따른 삼투스트레스이다. 소비톨은 세포막을 쉽게 통과하지 못하기 때문에 내피세포에 축적되어 세포에 삼투 손상을 유발한다는 가설이 전통적으로 지지를 받아왔다. 초기에 시행된 당뇨병합병증연구에서 소비톨 농도가 당뇨병혈관합병증과 상관관계가 있음을 보여주었다. 하지만 세포내 소비톨 농도가 세포 손상을 유도할만큼 상승되지 않고, 소비톨 증가는 세포 내에 증가된 포도당으로부터 세포를 보호하기 위한 방어기전일 것이라는 주장도 있다.

두 번째는 폴리올경로로 포도당의 유입 증가에 따른 Na$^+$/K$^+$-ATP분해효소의 활성 감소이다. 이는 주로 말초신경조직, 수정체, 망막, 심장조직 등에서 일어난다. 오랜 기간 고혈당으로 인한 폴리올경로 활성화가 포스파타이드이노시톨생성효소를 감소시키고 DAG와 PKC를 억제하여 Na$^+$/K$^+$-ATP분해효소의 활성을 감소시키는 것으로 생각하였다. 하지만 PKC억제제가 오히려 당뇨병신경병증에 효과가 있는 것으로 밝혀지면서 이 가설은 지지를 잃게 되었다. 최근에는 PKC에 의해 증가된 세포질 인지질지방분해효소

A2가 Na⁺/K⁺-ATP분해효소의 활성을 감소시키는 것으로 간주된다.

세 번째 기전은 알도스환원효소에 의한 산화환원 항상성의 장애이다. 알도스환원효소는 NADPH를 감소시킨다. NADPH는 세포내 주요한 항산화물질로 글루타싸이온을 환원상태(GSH)로 유지하는 데 필수적이다. NADPH가 감소하면 글루타싸이온의 산화형(GSSG)이 증가한다. 세포내에서 글루타싸이온의 환원형과 산화형은 일정한 비율을 유지하고 있는데, 알도스환원효소에 의해 불균형이 초래되면 반응산소종(reactive oxygen species, ROS)에 대한 항산화 방어기작에 장애가 발생한다.

네 번째 기전은 소비톨탈수소효소에 의한 NADH/NAD⁺ 비의 증가이다. 소비톨탈수소효소는 NAD⁺를 감소시키고 NADH는 증가시켜 세포질 내 NADH/NAD⁺ 비를 증가시킨다. NADH/NAD⁺ 비가 증가되면 3-인산글리세르알데이드탈수소효소(glyceraldehyde 3-phosphate dehy-drogenase, GAPDH)가 억제된다. GAPDH가 억제되면 3-인산글리세르알데하이드의 농도가 증가하고, 이는 DAG를 증가시켜서 PKC를 활성화한다.

알도스환원효소를 결핍시킨 생쥐에게서는 당뇨병망막병증, 당뇨병신장병증, 당뇨병신경병증이 적게 발생했다. 반면, 개에게서 알도스환원효소를 결핍시키면 당뇨병신경병증의 발생은 줄었으나 당뇨병망막병증과 신장병증에는 효과가 없었다. 일본에서 이뤄진 Aldose Reductase Inhibitor–Diabetes Complication Trial에서는 알도스환원효소억제제인 에팔레스타트(epalrestat)가 당뇨병망막병증과 신경병증의 진행을 억제하였으나, 그 외 많은 알도스환원효소억제제관련 임상시험에서는 그 효과를 입증하지 못했다.

(2) 세포내 최종당화산물 형성 증가

최종당화산물(advanced glycation end products)은 세포내 포도당의 농도에 비례하여 생성된다. 세포 내에서 증가된 포도당은 자가산화에 의해 글리옥살(glyoxal)로 전환

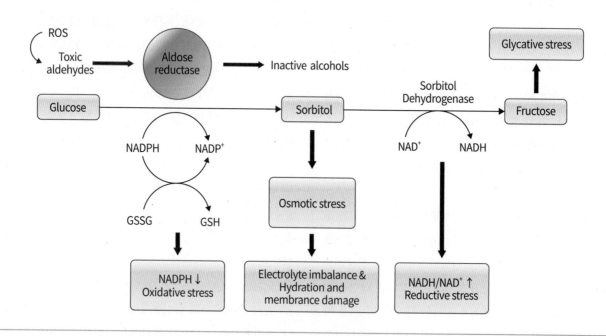

그림 9-5-3. 알도스환원효소와 폴리올경로
알도스환원효소는 NADPH를 조효소로 사용하여 반응산소기에 의해 생성된 독성알데하이드들을 불활성인 알코올로 전환시키며 포도당을 소비톨로 전환시킨다. 소비톨탈수소효소(sorbitol dehydrogenase)는 NAD⁺를 조효소로 사용하여 소비톨을 과당으로 산화시킨다. 환원형 글루타티온(GSH)의 재생에 NADPH가 필요하기 때문에 이 과정에서 세포내 산화스트레스가 유발 또는 악화될 수 있다.

되거나, 3-인산글리세르알데하이드에 의해 메틸글리옥살(methyl-glyoxal)로 변환된다. 또한 포도당은 아미노산 사이의 부가반응과 아마도리(Amadori) 재배열을 통해 3-데옥시글루코손(3-deoxyglucosone)으로 분해된다. 글리옥살, 메틸글리옥살, 3-데옥시글루코손과 같은 다이카보닐(dicarbonyl)은 다시 단백질과 비가역적인 화학반응을 통해 펜토시딘(pentosidine), 카복시메틸라이신(carboxy-methyllysine), 파이랄린(pyraline)과 같은 최종당화산물이 된다.

최종당화산물이 당뇨병의 미세혈관합병증 발생에 미치는 경로는 크게 두 가지로 설명된다. 첫 번째, 최종당화산물은 세포바깥바탕질의 기저막에서 단백질과의 교차결합(cross-link)을 형성한다. 최종당화산물은 1형콜라겐과 엘라스틴과 결합하여 세포바깥바탕질을 증가시키고 혈관벽을 경직시킨다. 또한 세포바깥바탕질에서 당단백질과 내피세포의 결합을 방해한다.

두 번째는 최종당화산물과 최종당화산물수용체(receptor for advanced glycation end products)의 결합을 통한 내피세포의 기능변화이다. 최종당화산물수용체는 멀티리간드수용체(multi-ligand receptor)로 내피세포, 단핵포식세포(mononuclear phagocyte), 평활근세포(smooth muscle cell), 혈관주위세포(pericyte), 메산지움세포, 발돌기(foot process), 신경세포 등 대부분 세포에서 발현된다. 최종당화산물수용체는 당뇨병뿐만 아니라 암과 죽상경화증, 알츠하이머병과 같이 다양한 염증반응에도 관여한다. 최종당화산물과 내피세포의 최종당화산물수용체의 결합은 NOX를 통해 ROS를 증가시킨다. ROS는 다시 p21-RAS, JNK, p38 MAPK를 활성화시켜 NF-κB를 활성화시킨다. 내피세포에서 NF-κB는 IL-6와 같은 염증사이토카인뿐만 아니라 TGF-β1, VEGF, ET-1, ICAM-1, E-셀렉틴, 조직인자의 발현을 증가시켜 미세혈관합병증을 발생시킨다.

최종당화산물은 망막에서 황반부종과 신생혈관증식을 유발하고, 신장에서는 사구체메산지움세포의 세포자멸사와 요세관간질의 섬유화를 유발한다. 이런 과정을 차단하기 위한 최종당화산물억제제와 최종당화산물-저함유식사에 대해 많은 연구가 수행되었다. 당뇨병생쥐에게서 iNOS와 최종당화산물수용체를 동시에 과발현시키면 당뇨병신장병증의 발생이 증가하였다. 하지만 최종당화산물억제제를 투여하면 당뇨병신장병증 발생이 예방되었다. 또 최종당화산물-저함유식사를 섭취한 군에서는 인슐린저항성이 개선되고 염증사이토카인의 분비가 감소되었다.

(3) PKC의 활성화

PKC는 인체 내에 총 11개의 아형이 존재한다. 전형적인 PKC 유사체는 PKC-α, PKC-β1, PKC-β2, PKC-γ로 칼슘과 포스파타이드세린(phosphatidylserine), 포볼에스터(phorbol ester) 또는 DAG에 의해 활성화된다. 새로운 PKC는 PKC-δ, PKC-ε, PKC-φ, PKC-η 등이며, 포스파타이드세린과 DAG에 의해서는 활성화되나 칼슘은 작용하지 않는다. 이 중 당뇨병미세혈관합병증에 가장 핵심이 되는 PKC 아형은 α, β, δ형이다. PKC는 인체 내에서 DAG 이외에도 과산화수소(H_2O_2)와 사립체초과산화물(mitochondrial superoxide) 음이온(O_2^-)에 의해서도 활성화된다.

세포내 고혈당은 3-인산글리세르알데하이드를 3-인산글리세롤로 환원시키고 아세틸화를 통해 DAG를 생성시킨다. DAG는 세포 내에서 이차매개물질로 작용하며 PKC를 활성화시키는데 조직마다 활성화되는 PKC의 아형이 다르다. 당뇨병 생쥐의 망막에서는 PKC-α 및 PKC-β가 활성화되고, 사구체에서는 PKC-α 및 PKC-δ의 표현이 증가되어 있다.

DAG-PKC경로가 당뇨병의 미세혈관합병증에 미치는 기전은 매우 다양하다. 이 경로는 혈관투과, 혈관수축, 혈관신생, 기저막 비후와 세포바깥바탕질 합성에 관여한다. PKC 활성화는 산화질소 합성을 억제하고 p38 MAPK를 통해 VEGF의 합성을 촉진하여 내피세포투과성을 증가시킨다.

특히 PKC-β 유사체의 활성화는 산화질소 합성을 감소시키고 ET-1을 증가시켜 혈류를 감소시킨다. 당뇨병생쥐에게 고농도의 포도당을 투여하면 비정상적으로 PKC가 활성화되고, 사구체에서 산화질소 합성이 감소하였다. 또 혈관평활근세포를 고농도 포도당에서 배양시키면 PKC 활성화를 통해 산화질소 생성이 감소하고 VEGF의 발현이 증가했다.

활성화된 PKC는 세포바깥바탕질 합성을 증가시킨다. 사구체메산지움세포에서 PKC를 활성화시키면, TGF-β1, 결합조직성장인자의 발현이 증가하고 섬유결합소 및 4형콜라겐 합성이 증가되었다. 당뇨병생쥐에게서 PKC-β2를 선택적으로 과발현시키면 결합조직성장인자와 TGF-β1 발현이 증가되고 심장섬유화가 발생하였다. 또 고혈당에서 배양한 내피세포와 혈관평활근세포에서 PKC/NF-κB 신호전달경로가 활성화되고 플라스미노젠활성제억제제(plasminogen activator inhibitor, PAI)-1이 과발현되었다.

혈관내피세포에서 고혈당으로 인한 PKC 활성화는 NOX 1,2,4,5의 활성을 유도하고 활성산소를 증가시킨다. 또한 비공유 eNOS가 증가하고 ROS가 더욱 늘어난다. PKC억제제는 관상동맥질환을 가진 당뇨병 환자에게 생체외혈관 치료제로서 사용되고 있는데, NOX와 과산화물로 인한 비공유 eNOS를 감소시켜서 내피 손상을 감소시키고 산화질소를 증가시킨다. PKC-β1와 PKC-β2를 선택적으로 억제하는 ruboxistaurin를 당뇨병 생쥐에게 사용하면 사구체여과율의 감소가 둔화되고, 소변알부민배설이 줄었다. 또 망막에서 신생혈관증식이 감소하였다.

(4) 헥소사민경로의 활성화

헥소사민경로는 당분해의 곁가지경로로 포도당과 글루타민, 글루코사민, 지방산, 이인산유리딘(uridine diphosphate, UDP)과 같은 기질을 활용하여 UDP-N-아세틸글루코사민(acetylglucosamine) (UDP-GlcNAc)을 생성한다. 혈당이 증가하면 6-인산과당의 생성이 증가한다. 증가된 6-인산과당은 당분해에서 이탈하여 UDP-GlcNAc 합성을 증가시킨다. 헥소사민경로의 속도제한효소인 글루코사민 6-인산과당아미노기전달효소(glutamine fructose-6-phosphate aminotransferase, GFAT)는 6-인산과당 또는 글루타민을 6-인산글루코사민으로 전환하는 효소이다. 동물실험에서 GFAT을 억제하면 고혈당에 의한

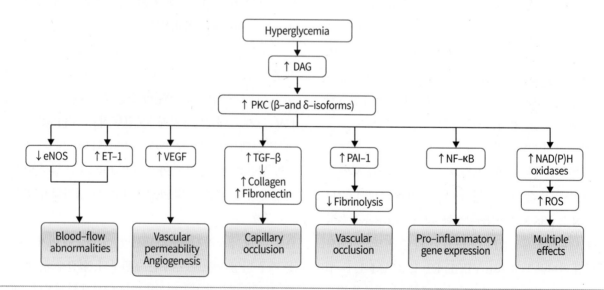

그림 9-5-4. 고혈당 유발성 단백질인산화효소C (PKC)의 활성화
고혈당은 PKC-β 및 PKC-δ를 활성화시켜서 디아실글리세롤(DAG)을 증가시키고 이는 PKC를 활성화하여 다양한 반응을 일으킨다. eNOS, endothelial nitric oxide synthetase; ET-1, endothelin 1; NAD(P)H, nicotinamide adenine dinucleotide phosphate; PAI, plasminogen activator inhibitor; ROS, reactive oxygen species; TGF, transforming growth factor; VEGF, vascular endothelial growth factor.

TGF-α와 TGF-β1 발현이 억제되었다.

UDP-GlcNAc은 단백질의 해독후변형(post-translational modification)을 담당한다. UDP-GlcNAc는 소포체와 골지체에서 단백질을 O-결합(O-linked), N-결합(N-linked) 당화(glycosylation)한다.

O-GlcNAc transferase (OGT)는 단백질의 세린과 트레오닌 잔기에 GlcNAc를 첨가한다. 단백질의 O-GlcNAc 변형은 단백질인산화반응과 같이 세포내 대사와 신호전달과정, 핵내 전사에 관여한다. 단백질의 O-GlcNAc 변형이 인

슐린의 insulin receptor substrate-1 (IRS-1)/phosphatidylinositol 3-kinase (PI3K)/protein kinase B (Akt) 신호전달경로를 방해한다는 가설이 있다. 인슐린저항성에 따른 고인슐린혈증과 세포내 고혈당이 MAPK를 과도하게 활성화시켜 미세혈관합병증 발생에 기여하는 것으로 생각된다.

O-GlcNAc에 의해 유전자전사에 변화가 생긴다. Specificity protein 1 (Sp1) site는 TGF-α, TGF-β1과 같은 성장인자의 발현을 조절한다. 만성적인 고혈당은 Sp1의 O-GlcNAc화를 증가시킨다. Sp1의 O-GlcNAc화는 프로테아좀에 의한 Sp1 분해를 감소시켜 핵내 농도를 증가시킨다. O-GlcNAcylation된 Sp1은 TGF-β1의 발현을 증가시키고 PAI-1과 아세틸CoA카르복실화효소의 발현을 증가시킨다. 이외에 NF-κB p65 소단위의 O-GlcNAc화는 염증사이토카인의 발현을 증가시킨다.

(5) 고혈당에 의한 합병증 유발기전을 설명하는 하나의 공통과정

미세혈관합병증의 발생에 관여하는 네 가지 경로의 시작점은 사립체 전자전달계의 전자 누출로 발생하는 과산화물(superoxide, O_2^-)이다. 과산화물에 의해 DNA가닥에 손상이 발생하면 DNA 복구를 위해 poly ADP-ribose polymerase (PARP)가 활성화된다. PARP는 NAD를 니코틴산과 ADP-리보스로 분리하고 ADP-리보스중합체를 형성시킨다. 형성된 ADP-리보스는 세포내 여러 단백질에 결합하는데 그 중 GAPDH에 결합하여 활성을 감소시킨다.

GAPDH는 당분해과정에서 3-인산글리세르알데하이드를 1,3-비스포스포글리세르산으로 전환시키는 효소이다. PARP에 의해 GAPDH 활성이 감소하면 상위경로의 폴리올경로, 헥소사민경로, PKC경로가 활성화되고 최종당화산물이 증가한다. 세포실험에서 과오돌연변이(missense mutation)를 통해 GAPDH 활성을 억제하면 정상 포도당 농도에서도 폴리올경로, 헥소사민경로, PKC경로가 활성화

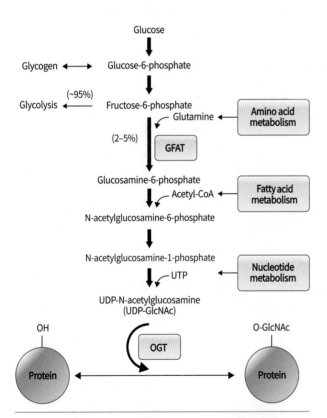

그림 9-5-5. 헥소사민경로(Hexosamine pathway)

해당 과정의 중간 대사산물인 과당-6-인산염과 아미노산대사를 통한 글루타민은 글루코사민 6-인산과당아미노기전달효소(GFAT)에 의해 글루코사민-6-인산염으로 전환된다. 생성된 글루코사민-6-인산염은 지방산대사의 산물인 아세틸조효소A (acetyl-CoA)와 뉴클레오티드대사의 산물인 유리딘삼인산(UTP)을 기질로 하여 UDP-N-아세틸글루코사민(UDP-GlcNAc)을 생성한다. OGT는 단백질의 serine과 threonine잔기에 GlcNAc를 첨가한다. 단백질의 O-GlcNAc 변형은 세포내 대사와 신호전달과정, 핵내 전사에 관여한다. GFAT, glutamine fructose-6-phosphate aminotransferase; UTP, uridine triphosphate; OGT, O-GlcNAc transferase.

되었다. 짝풀림단백질(uncoupling protein)–1이나 망가니즈초과산화물불균등분해효소(manganese superoxide dismutase)를 이용하여 과산화물을 상반변화(dismutation)시키면 PARP 활성이 감소하고 GAPDH 활성이 증가한다. PARP억제제를 처리하였을 때도 동일한 효과가 나타났다.

3) 고혈당 기억의 분자적 기전

고혈당에 의한 미세혈관 변화는 혈당이 정상화된 후에도 지속된다. 1983년부터 1993년까지 시행된 DCCT연구와 동일 환자군을 1994년부터 2006년까지 추적관찰한 Epidemiology of Diabetes Interventions and Complications (EDIC)연구는 초기의 적극적인 혈당관리에 관한 교훈을 준다. 평균 6.5년간 추적한 DCCT연구에서 관행치료군과 집중치료군의 평균당화혈색소는 각각 9.1%와 7.2%로, 약 2% 차이를 보였으나, EDIC연구종료 시점에서 양 군 간의 당화혈색소는 비슷했다. DCCT연구에서 집중치료군은 망막병증을 76% 예방할 수 있었고, 현성알부민뇨가 54% 감소하며 신경병증의 발생 역시 60% 감소하였다. EDIC연구에서는 혈당조절 차이가 사라졌음에도 불구하고 미세혈관 합병증 감소효과가 20년 이상 지속되었는데, 연구자들을 이것을 대사기억(metabolic memory)이라고 정의하였다.

이와 같은 현상은 UKPDS에서도 관찰되었다. 연구종료 후 당화혈색소는 관행치료군과 집중조절군에서 모두 이전 수

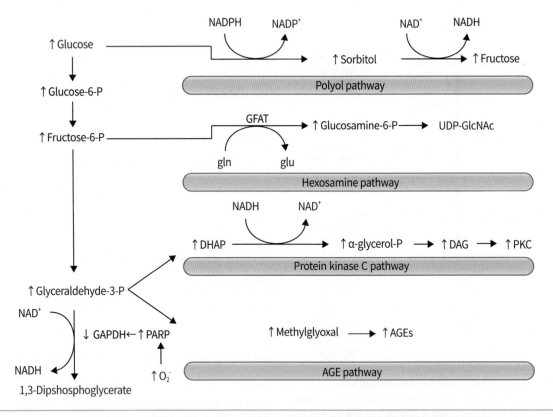

그림 9-5-6. 고혈당에 의한 사립체과산화물이 고혈당 손상의 네 가지 경로를 활성화시키는 기전

지나친 과산화물은 PARP를 활성화시켜서 GAPDH를 억제시키고 ADP-ribosylation을 유발한다. GAPDH의 활성도가 감소하면 상위대사체 농도가 증가하고 당분해 작용에서 포도당 과이용경로로 바뀌게 된다. 이는 결과적으로 triose phosphate to diacylglycerol (DAG)로의 유입, 단백질인산화효소C의 활성화, 주요 세포내 최종당화산물전구체인 methylglyoxal을 증가시킨다. 과당-6-인산염의 UDP-N-아세틸글루코사민으로의 유입 증가는 헥소사민에 의한 단백질 변형을 증가시키고 포도당의 폴리올경로로의 유입 증가는 NADPH를 소비하고 GSH를 고갈시킨다. ADP, adenosine diphosphate; DHAP, dihydroxyacetone phosphate; GSH, reduced glutathione; GAPDH, glyceraldehyde-3-phosphate dehydrogenase; NAD⁺, nicotinamide adenine dinucleotide; NADH, reduced nicotinamide adenine dinucleotide; PARP, poly (ADP-ribose) polymerase; NADPH, nicotinamide adenine dinucleotide phosphate; UDP, uridine diphosphate.

준으로 회복되었다. 하지만 집중치료군에서 미세혈관합병증 발생이 더 적었다. 연구자들은 이를 유산효과(legacy effect)라 정의하였다.

대사기억 또는 유산효과의 기전을 설명하기 위한 세포 및 동물시험들도 이루어졌다. 내피세포를 고농도 포도당에 배양하면 염증 및 섬유화관련유전자가 발현되는데, 이는 저농도 배양으로 변경해도 감소하지 않았다. 혈당조절이 안되던 당뇨병생쥐에게서 혈당을 정상화시키면 망막의 과산화물 생성이 약 50% 감소하지만 더 이상 줄진 않았고, 산화스트레스 지표인 3-나이트로타이로신의 농도는 지속적으로 높았다.

최근에는 대사기억 이론을 뒷받침하는 후성유전학 연구결과도 발표되었다. 유전자의 발현은 DNA 염기순서 이외에도 메틸화(DNA methylation)와 히스톤에 의한 해독후변형을 통해 조절되는데, DCCT연구에서 관행치료군에 배정되었던 1형당뇨병 환자들에게서는 16년이 지난 후에도 싸이오레독신상호작용단백질(thioredoxin-interacting protein, TXNIP)의 저메틸화와 염화물전압작동통로(chloride voltage-gated channel) 7의 고메틸화가 확인되었다. TXNIP은 산화환원체계에서 중요한 싸이오레독신의 작용을 방해하는 단백질을 코딩하는 유전자로, 당뇨병쥐에서 TXNIP을 과발현시키면 NOX와 활성산소가 증가한다. 고혈당으로 초래된 TXNIP의 발현은 이후 혈당조절과 관계없이 지속되고, 이는 ROS 증가로 이어져 당뇨병미세혈관합병증 발생에 기여하는 것으로 추정된다.

대사기억은 고혈당에 의한 미세혈관합병증이 한번 발생하면 쉽게 회복되지 않고, 따라서 당뇨병 진단 초기의 적극적인 혈당조절이 미세혈관합병증 예방에 중요함을 시사한다.

4) 미세혈관합병증에 민감한 유전결정자
당뇨병합병증은 혈당조절 정도와 당뇨병의 유병기간이 유사하더라도 발생과 그 양상이 다르게 나타난다. 환자 개개인의 유전차이가 이에 기여할 것으로 생각된다.

초기의 당뇨병합병증연구는 가족연구(family study)를 중심으로 시행되었다. 이를 통해 당뇨병신장병증은 적어도 40% 정도의 유전성을 보여주었다. 형제 중에서 2명 이상의 1형당뇨병 환자가 있는 가계를 대상으로 시행된 연구에서 당뇨병신장병증이 한 명에서 발생할 때 다른 형제에게서 당뇨병신장병증이 발생할 위험이 72-83%로 확인되었다. 반면에 당뇨병신장병증이 발생한 가족이 없는 경우 당뇨병신장병증의 발생위험은 17-22%였다. DCCT연구에서 형제 중 한 명이 당뇨병망막병증이 있는 경우 심각한 당뇨병망막병증이 발생할 위험은 5.4배 증가하였다.

다양한 유전자다형성(gene polymorphism)이 당뇨병합병증과 연관성을 보여주었다. 사립체유전자, 알도스환원효소유전자, 소비톨탈수소효소유전자, 내피세포의 NOS유전자, paraoxonase유전자, TNF-β NcoI유전자, 아포지단백질 E유전자, 세포사이부착분자-1유전자, α2β1 인테그린유전자, VEGF유전자가 당뇨병신장병증과 망막병증과의 연관성을 보여주었다.

최근 UK 바이오뱅크 등을 통해 대규모 코호트의 유전정보가 공개되면서 전장유전체연관연구(genome-wide association study, GWAS)가 비약적으로 발전하였다. GWAS를 통해 당뇨병합병증과 관련된 많은 유전자자리가 연구되고 있다. 특히 Diabetic Nephropathy Collaborative Research Initiative (DNCRI)는 유럽의 1형당뇨병 환자를 대상으로 당뇨병신장병증과 관련된 16개의 유전자를 확인하였다. 그중 가장 강한 연관성을 보여준 것은 COL4A3 (4형 콜라젠 α3 체인 유전자)의 SNP rs55703767였다. 사구체발돌기를 발현하는 BMP7 인트론1의 SNP rs144434404와 TAMM41의 SNP rs142823282, HAND2-AS1 인트론3의 SNP rs145681168는 미량알부민뇨와 관계가 있었다. 콜라젠수용체인 DDR1과 콜라젠유전자인 COLEC11의 단일염기다형성은 사구체여과율 감소와 관계가 있었다. 이 외에도 LINCO1266, STAC, PRNCR1의 단일뉴클레오타이드다형성은 말기신장질환과 관계가 있었다. 현재 우리나라를 비롯하여 세계적으로 바이오뱅크의 유전자 정보가 증가하는 추세에 있다. 따라서 당뇨병 및 당뇨병합병증 관련한 유전자 연구의 정확성이 향상될 것으로 기대된다.

2. 대혈관병증의 발생기전

당뇨병은 심뇌혈관질환과 말초혈관질환과 같은 대혈관병증을 발생시킨다. 대혈관병증 발생에는 당뇨병 이외에도 고혈압, 고지질혈증, 흡연 등 다양한 위험인자가 관여한다. 하지만 고혈압과 고지질혈증의 관련성을 보정한 후에도 당뇨병 환자의 심혈관 발생위험도가 여전히 높다는 것은 당뇨병이 대혈관병증에 있어 주요한 인자임을 의미한다. 실제 심혈관 합병증이 발생한 사람의 75~90%는 당뇨병 환자이다. 당뇨병 환자의 사망원인 1위는 심혈관질환으로, 국내에서는 당뇨병 환자의 약 30%가 심혈관질환으로 사망한다.

대혈관병증과 미세혈관합병증의 발생기전과 많은 부분을 공유한다. 대혈관병증의 발생기전은 크게 혈역학적 기전과 대사적 기전으로 구분할 수 있다. RAS의 활성화와 혈관수축인자인 ET, 유로텐신(urotensin) 증가가 한 축을 담당한다. 또 미세혈관합병증에서 중요하게 다루었던 고혈당과 그로 인한 폴리올경로 유입 증가, DAG-PKC경로와 헥소사민경로의 활성화, 최종당화산물 증가가 또 다른 축을 담당한다. 이와 같은 혈역학적, 대사적 변화는 ROS를 증가시키고 염증신호전달경로를 활성화시켜 내피세포의 기능이상과 죽상경화증을 유발한다.

1형당뇨병 환자를 대상으로 한 DCCT/EPIC연구와 2형당뇨병 환자를 대상으로 한 UKPDS에서 적극적인 혈당조절은 심혈관질환의 발생을 감소시키지 못했다. Action to Control Cardiovascular Risk in Diabetes trial (ACCORD)과 Action in Diabetes and Vascular Disease: Preterax and Diamicron Modified Release Controlled Evaluation (ADVANCE), Veterans Affairs Diabetes Trial (VADT)에서도 철저한 혈당조절을 통한 심혈관질환

의 예방효과는 제한적이었다. 하지만 대혈관병증을 예방하는데 있어 적극적인 혈당조절의 중요성을 간과해서는 안 된다. 고혈당은 DNA메틸화, 히스톤의 해독후변형(post-translational modification)을 통한 후성유전변화를 통해 장기적으로 대혈관병증 발생에 기여할 수 있다. 또 혈당변동성(glucose variability)의 증가 역시 대혈관병증의 발생위험도를 높인다.

SGLT2억제제와 GLP-1수용체작용제가 대혈관병증이 있는 당뇨병 환자에게서 주요한 약물로 사용되고 있다. SGLT2억제제와 GLP-1수용체작용제는 대혈관병증에서 발생하는 혈류역학적 그리고 대사적 변화를 완화시켜 그 진행을 억제하는 것으로 생각된다. 또한 로시글리타존이 심혈관질환 발생을 증가시킨다는 논란 이후, 당뇨병약물의 개발과 함께 심혈관질환에 대한 안전성과 효과에 관한 연구들이 활발히 진행되고 있다.

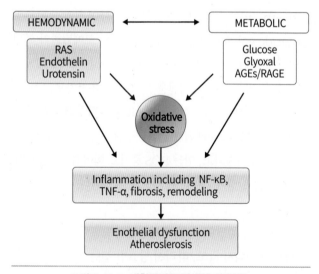

그림 9-5-7. 대혈관병증 발생에 기여하는 혈역학적 기전과 대사적 기전

레닌-안지오텐신체계 활성화와 엔도텔린과 유로텐신 증가는 NADPH oxidase 활성화를 통해 산화스트레스를 증가시키고 다양한 염증성 신호전달경로를 활성화시킨다. 고혈당에 의한 폴리올경로, 헥소사민경로, PKC경로, 최종당화산물 증가 역시 산화스트레스 증가와 염증성 신호전달경로 증가를 통해 내피세포 기능이상과 죽상동맥경화증을 발생시킨다. RAS, renin–angiotensin system; AGEs, Advanced glycation end products; RAGE, receptor for advanced glycation end products; NF-κB, nuclear factor kappa-light-chain-enhancer of activated B cells; TNF-α, tumor necrosis factor-α.

1) 고혈당의 네 가지 공통기전에 의한 대혈관병증

세포내 고혈당에 의한 폴리올경로의 활성화는 죽상경화증을 악화시킨다. 알도스환원효소 형질전환생쥐에게 고농도의 포도당을 주입하면 폴리올경로가 활성화되고 죽상경화증이 조기에 발생하였다. 또 당분해와 폴리올경로 증가로 인한 6-인산과당의 증가는 헥소사민경로를 활성화시켜 단백질의 O-GlcNAcylation를 증가시킨다. O-GlcNAc은 OGT에 의해 세포기질단백질뿐 아니라 전사인자의 세린/트레오닌 잔기에도 첨가되는데, 이러한 해독후변형은 미세혈관합병증뿐 아니라 대혈관병증에서도 중요한 역할을 한다. 특히 혈관평활근세포에서 Akt의 O-GlcNAc은 Akt의 세린/트레오닌 인산화를 촉진시키고 혈관의 석회화를 증가시킨다. 이외에도 고혈당은 최종당화산물을 증가시킨다. 최종당화산물은 초기 플라크(plaque) 형성 시에 단핵구와 대식세포를 내피하층(subendothelium)으로 이동시킨다. 또 저밀도지단백질(low density lipoprotein, LDL)콜레스테롤의 당화를 증가시키고, 대식세포에서 염증유발사이토카인의 분비를 증가시켜 포식작용(phagocytosis)을 활성화한다. ApoE 유전자제거 당뇨병생쥐에게 최종당화산물 수용체를 결핍시키면 대조군에 비해 죽상경화증이 감소하였다. 뿐만 아니라 고혈당은 내피세포에서 PKC경로를 통해 NF-κB 의존성 NOX를 과발현시켜 ROS를 증가시킨다. ROS는 LDL콜레스테롤을 산화된 LDL (oxLDL)로 전환시키고, 이후 대식세포가 oxLDL을 섭취하여 거품세포(foam cell)로 변화한다. 거품세포 형성은 동맥경화증 초기의 지방선조형성(fatty streak formation)에 핵심적인 역할을 한다.

2) 인슐린저항성

2형당뇨병은 인슐린저항성을 특징으로 한다. 비당뇨병 성인을 인슐린저항성이 있는 군과 없는 군으로 나눠 심혈관합병증의 발생위험도를 비교하면, 인슐린저항성이 있는 군에서 2.5배 높다. 이와 같은 사실은 인슐린저항성이 그 자체만으로 심혈관합병증 발생에 중요한 위험인자임을 시사한다.

인슐린저항성이 가장 크게 영향을 미치는 것 중 하나는 지질대사이다. 인슐린저항성이 발생하면 지방세포에서 중성지방 분해가 증가하면서 혈액으로 유리지방산의 방출이 증가한다. 간에서는 증가한 유리지방산으로 인해 중성지방 합성이 증가하고, 결과적으로 혈액내 초저밀도지단백질(very low density lipoprotein, VLDL)이 증가한다. VLDL의 증가는 결과적으로 소치밀저밀도지단백질(small dense low density lipoprotein, sdLDL)의 증가와 고밀도지단백질의 감소를 초래하고, 이는 플라크에서 LDL콜레스테롤을 증가시켜 죽상경화증 진행을 촉진시킨다.

또한 인슐린은 죽상경화증의 방어인자로서 세포의 증식억제 및 항혈전 효과를 가진다. 인슐린저항성으로 인한 고인슐린혈증은 혈관내피세포에서 MAPK경로를 과활성화시켜 혈관평활근세포의 증식과 이동을 촉진시킨다. 이는 죽상경화증의 발생초기에 큰 역할을 하는 것으로 알려져 있다. 또한 정상적으로 인슐린은 PI3K경로를 통해 산화질소를 증가시키고, 산화질소는 혈관에서 oxLDL 생성과 혈관평활근세포증식을 억제하는 역할을 한다. 하지만 인슐린저항성이 발생하면 인슐린신호전달경로에 장애가 발생하여 산화질소 합성이 감소하고, 결과적으로 oxLDL과 혈관평활근세포의 증식이 증가한다. 이외에도 산화질소는 혈관에서 면역세포의 이동과 혈소판응집에 관여하는데, 인슐린저항상태에서 산화질소가 감소하면 단핵구의 혈관내 이동이 증가하고 혈전이 증가한다. 또한 인슐린은 내피세포에서 Monocyte chemoattractant protein-1 (MCP-1), VCAM-1, ICAM-1과 같은 부착단백질의 발현을 감소시키는데, 인슐린저항상태에서는 이들의 발현이 증가하고 염증세포의 이동이 촉진된다.

3) RAS계

RAS의 활성화는 미세혈관합병증뿐 아니라 대혈관병증 발생에서도 중요한 역할을 한다. Hope Outcomes Prevention Evaluation (HOPE)연구를 비롯한 많은 연구에서 당뇨병 환자에게 RAS를 차단하는 약물의 사용은 심혈관합병증 발생을 감소시켰다.

안지오텐신II와 안지오텐신전환효소는 국소적으로 다양한 조직에서 발현된다. 당뇨병이 발생하면 혈관에서 안지오텐신II의 자가분비와 주변분비가 증가하는데, 분비된 안지오텐신II는 내피세포의 안지오텐신II 1형(AT1)수용체에 결합하여 세포내 다양한 신호전달경로를 통해 내피세포의 기능이상을 유발한다. 특히 안지오텐신II는 NF-κB를 통해 ICAM-1, VCAM-1, E-selectin, MCP-1, IL-8과 같은 부착단백질과 염증사이토카인 발현을 증가시키는데 이와 같은 만성적인 염증은 죽상경화증 진행에 있어 핵심적인 역할을 한다. 또한 안지오텐신II는 플라크의 섬유막(fibrous cap)에서 바탕질금속단백질분해효소(matrix metalloproteinase)의 발현을 증가시켜 플라크의 파열을 유발한다.

당뇨병에서 RAS 활성화는 혈관재생을 위한 혈관내피선조세포의 감소와 관계가 있다. 혈관내피선조세포는 혈관 손상 시 혈관재생에 중요한 역할을 하는데 혈액내 혈관내피선조세포의 증가는 심혈관질환 예방에 긍정적인 영향을 미친다. 당뇨병 환자에게서는 안지오텐신II가 증가하고 혈액내 혈관내피선조세포 수가 감소해 있는데 안지오텐신II수용체 차단제인 올메살탄을 사용하면 혈관내피선조세포 수가 증가되었다.

또한 안지오텐신II는 NOX 활성을 증가시킨다. 안지오텐신II가 AT1수용체에 결합하면 PKC, C-Src와 칼슘을 통해 NOX 소단위인 p47phox, gp91phox, Rac-1의 발현이 증가한다. NOX 활성이 증가하면 ROS가 증가하는데, 이와 같은 산화스트레스의 증가는 죽상경화증 발생과 진행에 중요한 역할을 한다. 실제 ApoE 유전자제거 당뇨병 생쥐의 대동맥을 살펴보면, NOX의 발현과 과산화물이 증가해 있고, 사람대동맥의 플라크를 나이트로타이로신염색을 하면 양성반응을 보인다. 반면 PPAR알파 또는 감마작용제와 같은 항산화제는 플라크의 크기를 감소시켰다.

4) ET-1과 유로텐신II의 역할

ET-1과 유로텐신II는 인체 내에서 강력한 혈관수축 인자로 작용한다. 죽상경화증을 동반한 당뇨병 환자에게서는 그렇지 않은 환자에 비해 혈장ET-1의 농도가 더 높았다. ET-1은 내피세포에 합성된 후 혈관평활근세포의 ET수용체A에 결합하여 수축과 세포증식을 유도한다. 반면 ET수용체B는 내피세포에 존재하는데, 산화질소 생성과 평활근의 이완에 관계한다. ET-1은 혈관수축 이외에 염증반응에도 작용한다. ET-1은 내피세포의 기능이상을 발생시키고 단핵구에서 염증사이토카인의 합성과 분비를 촉진시킨다. 뿐만 아니라 단핵구의 LDL콜레스테롤 섭취 증가와 거품세포로의 변화를 유도한다. 더욱이 단핵구와 대식세포에서 분비된 사이토카인은 다시 내피세포를 자극하여 ET-1의 분비를 촉진시키는데 이와 같은 양성되먹임(positive feedback)은 염증반응을 더욱 증가시키는 역할을 한다.

유로텐신II은 ET-I에 비해 10-300배 강력한 혈관수축인자로, 죽상동맥경화증 발생에 중요한 역할을 한다. 유로텐신II는 당뇨병과 고혈압, 죽상동맥경화증 환자의 혈액에서 정상인에 비해 높은 농도로 존재한다. 또 죽상경화증이 있는 관상동맥의 내피세포와 평활근세포에서 유로텐신II의 발현이 증가해 있다. 당뇨병 환자의 혈관평활근세포에서는 유로텐신수용체의 발현이 증가해 있는데, 유로텐신II가 수용체에 결합하면 NOX 활성이 증가한다. 이외에도 유로텐신수용체는 단핵구, 대식세포, 림프구와 같은 면역세포에서도 발현이 증가된다. 특히 죽상경화증 병변의 단핵구와 대식세포에서 유로텐신수용체 발현이 증가해 있다. 유로텐신은 대식세포의 거친면 세포질세망(rough endoplasmic reticulum)에 있는 acyl-CoA-cholesterol acyltransferase 1 (ACAT 1)의 발현을 증가시켜 세포내 콜레스테릴에스터의 농도를 증가시킨다. 이 과정을 통해 대식세포에서 거품세포로의 변환이 촉진된다. ApoE 유전자제거생쥐에게 유로텐신II를 지속적으로 주입하면 ROS와 ACAT 1의 발현이 증가하고 죽상경화증이 악화되었다.

III. 당뇨병망막병증

박규형

1. 서론

당뇨병망막병증은 실제 경제활동을 하는 20세 이상 성인에게서 시력저하를 일으키는 가장 흔한 원인이다. 만성적인 고혈당은 망막의 신경세포와 모세혈관에 손상을 일으키고, 이로 인해 망막허혈과 황반부종이 발생하여 적절한 치료를 하지 않으면 시력저하를 초래하는 흔한 당뇨병합병증이다. 일반적으로 당뇨병 환자의 1/3에서 당뇨병망막병증이 있고, 약 10%에서 실명을 초래할 수 있는 증식당뇨병망막병증이나 황반부종을 동반한다.

2. 당뇨병망막병증의 역학

미국 위스콘신주에서 이뤄진 역학연구인 Wisconsin Epidemiology Study of Diabetic Retinopathy (WESDR)의 결과에 따르면, 30세 이전에 진단된 1형당뇨병 환자들의 경우 유병기간이 5년 이하에서는 17%, 15년 이상일 때는 97.5%에서 망막병증이 발생하여, 당뇨병 유병기간이 길어짐에 따라 당뇨병망막병증의 유병률이 급격히 증가했다. 실명을 초래하는 증식당뇨병망막병증의 경우도 당뇨병 유병기간이 10년 이하에서는 1%정도지만, 유병기간이 15년 이상이 되면 약 50%의 유병률을 보였다(그림 9-5-8).

30세 이후에 진단된 2형당뇨병의 경우는 유병기간이 5년 이내인 경우는 당뇨병망막병증이 28.8%, 증식당뇨병망막병증은 2%에서 발생하였다. 유병기간이 15년 이상인 경우에는 당뇨병망막병증이 78%, 증식당뇨병망막병증이 16% 관찰되었다. 이 연구에서는 30세 이상 환자의 경우 인슐린 의존군과 인슐린 비의존군으로 나누어 비교하였는데, 유병기간이 같다면, 인슐린 의존군이 비의존군에 비해 당뇨병망막병증의 유병률이 높았다(그림 9-5-9).

WESDR의 연구에서 황반부종은 당뇨병망막병증의 정도가 심할수록 더 많이 관찰되었는데, 경도 비증식망막병증 환자의 2-6%, 중등도 혹은 중증 비증식망막병증 환자의 20-63%, 증식망막병증 환자의 70-74%에서 황반부종을 동반하였다.

한국인에서 당뇨병망막병증의 유병률도 최근 보고되었는데, 2008-2011년에 이뤄진 국민건강영양조사의 결과에 따르면, 40세 이상 당뇨병 성인의 15.8%가 당뇨병망막병증을 가지고 있었고 당뇨병황반부종은 2%, 실명의 위험이 있는 중증당뇨병망막병증은 4.6%에서 발견되었다.

3. 당뇨병망막병증의 병인

당뇨병망막병증은 망막 모세혈관 기저막의 비후, 혈관주위세포(pericyte) 소실, 미세동맥류(microaneurysm) 발생 등의 모세혈관 변화를 시작으로, 시간이 지남에 따라 광범위한 망막모세혈관의 허혈로 인해 신생혈관이 발생하여 실명으로 이어지는 대표적인 허혈망막질환이다. 고혈당에 따른 세포내 포도당 농도의 증가는 산화질소(nitric oxide) 같은 혈관확장인자의 활성을 감소시키고, 엔도텔린-1이나 안지오텐신II 같은 혈관수축인자에 대한 민감도를 증가시키고, 망막모세혈관내 압력을 높인다. 또한 혈관내피성장인자(vascular endothelial growth factor, VEGF)의 생성이 촉진되어 망막혈관에서 누출이 증가하게 된다. 이런 고혈당상태가 오래 지속되면, 차츰 망막혈관의 구조에 병적인 변화가 생긴다. 세포자멸사와 같은 기전으로 망막혈관내피세포와 혈관주위세포의 광범위한 소실이 일어나고, 전환성장인자(transforming growth factor, TGF)-β1 같은 비정상적인 성장인자가 증가되어 세포바깥바탕질 성분이 과잉 생산되어, 기저막의 비후를 초래한다. 이는 망막모세혈관의 폐쇄와 망막의 비관류를 초래하고, 결국 심한 망막허혈이 지속되면, 신생혈관이 생성된다. 또한 혈액망막장벽(blood retinal barrier)의 손상으로 인해 혈액성분과 지질이 누출되어 망막에 부종과 삼출물이 축적되고, 결국 시

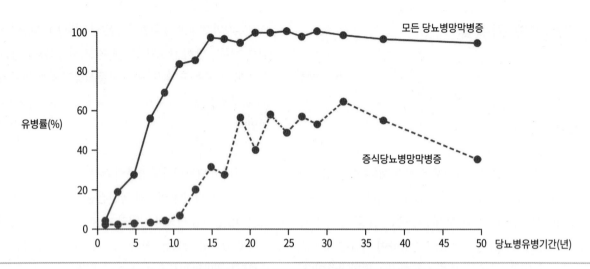

그림 9-5-8. 1형당뇨병 환자에서 유병기간에 따른 당뇨병망막병증의 빈도

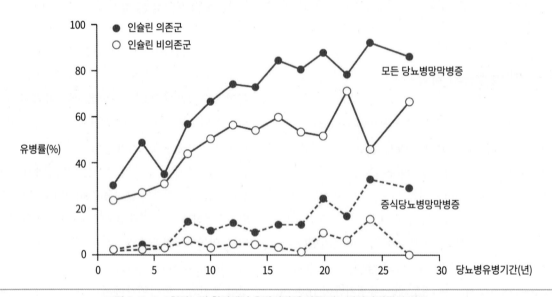

그림 9-5-9. 2형당뇨병 환자에서 유병기간에 따른 당뇨병망막병증의 빈도

세포층의 기능 손상이 일어난다.

최근 미세혈관합병증이 발생하기 전에 망막신경변성(retinal neurodegeneration)이 선행한다는 보고들이 있어, 당뇨병망막병증을 미세혈관 손상뿐만 아니라 신경퇴행이 합병되는 질환으로 인식하고, 이의 상호연관성에 대해 연구되고 있다.

1) 고혈당 세포 손상의 생화학적 기전
'Chapter 5. 당뇨병합병증 II. 당뇨병만성합병증의 발생기전' 장 참조.

2) 성장촉진인자 및 세포유발인자
당뇨병망막병증의 발생에 여러 성장인자가 중요한 역할을 한다. 이런 성장인자는 혈관의 투과성을 증가시켜 혈액망막장벽을 손상시키고, 신생혈관증식을 자극하기도 한다. 혈관

형성인자로 VEGF, 섬유모세포성장인자(fibroblast growth factor), 인슐린유사성장인자(insulin-like growth factor), TGF-β 등이 있다. 이들은 세포바깥바탕질을 소화시키고, 혈관내피세포의 이동을 촉진하며, 혈관내피세포의 증식을 활성화시키는 효소들의 생산과 분비를 조절한다.

VEGF는 가장 중요한 역할을 하는 성장인자로, 비증식 또는 증식당뇨병막병증이 발생한 눈의 유리체나 전방수에서 그 농도가 증가되어 있다. VEGF 농도는 당뇨병막병증의 정도와도 비례한다. 항VEGF항체는 당뇨병막병증의 진행을 뚜렷이 억제해, 미국 FDA에서 그중 일부 약물을 망막병증 치료에 허가하였다. 또한 혈관투과성을 높이는 VEGF는 당뇨병황반부종에도 관여한다. 최근 항VEGF항체의 유리체내 주사가 망막 레이저광응고를 대신해 황반부종의 표준치료로 사용된다.

항혈관내피성장인자가 망막의 혈관신생증식을 억제하는 효과는 매우 뚜렷하여, 수일 내에 망막이나 홍채, 우각에 생긴 신생혈관을 퇴화시키기도 한다. 이런 즉각적인 반응은 당뇨병막병증의 신생혈관증식에 VEGF가 주로 작용함을 반증한다고 할 수 있다.

인슐린유사성장인자는 레이저광응고술이 도입되기 전 뇌하수체절제술이 당뇨병막병증의 치료에 효과가 있는 것으로 알려진 후 많은 연구가 이루어졌으나, 현재는 VEGF에 비해 중요성이 떨어진다.

섬유모세포성장인자는 예전에 망막혈관신생증식에 가장 중요한 역할을 하는 것으로 생각되던 인자이다. 산성과 염기성 섬유모세포성장인자로 나뉘는데, 망막과 섬모체, 망막색소상피세포 등에 억제된 상태로 존재하다가 저산소나 허혈이 발생하면 세포바깥액으로 분비됨으로써 신생혈관증식을 촉진한다.

색소상피유래인자(pigment epithelium-derived factor)는 VEGF와 함께 망막혈관의 성장과 신경분화에 중요한 역할을 한다. 망막신경절세포(retinal ganglion cell)에서도 분비되나, 주로 망막색소상피세포에서 분비되는 것으로 알려져 있다. 신생혈관이 있는 눈에서 VEGF의 발현이 증가된 반면, 색소상피유래인자는 발현은 감소되어, 색소상피유래인자는 신생혈관증식의 억제에 관여할 것으로 생각된다.

3) 유전인자

유전인자는 환경인자와 함께 당뇨병막병증의 발생에 관여한다. The Diabetes Control and Complication Trial (DCCT)연구를 살펴보면 관행치료군(conventional treatment group)에서 당뇨병막병증이 없는 사람에 비해, 당뇨병막병증이 있는 사람의 친척에서 심한 망막병증이 있을 확률이 5배 정도 더 높았다. 또한, 고혈당이 오래 지속되면 초기 당뇨병막병증은 거의 모든 환자에게서 발생하나, 증식당뇨병막병증은 50% 정도에서만 발생한다. 이는 고혈당의 정도와 기간 외에 다른 요소가 관여함을 간접적으로 시사하며, 유전요인도 그중 하나이다.

당뇨병막병증의 유전자연구는 연관분석(linkage analysis)과 후보유전자접근법(candidate gene approach)을 통해 몇몇 후보유전자가 발견되었다. 연관분석으로 3번 염색체에 위치하는 Angiotesin II, ROBO2, PROS1, IMPG2, ARL6과 12번 염색체에 위치하는 WNT5B, TULP3, GNB3, WNK1, SCNN1A, ING4, OLR1 등의 유전자가 연관성이 있다고 보고했다. 후보유전자접근법은 당뇨병막병증의 발생기전에 관련된 유전자들이 연구되었다. 그 중 알도스환원효소유전자(ALR2)의 단일염기다형성[5' end (AC) repeat polymorphism], VEGF유전자(C634G) 최종당화산물수용체(receptor for advanced glycation end products, RAGE)유전자(Gly 82Ser), Erythropoietin유전자(EPO, rs1617640 in promotor region) 등이 당뇨병막병증과 연관성이 있는 것으로 보고했다.

전장유전체연관연구(Genome-wide association study, GWAS)에서는 동양인에서 *MYSM1, PLXDC2, ARH-GAP22, HS6ST3* 등의 유전자가 당뇨병망막병증의 위험성을 높인다고 보고했다. 이제까지의 당뇨병망막병증 유전인자 관련연구의 결과를 살펴보면 연관성을 보인 당뇨병의 유전인자와 당뇨망막병증의 유전인자가 서로 상이하다는 것을 알 수 있다. 이는 당뇨병의 발병과 당뇨병망막병증의 발병이 서로 다른 기전에 기인할 가능성을 제시해 주고 있다. 당뇨망막병증의 유전인자 검사의 문제점은 유전자변이가 잘 알려진 나이관련 황반변성에 비해 당뇨병망막병증이 훨씬 더 복잡한 표현형을 보이고 각 후보 유전인자의 기여도도 훨씬 낮다는 점이다. 아직 확실히 연관이 있는 유전인자가 증명되지는 않았지만, 이런 유전자연구를 통해 당뇨병망막병증의 발병의 기전에 대한 이해가 넓어질 것으로 기대된다.

4. 진단 및 분류

1) 진단에 필요한 검사

(1) 안저검사

당뇨병망막병증을 진단하고 분류하는 데 필수적인 검사이다. 직접검안경검사(direct ophthalmoscopy)와 간접검안경검사(indirect ophthalmolscopy)를 이용하여 안구내 안저를 직접 관찰할 수 있다. 안저사진기를 이용하여 망막의 중심부 7개의 표준구역(standard field)을 입체사진으로 찍어 망막병증에서 보이는 소견들의 경중에 따라 당뇨병망막병증을 분류하는 것이 표준방법이다.

(2) 형광안저혈관조영(fluorescein angiogram, FA or FAG)

팔의 정맥에 형광조영제를 주사하고 망막혈관에 형광조영제가 나타나는 양상과 누출 유무를 통해 망막의 허혈부위와 비정상적인 신생혈관을 쉽게 관찰할 수 있다. 정상적인 망막혈관은 혈관내피세포의 치밀결합으로 인해 누출이 없지만, 비정상신생혈관은 이런 치밀결합이 없어 쉽게 형광물질이 누출되어 명확히 구분이 된다. 필수적인 검사는 아니지만 당뇨병망막병증의 진단과 치료에 도움을 주는 검사이며, 안저검사만으로 알 수 없는 허혈의 범위를 평가할 수 있는 등 여러 가지 유용한 정보를 제공한다.

(3) 빛간섭단층촬영(optical coherence tomography, OCT)

발광 다이오드(diode) 혹은 레이저를 사용한 광대역 광원에서 나오는 빛의 간섭현상을 이용하여 조직학적 검사 없이 망막의 단층을 10 μm 이하의 고해상도로 보여주는 검사이다. 특히 여러 황반부질환의 진단에 유용하여, 당뇨병망막병증에 동반한 황반부종이나, 망막앞막, 견인막 등의 진단과 추적관찰, 치료에 매우 유용한 진단도구이다. 특히 당뇨병 황반부종을 진단하는 데 가장 예민한 진단도구이다. 최근에는 여러 장의 빛간섭단층촬영사진을 재조합하여 형광조영제 없이도 망막혈관만 재구성하여 보여주는 빛간섭단층촬영혈관조영(OCT-angiography)이 개발되어 망막부위의 허혈 정도를 형광조영제 없이 알 수 있다(그림 9-5-10D).

(4) 광각안저검사(ultra-widefield fundus photography)와 광각형광안저혈관조영(ultra-widefield fluorescein angiogram)

기존의 안저사진이 30-45° 범위의 망막을 보여주었다면(그림 9-5-11A), 레이저안저검안경(scanning laser ophthalmoscope)을 사용하면 전체 망막의 약 82%인 200° 범위의 망막사진을 얻을 수 있다(그림 9-5-11B). 이는 관찰이 어려운 망막의 주변부의 구조물도 쉽게 한 장의 사진으로 보여주어 망막질환의 진단과 추적관찰에 많은 도움을 준다. 또한 동일한 방법으로 광각형광안저혈관조영술을 하여 더 넓은 범위에서 망막허혈과 혈관신생을 관찰할 수 있다.

2) 정상 망막소견

망막은 우리 몸에서 유일하게 직접 육안으로 모세혈관을 관찰할 수 있는 유일한 구조물이다. 모두 9층의 투명한 감각신경 망막이 단층의 망막색소상피(retinal pigment epithelium)에 연접한 구조를 가지고 있다. 시력과 중심시야를 형

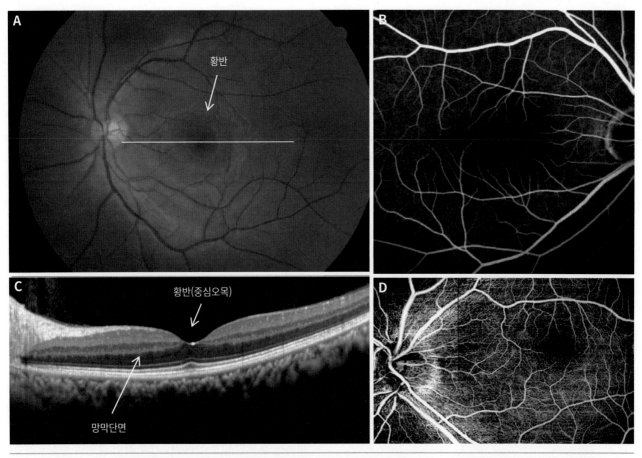

그림 9-5-10. 젊은 성인의 안저사진(A), 형광안저혈관조영사진(B), 빛간섭단층촬영사진(C)과 빛간섭단층촬영혈관조영사진(D)

안저에서 황반부위를 스캔(A, 흰선)한 망막의 단층을 조직학 검사없이 실시간으로 보여주고 있다(C). 여러 장의 빛간섭단층촬영사진을 재조합하여 형광조영제 없이 망막혈관을 볼수 있는 빛간섭단층촬영혈관조영술이 개발되어 망막층의 허혈판정과 당뇨병망막병증의 예후 판정 등에 이용되고 있다(D).

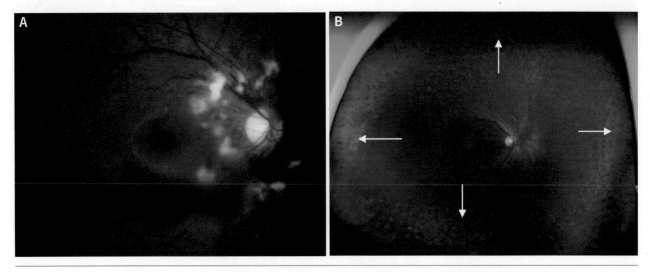

그림 9-5-11. 당뇨병망막병증 환자의 안저사진(A)과 범망막광응고술 후의 광각안저사진(B)

성하는 중심부를 후극부(posterior pole)라고 부르며, 이 부위는 신경망막세포의 일종인 신경절세포(ganglion cell)가 2층 이상 존재한다(그림 9-5-12A). 정상 망막은 부종이 없이 명확한 시신경, 밝은 오렌지색의 망막동맥, 어두운 빨간색인 정맥이 보이고, 중심시력을 형성하는 황반부와 중심오목은 둥근 형태의 빛 반사를 보인다. 동맥과 정맥의 크기는 2:3 정도의 비율이고, 망막동·정맥 이외에 망막에 존재하는 혈관은 모두 비정상이거나 병적인 혈관이다. 어떤 형태로든 출혈, 삼출물, 부종이 망막에 존재해서는 안 되며, 이런 비정상소견이 보인다면 반드시 원인을 찾아야 한다. 당뇨병망막병증은 망막에 비정상소견을 보이는 가장 대표적인 질환이다. 망막에서 비정상적인 혈관신생, 망막의 비관류, 망막혈관으로부터의 병적인 누출(leakage)을 보기 위해 형광조영제를 주사하고 촬영하는 형광안저혈관조영을 많이 이용한다. 정상 형광안저혈관조영사진은 망막동맥, 모세혈관, 정맥이 조영되고, 흐린 맥락막 형광만 관찰이 되고, 어떤 형태로든 비관류, 신생혈관, 누출 등이 관찰되어서는 안 된다(그림 9-5-12B).

3) 당뇨병망막병증에서 보이는 망막소견

(1) 미세동맥류(microaneurysm)

당뇨병망막병증에서 가장 먼저 생기는 소견으로, 망막모세혈관의 부분적인 원형확장을 말한다(그림 9-5-13A). 지름이 125 μm 이하인 선홍색 점 형태로 관찰되고 때로는 망막의 점상출혈과 구분이 힘든 경우가 있으나, 형광안저혈관조영에서는 점(dot)상으로 명확히 보인다(그림 9-5-13B). 가장 먼저 관찰되는 소견이므로 조기진단에 중요하고, 미세동맥류로부터의 누출이 황반부종의 원인이 되며, 당뇨병망막병증의 진행을 예측하는 예후인자로서의 의미를 가진다.

(2) 망막출혈

허혈 손상을 받은 모세혈관이나 미세혈관류에서 생기며 망막 내에서 생기는 위치에 따라 망막의 심부에 생기는 경우 점(dot), 반점(blot)의 형태로 나타나고, 표층에서 생기는 경우는 선상(splinter) 혹은 화염상(flame-shaped) 출혈의 형태를 보인다(그림 9-5-13, 9-5-14). 백혈병, 빈혈 등에서 보이는 로트반점(Roth's spot)과 같이 출혈의 중심부가 흰

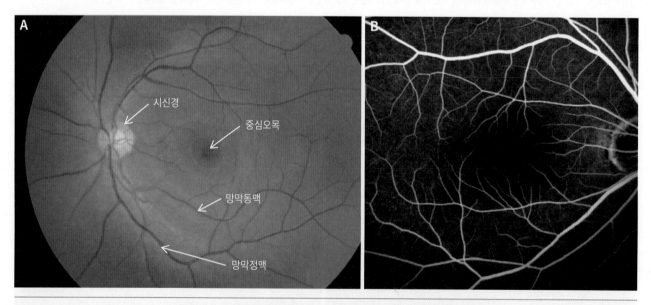

시신경

중심오목

망막동맥

망막정맥

그림 9-5-12. 젊은 성인의 정상 망막사진(A)과 형광안저혈관조영사진(B)

시신경이 주변부와 명확한 경계를 이루고 있다. 밝은 오렌지색 혈관은 산소포화도가 높은 동맥이고, 어두운 붉은색 혈관은 산소포화도가 낮은 정맥이다. 황반부에는 중심시력을 형성하는 중심오목(fovea)이 있고, 둥글게 빛반사가 있는 것이 정상이다. 우측 형관안저혈관조영사진에서는 정상 망막동, 정맥이 잘 관찰되고 있다.

색으로 보이는 경우도 있다. 비대칭적으로 망막출혈이 있는 경우는 망막정맥폐쇄(retinal vein occlusion)나 안허혈증후군(ocular ischemic syndrome)이 동반되었을 가능성을 염두에 두어야 한다.

(3) 경성삼출물(hard exudate)

허혈 손상을 받은 모세혈관이나 미세동맥류에서 지단백질이 누출되어 망막 내의 세포외 공간에 침착된 것을 지칭하는 것으로, 경계가 분명하고 딱딱한 느낌을 준다. 주로 망막 외층에 위치하고 황반부위에서 잘 관찰된다(그림 9-5-14). 경성삼출물이 황반부종과 동반되어 있는 것은 당뇨병망막병증에서 독립적으로 시력 손상의 위험을 높이는 인자이다. 또한, 경성삼출물은 혈청지질수치와 연관이 있으므로, 혈청지질수치를 낮추는 것이 시력 손상의 위험을 줄이는 게 도움이 된다.

(4) 연성삼출물(soft exudate)

면화반(cotton wool patch)이라고도 하며, 안과 의무기록에서 CWP라는 약자로 자주 표기된다. 세동맥 폐쇄로 신경섬유층의 경색이 발생하고, 축삭형질흐름(axoplasmic flow)의 장애로 인해 축삭에 부종이 생겨서 발생한다. 경성삼출물에 비해 경계가 불분명하고 부드러워 보이고, 망막의 표층에 존재한다(그림 9-5-14). 혈당이 조절되고 망막병증이 호전되면 서서히 사라질 수 있다. 이 병변은 당뇨병망막병증 이외에 고혈압망막병증, 후천면역결핍증후군망막병증 등에서도 관찰될 수 있으나, 당뇨병망막병증의 면화반이 없어지는 데 더 오랜 시간이 걸린다.

(5) 정맥염주(venous beading), 정맥고리(venous looping)

발생기전을 정확히 모르나, 망막정맥이 심한 허혈 손상을 받으면 울퉁불퉁한 염주 또는 고리 모양을 보일 수 있다(그림 9-5-15). 이외에도 섬유막증식(fibrous proliferation)에 의한 당김망막박리(tractional retinal detachment)가 있을 때도 정맥의 형태가 바뀔 수 있다.

(6) 망막내미세혈관이상(intraretinal microvascular abnormality, IRMA)

망막 내에 있는 모세혈관이 국소적으로 변형되고 확장되어 보이며, 망막의 비관류부위에서 주로 관찰된다. 망막층을 벗어나 유리체강 내로 자라나오는 신생혈관과 혼동될 수 있는데, IRMA는 망막층 내에 국한된다. 또한 형광안저혈관조영술에서도 신생혈관에 비해 누출이 명확하지 않다. 역시

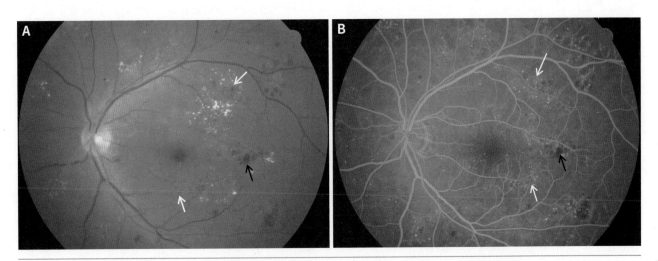

그림 9-5-13. 비증식당뇨병망막병증 환자의 망막사진(A)과 형광안저혈관조영사진(B)

후극부에 미세혈관류(흰 화살표)와 망막출혈(검은 화살표)이 보인다. 망막사진(A)에서 명확하지 않던 미세혈관류가 형광안저혈관조영사진(B)에서는 흰색 점으로 명확히 보인다(흰 화살표). 이에 반해 출혈은 형광을 차단하므로 검게 보인다(검은 화살표).

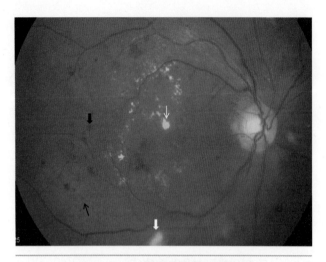

그림 9-5-14. 비증식망막병증의 망막사진
미세혈관류(검은색 얇은 화살표), 망막출혈(검은색 두꺼운 화살표), 경성삼출물
(흰색 얇은 화살표), 연성삼출물(흰색 두꺼운 화살표)이 관찰된다.

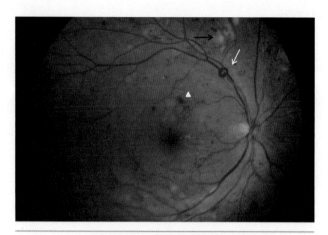

**그림 9-5-15. 심한 비증식당뇨병망막병증 환자에서
관찰되는 정맥고리(흰 화살표)**
망막 4사분면 모두에서 면화반(검은 화살표)과 망막출혈(화살표머리)이 관찰된
다.

당뇨병망막병증 진행의 중요한 예후인자이다.

(7) 신생혈관증식(neovascularization)

증식망막병증을 진단하는 진단척도이다. 즉, 망막에 혈관신
생이 있으면 증식성, 없으면 비증식당뇨병망막병증으로 분
류한다. 망막 내측 표면에서 유리체강 내로 자라며, 섬유화
증식을 동반하여 뒤유리체 박리 및 수축을 일으키면 신생
혈관의 파열이 일어나 유리체출혈이나 망막앞출혈을 일으
키 고, 견인망막박리를 일으키기도 한다(그림 9-5-16). 시신
경 유두표면 신생혈관이나 홍채신생혈관(neovascular-
ization on iris, NVI or INV), 전방각신생혈관(neovas-
cularization on angle, NVA or ANV)은 특히 불량한
예후를 시사한다.

(8) 유리체출혈(vitreous hemorrhage), 망막앞출혈(preret-
inal hemorrhage)

증식망막병증에서 생긴 신생혈관은 미성숙한 구조로 인해
출혈을 잘 일으키나, 섬유증식에 따른 혈관파열로 출혈이
발생할 수도 있다. 출혈이 국소적이고 경미하면 비문증이나
경미한 시력 감소가 증상으로 나타날 수 있다. 유리체 박리
가 부분적으로 일어나서 유리체막 밑에 출혈이 고이는 경우

를 망막앞출혈(그림 9-5-16)이라고 한다. 하지만 유리체 박
리가 일어나서 출혈이 유리체강 내로 완전히 퍼지는 경우,
망막에 도달하는 빛이 차단되기 때문에 심한 시력감소가
갑자기 나타날 수 있다. 이런 유리체출혈(그림 9-5-17)이 발
생하면 검사자가 망막상태를 제대로 파악할 수 없으므로,
안초음파(ocular ultrasonogram)로 망막의 상태를 간접
적으로 평가하여야 한다. 초음파검사소견에서 심한 당김이
나 망막박리가 동반된 경우는 유리체절제 같은 수술치료를
고려하여야 하지만, 단순출혈인 경우는 저절로 흡수될 때까
지 기다려 볼 수 있다.

(9) 당김망막박리, 섬유증식(fibrous proliferation)

증식망막병증에서 신생혈관의 증식은 반드시 섬유세포와
신경아교세포(glial cell)의 증식을 동반한다. 이런 세포들
의 증식으로 견인막이 형성되어 망막조직이 견인되면(그림
9-5-17, 9-5-18), 당김망막박리(그림 9-5-18), 유리체출혈,
또는 열공망막박리가 발생할 수 있고, 수술치료가 필요하
다. 그러나 망막박리가 황반부를 침범하지 않아 시력에 영
향을 주지 않거나, 황반부 주변에 당김막의 진행이 없거나
매우 느린 경우에는 망막박리의 진행 여부와 시력 감소를
자세히 추적하면서 관찰할 수도 있다.

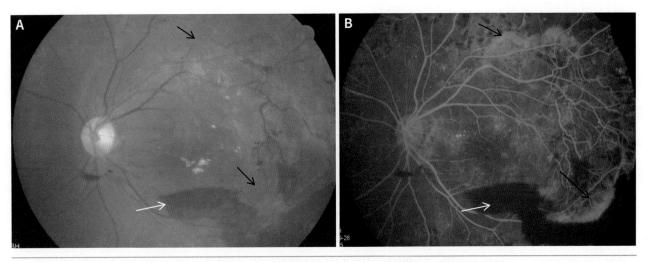

그림 9-5-16. 증식당뇨병망막병증 환자의 안저사진(A)과 형광안저혈관조영사진(B)

망막허혈로 인한 망막혈관신생(retinal neovascularization)이 보이고(A, 검은 화살표), 망막앞출혈(A, 흰 화살표)이 관찰된다. 형광안저혈관조영에서 신생혈관에 의한 형광누출이 보이고(B, 검은화살표), 망막출혈로 인한 형광차단이 관찰된다(B, 흰 화살표).

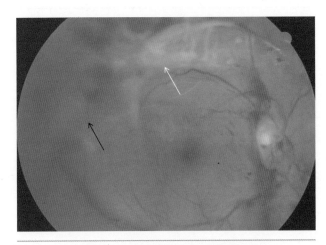

**그림 9-5-17. 고위험 증식당뇨병망막병증에서
유리체출혈(검은 화살표)과 섬유 증식(흰 화살표)이 관찰된다.**

이런 경우 유리체혼탁으로 인해 충분한 범망막광응고술을 할 수 없기 때문에 수술치료를 고려하여야 한다.

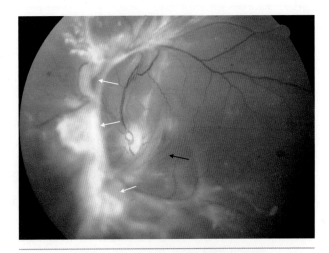

**그림 9-5-18. 증식당뇨병망막병증에서 발생한
섬유 증식에 의해 합병된 견인망막박리**

심한 견인막(흰 화살표)으로 인해 황반부를 포함한 후극부 망막의 견인망막박리가 관찰된다(검은 화살표). 즉각적인 수술치료를 해야 시력을 보존할 수 있다.

4) 당뇨병망막병증의 분류

당뇨병망막병증을 분류하는 표준방법은 7개의 망막 표준구역을 입체사진으로 찍고, 망막소견의 중증도에 따라 나열한 것이다. 그러나 이 방법은 너무 복잡하고 사용하기 어려워, 실제로는 Early Treatment Diabetic Retinopathy Study (ETDRS)에서 최종 분류한 13단계를 적용하기 쉽게 10단계로 요약한 것을 사용한다(표 9-5-3). 그러나 이 분류

또한 안과전문의가 아니면 사용하기 힘들기 때문에 더 간단한 분류법이 소개되었다.

증식망막병증 외에 또 다른 중요한 시력 감소요인은 황반부종인데, 중심시력을 형성하는 황반부에 부종이 발생한 것을 일컫는다. 증식망막병증에 자주 동반되나, 비증식망막병증에서도 나타날 수 있다. 분류는 다음에 설명되어 있

표 9-5-3. 임상적용을 쉽게 하기 위한 ETDRS 최종분류(수정형)

단계	사진단위	소견
당뇨병망막병증 없음	10	이상소견 없음
매우 경도 비증식망막병증	20	미세혈관류만 있음
경도 비증식망막병증	35	미세혈관류와 망막출혈, 경성삼출물 혹은 연성삼출물
중등도 비증식망막병증	43, 47	위병변에 심한 망막출혈, 미세혈관류, 가벼운 망막내 미세혈관이상
심한 비증식망막병증	53 A-D	심한 망막출혈, 미세혈관류가 4사분역 염주정맥이 2사분역 이상 망막내 미세혈관이상이 1사분역 이상
매우 심한 비증식망막병증	53 E	심한 비증식망막병증소견 중 2가지 이상
경도 증식망막병증	61	망막혈관신생이 유두면적의 1/2 이하 또는 섬유화증식
중등도 증식망막병증	65	망막혈관신생이 유두면적의 1/2 이상 그리고/또는 유두신생혈관이 표준사진 10A 이하
고위험 증식망막병증	71, 72	유두신생혈관이 표준사진 10A 이상 그리고/또는 유리체출혈이나 망막앞출혈
진행된 증식망막병증	81, 85	유리체출혈이나 망막앞출혈로 망막을 평가할 수 없음 황반을 침범하는 망막박리가 동반됨

표 9-5-4. 더 간단화된 당뇨병망막병증 분류

단계	소견
당뇨병망막병증 없음	
경도 비증식망막병증	미세혈관류만 있음
증등도 비증식망막병증	미세혈관류보다 이상이 더 있고 심한 비증식성 망막증소견 없음
심한 비증식망막병증	망막사분면에 20개 이상 망막내 출혈 염주정맥이 2 망막사분명 이상 망막내미세혈관이상이 1 망막 사분면 이상
증식망막병증	신생혈관, 유리체 혹은 망막전 출혈

다(그림 9-5-19).

(1) 비증식당뇨병망막병증

중증도에 따라 경도, 중등도, 심한 비증식망막병증으로 다시 나눈다. 여기에 심한 비증식망막병증 중 더 심한 경우를 매우 심한(very severe) 비증식망막병증으로 세분하고, 이때는 증식망막병증에서처럼 범망막광응고 치료를 고려하여야 한다.

(2) 증식당뇨병망막병증

경도, 중등도, 고위험, 진행된 증식당뇨병망막병증으로 분류하는데 경도, 중등도를 합쳐서 초기 증식망막병증으로 분류하기도 한다. 고위험 증식망막병증은 임상적으로 중요한데 그 이유는 곧 심한 시력 손상을 일으킬 가능성이 높기 때문이다. 고위험 증식망막병증의 안저소견(표 9-5-3)이 보일 때는 시력 손상을 예방하기 위해 범망막광응고술을 시행하거나, 범망막광응고술과 항혈관내피성장인자의 유리체

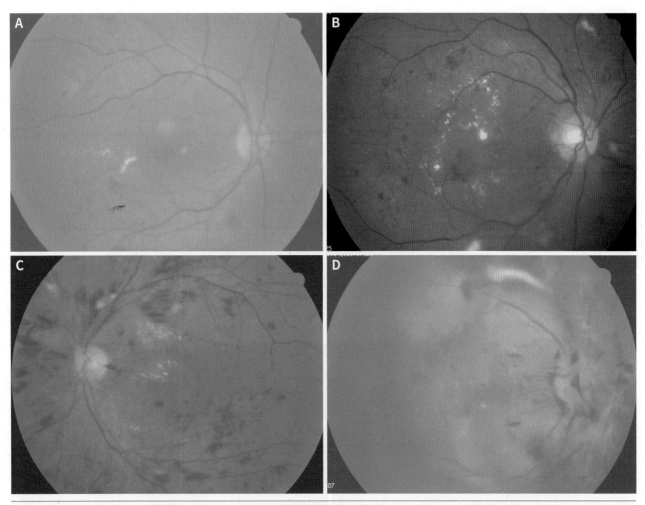

그림 9-5-19. **당뇨병망막병증의 안저사진. 경도(A), 중증도(B), 심한(C) 비증식망막병증 그리고 증식망막병증(D)**

주입술을 할 수 있다(그림 9-5-20). 진행된 증식망막병증은 시력상실의 위험이 매우 높으므로 황반을 위협하는 당김막이 있거나 반복적인 유리체출혈이 동반되면 유리체절제술 등의 수술치료를 적극 고려해야 한다.

(3) 당뇨병황반부종

고혈당으로 망막모세혈관의 내피세포가 손상되면 혈장성분이 혈관 밖으로 누출된다. 이들이 황반부에 고여 부종을 형성하면서 망막은 두꺼워지고 시세포의 기능은 떨어져 시력감소가 발생한다. 황반부종은 당뇨병 환자의 약 10%에서 발생하고, 당뇨병망막병증의 중증도가 심할수록 빈도가 증가한다. 특히 황반부의 중심을 침범하였거나, 침범할 가능성이

있는 경우를 임상적으로 유의한 황반부종(clinically significant macular edema, CSME)이라고 하고, 예전에는 황반부 국소 레이저광응고가 표준치료였다(그림 9-5-21). 하지만 항혈관내피성장인자 안구내 주사치료가 도입된 후, 여러 임상시험에서 항혈관내피세포성장인자 유리체내 주사가 레이저 치료에 비해 당뇨병황반부종에 더 효과적인 것으로 입증되었고, 당뇨병황반부종의 일차치료로 인정되었다. 유리체내덱사메타손삽입물(intravitreal dexamethasone implant)인 Ozurdex도 그 효과가 인정되어 당뇨병황반부종의 치료제로 허가되었다. 국소 레이저광응고도 유리체내 주사의 횟수를 줄일 수 있고, 황반부종의 재발을 막는 효과가 있어 여전히 사용되고 있다.

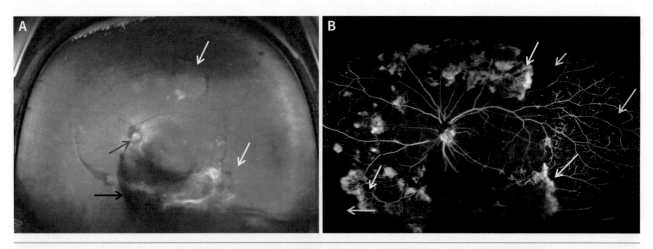

그림 9-5-20. **고위험 증식당뇨병망막병증 환자의 광각안저사진(A)과 광각형광안저혈관조영사진(B)**

유두신생혈관(붉은 화살표), 광범위한 망막혈관신생(흰 화살표)과 유리체출혈(검은 화살표), 그리고 광범위한 망막혈관 허혈(노란 화살표)이 관찰된다. 범망막광응고술 등을 포함한 즉각적인 치료를 하여야 시력을 보전할 수 있다. 이 환자는 유리체출혈로 인해 범망막광응고술이 충분히 되지 않아 유리체절제술을 시행하였다.

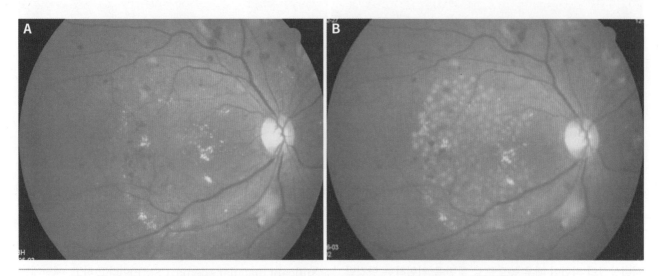

그림 9-5-21. **우안 임상적으로 유의한 황반부종 환자의 황반부 국소 레이저광응고 치료 전, 후의 안저사진**

5. 당뇨병망막병증의 치료

1) 비수술치료

당뇨병망막병증의 가장 효과적인 비수술치료 및 예방은 혈당을 잘 조절하는 것이다. DCCT에 따르면 1형당뇨병 환자에게서 관행치료(conventional therapy)에 비해 집중치료(intensive therapy)를 한 경우가 당뇨병망막병증의 발병을 지연시키거나 진행을 줄였다. 2형당뇨병 환자에서도

집중치료가 당뇨병망막병증 예방에 효과가 있었다(UK Prospective Diabetes Study, UKPDS).

UKPDS에서는 엄격한 혈압조절이 당뇨병망막병증의 발병을 지연시켰고, 다른 미세혈관합병증의 발생도 지연시켰다. 또한 높은 혈청지질 농도가 황반부종으로 인한 실명의 원인으로 작용하고, 지질강하제가 레이저 치료가 필요한 당뇨병망막병증의 발생을 줄였다는 보고가 있다. 요약하면, 당뇨

병망막병증의 발생과 진행을 줄이기 위해서는 혈당, 혈압, 혈청지질은 엄격하게 조절할 필요성이 있음을 시사한다.

2) 당뇨병망막병증에서 혈당조절 시 유의할 점

당뇨병망막병증을 동반한 환자에게서 높은 혈당을 갑작스럽게 낮추면 초기에는 망막병증이 악화될 수가 있다. Diabetes Control and Complications Trial (DCCT)의 집중치료군에서도 치료 초기에 망막병증이 악화되는 경우가 많았다. 심하지 않은 비증식망막병증을 동반한 경우에는 일시적으로 악화되어도 시력 예후에 큰 영향을 미치지 않는다. 그러나 고혈당으로 집중치료를 계획 중인 환자가 심한 비증식 또는 증식망막병증을 동반하고 있다면, 치료 초기 망막병증의 악화 가능성을 고려해야 한다. 이미 당뇨병망막병증이 진행되었다면 혈당을 잘 조절하더라도 악화를 막을 수는 없으나 다른 합병증의 예방을 위해 혈당조절을 해야 한다. 이때에도 집중치료 초기 망막병증의 악화를 예방하기 위해 안과의사의 협조를 구해야 한다. 이런 악화현상은 대부분 18개월 이내에 사라지고 이후에는 망막병증에 대한 집중치료의 효과가 명백하므로, 비록 일시적인 악화가 나타나더라도 혈당조절을 엄격히 해야 한다.

3) 레이저 치료

당뇨병망막병증에 대한 레이저 치료는 범망막광응고와 국소광응고가 있다.

(1) 범망막광응고

시력에 중요한 후극부를 제외하고 전체 망막에 광응고를 시행하는 시술을 말한다. 허혈상태에 있는 망막에 레이저광응고를 하면 산소소모가 많은 광수용세포층이 파괴되어서 상대적으로 허혈이 개선되고 신생혈관생성인자가 감소해 신생혈관이 퇴축되는 것으로 생각된다. 범망막광응고는 증식망막병증에서 심한 시력 손상을 줄일 수 있는 효과적인 치료법이다. 아주 심한 비증식망막병증이나 증식망막병증이 있을 때 고려해야 하고, 고위험 증식망막병증의 경우에서 즉각적으로 시행해야 한다(그림 9-5-22).

(2) 국소 혹은 격자(grid) 광응고술

당뇨병황반부종을 치료하기 위해서는 정상인 황반부위는 보존하면서 미세동맥류와 누출로 인해 병적으로 두꺼워진 망막만 국소적으로 치료해야 하기 때문에 적은 범위의 약한 레이저시술이 요구되는데, 이를 국소 혹은 격자광응고라고 한다(그림 9-5-21). 항혈관내피세포성장인자제제의 유리체강내 주사치료가 개발되기 전에는 당뇨병황반부종의 표준치료였으나, 현재는 황반중심을 침범하지 않은, 또는 유리체내주사가 효과가 없거나 치료에도 자주 재발하는 황반부종의 치료에 주로 사용된다.

4) 안구내(유리체내) 주사치료

지난 수십 년간 증식당뇨망막병증에는 범망막광응고가 당뇨병황반부종에는 국소 혹은 격자광응고술이 표준치료로 사용되었다. 하지만 레이저 응고반에 의한 망막조직의 손상으로 치료 후 시력 저하와 협착, 암점 등 불편감이 나타나고 황반부종에서 치료했을 때는 시력이 호전되는 경우가 많지 않아 망막이나 황반부에 손상을 주지 않는 새로운 치료법의 필요성이 대두되었다.

(1) 항혈관내피세포성장인자 유리체내 주사

2012년 ranibizumab (Lucentis®)이 최초로 당뇨병 황반부종의 치료제로 FDA의 허가를 받은 이후, aflibercept (Eylea®)도 효과가 입증되어 치료제로 허가되었다. 안구 내 사용이 허가되지는 않았지만, 항암제로 이미 사용되고 있던 bevacizumab (Avastin®)도 허가외 사용으로 황반부종의 치료에 널리 사용되고 있다. 임상시험 결과 기존 레이저 치료에 비해 시력 예후가 더 좋은 것으로 밝혀져서, 현재는 황반중심부를 침범한 당뇨병황반부종의 표준치료로 우선 고려되고 있다. 치료를 반복해야 하고 비싸다는 제한점이 있었으나, 최근 유사생물학제제(biosimilar)가 개발되어 해결될 것으로 기대된다.

증식망막병증의 표준치료로는 범망막광응고가 먼저 고려되나, 최근 항혈관내피세포성장인자 치료도 시도되고 있다.

09 당대사질환

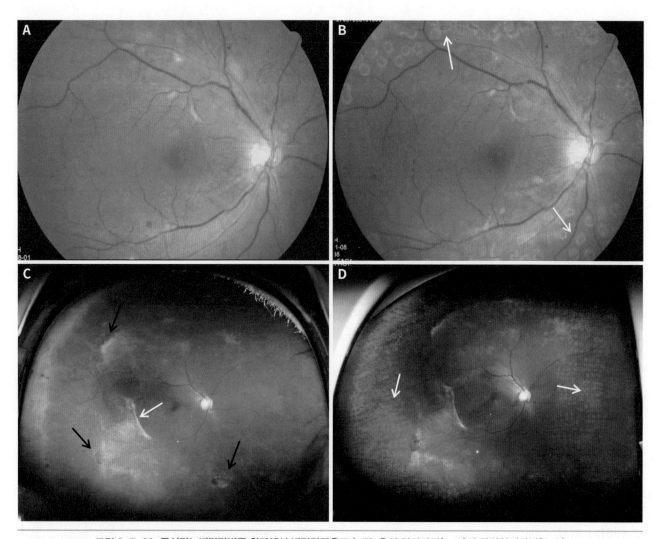

그림 9-5-22. 증식당뇨병망막병증 환자에서 범망막광응고술 전, 후의 안저사진(A, B)과 광각안저사진(C, D)

광응고술 후에 레이저로 인한 반흔(scar, B, D 화살표)이 관찰되고 있다. 레이저 전 사진에서 견인막(C, 흰 화살표)과 신생혈관(C, 검은 화살표)이 관찰된다. 레이저 후 견인막은 변화가 없고, 신생혈관은 많이 감소하였다(D). 범망막광응고술의 레이저 반흔이 후극부를 제외한 주변부 망막에만 있는 것은 중심시력을 담당하는 황반부를 포함한 후극부를 보존하면서 레이저를 시행했기 때문이다.

범망막광응고와 ranibizumab 치료를 비교한 연구에서 두 치료법의 시력예후는 비슷하였고, ranibizumab 주사는 병발하는 황반부종의 발생과 레이저 치료에 따른 시야감소를 줄일 수 있었다. 그러므로 증식당뇨병망막병증의 치료로 범망막광응고술이나 항혈관내피생성인자 안구내 주사치료를 모두 고려할 수 있으나 치료비용, 적응도, 비용 등여러 면을 고려하여 치료방법을 선택해야 한다. 유리체내주사치료의 가장 큰 단점은 반복적인 주사가 필요하며, 드

물지만 주사로 인해 안내염(endophtiialmitis), 유리체출혈, 망막박리 등이 발생할 수 있다는 점이다.

(2) 스테로이드주사

현재 당뇨병황반부종의 치료에 사용되는 스테로이주사치료제에는 덱사메타손, fluocinolone acetonide, triamcinolone acetonide가 있다. 이 중 덱사메타손삽입물(Ozurdex)과 fluocinolone acetonide 삽입물(Illuvien)

은 FDA에 의해 당뇨병황반부종치료제로 허가되었다. 스테로이드 안구내 주사치료는 항혈관내피성장인자 치료에 비해 주사 횟수는 줄이면서 치료효과가 열등하지 않은 것으로 알려져 있다. 다만, 스테로이드유발백내장과 녹내장의 발생이 증가한다는 단점이 있어 보통 일차치료제로 고려되지는 않는다. 이미 백내장수술을 한 경우, 자주 주사치료를 받을 수 없는 경우, 최근 뇌경색 등의 혈관질환 병력으로 항혈관내피성장인자(anti-VEGF) 치료가 어려운 경우에는 우선 고려할 수 있다. Triamcinolone acetonide는 안구내 주사를 할 수도 있고, 주사가 용이치 않은 경우, 안구외(테논낭하) 주사로 당뇨병황반부종을 치료하기도 한다. 역시 드물지만 안내염, 유리체출혈, 망막박리 등의 합병증이 발생할 가능성이 존재한다.

5) 수술치료
약물치료나 레이저 치료 등이 효과가 없거나 이미 망막병증이 심하게 진행되어 이런 치료를 할 수 없을 경우에는 경평면부유리체절제술(pars planar vitrectomy, PPV)을 해야 실명을 막을 수 있다. 당뇨병망막병증 환자 중 수술의 대상은 유리체출혈이 흡수되지 않는 경우, 계속 반복되는 유리체출혈로 인해 시력 감소가 진행되는 경우, 황반부를 침범하거나 위협하는 당김망막박리가 있는 경우, 열공을 동반한 박리가 있는 경우, 심한 망막앞출혈로 인해 시력 손상이 예견되는 경우, 홍채혈관신생이 있는데 범망막광응고술을 할 수 없을 정도의 유리체혼탁이 있는 경우, 그리고 여러 번의 레이저 치료에도 신생혈관이 계속 증식하는 경우이다. 이런 경우에는 적극적인 수술치료를 해야 환자의 시력을 보존하거나 시력호전을 기대해 볼 수 있다. 최근 유리체절제술과 수술기구의 발달로 수술합병증이 많이 감소해, 점차 조기에 수술하는 경향을 보이고 있다.

황반부의 당김에 의해 황반부종이 발생했거나 국소레이저광응고나 여러 번의 안구내 주사로도 황반부종이 호전되지 않는 경우에도 유리체절제술을 고려해 볼 수 있다.

6. 망막병증 외 다른 당뇨의 눈 합병증

1) 백내장
당뇨병이 있는 경우, 백내장이 생길 확률은 5배 정도 증가한다. 당뇨병 유병기간과 발병 당시의 나이와 관련이 있다. 백내장의 발생기전에는 높은 혈당에 의한 오스몰랄농도의 변화, 고혈당, 반응산소종이 관계한다. 또한, 스테로이드 안구내 주사치료는 백내장의 발생을 증가시킬 수 있다.

당뇨병 환자에게서는 백내장수술 후 당뇨병망막병증이 진행하는 경우가 많으므로 수술 전후 혈당관리 등에 특별히 주의를 기울여야 한다. 특히 증식망막병증이나 황반부종이 있는 경우에는 이를 먼저 치료하고 망막이 안정화된 후 백내장수술을 해야 한다. 일반적으로 당뇨병망막병증이 심하면 백내장수술 후 시력 개선의 정도가 크지 않으므로, 수술 전 시력 예후에 대한 설명을 충분히 해야 한다.

2) 녹내장
일반적으로 당뇨병은 녹내장의 위험을 증가시킨다. 스테로이드 안구내 주사치료는 스테로이드유발녹내장을 증가시킬 수 있으나 대부분 안압하강제 점안치료로 잘 조절되는 것으로 알려져 있다.

당뇨병망막병증이 있을 때 신생혈관녹내장(neovascular glaucoma)의 발생에 유의해야 한다. 당뇨병망막병증으로 인한 심각한 허혈로 인해 홍채와 전방각에 신생혈관을 만들고 결국 방수유출로가 폐쇄되어 안압이 상승하고 결국 실명하게 된다. 심한 허혈이 있거나 증식망막병증이 있는 경우 적절한 시기에 범망막광응고를 하지 않으면 신생혈관녹내장의 위험성이 커진다. 녹내장 중 가장 예후가 좋지 않은 형태이므로 예방에 최선을 다하고, 발생하면 초기부터 녹내장전문의와 망막전문의가 적극적으로 치료해야 시력과 눈을 보존할 수 있다. 최근 범망막광응고와 항혈관내피성장인자 주입 병용치료로 신생혈관녹내장의 예후를 크게 개선시킬 수 있다.

3) 당뇨병시신경병증(diabetic optic neuropathy)

당뇨병에 의해 발생하는 신경질환은 주로 허혈에 기인한다. 앞허혈시신경병증(anterior ischemic optic neuropathy)이 대표적이며, 갑작스러운 시력 및 시야장애가 발생한다.

4) 안구운동마비

3번, 4번, 6번 뇌신경의 마비로 갑작스러운 안구운동의 장애가 생길 수 있는데, 환자는 복시를 호소한다. 이런 후천 뇌신경마비가 있을 경우, 당뇨병과 뇌혈관동맥류를 반드시 감별하여야 한다. 당뇨병에 의한 경우 두통보다는 안구통이 흔하고 일반적으로 동공을 침범하지는 않는다(pupil-sparing). 하지만 나이가 젊거나, 안구운동신경마비가 불완전할 때는 동공의 침범 여부가 단서가 되지 못할 수 있다. 이런 경우 뇌촬영을 고려하여야 한다. 당뇨병이 안구운동마비의 원인인 경우에는 당뇨병을 치료하며 3-6개월 기다려보는 것이 원칙이다. 대부분 회복되지만 충분한 경과관찰에도 안구운동이 회복되지 않으면 사시수술을 해서 환자의 복시를 줄여주어야 한다.

7. 당뇨병망막병증 환자의 추적관찰

당뇨병을 처음 진단받은 환자는 당시 나이에 따라 표 9-5-5와 같이 안과검사를 시작하고 정기적으로 당뇨병망막병증의 발생 여부를 관찰해야한다. 30세 이전에 당뇨병이 발생한 경우 첫 5년 내 당뇨병망막병증이 발생하는 경우는 드물기 때문에, 당뇨병 발병 5년째 안과검사를 시작하도록 권장하고 있다. 그러나 대부분 당뇨병 발병시기를 정확히 알지 못하므로, 진단 시 나이에 상관없이 당뇨병이 진단되면 바로 안과검사를 시작하도록 한다. 이후 당뇨병망막병증이 없더라도 적어도 1년에 한 번은 망막 주변부를 포함한 안저검사 및 포괄적 안과검진을 해야 한다. 만일 당뇨병망막병증이나 황반부종이 발생하면 표 9-5-6의 주기로 정기검사를 하고 상황에 맞는 치료를 해야 한다. 증식당뇨병망막병증 환자의 경우 범망막광응고를 하고 신생혈관이 퇴행이 되면 3-4개월 간격으로 추적관찰을 하지만 혈관의 퇴행이 더디거나 혈관신생이 진행하면 더 자주 검사를 하고 추가치료를 고려해야 한다.

표 9-5-5. **당뇨병을 처음 발견한 경우 첫 검사시기 및 정기검사 주기**

발병	첫 안과검사 필요시기	정기검사 주기
30세 이전	발병 5년	1년
30세 이후	당뇨병 진단 시	1년

표 9-5-6. **당뇨병망막병증의 정도에 따른 정기검사 주기**

당뇨병망막병증 정도	정기검사
당뇨병망막병증 없음 혹은 몇 개의 미세혈관류	1년
경도 혹은 중등도 비증식망막병증(황반부종 없음)	6-12개월
경도 혹은 중등도 비증식망막병증(경한 황반부종 동반)	4-6개월
경도 혹은 중등도 비증식망막병증(유의한 황반부종 동반)	3-4개월
심한 혹은 매우 심한 비증식망막병증	3-4개월

8. 주의가 필요한 당뇨병망막병증 환자

1) 신장질환이 합병된 환자

당뇨병신장병증은 당뇨병망막병증의 악화와 관련이 있다. 요독증이 있는 경우는 황반부종을 동반한 광범위 망막부종, 시신경유두부종 등으로 시력이 저하될 수 있다. 신부전이 치료되면 망막부종도 호전된다. 신장병증이 있는 당뇨병 환자에게서 증식망막병증의 위험이 보이면, 조기에 범망막광응고를 고려한다. 신장기능이 좋지 못한 환자에게서는 형광안저혈관조영을 할 때 주의를 기울여야 한다. 적은 양의 형광색소를 주사하지만, 가끔 급성신부전을 일으키는 경우가 있다. 이런 환자에게서는 검사 전 충분히 체액을 보충하고 검사를 해야 한다.

2) 임신

임신 때는 호르몬이 변화되고 혈액량과 심박출량이 증가하면서 망막혈액순환도 영향을 받는다. 혈액량과 심박출량의 증가 등으로 인해 망막혈액순환에 영향을 주게 된다. 일반적으로 임신을 하면 당뇨병망막병증이 악화되며, 임신 시 망막병증의 정도, 당뇨병 유병기간과 관련이 있다. 그러므로 임신한 당뇨병 여성에게서는 임신 동안 더 철저한 안과검사가 필요하다.

가임연령의 당뇨병 여성이 임신을 계획한다면 보다 철저한 혈당관리를 하여야 한다. 임신 시 당뇨병망막병증이 없거나 중등도이하의 비증식망막병증이 있는 경우에는 3개월마다, 이보다 심한 비증식망막병증이 있다면 1–3개월 간격으로 안과검사를 하고, 진행되면 더 자주 검사한다. 증식망막병증이 있는 경우에는 즉시 범망막광응고를 시행한다. 황반부종이 있다면 국소 레이저 치료를 할 수 있으나, 치료 후 오히려 악화되거나 출산 후 저절로 호전되는 경우가 흔하므로 주의깊게 결정해야 한다.

IV. 당뇨병신경병증

박태선

1. 역학

유병기간이 긴 당뇨병 환자에서는 감각, 운동, 자율신경 각각의 신경, 신경총, 신경근까지 침범하는 다양한 양상의 급성과 만성신경병증이 발생한다. 당뇨병신경병증이 직접적인 사망원인이 되는 경우는 드물지만, 신경병증으로 인한 통증과 장기의 기능장애로 인하여 삶의 질이 저하된다. 뿐만 아니라 신경병증에 의한 하지의 손상과 절단으로 인한 사회경제적 부담이 증가된다. 당뇨병신경병증은 당뇨병의 가장 흔한 합병증으로 당뇨병 환자의 반 이상에서 나타난다고 알려져 있다. 하지만 당뇨병신경병증의 정확한 유병률은 알려져 있지 않고, 역학연구마다 10–80%까지 매우 다양한 유병률을 보고하고 있다. 그 이유는 연구마다 당뇨병신경병증의 정의, 진단방법, 대상자들의 수, 특성, 그리고 당뇨병형에 따른 신경병증 발생빈도 등에 차이가 있기 때문이다. Partanen 등은 새로 진단된 133명의 2형당뇨병 환자를 10년 동안 전향적으로 연구하였는데, 진단 당시에 8.3% 였던 말초신경병증이 5년 후에는 16.7%, 10년 후에는 41.9%로 당뇨병 유병기간이 증가함에 따라 신경병증 유병률이 증가한다고 보고하였다.

국내에서 당뇨병신경병증 발생빈도는 14.1%에서 54.5%까지 다양하게 보고되었다. 2011년 당뇨병신경병증연구회는 33.5%로 보고했는데, 이는 서태평양 아시아지역에서 신경병증 발생률을 평가한 국제당뇨병연맹의 9–45%와 비슷하다. 통증성 당뇨병신경병증 유병률은 당뇨병신경병증 환자의 43.1%, 전체 2형당뇨병 환자의 14.4%라고 보고하였는데 이는 다른 나라의 결과와 비슷하다. 문 등은 심사평가원 청구 자료를 이용한 30세 이상 당뇨병신경병증 환자 10년간 유병률 변화연구에서 2006년에 24.9%에서 2007년 26.6%

로 증가하다가 2015년에 20.8%로 감소하는 경향이 있으며 여성에서 남성보다 유병률이 높다고 보고하였다.

당뇨병신경병증 유병률은 1형보다는 2형당뇨병 환자들에게서 더 높고 정상혈당, 공복혈당장애, 내당능장애, 당뇨병으로 진행함에 따라 유의하게 증가한다. 일반적으로 당뇨병신경병증의 유병률이 연령, 유병기간, 혈당조절 정도 등과 밀접한 관련이 있는 것으로 알려져 있으나, 당뇨병이 진단된 시기와 이환기간이 일치하지 않을 수 있고 단신경병증이나 신경근병증과 같은 일부 신경병증의 경우는 유병기간과 관계가 없다. 당뇨병신경병 환자의 가장 흔한 형태는 원위대칭다발신경병증이며, 증상이 있는 환자들은 1형당뇨병 환자의 15%, 2형당뇨병 환자의 13%였고 무증상인 경우, 1형당뇨병 환자의 39%, 2형당뇨병 환자의 32%였다. 다음으로 흔한 신경병증 형태는 손목굴증후군인데, 1형당뇨병 환자의 9%와 2형당뇨병 환자의 4%에서 증상을 호소하며, 전기생리검사에서 이상소견을 동반한 경우는 각각 2%로 알려져 있다. 그 외에 근위비대칭신경병증은 1형당뇨병 및 2형당뇨병 환자의 1% 정도에서, 척골신경병증은 당뇨병 환자의 2%에서, 비골신경병증과 근위축측삭경화증(amyotrophic lateral dystrophy)은 각각 1% 미만에서 발견된다.

당뇨병자율신경병증은 심혈관계, 소화기계, 비뇨생식기계, 동공, 누선, 체온조절 등에 장애를 일으켜 다양한 증상을 나타내나 초기에는 대부분 무증상이다. 2형당뇨병 환자는 진단 당시에 1형당뇨병 환자는 진단 후 2년 내는 불현성으로 나타나고 수년이 지난 후 증상이 나타나 유병률이 낮게 보고되고 조기진단과 치료를 어렵게 한다. 당뇨병자율신경병증에서 가장 흔한 심혈관자율신경병증의 유병률은 젊은 사람들을 대상으로 한 코호트연구(SEARCH for diabetes in Youth Cohort Study)에서 당뇨병 진단 8년 후 1형당뇨병 환자들에게서는 약 12%, 2형당뇨병 환자들에게서는 약 17%로 보고하였다. 고승현 등(2006)은 우리나라 2형당뇨병 환자의 54.7%에서 심혈관자율신경병증이 있다고 보고하였다. 발기장애는 자율신경장애, 감각장애, 혈관장애, 정신적

요인 등 복합적인 원인에 의하여 초래되며, 당뇨병 환자의 30–75%에서 나타난다고 알려져 있다. 위마비나 당뇨병설사와 같은 위장관자율신경병증은 당뇨병 환자의 70% 이상에서 발생한다고 보고되었으나, 구역, 구토 등 증상을 나타내는 환자는 그렇게 많지 않다. 1% 미만에서 요실금, 체위실신 등이 보고되었다. 증상이 있는 자율신경병증은 치명적인데 진단 5–10년 후 사망률이 25–50%로 추정되며, 자율신경병증을 동반한 당뇨병 환자들에게서 5년 사망률은 동반하지 않은 환자에 비해 3배가 높은 것으로 알려져 있다.

2. 병태생리

1형과 2형당뇨병 환자들의 병인이 본질적으로 차이가 있듯이 당뇨병신경병증의 병태생리가 당뇨병 병형에 차이가 있다는 연구결과들이 속속 발표되고 있다. 1형당뇨병 환자의 신경병증 관리에 혈당조절이 효과적이나 2형당뇨병 환자에서는 효과를 볼 수 없다는 연구결과나 신경병증 유병률이 대사증후군이나 당뇨병전단계 환자들에서도 유의하게 증가하고, 2형당뇨병에서는 고혈당보다 대사증후군의 위험인자인 비만, 이상지질혈증, 고혈압 등의 관리가 당뇨병신경병증의 유병률 감소에 더 효과적이라는 임상시험 결과가 이를 증명한다. 따라서 당뇨병신경병증의 당뇨병 병형에 따른 유사성과 차이를 파악하고 연구하는 것이 당뇨병신경병증의 예방, 조기진단과 효과적인 치료제 개발에 도움을 줄 수 있다.

당뇨병신경병증의 병리소견은 신경섬유의 소실, 축삭변성, 재생섬유의 출현, 분절탈수초, 혈관의 변화 등 매우 다양하다. 환자에 따라서 굵은 신경섬유와 가는 신경섬유 가운데 어느 한 쪽을 주로 침범하는데 이에 따라 임상증상이 다르게 나타난다. 특히, 통증은 활발한 축삭재생에 의한 것으로 생각되고 있다. 당뇨병신경병증의 발병기전은 아직 확실하지 않으나 혈관질환과 대사장애가설이 가장 유력하다. 혈관질환가설에 따르면 모세혈관의 폐쇄 및 결체조직에 있는 단백질의 비효소당화에 의한 변성으로 인한 혈관벽의 변화가 일어나 원위부의 신경섬유 소실이 발생한다. 대사장애가설

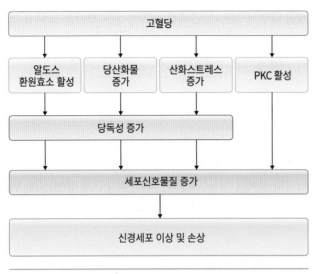

그림 9-5-23. **당뇨병신경병증의 병인**

표 9-5-7. **당뇨병신경병증의 분류**

대칭형 다발신경병증 (Generalized symmetric polyneuropathy)
• 급성감각신경(Acute sensory) • 만성감각운동신경(Chronic sensorimotor) • 자율신경(Autonomic)
단일 및 다발신경병증(Focal and multifocal neuropathies)
• 뇌신경(Cranial) • 체신경(Truncal) • 사지(Focal limb) • 근위부 운동신경[Proximal motor (amyotrophy)] • 만성염증탈수초다발신경병증(Coexisting CIDP)

CIDP, chronic inflammatory demyelinating polyneuropathy.
출처: ADA. Diabetes Care 2005; 28(4): 956.

은 고혈당에 의해 소비톨이 축적되고 그 결과 마이오이노시톨 및 Na-K-ATPase의 활성도가 감소하여 신경의 기능장애와 손상이 초래된다(그림 9-5-23).

비대칭 혹은 국소신경병증의 병인은 혈관성으로 알려져 있다. 양상이 혈관염에 의한 말초신경병과 흡사하다는 점과 혈관질환이 흔한 노년기에 빈발한다는 점, 갑자기 발병하며 자발적으로 호전된다는 점 등이 이를 뒷받침한다.

당뇨병신경병증에 임상적으로 흔히 사용되는 형태분류는 다음 표와 같으며, 병인 자체가 완전히 규명되지 못한 상태에서 임상증상만으로 분류하였기 때문에 논란의 여지는 남아있다(표 9-5-7).

3. 자연경과

당뇨병신경병증은 당뇨병유병기간 증가에 따라 악화되는 만성 감각, 운동 및 자율신경병증과 심한 증상이 급격히 나타나지만 짧은 시간 내에 회복되는 급성 단신경병증과 급성 통증신경병증으로 구별된다. 당뇨병신경병증의 진행경과는 혈당조절상태와 관계가 있다. 1형당뇨병은 발병 후에 급속

하게 신경기능이 악화되고 2-3년 후에는 느리게 진행하는 경향이 있다. 2형당뇨병에서는 신경전도속도 감소가 가장 먼저 나타나는 이상소견이고, 진단 시부터 존재하기도 한다. 진단 후 신경전도속도 감소는 대략 1 m/sec/year로 일정하게 감소하고 당뇨병의 유병기간과 관계가 있다. 대부분 연구에서 증상이 있는 환자에게서 신경전도속도가 더 빨리 감소하는 것으로 보고했지만, 증상의 정도와 비례하지는 않는다. 2형당뇨병 환자들의 장기간 추적연구에서 하지의 전기 생리학적 이상소견 발생은 8%에서 10년 후 42%로 증가하고, 축삭 손상을 의미하는 감각과 운동신경의 파형의 높이 감소가 신경전도속도의 감소보다 더 뚜렷하게 나타났다. 운동신경, 감각신경 및 자율신경 증상과 징후를 포함하는 임상척도는 매년 2점 정도 증가하며, 진동지각역치(vibration perception threshold, VPT)검사 같은 객관적 방법으로 측정하면 감각기능은 매년 1-2 진동감각역치단위만큼 증가한다. 당뇨병신경병증 치료에 관한 연구에서 치료 전후 임상적으로 의미있는 진동지각역치나 신경전도속도의 변화를 관찰하려면 적어도 3년 이상이 필요하다. 당뇨병신경병증은 축삭손실이 주로 나타나고, 이것이 전기생리학적 변화로 전환되어 파형의 높이 감소로 나타나지만 신경전도속도의 변화로 나타나지는 않는다. 따라서 신경전도속도의

변화는 신경기능의 악화정도를 감시하는 수단으로는 적합하지 않다. 신경전도속도의 변화와 관계없이 증상은 악화와 호전을 반복하므로 증상호전을 신경 손상으로부터의 회복으로 생각해서는 안 된다. 하지만 기초 및 임상연구에서는 당뇨병신경병증 환자의 신경손상 정도의 변화 및 치료반응에 대한 객관적 평가수단으로 이용되고 있다.

4. 임상증상과 진단

당뇨병신경병증 진단에는 하나의 단일화된 기준이 없다. 임상적 정의는 말초신경병증을 일으키는 다른 원인질환을 반드시 배제하는 것이 중요하다. 당뇨병에 의한 말초신경장애의 증상, 그리고 또는 징후가 존재하는 것을 평가하고 정량적 감각신경검사나 신경전도검사 결과를 사용하여 구별하는 것이 진단에 매우 중요하다(표 9-5-8). 당뇨병신경병증의 조기진단이 병의 진행과 결과에 미치는 영향이 크므로 정기적 선별검사가 중요하다. 1형당뇨병 환자는 진단 5년 후부터, 2형당뇨병 환자는 당뇨병 진단 시부터 선별검사를 권고하고 있다. 당뇨병신경병증의 임상평가에는 감각기능, 운동기능, 자율신경기능을 모두 포함해야 한다.

1) 임상증상
당뇨병 병형에 따른 병리적 변화와 관련된 인자들의 차이로 당뇨병신경병증은 증상과 기능 손상이 다르게 발생한다.

(1) 감각증상
미만성 또는 국소성으로 나타난다. 타는 느낌, 찌르는 듯한 느낌, 전기 자극 느낌, 조임, 자극에 대한 과민반응 등으로 나타나며, 감각이 없어지는 경우 둔통, 무감각, 종이나 천을 깔고 걷는 느낌, 눈을 감으면 균형을 잃고 통증 없이 손상을 받는다.

(2) 운동증상
원위부, 근위부 또는 국소성 약화를 나타낸다. 원위운동 증상은 손의 미세조작이 불가능하고, 열쇠를 돌리지 못하며,

발을 끌면서 걷는다. 근위부 쇠약증상은 계단을 오르기 어렵고, 의자에서 또는 누웠다가 일어나기 어렵고, 주저앉으며, 어깨를 올리기 어려워진다.

(3) 자율신경증상
땀샘장애(건조한 피부, 일정 부위에 땀이 나지 않거나 과도하게 땀이 남), 심혈관계 장애(기립성 어지러움, 어지럼), 비뇨기계 장애(긴급뇨, 요실금, 적하) 위장관계 장애(설사, 변비, 구토), 성기능장애 등이 있다.

2) 감각신경검사
감각신경 이상을 진단하기 위한 검사법으로 임상감각기능검사, 정량감각검사 및 전기생리학검사가 있다.

(1) 감각기능검사
외래에서 쉽게 도구를 사용하는 검사들로 10 g 모노필라멘트를 이용한 압력감각검사, 128 Hz 진동자를 이용한 진동감각검사, 해머를 이용한 발목반사검사, 솜과 같이 가벼운 물체를 이용한 촉각검사와 핀 등을 이용한 통증유발검사가 있다.

(2) 정량감각검사
특수한 장비를 이용하여 감각기능 이상을 정량적으로 평가하여 존재 유무, 기능장애부위와 감각기능 손상 정도를 알 수 있는 검사이다. 진동각 역치, 온도 역치, 전류감각 역치를 이용하여 검사한다.

(3) 신경전도검사
말초신경기능의 감소를 보여주지만 작은 신경섬유 손상을 평가하지 못해 임상사용보다는 연구나 특수한 질환의 감별진단에 사용한다.

(4) 기타
당뇨병 환자의 피부생검으로 진피의 피하신경 수와 진피에서 표피로 진행하는 신경 수 변화를 평가하여 신경병증의

표 9-5-8. 당뇨병신경병증 진단기준

	가능한 당뇨병신경병증	유력한 당뇨병신경병증	확진된 당뇨병신경병증	무증상당뇨병신경병증
증상	+/-	+	+ 또는 -	-
징후	-/+	+	- 또는 +	-
정량적 감각신경검사	+	+	+	+
신경전도속도검사	-	-	+	+

진행정도와 치료에 대한 반응평가에 유용하다. 각막 동일 초점현미경검사는 동일초점현미경을 이용하여 각막에 있는 시신경의 분포와 모양을 비침습적으로 평가하여 신경병증의 진행정도를 추적할 수 있다.

3) 자율신경기능검사

하나의 자율신경기능검사만으로 자율신경병증을 확실하게 진단할 수 없으므로 여러 가지 검사를 병용하여 사용한다. 자율신경 기능평가를 위해 심혈관계 검사, 땀샘 분비, 방광 기능, 장운동, 동공 수축 반사, 눈물샘 분비, 성기능검사 등이 필요하다. 심혈관계 검사는 자율신경 기능평가에 가장 흔하게 사용되는 것으로, 표준화된 자극에 대한 심박수 또는 혈압의 변화를 측정한다. 심호흡, 발살바법, 기립저혈압 유도에 의한 교감신경과 부교감신경의 기능을 평가한다. 땀샘기능검사는 Sudo scan, Neuropad를 이용한 간이검사와 정량한선자극축삭반사검사를 이용한 정밀 발한검사가 있다. 방광기능은 요로역동검사, 위, 장관기능은 위, 장관운동검사, 동공은 동공주기측정검사를 이용하여 평가한다.

5. 치료

당뇨병신경병증의 임상증상은 비특이적이고 다른 원인에 의한 신경병증과 차이가 없고 동반해서 발생할 수 있기 때문에 치료를 시작하기 전에 정확한 진단이 필요하다. 진단된 당뇨병신경병증의 일반적 치료법은 첫째, 당뇨병신경병증의 근본적인 원인인 혈당조절과 생활습관중재, 둘째, 병인에 기초한 치료, 셋째, 통증에 대한 대증치료이다.

1) 혈당조절과 생활습관중재

철저한 혈당조절은 당뇨병신경병증의 발생을 줄이고 진행을 막는 확인된 방법이다. 1형당뇨병 환자들의 신경병증에서는 철저한 혈당조절이 유의하게 신경병증 발병과 진행감소 효과를 보인다. 하지만 2형당뇨병 환자들에게서는 적절한 혈당조절만으로 유의한 효과를 볼 수 없기 때문에 비만, 고지혈증 고혈압과 같은 대사증후군 위험인자들을 같이 조절하는 생활습관중재가 당뇨병신경병증 관리에 꼭 필요하다.

2) 병인치료

당뇨병신경병증관리에 관한 진료치침들은 병인에 대한 치료를 언급하고 있지 않다. 하지만 병인치료는 신경기능을 증진시키고 산화스트레스와 최종당화산물에 대한 신경보호의 결과로 신경병증의 진행을 지연시킨다. 항산화제인 알파리포산은 자유기에 의한 산화스트레스를 감소시켜 신경조직에 대한 보호효과를 나타내며, 지방산인 감마리놀렌산은 필수지방산으로 신경혈류 유지에 관여하는 프로스타글랜딘E 생성에 중요한 기질로 작용한다. 벤포티아민은 비타민 B1의 지용성유도체로 신경침투를 개선시킨 것으로 최종당화산물을 감소시키고 신경전도속도를 증가시키고 통증을 감소시킨다.

3) 통증치료

당뇨병신경병증 통증은 말초신경의 손상과 함께 중추신경의 반응이 복합적으로 작용하여 자극이 없어도 통증이 지속되는 상황으로 증상이 다양하고 기전이 복잡해서 치료에 대한 반응이 다양하다. 따라서 신경병성 통증은 단순한 진

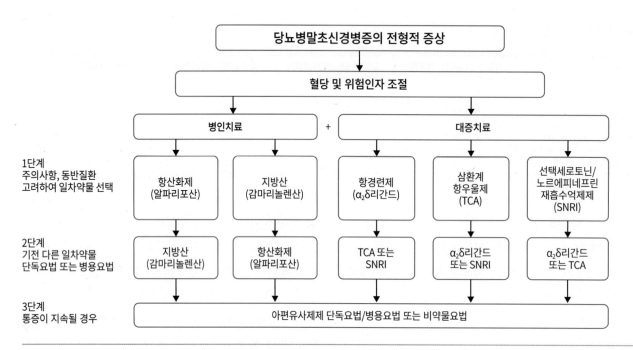

그림 9-5-24. **당뇨병신경병증 치료 알고리듬**

표 9-5-9. **당뇨병신경병증 통증치료약물**

종류	약물	용량	부작용	금기(주의)
항경련제	프리가발린	• 시작: 1일 75 mg 2회 복용 • 증량: 3–7일 후 1일 300 mg으로 증량 가능	어지럼증, 졸음, 하지부종 (약물 시작 1달 전후로 관찰, 신기능/심기능에 영향을 주지는 않음)	체중증가, 부종, 평형감각장애
	가바펜틴	• 시작: 100–300 mg 매일 취침 전 또는 100–300 mg 3회 복용 • 증량: 1–7일마다 100–300 mg 3회까지 증량		
선택세로토닌/노르아드레날린 재흡수억제제	둘록세틴	• 시작: 1일 1회 30 mg • 증량: 1일 1회 60 mg	오심, 졸림, 어지럼증, 고혈압, 우울증 악화	
삼환계항우울제	아미트립틸린	• 시작: 10–25 mg 취침 전 • 증량: 3–7일마다 10–25 mg 증량	입마름, 졸음, 시야흐려짐, 두통, 배뇨곤란, 안압항진, 심계항진	녹내장, 기립저혈압, 고혈압, 심질환, 체중증가, 자살충동
	노르트립틸린			
아편유사제	트라마돌	• 시작: 50 mg 1일 1–2회 • 증량: 3–7일마다 50–100 mg 증량	오심, 변비, 약물 의존성	
	타펜타돌	• 시작: 50 mg 1일 2회 • 증량: 3일 간격으로 50 mg 증량		
국소도포제	캡사이신 크림	하루 3–4회 도포, 4–6주 내 최대효과 도달	일시적인 국소통, 장기간 사용 시 도포부위 신경 손상	

통제의 사용은 적합하지 않고 쉽게 호전되지 않는다. 당뇨병신경병증에 대한 대증 치료는 하지에서 나타난 통증의 30–50% 감소시키고 삶의 질을 호전시키는 것을 목표로 한다. 약물의 부작용이 나타나지 않고 적절한 치료효과를 얻기 위해 일차약물부터 단계적 방법으로 선택해서 사용해야 한다(그림 9-5-24). 삼환계항우울제(아미트립틸린), 세로토닌재흡수억제제(둘록세틴), 항경련제(프리가발린, 가바펜틴) 등을 일차약물로, 트라마돌과 캡사이신 패치를 이차약물로 강한 아편유사제(타펜타돌)를 삼차약물로 사용할 수 있다. 신경병성 통증치료를 위한 일차약물 선택에 동반질환, 정신적 문제, 육체적 문제 등을 고려해야 한다. 삼환계항우울제는 급성심근경색, 부정맥, 녹내장, 배뇨장애 환자에는 금기이고 고령의 환자에서도 주의가 필요하다. 세로토닌재흡수 억제제는 삼환계항우울제를 사용하지 못하는 경우 대체약물로 사용한다. 항경련제는 신경접합부위 Ca^{2+} 통로의 $\alpha_2\delta$부위에 결합하여 통증에 관여하는 신경전달물질의 분비를 억제하여 진통효과를 나타낸다. 오심, 구토, 부종이 발생할 수 있다. 아편유사체는 아편유사체수용체를 통해 통증경감 효과를 나타내며 이질통에 효과를 보인다. 변비, 오심, 구토, 어지럼과 약물의존성이 발생할 수 있다. 선택한 약물을 적은 용량부터 서서히 증량하고 필요한 용량을 충분한 기간동안 사용하면서 증상을 조절한다(표 9-5-9). 통증치료에 단독요법으로 뚜렷한 효과가 나타나지 않는 경우 병용요법을 고려할 수 있다. 일차약물로 치료 시작 후 3주 이내에 호전이 없을 때 기전이 다른 일차약물로 바꾸거나 다른 기전의 이차약물로 변경하고 병용요법을 한다. 약물치료로 효과가 없을 때 전기척수자극, 경피전기신경자극, 레이저치료, 심리치료 등의 비약물요법도 시도해볼 수 있다.

4) 당뇨병자율신경병증 치료

엄격한 혈당조절과 생활습관중재에 의한 위험인자 관리 외에도 기능이상이 나타난 장기의 증상에 따라 개별적자율신경병증의 증상완화를 목적으로 다양한 약물치료가 권고되며 이는 환자의 삶의 질을 향상시킨다. 심혈관계 자율신경병증이 임상적으로 가장 중요하며 위장관장애, 비뇨생식기

및 발한장애 등의 증상 완화에도 적절한 약물치료가 필요하다.

Ⅴ. 당뇨병신장병증

손현식

1. 서론

당뇨병신장병증은 당뇨병 환자의 30–40%에서 발견되며 최근의 연구결과에서 보면 다른 당뇨병 만성합병증들은 발생이 조금씩 줄어들고 있는 추세이나 당뇨병으로 인한 말기신장질환(end-stage renal disease, ESRD)의 발생은 지난 20년 동안 크게 줄지 않고 있다. 특히 우리나라의 경우에는 당뇨병이 말기신장질환의 가장 흔한 원인이 되고 있다 (48.4%)(그림 9-5-25). 당뇨병 말기신장질환은 당뇨병의 유병기간이 길수록 잘 발생되며 만성고혈당뿐만 아니라 유전요인 및 환경요인들이 관여한다. 잘 알려진 위험요인들로는 당뇨병 말기신장질환의 가족력과 인종요인이 있다. 본란에서는 당뇨병신장병증의 진단방법 및 치료 부분에서 진행되고 있는 최근의 변화에 기초해서 기술하고자 한다.

2. 병태생리

당뇨병신장병증의 발생에는 고혈당, 고혈압, 혈류역학적 요인, 산화스트레스와 성장인자 등 여러 요인들이 관여하는데 이들 후천요인들 이외 유전요인들도 관여하는 것으로 알려져 있다.

1) 고혈당

고혈당은 당뇨병신장병증 발생의 가장 중요한 원인이 된다. 당화혈색소가 < 5.7%으로 유지되는 경우에는 당뇨병신장병증이 발생되지 않으나, 당화혈색소가 5.7–6.4%의 당뇨병전단계인 경우 15–20%에서 알부민뇨가 관찰된다. 또한

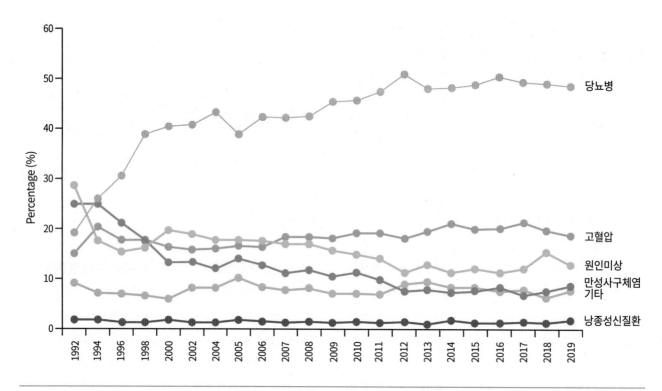

그림 9-5-25. 우리나라 말기신장질환의 원인(대한신장학회)

DCCT (Diabetes Control and Complications Trial) 연구결과는 1형당뇨병 환자에서 당뇨병신장병증의 발생과 진행을 막기 위해 당화혈색소를 < 6.5%으로 유지할 것을 권고하며, UKPDS (United Kingdom Prospective Diabetes Study) 연구에서는 2형당뇨병 환자에서 당화혈색소를 1% 낮추었을 때 미량알부민뇨의 위험을 33%까지 저하시킬 수 있음이 알려져 고혈당이 당뇨병신장병증 발생의 주요 요인이 됨을 보여주고 있다.

고혈당은 비효소당화(nonenzymatic glycosylation)를 통해 최종당화산물(advanced glycation end product, AGEs)들을 형성하거나, 단백질인산화효소C (protein kinase C, PKC)를 활성화시켜 각종 성장인자와 사이토카인 생성, 그리고 알도스환원효소경로(aldose reductase pathway)를 촉진시켜 신세포에 직접 독성효과를 보이기도 한다.

2) 고혈압

고혈압은 고혈당 다음으로 당뇨병신장병증의 중요한 원인이 되며 고혈압이 동반된 당뇨병말기신장질환 환자는 정상혈압을 보이는 경우에 비해 신장병증의 진행이 빠르다. 레닌-안지오텐신-알도스테론계(renin-angiotensin-aldosterone system, RAAS)의 활성화는 당뇨병신장병증의 주요 병인으로서 이미 잘 알려져 있으며, 당뇨병신장병증의 진행을 억제하기 위해 RAAS억제제들인 안지오텐신전화효소억제제(angiotensin converting enzyme inhibitor, ACEI)나 안지오텐신II수용체차단제(angiotensin II receptor blocker, ARB)는 당뇨병 환자의 고혈압 치료에 매우 중요하며, 대한당뇨병학회에서도 수축기혈압이 140 mmHg 또는 확장기혈압이 90 mmHg 이상이고 알부민뇨가 있으면 이러한 약물을 우선적으로 사용할 것을 권고하고 있다.

3) 혈류역학적 요인

당뇨병 초기에 단일사구체여과율, 신혈류와 사구체내 혈압이 증가되어 있음이 잘 밝혀져 있다. 사구체 수입세동맥의 저항성이 감소하여 사구체여과율(glomerular filtration rate, GFR)이 증가하는데 여기에는 프로스타노이드(prostanoid), 산화질소(nitric oxide), 혈관내피성장인자(vascular endothelial growth factor, VEGF), 전환성장인자-β(transforming growth factor, TGF-β)와 RAAS 등이 관여한다. 특히 RAAS는 고혈당상태에서 활성화되어 당뇨병신장병증의 발병을 촉진시킨다.

사구체내 혈압의 증가가 지속되면 사구체경화증을 유발하며, 사구체혈압의 증가는 알부민 누출을 증가시키고, 메산지움세포의 증식과 메산지움 확장을 더욱 촉진하게 된다.

4) 산화스트레스

산화질소(nitric oxide, NO)의 생성저하와 산화스트레스의 증가로 인한 혈관내피세포의 기능이상은 당뇨병신장병증의 발생에 중요하다. 고혈당은 혈관내피세포의 산화질소 생성효소(nitric oxide synthase, NOS)의 기능장애를 가져오고 PKC, NF-κB (nuclear factor-kappa B), 헥소사민(hexosamine)대사물과 AGEs 생성 등을 통해 결과적으로 초과산화물(superoxide) 및 반응산소종(reactive oxygen species, ROS)을 증가시켜 사구체경화증과 신세관 섬유화를 일으킬 수 있다.

5) 성장인자

인슐린유사성장인자(insulin-like growth factor-1, IGF-1), 혈소판유래성장인자(platelet-derived growth factor, PDGF), 혈관내피성장인자와 표피성장인자(epidermal growth factor, EGF) 등 다양한 성장인자들이 근위세관 증식에 관여하는데 특히 TGF-β1에 대해서 많은 연구가 이루어져 있고 만성신장질환 발생에 중요한 역할을 하는 것으로 알려져 있다. 이외 결합조직성장인자(connective tissue growth factor, CTGF) 역시 당뇨병신장병증

진행에 관여하여 조직의 섬유화를 촉진하는 것으로 알려져 있으며 최근에는 치료제 개발의 표적으로 연구가 진행 중이다. 이들 이외 향후 다른 성장인자들의 관여 여부를 확인하는 연구도 진행될 것으로 보인다.

6) 유전요인

당뇨병 환자의 30-40%에서만 당뇨병신장병증이 발생되며 이것 또한 혈당조절 정도와 비례하여 발생되는 것도 아니며, 가족적으로 잘 발생하는 경향이 있고, 인종에 따른 유병률의 차이가 보고되고 있어 유전요인의 근거가 되고 있다. 최근에는 전장유전체연관연구(genome-wide association study, GWAS)와 후성유전체연관연구(epigenome-wide association study, EWAS)등의 접근을 통해 당뇨병신장병증과의 관련성을 찾고자 많은 후보유전자들에 대한 연구가 활발히 진행되고 있다.

3. 당뇨병신장병증의 자연경과

1형당뇨병 환자의 경우에는 당뇨병 발생시기를 대부분 뚜렷하게 알 수 있으며 당뇨병신장병증의 발생이 비교적 일정한 자연경과를 보이게 되는데, 사구체과여과시기, 알부민뇨 시기 그리고 말기신장질환시기로 진행된다(그림 9-5-26). 사구체과여과시기는 당뇨병 발생 후 1년 안에 발생하며 사구체여과율의 증가가 특징이다. 그 이후 사구체기저막의 비후, 사구체 비대 및 메산지움바탕질(mesangial matrix)의 증대가 진행되면서 사구체여과율은 정상으로 돌아오고 당뇨병 발생 후 5-10년이 지나면 많은 1형당뇨병 환자들이 소량의 알부민뇨를 보이게 된다. 이 경우 그동안 미량알부민뇨라고 일컬었으나, 미국당뇨병학회에서는 더 이상 미량알부민뇨라고 하지 않고 알부민뇨로 부른다. 알부민뇨의 출현은 향후 말기신장질환으로의 진행을 예측하게 하는 중요한 단서가 되기 때문에 더욱 철저한 혈당 및 고혈압관리가 요구된다.

2형당뇨병 환자의 신장병증은 1형당뇨병 환자와는 다른 양상을 보이는데 이는 2형당뇨병의 발병시기가 명확하지 않으

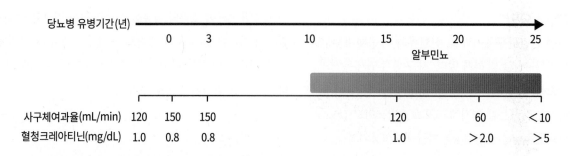

그림 9-5-26. 당뇨병신장병증 발생의 진행단계와 당뇨병 유병기간에 따른 사구체여과율과 혈청크레아티닌과의 관계

며 진단 시에 이미 알부민뇨가 있는 경우도 있다. 이것은 당뇨병 이외에 동반된 고혈압, 심부전, 전립선질환과 감염 등이 단백뇨의 원인이 될 수도 있기 때문이다. 따라서 2형당뇨병 환자는 진단 초기에 단백뇨의 높은 유병률을 보임에도 불구하고 10-20%의 환자만이 신부전증으로 진행된다. 하지만 알부민뇨의 정도가 진행이 되면 이 변화는 비가역적이며, 사구체여과율은 점차적으로 감소하여 그 중 50% 정도가 7-10년 안에 말기신장질환으로 진행하게 된다. 단백뇨 없이도 당뇨병신장병증이 발생될 수 있는데 주로 노인층에서 관찰되며 고혈압, 비만과 이상지질혈증 등이 관여되기도 한다. 단백뇨가 없는 시기에 혈압은 대개 정상이나 알부민뇨가 나타나면서부터 혈압의 상승이 관찰되는데, 임상적인 고혈압의 발현은 단백뇨 발생 이전에는 19%, 미량알부민뇨 단계에서는 30%, 다량알부민뇨시기에는 56%로 신장병증이 진행할수록 고혈압의 빈도도 증가하고 사구체여과율도 서서히 감소한다. 대개 사구체여과율은 단백뇨가 발생한 후부터 연간 10-14 mL/min씩 감소하는 것으로 알려져 있다. 사구체여과율이 정상의 1/4 이하로 감소하게 되면 질소혈증(azotemia)이 나타난다. 이와 같이 당뇨병 환자에서 알부민뇨의 존재는 임상적으로 매우 중요한 의미를 가지며 신장병증 발생의 유무뿐만 아니라 심혈관질환의 위험도와 당뇨병망막병증의 동반 유무를 알려주는 지표가 되기도 한다.

4. 알부민뇨검사 및 진단

1) 선별검사시기

당뇨병의 병형에 따라 권고되는 알부민뇨선별검사의 시기가 다른데, 2형당뇨병 환자의 경우 7% 정도는 진단 당시에 이미 알부민뇨가 있을 수도 있으며 또한 당뇨병 발병시기를 정확하게 알기 어렵기 때문에 진단 당시부터 알부민뇨에 대한 선별검사가 필요하다. 반면 1형당뇨병 환자는 진단 5년 이후부터 알부민뇨검사를 시행할 것을 권한다. 몇몇 연구결과를 살펴보면 혈당이나 혈압이 조절되지 않았거나 콜레스테롤수치가 높은 경우 또는 사춘기시기에는 5년 이내에도 알부민뇨가 나타날 수 있다고 보고되고 있어 5년 이내라도 선별검사가 필요하다고 제안되기도 하지만, 이는 임상판단 하에 개별화하여 적용하는 것이 나을 것으로 생각된다. 만약 선별검사에서 알부민뇨가 없으면 그 다음 검사는 1형과 2형당뇨병 환자 모두 매 1년마다 알부민뇨검사를 시행하도록 한다.

2) 알부민뇨검사 및 진단

당뇨병신장병증의 선별검사로 과거 많이 활용했던 24시간 채취 소변에서 알부민 양의 측정은 번거로울 뿐만 아니라 알부민 양의 측정이 무작위소변검사에 비해 더 정확한 것도 아니어서 최근에는 잘 시행하지 않으며, 대신 이른 아침 무작위로 얻은 소변에서 알부민과 크레아티닌의 비(urine albumin creatinine ratio, UACR)를 측정하는 것으로 대체하고 있다. 소변으로 배설된 알부민의 양은 일정하지 않으며 단기간의 고혈당, 과격한 운동 후, 요로감염, 고혈압, 심부전과 급성발열 등에 의해서도 소변으로 알부민의 배설이 일시적으로 증가할 수 있기 때문에 단 1회만의 소변검사로 당뇨병신장병증을 진단할 수는 없으며 6개월 안에 1-2회 정도 소변검사를 추가로 시행하여 3회 중에 2회 이상 UACR ≥ 30 mg/g이면 알부민뇨가 있다고 진단할 수 있다. 소변알부민배설량이 하루 < 30 mg/g인 경우는 정상 또는 경도 상승이라고 하며(A1), 30-299 mg/g인 경우는 중등도 상승(A2) 그리고 ≥ 300 mg/g인 경우 고도 상승(A3)이라고 분류된다(그림 9-5-27). 알부민뇨 측정과 더불어 사구체여과율의 변화도 중요하기 때문에 적어도 1년에 1회 이상 혈청크레아티닌 농도도 같이 측정하도록 한다. 추정사구체여과율(estimated GFR, eGFR)은 혈청크레아티닌을 이용한 공식으로 계산하는데 Chronic Kidney Disease–Epidemiology Collaboration (CKD–EPI)법을 일반적으로 활용한다. 통상적으로 추정사구체여과율이 < 60 mL/min/ 1.73 m^{2}이면 비정상으로 진단된다. 따라서 당뇨병신장병증은 UACR ≥ 30 mg/g 또는 추정사구체여과율이 < 60 mL/min/1.73 m^{2}이면 진단될 수 있다.

5. 치료

알부민뇨가 관찰되면 말기신장병으로의 진행을 예방하거나 늦추기 위해 단백질 섭취 제한, 엄격한 혈당관리(혈당의 정상화), 혈압관리, ACEI나 ARB의 투여 그리고 이상지질혈증 관리 등이 필요하다.

1) 단백질 섭취 제한

미국당뇨병학회에서는 알부민뇨가 있는 당뇨병 환자에서는 하루 단백질 섭취량을 0.8 g/kg를 유지하도록 권고하고 있으며, 하루 0.8 g/kg 이하의 저단백질 식사는 사구체여과율 감소나 심혈관질환 예방에 도움이 되지 않으므로 권고하지 않는다.

2) 혈당관리

알부민뇨가 발생된 이후 엄격한 혈당조절이 당뇨병신장병증의 진행을 늦출 수 있는지 여부에 대해서는 분명하지 않으나, UKPDS나 DCCT와 같은 대규모 임상연구들은 1형과 2형당뇨병 환자 모두에서 엄격한 혈당조절이 알부민뇨

만성신장병증은 3개월 이상 지속되는 신장구조 이상 혹은 신장기능 이상 (사구체여과율 < 60 mL/min/1.73 m², 혹은 알부민뇨 ≥ 30 mg/g 혹은 신장 손상의 증가가 있는 경우) 으로 정의됨		소변알부민배설량(mg/g) 범주		
		A1	A2	A3
사구체여과율 범주	사구체여과율 (eGFR, mL/min/1.73 m²)	정상-경도 상승	중등도 상승	고도 상승
		< 30	30-299	≥ 300
G1	≥ 90			
G2	60-89			
G3a	45-59			
G3b	30-44			
G4	15-29			
G5	< 15			

그림 9-5-27. 추정사구체여과율과 알부민뇨 범주에 따른 만성신장병증단계(KDIGO)
KDIGO, Kidney Disease Improving Global Outcomes

의 발생을 줄이고 알부민뇨의 진행을 늦출 수 있음을 보여주고 있다. 또한 장기 추적관찰 결과도 엄격한 혈당조절의 이점이 있음을 보여주고 있다. 그러나 이러한 임상연구 결과와 권고에도 불구하고 지난 수십 년간 당뇨병 환자들에서 엄격한 혈당조절은 잘 지켜지지 않았다. 혈당조절을 엄격히 하기 위해서는 인슐린을 포함한 적절한 혈당강하제들의 사용이 불가피하다. 혈당강하제 선택 시 부작용들을 고려해야 하는데, 설포닐유레아와 인슐린은 반복되는 저혈당을 유발할 수 있으며, 메트포민은 유산산증 유발 가능성, 싸이아졸리딘다이온약물은 수분저류 그리고 일부 DPP-4억제제는 심장질환에 좋지 않을 수 있다. 최근 널리 사용되는 SGLT2억제제와 GLP-1수용체작용제(GLP-1RA)들은 다른 혈당강하제들과는 달리 혈당조절과 무관하게 신장기능 보호에 긍정적 효과가 있음을 보여주고 있어 기대가 되고 있다. SGLT2억제제는 당뇨병신장병증에 미치는 효과에 대해 진행된 대규모 임상연구의 일, 이차연구목적에서 제한적이긴 하지만 고무적인 결과들을 보여주었으며, 또한 일부 GLP-1수용체작용제 역시 신장기능 보호에 도움이 됨을 보여주었다. 이들 두 약물의 당뇨병신장병증에 대한 긍정적인 효과에 대해 좀 더 알아보고자 한다. 그러나 혈당강하제들 이외 식생활 개선과 적절한 운동이 엄격한 혈당관리에 필수적임을 간과해서는 안 된다.

(1) SGLT2억제제

SGLT2억제제의 당뇨병신장병증에 대한 효과를 엿볼 수 있는 대규모 임상연구들을 보면 EMPA-REG OUTCOME연구에서 엠파글리플로진의 종합적 신장병증종결점(다량 알부민뇨의 발생, 혈청크레아티닌 두 배 이상 상승, 신장대체요법의 시작, 신장병증으로 인한 사망)은 위약 대비 39% 감소됨을 보였고, DECLARE-TIMI 58 (Dapagliflozin Effect on Cardiovascular Events-Thrombolysis in Myocardial Infarction)연구에서는 다파글리플로진이 종합적 신장병증종결점(사구체여과율 40% 이상 감소, 말기신장병, 신장병증이나 심혈관질환으로 인한 사망)에 대해 위약 대비 24% 감소함을 보였다. 또한 다파글리플로진이 신장

병증에 미치는 효과를 연구의 일차목표에 두고 진행된 최근의 DAPA-CKD (Dapagliflozin and Prevention of Adverse Outcomes in Chronic Kidney Disease)연구에서는 만성신장병증(eGFR 25–75 mL/min/1.73 m^2, UACR 200–5,000 mg/g)을 가진 당뇨병 및 비당뇨병 환자 모두에서 다파글리플로진이 말기신장병으로의 진행을 늦추었으며 신장병증 및 심장질환사망률은 39% 감소됨을 보여 주었고, 당뇨병 환자군만을 대상으로 한 분석에서도 36% 감소함을 보여주어 SGLT2억제제가 혈당강하 효과뿐만 아니라 당뇨병신장병증의 진행도 억제할 수 있음을 보여 주었다. 이상의 세 연구에서 말기신장병 발생에 대한 위험 감소만을 따로 분석하였을 경우에도 EMPA-REG OUTCOME연구에서 55%, DECLARE-TIMI 58연구에서 69% 그리고 DAPA-CKD연구에서 36% 감소됨을 확인할 수 있었다. SGLT2억제제의 메타분석에서도 SGLT2억제제군은 종합적 신장병증종결점에 대해 위약 대비 19%의 유의한 감소를 보여주었다. EMPA-REG OUTCOME연구에서 1,517명의 아시아인만을 대상으로 한 사후분석 시 엠파글리플로진 치료는 위약 대비 알부민뇨 진행 억제(36%) 및 종합적 신장병증종결점 감소(52%)를 보여주었고, 추정사구체여과율 감소억제 효과는 약 66주가 지난 시점에서부터 관찰되었다. SGLT2억제제를 2년 이상 장기투여받은 환자를 대상으로 한 국내의 메타분석 연구결과에서도 대조군 대비 SGLT2억제제군의 추정사구체여과율 감소억제 효과가 확인되었다. 이러한 신장기능 보호효과는 SGLT2억제제를 2년 이상 장기간 치료 시 기대될 수 있는 효과로서 앞으로 더 많은 연구가 이루어져야 할 것 같다.

이상의 대규모 무작위배정연구 및 메타분석 결과들을 종합적으로 평가하였을 때, SGLT2억제제는 2형당뇨병 환자에서 알부민뇨의 진행, 사구체여과율의 악화 및 신대체요법의 시작 등 다양한 수준에서 신장병증의 진행을 억제하는 긍정적인 효과가 인정되어 현재 신장병증의 발생 및 진행 위험이 높은 환자군, 즉 알부민뇨(≥ 30 mg/g)가 있으면서 추정사구체여과율이 < 60 mL/min/1.73 m^{2}인 2형당뇨병 환

자에서 SGLT2억제제의 사용이 권고되고 있다. 그러나 대한당뇨병학회의 진료지침에서는 추정사구체여과율이 30-59 mL/min/1.73 m²에 해당하는 환자들에서도 신장이익이 관찰되었고 이를 상쇄할 만한 위해가 없었다는 점, 현재 식품의약품안전처 허가사항 내에서도 좌심실수축기능이 저하된 만성심부전 환자의 경우 추정사구체여과율 ≥ 30 mL/min/1.73 m²에서 다파글리플로진 처방이 가능하다는 점에 근거하여 알부민뇨가 UACR ≥ 30 mg/g 이거나 추정사구체여과율이 30-59 mL/min/1.73 m²에서도 사용을 권고하고 있다(그림 9-5-28).

SGLT2억제제의 신기능 보호 효과는 혈당강하 효과, 혈압강하 효과와 체중감소 등과 같은 간접효과와 항염증작용, 혈관내피세포 기능개선, 사립체 손상 억제, 섬유화 진행 억제, Na⁺-H⁺ 교환기 활성도 저하 및 자가포식현상(autophage) 개선 등과 같은 직접적인 효과들이 관여하여 나타나는 것으로 보인다. 이러한 SGLT2억제제들의 신장기능

보호 효과는 약물의 개별적인 효과에 의한 것이라기보다는 계열에 의한 효과로 보이나, 현재 국내 시판 중인 SGLT2억제제 중에서는 다파글리플로진이 가장 높은 수준의 근거를 확보하고 있으며 엠파글리플로진의 근거가 되는 연구는 심혈관관계 영향 연구에서 관찰된 이차연구목적에서 관찰된 결과라는 한계가 있다. 이프라글리플로진은 대규모 전향연구가 부재하여 신장병증 진행억제 효과에 대한 근거는 아직 부족하다.

(2) GLP-1수용체작용제

현재까지 GLP-1수용체작용제들의 신장기능에 미치는 효과를 일차목적으로 진행된 연구들은 없지만, 리라글루타이드, 둘라글루타이드와 세마글루타이드 같은 장기작용 GLP-1수용체작용제는 대규모 심혈관 관련 임상시험에서 신장보호 효과가 제시된 바 있다. LEADER연구(Liraglutide Effect and Action in Diabetes: Evaluation of Cardiovascular Outcome Results)에서 리라글루타이드는 신장병증(다량알부민뇨의 발생, 혈청크레아티닌 두 배 이상 상승, 신장대체요법의 시작, 신장병증으로 인한 사망)에 대하여 위약대비 22%의 감소효과가 있음을 보여주었다. REWIND연구(Researching Cardiovascular Events with a Weekly Incretin in Diabetes)에서는 둘라글루타이드 치료가 위약 대비 신장종결점(다량알부민뇨의 발생, 기저 대비 사구체여과율 30% 이상 감소, 신장대체요법의 시작)에 대해 15% 감소효과를 보였다. SUSTAIN 6연구(Semaglutide and Cardiovascular Outcomes in Patients with Type 2 Diabetes)에서는 세마글루타이드 치료가 이차신장종결점에서 36% 감소효과가 있음을 보여 주었다. 이외 EXSCEL연구(Effects of Once-Weekly Exenatide on Cardiovascular Outcomes in Type 2 Diabetes)의 사후분석에서 추정사구체여과율, 투석 또는 신장이식시기, 사망과 고도 알부민뇨 발현 시간 등의 감소를 종합하였을 때 엑세나타이드 치료가 40% 정도 감소효과가 있음을 보여 주었다. 그러나 이들 연구 모두 신장종결점을 이차종결점으로 하였다는 한계가 있다.

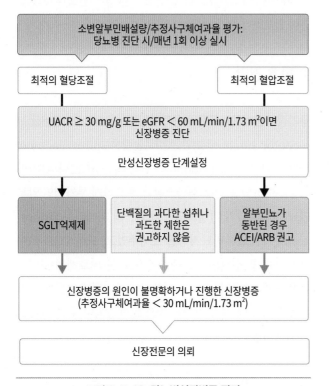

그림 9-5-28. **당뇨병신장병증 관리**

GLP-1수용체작용제의 대규모 임상시험 결과들을 종합해 보면, 장기작용 GLP-1수용체작용제는 고도 알부민뇨의 발생억제 효과를 주로 보여주기는 했지만, 당뇨병신장병증의 진행 억제에 대해서도 긍정적 효과가 있다고 볼 수 있다.

GLP-1수용체작용제의 신장보호 효과 역시 SGLT2억제제와 마찬가지로 혈당 및 혈압강하 효과와 체중감소 등과 같은 간접적인 효과와 항염증작용, 혈관내피세포 기능개선, 산화스트레스 억제와 Na^+-H^+ 교환기기능개선 등과 같은 직접적인 효과들이 관여할 것으로 보인다. GLP-1수용체작용제는 추정사구체여과율이 15 mL/min/1.73 m^2 정도까지도 사용이 가능하다는 것은 SGLT2억제제 보다는 장점이 될 수 있을 것 같다. 따라서 심혈관질환 위험요인과 알부민뇨가 있는 2형당뇨병 환자에서 SGLT2억제제 사용이 어려운 경우나 추정사구체여과율이 ≥ 15 mL/min/1.73 m^2인 경우 장기작용GLP-1수용체작용제를 고려할 수 있겠다.

6. 혈압조절

1형당뇨병 환자에서 고혈압은 보통 기저질환인 당뇨병신장병증때문에 나타나고, 알부민뇨를 진단받은 시점에 전형적으로 나타난다. 그러나 2형당뇨병 환자의 약 1/3은 당뇨병 진단 당시에 이미 고혈압이 동반되어 있는 경우가 많다. 혈압의 상승은 당뇨병신장병증의 진행을 가속화하기 때문에, 혈압을 엄격하게 조절하는 경우 알부민뇨를 줄이면서 사구체여과율 감소를 억제한다고 밝혀져 있어 적절한 혈압조절은 당뇨병신장병증 관리에 매우 중요하다. 당뇨병 환자의 혈압조절은 여러 요인들이 복합적으로 작용하므로 혈당조절상태, 당뇨병 유병기간, 합병증 정도와 동반질환 유무 등을 고려해 개별화하는 것이 좋을 것 같다. 대한당뇨병학회의 진료지침에서는 당뇨병 환자의 고혈압 관리 시 혈압관리 목표를 수축기혈압 < 140 mmHg, 확장기혈압 < 85 mmHg로 하고 있으며, 생활습관교정에도 불구하고 혈압이 수축기혈압 ≥ 140 또는 확장기혈압 ≥ 90 mmHg인 경우 모든 항고혈압제를 일차약물로 선택해서 사용을 시작하고 만일 알부민

뇨가 동반된 경우에는 ACEI나 ARB부터 시작할 것을 권고하고 있다(그림 9-5-28). 미국당뇨병학회에서는 알부민뇨의 존재와 관계없이 정상혈압인 당뇨병 환자에서 당뇨병신장병증 발생의 일차예방 목적으로 ACEI나 ARB 사용을 권고하지는 않는다.

7. 추적관찰

당뇨병신장병증의 조기발견과 진행 정도, 동반된 다른 원인의 신장병증 파악과 만성신장질환 합병증 관리 등을 위해 소변알부민배설량과 추정사구체여과율은 최소 1년마다 검사하며 이상이 있을 경우 더 자주 평가한다. ACEI나 ARB 처방 시에는 고칼륨혈증이 발생될 수 있으므로 혈청칼륨 농도를 모니터링해야 한다.

8. 신장내과 의뢰

신장병증의 원인이 불분명하거나 추정사구체여과율이 < 30 mL/min/1.73 m^2로 감소되는 경우 신장내과와 협진이 필요하다.

9. 향후 전망

무기질부신피질호르몬수용체대항제(mineralocorticoid receptor antagonist)인 스피로놀락톤(spironolactone)과 에플레레논(eplerenone)은 단독 혹은 ACEI나 ARB와 병용투여하였을 경우 혈압조절과 무관하게 부가적인 알부민뇨저하 효과가 관찰되었으며 최근의 피네레논(finerenone) 역시 알부민뇨저하를 보여주었고, 또한 TGF-β1이나 CTGF 등 성장인자들을 표적으로 한 치료제들이 연구개발중인 것처럼 앞으로 병태생리에 관련된 요인들에 대한 치료제 개발이 계속 진행될 것으로 예상되며 좋은 결과들이 나오기를 기대해 본다.

VI. 당뇨병대혈관병증

김재택

1. 서론

당뇨병대혈관병증은 관상동맥, 뇌혈관 및 말초동맥에 발생하는 당뇨병의 만성합병증으로 혈관의 죽상경화 병변이 대부분 동반된다. 따라서 대혈관병증과 관련된 위험인자를 이해하고 그 치료방법을 확립하는 것이 당뇨병 환자의 삶의 질 향상과 수명 연장에 있어서 매우 중요한 의미를 갖는다. 이 장에서는 이러한 대혈관병증의 역학, 임상양상 그리고 치료 전략에 대해서 기술하고자 한다.

2. 역학

죽상경화심혈관질환(atherosclerotic cardiovascular disease, ASCVD)은 당뇨병 환자의 가장 중요한 사망원인으로 Framingham연구에 의하면 당뇨병 환자에서 심혈관질환으로 사망하는 위험도는 당뇨병이 없는 사람들에 비해 남성에서는 2.1배, 여성에서는 4.9배 높다.

1) 당뇨병성심장병
당뇨병성심장병은 관상동맥병과 심부전의 형태로 나타난다. UK Prospective Diabetes Study (UKPDS)연구에서 2형당뇨병 환자 1,000명당 연간 심근경색증 발병위험도는 17명, 협심증은 7명, 심부전은 4명이었으며 당화혈색소가 1% 증가하면 심부전 위험도는 16% 증가한다고 보고했다. Diabetes Control and Complications Trial (DCCT) 연구에서 1형당뇨병 환자의 연간 심혈관질환의 발병위험도는 1,000명 당 3명으로 확인되었다. 관상동맥병의 병력이 없었던 당뇨병 환자의 심근경색증의 발병률은 이전에 급성심근경색증을 경험했던 사람과 비슷하며, 따라서 당뇨병자체가 이전에 관상동맥병을 경험한 상태와 동일한 정도의 위

험인자로 간주된다.

여러 관찰연구에서 당뇨병 환자는 당뇨병이 없는 사람들에 비해 심부전의 위험이 2–4배 증가한다. 심부전과 관련된 위험인자로 당뇨병의 유병기간, 인슐린 사용 여부, 불량한 혈당조절, 비만, 알부민뇨, 허혈심장질환, 말초동맥병 등이 있다. 대한당뇨병학회의 2019년 Diabetes & Complications in Korea에 따르면 국민건강보험공단이 제공하는 표본코호트 자료에서 2006년과 2015년의 당뇨병 환자 1만 명당 허혈심장질환은 남성은 438명에서 461명으로, 여성의 경우 419명에서 397명으로 감소하는 경향을 보였으며 경피관상동맥중재(percutaneous coronary intervention, PCI) 시행도 약간 감소한 것으로 나타났다. 반면 심부전 유병률은 당뇨병 성인 1만 명당 남성은 72명에서 146명, 여성은 124명에서 161명으로 증가했으며 심부전으로 인한 입원도 증가했다.

2) 뇌졸중
뇌졸중은 뇌혈관이 막혀서 발생하는 허혈뇌졸중과 뇌혈관이 파열되어 생기는 출혈뇌졸중으로 나눌 수 있다. 당뇨병은 뇌졸중 발생의 독립적인 위험인자로 당뇨병 환자에서 허혈뇌졸중의 유병률은 당뇨병이 없는 경우에 비해 2–3배 정도 높으며 Framingham연구에서 20년간 추적조사하였을 때 당뇨병 환자의 뇌졸중 발생률은 당뇨병이 없는 사람에 비하여 남성에서 3.3배, 여성에서 5.5배 높았다. 이를 연령, 수축기혈압, 흡연, 이상지질혈증 등 다른 위험인자들을 보정한 경우에도 남녀 모두 당뇨병이 있는 경우 2.1배의 위험도 증가를 보였다. 당뇨병은 뇌졸중이 발생한 이후에도 그 경과에 영향을 미치는 것으로 알려져 있다. 당뇨병 환자는 뇌졸중 후 인지장애의 위험도가 당뇨병이 없는 대조군에 비해 3배 증가하며, 뇌졸중 재발의 위험도는 2배 증가한다. 대한뇌졸중학회의 2018년 Stroke Fact Sheet in Korea에서 중년기 뇌졸중의 절반은 고혈압과 당뇨병에 의해 발생하며 뇌졸중 환자 100명 중 32명은 당뇨병 환자라고 보고되었다. 2019년 Diabetes & Complications in Korea에 따르면 2006년

과 2015년의 당뇨병 환자 1만 명당 뇌졸중은 남성은 291명에서 254명, 여성은 308명에서 258명으로 감소하는 경향을 보였으며 이는 고혈압과 당뇨병의 치료수준 향상으로 인한 것으로 보인다. 하지만 당뇨병 환자의 약 9%는 뇌졸중으로 사망하는 나쁜 예후를 나타낸다.

3) 말초동맥병

당뇨병 환자의 말초동맥병은 무증상 또는 당뇨병신경병증과 유사한 증상을 나타내는 경우가 있어 조기진단을 놓치는 경우가 많다. 당뇨병 환자에서 말초동맥병의 위험인자로는 당뇨병의 유병기간, 조절되지 않은 고혈당, 당뇨병신경병증이 있으며 고령, 흡연, 고혈압, 이상지질혈증 및 관상동맥병도 위험인자에 해당한다. Framingham연구에 따르면 증상이 있는 말초동맥병 환자의 20%가 당뇨병 환자였다. 또한 같은 코호트에서 당뇨병이 있는 경우 하지 파행(claudication)의 위험이 남성에서는 3.5배, 여성에서는 8.6배나 증가하였다. 당뇨병성 말초동맥병은 비외상성 하지 절단 원인의 약 50%를 차지하며 당뇨병 환자에서 하지 절단 위험도는 정상인의 약 4–15배에 이른다. 미국에서 보고된 당뇨병 환자의 하지 절단 빈도는 18–44세 연령에서 1.6%, 45–64세에서 2.4%, 65세 이상에서는 3.6%로 나타났고 유병기간 30년 이하에서는 2.4%, 그 이상에서는 4.4%의 빈도를 보였다. 2019년 Diabetes & Complications in Korea에서 2006년과 2015년의 당뇨병성 말초동맥병의 유병률은 당뇨병 성인 1만명 당 남성은 39명에서 55명, 여성은 19명에서 35명으로 각각 증가했다.

3. 임상특성 및 진단

1) 관상동맥병

(1) 임상소견

관상동맥병은 고혈당, 인슐린저항성, 이상지질혈증, 고혈압 등 위험인자의 복합적 작용으로 산화스트레스, 과도한 염증, 내피세포 기능이상, 혈관수축, 혈액응고 이상과 죽상경화판 생성을 통해 발생한다. 당뇨병 환자의 사후 관상동맥 죽상경화판의 병리소견은 당뇨병이 없는 사람들에 비해 대식세포 침착이 많았고 더 광범위한 괴사로 죽상경화판이 불안정하고 파열에 취약했다. 또한 당뇨병신경병증을 동반한 경우 협심증의 비전형적인 증상을 종종 나타내고 무증상심근경색증의 빈도가 높아서 진단과 치료가 지연되어 좋지 않은 예후를 보인다.

(2) 선별검사

무증상 당뇨병 환자에서 관상동맥질환에 대한 선별검사를 어떤 경우에 시행해야 할 것인가에 관한 논란이 많은데 2021년 미국당뇨병학회의 임상권고안에서는 고혈당, 고혈압, 이상지질혈증과 같은 죽상경화증 위험인자에 대한 치료를 잘 유지하는 당뇨병 환자는 통상적인 선별검사가 추가적인 이득이 없으므로 추천하지 않는다고 권고하였다. 하지만 협심증의 비전형적인 증상 즉, 설명되지 않는 호흡곤란, 가슴 불편감이나 진찰에서 경동맥 잡음이 들리는 경우, 환자가 일과성허혈발작, 뇌졸중, 파행, 말초동맥병의 과거력이 있는 경우, 심전도에서 좌각차단, ST–T파 이상소견, 또는 병적인 Q파가 관찰되는 경우는 전문가 의견으로 심장검사를 권고하였다.

운동부하심전도검사가 초기검사로 이용되며 시행이 어려운 경우 약물유도 심장스트레스검사 또는 단일광자방출컴퓨터단층촬영(single photon emission computed tomography, SPECT) 검사로 대체할 수 있다. 40세 이상에서는 관상동맥칼슘점수(coronary artery calcium score)로 평가할 수 있다.

(3) 치료

당뇨병 환자에서 관상동맥질환의 이차예방과 치료를 위해서 반드시 위험인자 관리를 해야 한다. 즉, 혈당조절뿐만 아니라 금연, 스타틴, 항혈소판제, 항응고제, 안지오텐신전환효소억제제 또는 안지오텐신수용체차단제, 베타차단제, 무기질부신피질호르몬대항제 등을 고려한다. 베타차단제는

불안정성 협심증에서 투여하며 특히 심근수축력이 유지되는 심근경색증 환자에서는 3년 동안 투여해야 한다. 2021년 대한당뇨병학회 진료지침에서는 당뇨병 환자의 혈당강하제 선택 시 죽상경화증이나 심부전 동반 여부를 고려해야한다고 권고하였다. 소듐포도당공동수송체-2 (sodium glucose cotransporter, SGLT-2) 억제제는 대체적으로 심부전으로 인한 입원 감소 및 심혈관질환으로 인한 사망률 감소를 보였고, 글루카곤유사펩타이드-1 (glucagon-like peptide, GLP-1)수용체작용제는 주요 심혈관질환 발생을 유의하게 감소시켰기 때문에 죽상경화심혈관질환이 있는 당뇨병 환자에서 SGLT2억제제인 다파글리플로진, 엠파글리플로진이나 GLP-1수용체작용제인 둘라글루타이드, 리라클루타이드, 세마글루타이드를 추천하였다.

임상적인 호전이 없을 경우 경피관상동맥중재 또는 관상동맥우회술(coronary artery bypass)을 시행한다.

2) 심부전

(1) 임상소견

심부전 환자의 절반 정도는 좌심실 박출률이 보존된다. 박출률보존심부전(heart failure with preserved ejection fraction, HFpEF) 환자들의 생존율은 박출률저하심부전(heart failure with reduced ejection fraction, HFrEF) 환자들과 거의 비슷하거나 약간 좋은 것으로 보고되었지만 심부전으로 인한 입원은 서로 차이가 없다. 당뇨병 환자는 박출률보존심부전과 박출률저하심부전 모두 발생할 수 있다. 당뇨병 환자의 대표적인 심부전 원인은 관상동맥병에 기인한 허혈심장질환이며 고혈압은 중요한 위험인자로 특히 이전에 심근경색증을 경험했던 환자에서 박출률저하 심부전이 발생한다. 또 다른 심부전 원인으로는 관상동맥질환이나 고혈압이 없는 당뇨병 환자에서 심초음파로 진단되는 당뇨병심근병증(diabetic cardiomyopathy)이 있는데 심근비대와 박출률보존심부전으로 시작하여 칼슘항상성의 이상, 산화스트레스를 통한 심근세포 사멸과 섬유

화, 지방산산화의 증가로 인한 심장효율의 감소, 사립체기능 이상 등이 진행되면 결국 박출률저하심부전을 초래한다.

(2) 치료

박출률저하심부전 환자의 증상 개선을 위한 약물로는 이뇨제가 있고, 생존율 개선을 위한 약물로 안지오텐신전환효소억제제와 안지오텐신수용체대항제, 베타차단제, 무기질부신피질호르몬대항제, SGLT2억제제인 다파글리플로진과 엠파글리플로진, 안지오텐신수용체차단제/네프릴리신 이중저해제(ARNI) 등이 있다. 일부 소규모 무작위배정 임상시험에서 하이드랄라진과 질산이소소르비드 병합투여가 생존율 개선을 보이기도 했다. 디곡신의 투여는 심부전으로 인한 입원율의 감소를 보여주었다. 이바브라딘은 좌심실 박출률(ejection fraction)이 35% 이하이고, 정상굴리듬(normal sinus rhythm)이면서 심박수가 분당 70회 이상인 심부전 환자에게 적응증이 된다. 저나트륨혈중이 동반된 심부전 환자에서는 바소프레신대항제를 사용할 수 있다. 대한당뇨병학회 진료지침을 포함한 여러 진료지침에서 박출률저하심부전을 동반한 당뇨병 환자는 증상개선과 사망률 감소를 위해 SGLT2억제제 투여를 적극적으로 권고한다.

박출률보존심부전 환자는 증상을 개선하고 동반질환과 위험인자를 조절하는 치료가 전부였으나 2021년 발표된 Empagliflozin outcome trial in patients with chronic heart failure with preserved ejection fraction (EMPEROR-Preserved)연구에 따르면 엠파글리플로진이 박출률보존심부전 환자의 심부전으로 인한 입원과 심혈관 사망을 유의하게 낮췄다. 경구혈당강하제 중 싸이아졸리딘다이온은 심부전을 악화시킬 수 있어 사용에 주의해야 한다. DPP-4억제제 중 삭사글립틴과 알로글립틴은 심부전으로 인한 입원을 증가시켰다는 연구가 있다.

3) 뇌졸중

(1) 임상소견

일반적으로 갑작스럽게 발생하는 국소 신경학적 이상소견이 뇌졸중을 시사하는 가장 중요한 요소이기는 하지만, 때때로 점차 진행하거나 증상의 호전과 악화를 반복하면서 나타날 수도 있다. 대뇌반구에 생긴 크기가 큰 뇌졸중이나 소뇌 및 뇌간에 뇌졸중이 발생하면 의식이 떨어질 수 있다. 두통은 약 25%에서 나타나고 오심과 구토 증상이 나타나면 뇌간이나 소뇌에 병변이 있는 경우가 많다.

당뇨병은 출혈뇌졸중보다 허혈뇌졸중의 발생을 더 증가시킨다. 당뇨병 환자에서 일단 뇌출혈이 발생하면 그 예후는 정상 혈당을 가진 경우보다 나쁘다고 알려져 있다. 또한 죽상경화뇌경색(atherosclerotic infarction)과 열공경색(lacunar infarct)이 당뇨병에서 더 흔하며, 무증상의 열공경색이 더 잘 발생한다. 당뇨병 환자의 열공경색은 뇌간, 소뇌, 백질에서 많이 발생하며 특히 대뇌 내경동맥질환의 빈도가 높다.

(2) 진단

뇌 영상검사의 근간을 이루는 컴퓨터단층촬영(computed tomography, CT)과 자기공명영상(magnetic resonance imaging, MRI)을 통해 뇌졸중을 진단한다. CT는 신속하면서 적절한 진단정보를 제공하며 MRI는 확산 강조 영상을 통해 정확한 뇌경색 부피를 측정하고 경사에코영상, 액체감쇠역전회복(fluid attenuated inversion recovery) 영상을 통한 차별화된 정보를 제공할 수 있으나 접근성과 촬영시간에서 CT에 비해 신속성이 떨어질 수 있다.

(3) 치료

정상에 가까운 엄격한 혈당조절이 장기적으로 뇌졸중을 예방할 수 있는지 무작위대조연구를 통한 근거는 부족하다. 또한 2019년 발표된 Stroke Hyperglycemia Insulin Network Effort (SHINE)연구에서 고혈당을 동반한 급성허혈뇌졸중 환자에서 혈당목표를 80-130 mg/dL로 엄격히 조절한 군은 80-179 mg/dL로 조절한 환자군에 비해 중증저혈당 빈도가 높았지만 뇌졸중 90일 후 뇌졸중점수로 평가한 예후에는 이득이 없었다. 따라서 급성허혈뇌졸중 환자는 180 mg/dL 미만을 목표로 인슐린 치료를 권고한다.

2018년 대한고혈압학회 진료지침에 의하면 고혈압이 뇌졸중 발생에 가장 중요한 위험인자이며 혈압조절에 따라 뇌졸중 재발을 감소시키지만 수축기혈압을 130 mmHg 미만으로 조절한 임상연구의 결과는 뚜렷한 이득이 없었다. 특히 뇌경색 환자에서 수축기혈압을 140 mmHg 미만으로 조절하여도 더 나은 결과를 보여주지 못한 연구결과도 있으므로 뇌졸중 환자의 수축기혈압 조절목표를 140 mmHg 미만으로 권고하였다. 2021년 미국심장학회/뇌졸중학회 임상 권고안에 따르면 뇌졸중 환자를 대상으로 진행된 연구결과들을 바탕으로 목표 혈압 130/80 mmHg 이하를 유지하도록 권고하고 있다. 그러나 주요 뇌혈관의 심각한 협착에 의한 뇌경색 환자에게는 그보다 높은 혈압을 목표로 조절이 필요할 수 있다. 한편 2021년 미국당뇨병학회의 임상권고안은 죽상경화증으로 인한 심혈관질환이 있는 당뇨병 환자는 130/80 mmHg 미만으로 낮추는 것을 제시하였다.

2018년 한국지질·동맥경화학회 치료지침에서는 죽상경화 허혈뇌졸중 및 일과뇌허혈발작이 있는 환자는 초고위험군으로 분류하여 LDL 콜레스테롤을 70 mg/dL 미만으로 낮출 것과 스타틴을 일차치료약물로 사용하도록 권고하였다.

당뇨병 환자에서 항혈소판제의 심혈관질환 일차예방 효과는 명확하지 않지만, 허혈뇌졸중의 이차예방을 위해서 다양한 치료지침에서 일관적으로 아스피린 또는 클로피도그렐 사용을 권고한다.

4) 말초동맥병

(1) 임상소견

가장 특징적인 증상은 종아리부위에 나타나는 간헐파행 (intermittent claudication)으로 휴식상태에서는 증상이 없으나 보행 시 혈액 요구량의 증가에 의해 통증이 발생하며 보행중단 시 1–2분 내에 소실되는 것이 특징이다. 만성적인 혈류장애가 있는 경우 발과 하지의 털이 빠지고 발톱이 비후해지며 피부가 위축되고 차가우며 잦은 진균 감염을 관찰할 수 있다. 하지만 대다수의 말초동맥병이 있는 당뇨병 환자에서 혈관의 내경이 상당히 좁아지기 전까지는 증상이 없는 경우가 많으므로 위에서 언급한 임상소견만으로 말초동맥병을 조기진단하기는 어렵다.

(2) 진단

평상시 걷는 속도가 떨어지는지 하지 피로감이나 파행증상이 있는지 꼼꼼하게 문진을 한다. 또한 양쪽 발의 후경골동맥과 족배동맥을 촉지한다. 말초동맥병이 의심되는 경우 발목상완지수(ankle brachial index, ABI)를 측정한다. 이는 후경골동맥 또는 족배동맥의 수축기혈압을 상완의 수축기혈압으로 나눈 값으로 검사하기가 쉽고 경제적이며 진단 정확성이 비교적 높다. 보통 발목의 혈압이 상완의 혈압과 비슷하거나 약간 높아 정상치는 1.0–1.4이다. ABI 값이 0.9 이하인 경우 동맥협착의 민감도와 특이도가 높게 말초동맥병을 진단할 수 있다. 하지 CT혈관조영술(lower extremity CT angiography)과 침습적 검사인 혈관조영술은 병변의 정확한 위치와 정도를 파악하는 데 도움이 된다.

(3) 치료

말초동맥병 치료목표는 증상의 완화뿐만 아니라 향후 심혈관질환 진행을 억제하는 데 있다. 금연은 반드시 필요하며 이를 위해 약물치료나 금연프로그램을 이용할 수 있다. 이와 함께 엄격한 혈당조절, 혈압관리 및 적절한 강도의 스타틴 치료가 필요하다. 지속적인 걷기운동은 파행의 증상을 완화시키고 통증없는 보행거리의 연장을 기대할 수 있으며 총 운동시간이 30분 이상이 되도록 일주일에 3회 이상 파행증상이 나타날 때까지 걷고 증상이 없어지면 다시 걷는 것을 반복한다. 장기적인 항혈소판제 투여는 말초동맥병 환자에서 심혈관사건과 사망을 감소시키기 위해 필요하다. 적절한 약물치료에도 파행이 지속되거나, 궤양, 괴사가 있는 경우 경피혈관중재술 또는 혈관재건(revascularization)이 필요하다.

4. 결론

당뇨병대혈관병증으로 인한 심혈관질환은 당뇨병 환자의 가장 큰 사망원인이며 당뇨병 환자에서 심근경색증과 뇌졸중에 의한 증상이나 후유증은 더 심하고 오래 지속될 수 있다. 또 말초동맥병은 당뇨병 환자의 삶의 질을 급격하게 떨어뜨릴 수 있으며 당뇨병발궤양(diabetic foot ulcer)의 원인이 되기도 한다. 그동안 많은 연구들을 통해서 당뇨병 환자에서 심혈관질환의 위험인자를 철저히 조절함으로써 대혈관병증의 발생을 예방하거나 지연시킬 수 있음이 밝혀졌다. 따라서 엄격한 혈당조절뿐 아니라 금연을 포함한 생활습관 개선과 함께 적극적인 혈압과 지질이상의 조절 등이 함께 병행되어야 할 것이다.

VII. 당뇨병과 이상지질혈증

이 형 우

1. 서론

이상지질혈증은 당뇨병 유무에 관계없이, 심혈관질환과 죽상경화증의 가장 중요한 위험인자로 알려져 있다. 지질 이상은 비교적 혈당조절이 잘 되는 환자를 포함하여 2형당뇨병 환자에게서 흔히 나타난다. 당뇨병 환자에서 고혈당과 이상지질혈증은 심혈관질환의 발생위험을 증가시키기 때문에 지질 이상은 적극적으로 검사하여야 하며 포괄적인 당뇨병

09 당뇨병대사절환

치료 중 하나로 취급해야 한다. 2형당뇨병에서의 특징적인 지질대사이상을 "당뇨병과 이상지질혈증"이라고 하는데 이는 대사증후군 혹은 인슐린저항증후군 및 내당능장애에서도 나타난다. 당뇨병이상지질혈증(diabetic dyslipidemia)이란 혈중 중성지방 및 초저밀도지단백질(very low density lipoprotein, VLDL)콜레스테롤은 높고 고밀도지단백질(high density lipoprotein, HDL)콜레스테롤은 낮으며 크기가 작고 밀도가 높은 저밀도지단백질(low density lipoprotein, LDL)콜레스테롤(B형 유형)이 높은 경우를 말한다. 대한당뇨병학회의 2018당뇨병팩트시트에 의하면 한국 2형당뇨병 환자의 35%에서 고콜레스테롤혈증을 갖고 있으며, 그 중 혈중 LDL콜레스테롤이 100 mg/dL 미만인 경우는 44%로 보고되었으나, 2020 당뇨병팩트시트에서는 당뇨병 환자 가운데 LDL콜레스테롤이 160 mg/dL 이상인 경우가 69.2%이었고, 100 mg/dL 이상인 경우는 86.4%로 거의 대부분을 차지하고 있었다. 이번 장에서는 당뇨병 환자에서의 이상지질혈증의 병태생리 및 대규모임상연구를 기반으로 한 최근 진료지침에 따른 치료에 중점을 두어 기술하고자 한다.

2. 당뇨병과 이상지질혈증의 병태생리와 검사

당뇨병 환자에서는 간 내피세포의 지단백질지방분해효소(lipoprotein lipase, LPL)에 의한 중성지방 제거장애로 간에서 중성지방이 풍부한 VLDL콜레스테롤이 과다 생성된다. 당뇨병 환자에서는 LDL콜레스테롤 아분획의 분포도 달라지는데, 작고 밀도가 높은 LDL콜레스테롤 입자가 많아진다. 작고 밀도가 높은 LDL콜레스테롤은 산화가 쉽게 되고 죽상경화를 매우 잘 일으킨다.

엄격한 혈당조절을 하더라도 이런 이상지질혈증은 완전하게 정상화되지는 않는다. 인슐린저항성은 흔히 이상지질혈증을 동반하며 이들 연관성에 대한 분자적인 기전은 잘 알려져있지 않지만, 죽상경화증 및 심혈관질환의 위험을 증가시킨다. 최근 인슐린 신호전달과정의 장애가 스테롤조절요소결합단백질(sterol regulatory element binding protein, SREBP)lc의 활성을 증가시키며 이는 아포지단백질B(apolipoprotein B, ApoB)를 포함하는 VLDL콜레스테롤의 합성을 증가시킨다는 사실이 밝혀진 바 있다.

인슐린저항성에 의해 지방조직에서의 유리지방산 저장 및 산화장애가 생기고 이로 인해 간내 유리지방산의 유입이 증가되면, VLDL콜레스테롤의 합성이 증가되고 ApoB의 분해가 감소된다. 또한 인슐린저항성은 ApoB의 합성을 증가시키고, 지단백질지방분해효소의 활성을 감소시키며 이 결과로 VLDL콜레스테롤의 합성은 증가하고 대사는 감소하게 되어, 결국 고중성지방혈증을 유발한다. 그리고 콜레스테롤에스터전달단백질(cholesteryl ester transfer protein, CETP)은 LDL콜레스테롤의 콜레스테릴에스테르를 중성지방과 교환할 때, 중성지방이 많은 LDL콜레스테롤을 생성시켜 지단백질지방분해효소에 의해 중성지방의 분해가 쉽게 일어나 LDL콜레스테롤입자의 크기가 감소하고 밀도가 증가하게 된다(small dense LDL). 이러한 변형된 LDL콜레스테롤은 쉽게 산화되고, 수용체에 의한 제거작용이 떨어져 혈관벽에 잘 침착되어 죽상경화증 및 심혈관질환의 위험요인으로 작용한다. 또한 콜레스테롤에스터전달단백질은 VLDL콜레스테롤내 중성지방과 HDL콜레스테롤의 콜레스테릴에스테르 사이에도 서로 교환시켜 중성지방이 많은 HDL콜레스테롤을 생성해 지단백질지방분해효소에 의한 중성지방의 분해가 쉽게 일어나며, 이로 인해 생성된 작은 크기의 HDL콜레스테롤은 신장에서 쉽게 대사되어 HDL콜레스테롤이 감소하게 된다. 그리고 VLDL콜레스테롤과 암죽미립의 대사 감소가 HDL콜레스테롤을 떨어뜨리고 HDL콜레스테롤의 감소는 역콜레스테롤 수송을 감소하게 한다. LDL콜레스테롤 및 HDL콜레스테롤 리모델링에 관여하는 간지방분해효소(hepatic lipase, HL)는 내장비만이나 인슐린저항성이 있을 때 활성이 증가되며 이로 인해 작고 밀도가 높은 LDL콜레스테롤이 증가하며 HDL콜레스테롤2는 감소하게 된다(그림 9-5-29).

당뇨병 환자에게서 신장병증 발생 시 여러 형태의 지질이상이 나타나는데 그 중에 고중성지방혈증과 HDL콜레스테롤 감소가 가장 흔한 소견이며, 복합고지혈증이나 LDL콜레스테롤 단독 상승도 나타난다. 단백뇨의 증가는 ApoB100 및 LDL콜레스테롤 합성 증가와 apoCII 등 작은 아포지단백질의 소실을 일으키며, 이는 지단백질지방분해효소 활성 저하 등 지질대사에 영향을 미치고 VLDL콜레스테롤 대사를 저하시킨다. 비만하지 않고 혈당조절이 잘 되는 1형당뇨병 환자에서 혈중 지질 및 지단백질 농도는 당뇨병이 없는 사람들에서의 농도와 비슷하다. 혈당이 잘 조절되지 않는 1형당뇨병 환자에서는 고중성지방혈증이 나타날 수 있는데 이는 인슐린결핍으로 지방분해가 증가되어 유리지방산과 VLDL이 과다 생성되고, 내피세포의 지단백질지방분해효소의 활성의 감소로 인해 중성지방을 포함한 VLDL과 암죽미립의 제거율이 감소되기 때문이다. 혈당이 잘 조절되지 않거나 새롭게 발병한 1형당뇨병에서는 매우 높은 고중성지방혈증이 드물게 생길 수 있는데 이는 당뇨병케토산증과 자주 연관되어 나타난다. 합병증으로는 피부의 발진황색종, 급성 췌장염, 그리고 망막지질혈증(lipemia retinalis, 검안경검사 시 망막혈관이 우유빛으로 보임) 등이 있다. 1형당뇨병의 이상지질혈증의 주요 결정인자는 나이, 비만, 불량한 혈당조절 그리고 신장병증이다. 당뇨병 환자에서 이상지질혈증을 평가할 때에는 이차원인, 특히 갑상선저하증, 약물(술, 베타차단제와 같은 일부 혈압강하제들) 그리고 신장병증 등과 같이 당뇨병에 같이 나타날 수 있는 다른 원인들을 배제해야 한다. 당뇨병 환자에서 심한 고중성지방혈증이나 고콜

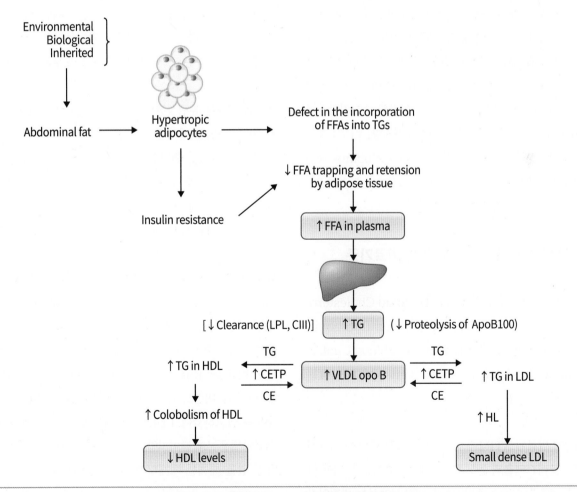

그림 9-5-29. 당뇨병과 이상지질혈증의 병태생리학적 기전

레스테롤혈증은 원래 있는 원발성 이상이 불량한 혈당조절로 악화되어 나타나기도 한다.

고중성지방혈증은 공복혈중 중성지방이 150 mg/dL 이상 또는 공복이 아닌 상태에서는 혈중 중성지방이 175 mg/dL 이상이고 500 mg/dL 미만인 경우로 정의한다. 중성지방이 500 mg/dL 이상이면 중증 고중성지방혈증으로 분류한다.

당뇨병 환자에서는 진단 시와 매년 1회 이상 총콜레스테롤, 중성지방 및 HDL콜레스테롤 농도를 반드시 측정해야 하며 이는 되도록 공복상태에서 측정해야 한다. LDL콜레스테롤은 초원심분리로 직접 측정하지 않더라도 중성지방이 400 mg/dL 미만인 경우에는 Friedewald 등식(LDL콜레스테롤 = 총콜레스테롤 − HDL콜레스테롤 − 중성지방/5)에 의해 계산할 수 있다(모든 농도는 mnol/L이며 중성지방은 5 mmol/L 미만이어야 한다). 미국심장학회에서는 LDL콜레스테롤이 70 mg/dL 미만인 경우에는 LDL콜레스테롤을 직접 측정하거나 이전의 Friedewald 등식이 아닌 중성지방값을 5로 나누어 계산하는 대신 각 환자의 중성지방값과 non−HDL콜레스테롤 값에 근거한 중성지방; VLDL콜레스테롤의 비를 적용하여 계산하는 Martin/Hopkins 측정법(LDL콜레스테를 = 총콜레스테를 − HDL콜레스테를 − 중성지방/보정인자)의 사용을 권유한다.

3. 최근 해외 진료지침의 변화 및 치료기준

이상지질혈증 치료지침의 역사는 National Cholesterol Education Program Expert Panel on Detection, Evaluation, and Treatment of High Blood Cholesterol in Adults–Adult Treatment Panel (NCEP–ATP)에서 시작된다.

1988년에 발표된 ATP I에서는 심혈관질환 예방을 위해서는 LDL콜레스테롤의 농도를 낮추는 데 중점을 두어야 한다고 강조했고, 1993년에 발표된 ATP II에서는 위험인자

및 위험률에 따른 위험군으로 나누어서 각각 다르게 치료해야 함을 권고하였다. 2001년에 발표된 ATP III에서는 고위험군에서는 LDL콜레스테롤의 농도가 100 mg/dL 미만이어야 함을 강조하였고, 관상동맥질환 동등 군에 당뇨병이 포함되어 고위험군으로 분류되었다. 2004년에 업데이트 된 ATP III에서 심혈관질환이 있는 당뇨병이 초고위험군으로 분류되어 LDL콜레스테롤을 70 mg/dL 미만까지 고려할 수 있다고 명시하였다. 이후 2013년에 발표된 미국심장협회/미국심장학회[American College of Cardiologist/American Heart Association (ACC/AHA)] 관리지침에서는 LDL콜레스테롤의 목표치를 없애고, 모든 대상자 중 1) 심혈관질환을 가진 환자, 2) LDL콜레스테롤이 190 mg/dL 이상, 3) 40–75세의 당뇨병 환자, 4) 10년 죽상경화심혈관질환 위험도가 7.5 % 이상인 40–75세의 환자들을 4개의 스타틴이득그룹에 포함시켰다. 이 조건에 해당되는 경우 중강도 이상의 스타틴을 처방하도록 권고하였고, 스타틴약물들을 고강도, 중등도, 저강도의 세 군으로 분류하였다.

2016년도에는 유럽심장학회[(European Society of Cardiology (ESC)]에서 관리지침을 발표하였다. 표적장기 손상을 가진 당뇨병 환자는 초고위험군으로, 표적장기 손상이 없는 당뇨 환자는 고위험군으로 분류하였고 초고위험군 환자는 LDL콜레스테롤 목표치를 70 mg/dL 미만으로, 고위험군은 100 mg/dL 미만으로 조절할 것을 권고하였다.

2019년 발표된 유럽심장학회 관리지침에서는 유병기간이 20년 이상인 2형당뇨병을 초고위험군으로 분류하였고, 10년 이상인 당뇨병 환자는 고위험군으로 분류하여 당뇨병 유병기간에 따라 비교적 논리적으로 위험군을 설정하였다. 또한 LDL콜레스테롤목표치를 더 낮추어서, 초고위험군은 55 mg/dL 미만으로, 고위험군은 70 mg/dL 미만으로 낮추도록 권고하였다. LDL콜레스테롤이 주된 타깃이며 주된 치료방법은 스타틴이지만, 목표에 도달하지 못하거나 부작용이 있을 때에는 에제티미브(ezetimibe), proprotein convertase subtilisin/kexin type 9 (PCSK9)억제제 등

을 투여하도록 권고하였다.

한국지질·동맥경화학회의 치료지침은 2018년에 4판을 발표하였는데, 당뇨병은 고위험군에 속해 있으며, 표적장기 손상이 있거나 중요한 심혈관질환 위험인자를 동반한 경우 초고위험군으로 격상할 수 있다고 명시하였다. 또한 고위험군은 LDL콜레스테롤을 100 mg/dL 미만으로, 초고위험군은 70 mg/dL 미만으로 낮추도록 권고하였다.

4. 당뇨병과 이상지질혈증의 치료에 대한 2021년 대한당뇨병학회 진료지침

2021년 대한당뇨병학회 당뇨병 환자에서의 이상지질혈증의 진료지침은 다음과 같다.

심혈관질환의 위험도를 평가하기 위해 당뇨병을 처음 진단했을 때, 그리고 매년 1회 이상 혈청지질검사(총콜레스테롤, HDL콜레스테롤, 중성지방, LDL콜레스테롤)를 한다.

이상지질혈증을 동반한 경우 적극적인 생활습관교정을 교육하고 실행 여부를 추적관찰한다.

생활습관교정에도 콜레스테롤이 목표치에 도달하지 못할 경우 약물치료를 시행하며, 약물치료 4–12주 후 혈청지질검사를 하고 치료에 대한 반응과 적응도를 평가한다.

심혈관질환이 없는 경우 LDL콜레스테롤의 조절목표는 100 mg/dL 미만이다.

심혈관질환이 있는 경우 LDL콜레스테롤의 조절목표는 70 mg/dL 미만이다.

알부민뇨 또는 추정사구체여과율이 60 mL/min/1.73 m² 미만이거나 망막병증 등 표적장기 손상, 고혈압, 흡연, 남성은 55세 미만, 여성은 65세 미만의 관상동맥질환의 조기발

병 가족력 등의 위험인자를 하나 이상 가지고 있는 경우 LDL콜레스테롤을 70 mg/dL 미만으로 조절한다.

LDL콜레스테롤의 목표치를 넘어서는 경우 약물치료를 하며, 이때 스타틴을 일차약물로 사용한다. 최대내약용량의 스타틴으로 목표치에 도달하지 못한 경우 에제티미브의 추가를 고려한다. 심혈관질환이 있는 당뇨병 환자에게서 에제티미브를 추가한 후에도 목표치에 도달하지 못한 경우 스타틴과 PCSK9억제제의 병용을 고려한다.

중성지방의 조절목표는 150 mg/dL 미만이다. 고중성지방혈증의 치료로는 금주와 체중감소를 포함한 생활습관교정과 혈당조절 등의 이차요인의 치료를 우선적으로 고려한다. 중성지방이 500 mg/dL를 초과하는 심한 고중성지방혈증의 경우 페노파이브레이트, 오메가–3지방산 등의 약물치료를 고려한다.

HDL콜레스테롤의 조절목표는 남성 40 mg/dL, 여성 50 mg/dL 이상이다(그림 9–5–30).

5. 당뇨병과 이상지질혈증의 치료

당뇨병과 이상지질혈증의 치료는 체중감량을 위해 신체활동을 늘리고, 비만한 사람에게는 식이를 제한하는 생활습관교정부터 시작한다. 저지방, 지질강하식이도 유용할 수 있다. 혈당과 혈압조절을 적극적으로 하여야 하고 담배도 끊도록 해야 한다. 이상지질혈증의 다른 원인이 있으면 그 원인을 우선 치료해야 한다.

당뇨병 환자의 심혈관질환 예방에서 LDL콜레스테롤 관리는 가장 중요한 부분이다. 영국인 2형당뇨병 환자를 대상으로 한 전향연구에서는 LDL콜레스테롤이 관상동맥질환에 미치는 영향력을 평가한 결과 LDL콜레스테롤이 39 mg/dL씩 증가할 때마다 관상동맥질환의 발생위험도는 약 60% 증가한다고 하여 LDL콜레스테롤이 관상동맥질환의 제1위험

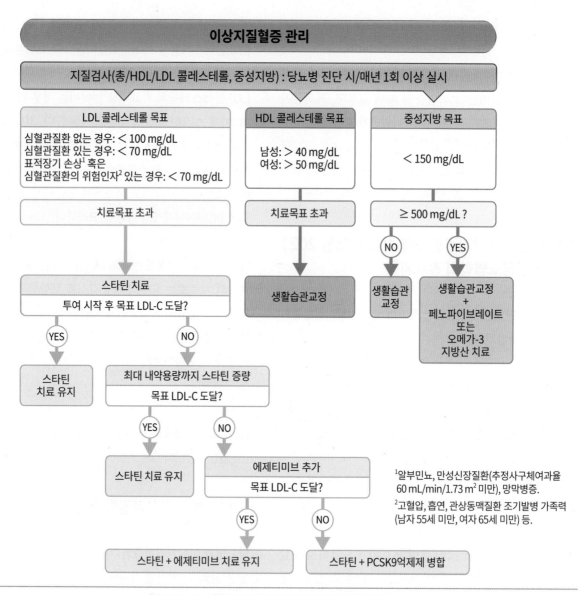

그림 9-5-30. 2형당뇨병 환자에서의 이상지질혈증 관리

인자라고 하였다. 스웨덴 정부에서 운영하는 스웨덴 국가당
뇨등록사업을 이용하여 271,174명의 2형당뇨병 환자와
1,355,870명의 정상인을 비교분석한 결과를 살펴보면, 사망
률이나 뇌졸중 등과는 달리 관상동맥질환은 LDL콜레스테
롤과의 상관성을 보여주어 LDL콜레스테롤을 목표치에 도
달하도록 낮추는 것이 매우 중요하다고 하였다.

당뇨병 환자에서 고중성지방혈증이 동반된 경우에는 중성

지방을 증가시킬수 있는 이차원인으로 체중증가, 음주, 탄
수화물섭취 과다, 만성신장질환, 갑상선저하증, 쿠싱증후
군, 류마티스관절염, 임신, 에스트로젠, 타목시펜 그리고 당
질부신피질호르몬의 투약력 및 지질대사이상을 일으키는
유전질환인 가족성부분지방이상증, 다인성암죽미립혈증
증후군 등의 유무 등을 확인하는 것이 중요하다.

고중성지방혈증에 대한 초기치료는 체중감소, 운동량 증가,

금주 등의 생활습관교정이다. 새로운 약물이나 병합요법 등으로 혈당조절을 잘하는 것이 중성지방 농도를 낮추는데 매우 효과적이며 파이브레이트를 쓰기 전에 철저한 혈당조절을 먼저 해야 한다. 목표혈당에 도달한 후에는 스타틴, 파이브레이트나 오메가-3지방산을 추가할지 고려해야 한다. 중성지방 농도가 150 mg/dL에서 500 mg/dL 사이인 경우에는 임상의사의 판단에 따라 약물치료를 할 수 있다. 중성지방 농도가 500 mg/dL 초과의 경우에는 급성췌장염의 위험이 있으므로, 약물치료를 강력히 고려해야 한다. 중증 고중성지방혈증인 환자인 경우에서도 고용량의 스타틴을 사용하면 일부에서는 중성지방을 줄이는 데 효과가 있다. 높은 중성지방과 높은 LDL콜레스테롤 농도의 당뇨병 환자에서는 먼저 혈당조절을 철저히 하고 고용량의 스타틴을 사용하여야 하며, 두 번째로 파이브레이트나 오메가-3지방산을 사용하는 것이 좋다.

1) 생활습관 개선

체중감량을 하면 중성지방이 10-20% 감소하며, 일부 환자에서는 최대 70% 감소효과도 있다고 한다. 금주 또는 알코올섭취 제한 등 식이요법으로 중성지방이 70% 이상 감소할 수 있으며, 신체활동 및 운동으로 최대 30%의 중성지방 감소가 나타날 수 있다고 하며 활동의 유형, 기간, 강도 등에 따라 조절 정도가 달라질 수 있다.

(1) 운동

신체활동량을 증가시킨다. 중등도 강도의 유산소운동을 30분 이상 주 4-6회 규칙적으로 시행한다. 저항운동을 주 2회 이상 규칙적으로 시행한다. 다수의 위험인자를 가지고 있거나 심혈관계 질환이 있는 경우에는 운동시작 전에 의학적 검사를 시행하고 판단을 한다. 규칙적인 유산소운동은 HDL콜레스테롤을 3-9% 정도 증가시킨다. 이러한 증가는 활동강도 및 빈도와 연관되며 저강도의 운동을 자주 하였을 때 HDL콜레스테롤이 가장 많이 증가한다(예: 30분간 주5회 vs. 60분간 주3회). 운동은 pre-베타 HDL콜레스테롤 생성과 역콜레스테롤수송을 자극시켜 HDL콜레스테롤을 증가시킨다. 규칙적인 운동은 HDL콜레스테롤을 증가시키는데, HDL콜레스테롤만 낮은 환자보다 복부비만, 중성지방 농도가 높은 남성에서 더 좋은 효과를 보인다.

(2) 식이

지방 섭취를 줄이면 LDL콜레스테롤과 HDL콜레스테롤 농도를 낮출 수 있다. 같은 칼로리이지만 지방량을 다르게 한 식단을 비교한 연구에서 저지방식이(총 칼로리의 19%를 지방으로 한 경우)를 한 경우가 고지방식이(총칼로리의 50%를 지방으로 한 경우)를 한 경우보다 HDL콜레스테롤과 아포지단백질A-I 농도가 더 낮았다(54 mg/dL vs. 63 mg/dL, 118 mg/dL vs. 127 mg/dL). N-3고도불포화지방산(polyunsaturated fatty acid)을 많이 섭취하는 알래스카 사람들은 HDL콜레스테롤 농도가 높다. 단일불포화지방산을 많이 섭취하더라도 HDL콜레스테롤 농도의 변화는 나타나지 않지만, 포도당 섭취는 HDL콜레스테롤 농도와 음의 관계를 나타낸다. 따라서 HDL콜레스테롤을 증가시키기 위해서는 오메가-3지방산을 포함한 n-3 고도불포화지방산인 올리브, 카놀라, 콩, 아마자씨 등과 같은 기름, 아몬드, 땅콩, 호두, 잣 등의 견과류, 연어, 고등어 등의 생선, 조개를 많이 섭취하면서 고혈당을 일으킬 수 있는 고탄수화물 음식(시리얼, 감자, 빵, 과자)은 제한하는 것이 좋다.

또한, 적정체중을 유지할 수 있는 수준의 열량을 섭취해야 한다. 2형당뇨병이나 심혈관질환의 위험인자를 가진 사람에서 지중해식식사(Mediterranean diet)를 시행한 군에서 대조군에 비해 심혈관질환의 위험이 31% 감소하였다고 하여 최근에는 지중해식식사가 권고되고 있다. 총 지방섭취량은 총 에너지 섭취량의 30% 이내로 한다. 포화지방산의 섭취량을 총 에너지 섭취량의 7% 이내로 제한한다. 포화지방산을 불포화지방산으로 대체하되, 오메가-6계열 고도불포화지방산 섭취량이 총 에너지 섭취량의 10% 이내가 되도록 제한한다. 트랜스지방산 섭취를 피한다. 고콜레스테롤혈증인 경우 콜레스테롤섭취량을 하루 300 mg 이내로 제한한다. 총 탄수화물섭취량은 총 에너지 섭취량의 65% 이내로 하고, 당류 섭취는 10–20% 이내로 제한한다. 식품섬유 섭취량이 25 g 이상될 수 있도록 식품섬유가 풍부한 식품을 충분히 섭취한다. 주식으로 통곡물 및 잡곡을 섭취한다. 콩류, 채소류를 충분히 섭취한다. 생선, 특히 등 푸른 생선을 주 2–3회 정도 섭취한다. 생과일을 적당량 섭취한다.

비만은 HDL콜레스테롤 감소와 중성지방 증가와 관련이 있다. HDL콜레스테롤과 체질량지수 사이에는 음의 상관관계가 있다. 안정적인 체중감량을 하는 경우 1 kg 체중 감소에 0.35 mg/dL의 HDL콜레스테롤 증가가 있다. 체중감량 후에 6주간의 안정적인 체중을 유지하는 경우 HDL콜레스테롤, 지단백질지방분해효소, 레시틴콜레스테롤아실기전달효소(lecithin–cholesterol acyltransferase, LCAT) 활성 등의 증가를 보여주고 이것은 콜레스테롤의 에스터화와 역운반 촉진을 야기한다. 과체중 및 비만 환자에서의 적정한 체중감소 목표는 일주일에 0.45 kg이고, 목표 체질량지수는 23 kg/m^2 이하이다.

(3) 음주

알코올은 하루 1–2잔 이내로 제한한다. 적당한 양의 알코올섭취는 HDL콜레스테롤을 증가시킨다. 알코올의 종류에 관계없이 하루 30 g의 알코올 섭취는 평균 4 mg/dL의 HDL콜레스테롤을 증가시킨다. 하루에 1–2잔 정도의 알코올을 섭취하는 사람은 더 높은 HDL콜레스테롤 농도와 낮은 심혈관질환위험을 가진다. 그러나 보통 이상의 알코올섭취를 하는 경우 낮은 HDL콜레스테롤 농도를 보이며, 간기능장애나 중독의 위험이 있는 사람에서의 음주는 심혈관질환의 위험성을 증가시킨다. 적정량의 알코올 섭취는 세포의 콜레스테롤 유출과 혈청콜레스테롤에스터화에 의해 HDL콜레스테롤을 증가시킨다.

(4) 금연

흡연은 이상지질혈증 및 심혈관질환 위험을 증가시키므로, 금연을 강력히 권고한다.

흡연은 HDL콜레스테롤, LCAT 활성도, 콜레스테릴에스터전이단백질 활성 증가와 관계가 있다. 금연 후에 HDL콜레스테롤은 평균 4 mg/dL 정도 증가하였고 남성보다 여성에서, 기저HDL콜레스테롤 농도가 높은 경우(> 47 mg/dL)에서 더욱 좋은 효과를 보였다. 따라서 약물치료, 니코틴 투여 및 상담을 포함한 여러 가지 금연방법이 필요하다.

2) 약물치료

(1) HMG-CoA환원효소억제제(스타틴)

스타틴은 콜레스테롤 생합성의 속도 결정단계인 하이드록시메틸글루타릴CoA (hydroxymethylglutaryl–CoA, HMG–CoA) 환원효소를 억제하며, 이를 통하여 LDL콜레스테롤 농도를 감소시킨다. 콜레스테롤 합성의 억제는 간에서의 콜레스테롤 농도를 감소시키며, 이 결과 LDL콜레스테롤 수용체 발현이 증가되어 혈중 LDL콜레스테롤의 농도는 감소하게 된다. 또한 중밀도지단백(IDL)과 VLDL콜레스테롤도 LDL콜레스테롤수용체를 통하여 제거될 수 있으며, 이러한 효과는 스타틴이 중성지방풍부지단백질(TGRLP)을 감소시킬 수 있게 한다. 스타틴은 간에서 지단백질이 혈액 내로 분비되는 것을 억제하여 준다. 스타틴의 이러한 효과는 부분적으로 간세포 내에서 LDL콜레스테롤수용체를 통한 지단백질제거 효과 때문이다. 동종접합체 가족성고콜레스테롤혈증을 가진 일부 환자에서 스타틴을 고용량으로 사용할 경우 혈중 LDL콜레스테롤 농도를 낮출 수 있다. 이러한 스타틴의 효과는 잔여 LDL콜레스테롤수용체의 발현 증가 또는 지단백질 조합을 억제시키기 때문에 나타난다

당뇨병 환자에서 이상지질혈증 치료와 심혈관질환과의 연관성을 본 대표적인 일차예방연구인 Collaborative Atorvastatin Diabetes Study (CARDS)연구는 관상동맥질환의 병력이 없고 LDL콜레스테롤이 160 mg/dL 이하인 2,838명의 40–75세 사이 2형당뇨병 환자를 아토바스타틴 10 mg 투여군과 대조군으로 나누어 심혈관질환의 발생률을 조사한 연구로 아토바스타틴 10 mg을 투여받은 군은

대조군에 비해 심근경색 발생이 42%, 뇌졸중 발생이 48% 감소하였다. 아토바스타틴의 심혈관 보호 효과는 연구 초기부터 나타나 연구는 2년 앞당겨 종료되었다. 평균 LDL콜레스테롤은 72 mg/dL로 대조군에 비해 39% 감소하였고, 심혈관질환의 발생률은 37% 감소하였다.

HMG-CoA환원효소억제제(hydroxymethylglutaryl-CoA reductase inhibitor) 임상연구들을 모아 분석한 Cholesterol Treatment Trialists' Collaborators연구에서는, 총 18,686명의 당뇨병 환자와 71,370명의 당뇨병이 없는 사람에서 LDL콜레스테롤의 감소에 따른 심혈관질환 위험도 감소효과를 분석하였다. 이 연구에서는 LDL콜레스테롤이 1 mmol/L (38 mg/dL) 감소할 때 사망률은 9%, 심혈관질환은 21%의 감소효과가 있다고 보고했다. 이는 당뇨병이 없는 사람과 비슷한 감소효과였으며 이전의 심혈관질환의 유무와는 별개로, 당뇨병 환자에서도 스타틴 투여를 통한 LDL콜레스테롤의 감소가 심혈관질환 예방에 매우 중요함을 증명하였다.

그리고 당뇨병 환자에서 이상지질혈증 치료와 심혈관질환과의 연관성을 본 대표적인 이차예방연구는 TNT (Treating to New Targets)연구와 4,162명의 급성관상동맥증후군 환자를 대상으로 한 PROVE-IT (Pravastatin or Atovastatin Evaluation and Infection Trial)연구이다. 이 연구에서 아토바스타틴 80 mg을 투여해서 LDL콜레스테롤을 57-77 mg/dL 유지한 군에서, 저용량 스타틴으로 평균 LDL콜레스테롤을 81-99 mg/dL 유지한 대조군에 비해, 심혈관질환 발생이 16% 이상 유의하게 감소하는 것을 보여주었다. 메타분석에서도 당뇨병 환자에서 스타틴 치료는 LDL콜레스테롤의 농도나, 환자의 특성과 무관하게 LDL콜레스테롤을 1 mmol/L 감소할 때 5년 심혈관질환 발생률 23%의 감소효과가 있다고 보고했다.

스타틴은 혈중 LDL콜레스테롤을 20-60% 정도 감소시킨다. 스타틴의 종류에 따라 그 역가가 다른데 동일한 정도의

LDL콜레스테롤 저하효과를 위해 로수바스타틴 5 mg이 필요하다면 아토바스타틴은 10 mg이 필요하고, 심바스타틴은 20 mg이 필요하며 프라바스타틴과 로바스타틴은 40 mg이 필요하다. 이러한 약물 간의 역가 차이는 약물이 하이드록시메틸글루타릴CoA (hydroxymethylglutaryl-CoA, HMG-AoA) 환원효소와 결합하는 시간과 비례한다. 역가가 제일 약한 프라바스타틴은 결합시간이 2시간인 반면 역가가 가장 강한 로수바스타틴은 20시간의 결합 시간을 보여준다.

스타틴은 중성지방 감소를 목표로 개발된 파이브레이트의 효과보다는 못하지만 혈중 중성지방 농도를 7-30% 정도 감소시킨다. 중성지방이 < 150 mg/dL인 환자에서 스타틴 사용에 따른 농도변화는 일정하지 않지만, 중성지방 > 200 mg/dL인 환자에서는 LDL콜레스테롤의 농도 감소 정도에 직접적으로 비례하여 중성지방 농도가 감소한다. 하지만 매우 높은 중성지방 농도를 가진 경우가 낮은 중성지방 농도를 가진 경우에 비하여 스타틴의 LDL콜레스테롤 감소효과는 적다. 스타틴은 작고 밀도가 높은 LDL콜레스테롤분자, IDL과 VLDL콜레스테롤 잔여물을 포함한 모든 LDL콜레스테롤 분자의 농도를 감소시킨다. 스타틴에 의한 LDL콜레스테롤과 중성지방풍부지단백질의 동시 감소는 죽상경화지질 이상이나 복합 고지질혈증을 가진 환자에서 non-HDL콜레스테롤을 감소시키는 데 있어서 효과적이다.

HDL콜레스테롤은 스타틴 투여 시 약간 상승한다. 스타틴의 HDL콜레스테롤 증가효과의 기전은 두 가지로 설명되고 있다. (1) 중성지방을 감소시킴으로써 HDL콜레스테롤의 분해를 억제하여 HDL콜레스테롤을 상승시킨다. (2) 스타틴은 LDL콜레스테롤 수용체의 발현을 촉진시켜 간으로의 콜레스테롤 운반을 증가시키는데 간은 콜레스테롤 균형을 맞추기 위해 간지방분해효소의 합성을 감소시켜 직접 역콜레스테롤수송통로를 억제한다. 따라서 HDL콜레스테롤은 증가한다. 이 기전은 LDL콜레스테롤수용체의 발현을 증가시키고 간지방분해효소의 활성을 억제하고 HDL콜레스테

09 당뇨병과 심혈관질환

롤을 상승시키는 여성호르몬의 작용과 동일하다.

스타틴은 일반적으로 저녁식사와 같이 또는 취침 전에 복용한다. 스타틴을 아침에 복용하였을 때에 비해 저녁에 복용하였을 때 LDL콜레스테롤이 더 감소한다. 간효소 상승이 정상 상한치의 3배 이상 증가하면 스타틴 처방을 중지해야 한다. 스타틴을 사용하는 일부 환자에서 근육통, 쇠약감을 호소하는 근병증이 나타날 수 있다. 크레아틴인산화효소(creatine kinase, CK) 상승을 동반한 근병증의 발생률은 낮지만, 지속적으로 스타틴을 사용할 경우 횡문근융해증, 근색소뇨(myoglobinuria) 및 급성신부전을 일으킬 수 있다. 스타틴 사용으로 인한 근병증은 다양한 내과적 문제가 존재하거나 다양한 약물을 복용하고 있을 때 흔히 발생한다. 스타틴 단독요법만으로는 잘 발생하지 않으나, 사이클로스포린(cyclosporine), 파이브레이트, macrolide 항생제, 일부 항진균제, 니코틴산 등 약물과 스타틴을 같이 사용할 경우 더 잘 발생할 수 있다. 스타틴을 복용하고 있는 환자에서 근육통, 쇠약감, 갈색뇨 등의 증상이 있으면 혈중 크레아틴인산화효소 농도를 측정해야 하고, 근병증이 의심되면 스타틴의 투여를 중지해야 한다. 또한, 메타분석에서 스타틴이 고혈당을 유발하고, 당뇨병의 발생을 증가시킨다는 것을 보여주었다. 특히, 고령, 근육량이 적은 사람, 공복혈당 상승이나, 비만, 인슐린저항성 같은 당뇨병 위험인자를 가진 사람에서 당뇨병이 더 많이 발생하며, 스타틴의 투여량과 투여 기간과도 상관관계가 있다고 알려져 있다. 임신 중 스타틴 노출 시 선천기형의 빈도가 증례연구에서 일부 보고되어 임신 중에는 사용하지 않는다.

(2) HMG-CoA환원효소억제제와 에제티미브 병용

에제티미브는 소장벽의 외피세포와 간세포에서 콜레스테롤의 흡수를 담당하는 Niemann-Pick C1-like 1 (NPC1L1) 단백질을 차단함으로써 대변으로 콜레스테롤이 배설되도록 하여 혈중 콜레스테롤을 낮춘다.

18,144명의 급성관상동맥증후군 환자에서 에제티미브의

효과를 보았던 Improved Reduction of Outcomes: Vytorin Efficacy International Trial (IMPROVE-IT)은 심바스타틴 40 mg과 에제티미브 10 mg 복합제제와 심바스타틴 40 mg을 단독으로 투여한 두 군으로 나누어 심혈관질환의 발생을 비교한 6년간 추적관찰한 연구로, 평균 LDL콜레스테롤의 농도는 심바스타틴/에제티미브투여군에서 53.7 mg/dL, 심바스타틴투여군에서 69.5 mg/dL였는데, 에제티미브를 추가적으로 투여한 군에서 심혈관질환을 6.4% 더 낮출 수 있어서 스타틴을 투여하는 환자에게 에제티미브 추가투여가 이득이 있음을 보여주었다. 특히 IMPROVE-IT연구에서 스타틴과 에제티미브병합군의 심혈관질환의 위험도를 낮추는데 있어 당뇨병이 없는 사람보다 4,933명의 당뇨병이 있는 사람에서 상대위험도감소가 14%로 더 유의한 효과를 얻었는데 이는 에제티미브 추가로 인해 당뇨병 환자에서 더 유의하게 좋은 효과를 얻었다고 하여, 에제티미브를 스타틴 다음 단계로 추가하는 근거가 되었다. 아직 그 기전은 잘 알려져있지 않으나, 당뇨병 환자의 장관조직에서 NPC1L1 발현의 증가, ApoB48의 증가, 암죽미립 합성의 증가소견이 보여 에제티미브의 장관내 콜레스테롤 흡수 감소의 효과가 대조군에 비해 당뇨병 환자에서 더 크게 나타났으리라고 추측된다. 그리고 LDL콜레스테롤 농도가 대조군과 유사함에도 불구하고 심혈관질환에 대한 유의한 효과를 보인 것은 에제티미브 고유의 기능인 인슐린저항성 호전, 지방간 개선 및 식후 중성지방의 감소 등의 추가적인 효과가 관여하였을 것으로 생각된다. 심혈관질환, 만성신장질환, 말초혈관질환등을 포함한 7개 무작위대조 메타분석연구에서도 심혈관질환의 위험도가 당뇨병 환자에서 대조군인 당뇨병이 없는 사람에 비해 11% 더 감소했다고 보고한 바 있다.

에제티미브는 소장에서 콜레스테롤 흡수를 방해하는 약물로 일반적으로 10 mg를 경구투여한다. 에제티미브 10 mg 단독요법만으로는 총콜레스테롤은 13%, LDL콜레스테롤은 18%, 중성지방은 8% 감소시키는 것으로 알려져 있으며, HDL콜레스테롤에는 영향을 주지 않는 것으로 알려져 있

다. 스타틴제제와 병합요법을 시행하였을 경우 에제티미브에 의한 지단백질 감소효과는 증가되어 LDL콜레스테롤은 25%, 중성지방은 14%까지 감소시키며, HDL콜레스테롤은 평균 3% 정도 올리는 효과를 가지게 된다

(3) HMG-CoA환원효소억제제와 PCSK9억제제 병용

PCSK9 (proprotein convertase subtilisin/kexin type9) 은 LDL콜레스테롤수용체에 결합하여 수용체를 분해시키는 작용을 한다. PCSK9억제제는 PCSK9의 작용을 억제하여 LDL수용체를 세포표면에 더 많이 발현시킴으로써 혈중 LDL콜레스테롤 농도를 낮춘다. 암젠의 evolocumab (레파타, Repatha®), 사노피와 레제네론의 alirocumab (프랄루엔트, Praluent®) PCSK9억제제와 또 다른 약물은 PCSK9 표적siRNA (small interfering RNA)인 장기작용PCSK9억제제인 노바티스의 inclisiran(레크비오, Leqvio®)등이 있다.

기존에 스타틴을 복용하던 죽상경화심혈관질환 환자 27,564명을 대상으로 진행된 Further Cardiovascular Outcomes Research With PCSK9 Inhibition in Subjects With Elevated Risk (FOURIER)연구에서는, 스타틴으로 치료중인 환자에게 PCSK9억제제인 에볼로쿠맙을 추가했을 때 에볼로쿠맙 투여군은 대조군에 비해 심근경색위험도 27%, 뇌졸중위험도 21% 감소 그리고 관상동맥재개통술위험도는 22% 감소시켰다고 한다. 에볼로쿠맙 투여군의 가장 흔한 부작용은 당뇨병, 상인두염, 상기도감염등이었다. 이 약물은 스타틴단독투여군에 비해 LDL콜레스테롤을 더 많이 낮추며, 심혈관질환 발생위험도 추가적으로 낮춰줌으로써, 이 약물의 심혈관질환 예방효과를 입증하였다. 또한 PCSK9 inhibitor의 심혈관질환 발생 예방효과는 당뇨병 환자에서 당뇨병이 없는 사람보다 더 좋은 결과를 보여, 당뇨병 환자에게 이 약물을 병용투여할 것을 권고하게 되었다.

다른 이상지질혈증 치료제를 투약했지만 LDL콜레스테롤

농도가 조절되지 않은 급성관상동맥증후군(ACS) 환자 18,924명을 대상으로 한 Evaluation of Cardiovascular Outcomes after an Acute coronary syndrome During Treatment With Alirocumab (ODYSSEY OUTCOMES)연구는 알리로쿠맙을 투여하고 48개월간 추적관찰한 연구로, 알리로쿠맙군의 치료 시작 후 4, 12, 48개월째 LDL콜레스테롤 농도는 각각 37.6 mg/dL, 42,3 mg/dL, 53.3 mg/dL으로, 대조군보다 각각 약 62.7%, 61%, 54.7% 더 낮았고, 알리로쿠맙투여군에서 주요 심혈관사건(MACE) 발생위험은 대조군에 비해 15% 낮았고, 모든 원인에 의한 사망위험도 역시 15% 더 낮은 것으로 나타났다. 이 같은 효과는 LDL콜레스테롤 농도가 100 mg/dL 이상인 환자군에서 더 현저하게 나타났다. 이 약물의 부작용으로는 가려움증, 부종, 통증, 주사부위 멍듦, 상인두염, 인플루엔자 등이었고 일부에서는 혈관염 과민성과 입원치료가 필요한 과민반응 등이 있었다.

이 두 연구결과를 토대로 PCSK9억제제는 미국 FDA와 유럽식약청에서 원발고콜레스테롤혈증(이형접합가족성고콜레스테롤혈증)과 복합형 이상지질혈증 같은 주요 고콜레스테롤혈증을 지닌 성인 환자를 위한 치료제로 승인되었으며, 구체적으로 최대용량의 스타틴 약물이나 다른 지질저하제를 복용함에도 LDL콜레스테롤수치 감소효과가 충분하지 않거나 치료목표에 도달하지 못한 환자들과 아울러 스타틴에 내약성이 없거나 스타틴 사용이 금지된 환자 또는 동형접합 가족성고콜레스테롤혈증을 지닌 성인 및 청소년에게 스타틴이나 다른 지질저하제와의 병용요법으로 사용할 수 있도록 승인되었다. 에볼로쿠맙은 PCSK9를 표적으로 하는 단일클론항체약물로 2주마다 140 mg 혹은 월 1회 420 mg로 피하주사한다. 12주 경과 후에도 원하는 LDL콜레스테롤 농도에 도달하지 않으면 2주마다 420 mg 증량투여가 가능하다. 에볼로쿠맙은 PCSK9를 표적으로 하는 단일클론항체 약물로 2주마다 75 mg 혹은 150 mg로 피하주사로 투여한다.

인클리시란은 체내 PCSK9 합성을 억제하는 RNA를 이용하는 기전으로, 연 2회 투여만으로 LDL콜레스테롤을 효과적으로 낮추는 신약으로, 다른 PCSK9억제제들이 PCSK9의 활성을 억제해 콜레스테롤을 조절하는 점에서 차이가 있다. PCSK9은 간에서 발현되어 LDL콜레스테롤 수용체를 분해하는 작용을 가진다. siRNA 치료제 인클리시란은 PCSK9 mRNA에 상보적으로 결합하여 인클리시란과 결합한 PCSK9 mRNA는 RNA 분해를 통해 단백질의 발현을 억제시켜 LDL콜레스테롤 수용체 수를 증가시킴으로서 LDL콜레스테롤 배출량을 증가시키게 된다.

스타틴 최대내약용량을 투여해도 LDL콜레스테롤 수치가 목표치에 도달하지 못한 죽상경화 심혈관질환 환자와 죽상경화 심혈관질환 고위험군 501명을 대상으로 인클리시란의 안전성 및 적정량을 연구한 II상임상시험 Trial to Evaluate the Effect of ALN-PCSSC Treatment on Low Density Lipoprotein Cholesterol [LDL-C] (ORION) 1에서 인클리시란 200 mg, 300 mg, 500 mg을 1회 투여한 세 군에서 LDL콜레스테롤은 각각 연평균 31.6%, 38.1%, 39.8% 감소하였고, 인클리시란 100 mg, 200 mg, 300 mg을 2회 투여하였고, 세 군에서는 LDL콜레스테롤은 각각 연평균 31%, 41.1%, 46.8% 감소하였다고 한다.

인클리시란은 최대내약용량 스타틴으로 조절되지 않는 이형접합 가족성고콜레스테롤혈증 환자를 대상으로 한 ORION-9 하위분석 결과, 인클리시란을 투약한 환자군(인클리시란군)의 유전자 변이와 관계없이 모든 하위군에서 LDL콜레스테롤이 37-56% 감소했다. 그리고, 죽상경화심혈관질환 일차예방을 목적으로 인클리시란 300 mg 피하주사의 유효성·안전성을 평가한 ORION-11에서는 다른 이상지질혈증 치료제를 투약했지만 LDL콜레스테롤 농도가 조절되지 않은 죽상경화 심혈관질환 또는 죽상경화 심혈관질환의 위험인자를 가진 환자 1,617명을 대상으로 했는데, 인클리시란 치료로 LDL콜레스테롤이 47% 감소한 결과를 보여주었다. 이 약물의 부작용으로는 간기능이상, 크레아티닌 상승, 주사

부위반응 등이 있었지만, 약물투여군에서의 부작용 발생률은 대조군과 유사했다. 장기간의 안전성, 심혈관질환 예후를 평가하는 장기간 3상 임상인 ORION-4연구가 2024년 발표 예정으로 현재 진행되고 있다. 인클리시란은 현재 미국식품의약국(FDA)의 승인을 기다리고 있으며, 2020년 유럽의약품청(EMA) 산하 약물사용자문위원회(CHMP)로부터 원발고콜레스테롤혈증 또는 혼합형이상지질혈증 치료제로 허가 권고를 받았다. 인클리시란은 PCSK9 표적 siRNA (small interfering RNA)인 장기작용 PCSK9억제제로 권고용량은 300 mg으로 1년에 2회 정도 피하주사 한다.

(4) 피브릭산유도체(gemfibrozil, fenofibrate)

파이브레이트의 중성지방 감소 작용기전은 매우 복잡하며, 피브릭산 제제 간에도 차이가 존재한다. 파이브레이트는 peroxisome proliferator-activated receptor-α (PPAR-α) 작용제로 이 수용체를 통해 아포지단백질 C-III유전자를 하향조절하며, 아포단백질A-I, 지방산운반단백질, 지방산산화 그리고 지단백질지방분해효소에 관여하는 유전자를 상향조절한다. 이러한 지단백질지방분해효소와 아포지단백질 C-III(지단백질지방분해효소의 억제제)의 영향을 통하여 중성지방풍부지단백질의 분해대사를 증가시켜 중성지방을 감소시킨다고 한다. 혈중 중성지방을 감소시키는 효과와 함께 아포단백질 A-I과 A-II 합성의 증가는 HDL콜레스테롤의 혈중 농도를 증가시킨다. 중성지방의 감소효과와 함께 작고, 밀도가 높은 LDL콜레스테롤을 정상크기의 LDL콜레스테롤로 전환시켜 준다.

일차고콜레스테롤혈증에서 겜파이브로질(gemfibrozil)과 클로파이브레이트(clofibrate) 등 파이브레이트는 LDL콜레스테롤을 낮추는 효과가 10% 미만이기 때문에 피브릭산은 일차적으로 중성지방을 낮추기 위한 목적으로 사용된다. 복합 고지혈증을 가진 환자에서 파이브레이트를 사용할 경우, 경미한 정도의 LDL콜레스테롤 변화만이 있으며, 중성지방혈증을 가진 환자에서 파이브레이트 사용은 흔히 LDL콜레스테롤을 증가시킬 수 있다. 하지만 중성지방혈증

이 존재하지 않는 환자에서 페노파이브레이트 사용은 흔히 LDL콜레스테롤을 15-20%정도 감소시키며, 베자파이브레이트와 클로파이브레이트 등도 LDL콜레스테롤 감소에 효과적인 것으로 알려져 있다. 클로파이브레이트와 겜파이브로질은 심근경색 위험도를 감소시킨다는 것이 Helshinki Heart Study 등의 일차예방연구에서 보고되었으며, 겜파이브로질의 사용이 관상동맥질환에 의한 사망률과 심근경색 및 뇌경색을 감소시킨다는 것이 Rubins 등이 시행한 이차예방연구인 Veterans Affirs High-Density Lipoprotein Cholesterol Intervention Trial (VA-HIT)에서 보고되었다. 하지만 이러한 파이브레이트의 심혈관질환에 대한 유용성은 대규모 임상연구에서 항상 관찰되는 것은 아니다. 50-75세 사이의 eGFR이 30 mL/min/1.73 m^2 이상인 2형당뇨병 환자들을 무작위로 페노파이브레이트(1일 200 mg, 4,895명) 투여군, 대조군(4,900명) 두군으로 나누어 5년간 추적관찰한 Fenofibrate Intervention and Event Lowering in Diabetes (FIELD)연구에서 페노파이브레이트 투여군은 대조군에 비해 총심혈관사건을 11 % 유의하게 감소시켰다(P = 0.035). 심혈관질환의 위험이 높은 2형당뇨병 환자를 대상으로 스타틴과 파이브레이트병합치료군과 스타틴단독치료군 두 군 사이에서 심혈관질환의 위험성의 빈도를 조사한 Action to Control Cardiovascular Risk in Diabetes (ACCORD)연구에서는 심바스타틴을 복용하고 있는 환자 5,518명을 페노파이브레이트군과 대조군으로 무작위배정하여 평균 4.7년 추적관찰했을 때, 페노파이브레이트군에서 유의한 심혈관질환 예방효과를 보이지는 못했으나, 하위연구에서 치료 전 중성지방이 높고(204 mg/dL 이상) HDL콜레스테롤이 낮은(34 mg/dL 미만) 그룹에서 페노파이브레이트가 심혈관질환의 발생을 유의하게 감소시킨다는 결과를 보여주었다(p interaction = 0.057).

파이브레이트는 일반적으로 중성지방을 25-50% 감소시키며, 이러한 감소효과는 고중성지방혈증의 정도가 심할수록 크다. 파이브레이트는 HDL콜레스테롤을 10-15% 정도 증가시키며, 이러한 증가효과는 중성지방이 매우 높고, HDL콜레스테롤이 낮은 경우 더 잘 나타난다. 따라서 파이브레이트는 죽종형성지질이상증 치료에 주된 치료효과가 있다. 파이브레이트의 중성지방을 감소시키는 효과 때문에 혈중 중성지방이 매우 높고, 암죽미립혈증이 심한 환자에서도 사용이 가능하다. 이 경우 파이브레이트 치료의 주 목적은 급성췌장염의 위험도를 감소시키는 것이다. 이상베타지단백혈증(dysbetalipoproteinemia) 환자에서 베타-VLDL콜레스테롤 농도를 감소시키는데도 파이브레이트 사용이 효과적이다. 파이브레이트는 위장관계 부작용이 가장 흔한 부작용이며 이러한 종류의 약물은 담석 생성을 증가시킬 수 있다. 파이브레이트는 알부민에 부착되어 있는 와파린을 알부민으로부터 제거하여 와파린의 항응고 효과를 증가시킨다. 그리고, 파이브레이트는 주로 신장으로 배설된다. 따라서 신부전이 있는 환자에서 혈중 농도가 증가하게 되고 이로 인해 횡문근융해증을 일으키는 근병증의 위험도를 증가시킬 수 있다.

(5) 오메가-3지방산

오메가-3지방산은 간세포에서 지방산과 포도당의 흡수를 억제한다. 오메가-3는 아세틸CoA (acetyl-CoA)로부터 중성지방이 형성되는데 관여하는 PAP (prostatic acid phosphatase), 다이아실글리세롤아실기전달효소(diacylglycerol acyltransferase) 효소를 억제하거나, 베타산화(β oxidation)를 증가시켜 중성지방을 감소시킨다.

오메가-3 투여 시 중성지방 생성이 감소하고 심박수 감소 및 항부정맥 효과, 혈전증 감소효과를 보인다. 오메가-3의 중성지방 감소효과는 용량의존적이며, 수개월-수년까지 효과가 지속된다고 하며 심박수 감소 및 심장 Na^+ 통로를 저해하고 세포액 Ca^{2+} 변동을 감소시켜 나타나는 항부정맥효과는 오메가-3 1 g/day 용량을 수주간 섭취할 경우 나타나며, 8-13 g/day등의 과량 섭취시 와파린 및 아스피린과 유사한 항혈전 효과가 나타난다고 한다. 또한 염증 유발물질인 프로스타글랜딘은 아라키돈산(arachidonic acid)으로부터 고리산소화효소(cyclooxygenase, COX)의 작용을 받아 생성되는데, 오메가-3는 아라키돈산의 양을 감소시켜 항염증작용을 나타낼수 있다고 알려져 있다.

오메가–3지방산의 성분 중 아이코사펜타엔산(Eicosapen-taenoic acid, EPA)을 고용량 4 g으로 만든 약물 '바세파(아이코사펜트 에틸, eicosapent ethyl)'의 효능을 검토한 REduction by DUtasteride of prostate Cancer Events (REDUCE–IT)연구에서 스타틴을 복용하면서 중성지방수치가 135–499 mg/dL인 죽상경화 심혈관질환 또는 심혈관질환 위험요인을 동반한 당뇨병 환자 8,179명을 대상으로 바세파(아이코사펜트 에틸 4 g)성분만을 투여한 군에서 대조군에 비해 25%의 유의한 심혈관질환 예방효과를 보여주었고, 당뇨병 환자만 분석한 하위분석에서도 유의한 예방효과를 보여주었다. 따라서, 미국당뇨병학회(ADA)는 2019년 당뇨병 치료 표준진료지침을 개정하면서 심혈관질환 예방을 위해 아이코사펜트 에틸을 복용하도록 권고하기도 했다. 심혈관질환 환자와 다른 질병으로 인해 심혈관질환위험이 높은 환자 1만 3,000명 이상을 대상으로 에파노바[오메가–3지방산, EPA와 DHA (docosahexaenoic acid)를 모두 함유하며 에파노바 4 g/d는 고순도 EPA와 유사]효능을 검토한 Outcomes Study to Assess Statin Residual risk Reduction With EpaNova in High CV risk Patiens With Hypertriglycedemias (STRENGTH)연구는 심혈관질환의 위험이 높은 고중성지방혈증 및 HDL콜레스테롤수치가 낮은 환자를 대상으로 오메가–3지방산의 효과를 확인했는데, 오메가–3지방산은 대조군 대비 급사, 심장사 및 심근경색증의 위험을 감소시켜주지 못했다. A study of Cardio-vascular Events iN Diabetes (ASCEND)연구에서도 고중성지방혈증이 없는 당뇨병 환자에서 심혈관질환의 일차예방을 위해 오메가–3지방산의 효과를 조사했으나, 오메가–3지방산 투여군을 대조군과 비교하였을 때 일차예방효과에 유의한 차이가 없었다. 2–8주 내 심근경색증을 겪은 노르웨이의 70–82세 환자 1,000명 이상을 대상으로 한 Omega–3 Fatty acids in Elderly with Myocardial Infarction (OMEMI)연구에서도 오메가–3보충제(EPA 930 mg + DHA 660 mg)와 대조군(옥수수유)을 비교했을 때, 오메

가–3 지방산보충제가 노인심근경색증 환자의 심혈관사건 재발 위험을 감소시키지 못했다. 최근 연구결과들에서는 오메가–3지방산 보충제가 심혈관질환의 예방을 감소시키지 못한다는 결과들이 보고되어, 오메가–3지방산의 심혈관질환 예방에 대한 정확한 효과 판정을 위해서는 향후 더 많은 대규모전향추적관찰연구가 필요할 것이다. 오메가–3지방산은 중성지방 감소의 보조요법으로 사용되며, type IV, V의 고중성지방혈증 치료 시 사용된다. 혼합형 고지질혈증에도 스타틴 및 다른 LDL콜레스테롤 저하제와 병용투여될 수 있다. 30–40% 정도의 중성지방 감소효과가 있고, LDL콜레스테롤, HDL콜레스테롤 농도에는 거의 영향을 미치지 않는다. 위장장애, 지혈시간 증가 등의 이상반응이 발생할 수 있다. 식물성 오메가–3로 α–linolenic acid가 있고, 동물성 오메가–3로 EPA, DPA (docosapentaenoic acid), DHA 등이 있으며, 최근에는 에파노바(오메가–3 CA, EPA와 DHA를 모두 함유하며 에파노바 4 g은 고순도 EPA와 유사), 바세파(아이코사펜트에 4 g) 등이 미국에서 발매되고 있다.

(6) 나이아신(niacin)

나이아신은 지단백질 합성을 억제하고 간에서 VLDL콜레스테롤 입자의 생성을 감소시켜 지방 농도를 변화시킨다. 나이아신은 유리지방산의 말초로의 이동을 억제하며 간에서 초LDL콜레스테롤의 분비를 감소시킨다. 이러한 현상은 혈중 중성지방, 잔여 VLDL콜레스테롤과 IDL콜레스테롤 농도를 감소시킨다. 또한 작고, 밀도가 높은 LDL콜레스테롤을, 크고 탄력성이 큰 형태로 전환시킨다. 나이아신은 지질 감소약물 중 HDL콜레스테롤을 증가시키는 효과가 가장 큰 약물이다. HDL콜레스테롤과 중성지방의 변화는 지수직선 형태를 취한다. 따라서 적은 용량에서도 나이아신은 적은 부작용을 가지면서 중성지방을 낮추고 HDL콜레스테롤을 증가시킬 수 있다.

3,000명의 죽상경화심혈관질환을 대상으로 한 The Atherothrombosis Intervention in Metabolic Syndrome With Low HDL/High Triglycerides: Impact on Glob-

al Heath Outcomes (AIM-HIGH)연구에서 나이아신의 투여는 주요 심혈관질환 발생의 빈도를 줄이지 못했으며, Heart Protection Study 2-Treatment of HDL to Reduce the Incidence of Vascular Events (HPS2-THRIVE)연구에서도 심혈관질환을 가진 25,673명의 환자를 대상으로 나이아신이알정 2 g과 랄로피프란트 40 mg을 투여하여 3.9년간 추적관찰했을 때 주요 심혈관질환 발생 빈도를 줄이지 못하고, 오히려 당뇨병 발생의 빈도를 증가시켰다는 것을 보여주었다. 이 두 연구의 결과로 인해 미국당뇨병학회에서는 당뇨병 환자에서 이상지질혈증의 치료에 스타틴과 나이아신 병합투여를 권고하지 않는다.

나이아신 투여 시 HDL콜레스테롤의 증가 정도는 일반적으로 15-30%이며, 고용량에서는 40%정도이다. 서방정의 경우는 HDL콜레스테롤을 단지 10-15%밖에 증가시키지 못하며 예외적으로 NiaspanR 은 HDL콜레스테롤의 증가 효과가 크다고 알려져 있다. 지질을 낮추는 약물 중에 나이아신은 죽종형성 지질이상과 연관된 지단백질 이상을 가장 효과적으로 조절하는 약물로 알려져 있다. 나이아신은 다양한 부작용을 가진다. 피부의 홍조는 결정형에서 흔히 발생하며 일부 환자에서는 장기 복용시 홍조에 대한 내성이 생기게 된다. 이러한 홍조는 식사와 같이 또는 식사 후에 약을 복용하거나 약 복용 전에 아스피린을 복용하게 함으로써 감소시킬 수 있다. 그리고, 오심, 소화불량, 구토, 설사, 소화궤양의 악화 등의 다양한 위장관계 증상을 나타낼 수 있으며, 간독성, 고요산혈증과 통풍, 고혈당 등의 심각한 부작용이 발생하기도 한다. 이들 부작용은 흔히 고용량, 특히 하루 2 g이상 복용 시 잘 발생한다. 간독성의 발생은 서방정에서 더 많이 발생한다. 나이아신은 인슐린 민감성을 감소시키는데, 2형당뇨병 환자에서 나이아신 하루 3 g 이상의 고용량 투여는 혈당조절에 악영향을 미친다. 이외에도 결막염, 코막힘, 흑색가시세포증, 비늘증, 망막부종 등의 다른 부작용도 생길 수 있다.

VIII. 당뇨병과 고혈압

조용욱

1. 서론

당뇨병 환자는 고혈압이 일반인에 비해서 2배가량 많이 발생한다. 1형당뇨병은 약 30%, 2형당뇨병은 50-80%정도의 환자에서 고혈압이 동반되며, 이환기간이 증가할수록 고혈압 동반률도 증가한다. 1형당뇨병 환자에서 당뇨병 발병초기에 고혈압 빈도는 일반인과 거의 비슷하나, 당뇨병이 발병한지 5-10년 정도 후, 특히 당뇨병신장병증이 생기면서부터 고혈압의 빈도가 증가하는 반면, 2형당뇨병 환자는 진단 초기부터 고혈압이 동반되는 경우가 흔하다. 일본의 경우(2018) 당뇨병 환자의 40-60%가 고혈압을 동반하고, 우리나라의 경우, 2020년 대한당뇨병학회에서 보고한 팩트시트에 의하면 당뇨병 유병자의 61.3%에서 고혈압이 동반되어 있으며 특히 65세 이상에서는 74.3%가 동반되었고, 이들의 목표혈압을 140/85 mmHg로 했을 때 조절률은 대략 60% 전후에 불과하다.

당뇨병 환자에서 고혈압이 동반되면 당뇨병 혈관합병증의 발생률이 2-4배 정도 증가된다.

1975-1998년 Framingham cohort의 보고를 보면, 당뇨병을 진단받을 당시 고혈압이 있는 환자는 고혈압이 없는 환자에 비해서 여러 임상요인들을 교정한 후에도, 심혈관계 합병증 발생위험도 57%, 모든 사망률은 72% 높음을 보고하였다. UK Prospective Diabetes Study (UKPDS) 연구는 수축기혈압이 10 mmHg 감소함에 따라서 당뇨병관련 합병증이 12% 감소하며 심근경색증은 11%, 미세혈관합병증은 13%, 사망률은 15% 감소함을 보고하였다. 또한 당뇨병 임신부가 고혈압을 동반하는 경우에는 자간전증의 위험이 높고, 특히 1형당뇨병 환자가 고혈압을 동반하게 되면 표적장기 손상에 매우 취약하며 젊은 사람에게도 증가

하고 있는 2형당뇨병 환자도 나이가 듦에 따라 동맥경화증이 사회적 문제로 대두되고 있다.

따라서 당뇨병 환자에서 고혈압을 조절하는 것은 혈관합병증 발생의 예방과 이와 관련된 사망률을 낮추기 위해서 매우 중요하고, 특히 2형당뇨병 환자는 진단 초기부터 혈압에 관심을 갖고 병원을 방문할 때마다 혈압을 측정하고 진단 후에는 적극적인 치료가 필수적이다.

2. 혈압의 측정 및 고혈압의 기준

혈압은 외래에 방문할 때마다 반드시 측정한다. 혈압 측정 30분 이전에는 흡연 및 커피 섭취를 피하도록 하고, 5분 동안 안정한 후, 앉은 자세에서 심장높이와 같은 상완의 위치에서 상완둘레(보통성인 27-34 cm)에 맞는 커프를 이용하여 측정한다. 혈압은 측정환경이나 임상적인 상황에 따라 변동성이 크기 때문에 반복적인 측정이 필요하고, 최소 2분 간격으로 2회 이상 측정한다. 집에서의 가정혈압 측정이나 24시간 활동혈압 측정은 진성고혈압과 백의고혈압이나 가면고혈압을 구별하는데 도움을 주며, 당뇨병 환자에서 집에서의 가정혈압 측정결과가 병원에서의 진료실혈압 측정결과보다 죽상경화심혈관질환(atherosclerotic cardiovascular disease, ASCVD) 위험도와 더 연관성이 좋다는 보고도 있다.

정상혈압은 수축기혈압과 이완기혈압이 각각 120 mmHg와 80 mmHg 미만이며, 수축기혈압 120 mmHg 이상-140 mmHg 미만/이완기혈압 80 mmHg 이상-90 mmHg 미만은 주의혈압과 고혈압전단계로 분류하며, 각자 다른 날에 측정한 혈압이 140/90 mmHg 이상일 때 고혈압으로 정의한다.

당뇨병 환자의 고혈압은 수축기혈압이 높으며, 자율신경병증으로 인해 야간혈압의 감소가 적고, 맥박수가 빠른 것이 특징이다. 유병기간이 긴 당뇨병 환자에서는 혈관벽의 탄력이 줄어들고, 당뇨병자율신경병증이 동반된 경우에 누워서

측정한 혈압과 일어섰을 때의 혈압차이가 크거나 하루 동안 혈압의 변동이 많거나 또는 밤 사이에 혈압이 비정상적으로 높은 경향을 보이기도 한다. 따라서 당뇨병 환자의 경우는 혈압을 측정하고 평가하는 데 있어서도 세심한 주의를 요한다.

3. 병태생리

고혈압은 순환 혈액양 및 말초혈관 저항과 밀접한 관계가 있는데, 당뇨병으로 인한 고혈당과 고인슐린혈증은 이 두 가지 요소를 모두 증가시켜 혈압이 증가한다.

1형당뇨병의 경우에는 알부민뇨가 발생한 이후에 고혈압이 발생하여 신장 합병증이 고혈압의 주된 원인으로 생각되며, 고혈압의 가족력은 신장병증의 위험요인이 된다. 최근에는 야간 고혈압이 알부민뇨 및 신장질환과 밀접한 연관이 있음이 밝혀졌다. 2형당뇨병의 경우에는 신장질환의 여부와 상관없이 당뇨병의 초기부터 고혈압이 발생하고 복부비만이 특징인 것으로 미루어, 인슐린저항성이 고혈압의 주된 원인으로 생각된다. 당뇨병을 가진 부모의 자녀 중에서 고인슐린혈증이 있는 자녀들은 그렇지 않은 자녀들에 비해서 고혈압의 발생이 2배정도 높다.

비만의 혈역학적 특징은 혈액양의 증가와 말초혈관저항 감소이다. 만일 두 가지가 적절히 조화롭게 이루어진다면 비만으로 인한 고혈압은 생기지 않겠지만, 심박출량과 맥박수의 증가로 인해서 혈압이 증가한다.

인슐린수용체는 타이로신인산화효소수용체 종류이므로 고인슐린혈증은 유사분열촉진제활성단백질인산화효소(mitogen-activated protein kinase, MAPK)의 과활성화를 유발한다. 이는 혈관평활근세포의 이동과 증식을 촉진시키며, 따라서 혈관벽세포 과증식, 혈관경직도 증가, 동맥경화증, 염증반응 등을 증가시켜 고혈압을 초래한다. 또한 고인슐린혈증은 체지방을 증가시키고 이와 연관된 내장지방

표 9-5-10. **인슐린의 혈관에 대한 작용**

	긍정적 효과	부정적 효과
기전	산화질소(NO) 합성효소 자극	MAPK 과활성화
	Nuclear factor kappaB 억제	Endothelin-1 자극, 아드레날린성 자극
	혈소판응집 억제	막과분극(membrane hyperpolarzation), plasminogen activator inhibitor-1 자극, 나트륨 배설 억제, 반응산소종(ROS) 생성
생리적 효과	혈관 확장, 항염증작용	혈관평활근세포 증식, 혈관 수축
	항혈전작용	QT간격 연장, 수분저류, 혈전증 유도(prothrombotic)

세포의 증가는 불성화상태인 코티손을 코티솔로 활성화시키는 11-β-하이드록시스테로이드탈수소효소(11-β-hydroxysteroid dehydrogenase) type I의 과발현과도 밀접한 관계가 있다.

인슐린의 혈관에 대한 작용은 생리적 상황에 따라서 차이가 있다(표 9-5-10). 정상 생리농도의 인슐린은 내피세포의 산화질소생성효소(nitric oxide synthase)를 자극하여 산화질소의 합성을 증가시키고, 아세틸콜린에 의한 혈관확장을 증가시켜서 사지로의 혈액순환을 증가시킨다. 하지만 인슐린저항성이 있으면 생리농도 이상의 인슐린 농도에 대한 혈관확장반응이 감소된다. 고인슐린혈증상태에서 인슐린은 교감신경계를 활성화시키고 레닌 분비를 증가시켜 혈압을 증가시킨다. 건강한 사람에서 인슐린은 특히 골격근에서 용량과 비례해서 노르아드레날린 분비를 촉진하고 교감신경방출을 증가시킨다. 비만한 사람에서는 특히 식후에 일어나는 고인슐린혈증시간에 교감신경-부교감신경의 균형이 아드레날린 우위로 바뀌는데, 이는 체중을 감소시키면 다시 환원된다.

인슐린은 Na⁺/K⁺-APTase을 활성화시키지만, 인슐린저항으로 인한 고인슐린혈증에서는 신세관에서 Na의 재흡수가 증가되어 고혈압이 발생한다. 요산은 Na과 같이 조절되므로 2형당뇨병과 동반해서 생기는 고요산혈증도 고혈압과 연관되고, 오랫동안의 인슐린 사용 후에 생기는 체중증가

도 고혈압 발생의 요인으로 작용한다.

당뇨병으로 인한 고혈당은 산화스트레스를 초래해서 혈관에서 산화질소의 생성이 저하되고, 혈관이완장애, 부착분자 발현 증가 등으로 인해 결국 고혈압을 유발한다. 또한 고

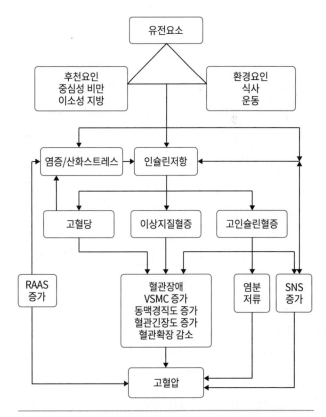

그림 9-5-31. **당뇨병 환자에서 고혈압 발생의 병태생리적 기전**
RASS, renin angiotensin aldosterone system; SNS, sympathetic nervous system; VMSC, vascular smooth muscle cell.

혈당으로 인한 세포바깥액 오스몰농도의 증가와 이를 보상하기 위한 세포바깥액량의 증가는 결국 순환되는 혈액양을 증가시키고 혈압이 증가하게 된다.

그 외에도 렙틴 증가, 엔도텔린(endothelin)-1, 플라스미노젠활성제억제제(plasminogen activator inhibitor, PAI) 분비촉진, 반응산소종 생성 증가, 지방세포에서 안지오텐시노젠 합성 증가에 따른 레닌-안지오텐신계 활성 증가 등이 고혈압의 발생과 관련되어 있다(그림 9-5-31).

4. 치료

1) 배경
당뇨병 환자에서 고혈압을 동반하는 것은 뇌혈관질환이나 신부전 그리고 심부전 등의 발생과 사망률에 지대한 영향을 미치며, 당뇨병 환자에서 혈압조절을 적절히 잘하는 경우에 사망률을 감소시킨다는 연구들이 많이 있다.

당뇨병 환자를 대상으로 고혈압 조절효과에 대한 연구 중 대표적인 UKPDS연구는 혈압조절이 잘된 군(144/82 mmHg)에서 조금 덜 조절된 군(154/87 mmHg)에 비해서 당뇨병과 관련된 사망과 합병증을 감소시켰다고 보고하였지만, 엄격한 혈압관리에 대한 증거로 삼기에는 부족한 면이 있었다. 비슷한 시기에 발표된 Hypertension Optimal Treatment (HOT)연구는 혈압을 140/85 mmHg 이하로 유지하면 심혈관계 사망률을 낮추며 120/70 mmHg까지 낮추어도 추가적인 이익은 많지 않았으나, 당뇨병 환자의 경우 확장기혈압을 80 mmHg 이하를 목표로 한 환자군에서 90 mmHg 이하를 목표로 한 환자군에 비해 심혈관계 사건을 51%까지 감소시킨다는 보고를 하여 당뇨병을 비롯한 고위험군에서는 적극적인 혈압조절의 중요성을 시사하였다.

이후 발표된 The Action to Control Cardiovascular Risk in Diabetes (ACCORD) blood pressure trial (ACCORD BP)연구는 2형당뇨병 환자의 목표 수축기혈압을 120 mmHg 이하인 군과 140 mmHg 미만인 군으로 나누어 비교해 보았을 때, 뇌졸중의 위험만 41% 감소되었을 뿐 심근경색증이나 사망률은 감소시키지 못하고, 오히려 적극치료군에서 크레아티닌 증가나 전해질 이상 등의 부작용이 많았다고 보고하여, 140/90 mmHg 미만의 적극적인 혈압조절이 당뇨병 환자뿐만 아니라 일반 고혈압 환자의 심혈관 합병증의 예방에 유익하기는 하나 부작용에 대한 모니터링을 잘 할 수 있는 환자에 한해서 시행하여야 함을 시사하였다.

2015년에는 당뇨병이 동반되지 않은 고위험 고혈압 환자군에서 목표 수축기혈압을 120 mmHg 미만과 140 mmHg 미만으로 무작위배정하여 진행된 Systolic Blood Pressure Intervention Trial (SPRINT)연구가 발표되었는데, 목표 수축기혈압이 120 mmHg 미만인 환자군에서 심근경색증 및 기타 급성관상동맥증후군, 뇌졸중, 심부전 및 심혈관원인사망 등으로 구성된 복합적인 일차종말점(primary composite outcome)이 25% 감소됨을 보고하였다.

현재까지의 연구들을 종합해보면, 혈압을 140/90 mmHg 이하로 유지해야 함은 이론의 여지가 없으나 그 이하 즉, 130/80이나 120/80mmHg 이하를 유지하는 것의 이점에 대한 연구는 조금 더 필요한 상황이다. 향후 기존의 목표혈압에 일부 변화가 있을 예상이 있고, 혈압측정의 방법이나 대상 환자들의 합병증과 관련된 다른 요인들이 다르기 때문에 환자 개별적인 특성에 맞추어 치료지침이 정해져야 할 것이다.

2) 고혈압 조절목표
대한당뇨병학회에 따르면 당뇨병 환자의 혈압조절 목표는 수축기혈압 140 mmHg, 이완기혈압 85 mmHg 미만이며, 심혈관질환이 동반된 당뇨병 환자는 수축기혈압 130 mmHg, 이완기혈압 80 mmHg 미만으로 한다. 미국당뇨병학회에서는 환자의 상황에 따라 개별적인 목표수치를 제시하고 있다. 환자의 심혈관질환 위험의 정도에 따라서 죽

상경화심혈관질환이 있거나 10년 죽상경화심혈관질환의 위험이 15% 이상인 당뇨병 환자는 130/80 mmHg 미만으로 유지하도록 하며, 비교적 심혈관질환의 위험이 낮은 (10년 ASCVD 위험 < 15%) 당뇨병 환자는 140/90 mmHg 미만을 목표로 권장한다. 또한 임신을 한 당뇨병 환자에서는 산모와 태아의 피해를 최소화하기 위해 110–135/85 mmHg를 권고하고 있다. 2020년에 발표한 대한당뇨병학회 팩트시트에 따르면 140/85 mmHg 미만으로 조절되는 환자의 비율은 30세 이상에서 54.4%, 65세 이상에서는 63.3%이다.

3) 치료

(1) 생활습관교정
비약물치료가 혈압을 떨어뜨리는 효과가 있음이 여러 연구에서 밝혀진 만큼, 혈압이 120/80 mmHg 이상인 당뇨병환자는 체중감량과 함께 DASH (Dietary Approaches to Stop Hypertension)에서 권장하는 나트륨섭취 감소 (2,300 mg/day 이하), 칼륨섭취 증가, 음주절제(남성 하루 2잔 이하, 여성 하루 1잔 이하), 운동량 증가 등의 생활습관교정을 시행하고, 기타 흡연, 스트레스, 수면부족(수면무호흡증) 등의 요소들을 관리하는 것이 중요하다.

(2) 약물
당뇨병 환자에서 적절한 생활습관교정 등 비약물적인 치료에도 불구하고 혈압이 140/90 mmHg 미만으로 조절되지 않을 때에는 약물치료를 시작하며, 혈압이 160/100 mmHg 이상인 경우에는 처음부터 두 가지 이상의 병용요법을 시행한다. 약물을 선택할 때에는 환자의 나이, 혈당조절이나 고혈압의 정도, 약물의 특성, 알부민뇨나 심혈관질환의 동반유무, 타약물과의 상호작용이나 부작용 등을 고려하여 개별화해야 하며, 혈압조절은 초기뿐만 아니라 지속적으로 목표 혈압에 있도록 관리해야 한다.

당뇨병 환자의 심혈관 합병증을 감소시키기 위해서는 일차

약물로 안지오텐신전환효소억제제(angiotensin converting enzyme inhibitor, ACEI), 안지오텐신수용체차단제(angiotensin receptor blocker, ARB), 싸이아자이드(thiazide)이뇨제, 칼슘통로차단제 등을 사용한다. ACEI나 ARB는 당뇨병이 없는 고혈압 환자뿐만아니라 고혈압이 동반된 당뇨병 환자에서 심혈관질환의 발생과 사망률을 낮추며, 특히 알부민뇨나 심부전, 심근경색증이 있는 환자의 이환율과 사망률을 의미있게 낮추어 주기 때문에 가장 선호되는 약물이다. 소변알부민/크레아티닌 비(UACR)이 30 이상이거나 관상동맥질환이 있는 당뇨병 환자에서는 ACEI 또는 ARB를 우선적으로 권고하나, 알부민뇨가 없는 경우에는 이뇨제나 칼슘통로차단제와 비교해서 신장기능 악화 예방효과는 차이가 없다.

싸이아자이드이뇨제는 나트륨 배출과 혈관확장 효과로 혈압을 낮춘다. 사구체여과율(glomerular filtration rate, GFR)이 > 60 mL/min/1.73m^{2}인 경우에는 싸이아자이드이뇨제가 효과적이고, 60 mL/min/1.73m^2 이하인 경우에는 고리작용이뇨제를 사용한다. 이뇨제와 ACEI 또는 ARB와의 병용투여는 효과적인 복합투여로 권장된다. 인슐린민감성 저하는 싸이아자이드 하루 25 mg으로는 거의 영향을 주지 않지만, 하루 25–50 mg의 용량에서 저칼륨혈증, 저나트륨혈증, 고칼슘혈증, 수분부족, 고요산혈증을 일으킬 수 있으므로 주의하며, 베타차단제와 같이 사용할 때에는 중성지방 증가에 유의한다.

칼슘통로차단제도 당뇨병 환자에서 여러 심혈관질환관련 예방효과가 보고되어 효과적인 혈당강하제로 사용할 수 있다. Dihydropyridine 계열 약물은 심근 수축이나 심실 전도에 대한 효과는 적고 주로 혈관확장을 시켜서 혈압을 내리며, 반사빈맥(reflex tachycardia)이나 부종을 유발할 수 있다. 나이페디핀(nifedipine)이 당뇨병신장병증에서 단백뇨를 악화시킨다는 보고가 있으나, 임상적인 의미나 장기 투여 시의 결과는 아직 불분명하다.

09 당대사질환

베타차단제는 UKPDS연구에서 ACEI와 같이 심혈관질환의 발생을 감소시켰다는 보고가 있고, 협심증, 심근경색증의 과거력, 박출률감소심부전(HFrEF) 환자에서 적응증은 있으나 이들 환자의 사망률을 감소시키지는 못한다. 혈당과 지질수치 이상을 초래하며, 특히 비선택적 베타차단제는 대응조절호르몬의 저혈당에 대한 반응을 저하시키므로, 단독 치료보다는 병용치료 시 추가요법으로 사용함을 권장한다. atenolol은 약간의 체중증가, 사지체온 저하, 간헐파행, 기관지 수축 등의 부작용이 나타난다. 알파차단제는 인슐린 민감성을 개선시키지만 임상적인 의미는 아직 불분명하며, 기립저혈압이 있으므로 자율신경병증이 있는 환자에서는 주의를 요한다.

처음 사용한 일차약물에 목표 혈압에 도달하지 못하는 경우에는 일차약물의 용량을 증량시킬 수도 있으나, 이보다는 서로 다른 기전의 약물을 병용하는 것이 더 효과적이다. 약물병용은 모든 조합이 가능하나, ACEI와 이뇨제, ACEI와 칼슘통로차단제의 병용이 심혈관질환 예방이나 사망효과를 줄여주는 좋은 병합요법으로 추천된다. 이뇨제와 ACEI 또는 ARB의 병합투여시에는 특히 사구체여과율이 감소된 환자에서 사용할 때에는 고칼륨혈증이나 급성신장손상 등의 위험성을 고려해서, 혈청크레아티닌이나 칼륨 농도를 적어도 1년에 한번 이상은 추적관찰해야 하며, 혈청크레아티닌 > 3.0 mg/dL, 칼륨 농도 > 5.5 mEq/L이면 특별한 주의를 요한다.

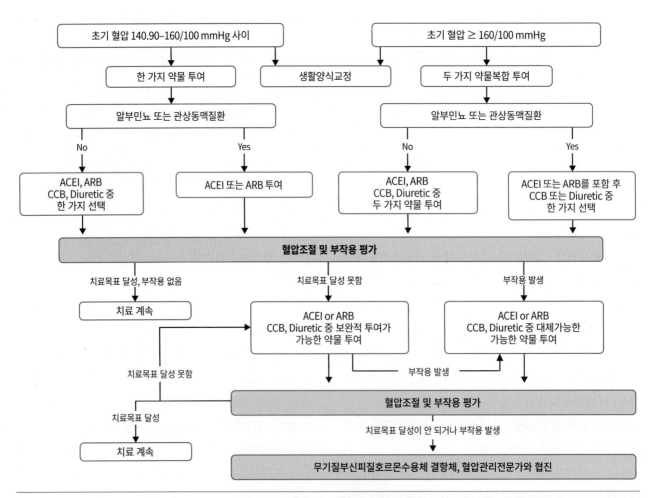

그림 9-5-32. 당뇨병 환자에서 고혈압 치료

ACEI와 ARB 병용, 그리고 ACEI 또는 ARB와 레닌억제제와의 병용은 죽상경화심혈관질환에 긍정적인 이득은 없고, 고칼륨혈증, 급성신장 손상, 실신 등의 위험성만 높이기 때문에 권고하지 않는다.

베타차단제와 이뇨제 단독 또는 복합사용은 대사적으로 나쁜 영향을 주어 당뇨병전단계의 환자에서의 사용은 주의를 요한다.

야간 혈압 저하가 없는 경우에는 죽상경화심혈관질환의 발생이 증가하므로, 저녁에 혈압약을 투여하는 방법도 생각해 볼 수 있지만 아직 임상근거가 미약한 상황이다. 적극적인 생활습관 개선과 더불어서 이뇨제를 포함해서 다른 2가지 이상의 혈압약으로 140/90 mmHg 미만을 유지하지 못하는 경우, 즉 저항성고혈압(resistant hypertension)에서는 환자의 약물복용, 백의고혈압, 이차고혈압 등을 고려해야 하며, 무기질부신피질호르몬수용체대항제를 추가로 투여해 볼 수 있다. 무기질부신피질호르몬수용체대항제는 알부민뇨 감소효과는 있지만, ACEI나 ARB와 병합투여 할 때에는 고칼륨혈증 발생에 주의한다(그림 9-5-32).

노인들은 동맥의 경직도, 저혈당, 기립저혈압, 수분부족 등으로 고혈압 조절에 어려움이 많다. 고혈압은 주로 수축기혈압 조절을 목표로 한다. 건강한 노인은 젊은 환자와 비슷하게 조절하지만, 중요한 신체적 기능의 장애가 있는 노인들은 수축기혈압 145-150 mmHg 정도로 유지하는 것도 고려한다. 이완기혈압도 너무 낮으면 관상동맥질환이나 다른 심혈관질환이 증가하므로 65-70 mmHg 이하로 내려가지 않도록 하며, 이와 함께 맥압(pulse pressure)이 60 mmHg 이상 되지 않도록 수축기혈압을 조절한다. 모든 항고혈압제는 기립저혈압을 유발하고, 베타차단제는 저혈당의 증상을 감소시키며, 이뇨제는 수분과 전해질 이상을 초래할 수 있으므로 주의한다.

5. 결론 및 요약

고혈압은 당뇨병 환자의 혈관합병증을 예방 또는 지연시킬 수 있는 중요하고 조절가능한 위험인자이므로 초기부터 적극적으로 관리해야 한다. 치료의 목표는 단순히 혈압을 낮추기보다는 장기간의 당뇨병에서 나타날 수 있는 혈관합병증의 이환율과 사망률을 감소시키는데 목적을 두어야 하며, 이를 위해서는 생활습관교정을 기본으로 하여, 혈당, 지질, 고혈압, 비만 등을 총괄하는 포괄적인 개념으로 접근해야 한다.

일반적으로 당뇨병 환자의 혈압은 140/85 mmHg 미만을 유지하도록 권장하며, 고혈압 조절을 위해서 모든 항고혈압제를 선택할 수는 있지만, 알부민뇨를 동반한 환자의 경우에는 ACEI 및 ARB이 일차적으로 권고되고, 병용요법 시에는 ACEI 또는 ARB와 칼슘통로차단제 또는 이뇨제 병합이 가장 좋은 조합이 될 수 있다. 조절목표나 치료약물 선택은 죽상경화심혈관질환, 심부전, 신장질환 등 환자의 동반질환에 따라서 개별적으로 이루어져야 한다.

IX. 당뇨병발질환

안유배

1. 서론

당뇨병발질환은 당뇨병 환자에서 말초신경병증과 하지의 말초동맥병이 복합적으로 작용하여 궤양, 감염 또는 심부조직의 손상을 일으키는 발의 모든 병변을 의미하며 비외상성 하지 절단의 가장 흔한 원인으로 알려져 있다. 발궤양에 감염이나 허혈이 동반되면 괴사(necrosis)나 괴저(gangrene)를 일으키고 종국에는 하지 절단이 필요하게 된다.

당뇨병합병증 중에서 당뇨병신경병증이나 망막병증과 같은

미세혈관합병증에 대해서는 진료지침이 정립되어 있으나 당뇨병발질환의 경우 다른 당뇨병합병증에 비하여 관리법 등이 명확하지 않으며 상대적으로 관심이 부족한 것이 현실이다. 당뇨병발질환과 이로 인한 하지 절단은 당뇨병 환자에서 이환과 사망의 주요 원인이므로, 당뇨병발질환으로 인한 하지 절단을 예방하기 위해서는 위험인자에 대한 선별검사와 함께 고위험군의 경우에는 철저한 교육이 필요하다. 입원 치료가 필요한 환자의 경우에는 진료지침과 함께 병원내 각 부서의 전문가들로 구성된 다학제적 접근방식을 통하여 하지 절단 및 입원기간을 감소시킬 수 있다. 이 장에서는 당뇨병발질환의 역학과 원인 그리고 진단과 치료에 대하여 다루고자 한다.

2. 역학

당뇨병 환자의 1/3은 발궤양의 위험인자인 신경병증이나 말초동맥병을 가지고 있으며 연령이 증가할수록 유병률도 증가하여 60세 이상의 노인에서 당뇨병발질환이 더욱 흔하게 나타난다. 일반적으로 당뇨병 환자의 3-4%는 발궤양을 가지고 있고 영국과 미국에서 시행된 외래 환자를 대상으로 한 연구에서 7%의 환자에서 발궤양이 관찰되었고 15%의 환자에서는 일생 동안 발궤양에 이환될 가능성은 15%이었다. 메타분석결과 발궤양의 유병률은 오세아니아주에서는 3%, 북아메리카에서는 13%로, 전세계적으로 평균 유병률이 6.4%이었으며 매년 당뇨병 환자에서 발궤양 또는 괴사의 발생률은 2-5%, 평생 동안의 위험도는 15-20%로 알려져 있다. 우리나라의 경우 2003년 한 해 동안 발궤양의 발생률은 당뇨병 환자에서 당뇨병이 없는 환자 대비 4.4배가 높으며 하지 절단의 발생률도 인구 10만 명당 47.8명으로 당뇨병이 없는 환자의 4.7명에 비하여 10배가량 높았다. 최근 5년 동안 건강보험심사평가원의 자료를 분석한 국내연구에서 말초동맥병을 동반한 발궤양의 발생빈도와 유병률은 각각 0.5%와 1.7%이었고 하지 절단율도 소절단(minor amputation)의 경우 0.66%에서 0.82%로 증가하였으나 대절단(major amputation)은 0.31%에서 0.28%로 감소하는

경향을 보였으며, 하지 절단에 따른 의료비용은 지속적으로 증가하는 것으로 나타났다. 이전에 비해 발궤양의 유병률이 줄어든 것은 과거에 비해 혈당조절이 개선되었고 당뇨병 합병증의 예방에 대한 환자들의 관심이 증가했기 때문으로 여겨진다.

3. 임상특성

당뇨병 환자는 신경병증에 의하여 발의 변형이 발생하고 감각이 감소하여 상처나 궤양이 흔히 발생하기 쉬우며, 고혈당으로 인하여 면역기능이 떨어져 상처의 치유가 느리다. 따라서 당뇨병 환자에서 발궤양의 원인에는 당뇨병말초신경병증이나 폐쇄말초동맥병에 의한 허혈이 단독 또는 동시에 작용한다(그림 9-5-33). 신경병증에 의한 궤양은 굳은살에 압력이 가해지는 부위에 발생하며 감염이 없는 경우에는 굳은살로 둘러싸인 구멍처럼 보이며 호발부위는 발의 뒤꿈치, 중족골의 골두부위 그리고 샤르코관절(Charcot's joint)과 같이 골기형이 있는 부위이다. 허혈궤양은 발의 가장자리에 발생하고 피하조직 손상이 동반된다. 외상이 반복되거

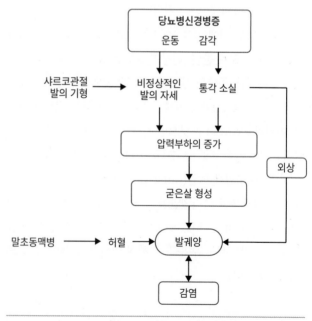

그림 9-5-33. 당뇨병 발궤양의 원인

나 감염이 동반되는 경우에는 심부조직이나 뼈까지 침범할 수 있으며 하지 절단의 위험이 커진다.

1) 신경병증

발궤양의 60% 이상은 신경병증이 원인이며 신경병증은 감각신경이나 운동신경뿐 아니라 자율신경을 침범할 수 있다. 당뇨병 말초신경병증은 만성합병증 중에서 가장 흔한 형태로 스타킹(stocking) 형태의 감각소실과 반사저하가 특징이며 운동기능의 이상으로 인하여 작은 근육의 위축이 나타나기도 한다. 대부분 환자들은 야간에 심해지는 작열감이나 찌르는 듯한 통증을 느끼지만 일부에서는 증상 없이 신경병증이 발생한다. 먼저 족부 근육을 지배하는 신경에 손상을 받게 되면 외상에 의한 통증을 인지하지 못하고 고유감각(proprioception) 이상으로 보행 시 발의 특정 부위에 체중부하가 증가함으로써 침범된 발의 굴곡과 신전에 불균형을 초래하고 발의 구조에 변형을 가져오고 뼈의 돌출부(bony prominence)를 덮고 있는 피부에 압력을 가하여 굳은살과 궤양을 일으킨다. 동시에 자율신경병증은 피부의 발한과 피지 분비를 감소시킴으로써 피부는 건조하게 되고 쉽게 열상(laceration)이나 감염이 생길 수 있다. 말초신경병증으로 인하여 감각이 소실되면 환자는 침범된 쪽으로 외상이 가해져도 인지하지 못하게 되는데 보행을 계속하고 체중부하가 가해지면 궤양은 점점 악화된다(그림 9-5-34).

2) 말초동맥병

발궤양의 50%에서는 말초동맥병과 관련이 있으며, 말초동맥병은 주로 경골 또는 종아리동맥에 호발한다. 고혈당은 내피세포 이상 및 평활근세포의 증식을 초래하며 내피세포에서 기원한 혈관확장 물질은 감소함으로써 혈관의 수축이 일어난다. 동시에 혈관을 수축시키고 혈소판응집을 촉진하는 트롬복세인A2는 응고항진상태를 촉진하고 세포외기질의 변화를 가져와 동맥의 협착을 일으키며 고혈압이나 이상지질혈증이 동반되는 경우 하지동맥에 허혈을 가져오고 당뇨병 환자에서 발궤양의 위험을 증가시킨다(그림 9-5-35).

당뇨병 환자에서는 고혈당은 신경병증을 유발하고 혈관에 손상을 가져와 동맥이 좁아지고 혈류를 차단하게 되는데 외상이 반복되거나 발에 상처를 입는 경우에 괴저가 발생한다(그림 9-5-36).

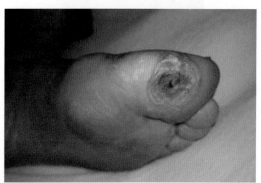

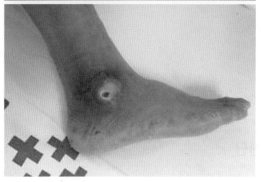

그림 9-5-34. **신경병증에 의한 발궤양**

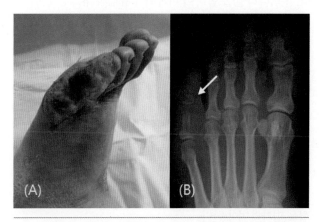

그림 9-5-35. **허혈성 발에서 꼭 맞는 신발에 의한 압박 손상(A), 방사선검사에서 5번째 중족골 골두에 골수염소견과 가스(B)가 보임**

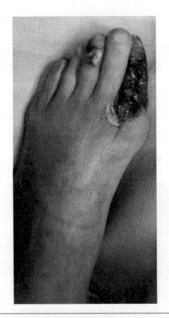

그림 9-5-36.
허혈에 의한 발가락의 괴저(gangrene)

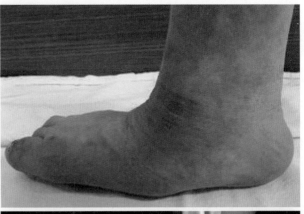

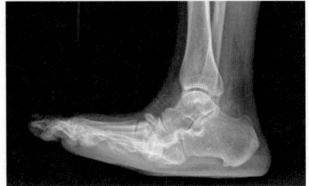

그림 9-5-37. **Charcot관절. 발의 변형과 함께 족궁(foot arch)이 없어지는 'rock-bottom' 기형**

4. 진단

대부분의 발궤양은 예방이 중요하므로 당뇨병 환자들은 적어도 1년에 한 번 이상 정기적으로 검사를 받는 것이 중요하다. 우리나라를 포함하여 미국이나 유럽의 당뇨병 관련 학회의 진료지침에서는 발 검사를 모든 당뇨병 환자들에서 시행해야 할 기본 검사항목으로 권고하고 있다.

1) 병력청취
발궤양은 환자의 병력청취가 중요하다. 당뇨병신경병증과 말초혈관질환을 의심할 수 있는 증상과 남성, 당뇨병 유병기간, 발의 변형, 흡연, 발궤양이나 하지절단의 과거력과 같은 발병변에 대한 위험인자를 확인함으로써 발궤양에 대한 위험을 평가하여야 한다.

2) 신체검사
발을 관찰할 때는 밝은 장소에서 하고 신발도 발궤양 발생에 관여하는 인자이므로 확인하여야 한다. 발을 관찰할 때는 발가락 사이에 궤양이나 감염이 있는지 확인하여야 하며 굳은 살이나 발톱의 이상유무를 확인하여야 한다. 양쪽 발에 온도차가 있으면 혈관질환이 있음을 의미하며 신경학적 손상에 의하여 신경지배에 불균형이 있는 경우에는 발의 변형이 나타나므로 살펴보아야 한다. 망치발가락(hammer toe)은 중족지관절(metatarsophalangeal joint)과 근위가락뼈사이관절(proximal interphalangeal joint)에서 배측으로 굴곡되어 망치 모양으로 변형된 기형을 말하며 갈퀴발가락(claw toe)은 제2-5발가락의 근위지관 관절과 원위가락뼈사이관절(distal interphalangeal joint)에 발생하는 기형이다. 샤르코관절은 힘을 받는 관절이 심하게 파괴되면서 뼈와 관절의 변형이 일어나 관절주위가 불

룩하게 튀어나오고 그 옆쪽으로 새로운 뼈가 생겨나는 관절질환으로 가장 중증인 발질환이다(그림 9-5-37). 운동신경, 자율신경 및 감각신경병증이 모두 관여하여 근육과 관절의 이완을 가져와 족궁(foot arch)의 변형을 가져온다. 샤르코관절은 비감염성관절병으로 당뇨병이 가장 흔한 원인이며 통각과 고유감각의 소실로 인하여 외상에 의한 뼈의 손상이 가속화되는 질환이다. 보통 반복되는 가벼운 외상으로 인해 관절주위 조직에 경미한 골절이 생기고 이로 인해 파골세포의 활동이 증가하여 종국에는 뼈가 파괴되고 조각나게 된다. 관절의 파괴가 진행하는 급성기에는 발이 붓고 국소 발열이나 통증을 느끼게 되지만 뼈조각이 흡수되고 재건되는 과정을 거치면서 만성으로 진행하게 된다.

파행(claudication), 체모의 소실(hair loss), 그리고 창백하거나 피부가 차가운 경우에는 허혈(ischemia)을 의심할 수 있다. 환자가 발에 촉각을 느끼지 못하는 경우는 발궤양을 예측할 수 있는 인자로 10g모노필라멘트검사를 실시하여 10군데 중에서 3군데 이상 감각을 느끼지 못하는 경우에는 발궤양과 하지절단의 위험성이 높음을 의미한다(표 9-5-11).

3) 혈류평가

동맥의 협착이 의심되는 경우에는 발등동맥이나 후경골동맥을 촉지하여 맥박을 확인해야 하며 필요한 경우에는 발목상완지수(ankle brachial index)를 측정하는데 발목의 혈압(발등동맥 또는 후경골동맥의 수축기혈압)을 팔의 혈압(상완동맥의 수축기혈압)으로 나누어 0.9 이하인 경우에는 하지동맥협착을 의심할 수 있다. 이 밖에도 도플러검사를 통하여 혈관내 혈류를 확인하거나 경피산소분압측정법도 있지만 실제 임상에서 흔히 사용되지는 않는다.

4) 영상검사

발궤양이 있는 부위에서 골수염이 동반되었는지 확인하기 위해서는 단순X선촬영, 골 동위원소검사, 인듐(indium)표지 백혈구스캔, 자기공명영상(magnetic resonance imaging, MRI) 및 외과적 생검이 도움이 된다.

5) 당뇨병 발궤양의 분류

발궤양을 치료할 때 궤양의 자연경과를 아는 것이 중요하다. 따라서 궤양의 분류를 이용하면 궤양의 깊이뿐만 아니라 환자관리에 필요한 다른 요소들도 신속하게 평가할 수 있다. Meggitt-Wagner분류는 궤양의 위치와 깊이를 기준으로 분류하여 간단하고 기억하기가 용이하지만 신경병증의 유무와 궤양의 크기를 고려하지 않았다(표 9-5-12). 이를 보완하여 만든 Texas Wound Classification System은 stage를 추가로 분류함으로써 Meggitt-Wagner 분류에

표 9-5-11. 당뇨병 환자의 발검사

겉모양	신경계 검사	혈관계 검사
• 과거/현재의 궤양 • 발모양 - 중족골두/갈퀴발 - 무지외반증 - 근육위축 - 샤르코변형 • 피부 - 굳은살 - 홍반 - 발한	• 10g모노필라멘트검사 • 진동각검사(128 Hz 소리 굽쇠) • 바늘찌름검사(pin-prick test) • 발목반사검사 • 온도감각검사	• 발등동맥 맥박촉지 • 후경골동맥 맥박촉지 • 발목상완지수

표 9-5-12. Meggit-Wagner 발궤양 분류법

단계	상태
0	고위험군 통증(+) 궤양(−)
1	표재성 궤양, 감염(−)
2	심부 궤양, 봉와직염(+/−) 농양(−) 골수염(−)
3	심부 궤양, 농양(+) 골수염(+)
4	발의 전반부(발가락, 앞발, 발꿈치) 괴저
5	발 전체 괴저

표 9-5-13. University of Texas Wound Classification System

Stage \ Grade	0	1	2	3
A	궤양없음	표재성 궤양	힘줄이나 관절피막까지 침범	뼈나 관절 침범
B	감염(+)	감염(+)	감염(+)	감염(+)
C	허혈(+)	허혈(+)	허혈(+)	허혈(+)
D	감염 및 허혈(+)	감염 및 허혈(+)	감염 및 허혈(+)	감염 및 허혈(+)

비해 예후를 예측하는 데 더 우수한 것으로 알려져 있다(표 9-5-13).

5. 감별진단

족부의 근골격 및 연부조직 감염은 당뇨병 환자에만 생기는 것은 아니므로 병력청취를 통해서 다른 질환을 감별하여야 한다. 먼저 발병변에 의한 연조직염(cellulitis)의 경우에는 당뇨피부병증, 표재성 혈전정맥염, 만성 정맥울혈성 변화와 감별하여야 하며 피부 연부조직 감염은 기체괴저(gas gangrene), 상승괴저(synergistic gangrene), 비브리오볼니피쿠스(Vibrio vulnificus) 및 에어로모나스(Aeromonas) 감염 등과 구분하여야 한다. 뼈에 급성골수염 변화가 온 경우 낫적혈구병(sickle cell disease), Lyme관절염, 샤르코 관절염 뼈의 무딘 외상, 골종양을 감별하여야 하고 만성골수염을 동반한 경우에는 편평세포암종, 골종양 그리고 신경병성관절 등과 구분해야 한다.

6. 예방 및 치료

당뇨병 환자를 위험인자에 따라 분류하면 궤양의 발생과 하지 절단의 위험성을 예측할 수 있다(표 9-5-14). 선별검사와 이에 따른 치료계획은 절단을 최소화할 수 있지만 환자교육만으로 위험도를 개선시킬 수는 없다. 따라서 위험도가 높은 환자를 대상으로 정기적으로 굳은살을 제거하고 맞춤 신발을 신도록 하는 등 예방적 발관리가 필요하며 신경병증으로 인하여 발 기형이 심한 환자는 말초동맥병이 없더라도 외과적 교정술도 고려해야 한다. 발궤양의 일반적인 치료원칙은 궤양부위에 체중부하를 피하고(off-loading) 죽은 조직을 제거한 후 상처치료(dressing)와 필요하면 항생제를 투여하고 혈관재개통(revascularization)을 시도하여 절단을 최소화하는 것이 원칙이다.

표 9-5-14. 궤양과 절단의 위험성에 따른 분류 및 관리

위험군	궤양 3년위험률(%)	절단 3년위험률(%)	관리방침
0. 신경병증(-)	5.1	0	매년 선별검사
1. 신경병증(+) 기형이나 말초혈관질환(-)	14.3	0	통상적인 발관리
2. 신경병증(+) 기형 또는 말초혈관질환(+)	18.8	3.1	당뇨병 전문의 발관리 맞춤 신발 말초혈관질환 치료
3. 궤양이나 하지 절단의 기왕력(+)	55.8	20.9	당뇨병 전문의 발관리 맞춤 신발 말초혈관질환 치료

1) 부하제거(Off-loading)

체중부하를 피하고 죽은 조직을 제거하는 것이 발의 상처를 치유하는데 가장 중요한 요소이다. 체중부하를 줄이는 목적은 궤양부위에 가해지는 압력을 분산시키는 것이며 석고붕대, 석고붕대보행기(cast walker), 휠체어 그리고 목발 등을 사용할 수 있다. 전접촉석고고정(total-contact cast)은 석고고정 안쪽 부분이 발을 압박하여 허혈성 손상을 줄 수 있으므로 발의 심부감염이 진행 중인 환자에서 부기가 있거나 심한 부종이 있는 경우에는 금기이다. 석고보행기로 치료하는 환자는 매주 보행기를 벗겨서 상처를 관찰하고 치료해야 하며 보통 상처가 치유되는데 6-12주가 걸리며 발바닥의 상처가 나아도 흉터조직(scar tissue)이 단단해지도록 4주 정도 더 착용하도록 한다. 압력을 재분산할 수 있는 방법으로 안창을 신발 안쪽이나 석고붕대 안쪽에 위치하게 한다.

2) 죽은조직제거(Debridement)

괴사된 조직의 제거는 궤양의 치유에 중요하다. 개방되어 있는 발궤양은 괴사된 조직이 있으면 가장자리의 굳은살을 제거하여 주위의 압력을 감소시키고 죽은 조직을 제거함으로써 세균의 집락화를 막을 수 있고 궤양의 심부조직에서 균 배양을 위해 적절한 표본을 채취할 수 있다. 죽은 조직을 제거하는 방법에는 여러 가지가 있으나 숙련된 외과의가 수술

도구로 도려내는 것이 가장 좋은 방법이다. 하이드로젤을 이용하는 방법이 있으나 궤양을 치유하는데 한계가 있으며 콜라게네이즈는 혈관질환이 광범위한 경우에 적당하다. 자가용해효소는 통증이 있는 궤양에 도움이 되며 폐쇄(occlusive) 또는 반폐쇄드레싱(non-occlusive dressing)을 이용하여 궤양부위를 덮으면 궤양조직이 효소에 의하여 저절로 분해된다.

3) 상처치료(Dressing)

죽은 조직을 제거한 후 상처는 깨끗한 상태로 보습이 유지되어야 하며 상처치료는 궤양의 상태, 즉 삼출물의 많고 적음, 건조한 정도나 괴사조직의 유무에 따라 달라진다. 여러 가지 방법이 있으나 생리식염수에 적신 거즈를 사용하면 비용면에서 유리하고 상처에 자극을 주지 않고 보습 효과가 있는 것이 장점이지만 살아있는 조직과 죽은 조직을 모두 제거한다. 알지네이트거품드레싱(alginate foam dressing)은 흡수력이 뛰어나 분비물이 많은 상처부위가 짓무르는 것을 줄일 수 있다. 이상적인 상처소독은 삼출물을 잘 흡수하고 감염의 위험을 줄일 수 있어야 한다.

4) 음압상처치료(Negative pressure wound therapy)

감염이나 괴사로 죽은 조직을 제거한 광범위한 개방상처나 부분 하지 절단 후에 적응이 된다. 음압치료는 상처의 관류

를 증가시키고 부종을 가라앉히며 세균의 증식을 방지하여 육아조직 형성을 촉진함으로써 발수술 후 상처치유를 촉진시키고 입원기간을 줄인다.

5) 피부이식 및 인조피부

보조적인 상처 치료법으로는 사람의 피부를 이식하거나 인조피부를 사용하여 감염이 없고 허혈이 없는 만성적인 발바닥 궤양에 주로 사용한다. 일반적인 치료에 비해 궤양의 봉합이 빠르며 조직성장과 상처봉합을 일으키는 사이토카인과 피부바탕질(dermal matrix) 성분의 작용을 통해 궤양의 치유를 촉진한다.

6) 성장인자

성장인자는 세포의 증식과 혈관 생성을 촉진하여 궤양의 치유를 촉진한다. 혈소판유래성장인자와 표피성장인자도 사용되고 있으나 여러 연구결과, 임상에서 상용하기에 효과는 충분하지 않으며 새로운 치료법으로 과립구집락자극인자(granulocyte colony-stimulating factor, G-CSF)는 당뇨병 환자에서 중성구의 활성도를 증가시킨다. 메타분석 결과 감염에서 회복되는 기간이 줄어들지는 않았으나 하지 절단 및 수술치료가 필요한 경우는 감소하는 경향을 보였다.

7) 고압산소요법(Hyperbaric oxygen therapy)

고압산소요법은 조직에 고압의 산소를 공급함으로써 조직내혈관의 혈액내 산소 농도를 올려서 산소확산능을 증가시킴으로써 신생혈관 생성과 섬유모세포의 복제를 자극하여 상처부위에서 포식작용과 백혈구매개병원체사멸(leuko-cyte-mediated killing)을 나타내는데 소규모 무작위연구에서만 상처치유속도가 개선되고 하지 절단 비율은 줄어든 것으로 되어 있으나 대규모연구에서는 확인된 바 없다.

8) 감염관리

상처부위에서 감염이 있으면 적절한 치료를 하여야 한다. 세균배양을 위한 검체는 죽은 조직을 제거한(debride-ment) 궤양의 기저부에서 채취해야 하며 감염부위가 조직

의 깊은 곳에 있는 경우는 수술과정에서 검체를 확보해야 한다. 원인균으로는 그람양성균이 가장 흔하며 감염이 오래된 경우에는 그람음성균이나 무산소균(anaerobic bacterium)을 포함한 복합균주에 의한 감염일 수 있고 젖은상처치료(wet dressing)의 경우 녹농균이 원인일 수 있다. 화농성 분비물, 열 또는 백혈구 증가와 같은 염증의 징후가 있는지 살펴보고 감염이 심한 경우에는 입원해서 보존치료와 항생제를 투여 받는 것이 좋다. 흔히 사용되는 항생제는 세팔로스포린, 퀴놀론 또는 베타락탐분해효소억제제(β lactamase inhibitor) 등이 있다. 뼈가 노출되어 있는 경우에는 골수염을 의심해야 하며 끝이 무딘 탐색자(probe)로 눌러보고 골수염이 확진되면 수술로 침범된 뼈를 제거한 후 장기간 항생제를 투여해야 한다.

9) 혈관개통술

상처가 치유되고 감염으로부터 회복되기 위해서는 혈류가 제대로 공급되어야 하는데 우회술(bypass surgery)이 가장 흔한 방법이며 10년 동안 90%에서 사지를 보존할 수 있어 장기간 예후가 좋은 것으로 되어있다. 여러 수준에서 폐색이 있는 경우 혈류를 통하게 하고 절단을 최소화하기 위해서는 각 레벨에서 재개통술이 필요하다. 당뇨병 환자에서는 주로 슬와동맥(popliteal artery)이나 경골동맥(tibial artery)에 협착이 흔하며 장골동맥(iliac artery)에 피부경유혈관경유혈관성형(transluminal angioplasty)을 한 다음 원위부혈관에 우회술을 시행하면 절단범위를 줄일 수 있고 다리절단 끝부위의 생존율을 증가시킬 수 있으므로 수술 전에는 환자의 혈관에 대한 철저한 평가가 필요하다.

10) 하지 절단

하지 절단의 80% 이상은 발궤양으로부터 시작되는데 궤양이 치유되지 않으면 조직과 뼈에 손상을 가져와서 발가락이나 발 또는 다리의 일부를 제거하게 된다. 하지절단은 시술로 혈관 개통이 가능하지 않고 심한 감염으로 괴사에 빠진 환자에서 일차치료로 선택한다. 절단술의 기본개념은 절단을 최소화하고 감염의 진행을 방지하며 절단 후에도 가능

한 보행이 가능하도록 하는 것이다. 특히 신경허혈궤양에서는 먼저 근위부혈관에서 동맥재건술을 실시함으로써 다리의 절단범위를 최소화시킬 수 있다(표 9-5-14).

7. 예후

당뇨병 환자에서 발질환의 가장 효과적인 치료는 예방이며 일단 발궤양이 발생하면 치료가 되어도 다시 상처가 생길 확률이 50%가 넘는다. 발궤양을 가진 환자의 사망률은 관상동맥이나 신장동맥과 같이 대혈관의 죽상경화증과 관련이 있으며 통증의 유무, C반응단백질, 궤양의 크기, 발목상완지수, 혈당의 조절정도 및 체질량지수가 예후에 영향을 미치는 것으로 되어 있다. 당뇨병발질환에서 피부나 연부조직 그리고 급성 골수염의 예후는 얼마만큼 적절하게 항생제 치료와 수술적으로 죽은 조직을 제거하느냐에 달려 있다. 골수염이 만성인 경우 침범된 사지의 혈액공급과 수술치료와 관련이 있다. 250명의 환자를 대상으로 한 독일의 연구에서는 발궤양의 예후는 말초동맥병이나 신부전의 유무와 관련이 있는 것으로 되어 있다. Chammas 등의 연구에 의하면 발궤양이 있는 환자에서 조기사망의 가장 흔한 원인은 허혈심장질환으로 보고하였고 Chen 등은 발궤양에 의한 전신감염이 사망의 위험을 증가시킨다고 하였다.

참 / 고 / 문 / 헌

I.

1. 김두만. 고혈당 고삼투압상태. 내분비대사학. 제2판. 군자출판사; 2011. pp. 711-3.

2. 박종숙, 안철우. 당뇨병성케토산증과 고혈당성고삼투압상태. 당뇨병학. 제5판. 범문에듀케이션; 2017. pp.497-506.

3. 정춘희. 1형당뇨병의 합병증. 내분비대사학. 제2판. 군자출판사; 2011. pp. 700-4.

4. Bonora BM, Avogaro A, Fadini GP. Sodium-glucose cotransporter-2 inhibitors and diabetic ketoacidosis: an updated review of the literature. Diabetes Obes Metab 2018;20:25-33.

5. Cho DH. Effective management of diabetic ketoacidosis. J Korean Diabetes 2018;19:208-13.

6. Dhatariya KK, Glaser NS, Codner E, Umpierrez GE. Diabetic ketoacidosis. Nat Rev Dis Primers 2020;6:40.

7. Dhatariya KK, Umpierrez GE. Guidelines for management of diabetic ketoacidosis: time to revise? Lancet Diabetes Endocrinol 2017;5:321-3.

8. Diabetes UK [Internet]. Joint British Diabetes Societies for inpatient care: The management of diabetic ketoacidosis in adult; 2021 Jun. Available from: https://abcd.care/resource/management-diabetic-ketoacidosis-dka-adults.

9. Jeon JY, Kim SK, Kim KS, Song SO, Yun JS, Kim BY, et al. Clinical characteristics of diabetic ketoacidosis in users and non-users of SGLT2 inhibitors. Diabetes Metab 2019;45:453-7.

10. Karslioglu French E, Donihi AC, Korytkowski MT. Diabetic ketoacidosis and hyperosmolar hyperglycemic syndrome: review of acute decompensated diabetes in adult patients. BMJ 2019;365:l1114.

11. Kitabchi AE, Umpierrez GE, Miles JM, Fisher JN. Hyperglycemic crises in adult patients with diabetes. Diabetes Care 2009;32:1335-43.

12. Pasquel FJ, Umpierrez GE. Hyperosmolar hyperglycemic state: a historic review of the clinical presentation, diagnosis, and treatment. Diabetes Care 2014;37:3124-31.

13. Powers AC, Niswender KD, Rickels MR. Diabetes mellitus: management and Therapies. Harrison's principles of internal medicine. 20th ed. New York: McGraw-Hill Education; 2018. pp. 2870-3.

14. Umpierrez G, Korytkowski M. Diabetic emergencies-ketoacidosis, hyperglycaemic hyperosmolar state and hypoglycemia. Nat Rev Endocrinol 2016;12:222-32.

15. You JH, Song SO, Park SH, Park KH, Nam JY, Kim DW, et al. Trends in hyperglycemic crisis hospitalizations and in- and out-of-hospital mortality in the last decade based on Korean National Health Insurance Claim Data. Endocrinol Metab 2019;34:275-81.

II.

1. Avogaro A, Albiero M, Menegazzo L, de Kreutzenberg S, Fadini GP. Endothelial dysfunction in diabetes: the role of reparatory mechanisms. Diabetes Care 2011;34:285-90.

2. Barrett EJ, Liu Z, Khamaisi M, King GL, Klein R, Klein BEK, et al. Diabetic microvascular disease: an endocrine society scientific statement. J Clin Endocrinol Metab 2017;102:4343-410.

3. Chen Z, Miao F, Paterson AD, Lachin JM, Zhang L, Schones DE, et al. Epigenomic profiling reveals an association between persistence of DNA methylation and metabolic memory in the DCCT/EDIC type 1 diabetes cohort. Proc Natl Acad Sci USA 2016;113:E3002-11.

4. Cole JB, Florez JC. Genetics of diabetes mellitus and diabetes complications. Nat Rev Nephrol 2020;16:377-90.

09
당뇨병질환

5. Cooper ME, El-Osta A. Epigenetics: mechanisms and implications for diabetic complications. Circ Res 2010;107:1403-13.

6. Cowie MR, Fisher M. SGLT2 inhibitors: mechanisms of cardiovascular benefit beyond glycaemic control. Nat Rev Cardiol 2020;17:761-72.

7. Das Evcimen N, King GL. The role of protein kinase C activation and the vascular complications of diabetes. Pharmacol Res 2007;55:498-510.

8. Dekkers CCJ, Sjostrom CD, Greasley PJ, Cain V, Boulton DW, Heerspink HJL. Effects of the sodium-glucose cotransporter-2 inhibitor dapagliflozin on estimated plasma volume in patients with type 2 diabetes. Diabetes Obes Metab 2019;21:2667-73.

9. Domingues A, Jolibois J, Marquet de Rouge P, Nivet-Antoine V. The Emerging role of TXNIP in Ischemic and cardiovascular diseases: a novel marker and therapeutic target. Int J Mol Sci 2021;22:1693.

10. Goldin A, Beckman JA, Schmidt AM, Creager MA. Advanced glycation end products: sparking the development of diabetic vascular injury. Circulation 2006;114:597-605.

11. Gonzalez-Casanova J, Schmachtenberg O, Martinez AD, Sanchez HA, Harcha PA, Rojas-Gomez D. An update on connexin gap junction and hemichannels in diabetic retinopathy. Int J Mol Sci 2021;22:3194.

12. Gray SP, Di Marco E, Candido R, Cooper ME, Jandeleit-Dahm KAM. Pathogenesis of Macrovascular Complications in Diabetes. Textbook of Diabetes. Wiley; 2017. pp. 599-628.

13. Hu H, Tian M, Ding C, Yu S. The C/EBP homologous protein (CHOP) transcription factor functions in endoplasmic reticulum stress-induced apoptosis and microbial infection. Front Immunol 2018;9:3083.

14. Jagtap P, Szabó C. Poly (ADP-ribose) polymerase and the therapeutic effects of its inhibitors. Nat Rev Drug Discov 2005;4:421-40.

15. Khamaisi M, King GL, Park KM, Li Q. Pathogenesis of Microvascular Complications. Diabetes Complications, Comorbidities and Related Disorders. Springer; 2019. pp. 1-41.

16. Kim JH, Kim DJ, Jang HC, Choi SH. Epidemiology of micro-and macrovascular complications of type 2 diabetes in Korea. Diabetes Metab J 2011;35:571-7.

17. Leeper NJ, Cooke JP. MicroRNA and mechanisms of impaired angiogenesis in diabetes mellitus. Circulation 2011;123:236-8.

18. Lightman S. Does aldose reductase have a role in the development of the ocular complications of diabetes? Eye (Lond) 1993;7:238-41.

19. Liu XZ, Zhang H. The Effect of sodium glucose cotransporter 2 inhibitors from a human genetic perspective. Front Genet 2021;12:658012.

20. Maeda S, Matsui T, Takeuchi M, Yamagishi S. Sodiumglucose cotransporter 2-mediated oxidative stress augments advanced glycation end products-induced tubular cell apoptosis. Diabetes Metab Res Rev 2013;29:406-12.

21. McClain DA, Paterson AJ, Roos MD, Wei X, Kudlow JE. Glucose and glucosamine regulate growth factor gene expression in vascular smooth muscle cells. Proc Natl Acad Sci USA 1992;89:8150-4.

22. Newton AC. Regulation of the ABC kinases by phosphorylation: protein kinase C as a paradigm. Biochem J 2003;370:361-71.

23. Pober JS, Sessa WC. Evolving functions of endothelial cells in inflammation. Nat Rev Immunol 2007;7:803-15.

24. Rieg T, Vallon V. Development of SGLT1 and SGLT2 inhibitors. Diabetologia 2018;61:2079-86.

25. Satirapoj B. Sodium-glucose cotransporter 2 inhibitors with renoprotective effects. Kidney Dis (Basel) 2017;3:24-32.

26. Shi Y, Vanhoutte PM. Macro-and microvascular endothelial dysfunction in diabetes. J Diabetes 2017;9:434-49.

27. Shin SJ, Chung S, Kim SJ, Lee EM, Yoo YH, Kim JW, et al. Effect of sodium-glucose co-transporter 2 inhibitor, dapagliflozin, on renal renin-angiotensin system in an animal model of type 2 diabetes. PLoS One 2016;11:e0165703.

28. Stehouwer CDA. Microvascular dysfunction and hyperglycemia: a vicious cycle with widespread consequences. Diabetes 2018;67:1729-41.

29. Tsimihodimos V, Filippatos TD, Elisaf MS. SGLT2 inhibitors and the kidney: Effects and mechanisms. Diabetes Metab Syndr 2018;12:1117-23.

30. Vague P, Coste TC, Jannot MF, Raccah D, Tsimaratos M. C-peptide, Na+,K(+)-ATPase, and diabetes. Exp Diabesity Res 2004;5:37-50.

31. Wu J, Jin Z, Zheng H, Yan LJ. Sources and implications of NADH/NAD(+) redox imbalance in diabetes and its complications. Diabetes Metab Syndr Obes 2016;9:145-53.

32. Yan SF, Ramasamy R, Schmidt AM. Receptor for AGE (RAGE) and its ligands-cast into leading roles in diabetes and the inflammatory response. J Mol Med (Berl) 2009;87:235-47.

33. Yang WH, Park SY, Nam HW, Kim DH, Kang JG, Kang ES, et al. NFkappaB activation is associated with its O-GlcNAcylation state under hyperglycemic conditions. Proc Natl Acad Sci USA 2008;105:17345-50.

34. Zhao L, Zou Y, Liu F. Transforming growth factor-β1 in diabetic kidney disease. Front Cell Dev Biol 2020;8:187.

III.

1. 정흠. 최신 당뇨와 눈. 내외학술; 2011.

2. Abhary S, Hewitt AW, Burdon KP, Craig JE. A Systematic meta-analysis of Genetic Association Studies for diabetic retinopathy. Diabetes 2009;58:2137-47.

3. Boyer DS, Yoon YH, Belfort R Jr, Bandello F, Maturi RK, Augustin AJ, et al. Three-year, randomized, sham-controlled trial of dexamesone intravitreal implant in patients with diabetic macular edema. Ophthalmology 2014;121:1904-14.

4. Brown DM, Schmidt-Erfurth U, Do DV, Holz FG, Boyer DS, Midena E, et al. Intravitreal aflibercept for Diabetic macular edema: 100-week results from the VISTA and VIVID studies. Ophthalmology 2015;122:2044-52.

5. Brownlee M. Biochemistry and molecular cell biology of diabetic complications, Nature 2001;414:813-20.

6. Grassi MA, Tikhomirov A, Ramalingam S, Below JE, Cox NJ, Nicolae DL. Genome-wide meta-analysis for severe diabetic retinopathy. Hum Mol Genet 2011;20:2472-81.

7. Huang YC, Lin JM, Lin HJ, Chen CC, Chen SY, Tsai CH, et al. Genome-wide association study of diabetic retinopathy in a Taiwanese population. Ophthalmology 2011;118:642-8.

8. Klein R, Klein BE, Moss SE, Davis MD, DeMets DL. The Wisconsin Epidemiologic Study of diabetic retinopathy: II. prevalence and risk of diabetic retinopathy when age at diagnosis is less than 30 years. Arch Ophthalmol 1984; 102:520-6.

9. Klein R, Klein BE, Moss SE, Davis MD, DeMets DL. The Wisconsin Epidemiologic Study of Diabetic Retinopathy: III. prevalence and risk of diabetic retinopathy when age at diagnosis is 30 or more years. Arch Ophthalmol 1984; 102:527-32.

10. Klein R, Klein BE, Moss SE, Davis MD, DeMets DL. The Wisconsin Epidemiologic Study of Diabetic Retinopathy: IV. diabetic macular edema. Ophthalmology 1984;91:1464-74.

11. Nguyen QD, Brown DM, Marcus DM, Boyer DS, Patel S, Feiner L, et al. Ranibizumab for diabetic macular edema: results from 2 phase III randomized trials: RISE and RIDE. Ophthalmology 2012;119:789-801.

12. Ryan SJ. Retina. 3rd ed. St. Louis: Mosby; 2001.

13. The Diabetes Control and Complications Trial Research Group. The effect of intensive treatment of diabetes on the development and progression of long-term complications in insulin-dependent diabetes mellitus. N Engl J Med 1993;329:977-86.

14. The Early Treatment Diabetic Retinopathy Study Group. Early photocoagulation for diabetic retinopathy. Ophthalmology 1991;98:766-81.

15. UK Prospective Diabetes Study(UKPDS) Group. Intensive blood-glucose control with sulphonylureas or insulin compared with conventional treatment and risk of complications in patients with type 2 diabetes (UKPDS 33). Lancet 1998;352:837-53.

16. Woo SJ, Veith M, Hamouz J, Ernest J, Zalewski D, Studnicka J, et al. Efficacy and safety of a proposed ranibizumab biosimilar product vs a reference ranibizumab product for patients with neovascular age-related macular degeneration a randomized clinical trial. JAMA Ophthalmol 2021;139:68-76.

17. Writing Committee for the Diabetic Retinopathy Clinical Research Network, Gross JG, Glassman AR, Jampol LM, Inusah S, Aiello LP, et al. Panretinal photocoagulation vs intravitreous ranibizumab for proliferative diabetic retinopathy: a randomized clinical trial. JAMA 2015;314:2137-46.

IV.

1. 고승현, 권혁상, 이정민 외. 한국인 제2형 당뇨병환자에서 심혈관계 자율신경병증의 특성. 대한당뇨병학회 2006;30:226-35.

2. 당뇨병성신경병증연구회. 당뇨병성 신경병증 매뉴얼. 서울: 대한당뇨병학회; 2020. pp. 6-92.

3. 당뇨병성신경병증연구회. 당뇨병성신경병증. 제2판. 서울: 대한당뇨병학회; 2013. pp. 3-222.

4. 대한당뇨병학회. 당뇨병학. 제5판. 서울: 대한당뇨병학회; 2018. pp. 545-61.

5. Bharucha AE, Kudva YC, Prichard DO. Diabetic Gastroparesis. Endocr Rev 2019;40:1318-52.

6. Calcutt NA. Diabetic neuropathy and neuropathic pain: a (con)fusion of pathogenic mechanisms? Pain 2020;161:65-86.

7. Freeman R. Autonomic Peripheral Neuropathy. Continuum (Minneap Minn) 2020;26:58-71.

8. Gries FA, Cameron NE, Low PA, Ziegler D. Textbook of diabetic neuropathy, New York: Thieme Medical Publisher; 2003.

9. Izenberg A, Perkins BA, Bril V. Diabetic Neuropathies. Semin Neurol 2015;35:424-30.

10. Javed S, Hayat T, Menon L, Alam U, Malik RA. Diabetic peripheral neuropathy in people with type 2 diabetes: too little too late. Diabet Med 2020;37:573-79.

11. Jensen TS, Karlsson P, Gylfadottir SS, Andersen ST, Bennett DL, Tankisi H, et al. Painful and non-painful diabetic neuropathy, diagnostic challenges and implications for future management. Brain 2021;144:1632-45.

12. Kazamel M, Stino AM, Smith AG. Metabolic syndrome and peripheral neuropathy. Muscle Nerve 2021;63:285-93.

13. Moon SS, Kim CH, Kang SM, Kim ES, Oh TJ, Yun JS, et al. Status of diabetic neuropathy in Korea: A National Health

09 당뇨사전학

Insurance Service-national sample cohort analysis (2006 to 2015). Diabetes Metab J 2021;45:115-9.

14. Oh J. Clinical spectrum and diagnosis of diabetic neuropathies. Korean J Intern Med 2020;35:1059-69.

15. Selvarajah D, Kar D, Khunti K, Davies MJ, Scott AR, Walker J, et al. Diabetic peripheral neuropathy: advances in diagnosis and strategies for screening and early intervention. Lancet Diabetes Endocrinol 2019;7:938-48.

16. Shillo P, Sloan G, Greig M, Hunt L, Selvarajah D, Elliott J, et al. Painful and painless diabetic neuropathies: what is the difference? Curr Diab Rep 2019;19:32.

17. Sloan G, Selvarajah D, Tesfaye S. Pathogenesis, diagnosis and clinical management of diabetic sensorimotor peripheral neuropathy. Nat Rev Endocrinol 2021;17:400-20.

18. Won JC, Kwon HS, Kim CH, Lee JH, Park TS, Ko KS, et al. Prevalence and clinical characteristics of diabetic peripheral neuropathy in hospital patients with Type 2 diabetes in Korea. Diabet Med 2012; 29:e290-6.

V.

1. 대한당뇨병학회. 당뇨병신장질환. 2021 당뇨병 진료지침. 제7판. 홍익대 미술디자인공학연구소; 2021. p. 199.

2. American Diabetes Association. Cardiovascular disease and risk management: standards of medical care in diabetes. Diabetes Care 2021;44:125-51.

3. Bailey RA, Wang Y, Zhu V, Rupnow MFT. Chronic kidney disease in US adults with type 2 diabetes: an updated national estimate of prevalence based on Kidney Disease: Improving Global Outcomes (KDIGO) staging. BMC Res Notes 2014;7:415-21.

4. Defronzo RA, Reeves WB, Awad AS. Pathophysiology of diabetic kidney disease: impact of SGLT2 inhibitors. Nature Review Nephrologh 2021;17:319-34.

5. George LB, Rajiv A, Stefan DA, Bertram P, Luis MR, Peter R, et al. Effect of finerenone on chronic kidney disease outcomes in type 2 diabetes. N Engl J Med 2020;383:2219-29.

6. Gerstein HC, Colhoun HM, Dagenais GR, Diaz R, Lakshmanan M, Pais P, et al. Dulaglutide and cardiovascular outcomes in type 2 diabetes (REWIND): a double-blind, randomized placebo-controlled trial. Lancet 2019;394: 121-30.

7. Górriz J, Nieto J, Navarro-González J, Molina P, Martínez-Castelao A, Pallardó L. Nephroprotection by Hypoglycemic Agents: do we have supporting data? J Clin Med 2015;4:1866-89.

8. Greco EV, Russo G, Giandalia A, Viazzi F, Pontremoli R, de Cosmo S. GLP-1R agonists and kidney protection. Medicina 2019;55:233-46.

9. Heerspink HJ, Stefansson BV, Correa-Rotter R, Ienn MC, Tom G, Hou FF, et al. Dapagliflozin in Patients with Chronic Kidney Disease. N Engl J Med 2020; 383:1436-46.

10. Holman RR, Bethel MA, Mentz RJ, Thompson VP, Lokhnygina Y, Buse JB, et al. Effects of once-weekly exenatide on cardiovascular outcomes in type 2 diabetes. N Engl J Med 2017;377:1228-39.

11. Kasiske BL, Lakatua JD, Ma JZ, Louis TA. A meta-analysis of the effects of dietary protein restriction on the rate of decline in renal function. Am J Kidney Dis 1998;31:954-61.

12. KDIGO 2012 Clinical Practice Guideline for the Evaluation and Management of Chronic Kidney Disease. Kidney Int 2013;3:1-150.

13. Kim NH. Diabetic Nephropathy. 7th ed. Seoul: Korean Diabetes Association; 2021. pp. 192-200.

14. Mann JFE, Brown-Frandsen K, Marso SP, Poulter NR, Rasmussen S, Rsted DD, et al. Liraglutide and renal outcomes in type 2 diabetes. N Engl J Med 2017;31:839-48.

15. Marso SP, Bain SC, Consoli A, Eliaschewitz FG, Jódar E, Leiter LA, et al. Semaglutide and cardiovascular outcomes in patients with Type 2 diabetes. N Engl J Med 2016;375:1834-44.

16. Marso SP, Daniels GH, Brown-Frandsen K, Kristensen P, Mann JF, Nauck MA, et al. Liraglutide and cardiovascular outcomes in type 2 diabetes. N Engl J Med 2016;375:311-22.

17. Mohammed KA, Kai MB, Jinan BS, Catherine CC, Giuseppina I, Edward WG. Achievement of goals in U.S. diabetes care, 1999-2010. N Engl J Med 2013;368:1613-24.

18. Morales E, Millet VG, Rojas-Rivera J, Huerta A, Gutiérrez E, Gutiérrez-Solís E, et al. Renoprotective effects of mineralocorticoid receptor blockers in patients with proteinuric kidney diseases. Nephrol Dial Transpl 2013;28:405-12.

19. Muskiet MHA, Tonneijck L, Smits MM, van Baar MJB, Kramer MHH, Hoorn EJ, et al. GLP-1 and the kidney: from physiology to pharmacology and outcomes in diabetes. Nat Rev Nephrol 2017;13:605-28.

20. Oh TJ, Moon JY, Hur KY, Ko SH, Kim HJ, Kim TH, et al. Sodium-glucose cotransporter-2 inhibitor for renal function preservation in patients with type 2 diabetes mellitus: A Korean Diabetes Association and Korean Society of Nephrology Consensus Statement. Diabetes Metab J 2020;44:489-97.

21. Park JS. Hypertension Management. 7th ed. Seoul: KDA; 2021. pp. 152-9.

22. Perkovic V, Jardine MJ, Neal B, Bompoint S, Heerspink HJL, Charytan DM, et al. Canagliflozin and renal outcomes in type 2 diabetes and nephropathy. N Engl J Med 2019;380:2295-306.

23. Rodriguez-Poncelas A, Garre-Olmo J, Franch-Nadal J, Diez-Espino J, Mundet-Tuduri X, Barrot-De lP, et al. Prevalence of chronic kidney disease in patients with type 2 diabetes in Spain: PERCEDIME2 study. BMC Nephrol 2013;14:46-53.

24. Scirica BM, Bhatt DL, Braunwald E, Steg PG, Davidson J, Hirshberg B, et al. Saxagliptin and cardiovascular

outcomes in patients with type 2 diabetes mellitus. N Engl J Med 2013;369:1317-26.

25. UK Prospective Diabetes Study Group. Tight blood pressure control and risk of macrovascular and microvascular complications in type 2 diabetes: UKPDS 38. BMJ 1998;317:703-13.

26. von Nieuwenhoven F, Jensen LJ, Flyvbjerg A, Goldschmeding R. Imbalance of growth factor signalling in diabetic kidney disease: Is connective growth factor (CTGF, CCN2) the perfect intervention point? Nephrol Dial Transpl 2005;20:6-10.

27. Wanner C, Inzucchi SE, Lachin JM, Fitchett D, von Eynatten M, Mattheus, M, et al. Empagliflozin and progression of kidney disease in type 2 diabetes. N Engl J Med 2016; 375:323-34.

28. Wanner C, Inzucci SE, Lachin JM, Fitchett D, Eynatten M, Mattheus M, et al. Empagliflozin and progression of kidney disease in type 2 diabetes. N Engl J Med 2016;375:323-34.

29. Zinman B, Wanner C, Lachin JM, Fitchett D, Bluhmki E, Hantel S, et al. Empagliflozin, cardiovascular outcomes, and mortality in type 2 diabetes. N Engl J Med 2015;373: 2117-28.

VI.

1. 대한고혈압학회. 고혈압 진료지침. 대한고혈압학회; 2018. pp.56-64.

2. 대한당뇨병학회. 2021 당뇨병 진료지침. 제7판. 서울: 대한당뇨병학회; 2021. pp.96-115.

3. 대한당뇨병학회. 당뇨병학. 제5판. 서울: 대한당뇨병학회; 2017. pp.597-618.

4. 대한심장학회. 만성 심부전 진료지침. 대한심장학회; 2018. pp.28-59.

5. 한국지질동맥경화학회. 이상지질혈증치료지침. 제4판. 한국지질동맥경화학회; 2018. pp.127-31.

6. Anker SD, Butler J, Filippatos G, Ferreira JP, Bocchi E, Böhm M, et al. Empagliflozin in heart failure with a preserved ejection fraction. N Engl J Med 2021;385:1451-61.

7. Arboix A, Rivas A, García-Eroles L, de Marcos L, Massons J, Oliveres M. Cerebral infarction in diabetes: Clinical pattern, stroke subtypes, and predictors of in-hospital mortality. BMC Neurol 2005;5:9.

8. Eckel RH, Bornfeldt KE, Goldberg IJ. Cardiovascular disease in diabetes, beyond glucose. Cell Metab 2021;33: 1519-45.

9. Gerhard-Herman MD, Gornik HL, Barrett C, Barshes NR, Corriere MA, Drachman DE, et al. 2016 AHA/ACC guideline on the management of patients with lower extremity peripheral artery disease: executive summary: a report of the American College of Cardiology/American Heart Association Task Force on clinical practice guidelines. J Am Coll Cardiol 2017;69:1465-508.

10. Gerstein HC, Colhoun HM, Dagenais GR, Diaz R, Lakshmanan M, Pais P, et al. Dulaglutide and cardiovascular outcomes in type 2 diabetes (REWIND): a double-blind, randomised placebo-controlled trial. Lancet 2019;394: 121-130.

11. Johnston KC, Bruno A, Pauls Q, Hall CE, Barrett KM, Barsan W, et al. Intensive vs standard treatment of hyperglycemia and functional outcome in patients with acute ischemic stroke: the shine randomized clinical trial. JAMA 2019;322:326-35.

12. Kitagawa K, Yamamoto Y, Arima H, Maeda T, Sunami N, Kanzawa T, et al. Recurrent stroke prevention clinical outcome (respect) study group. effect of standard vs intensive blood pressure control on the risk of recurrent stroke: a randomized clinical trial and meta-analysis. Jama Neurol 2019;76:1309-18.

13. Kleindorfer DO, Towfighi A, Chaturvedi S, Cockroft KM, Gutierrez J, Lombardi-Hill D, et al. 2021 guideline for the prevention of stroke in patients with stroke and transient ischemic attack. Stroke 2021;52:e364-467.

14. Lee WS, Kim J. Diabetic cardiomyopathy: where we are and where we are going. Korean J Intern Med 2017;32: 404-21.

15. Marso SP, Daniels GH, Brown-Frandsen K, Kristensen P, Mann JF, Nauck MA, et al. Liraglutide and cardiovascular outcomes in type 2 diabetes. N Engl J Med 2016;375:311-22.

16. Park JH, Ha KH, Kim BY, Lee JH, Kim DJ. Trends in cardiovascular complications and mortality among patients with diabetes in South Korea. Diabetes Metab J 2021;45: 120-4.

17. Scirica BM, Braunwald E, Raz I, Cavender MA, Morrow DA, Jarolim P, et al. Heart failure, saxagliptin, and diabetes mellitus: observations from the SAVOR-TIMI 53 randomized trial. Circulation 2014;130:1579-88.

18. Standards of Medical Care in Diabetes, Diabetes Care 2021;44:125-50.

19. Tuttolomondo A, Pinto A, Di Raimondo D, Fernandez P, Licata G. Stroke patterns, etiology, and prognosis in patients with diabetes mellitus. Neurology 2005;64:581.

20. Wiviott SD, Raz I, Bonaca MP, Mosenzon O, Kato ET, Cahn A, et al. Dapagliflozin and cardiovascular outcomes in type 2 diabetes. N Engl J Med 2019;380:347-57.

21. Zannad F, Cannon CP, Cushman WC, Bakris GL, Menon V, Perez AT, et al. Heart failure and mortality outcomes in patients with type 2 diabetes taking alogliptin versus placebo in EXAMINE: a multicentre, randomised, double-blind trial. Lancet 2015;385:2067-76.

22. Zinman B, Wanner C, Lachin JM, Fitchett D, Bluhmki E, Hantel S, et al. Empagliflozin, cardiovascular outcomes, and mortality in type 2 diabetes. N Engl J Med 2015;373: 2117-28.

09
당뇨사질환

VII.

1. 대한당뇨병학회. 이상지질혈증 관리. 2021 당뇨병 진료지침. 제7판. 홍익대 미술디자인공학연구소; 2021. p. 174.

2. ACCORD Study Group, Ginsberg HN, Elam MB, Lovato LC, Crouse JR 3rd, Leiter LA. Effects of combination lipid therapy in type 2 diabetes mellitus, N Engl J Med 2010;362:1563-74.

3. AIM-HIGH Investigators, Boden WE, Probstfield JL, Anderson T, Chaitman BR, Desvignes-Nickens P, et al. Niacin in patients with low HDL cholesterol levels receiving intensive statin therapy. N Engl J Med 2011;365:2255-67.

4. Arca M, Borghi C, Pontremoli R, De Ferrari GM, Colivicchi F, Desideri G, et al. Hypertriglyceridemia and omega-3 fatty acids: their often overlooked role in cardiovascular disease prevention, Nutr Metab Cardiovasc Dis 2018;28:197-205.

5. ASCEND Study Collaborative Group, Bowman L, Mafham M, Wallendszus K, Stevens W, Buck G, Barton J, et al. Effects of n-3 fatty acid supplements in diabetes mellitus. N Engl J Med 2018;379:1540-50.

6. Avramoglu RK, Basciano H, Adeli K: Lipid and lipoprotein dysregulation in insulin resistant states. Clin Chim Acta 2006;368:1-19.

7. Bhatt DL, Steg PG, Miller M, Brinton EA, Jacobson TA, Ketchum SB, et al. Cardiovascular risk reduction with icosapent ethyl for hypertriglyceridemia. N Engl J Med 2019;380:11-22.

8. Cannon CP, Blazing MA, Giugliano RP, McCagg A, White JA, Theroux P, et al. ezetimibe added to statin therapy after acute coronary syndromes. N Engl J Med 2015;372(25):2387-97.

9. Catapano AL, Graham I, De Backer G, Wiklund O, Chapman MJ, Drexel H, et al. 2016 ESC/EAS guidelines for the management of dyslipidaemias. Eur Heart J 2016;37:2999-3058.

10. Cholesterol Treatment Trialists' (CTT) Collaborators, Kearney PM, Blackwell L, Collins R, Keech A, Simes J, et al. Efficacy of cholesterol-lowering therapy in 18,686 people with diabetes in 14 randomised trials of statins: a meta-analysis. Lancet 2008;371:117-25.

11. Colhoun HM, Betteridge DJ, Durrington PN, Hitman GA, Neil HA, Livingstone SJ, et al. Primary prevention of cardiovascular disease with atorvastatin in type 2 diabetes in the Collaborative Atorvastatin Diabetes Study (CARDS): multicentre randomised placebo-controlled trial. Lancet 2004;364:685-96.

12. Deeb SS, Zambon A, Carr MC, Ayyobi AF, Brunzell JD. Hepatic lipase and dyslipidemia : interactions amon genetic variants, obesity, gender, and diet. J Lipid Res 2003;44:1279-86.

13. Gaede P, Vedel P, Larsen N, Jensen GV, Parving HH, Pedersen O. Multifactorial intervention and cardiovascular disease in patients with type 2 diabetes. N Engl J Med 2003;348:383-93.

14. Giugliano RP, Cannon CP, Blazing MA, Nicolau JC, Corbalán R, Spinar J, et al. Benefit of adding ezetimibe to statin therapy on cardiovascular outcomes and safety in patients with versus without diabetes mellitus: results from improve-it (improved reduction of outcomes: vytorin efficacy international trial). Circulation 2018;137:1571-82.

15. Grundy SM, Cleeman JI, Merz CN, Brewer HB Jr, Clark LT, Hunninghake DB, et al. Implications of recent clinical trials for the National Cholesterol Education Program Adult Treatment Panel III guidelines, Circulation 2004;110:227-39.

16. Haffner SM, Lehto S, Rönnemaa T, Pyörälä K, Laakso M, Mortality from coronary heart disease in subjects with type 2 diabetes and in nondiabetic subjects with and without prior myocardial infarction, N Engl J Med 1998;339:229-34.

17. Haffner SM : Lipoprotein disorders associated with type 2 diabetes mellitus and insulin resistance. Am J Cardiol 2002;90:55-61.

18. Hirona T. Lipoprotein abnormalities in diabetic nephropathy. Kidney Int1999;56;22-4.

19. HPS2-THRIVE Collaborative Group, Landray MJ, Haynes R, Hopewell JC, Parish S, Aung T, et al. Effects of extended-release niacin with laropiprant in high-risk patients. N Engl J Med 2014;371:203-12.

20. Kolovou GD, Anagnostopoulou KK, Cokkinos DV. Pathophysiology of dyslipidaemia in the metabolic syndrome. Postrgrad Med J 2005;81:358-66.

21. Korean Diabetes Association. 2021 Clinical Practice Guidelines for Diabetes 7th. Seoul: Korean Diabetes Association; 2021.

22. Korean Diabetes Association. Diabetes fact sheet in Korea 2020. Seoul: Korean Diabetes Association; 2020.

23. Korean Society of Lipid and Atherosclerosis. Dyslipidemia Fact Sheets in Korea 2020. KSoLA; 2020.

24. Koren MJ, Sabatine MS, Giugliano RP, Langslet G, Wiviott SD, Ruzza A, et al. Long-term efficacy and safety of evolocumab in patients with hypercholesterolemia. J Am Coll Cardiol 2019;74:2132-46.

25. Krauss RM. Lipids and lipoproteins in patients with type 2 diabetes. Diabetes Care 2004;27:1496-504.

26. Lagace TA, PCSK9 and LDLR degradation: regulatory mechanisms in circulation and in cells. Curr Opin Lipidol 2014;25:387-93.

27. Mach F, Baigent C, Catapano AL, Koskinas KC, Casula M, Badimon L, et al. 2019 ESC/EAS guidelines for themanagement of dyslipidaemias: lipid modification to reduce cardiovascular risk. Eur Heart J 2020;41:111-88.

28. Mozaffarian D, Rimm EB. Fish intake, contaminants, and human health: evaluating the risks and the benefits. JAMA 2006;296:1885-99.

29. Phan BA, Dayspring TD, Toth PP. Ezetimibe therapy: mechanism of action and clinical update, Vasc Health Risk Manag 2012;8:415-27.

30. Rawshani A, Franzén S, Sattar N, Eliasson B, Svensson AM, Zethelius B. risk factors, mortality, and cardiovascular outcomes in patients with type 2 diabetes. N Engl J Med 2018;379:633-44.

31. Rhee EJ, Kim HC, Kim JH, Lee EY, Kim BJ, Kim EM, et al. 2018 guidelines for the management of dyslipidemia. Korean J Intern Med 2019;34:723-71.

32. Rhee EJ. Recent guideline for the management of dyslipidemia in patients with diabetes. J Korean Diabetes 2020;21:11-20.

33. Sabatine MS, Giugliano RP, Keech AC, Honarpour N, Wiviott SD, Murphy SA, et al. Evolocumab and clinical outcomes in patients with cardiovascular disease. N Engl J Med 2017;376:1713-22.

34. Sabatine MS, Leiter LA, Wiviott SD, Giugliano RP, Deedwania P, De Ferrari GM, et al. Cardiovascular safety and efficacy of the PCSK9 inhibitor evolocumab in patients with and without diabetes and the effect of evolocumab on glycaemia and risk of new-onset diabetes: a prespecified analysis of the FOURIER randomised controlled trial. Lancet Diabetes Endocrinol 2017;5:941-50.

35. Schwartz GG, Steg PG, Szarek M, Bhatt DL, Bittner VA, Diaz R, et al. Alirocumab and cardiovascular outcomes after acute coronary syndrome. N Engl J Med 2018;379:2097-107.

36. Semenkovich CF, Goldberg IJ. Disorders of Lipid Metabolism. In: Melmed S, Koenig R, Rosen C, Auchus R, Goldfine A. Williams textbook of endocrinology. 14th ed. Philadelphia: Elsevier; 2020. pp. 1581-620.

37. Taskinen MR, Adiels M, Westerbacka J, Söderlund S, Kahri J, Lundbom N. Dual metabolic defects are required to produce hypertriglyceridemia in obese subjects. Arterioscler Thromb Vasc Biol 2011;31:2144-50.

38. Tonkin A, Hunt D, Voysey M, Kesäniemi A, Hamer A, Waites J, et al. Effects of fenofibrate on cardiovascular events in patients with diabetes, with and without prior cardiovascular disease: The Fenofibrate Intervention and Event Lowering in Diabetes (FIELD) study. Am Heart J 2012;163:508-14.

39. Turner RC, Millns H, Neil HA, Stratton IM, Manley SE, Matthews DR. Risk factors for coronary artery disease in non-insulin dependent diabetes mellitus: United Kingdom Prospective Diabetes Study (UKPDS: 23). BMJ 1998;316:823-8.

40. William S Harris, Deepti Bulchandani, Why do omega-3 fatty acids lower serum triglycerides? Curr Opin Lipidol 2006;17:387-93.

41. Wu L, Parhofer KG. Diabetic dyslipidemia. Metabolism 2014;63:1469-79.

VIII.

1. 대한 내분비학회. 당뇨병과 고혈압. 내분비대사학. 제2판. 군자출판사; 2011. pp. 753-6.

2. 대한 당뇨병학회. 당뇨병과 고혈압 당뇨병학. 제5판. 서울: 고려의학; 2018. pp. 573-7.

3. 대한당뇨병학회 교육위원회. 고혈압과 이상지혈증. 당뇨병교육지침서. 제4판. 골드기획; 2019. pp. 212-16.

4. 대한당뇨병학회. Diabetes Fact sheet 2020. 서울: 대한당뇨병학회; 2020.

5. 대한당뇨병학회. 당뇨병환자의 고혈압관리. 당뇨병진료지침 제7판, 홍익대 미술디자인공학연구소; 2021. pp. 152-9.

6. ACCORD Study Group, Cushman WC, Evans GW, Byington RP, Goff DC Jr, Grimm RH Jr, et al. Effects of intensive blood-pressure control in type 2 diabetes mellitus. N Engl J Med 2010;362:1575-85.

7. Aksnes TA, Skårn SN, Kjeldsen SE. Treatment of hypertension in diabetes: what is the best therapeutic option? Expert Rev Cardiovasc Ther 2012;10:727-34.

8. American Diabetes Association. 8. Cardiovascular disease and risk management: standards of medical care in diabetes-2021. Diabetes Care 2021;44:125-50.

9. Chen G, McAlister FA, Walker RL, Hemmelgarn BR, Campbell NR. Cardiovascular outcomes in Framingham participants with diabetes: the importance of blood pressure. Hypertension 2011;57:891-97.

10. de Boer IH, Bangalore S, Benetos A, Davis A, Michos ED, Muntner P, et al. Diabetes and hypertension: a position statement by the American Diabetes Association. Diabetes Care 2017;40:1273-84.

11. Ferrannini E, Cushman WC. Diabetes and hypertension: the bad companions. Lancet 2012;380:601-10.

12. Hansson L, Zanchetti A, Carruthers SG, Dahlof B, Elmfeldt D, Julius S, et al. Effects of intensive blood-pressure lowering and low-dose aspirin in patients with hypertension: principal results of the Hypertension Optimal Treatment (HOT) randomised trial. HOT Study Group. Lancet 1998;351:1755-62.

13. Lago RM, Singh PP, Nesto RW. Diabetes and hypertension. Nat Clin Pract Endocrinol Metab 2007;3:667.

14. Landsberg L, Molitch M. Diabetes and hypertension: pathogenesis, prevention and treatment. Clin Exp Hypertens 2004;26:621-8.

15. Mugo MN, Stump CS, Rao PG, Sowers JR. Hypertension and Diabetes Mellitus. In: Black HR, Elliott WJ, editors. Hypertension: a companion to braunwald's heart disease. Elsevier; 2007. p. 409.

16. Ohishi M. Hypertension with diabetes mellitus: physiology and pathology. Hypertens Res 2018; 41:389-93.

17. Passarella P, Kiseleva TA, Valeeva FV, Gosmanov AR. Hypertension management in diabetes 2018 update. Diabetes Spectrum 2018;31:218-24.

18. Petrie JR, Guzik TJ, Touyz RM. Diabetes, hypertension, and cardiovascular diseases: clinical insights and vascular mechanisms. Can J Cardiol 2018;34:575-84.

19. Schiffrin EL, Calhoun DA, Flack JM. SPRINT proves that lower is better for nondiabetic high-risk patients, but at a price. Am J Hypertens 2016;29:2-4.

20. Sowers JR, Khoury S, P Standley, PZ, Zemel M. Mechanisms of hypertension in diabetes. Am J Hypertens 1991;4:177-82.

21. SPRINT Research Group, Wright JT Jr, Williamson JD, Whelton PK, Snyder JK, Sink KM, et al. A randomized trial of intensive versus standard bloodpres-sure control. N Engl J Med 2015;373:2103-16.

22. UK Prospective Diabetes Study Group. Tight blood pressure control and risk of macrovascular and microvascular complications in type 2 diabetes: UKPDS 38. BMJ 1998;317:703-13.

23. Xie X, Atkins E, Lv J, Bennett A, Neal B, Ninomiya T, et al. Effects of intensive blood pressure lowering on cardiovascular and renal outcomes: updated systematic review and meta-analysis. Lancet 2016;387:435-43.

IX.

1. Bandyk DF. The diabetic foot: pathophysiology, evaluation, and treatment. Semin Vasc Surg 2018;31:43-8.

2. Brocco E, Ninkovic S, Marin M, Whisstock C, Bruseghin M, Boschetti G, et al. Diabetic foot management: multidisciplinary approach for advanced lesion rescue. J Cardiovasc Surg (Torino) 2018;59:670-84.

3. Caputo GM, Cavanagh PR, Ulbrecht JS, Gibbons GW, Karchmer AW. Assessment and management of foot disease in patients with diabetes. N Engl J Med 1994;331:854-60.

4. Chun DI, Kim SY, Kim JH, Yang HJ, Kim JH, Cho JH, et al. Epidemiology and burden of diabetic foot ulcer and peripheral arterial disease in Korea. J Clin Med 2019;8:748-55.

5. Chung CH, Kim DJ, Kim JY, Kim HY, Kim HW, Min KW, et al. Current status of diabetic foot in korean patients using national health insurance database. J Korean Diabetes 2006;30:372-6.

6. Clayton WJ, Elasy TA. Review of the Pathophysiology, Classification, and treatment of foot ulcers in diabetic patients. Clin Diabetes 2009;27:52-8.

7. Goodney PP, Holman K, Henke PK, Travis LL, Dimick JB, Stukel TA, et al. Regional intensity of vascular care and lower extremity amputation rates. J Vasc Surg 2013;57: 1471-80.

8. Holt RIG, Cockram CS, Flyvbjerg, Goldstein BJ. Textbook of diabetes. 5th ed. New Jersey: Wiley-Blackwell; 2017. pp. 701-15.

9. Jameson JL, Kasper DL, Longo DL, Fauci AS, Hauser SL, Loscalzo J. Harrison's principles of internal medicine. 20th ed. New York: McGraw-Hill; 2018. pp. 2881-2.

10. Park SA, Ko SH, Lee SH, Cho JH, Moon SD, Jang SA, et al. Incidence of diabetic foot and associated risk factors in type 2 diabetic patients: a five-year observational study. J Korean Diabetes 2009;33:315-23.

11. Pickup JC, Williams G. Textbook of diabetes. 3rd ed. New Jersey: Wiley-Blackwell; 2003. pp. 1055-72.

12. Schaper NC. Diabetic foot ulcer classification system for research purposes: a progress report on criteria for including patients in research studies. Diabetes Metab Res Rev 2004;20:90-5.

13. Sinwar PD. The diabetic foot management-recent advance. Int J Surg 2015;15:27-30.

14. Sumpio BE. Foot ulcers. N Engl J Med 2000;343:787-93.

15. Zhang P, Lu J, Jing Y, Tang S, Zhu D, Bi Y. Global epidemiology of diabetic foot ulceration: a systematic review and meta-analysis. Ann Med 2017;49:106-16.

16. Zhang P, Lu J, Jing Y, Tang S, Zhu D, Bi Y. Global epidemiology of diabetic foot ulceration: a systematic review and meta-analysis (dagger). Ann Med 2017;49:106-16.

저혈당증

김상수

Ⅰ. 서론

저혈당은 그 발생 원인에 상관없이 정상혈당의 최소치 미만으로 혈당이 감소된 상태를 말하며 당뇨병치료나 약물 등의 노출에 의해 흔히 발생하지만, 그 외 다양한 질환과 상태에서도 발생할 수 있다. 일반적으로 공복혈장포도당 농도의 정상하한치는 70 mg/dL (3.9 mmol/L)으로 그 미만으로 떨어질 때 저혈당증상이 나타나게 된다. 하지만 정상적으로도 더 낮은 혈당이 관찰될 수 있으며 정상 수준의 혈당범위에서도 급격한 변화에 따라 저혈당증상이 나타날 수 있다. 저혈당증상과 생리적인 반응에 대한 혈당의 역치에 대해서는 기저상태나 질환에 따라 다를 수 있다. 저혈당의 특징적인 임상증상은 휘플의 3징후(Whipple triad)라고 알려져 있다. 이는 1) 저혈당의 증상과 증후가 있고, 2) 이때 정확한 검사에 의해 혈장포도당 농도의 감소가 확인되고, 3) 포도당을 주입해주면 저혈당증상이 호전되는 것으로, 이 세 가지 조건이 모두 충족되는 경우를 말한다. 저혈당의 증상은 매우 다양하여 체내에서 혈당을 정상으로 유지하기 위해서 일어나는 모든 경로의 이상, 즉 포도당의 과도한 사용, 포도당 생산의 장애, 과도한 인슐린의 농도, 저혈당 방어기전의 문제 등이 관련된다. 치료로는 포도당을 투여하면 증세를 호전시킬 수 있지만, 저혈당의 원인을 규명하여 근본적인 치료를 하는 것이 필요하다.

Ⅱ. 역학

실제 약물치료 중인 당뇨병을 제외하고 저혈당의 발생은 아주 드물다. 일반인을 대상으로 한 저혈당의 발생빈도를 정확히 알기는 어렵다. 한 후향연구에 따르면 비응급상황으로 당뇨병 없이 입원한 사람 10,000명 중 36명이 저혈당이 발생하였다. 이때 저혈당의 원인은 당뇨병 약물을 제외한 약물 사용, 음주, 패혈증 및 간, 신장, 심장부전과 같은 위중한 질환 등이었다. 그리고 대부분의 환자가 저혈당 발생에 대한 다발 원인을 가지고 있었다. 한편 입원이 아닌 병원 밖의 일반인을 대상으로 저혈당의 발생빈도를 확인할 수 있는 연구는 찾아보기 힘들다. 국내 조사결과에서는 1994년에 전체 21,451명의 환자를 대상으로 한 연구에서 입원 중 혈당검사에서 저혈당을 보인 환자는 69명 (0.32%)으로 보고하였는데, 이 중 17명 (24.6%)은 당뇨병, 20명 (29.0%)은 악성종양, 그리고 1명 (1.4%)은 인슐린종 환자로 밝혀졌다.

Ⅲ. 포도당대사의 생리

1. 정상 포도당대사

1) 포도당의 기원
혈중 포도당은 다음과 같은 세 가지 경로에 의해 유래한다.

즉, 음식물에 포함된 탄수화물로부터 장에서 흡수되는 것, 당원(glycogen)으로 축적되었다가 당원분해(glycogenolysis)에 의하여 유입되는 것, 그리고 유산, 파이루브산염(pyruvate), 아미노산(특히 알라닌과 글루타민), 글리세롤 등의 전구물질로부터 포도당신생성(gluconeogenesis) 과정을 거쳐 생성되는 것들로 나누어진다.

2) 간의 포도당대사

간은 포도당항상성 유지에 가장 주된 역할을 하며 내인포도당생성에 가장 중요한 장기이다. 간은 공복 때와 같이 간포도당배출(hepatic glucose output)을 증가시켜야 하는 경우 지방산을 에너지원으로 사용하고, 반대로 식후와 같이 포도당을 흡수해야 할 때는 포도당을 당원으로 저장하거나 포도당을 지방으로 전환시켜 간에 저장하거나 초저밀도지단백질의 형태로 방출하여 다른 조직에서 사용하도록 해준다.

3) 포도당 이용

근육은 포도당을 당원으로 저장하거나 당원분해(glycogenolysis)작용을 거쳐 산화시킨다. 공복상태에서 근육은 포도당 흡수를 거의 완전히 억제하고 지방산을 산화시켜 에너지원으로 사용한다. 또한 단백질을 분해해서 나온 아미노산을 동원하여 간에 포도당신생성의 전구물질로 제공한다.

지방조직에서도 소량이지만 포도당을 이용하여 지방산을 합성하여 중성지방의 형태로 저장할 수 있다. 공복상태에서는 근육조직과 마찬가지로 포도당 흡수를 억제하고 지방산을 에너지원으로 사용한다. 반면에 혈액세포나 신장의 수질에서는 공복상태에 포도당의 이용을 줄이는 능력이 없으므로 당분해작용이 거의 일정한 정도로 계속 일어나게 된다.

중추신경계는 포도당을 주된 에너지원으로 사용하지만 장기간의 공복과 같이 케톤체가 풍부한 상태에서는 대부분의 에너지원으로 케톤체를 사용하면서 포도당 이용을 감소시킨다.

2. 전신 포도당 균형

혈중 포도당 농도를 일정하게 유지하려면 포도당 이용과 내인포도당생성 혹은 음식으로부터의 포도당 흡수가 균형을 이루어야 한다.

1) 공복상태

흡수후상태(post-absorptive state)는 식사 후 5-6시간이 지난 후부터 시작되나 일반적으로 공복상태라고 함은 밤 사이(10-14시간) 금식한 상태를 의미한다. 공복상태에서 혈중 포도당 농도는 일정하게 유지되는데 포도당생성과 이용이 균형을 이루게 된다. 이때, 기저 포도당 이용량의 60%가 뇌에서 일어나고 나머지는 혈구세포나 신장수질에서 그리고 소량이 근육과 지방조직에서 이용된다. 간포도당생성은 당원분해와 포도당신생성을 통하여 이루어진다. 하룻밤 금식할 때는 당원분해가 포도당생성의 주된 경로이지만 금식 후 24시간이 지나면 포도당신생성이 더욱 중요한 경로가 된다. 금식상태에서 내인 포도당생성에 가장 중요한 장기는 간이며, 신장에서도 포도당을 생성하지만 그 비중은 5-20% 정도를 차지한다. 만약에 24-48시간 공복상태가 지속되면 혈중 포도당 농도가 점차 감소한 후 일정한 농도를 유지한다. 간의 당원은 10 g 이하로 감소하고 포도당신생성이 포도당생성의 유일한 경로가 된다. 아미노산이 포도당신생성의 주된 전구물질로 이용되므로 근육단백질이 점차 분해된다. 동시에 지방분해와 케톤체 생성이 증가하면서 케톤체가 뇌의 주에너지원으로 이용되고 포도당 이용은 절반 정도로 감소되면서 혈중 포도당 농도를 유지하기 위한 포도당 신생성률이 감소하게 된다. 이러한 과정은 결국 단백질분해를 억제하기 위한 것으로 생각된다.

2) 식사

식사를 하면 혈중으로 유입되는 포도당의 흡수율이 음식의 탄수화물 함유비, 소화 및 흡수되는 정도에 따라 공복상태의 생체내 포도당생성률의 두 배에 달하게 된다. 포도당이 흡수되면 생체내 포도당생성은 억제되고 간, 근육, 지방조직의 포도당 이용은 증가한다. 이런 경로를 통하여 외부로부터 포도당이 흡수되어 혈중 포도당 농도는 공복상태의 농도로 안정된다.

3) 운동

운동을 하면 근육의 포도당 이용률이 공복일 때에 비해 수배 이상 증가한다. 정상적으로 내인포도당생성률이 포도당 이용률에 비례하여 증가하여 혈중 포도당 농도는 일정하게 유지된다. 이와 같이 포도당 유입이 역동적으로 변화함에도 불구하고 호르몬계 및 신경계 등의 다양한 포도당 조절기구의 작용에 의해 혈중 포도당 농도는 정상범위로 유지되고

있다. 만일 포도당생성이 감소하거나 포도당 이용이 증가되면 저혈당이 발생할 수 있다(그림 9-6-1).

3. 저혈당의 증상과 방어기전

저혈당에 대한 생리적인 반응은 개인에 따라 많은 차이를 보인다. 보고된 바에 따르면 혈당이 감소하여 70 mg/dL 정도가 되면 뇌에서 포도당 흡수의 장애가 생기게 되고, 췌장에서 인슐린분비가 억제되며, 저혈당을 방어하기 위한 대응 조절호르몬(counter-regulating hormone)의 분비가 시작된다.

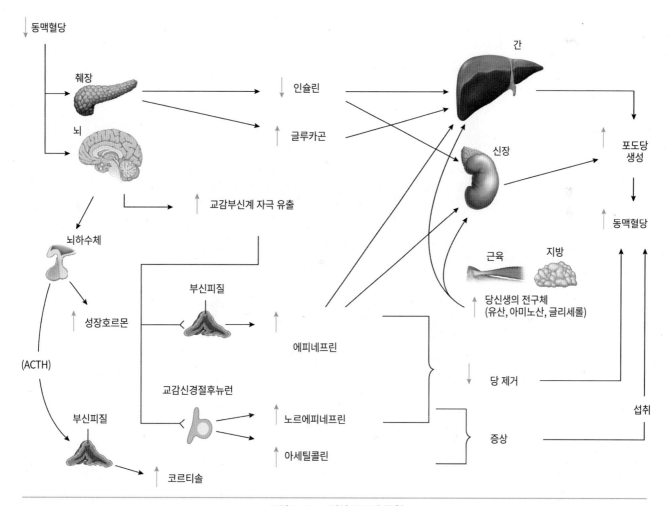

그림 9-6-1. 전신 포도당 균형
정상상태에서 저혈당을 예방하거나 급격하게 혈당을 조절하는 기전을 요약해 보여 준다.

혈당이 60 mg/dL 정도에 이르면 교감신경이 항진되어 식욕이 증가되고, 55 mg/dL 이하가 되면 신경저혈당 증상이 생기며, 30 mg/dL 이하로 감소하면 저혈당에 의한 혼수가 발생하게 된다. 자율신경계 증상은 당뇨병의 유병기간이 짧은 환자 즉 저혈당의 경험이 적은 환자에서 저명하게 나타난다. 그러나 저혈당의 빈도가 증가하게 되면 이러한 증상에 대한 반응정도가 떨어져 저혈당을 느끼지 못하는 저혈당무감지증(hypoglycemia unawareness)이 발생할 수 있다.

저혈당에 의한 방어기전은 주로 췌장의 알파세포에서 글루카곤의 분비 자극과 베타세포에서의 인슐린분비 차단, 뇌내의 시상하부 복측내측(ventromedial)에서 인지하여 뇌하수체에서 대응조절호르몬인 부신피질자극호르몬/부신피질호르몬과 성장호르몬, 바소프레신의 분비 자극, 교감신경계를 통한 에피네프린 분비 증가 등이 일어나 포도당신생성 증가와 당원분해증가 등으로 혈당의 회복을 촉진하게 된다 (그림 9-6-2).

IV. 임상특성

1. 증상

저혈당의 증상은 다소 비특이적이다. 이는 크게 교감신경계와 부교감신경계의 항진에 의한 자율신경계(autonomic) 증상과 뇌의 포도당부족에 의해 일어나는 신경저혈당(neuroglycopenic) 증상으로 구분된다. 자율신경계 증상은 떨림, 불안, 심계항진과 같은 카테콜라민 매개를 통한 아드레날린(adrenergic) 증상과 발한, 허기감, 이상감각과 같은 아세틸콜린 매개를 통한 콜린(cholinergic)증상이 발생한다. 한편, 신경저혈당 증상으로 어지럼, 허약감, 무기력감, 혼미 및 의식의 변화 등이 나타나며 나아가 혼수상태가 발생할 수 있다(표 9-6-1).

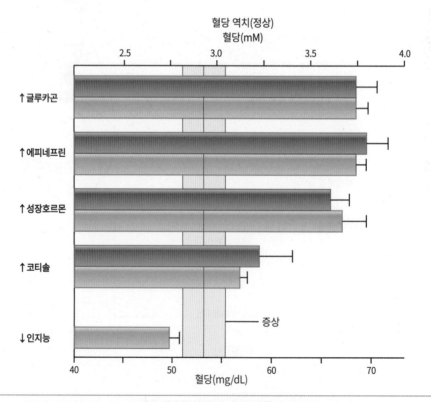

그림 9-6-2. 정상인에서 혈당감소과정 중에서 관찰되는 혈장 글루카곤, 에피네프린, 성장호르몬, 코티솔의 증가와 저혈당증상 및 인지능 저하에 대한 동맥(■)과 정맥(■) 혈당의 역치

표 9-6-1. 저혈당증상 및 징후

자율신경계 증상	신경저혈당 증상
• 발한 • 공복감 • 저림 • 떨림 • 심계항진 • 불안	• 시야변화 • 혼미 • 이상행동 • 허약감 • 열감 • 무기력감 • 어지럼 • 경련 • 혼수

표 9-6-2. 휘플세증후(Whipple's triad)

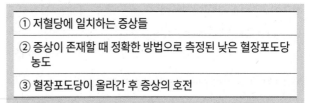

① 저혈당에 일치하는 증상들
② 증상이 존재할 때 정확한 방법으로 측정된 낮은 혈장포도당 농도
③ 혈장포도당이 올라간 후 증상의 호전

당뇨병이 없는 사람에게서 신경저혈당 관련한 증상이 발생하는 것은 저혈당과 관련 질환을 갖고 있을 것을 시사하는 강력한 단서가 된다. 저혈당 발생 건마다 나타나는 저혈당 증상의 특성들은 대개 일정하며, 공복 또는 식후시기 언제든 나타날 수 있다. 관련 증상들은 환자에 의해 인지되지 못하고 주위 관찰자에 의해 확인되는 경우도 흔하다. 따라서 병력청취에서 환자뿐 아니라 가까운 가족이나 친구들에게도 정보수집이 필요하다. 당뇨병이 없는 저혈당 환자에서도 "저혈당무감지증"은 나타날 수 있어 주의를 요한다.

2. 징후

저혈당의 흔한 징후로써 창백해지고 발한이 나타날 수 있다. 심계항진이나 혈압 상승은 경미하게 나타날 수 있다. 신경저혈당 관련한 징후로 의식소실, 행동의 변화, 정신적 이상 증상 등이 포함된다. 신경학적 소실은 대부분 일시적이나, 영구적 손상은 매우 드물게 나타날 수 있다.

V. 진단

당뇨병이 없는 사람에게서 혈장포도당의 농도가 낮다는 이유만으로 저혈당증으로 판단해서는 안 된다. 그리고, 자율신경계 및 신경저혈당 증상들이 저혈당을 충분히 의심할 수 있는 상황이라 하더라도 이런 증상과 함께 혈장포도당 농도

가 낮으면서 이를 올려주었을 때 증상이 호전되는 것이 확실하지 않을 경우, 저혈당으로 진단할 수 없다. 즉 저혈당장애에 대한 평가를 진행하기 위해서는 휘플세증후가 존재하는지 확인하려는 노력이 필요하다(표 9-6-2). 이 세 가지는 1938년 Whipple이라는 사람에 의해 그의 이름을 따서 만들어진 바 있다.

1. 저혈당 환자에 대한 접근

1) 임상단서 찾기
저혈당이 의심되면 우선 혈당을 확인하고, 저혈당과 환자 증세와의 인과관계를 확실하게 파악해야 한다. 먼저 환자의 약물복용력, 중증질환 및 내분비호르몬 결핍 질환의 동반 여부 등을 조사한다.

저혈당 발생기전의 임상단서를 찾기 위해서 병력청취, 진찰 및 검사실검사로 평가를 시행한 후에 고려되는 원인을 교정하여 저혈당이 나아지는지 확인해야 한다. 예를 들면, (1) 인슐린치료를 받거나 설포닐유레아를 복용하는 당뇨병 환자는 치료약물을 변경하고, (2) 저혈당을 유발한다고 알려져 있거나 저혈당을 일으킬 가능성이 있는 약을 복용하고 있는 경우에는 해당 약물의 복용을 중단하고, (3) 간질환, 신장질환 혹은 심장질환, 패혈증 등을 동반한 경우에는 기저질환을 치료하고, (4) 식욕부진, 체중감소, 피부색소 침착, 저혈압, 저나트륨혈증, 고칼륨혈증, 그 외 다른 뇌하수체 혹은 부신피질 질환의 증상/징후를 동반한 경우에는 부신부전에 대한 평가 등을 시행해 볼 수 있다. 자세한 병력에 대해 환자를 포함하여 가족과 사회복지사를 통해 상세히 평가하여

야 한다. 자세한 병력청취와 신체검사로 그 원인이 밝혀지는 경우가 있으며, 원인이 명백하지 않은 경우 자세한 실험실검사가 필요하다.

2) 저혈당 진단과 원인규명을 위한 검사

우선 처음 혈액검사의 목적은 휘플세증후를 확인하는 것이다. 휘플세증후가 이전에 확인된 적이 있다면, 저혈당이 발생하였을 때, 저혈당에서 인슐린의 역할을 확인하기 위해 혈액검사를 시행한다. 환자가 저혈당 증상이 없을 때 보게 된다면, 저혈당 발생이 예상되는 조건에서 휘플세증후를 찾는 것이 주요진단전략이 된다. 환자 스스로 입증한 저혈당 증거를 제시할 때는 환자가 저혈당이 발생하였을 때, 혈장 포도당 농도를 측정하게 한 후 혈당수치와 그 병력이 충분히 의미있는지를 판단해 추가평가를 정당화하는 것이 한 가지 전략이 될 수 있다.

저혈당 증상이 주로 공복상태에서 발생하는 경우 초기평가는 공복상태에서 수행해야 한다. 그러나 식후에 저혈당 증상이 나타나는 경우 혼합식사 후 혈장포도당 측정 및 모든 증상의 기록을 통해 휘플세증후를 찾는 것이 좋다.

저혈당 자기진단을 제시하는 환자의 경우 증상이 생겼을 때 혈장포도당 농도를 측정한 뒤 혈당수치와 이력이 충분한 의미를 가지는지 판단한 후, 추가평가를 하는 것이 필요하다. 이 전략은 환자가 증상이 드물게 나타나지만 충분히 의심스러운 경우 즉시 자극검사를 할 수 없을 때 의미를 가진다.

저혈당으로 관찰하던 환자에서 저혈당 증상이 확인되었을 때 채혈한 검체에서 포도당수치뿐 아니라 인슐린, C-펩타이드 및 프로전구인슐린, 베타하이드록시뷰티르산염(β-hydroxybutyrate), 설포닐유레아 복용과 같은 부가적인 것들을 측정할 필요가 있다. 검사결과에 따른 원인질환의 감별은 다음과 같다(표 9-6-3). 내인고인슐린증(endogenous hyperinsulinism)이 의심되는 환자에서 인슐린자가면역증후군(insulin autoimmune syndrome)으로 의

한 저혈당을 진단하기 위해 인슐린항체를 측정할 필요가 있으나, 저혈당상태에서 획득한 검체에서 반드시 측정할 필요는 없다.

(1) 72시간 공복검사

정상인에서는 장시간 공복상태에도 증상을 동반한 저혈당이 발생하지 않는다. 호르몬 매개를 통해 포도당생성, 지방분해, 케톤 생성의 증가가 발생하기 때문이다. 포도당신생성은 하룻밤 공복상태에서는 포도당생성의 약 50%를 차지하나, 48시간이 지나면 거의 모든 포도당생성을 담당하게 된다. 장시간 공복상태에서는 내인포도당생성을 억제하는 인슐린의 과잉과 연료의 대체 공급원으로의 전환 및 이후 케톤 생성으로 인한 정상혈당 유지능력의 결함이 있을 경우에만 저혈당이 발생하게 될 것이다.

① 프로토콜(메이요클리닉 참고)

센터마다 조금씩의 차이점이 있으나, 다음과 같은 일반적인 원칙을 지켜가면 검사를 진행할 필요가 있다. 검사 동안 환자를 세심히 관찰하며, 증상의 발생 여부 및 혈액채취와 관련한 여러 정보를 꼼꼼히 기록해야 한다. 모든 비필수 의약품의 복용을 중단시킨다. 검사기간 동안 칼로리나 카페인이 없는 음료를 마시게 하고, 낮 동안 활동적으로 생활할 수 있도록 허락한다. 혈장포도당, 인슐린, C-펩타이드(필요시, 프로인슐린 및 베타하이드록시뷰티르산염) 등을 측정하기 위한 혈액시료를 6시간마다 채취하며 포도당 농도가 60 mg/dL 이하가 되면 1-2시간마다 검체를 채취한다. 혈장포도당검사결과를 확인하는데 시간 지연이 있기 때문에, 검체를 획득할 때 침상에서 혈당측정기(glucometer)로 혈당을 동시에 측정해야 한다. 하지만, 공복검사를 중단하는 결정을 손가락 혈당수치를 기준으로 내려져서는 안 된다. 혈당은 반복적으로 측정하지만, 혈장포도당 농도가 60 mg/dL 이하인 검체에서만 인슐린, C-펩타이드 및 전구인슐린 측정하게 한다.

다음과 같은 기준으로 공복검사를 종료한다. i) 저혈당증상

표 9-6-3. 저혈당상태에서 획득한 검체의 검사 항목과 결과 해석

증상 및 징후	포도당 (mg/dL)	인슐린 (μU/mL)	C 펩타이드(nmol/L)	전구인슐린 (pmol/L)	베타-하이드록시뷰티레이트 (nmol/L)	혈액내 당뇨병약물	인슐린 항체	혈당상승[1] (mg/dL)	진단
없음	< 55	< 3	< 0.2	< 5	> 2.7	없음	없음	< 25	정상
있음	< 55	≫ 3	< 0.2	< 5	≤ 2.7	없음	음성	> 25	인슐린 투여
있음	< 55	≥ 3	≥ 0.2	≥ 5	≤ 2.7	없음	음성	> 25	인슐린종, 췌도세포증식증, 위절제술 후 저혈당
있음	< 55	≥ 3	≥ 0.2	≥ 5	≤ 2.7	있음	음성	> 25	경구혈당강하제 (설포닐유레아)
있음	< 55	≫ 3	≫ 0.2[2]	≫ 5[2]	≤ 2.7	없음	양성	> 25	인슐린자가면역증후군
있음	< 55	< 3	< 0.2	< 5	≤ 2.7	없음	음성	> 25	인슐린유사성장인자에 의한 저혈당
있음	< 55	< 3	< 0.2	< 5	> 2.7	없음	음성	< 25	비인슐린매개 저혈당

[1]정맥내 글루카곤 투여에 대한 반응
[2]유리 C-전구인슐린와 프로인슐린 농도는 낮음

이 있고, 혈장포도당 농도가 45 mg/dL 이하일 때; ii) 72시간이 종료되었을 때; iii) 이전 휘플세증후가 입증이 된 경우에는 혈장포도당 농도가 55 mg/dL 미만인 경우

한 연구에 따르면, 인슐린종 진단을 위해서는 공복 48시간 이내에 95%에서 저혈당이 발생하는 것으로 나타나 최대 48시간까지 공복검사를 시행할 것으로 제안하기도 하였다. 하지만 인슐린종을 가진 환자에서도 48시간이내 저혈당이 발생하지 않은 대상자들도 일부 있어, 아직까지 72시간 공복검사가 표준검사로 자리 잡고 있다. 혈장포도당수치는 약간 낮지만 증상이 없거나, 포도당수치는 정상이나 증상을 호소하는 경우 등과 같이 검사를 종료를 결정하기 어려운 상황들도 종종 발생한다. 72시간 동안 저혈당의 증상과 징후가 나타나지 않더라도, 식후에 저혈당을 유발할 수 있는 질환을 완전히 배제할 수는 없다. 한편, 72시간 공복검사를 끝낼 때에도 채혈검사를 통해 저혈당 관련 검사결과를 확인한다.

② 검사결과의 해석
결과는 다른 원인의 저혈당과 고인슐린증(내인 또는 외인)을 구별하는 데 도움이 된다. 대개 인슐린/포도당비(insu-

lin to glucose ratio) 또는 포도당/인슐린비는 감별에 큰 도움이 되지 않으며, 인슐린의 절대값을 활용하는 것을 보다 추천하고 있다. 내인고인슐린증의 진단기준은 저혈당 증상이 있고 혈장포도당 농도가 55 mg/dL (3.0 mmol/L) 미만일 때, 혈장인슐린 농도 ≥ 3 μU/mL (≥ 18 pmol/L), C-펩타이드 농도 ≥ 0.6 ng/mL (≥ 0.2 nmol/L), 그리고 전구인슐린이 ≥ 5 pmol/L이다. 혈장포도당, 인슐린, C-펩타이드와 전구인슐린 측정과 더불어 설포닐유레아나 다른 인슐린 분비촉진제의 사용 여부를 확인하는 것도 중요하다.

(2) 식후평가
일반적으로 식사 후 5시간 이내에서 저혈당 증상이 발생하면 식후에 평가를 할 필요가 있다. 진단을 위한 혼합식사검사는 저혈당증상을 유발할 식사를 한 후 최대 5시간 동안을 관찰하는 것이다. 음식 부하에는 경구포도당내성검사나 액체로 구성된 음식보다 액체가 없는 음식을 부하할 것을 권고한다. 식사 전과 식사 후 매 30분 간격으로 5시간 동안 검체를 채혈하여 혈당포도당, 인슐린, C-펩타이드 및 전구인슐린 값을 측정한다.

09 당대사질환

3) 위치 확인을 위한 검사

위치를 확인하는 검사는 내인고인슐린증과 관련된 저혈당임이 확인되기까지는 수행해서는 안 된다. 내인고인슐린증에 의해 저혈당이 생기는 경우는 인슐린종, 췌도모세포증식증(nesidioblastosis/islet-cell hypertrophy), 경구혈당강하제에 의한 저혈당, 인슐린자가면역증후군 등이 있다. 혈액검사에서 혈중 경구혈당강하제 및 인슐린항체가 존재하지 않는 경우, 경구혈당강하제에 의한 저혈당 및 인슐린자가면역증후군일 가능성이 낮기 때문에, 이를 제외한 모든 인슐린 유발 저혈당 환자에서 위치 확인하는 검사가 필요하다.

(1) 영상검사

인슐린종의 90%가 2 cm 미만이고, 40%는 1 cm 미만으로 크기가 매우 작기 때문에 영상검사에서 음성이라 해서 인슐린종을 배제할 수는 없다. 컴퓨터단층촬영으로는 약 70-80%로 확인되고, 자기공명영상으로는 85%에서 확인이 가능하다. 복벽경유(transabdominal) 초음파로도 확인 가능한 경우도 많으며, 내시경 초음파는 민감도가 90% 정도이다. 컴퓨터단층촬영과 자기공명영상 및 경복부 초음파로 대부분의 인슐린종을 발견할 수 있다. 하지만 이런 영상에서 발견하지 못한 경우에도 인슐린종의 존재를 배제할 수 없어 내시경 초음파와 같은 침습적인 검사가 필요할 수 있다.

(2) 침습적 검사

선택적동맥칼슘자극검사는 선택적으로 췌장공급동맥에 칼슘을 주입하고 간정맥에서 인슐린 농도를 측정하는 방법은 민감도가 매우 높으나 침습적인 방법으로, 이 검사를 하게 되는 경우는 흔치 않다. 이 검사는 인슐린에 대한 간정맥의 혈액 채취와 함께 위십이지장, 비장 및 상장간막동맥(superior mesenteric artery)에 칼슘글루콘산(gluconate)을 선택적으로 주입하게 된다. 양성결과는 기저인슐린 농도의 최소 두 배 또는 세 배의 증가를 확인하는 것이다. 인슐린의 증가는 인슐린종 또는 췌도모세포증식증과 같은 과기능을 하는 섬(islet) 지역에 공급하는 동맥에서 관찰되어 수술부위를 가려낼 수 있게 된다. 췌장 동맥 해부학의 국부적 변화를 이해하는 것은 적절한 위치를 찾는 데 중요하다. 인슐린종 환자의 경우 대개 하나의 동맥에서만 양성반응이 나타난다. 췌도모세포증식증의 경우 여러 동맥에서 주입 후 양성반응이 관찰되는 것은 보통이지만 항상 일치하지는 않는다. 경피간문맥채혈법은 보다 민감하나 보다 침습적인 방법에 해당한다.

(3) 기타 방법

수술 중 초음파를 통해서도 위치를 확인할 수도 있다. 종양이 췌장이나 췌장 외 장소에서 발견되지 않으면 수술 시 동결절편검사와 함께 단계적 췌장 절제술을 췌장의 미부부터 두부까지 실시하여야 한다. 종양이 분명치 않다면 매번 절제할 때마다 모세혈에서 혈당을 측정하여 확인할 수 있는데 혈당이 상승하는 것은 병변이 제거되었음을 의미한다.

VI. 감별진단

1. 당뇨병이 없는 상태에서 저혈당

저혈당은 주로 당뇨병 치료제 및 알코올을 포함한 약물에 의해서 발생한다. 그러나 그 외 중증 질환, 호르몬의 결핍, 비베타세포종양, 내인 혹은 외인고인슐린증 등에서도 저혈당을 유발할 수 있다.

저혈당의 분류는 인슐린-매개 또는 인슐린-비매개로 나누기도 한다. 이 인슐린을 기반으로 한 분류는 병태생리를 기반으로 하고 있으나 원인에 의한 분류는 아니다. 한때 많이 사용하던 공복 또는 식후 저혈당으로의 구별법은 증상에 발생에 대한 시기를 확인하기에는 유용하나, 근본원인에 대한 명백한 구분을 제시해 주지는 못한다. 또한 이 구별법이 어떤 경우에는 혼돈을 초래할 수도 있음이 확인되고 있다. 수술로 확인된 인슐린종을 분석한 연구에서 약 20% 정도에서 공복과 식후 증상이 같이 나타났고, 약 5% 정도에서는 식후 증상만 나타난다고 보고한 바 있다. 최근에는 환자가 아프거나 약물매개되었는지(ill or medicated) 또는 외견상 건강한지(seemingly well)와 같이 보다 임상적으로 유용한 분류법이 주로 사용하고 있다(표 9-6-4).

1) 아프거나 약물매개에 의한(Ill or medicated) 경우

(1) 약물
약물은 저혈당을 일으키는 가장 흔한 원인이며 인슐린과 설포닐유레아와 같은 당뇨병약물이 가장 흔하다. 당뇨병의 병력이 없더라도 범죄적인 의도나 실수로 복약했을 수 있으므로 인슐린과 설포닐유레아를 항상 가능한 약물로 고려하여야 한다. 저혈당을 유발하는 대표적인 약물을 표 9-6-5에 나열하였다.

아스피린을 다량(4-6 g/일) 사용하면 주로 저혈당을 유발할 수 있다. 고용량의 아스피린도 세린인산화효소(kinase) IKKβ를 저해하여 혈당이 감소한다. 설폰아미드제도 드물지만 인슐린분비촉진으로 저혈당을 유발할 수 있다. 펜타미딘은 베타세포 독성물질로써, 세포 파괴로 인슐린분비가 일어나면서 초기에는 저혈당을 유발하나 결국에는 당뇨병이 발병한다. 폐포자충(Pneumocystis) 폐렴 환자에서 사용할 때 7%는 저혈당, 14%는 저혈당 후 당뇨병, 18%는 저혈당 없이 당뇨병이 발생하였다. 당뇨병유발 위험인자로는 장기간, 고용량 반복사용 및 신부전이 있다. 저혈당은 심한 말라리아에서도 흔하게 발생하는데, 퀴닌이 인슐린분비를 증가시키기 때문으로 알려져 있다. 퀴놀론계 항생제 중 특히

표 9-6-4. 저혈당의 원인

1. 아프거나 약물 매개에 의한(ill or medicated) 경우	
1) 약물	인슐린, 인슐린분비촉진제 에탄올 기타 약물
2) 중증질환	간부전, 심부전, 신부전 패혈증 영양실조
3) 호르몬 결핍	코티솔 성장호르몬 글루카곤, 에피네프린
4) 비베타세포종양	거대 간엽기원성 종양
2. 외견상 건강한(seemingly well) 경우	
5) 내인고인슐린증	인슐린종 췌도세포증식증 바이아트릭 수술 후 저혈당 인슐린자가면역증후군 인슐린분비촉진제
6) 의인성	사고에 의한(accidental) 인위적인(factitious) 악의적인(malicious) 저혈당

09 당대사질환

표 9-6-5. 저혈당 유발 약물

약물	사용되는 질환
확립된 약물	
Insulin, sulfonylureas and other insulin secretagogues, metformin Alcohol	당뇨병
Pentamidine, quinine, sulfonamides, quinolones (gatifloxacin, ciprofloxacin, levofloxacin)	감염
Quinidine, disopyramide, cibenzoline	부정맥
Acetylsalicylic acid	통증
추정되는 약물	
Chloramphenicol, ketoconazole, oxytetracycline, ethionamide isoniazid, p-aminosalicylic acid, p-aminobenzoate	감염
Acetaminophen, indomethacin, propoxyphene, phenylbutazone	통증
B-Adrenergic antagonists (nonselective > β1-selective), angiotensin-converting enzyme inhibitors	고혈압, 심장질환
Furosemide, acetazolamide	부종
Monoamine oxidase inhibitors, fluoxetine, imipramine	우울증
Haloperidol, chlorpromazine, perhexiline	정신병
Clofibrate, bezafibrate	고지질혈증
Orphenadrine, diphenhydramine	알레르기
Cimetidine, ranitidine	위산 과다
Colchicine, sulfinpyrazone	통풍
Phenytoin, gabapentin	간질
Enflurance, halothane	(마취제)
Penicillamine	(킬레이션)
Hypoglycins (in Jamaican akee fruit), thalidomide, selegiline, others	기타

가티플록사신(gatifloxacin)이 부정맥 약물 중에는 퀴니딘(quinidine), 디소피라미이드(disopyramide), 시밴졸린(cibenzoline) 등이 당뇨병을 유발한다는 보고가 있다.

(2) 에탄올

에탄올은 포도당신생성을 억제한다. 아세트알데하이드와 아세트산염(acetate)이 대사될 때, 포도당신생성을 시작하는 데 있어 중요한 보조인자인 nicotinamide adenine dinucleotide (NAD)를 고갈시키기 때문이다. 또한 에탄올은 코티솔과 성장호르몬의 반응을 억제하고 저혈당상태에서 에피네프린과 글루카곤의 분비를 지연시킨다. 임상적으로 알코올유발저혈당은 식사 없이 과도한 알코올섭취 6-36시간 후에 발생하며 정도가 심하면 치명적일 수 있다. 그러나 일반적인 보존치료로 정상혈당 농도가 회복되면 완전하게 회복될 수 있다.

(3) 중증질환

입원환자 중 약물이 저혈당의 가장 흔한 원인이라면 신장, 간과 심장의 부전, 패혈증, 영양실조 등과 같은 중증 질환이 다음으로 흔한 원인이다.

① 간부전

간은 당원분해와 포도당신생성의 중심이 되기 때문에 공복 상태에서 포도당 농도의 유지에 중요하다. 광범위한 간질환이 있으면 저혈당이 초래되는데 전격성 바이러스성 간질환, 알코올에 의한 지방간, 담관염, 담도 폐쇄 등에서 발생한다. 간경화에서는 포도당대사에 변화가 생기지만 저혈당은 비교적 드물다. 일차간암에 의해 저혈당이 발생할 수 있는데 이는 포도당대사 조절의 이상에 따른 것이 아니라 인슐린유사성장인자(IGF)-II의 과잉 생산으로 인한 것이다.

② 심부전

심한 심부전에서 때때로 저혈당이 발생하나 기전은 불명확하다. 간충혈, 기아, 포도당신생성에 필요한 재료의 결핍과 간 저산소증 등이 가능한 병인으로 여겨지고 있다.

③ 신부전

신부전 환자에서 공복 저혈당 및 저혈당이 빈번히 관찰된다. 이는 포도당 대응조절 기능이 저하되었기 때문으로 추정되지만, 약물, 패혈증, 영양결핍 등의 복합적인 요인이 관여할 것으로 생각된다. 저혈당이 동반된 신부전 환자들은 포도당 대사과정이 지연되어 알라닌으로부터 포도당신생성이 감소되어 발생하는 것으로 추측되지만, 간의 포도당신생성이 없다면 기능이 유지되는 신장 하나만으로는 내인포도당생성을 정상적으로 충분하게 하지 못할 것으로 여겨지고 있다.

④ 패혈증

패혈증은 저혈당의 비교적 흔한 원인이다. 패혈증 초기에는 포도당 소비와 생산이 동시에 증가하나 진행되면 간의 포도당생성이 감소되어 신체 포도당 소비에 미치지 못하고 저혈당이 생긴다. 기전이 명확하지는 않으나, 종양괴사인자(TNF)-α, 인터루킨(Interleukin)과 같은 사이토카인이 포도당 소비를 증가시키는 것으로 여겨지고 있다.

⑤ 영양실조

저혈당은 영양결핍에 의해 발생할 수 있다. 영양결핍 환자는 포도당의 소비가 증대되어 있으므로 높은 비율의 포도당을 계속 주입하여도 저혈당이 지속될 수 있다. 포도당은 전체적으로 지방이 부족한 상태에서는 유일한 산화성 연료이고, 높은 비율의 포도당 소비는 아미노산과 같은 연료의 제한 때문에 포도당생성 정도를 넘어서 버리기 때문으로 여겨지고 있다.

(4) 호르몬의 결핍

1형당뇨병이나 진행된 2형당뇨병 이외의 경우에서 대응조절 호르몬 이상으로 저혈당이 생기는 일은 흔하지 않다.

① 코티솔과 성장호르몬의 결핍

코티솔 또는 성장호르몬이 단독 또는 모두 결핍된 경우라 하여도 성인에서는 저혈당이 생기지 않는다. 그러나 5세 이하의 소아나 영아에서는 코티솔이나 성장호르몬의 결핍이 생기면 공복저혈당이 잘 생긴다. 이들 호르몬들이 소아에서 공복혈당을 유지하는데 중요한 기전을 담당하기 때문으로 여겨진다.

② 글루카곤과 에피네프린 결핍

1형당뇨병에서 글루카곤과 에피네프린의 결핍이 동시에 일어나지만, 당뇨병 이외에서는 찾기가 힘들다. 글루카곤이 결핍되어도 에피네프린 분비가 정상이라면 혈당이 조금은 낮을 수 있으나 저혈당이 되지는 않는다.

(5) 비베타세포종양

공복저혈당이 드물게 비베타세포종양에 의하여 생길 수 있다. 대부분 중간엽기원 종양으로 섬유육종증, 횡문근육종, 평활근육종, 지방육종, 혈관외피세포육종, 신경섬유종과 림프육종 등이다. 종양의 위치는 1/3이 복막뒤종양이고, 1/3은 복막내종양, 그리고 나머지 1/3은 흉곽 내에 있다. 악성 종양일 경우에 종양절제 후에 저혈당이 호전되는 경우가 많다. 상피성 비베타세포종양, 간암, 부신피질 종양 그리고 유암종종양 등도 저혈당을 유발하는 것으로 알려져 있다. 기타 위, 대장, 폐, 유방, 전립선, 신장, 고환, 췌장암에서도 동반된다.

비베타세포종양에 의한 저혈당의 병인은 매우 다양하다. 간의 포도당생성 저하와 연관이 있는 것으로 추측되고 있고, 고인슐린혈증이 나타나기도 하나, 인슐린분비는 억제되어 있는 것이 보통이다. 인슐린유사성장인자(IGF)-II가 대부분의 비베타세포종양의 저혈당을 일으키는 원인 물질로 알려져 있는데, 글루카곤과 성장호르몬 분비를 억제함으로서 저혈당을 유발하는 것으로 알려져 있다.

2) 외견상건강한(Seemingly well) 경우

(1) 내인고인슐린증

내인고인슐린증은 가) 췌장베타세포의 인슐린 과분비, 나) 베타세포의 분비자극 또는 다) 인슐린자가항체로 인해 유발된다. 저혈당상태에 도달하여도 인슐린의 상대적인 과분비가 지속되므로 인슐린의 절대농도는 그렇게 높게 상승되지 않은 경우라도, 혈장포도당 농도에 비해 상대적으로 고인슐린혈증을 보인다. 혈청인슐린, C-펩타이드, 전구인슐린, 설포닐유레아, 인슐린항체 유무가 감별진단에 도움이 된다(표 9-6-3).

① 인슐린종

인슐린종은 드문질환으로 일 년에 25만 명 중 한 명 꼴로 발견된다. 산발적으로, 혹은 1형다발내분비선종양(multiple endocrine neoplasia type 1, MEN1)과 연관하여 가족성으로도 발생한다. 산발적인 경우는 단일종인 경우가 많고, 가족성인 경우에는 다발인 경우가 많다. 90%는 양성으로 알려져 있고, 인슐린 외 가스트린, 사람융모성선자극호르몬(human chorionic gonadotropin, HCG), 세로토닌, 글루카곤과 같은 호르몬들을 같이 분비하는 경우도 있다. 인슐린종은 대개 췌장 실질 내에 존재하고 크기가 매우 작기 때문에 저혈당이 임상적으로 중요한 단서가 된다. 간 문맥 순환 혈액 내의 인슐린수치가 높으면 포도당 사용에 비해 포도당신생성이 감소되게 되어 공복 저혈당이 야기

된다. 드물지만 밤사이 금식이나 운동 후에 저혈당이 생기는 경우는 인슐린종을 강력하게 의심할 수 있는 소견이 된다.

② 인슐린자가면역증후군

인슐린자가면역증후군은 매우 드물고, 대개는 인슐린에 대한 자가항체로 인해 생긴다. 서양보다는 일본에서 보고가 많다. 그레이브스병과 같은 자가면역질환의 병력과 메티마졸과 같은 설프히드릴기를 함유한 약물을 사용한 과거력이 흔하게 동반된다. 인슐린수용체에 대한 자가항체는 대부분 대항제로 작용하여 인슐린저항성을 일으키지만, 일부에서는 촉진제로 작용하여 저혈당을 일으키기도 한다. 이러한 경우 흑색가시세포증과 같은 다른 면역질환과 흔히 동반된다.

③ 위절제수술후저혈당(post-gastric bypass hypoglycemia)

보통 식후 4시간 내에 주로 발생한다. 위장관수술을 받은 뒤 섭취한 음식이 빠른 속도로 소장으로 이동하면서 GLP-1의 분비 증가되고, 그 결과, 인슐린분비가 증가되기 때문에 저혈당이 발생하는 것으로 알려져 있으나, 아직 정확한 기전은 알려진 바 없다. 이런 형태의 저혈당을 식사저혈당(alimentary hypoglycemia)이라 한다. 식사 1시간 후에 일어나는 덤핑증후군으로 인한 복부 팽만감, 오심, 쇠약감과 감별이 필요하다.

(2) 사고에 의한(accidental), 인위적인(factitious), 악의적인(malicious) 저혈당

사고에 의하거나 인위적인 저혈당은 저혈당의 원인이 드러나지 않을 때 고려해야 할 수 있다. 가족의 당뇨병을 잘못 섭취하거나 약물처방 및 조제의 오류 등에 의해 발생할 수 있다. 설포닐유레아 등이 섞인 약초 등을 섭취하거나 당뇨병 약물이나 인슐린을 몰래 투여하는 경우도 포함된다. 악의적인 저혈당은 인슐린 분비물이나 인슐린을 다른 사람에게 저혈당을 일으킬 목적으로 투여하는 것을 포함한다.

VII. 당뇨병 환자에서 저혈당

엄격한 혈당조절을 위해 당화혈색소를 감소시킴에 따라 심한 저혈당의 위험성을 증가하는 1형당뇨병 환자에서 저혈당은 혈당관리의 큰 걸림돌이 된다. 2형당뇨병에서는 더 드물지만 인슐린분비촉진제 또는 인슐린을 사용하는 사람에서 종종 발생한다. 혈당조절을 향상시키면서 저혈당 발생위험성을 감소시키기 위해서 환자교육, 자기혈당측정, 개별화된 혈당조절목표 설정 등의 다양한 노력이 필요하다.

1. 저혈당의 정의

미국당뇨병학회에서는 당뇨병 환자에서 저혈당을 증상의 유무와 관계없이 개인에게 위해가 될 수 있는 비정상적으로 낮은 혈장포도당 농도의 모든 사건으로 정의하였다. 개인에 따라 증상을 유발하는 혈당의 역치가 다양하기 때문에, 저혈당을 정의할 특별한 수치를 정의하지 않고 있다.

1) 경계수치(alert value)

저혈당을 정의할 특별한 수치를 정의하지 않지만, 70 mg/dL (3.9 mmol/L)을 경계수치로 두고 있다. 이 포도당 농도는 생리적 공복혈당의 하한값이며 대응조절호르몬의 분비를 위한 정상혈당 임계값에 해당하고 이어진 저혈당에 대한 교감신경-부신반응을 감소시키는 것으로 보고된 가장 높은 선행 저혈당 수치에 가장 근접한 값이다. 이는 환자에게 임상적으로 중요한 저혈당증의 발생 가능성을 경고하고 포도당 섭취와 같은 적절한 조치나 운전과 같은 중요한 작업을 일시적으로 금하게 하는 기준으로 적용할 수 있다.

2) 임상적으로 중요한 생화학적 저혈당

2017년에 미국당뇨병학회와 유럽당뇨병학회에서 공동으로 참여하여, 심각하고 임상적으로 중요한 생화학적 저혈당을 나타낼 정도로 혈장포도당 농도 < 54 mg/dL (3 mmol/L)를 제안하였다. 이 수치는 생리적 조건에서 당뇨병이 없는 사람에서는 거의 발생하지 않으며, 발생하였을 때 즉각적이

고 장기적인 후유증을 초래할 수 있어 피해야 하는 명백하게 낮은 포도당수치를 의미한다. 혈당강하제를 사용하는 임상연구에서 저혈당을 보고할 때 54 mg/dL 미만의 수치를 나타내는 저혈당의 빈도를 포함시킬 것을 권고하고 있다.

3) 심한 정도의 분류

미국당뇨병학회는 저혈당의 심한 정도를 아래와 같이 분류하고 있다.

(1) 1단계(level 1) 저혈당

측정 가능한 포도당 농도가 70 mg/dL (3.9 mmol/L) 미만이지만 54 mg/dL (3.0 mmol/L) 이상인 경우로 정의된다.

(2) 2단계(level 2) 저혈당

혈당 농도 54 mg/dL (3.0 mmol/L) 미만인 경우로 정의된다.

(3) 3단계(level 3) 저혈당

저혈당의 치료와 회복을 위해 다른 사람의 도움을 필요로 하는 정신 또는 신체기능의 변화가 특징인 심각한 사건으로 정의된다.

2. 저혈당의 영향

저혈당은 신체기능 저하, 심리사회학적 문제, 사망 등을 초래할 수도 있다. 신체기능 저하는 가벼운 불쾌감에서부터 행동 장애, 감지기능 저하, 발작 및 혼수상태 등에 이르기까지 다양하다. 신경장애의 후유증은 저혈당의 정도와 시간에 따라 다르다. 원숭이에서는 20 mg/dL (1.1 mmol/L) 이하의 저혈당이 5-6시간 지속되면 신경후유증이 남는다. DCCT (Diabetes control and Complication Trials) 결과에서는 신경정신적 손상이 증가되지는 않았다. 1형당뇨병에서 저혈당에 의한 사망률은 2-4%로 추정된다. 2형당뇨병에서는 일반적으로 의인성 저혈당은 드물지만, 인슐린분비촉진제 혹은 인슐린 치료를 받는 경우에는 흔히 유발된다.

3. 저혈당의 위험인자와 병태생리

인슐린으로 치료 중인 1형당뇨병에서는 고인슐린혈증이 초래될 가능성이 항상 존재한다. 비적극적인 치료에서 저혈당은 주로 인슐린 과용량에 의해 유발된다. 인슐린 과용량이 생기는 경우는 (1) 인슐린 주사량, 주사 시간과 인슐린 형태의 착오, (2) 식사량이 적거나 식사를 거르는 경우, (3) 운동과 같이 포도당 사용이 증가한 경우, (4) 알코올 섭취와 같이 간포도당 방출이 저하되는 경우, (5) 운동, 체중저하 및 야간에 인슐린 민감도가 증가하는 경우, (6) 신부전증에서 인슐린 대사속도의 감소 등이다. 그러나 DCCT연구에서 이러한 위험인자들은 그렇게 중요하지 않은 것으로 생각되었다. 따라서 1형당뇨병에서 생기는 저혈당의 병태생리를 다른 각도에서 조명할 필요가 있다.

1) 혈당 상승반응의 이상

저혈당이 생기면 저혈당으로부터 회복하기 위해서 동원되는 대응조절호르몬이 있으므로 더 이상의 심한 저혈당이 초래되지 않는 것이 정상생리반응이다. 그러나 1형당뇨병에서 대응조절호르몬의 동원은 원활하지 않다. 대응조절호르몬의 동원에 문제가 생기면 혈당 상승이 더딜 뿐 아니라 저혈당에 대한 감지능력이 떨어지고, 사용중인 베타 아드레날린 차단제의 작용에 의해 혈당 상승 작용이 억제될 수도 있다. 인슐린, 글루카곤, 그리고 에피네프린이 저혈당을 예방하거나 저혈당을 회복시키는 결정 인자들이다. 1형당뇨병에서는 이러한 세 가지 호르몬이 결핍되기 쉽다. 인슐린 치료 중인 1형당뇨병에서는 저혈당이 초래되어도 인슐린 흡수는 계속되므로 상대적인 인슐린 증가가 일어난다. 또한 저혈당에 대한 글루카곤의 동원능력이 저하되기도 한다. 초기의 1형당뇨병에서는 글루카곤의 결핍은 있어도 에피네프린의 분비는 정상이어서 저혈당에 대응하는 혈당 상승에는 큰 지장을 받지 않는다. 그러나 1형당뇨병이 경과함에 따라 저혈당에 대한 에피네프린의 분비능도 장애를 받는다. 1형당뇨병이 10년쯤 경과하면 이러한 세 가지 호르몬들의 변화가 관찰되는데, 상대적인 고인슐린증, 글루카곤과 에피네프린의 결핍 등으로 요약이 된다. 그러나 글루카곤과 에피네프린의 분비장애는 모든 자극에 해당하는 것이 아니고 저혈당에서만 생기는 특이반응으로 생각된다. 또한 에피네프린의 분비장애는 자율신경장애가 없을 때도 생기며 혈당을 더욱 저하시키면 에피네프린을 분비시킬 수 있는데, 이는 에피네프린 분비에 대한 저혈당의 역치변화로 설명할 수 있다.

2) 저혈당무감지증

빈번한 저혈당의 발생은 저혈당에 대한 교감신경부신 반응을 약화시켜 저혈당무감지증과 같은 임상증후군을 초래하게 된다. 또한 저혈당무감지증은 반복적인 저혈당 발생위험을 높이는 악순환을 일으킨다. 대개 1형당뇨병 환자들의 20-25%에서 저혈당무감지증이 있음을 보고하고 있다. 저혈당무감지증은 저혈당에 대한 경고 증상을 느끼지 못하여 저혈당에 대처하지 못하고, 중증저혈당에 빠지게 되는 위험을 유발한다. 저혈당은 처음 자율신경증상으로 감지되기 때문에, 저혈당을 인지하지 못하면 신경 증상의 소실이 초래된다. 이러한 환자가 바로 신경저당증(neuroglycopenia) 현상을 초래하기 때문에 이 시기에 증세를 원래대로 되돌리기에는 늦은 경우가 많다. 저혈당무감지증상태에서는 중증저혈당이 생길 가능성이 6배 높다. 자율신경반응을 유발하기 위해서는 단기적으로 저혈당발생을 줄일 필요가 있다.

3) 저혈당관련자율신경부전(Hypoglycemia-associated autonomic failure)

1형당뇨병과 절대적 인슐린 분비능 저하를 보이는 진행한 2형당뇨병 환자에서 저혈당과 연관된 여러 인자들의 상호작용 및 그에 따른 저혈당무감지증에 대해 요약한 그림이다 (그림 9-6-3). 저혈당은 혈당감소에 따른 자율신경계의 반응의 감소를 초래하게 된다. 이처럼 자율신경 반응에 이상이 생기면 저혈당이 임박하였음을 경고하는 증상들이 나타나지 않게 된다. 글루카곤 반응이 소실된 상태에서 에피네프린의 반응 감소는 반복적인 저혈당악순환을 일으킨다. 저혈당무감지증과 에피네피린 반응 감소는 가역적인 반응으로, 2-3주 이상 저혈당에 노출되지 않도록 하면 변경된 혈당 반

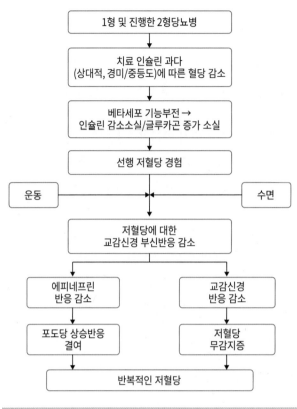

그림 9-6-3. **저혈당관련자율신경부전**
(Hypoglycemia-associated autonomic failure)

응 역치를 다시 원래대로 되돌릴 수도 있다.

VIII. 치료

1. 원인에 따른 저혈당의 치료 및 예방

반복적인 저혈당의 발생을 예방하려면 저혈당 원인과 기전에 대한 이해가 필요하며, 원인에 따라 근본적인 치료가 필요한 경우 적절한 치료가 필요하다.

1) 인슐린종의 치료
인슐린종의 가장 좋은 치료는 수술이다. 일반적으로 췌장절제는 종양이 발견되지 않더라도 흡수장애의 합병증을 피하기 위해 85%까지만 시행한다. 대부분의 환자들은 수술

로 완치가 되나 15%에서는 저혈당이 지속된다. 인슐린종에 대한 내과적 치료는 수술을 위한 준비기간과 수술로 종양을 발견하지 못한 때에 시행할 수 있다. 두 가지 약물을 사용할 수 있는데, 다이아족사이드(diazoxide)와 성장호르몬억제인자유사체(somatostatin analogue)인 옥트레오타이드(octreotide)를 사용해 볼 수 있다.

2) 기타 원인의 저혈당
약물에 의한 경우는 약물을 중단하거나 감량하여야 한다. 설포닐유레아에 의한 저혈당은 수시간에서 수일 후에도 재발할 수 있음을 명심할 필요가 있다. 코티솔 및 성장호르몬 부족 등의 원인인 결핍호르몬 보충이 가장 중요하다. 비베타세포 종양은 수술적 제거로 완치가 어려운 경우가 많으며, 저혈당 빈도를 감소시키기 위해 보존적인 수술, 영상의학적 중재술 및 화학요법 등을 고려할 수 있다. 이 경우 당질부신피질호르몬 및 성장호르몬 투여가 도움이 되기도 한다. 여러 치료법이 모두 실패한 경우 빈번한 음식섭취와 공복상태를 피하는 방법(취침 전 음식섭취 등)등의 교육이 도움이 될 수 있다. 일부 환자에서 위장관내 포도당 주입을 해야 하는 경우도 있다.

3) 당뇨병 환자에서 저혈당 예방
인슐린주사 방법을 생체 인슐린분비 리듬에 가장 가깝게 하여, 혈당을 정상에 가깝게 유지하면서도 저혈당이 생기지 않도록 해야 한다. 우선 환자의 상태를 면밀하게 분석하여 개개인 환자에 알맞은 혈당조절의 목표를 설정한다. 환자의 교육, 전문가의 지원, 자기혈당측정 그리고 융통성 있는 인슐린용량 조절 등을 통하여 저혈당의 빈도를 최소화하면서 목표한 혈당에 도달할 수 있다. 저혈당을 예방하기 위해서는 먼저 상식적인 위험인자들을 조절해야 한다. 이런 요소들에는 인슐린용량, 주사시간, 인슐린 제형, 식사조절, 운동, 약물, 상호작용, 음주, 인슐린 민감도, 그리고 인슐린 대사속도 등이 있다. 그리고 위에서 특별히 강조한 선행된 저혈당 후에 생기는 저혈당무감지, 저혈당에 대한 에피네프린 분비 감소 등에 대해 세심하게 배려해야 한다.

2. 저혈당 응급대처

중증저혈당이 아닐 때는 포도당 또는 탄수화물을 섭취하여 치료할 수 있다. 주스, 음료수, 우유, 사탕 또는 가벼운 식사 등으로 해결된다. 20 g (아이의 경우 0.3 g/kg) 정도의 포도당이면 된다. 1형당뇨병에서는 20 g의 포도당의 효과가 2시간 이상 지속되지 않기 때문에 혈당치기 올라가도 식사를 추가해 주어야 한다.

환자가 경구로 섭취하기 어려울 때에는 주사 치료를 시행한다. 1 mg의 글루카곤(아이의 경우 1 μg /kg)을 피하 또는 근육 주사한다. 글루카곤 주사는 구역과 구토를 초래할 수 있다. 글루카곤은 인슐린 분비를 자극하므로 2형당뇨병에서는 1형당뇨병에서보다 덜 효과적이다. 글루카곤을 정주할 수도 있으나, 정주할 때는 25 g의 포도당을 먼저 사용하는 것이 표준 치료법이다.

IX. 예후

반복적인 저혈당이 인지기능장애를 일으키는 정도에 대해서는 아직 불확실하다. 노인의 경우, 심각한 저혈당은 치매의 위험증가와 관련이 있다. 게다가, 치매가 발병하는 당뇨병이 있는 노인들은 저혈당증의 위험이 더 높은 것으로 알려져 있다. 젊은 1형당뇨병 환자에서 저혈당에 따른 예후는 DCCT연구를 통해 확인할 수 있다. 중증저혈당의 발생이 엄격한 조절군에서 통상적 조절군에 비해 3배 이상 많이 발생했지만, 추적관찰 기간 동안 두 집단 사이에 여러 심리사회적, 신경행동적인 지표들의 차이가 관찰되지 않았다. 2형당뇨병 환자에서 중증저혈당은 그 인과관계가 명확하지 않으나 심혈관질환의 위험성을 올리는 것으로 여겨진다.

X. 최신정보 및 미래 전망

저혈당을 일으키는 신경내분비종양(인슐린종)의 진단에 있어 성장호르몬억제인자수용체 신티그라피로는 절반 정도에서 확인할 수 있고, 민감도는 80% 정도 되는 것으로 알려져 있다. 인슐린종에서 양전자방출단층촬영(Positron emission tomography, PET)의 유용성에 대해서는 아직 확립된 바는 없어 좀 더 연구가 필요해 보인다.

당뇨병 환자의 혈당조절에 있어 새로운 인슐린유사체와 인크레틴 치료제 등의 도입으로 보다 생리적인 인슐린분비 패턴에 가까운 치료를 유도해 저혈당 발생 위험성을 감소시키려는 시도가 꾸준히 이뤄져 오고 있다. 또한 연속혈당측정기와 같은 혈당 측정에 대한 기술적발달로 저혈당 발생의 위험을 줄이려는 시도들이 활발하게 이뤄지고 있다.

참 / 고 / 문 / 헌

1. American Diabetes Association Professional Practice Committee, Draznin B, Aroda VR, Bakris G, Benson G, Brown FM, et al. 6. Glycemic targets: standards of medical care in diabetes-2022. Diabetes Care 2022;45:83-96.

2. Chaytor NS, Barbosa-Leiker C, Ryan CM, Germine LT, Hirsch IB, Weinstock RS. Clinically significant cognitive impairment in older adults with type 1 diabetes. J Diabetes Complications 2019;33:91-7.

3. Cryer PE, Axelrod L, Grossman AB, Heller SR, Montori VM, Seaquist ER, et al. Evaluation and management of adult hypoglycemic disorders: an Endocrine Society Clinical Practice Guideline. J Clin Endocrinol Metab 2009;94:709-28.

4. Dagogojack SE, Craft S, Cryer PE. Hypoglycemia-associated autonomic failure in insulin dependent diabetes mellitus. J Clin Invest 1993;91:819-28.

5. Diabetes Control and Complications Trial/Epidemiology of Diabetes Interventions and Complications Study Research Group, Jacobson AM, Musen G, Ryan CM, Silvers N, Cleary P, et al. Long-term effect of diabetes and its treatment on cognitive function. N Engl J Med 2007;356:1842-52.

6. Goto A, Arah OA, Goto M, Terauchi Y, Noda M. Severe hypoglycaemia and cardiovascular disease: systematic review and meta-analysis with bias analysis. BMJ 2013;347:

f4533.

7. Hepburn DA, Deary IJ, Frier BM, Patrick AW, Quinn JD, Fisher BM. Symptoms of acute insulin-induced hypoglycemia in humans with and without IDDM. Factor-analysis approach. Diabetes Care 1991;14:949-57.

8. International Hypoglycaemia Study Group. Glucose concentrations of less than 3.0 mmol/L (54 mg/dL) should be reported in clinical trials: a joint position statement of the American Diabetes Association and the European Association for the study of diabetes. Diabetes Care 2017;40:155-7.

9. Jameson JL, Kasper DL, Longo DL, Fauci AS, Hauser SL, Loscalzo J: Harrison's principles of internal medicine. 20th ed. New York: McGraw-Hill; 2018. pp. 2883-9.

10. Murad MH, Coto-Yglesias F, Wang AT, Sheidaee N, Mullan RJ, Elamin MB, et al. Clinical review: drug-induced hypoglycemia: a systematic review. J Clin Endocrinol Metab 2009;94:741-5.

11. Nirantharakumar K, Marshall T, Hodson J, Narendran P, Deeks J, Coleman JJ, et al. Hypoglycemia in non-diabetic in-patients: clinical or criminal? PLoS One 2012;7:e40384.

12. Noone TC, Hosey J, Firat Z, Semelka RC. Imaging and localization of islet-cell tumours of the pancreas on CT and MRI. Best Pract Res Clin Endocrinol Metab 2005;19:195-211.

13. Parekh TM, Raji M, Lin YL, Tan A, Kuo YF, Goodwin JS. Hypoglycemia after antimicrobial drug prescription for older patients using sulfonylureas. JAMA Intern Med 2014;174:1605-12.

14. Placzkowski KA, Vella A, Thompson GB, Grant CS, Reading CC, Charboneau JW, et al. Secular trends in the presentation and management of functioning insulinoma at the Mayo Clinic, 1987-2007. J Clin Endocrinol Metab 2009;94:1069-73.

15. Pratley RE, Kanapka LG, Rickels MR, Ahmann A, Aleppo G, Beck R, et al. Effect of continuous glucose monitoring on hypoglycemia in older adults with type 1 diabetes: a randomized clinical trial. JAMA 2020;323:2397-406.

16. Seaquist ER, Anderson J, Childs B, Cryer P, Dagogo-Jack S, Fish L, et al. Hypoglycemia and diabetes: a report of a workgroup of the American Diabetes Association and the Endocrine Society. J Clin Endocrinol Metab 2013;98:1845-59.

17. Service FJ. Classification of hypoglycemic disorders. Endocrinol Metab Clin North Am 1999;28:501-17.

18. Service FJ. Hypoglycemic disorders. N Engl J Med 1995;332:1144-52.

19. Workgroup on Hypoglycemia, American Diabetes Association. Defining and reporting hypoglycemia in diabetes: a report from the American Diabetes Association Workgroup on Hypoglycemia. Diabetes Care 2005;28:1245-9.

20. Yaffe K, Falvey CM, Hamilton N, Harris TB, Simonsick EM, Strotmeyer ES, et al. Association between hypoglycemia and dementia in a biracial cohort of older adults with diabetes mellitus. JAMA Intern Med 2013;173:1300-6.

09 당뇨병학

최경묵 김재범 이관우 유순집 박철영

I. 에너지대사

최경묵

1. 에너지평형

1) 기본개념

에너지는 다른 형태의 에너지로 전환되며 새로 생성되거나 파괴되지 않는다. 식이를 통하여 섭취된 에너지는 기초 에너지대사, 열생성(thermogenesis), 단백질 합성 및 신체활동에 필요한 기반이 된다. 이렇게 소모된 에너지 외에 남게 되는 잉여 에너지는 저장이 되는데 섭취된 에너지의 총량은 소비된 에너지와 저장된 에너지의 합과 같다. 기근시기와 같

이 에너지 섭취량보다 소비가 지속적으로 많게 되면 축적되어 있던 에너지를 모두 소모되며 단백질분해를 통하여 생산된 아미노산이 에너지 생산에 사용되어 근육감소와 쇠약, 사망으로 이어지게 된다. 이와 반대로 현대 사회에서는 에너지섭취가 소모보다 지속적으로 높은 경우가 흔하며 이러한 경우 과도한 에너지는 지방조직 내에 중성지방의 형태로 저장되며 비만을 유발한다.

2) 에너지소비

에너지소비는 가장 큰 부분으로 하루 에너지소비의 60% 이상을 차지하는 기초대사에 의한 소비, 신체활동에 의한 소비, 추위 등 자극에 의한 소비 등으로 나누어 볼 수 있다.

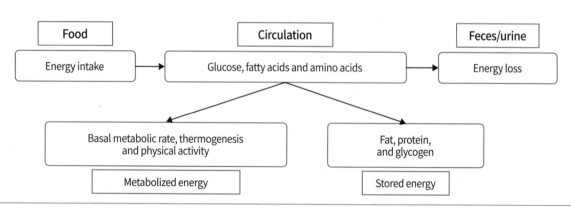

그림 9-7-1. 에너지균형

(1) 기초대사율(basal metabolic rate, BMR)

기초대사율은 마지막 식사 후 10시간 이상 경과된 아침에 깨어나 심신이 휴식중인 편안하고 포근한 환경에서 측정을 하게 된다. 기초대사율을 결정하는 요인은 연령, 성별, 신장, 체중에 따라 달라지는데 평균적으로 노인보다는 젊은이, 여자보다는 남성이 높은 기초대사율을 나타내며 유전요인도 영향을 미친다. 결과적으로 높은 대사율을 보이는 기관들(심장, 간, 신장 등)이 상당량의 기초대사율을 나타내며 이에 반해 비만하지 않은 정상인에서 지방조직은 기초대사율의 낮은 부분(< 5%)를 차지하며 골격근은 간 등의 장기보다는 기초대사율이 낮지만 체중의 많은 부분을 차지하므로 상당 부분의 기초대사율을 담당한다.

(2) 신체활동에 따른 에너지소비

신체활동에 따른 에너지소비는 신체활동의 종류와 강도 및 시간에 따라 달라진다. 평소 신체활동이 적은 사무직 근로자의 경우는 하루 에너지소비의 10-15% 정도를 신체활동이 담당하지만 신체활동이 많은 운동선수의 경우는 많게는 하루 에너지소비의 70%까지 차지하기도 한다.

(3) 외부자극에 의한 에너지소비

다양한 외부자극, 즉 추위와 이로 인한 근육 떨림 현상, 카페인이나 니코틴과 같은 다양한 약물 투여, 스트레스 등의 심리적 요인 등은 에너지소비를 증가시키는 요인이 된다. 이는 금연을 한 후에 체중이 증가되는 현상을 뒷받침한다.

3) 에너지소비와 영양공급

에너지소비는 비교적 일정하게 하루 동안 지속되는 양상을 보이는데 반하여 영양 공급은 하루 2-3차례의 식사를 통해 불규칙하게 공급된다. 그러므로 식사 시에 공급된 에너지를 저장하여 식사 중간에 사용하게 되는데 주로 트리아실글리세롤의 형태로 지방조직에 저장하거나 당원(glycogen)의 형태로 간 등에 저장한다.

2. 에너지대사과정

사람에서 에너지는 식사를 통해 탄수화물, 지방 및 단백질 대사에 의해 공급된다. 이들은 소화과정을 통해 탄수화물은 포도당, 지방은 지방산과 글리세롤, 단백질은 아미노산으로 각각 전환이 된다. 이후 공통산물로써 아세틸CoA (acetyl–CoA)로 대사되며 크렙스회로(Kreb cycle)를 통해 산화되어 신체에 필요한 에너지를 공급한다.

1) 포도당대사

포도당은 주요 에너지원으로 해당 과정을 통해 아세틸CoA로 대사되며 크렙스회로로 들어가 최종산물이 물과 이산화

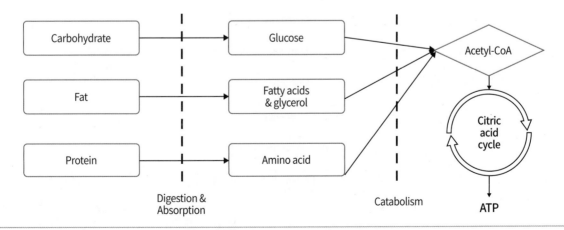

그림 9-7-2. 탄수화물, 지방, 단백질의 이화과정

탄소로 나오게 되는 유산소상태의 산화과정을 통해 ATP가 생성된다. 이에 반해 무산소상태의 해당 과정에서는 최종산물이 유산(lactate)으로 산출된다. 한편 포도당과 대사산물들은 간과 근육에서 당원의 형태로 저장이 되며 포도당신생성(gluconeogenesis)은 비탄수화물의 전구체로부터 포도당을 형성하는 과정이다. 또한 인산오탄당회로(pentose phosphate cycle)를 거쳐 지방산 합성을 위한 NADPH의 기질이 되기도 하고 아미노산 합성을 위한 탄소 골격을 제공하기도 한다.

2) 지질대사

지방산은 아세틸CoA로 산화되거나 지방조직의 주요 에너지 저장형태인 트리아실글리세롤을 형성한다. 식사를 통해 얻어지는 지질이나 신생지질합성과정(de novo synthesis)을 거쳐 장쇄지방산(long-chain fatty acid)이 생성된다.

3) 아미노산대사

아미노산대사에서 아미노기이탈(deamination) 후 질산(nitrogen)은 요소(urea)로 배출되며 아미노기전이반응(transamination) 후 잔여 탄소골격은 포도당과 지방산

의 합성에 사용된다. 아미노산은 필수 및 비필수아미노산으로 나누어지는데 비필수아미노산은 아미노기 전이반응을 통해 대사중간체로부터 생성되기도 하지만 필수아미노산은 신체 내에서 합성이 되지 않으므로 반드시 식사를 통해 공급되어야 한다.

3. 식사 및 금식상태에서 에너지대사의 조절

식사 및 금식상태에 따라 서로 다른 에너지대사 조절이 나타나게 된다. 식이 섭취상태에서는 합성대사(anabolism)과정이 유발되어 에너지가 신체 여러 장기들에 저장된다. 이에 반해 금식상태에서는 분해대사(catabolism)과정으로 앞서 저장된 에너지연료를 사용하여 신체활동 유지에 필요한 에너지를 공급한다. 이러한 과정에서 합성대사 및 분해대사과정을 조절하는 두 가지 중요한 호르몬이 인슐린과 글루카곤이다. 이들은 에너지대사 및 균형 유지에 핵심적인 역할을 하게 되며 두 호르몬의 비율에 따라 에너지대사의 조절이 이루어진다. 이외에도 몇 가지 호르몬들도 에너지대사의 조절에 관여하며 자율신경계 역시 내분비계와 상호작용하며 에너지대사의 조절에 기여한다.

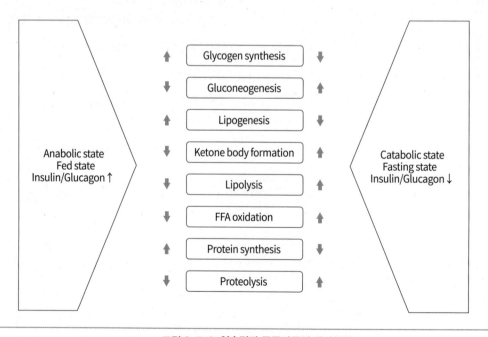

그림 9-7-3. 인슐린과 글루카곤의 대사조절

1) 식사상태

(1) 포도당대사

다수의 조직에서 포도당을 주요 에너지원으로 사용하며 유산소상태에서는 이산화탄소를, 무산소상태에서는 유산을 생성한다. 골격근과 간은 포도당을 사용하는 주요 장기로서 인슐린의 조절하에 포도당의 흡수를 일어나게 된다. 사용 후 남은 잉여 포도당은 간에서 당원의 형태로 저장되며 일부 포도당은 트리아실글리세롤의 합성에 사용된다.

(2) 지질대사

식사 후 섭취된 지방은 소화되어 암죽미립(chylomicron)의 형태로 바뀌어 혈중으로 유입된다. 인슐린은 비에스터화지방산(nonesterified fatty acid)이 트리아실글리세롤의 합성에 사용되도록 유도하는데 반하여 성장호르몬과 렙틴은 지방 생산을 억제한다. 지방조직은 가장 중요한 에너지 저장소로 주로 트리아실글리세롤의 형태로 저장된다. 혈중 글리세롤은 간으로 흡수되며 포도당신생성, 당원 및 지방생성에 사용된다.

(3) 아미노산대사

식사 후에는 인슐린의 작용에 의해 단백질 합성률이 약 20–25%정도 증가하는 합성대사과정을 보이게 되며 장기간의 금식 시에는 분해대사과정으로 단백질분해가 나타날

수 있다.

2) 금식상태

(1) 포도당대사

뇌와 같은 중추신경계는 에너지원으로 포도당을 주로 사용하며 케톤체로부터 전체 에너지 필요량의 나머지 20%정도를 얻게 된다. 금식 시에는 중추신경계에 적절한 에너지를 공급하기 위하여 다른 조직들은 대체 에너지원을 사용하는 쪽으로 변경된다. 이 경우 인슐린 분비가 감소하며 글루카곤 분비는 증가하여 간에서 당원의 합성과 저장은 억제되고 혈중포도당 유리가 증가하여 중추신경계에 필수적인 포도당을 공급한다.

(2) 지질대사

금식 시에는 지방조직 역시 지방생성과 저장이 억제되고 트리아실글리세롤의 분해가 증가하여 지방산과 글리세롤의 혈중 유리가 촉진된다. 이러한 과정은 인슐린의 감소 및 글루카곤의 증가에 따라 조절된다. 지방산은 대부분의 조직에서 산화되어 중요한 에너지원으로 사용되며 일부는 간에서 케톤체를 형성한다. 케톤체는 금식이 오래 지속될 경우 뇌를 비롯하여 심근 및 골격근의 에너지원으로 사용된다. 글리세롤은 포도당신생성에 기질로 이용된다.

09 당대사질환

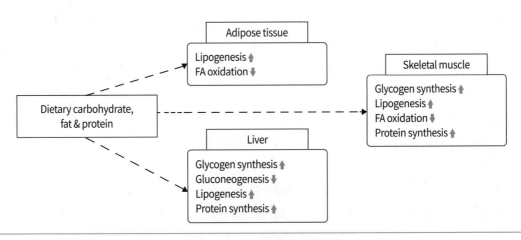

그림 9-7-4. 식후의 장기별 대사과정

(3) 아미노산대사

약 18시간 이상의 장기간 금식이 지속되면 간과 근육에 저장된 당원이 먼저 사용되어 고갈되며 이후 근육의 단백질은 아미노산으로 분해되어 간과 신장에서 포도당신생성을 위하여 사용된다.

4. 에너지대사 불균형으로 인한 기아 및 비만

현대사회에서 주요한 문제로 대두되고 있는 비만은 장기적으로 에너지섭취가 에너지 소모를 초과하여 지방조직의 지속적인 축적으로 인해 야기되며 심각한 심대사질환을 유발한다. 반대로 장기간의 기아상태가 지속되면 지방조직에 감소뿐 아니라 골격근의 이화가 동반되어 체중 감소 및 사망에 이르게 될 수 있다. 이외에도 식욕을 감소시키는 종말증(cachexia)을 동반한 악성종양 환자의 경우에도 기아상태와 유사한 단백질분해 증가를 보일 수 있다. 인슐린분비가 소실되는 1형당뇨병 환자는 주요 장기로 포도당흡수와 이용이 억제되어 고혈당 및 삼투압 증가를 나타내며 동시에 지방조직에서 지방분해가 증가하여 간에서 케톤체 생산이 급증하여 당뇨병케토산증으로 이어질 수 있다.

5. 비만의 지방대사 이상

비만은 에너지 공급과 소모 사이의 불균형으로 인해 야기된다고 볼 수 있다. 과도한 외부의 영양공급은 지방조직뿐 아니라 간, 근육, 심장 및 췌장 등 다양한 장기의 지방축적을 일으킨다. 이러한 지방조직 이외 장기의 중성지방의 축적은 지방독성(lipotoxicity)을 유발하여 인슐린저항성, 고혈당, 고혈압, 이상지질혈증, 비알코올지방간질환 및 심혈관질환으로 이어질 수 있다. 지방조직은 형태학적으로 상이한 두 종류의 지방조직이 존재하는데 백색지방조직(white adipose tissue, WAT)과 갈색지방조직(brown adipose tissue, BAT)이 그 것이다. 이 중 백색지방조직은 신체내 대부분의 지방을 차지하며 내장지방(visceral adipose tissue)과 피하지방(subcutaneous adipose tissue)으로 주로 존재한다. 근래에는 백색지방조직에서 다양한 종류의 아디포카인들의 생산 및 분비가 발견되었으며 전신적인 에너지대사와 염증의 조절에 핵심적인 역할을 한다. 한편, 갈색지방조직은 열생성 기관(thermogenic organ)으로 주로 작용하며 과거에는 사람에서 유아기에 존재하다가 소실되는 것으로 여겨졌으나 근래 양전자단층촬영(positron emission tomography, PET)의 발전에 따라 성인에서 존재하는 것이 증명되었다.

1) 백색지방조직의 역할

지방세포는 유리지방산을 중성지방의 형태로 에스터화하여 잉여 에너지를 보존하게 된다. 이에 반하여 에너지 공급이 부족한 기근상태에서는 지방조직이 주요한 에너지 공급원으로 작용하게 되며 신체 다른 장기들에게 필요한 에너지를 공급해 주는 역할을 한다. 이 때 지방세포 내에 보존되어 있던 중성지방을 지방분해를 통하여 유리지방산과 글리세롤로 분해하는 것은 에너지대사의 핵심적인 기전이다. 이러한 지방생성과 지방분해의 조절을 주로 담당하는 것이 인슐린이며 지방세포에 직간접적으로 작용하여 적절한 지방대사가 유지되도록 조정한다. 근래 비만과 지방대사 조절의 중요한 역할을 하는 아디포카인으로 렙틴이 발견되었는데 시상하부의 궁상핵(arcuate nucleus)에 존재하는 프로오피오멜라노코틴(proopiomelanocortin, POMC) 신경세포에 작용하여 지방분해를 촉진하고 식이섭취를 감소시킨다. 렙틴의 작용이 소실되면 지방생산이 촉진되고 지방분해가 억제되어 지방세포 내로 중성지방의 축적이 일어나며 결과적으로 비만이 야기된다.

2) 갈색지방조직의 역할

과거에는 설치류 등 동물이나 유아에서만 이러한 종류의 갈색지방조직이 존재하는 것으로 생각되어 왔으나 근래 PET를 사용한 성인들을 대상으로 한 여러 연구들에서 18F-fluorodeoxyglucose (18F-FDG)가 높게 섭취되는 갈색지방조직의 존재가 확인된 바 있다. 성인에서 PET를 통하여 발견되는 갈색지방조직은 주로 경부, 상부쇄골 및 상부종격동 위치에서 확인된다. 조직검사를 통하여서도 백색지방조직사이에 군집된 짝풀림단백질(uncoupling protein, UCP)-1 양성갈색지방조직의 존재가 발견되는데 다수의 사립체와 작은 세포질내 지방방울 등과 같은 일반적인 갈색지방조직의 특성을 보인다.

잉여 에너지를 저장하는 역할을 하는 백색지방조직에 비해 갈색지방조직은 주로 열 생성에 핵심적인 역할을 담당한다. 교감신경계에 의해 자극된 갈색지방조직의 사립체는 UCP-1에 의한 짝풀림(uncoupling)작용을 통해 열을 발생하며 5'-삼인산아데노신(adenosine 5´-triphosphate, ATP)가 분해될 때 UCP-1이 양성자(proton)의 누출을 촉매함으로써 이루어진다.

갈색지방조직은 열생성을 통해 잉여 에너지를 소모함으로써 비만 치료에 새로운 돌파구를 제시할 것으로 기대되어 왔다. 동물실험에서 갈색지방조직을 활성화하게 되면 에너지 소모가 증대하고 비만을 예방하는 효과가 나타나며 반대로 갈색지방조직을 제거하면 비만 및 대사이상이 유발되는 것이 보고되었다. 사람을 대상으로 한 일부 연구들에서도 비만 환자들에서 마른 사람들에 비해 갈색지방조직의 기능이 유의하게 낮은 것으로 보고된 바 있다.

6. 비만의 단백질대사 이상

1) 골격근의 대사이상
지방조직의 중성지방 축적이 개인의 유전적, 신체적 한계를 넘어서면 지질 과잉은 다른 조직으로 유출을 일으키게 된다. 이는 주로 췌장 베타세포, 간, 심장 및 골격근에 지질이 축적되어 지방독성(lipotoxicity)을 야기하게 되는데 전신적 염증상태, 인슐린저항성, 대사증후군, 2형당뇨병 및 심혈관질환의 주요한 원인으로 작용한다. 특히 골격근은 지질대사의 이상뿐만 아니라 포도당대사의 장애를 동시에 일으키게 되며 인슐린저항성의 특징을 나타낸다. 비만 환자 중 일부는 지방조직이 증가함에도 제지방체중이 감소하며 근래 근감소비만(sarcopenic obesity)으로 많은 관심을 모

으고 있다. 비만상태에서는 대사이상과 함께 근섬유의 종류 변화도 흔히 관찰되며 여기에는 근육량(muscle mass)뿐만 아니라 근육의 질(muscle quality)에도 영향을 미치게 된다. 실제로 비만 환자에서 얻어진 골격근은 산화 능력이 매우 낮게 측정되는데 지질 산화능의 감소로 말미암아 골격근 내에 중성지방과 지질 대사물의 축적이 유발되며 인슐린저항성의 중요한 원인이 된다.

2) 인슐린저항성과 단백질대사
인슐린은 단백질대사의 핵심적인 조절자로 체내단백질량을 결정하는 인자이다. 인슐린은 단백질 생성을 촉진하고 단백질 분해대사를 억제한다. 비만동물모델에서 인슐린이 근육의 단백질 생산을 촉진하거나 단백질분해를 억제하는 효과가 감소된 것으로 알려져 있다. 그러므로 비만동물모델에서 인슐린의 합성대사작용(anabolic effect)에 관련된 단백질대사에 대한 인슐린저항성이 존재함을 시사한다. 비만상태에서 지방조직에서 유리된 유리지방산은 골격근에서 포도당과 지방산간의 기질경쟁(substrate competition)을 통해 인슐린저항성을 유발한다. 더 나아가 근육조직내 다이아실글리세롤 및 세라마이드와 같은 지질대사산물의 축적과 상호작용을 통해 인슐린저항성은 더욱 조장된다.

3) 염증과 단백질대사
근래 들어 비만은 만성적인 낮은 정도의 염증상태로 확립되었다. 만성적인 염증은 인슐린저항성 및 산화스트레스로 이어지며 단백질대사에도 영향을 미친다. 대표적인 염증사이토카인들은 종양괴사인자-α (tumor necrosis factor-α)나 인터루킨-6 (interleukin-6) 등이며 골격근의 단백질분해와 밀접한 연관을 보인다. 이러한 염증사이토카인들은 복부 지방조직에서 주로 생성되고 혈중으로 분비되며 골격근의 단백질분해를 유발하고 단백질생산을 저해한다. 최근 연구들은 인슐린저항성과 함께 전신적인 염증이 근감소증(sarcopenia)에 중요한 역할을 하는 것으로 보고된다. 높은 염증사이토카인의 혈중 농도는 근육량뿐만 아니라 근력(muscle strength)의 감소와 연관된다. 전향코호트연구들

에서 높은 혈중 염증사이토카인들이 미래의 근력 감소를 예측하는 것으로 보고되었다. 따라서 만성적 염증은 그 자체 및 인슐린저항성과 연관하여 단백질대사를 저해하며 근육량과 근력을 감소시켜 근감소비만으로 이어지게 되는 중요한 인자가 될 수 있다. 특히 노년기의 근육량의 감소와 근육내지방의 축적은 근력의 감소로 이어지며 최종적으로 신체수행(physical performance)의 저하 및 장애로 귀결된다. 그러므로 적절한 체중과 신체조성(body composition)의 유지는 근육의 대사조절뿐 아니라 노년기의 신체수행에도 중요한 역할을 하게 된다. 신체조성은 단백질대사와 관련하여서도 중요성이 강조되고 있는데 특히 복부지방과 단백질대사 이상은 밀접한 관계를 보인다. 과도한 복부지방조직은 유리지방산의 증가를 가져오며 혈중 유리지방산의 증가는 근육 단백질 생산의 저해를 유발한다. 결론적으로 지방조직과 근육 단백질대사 사이에는 밀접한 상호작용이 있으며 이는 근감소비만 병인론의 중요한 근거를 제공한다.

II. 지방세포생물학

김재범

1. 지방조직의 기능

지방조직은 전신적 에너지대사의 항상성 유지를 담당하는 중요한 기관이다. 지방조직내 에너지원의 과잉저장으로 인한 비만은 현재 전 세계적으로 급증하는 질병 중 하나이다. 전신적 에너지대사의 항상성 조절과 관련하여 비만을 분자수준에서 이해하고 궁극적으로 이를 극복하기 위한 기전연구가 지방세포뿐 아니라 간세포, 근육세포 및 신경세포 등을 중심으로 진행되고 있다. 지방조직을 구성하는 주요 세포인 지방세포의 핵심기능은 체내로 유입되는 과잉에너지를 저장하고 필요시 분배하는 것이다. 지방세포내 과잉에너지는 여러 효소들을 이용하여 중성지방으로 변환하여 저장되며 혈중으로부터 지방대사물을 흡수하여 지방세포의 세

포질에 지방소체(lipid droplet) 형태로 저장한다. 근육세포와 함께 지방세포는 인슐린 의존적으로 포도당수송체인 GLUT4 (glucose transporter 4)를 세포막으로 이동시켜 혈중의 포도당을 적극적으로 흡수해 합성대사작용을 관장한다. 반면, 체내의 에너지가 부족한 경우, 지방세포내 주요 소기관인 지방소체에 저장된 중성지방을 유리지방산과 글리세롤로 분해한 후 혈액을 통해 전신에 필요한 에너지를 공급한다. 또한, 지방조직은 추위자극의 대응에도 적극적인 역할을 담당한다. 열생성(thermogenesis) 기능을 관장하는 갈색지방조직은 갈색지방세포에 존재하는 사립체(mitochondria)내 짝풀림단백질1 (uncoupling protein 1, UCP1)을 이용하여 에너지원을 삼인산아데노신(adenosine triphosphate, ATP) 합성에 쓰는 대신 열생성에 사용한다. 내분비기관으로 지방조직은 여러 사이토카인(cytokine)을 생산 및 분비할 수 있으며, 이를 통하여 중추신경계와 말초조직에서 능동적으로 체내에너지대사를 제어할 수 있는 중요한 기능을 담당하고 있다.

지방조직의 발생과 관련해서 지난 40여 년 동안 많은 연구가 지방세포의 분화기전 이해에 초점이 맞추어져 왔다. 지방세포 분화 증가는 지방조직의 크기 증가를 유발하며 이는 체내 잉여 에너지원 저장기전을 이해하는데 있어 중요한 기초를 제공한다. 하지만 최근 들어 지방조직이 담당하는 다양한 생리·병리학적 역할들이 규명됨에 따라 지방조직을 통한 전신적 에너지대사의 균형에 대한 통합적인 연구가 요구되고 있다.

2. 지방조직의 종류와 유래

1) 백색지방조직(White adipose tissue, WAT), 갈색지방조직(Brown adipose tissue, BAT) 및 베이지색지방조직(Beige adipose tissue)

포유류의 경우 지방조직은 기능과 형태적 관점에 따라 크게 백색지방조직과 갈색지방조직 두 가지로 나눌 수 있다. 백색지방조직에 존재하는 백색지방세포는 일반적으로 하나의

큰 지방소체(unilocular lipid droplet)를 가지며, 상대적으로 적은 수의 사립체를 갖는다. 백색지방세포는 중성지방을 새롭게 합성하거나 혈액으로부터 지방산을 흡수하여 중성지방대사물의 형태로 저장하며, 에너지원이 부족한 경우 저장한 에너지원을 분해하여 체내 에너지대사 항상성 조절에 기여한다. 또한, 다양한 신호전달물질의 생성과 분비를 통해 다른 조직들과 적극적으로 교신함으로써 내분비기관으로서의 기능을 가지고 있다.

주로 열생성 기능을 담당하는 갈색지방조직은 UCP1단백질을 특이적으로 발현함으로써 추위에서 생존하기 위한 적응적 열생성기능을 주관한다. 갈색지방조직내 갈색지방세포는 백색지방세포와 비교하여 다량의 사립체와 다수의 작은 지방소체(multilocular lipid droplet)를 가지고 있으며, 적응적 열생성 시 갈색지방세포의 사립체가 중요한 역할을 담당한다. 갈색지방조직은 설치류의 경우 성체에서도 발견되지만, 인간의 경우 유아기에만 존재한다고 알려져 왔다. 하지만 최근 연구를 통하여 성인에게도 기능적으로 열생성 능력을 가진 갈색지방조직이 존재한다고 보고되었다. 이와 함께 추위나 운동등과 같은 다양한 자극에 의해 백색지방조직 내에서 갈색지방세포와 유사한 기능 및 형태를 지니는 지방세포인 베이지색지방세포가 유도될 수 있음이 보고되었다. 열생성 능력을 갖춘 베이지색지방조직은 갈색지방조직처럼 추위에 대항하여 적응적 열생성기능을 갖고 있다(그림 9-7-5). 백색지방조직과 달리 갈색지방조직과 베이지색지방조직은 체내 에너지소비를 증진시키고 여러 대사질환을 완화시킬 수 있다는 연구결과들에 기인하여 이들을 표적으로 항비만 및 대사질환 극복을 위한 새로운 시도들이 진행되고 있다.

2) 갈색, 베이지색지방세포의 전사조절

세포배양과 *in vivo* 동물모델을 이용하여 지방전구세포가 지방세포로 분화되는 전사조절과정에 대한 많은 연구들이 활발하게 진행되어 왔다. 그 결과 PPARγ (peroxisome proliferator-activated receptor gamma)는 백색지방세포와 갈색지방세포로 분화되는 과정에 있어 가장 핵심적인 역할을 하는 전사인자로 밝혀졌다. 이렇듯 모든 유형의 지방세포 분화에 관여하는 일반적인 전사조절프로그램뿐 아니라 백색, 갈색 및 베이지색지방세포의 정체성을 결정하는 특이기전들이 존재한다.

그동안 축적된 연구결과들을 살펴보면 갈색지방세포의 분화를 특이적으로 조절하는 일련의 전사인자들이 밝혀지고 있다. 예를 들면, PPAR감마보조활성체1α (peroxisome proliferator-activated receptor gamma coactivator 1a, PGC-1α)는 갈색지방세포에서 PPARγ와 특이적으로 결합하는 전사보조단백질로 동정되었는데, PGC1α는 베이지색지방세포로의 변화를 촉진할 뿐 아니라 사립체 생성과 산화대사경로를 조절하는 핵심조절인자로도 작용한다. PRDM16 (PR/SET domain 16)은 갈색/베이지색 지방세포의 분화 및 기능특징을 결정하는 주요 인자들 중 하나로 동정되었다. 중배엽성세포에서 PRDM16을 과발현한 경우 갈색지방세포로의 분화가 유도되며 피하지방조직에서 베이지화가 촉진된다는 연구결과와 함께, PRDM16은 PGC1α, PPARγ, C/EBP β (CCAAT-enhancer-binding protein β), EHMT1 (Euchromatic histone lysine methyl transferase 1) 및 ZFP516 (zinc finger protein 516) 등 다양한 단백질과의 상호작용을 통하여 갈색/베이지색 지방세포로의 분화를 촉진시키는 것으로 보고되었다. 또한, EBF2 (early B-cell factor 2)는 갈색지방전구세포와 베이지색지방전구세포에 특이적으로 발현하며, EBF2가 갈색지방세포 특이유전자의 증진인자(enhancer)에서 PPARγ와 결합하여 표적유전자의 발현을 촉진함이 보고되었다.

3) 지방세포에서 열생성 조절기전

지방세포에서 열생성 기능은 추위자극에 의존적으로 유도된다. 오랜 연구를 통하여 열생성 기전은 사립체가 깊은 연관성이 있다는 사실이 잘 알려져 있으며, 사립체 호흡 시 호흡사슬(respiratory chain)을 통한 전자전달과정과 UCP1의 상호작용을 통해 열생성이 이뤄진다. 이와 함께 최근 UCP1 비의존적인 열생성 기전도 존재한다는 사실이 새롭게 보고되었다.

ATP 생성을 위한 산화적 인산화에서 사립체의 역할과는 달리, 갈색지방세포 및 베이지색지방세포사립체의 경우 사립체 내막에 위치한 UCP1은 ATP 합성에 필요한 양성자 농도경사를 짝풀림(uncoupling)하여 열을 생성한다. 앞서 기술한 바와 같이 UCP1 비의존적 열생성 과정이 최근 들어 다양하게 보고되고 있다. 크게 두 가지 기전이 있는데 그 중 하나로 노르에피네프린에 대한 반응으로 베이지색지방세포에서 소포체 안팎으로 Ca^{2+}의 순환과정(futile Ca^{2+} cycling)으로

인해 열생성이 유도될 수 있음이 제안되었다. Ca^{2+} 순환은 SERCA2B (sarcoplasmic/endoplasmic reticulum calcium ATPase 2B)에 의한 세포질세망 (endoplasmic reticulum)내 Ca^{2+} 흡수와 RYR2 (ryanodine receptor 2) 및 IP3R (inositol triphosphate receptor)에 의한 소포체 외 Ca^{2+} 방출이 포함된다. SERCA2B에 의해 Ca^{2+}이 흡수되는 과정에서 ATP 가수분해를 통하여 열이 발생한다고 보고되었다. 또 다른 주요 기전은 인산화 및 탈인산화과정에 반복되는 크레아틴 기질 순환과정이다. 사립체에 국한된 크레아틴인산화효소(creatine kinase, CK)에 의한 크레아틴의 ATP 의존적 인산화과정에서 ATP가 가수분해되며

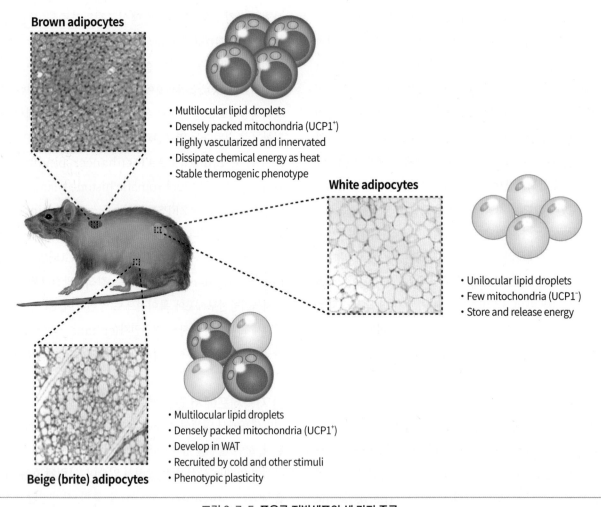

Brown adipocytes
- Multilocular lipid droplets
- Densely packed mitochondria (UCP1$^+$)
- Highly vascularized and innervated
- Dissipate chemical energy as heat
- Stable thermogenic phenotype

White adipocytes
- Unilocular lipid droplets
- Few mitochondria (UCP1$^-$)
- Store and release energy

Beige (brite) adipocytes
- Multilocular lipid droplets
- Densely packed mitochondria (UCP1$^+$)
- Develop in WAT
- Recruited by cold and other stimuli
- Phenotypic plasticity

그림 9-7-5. **포유류 지방세포의 세 가지 종류**
(출처: Nat Rev Mol Cell Biol. 2016 Nov;17(11):691-702.)

A **Mitochondrial proton uncoupling**

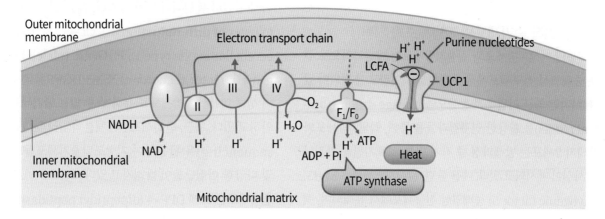

B **Ca²⁺ futile cycling**

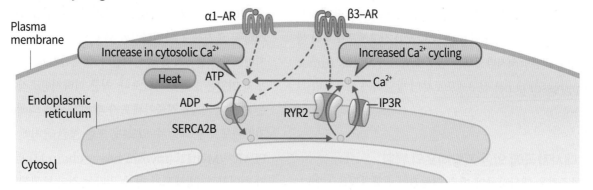

C **Creatine futile cycling**

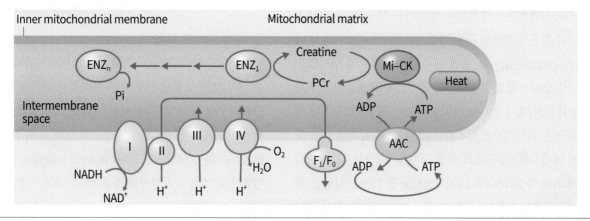

그림 9-7-6. **지방세포에서의 열생성 조절기전**

(출처: Nat Rev Mol Cell Biol. 2021 Jun;22(6):393-409.)

그 과정 중에 열생성이 이뤄진다고 제시되었다(그림 9-7-6).

4) 지방조직 줄기세포와 지방세포의 기원

오랫동안 백색지방세포와 갈색지방세포는 발생학적으로 같은 중배엽성 전구세포에서 유래했을 것이라고 추정되어 왔다. 하지만 최근 기원추적 동물모델(lineage-tracing animal model)을 활용한 연구결과들을 통해, 백색지방세포와 갈색지방세포는 발생과정 중 각기 다른 세포기원을 가진다는 사실이 제시되고 있다. 예를 들면, 갈색지방세포는 Myf5$^+$ (myogenic factor 5) 중배엽성 전구세포에서 유래되며, 백색지방세포는 Myf5$^-$ 중배엽성 전구세포에서 기원한다. 백색지방세포는 해부학적 위치에 따라 좀 더 세분화될 수 있는데, 기원적 측면에서 피하 백색지방세포는 배아단계에서 Prrx1$^+$ (paired related homeobox 1) 전구세포로부터 생성되며, 내장백색지방세포는 생후에 Wt1$^+$ (Wilms' tumor suppressor gene) 전구세포로부터 발달하기 시작한다(그림 9-7-7).

5) 대사자극에 의한 지방세포의 변화

지방조직은 대사자극에 따라 역동적인 변화과정을 보인다. 지속적인 과잉 영양공급 시 지방조직은 빠르게 증가하여 잉여 에너지원을 저장하는데, 백색지방조직 중 내장지방조직과 피하지방조직이 팽창하는 방법에는 다소 차이가 있다. 생쥐와 같은 설치류의 경우 내장지방조직은 지방세포의 비대(hypertrophy)와 함께 새로운 지방세포의 생성(hyperplasia)이 활발히 일어나는 반면, 피하지방조직은 주로 지방세포의 크기 증가에 의해 늘어난다. 또한, 지속적인 추위자극은 피하지방조직내 갈색지방세포와 유사한 기능을 가진 베이지색지방세포의 수적 증가를 촉진시킨다. 추위자극에 의해 생성되는 베이지색지방세포 중 약 절반가량은 줄기세포로부터 분화되는 세포이며, 나머지 절반가량의 베이지색지방세포는 기존에 존재하는 백색지방세포가 베이지색지방세포로 형태와 특성이 변화(형질전환)한 것으로 보고되고 있다.

지방조직내 줄기세포를 분리할 수 있는 분자적 표지는 현재까지 완전히 확립되어 있지 않으나, 최근 연구들은 CD31$^-$ (cluster of differentiation 31), CD45$^-$, SCA1$^+$ (spino-cerebellar ataxia type 1), PDGFAα^+ (platelet-derived growth factor receptor α) 또는 PDGFRβ^+ 전구세포군이 생체 내에서 지방세포로 분화할 수 있는 줄기세포임을 제안하고 있다. 최근, 단일세포전사체분석(single-cell RNA sequencing)을 활용하여 지방조직줄기세포들의 이질성 및 다양한 아집단들이 밝혀지고 있다(그림 9-7-8). 지방조직 줄기세포는 크게 DPP-4 (dipeptidyl peptidase-4)를 발현하는 다분화능줄기세포와 ICAM1 (intercellular adhesion molecule 1)을 발현하는 지방전구세포로 구분될 수 있다. 또한, CD9$^+$ 지방조직줄기세포는 섬유화반응을 매개하는 줄기세포 아집단으로서 비만 시 그 수가 증가하여 지방조직의 섬유화를 촉진시킨다. 현재까지 베이지색지방세포의 기원은 불분명하였으나, 최근 피하지방조직에 존재하는 CD81$^+$ 지방조직줄기세포가 추위자극에 의해 베이지색지방세포로 분화할 수 있으며, 또한 혈관 근처에 존재하는 PPARγ^+/Myh11$^+$ (myosin heavy chain 11) 평활근세포가 베이지색지방세포가 될 수 있다는 것이 보고되었다.

3. 지방조직의 해부학적 구분

1) 지방조직의 분포

선형동물인 예쁜꼬마선충부터 인간에 이르기까지 지방조직은 거의 모든 동물에 서로 다른 형태로 존재하며 에너지 저장고의 기능을 담당한다. 사람과 같은 포유동물에서 백색지방조직은 체내 여러 부위에 분포하는데 주로 장, 신장 주변에 위치하는 내장지방조직(visceral adipose tissue)과 엉덩이, 허벅지, 하복부부위에 위치하는 피하지방조직(subcutaneous adipose tissue)으로 나누어 볼 수 있다(그림 9-7-9). 이외에도 얼굴이나 골수 등을 포함하여 체내 여러 곳에 지방조직은 분포한다. 최근 연구결과에 따르면, 체내 분포한 지방조직의 위치에 따라 에너지대사 제어과정에 차이가 있는 것으로 보고되어 있다. 예를 들면, 흉부와 허벅지

A

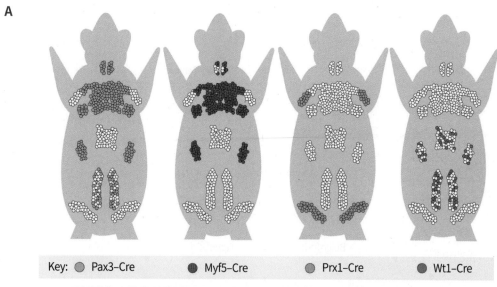

Key: ● Pax3–Cre ● Myf5–Cre ● Prx1–Cre ● Wt1–Cre

B

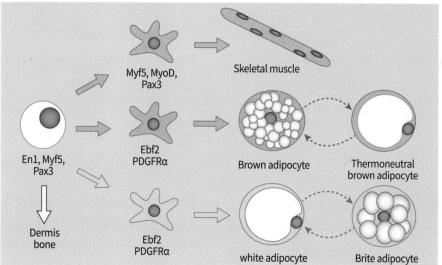

C

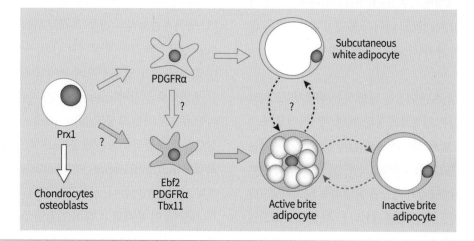

그림 9-7-7. 지방세포의 기원

(출처: Trends Cell Biol. 2016 May;26(5):313-326.)

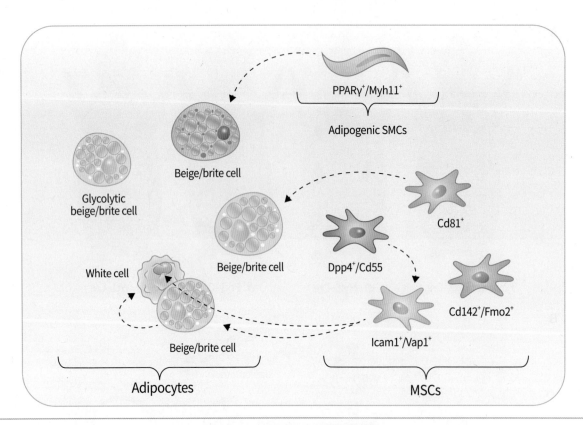

그림 9-7-8. **지방조직 줄기세포의 아집단**
(출처: Nat Metab. 2021 Jun;3(6):751-761.)

의 지방조직은 성호르몬에 반응하는 반면 목부위나 윗등과 같은 곳에 위치하는 지방조직은 당질부신피질호르몬에 대한 반응성이 높은 것으로 알려져 있다. 이러한 지방조직의 분포는 몸무게나 체질량지수(body mass index, BMI)가 일정하게 유지된다 하더라도 나이가 들면서 피하지방은 줄어들고 내장지방이 늘어나는 형태로 변화한다.

에너지 저장고로서 주된 역할을 담당하는 백색지방조직과 달리 갈색지방조직은 열생성을 통한 체내 에너지대사 조절 기능을 담당한다. 앞서 기술한 바와 같이 사람의 경우에는 신생아시기에 발견되는 갈색지방조직이 점차 퇴화되나 일부 성인에서도 갈색지방조직의 기능을 담당하는 베이지색지방조직이 목 부근, 척추 측근에 존재한다는 사실이 보고되었다. 흥미롭게도 연령과 성별, 근육량에 따라 차이가 있으나 사람의 백색지방조직에도 추위와 같은 자극이 지속적으로

주어질 경우 갈색지방세포가 형성될 수 있으며 이는 가역적으로 전환이 가능하다는 보고가 이어지고 있다.

설치류의 경우에도 백색지방조직과 갈색지방조직이 존재하며, 백색지방조직의 경우 복강부위에 두 개의 gonadal depot(암컷의 경우 자궁이나 난소, 수컷은 부정소와 고환에 붙어있음)가 있고 신장 주변에도 지방조직이 존재한다. 장 주변으로 장간막(mesenteric) 지방조직이 있으며 위와 비장 주변부에는 그물막(omental) 지방조직이 존재한다. 장간막과 그물막부위는 많은 림프절 및 림프관이 있다. 이 외에도 inguinal depot는 앞다리와 뒷다리에 걸쳐 복막과 피부 사이에 위치한다. 설치류의 갈색지방조직은 태어난 직후 가장 많이 존재하고 특히 견갑골부위에 집중되어 있으며, 지속적인 추위자극이나 베타아드레날린수용체(β adrenergic receptor) 자극 시 inguinal depot에서 베이지

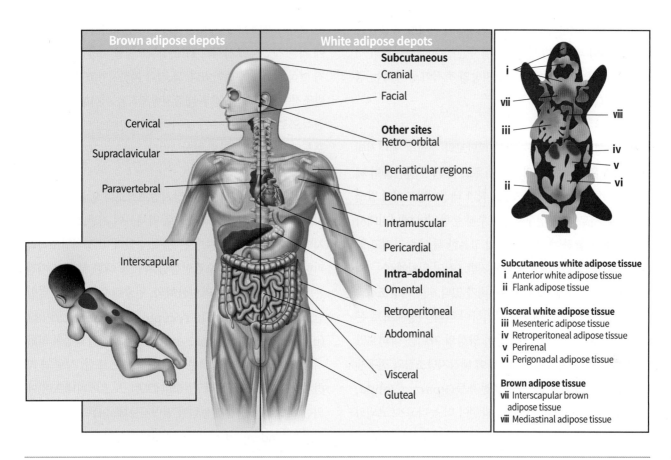

그림 9-7-9. 인체와 생쥐의 지방조직 분포도
(출처: Cell. 2007 Oct 19;131(2):242-56, Nat Rev Endocrinol. 2010 Apr;6(4):195-213.)

색지방세포가 형성된다.

2) 내장지방조직 증가에 기인한 비만

지방조직은 에너지대사의 항상성 조절을 위해 중요한 기능을 담당하지만, 비만과 같이 과도하게 지방조직이 체내에 축적되는 경우 해로운 역할을 할 수 있다는 것이 잘 알려져 있다. 비만은 지방조직의 축적이 주로 어느 부위에서 이루어졌는지에 따라 크게 내장지방형 비만과 피하지방형 비만으로 나눌 수 있다. 내장지방형 비만은 주로 내장부위에 과잉지방조직이 축적되고, 피하지방형 비만은 엉덩이나 허벅지와 같은 부위에 과잉지방조직이 축적된다. 내장지방형 비만은 피하지방형 비만보다 대사질환의 발병율이 높아 건강상 위험도가 높다고 알려져 있는데, 그 이유는 내장지방의 증가

가 인슐린저항성, 2형당뇨병, 고혈압, 지질대사 이상, 심혈관질환, 간경변, 콜레스테롤 담석 등 여러 가지 대사질환의 발병을 가속화 또는 악화시키는데 중요한 요인 중 하나가 될 수 있기 때문이다. 내장지방과 피하지방의 상대적 양을 비교하는 허리:엉덩이비율(waist hip ratio, WHR)이 지질대사 이상, 고인슐린증과 같은 대사질환의 유발과 관련이 있다는 연구결과들이 다수 보고되었다. 또한, 체내 총 지방량보다 전체지방 대비 내장지방의 비율이 심혈관질환 및 2형당뇨병과 같은 대사질환과 더 밀접하게 연관이 있으며 이러한 내장지방조직을 제거할 경우 인슐린과 혈당수치가 감소된다는 보고도 있다. 동물모델에서도 내장지방조직을 제거한 경우 혈중 콜레스테롤과 중성지방수치가 감소되고 간에서 인슐린민감성이 증가한다. 반면, 사람의 경우 피하지방조직은

이러한 에너지대사 이상 유발과 연관성이 적어서 생활습관의 변화 없이 피하지방제거술만 실시한 경우 대사질환의 개선효과가 없었으며 오히려 내장지방의 축적이 증가하는 경우도 있었다.

내장지방형 비만이 피하지방형 비만보다 전신적 에너지대사 조절의 관점에서 더 위험한 이유로 몇 가지 원인들이 제안되고 있다. 첫째는 피하지방조직과 내장지방조직이 발생학적으로 서로 다른 전구세포로부터 분화되어 에너지대사 조절 등을 포함하여 그들 나름의 고유한 특성을 가지고 있다는 점이다. 실험적으로 이러한 지방조직의 위치에 따른 지방세포 분화능력에 관해 연구된 바가 있다. 피하지방조직과 내장지방조직의 전구세포를 분리하여 각각 지방세포로 분화시킨 후 분화 표지유전자 발현 양상의 차이를 살펴보았더니 피하지방조직의 전구세포들이 내장지방조직의 전구세포보다 지방세포 분화 표지유전자들(Ppary, C/ebpα, Fabp4, Adipoq, Glut4 등)의 발현이 더 높다고 보고되었다. 또한, 지방조직의 기능차이가 단순히 물리적 위치에 의한 것인지 체내 각 위치에 존재하는 지방조직의 고유한 특성에 의한 것인지 조사하기 위해 생쥐모델을 이용하여 지방조직 이식 실험을 수행하였다. 그 결과 피하지방조직을 내장지방조직에 이식해 준 경우 내장지방조직을 이식한 것보다 전신적으로 포도당 흡수가 증가하였고, 인슐린에 의한 간의 포도당신생성 억제력도 향상되었다(그림 9-7-10).

둘째로, 피하지방조직은 내장지방조직보다 인슐린에 의한 지방대사물 분해를 효과적으로 억제하여 지방조직내 중성지방을 더 잘 저장할 수 있는 능력이 있다. 내장지방조직과 피하지방조직사이 인슐린민감성 차이에 대한 분자적 기전은 인슐린수용체의 자가인산화와, 인슐린수용체기질 결합단백질인 IRS1 (insulin receptor substrate 1)/PI3K (phosphatidylinositol 3-kinase) 신호전달과정이 피하지방조직에서 더 높기 때문으로 해석된다. 또한, 사람의 피하지방세포는 카테콜라민(에피네프린, 노르에피네프린)에 의한 지방대사물 분해능력이 떨어지는데, 이는 아데닐산고리화효소(adenylyl cyclase, AC)의 활성화를 억제하는 알

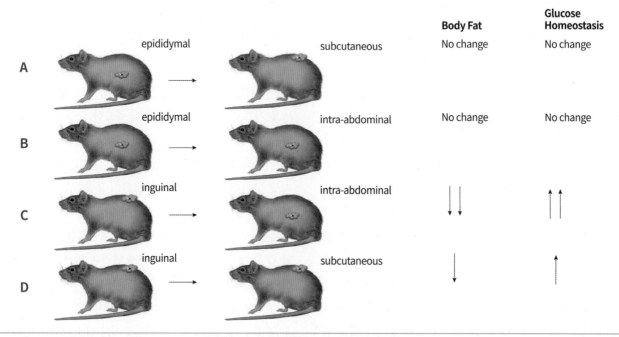

그림 9-7-10. 생쥐를 이용한 지방조직 이식실험
(출처: Cell Metab. 2008 May;7(5):359-61.)

파2아드레날린수용체를 상대적으로 많이 발현하고, AC와 지방대사물의 분해를 증가시키는 베타1과 베타2아드레날린수용체를 적게 발현하기 때문이다. 이와 달리 내장지방형 비만의 경우 내장지방조직에서 지방대사물 분해가 더 많이 일어나게 되며, 증가된 혈중 유리지방산이 간문맥을 통해 간으로 들어가게 되어 간의 인슐린저항성을 유발하는 것으로 추정된다.

셋째로, 피하지방조직과 내장지방조직에서 분비되는 아디포카인(adipokine)의 차이에 의한 영향이 존재한다. 예를 들어, 아디포넥틴(adiponectin)은 인슐린민감성을 증가시킨다고 알려져 있는데, 이는 내장지방보다 피하지방조직에서 더 많이 분비된다. 반면, 레지스틴(resistin)이나, 레틴올결합단백질4(retinol-binding protein 4, RBP4)와 같은 아디포카인은 인슐린저항성 및 2형당뇨병과 연관이 높은 것으로 알려져 있는데 이러한 인자들은 피하지방조직보다 내장지방조직에서 더 많이 분비된다.

넷째로, 염증반응 차이에 의한 인슐린저항성의 효과가 각각의 지방조직마다 다를 수 있다. 내장지방조직에는 피하지방조직보다 더 많은 대식세포 및 T세포가 발견되며, 그 결과 더 많은 염증인자(MCP1, PAI1, IL-6, IL-8, IL-10)를 분비하게 된다. 피하지방조직은 내장지방조직에 비해 대식세포의 침윤을 억제하는 내재적인 특성을 지닌다는 것이 최근 보고되었다. 예를 들어, 피하지방조직은 내장지방조직에 비해 감마아미노뷰티르산(gamma amino butyric acid, GABA) 신호전달경로가 활성화 되어있으며, GABA는 피하

지방조직내 줄기세포를 활성화시켜 대식세포 침윤을 억제하는 물질의 분비를 촉진할 수 있을 것으로 추정된다.

마지막으로 내장지방조직과 피하지방조직에서 약물에 의한 반응성 차이가 있을 수 있다. 인슐린민감성을 높여주어 당뇨병치료제로 쓰이고 있는 싸이아졸리딘다이온(thiazolidinedione, TZD)을 투여할 경우 지방세포 분화의 핵심조절인자이자 이 약물의 표적전사인자인 PPARγ가 피하지방조직에서 더 많이 발현하기 때문에 피하지방조직에서 더 높은 효과를 나타내게 된다. 따라서 TZD가 투여된 경우 피하지방조직의 증가가 관찰되며, 새로이 형성된 지방세포를 통해 인슐린민감성이 높아질 뿐 아니라 피하지방조직 유래 아디포넥틴의 분비도 증가된다.

결론적으로 앞서 언급한 몇 가지 가능성을 포함하여 내장지방조직과 피하지방조직이 전신적 에너지대사에 기여하는 바가 다르며 피하지방조직보다 내장지방조직이 대사질환 유발에 더 밀접한 연관이 있다는 것을 유추할 수 있다(표 9-7-1).

4. 지방세포 분화조절 전사인자 네트워크

지방세포는 발생과정 중 PDGFRα 또는 PDGFRβ를 발현하는 다분화능을 가진 중간엽줄기세포(mesencymal stem cell)에서 유래한다. 지방세포의 형성과정은 크게 두 단계로 나누어 전구세포들 중 지방세포로 운명이 결정되는 단계와 성숙한 지방세포의 모습을 갖추어가는 분화단계로 나눌 수 있다. 지방세포의 분화조절은 호르몬을 포함한 다양한 외부

표 9-7-1. 지방조직부위에 따른 에너지대사에 미치는 영향 비교

내장지방조직(Visceral white adipose tissue)	피하지방조직(Subcutaneous white adipose tissue)
• 인슐린저항성 • 2형당뇨병 • 레지스틴, RBP4의 높은 발현 • 높은 대식세포, T세포 수준 및 MCP1, PAI-1, IL-6 등의 염증인자 발현	• 인슐린민감성 • 혈중 포도당, 인슐린, 중성지방 감소 • TZD에 의한 아디포넥틴 증가 • 높은 TZD에 대한 반응성

신호에 의해 조절되며 에너지대사 항상성과도 밀접하게 연관되어 있다. 지방세포 분화과정에 대한 대다수연구는 MEF (mouse embryonic fibroblast)에서 유래한 지방전구세포 주모델인 3T3-L1과 3T3-F442A 지방전구세포주를 이용하여 이루어져 왔는데, 이들 세포주들의 특성으로 인해 지방세포 결정 단계보다는 분화 단계에서 일어나는 분화과정에 대하여 집중적으로 연구되었다. 중배엽지방세포의 분화는 여러 유전자들의 발현정도에 의해 조절되기 때문에 이를 전사조절과정 중심으로 이해하는 것은 중요하다.

지방세포의 분화에 핵심적 역할을 담당하는 대표적인 전사인자로 앞서 기술한 PPARγ, C/EBPα와 C/EBPβ 등이 있다 (그림 9-7-11). 백색지방조직과는 다른 과정을 통해 분화되는 것으로 추정되는 갈색지방조직은 PGC1과 PRDM16과 같은 별도의 전사인자들을 필요로 한다.

1) PPARγ

PPARγ는 핵수용체(nuclear receptor)에 속하는 전사인자로서 2형당뇨병 치료제로 개발된 TZD의 표적이기도 하다. 다른 여러 핵수용체들처럼 RXRα와 heterodimer를 이루며 DNA염기서열 중 PPRE (PPAR response element, DR-1)에 결합하여 표적유전자들의 발현을 조절한다. PPARγ 유전자는 서로 다른 전사 시작점과 alternative splicing을 통해 PPARγ1과 PPARγ2 두 종류의 isoform을 가지고 있다. 이들은 모두 지방조직에서 다량으로 발현되지만 PPARγ2의 경우 지방세포에서 특이적으로 더 높은 발현 양상을 보이며, 분화를 촉진하는 활성도 측면에서 PPARγ1에 비하여 상대적으로 높다. PPARγ는 지방세포 분화에 있어서 필요 충분적 기능을 가진 핵심전사인자이다. 섬유모세포(fibroblast)에 PPARγ를 과발현시키면 지방세포로의 분화가 일어나며, PPARγ가 결핍된 세포는 지방세포로 분화가 진행되지 못한다. 지방세포 분화를 촉진하는 C/EBP와 KLF (kruppel-like factors)와 같은 전사인자들은 PPARγ의 발현을 촉진하고, 이들과 반대로 GATA와 같은 전사인자는 PPARγ의 발현을 억제한다. PPARγ는 지방세포 분화 유도뿐 아니라 분화된 지방세포의 유지에도 필수적인 전사인자이다. 아데노바이러스를 이용하여 dominant-negative PPARγ를 분화된 지방세포에 과발현시키면 역분화가 일어나는 것이 보고되었다. 현재까지 생체 내에 존재하는 PPARγ 리간드는 아직 정확하게 동정되지 않았지만 고도

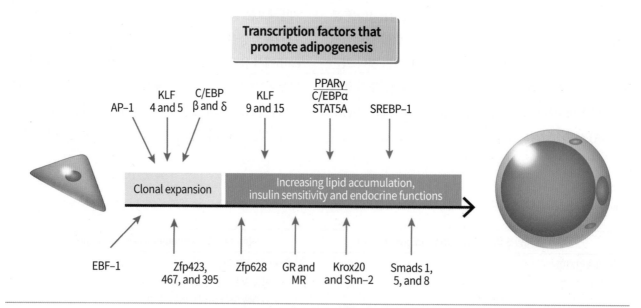

그림 9-7-11. 분화를 촉진하는 전사인자
(출처: Compr Physiol. 2017 Mar 16;7(2):635-674.)

불포화지방산(polyunsaturated fatty acid) 아이코사노이드(eicosanoid)와 같은 지방대사물이 리간드로(또는 활성화물질로) 기능할 가능성이 있다. 리간드의 결합은 PPARγ의 구조를 변형시키며 그 과정은 보조활성체(coactivator)와의 결합을 유도하여 궁극적으로 표적유전자의 발현을 촉진한다. 이와 달리 리간드가 없는 상황에서 PPARγ는 NCoR1, SMRT등의 억제인자(repressor)들과 함께 표적유전자의 촉진자(promoter)에 결합하여 표적인자의 발현을 억제한다. 리간드 이외에도 PPARγ 활성에 영향을 미치는 다양한 단백질의 변형이 존재한다. 염증반응은 PPARγ세린 112기의 인산화를 유도하며, 이는 지방세포의 분화를 억제한다. 비만에 의해서 세린273기의 인산화가 증가하며, 이는 지방세포의 분화에는 영향을 미치지 않으나 아디포넥틴과 같은 아디포카인의 발현과 지질 저장 능력에 영향을 미친다.

2) C/EBP family

C/EBPα, β, δ는 지방세포의 분화 초기에 관여하는 중요한 전사인자들이다. 지방세포에서 발현되는 C/EBP family에는 C/EBPα, C/EBPβ, C/EBPγ, C/EBPδ와 CHOP (C/EBP homologous protein) 등이 있으며 이들 전사인자들은 basic-leucine zipper family에 속한다. 3T3-L1세포주를 이용하여 지방전구세포를 지방세포로 분화시키는 과정에서 C/EBPβ와 C/EBPδ는 각각 덱사메타손(dexamethasone)과 cAMP에 의해 그 발현이 증가되는데, 지방세포 분화과정 초기에 증가하는 이들 C/EBP는 PPARγ 발현에 이어 C/EBPα의 발현을 촉진시킴으로써 순차적유전자발현조절에 핵심적인 역할을 담당한다. C/EBPβ는 지방전구세포의 분화에 필수적인 유전자로 밝혀졌지만 MEF을 이용한 실험에서는 그 중요성이 떨어지는 것으로 나타났다. C/EBPβ와 C/EBPδ 두 유전자가 모두 결핍될 경우에는 지방조직이 더 작아지지만, 여전히 C/EBPα와 PPARγ를 발현하는 지방세포가 일부 존재하는 것으로 보고되었다. C/EBPα는 지방세포 분화과정 후기에 발현하며 지방세포에서 발현되는 많은 유전자발현에 직접 관여한다. C/EBPα는 지방조직 재생에 중요한 기능을 담당하며 모든

백색지방조직 생성과정에 필수적이다.

3) SREBP-1c (Sterol regulatory element binding protein-1c)/ADD1 (Adipocyte determination and differentiation-dependent factor 1)

SREBP는 콜레스테롤과 지방산 대사과정에 관여하는 유전자들의 발현을 총괄하는 핵심적인 전사인자이다. SREBP family에는 SREBP-1a, SREBP-1c, SREBP-2 등 총 3종류의 isoform이 포함된다. SREBP 전사인자는 구조적으로 bHLH-LZ (basic helix-loop-helix leucine zipper) family에 속하며, 다른 전사인자와 달리 번역과정 후 세포질세망의 막단백질로 존재하다가 골지기관(Golgi apparatus)으로 이동하여 단백질의 절단과정을 통해 활성화된다. 절단화를 통해 활성화된 SREBP 전사인자는 N-terminal을 가지고 있으며 핵내로 이동하여 SRE (sterol regulatory element)라고 불리는 DNA염기서열에 결합하여 표적유전자들의 발현을 조절한다. SREBP-1c를 지방전구세포에 과발현시키면 지방세포 분화가 촉진되며 지방산대사 관련 유전자들의 발현이 증가된다. 이를 통해 생성되는 지방대사물은 PPARγ 리간드의 생성에 기여할 것으로 추정된다. 반대로 dominant-negative SREBP-1c를 발현시킨 경우 지방전구세포의 분화가 억제된다.

4) Zfp family

Zfp423은 zinc-finger protein 계열에 속하는 전사인자로서, 지방세포로 분화할 수 있는 지방전구세포에 다량으로 존재한다. Zfp423은 BMP (bone morphogenetic protein) 신호전달경로를 활성화시킴으로써 지방세포 분화의 핵심 전사인자인 PPARγ의 발현을 조절한다. Zfp423이 결손된 배아는 정상적인 백색 및 갈색지방세포의 분화가 이뤄지지 않는다. Zfp467은 중배엽줄기세포가 지방세포로 분화할 수 있도록 촉진하며, Zfp467이 과발현되면 다능성중간엽줄기세포(pluripotential mesencymal stem cell)는 뼈를 형성하는 골모세포로의 분화가 억제되며, PPARγ의 전사활성을 촉진하여 지방세포로의 분화가 유도된다. 그

밖에도 Zfp395와 Zfp638 또한 PPARγ와 C/EBPα의 전사활성을 증가시켜 지방세포 분화를 촉진하는 인자로 알려져 있다.

5) Wnt/β-catenin 신호전달경로

Wnt는 분비되는 당단백질로서 수용체와 결합을 통해 하위의 당원생성효소인산화효소3베타(glycogen synthase kinase 3 β) 신호전달경로를 활성화시켜 최종적으로 β-catenin 단백질의 활성을 유도한다. Wnt신호전달경로는 PPARγ와 C/EBPα 전사활성을 억제하여 지방세포 분화를 억제한다. Wnt family 중 Wnt10b, Wnt10a, Wnt6는 다분화능을 가진 중배엽줄기세포가 지방세포로 분화되는 것을 억제하는 반면 골모세포로의 분화를 촉진한다. DKK (Dickkopf)나 FRP (frizzled related protein)와 같이 Wnt신호전달경로를 억제하는 인자들이나, BMP 신호전달경로는 β-catenin의 분해를 촉진하여 지방세포 분화를 촉진한다.

6) PGC1

PGC1α는 PPARγ와 결합하는 보조인자(cofactor) 중 갈색지방조직에서 다량으로 발현되는 유전자로 발견되었다. PGC1α 는 PPARγ 이외에도 다양한 핵수용체들과 결합할 수 있으며 추위자극에 의해 갈색지방조직에서 그 발현이 증가된 후 PPARγ, TRβ (thyroid hormone receptor β)와 상호작용하여 UCP1의 발현을 증가시킨다. 백색지방세포에 PGC1α를 과발현시키면 사립체의 생성과 UCP1의 발현을 유도할 수 있다. PGC1α가 갈색지방세포에서 사립체의 생성을 증가시키는 기전은 근육세포에서 일어나는 것과 유사하게 NRF1 (nuclear respiratory factor 1), NRF2를 발현시켜 Tfam (transcription factor a, mitochondrial) 전사인자의 발현을 유도하는 것으로 추정된다. 이 현상을 매개하는 또 다른 유전자로는 ERRα (estrogen-related receptor α)가 있으며 열생성에 관여하는 유전자들의 발현을 촉진시킨다. 단백질인산화효소A (protein kinase A, PKA) 활성화 시, CREB (cyclic AMP response ele-ment-binding protein)의 인산화 및 p38 유사분열촉진제활성단백질인산화효소(mitogen-activated protein kinase, MAPK) 통한 ATF2 (activating transcription factor 2)의 인산화가 일어나며, 이는 PGC1α의 발현을 증가시키는 것으로 알려져 있다. 이는 cAMP 신호가 갈색지방세포의 분화과정에서 PGC1α를 유도할 가능성을 암시한다. PGC1α가 결핍된 생쥐는 열생성 과정을 제대로 수행하지 못하여 추위자극에 취약하다. PGC1β는 PGC1α와 염기서열이 유사한 유전자로서 갈색지방조직에서 다량으로 발현되고 사립체 생성과 세포호흡관련 유전자의 발현에 관여한다.

7) PRDM16

PRDM16은 갈색지방세포의 분화과정에서 중요한 보조인자이다. PRDM16은 분화된 갈색지방세포에서 그 발현량이 높으며, 사립체 생성, 세포호흡에 관련된 유전자들의 발현을 촉진하는데, PGC1과는 달리 추위자극에 의해서 발현양이 증가하지는 않는다. PRDM16은 PGC1α 및 PGC1β와 같이 기능하여 갈색지방세포 특이 유전자들(Ucp1, Dio2, Cidea 등)의 발현을 촉진하고, CtBP (C-terminal binding protein)와 결합하여 백색지방세포 특이적인 유전자들의 발현을 억제한다. EBF2는 PRDM16과 결합하여 갈색지방세포로의 분화를 촉진한다. 백색지방전구세포에 PRDM16을 과발현시킬 경우 갈색지방세포로 분화가 유도되는 것을 관찰할 수 있다. 또한, 갈색지방세포에서 PRDM16을 억제할 경우 갈색지방세포의 특성을 잃어버리게 되는데, 유전자발현 측면에서 백색지방세포와 비슷한 특성을 가지게 된다. 백색지방조직에 특이적으로 PRDM16을 발현시킨 생쥐의 지방조직은 갈색지방 특이적인 유전자들을 높게 발현하며 베이지색지방세포가 증가한다. 또한, 갈색지방전구세포에서 PRDM16을 억제하면 갈색지방세포의 특성을 잃어버리는 것뿐 아니라 근육세포로의 분화가 진행되며, 근육전구세포에서 PRDM16을 과발현시키게 되면 갈색지방세포로의 분화가 진행된다(그림 9-7-12).

a Classical brown adipocytes

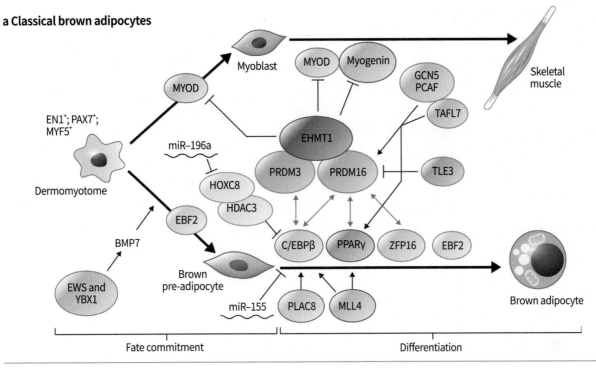

그림 9-7-12. 갈색지방세포의 분화과정

(출처: Nat Rev Mol Cell Biol. 2016 Aug;17(8):480-95.)

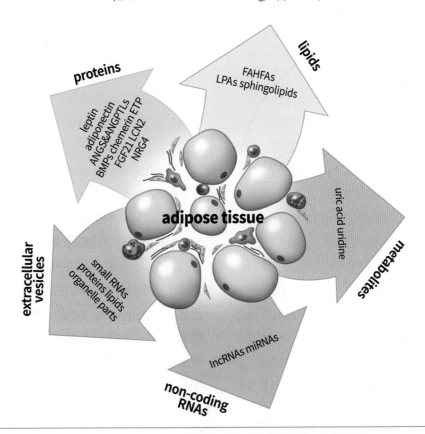

그림 9-7-13. 전신적 에너지대사 항상성에 영향을 주는 아디포카인

(출처: J Lipid Res. 2019 Oct;60(10):1648-1684.)

5. 내분비기관으로서 지방조직의 기능

지방조직은 잉여 에너지를 저장하는 기관뿐만 아니라, 내분비기관으로도 작용한다. 지방조직 특이적으로 분비되는 신호전달물질을 통칭하여 '아디포카인'이라고 하며, 아디포카인에는 단백질호르몬, 지질대사체, 핵산유도체 등이 밝혀졌다(그림 9-7-13). 지방조직에서 생산되어 분비되는 아디포카인은 포도당대사 및 지방대사를 제어하는 주요 조절자로 작동하며, 비정상적인 아디포카인의 생산 및 분비는 비만, 인슐린저항성과 같은 대사질환의 발병과 밀접한 관계가 있다.

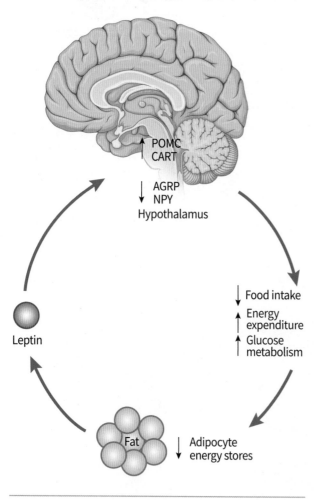

그림 9-7-14. 렙틴에 의한 섭식작용 조절기전
(출처: Brief Funct Genomic Proteomic. 2002 Oct;1(3):290-304.)

1) 렙틴(Leptin)

렙틴은 섭식행동과 관련된 대표적 아디포카인으로, 중추신경계내 상호작용을 통해 식욕을 통제한다(그림 9-7-14). 예를 들어, 음식물을 섭취할 경우 지방조직은 렙틴을 분비하고, 전신을 순환하는 렙틴은 뇌의 시상하부를 자극하여 식욕을 억제하도록 음성되먹임신호를 보낸다. 렙틴은 시상하부에서 식욕을 촉진시키는 아구티관련단백질(agouti-related protein, AgRP)신경세포를 억제하고 식욕을 억제시키는 프로오피오멜라노코틴(proopiomelanocortin, POMC)신경세포를 자극하여 식욕을 제어한다. 이와 달리 금식조건에서 지방조직내 렙틴의 발현은 감소하며, 이는 궁극적으로 시상하부에서 AgRP신경세포를 자극하여 식욕증가를 유도하여 전신적 에너지대사의 항상성을 매개한다. 혈액내 렙틴농도는 체지방 양과 매우 밀접한 상관관계를 가지며, 혈중 렙틴 농도가 적절하게 유지되지 않을 경우 설치류 동물모델에서 비만과 같은 질병이 발생할 수 있음이 제안되었다. 또한 렙틴 유전자에 돌연변이가 발생하여 정상적으로 렙틴이 발현하지 않는 경우, 심각한 비만에 이르며 이러한 대표적 돌연변이생쥐모델이 ob/ob이다. ob/ob돌연변이생쥐는 렙틴에 의한 식욕억제 신호가 뇌에 전달되지 않아 포만감을 느끼지 못하게 되고, 그 결과 지속적인 음식물 섭취를 통하여 정상생쥐에 비해 몸무게가 3배가량 증가하게 된다. 이러한 ob/ob돌연변이생쥐에 렙틴을 투여하면 식욕 감소와 함께 다시 정상체중으로 돌아온다. 렙틴연구는 렙틴수용체 하위신호전달경로연구에 있어서 많은 진전을 보이고 있다(그림 9-7-15). 렙틴수용체의 타이로신기는 JAK2 (janus kinase 2)단백질에 의해 인산화될 수 있다. 인산화된 타이로신985기는 ERK (extracellular signal-regulated kinase), 타이로신1138기는 STAT3 (signal transducer and activator of transcription 3), 그리고 타이로신1077기는 STAT5를 활성화하여 세포내신호전달과정을 활성화하며, 이를 통하여 세포내 에너지 항상성을 조절할 수 있다.

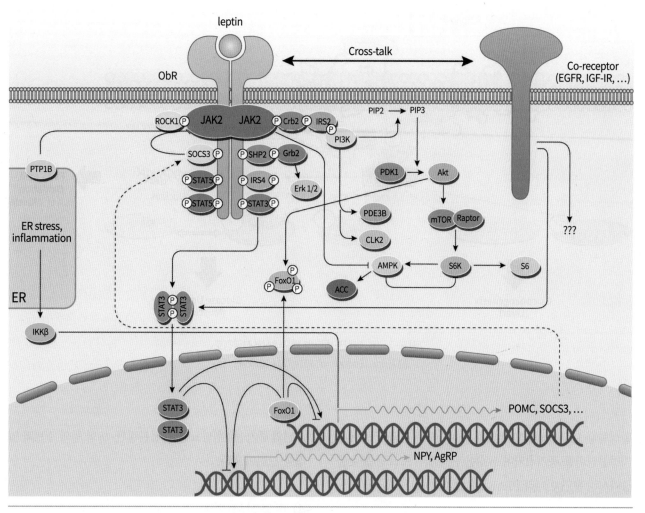

그림 9-7-15. 렙틴수용체의 신호전달과정

[출처: Front Endocrinol (Lausanne). 2017 Feb 21;8:30.]

2) 아디포넥틴

아디포넥틴은 체내 인슐린민감성을 증가시켜 전신적 에너지대사를 향상시키는 중요한 아디포카인이다. 비만개체에서 아디포넥틴의 혈중 농도는 감소되어 있으며, 비만과 당뇨병생쥐모델에서 혈중 아디포넥틴을 주입하면 인슐린저항성이 개선되는 것이 보고되었다. 아디포넥틴의 수용체로는 AdipoR1 (adiponectin receptor 1), AdipoR2, T-cadherin과 calreticulin이 있다. 그 중 대표적으로 많이 연구된 것이 AdipoR1과 AdipoR2이다(그림 9-7-16). AdipoR1과 AdipoR2는 거의 모든 조직에서 발현되지만,

상대적으로 AdipoR1은 근육에서, AdipoR2는 간에서 더 높게 발현한다. 아디포넥틴 수용체는 카복시말단(C-terminus)에서 APPL1 (adaptor protein, phosphotyrosine interacting with PH domain and leucine zipper 1) 및 APPL2와 직접 결합하여 활성화된다. 활성화된 아디포넥틴신호전달 하위단계에서 AMP-activated protein kinase (AMPK), p38 MAPK, PPARα가 작용한다고 알려져 있다. 활성화된 AMPK는 간에서 포도당신생성을 억제하고, 간과 근육에서 지방산산화를 촉진시키며, 근육에서 포도당 흡수를 증가시킨다. Adiponectin에 의해

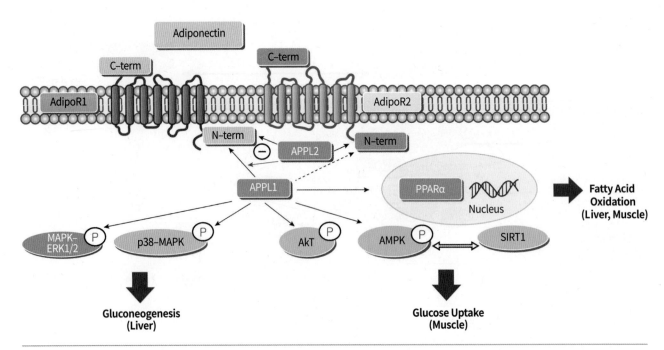

그림 9-7-16. 아디포넥틴의 세포내신호전달경로
(출처: Int J Endocrinol. 2014;2014:232454.)

활성화된 PPARα는 AMPK와 마찬가지로 간과 근육에서 지방산산화를 증가시키며, p38은 근육에서 포도당 흡수를 증가시킬 뿐만 아니라 PPARα를 활성화시킬 수 있다.

3) 레지스틴

레지스틴은 염증반응관련 단백질로 알려져 있으며 RELM (resistin-like molecule) family의 한 종류로 TZD에 의해서 억제되는 지방세포 분비 물질로 동정되었다. 레지스틴은 설치류의 경우 지방세포에서 주로 발현하며, 사람의 경우 지방조직내 대식세포에서 주로 발현한다. 레지스틴의 혈중 농도는 비만개체에서 높고, 간의 포도당신생성을 증가시키는 것으로 알려져 있다. 레지스틴의 수용체로 TLR4 (toll-like receptor 4), CAP1 (adenylyl cyclase-associated protein 1), ROR1 (receptor-tyrosine-kinase like orphan receptor 1), Decorin이 알려져 있다. 레지스틴에 의한 신호전달을 통하여 다양한 염증유발사이토카인(proinflammatory cytokine)이 유도되며, 혈중 레지스틴의 증가는 2형당뇨병, 심혈관질환, 노화 등의 질병과 밀접한 관련이 있다.

4) 종양괴사인자-알파(Tumor necrosis factor-α, TNF-α)

지방조직에서 분비되는 TNF-α는 대표적 염증아디포카인 중 하나로서 비만개체의 인슐린저항성을 매개한다. 비만동물의 지방조직에서 TNF-α 발현과 분비는 증가해 있으며, 이는 궁극적으로 지방조직을 포함한 체내 다른 조직들의 TNF-α수용체에 결합하여 하위신호전달과정을 유도한다. TNF-α의존적으로 활성화된 JNK1 (c-jun N-terminal kinase 1) 및 NF-κB (nuclear factor kappa B)를 통한 전염증성 신호전달과정은 인슐린수용체의 기능을 억제하며 정상적인 신호전달을 방해한다. 뿐만 아니라 JNK1을 통한 NF-κB활성화는 SOCS3의 유도를 통한 활성산소(reactive oxygen species, ROS)의 생성 및 세포질세망스트레스(endoplasmic reticulum stress)를 유도한다. 또한,

TNF-α는 사립체의 기능저하를 유도하여, 전신적 에너지대사 항상성 유지를 저해한다.

5) FGF21

섬유모세포성장인자(fibroblast growth factor, FGF) 15/19, 21, 23 등은 체내 에너지대사에 영향을 주는 또 다른 신호전달물질이다. 그중 FGF21은 주로 간에서 생성되지만, 일부 보고에 의하면 백색 혹은 갈색지방조직에서도 분비된다. 분비된 FGF21은 포도당내성 및 인슐린저항성을 개선시킬 수 있다. FGF21은 섬유모세포성장인자수용체(fibroblast growth factor receptor, FGFR) 중 FGFR1c, FGFR3c 또는 β-klotho 복합체에 결합하여 세포내신호전달을 매개한다고 알려져 있다. 특히 섬유모세포성장인자R1과 β-klotho 복합체를 통한 신호전달과정에서 PPARγ 의존적으로 아디포넥틴 발현량이 증가하며, 이는 인슐린민감성을 향상시키는 요인이 될 수 있다.

6) 리포카인(Lipokine)

최신 연구에 따르면 비만 및 관련 질병을 촉진하는 물질 중 단백질호르몬이 아닌 대사체(metabolite)가 아디포카인으로 작동할 수 있음이 보고되었다. 예를 들면, 지방조직에서 분비하는 아디포카인 중 지방대사물을 통칭하여 리포카인이라고 부른다. 대표적인 예로 16:1n7-palmitoleate 가 있다. 지방조직내 palmitoleate는 SCD1 (stearoyl-coA desaturase 1)에 의해 cis-palmitoleate형태가 되며, 이는 주변 세포의 전염증성 면역반응을 억제시킨다. 또한 분비된 palmitoleate는 간조직에 작용하여 지방축적을 억제할 뿐만 아니라 근육조직에 작용하여 전신 인슐린저항성을 개선시킬 수 있다. 또한, sphingosine family 중 하나인 세라마이드(ceramide)도 리포카인으로 작용할 수 있다. 세라마이드는 지방조직내 과잉축적된 유리지방산이 sphingosine 골격에 붙으며 형성된다. 분비된 세라마이드는 지방조직뿐 아니라 간, 근육, 신장에서 PP1 (protein phosphatase 1), PP2A, 단백질인산화효소C (protein kinase C, PKC), 그리고 NLRP (nucleotide-binding

oligomerization domain, Leucine rich Repeat and Pyrin domain containing), 염증조절복합체(inflammasome)를 자극하여 염증반응을 증가시킨다. 세라마이드는 사립체의 산화과정을 억제하고, 세포질세망 스트레스 등을 유도하기도 한다. 그러나 세라마이드가 주변 다른 조직에 작용할 때 결합할 수 있는 수용체 및 하위신호전달과정에 대해서는 추가적인 연구가 필요하다.

7) 그 밖의 아디포카인

지방조직은 앞서 기술한 아디포카인 이외에도 미세RNA (microRNA, miRNA)를 분비하며 이들은 비만 및 대사질환과 밀접하게 연관되어 있음이 보고되었다. 지방조직 유래 미세RNA는 다양한 형태로 존재하며, 분비된 미세RNA는 지방세포의 분화조절 및 전신적 에너지대사에 영향을 준다. miR-103및 miR-107은 비만인 지방조직에서 증가되어 있으며, 이들을 억제할 경우 포도당내성 및 인슐린민감성이 개선된다. 이는 miR-103 및 miR-107 하위로의 caveolin-1 단백질이 활성화되면 인슐린수용체를 구조적으로 안정화시켜, 인슐린신호전달을 돕기 때문이다. 또한, 염증반응을 조절한다고 알려진 miR-223도 지방조직 유래 미세RNA중 하나이다. miR-223은 비만인 지방조직에서 발현량이 증가하며, 이는 단핵구를 지방조직으로 유도하며 전염증성 대식세포를 활성화시킨다.

세포외소포(extracellular vesicle)는 지방조직과 체내 다른 조직 사이의 주요신호전달매개체 중 하나이다. 세포외소포는 미세 및 비암호화 RNA (miRNA 및 lncRNA)를 포함한 다양한 단백질호르몬 및 대사체를 운반한다. 이러한 세포외소포의 직경은 50-1,000 nm 정도 된다. 정상개체에서 분비되는 세포외소포는 에너지대사 항상성 유지에 기여한다고 알려져 있고, 비만 시 지방조직에서 분비된 세포외소포는 인슐린저항성을 야기할 가능성이 크다고 알려져 있다. 그러나 세포외 소포내 구성성분 및 작용기전에 대하여 추후연구가 필요한 실정이다.

6. 비만과 염증반응

최근 연구결과들은 지방조직내 염증반응 항진이 비만과 2형당뇨병을 이어주는 중요한 연결고리 중 하나라는 것을 제시하고 있다. 병원균이나 상처 등의 유해자극에 대한 방어기전 중 하나인 '급성염증반응'과는 달리, 비만과 2형당뇨병을 포함하여 다수의 대사질환에서 관찰되는 염증반응은 '낮은 강도(low-grade)'와 '만성적(chronic)'인 특성을 가지고 있으며, 점진적으로 조직의 기능 및 항상성을 저해한다. 특히 비만개체의 지방조직은 만성적인 염증반응에서 핵심적인 역할을 관장하는 조직으로, 다양한 면역 및 염증세포의 축적이 발생하며, 염증유발사이토카인, 호르몬, 지방산 등의 분비를 유도한다. 이와 같은 변화는 지방조직의 잉여 에너지 축적기능을 저해할 뿐 아니라, 인슐린저항성을 유발하고 대사조직내 기능이상 및 전신적 에너지대사 항상성의 불균형을 초래한다. 따라서 지방조직내 염증반응은 비만과 동반되는 대사질환의 병태생리학적 기전 중 하나로 제시되며, 지방조직내 염증반응의 의미와 관련한 조절기전에 대한 연구가 활발히 이뤄졌다(그림 9-7-17).

지방조직에는 선천면역세포 및 적응면역세포들을 포함한 다양한 면역세포들이 존재한다. 비만으로 인한 지방조직의 염증반응 유도기전에 대한 이해는 여전히 활발히 이뤄지고 있다. 최근 연구에서는 지방조직에 존재하는 다양한 면역세포들의 수적·질적 변화가 중요한 조절요인 중 하나임이 제안되고 있다. 또한 비만개체의 지방조직내 염증반응에서 면역세포군의 고유한 기능과 에너지대사 항상성 조절의 연관성에 대한 연구가 심층적으로 이뤄지고 있다.

1) 대식세포(Macrophage)

대식세포는 다양한 자극에 의해 활성화되어 병원균 및 감염세포 등을 집어삼키고 파괴하는 대식작용을 통해 선천 면역반응을 수행하는 면역세포이다. 한편, 지방조직내 대식세포는 비만으로 인해 수적 증가 및 특성의 변화를 보이는데, 이는 궁극적으로 전신적 에너지대사에 악영향을 미칠 수 있다. 정상개체의 지방조직은 항염증 특성을 가지는 '대체 활성화'된(alternatively activated) M2타입의 대식세포가 상당수 존재한다. 그러나, 비만개체의 지방조직내 지방세포에서 지방대사물을 포함한 과량의 영양분이 축적되고 염증반

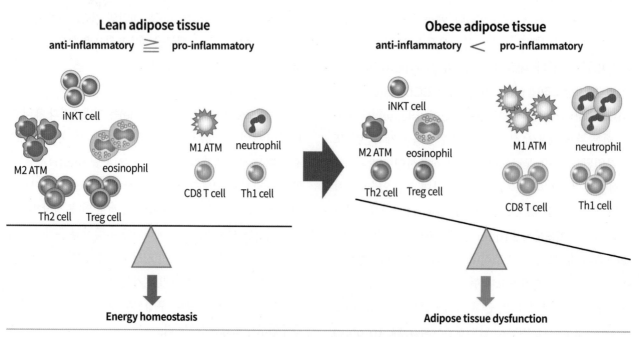

그림 9-7-17. 비만으로 인한 지방조직의 염증반응

[출처: Front Endocrinol (Lausanne). 2016 Apr 13;7:30.]

응 신호가 활성화되면 TNF-α, MCP-1 등을 분비하며, 이로 인해 체내를 순환하는 단핵구(monocyte)가 지방조직으로 유입되고, 전염증성 대식세포로 분화된다. 비만개체의 지방조직내 대식세포는 염증유발사이토카인(proinflammatory cytokine)의 발현이 높으며 대식세포의 활성화와 관련한 유전자발현이 높은 '전형적으로 활성화'된(classically activated) M1타입 대식세포의 특성을 갖고 있다. 이들은 다른 면역세포들을 지방조직으로 끌어들이는 피드-포워드(feed-forward) 과정을 통해 지방조직내 지속적인 염증반응을 촉진시킨다. 또한, 비만 시 다양한 인자들에 의해 지방조직내 대식세포의 분극화(polarization) 과정이 야기된다. 세포질세망 스트레스를 조절하는 CHOP 또는 IRE(inositol-requiring enzyme) 등은 비만개체의 대식세포를 M1타입으로 분극화시킬 수 있으며, T세포에서 발현하는 인터페론-감마(interferon gamma, IFNγ) 역시 M1-대식세포로의 분극화를 촉진할 수 있음이 보고되었다. M1-대식세포의 부적절한 증가는 비만개체의 지방조직내 병리적 변화를 매개하는 중요한 요인으로 제시되고 있다.

2) 중성구(Neutrophil)

중성구는 감염된 조직으로 가장 빠르게 유입되어 neutrophil elastase 등의 분비를 통해 염증반응을 촉진할 수 있는 선천면역세포이다. 중성구는 고지방 식이를 먹인 생쥐모델에서 3일 만에 지방조직 내에 축적되며, 정상 대비 비만동물의 지방조직에서 20배 이상 수적 증가를 보인다. 중성구에서 분비된 neutrophil elastase는 IRS1의 억제 또는 대식세포 신호전달경로 조절을 통해 지방조직 내에 염증반응과 포도당내성을 유발할 수 있음이 제안되었으며, elastase억제제는 지방조직내 염증반응 및 포도당내성을 완화시킬 수 있음이 보고되었다. 이상의 결과를 바탕으로 중성구는 지방조직내 염증반응의 초기단계에 관여할 수 있음이 제안되었다.

3) 수상돌기세포(Dendritic cell)

수상돌기세포는 항원제시를 통해 면역반응을 조절하는 세포로서 비만개체의 지방조직에 축적되고 대식세포 모집 및 IL-6 생산을 통해 염증유발 미세환경을 형성하는데 기여할 가능성이 있음이 보고되었다. 또한, 골수성 수상돌기세포(myeloid dendritic cell)는 CD4 T도움세포가 IFNγ생산에 기여하는 Th1표현형을 채택하도록 촉진한다. 추가적으로 식이를 통해 섭취한 지방대사물은 지방조직 주변 림프내 수상돌기세포의 양을 조절할 수 있으며, 이는 식이를 통해 섭취한 지방대사물이 수상돌기세포에 의해 지방조직 염증반응에 기여할 가능성이 있음을 암시한다.

4) T세포(T cell)

T세포는 흉선에서 성숙과정을 거친 후 말단조직으로 이동하여 손상된 다른 세포들을 직접 죽이거나 사이토카인 분비를 통해 면역반응을 매개하는 세포로서 CD4세포, CD8 T세포, 자연살해T세포 등으로 분류된다. 비만 시 세포는 지방세포 유래 CCL5 (C-C chemokine ligand 5) 및 CCL20의 신호전달에 의해 지방조직으로 유입되거나, 분열하여 지방조직에서 수적 증가를 촉진한다.

(1) CD4 T도움세포(CD4 T helper cell)

CD4 T도움세포는 다양한 하위그룹의 T세포(Th1, Th2, Th17, 조절T세포 등)로 분화하며 사이토카인 분비를 통해 면역반응 활성화를 촉진하는 역할을 담당한다. 비만 시 지방조직에서 증가한 Th1세포는 IFNγ의 분비를 증가시키며, 인슐린신호전달의 약화 및 대식세포의 유입을 촉진시킨다. 또한, IFNγ 분비는 TNF-α신호전달에 의한 NF-κB 의존적 신호의 만성적 활성화를 통해 인슐린민감성 저하를 야기할 수 있다.

(2) 세포독성CD8 T세포(cytotoxic CD8 T cell)

세포독성CD8 T세포는 항원제시세포가 제시하는 I형 주조직적합복합체(major histocompatibility complex, MHC)항원펩타이드복합체를 인식하여 세포 사멸을 유도하는 세포로서 비만 개체의 지방조직 내에서 이 세포의 양이 증가되어 있는 것이 관찰된다. 비만 시 지방조직 내 CD8 T세포 제거는 염증유발사이토카인 분비의 감소 및 포도당내성 개선을 유도한다고 보고되었다.

(3) 조절T세포(regulatory T cell)

조절T세포는 항염증세포로서 지방조직의 염증 관련 유전자 발현을 억제하는 작용을 관장한다. 그러나 비만개체의 지방조직에서 조절T세포의 숫자는 감소되어 있고, 이것은 인슐린민감성 감소와도 상관관계를 보인다.

(4) 자연살해T세포(natural killer T cell)

자연살해T세포는 T세포수용체를 발현하는 동시에 자연살해세포의 마커를 일부 발현하는 특이 T세포로서 invariant NKT (iNKT)세포, non-invariant NKT세포, NKT-like세포로 분류된다. 특히 지방조직에 상대적으로 많이 존재하는 iNKT세포의 경우, CD1d를 통해 지질항원을 인식하며, 사이토카인 분비 및 세포 사멸을 촉진할 수 있다. iNKT세포가 결핍된 생쥐모델의 경우 염증반응 활성화와 인슐린저항성을 보이며, iNKT세포를 이식하거나 활성화시킬 경우 포도당내성 개선 및 지방조직 염증반응 개선효과를 보이기 때문에 비만 시 지방조직내 염증반응에서 iNKT세포의 역할 및 연관성이 최근 많은 주목을 받고 있다.

종합적으로 비만으로 인한 T세포군의 수적·질적 변화는 지방조직내 염증반응을 일으킬 수 있는 주요 원인 중 하나로서, 각각의 세포군은 다양한 신호전달과정을 통해 염증반응 조절에 기여하고 있다.

5) B세포(B cell)

B세포는 적응면역반응의 핵심적 세포로서 항체 생성을 통한 체액면역반응(humoral immune response)에 관여할 뿐 아니라, 항원제시세포로 작용한다. 비만 시 지방조직에서 B세포의 축적이 관찰되며, B세포 결핍 생쥐모델의 경우 비만 지방조직내 대식세포 및 T세포의 감소 및 포도당내성회복이 보고되었다. 또한, 지방조직에 존재하는 조절B세포(regulatory B cells)는 IL-10 생산을 통해 항염증반응에 기여할 수 있음이 제시되었다. 이에 따라 최근 비만에서

지방조직내 염증반응과 관련한 B세포의 역할에 대하여 관심이 높아지고 있다.

6) 면역세포들을 통한 지방조직 리모델링

지방조직내 면역세포는 다른 세포와의 교신작용을 통해 인슐린신호전달 조절, 세포사멸, 열생성을 포함하여 지방조직의 다양한 대사변화를 매개할 수 있음이 제안되고 있다. 비만 개체의 지방조직내 면역세포는 IL-1β, IL-6, TNF-α 등의 염증유발사이토카인 또는 MCP1 등 케모카인 분비를 증가시켜 면역세포들의 유입을 촉진하며, 정상적인 인슐린신호전달과정을 손상시킨다. 면역세포는 지방세포의 IKKβ (IkB kinase β) 및 JNK, NF-κB 신호전달경로 활성화를 통해 인슐린수용체 기질의 타이로신기가 아닌 세린기의 억제성인산화를 유도하여 인슐린신호전달을 억제할 수 있음이 알려졌다. 또한 지방조직대식세포는 miR-155를 포함하는 세포외소포 분비를 통해 지방세포의 PPARγ, Glut4 발현을 억제하고 인슐린신호전달경로를 저해시킬 수 있음이 보고되었다. 최근 일련의 결과들을 통해 지방조직내 인슐린신호전달 과정에서 면역세포들이 담당하는 중요한 기능들이 밝혀졌고, 면역세포의 수와 기능을 제어하는 것은 인슐린저항성 및 체내 에너지대사 항상성 유지에 중요함이 보고되었다.

비만개체의 지방조직에는 크기가 증가된 지방세포와 함께 DNA 손상이 축적된 지방세포가 발생하며, 손상된 지방세포 숫자의 증가는 염증반응 악화 및 지방조직 기능이상을 초래할 수 있다. 따라서 손상된 지방세포를 제거하는 기전은 지방조직 항상성 유지에 중요하며, 이때 면역세포가 지방세포의 사멸과정에 관여함이 제시되었다. 비만 시 지방조직에서 다양한 면역세포들이 죽어가는 지방세포 주변을 둘러싸고 있다. 특히, 비만개체의 지방조직내 대식세포의 경우 지방대사물을 저장하고 있으며 대식작용을 통해 지방세포 제거과정에도 관여한다. 지방세포의 사멸 이후에는 CD206과 CD301의 발현이 높은 M2타입의 대식세포들의 수적 증가가 이어지며, 이들이 지방조직 손상의 최소화 또는 염증

반응의 해결(resolution)과정에도 관여함이 보고되었다. 최근에는 iNKT세포가 손상된 지방세포를 선택적으로 제거할 수 있는 세포군임이 제안되었다. 특히, 지방소체의 크기가 크며 전염증성 특성을 가지는 지방세포는 지질항원 및 Fas의 제시를 통해 iNKT세포를 활성화시키고, 활성화된 iNKT세포는 perforin/granzyme경로 조절 또는 Th1, Th2 사이토카인 분비를 통한 염증반응 조절을 매개로 지방세포 사멸을 유도할 수 있다. 이와 함께, 지방세포의 사멸 유도는 새로운 지방세포의 분화로 이어져 지방조직의 항상성 유지에 기여할 수 있음이 밝혀졌기에 이와 관련된 추가적인 연구에 대한 관심이 높아져 있다.

최근 지방조직내 면역세포들이 다양한 사이토카인 분비를 통해 지방세포의 열생성 기능에 관여한다는 것이 보고되었다. 지방조직내 대식세포는 SLC6A2를 통해 노르에피네프린을 흡수하고 모노아민산화효소(monoamine oxidase, MAO)를 통해 이를 분해한다. 따라서 추위자극 시 교감신경의 활성화로 인한 베타아드레날린수용체자극을 완화해 열생성을 억제할 수 있다. 반면, 일부 대식세포 아집단이 분비하는 osteopontin이 베이지색지방세포로의 분화를 촉진할 수 있다는 연구결과도 존재한다. 지방조직내 ILC2 (IL-33/group 2 innate lymphoid cell)는 IL-13과 MetEnk (methionine-enkephalin)을 분비해 PDGFR α+ 지방전구세포의 베이지색지방세포 분화를 증가시키거나 직접적으로 열생성 기능을 항진시킨다. 또한, IL-5를 분비해 호산구(eosinophil)의 유입을 촉진하고 호산구를 통해 IL-4의 분비를 유도함으로써 베이지색지방세포의 분화를 촉진한다. 뿐만 아니라 지방조직내 존재하는 gamma-delta (γδ) T세포도 지방조직의 열생성 과정을 조절하는 역할을 수행한다. γδ T세포는 IL-17A 분비를 통해 기질세포의 IL-33 생성을 촉진해 갈색 및 베이지색지방세포의 활성을 증가시킨다고 보고되었다. 이외에도 지방조직의 열생성을 조절할 수 있는 다양한 면역세포들의 아집단이 동정되고 있으며 관련기전연구도 진행되고 있다.

III. 비만의 정의와 병태생리

이관우

1. 서론

비만은 에너지섭취와 소비 간의 균형 또는 불균형에 따라 발생한다. 에너지섭취가 에너지소비보다 많을 때 체지방이 증가한다. 장기적으로 에너지소비보다 에너지섭취가 많은 에너지 불균형은 비만을 초래하게 된다. 현재 전 세계적으로 비만의 유병률이 급격히 증가하여 인간의 건강에 심각한 위협이 되고 있다.

비만한 사람은 질병 발생률이 높고 평균수명도 감소된다. 우리나라도 경제 발전과 함께 국민들의 식생활 습관이 서구화 경향으로 변하고 있어, 지방 섭취가 증가하고 열량을 과다 섭취하며 운동량이 부족하여 비만인구가 증가하고 있다. 비만은 당뇨병, 고혈압, 이상지질혈증, 호흡기질환 및 암 발생에 중요한 위험인자로 알려지고 있어, 비만의 치료와 예방에 관한 중요성이 강조되고 있다.

2. 비만의 정의

비만은 체지방의 과잉 축적으로 인한 만성질환상태이다.

체중(kg)을 신장(meter)의 제곱으로 나눈 값인 체질량지수(body mass index, BMI)는 대다수 인구 집단에서 체지방량과 상관관계가 높고, 체질량지수를 통해 비만동반질환의 이환율 및 사망률 등 건강위험도를 평가할 수 있기 때문에 세계적으로 가장 흔히 사용되는 비만의 진단기준이다. 세계보건기구에서는 인종이나 성별과 관계없이 체질량지수 25 kg/m² 이상을 과체중, 30 kg/m² 이상을 비만으로 정의하였다. 그러나, 비만의 진단기준으로 세계보건기구 아시아-태평양지역 및 대한비만학회에서는 체질량지수에 따른 비만 동반질환의 유의미한 증가에 근거를 두고 과체중 또는

표 9-7-2. 한국인에서 체질량지수와 허리둘레에 따른 동반질환 위험도 분류

분류	체질량지수(kg/m²)	허리둘레에 따른 동반질환의 위험도	
		< 90 cm(남성), < 85 cm(여성)	≥ 90 cm(남성), ≥ 85 cm(여성)
저체중	< 18.5	낮음	보통
정상	18.5–22.9	보통	약간 높음
비만전단계	23–24.9	약간 높음	높음
1단계 비만	25–29.9	높음	매우 높음
2단계 비만	30–34.9	매우 높음	가장 높음
3단계 비만	≥ 35	가장 높음	가장 높음

비만전단계의 기준을 체질량지수 23 kg/m² 이상, 비만의 기준은 체질량지수 25 kg/m² 이상으로 정의하였다(표 9-7-2). 체질량지수는 간단하게 계산하여 비만도를 판정하는 데 이용될 수 있으나 체성분 구성과 분포에 대한 정보를 제공하지 않으므로 허리둘레와 피부두겹두께(skin fold thickness) 등을 측정하여 비만 여부와 유형을 판정할 수 있다.

복부비만을 진단하는 허리둘레의 분별점은 인종, 성별에 따라 다르게 적용하는 추세이며, 대한비만학회가 권고하는 성인 한국인 복부비만의 진단기준은 국내 연구결과들을 근거로 남성에서 허리둘레 90 cm 이상, 여성에서 85 cm 이상일 경우로 진단한다(표 9-7-2).

3. 비만의 평가

체지방을 측정하는 데에는 간접측정법인 피부두겹두께측정법, 생체전기저항분석법, 이중에너지방사선흡수측정(dual energy X-ray absorption, DXA)과 직접측정법인 수중체중밀도법(underwater weighing, hydrodensitometry) 등 매우 다양한 방법이 있으며, 다양한 측정법에 따라 측정시간, 소요경비 등이 다르다. 그러나 이들 방법을 크게 둘로 나누면 신체계측법과 기계계측법으로 구분할 수 있다. 체질량지수는 지방조직을 직접 측정하는 것은 아니지만 비만을 평가하는 데 가장 널리 이용되며 체중(kg)을 키

(m)의 제곱으로 나눈 값(체중/키의 제곱, kg/m²)으로 표시된다. 체질량지수는 성인에서 실제 체지방과 높은 상관관계를 보이며 비만환자에서 상대적인 건강위험을 잘 반영한다. 체질량지수가 증가하면 비만에 의한 심혈관질환, 당뇨병, 종양과 관련 질환의 발생뿐 아니라 사망률이 점차 증가하게 되는데, 인종과 지역에 따라 질환의 발생 위험도를 고려하여 비만을 판정하게 된다. 기구를 이용하는 간단하고 대표적으로 사용되는 방법에는 생체전기저항분석법(Bioelectric Impedance Analysis, BIA)이 있다. 이 방법은 다리와 팔에 약한 전류를 통과시켜 전기저항으로 신체내 수분량을 측정하고 동시에 체지방량을 측정하는 방법으로, 체지방량, 제지방량, 수분량을 측정할 수 있다. 그 외에 복부비만을 평가하기 위해서는 복부컴퓨터단층촬영(computed tomography, CT)이나 자기공명영상(magnetic resonance imaging, MRI) 등을 이용하는 방법도 있다.

4. 비만의 병태생리

에너지섭취가 에너지소비보다 많을 때 체지방이 증가하여 비만이 발생한다. 장기적으로 섭취한 에너지의 총량과 소비하는 에너지의 균형이 무너진 상태, 즉 섭취에너지가 소비에너지를 넘는 상태에서, 비만이 초래된다. 현재 전 세계적으로 비만의 유병률이 급격히 증가하여 인간의 건강에 심각한 위협이 되고 있다. 여기에는 식사습관 외에도, 화학물질 노

표 9-7-3. 이차비만의 원인

분류	원인
유전 및 선천장애	사람에게서 비만을 유발하는 것으로 알려진 유전자 • Ob, db, 프로오피오멜라노코틴(Proopiomelanocortin, POMC), 멜라노코틴4수용체(melanocortin 4 receptor, MC4R)유전자 등
	비만과 관련된 선천장애 • 프라더-빌리증후군(Prader–Willi syndrome) • 로런스–문–비들증후군(Laurence–Moon–Biedl syndrome) • 알스트롬증후군(Alstrom syndrome) • 코헨증후군(Cohen syndrome) • 카펜터증후군(Carpenter syndrome)
약물	• 항정신병약물: thioridazine, olanzepine, clozapine, quetiapine, risperidone • 삼환계우울제: amitriptyline, nortriptyline • 알파-2대항제: imipramine, mitrazapine • 선택세로토닌재흡수억제제(selective serotonin reuptake inhibitor): paroxetine • 항경련제: valproate, carbamazepine, gabapentine • 당뇨병치료제: 인슐린(insulin), 설포닐유레아(sulfonylurea), 글리나이드제제(glinide), 싸이아졸리딘다이온(thiazolidinedione) • 세로토닌대항제: pizotifen • 항히스타민제: cyproheptadine • 베타차단제: propranolol • 알파차단제: terazocin • 스테로이드제제: 경구피임제, 당질부신피질호르몬제제
신경 및 내분비질환	• 시상하부성비만: 외상, 종양, 감염, 수술, 뇌압 상승 • 쿠싱증후군(cushing syndrome) • 인슐린종(insulinoma) • 다낭난소증후군(polycystic ovary syndrome) • 성인 성장호르몬결핍증
정신질환	• 폭식장애(binge–eating disorder) • 계절정동장애(seasonal affective disorder)

출, 생활습관, 연령, 인종, 유전요인, 정신적 요인, 심리적 요인과 사회경제적 요소, 신경내분비 변화, 장미생물무리(gut microbiota), 환경화학물질 및 독소 등의 다양한 위험요인이 복합적으로 상호작용하며 관여하는 경우가 많아 어떤 한 가지 원인만으로 설명이 어렵다. 일반적으로 비만은 전체 비만의 90% 이상으로 대다수의 비만이 해당하는 일차비만과, 내분비질환이나 유전, 약물 등이 원인이 되는 이차비만으로 분류된다(표 9-7-3).

1) 유전요인

쌍둥이와 입양아에 대한 연구에서 비만에 대한 일치율은 비만 위험의 25-50%가 유전적임을 시사한다. Fabsitz 등은 234쌍의 쌍생아를 43년간 추적 조사한 결과에서 쌍둥이 간에 성장환경은 달랐지만 쌍생아 간에 체질량지수나 체중증가에서 유사성을 보여 비만에 유전영향이 크다고 하였다. Stunkard 등에 의한 덴마크의 입양아연구를 보면 입양된 아동들의 체중이 친부모의 체중과는 유의한 상관관계를 보여 주지만 입양 부모의 체중과는 상관관계를 보여주지 않았다. 또한 일란성쌍둥이들이 서로 다른 환경에서 성장한 후에도 체중과 체질량지수는 쌍둥이 간에 유사한 수준을 보여주었다. 즉, 이들은 같은 환경에서 함께 성장하는 것이 유전요인보다 체질량지수에 영향을 적게 미친다고 하였으며, 체질량지수에 유전소인이 70% 정도의 변이에 관여하며 나머지 30%는 환경요인이 관여한다고 하였다. 그러나 일부 연구에서는 쌍둥이 간에도 체중에 연관성이 적었고, Korkeila등은 6년간의 비교적 짧은 기간 동안 쌍둥이연구에서 유전영향은 없었다고 하였다. 집단연구에서도 환경요인이 더 높은 변이 수준을 보이기도 하였다.

비만유전자연구를 살펴보면, 렙틴 및 렙틴수용체를 코딩하는 유전자에서 프로오피오멜라노코틴(pro–opiomelano-cortin, POMC), 아구티관련단백질(agouti–related protein, AgRP), 전구호르몬전환효소1 (prohormone convertases 1, PC1), 멜라노코틴4수용체(melanocortin 4 receptor, MC4R)가 비만과 관련이 있다. 또한, 전장유전체연관연구(genome–wide association studies, GWAS) 및 엑손/유전체염기서열분석연구(exome/genome sequencing studies)를 통해 비만과 관련된 많은 새로운 유전자들이 발견되었다. 그러나, 아직까지도 비만유전자와 비만과의 연관성은 극히 일부분에서만 설명 가능한 수준이다.

또한, 유전형질 변경이 이루어질 수 있는데, 이는 유전체의 뉴클레오타이드 서열의 변형 없이 데옥시리보핵산(deoxy-ribonucleic acid, DNA), 메틸화와 히스톤 변형의 변화로 이루어진다. 이와 같은 유전 형질 변경의 두 가지 변화는 유

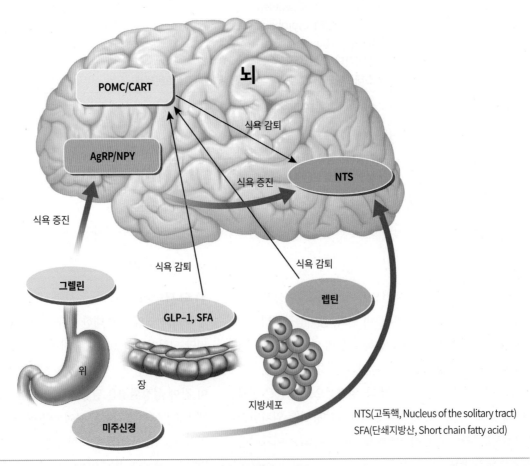

그림 9-7-18. 뇌, 장관, 신경축의 상관성

전자가 발현되거나 조절되는 방식을 바꾼다.

유전요인과 환경적 영향과의 상호 연관성에 대한 많은 연구가 이루어져 왔다. 유전요인이 환경적 영향에 의해 비만 위험을 증가시킬 가능성이 높다. 신체활동 수준과 식사 구성이 지방 질량 및 지방관련(fat mass and obesity-associated, FTO) 유전자의 비만 위험을 증가시킬 수 있는데, 이는 비만 위험에 영향을 미치는 유전소인과 생활방식의 상호작용의 예라고 할 수 있다. 잠재적으로 관련이 있는 환경요인에는 식단 구성 및 생활방식의 변화, 환경 독소, 감염, 장미생물무리의 변화 등이 있다.

2) 장미생물무리

장내 미생물 대사산물은 에너지 생성 및 매개에 중요한 역할을 한다. 그렐린과 같은 위호르몬, 글루카곤유사펩타이드-1과 같은 장호르몬, 담즙산 및 장미생물무리유전체(gut microbiome)의 수준 및 장내 미생물군 조성의 변경은 에너지 항상성 체계에 영향을 미치고 있다. 또한, 장내세균은 에너지 항상성 체계에 영향을 미치는 생물학적 신호[뷰티르산(butyrate) 및 기타 단쇄지방산]를 생성하고, 장내세균의 구성은 이러한 신호전달에 영향을 준다.

비만수술과 장-뇌축과의 연관성도 밝혀지고 있는데, 루Y모양(Roux-en-Y) 위우회술과 수직 소매위절제술이 식욕에 미치는 예상치 못한 효과는 장-뇌축의 항상성 신경 회로와 연결되고 있음이 밝혀지고 있다. 즉, 장-뇌축의 반응은 음식 섭취뿐만 아니라 체지방량의 항상성 조절에도 영향을 미치고 있다.

3) 뇌, 장관, 신경축의 상관성 (그림 9-7-19)

중추신경계, 위장호르몬 및 구심성 미주신경은 음식 섭취를 증가시키거나 억제하는 식욕 체계를 구성하고 있다. 중추신경계의 조절을 받는 식욕은 음식을 조절하는 위장 호르몬 신호와 에너지 저장과 관련된 지방조직으로부터의 신호에 영향을 받는다. 시상하부는 NPY/AgRP 및 POMC 신경세포의 두 가지 신경세포 그룹을 포함하는데, 식욕 촉진 관련 신경세포인 AgRP/NPY신경세포와 식욕부진 관련 신경세포인 POCM신경세포로 구성된다.

미주신경매개 장-뇌경로는 구심성 미주신경을 통하여 고독핵(nucleus tractus solitarius, nucleus of the solitary tract, NTS)으로 신호가 전달된다. 최근 한 연구에서는 미주신경이 매개하는 장-뇌경로가 식욕 유발 신호를 감지하고 섭식을 자극하는 기작을 밝힌 바 있다. NPY를 함께 발현하는 NTS에피네프린신경세포가 구심성 미주신경을 수용함을 밝힌 연구이다.

장내 미생물 대사산물은 장내 분비를 자극하여, 식욕부진호르몬(PYY, GLP-1, CCK)과 신경전달물질(세로토닌)을 방출하고, 렙틴, 그렐린, 인슐린 호르몬의 분비를 촉진한다.

세로토닌은 2개의 별개의 트립토판 수산화효소에 의해 식이 트립토판에서 합성된다. 트립토판 수산화효소 1 (Tph1)과 트립토판 수산화효소 2(Tph2)는 세로토닌 합성을 조절하는 핵심 속도제한효소로, Tph1은 주로 위장관의 세포에서 발현되고 Tph2는 주로 신경세포에서 발현된다. 위장관에서 발현되는 세로토닌은 혈액-뇌장벽(Blood brain barrier, BBB)을 통과할 수 없고, 세로토닌의 대부분은 말초에서 발견된다(약 95%). 위장관의 말초 세로토닌 합성 억제는 에너지소비를 증가시키고, 인슐린민감성을 향상시킨다.

GLP-1 및 PYY같은 식욕부진호르몬은 혈액-뇌 장벽을 가로질러 POMC를 활성화시키고, 식욕을 억제한다.

그렐린은 뇌의 시상하부를 자극하여 식욕을 증가시킨다, 즉, 그렐린은 시상하부에서 식욕을 촉진시키는 NPY/AgRP 신경세포를 활성화하고, 식욕을 억제시키는 POMC신경세포를 억제하여 음식섭취를 증가시키고, 에너지소모를 감소하게 한다.

반면, 지방조직에서 분비되는 렙틴은 뇌의 시상하부를 자극하여 식욕을 억제한다. 즉, 렙틴은 시상하부에서 식욕을 촉진시키는 NPY/AgRP신경세포를 억제하고 식욕을 억제시키는 POMC신경세포를 자극하여 식욕을 제어한다.

단쇄지방산(아세트산, 프로피온산, 뷰티르산)은 유리지방산수용체2 (free fatty acid receptor 2, FFAR2)에 결합하여 식욕을 억제한다. 단쇄지방산은 GLP-1, PYY, 인슐린 및 렙틴의 방출을 추가로 활성화시켜, POMC신경세포를 자극하여, 결과적으로 식욕이 억제된다.

4) 식사와 식사습관

과식은 필연적으로 비만을 유발하기도 하지만, 비만한 사람에서는 과식, 폭식과 같은 행동을 흔히 볼 수 있기도 하다. 이는 식욕에 관여하는 중추신경계의 섭식조절이 문제가 될 수 있음을 시사한다.

지방이 많은 음식은 총 에너지가 높아 비만을 쉽게 일으킨다. 지방은 칼로리가 높고 지방세포로 저장이 쉽고 식후 에너지소비도 단백질이나 탄수화물에 비해 낮다. 음식의 에너지밀도도 중요한 요소인데 비만한 사람은 에너지밀도가 높은 음식을 좋아하는 경향을 보인다. 또한 식사를 한 번에 너무 많은 양을 먹거나, 빠르게 식사를 하거나, 야간에 많은 음식을 먹는 개인의 섭식양상이 비만을 일으킬 수 있다. 최근 접근성이 증가되고, 구입이 늘어난 가정간편식(home meal replacement, HMR)과 패스트푸드는 종류 및 1회 제공량에서 열량이 높고 식습관에 좋지 않은 영향을 미친다. 가정간편식과 패스트푸드는 음식 1인분의 양과 포장 단위당 양이 많아 과식을 자극하게 된다.

또한, 부모의 영양상태와 비만의 연관성이 밝혀져 있는데. 역학연구에 따르면 산모의 영양결핍은 출생 후 비만위험 증가와 확실히 관련이 있고, 부모의 비만은 자손의 비만위험 증가와 관련이 있다.

5) 운동부족

앉아있는 생활은 활동적인 생활보다 비만을 유발하는 역할을 한다. 한 연구에 따르면 하루 3시간 텔레비전(television, TV)을 시청한 참가자는 비 TV시청자에 비하여 과체중유병률이 거의 두 배로 증가했다.

에너지소비는 전체 에너지소비량의 60-70%(연령, 성별, 근육량, 기온변화, 갑상선호르몬 등에 영향을 받을 수 있음)인 기초대사량과 전체 에너지 소비량의 10%인 식품섭취에 따른 열소비, 그리고 개인차가 있으나 전체 에너지 소비량의 20-30%정도 해당하는 신체활동량에 의한 에너지소비, 이렇게 크게 3가지 형태로 나눌 수 있다.

그 중에서도 신체활동에 의한 에너지소비가 줄어드는 것이 비만을 유발하는 중요한 한 축으로 생각되므로, 지난 수십 년 동안 운동부족에 의한 에너지소비의 감소가 비만 증가에 미쳤을 영향은 매우 크다고 할 수 있다. 특히, 신체활동 중 일상생활에서 소모하는 에너지가 현저하게 감소되었다. 여기에는 자동차, 엘리베이터, 컴퓨터 사용 등이 원인으로 작용할 수 있겠다.

6) 내분비교란물질(Endocrine-disrupting chemicals, EDC)

최근, 다양한 화학물질의 사용이 증가하고 있으며, 일부 화학물질은 사람의 신진대사를 방해할 가능성이 증가하고 있다.

많은 연구에서 EDC에 대한 노출은 지방생성 자극 및 인슐린분비의 변화, 인슐린민감성의 변화 및 간대사 변화와 함께 비만에 다양한 형태로 영향을 줄 수 있다. EDC 노출은 과도한 체지방량의 축적 및 유지와 관련이 된다. 이러한 화학물질 중 다수는 에스트로젠, 테스토스테론 및 갑상선호르몬과 같은 여러 호르몬의 수용체 신호전달을 모방하거나 변경하는 능력을 갖고 있다.

EDC에 대한 산모의 노출은 일반적으로 오염된 음식이나 음료의 섭취를 통해 발생하며, 일반적으로 이러한 화학물질이 포함된 개인위생용품, 플라스틱 또는 기타 제품과의 접촉을 통해 비만과 연관될 수 있다.

7) 사회경제적 요인

사회적, 경제적, 문화적 조건 또한 비만에 영향을 미칠 수 있다.

소비되는 음식의 종류와 양의 차이는 비만과의 연관성을 보여주고 있다. 저가식품은 일반적으로 고도로 가공되어 설탕과 지방이 첨가된 정제된 곡물로 구성되어 저렴하고 맛있는 특징이 있다. 이러한 식품은 낮은 비용과 높은 에너지밀도를 가지며, 저소득층에서 많이 섭취되며, 이는 비만율 증가와 관련이 있다.

미국, 영국, 프랑스, 핀란드, 벨기에, 아일랜드 및 호주의 여러 연구에 의하면 식단의 질이 사회경제적 지위와 직접적인 관련이 있다고 보고되었다.

텔레비전, 인쇄된 언론 및 포스터에 이르기까지 모든 매체를 통해 전달되는 여러 가지 정보 또한, 비만에 상당한 영향을 미친다. 신뢰할 수 있는 좋은 정보는 제공되는 음식의 적절한 크기, 제공되는 음식의 에너지 값, 음식과 동등한 에너지의 신체활동에 대한 균형 잡힌 정보를 제공하는 것이다. 그럼에도 불구하고, 오늘날 과식을 조장하는 언론의 여러 정보를 제한하는 것은 쉽지 않은 문제이기도 하다.

8) 심리적 요인

음식섭취 행위나 신체활동은 정신역동학적으로 영향을 많이 받게 된다. 수면시간의 감소와 심리적인 스트레스나 가족 구성원 간의 심리적인 요인은 음식섭취에 영향을 미친다. 그러나 정신역동이 비만에 미치는 많은 연구들을 살펴보면 비만과 관련된 심리적인 문제는 비만의 원인으로 작용하는 것보다 비만으로 발생되는 결과인 경우도 많다.

9) 이차비만의 원인

비만 환자의 10% 정도에서는 유전, 선천장애, 약물, 신경내분비계 질환, 정신질환 등의 원인에 의하여 이차적으로 비만이 유발된다. 따라서 정확한 원인 감별이 필요하며 그 원인을 제거 조절하면 비교적 효과적인 체중감량을 기대할 수 있다.

(1) 약물

체중증가와 관련된 약물은 일부의 정신병약, 항경련제, 당뇨병치료제, 호르몬제제 등이다. 항정신성 약물 사용 후에 나타나는 체중증가는 약물, 개인별로 차이를 보인다.

기전은 도파민, 히스타민수용체와 약물 상호반응에 있다. 항정신성 약물인 clozapine, olanzapine, sertindole, risperidone 등도 약 2–5 kg 이상의 체중증가를 유발한다. 항우울제인 amitriptyline 역시 체중증가를 유발한다. 항경련제인 valproate, carbamazepine, gabapentin 등도 종종 체중증가의 원인이 된다. 인슐린과 설포닐유레아 등의 약물들도 혈당의 저하를 통한 체중의 증가를 유발한다. 로시글리타존이나 파이오글리타존과 같은 싸이아졸리딘다이온 계열의 약물 역시 체중을 증가시킬 수 있는 대표적인 당뇨병 약물이다.

(2) 쿠싱증후군

얼굴, 복부에 주로 지방조직이 증가하는 중심비만을 보인다. 팔이나 다리는 상대적으로 지방축적이 일어나지 않는다. 단순비만 환자에서도 코티솔 생성이나 소변에 17-하이드록시스테로이드와 같은 대사물이 증가되어 있다. 이때 기저상태에서 혈액과 소변의 코티솔수치는 정상이며, 덱사메타손억제검사에서도 90%에서 정상소견을 보이므로 쿠싱증후군과 감별이 가능하다.

(3) 갑상선저하증

갑상선저하증에서는 신체대사율이 감소하고 점액부종으로 체중이 증가한다. 갑상선저하증에 대한 선별검사를 위해서는 갑상선자극호르몬을 측정할 수 있다.

(4) 인슐린종

인슐린종을 가진 환자들은 저혈당을 피하기 위해 과식을 함으로써 체중이 증가하게 된다. 음식물의 섭취가 늘고 인슐린분비가 증가되어 지방조직으로 과도한 에너지를 저장하게 된다.

(5) 다낭난소증후군(polycystic ovary syndrome)

다낭난소증후군을 보이는 여성의 약 50%에서 비만을 동반한다. 인슐린저항성이 중요한 역할을 하며 여성에서 비만의 원인으로 증가하고 있다.

(6) 중추신경계 질환들

종양, 외상, 염증 등이 포만감, 기아, 에너지소비를 조절하는 뇌하수체의 부전을 유발하고 다양한 정도의 비만을 유발할 수 있다. 성장호르몬은 지방을 분해하는 작용을 하는데 비만환자에서는 성장호르몬이 감소되어 있고 체중이 감소하면 이것이 증가한다. 성장호르몬이 낮음에도 불구하고, 인슐린유사성장인자 1 (insulin–like growth factor 1, IGF–I)은 정상인데 이것은 증가된 영양공급에 대한 보상기전으로 생각된다.

5. 결론

현재 전 세계적으로 비만의 유병률이 급격히 증가하여 인간의 건강에 심각한 위협이 되고 있으며, 비만은 당뇨병, 고혈압, 고지혈증, 호흡기질환 및 암 발생에 중요한 위험인자로 알려지고 있다.

전체 비만의 90% 이상 차지하는 일차비만의 병인은 에너지섭취가 에너지소비보다 많을 때 체지방이 증가하게 되어 발생하는데 식사와 생활습관 외에도, 화학물질 노출, 연령, 인종, 유전요인, 사회경제적인 요소, 신경내분비 변화, 장미생물무리, 환경화학물질 및 독소 등의 다양한 위험요인이 복합적으로 관여한다. 이차비만의 병인은 유전질환, 선천성질환, 신경내분비질환, 정신질환, 약물 등으로 유발될 수 있다.

비만의 원인에 대한 연구와 보다 폭넓은 이해가, 비만을 적절하게 관리할 수 있는 지역사회 개입전략, 사회경제적 개입전략 등을 포함한 올바른 비만 치료방향을 제시하리라 기대한다.

IV. 비만의 역학과 합병증

유 순 집

세계보건기구(World Health Organization, WHO)는 비만을 '치료가 필요한 질병'이자 '21세기 신종 전염병'으로 지정한 바 있으며, 일본은 비만에 의해 유발되거나 혹은 비만과 연관되어 건강상의 문제를 동반한 병리적인 상태를 '비만병'으로 규정한 바 있다. 비만은 그 자체가 질환이며 다른 질환의 주요 위험요인이기 때문에 반드시 해결해야 할 사회적 과제이다.

1. 역학

WHO는 비만인구와 비만관련 질병의 유병률이 급격히 증가하고 있으며, 이와 관련된 의료비용의 지출도 꾸준한 증가 추세에 있다고 보고하였다. 이러한 변화는 지난 50년 동안 급격히 일어났으며 앞으로도 지속될 것으로 예상된다. 서양뿐만 아니라 동양을 포함한 전 세계적으로 일어나고 있는 현상이다. 미래를 책임질 소아 및 청소년에서도 비만이 급격히 증가하고 있다는 여러 보고는 비만관련 문제들이 현재보다 미래에 더욱 심각해질 수 있다는 사실을 시사한다.

1) 세계보건기구(WHO)와 미국 연례국민건강영양조사(NHANES)의 비만 유병률 보고

WHO 자료에 따르면, 현재 전 세계 비만 인구는 1975년에 비해 거의 3배가량 증가하였다. 2016년 18세 이상 성인 19억 명 이상이 과체중이었으며, 이들 중 6억 5천만 명이 비만이었다. 즉 18세 이상 성인의 39%가 과체중이며 13%(남

성의 11%, 여성의 15%)가 비만이었다.

미국 연례국민건강영양조사(National Health and Nutrition Examination Survey, NHANES)에 따르면 2017-2018년 미국 20세 이상 성인의 42.4%가 비만이며 연령군에 따른 비만 유병률의 유의한 차이는 보이지 않았다. 인종별로 분석해보면 비히스패닉 흑인의 비만 유병률이 49.6%로 가장 높은 빈도를 보였고, 히스패닉 44.8%, 비히스패닉 백인 42.2%, 비히스패닉 동양인 17.4% 순의 빈도를 보였다. 미국내 아시아인 중 동아시아인, 남아시아인 및 필리핀 공동체 사이에 이질적인 양상이 관찰되었으며 비만의 위험과 비만의 합병증은 아시아 내에서도 지역에 따라 차이를 보였다. 미국내 비만의 빈도는 일반적으로 남성보다 여성에서 더 높았으며 흑인여성이 56.9%로 가장 높은 빈도를 보였다.

2000년대 중반 이후 미국에서의 이러한 비만 유병률의 증가 추세는 일부 둔화하였지만, 고도비만 및 소아비만 유병률은 가파르게 증가하는 추세를 보였다. WHO는 2020년 기준 5세 미만 유아 3,900만 명이 과체중 또는 비만이고, 2016년 기준 5-19세 소아 및 청소년 3억 4천만 명 이상이 과체중 또는 비만이라고 보고하였다.

2) 한국인의 비만 유병률과 유병률의 변화양상

한국인의 비만 진단기준에 따른 비만 유병률은 2019년 20세 이상 성인에서 36.3%로, 남성 46.2%, 여성 27.3%였다(그림 9-7-19). 2019년 성별과 연령별 비만 유병률은 남성은 30대에 52.2%로 최대치를 보이며, 연령이 증가함에 따라 서서히 감소하여 80대에는 28.4%를 보였다. 이에 반해 여성은 20대에는 16.8%로 가장 낮은 비만유병률을 보이지만 70대까지는 연령이 증가할수록 비만유병률이 증가하여 70대에 42.9%로 최대치에 이르고 그 이후 감소하는 경향을 보였다(그림 9-7-20).

2009년 이후 최근 11년간의 비만 유병률 변화 추이를 살펴보면 남성은 모든 연령대에서 상승하는 추세를 보였다. 2009년 20대와 80대의 비만 유병률은 29.4%와 18.5%로 다른 연령대에 비해 다소 낮은 양상을 보였으나, 2009년 이후 급격한 상승세를 보여 2019년에는 2009년에 비해 20대는 39.4%, 80대는 53.5%의 급격하게 상승한 양상을 보였다(그림 9-7-21).

2009년 이후 최근 11년간의 여성의 비만 유병률 변화 추이를 살펴보면, 20대와 30대 비만 유병률은 2009년 8.6%와 14.0%로 다른 연령대에 비해 다소 낮았으나 이후 급격하게 상승하여 2019년에는 2009년도에 비해 20대는 95.3%, 30대는 45.7%의 급격한 증가 양상이 관찰되었다. 반면 50대는 2009년 32.7%에서 2019년 30.2%로, 60대는 2009년 41.4%에서 2019년 37.6%로 감소하는 양상을 보여 다른 연령대와는 다른 긍정적인 추세가 관찰되었다(그림 9-7-22).

체질량지수 30-34.9 kg/m²인 2단계 비만의 유병률은 2009년 3.2%에서 2019년 5.4%로 68% 증가하였으며, 남성은 2009년 3.4%에서 2019년 6.3%로 85% 증가하였고 여성은 2009년 3.1%에서 2019년 4.4%로 42% 증가하였다(그림 9-7-23, 9-7-24).

체질량지수 35 kg/m² 이상의 3단계 비만의 유병률은 2009년 0.3%에서 2019년 0.89%로 3배 가까이 큰 폭으로 증가하였으며, 특히 남성은 2009년 0.26%에서 2019년 0.96%로 3.7배 증가하였고, 여성은 2009년 0.35%에서 2019년 0.81%로 2.3배 증가하여 특히 3단계 비만 유병률이 크게 증가하였다(그림 9-7-24). 특히 젊은 연령대에서 3단계 비만 유병률이 큰 폭으로 증가하고 있다.

3) 한국인의 복부비만 유병률과 유병률의 변화양상

2019년 20세 이상 성인 복부비만 유병률은 23.9%였으며, 남성 29.3%, 여성 19.0%였다. 2019년 성별과 연령에 따른 복부비만 유병률 양상은 남성의 경우 30대에서 70대 사이에 30% 내외의 비교적 일정한 유병률을 보인다. 이에 반해

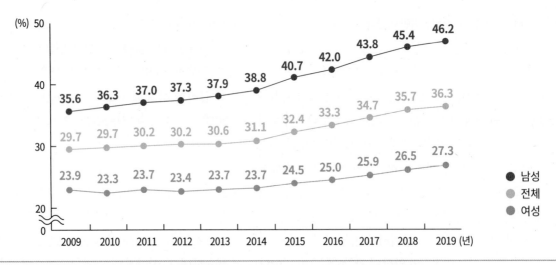

그림 9-7-19. 한국인 비만 유병률: 2009년 이후 11년간의 비만 유병률 변화양상

유병률은 2010년 통계청 인구주택총조사 자료에 기초하여 성, 연령 표준화하여 표시함. 2009-2019 국민건강보험공단 건강검진 자료를 분석함.

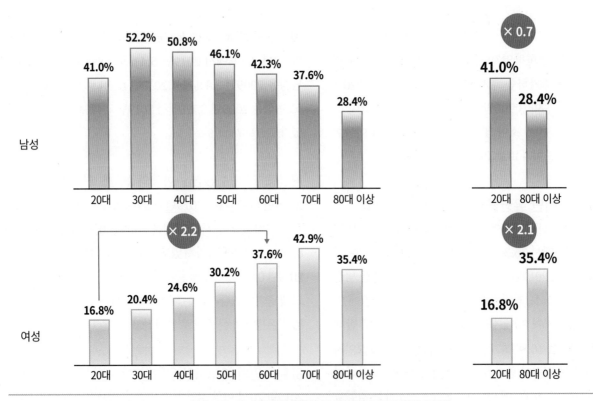

그림 9-7-20. 2019년 한국인 남성/여성 연령별 비만 유병률

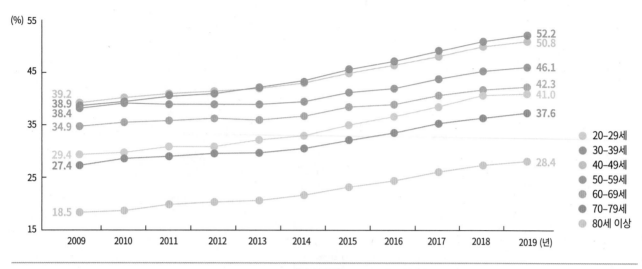

그림 9-7-21. 남성 연령별 비만 유병률의 변화

유병률은 2010년 통계청 인구주택총조사 자료에 기초하여 성, 연령 표준화하여 표시함. 2009-2010 국민건강보험공단 건강검진 자료를 분석함.

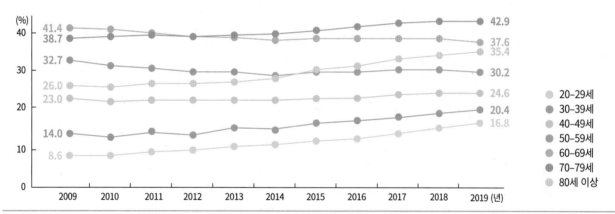

그림 9-7-22. 여성 연령별 비만 유병률의 변화

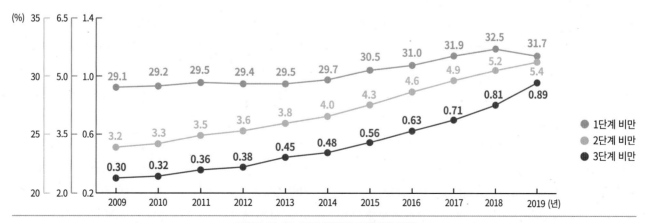

그림 9-7-23. 비만 단계별 유병률의 변화

1단계 비만: 체질량지수 25-29.9 kg/m², 2단계 비만: 체질량지수 30-34.9 kg/m², 3단계 비만: 체질량지수 35 kg/m² 이상

09 당뇨병대사질환

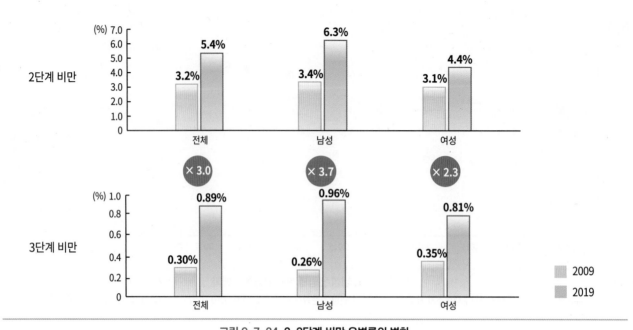

그림 9-7-24. 2-3단계 비만 유병률의 변화
1단계 비만: 체질량지수 25-29.9 kg/m², 2단계 비만: 체질량지수 30-34.9 kg/m², 3단계 비만: 체질량지수 35 kg/m² 이상

여성은 20대에는 8.6%로 가장 낮은 복부비만 유병률을 보이지만 80대까지 지속적으로 증가하며, 70대와 80대는 40%를 상회하는 최대치를 보여 20대보다 4.7배 증가하였다는 점을 주목해야 한다. 2009년 이후 최근 11년간의 남성의 복부비만 유병률 변화추이를 살펴보면 모든 연령대에서 상승하는 양상을 보였다. 20대와 30대의 복부비만 유병률은 2009년 각각 13.1%와 18.9%에서 2019년에 22.6%, 32.4%로 2009년도에 비해 20대는 72.5%, 30대는 71.4% 상승이 관찰되었다(그림 9-7-25). 2009년 이후 최근 11년간의 여성의 복부비만 유병률 변화 추이를 살펴보면 50대와 60대를 제외한 연령대에서는 상승하는 양상이 관찰되었다. 20대와 30대의 복부비만 유병률은 2009년 4.4%와 7.3%에서 2019년에 20대는 8.6%, 30대는 12.8%로 2009년도에 비해 20대는 95.4% 30대는 75.3% 상승이 관찰되었다. 비록 2019년 50대와 60대 여자의 복부비만 유병률이 19.2%, 29%로 50대 이하의 연령군에 비해 높은 양상을 보이지만 최근 11년간 복부비만 유병률이 50대는 19.9%에서 19.2%로, 60대는 32.8%에서 29.0%로 완만한 감소 추세를 보이는 바람직한 양상이 관찰되었다(그림 9-7-26).

이러한 성인 비만의 유병률 증가와 함께 소아-청소년에서의 비만 유병률 또한 빠르게 증가하고 있다. 2019년 교육부에서 보고한 자료에 따르면 소아–청소년 비만 유병률은 2015년 11.9%에서 2019년 15.1%로 계속 높아지는 추세를 보였다(그림 9-7-27). 소아–청소년에서 비만을 정확히 평가하고 위험요소를 조기선별하고 치료하는 것은 성인기 질병을 예방하고 감소시키는 첫걸음이 될 수 있다.

2. 비만 합병증 및 병발증

비만에 의한 질환은 병태생리에 따라 크게 두 군으로 나누어 생각할 수 있다. 첫째는 지방축적에 의한 대사기능 변화에 의한 질환과, 둘째는 축적된 지방 자체가 부담이 되어 나타나는 질환으로 구분할 수 있다.

즉, 지방의 축적은 대사적 이상을 초래하는데, 지방조직은 지방분해를 통해 유리지방산과 글리세롤을 혈액으로 방출하며, 하루 에너지 필요량의 50–100%를 공급한다. 지방조직의 지방분해는 주로 인슐린과 카테콜라민에 의해서 조절

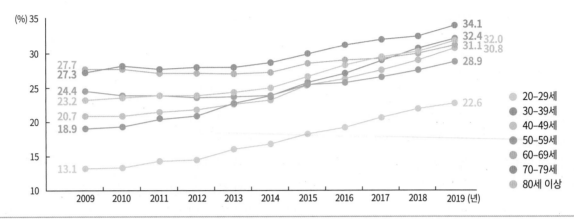

그림 9-7-25. **남성 연령별 복부비만 유병률의 변화**

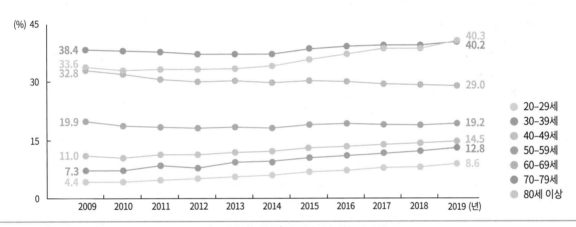

그림 9-7-26. **여성 연령별 복부비만 유병률의 변화**

유병률은 2010년 통계청 인구주택총조사 자료에 기초하여 성, 연령 표준화하여 표시함. 2009-2010 국민건강보험공단 건강검진 자료를 분석함.

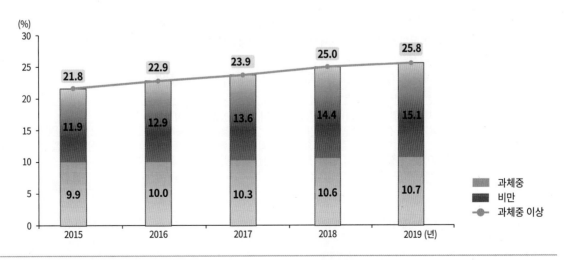

그림 9-7-27. **2019년도 초중고학생비만과 과체중 유병률(%), 교육부**

과체중; 체질량지수(BMI)를 성별, 연령별 체질량지수 백분위수 도표에 대비하여 85백분위수 이상 95백분위수 미만인 경우

비만; 체질량지수(BMI)를 성별, 연령별 체질량지수 백분위수 도표에 대비하여 95백분위수 이상인 경우

되는데, 인슐린은 지방분해를 억제하지만, 카테콜라민, 성장호르몬, 코티솔, 심방나트륨배설펩타이드(atrial natriuretic peptide, ANP)는 지방분해를 자극한다.

지방분포가 비만으로 인한 대사합병증을 예측하는 데 가장 중요한 인자이다. 내장지방의 축적은 성별에 따라 다르지만 코티솔이 영향을 주고, 성장호르몬과 테스토스테론의 변화에 중요한 역할을 한다. 내장지방의 증가는 식후 유리지방산 방출과 밀접한 연관성을 가진다. 비정상적으로 증가된 유리지방산 농도는 비만의 여러 대사합병증을 유발하는 요인으로 작용한다. 내장지방의 증가로 포도당항상성을 유지하기 위해 혈중 인슐린 농도가 증가하는데, 이러한 인슐린 저항성은 일반적으로 비만도가 높을수록 더 증가하고, 내장비만과 밀접한 연관성을 가지며, 비만에 흔히 동반하는 대사성 내분비 및 심혈관질환의 주요 요인으로 작용한다. 하지만 개인 간에는 큰 변동성이 존재한다. 비만한 사람은 체중이 정상인 사람에 비하여 2형당뇨병, 고혈압, 이상지질혈증, 관상동맥질환, 대사증후군, 뇌경색, 비알코올지방간질환 및 통풍과 같이 비만과 간접적으로 연계된 대사이상으로 인한 질환의 발생위험도가 높아진다. 또한, 비만은 골관절염, 허리통증, 천식, 수면무호흡, 하지정맥류, 긴장성 요실금과 같은 과도한 체중 자체로 인한 질환, 즉 축적된 지방과 직접적인 연관성을 가진 질환의 발생위험을 증가시킨다. 그리고 성조숙증, 월경이상, 다낭난소증후군, 여성형유방, 발기장애, 불임 및 난임 등 생식내분비계 질환의 발생위험을 증가시킨다. 최근 연구에 따르면, 비만은 유방암, 대장암, 간암, 담도암, 췌장암, 신장암, 자궁내막암, 전립선암 등의 암 발생위험률을 높이며, 총 사망률, 암 사망률, 심혈관질환 사

표 9-7-4. 비만 합병증 및 병발증

계통	성인비만	
	대사이상에 의한 질환	과도한 체중에 의한 질환
심뇌혈관계	관상동맥질환, 고혈압, 뇌경색(허혈성), 울혈심부전, 동맥경화증	폐색전증, 하지정맥류, 정맥혈전색전증
위장관계	담석, 비알코올지방간질환	위식도역류, 탈장
호흡기계	–	천식, 수면무호흡, 저환기증후군
대사내분비계	2형당뇨병, 인슐린저항성, 대사증후군, 이상지질혈증, 고요산혈증, 통풍	–
혈액종양	• 여성: 유방암(폐경후), 자궁내막암, 난소암, 자궁경부암 • 남성: 전립선암 • 남녀 공통: 식도암, 위암, 결장직장암, 간암, 췌장암, 담낭암, 신장암, 백혈병, 다발골수암, 림프종	–
비뇨생식기계	성선저하증, 월경이상, 다낭난소증후군, 불임, 난임, 성조숙, 여성형유방, 발기장애, 산모 임신 합병증(임신당뇨병, 임신고혈압, 임신중독증, 유산), 태아 기형(신경관 결손, 입술갈림증, 입천장갈림증, 뇌수종, 심혈관계이상), 신질환(신결석, 만성신질환, 말기신장질환)	긴장성요실금, 산모임신합병증(어깨난산, 제왕절개의 위험)
근골격계	–	운동 제한, 허리 통증, 골관절염, 척수질환, 족부질환
신경계	특발성 두개뇌압 상승, 치매	대퇴부 감각이상증
정신심리	–	우울증, 불안증, 자존감 저하, 식이장애, 직무능력 저하, 삶의 질 저하, 신체 불만족
기타	흑색가시세포증, 피부감염, 치주병	마취위험 증가, 림프부종

망률을 증가시키는 것으로 보고되었다. 서양에서 이루어진 대규모 역학연구 결과들에서 비만도에 따라 J자형 내지 U자형의 사망률 변화를 보인다고 보고하고 있으며, 이처럼 비만은 신체적, 정신적, 심리적 및 사회적 건강 등 건강 전반에 걸친 부정적인 영향으로 삶의 질을 저하시킨다(표 9-7-5, 그림 9-7-28).

1) 2형당뇨병
인슐린저항성은 주로 유전 이유로 인해 오랜 기간 동안 인슐린 분비를 충분히 높은 수준으로 유지할 수 없는 사람들에게서 2형당뇨병의 발병을 강력하게 촉발하는 요인이다. 포도당불내성과 2형당뇨병은 비만의 가장 흔한 합병증 중 하나이다.

인슐린저항성은 포도당 흡수를 촉진하고 순환 혈액으로 포도당을 방출하는 것을 억제하는 인슐린의 능력을 표현할 때 사용된다. 인슐린자극에 의해 포도당이 흡수, 산화 및 저장되는 주된 부위는 골격근이며, 신체의 포도당생성을 맡은 주장기는 간이다. 인슐린저항성으로 인해 고인슐린혈증이 유발되며, 이 상태가 오랜 기간 지속되면서 췌장 베타세포가 포도당항상성을 유지할 수 있을 정도의 인슐린 분비를 지속하지 못하는 상태가 되면 결국 2형당뇨병이 발생한다. 근육에서 포도당섭취, 산화 및 저장을 촉진하고 혈장유리지방산 농도를 억제하는 인슐린의 작용이 복부비만에서 저하된다. 혈중 유리지방산이 고농도인 경우에 비만과 무관하게 근육과 간 모두에서 인슐린저항상태를 유도할 수 있다. 따라서 지방조직에서 유리지방산이 혈액으로 비정상적으로 과도하게 분비되는 것은 인슐린저항성 발달의 중요한 요인으로 작용한다. 과도한 유리지방산은 다이아실글리세롤과 세라마이드의 합성을 촉진함으로써 근육에서 인슐린저항을 유도한다는 가설이 존재한다. 2형당뇨병은 인슐린분비 및 인슐린작용의 결함으로 발생한다. 대다수의 비만한 사람들이 인슐린저항성을 가지고 있지만, 당뇨병은 그들 중 일부에서 발생한다. 2형당뇨병이 발병하는 사람들은 췌장 베타세포가 인슐린저항성을 극복할 정도로 충분하게 인슐린을 지속해서

분비하지 못하게 되면 고혈당상태가 된다. 지방독성이 췌장 베타세포 기능부전에 관여하는지를 확인하기 위해 동물을 대상으로 한 연구에 따르면 유리지방산의 상승은 비만에서 관찰되는 인슐린분비이상에 기여하고 궁극적으로 베타세포 기능부전을 초래한다. 사람에서도 유리지방산 증가가 베타세포 기능에 악영향을 준다는 증거가 존재한다.

2019년 20세 이상 비만이 있는 한국인 성인에서 당뇨병의 발생위험은 2.6배(남성 2.5배, 여성 2.7배) 증가하였다. 복부비만이 없는 성인에 비해 복부비만이 동반된 성인에서 2.6배 증가하였으며 남성과 여성 모두 2.5배이었다. 20-39세 사이에서 정상에 비해 비만군에서 5.9배로 증가하였으며, 80세 이상에서는 1.6배를 보여 젊은 연령일수록 정상에 비해 당뇨병 발생위험의 증가가 더 뚜렷하였다. 복부비만이 동반된 20-39세 연령군에서 복부비만이 동반되지 않은 동일 연령군에 비해 당뇨병 발생위험도는 5.1배 높았다. 비만할수록 2형당뇨병 발생위험은 증가하며, 특히 복부비만이 동반되면 그 위험도가 현저히 증가하였다.

2) 이상지질혈증
복부비만과 2형당뇨병은 중성지방 증가, 고밀도지단백질(high density lipoprotein, HDL)콜레스테롤 감소, 저밀도지단백질(low density lipoprotein, LDL) 입자의 높은 비율과 관련이 있다. 이상지질혈증은 대사증후군에서 관찰되는 심혈관질환 위험도를 증가시킨다. 공복 시 고중성지방혈증은 간에서 초저밀도지단백질(very low density lipoprotein, VLDL) 분비가 증가하여 발생하는데, 이는 간으로의 내장지방과 상체 피하지방 모두에서 유리지방산 전달이 증가하여 유발될 수 있다. 비만에서 인슐린저항성은 혈중 중성지방의 증가와 HDL콜레스테롤 저하가 특징인 이상지질혈증과 연관성이 있다. 때때로, 고중성지방혈증은 췌장염 위험을 증가시킨다. 비만과 LDL콜레스테롤의 상승은 관련성이 있지만, 비만과 무관한 유전요인과 섭취된 식이성 지방의 유형이 관계에 훨씬 더 큰 영향을 미칠 수 있다. 복부비만과 관련된 HDL콜레스테롤 농도 감소와 소치밀저밀도지

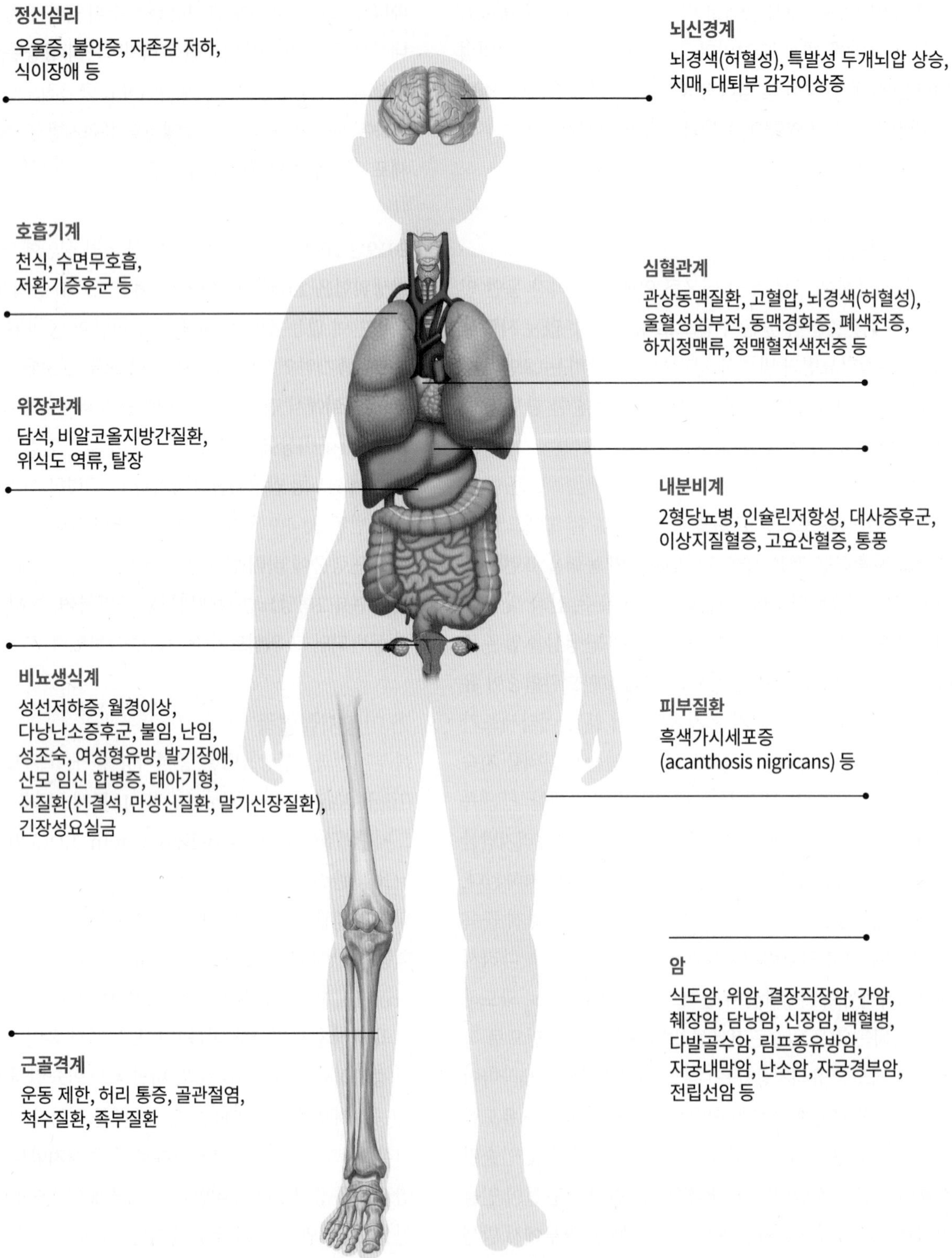

정신심리
우울증, 불안증, 자존감 저하,
식이장애 등

뇌신경계
뇌경색(허혈성), 특발성 두개뇌압 상승,
치매, 대퇴부 감각이상증

호흡기계
천식, 수면무호흡,
저환기증후군 등

심혈관계
관상동맥질환, 고혈압, 뇌경색(허혈성),
울혈성심부전, 동맥경화증, 폐색전증,
하지정맥류, 정맥혈전색전증 등

위장관계
담석, 비알코올지방간질환,
위식도 역류, 탈장

내분비계
2형당뇨병, 인슐린저항성, 대사증후군,
이상지질혈증, 고요산혈증, 통풍

비뇨생식계
성선저하증, 월경이상,
다낭난소증후군, 불임, 난임,
성조숙, 여성형유방, 발기장애,
산모 임신 합병증, 태아기형,
신질환(신결석, 만성신질환, 말기신장질환),
긴장성요실금

피부질환
흑색가시세포증
(acanthosis nigricans) 등

암
식도암, 위암, 결장직장암, 간암,
췌장암, 담낭암, 신장암, 백혈병,
다발골수암, 림프종유방암,
자궁내막암, 난소암, 자궁경부암,
전립선암 등

근골격계
운동 제한, 허리 통증, 골관절염,
척수질환, 족부질환

그림 9-7-28. **비만 합병증 및 병발증**

단백질(small dense low density lipoprotein, sdLDL) 콜레스테롤 농도 증가는 중성지방이 풍부한 VLDL 상승의 간접적인 결과일 가능성이 크다. 유전 영향은 이러한 지질 이상 발현에 중요한 역할을 한다. 아포지단백질E, 지단백질 지방분해효소, 아포지단백질B-100 및 아포지단백질A-II 유전자다형성은 중성지방 증가 및 HDL콜레스테롤 감소와 상관관계를 보인다.

3) 고혈압 및 심혈관질환

혈압은 순환혈액량 증가, 비정상적인 혈관수축, 혈관 이완 감소, 심박출량 증가 등 여러 가지 기전에 의해 상승할 수 있는데, 비만은 혈압 상승에 기여할 수 있다. 고인슐린혈증은 신장 나트륨 흡수를 증가시키는 효과가 있으며 이는 순환혈액량을 증가시켜 혈압 상승에 기여한다. 혈관 저항성 이상도 비만과 연관된 고혈압의 병태생리에 기여한다. 유리지방산이 증가하면 혈관수축이 증가하고 산화질소 매개 혈관 이완이 감소하며, 교감신경계 활동 증가가 비만과 관련된 고혈압 발생에 기여할 수도 있고 혈관을 수축시키는 안지오텐신 II의 전구물질인 안지오텐시노겐이 지방세포에 의해서도 생성되며 혈압 상승에 기여할 것으로 추정된다.

복부비만에서는 sdLDL콜레스테롤이 증가한다. 콜레스테롤수치가 같아도 이러한 sdLDL이 증가하면 관상동맥질환 발생위험이 더 증가한다. LDL에는 아포지단백질B가 들어있기 때문에 LDL 측정에 아포지단백질B를 이용할 수 있으며, 이러한 아포지단백질의 증가도 관상동맥질환의 위험인자이다.

비만에서 당뇨병이 동반되지 않더라도 관상동맥질환, 뇌졸중 등 다른 혈전성 혈관질환으로 인한 이환율과 사망률이 증가한다. 이러한 결과를 초래하는 요인들은 복잡하며 고혈압, 이상지질혈증, 인슐린저항성 유병률 증가를 동반한다. 폐색성 동맥질환과 무관하게, 비만에서 특히 확장기능장애와 가장 흔한 부정맥인 심방세동을 특징으로 하는 심부전의 위험이 증가한다. 또한 과도한 지방축적은 심박출량을

증가시키고 전신 혈관저항을 감소시켜 좌심실비대, 우심실 비대를 유발하고, 결국에는 심부전을 초래한다.

2019년 20세 이상 한국인 성인에서 심근경색증의 발생위험은 정상체중군보다 비만군에서 1.2배 증가하였다. 복부비만을 동반하지 않은 성인에 비해 복부비만이 동반된 성인에서 1.3배 증가하였으며 남녀 모두 1.3배이었다. 20-39세에서 정상보다 비만군에서 1.7배로 증가하였으며, 60-79세에서는 1.1배를 보여 젊은 연령일수록 정상에 비해 비만군에서 심근경색증 발생위험의 증가가 더 뚜렷하였다. 복부비만이 동반된 20-39세 연령군에서 복부비만이 동반되지 않은 동일 연령군에 비해 1.8배를 보였다. 젊은 연령일수록 정상에 비해 비만군, 복부비만이 동반된 군에서 심근경색증 발생 위험의 증가가 더 뚜렷하였다. 뇌졸중 발생위험은 정상체중보다 비만군에서 1.1배 증가하였다. 복부비만이 없는 성인에 비해 복부비만이 동반된 성인에서 1.2배 증가하였으며 남성에서 1.2배, 여성에서 1.3배이었다. 20-39세 연령군에서 정상보다 비만에서 뇌졸중 발생률이 1.7배로 증가하였으며 이는 80세 이상 연령군에서 1.1배를 보여 젊은 연령일수록 정상체중보다 뇌졸중 발생위험의 증가가 더 뚜렷하였다. 복부비만이 동반된 20-39세 연령군에서 복부비만이 동반되지 않은 동일 연령군에 비해 1.8배를 보였다. 젊은 연령일수록 정상체중군에 비해 비만, 복부비만에서 뇌졸중 발생위험의 증가가 더 뚜렷하였다.

4) 지방간, 담낭질환 및 위장관질환

비만은 간세포내 이소성 지방축적과 밀접한 연관성을 보인다. 비만에서 지방간은 고인슐린혈증에 의한 VLDL 생산 증가를 반영하며, 간에 지방축적은 중성지방의 대사율에 비해 VLDL 분비가 따라가지 못함을 의미한다. 간경변의 전조인 간섬유증으로 진행될 수 있는 비알코올지방간염(nonalcoholic steatohepatitis, NASH)으로 진행될 수 있다. 비알코올성지방간염 관련 간경변 및 간세포암 발병률은 청소년과 성인의 비만유병률이 증가함에 따라 현저하게 증가하는 양상을 보인다. 지방간과 비알코올지방간염은 과체중, 비

만, 대사증후군과 강한 연관성을 가지고 있다. 비알코올지방간염은 결국 생명을 위협하는 간경화로 진행될 수 있다.

역류식도염은 비만의 가장 흔한 위장합병증으로, 복압이 높은 사람들에게서 흔히 발생하는데 위산 증가 이외에 내장지방 증가로 복압의 증가와 함께 식도 염증이 유발되고, 점막방어가 저하되어 역류식도염이 증가될 수 있다. 이러한 점을 고려하여 역류식도염이 동반된 경우에 양성펌프억제제(오메프라졸, 판토프라졸 등)뿐 아니라 점막보호제(미소프로스톨, 유파틸린 등)를 고려해 볼 수 있다. 담석은 또한 비만에서 더 흔하며 담낭염, 췌장염, 담낭암의 위험을 증가시킨다. 담관 결석은 비만에서 흔히 나타나는 간담도질환이다. 임상적으로 오래전부터 알려진 4F인 "fat, female, fertile, forty"는 담낭질환의 발생에 관여하는 역학적 요인을 잘 설명하고 있다. 담석 발생 증가 이유에 대한 설명의 하나는 체내 전체 지방보다 콜레스테롤 대사가 증가하기 때문이라고 한다. 담즙 내에 담즙산 및 인지질보다 콜레스테롤 농도가 상대적으로 높으면 콜레스테롤 담석 발생 가능성이 증가한다.

5) 호흡기계 합병증

비만도가 높은 경우 폐 기능 변화가 유발된다. 복압의 증가로 횡격막에 압력을 주어 잔류폐용적(residual lung volume)이 감소하기 때문이다. 남성에서 총 체지방과 관계없이 내장지방의 증가는 환기 능력에 영향을 주며, 운동 시 호흡곤란은 비만에서 흔하게 관찰된다.

비만에서 상기도 주위 연조직과 축적된 지방의 증가가 수면무호흡 발생에 기여한다. 저산소혈증, 고이산화탄소혈증, 높은 카테콜라민과 엔도셀린을 동반하는 무호흡증이 유발될 수 있다. 남성과 내장비만에서 수면무호흡 유병률이 증가한다. 호흡 회복을 위한 잦은 각성은 수면의 질을 떨어뜨리며, 수면지속시간이 짧거나 하루주기리듬 장애는 대사증후군 및 당뇨병의 위험 증가와 연관된다. 수면무호흡에서 고혈압 위험도가 증가하며, 수면무호흡이 심할 경우 우심실부전, 돌연사로 이어질 수 있다. 낮 동안에 과다수면, 불안한 수면

또는 아침 두통의 병력은 폐쇄수면무호흡을 시사한다.

6) 내분비계 합병증

다낭난소증후군은 비만 여성에서 가장 흔하게 동반되는 내분비계 합병증으로 인슐린 저항성과 강한 연관성을 보인다. 고안드로젠증으로 인한 생리불순, 배란 불임 및 다모증 등의 특징적 소견을 보인다. 여성에서 폐경 이후 에스트로젠과 프로제스테론 분비 감소는 내장지방 축적을 증가시킨다. 에스트로젠은 폐경전비만여성에서는 증가하지 않지만, 폐경이 된 비만여성에서는 폐경후 에스트로젠 수준을 다소 상회한다.

황체형성호르몬과 난포자극호르몬은 테스토스테론이 결핍되면 테스토스테론 부족을 보상하기 위해서 적절하게 증가하는데, 비만 남성에서는 이와 같은 적절한 보상 반응이 일어나지 않는 중추성 성선저하증 양상을 보인다. 혈중 성장호르몬 농도는 비만 성인의 경우 낮은 경우가 많지만 인슐린유사성장인자-1 (IGF-I) 농도는 정상인 경우가 많고 체중 감소에 따라 성장호르몬 농도가 증가한다. 이들에서 성장호르몬치료는 인슐린저항성과 포도당불내성을 악화시키는 것으로 보고되었으며 권고되지 않는다.

7) 골, 관절, 근육, 연결 조직, 피부합병증

비만에서 퇴행관절병이 증가한다. 무릎과 발목에 생긴 관절염은 체중증가에 의한 관절의 직접 손상과 관련된다. 그러나 체중부하가 없는 관절에도 관절염이 생기는 것을 보면 연골이나 골대사에 영향을 주는 다른 인자가 있을 것으로 추정된다. 또한, 통풍도 비만과의 연관성이 알려져 있으며, 노인에서 비만은 신체기능 감소를 더욱 악화시키고 노쇠를 초래한다.

피부선조(striae)는 지방축적의 증가 압력에 이기지 못해 나타나는 피부 변화이며, 비만에서 매우 흔하다. 과도한 피부 주름은 기계적 자극으로 인한 불편감이 유발되며 곰팡이 감염도 될 수 있다. 인슐린저항성으로 겨드랑이, 사타구

니, 목 뒤쪽 등의 부위에서 과색소를 보이는 흑색가시세포증(acanthosis nigricans)이 비만에 흔히 동반되지만 악성 질환과는 관련성이 없다.

8) 중추신경계 질환

비만이 만년의 치매에 대한 위험요소라는 증거가 증가하고 있다. 특발두개내압상승(idiopathic intracranial hypertension)은 비만과 강하게 연관된 희귀한 질환이다.

9) 감염

일부 감염 질환에서 비만이 영향을 미칠 수 있다는 사실은 코로나19 범유행으로 매우 명백해졌다. SARS-CoV-2에 감염 시 비만에서 예후가 좋지 않은 것으로 보고되었다. 비만할 경우 세균성 상처 감염과 수술 후 패혈증에 더욱 취약한 것으로 보인다.

10) 암

비만은 암의 흔한 위험요인이다. 세계보건기구(WHO) 산하 국제암연구소(International Agency for Research of Cancer, IARC)는 1,000건 이상의 역학연구를 검토한 결과, 자궁체암, 위암(분문), 식도선암, 간암을 포함한 13개 암종에서 정상 체질량지수를 가진 사람에 비해 비만에서 상대적인 위험도가 유의하게 높다고 보고한 바 있다.

과거 흡연이 암 발병의 가장 큰 위험요인으로 인지되었으나, 최근 일부 국가에서는 비만이 가장 큰 위험인자라는 평가를 내리고 있다. 최근 연구에 따르면 체질량지수가 $5\ kg/m^2$ 증가할수록 암 사망률은 10% 증가하는 것으로 보고되었다. 대장암, 신장암, 췌장암, 식도의 선암, 여성의 경우 자궁내막암에 가장 큰 영향을 미친다고 알려져 있다. 최근 식도선암 유병률이 빠르게 증가하는 것은 최근 역류식도염의 현저한 증가와 관련이 있을 수 있다. 비만 여성에게서 자궁내막암의 위험은 지방조직에서 에스트로겐 생산이 증가하여 에스트로겐 수치가 증가하기 때문으로 추정된다. 이는 폐경 후 여성에서 지방조직 증가와 관련이 있다. 비만남성들은 또한 전립선과 결장의 암으로 인한 사망 위험이 더 크다. 이 연관성에 대한 이유는 알려져 있지 않다.

한국인 78만 명의 보험공단자료를 활용한 10년 코호트연구에 의하면, 조직학적으로 확진된 대장암, 간암, 담도암, 전립선암, 신장암, 갑상선유두암, 폐소세포암, 비호지킨림프종 및 흑색종이 체질량지수와 양의 상관성을 보였다. 이후 40만 명을 추가한 14년 코호트자료 분석에서는 체질량지수 $30\ kg/m^2$ 이상의 남자는 위암의 위험이 높았고, 여성은 췌장암(상대위험도 1.80, 95% 신뢰범위 1.14–2.86) 및 유방암(상대위험도 1.38, 95% 신뢰범위 1.00–1.90)의 위험이 상대적으로 높았다. 유방암은 총 체지방보다 복부 지방량과 관련이 높으며, 컴퓨터단층촬영으로 측정한 복부지방의 증가량과 유방암 위험도는 유의한 상관관계를 보인다.

V. 비만의 치료

박철영

1. 개요

비만은 당뇨병, 고혈압, 이상지질혈증을 비롯한 많은 만성대사질환 발생과 과도한 하중에 의한 근골격계 및 수면 시 호흡에 영향을 미치며, 이는 정신적, 환경요인에 영향을 받고, 또한 영향을 미쳐 다양한 질병 발생에서 주요 원인으로 작용한다. 비만의 치료목표는 비만을 치료하여 비만 관련 동반질환 발생의 위험도를 낮추거나 이를 예방하는 것이다. 그러나 무리한 체중감량 계획은 오히려 해가 될 수 있으므로, 비만 치료의 필요성 여부와 심혈관계 위험도 측정을 통해 안전하게 체중을 줄일 수 있는 계획을 세워야 한다. 또한 비만이 발생하는 원인이 단순하지 않고 여러 인자들이 복잡하게 연관되어 비만의 원인으로 작용하기 때문에, 치료 역시 단순하지 않다. 즉 치료의 관점에서는 체중감량에 따른 이득과 손실을 생각하는 것이 중요하며, 체중감량의 방법에서 여러 가지 인자들을 고려하는 것이 중요하다. 또한, 비만을 치료하기 위해서는 단기간보다는 장기적인 목표를 가지고 접근해야 한다. 체중은 에너지섭취와 에너지소비의 차이에 따라 결정된다. 그러므로 에너지섭취를 줄이고 에너지소비를 증가시키는 것이 비만 치료의 가장 중요한 원칙이며, 이런 체중감량에 따라 변경되는 에너지균형 변화를 보상하기 위한 우리 몸의 기전을, 적절하게 개선시키는 것이 치료의 가장 핵심적인 요소라 할 수 있다. 에너지섭취를 줄이고 에너지소비를 증가시키는 계획은, 꾸준히 실천가능하고 환자 자신이 감당 가능한 수준으로 실천되어야 한다.

마지막으로 환자 자신이 치료의 주체이며, 의료진은 성공적인 체중감량을 위해 좋은 동반자임을 인지하여, 확실한 동기부여가 되도록 하는 것이 중요하다.

비만의 치료부분은 2020년 발간된 대한비만학회 비만진료지침을 근간으로 작성하였다.

2. 비만치료지침

비만 치료를 위해서는 에너지섭취보다 에너지 소모가 많아야 한다. 따라서, 에너지섭취를 효과적으로 줄이고 에너지소모를 개선시킬 수 있는 방법들이 비만의 치료법이라고 할 수 있다.

비만 치료를 하기 위해서는 식사요법, 운동요법, 행동요법이 선행되어야 하며 생활습관 개선만으로도 감량할 수 있다면 약물요법을 필요로 하지 않는다. 약물치료는 보조적인 치료 수단으로 생각해야 하며, 약물치료를 시작한 후에도 식사요법과 운동은 반드시 병행해야 한다.

비만 치료의 중요원칙
- 비만 치료방법의 선택은 체중감량 자체가 아니라 체중감량을 통해 얻게 되는 건강이 되어야 한다.
- 장기간 목표를 바탕으로 한 단기 목표를 설정해야 한다.
- 비만해진 나의 문제 습관을 교정하기 위한 접근이 필수적이다.
- 비만 치료는 개인의 특성 및 의학적 상태에 따라 개별화해야 한다.
- 동기부여가 필수적이며, 타인의 권고가 아닌 나의 의지로 시행되어야 한다.

다음은 체중조절을 하기 위해서 필요한 식사요법, 운동요법, 행동요법 그리고 약물요법에 대한 내용이다.

1) 식사요법
식사요법은 체중감량을 위해서는 필수적이며, 식사조절 실패는 체중감량 실패의 가장 흔한 원인이다. 흔히 마음껏 먹고 운동으로 조절하는 방법을 생각할 수 있겠지만 이런 경우는 운동선수나 노동 강도가 높은 직업을 가진 에너지 소모가 많은 제한된 소수의 경우에 가능하며, 결국 식사요법은 가장 핵심적인 치료 요소라 할 수 있다. 열량의 제한 정도는 환자에 따라 다르지만 보통 저열량식 시행 시 여성의 경우에는 1일 1,200–1,300 kcal, 남성의 경우에는 1일 1,500–1,800 kcal를 권장한다. 열량제한은 개개인에 따라 다르지만 일반적으로 평소 섭취량보다 500–1,000 kcal 정도를 줄여서 섭취하도록 한다. 이 정도 수준으로 제한할 경우 환자들이 비교적 잘 적응하며 장시간에 걸쳐 체중감소 효과를 얻을 수 있다. 이 경우 1주일에 0.5–1.0 kg의 체중감량 효과를 기대할 수 있다. 이 방법은 6개월에 최고 효과를 보이며, 이후 체중감량 효과는 감소된다. 안정 시 에너지 소모량을 계산하여 에너지 필요량을 산정하는 방법을 많이 사용하기도 한다. 여러 가지 공식이 있지만 Mifflin–St Jeor 공식*이 비교적 예측도가 높은 것으로 알려져 있으나, 이 또한 제한점을 가지고 있다.

개인에 따라 에너지섭취 정도, 신체활동 수준, 안정 시 에너지 소모량에 영향을 미치는 요인의 차이가 있으므로 일반적으로 사용하는 방법을 활용하여 기본적인 계산을 한 후에 개인의 요소를 반영하여 최종 제한 수준을 권고하는 것이 좋다.

*Mifflin–St Jeor 공식

안정 시 에너지 소모량(kcal/일)

= 10 × 체중(kg) + 6.25 × 키(cm) – 5 × 연령(세) + 5: 남성

= 10 × 체중(kg) + 6.25 × 키(cm) – 5 × 연령(세) – 161: 여성

저열량식 계획 시에는 총 열량 이외의 다른 영양소가 고르게 포함될 수 있도록 주의해야 하며 가능한 환자의 생활습관과 식품에 대한 선호도를 고려해야한다. 우리나라의 경우 탄수화물은 총 열량에서 60–65%, 지방은 20–25%, 단백질은 15–20% 정도로 구성하도록 권고한다.

특정 식품(고지방식품, 고탄수화물식품, 저섬유식 등)의 섭취를 제한하는 것도 한 방법일 수 있지만, 실제로 총 에너지 섭취가 감소되어야 체중감량 효과를 기대할 수 있다.

영양소 조성을 다르게 한 식사요법(초저탄수화물식, 저탄수화물식, 고단백식, 저당지수식 등)이나 간헐적 단식이나 시간제한 다이어트들이 시도되고 있으나, 장기적인 치료 관점에서 이러한 식사요법들은 아직 근거가 부족하며, 대상군에 따라서는 위험요소를 포함하고 있어 주의를 요한다.

(1) 식사요법의 기본 원칙
- 꾸준히 적어도 6개월 이상 식사조절을 한다.
- 하루에 필요로 하는 열량에서 500–1,000칼로리를 줄여서 음식을 섭취하는 것을 목표로 한다. 매일 500칼로리의 식사량을 줄이면 한 달에 2 kg의 체중을 줄일 수 있다.
- 하루에 3회 규칙적인 식사를 한다. 끼니를 거르기보다는 적은 양이라도 규칙적으로 천천히(20분 이상) 식사한다.
- 계획한 열량 한도 내에서 식품을 골고루 섭취한다.
- 열량이 적은 식품 및 조리법을 적절히 이용한다.

(2) 식사요법의 5W 1H
지속적으로 식사요법을 실천하는 것은 쉽지 않다. 막연하게 적게 먹겠다, 굶겠다고 하는 것은 장기적 효과를 담보하기 어렵고 오히려 습관을 나쁘게 만들어 폭식경향으로 만들게

된다. 그러므로 내가 식사요법을 하는 이유 방법들에 대해 한번 곰곰이 생각해보는 것이 중요하다. 의료진과 치료받는 환자가 상담을 통해 5W 1H를 작성해 보는 것은 하나의 좋은 방법일 수 있다. 이러한 방법은 운동요법에도 적용해 볼 수 있다.

- When: 항상 일정한 시간에 먹고 절대로 거르지 않는다 (제때).
- Where: 음식은 반드시 식탁에서만 먹는다(TV나 신문을 보면서 무의식적으로 먹는 습관을 버린다). 외식 및 배달음식은 최소화한다.
- Who: 가족이나 친구들과 함께 식사한다(혼자 식사하게 되면 조절하기 어려울 수도 있다).
- What: 고지방, 고칼로리 식사는 피하고 신선한 과일이나 야채를 많이 먹는다(골고루).
- Why: 무언가 먹고 싶다면 왜 그런 생각이 들었는지 곰곰이 따져보고 정말로 배가 고픈 것이 아니라면 과감하게 음식을 거부한다.
- How: 천천히 여유 있게 먹는다. 급하게 음식을 먹으면 뇌에서 포만감을 느끼기도 전에 너무 많은 칼로리를 섭취하게 된다.

2) 운동요법
운동요법은 활동량을 증가시켜 먹은 음식뿐만 아니라 지방 형태로 저장되어 있던 에너지까지 소비함으로써 체중을 감량하는 방법이다. 에너지의 순환 관점에서 운동의 중요성이 있으며, 운동은 체중감소보다는 체중증가를 예방하거나 감소된 체중을 유지하는데 큰 효과가 있다. 체중감량 후에 생기는 요요현상을 예방하는데도 중요한 역할을 한다.

식사요법과는 달리 운동은 근육과 뼈를 증강시키고, 지방을 연소시킴으로써 체중감소를 가져온다. 또한, 운동 후에는 기초대사율이 높아져 같은 양의 음식을 먹어도 에너지 축적이 덜 된다.

마음껏 먹고 운동으로 체중을 조절한다는 것은 어려우며, 운동만으로는 체중감량 효과가 크지 않으므로 반드시 식사조절을 병행하여야 한다.

운동은 개인의 체력 수준에 맞춰 저강도에서부터 시작하여 점차적으로 강도와 운동량을 증가시켜 중강도의 운동을 주 3-5회, 150분 이상을 실시하는 것을 권장한다.

규칙적인 운동을 계획할 때 건강상태 평가를 시행하고 심혈관, 대사성, 신장질환이 있는 경우는 의사상담 후 운동을 시작하는 것을 권고한다.

운동을 시작할 때 무리한 계획을 통해 부상을 당하기 쉽고 기존의 질병이 악화되거나 합병증이 발생하는 경우가 적지 않기 때문에, 개별적으로 가장 적절한 운동을 선택하고 강도를 서서히 증가시키고, 꾸준히 시행하는 것이 무엇보다도 중요하다.

(1) 운동 횟수와 강도

본인의 체중에 적합한 운동을 꾸준히 하는 것이 중요하다. 체지방을 연소시키기 위해서는 속보, 조깅, 수영 등 낮은 강도의 유산소운동을 지속적으로 하는 것이 필요하다. 운동은 일상생활의 일부로 매일하는 것이 가장 좋지만, 이것이 어려울 경우에는 요일을 정해두고 일주일에 적어도 3번은 규칙적으로 운동하는 것이 좋다. 운동의 효과를 지속하기 위해서는 이틀에 하루는 운동을 하는 것이 좋다. 체중감량을 위해서는 일상적으로 추천하는 운동은 대사지표를 개선시키는 운동시간보다는 더 많은 양과 빈도의 운동을 하는 것을 추천한다.

운동의 강도는 온몸이 땀으로 촉촉이 젖고, 호흡곤란을 느끼지 않으면서 옆 사람과 대화를 할 수 있는 정도가 적당하다. 이러한 강도는 심장에 적당한 자극을 주어 운동능력의 향상에 도움을 주고 체지방을 연소시킴으로써 체중감량에 효과적이다. 중강도운동이 저강도 및 고강도운동보다 체중

감량에는 가장 효과적으로 알려져 있다.

FITT (Frequency, Intensity, Time, Type)에 따른 권장 운동량

- 유산소운동: 중강도에서 고강도: 주당 5일 이상: 1일 30분부터 60분으로 증가
- 저항운동: 1 RM*의 60-70%에서 점차적 강도 증가: 주당 2-3일: 대근육을 이용하여 2-4세트, 8-12회 반복
- 유연성운동: 긴장이나 경미한 불편감이 느껴질 때까지 신장: 주당 2-3일: 10-30초간 정적 스트레칭 유지, 각 동작을 2-4회 반복

*RM (Repetition Maximum: 최대반복회수)

(2) 운동하기에 적당한 시간

자신이 여유를 가지고 할 수 있는 시간이 가장 좋은 시간이다. 잠자기 직전의 운동은 교감신경을 자극하고, 정신이 더 또렷하게 해서 수면을 방해한다. 아침운동은 심장박동을 촉진시키고 맑은 정신으로 하루를 준비할 수 있도록 돕지만 아침에는 체온이 낮기에 근육의 유연성이 떨어질 수 있다. 고혈압이 있는 경우에는 혈압이 높은 상태에서 운동하는 경우 심혈관, 뇌혈관질활 발생의 위험이 증가하며 주의를 요하며, 특히 겨울철에는 혈압 상승의 위험이 있는 새벽시간보다는 해가 있는 낮 시간이 바람직하다. 당뇨병이 동반된 경우에는 공복 시 운동은 저혈당의 위험이 높아지고 식욕을 증가시켜 식사조절의 어려움이 있게 되어, 식후 운동을 권고하고 있다. 가장 중요한 것은 운동을 하면서 안전을 지키는 것이다. 부상예방을 위해 운동 전에 근육 준비 운동을 충분히 해야 한다. 그리고 너무 지나친 강도로 장시간 운동을 하는 것은 오히려 해로울 수 있다.

(3) 내게 맞는 운동

비만한 사람의 경우 유산소운동을 하되 자전거 타기나 걷기처럼 관절이나 골격에 무리가 가지 않는 운동을 택하는 것이 좋다. 비만의 정도가 심하지 않은 경우에는 운동의 종류 선택에 제한을 둘 필요는 없다. 유산소운동을 통해 지방을

연소시킴과 동시에 배, 허리, 허벅지 등 부위별 근육을 강화시키는 저항운동을 병행하면 더욱 효과적이다.

운동을 지속적으로 하는 것이 중요하므로 즐겁게 할 수 있는 운동을 선택하는 것이 좋으며, 참고 견뎌야 하는 운동은 오랫동안 잘 할 수 없다.

① 유산소운동
에너지대사에 필요한 종류의 운동으로, 유산소운동 시에는 주 에너지로 지방을 사용한다. 걷기, 줄넘기, 조깅 등 간단한 유산소운동도 지방을 태우는데 효과적이다. 특히 등산, 수영, 에어로빅은 심폐지구력과 유연성을 길러주어 추천되나, 따로 운동할 시간을 내기 힘들다면 실내자전거타기나 계단 오르기 등을 해도 효과를 볼 수 있다.

② 저항운동
단시간 내에 큰 힘을 요구하는 운동으로 에너지대사에 산소가 관여하지 않는다. 주 에너지로 탄수화물을 사용하는데 체중감량보다는 근육을 단련시키는데 효과적이다. 근육이 많아지면 기초대사량 또한 높아지므로 칼로리를 소모하는데 도움이 된다. 단거리달리기, 덤벨 등의 근력운동이 있다.

③ 유연성운동
운동을 하면서 발생할 수 있는 부상을 예방하는데 중요하며, 운동 시 효율을 높이고 안정성을 위해서 운동의 적합한 동작이 필요한데. 이를 위하여 근육, 인대 등의 기능 개선이 필요하다.

3) 행동요법
대부분의 비만한 사람들은 행동방식에 문제가 있는 경우가 많다. 비만의 원인이 되는 잘못된 생활습관을 바꾸지 않고 단기간 강제적인 방법으로 체중만 줄일 경우 체중감량에 실패할 확률이 높다. 마치 고무줄을 늘였다가 다시 놓으면 돌아가는 것처럼 나쁜 생활습관은 항상 다시 문제가 되고 만다. 그러므로 좋지 않은 생활습관을 바꾸면 체중감량이 자연스럽게 일어나게 된다. 성공적인 체중감량을 위해서는 근본적인 나의 생활습관의 문제를 파악하고 교정해나가는 과정이 반드시 뒷받침이 되어야한다.

행동치료에 사용하는 방법들은 자기 관찰을 통해 자신의 문제행동을 인지하는 자기관찰기법, 파악된 문제점을 개선할 수 있는 행동의 빈도를 높이거나 바람직하지 않은 행동의 빈도를 줄이는 강화기법, 그 외에도 자극조절기법, 대체행동기법, 인지재구조화기법 등 다양한 방법들이 있다. 결국 문제행동이 교정될 수 있다면, 질병의 관점에서는 원인이 개선된 것이기 때문에 체중은 좋은 방향으로 개선될 가능성이 높다.

(1) 자기관찰(self-monitoring)
① 식사일기
식사일기의 목적은 하루동안 섭취하는 열량과 식사의 내용 및 잘못된 식사습관 및 행동을 알아내는 데 있다. 일기를 쓰다보면 본인이 섭취하는 열량이나 폭식 또는 잦은 야식 등의 잘못된 식습관에 대해 자각하게 되므로 체중조절에 확실한 도움이 된다. 스마트 앱을 활용한 방법, 카메라를 활용한 방법 등의 여러 방법들을 활용해 볼 수 있다

② 운동 및 활동 기록
게으름 또는 바쁜 일상으로 실제 신체활동량이 극도로 적은 날도 있지만 반복되는 일상에서 인지하지 못하는 경우가 많다. 최근 핸드폰 또는 스마트시계를 통해 걸음수 및 운동을 기록할 수 있고 이 기록을 통해 계획을 세울 수 있다.

③ 체중변화 기록
일중 변화를 고려해 매일 정해진 시간에 체중을 측정하여 기록하는 것이 좋다.

④ 문제목록 작성
위의 내용을 토대로 나의 생활습관의 문제목록을 작성한다. 그중에서 실천할 우선순위를 정하고 모니터링을 할 수

있다. 지나친 목표는 실패하기 쉬우므로 실천 가능성 있는 목표부터 설정하는 것이 좋다.

(2) 스트레스 관리 및 자극조절

스트레스는 통제되지 않을 정도의 과식을 유발할 수 있으므로 스트레스를 경감시키고 음식에 대한 노출을 줄이는 것이 좋다. 스트레스를 극복하기 위해 음식을 선택하는 사람과 산책을 선택하는 사람과의 결과는 달라질 수밖에 없다.

(3) 식사환경과 식습관의 개선

섭취하는 칼로리를 줄인다. 서서히 줄이되 지속적으로 실천이 가능한 정도로 줄이는 것이 좋다. 너무 극단적인 칼로리 섭취 제한은 실패로 이어지기가 쉽다. 끼니를 거르지 않고, 세 끼를 규칙적으로 먹으며, 여러 종류의 음식을 골고루 먹는 것이 좋다. 외식을 할 때는 전체 지방량, 콜레스테롤, 염분을 염두에 두고 메뉴를 선택한다. 식사시간은 20-30분 정도로 천천히, 포만감을 느낄 수 있도록 한다.

(4) 신체활동 및 운동의 개선

신체활동 일기를 쓰고 이를 토대로 일상생활을 활동적인 형태로 변화시켜나가는 것이 효과적이다. 예를 들어 '타기보다는 걷기', '엘리베이터 이용보다는 계단 오르기' 등이 있으며 '먹는 것을 대신하는 활동'을 이용하는 방법도 있다. 최근에는 스마트 워치와 스마트폰에서의 보수계를 통해 활동량 및 운동을 모니터링할 수 있으며, 앱을 통해 일별, 주간별, 월별 등으로 확인할 수 있다.

4) 약물요법

비만은 에너지섭취와 소비의 불균형에서 유발된다. 에너지섭취가 에너지소비보다 많게 되면 그 차이만큼 지방으로 축적되고, 반대로 에너지소비가 에너지섭취보다 많으면 그 차이만큼 체중을 줄일 수 있다. 따라서 비만 치료제는 에너지섭취를 줄일 수 있는 약물과 에너지소비를 증가시킬 수 있는 약물로 요약할 수 있다. 식사요법과 운동요법이 꾸준히 실천하기 쉽다면 약물치료가 필요한 경우는 별로 없을 것이

다. 그러나 우리가 살고 있는 환경은 비만해지기 너무 쉬운 환경으로 나의 의지와 노력으로 그 목적을 달성하는 것이 쉽지 않기 때문에 이런 실천을 도울 수 있는 약물치료가 필요한 경우가 많다. 결국 식사 운동요법에 대한 나의 의지로 실천하는 동안 약물요법으로 더 쉽고 효과적으로 도와주는 역할을 한다고 할 수 있다.

(1) 현재 사용 가능한 약물 및 효과

현재 임상적으로 사용 가능한 비만 약물은 단기적으로 사용 가능한 4가지, 장기간 사용 가능한 4가지 약물이 있다 (표 9-7-5, 9-7-6).

주요 임상연구를 통한 체중감량 효과는 약물 종류와 해당 연구의 대상에 따라 차이가 있으며 장기간 사용 가능한 약물의 연구는 약 2년에서 4년간의 연구를 통해 효과 및 안정성을 확인하였다 (그림 9-7-29).

(2) 약물치료의 적응증

약물치료의 적응증은 비만 치료를 위해 식사조절, 운동 및 생활습관의 변화를 바탕으로 체중감량하는 것이 기본으로 서양인의 경우 체질량지수가 30 kg/m^2 이상인 경우, 혹은 27 kg/m^2 이상이면서 심혈관계 합병증(고혈압, 당뇨병, 이상지질혈증)이나 수면무호흡증이 동반된 경우에 약물치료를 시도할 것을 권고하고 있다. 아시아인에서는 아시아-태평양비만 치료지침과 마찬가지로 체질량지수가 25 kg/m^2 이상인 경우, 혹은 23 kg/m^2 이상이면서 위와 같은 합병증이 동반된 경우에 고려할 수 있다고 제안하였다. 대한비만학회에서는 한국인의 인종적 특성을 고려하여 체질량지수 25 kg/m^2 이상인 환자에서 비약물치료로 체중감량에 실패한 경우에 약물치료를 고려하는 것을 권고하고 있다. 소아, 임산부, 수유부, 뇌졸중, 심근경색증, 중증간장애, 신장애, 정신질환을 가지고 있는 경우에는 비만치료제를 사용하지 않는다. 그러나 올리스타트의 경우 청소년 비만에서 치료 적응증을 얻어 사용 가능하게 되었다.

표 9-7-5. 단기간 사용 가능한 비만 치료 약물

일반명	용량*	작용기전	주요 부작용	주요금기증**
Phentermine	Phentermine으로 30 mg/d	Sympathomimetic amine	1) 심혈관계: 일발성 폐동맥 고혈압, 역류성 심장판막 질환, 심계항진, 빈맥, 혈압 상승 2) 중추신경계: 과자극작용, 불안감, 어지럼, 불면증, 불쾌감, 도취감, 떨림, 두통, 드물게 복용량에서 정신질환적 발작이 나타날 수 있다. 3) 위장관계: 입마름, 불쾌한 맛, 설사, 변비, 기타 위장관 장애 4) 비뇨생식기계: 발기장애, 성적 충동의 변화	1) 진전된 동맥경화증 환자 2) 심혈관계 질환 환자 3) 중등도 및 중증의 고혈압 환자 4) 폐동맥고혈압 환자 5) 갑상선기능항진 환자 6) 녹내장 환자 7) 정신적으로 매우 불안하거나 흥분상태에 있는 환자 8) 14일 이내에 MAO억제제를 투여한 환자(혈압 상승 위험 유발)
Diethylpropion	25 mg TID			
Phendimetrazine	35 mg BID or TID			
Mazindol	1 mg TID	Sympathomimetic amine	1) 정신 신경계: 과흥분, 환각, 불안, 어지럼, 불쾌감, 진전, 두통, 지각이상, 우울, 졸음, 무력감 2) 심혈관계: 빈맥, 두근거림, 홍조, 혈압 변화(고혈압, 저혈압), 협심증, 심근경색, 부정맥, 심부전, 심정지, 본태고혈압, 일발성 폐고혈압 3) 호흡기계: 홍조 4) 소화기계: 구토, 불쾌한 맛, 설사, 복통 5) 내분기계: 발기장애, 월경이상, 드물게 성적 충동의 변화 6) 피부·가려움증, 발진, 과도한 발한, 창백, 서늘함, 손의 저림, 탈모 7) 간장: AST (GOT), ALT (GPT) 상승 8) 눈: 산동, 시야 혼탁	1) 심혈관계, 뇌혈관계 질환 환자 2) 중등도 고혈압 환자 3) 폐동맥 고혈압 환자 4) 갑상선기능항진 환자 5) 중등도의 신장애, 간장애 환자 6) 중증의 췌장 장애 환자 7) 요독증 환자 8) 녹내장 환자 9) 정신장애상태(흥분, 조현병) 환자 11) MAO억제제를 복용 중이거나 14일 이내에 MAO억제제를 투여한 환자

자세한 내용은 각 약물의 설명서를 참고한다.

*모든 약물은 가능한 추천 용량보다 저용량부터 시작하여 최소 유효 용량으로 투여하는 것이 바람직하다.

**약물에 과민증인 환자, 임신부 및 수유부에게는 투여하지 않는다. 또한 다른 체중조절 약과 함께 투여하지 않는다. 중증 간장애/신장애, 소아 및 고령자에게 투여하지 않는다.

표 9-7-6. 장기간 사용 가능한 비만 치료 약물

일반명	용량*	임상시험에서 위약대비 체중감소(1년)	작용 전	주요 부작용	주요 금기증**
Orlistat	120 mg TID	2.8%	Gastric/pancreatic lipase inhibitor	지방변, 복부팽만 및 방귀, 배변 증가, 배변실금	만성 흡수 불량 증후군 환자 또는 담즙 분비 정지 환자
Naltrexone ER-bupropion ER	32 mg/360 mg	3.2–5.2%	opioid antagonist (naltrexone) anti-depressant (bupropion)	구역, 변비, 두통, 구토, 어지럼증, 불면, 입마름, 설사, 불안, 안면홍조, 피로, 떨림, 상복부 통증, 바이러스성 위장염, 이명, 요로감염, 고혈압, 복통증, 다한증, 자극 과민성, 혈압 상승, 미각이상, 두근거림	1) 조절되지 않는 고혈압 환자 2) 발작 장애 또는 발작 병력이 있는 환자 3) 중추신경계 종양이 있는 환자 4) 알코올 또는 벤조디아제핀계, 바르비탈류, 항간질 약 등 약물복용을 갑자기 중단한 환자 5) 양극성 장애 환자 6) 대식증 또는 신경성 식욕부진증 현재 또는 과거에 진단받은 환자 7) 현재 아편성 또는 아편 효능 약(예, 메사돈) 이존성 이 있는 환자 또는 급성 아편 금단증상을 지닌 환자 8) MAO억제제를 투여 중인 환자
Liraglutide	3.0 mg 하루 1회 피하 투여	5.4–6.0%	GLP-1 analogue	구역, 구토, 설사, 변비, 소화장애, 복통, 복부팽만감, 트림, 위식도 역류, 임마름, 위염, 저혈당, 주사부위 발적 및 가려움, 피로, 무력, 어지러움, 미각 변화, 수면장애, 담석, 리파제/아밀라제 상승	갑상선수질암의 가족력이나 과거력을 가진 환자, 다발 내분비선 종양 2형 환자
Phentermine-topiramate ER	3.75 mg/23 g 7.5 mg/46 mg 11.25 mg/69 mg 15 mg/92 mg	6.6–9.3%	Catecholamine release (phentermine)–GABA activation, Glutamate inactivation (Topiramate)	1) 감각이상/미각이상 2) 기분장애 및 수면장애 3) 인지장애 4) 실험실검사 수치이상-혈청중탄산염 저하, 혈청칼륨 저하, 혈청크레아티닌 증가, 신석증	1) 녹내장 환자 2) 갑상선기능항진증 환자 3) 14일 이내에 MAO억제제를 투여한 환자 4) 교감신경 흥분성 아민에 대한 과민 반응 환자 5) 진전된 동맥경화증 환자 6) 심혈관계 질환 환자 7) 중등도–중증의 고혈압 환자 8) 폐동맥 고혈압 환자 9) 정신적으로 불안하거나 흥분상태에 있는 환자 10) 약물남용의 병력이 있는 환자

자세한 내용은 각 약물의 설명서를 참고한다.

*모든 약물는 가능한 추천 용량보다 저용량부터 시작하여 최소 유효 용량으로 투여하는 것이 바람직하다.

**약물에 과민증인 환자, 임산부 및 수유부에게는 투여하지 않는다. 또한 다른 체중조절 약과 함께 투여하지 않는다. 중증간장애/신장애에, 소아 및 고령자에게 투여하지 않는다.

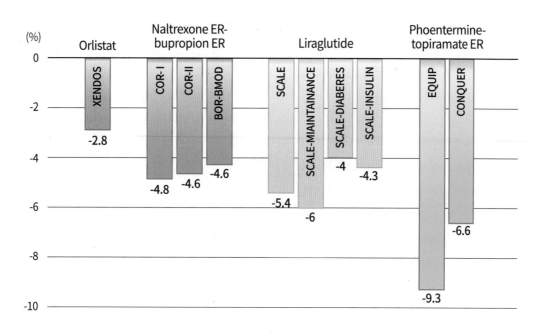

그림 9-7-29. 비만 환자를 대상으로 한 임상연구에서 항비만 약물의 약물별 위약대비 평균 체중감소(%)
1년간 최대 용량 사용 시, 위약대비 평균 체중감소(%)를 표시함.

(3) 비만치료제의 효과 판정

비만치료제는 사용 시 치료를 통해 예상되는 이득이 약의 부작용등의 유해성보다 더 클 것으로 판단되는 경우에 사용하는 것이므로 충분한 약물복용 후 적절한 체중감소를 보이지 않는 경우나 약물 부작용이 심한 경우에는 약물치료를 중단해야 한다. 약물치료에 반응이 있는 경우는 초기부터 나타나는 경우가 많으며, 그렇지 않은 경우에는 지속치료에도 효과가 없을 가능성이 높다. 약물치료에 반응이 있다고 일반적으로 판단하는 기준은 초기 3개월 내에 5% 이상이 체중감량이다.

5) 수술요법

고도비만 환자에서 수술요법을 통해서 장기적인 체중감소 효과와 동반질환의 개선효과에 대한 여러 대단위 연구들이 있었다. 심혈관계 위험도 및 사망률 감소 당뇨병의 개선효과 등 여러 효과를 보고하고 있으며, 수술관련 사망률도 0.1%로 많이 개선되었다.

(1) 비만수술의 종류 및 비교

수술방법은 크게 제한수술(restrictive procedure)과 흡수장애수술(malabsorptive procedure) 그리고 복합수술(combined surgery)로 나눌 수 있다. 현재 시행되고 있는 수술 중에는 조절형위밴드술(Adjustable gastric banding), 소매위절제술(sleeve gastrectomy) 루Y모양위우회술(Roux-en-Y gastric bypass), 담췌우회술/십이지장전환술(Biliopancreatic diversion/Duodenal switch)이 있다.

이 수술법들은 효과와 안정성이 입증된 표준 술식이며, 수술법마다 장단점이 있으므로 환자의 상황에 따라 적절한 수술방법을 선택하여 시행하는 것이 중요하다.

(2) 비만수술의 체중감소 효과의 기전

수술치료가 체중감량를 일으키는 가장 중요한 요인은 식사량의 감소이며, 흡수장애를 유도하는 것은 부수적으로 효과를 높이려 하는 것이다. 수술 후 체중감소, 체내지방 감소, 해부학적 변화로 인한 글루카곤유사펩타이드-1 (glucagon-like peptide-1, GLP-1), 펩타이드YY (Peptide YY) 등장호르몬의 변화 등이 혈당조절, 식욕감소 등과 더불어 동반질환의 개선효과를 나타나게 한다.

(3) 비만수술의 적응증

미국 및 유럽에서는 체질량지수가 40 kg/m² 이상이거나, 35 kg/m² 이상이면서 비만관련 동반질환(심장질환, 당뇨병, 이상지질혈증, 수면무호흡증 등) 중 한 가지 이상을 가지고 있는 경우로 규정하고 있다. 그러나 아시아인의 경우에는 세계비만대사수술연맹 아시아-태평양 지부기준에 따라 체질량지수가 35 kg/m² 이상이거나 또는 30 kg/m²이면서 조절되지 않는 2형당뇨병을 비롯한 대사증후군이 동반된 경우로 하고 있다.

한국인의 비만수술의 적응증은 체질량지수가 35 kg/m² 이상이거나 또는 30 kg/m²이면서 비만 합병증을 동반한 경우로 정의하고 있다.

비만관련 합병증은 2형당뇨병, 고혈압, 저환기증, 수면무호흡증, 체중관련 관절질환 및 보행기능 저하, 비알코올지방간질환, 위식도역류, 이상지질혈증, 천식, 심근병증, 관상동맥질환, 다낭난소증후군, 기뇌종양으로 정의하고 있다.

아울러 체질량지수가 27.5–30 kg/m²이면서 비수술치료로 혈당이 적절히 조절되지 않는 2형당뇨병에서도 수술의 대상이 될 수 있다.

(4) 체중감량 효과 및 동반질환 개선효과

수술후 체중감량 정도는 수술방법에 따라 차이가 있으며 메타분석자료에 의하면 전체 환자의 초과 체중감소율(% excess weight loss, %EWL)은 61.2% (58.1–64.4%)였다. 수술별로는 조절형위밴드술이 61.6% (56.7–66.5%), 루Y모양위우회술 68.2% (61.5–74.8%), 담췌우회술/십이지장전환술 70.1% (66.3–73.9%)였다.

동반질환의 경우에는 2형당뇨병은 86%, 고혈압은 78%, 수면무호흡증은 85%의 환자에서 증상의 호전을 보였다.

체중이 효과적으로 감량되어도, 수술 후기 합병증으로 소화흡수장애로 인한 철, 비타민, 단백질 등 미량영양소 결핍이 발생할 수 있으며, 탈장, 변연부 궤양, 담석증 등이 생길 수 있다.

가장 중요한 것은 지속적인 식사 및 운동요법 등의 생활습관개선이 일어지지 않으면 수술로 인한 체중 감소 효과는 적어지고, 시간이 지나면서 다시 체중은 늘어나게 된다. 비만수술로 치료가 모두 끝난 것은 아니다.

참 / 고 / 문 / 헌

I.

1. 대한내분비학회. 내분비대사학. 제2판, 군자출판사; 2011.

2. Frayn KN. Integration of substrate flow in vivo: some insights into metabolic control. Clinical Nutrition 1997;16:277-82.

3. Guillet C, Masgrau A, Boirie Y. Is protein metabolism changed with obesity? Curr Opin Clin Nutr Metab Care 2011;14:89-92.

4. Guillet C, Masgrau A, Walrand S, Boirie Y. Impaired protein metabolism: interlinks between obesity, insuilin resistance and inflammation. Obes Rev 2012;13:51-7.

5. Hillebrand JJ, de Wied D, Adan RA. Neuropeptides food intake and body weight regulation: a hypothalamic focus. Peptides 2002;23:2283-306.

6. Kopelman PG. Clinical obesity. 2nd ed. Massachusetts: Black-well Publishing inc; 2006. pp. 67-113.

7. Kronenberg HM, Melmed S, Polonsky KS, Larsen PR. Williams Textbook of Endocrinology. 11th ed. Philadelphia: Elsevier; 2007. pp. 537-1562.

8. Liu Z, Barrett EJ. Human protein metabolism : its measurement and regulation. Am J Physiol Endocrinol Metab 2002;283:E1105-12.

9. Marcelin G, Chua S. Contributions of adipocyte lipid metabolism to body fat content and implications for thetreatment of obesity. Curr Opin Pharmacol 2010;10:588-93.

10. Martins I, Redgrave TG. Obesity and post-prandial lipid metabolism. Feast or famine? J Nutr Biochem 2004;15:130-41.

11. Molina PE. Endocrine physiology. 3th ed. New York: Mc-Graw-Hill; 2010. pp275-302.

12. Murray RK, Bender DA, Botham KM, Kennelly PJ, Rodwell VW, Weil PA. Harper's illustrated biochemistry. 28th ed. New York: McGraw- Hill; 2009. pp.306-58.

13. Pillon NJ, Loos RJF, Marshall SM, Zierath JR. Metabolic consequences of obesity and type 2 diabetes: Balancing genes and environment for personalized care. Cell 2021;184:1530-44.

14. Wu H, Ballantyne CM. Metabolic inflammation and insulin resistance in obesity. Circ Res 2020;126:1549-64.

15. Zierler K. Whole body metabolism of glucose. Am J Physiol 1999;276:E409-26.

II.

1. Cao H. Adipocytokines in obesity and metabolic disease. J Endocrinol 2014;220:47-59.

2. Challis BG, Yeo GS. Past, present and future strategies to study the genetics of body weight regulation. Brief Funct Genomic Proteomic 2002;1:290-304.

3. Choe SS, Huh JY, Hwang IJ, Kim JI, Kim JB. Adipose tissue remodeling: its role in energy metabolism and metabolic disorders. Front Endocrinol (Lausanne) 2016;7:30.

4. Cohen P, Kajimura S. The cellular and functional complexity of thermogenic fat. Nat Rev Mol Cell Biol 2021;22:393-409.

5. Farmer SR. Molecular determinants of brown adipocyte formation and function. Genes Dev 2008;22:1269-75.

6. Funcke JB, Scherer PE. Beyond adiponectin and leptin: adipose tissue-derived mediators of inter-organ communication. J Lipid Res 2019;60:1648-84.

7. Gesta S, Tseng YH, Kahn CR. Developmental origin of fat: tracking obesity to its source. Cell 2007;131:242-56.

8. Huh JY, Park J, Kim JI, Park YJ, Lee YK, Kim JB. Deletion of CD1d in adipocytes aggravates adipose tissue inflammation and insulin resistance in obesity. Diabetes 2017;66:835-47.

9. Hwang IJ, Jo KR, Shin KC, Kim JI, Ji Y, Park YJ, et al. GABA-stimulated adipose-derived stem cells suppress subcutaneous adipose inflammation in obesity. Proc Natl Acad Sci U S A 2019;116:11936-45.

10. Inagaki T, Sakai J, Kajimura S. Transcriptional and epigenetic control of brown and beige adipose cell fate and function. Nat Rev Mol Cell Biol 2016;17:480-95.

11. Kajimura S, Seale P, Spiegelman BM. Transcriptional control of brown fat development. Cell Metab 2010;11:257-62.

12. Kane H, Lynch L. Innate immune control of adipose tissue homeostasis. Trends Immunol 2019;40:857-72.

13. Merrick D, Sakers A, Irgebay Z, Okada C, Calvert C, Morley MP, et al. Identification of a mesenchymal progenitor cell hierarchy in adipose tissue. Science 2019;364:eaav2501.

14. Mota de Sa P, Richard AJ, Hang H, Stephens JM. Transcriptional regulation of adipogenesis. Compr Physiol 2017;7:635-74.

15. Nedergaard J, Petrovic N, Lindgren EM, Jacobsson A, Cannon B. PPARgamma in the control of brown adipocyte differentiation. Biochim Biophys Acta 2005;1740:293-304.

16. Olefsky JM, Glass CK. Macrophages, inflammation, and insulin resistance. Annu Rev Physiol 2010;72:219-46.

17. Omran F, Christian M. Inflammatory signaling and brown fat activity. Front Endocrinol (Lausanne) 2020;11:156.

18. Perrini S, Laviola L, Cignarelli A, Melchiorre M, De Stefano F, Caccioppoli C, et al. Fat depot-related differences in gene expression, adiponectin secretion, and insulin action and signalling in human adipocytes differentiated in vitro from precursor stromal cells. Diabetologia 2008;51:155-64.

19. Recinella L, Orlando G, Ferrante C, Chiavaroli A, Brunetti L, Leone S. Adipokines: new potential therapeutic target for obesity and metabolic, rheumatic, and cardiovascular diseases. Front Physiol 2020;11:578966.

20. Reverchon M, Rame C, Bertoldo M, Dupont J. Adipokines and the female reproductive tract. Int J Endocrinol 2014;2014:232454.

21. Rosen ED, MacDougald OA. Adipocyte differentiation from the inside out. Nat Rev Mol Cell Biol 2006;7:885-96.

22. Saltiel AR, Kahn CR. Insulin signalling and the regulation of glucose and lipid metabolism. Nature 2001;414:799-806.

23. Sanchez-Gurmaches J, Hung CM, Guertin DA. Emerging complexities in adipocyte origins and identity. Trends Cell Biol 2016;26:313-26.

24. Schenk S, Saberi M, Olefsky JM. Insulin sensitivity: modulation by nutrients and inflammation. J Clin Invest 2008;118:2992-3002.

25. Schwartz DR, Lazar MA. Human resistin: found in translation from mouse to man. Trends Endocrinol Metab 2011;22:259-65.

26. Seale P. Transcriptional regulatory circuits controlling brown fat development and activation. Diabetes 2015;64:2369-75.

27. Shao M, Wang QA, Song A, Vishvanath L, Busbuso NC, Scherer PE, et al. Cellular origins of beige fat cells revisited. Diabetes 2019;68:1874-85.

28. Steppan CM, Bailey ST, Bhat S, Brown EJ, Banerjee RR, Wright CM, et al. The hormone resistin links obesity to diabetes. Nature 2001;409:307-12.

29. Steppan CM, Lazar MA. Resistin and obesity-associated insulin resistance. Trends Endocrinol Metab 2002;13:18-23.

30. Stern JH, Rutkowski JM, Scherer PE. Adiponectin, leptin, and fatty acids in the maintenance of metabolic homeostasis through adipose tissue crosstalk. Cell Metab 2016;23:770-84.

31. Sun W, Modica S, Dong H, Wolfrum C. Plasticity and heterogeneity of thermogenic adipose tissue. Nat Metab 2021;3:751-61.

32. Tiraby C, Tavernier G, Lefort C, Larrouy D, Bouillaud F, Ricquier D, et al. Acquirement of brown fat cell features by human white adipocytes. J Biol Chem 2003;278:33370-6.

33. Tran TT, Kahn CR. Transplantation of adipose tissue and stem cells: role in metabolism and disease. Nat Rev Endocrinol 2010;6:195-213.

34. Tran TT, Yamamoto Y, Gesta S, Kahn CR. Beneficial effects of subcutaneous fat transplantation on metabolism. Cell Metab 2008;7:410-20.

35. Wang W, Seale P. Control of brown and beige fat development. Nat Rev Mol Cell Biol 2016;17:691-702.

26. Wauman J, Zabeau L, Tavernier J. The Leptin Receptor complex: heavier than expected? Front Endocrinol (Lausanne) 2017;8:30.

37. White UA, Stephens JM. Transcriptional factors that promote formation of white adipose tissue. Mol Cell Endocrinol 2010;318:10-4.

38. Wolf G. Brown adipose tissue: the molecular mechanism of its formation. Nutr Rev 2009;67:167-71.

39. Zeve D, Tang W, Graff J. Fighting fat with fat: the expanding field of adipose stem cells. Cell Stem Cell 2009;5:472-81.

III.

1. Bouter KE, Raalte DH, Groen AK, Nieuwdorp M. Role of the gut microbiome in the pathogenesis of obesity and obesity-related metabolic dysfunction. Gastroenterology 2017;152:1671-8.

2. Chapelot D, K. Charlot, Physiology of energy homeostasis: Models, actors, challenges and the glucoadipostatic loop. Metabolism 2019;92:11-25.

3. Chen J, Cheng M, Wang L, Zhang L, Xu D, Cao P, et al. A Vagal-NTS neural pathway that stimulates feeding. Curr Biol 2020;30:3986-98.

4. Han H, Yi B, Zhong R, Wang M, Zhang S, Ma J, et al. From gut microbiota to host appetite: gut microbiota-derived metabolites as key regulators. Microbiome 2021;9:162-78.

5. Hawkesworth S, Silverwood RJ, Armstrong B, Pliakas T, Nanchalal K, Jefferis BJ, et al. Investigating associations between the built environment and obesity. J Epidemiol Community Health 2018;72: 121-131.

6. Heymsfield SB, Wadden TA. Mechanisms, pathophysiology, and management of obesity. New Engl J Med 2017;376:254-66.

7. Korean Endocrine Society. Definition and pathophysiology of obesity. Textbook of endocrinology and metabolism. 2nd ed. Seoul: Korean Endocrine Society; 2011. pp. 791-6.

8. Korean Society for the Study of Obesity. Pre-treatment evaluation of obesity. Guideline for the management of obesity 2020. Seoul: Korean Society for the Study of Obesity; 2020. pp. 9-21.

9. Nam GE, Kim YH, Han KD, Jung JH, Rhee S, Kim DJ, Lee KW, Lee WY. Obesity Fact Sheet in Korea, 2019: prevalence of obesity and abdominal obesity from 2009 to 2018 and social factors. J Obes Metab Syndr 2020;29:124-32.

10. Nicolaidis S. Environment and obesity. Metabolism 2019;100S:153942.

11. Oussaada SM, Galen KA, Cooiman MI, Kleinendorst L, Hazebroek EJ, Haelst MM, et al. The pathogenesis of obesity. Metabolism 2019;92:26-6.

12. Pigeyre M, Yazdi FT, Kaur Y, Meyre D. Recent progress in genetics, epigenetics and metagenomics unveils the pathophysiology of human obesity. Clin Sci (Lond) 2016;130:943-86.

13. Popkin BM, Hawkes C. Sweetening of the global diet, particularly beverages: patterns, trends, and policy responses. Lancet Diabetes Endocrinol 2016;4:174-86.

14. Qasim A, Turcotte M, de Souza RJ, Samaan MC, Champredon D, Dushoff J, et al. On the origin of obesity: identifying the biological, environmental and cultural drivers of genetic risk among human populations. Obes Rev 2018;19:121-49.

15. Schwartz MW, Seeley RJ, Zeltser LM, Drewnowski A, Ravussin E, Redman LM, et al. Obesity pathogenesis: an endocrineleociety scientific statement. Endocr Rev 2017;38:267-96.

16. Seo MH, Kim YH, Han KD, Jung JH, Park YG, Lee, SS, et al. Prevalence of obesity and incidence of obesity-related comorbidities in koreans based on national health insurance service health checkup data 2009-2015. J Obes Metab Syndr 2018;27:46-52.

17. Steinberg GR. Cellular energy sensing and metabolism, implications for treating diabetes: the 2017 outstanding scientific achievement award lecture. Diabetes 2018;67:169-79.

18. Thaker VV. Genetic and epigenetic causes of obesity. Adolesc Med State Art Rev 2017;28:379-405.

IV.

1. 대한내분비학회. 내분비대사학. 제2판. 군자출판사; 2011.

2. 대한비만학회 진료지침위원회. 대한비만학회 비만 진료지침 2020. 서울: 대한비만학회; 2020.

3. Afshin A, Forouzanfar MH, Reitsma MB, Sur P, Estep K, Lee A, et al. Health effects of overweight and obesity in 195 countries over 25 years. N Engl J Med 2017;377:13-27.

4. Berrington de Gonzalez A, Hartge P, Cerhan JR, Flint AJ, Hannan L, MacInnis RJ, et al. Body-mass index and mortality among 1.46 million white adults. N Engl J Med 2010;363:2211-9.

5. Blüher M. Obesity: global epidemiology and pathogenesis. Nat Rev Endocrinol 2019;15:288-98.

6. Cho JH, Rhee EJ, Park SE, Kwon H, Jung JH, Han KD, et al. The Risk of myocardial infarction and ischemic stroke according to waist circumference in 21,749,261 korean adults: a nationwide population-based study. Diabetes Metab J 2019;43:206-21.

7. Guh DP, Zhang W, Bansback N, Amarsi Z, Birmingham CL, Anis AH. The incidence of co-morbidities related to obesity and overweight: a systematic review and meta-analysis. BMC Public Health 2009;9:88.

8. Jaacks LM, Vandevijvere S, Pan A, McGowan CJ, Wallace C, Imamura F, et al. The obesity transition: stages of the global epidemic. Lancet Diabetes Endocrinol 2019;7:231-40.

9. Jee SH, Yun JE, Park EJ, Cho ER, Park IS, Sull JW, et al. Body mass index and cancer risk in Korean men and women. Int J Cancer 2008;123:1892-6.

10. Kim DS, Scherer PE. Obesity, diabetes, and increased cancer progression. Diabetes Metab J 2021;45:799-812.

11. Korean Society for the Study of Obesity. Obesity Fact Sheet. Korean Society for the Study of Obesity; 2021.

12. Michael DJ. Obesity. In: Goldman L, Schafer AI. Goldman-Ceil medicine. 26th ed. Philadelphia: Elsevier; 2020. pp. 1418-27.

13. Nam GE, Kim YH, Han K, Jung JH, Park YG, Lee KW, et al. Obesity fact sheet in korea, 2018: data focusing on waist circumference and obesity-related comorbidities. J Obes Metab Syndr 2019;28:236-45.

14. Nam GE, Kim YH, Han K, Jung JH, Rhee EJ, Lee SS, et al. Obesity fact sheet in korea, 2019: prevalence of obesity and abdominal obesity from 2009 to 2018 and social factors. j Obes Metab Syndr 2020;29:124-32.

15. NCD Risk Factor Collaboration (NCD-RisC). Worldwide trends in body-mass index, underweight, overweight, and obesity from 1975 to 2016: a pooled analysis of 2416 population-based measurement studies in 128·9 million children, adolescents, and adults. Lancet 2017;390:2627-42.

16. Nyberg ST, Batty GD, Pentti J, Virtanen M, Alfredsson L, Fransson EI, et al. Obesity and loss of disease-free years owing to major non-communicable diseases: a multicohort study. Lancet Public Health 2018;3:e490-7.

17. O'Rahilly S, Farooqi IS, Kushner RF. Obesity, diabetes mellitus, and metabolic syndrome. In: Loscalzo J, Fauci A, Kasper D, Hauser S, Longo D, Jameson J, editors. Harrison's principles of internal medicine. 12th ed. New York: McGraw Hill; 2022. pp.3080-157.

18. Oh SW, Yoon YS, Shin SA. Effects of excess weight on cancer incidences depending on cancer sites and histologic findings among men: Korea National Health Insurance Corporation Study. J Clin Oncol 2005;23:4742-54.

19. Prospective Studies Collaboration, Whitlock G, Lewington S, Sherliker P, Clarke R, Emberson J, et al. Body-mass index and cause-specific mortality in 900000 adults: collaborative analyses of 57 prospective studies. Lancet 2009;373,1083-96.

20. Seo MH, Kim YH, Han K, Jung JH, Park YG, Lee SS, et al. Prevalence of obesity and incidence of obesity-related comorbidities in koreans based on national health insurance service health checkup data 2006-2015. J Obes Metab Syndr 2018;27:46-52.

21. Strazzullo P, D'Elia L, Cairella G, Garbagnati F, Cappuccio FP, Scalfi L. Excess body weight and incidence of stroke: meta-analysis of prospective studies with 2 million participants. Stroke 2010;41:418-26.

22. World Health Organization [Internet]. Obesity and overweight; 2016. Availabe from: https://www.who.int/media-centre/factsheets/fs311/en.

23. Yang YS, Han BD, Han K, Jung JH, Son JW. Obesity fact sheet in korea, 2021: trends in obesity prevalence and obesity-related comorbidity incidence stratified by age from 2009 to 2019. J Obes Metab Syndr 2022;31:169-77.

V.

1. 대한비만학회, 한국운동생리학회. 비만관리를 위한 운동 매뉴얼. 서울: 청운; 2016.

2. 대한비만학회. 비만 진료지침 2020. 서울: 대한비만학회 진료지침위원회; 2020.

3. Bay GA, Greenway FL. Pharmacological treatment of the overweight patient. Pharmacol Rev 2007;59:151-84.

4. Bray GA, Heisel WE, Afshin A, Jensen MD, Dietz WH, Long M, et al. The science of obesity management: an endocrine society scientific statement. Endocr Rev 2018;39:79-132.

5. Colman E. Anorectics on trial: a half century of federal regulation of prescription appetite suppressants. Ann Intern Med 2005;143:380-5.

6. DeMaria EJ. Bariatric surgery for morbid obesity. N Eng J Med 2005;356:249-54.

09 당뇨대사질환

7. Eckel RH. Clinical Practice. Nonsurgical management of obesity in adults. N Eng J Med 2008;358:1941-50.

8. Goldberg JH, King AC. Physical activity and weight management across lifespan. Annu Rev Public Health 2007;28:145-70.

9. Jeon WS, Park CY. Antiobesity pharmacotherapy for patients with type 2 diabetes: focus on long-term management. Endocrinol Metab (Seoul) 2014;29:410-7.

10. Kang JG, Park CY. Anti-obesity drugs: a review about their effects and safety. Diabetes Metab J 2012;36:13-25.

11. Korean Society for the Study of Obesity. Obesity fact sheet 2021. Seoul: Korean Society for the Study of Obesity; 2021.

12. Mingrone G, Panunzi S, De Gaetano A, Guidone C, Iaconelli A, Nanni G, et al. Bariatric- metabolic surgery versus conventional medical treatment in obese patients with type 2 diabetes: 5year follow-up of an open-label, single-centre, randomised controlled trial. Lancet 2015; 386:964-73.

13. Schauer PR, Bhatt DL, Kirwan JP, Wolski K, Aminian A, Brethauer SA, et al. Bariatric surgery versus intensive medical therapy for diabetes: 5-year outcomes. N Engl J Med 2017;376:641-51.

14. Tsai AG, Wadden TA. Systematic review : an evaluation of major commercial weight loss programs in the United States. Ann Intern Med 2005;142:56-66.

15. Walden TA, Butryn ML, Wilson C. Lifestyle modification for the management of obesity. Gastroenterology 2007; 132:2226-38.

지단백질대사와 이상

지질대사

정인경   이은정

I. 서론

정인경

지단백질은 지질과 단백질의 복합체로서 콜레스테롤이나 중성지방과 같은 불수용성 지질은 안쪽에 위치하고, 인지질이나 비에스터화된 콜레스테롤과 같은 수용성 지질과 아포지단백질(apolipoprotein)에 둘러싸여 지단백질의 형태로 순환한다(그림 10-1-1). 지질은 에너지 축적, 세포막 구성, 스테로이드호르몬 생산과 담즙산 형성 등의 역할을 하며 지단백질의 형태로 여러 조직에 운반된다.

지단백질대사이상이란 특정 지질(콜레스테롤이나, 중성지방)이나 지단백질(저밀도 또는 고밀도지단백질)의 농도가 높거나 낮아서 발생하는 일차 그리고 이차지단백질대사이상이 있다. 일반적으로는 저밀도지단백질콜레스테롤의 농도를 낮추는 치료가 동맥경화심혈관질환의 발생을 낮춘다는 것이 지단백질대사이상에 있어서 익숙한 내용이다.

이 장에서는 지단백질의 분류 및 기능, 정상적인 지질대사의 경로, 죽상경화증의 발생에 관련된 이상지질혈증, 그리고 지단백질대사이상의 진단과 치료에 대해 정리하겠다.

II. 분류

1. 지단백질(Lipoprotein)

지단백질은 불수용성 지질(중성지방, 콜레스테롤에스터)이 수용성 지질(인지질, 비에스터화된 콜레스테롤) 및 단백질(아포지단백질)에 둘러싸인 복합체이다.

혈액의 지단백질은 밀도에 따라 암죽미립(chylomicron), 초저밀도지단백질(very low density lipoprotein, VLDL), 중밀도지단백질(intermediate density lipoprotein, IDL), 저밀도지단백질(low density lipoprotein, LDL), 고밀도지단백질(high density lipoprotein, HDL)의 5가지 주요 지단백질로 나뉘며 각각은 서로 다른 기능을 가지고 있다(그림 10-1-2, 표 10-1-1).

1) 암죽미립
섭취된 식사의 지질을 운반하고, 지질이 가장 풍부하여 입자가 매우 크다. ApoB48이 주요 아포지단백질이며 그 외 A-I, A-V, C-I, C-II, C-III, E를 포함한 갖가지의 아포지단백질과 연관되어 있다.

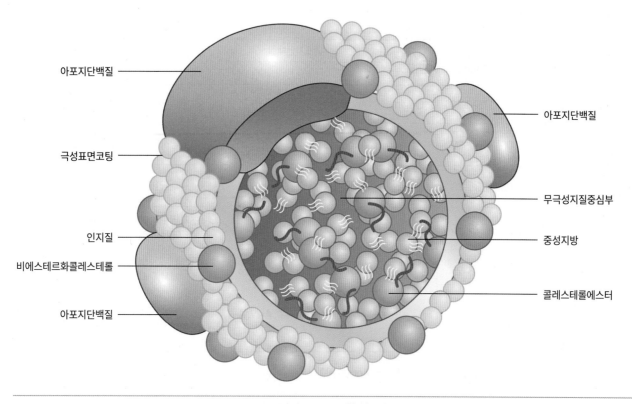

아포지단백질

극성표면코팅

인지질

비에스테르화콜레스테롤

아포지단백질

아포지단백질

무극성지질중심부

중성지방

콜레스테롤에스터

그림 10-1-1. **지단백질의 구조**

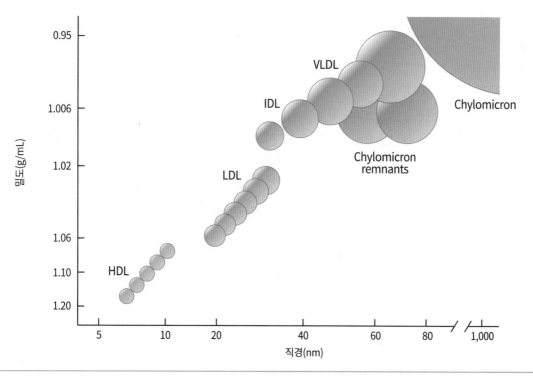

그림 10-1-2. **지단백질의 밀도와 크기 분포**

표 10-1-1. 주요 지단백질의 분류

지단백질	밀도 (g/mL)[a]	크기 (nm)[b]	전기영동 이동도[c]	아포지단백질		기원	주요 지질
				주요	기타		
암죽미립	< 0.930	75–1,200	Origin	ApoB–48	A–I, A–V, C–I, C–II, C–III, E	장	85% 중성지방
암죽미립 잔류물	0.930–1.006	30–80	Slow pre–β	ApoB–48	A–I, A–V, C–I, C–II, C–III, E	암죽미립	60% 중성지방 20% 콜레스테롤
초저밀도 지단백질	0.930–1.006	30–80	Pre–β	ApoB–100	A–I, A–II, A–V, C–I, C–II, C–III, E	간	55% 중성지방 20% 콜레스테롤
중밀도 지단백질	1.006–1.019	25–35	Slow pre–β	ApoB–100	C–I, C–II, C–III, E	초저밀도지단백질 에서 유래	35% 콜레스테롤 25% 중성지방
저밀도 지단백질	1.019–1.063	18–25	β	ApoB–100		중밀도지단백질 에서 유래	60% 콜레스테롤 5% 중성지방
고밀도 지단백질	1.063–1.210	5–12	α	ApoA–I	A–II, A–IV, A–V, C–III, E	간, 장, 혈장	25% 인지질 20% 콜레스테롤 5% 중성지방
지단백질(a)	1.050–1.120	25	Pre–β	ApoB–100	Apo(a)	간	60% 콜레스테롤 5% 중성지방

a: 입자의 밀도는 초원심분리기에 의해 결정되었음, b: 입자의 크기는 겔 전기영동법에 의해 측정됨, c: 전기영동이동도는 아가로오스 겔 전기영동에서 입자의 크기와 표면 전하에 의해 결정되었음. β는 LDL의 위치이고, α는 HDL의 위치임. Apo, Apolipoprotein; Lp(a), lipoprotein(a).

2) 초저밀도지단백질(VLDL)

주로 내인중성지방을 운반하며 일부 콜레스테롤에스테르를 운반하기도 한다. VLDL과 연관된 주요 아포지단백질은 ApoB100이며 그 외 아포지단백질은 A–I, A–II, A–V, C–I, C–II, C–III와 E이다.

3) 중밀도지단백질(IDL)

콜레스테롤에스테르와 중성지방을 운반하고 주요 아포지단백질은 ApoB100이며, 그 외 아포지단백질은 C–I, C–II, C–III, E와 연관되어 있다.

4) 저밀도지단백질(LDL)

콜레스테롤에스테르를 운반하고 아포지단백질은 ApoB100과 연관되어 있다.

5) 고밀도지단백질(HDL)

콜레스테롤에스테르를 운반하며 지질이 가장 적어서 크기가 가장 작고 밀도가 가장 높다. 주요 아포지단백질은 ApoA–I이고, 그 외 아포지단백질은 A–II, A–IV, A–V, C–III, E와 연관되어 있다.

2. 아포지단백질

아포지단백질은 지단백질의 결합, 구조, 기능, 대사에 중요한 역할을 하며 지단백질의 대사에 중요한 효소를 활성화시키고, 세포표면수용체에 리간드로 작용한다. 따라서 아포지단백질의 결함은 지질대사에 장애를 일으키기 때문에 각각의 아포지단백질의 주요 기능을 이해하는 것이 중요하다. 이를 표로 정리하였다(표 10-1-2).

표 10-1-2. **주요 아포지단백질의 종류와 특징**

아포지단백질 (염색체 번호)	관련된 지단백질	합성	기능
A-I (11)	HDL, 암죽미립	간, 장	- HDL에 대한 구조단백질 - LCAT에 대한 보조인자(cofactor) - 역콜레스테롤 수송에 중요 - ABCA1과 SR-BI에 리간드
A-II (1)	HDL, 암죽미립	간	- apoE의 수용체 결합을 억제시킴 - hepatic lipase의 활성제 - LCAT 억제
A-IV (11)	HDL, 암죽미립	간, 장	- 잠재적인 포만인자(satiety factor) - LCAT와 LPL의 활성제 - 장에서 지방 분비를 촉진
A-V (11)	VLDL, 암죽미립	간	- LPL에 의한 지방분해 활성 - 간에서 VLDL 합성 억제
B-100 (2)	VLDL, IDL, LDL, Lp(a)	간	- VLDL과 LDL의 구조단백질 - LDL수용체의 리간드
B-48 (2)	암죽미립, 암죽미립 잔류물	장	- 암죽미립의 구조단백질
C-I (19)	암죽미립, VLDL, HDL	간	- 암죽미립 잔류물의 수용체 결합을 조절 - LCAT 활성제
C-II (19)	암죽미립, VLDL, HDL	간	- LPL의 필수적인 보조인자
C-III (11)	암죽미립, VLDL, HDL	간, 장	- remnant의 수용체 결합을 조절 - LPL의 억제자
E (19)	암죽미립 잔류물, IDL, HDL	간, 뇌, 피부, 고환, 비장	- LDL과 remnant수용체의 리간드 - 각 조직에 지질 재분포 - 역콜레스테롤수송
apo(a) (6)	Lp(a)	간	- Lp(a)에 대한 구조단백질 - 혈전증/섬유소 분해를 조절 - 플라스미노겐활성억제제

ABCA1, Adenosine triphosphate-binding cassette transporter A1; apo, apolipoprotein; HDL, high-density lipoprotein; LCAT, lecithin:cholesterol acyltransferase; LDL, low-density lipoprotein; LPL, lipoprotein lipase; SR-B1, scavenger receptor class B type 1; VLDL, very low density lipoprotein.

1) 아포지단백질A-I, A-II, A-IV, A-V

ApoA-I은 HDL에 가장 풍부한 아포지단백질이다. 간과 장에서 합성되며 레시틴콜레스테롤아실기전달효소(lecithin-cholesterol acyltransferase, LCAT)를 활성화시켜 레시틴(lecithin)에서 유리지방산을 콜레스테롤에 있는 유리하이드록실군에 옮겨서 콜레스테롤에스테르를 생성함으로써 납작한 모양의 초기 HDL이 둥근 공 모양으로 변한다. ApoA-I은 말초조직에서 콜레스테롤을 빼내는 데에도 관여하여 역콜레스테롤 수송에 중요한 역할을 하므로 항동맥경화증단백질로 여겨진다. ApoA-II는 일부 HDL에서 ApoA-I과 함께 존재하며 간지방분해효소(hepatic lipase)를 활성화시킨다. ApoA-IV는 장에서 기원하며 고지방식사에 의해 분비가 유도된다. ApoA-V는 간에서 생산되며 LPL에 의해 중성지방이 풍부한 지단백질의 가수분해에 관여한다. 따라서 ApoA-V의 발현은 중성지방수치와 역비례하며 사람에서 ApoA-V의 동종접합돌연변이는 고암죽미립혈증(hyperchylomicronemia)과 췌장염을 일으킨다.

2) 아포지단백질B

아포지단백질B에는 ApoB100과 ApoB48이 있다. 이 두 가지 단백질은 같은 단일유전자에 의해 코딩되며 ApoB48은 장에서 만들어진 ApoB100의 48% 길이에 해당되는 단백질이다. ApoB100은 간에서 생성되며 VLDL, IDL, LDL과 지단백질(a)[Lp(a)]에 대한 구조적단백질이며 LDL수용체에 대한 리간드로LDL의 조립과 분비에 필요하다. 한 개의 지단백질입자당 단 하나만 결합되어 있으며 지단백질과 운명을 같이 한다. ApoB48은 장에서 생성되며 ApoB100의 48%를 함유하고 있고 암죽미립의 조립과 분비에 필요하며 LDL수용체에 결합하지 않는다.

3) 아포지단백질C-I, C-II, C-III

ApoC-I과 C-II는 ApoE유전자 근처의 염색체 19번에서 전사된다. ApoC단백질은 중성지방대사에 중요하며 지단백질에서 ApoE를 빼내거나 지단백질수용체가 인지하지 못하도록 방해한다. ApoC-II는 LPL의 필수적인 보조인자로 작용하여 정상적인 지질 제거에 필요하다. 따라서 ApoC-II의 돌연변이가 있는 사람은 LPL이 결핍된 상태와 비슷하게 심한 고중성지방혈증을 초래한다. ApoC-III는 수용체에 의해 중성지방이 풍부한 지단백질이 ApoE 중재에 의해 제거되는 것을 방해하며 LPL과 간지방분해효소에 의한 중성지방 가수분해를 방해하고 정상 내피세포의 기능을 방해한다. 이상지질혈증이 있는 사람에서 ApoC-III 농도는 증가되어 있으나 지질강하제 치료 후에 감소한다.

4) 아포지단백질E

ApoE는 간에서 가장 많이 발현되고 그 다음으로 뇌에서 발현되며, 대식세포에서도 발현된다. ApoE는 LDL을 제외한 모든 지단백질에 존재한다. ApoE의 기능은 식사 후 장에서 유래된 지단백질의 제거와 VLDL과 IDL이 LDL로 변하기 전에 이를 제거하는데 관여한다. 즉, 간의 암죽미립과 초저밀도지단백질콜레스테롤잔여물수용체(VLDL remnant receptor)에 대한 리간드로서 이러한 지단백질 제거에 관여하고 또한 LDL수용체에 대한 리간드로 작용한다. 사람은 3개의 주요한 ApoE 동형(isoform)인 E2, E3, E4가 있다. ApoE3는 백인들의 60-80%에서 발생하고 ApoE3에 대해 ApoE2는 LDL (ApoB/E)수용체에 친화도가 감소되어 있고 ApoE4는 항진되어 있다. 이러한 동형들이 임상적으로 중요한 이유는 ApoE2는 VLDL과 암죽미립이 덜 효과적으로 제거되기 때문에 이상베타지단백혈증(familial dysbetalipoproteinemia)과 연관되어 있고 ApoE4는 고콜레스테롤혈증과 관상동맥질환의 위험도 증가와 연관되어 있다.

III. 이상지질혈증의 임상분류

Fredrickson-Levy-Less 표현형에 따라서 다음과 같이 분류하였다(표 10-1-3).

IV. 지질대사의 경로

지단백질대사는 외인경로와 내인경로로 나뉜다.

1. 외인경로(Exogenous pathway)

외인경로란 음식으로 섭취한 지방이 장세포에서 암죽미립으로 만들어진 후 말초조직에 유리지방산의 형태로 에너지를 공급하고, 나머지 잔류물은 간으로 들어가는 경로이다.

표 10-1-3. Frederickson-Levy-Less 이상지질혈증의 분류 및 특징

FREDERICKSON 표현형	원인 결함	증가된 지단백질	황색종 형태
Type I 가족성지단백질지방분해효소 결핍 또는 가족성고암죽미립혈증	LPL 감소, ApoCII 결핍	암죽미립	- 발진(Eruptive)
Type IIa 가족성고콜레스테롤혈증 또는 가족성아포지단백질B100결핍증	LDL수용체 결함	LDL	- 건(Tendinous) - 결절(Tuberous) - 황색판종 - 간찰(intertriginous)
Type IIb 가족성복합이상지질혈증	LDL수용체 결함	LDL + VLDL	- 거의 보이지 않음
Type III 이상베타지단백질혈증	ApoE2 결합	Remnant particles	- 손바닥(Palmar) - 결절(Tuberous) - 결절 발진
Type IV 가족성고중성지방혈증	VLDL 생성 증가	VLDL	- 드물게 발진
Type V 복합고중성지방혈증	ApoCII 결핍과 VLDL 증가	VLDL + 암죽미립	- 발진 - 드물게 손바닥

LDL, low density lipoprotein; LPL, lipoprotein lipase; VLDL, very low density lipoprotein.

1) 음식으로 섭취한 콜레스테롤과 지방산의 장흡수 단계

음식에 있는 지질은 장관의 지방분해효소에 의해 가수분해되고 담즙산과 유화되어 미포(micelles)를 형성한다. 음식의 콜레스테롤, 유리지방산, 지용성비타민은 소장에서 흡수된다. 장세포 내에서 유리지방산은 글리세롤과 결합하여 중성지방을 합성하고, 콜레스테롤과 레티놀은 장세포에서 ACAT (acyl-CoA-cholesterol acyltransferase)에 의해 에스터화된다. 장쇄지방산은 중성지방으로 합성되고 미세소체중성지방운반단백질[microsomal TGs transfer protein (MTP)]에 의해 ApoB48, 콜레스테롤에스터, 레티날에스터, 인지질과 같이 묶여 암죽미립을 형성한다.

2) 암죽미립의 순환과 말초조직에 지방산 운반단계

암죽미립은 장의 림프액으로 분비되고 흉관을 통해 전신혈액순환으로 운반되어 말초조직에 에너지를 공급하고 간으로 들어간다.

암죽미립에 있는 중성지방은 지방조직, 심장, 근육에 있는 모세혈관의 내피세포표면에 붙어있는 지단백질지방분해효소(lipoprotein lipase, LPL)에 의해 가수분해되어 유리지방산으로 방출된다. 암죽미립의 주요 아포지단백질은 B-48이지만 C-II와 E는 암죽미립이 순환할 때 얻게 된다. ApoB48은 지질이 암죽미립에는 결합하나 LDL수용체에 결합하지 않게 함으로써 암죽미립이 LPL에 의해 작용되기 전에 순환계로부터 암죽미립이 조기에 제거되는 것을 막는다. ApoC-II와 ApoA-V는 식후에 HDL입자에서 암죽미립입자로 이동하여 LPL의 보조인자(cofactor)로 작용하여

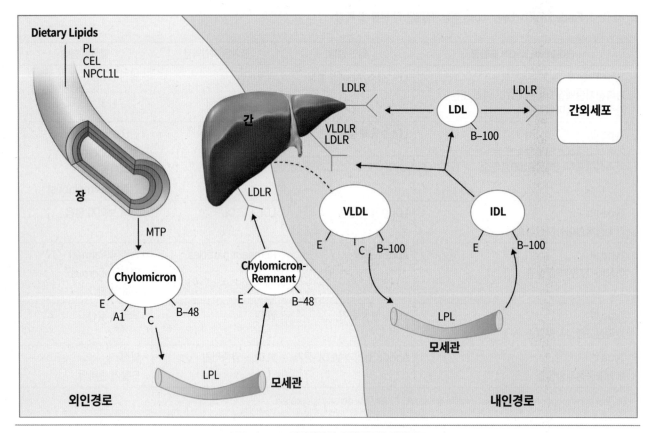

그림 10-1-3. 지질대사의 외인경로와 내인경로

LPL의 활성을 돕는다. 암죽미립에서 방출된 유리지방산은 근육세포나 지방세포에 섭취된 후 산화되어 에너지를 발생하거나 중성지방형태로 저장된다.

3) 암죽미립잔여물의 간으로 이동단계
암죽미립입자는 중성지방이 가수분해됨에 따라 크기가 점차 줄어들어 콜레스테롤과 인지질, 지단백질이 HDL로 전달되고 암죽미립잔여물(chylomicron remnants)이 만들어진다. 대사의 최종 부산물은 암죽미립잔여물로 간의 암죽미립잔여물수용체에 의해 제거된다. 이때 ApoE는 chylomicron remnants수용체에 대한 고친화리간드로 작용한다. 결과적으로 정상인에서는 식사 후 12시간 금식하면 혈액에 암죽미립이나 암죽미립잔여물은 거의 남지 않는다.

2. 내인경로 (Endogenous pathway)

내인경로란 간에서 만들어진 지방이 말초조직으로 운반되는 경로를 말하며 금식 동안 에너지를 말초조직에 제공하는 역할을 한다.

1) 간에서 유리지방산이 VLDL로 합성되는 단계
내인경로는 간에서 VLDL 합성으로 시작된다. 금식동안 지방조직에 있는 중성지방이 지방분해되어 유리지방산이 된 후 간으로 이동하고, 간에서 de novo 지방생성 과정을 통해 유리지방산을 직접 생성한다. 이런 유리지방산이 간에서 중성지방으로 에스터화되고 ApoB100, 콜레스테롤에스테르, 인지질, 비타민E 등과 함께 VLDL입자로 만들어진다. 이때도 역시 암죽미립처럼 MTP가 필요하다. VLDL은 중성지방이 풍부한 지단백질이라는 점에서 암죽미립과 비슷

하지만 ApoB48 대신 ApoB100을 주요 아포지단백질로 가지고 있으며 콜레스테롤 대 중성지방의 비율이 중성지방 5 mg 당 콜레스테롤 1 mg으로 암죽미립보다 높다.

2) 간에서 합성된 VLDL이 혈액으로 방출되는 단계

VLDL에 있는 중성지방은 암죽미립처럼 근육, 심장, 지방조직의 LPL에 의해 가수분해된다. 중성지방이 고갈된 VLDL 잔여물은 IDL이라 불린다.

3) 혈액의 IDL, LDL 형태에서 간으로 섭취되거나 말초조직으로 전달되는 단계

간은 IDL의 40-60%를 수용체와 ApoE의 결합으로 수용체-매개 세포내 섭취과정을 통해 혈액에서 제거한다. 남은 IDL은 간지방분해효소에 의해 리모델링되어 LDL을 형성한다. 이 과정에서 인지질과 중성지방은 가수분해되고 ApoB100을 제외한 나머지 지단백질의 대부분은 다른 지단백질로 이동한다. LDL의 약 70%는 LDL수용체의 리간드인 ApoB100을 통해 LDL수용체에 의한 수용체-매개 세포내 섭취과정을 통해 간으로 섭취된다. 남은 LDL은 말초조직으로 전달되어 에너지로 사용되거나 스테로이드호르몬 합성의 재료가 된다. 일부 LDL입자는 작고 치밀한 LDL입자로 바뀌기도 한다.

V. 저밀도지단백질콜레스테롤

이은정

1. 서론

LDL입자는 VLDL과 IDL입자에서 변형되어 만들어지게 되며 이 과정에서 더 적은 양의 중성지방을 함유하고 콜레스테롤의 함량은 증가한다. LDL은 인체 내에서 혈중 콜레스테롤의 대부분을 수송하는 단백질이다. LDL의 주된 아포지단백질은 ApoB100이고 각 LDL입자는 한 개의 ApoB100입자를 함유한다.

LDL은 간과 간 외의 조직들에 의해 내재화(internalize) 될 수 있다. 간의 LDL은 담즙산으로 변환되고 장내강으로 분비된다. 간 외의 조직에 의해 내재화되는 LDL은 호르몬 합성, 세포막 합성에 의해 사용될 수 있거나 에스테르 형태로 저장될 수 있다.

LDL의 내재화는 LDL수용체의 표현의 음성되먹임을 통하여 세포콜레스테롤 요구에 의해 조절된다. 예를 들어 양성 콜레스테롤밸런스에 있는 세포는 LDL수용체 표현을 억제하고 반면에 세포에 의해 새로운 콜레스테롤 합성속도를 조정하는 HMG CoA환원효소의 활동 감소는 세포콜레스테롤의 감소, LDL수용체의 표현 증가, 순환으로 콜레스테롤 섭취 증가와 혈장콜레스테롤 농도 감소를 일으킨다.

순환하는 LDL은 조절되지 않는 청소제수용체(unrelated scavenger receptor)를 통해서 대식세포와 다른 조직들에 들어간다. 이러한 경로는 세포내 콜레스테롤의 과잉축적과 거품세포 형성을 일으켜 죽상경화증반 형성에 기여한다. LDL은 일반적으로 "나쁜 콜레스테롤"로 알려져 있으며 많은 대규모 임상연구들에서 LDL콜레스테롤 농도와 관상동맥질환위험도와의 양의 상관성이 입증되었고, "The lower, the better"라는 이론으로 LDL콜레스테롤 농도가 낮을수록 심혈관질환위험도가 낮음이 이미 입증되어 있다. 최근 대부분의 콜레스테롤치료지침들은 LDL콜레스테롤 혈중 농도에 따라서 심혈관질환 위험도를 구분하고, 치료목표를 설정하고, 치료제를 선택하도록 권장한다.

LDL은 입자의 크기와 밀도에 따라서 다양한 형태로 존재하는데 소치밀저밀도지단백질(small dense LDL, sdLDL)입자는 인슐린저항성에 의해 유발되는 고중성지방혈증, 낮은 HDL 농도, 2형당뇨병, 대사증후군과 몇몇 감염 및 염증질환에서 관찰된다. sdLDL입자는 LDL수용체에 친화도가 떨어져서 혈중에 머무는 시간이 긴 것으로 알려져 있고, 큰

LDL입자보다 내피세포하공간(sub-endothelial space)으로 잘 침투하고 동맥내 프로테오글리칸과 잘 결합하여 동맥벽 내에 잘 머무른다. 또한 sdLDL입자는 산화에 취약하여 대식세포에 의해서 잘 uptake되는데 이러한 과정들에 의해서 동맥경화증을 잘 일으키는 것으로 알려져 있다.

콜레스테롤 대사조절에서 LDL수용체의 중요성은 실험동물과 인간에서 증명되었다. 유전자변이생쥐에서 LDL수용체 유전자제거(knock out) 시에 총콜레스테롤수치가 실질적으로 증가하였고 LDL수용체유전자 회복 시 이러한 결함은 역전되었다. 인간에서 가족성고콜레스테롤혈증은 LDL수용체의 결함과 종종 관련이 있다. 최근 간 표면에서 LDL수용체의 분해를 조절하는 단백질인 proprotein convertase subtilisin/kexin type 9 (PCSK9)의 억제제가 개발되어 LDL콜레스테롤의 농도를 현저히 낮추고 심혈관질환위험도를 감소시키는 것으로 알려져 있다.

VI. 고밀도지단백질콜레스테롤

1. 서론

ApoB100을 가지고 있는 지단백질은 간에서 생성된 중성지방과 콜레스테롤을 말초조직으로 운반하여 에너지와 호르몬의 전구물질을 공급한다. 반면에 말초조직에서 소비되고 남은 잉여콜레스테롤을 제거할 장치도 필요한데 그것이 바로 HDL이 하는 역할이다. 또한 HDL은 항산화, 항염증, 항혈전, 항세포자멸 효과가 있는 것으로 알려져 있는데 이러한 기전으로 항동맥경화증 효과가 있는 것으로 생각된다.

HDL입자는 콜레스테롤과 인지질로 이루어져 있는데 apo A-I, II, IV, C-I, II, III와 E로 이루어진 지단백질으로 다른 지단백질과 달리 간이나 장에서 완성되는 것이 아니라 원시적인 고밀도지단백질콜레스테롤(nascent HDL)이 혈장과 말초세포와 반응하여 성숙한 형태로 완성된다. 이러한

HDL은 주로 세 가지의 출처를 통해 기원하는데 첫째는 간에서 분비되는 원시적인(nascent) HDL이고, 둘째는 장에서 생성되는 small apo-AI-containing HDL이며, 셋째는 암죽미립이나 VLDL의 탈지질화 후 남은 apo-AI 등의 아포지단백질과 인지질의 이동을 통해 발생한 HDL이다.

HDL입자는 매우 이질적이어서 밀도와 크기, 띄는 전극 또는 아포지단백질 조성에 따라서 다양하게 분류된다(표 10-1-4).

콜레스테롤은 모든 유핵세포에서 합성될 수 있으나, 효과적으로 대사하여 체내에서 제거할 수 있는 유일한 장기는 간이다. 콜레스테롤제거의 주 경로는 담즙으로 직접 배출과 담즙산을 통한 간접배출이다. 말초세포의 콜레스테롤은 말초세포의 세포막으로부터 HDL의 중개를 통해 간으로 수송되는데, 이를 역콜레스테롤수송(reverse cholesterol transport)이라고 한다(그림 10-1-4).

말초조직의 잉여 콜레스테롤은 세 가지 경로를 통해 HDL에 전달된다. 가장 흔한 경로는 ATP-binding cassette transporter A1 (ABCA1)을 통한 것으로 지방함유량이 거의 없는 ApoA-I은 ABCA1에 의해 콜레스테롤과 인지질을 얻어 원시적인 HDL이 되고 이 과정이 더 진행되면서 성숙한 HDL이 된다. 그 외에도 비중을 많이 차지하지는 않지만 세포표면의 농도차에 의한 수동적인 확산에 의해서 HDL로 콜레스테롤이 전달된다.

Lecithin-cholesterol acyltransferase (LCAT)는 HDL의 콜레스테롤을 에스터화(esterification) 시켜서 HDL의 성숙을 돕는다(HDL3 → HDL2, HDL2 → HDL1).

HDL입자가 콜레스테롤을 간으로 전달하는 방식은 세 가지로 나뉜다. 첫 번째는 성숙한 HDL의 일부가 바로 간의 SR-B1에 붙어 콜레스테롤을 간에 전달하는 방식, 두 번째는 바로 간으로 가는 대신 혈관에서 VLDL 등의 중성지방

표 10-1-4. **HDL의 분류**

분류방법	HDL의 종류
Density gradient ultracentrifugation	HDL2, HDL3, 초고밀도 HDL
핵자기공명(nuclear magnetic resonance, NMR)	대, 중, 소
Gradient gel electrophoresis	HDL 2a, 2b, 3a, 3b, 3c
2-dimensional gel electrophoresis	Pre-β 1,2, α 1,2,3,4
아포지단백질 조성	A-I 입자, A-I:A-II 입자, A-I:E 입자

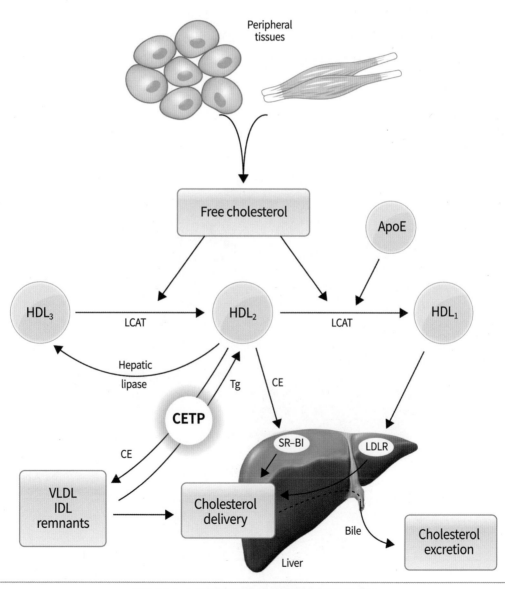

그림 10-1-4. **역콜레스테롤수송에 있어서의 HDL의 역할**

10 지단백질대사와 이상

이 많은 지단백질과 CETP을 통하여 콜레스테롤과 중성지방을 교환한다. 그 결과로 콜레스테롤은 VLDL과 IDL 등으로 이동하고 간의 LDL수용체에 의해 제거되고 배출된다. 마지막은 HDL이 ApoE와 붙어서 간의 LDL수용체에 결합한다. 일단 간에 들어가면 콜레스테롤은 담즙산으로 바뀌어 배설된다.

CETP은 중성지방이 400 mg/dL 될 때까지 전형적으로 활성이 증가한다. CETP이 활성화되면 콜레스테롤이 많았던 HDL이 중성지방이 많은 HDL이 된다. 중성지방이 풍부한 HDL은 간지방분해효소에 의해 중성지방과 인지질을 간에 전달하고 다시 작고 조밀한 HDL (small dense HDL)이 된다. 이 HDL은 다시 말초조직으로 가서 성숙한 HDL이 되는 경로를 밟거나 분해되어 배설된다. 따라서 중성지방이 높거나 CETP의 활성이 높으면 HDL의 콜레스테롤 농도가 낮다.

VII. 지단백질(a)

1. 서론

지단백질(a) [lipoprotein(a), Lp(a)]은 주로 간에서 생성되며 LDL like moiety와 apolipoprotein(a) [Apo(a)]가 공유결합으로 연결된 LDL의 특수한 형태이다(그림 10-1-5). LDL-like moiety의 중앙심부는 콜레스테롤에스터와 중성지방으로 이루어져 있고, 그 밖으로 ApoB100과 연결되어 있는 인지질과 유리콜레스테롤(free cholesterol, FC)

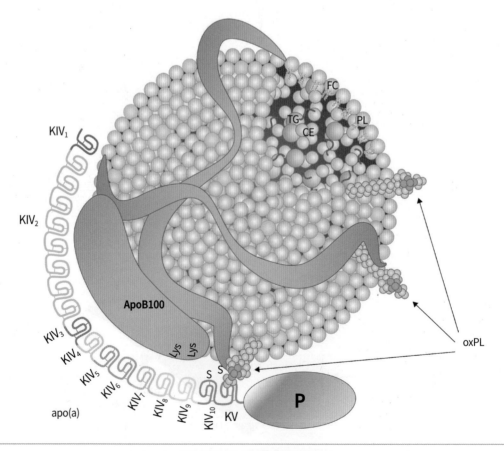

그림 10-1-5. **지단백질(a)의 구조**

의 껍질로 싸여 있는 형태이다. Apo(a)는 수 개의 반복되는 크링글영역(kringle domains, KIV, KV)이 단백질분해효소영역(protease domain, P)과 연결되어 있다. Apo(a)에는 10개의 KVI 종류가 있는데 KIV$_2$의 개수가 다른 것이 각 인종별 Lp(a) 동형 크기의 이질성을 결정하는 것으로 알려진다.

Lp(a)의 혈중 농도는 인종마다 다르고 개개인마다 태생적으로 결정되는 일종의 'signature'로 알려져 있으며 혈중 농도가 높은 사람에서 심혈관질환위험도가 높은 것으로 알려져 있는데, 그 기전은 다양하다. Lp(a)는 LDL입자의 동맥경화증을 유발하는 성격을 다 가지는데 혈관벽으로 침투하여 산화됨으로써 면역적으로 활성화되고 염증성을 보이는 산화저밀도지단백질(oxidized LDL)을 생성하게 된다. 그러나, Lp(a)는 같은 농도에서 비교할 때 LDL보다 훨씬 동맥경화증을 일으킬 가능성이 높은데 이는 LDL만 포함한 것이 아니라 Apo(a)도 갖고 있기 때문이다. Apo(a)는 염증반응 등의 추가적인 기전에 의해서 동맥혈전도 유발한다.

Lp(a)의 심혈관질환위험도와의 연구는 최근 10여 년간 진행되었으며 관상동맥질환을 가진 사람들과 가지지 않은 사람들을 대상으로 시행한 유전자분석연구들에서 LPA locus 이상이 관상동맥질환과의 연관성을 보였으며, 그 외에도 LDL–, PCSK9과 9p21–related variants가 관상동맥질환과의 연관성에 대한 연구가 진행되었다. 여러 연구들에서 Lp(a) 농도가 50 mg/dL 이상인 대상자에서 그보다 낮은 대상자보다 관상동맥질환의 위험도가 유의하게 증가되었다. 그러나 현재까지 LDL콜레스테롤을 낮추는 치료로 알려져 있는 스타틴은 Lp(a)의 농도를 낮추지 못하며 오히려 증가시킨다는 연구결과도 보고되었다. 최근 각광받고 있는 PCSK9억제제가 Lp(a) 농도를 낮출 수 있는 결과를 가져왔으며 이런 약물들이 Lp(a) 농도를 낮추는 만큼 심혈관질환 위험도를 낮출 수 있는지는 보다 더 많은 연구에서 증명되어야 할 것이다.

참 / 고 / 문 / 헌

I–IV.

1. Abumrad NA, Davidson NO. Role of the gut in lipid homeostasis. Physiol Rev 2012;92:1061-85.

2. Berriot-Varoqueaux N, Aggerbeck LP, Samson-Bouma M, Wetterau JR. The role ofthe microsomal triglygeride transfer protein in aβlipoproteinemia. Annu Rev Nutr 2000;20:663-97.

3. Brown MS, Goldstein JL. A receptor-mediated pathway for cholesterol homeostasis. Science 1986;232:34-47.

4. de Boer JF, Kuipers F, Groen AK. Cholesterol transport revisited: a new turbo mechanism to drive cholesterol excretion. Trends Endocrinol Metab 2018;29:123-33.

5. Gonzales JC, Gordts PL, Foley EM, Esko JD. Apolipoproteins E and AV mediate lipoprotein clearance by hepatic proteoglycans. J Clin Invest 2013;123:2742-51.

6. Innerarity TL, Mahley RW, Weisgraber KH, Bersot TP, Krauss RM, Vega GL, et. al. Familial defective apolipoprotein B-100: a mutation of apolipoprotein B that causes hypercholesterolemia. J Lipid Res 1990;31:1337-49.

7. Shelness GS, Ledford AS. Evolution and mechanism of apolipoprotein B-containing lipoprotein assembly. Curr Opin Lipidol 2005;16:325-32.

V–VII.

1. Feingold KR. Introduction of lipids and lipoproteins. Endotext; 2021.

2. Rader DJ, Kathiresan S. Disorders of lipoprotein metabolism. In: Jameson JL, Fauci A, Kasper D, Hauser S, Longo D, Loscalzo J. Harrison's internal medicine. 20th ed. New York: McGraw-Hill; 2018.

3. Semenkovich CF, Goldberg AC, Goldberg IJ. Disorders of lipid metabolism. In: Melmed S, Koenig R, Rosen C, Auchus R, Goldfine A. Williams textbook of endocrinology. 14th ed. Philadelphia: Elsevier; 2019.

4. Tsimikas S. A test in context: Lipoprotein(a): diagnosis, prognosis, controversies, and emerging therapies. J Am Coll Cardiol 2017;69:692-711.

지질과 죽상경화증

홍순준 강현재

I. 총론

홍순준

동맥경화증(또는 죽상경화증, atherosclerosis)은 고혈압이나 노화에 따른 동맥중막의 비대(medial hypertrophy)로 인하여 동맥이 딱딱해지고 굳어지는 과정으로 주로 대혈관, 중혈관동맥에 발생하여 허혈심장질환(협심증, 심근경색증), 뇌졸중, 말초혈관질환 등의 심뇌혈관질환을 일으키는 주요 원인이다.

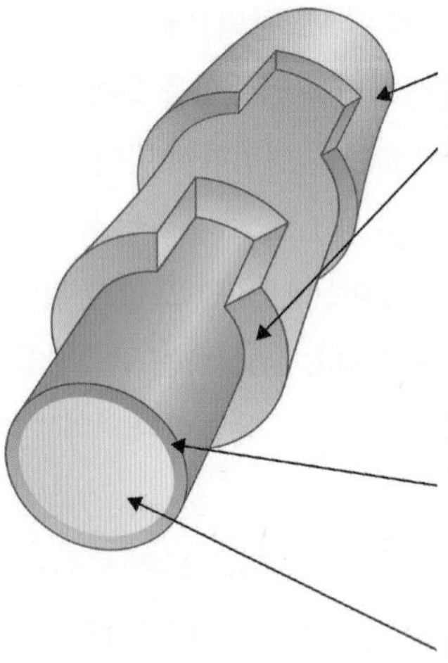

Adventitial layer: connective tissue
Medial layer: vascular smooth muscle cells (SMC)
- Increased thickness-SMC proliferation and matrix deposition
- Collagen deposition and cross-linking-advanced glycosylated endproduct formation
- Increased fibronectin and glycos-aminoglcans

Intimal layer: endothelial cells
- Increased thickness and permeability
- Decreased endothelial function
- Decreased nitric oxide production
Lumen

그림 10-2-1. **동맥은 세 개의 층으로 구성됨**

II. 죽상경화증의 기전

1. 동맥의 구조

정상동맥은 내막(intima), 중막(media), 외막(adventitia)으로 구성되어 있다.

1) 내막
내막은 내피세포(endothelial cell)로 구성되어 있다. 내피세포는 혈류의 순환을 유지(anti–thrombotic)하고, 순환하는 단핵구/대식세포(anti–adhesion/migration)로부터의 장벽을 형성하고, 혈관평활근세포의 기능을 조절한다

(relaxation/anti–growth). 내막은 내피세포(endothelial cell)로부터 internal elastic lamina 직전까지의 부위이며 결합조직의 두 개의 층, 즉 proteoglycan layer와 musculoelastic layer로 구성되어 있다.

2) 중막
혈관의 근육층으로 internal and external elastic lamina에 의하여 경계지어지며 이 내부에는 혈관평활근세포가 겹겹이 존재하지만 elastic fiber 사이에 많은 구멍들이 있어 물질뿐만 아니라 세포들이 양방향으로 이동할 수 있다.

3) 외막

외막은 촘촘한 교원성 구조로 collagen fibril, elastic fiber, 섬유모세포(fibroblast)들로 구성되어 있다. 이 층에는 혈관벽에 영양분을 공급하는 작은 혈관(vasa vasorum)들과 중막을 지배하는 신경섬유들이 분포한다. 작은 혈관은 경우에 따라 죽상경증판 안으로 자라 들어와 혈류를 공급함으로써 죽상경화판의 성장을 야기하기도 한다.

2. 동맥경화의 분자세포 생물학적 기전

동맥경화증은 지질을 함유한 대식세포가 동맥벽의 내피세포에 축적되는 것으로부터 시작된다. 동맥경화증의 발생 및 진행에 있어서는 지질 및 지단백질의 대사 및 염증반응이 필수적으로 관여하는데 크게 5가지의 기전 1) 혈관내피세포의 손상, 2) 지질의 산화 및 혈관내 침윤, 3) 단핵구 침윤 및 활성화, 4) 혈관평활근세포의 활성화 및 분열 성장, 5) 플라크의 불안정성/파열과 플라크의 회복기능이 포함된다.

1) 혈관내피세포의 손상

동맥경화증은 내피세포의 손상으로부터 시작된다. 고콜레스테롤혈증, homocystinemia, 당뇨병 등의 대사손상(metabolic injury), 와류, 고혈압 등의 전단응력(shear stress)에 의한 물리적손상(mechanical injury), 또는 심장, 신장이식 후의 면역학적손상(immunological injury) 등의 지속적인 또는 반복적인 스트레스에 의하여 내피세포는 정상적인 기능이 손실된다. 이외에도 혈관내피세포의 기능이상에 의한 산화스트레스(oxidative stress)의 증가 역시 동맥경화증 초기단계에 중요하다고 알려져 있다. 즉 고지질혈증 및 당뇨병을 비롯한 여러 가지 동맥경화증의 위험인자들이 공통적으로 혈관세포내 산화스트레스를 증가시키고 이에 따라 이차적으로 redox-sensitive signalling pathway와 전사인자를 활성화함으로써 혈관세포와 면역세포의 상호작용에 의한 염증반응을 유발하고 혈관기능의 장애를 초래함으로써 동맥경화증을 유발한다는 것이다. 이러한 산화스트레스에 의하여 혈관벽 안에 산화과정의 산물인 산화저밀도지단백질(oxidized low density lipoprotein, oxidized LDL)의 생성이 이루어지게 된다.

Oxidized LDL은 (1) 직접적으로 세포들을 자극하여 세포접착인자(cell adhesion molecule) 및 주화성인자(chemokines)들의 발현을 증가시키고, (2) 혈관 확장유도와 혈소판 및 백혈구의 부착(adhesion)을 억제시키는 EDRF(endothelium derived relaxing factor) 또는 산화질소(nitric oxide, NO)의 생산이 억제되며, (3) 섬유소용해(fibrinolysis)를 일으킴으로써 혈전 형성을 억제하는 t-PA(tissue plasminogen activator)의 생산이 줄어듦과 동시에 t-PA의 작용을 억제하는 플라스미노젠활성제억제제-1(plasminogen activator inhibitor-1, PAI-1)의 분비가 증가하여 혈전생성의 위험을 증가시킨다. 이러한 혈관수축, 혈소판 및 백혈구의 접착 및 이동, 혈전 형성 등의 변화와 함께 세포성장인자들의 합성유도로 인한 죽상경화판의 성장 등의 변화를 연속적으로 겪게 된다.

2) 지질의 산화 및 혈관내 침윤

지질성분은 혈중에서는 혈청 내의 강력한 항산화성분 때문에 산화되지 않는다. 나쁜 콜레스테롤로 잘 알려진 저비중지단백질(low density lipoprotein, LDL)콜레스테롤은 손상되어 느슨해진 내피세포층의 투과력 증가로 인하여 혈중에서 내피 하부위로 이동되며 이후 프로테오글리칸(proteoglycan) 등의 세포외 기질에 달라붙으면 산화에 취약한 기질이 노출된다. 결국 콜레스테롤뿐 아니라 지질(lipid), 인지질(phospholipid), 아포단백질(apoprotein)이 모두 산화되어 전혀 다른 성질을 가진 물질들로 변환된다. 어떠한 기전을 통하여 산화가 일어나는지는 확실하게 증명된 바 없으나 세포들로부터 방출되는 초과산화물음이온(superoxide anion)에 의하여 산화된 세포지질이 LDL입자로 이동되거나 불포화지방산산화효소(lipoxygenase, LO) pathway, NADPH산화효소, myeloperoxidase, iNOS가 작용하여 이루어질 것이라는 가능성이 있다. 대식세포(macrophages)가 산화를 가장 많이 야기하는 세포임에는 이의가 없다. 최근에는 혈관 내에 대식세포가 출현하기 이전에도 주로 내피세포 또는 혈관평활근세포에 의해 활성화되는 12/15 LO 등에 의해 산화가 이루어졌으며, 동맥경화 초기에 혈관벽을 활성화시킨다는 연구들이 있다.

Oxidized LDL은 초기 동맥경화증 진행에 중요한 역할을 한다. 즉, oxidized LDL은 (1) 내피세포의 손상을 악화시킨다, (2) 내피세포의 표면에 세포접착인자, 주화성인자(chemoattractant)의 발현을 촉진하여 백혈구의 침투를 가속화시킨다, (3) 대식세포의 청소제수용체 또는 잠정적인 oxidized LDL수용체를 통하여 섭취되어 대식세포를 거품세포(foam cell)로 변형시킨다, (4) 대식세포를 활성화시켜 여러 가지 사이토카인과 성장인자들을 분비시킨다, (5) 그 자체가 혈관수축작용이 있다.

3) 단핵구 침윤 및 활성화

동맥경화의 발생에 염증반응이 관여한다는 근거는 먼저 병리학적인 관찰에 기인한다. 죽상경화판 안에서 무수히 많은 염증세포들이 발견되기 때문이다. 즉 단핵구를 위시하여 대식세포와 T림프구, 심지어 B림프구 등의 침윤이 관찰된다. 체내의 여타 염증과 마찬가지로 이들 염증세포들은 혈류에서 이동하여 침착된 것들이다.

염증세포들이 혈관벽 내로 이동하는 과정은 rolling, firm adhesion, transmigration의 세 단계로 나누어져 있다. 정상혈관내피세포들은 염증세포와의 상호작용이 일어나지 않는다. 즉 염증세포들은 혈류를 따라 흘러갈 뿐 혈관벽과의 접촉이 거의 일어나지 않는다. 그러나 염증이 일어나는 부위의 혈관이나 혈관벽 내의 산화스트레스 및 염증이 발생하였을 경우 상황은 완전히 달라져서 염증세포가 혈관벽에 달라붙기 시작한다. 최초로 관여하는 물질은 셀렉틴(selectin)이라는 것으로 혈관벽과 염증세포의 표면에 발현하여 비특이적인 Lewis X 등의 탄수화물체와 상호작용을 한다. 이 단계에서 염증세포는 혈관벽과의 상호작용이 매우 느슨하여 특수한 실험세팅으로 혈관 내를 관찰하면 마치 염증

세포들이 혈관벽 위를 슬슬 굴러가는 모습을 보인다. 이를 rolling 현상이라고 부른다. 더 나아간 단계의 염증에서는 혈관벽의 내피세포에서 부착분자(adhesion molecule)라고 지칭되는 VCAM-1, ICAM-1 등이 발현하게 되고 이들이 염증세포에 있는 인테그린(integrin)이라는 수용체와 상호작용을 하게 된다. 이는 염증세포와 혈관벽 사이의 매우 강력한 결합을 유도하여 염증세포는 더 이상 혈관 위를 굴러가지 않고 혈관벽 위에 착 달라붙게 된다. 이를 'firm adhesion'이라고 부른다. 마치 닻을 내린 배처럼 혈관벽 위에 고착된 단핵구 등의 염증세포는 혈관내벽을 통과하여 서서히 혈관벽 안으로 이동하게 된다. 이를 'transmigration'이라고 불린다. 염증세포를 유도하여 혈관 내로 이동시키는 물질(chemokine)은 여러 가지가 있는데 가장 많은 연구가 이루어진 chemokine으로는 단핵구의 주화성운동을 주로 유발하는 MCP-1 (monocyte chemoattractant protein-1) 등이 있으며 현재 밝혀진 종류는 수십 종에 이른다.

혈관 내로 이동한 단핵구는 혈관벽 안의 염증반응에 의하여 대식세포로 분화를 일으키고 거품세포로 변화하고 사이토카인, 성장인자, 금속단백질분해효소(metalloproteinase) 등을 분비하여 더욱 강력한 염증반응을 일으키는 주체가 된다(그림 10-2-2).

4) 혈관평활근세포의 활성화 및 분열 성장

위의 과정을 통하여 등장한 대식세포들은 Th1특성을 가진 T림프구의 조절을 받으면 interferon γ를 비롯한 cytokine들과 함께 여러 종류의 성장인자들이 분비되어 (1) 중막의 혈관평활근세포를 내막으로 이동시키고(migration), (2) 혈관평활근세포를 "수축형형질(contractile phenotype)"에서 "합성형형질(synthetic phenotype)"로 변환시켜(phenotypic modulation) 활성화시키며, (3) 혈관평활근세포의 증식을 유발하게 된다(그림 10-2-3). 활성화된 평활근세포는 스스로 성장조절물질을 분비함으로써 위의 과정들에 악순환(vicious cycle)이 일어나며 평활근세포의 증식은 더욱 촉진되고 플라크의 크기는 커지면서 혈관내경

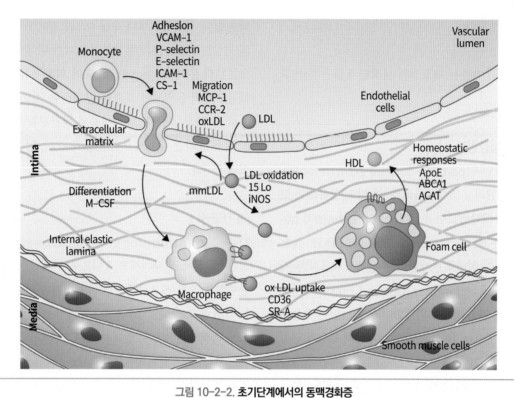

그림 10-2-2. 초기단계에서의 동맥경화증

LDL, low density lipoprotein; mm LDL, mimally modified LDL.

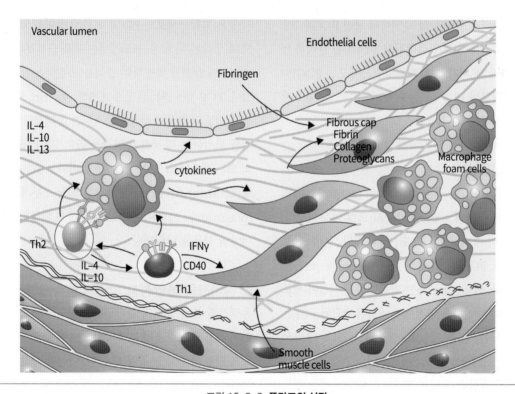

그림 10-2-3. 플라크의 성장

Th1 & Th2, T$_4$ cells with Th1 or Th2 subset; IL, interleukin.

이 점차 좁아지게 된다.

이러한 과정에 관여하는 대표적인 성장인자들은 다음과 같다.

(1) 혈소판유래성장인자

혈소판유래성장인자(platelet-derived growth factor, PDGF)는 혈소판의 α 과립(granule)에 많이 함유되어 있어 그 이름이 유래하였으며 A, B의 두 가지 chain이 homodimer 또는 heterodimer를 형성하여 PDGF-AA, AB, BB의 세 가지 형태로 존재한다. 수용체도 α, β의 두 가지가 있으며 역시 homodimer, heterodimer를 형성하여 αα, αβ, ββ 세 가지 형태로 존재한다. A chain은 수용체에만 결합할 수 있으나, B chain은 α, β수용체 모두와 결합할 수 있다. 즉 PDGP-AA는 PDGP αα수용체에만 결합할 수 있으며, PDGF-AB는 PDGF αα, αβ수용체에만 결합할 수 있으나, PDGF-BB는 세 가지 다른 형태의 수용체와 결합할 수 있다. 혈관평활근세포의 표면에는 주로 β수용체가 존재하므로 평활근세포의 증식 측면에서 보면 PDGF-BB > AB > AA의 순서로 효과가 강력하다. PDGF를 분비하는 주된 세포는 크게 네 가지로 ① 혈관평활근세포는 PDGF-AA를, ② 대식세포와 내피세포는 PDGF-BB를, ③ 혈소판은 PDGF-AB를 주로 분비한다.

(2) 섬유모세포성장인자

섬유모세포성장인자(fibroblast growth factor, FGF)는 등전점의 차이에 따라서 acidic과 basic으로 나누어진다. aFGF는 140개의 아미노산, bFGF는 146개의 아미노산으로 구성되어 있다. FGF의 가장 큰 특징은 signal sequence가 없다는 것이다. 이 sequence는 만들어진 단백질이 세포 외로 분비되게 하는 기능을 가졌으며 이것이 결핍된 FGF는 세포 외로 분비되지 않는 것으로 생각되고 있다. 따라서 FGF는 주로 세포질 내에 있거나 세포표면의 기질인 글리코사미노글리칸과 결합하여 세포표면에 저류되어 있는 것으로 알려져 있다. bFGF는 ① 동맥의 손상에 의하여 세포가

파손될 때 세포질로부터 수동적으로 분비되거나, ② 세포외 기질인 heparin과 결합하여 있다가 대식세포나 혈소판으로부터 분비되는 heparinase에 의하여 heparin이 분해됨으로써 유리되어 효과를 발휘하는 것으로 생각된다. 주로 분비되는 세포는 내피세포와 혈관평활근세포이며 주된 작용 효과는 내피세포의 이동과 증식, 혈관평활근세포의 증식이다.

(3) TGF-β

TGF-β (transforming growth factor-β)는 내피세포, 혈관평활근세포, 대식세포, T림프구, 혈소판 등 동맥경화에 관여하는 모든 세포들로부터 만들어지며 혈관평활근세포는 낮은 농도에서는 성장을 촉진시키며 높은 농도에서는 성장을 억제하는 것으로 알려져 있다. TGF-β의 성장 억제작용은 ① 세포내 암억제인자인 retinoblastoma (Rb) 단백질을 활성화시켜 Rb가 세포분열에 필요한 다른 전사인자(transcriptional factor)들과 결합하여 이들이 작용을 하지 못하게 방해함으로써 일어나며, ② 높은 농도의 TGF-β 자극은 평활근세포의 PDGF수용체 발현을 억제하기 때문으로 생각된다. 낮은 농도에서는 평활근세포의 PDGF-A chain의 발현을 촉진하여 증식을 촉진하는 것으로 알려져 있다. TGF-β는 콜라겐 1, 3, 4, 5형, elastin, fibronectin 등의 세포외 기질의 합성을 증가시켜 동맥경화 플라크의 크기를 결정하는 데 중요한 역할을 한다. TGF-β수용체는 거의 모든 세포에 있으나 세포에서 분비되는 TGF-β는 잠재형 형태(latent form)로 분비되어 섬유소분해효소전구체(plasminogen)와 같은 효소에 의하여 활성형으로 변환되어야만 작용을 나타낸다.

5) 플라크의 불안정성/파열과 플라크의 회복기능

동맥경화 플라크 내의 혈관평활근세포들은 콜라겐을 합성하여 세포외 기질을 풍부하게 함으로써 플라크를 터지지 않도록 단단히 해주는 작용을 한다. 이러한 상태의 섬유성모자(fibrous cap)로 둘러싸인 플라크는 "안정된 플라크(stable plaque)"라 할 수 있다. 그러나 세포외 기질 합성보

다 분해의 과정이 우월하게 되면 균열이나 파열이 일어나기 쉬운 "불안정형플라크(unstable plaque)" 또는 "취약플라크(vulnerable plaque)"로 성상이 변화된다. 이러한 생물학적 요인들과 더불어 기계적인 요인이 존재하는데, 플라크와 정상혈관의 경계부위(이 부위를 "shoulder"라 한다)의 기계학적인 긴장도(mechanical stress)가 가장 높아 파열 호발부위로 알려져 있다.

만일 플라크를 지탱해주는 평활근세포의 감소, 이에 따른 세포외 기질/콜라겐의 양이나 섬유성모자의 두께 감소, 플라크 벽을 약화시키는 지방성분의 증가 등 플라크의 구성성분들의 변화가 일어나면 플라크 파열의 위험성이 증가한다. 대식세포는 플라크 파열부위에 집중적으로 분포되며, collagenase, stromelysin과 같은 MMPs (metalloproteinases)를 생산하여 세포외 기질을 분해시켜 플라크의 파열을 촉진한다. 또한 대식세포는 T면역세포와 상호작용을 일으킨다. 동맥경화증의 진행을 촉진하는 Th1 cell들이 대식세포들과 CD40-CD40L (CD154) 매개상호작용을 하

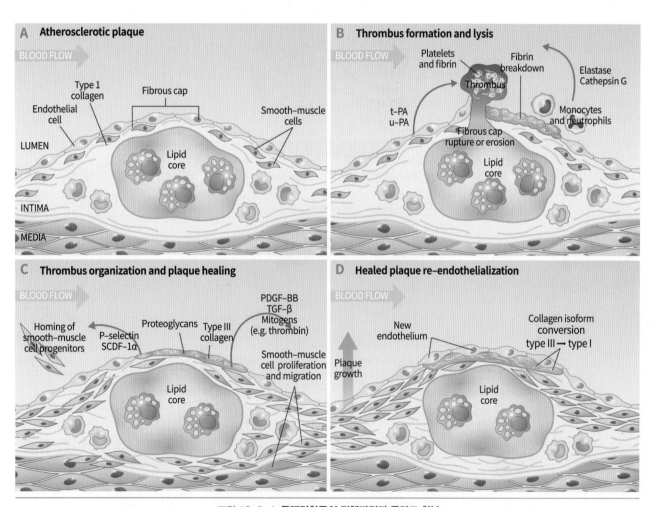

그림 10-2-4. **동맥경화증의 진행과정과 플라크 회복**

A: 동맥경화플라크는 지질과 necrotic debris, foam cell을 포함하는 central core로 이루어져 있고, collagen-rich matrix, smooth-muscle cell로 구성되는 fibrous cap으로 둘러싸여 있다. B: 염증세포(단핵구, 대식세포)가 내막을 침범하고, fibrous cap이 파열되며 highly thrombotic necrotic core의 노출이 발생하고 혈소판의 활성화 및 응집이 발생하며 혈전이 생성된다. Fibrous cap의 파열/균열은 endogenous fibrinolytic system을 활성화하여 t-PA (tissue plaminogen activator), u-PA (urokinase plaminogen activator), elastase, cathepsin G 등의 분비를 촉진하여 fibrin 분해 및 혈전용해를 촉진한다. C: PDGF-BB, TGF-β 등의 growth factor의 분비와 P-selectin, SCDF-1α의 발현이 증가하며 주변의 혈관평활근세포의 증식, 이동 및 혈관평활근세포의 전구세포들의 homing을 촉진한다. 증식된 혈관평활근세포는 proteoglycan과 type III collagen의 합성을 촉진하고, 이는 일시적인 세포외 기질(provisional extracellular matrix)을 형성한다. D: 플라크 회복이 완성되면 type III collagen은 type I collagen으로 전환되고 재내피화(re-endothelization)가 발생하게 된다.

게 되면 인터페론-γ (interferon-γ)를 분비한다. 평소 평활 근세포에서는 MMPs들을 중화시키는 TIMPS (tissue inhibitors of metalloproteinases)라는 물질이 생산되어 플라크의 파열을 억제하는데, 인터페론-γ에 의하여 TIMP의 합성/분비가 저해된다. 또한 인터페론-γ는 직접적으로 평활근세포의 세포고사를 유도하므로 궁극적으로 죽상경화판을 약화시켜 플라크의 파열을 조장한다(그림 10-2-4,

10-2-5). 또한 대식세포에서 분비되는 조직인자(tissue factor)로 인하여 혈액응고성이 증가하고 증폭된 MMP의 작용에 의하여 콜라겐의 분해(degradation)가 일어난다.

앞서 언급했듯 급성관상동맥증후군은 동맥경화플라크의 파열이나 균열에 의해 발생하는데, 최근에는 플라크의 파열/균열뿐만 아니라 플라크의 회복(plaque healing)과정

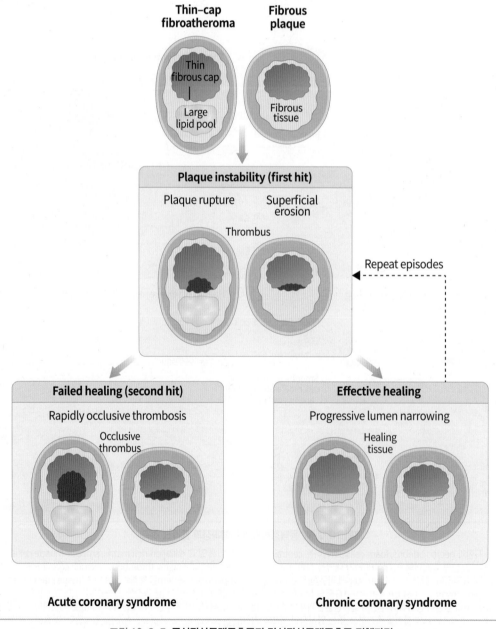

그림 10-2-5. 급성관상동맥증후군과 만성관상동맥증후군 진행과정

이 관상동맥질환에 관여한다고 보고 있다. 즉, 급성관상동맥증후군은 플라크의 불안정성(plaque instability)과 플라크의 회복(plaque healing) 사이의 균형이 깨지면서 발생하고 이전까지는 플라크의 불안정성에 대한 연구가 활발했으나, 최근에는 플라크의 회복이 죽상경화증질환에 중요한 역할을 한다는 관점이 주목되었다.

동맥경화플라크의 회복은 플라크의 파열 후 혈전 생성을 막고, plaque repair를 촉진하고 혈관벽의 안정성을 회복하기 위한 역동적인 과정이다. 이 과정에는 크게 3단계가 관여하는데, (1) 혈전용해(thrombus lysis), (2) 육아조직형성(granulation tissue formation), (3) 혈관재내피화(vessel reendothelization)이다.

최근에는 빛간섭단층촬영(OCT), 자기공명영상(MRI) 등 관상동맥영상기술이 발달함에 따라 급성관상동맥증후군의 발생과정을 플라크의 파열뿐만 아니라 플라크 회복의 장애도 함께 관여한다는 의견이 제시되었고 이에 따라 double-hit theory가 제시되었다.

플라크의 파열/균열이 발생하며 급성으로 플라크가 불안정해지고(first hit), 플라크의 회복기능에 장애가 있는 환자에서 폐색혈전이 발생하며 급성관상동맥증후군으로 진행하게 된다. 반면, 온전한 플라크의 회복기능을 갖춘 환자에서는 플라크 회복과정이 진행되면서 불안정한 플라크가 안정화되는 과정을 거치게 된다.

이러한 혈전생성 및 플라크의 회복과정이 반복되다 보면 섬유화된 플라크의 침범으로 인해 동맥 내경이 점차 좁아지게 되며(급성관상동맥증후군의 발생 없이도) 고도의 관상동맥 내 폐색으로 진행될 수 있다. 즉 플라크의 회복은 죽상경화증질환으로 인한 급성관상동맥증후군으로의 진행을 막기 위한 과정에서 발생하나, 반복적인 플라크의 치유/회복은 만성관상동맥증후군(chronic coronary syndrome)으로 진행하게 된다.

3. 죽상경화증에 중요한 역할을 하는 인자들

1) 면역체계의 활성

동맥경화증에 관여하는 면역체계는 주로 대식세포가 근간이 되는 선천면역(innate immunity)과 T, B림프구, 수지상세포(dendritic cells) 등이 관여하는 적응면역(adaptive immunity)으로 나눌 수 있다.

(1) 선천면역

대식세포가 병원균 등의 외부물질들을 인지하면 즉시 이를 포식하고(phagocytosis) 한편으로는 보체계(complement system)를 활성화시켜 Clq와의 복합체를 만들어 포식을 용이하게 하거나, 대상을 녹여(lysis) 제거하는 등의 과정으로 이들을 신속히 몸으로부터 제거한다. 동맥경화에서는 oxidized LDL입자들이 대식세포에 의하여 인지되고 청소되는 대표적 물질이라고 할 수 있다. 최근의 학설에 따르면 oxidized LDL과 동일한 성분들이 apoptotic cells, bacterial wall 등에서도 발견되며, oxdized LDL과 유사한 반응이 lipopolysaccharides, teichoic acid, DNA 등에 의해서도 발생하므로 이러한 ligand들을 통틀어 PAMP (pattern recognition molecular pattern)라고 칭하고 이에 대하여 반응하는 수용체의 집단을 pattern recognition receptor (PRR)라고 명명한다. 따라서 동맥경화의 발전과정은 결국 PRR에 의한 PAMP의 활성을 통한 대식세포의 흥분과 거품세포로의 분화를 근간으로 하는 선천면역의 활성화에 의하여 증폭되는 염증반응의 단면이라고 할 수 있다.

(2) 적응면역

즉각적인 반응을 보이는 선천면역에 비하여 적응면역은 지연반응을 보이는 특징이 있다. 즉 대식세포가 아닌 수상돌기세포(dendritic cells)에 의하여 PAMP가 탐식되면 이 세포는 homing에 의하여 죽상경화증반 외에서 이를 MHC class II molecule과 함께 발현하게 되고 이를 인지하는 T helper (Th) cells들이 effector T cell로 형질 전환하여 증폭함으로써 사이토카인을 분비하고 B cell을 활성화시켜 항체를 만들게 된다. 동맥경화의 단계에서 주로 보이는 T cells들은 주로 인터페론-γ, IL-2 등의 염증작용을 항진시키는 사이토카인들을 분비하는데 이를 Th1반응이라고 부른다. 이와는 반대로 IL-4, -5, -10, -13 등의 사이토카인들을 분비하는 Th2반응이 있는데 이의 활성은 반대로 동맥경화의 진행을 억제시킨다. 따라서 대식세포를 Th1 또는 Th2 어느 성향을 가진 림프구가 주로 조절하느냐에 따라서 동맥경화의 진행 또는 억제가 일어나게 된다(그림 10-2-3).

또한 적응면역의 활성으로 B림프구에 의하여 생산되는 항체가 과연 동맥경화를 항진 또는 억제시키는가에 대한 결과는 확실치 않으나, 이는 주로 Th2반응의 결과이며 대식세포가 oxidized LDL에 의하여 활성되는 과정을 억제함으로써 동맥경화의 진행을 억제할 것이라는 증거가 있다.

(3) 자가면역반응(autoimmune response)

최근 동맥경화는 이차자가면역반응을 동반하는 만성염증질환으로 생각되어 자가면역반응으로(B세포에서 기원한) 형질세포에서 oxidized LDL에 대한 항체가 생성되는 것으로 알려져 있다. B세포뿐만 아니라 T cell에 의한 항체도 관여하는 것으로 알려져 있는데, 최근에는 apolipoprotein B에 특정적으로 작용하는 CD4[+] T세포의 존재가 밝혀졌다. 동맥경화에 작용하는 CD4[+] T세포의 대부분은 memory T cell (CD45RO+)로 oxidized LDL에 반응하여 염증사이토카인을 생성하여 동맥경화의 진행을 촉진한다.

2) 대식세포의 반응

최근에는 대식세포가 반드시 동맥경화증을 촉진하는 세포가 아니라는 증거들이 제시되었다. 염증상태와 산화스트레스로 인하여 생성되는 다양한 부산물들 중 phosphorylcholine을 포함한 기질 등의 일부는 대식세포를 자극하여 염증사이토카인들과 케모카인(chemokine)들의 분비를 유도하는 반면, oxidized linoleic acid, HODE 등과 같은 다른 부산물들은 PPAR-γ 등의 활성을 유도함으로써 항염증

작용을 일으키기도 한다. 이러한 동맥경화 촉진대식세포를 M1, 억제성대식세포를 M2아형으로 명명하기도 한다.

또한 죽상경화판으로부터 지질을 제거하는 기전인 cholesterol efflux에서 대식세포는 중요한 역할을 한다. 즉, 대식세포의 CD36 등에 의하여 함입된 산화/변성지질들은 대식세포의 ABCA1, CLA-1 등의 카세트단백질이나 수용체 등과 ApoA-l, HDL입자 등과의 상호작용에 의하여 대식세포를 벗어나, 죽상경화판으로부터 제거될 수 있다면 동맥경화의 진행이 예방될 수 있을 것이라는 가설이 존재한다.

대식세포를 거품세포로 변형시키는 과정에서 대식세포에 작용하여 cholesterol efflux의 변화를 가져오는 카세트단백질로 ABCA1, PCSK9 등이 있다.

(1) ABCA1 (ATP-binding cassete subfamily A member 1)

ABCA1은 대식세포에서 콜레스테롤을 세포 외로 유출하는 막수송체단백질(transmembrane transporter protein)로 세포 외로 유출된 콜레스테롤은 ApoA-I으로 전달되어 초기 HDL콜레스테롤(nascent HDL)로 변환되게 된다. ABCA1의 결핍이나 돌연변이는 HDL콜레스테롤의 감소와 관련이 있고 동물모델에서는 동맥경화증을 증가시키는 것이 밝혀졌다.

(2) PCSK9 (proprotein convertase subtilisin/kexin type 9)

혈중 LDL콜레스테롤의 조절에는 LDL수용체가 주요 역할을 하는데, PCSK9은 혈중에서 LDL수용체에 결합하여 구조적인 변화 및 분해를 유도함으로써 LDL수용체의 재활용을 막게 된다. PCSK9의 기능돌연변이로 gain of function mutation이 발생하면 혈중 LDL콜레스테롤의 증가로 인한 심혈관질환의 발생이 증가한다고 밝혀진 바 있다. 최근에는 PCSK9을 억제함으로써 혈중 LDL콜레스테롤을 낮추는 PCSK9단세포군항체가 개발되어 스타틴 투약에도 혈중 LDL콜레스테롤의 조절이 필요한 환자에서 사용되고 있다.

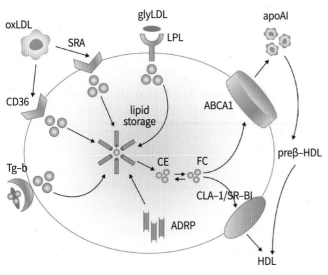

그림 10-2-6. **대식세포 내의 산화지질의 이동경로**

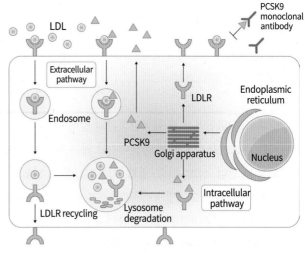

그림 10-2-7. **LDL수용체와 PCSK9**

3) 혈소판의 작용

동맥경화의 경과에 있어서 혈소판의 두 가지 중요한 역할은 혈관내피세포/단핵구와의 상호작용에 의한 염증반응의 활성화와 혈소판의 응집에 의한 혈전의 생성이다.

(1) 혈전의 생성

혈관내피세포에는 혈전의 생성을 억제 또는 촉진하는 물질을 발현시킬 수 있는 능력을 모두 가지고 있다. 염증, 산화스트레스의 영향에 의하여 혈전생성물질의 발현이 더욱 증가하는 것은 잘 알려져 있다. 내피세포의 표면에 본빌레브란드인자(von Willebrand factor, vWF)와 같은 혈전생성물질이 콜라겐과 함께 노출되면 혈소판이 내피세포에 부착되며 이후 RGD부위를 가진 섬유소원, 섬유결합소(fibronectin), vWF, CD40리간드 등이 혈소판의 GPIIb/IIIa와 결합하여 응집을 일으키게 된다.

(2) 내피세포 및 단핵구의 활성화

혈소판이 내피세포와 단핵구와의 직접적인 결합을 통하여 염증반응을 증대시킨다는 주장이 있다. 즉, 혈소판의 GPIα, PSGL-1 등과 내피세포의 p-selectin의 상호작용에 의하여 혈소판과 내피세포의 결합이 시작되고 연이어 활성화된

β3 integrin에 의하여 혈소판은 내피세포에 단단히 결합하며(firm adhesion), 이후 CD40L/CD40 상호작용이 가세하여 IL-13을 분비하게 된다. IL-1β는 NF-κB경로를 통하여 내피세포를 활성화시켜 MCP-1, VCAM-1, ICAM-1, β3 integrin, MMPs, tissue factor 등을 분비시킨다. 또한 혈소판에 발현하는 p-selectin과 β3 integrin을 매개로 내피세포-혈소판-단핵구의 삼차결합을 이루어 단핵구에서도 유사한 염증물질의 발현을 유도한다. 최근에는 혈액의 줄기세포들(stem cells)이 동맥경화증을 억제하는 내피세포 또는 동맥경화증을 유도하는 단핵구/대식세포로 분화할지 여부를 혈소판이 조절한다는 가설이 있다.

III. 죽상경화증의 발생에 관련된 임상적인 위험인자들

강현재

죽상경화증은 심혈관질환의 주요 병인이며 죽상경화증의 발생과 진행은 여러 요인들에 의해 영향을 받고 있음이 Framingham연구를 포함한 여러 종적, 횡적연구들을 통

해 알려져 있다. 이들 죽상경화증의 위험요인들과 심혈관질환의 위험 간에는 상관관계가 있으며, 다수의 위험인자들이 함께 있는 경우 심혈관계 위험의 상승 혹은 부가효과를 보이는 것이 잘 알려져 있다.

죽상경화증의 위험인자 중 심혈관질환의 발생이나 사망과 연관되는 주요지표로 널리 받아들여지고 있는 임상적인 위험인자들은 연령, 성별, 인종, 혈압, 이상지질혈증, 당뇨병, 흡연, 관상동맥질환 조기발병가족력(남55세 이전, 여65세 이전) 등이 있다. 국내연구에서도 남녀 공히 고혈압, 흡연, 이상지질혈증, 당뇨병의 4가지 임상적인 인자들이 심혈관질환의 주요 임상적인 위험인자로 작용하는 것으로 알려져 있다. 이들 위험인자 중 죽상경화증의 위험도와 연관성이 잘 정립된 것은 혈장지단백질의 이상과 지질대사의 이상이다. 이상지질혈증의 조절을 위해서 임상적으로는 LDL콜레스테롤이 일차조절목표로 제시되고 있다. 한국지질·동맥경화학회 이상지질혈증 치료지침에서는 LDL콜레스테롤 조절목표에 영향을 주는 주요 심혈관계 위험인자로 연령(남 ≥ 45세, 여 ≥ 55세), 관상동맥질환 조기발병 가족력, 고혈압, 흡연, 저HDL콜레스테롤혈증을 제시하고 있다.

위에서 제시한 주요 위험인자들 이외에 부가적으로 고려해야 할 위험인자로 다양한 요인들을 제시하고 있다. 2001년 ATP III에서는 대사증후군을 조절해야 할 이차치료목표로 제시하고 있다. 대사증후군 이외에 생활습관위험인자로 비만, 신체활동 부족, 동맥경화유발 식단을 제시하였고 떠오르는 위험인자로 지단백질(a), homocystein, prothrombotic and proinflammatory factors, 당불내인, 무증상 죽상경화증(subclinical atherosclerosis) 등을 제시하였다. 이들 부가적 위험인자들의 리스트는 연구결과의 축적과 임상진료환경의 변화에 따라 달라져가고 있다.

다른 가이드라인에서 제시하고 있는 임상위험인자들을 살펴보면, 먼저 2017년 일본동맥경화학회 이상지질혈증가이드라인에서는 LDL콜레스테롤 이외에 고려해야 할 위험인

자로 아래와 같은 요인들을 제시하고 있다.

- 만성신장질환
- 중성지방, ApoB, 지단백질(a), sdLDL, malondialdehyde-modified LDL콜레스테롤(당뇨병의 경우)
- 섬유소원(fibrinogen), plasminogen activator inhibitor-1
- HsCRP

2018년 미국심장학회 콜레스테롤 치료지침과 2019년 미국심장학회의 심혈관질환예방가이드라인에서는 다음과 같은 요인들은 일차예방에 있어 심혈관질환의 위험도증가요인으로 제시하고 있다.

- 조기죽상경화심혈관질환의 가족력
- 일차고콜레스테롤혈증
- 대사증후군
- 만성신장질환
- 만성염증상태
- 조기폐경(40세 이전), 자간전증과 같은 임신 관련 죽상경화심혈관질환 위험병력
- 인종
- 지질/생체표지자: 지속적인 일차고중성지혈증(150 mg/dL 이상), hsCRP (2 mg/L 이상) 상승, 지단백질(a), ApoB, ABI (ankle brachial index) < 0.9

2019년 유럽심장학회 이상지질혈증가이드라인에서는 AS-CVD (atherosclerotic cardiovascular disease, 죽상경화심혈관질환)가 이미 발생한 경우를 주요 위험인자로 제시하였고, 이외에 당뇨병, 만성신장질환, systematic coronary risk evaluation (SCORE) 심혈관사망위험도 예측모델을 LDL콜레스테롤 조절에 고려가 필요한 주요 심혈관위험도 결정요인으로 제시하고 있다. SCORE 체제는 연령, 성별, 수축기혈압, 흡연, 총콜레스테롤, 국가에 따라 심혈관계사망위험도 예측모델을 제시하고 있다. 이외에 관상동맥질환의 위험도에 영향을 주는 인자로 여러 인자들이 제시

되고 있는데 이들은 죽상경화증에 국한되기보다는 전체적인 관상동맥질환의 위험도를 증가시키는 인자로서 제시되고 있다고 생각된다.

- 사회적 박탈
- 비만, 중심성 비만, 신체활동 저하
- 정신사회적 스트레스
- 조기죽상경화심혈관질환의 가족력
- 만성면역염증매개성질환
- 주요 정신병
- 후천면역결핍증 치료
- 심방세동
- 좌심실비대
- 만성신질환
- 폐쇄수면무호즙증증후군
- 비알코올지방간질환

죽상경화증과의 연관성이 잘 정립되어 있는 주요 위험인자들과 달리 부가적인 위험인자들의 죽상경화증 위험에 대한 영향과 기여에 대해서는 여전히 연구 및 평가가 필요하다. 예를 들어 hsCRP의 경우 대표적인 염증지표로써 주목을 받았으나 최근의 연구를 통해 위험도 층화지표로는 유용성이 있으나 직접적인 병인으로 작용하지는 못할 것이라는 결과들이 제시되고 있다. 반면, 지단백질(a)은 원인적 위험인자로 주목을 받고 있다. 이들 부가적인 위험인자들은 전통적인 주요 위험인자를 기반으로 한 모델을 통해 죽상경화증 위험도 예측이 이루어진 후에도 추가적인 위험도 층화에 기여하거나 예방 혹은 치료적 중재의 대상이 될 수 있다는 점에서 그 가치를 확인할 수 있을 것이다. 그러나 부가적위험인자들의 효과나 역할이 집단에서와 달리 개개인에게 적용될 때는 달라질 수 있다는 점과 그 비용효과성은 반드시 고려가 필요할 것이다.

IV. 이상지질혈증의 정의 및 개관

1. 정의

이상지질혈증은 흔히 죽상동맥경화증 악화에 연관된 콜레스테롤, LDL콜레스테롤, 중성지방의 혈중 농도 상승 또는 HDL콜레스테롤 혈중 농도의 감소로 정의된다.

이상지질혈증의 진단을 위해서는 혈장지질과 지단백질의 측정이 필요하다. 일반적으로 12시간 금식 후 검사가 권고된다. 국민건강영양조사에서는 총콜레스테롤 240 mg/dL 이상 혹은 약물을 복용 중인 경우를 고콜레스테롤혈증으로 정의하여 보고하고 있다. 국민건강영양조사에 따르면 국내 고콜레스테롤혈증의 유병률은 지난 10여 년간 지속적으로 상승하여 2018년에서 남녀 공히 30세 이상 성인의 20% 이상에서 진단되고 있다. 그러나 이상지질혈증을 정의하는 명확한 단일기준은 설정이 어려우므로 대상 집단에서의 지질수치의 분포와 사회보건적 상황과 비용효과성을 고려하여 기준치가 설정되어 왔다. 각 진료지침들이나 연구에서는 각자 다양한 기준치를 제시하고 있다(표 10-2-1).

2. 분류와 접근

지질질환을 치료, 관리하기 위해서는 이상지질혈증의 분류와 이상지질혈증의 원인규명이 필요하다. 고지혈증/고지단백질혈증을 분류하기 위해 혈중 지단백질의 상승양상(phenotype)에 따라 Fredrickson 기준을 사용해왔다(표 10-2-2).

임상적인 측면에서는 실용적인 분류로 콜레스테롤, 중성지방, 콜레스테롤과 중성지방의 상승, 혹은 LDL콜레스테롤의 증가, HDL콜레스테롤의 저하 등과 같이 각 혈중 지질의 높고 낮은 양상에 따라 분류하고 있다. 심혈관질환예방을 위해 이상지질혈증에 대한 평가를 시행하는 경우 대부분 혈중

표 10-2-1. **한국인의 이상지질혈증 진단기준**

LDL콜레스테롤[1](mg/dL)	
매우 높음	≥ 190
높음	160–189
경계	130–159
정상	100–129
적정	< 100
총콜레스테롤(mg/dL)	
높음	≥ 240
경계	200–239
적정	< 200
HDL콜레스테롤(mg/dL)	
낮음	< 40
높음	≥ 60
중성지방(mg/dL)	
매우 높음	≥ 500
높음	200–499
경계	150–199
적정	< 150

한국지질·동맥경화학회 진료지침
[1]이상지질혈증 진단의 LDL콜레스테롤 '높음' 기준의 경우 치료지침의 저위험군(주요 심혈관계 위험요인 1개 이하) 환자에서 약물치료 시작 권장기준으로 사용할 수 있음. 중등도 위험군의 경우 LDL콜레스테롤 '경계' 기준을 약물치료 시작 권장기준으로 사용할 수 있음. 고위험군 환자의 경우 LDL콜레스테롤 '정상'기준을 약물치료 시작 권장기준으로 사용할 수 있음. 초고위험군의 경우 LDL콜레스테롤 값에 관계없이 약물치료 시작을 권장함.

지질의 높고 낮음에 따라 치료적 접근을 하게 된다.

이상지질혈증의 원인에 따라 일차 혹은 이차으로 분류하기도 한다. 흔히 이차이상지질혈증은 칼로리나 지방 과잉섭취, 신체활동 부족 등의 사회환경적 요인과 연관되나 이 외에도 당뇨병, 만성신장질환, 갑상선기능저하증, 담즙정체간질환과 같은 질환이나 알코올, 흡연, 그리고 이뇨제, 베타차단제, 여성호르몬이나 코티코스테로이드와 같이 약물에 의해 유발되기도 한다(표 10-2-3).

일반적으로 혈중 지단백질과 지질의 분포에 따라 분류한 후 이차원인을 배제하고 일차이상지질혈증을 진단하기 위해 노력하여야 한다. 중성지방이나 LDL콜레스테롤수치가 매우 높은 경우 유전요인에 대한 고려가 필요하다. 중성지방이 750 mg/dL 이상인 경우 암죽미립혈증(chylomicronemia)이 있을 가능성을 고려하여야 한다. 중성지방 대 콜레스테롤의 비율이 8을 넘으면 familial chylomicronemia syndrome을 고려하여야 한다. LDL콜레스테롤이 95분위 이상이거나 190–225 mg/dL 이상에서는 가족성고콜레스테롤혈증(familial hypercholesterolemia, FH)을 의심하여야 하며 가족력을 반드시 평가하여야 한다.

표 10-2-2. **Fredrickson classification and genetic diseases**

분류	상승된 지단백질	주로 상승된 지질	유전질환
I	Chylomicrons	Triglycerides	• Familial chylomicronemia syndrome (lipoprotein lipase deficiency, ApoC II deficiency)
IIa	LDL	Cholesterol	• Familial hypercholesterolemia (FH) • Polygenic hypercholesterolemia • Sitosterolemia
IIb	LDL, VLDL	Cholesterol, triglycerides	• Familial combined hyperlipidemia (FCH)
III	Chylomicron and VLDL remnant (IDL)	Cholesterol, triglycerides	• Familial dysβlipoproteinemia (FDBL)
IV	VLDL	Triglycerides	• Familial hypertriglyceridemia
V	Chylomicrons, VLDL	Triglycerides	• Hyperpreβlipoproteinemia

표 10-2-3. 이상지질혈증의 이차원인

LDL 증가	LDL 감소	VLDL 증가

• Hypothyroidism
• Nephrotic syndrome
• Cholestasis
• Acute intermittent porphyria
• Anorexia nervosa
• Drugs: thiazides, cyclosporin,
• Carbamazepine
	• Severe liver disease
	• Malabsorption
	• Malnutrition
	• Gaucher's disease
	• Chronic infectious disease
	• Hyperthyroidism
	• Drugs: niacin, toxicity
		• Obesity
		• DM type 2
		• Glycogen storage disease
		• Nephrotic syndrome
		• Hepatitis
		• Alcohol
		• Renal failure
		• Sepsis
		• Stress
		• Cushing's syndrome
		• Pregnancy
		• Acromegaly
		• Lipodystrophy
		• Drugs: estrogen, β blockers,
		  glucocorticoids, bile acid binding resins,
		  retinoic acid

HDL 증가	**HDL 감소**	**지단백질(a) 증가**
• Alcohol • Exercise • Drugs: estrogen	• Smoking • DM type 2 • Obesity • Malnutrition • Gaucher's disease • Cholesteryl ester storage diseaseDrugs: anabolic steroids, β blockers	• Chronic kidney disease • Nephrotic syndrome • Inflammation • Menopause • Orchidectomy • Hypothyroidism • Acromegaly • Drugs: growth hormone, isotretinoin

일차이상지질혈증에 대한 원인적 접근을 위해서 주로 이상을 보이는 지단백질의 표현형에 따른 분류 또는 지질단백질 대사경로에 따른 분류를 제시하기도 한다. ApoB지단백질의 상승을 동반한 경우는 FH, familial ApoB100 deficiency (FDB), autosomal dominant hypercholesterolemia (ADH), autosomal recessive hypercholesterolemia (ARH), sitosterolemia, CESD (cholesteryl ester storage disease) 등은 주로 고콜레스테롤혈증으로 나타나며, FDBL (familial dysbetalipoproteinemia), hepatic lipase deficiency는 고콜레스테롤혈증과 고중성지방혈증이 함께 나타나는 양상을 보인다. ApoB지단백질의 저하를 동반하는 경우로 abetalipoproteinemia, familial hypobetalipoproteinemia (FHBL), familial combined hypolipidemia, PCSK9 deficiency 등이 알려져 있다. 중성지방 상승이 관찰되는 경우로 VLDL지단백질 생산과 연관된 familial combined hyperlipidemia (FCHL), 지방이상증(lipodystrophy)과 familial chylomicronemia syndrome (lipoprotein lipase deficiency, ApoC-II deficiency), ApoA-V deficiency, familial hypertriglyceridemia, GPIHBP1 deficiency 등이 있다. HDL지단백질의 저하는 ApoA-1 deficiency and structural mutation, tangier disease (ABCA1 defi-

10 지단백질대사와 이상

ciency), LCAT deficiency, primary hypoαlipopro-teinemia 등이 원인이 되며 HDL지단백질의 상승의 경우는 CETP deficiency, familial hyper–alphalipoprote-minemia가 알려져 있다.

V. 결론

지단백질과 지질대사는 죽상경화증과 심혈관질환의 발생 및 진행에 밀접하게 연관되어 있으며 혈중 콜레스테롤을 낮추고 지질대사를 조절하는 치료들이 죽상경화심혈관질환 예방에 효과적임이 잘 알려져 있다. 따라서 지단백질과 지질대사, 이와 관련된 질병에 대한 이해는 죽상경화심혈관질환과 지질대사이상질환의 진단과 치료에 도움을 줄 것으로 기대된다.

참 / 고 / 문 / 헌

I–II.

1. Goldman L, Schafer A, Russell L. Goldman-Cecil medicine. 26th ed. Philadelphia: Elsevier; 2020.

2. Hammer GD, McPhee SJ. Cardiovascular disorders: vascular disease. Pathophysiology of disease: an introduction to clinical medicine. 8th ed. New York: McGraw-Hill; 2018.

3. Jameson JL, Fauci A, Kasper D, Hauser S, Longo D, Loscalzo J. Harrison's internal medicine. 20th ed. New York: McGraw-Hill; 2018.

4. Kobiyama K, Ley K. Atherosclerosis: a chronic inflammatory disease with an autoimmune component. Circ Res 2018;123:1118-20.

5. Lu H, Daugherty A. Recent highlights of atvb atherosclerosis. Arterioscler Thromb Vasc Biol 2015;35:485-91.

6. Melmed S, Koenig R, Rosen C, Auchus R, Goldfine A. Williams textbook of endocrinology. 14th ed. Philadelphia: Elsevier; 2019.

7. Nishikido T, Ray KK. Targeting the peptidase PCSK9 to reduce cardiovascular risk: Implications for basic science and upcoming challenges. Br J Pharmacol 2021;178:2168-85.

8. Poston RN. Atherosclerosis: integration of its pathogenesis as a self-perpetuating propagating inflammation: a review. Cardiovasc Endocrinol Metab 2019;8:51-61.

9. Vergallo R, Crea F. Atherosclerotic plaque healing. N Engl J Med 2020;383:846-57.

III–V.

1. Arnett DK, Blumenthal RS, Albert MA, Buroker AB, Goldberger ZD, Hahn EJ, et al. 2019 ACC/AHA guideline on the primary prevention of cardiovascular disease. J Am Coll Cardiol 2019;74:1376-1414.

2. Arnett DK, Blumenthal RS, Albert MA, Buroker AB, Goldberger ZD, Hahn EJ, et al. 2019 ACC/AHA guideline on the primary prevention of cardiovascular disease: a report of the American College of Cardiology/American Heart Association Task Force on clinical practice guidelines. J Am Coll Cardiol 2019;74:1376-414.

3. Expert Panel on Detection, Evaluation, and Treatment of High Blood Cholesterol in Adults. Executive summary of the third report of the national cholesterol education program (ncep) expert panel on detection, evaluation, and treatment of high blood cholesterol in adults (adult treatment panel III). JAMA 2001;285:2486-97.

4. Jameson JL, Fauci A, Kasper D, Hauser S, Longo D, Loscalzo J. Harrison's internal medicine. 20th ed. New York: McGraw-Hill; 2018.

5. Kinoshita M, Yokote K, Arai H, Iida M, Ishigaki Y, Ishibashi S, et al. Japan Atherosclerosis Society (JAS) guidelines for prevention of atherosclerotic cardiovascular diseases 2017. J Atheroscler Thromb 2018;25:846-984.

6. Korean Society of Lipid and Atherosclerosis. Korean guidelines for the management of dyslipidemia. 4th ed. 2018.

7. Mach F, Baigent C, Catapano AL, Koskinas KC, Casula M, Badimon L, et al. 2019 ESC/ EAS Guidelines for the management of dyslipidaemias: lipid modification to reduce cardiovascular risk. The Task Force for the management of dyslipidaemias of the European Society of Cardiology (ESC) and European Atherosclerosis Society (EAS). Eur Heart J 2020;41:111-88.

지질대사이상질환

이상학   최성희

I. 일차이상지질혈증

이상학

지단백질대사이상을 통칭해서 "이상지질혈증"이라고 부른
다. 이상지질혈증에서 일반적인 임상특징은 혈장콜레스테
롤이나 중성지방이 높아진 것이며 고밀도지단백질 콜레스
테롤 농도저하가 동반될 수도 있다. 이상지질혈증 환자 대
부분은 유전요인(흔히 다유전자성)과 환경요인이 복합된 경
우이다. 전부는 아니지만 많은 이상지질혈증 환자에서 죽상
동맥경화심혈관질환위험도가 높고 진단과 치료를 통해 위
험도를 낮출 수 있다. 아주 심한 고중성지방혈증 환자는 급
성췌장염위험도가 올라갈 수 있고 이를 낮추기 위해서는 예
방적 치료가 필요하다.

수백 개의 단백질이 지단백질대사에 영향을 주고 이상지질
혈증을 초래할 수 있다. 몇 가지 생물학경로가 지단백질대
사를 제어하는데 이상지질혈증 환자에서 이런 경로의 기능
이상이 동반된다. 이는 다음 경로들이 포함되는데 지단백질
생산, 분해, 배설, 세포내 대사를 망라한다. 1) 간에서 중성
지방이 풍부한 초저밀도지단백질 조립과 분비, 2) 지단백질
지방분해효소에 의한 중성지방이 풍부한 지단백질의 지방
분해, 3) 혈장에서 중성지질전달과 인지질 가수분해, 4) 간
에서 수용체를 통한 아포B 함유 지단백질 섭취, 5) 간세포

와 장세포 내부의 콜레스테롤대사이다.

표 10-3-1은 혈장에서 상승하는 지질지표를 기준으로 한
단일유전자돌연변이에 의해 초래되는 일차이상지질혈증
별 특징이다. 이런 류의 유전에 기인하는 고콜레스테롤혈
증에는 대표적으로 가족성고콜레스테롤혈증(familial
hypercholesterolemia, FH)이 있으며, LDL 상승이 동
반되고, 배설경로 관련 단백질인 LDLR돌연변이에 기인한
다. 우성유전방식이며 단일유전자돌연변이에 의한 이상지
질혈증 중 제일 흔한데 전체 인구 중 250-500명에 한 명꼴
로 존재한다. 고중성지방혈증 혹은 복합 고지혈증은 암죽미
립, VLDL 상승과 동반되며, 주로 분해관련 단백질을 코딩
하는 유전자돌연변이에 기인하지만, 거의 모두가 매우 희귀
하다. 이상지질혈증 환자에서 유전 형태를 보고 단일유전자
원인인지 알기는 어렵다. 지단백질대사에 영향을 주는 여러
가지 유전자의 영향력의 합인 경우가 대다수인데, 이를 "다
유전자성"이라고 부른다.

1. 가족성고콜레스테롤혈증

1) 역학 및 유전학
이형접합 가족성고콜레스테롤혈증(heterozygous FH,
HeFH)은 흔한 보통염색체우성 유전질환으로 세계적으로
중요한 보건문제로 간주된다. 전통적으로 서구자료에서

표 10-3-1. (단일)유전자돌연변이에 의한 대표적 일차이상지질혈증

질환명	Fredrickson 분류	관련 단백질; 유전자	상승 지단백질	임상특징	유전방식	추정 빈도
고콜레스테롤혈증						
가족성고콜레스테롤혈증	IIa	LDL receptor, ApoB-100, PCSK9; *LDLR, ApoB, PCSK9*	LDL	힘줄황색종, 관상동맥질환	보통염색체 우성	~1/250-500
시토스테롤혈증		ABCG5/ABCG8; *ABCG5/ABCG8*	LDL	힘줄황색종, 관상동맥질환	보통염색체 열성	< 1/1,000,000
복합 고지혈증						
가족성복합고지혈증	IIb	다유전자성	LDL, VLDL	관상동맥질환	다유전자성	1/100-200
가족성이상베타 지단백질혈증	III	ApoE; *APOE*	암죽미립 잔여물, VLDL 잔여물	손바닥과 결절발진황색종, 관상동맥질환	보통염색체 열성	~1/1,000,000
고중성지방혈증 혹은 고암죽미립혈증						
지단백질 지방분해효소 결핍, Apo C3 결핍증, Apo A5 결핍증, GPIHBP1 결핍증	I	LPL, Apo C2, Apo A5, GPIHBP1; *LPL, APOC2, APOA5, GPIHBP1*	암죽미립, VLDL	발진황색종, 간비장종대, 췌장염	보통염색체 열성	~1/1,000,000

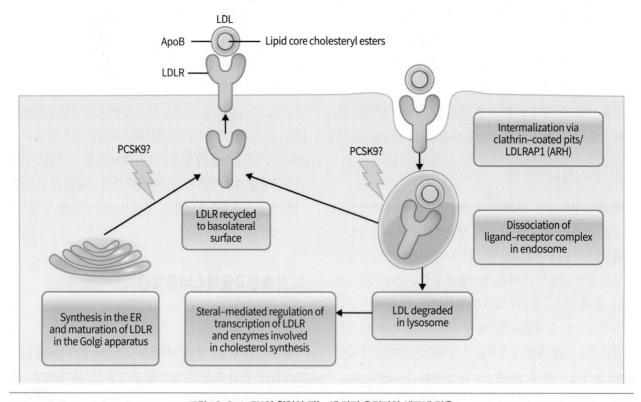

그림 10-3-1. FH의 원인이 되는 세 가지 유전자와 세포내 작용

500명당 한 명의 빈도로 알려져 왔으나, 최근 연구에서 217–250명당 한 명이라는 보고도 있다. 제일 흔한 원인유전자는 *LDLR*이며 드물게 *PCSK9*이나 *ApoB*유전자돌연변이에 의해 생긴다(그림 10-3-1). Fredrickson 분류에서 IIa형으로 불렸다.

2) 임상특성
총콜레스테롤 > 290 mg/dL, LDL콜레스테롤 > 190 mg/dL인 사람에서 조기관상동맥질환(남성 < 50세 혹은 여성 < 60세)이나 HeFH가족력이 있을 때 의심한다. 이때 이차원인이 있는지 확인해야 한다. 아킬레스건 등 건의 황색종이나 각막환이 발견될 수 있으나, 이런 소견이 없는 환자도 많다.

HeFH 환자의 동맥은 높은 LDL콜레스테롤에 평생 노출되기 때문에 심혈관위험도가 뚜렷하게 높다. 치료하지 않을 경우 남성 중 50%, 여성 중 25%에서 조기심혈관질환이 생긴다고 하며, 심혈관질환 상대위험도는 3.5–16배까지 높게 보고된다. 따라서 해당 환자를 일찍, 적절하게 진단하고 혈관합병증을 예방하는 것이 매우 중요하다. 그러나 HeFH 자체가 관상동맥질환에 대한 고위험요인이므로 일반적인 심혈관위험도계산식(프래밍험 점수 등)으로 위험도를 계산하는 것은 적절치 않다.

3) 진단 및 감별진단
진단은 임상기준 혹은 DNA돌연변이 확인으로 할 수 있는데 대표적 임상진단기준으로는 Simon Broome 기준(표 10-3-2), Dutch Lipid Clinic Network 기준(표 10-3-3) 등이 있다. 각각 영국, 네덜란드에 뿌리를 두는데 최근에는 Dutch 기준이 진료지침 등 문헌에 더 인용되고 있다.

국내 HeFH 환자 296명을 대상으로 분석한 결과, 일반인 중에 LDL콜레스테롤 > 177 mg/dL일 경우 HeFH 환자로 의심하여 확인할 가치가 있으며 임상진단 환자 중 LDL콜레스테롤 > 225 mg/dL일 경우 병인성돌연변이 보유 가능성이 높은 것으로 나타났다.

4) 치료
HeFH 관리는 생활습관 교정, 지질강하제, 죽상동맥경화 심혈관질환에 대한 검사를 포함한다. 생활습관 교정은 식사 관리와 금연이 중요하다. 적극적인 약물치료도 필요한데 이를 결정할 때는 동반질환, 병용약물, 부작용 등도 고려하며 환자나 보호자에게 약물치료가 평생 지속되어야 함을 알려야 한다.

표 10-3-2. **가족성고콜레스테롤혈증 진단을 위한 Simon Broome 기준**

Definite 가족성고콜레스테롤혈증	아래 기준 중 최소 한 가지를 만족할 때 1) *콜레스테롤 기준에 맞으면서 본인이나 **일, 이차친척에게 건의 황색종이 있는 경우 2) LDL수용체돌연변이, familial defective apo B–100, PCSK9에 대한 DNA 기반 증거가 있는 경우
Possible 가족성고콜레스테롤혈증	*콜레스테롤 기준을 만족하고 아래 기준 중 최소 한 가지를 만족할 때 1) 심근경색의 가족력: 이차친척 중 50세 미만에, 일차친척 중 60세 미만에 2) 고콜레스테롤혈증 가족력: 일, 이차 16세 이상 친척 중 총콜레스테롤 > 290 mg/dL 혹은 16세 미만의 자녀, 형제, 자매 중 총콜레스테롤 > 260 mg/dL

*콜레스테롤 기준: 16세 미만 총콜레스테롤 > 260 mg/dL 혹은 LDL콜레스테롤 > 155 mg/dL, 16세 이상 총콜레스테롤 > 290 mg/dL 혹은 LDL콜레스테롤 > 190 mg/dL

**일차친척: 부모, 형제, 자녀; 이차친척: 조부모, 부모의 형제

표 10-3-3. **가족성고콜레스테롤혈증 진단을 위한 Dutch Lipid Clinic Network 기준**

그룹 1 : 가족력	점수
1) 1도 근친의 남성 55세 미만, 여성 60세 미만에서 조기에 관상동맥질환이 발병	1점
2) 1도 근친에서 LDL콜레스테롤 > 95 percentile	1점
3) 1도 근친에서 힘줄황색종 또는 각막 arcus 있는 경우	2점
4) 18세 미만 소아에서 LDL콜레스테롤 > 95 percentile	2점
그룹 2 : 임상양상	**점수**
1) 환자 본인 남성 55세 미만, 여성 60세 미만에서 조기에 관상동맥질환이 발병	2점
2) 환자 본인 남성 55세 미만, 여성 60세 미만에서 뇌혈관, 말초혈관질환 발병	1점
그룹 3 : 이학적 진찰	**점수**
1) 힘줄황색종	6점
2) 각막 arcus (45세 미만에서)	4점
그룹 4 : 생화학검사(LDL콜레스테롤)	**점수**
> 325 mg/dL	8점
251–325 mg/dL	5점
191–250 mg/dL	3점
155–190 mg/dL	1점
그룹 5 : 유전자분석	**점수**
LDL수용체, ApoB 또는 PCSK9유전자변이	8점
Definite FH; more than 8 points Probable FH; 6 to 8 points Possible FH; 3 to 5 points Unlikely FH; 0 to 2 points	

HeFH 치료의 첫 목표는 스타틴을 이용해 LDL콜레스테롤을 50% 이상 낮추는 것이다. 이후에는 LDL콜레스테롤 < 70 mg/dL(관상동맥질환이나 다른 주요위험인자가 없는 경우) 혹은 < 55 mg/dL(관상동맥질환이나 다른 주요위험인자가 있는 경우)가 목표이다. 하지만 많은 환자에서 현재의 치료약물로는 이 목표치에 도달하지 못하기 때문에 일차로 LDL콜레스테롤을 기저치에서 50% 이상 낮추면서, 앞의 두 경우에 각각 < 100 mg과 < 70 mg까지 낮추는 것이 현실적인 목표라고 할 수 있다.

일차약물로 스타틴을 사용하고 견딜 수 있는 최대용량을 이용해서 목표치 도달에 힘쓰며, 도달하지 못할 경우 이차약물로 에제티미브를 추가한다. 상당수 HeFH 환자들이 스타틴-에제티미브 병합요법으로도 목표치에 도달하지 못할 수 있는데, 이 때는 삼차약물로 담즙산 결합수지나 PCSK9억제제를 추가할 수 있다. 스타틴에 부작용이 생기면 대신 이차약물이나 삼차약물을 사용할 수 있다.

5) 임신부와 어린이 환자
일반적으로 여성 환자의 임신과 수유를 막을 필요는 없다. 태아에 이상을 초래할 수 있으므로 임신 예정이나 임신 중에는 지질치료약물을 쓰지 않도록 한다. 부모 중 한쪽이

HeFH일 때 자녀가 10세가 되면 다음 검사를 시행한다. 가족의 돌연변이가 밝혀진 경우에는 DNA검사를 시행하며, 밝혀지지 않은 경우에는 LDL콜레스테롤 농도를 측정한다. 사춘기 중에 콜레스테롤 농도가 변할 수 있으므로 FH가 아닌 것을 확인하기 위해서는 사춘기 이후에 반복검사를 하여야 한다. 어린이에서는 8-10세부터 스타틴 치료를 고려할 수 있으며, 10세 초과 환자에서 LDL콜레스테롤 목표치는 135 mg/dL이다.

2. 동형접합가족성고콜레스테롤혈증 (Homozygous familial hypercholester-olemia, HoFH)

1) 역학 및 유전학
특정 집단에서 HoFH의 유병률은 HeFH 유병률에 좌우된다. 예컨대 HeFH 유병률이 1/500일 때 1/1000,000이고 1/200일 때는 1/160,000이다. 유전학적으로는 돌연변이가 동일 유전자에 발생한 HoFH와 다른 유전자에 발생한 HoFH로 분류할 수 있고 전자에는 simple homozygote, compound heterozygote가 있고, 후자에는 double heterozygote가 있다.

2) 임상특성
HeFH보다 혈중 총콜레스테롤, LDL콜레스테롤수치가 더

높으며 혈관이 지질에 노출되는 정도가 HeFH보다 HoFH에서 더 심하기 때문에 20세 이전에 관상동맥질환이 발생하는 경우가 드물지 않다(그림 10-3-2).

3) 진단
가장 많이 알려진 국제적인 진단기준은 2014년 유럽 동맥경화학회 기준과 ICD 10 기준이며, 보통유전자, LDL콜레스테롤, 가족력 세 가지를 고려한다(표 10-3-4).

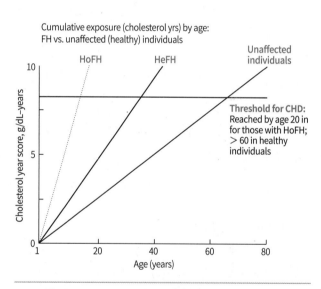

그림 10-3-2. **HoFH, HeFH, 정상인에서 콜레스테롤에 대한 혈관 노출과 심혈관질환 발생연령**

표 10-3-4. **대표적인 HoFH 진단기준**

진단기준	항목
2014년 유럽동맥경화학회 기준	1. *LDLR, ApoB, PCSK9, LDLRAP1* 네 가지 유전자 중 병인이 되는 2개 allele의 존재 혹은 2. 성인에서 LDL콜레스테롤 > 500 mg/L이면서 10세 미만에 발견된 황색종이 있거나, 치료 중 LDL콜레스테롤 > 300 mg/dL이면서 10세 미만에 발견된 황색종이 있을 때 (그러나 유전진단이 선호됨) 3. 위의 콜레스테롤수치이면서 부모 모두 유전진단된 HeFH일 때
ICD 10 기준	1. LDL콜레스테롤 ≥ 400 mg/dL이면서 부모 중 한 명 이상에서 임상적인 FH일 때; 혹은 위에 언급한 유전자의 돌연변이 2. LDL콜레스테롤 ≥ 560 mg/dL; 혹은 LDL콜레스테롤 ≥ 400 mg/dL이면서 대동맥판막질환 혹은 20세 미만에 발견된 황색종

4) 치료

관상동맥질환이나 대동맥질환 평가를 위해 심장(순환기)내과의에게 의뢰가 필요하며, 부하검사나 관상동맥 CT를 5년마다하는 것이 권장된다. 임상평가는 6개월마다 하는 것이 좋고, 응급상황에 대한 교육도 필요하다. 다른 위험요인 관리가 필요하고, 아스피린 사용을 고려한다. 지질 전문가가 장기적인 감시를 하는 것이 좋다.

치료목적은 LDL콜레스테롤을 가능한 빨리, 가능한 많이 낮추는 것이다. LDL콜레스테롤 목표치는 성인, 소아, 죽상동맥경화 심혈관질환 환자에서 각각 100, 135, 70 mg/dL이다. 생활습관교정, 스타틴-에제티미브, 사용 가능한 경우 지단백질성분채집술(LDL apheresis)을 병합하는 것이 최신 치료의 핵심이다. 지단백질 성분채집술은 모든 HoFH 환자에서 5세경, 늦어도 8세 이전에 하는 것이 권고된다. 새로운 치료약물로 lomitapide, mipomersen, PCSK9억제제가 사용될 수 있으며 ANGPTL3억제항체인 evinacumab이 최근 일부 국가에서 승인되었다.

3. 시토스테롤혈증

시트스테롤혈증은 희귀 유전질환이며(보통염색체 열성방식), 식물성스테롤수치가 높은 것이 특징이다. ATP-binding cassette (ABC) subfamily G member 5나 member 8 을 코딩하는 유전자(ABCG5 혹은 ABCG8)의 기능 상실 돌연변이가 원인이다.

이 유전자가 코딩하는 단백질들은 시토스테롤을 포함한 식물성스테롤, 주로 콜레스테롤인 동물성스테롤을 간세포에서 담즙으로, 또는 장세포에서 장내강으로 운반한다. 정상적으로는 순환계로 들어온 소량의 식물성스테롤이 주로 담즙으로 배설됨으로써 조직내 식물성스테롤 농도는 매우 낮다. 이 질환에서는 장에서 스테롤 흡수가 늘어나고 담관과 대변을 통한 배설이 줄어들어서 혈액과 조직의 식물성스테롤과 콜레스테롤이 모두 높아진다. 간세포내 스테롤 농도가 높아지면 LDL수용체 발현이 전사단계에서 억제되는데, 결과적으로 간세포가 혈중 LDL을 덜 받아들이게 되어 혈중 LDL콜레스테롤이 높아진다.

1) 역학 및 유전학

매우 희귀하며 세계적으로 지금까지 100건 정도 보고되었다. 최근 유전학 발달로 인해 ABCG5나 ABCG8에 병인성 돌연변이 빈도가 1/200,000 정도 된다고 보고되었다.

2) 임상특성

가족성고콜레스테롤혈증과 달리 식물성스테롤과 콜레스테롤의 흡수 증가와 담도경유 배출저하 때문에 혈중에 시토스테롤이나 캄페스테롤 같은 식물성스테롤이 매우 높아진다. LDL콜레스테롤은 다른 유전성고지혈증에 비해 일정치 않지만, 유아 등 일부에서는 극단적으로 높다. 환자에서는 혈중 LDL콜레스테롤이 식사에 영향을 많이 받는 것으로 보인다. 건이나 결절성황색종, 조기관상동맥질환을 경험할 수 있다.

이 밖에 적혈구에 anisocytosis, poikilocytosis가 생길 수 있고, megathrombocyte가 생길 수 있는데 식물성스테롤이 세포막에 함입되는 데 의한다. 따라서 다른 유전고콜레스테롤혈증과 달리 용혈이나 비장종대가 있을 수 있다.

시토스테롤혈증은 열성유전질환이지만, 시토스테롤혈증에서 시토스테롤과 LDL콜레스테롤이 모두 높아지는데, LDL콜레스테롤과 달리 시토스테롤이 죽상동맥경화를 유발하는지는 아직 확실치 않다. 최근 연구에 따르면 이형접합인 사람도 경증임상소견이 있다고 보고된다.

3) 진단

혈중 LDL콜레스테롤과 시토스테롤 등 식물성스테롤이 모두 높은 사람에서 ABCG5나 ABCG8유전자의 병인성돌연변이가 확인되어야 진단할 수 있다. 하지만 일반적으로 병원에서 시토스테롤 측정이 어렵고 유전자검사도 쉽게 하지 못

하는 것이 진단에 걸림돌이 될 수 있다.

4) 치료

식사요법, 에제티미브, 담즙산결합수지가 적절한 치료방법이며, 콜레스테롤과 시토스테롤을 강하한다. 시토스테롤혈증에서 스타틴은 LDL콜레스테롤을 강하하며, PCSK9억제제도 LDL콜레스테롤을 낮춘다는 보고가 있다. 시토스테롤 강하가 죽상동맥경화 억제에 어떤 영향이 있는지는 불확실하며 스타틴과 PCSK9억제제같이 이에 대한 증거가 있는 것이 치료에 고려되어야 할 것으로 판단된다.

4. 가족성복합고지혈증(Familial combined hyperlipidemia, FCHL)

1) 역학 및 유전학

가족성복합고지혈증(familial combined hyperlipidemia, FCHL)은 일반적으로 중성지방(very low density lipoprotein, VLDL)과 저밀도지단백질(low density lipoprotein, LDL)콜레스테롤이 높고 고밀도지단백질(high density lipoprotein, HDL)콜레스테롤이 낮다. 100–200명당 한 명으로 추산되며, 60세 이전에 발병하는 조기관상동맥질환에 대한 중요한 요인이다. 이 표현형이 있는 사람들에 있는 대사장애는 간에서 VLDL 생산이 과다한 것이다. Fredrickson 분류에서 IIb형으로 불렸다.

아직 분자 수준의 원인은 잘 모르며, 원인이 되는 단일유전자도 발견되지 않았다. 여러 유전자의 문제로 인해 생기는 것으로 추정된다. 일부 환자에서는 희귀하고 영향력이 큰 변이가 LDLR이나 LPL에서 발견되기도 하지만, 여러 가지 영향력이 작은 지질상승관련 SNP allele 축적에 기인하기도 한다. 또한 식사문제, 비만, 당뇨병 같은 이차요인이 추가적인 영향을 줄 수도 있다. 따라서 "다유전자복합고지혈증"이라는 명칭이 더 적절하다고도 할 수 있다.

2) 임상특성

이환된 사람은 전형적으로 세 가지 표현형 중 하나에 해당된다. (1) 혈중 LDL콜레스테롤 상승, (2) 혈중 VLDL 상승에 따른 중성지방 상승, (3) 혈중 LDL콜레스테롤과 중성지방 모두 상승하는 경우이다. 지단백질양상은 시간이 가면서 이 세 가지 표현형 사이에서 바뀔 수 있는데, 식사, 운동, 체중, 인슐린 민감도 등에 영향을 받는다. FCHL 환자는 혈중 LDL콜레스테롤 농도를 고려할 때 ApoB수치가 상당히 높은데, 이 증후군의 특징인 작고 조밀한 LDL입자의 존재를 시사하는 소견이다.

3) 진단 및 감별진단

복합고지혈증, 즉 중성지방이 200–600 mg/dL, 총 콜레스테롤 200–400 mg/dL, HDL콜레스테롤 < 40 mg/dL(남성) 혹은 < 50 mg/dL(여성), 이상지질혈증과/혹은 조기관상동맥질환가족력이 있으면 의심한다. LDL콜레스테롤수치를 고려했을 때 상대적으로 ApoB수치가 높으면 진단에 도움이 된다.

연구자들 사이에 합의된 표준정의는 없는데, 제일 공통된 특징은 ApoB와 중성지방이 동시에 높은 것이다. 그러므로 ApoB > 1.2 g/L (120 mg/dL)와 중성지방 > 1.5 mmol/L (133 mg/dL)이 가족내 두 사람 이상에 있을 때로 정의하자는 주장도 있으며, 여기에 더해 조기관상동맥질환과거력이 있으면 가능성이 높다.

4) 치료

FCHL 환자들은 조기관상동맥질환위험도가 유의하게 높기 때문에 공격적으로 치료할 필요가 있다. 단순당섭취 경감, 유산소운동 증대, 체중감량 모두 지질수치 개선에 좋은 효과가 있다. 2형당뇨병이 있는 환자는 혈당조절을 해야 한다. 대부분 환자는 지질강하 치료가 필요한데 스타틴을 사용한다.

5. 가족성이상베타지단백혈증 (Familial dysbetalipoproteinemia, FDBL)

Fredrickson 분류에서 III형으로 불렸으며, 보통염색체 열성유전이고 암죽미립 잔여물과 VLDL 잔여물(혹은 IDL) 이 축적되어 콜레스테롤과 중성지방 모두 높은 복합고지혈 증이 나타난다.

1) 역학 및 유전학
FDBL은 *APOE* 변이에 기인하는데 제일 흔한 것은 *APOE2* 이며 결과적으로 apoE단백질의 지단백질수용체 결합력이 낮아진다. *APOE* 유전자는 세 가지 아형단백질을 코딩하는데, ApoE3가 제일 흔하고, ApoE2와 ApoE4가 다음이다. ApoE2가 LDL수용체에 대한 결합력이 약해서 이 단백질을 포함한 지단백질은 혈액에서 제거되는 속도가 느려진다. E2 allele 동형접합이 FDBL에서 제일 흔한 종류다.

전체 인구 중 0.5%가 apoE2/E2 동형접합인데 이들 중 소수만 FDBL의 특징적지질수치를 나타내며 다른 임상요인의 영향을 받는다.

2) 임상특성
주로 성인기에 고지혈증, 황색종, 조기죽상동맥경화심혈관질환이 생긴다. 중성지방과 관련된 다른 질환과 달리 콜레스테롤과 중성지방이 비슷한 수준으로 높고 HDL콜레스테롤은 정상이거나 낮다. 결절-발진성 황색종, 손바닥 황색종 모두가 나타날 수 있는데 두 가지 모두 FDBL 특유의 소견이다. 심혈관질환은 전형적인 FH 환자에 비해 말초혈관에 생기는 경향이 있다.

3) 진단 및 감별진단
심하게 높은 잔여 지단백질수치나 ApoE2/E2 유전형 확인으로 진단할 수 있다. 잔여 지단백질은 여러 가지 방법으로 분석할 수 있는데, 초원심분리를 통한 베타정량(직접 측정한 VLDL콜레스테롤/혈중 중성지방 비율 > 3.0), 지단백질 전기영동(넓은 베타 밴드), 자기공명을 이용한 지단백질분석이 있다. FDBL에서는 VLDL에 중성지방이 소진되고 콜레스테롤이 풍부하기 때문에 LDL콜레스테롤을 구할 때 Friedwald식은 사용할 수 없다. 이 질환에서 혈중 LDL콜레스테롤은 낮은데, VLDL에서 LDL로의 대사에 장애가 생기기 때문이다. ApoE2/E2 유전형이 없어도 진단을 완전히 배제하기는 어려운데, 다른 돌연변이가 관련된 경우가 드물게 있기 때문이다.

4) 치료
조기심혈관질환 위험도를 높이기 때문에 공격적으로 치료해야 한다. 이 질환은 전형적으로 저지방, 저콜레스테롤 식사치료에 반응이 있으며 체중감량에도 반응한다. 알코올섭취를 조절할 필요가 있다. 약물치료로는 스타틴이 일차약물이며 부작용이나 반응이 불충분할 때 다른 약물을 사용한다.

6. 가족성암죽미립혈증증후군(Familial chylomicronemia syndrome, FCS)과 다인자성암죽미립혈증증후군(Multifactorial chylomicronemia syndrome, MCS)

암죽미립혈증은 희귀하지만 환자에서 문제를 많이 일으키는 질환이며, 분류, 진단, 치료 모두 쉽지 않다. 최근 지질 전문가 사이에 이 질환에 대한 관심이 높아지고 있다. Fredrickson이나 WHO 분류의 범주를 넘어서는데 Fredrickson 분류에서는 I형(VLDL과 암죽미립 증가)과 V형(암죽미립 증가) 고지단백질혈증에 속하는데 이 두 가지 모두 혈중 중성지방이 심하게 상승된다. FCS는 이전에는 I형 고지단백질혈증으로 불렸으며, 현재 단일유전자질환으로 간주된다. 보통염색체열성으로 유전되며 소아, 청소년기에 첫 증상이 나타나는데 failure to thrive, 췌장염, 고중성지방혈증, 다른 지질지표 저하가 동반될 수 있다. 이에 반해 다유전자성 혹은 다인자성암죽미립혈증증후군(multifactorial chylomicronemia syndrome, MCS)은 이전에 V형 고지단백질혈증으로 불렸으며 유전요인과 환경요인이 복합적 영향을 미치기도 한다. 주로 성인기 이후에 증상이 나타나기 쉽다.

1) 역학 및 유전학

FCS는 매우 희귀한 보통염색체열성질환으로 유병률은 50만–100만 명 중 한 명이다. 이환된 환자는 보통 중성지방이 풍부한 지단백질이화를 제어하는 유전자에 영향력이 큰 기능상실돌연변이가 동형접합이거나 복합이형접합(compound heterozygote) 형태로 나타난다(표 10-3-1).

관련 유전자 중 *LPL*에 생기는 돌연변이가 80% 이상을 차지하는데, 수백 가지 다른 변이가 보고되어 있다. 소수의 환자에서 LPL을 활성화하는 Apo C2를 코딩하는 *APOC2*,

Apo C2작용에 대한 공동인자인 Apo A5를 코딩하는 *APOA5*, LPL 생산에 필요한 lipase maturation factor 1을 코딩하는 *LMF1*, LPL을 모세혈관 내강으로 이동시키는 glycoprotein-inositol high-density lipoprotein-binding protein 1을 코딩하는 *GPIHBP1*, glycerol-3-phosphate dehydrogenase 1을 코딩하는 G3PDH1 변이가 원인이 될 수 있다. 향후 해당유전자가 추가될 수도 있다(그림 10-3-3).

MCS는 관련 유전자 중 이형접합인 기능상실 희귀변이(rare variant), 흔한변이(common variant), 이차원인이 다양한 비중으로 복합적으로 관여하여 생긴다(그림 10-3-1). MCS에서는 고암죽미립혈증이 일시적이며, LPL 활성이 낮

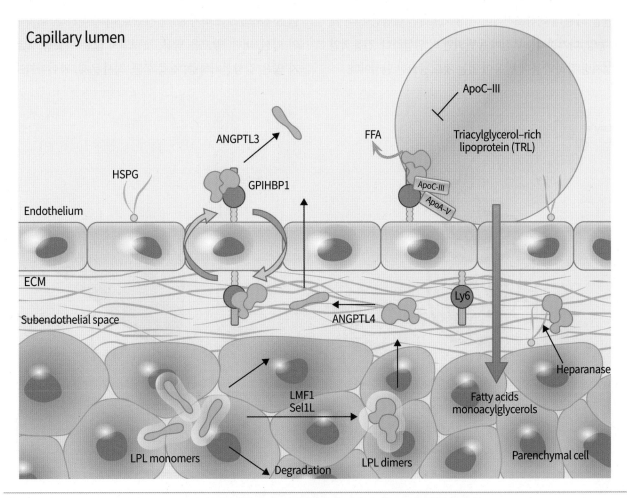

그림 10-3-3. **LPL(초록색)에 의한 중성지방 분해와 관련된 여러 단백질의 작용**

은 것도 일정치 않은데 악화되는 시기가 아닐 때는 고중성지방혈증이 심하지 않다. 이 표현형은 흔히 *APOA5*의 이형접합 기능상실 돌연변이가 다른 다양한 변이들과 병합되어 나타난다.

2) 임상특성

중성지방은 식후 3–4시간이면 혈중에서 낮아지는데 12–14시간 이후에도 885 mg/dL (10 mmol/L)보다 높으면 FCS를 의심한다(그림 10-3-4). 이런 환자의 혈액은 크림 혹은 우유 같은 양상을 띠는데, 혈청채취 후 4℃에서 24시간 세워놓거나 원심분리를 약하게만 해도 상층에 확연히 나타난다.

환자는 복통을 경험할 수 있으며 췌장염 재발이 흔한데 FCS 진단을 하는데 핵심조건이며 가장 치명적인 합병증이다. 궤사, 농양, 다기관기능부전이 동반되면 더 위험하다. 전통적인 중성지방 강하약물에 반응이 없는 것도 중요한 단서이다.

신체검사상 사지의 신근측(extensor side), 둔부, 몸통, 어깨에 발진황색종이 나타나거나, 심한 경우에는 망막지질혈증(lipemia retinalis), 간비장종대가 나타날 수 있는데 대식세포에 의한 중성지방 섭취의 결과이다. 또한 체중이 가볍기 쉬운데 복통 때문에 식사를 제한하기 때문이다.

3) 진단 및 감별진단

FCS는 일차진료체계에서 흔히 진단이 안된 채 있거나 잘못 진단되는 경우가 많다. 관련된 여러 과의 의사 중 대부분 이 질환에 대해 잘 모른다. 따라서 여러 과 사이에 협조가 필요한 질환이라고 할 수 있다.

FCS는 매우 희귀하며 고중성지방혈증이 있는 많은 경우가 MCS일 수 있다. MCS에서도 급성췌장염이 생길 수 있지만 FCS에서의 오즈비가 50배 정도로 더 뚜렷하다. 이차원인인 임신, 비만, 알코올 남용, 조절되지 않는 당뇨병, 치료하지 않은 갑상선저하증, 신증후군, 식사문제, 싸이아자드계

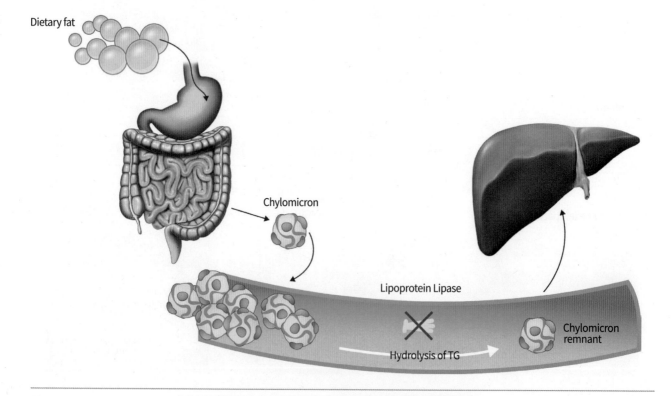

그림 10-3-4. **FCS에서 LPL기능장애에 의한 암죽미립혈증 발생**

이뇨제, 에스트로겐, 부신피질호르몬제, 담즙산 결합수지, 2세대 항정신병 약물, 베타차단제, 항레트로바이러스약물 등의 조건이 없어야 한다. 왜냐하면 경증의 고중성지방대사장애 환자에 이런 이차요인이 부가되면 중성지방수치를 추가로 올리기 때문인데 이럴 경우 일반적으로 기저조건을 제거하거나, 치료약물을 쓰면 반응하기 쉽다.

중성지방과 LDL이 동시에 높고 혈중 ApoB100 농도가 높은 다유전자성인 복합 고지혈증과 감별하기 위해서 ApoB 측정이 필요한데, FCS에서는 ApoB가 낮다. Fredrickson III형인 이상베타지단백질혈증은 *APOE*유전자의 E2:E2 유전형이 나오는데, 따라서 이에 대한 감별진단 시 이 유전자에 대한 분석이 필요할 수 있다.

2018년 유럽 임상전문가 모임에서 FCS 진단과 MCS와의 감별을 위해 합의안을 도출했는데 다음과 같다. 중성지방수치의 기준은 10 mmol/L 혹은 885 mg/dL로 한다. 이 수치가 몇 주 혹은 몇달 간격으로 반복해 확인되면 FCS를 시사한다. 혈장샘플을 밤새 보관하여 암죽미립층을 확인한다. 중성지방/총콜레스테롤이 5를 초과하는 동시에 혈장apoB 농도

가 < 100 mg/dL일 경우 혈중 암죽미립과 VLDL잔여물 농도가 높은 것을 시사한다. LPL활성 측정이 가능한 경우, 측정했을 때 동형접합LPL FCS에서는 매우 낮고, 다른 유전자의 동형접합 혹은 복합 이형접합 기능상실 돌연변이일 경우가 많다.

임상적으로는 젊은 연령에서 발생하고, 대부분에서(임신과 에스트로겐제제인 피임제 예외) 이차요인이 없는데 반해 MCS는 전형적으로 대사증후군이 동반된 과체중 성인에서 나타난다. 꼭 그렇진 않지만 급성췌장염이 FCS에서 더 흔하다. 차세대 염기서열분석이 FCS 진단에 도움이 될 수 있지만, 비용 때문에 모든 경우에 사용하지는 못한다. 위 사항을 바탕으로 그림 10-3-2에 점수화를 기초로 한 진단방법을 제시하였다(그림 10-3-5). FCS관련 돌연변이가 확인되면 가족에 대한 스크린이 권고된다.

4) 치료
FCS 치료의 주목적은 췌장염과 관련 합병증 예방이다. 기존 약물에 대한 반응이 거의 없으므로 치료의 근간은 식사 지방을 제한해서 암죽미립 형성을 줄이는 것이다. 지방섭취

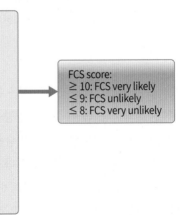

Recruitment phase

Severe primary HTG (fasting TGs > 10 mmol/L or 885 mg/dL)

Patient pre-selection in non-acute setting

1. Fasting TGs > 10 mmol/L for 3 consecutive blood analyses (+5)[a]
   Fasting TGs > 20 mmol/L at least once (+1)
2. Previous TGs < 2 mmol/L (−5)
3. No secondary factor[b] (except pregnancy[c] and ethinylestradiol) (+2)
4. History of pancreatitis (+1)
5. Unexplained recurrent abdominal pain (+1)
6. No history of familial combined hyperlipidaemia
7. No response (TG decrease < 20%) to hypolipidaemic treatment (+1)
8. Onset of symptoms at age:
   < 40 years (+1)
   < 20 years (+2)
   < 10 years (+3)

FCS score:
≥ 10: FCS very likely
≤ 9: FCS unlikely
≤ 8: FCS very unlikely

그림 10-3-5. **FCS 진단을 위한 실용적 점수체계**

는 하루 30–50 g 혹은 총 섭취칼로리의 15–25%로 제한해야 한다. 이런 식사유지가 어렵기 때문에 많은 환자들이 정서에 영향을 받고 사회생활에 지장이 생길 수 있다. 또한 만성적인 복통이나 반복되는 입원 때문에 고용이나 인간관계에 지장을 받기도 한다.

FCS가 있는 유아는 medium chain 중성지방을 함유한 우유를 제공한다. 이것은 암죽미립을 거치지 않고 혈중에 진입할 수 있으며, 지방제거 우유를 쓰기도 한다. 급성췌장염이 있을 때는 금식, 저칼로리 수액정주, 혈장교환술로 치료한다. 임신 중인 FCS 환자는 저지방식사를 강하게 권고하고 임신기간에 수액정주나 혈장교환술이 필요할 수 있다.

최근 일부 국가에서 APOC3를 표적으로 하여 개발된 새로운 약물이 FCS 환자에서 승인되어 주목을 받고 있다.

II. 일차고밀도지단백질 대사질환

HDL콜레스테롤수치가 낮은 환자는 진료에서 흔히 본다. 저HDL콜레스테롤혈증은 심혈관위험도의 예측요인이며 위험도계산에 흔히 사용되지만, 최근 HDL콜레스테롤이 낮은 것이 심혈관질환 발생에 직접 원인으로 작용하는지에 대해서는 의구심이 생기고 있다. HDL대사는 중성지방대사, 인슐린저항성, 염증, 환경요인 등에 강한 영향을 받기 때문에 몇 가지 다른 위험요인을 통합적으로 반영한다고 할 수 있다.

대다수 환자에서 HDL콜레스테롤이 낮은 것은 유전요인과 이차요인이 더해진 결과이다. 즉 이 수치에 영향을 주는 유전자 수십 가지가 알려져 있으나 비만이나 인슐린저항성이 HDL콜레스테롤을 낮추는데 절대적 영향은 더 클 수 있다는 것이다. 연구된 환자 대부분에서 HDL 분해가 항진된 것이 알려져 있다. 무엇보다도 HDL콜레스테롤은 심혈관위험도에 대한 중요한 표지자로 남아있지만 당장은 위험도를 낮

추기 위한 직접적 치료표적은 아니다.

HDL 합성이나 분해에 중요한 단백질을 코딩하는 유전자에 돌연변이가 생기면 혈중 HDL콜레스테롤수치가 낮아질 수 있다(그림 10-3-6). 하지만 유전고콜레스테롤혈증과 조기관상동맥죽상동맥경화가 일관된 관련성이 있는 것과 달리 유전저알파지단백질혈증(저HDL콜레스테롤혈증)은 대개 심혈관질환 위험도 상승과 뚜렷한 관련성이 없다.

1. APOA1과 관련 유전자돌연변이

1) 역학 및 유전학

유전문제로 인해 ApoA1이 전적으로 결핍되면 혈중 HDL이 사라지고 조기죽상경화심혈관질환 위험도가 올라간다. *APOA5, APOA1, APOC3, APOA4*유전자는 11번 염색체에 모여있다. ApoA1이 결핍된 환자 일부는 이 유전자무리 중 일부에 생긴 결손에 의한다.

HDL콜레스테롤이 낮은(15–30 mg/dL) 환자 중 일부는 *APOA1*유전자에 missense나 nonsense돌연변이가 있으나, 이런 경우는 매우 희귀한 원인이다.

2) 임상특성

ApoA1은 LCAT 활성에 필요하며 LCAT가 없으면 유리콜레스테롤이 혈장과 조직에 늘어난다. 유리콜레스테롤은 각막과 피부에 침착될 수 있고 각막혼탁이나 평편황색종이 생길 수 있다. ApoA1 결핍은 조기관상동맥질환과 관련이 있다. *APOA1* missense돌연변이에 기인한 저HDL콜레스테롤혈증 환자 대부분은 조기관상동맥질환과 무관하다. *APOA1*에 Arg173Cys 이형접합변이(ApoA1$_{Milano}$) 보유 환자는 HDL콜레스테롤이 매우 낮은데, LCAT 활성이 저해되어 비정상인 ApoA1을 함유한 HDL 제거가 항진된다. 이들은 HDL콜레스테롤수치는 매우 낮지만 조기관상동맥질환 위험도는 높지 않다.

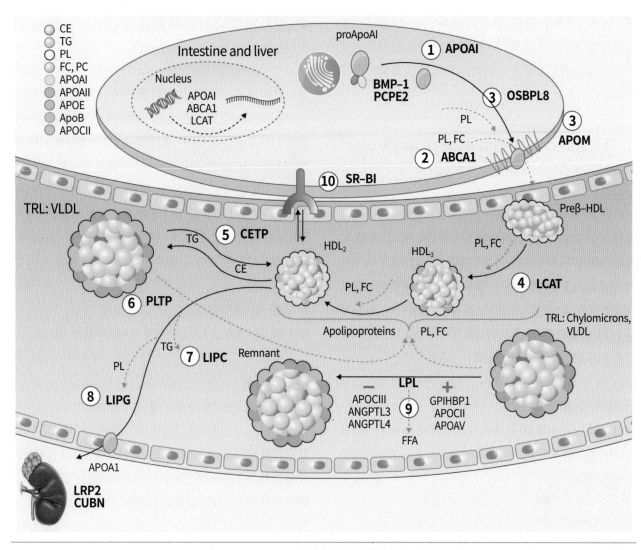

그림 10-3-6. HDL 합성과 분해에 영향을 주는 단백질

2. 탠지어병 (ABCA1 결핍증)

1) 역학 및 유전학

탠지어병(Tangier disease)은 희귀한 보통염색체공우성 (codominant)형태이며 HDL콜레스테롤수치가 극도로 낮은데 *ABCA1*유전자 돌연변이에 의한다. ABCA1은 세포에서 apoA1으로 콜레스테롤과 인지질을 방출하는 운반체이다.

2) 임상특성

ABCA1이 없으면 지질을 받지 못한 apoA1이 즉각적으로 혈액에서 제거된다. 따라서 이 질환 환자의 HDL콜레스테롤과 apoA1은 < 5 mg/dL 정도로 극도로 낮다. 콜레스테롤 축적에 의해 간비장종대가 생기고, 편도가 커지며 회색, 노란색, 주황색을 띠는 것이 특유의 소견이다. 간헐적 말초신경병증 혹은 sphingomyelia 유사신경질환도 나타날 수 있다. 조기죽상동맥경화성 질환 위험도가 크진 않아도 일정 수준 올라갈 수 있다. 혈중 LDL콜레스테롤도 낮은데 이것

때문에 죽상경화증 위험도가 낮아질 수 있다. *ABCA1* 이형 접합돌연변이는 HDL콜레스테롤을 중등도로 낮추는데 (15–30 mg/dL), 관상동맥질환위험도에 대한 영향력은 잘 모른다.

3. 가족성Lecithin-cholesterol acyltrans-ferase (LCAT)결핍증

희귀한 보통염색체 열성질환으로 LCAT 돌연변이에 의해 생긴다. LCAT은 apoA1에 의해 활성화되며, 콜레스테롤을 에스터화하여 콜레스테릴에스테르를 만든다. 결과적으로, 가족성 LCAT 결핍증에서는 혈중 지단백질에 유리콜레스 테롤 비율이 높아진다(총콜레스테롤 중 25%에서 70% 이 상으로). 이 효소가 결핍되면 HDL입자의 성숙이 잘 안되어 혈중 ApoA1 분해가 가속화된다.

1) 역학 및 유전학
사람에서는 이 질환의 두 가지 유전형이 있는데, 완전결핍 (고전적 LCAT 결핍증)과 부분결핍이고 모두 fish-eye병이 라고 부른다.

2) 임상특성
유리 콜레스테롤 침착에 의해 각막혼탁이 점진적으로 진행 되며, 혈중 HDL콜레스테롤이 매우 낮고(< 10 mg/dL), 고 중성지방혈증이 다양한 수준으로 있는 것이 두 유전형 모두 의 특징이다. 부분 결핍증에서는 다른 임상 후유증은 없으 나, 완전 결핍증 환자는 용혈빈혈, 신기능장애가 생기며 결 국 말기신부전으로 진행한다. HDL콜레스테롤과 ApoA1은 극도로 낮지만, 조기죽상동맥경화 심혈관질환은 일관성 있 게 호발하지는 않는 것이 특기할 점이다.

3) 진단
특화된 검사실에서 혈중 LCAT 활성을 측정하거나 *LCAT* 유전자염기서열분석으로 진단할 수 있다.

4. 일차저알파지단백혈증(Primary hypo-alphalipoproteinemia)

혈중 HDL콜레스테롤(알파지단백질)이 낮은 조건을 저알파 지단백질혈증이라고 부른다. 일차저알파지단백혈증은 이차 원인, LCAT 결핍증, 탠지어병의 임상소견은 없는데 HDL콜 레스테롤이 10% 미만이고, 콜레스테롤과 중성지방수치는 비교적 정상일 때로 정의한다. 저HDL콜레스테롤혈증가족 력이 있다면 유전질환을 의심해 볼 수 있으며 보통염색체 우 성유전을 따를 수도 있다. 이 질환은 대사적으로 HDL이나 관련 아포지단백질들의 분해가 일차로 항진된 상태이다.

1) 역학 및 유전학
일부 환자는 *ABCA1* 돌연변이와 탠지어병일 수 있다.

2) 임상특성
이 질환이 있는 몇몇 가족들 중 조기관상동맥질환의 위험 도 상승이 보고된 바 있지만, 저HDL콜레스테롤과의 관련 성은 불확실하다. 이 질환과 조기관상동맥질환의 관련성은 HDL콜레스테롤을 직간접적으로 낮추는 특정 유전문제 자 체나 기저대사 문제와 관련 가능성이 있다.

III. 저지질혈증

최성희

1. 역학

저지질혈증은 임상적으로 유의한 총콜레스테롤, 초저밀도, 저밀도 혹은 고밀도지단백질(VLDL, LDL 혹은 HDL), 중 성지방(triglycerides)의 감소가 있는 경우를 일컫는다. 통 용된 기준은 없으나 연령 및 성별기준 5백분위수 미만인 경 우를 지칭한다. 저지질혈증은 유발원인에 따라 일차와 이차 으로 분류한다. 고전적으로 일차저지질혈증의 경우 결핍된 지단백질의 종류에 따라 분류하였으나, 최근에는 유전체학, 분자생물학의 발달과 함께 일차저지질혈증의 원인유전자가 규명되고 있고 이에 따라 각 원인유전자이상에 따른 개별질환으로 구분하려는 추세이다. 유전변이의 종류 및 투과도(penetrance)에 따라 질환의 중등도가 다양하며 질환의 분류 또한 앞으로 개선될 것으로 보인다.

2. 임상특성

1) 일차저지질혈증(Primary hypolipidemia)

일차저지질혈증은 전 세계적으로 드문 질환으로 원인에 따라 저밀도, 고밀도콜레스테롤 각각 또는 둘 모두 저하될 수 있다. 저밀도콜레스테롤이 저하되는 대표적인 질환으로 무베타지단백질혈증(aβlipoproteinemia), 가족성저베타지단백질혈증(familial hypoβlipoproteinemia)이 있다.

무베타지단백질혈증(aβlipoproteinemia)은 상염색체 열성으로 유전되며 유미미크론과 초저밀도 콜레스테롤 형성에 중요한 단백질인 마이크로솜중성지방전달단백질(microsomal triglyceride transfer protein, MTTP)유전자의 돌연변이로 인해 발생한다. 식이지방이 흡수되지 않으며 총콜레스테롤은 일반적으로 45 mg/dL 미만, 중성지방은 20 mg/dL 미만, 저밀도콜레스테롤은 측정되지 않는 경우가 많다. 전 세계적으로 100건 이상의 보고가 되고 있다.

지방흡수장애, 지방변 및 성장장애가 있는 영아시기에서 발견될 수 있고 지적장애가 동반될 수 있다. 비타민E는 초저밀도 및 저밀도지단백질을 통해 말초조직으로 분포되기 때문에 심각한 비타민E결핍증을 초래한다. 증상 및 징후로 망막변성, 감각신경병증, 운동실조 및 감각이상, 경련, 소뇌징후 등이 있으며 궁극적으로 사망에 이를 수 있다.

혈액검사상 혈장아포지단백질B가 없으면 진단할 수 있으며 유전자검사로 확진할 수 있다. 장생검상 마이크로솜 중성지방전달단백질이 없다. 치료는 고용량의 비타민E (1일 1회

100–300 mg/kg)와 식이지방 및 기타 지용성비타민을 보충하는 것이나 예후가 좋지 않은 경우가 많다.

가족성저베타지단백질혈증(familial hypobetalipoproteinemia)은 1,000–3,000명 중 1명 발생하는 것으로 보고되며, 보통염색체 우성유전을 하고 아포지단백질B유전자(ApoB)의 돌연변이로 발생한다.

ApoB유전자는 아포지단백질 B48이라는 짧은 버전과 아포지단백질B100으로 알려진 긴 버전의 두 가지 아포지단백질B단백질을 만든다. 아포지단백질 B48은 장에서 생산되며 유미미크론의 구성요소로 식사 후 음식이 소화되면 유미미크론이 형성되어 지방과 콜레스테롤을 장에서 혈류로 운반하고, 비타민E 및 비타민A와 같은 지용성비타민의 흡수에도 필요하다. 간에서 생성되는 아포지단백질B100은 초저밀도, 중밀도지단백질(IDL) 및 저밀도지단백질의 구성요소로 모두 혈류에서 지방과 콜레스테롤을 운반한다. 특히 저밀도지단백질이 각 세포표면에 있는 저밀도지단백질 수용체에 부착하는 데 관여한다.

유전자 결핍 정도에 따라 임상상이 다양하며 경증의 경우 지방을 흡수하는 데 문제가 거의 없고 관련 징후 및 증상이 없다. 아포지단백질B 저하에 따른 초저밀도 및 저밀도지단백질생성 저하로 간에 지방이 비정상적으로 축적되어 지방간이 동반되는 경우가 있다. 지용성비타민인 비타민A, E 흡수 저하에 따른 결핍이 동반될 수 있다. 심한 경우 성장지연이 동반될 수 있다.

혈액검사상 낮은 혈청저밀도콜레스테롤과 아포지단백질B 수치를 보인다. 저베타지단백질혈증과 무베타지단백질혈증은 가족력 및 유전자검사에 의해 구별된다. 이형접합(heterozygote)인 사람과 저밀도콜레스테롤이 검사상 검출되는 동형접합(homozygote)인 사람은 치료가 필요하지 않다. 저밀도콜레스테롤이 검출되지 않는 동형접합인 경우 치료는 무베타지단백질혈증과 동일하며 비타민E와 식이지방

및 기타 지용성비타민의 보충이 필요하다. 예후는 다양하지만 조기진단과 엄격한 치료를 통해 질병의 진행을 지연시킬 수 있다. 경미한 저베타지단백질혈증의 경우 낮은 저밀도콜레스테롤이 심혈관 보호효과가 있다는 주장이 있으나 불확실하다.

고밀도지단백질은 신체조직에서 간으로 콜레스테롤 및 인지질을 운반하는 역할을 한다. 고밀도지단백질이 높은 경우 심혈관질환의 발병이 감소한다. 가족성HDL결핍증(familial HDL deficiency)은 보통염색체 우성유전하며 ABCA1 혹은 APOA유전자의 돌연변이에 의해 발생한다. 가족성고밀도지단백질결핍증이 있는 사람은 비교적 어린 나이에 심혈관질환에 걸릴 수 있다.

APOA1유전자는 아포지단백질A-I (ApoA-I)라는 단백질을 만들며 이는 고밀도지단백질의 구성요소이다. ApoA-I는 세포막에 부착되어 세포 내부에서 외부 표면으로 콜레스테롤과 인지질의 이동을 촉진하고, 세포 밖으로 나오면 ApoA-I와 결합하여 고밀도지단백질을 형성한다. ApoA-I는 또한 콜레스테롤 에스터화반응을 통해 지질을 수용성으로 전환시키는데 이를 통해 콜레스테롤을 고밀도콜레스테롤로 통합하고 혈류를 통해 지질을 간으로 수송하는 데 기여한다.

ABCA1단백질은 ATP-결합 카세트 패밀리에 속하며 간과 대식세포라고 하는 면역계세포에서 다량으로 생성되고, 콜레스테롤과 인지질을 세포막을 통해 세포 외부로 이동시킨다. 이렇게 세포 밖으로 이동한 콜레스테롤 및 인지질은 ApoA-I과 결합하여 고밀도지단백질을 형성한다. ABCA1 열성 동형접합(homozygote)에 의한 고밀도 콜레스테롤 저하를 탠지어병이라고 일컫는다. 탠지어병은 혈액내 HDL 수치가 매우 낮고, 경도의 중성지방의 상승이 있다. 신경병증, 비대한 주황색 편도선, 간비대, 비장비대, 각막혼탁 등을 동반한다.

고밀도 콜레스테롤이 저하되는 경우로 가족성 레시틴-콜레스테롤아실트란스퍼레이스결핍증[familial lecithin-cholesterol acyltransferase (LCAT) deficiency]이 있다. 전 세계적으로 70건 정도가 보고되었다. 보통염색체 열성으로 유전된다. LCAT는 표면의 수용성콜레스테롤을 지용성 콜레스테롤인 콜레스테릴 에스터로 전환시킨 후 고밀도콜레스테롤의 중심부로 넣음으로써 디스크형태의 고밀도지단백질을 구형의 고밀도지단백질으로 만들고, 결국 말초의 중성지방을 간으로 수송하는 데 중요한 역할을 한다. 열성동형접합체는 혈장내 LCAT 활성이 없거나 극히 낮고 현저하게 감소된 수준의 콜레스테릴에스터 및 리소레시틴의 형태로 나타난다. 혈장내 에스터화되지 않은 콜레스테롤이 높고 레시틴의 상대적 양이 증가한다. 혈장중성지방수치는 일반적으로 증가한다(200-1,000 mg/dL). 주로 눈과 신장에 영향을 미치는 질환으로 콜레스테롤 축적으로 유아기 각막혼탁이 동반되고 시력이 심하게 손상될 수 있다. 청소년기, 초기 성인기에 신장질환이 동반되고 결국 신부전으로 이어질 수 있다. 용혈성 빈혈 및 간비대, 비장비대, 림프절 비대, 죽상경화증 등이 동반된다. 현재까지 알려진 치료법은 없으며 지방 제한 식이가 도움이 될 수 있다.

2) 이차저지질혈증(Secondary hypolipidemia)

다양한 장애에 이차저지질혈증이 발생할 수 있으며 저지질혈증이 기저질환의 발견에 중요한 단서가 되는 경우 또한 있다. 설사 및 영양실조가 저지질혈증의 가장 흔한 원인이다. 영양소 흡수의 장애는 영양부족 및 저지질혈증으로 나타날 수 있고, 특히 초저밀도 및 저밀도콜레스테롤의 감소형태로 나타난다. 암과 동반된 종말증의 경우에도 흔히 저지질혈증이 동반된다.

폐쇄 간질환이 있는 환자는 담즙정체에 따라 총콜레스테롤의 증가가 동반될 수 있으나 특징적으로 HDL 및 ApoA가 감소한다. 간에서 생성되는 레시틴콜레스테롤아실기전달효소(LCAT)의 저하로 고밀도콜레스테롤을 통한 말초조직에서 간으로의 지질수송이 저하된다. 심한 간 실질 질환의 경

우 간에서의 초저밀도콜레스테롤의 분비가 저해됨으로써 혈중 초저밀도콜레스테롤 및 저밀도콜레스테롤의 저하로 이어질 수 있다.

이외에도 만성감염, 약물, 음주, 신기능장애, 내분비질환(뇌하수체기능저하, 갑상선기능저하증, MODY) 등에서 HDL의 저하가 동반되곤 하며 갑상선기능항진증에서 저밀도 콜레스테롤의 저하가 동반된다. 면역글로불린장애, 만성빈혈 등도 저지질혈증이 원인이 될 수 있다. 코로나바이러스 등 급성감염의 경우에서도 저밀도콜레스테롤 감소 저하가 동반될 수 있다. 이차저지질혈증의 경우 문제가 되는 원인질환을 치료하고 충분한 영양공급과 전신상황의 개선이 치료가 되는 것이므로 마땅한 치료제가 없는 실정이다.

3. 최신정보 및 미래 전망

저밀도콜레스테롤이 저하되는 저베타지단백질혈증에서 ApoB유전자의 돌연변이가 확인되지 않는 경우가 보고되었다. 2010년 ApoB돌연변이가 없는 환자들에서 엑솜 시퀀싱을 통해 ANGPTL3 (angiopoietin-like 3)유전자돌연변이가 발견되었다. 이 단백질은 특히 지단백질 지방분해효소(lipoprotein lipase) 활성도를 저하시키며 돌연변이가 있는 사람의 경우 고밀도 및 저밀도콜레스테롤, 중성지방 모두 저하된다. 특히 동형접합(homozygote)의 경우 혈중 고밀도 및 저밀도콜레스테롤, 중성지방수치는 각각 20 mg/dL, 30 mg/dL, 20 mg/dL 정도로 저하되었다. 이후 유전체학 및 역학연구를 통해 ANGPTL3 돌연변이가 있는 경우 약 40%의 심혈관 보호효과가 있음이 밝혀졌고, 이후 ANGPTL3를 길항하는 항체인 evinacumab이 치료불응성 고지혈증의 치료제로 개발되어 2020년 임상 2상에 성공하였다.

현재 고지혈증치료제로 사용 중인 evlocumab과 alirocumab 또한 PCSK9에 대한 대항제로 개발되었으며 PCSK9돌연변이가 있는 경우 LDL이 낮은 점에 착안하여 치료제로 개발되었다. 저지질혈증은 비록 유전적으로도 매우 드물고, 발견하여도 뚜렷한 치료제가 없어 영양공급 등 현상적인 증상만 치료하는 경우가 대부분이라 치료가 어려운 경우가 많지만, 유전체학, 분자생물학의 발달과 함께 새로운 원인 유전자가 발견되고 있고, 이는 반대로 고지혈증의 치료제의 개발이라는 성과로 이어지고 있다.

IV. 지방이상증

1. 서론

지방이상증 증후군은 영양결핍이나 이화상태가 아님에도 지방조직 결핍을 가지는 희귀질환의 이질적인 집단(heterogeneous group)이다. 지방이상증은 병인에 따라 유전(genetic) 혹은 후천(acquired)으로 지방조직 결핍분포에 따라 전신(generalized) 혹은 부분(partial)으로 나누어지며 선천전신지방이상증(congenital generalized lipodystrophy, CGL), 가족성부분지방이상증(familial partial lipodystrophy, FPLD), 후천전신지방이상증(acquired generalized lipodystrophy, AGL), 후천부분지방이상증(acquired partial lipodystrophy, APL)으로 분류한다. 다른 아형(subtypes)으로 조로성(progeroid disorders), 자가염증성(autoinflammatory disorders) 등이 있다(표 10-3-5). HIV 치료와 관련된 지방이상증과 주사약물에 의한 지방이상증에 대해서는 본문에서 다루지 않는다.

지방이상증증후군은 호르몬과 대사장애와 연관되어 다양한 동반질환(comorbidities)이 동반된다. 지방이상증의 많은 합병증은 지방조직 결핍에 따른 이차적인 것으로 간, 근육, 다른 조직에 이소성 지방이 축적되어 인슐린저항성을 유발하며 인슐린저항성은 당뇨병, 고중성지방혈증, 다낭난소증후군, 비알코올지방간의 중요한 원인으로 작용하여 상기질환의 동반 가능성이 높아진다.

표 10-3-5. **지방이상증의 유전형태와 아형**

유전형태	아형	표현형	관련 유전자
보통염색체 열성	선천전신지방이상증	완전에 가까운 전신지방 결핍, 전신 근육발달, 대사합병증	*AGPAT2, BSCL2, CAV1, PTRF, PCYT1A, PPARγ*
	유전조로증증후군	부분 혹은 전신지방 결핍, 조로증, 가변적인 대사합병증	*LMNA, ZMPSTE24, SPRTN, WRN, BANF1*
	가족성부분지방이상증	팔다리 지방 결핍, 대사합병증	*CIDEC, LIPE, PCYT1A*
	자가면역	가변적인 지방 결핍, 가변적인 대사합병증	*PSMB8*
보통염색체 우성	가족성부분지방이상증	팔다리지방 결핍, 대사합병증	*LMNA, PPARγ, AKT2, PLIN1*
	유전조로증 증후군	부분 혹은 전신지방 결핍, 조로증, 가변적인 대사합병증	*LMNA, FBN1, CAV1, POLD1, KCNJ6*
	SHORT syndrome	가변적인 지방 소실, 대사합병증	*PIK3R1*
후천	후천전신지방이상증	완전에 가까운 전신지방 결핍, 대사합병증	None
	후천부분지방이상증	상체의 지방 결핍과 하체의 지방 증가, 경증 혹은 동반되지 않는 대사합병증	None

지방이상증 환자의 주요 사망원인은 심장질환(심근병증, 심부전, 심근경색, 부정맥), 간질환(간부전, 위장관출혈, 간세포암), 신부전, 급성췌장염, 패혈증으로 알려져 있다.

2. 역학 및 임상특성

1) 선천전신지방이상증(CGL, Berardinelli–Seip syndrome)

아주 드문 질환으로 현재까지 약 250명의 사례가 보고된 것으로 알려졌고, 전 세계 유병률은 1,000만 명당 1명으로 추정된다. 선천전신지방이상증은 보통염색체 열성질환으로 출생 혹은 영아기의 지방조직 결핍, 근육의 비후, 정맥비대증(phlebomegaly), 흑색가시세포증(acanthosis nigricans), 간비대, 배꼽돌출, 왕성한 식욕을 특징으로 한다. 다양한 유전원인이 규명되었고 각각은 독특한 임상특징을 가지는데 빈도는 매우 드물지만 type 1, 2, 3, 4로 4가지의 아형이 존재하고, type 1은 AGPAT유전자의 변이(9q34.3), type 2는 Seipin 단백질을 코딩하는 BSCL2유전자의 변이

(11q13), type 3는 Caveolin 단백질을 코딩하는 CAV1유전자변이, type 4는 단백질 중합효소 종류를 코딩하는 PTRF유전자변이로 각각 발생한다. 지방세포의 합성, 세포막의 안정성, 지방대사에 중요한 단백질 등의 결핍으로 인하여 대사합병증은 빈번하며, 피하지방이 거의 없고 근육의 과비대가 심해지며 심각한 인슐린저항성을 가지게 된다. 심근병증 혹은 심장리듬장애, 말단비대증, 신기능장애가 발생하기도 한다.

2) 가족성부분지방이상증(FPLD)

Dunnigan's type 가족성부분지방이상증(FPLD type 2, FPLD2)의 경우 전 세계 유병률은 1,500만 명당 1명 미만일 것으로 추정된다. Kobblering type (FPLD type 1, FPLD1)의 경우 유병률이 알려져 있지 않다. 가족성부분지방이상증은 보통염색체 우성질환으로 핵의 lamins 생성을 조절하는 LMNA 유전자의 변이로 생기며 인슐린저항성, 복부비만, 과인슐린혈증, 당뇨병을 동반하며 팔다리, 엉덩이부위의 지방조직 결핍을 특징으로 한다. 신체 특정 부위에서 지

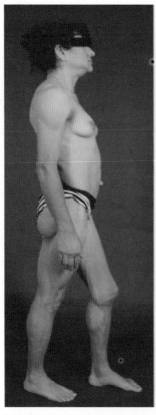
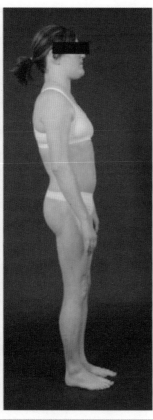
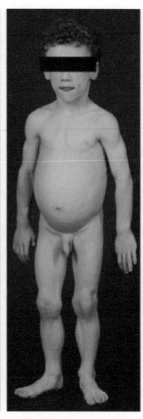
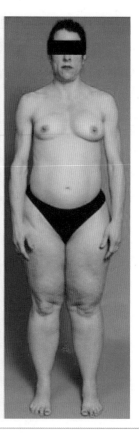

그림 10-3-7. **선천지방이상증의 외국 보고 례**(출처: J Clin Endocrinol Metab 2016;101:4500-11)

방의 과잉축적은 빈번하며, 특히 복부의 지방축적으로 쿠싱증후군의 외양(Cushingoid appearance)을 나타내기도 한다. 지방분포는 일반적으로 이른 아동기(early child-hood)에는 정상적이며 사춘기(puberty)에 이르러 지방소실이 발생하며 근육비대가 흔하다. 대사합병증은 성인에서 흔하며 위의 기술한 대사질환과 더불어 관상동맥질환, 그리고 때로는 심근병증의 위험이 높다.

3) 후천전신지방이상증(AGL, Lawrence syndrome)

약 100명 미만의 사례가 보고되었고 대부분 백인이었다. 남성 대 여성비율은 1:3으로 여성에서 빈번하게 발생하고, 후천전신지방이상증은 태어날 때는 비교적 정상이나 청소년기 이전에(하지만 생애주기 어느 시기나 발병가능) 손바닥과 발바닥을 포함한 전신에서 점진적인 지방소실을 보인다. 특히 얼굴과 사지부위의 침범이 심하고 눈 부분이 움푹 들

어가 보이는 모습을 자주 살펴볼 수 있다. 사지의 피부증상(panniculitis)과 25% 정도 동반이 보고되고 있다. 대사합병증은 역시 인슐린저항성이 심해서 나타나는 당뇨병과 렙틴결핍, 피하지방의 소실을 보이고 빈번하게 자가면역질환을 동반한다.

4) 후천부분지방이상증(APL, Barraquer-Simons syndrome)

약 250명 미만의 사례가 보고되었고 남성 대 여성비율은 1:4다. 후천부분지방이상증은 일반적으로 아동기 혹은 청소년기에 나타난다. 지방 소실은 머리부터 발끝으로 진행하는 양상(cranio-caudal trend)으로 점진적으로 얼굴, 목, 어깨, 팔, 몸통에서 일어난다. 지방축적은 엉덩이, 다리에서 나타날 수 있다. 약 20%에서 자가면역질환, 특별히 막증식성사구체신염(membranoproliferative glomerulonephritis, MPGN)과 연관이 있다. 대부분의 환자에서 낮은 혈청complement 3 (C3)를 보이며, 일부에서는 C3 nephritic factor를 가진다. 대사합병증은 흔하지 않다.

3. 진단

- 지방이상증의 명확한 진단기준은 확립되지 않았다.
- 지방이상증의 진단은 병력, 신체검사, 신체조성, 대사상태를 바탕으로 한다.
- 지방이상증을 진단하거나 배제하기 위해 정해진 혈청렙틴 농도는 아직까지 없다. 그러나 렙틴부족현상을 동반한다.
- 가족성 지방이상증이 의심되는 경우 확증유전자검사(confirmatory genetic testing)가 도움이 된다.
- 발병위험이 있는 가족 구성원에게 유전자검사를 고려한다.
- 혈청보체(complement)와 자가항체(autoantibody)는 후천지방이상증증후군 진단에 도움을 줄 수 있다.

1) 지방이상증 유무의 확인

지방이상증은 신체검사에서 정상범위를 벗어난 국소적 혹은 전신지방조직결핍을 가진 환자에서 의심되어야 하며, 신체계측, 이중에너지방사선흡수측정(dual energy x-ray absorptionmetry, DEXA), 전신 MRI가 도움이 된다. 부분지방이상증과 남성에서는 피하지방 조직 결핍을 알아내는 것은 특별히 어려운데, 이는 남성에서 정상적으로 낮은 체지방을 가지는 경우가 있으며 지방이상증의 발현이 덜 심하기 때문이다. 여성의 발현빈도가 높은 아형을 고려하면 도움이 된다. 선천과 후천지방이상증 모두에서 지방소실이 점진적인 경우가 있어 진단이 늦어지기도 한다. 지방이상증을 의심하게 하는 신체검사, 병력, 동반질환은 표 10-3-6에 정리하였다. 혈청렙틴검사가 표준화되지 않았고, 지방이상증 환자에서 렙틴 농도가 일반 인구에서의 농도와 겹치기 때문에 렙틴 농도는 진단에 도움이 되지는 않으나 치료제 선택에 도움을 줄 수는 있다.

표 10-3-6. 지방이상증 가능성을 높이는 임상특징

필수적인 특징
• 전신 혹은 국소지방 결핍
이학적 특징
• 영유아 성장장애 • 두드러진 근육발달 • 두드러진 정맥 • 심한 흑색가시세포증 • 발진성황색종 • 쿠싱증후군의 외양 • 말단비대증의 외양 • 조로증의 외양
동반질환

• 당뇨병(높은 인슐린 요구량을 동반)
  - ≥ 200 U/d
  - ≥ 2 U/kg/d
  - U-500 인슐린을 필요로 하는 경우
• 심한 고중성지방혈증
  - ≥ 500 mg/dL(치료약물 사용과 무관하게)
  - ≥ 250 mg/dL(식이요법과 치료약물 사용에도 불구하고)
  - 고중성지방혈증에 의한 이차급성췌장염 병력
• 비만을 동반하지 않은 비알코올간염
• 심근병증의 조기발병
• 다낭난소증후군

다른 특징
• 비슷한 이학적 특징 혹은 대사합병증의 보통염색체우성 혹은 열성유전 • 과식증

2) 지방이상증 아형의 확인

(1) 지방 소실의 양상

유전 지방이상증의 특정 아형을 가진 환자에서 지방소실양상은 특징적이지만, 발현시기, 중증도, 지방소실양상은 다를 수 있다.

(2) 유전과 후천의 구별

가계도분석(pedigree analysis)은 유전과 후천지방이상증 구별에 도움을 준다. 영아기(infancy) 선천전신지방이상증에서는 지방결핍이 있으나, 후천전신지방이상증에서는 정상 지방조직을 가지므로 영아기 사진을 참고하여 이 둘을 구별할 수 있다. 하지만, 후천지방이상증에서도 출생 후 몇 달 이내에 지방이 소실되는 경우가 있다. 후천지방이상증의 경우 가족력을 가지지 않으나, 새로운 돌연변이(de novo mutations)를 동반하는 유전 지방이상증과 구별이 어렵다.

근염(myositis), 1형당뇨병, 자가면역간염과 같은 자가면역질환이 있을 경우 후천지방이상증 가능성이 높다. 낮은 혈청 C3, C3 nephritic factor, 단백뇨, 혹은 생검으로 확인된 막증식성사구체신염은 후천부분지방이상증 진단에 도움을 준다.

(3) 유전자검사

유전형 분석에는 후보유전자 염기서열분석(sequencing), 후보유전자패널검사, 전장엑솜/전장유전체(whole-exome/whole-genome) 염기서열분석 방법이 있다. 유전지방이상증에 대한 추가적인 유전자자리(genetic loci)가 있을 수 있으므로, 유전형 분석결과가 음성(negative)이라고 해서 유전성을 배제할 수는 없다(각 질환의 유전자적 이상부위는 위의 역학 및 임상양상의 기술을 참고).

(4) 유전상담과 가족구성원 선별검사

유전상담에서 명심해야 할 것은 유전 지방이상증의 자연경과에 대한 현재까지의 이해가 불충분하다는 것이다. 이환된 가계 내에서 결혼 전 유전자검사 및 유전상담을 통해 보인자상태(carrier status) 여부를 확인하는 것을 고려한다.

3) 동반질환 선별검사

모든 환자들에서 당뇨병, 고지혈증, 비알코올지방간, 심혈관질환, 생식기능 장애에 대한 선별검사가 필요하다. 후천부분지방이상증 환자들은 대사합병증의 저위험군이므로 임

상판단에 근거하여 추적선별검사를 결정한다.

(1) 당뇨병

> • 당뇨병 선별검사를 매년 시행하여야 한다.

당뇨병 선별검사는 대한당뇨병학회 및 미국당뇨병학회(american diabetes association, ADA) 진료지침을 따른다. 후천전신지방이상증 환자들은 인슐린저항성뿐만 아니라 1형당뇨병이 발생하는 경우도 있어 자가항체측정을 통해 진단에 도움을 줄 수 있다.

(2) 이상지질혈증

> • 중성지방은 최소 1년에 한 번 검사하고, 복통 혹은 황색종(xanthoma) 발생 시 검사를 시행하여야 한다.
> • 공복지질패널검사(총콜레스테롤, 저밀도지단백질콜레스테롤, 고밀도지단백질콜레스테롤, 중성지방)는 진단 당시, 그리고 10살 이후로 매년 시행하여야 한다.

(3) 간질환

> • AST, ALT검사는 매년 시행하여야 한다.
> • 간초음파는 진단 당시에 시행하여야 하며, 임상적으로 필요한 경우 추가적으로 시행한다.
> • 임상적으로 필요시 간조직검사를 시행하여야 한다.

간과 비장 크기, 지방증(steatosis)과 섬유증(fibrosis)의 정도, 문맥고혈압(portal hypertension) 유무확인을 위해 초음파와 탄성영상검사(elastography)가 유용하다. 선천전신지방이상증 환자는 조기간경화증(cirrhosis)의 높은 위험을 가지며 후천전신지방이상증은 비알코올지방간뿐 아니라 자가면역 간염을 동반하기도 한다.

(4) 생식기능장애

- 성선스테로이드(gonadal steroid), 성선자극호르몬(gonadotropin), 골반초음파는 임상적으로 필요시 시행하여야 한다.
- 소아에서 사춘기발달상태(pubertal staging)를 매년 평가하여야 한다.

전신지방이상증 소아에서 부신성징발생(adrenarche), 진성 성조숙(true precocious puberty), 중추성 성선저하증(central hypogonadism)이 나타날 수 있다. 여성에서 희발월경(oligomenorrhea), 무월경(amenorrhea), 생식력(fertility) 감소, 다낭난소증후군이 흔하다.

(5) 심장질환

- 혈압은 최소한 매년 측정하여야 한다.
- 심전도와 심초음파는 선천전신지방이상증과 조로성(progeroid disorders) 지방이상증 진단 시, 그리고 매년 시행하여야 하며 가족성부분지방이상증과 후천전신지방이상증에서는 임상적으로 필요한 경우 시행하여야 한다.
- 조로성 지방이상증 환자, 심근병증을 동반한 가족성부분지방이상증(FPLD2) 환자에서 허혈심장질환에 대한 평가, 리듬모니터링을 고려하여야 한다.

고혈압은 흔하며, 심지어 소아에서도 나타난다. 선천전신지방이상증(CGL4), 비전형적 조로증후군(progeroid syndrome), LMNA유전자돌연변이로 인한 가족성부분지방이상증(FPLD2) 환자에서 허혈심장질환, 심근병증, 부정맥, 돌연사가 보고되었다.

(6) 신장질환

- 24시간소변수집(24 hour urine collection) 혹은 단회소변단백/크레아티닌비(spot urine protein-to-creatinine ratio)검사를 통한 소변단백 측정을 매년 시행하여야 한다.

단백뇨는 흔하다. 신장 조직검사는 임상적으로 필요한 경우 시행하여야 하며, 병리소견은 당뇨병신병증, 국소분절사구체신염(특별히 선천전신지방이상증에서), 막증식성사구체신염(특별히 후천부분지방이상증에서)을 포함한다.

(7) 악성질환

림프종, 특별히 말초 T세포림프종(peripheral T-cell lymphoma)은 후천전신지방이상증에서 약 7%의 유병률로 발생한다. 아직 적절한 선별검사가 확립되지는 않았으나 매년 피부와 림프절검사를 하는 것을 고려할 수 있다. 3명의 소아에서 털모양성상교세포종(pilocytic astrocytoma)의 부종양성 증상으로 전신지방이상증이 보고된 바 있다. 따라서 특발후천전신지방이상증 혹은 비전형적 선천전신지방이상증을 가지는 소아에서 뇌종양에 대한 선별검사를 고려해야만 한다. 블룸증후군(Bloom syndrome), 베르너증후군(Werner's syndrome)과 같은 특정 조로증후군(progeroid syndrome)의 경우 높은 암 위험과 관련 있다.

4. 감별진단

심한 체중감소를 나타낼 수 있는 다른 감별질환들은 영양실조, 신경성식욕부진(anorexia nervosa), 조절되지 않는 당뇨병, 갑상선중독증, 부신피질부전, 암성종말증(cancer cachexia), HIV 관련 소모증(HIV-associated wasting), 만성감염 등이 있다. 조절되지 않는 당뇨병과 지방이상증 모두 심한 고중성지방혈증을 보이는 경우가 있어 두 질환을 구별하는 것은 특별히 어렵다. 전신지방이상증은 인슐린수용체 변이 혹은 말단비대증/거인증, 쿠싱증후군을 동반한 가족성부분지방이상증, 복부비만, 양측 대칭성지방종증(multiple symmetric lipomatosis)과 혼돈될 수 있다.

5. 치료

현재의 치료는 지방이상증증후군의 동반질환을 예방하고 개선하는 것이다. 지방이상증의 치료방법은 아직까지 없으며, 지방조직을 생성시킬 방법도 아직까지 없다.

1) 식이요법

지방이상증의 대사합병증 치료의 기초는 식이요법이다. 지방이상증에서 특정 식이에 대한 연구는 부족하여 여러 가지 타 교과서 및 리뷰저널들을 참고하였다.

> • 대부분의 환자는 균형잡힌 다량영양소를 함유한 식단을 따라야 한다.
> • 에너지제한식이(energy-restricted diet)는 대사이상을 호전시키고 어른에게 적절할 수 있다.
> • 암죽미립혈증(chylomicronemia)에 의한 급성췌장염에서 초저지방식이(very-low-fat diet)를 따라야 한다.
> • 특별한 식단구성을 위해 영양사에게 자문을 구해야 하는데, 특별히 영아와 소아에서 필요하다. 과식은 피해야 한다.
> • 중쇄중성지방오일(medium-chain triglyceride oil) 분유는 영아에서 에너지를 공급하고 중성지방을 줄여줄 수 있다.

지방이상증 환자, 특별히 전신지방이상증을 동반한 경우는 일반적으로 렙틴 결핍에 의해 과식을 한다. 청소년기와 성인에서 에너지 제한 식이는 중성지방과 혈당을 낮출 수 있으나, 식이제한은 달성하기 어렵다. 대사 합병증 조절을 위한 음식 제한은 소아에서 성장을 위한 음식요구량과 균형을 이루어야 한다. 정상체중을 달성하기 위한 과식은 대사 합병증과 간 지방증을 악화시킬 수 있다. 신체조성이 비전형적이므로 신장별체중(weight for length)과 체질량지수를 표준성장자료(reference growth data)와 비교하는 것은 적절치 않다. 선형성장(linear growth)이 유지된다면 낮은 신장별 체중 혹은 체질량지수는 허용된다.

환자들은 탄수화물 50-60%, 지방 20-30%, 단백질 20% 비율의 식사를 따라야 한다. 단순당(simple sugar) 대신에 복합당(complex sugar)이 선호되며, 식사와 간식이 균등하게 배분되어 단백질이나 지방과 같이 섭취하여야 한다. 지방은 주로 시스 단일불포화지방산(cismonounsaturated fat)과 긴사슬 오메가-3지방산(long-chain omega-3 fatty acid)을 섭취하여야 한다. 아주 심한 고중성지방혈증 영아에서 중쇄중성지방(medium-chain triglyceride) 기반의 분유가 도움이 될 수 있다. 급성췌장염의 경우는 장휴식(bowel rest) 이후 초저지방식이(very-low-fat diet)를 따라야 한다.

2) 운동요법

> • 지방이상증 환자에게 특별한 금기사항이 없는 한 운동을 하는 것을 권장한다.
> • 심근병증 소인이 있는 지방이상증 아형의 환자는 운동요법시작 전에 심장질환에 대한 평가를 받아야 한다.

대부분의 환자에게 신체적 활동을 권장한다. 하지만, 심근병증을 가진 환자는 격렬한 운동을 피해야 한다. 심한 간비장비대를 가진 환자와 골용해병변(lytic bone lesion)을 가진 선천전신지방이상증 환자는 접촉 스포츠는 피해야 한다.

3) 메트레렙틴(Metreleptin)-렙틴 치료요법

> • 전신지방이상증에서 메트레렙틴과 식이요법은 대사이상과 내분비계 이상에 대한 일차치료이며, 소아에서 대사이상과 내분비계 이상에 대한 예방 목적으로 고려할 수 있다.
> • 메트레렙틴은 부분지방이상증과 심한 대사이상(당화혈색소 > 8%, 중성지방 > 500 mg/dL)을 동반한 저렙틴혈증(렙틴 < 4 ng/mL) 환자에서 고려할 수 있다.

현재, 메트레렙틴(재조합 인간 메티오닐 렙틴)은 지방이상증에 대해 승인된 유일한 약물이다. 전신지방이상증 환자에서 대사합병증 치료를 위해 식이요법과 더불어 메트레렙틴이 미국에서 승인받았다. 일본에서는 전신과 부분지방이상증 모두에서 승인받았다. 다른 나라에서도 동정적 사용프로그램(compassionate use program)을 통해 사용 가능하다. 메트레렙틴 시작연령에 제한은 없으며, 생후 6개월 영아에서도 사용된 바 있다. 대사관련 수치와 체중을 고려하여 메트레렙틴 용량조절을 해야 하며, 임상평가와 혈액검사를 3–6개월마다 시행하여야 한다.

(1) 전신지방이상증에서 메트레렙틴 사용

메트레렙틴은 과식을 줄여서 체중감소를 일으킨다. 음식섭취를 줄이는 것은 대사이상 호전에 일부 영향을 준다. 만약 과도한 체중감소 발생 시 메트레렙틴용량을 줄여야 한다. 메트레렙틴 복용 첫 주 안에 공복혈당이 호전되고, 1년 안에 당화혈색소가 2% 감소한다. 저혈당 위험을 줄이기 위해 혈당을 자주 확인하는 것이 권고된다. 혈당조절이 잘되는 환자에서 메트레렙틴을 시작할 경우 인슐린용량을 약 50% 감량하는 것을 고려하여야 한다. 많은 젊은 선천전신지방이상증 환자들은 인슐린을 중단할 수 있다.

메트레렙틴은 1주 안에 중성지방을 감소시키고, 1년 안에 60% 감소시킨다. 메트레렙틴은 저밀도지단백질콜레스테롤과 총콜레스테롤을 감소시키지만 고밀도콜레스테롤수치는 변화시키지 않는다. 고중성지방혈증에 의한 급성췌장염은 메트레렙틴을 갑자기 중단하거나 용량을 줄이는 경우 발생할 수 있다.

메트레렙틴은 간지방증, 간수치, 비알코올지방간염점수(NASH score)를 6–12개월 안에 감소시킨다.

메트레렙틴은 대부분의 환자에서 단백뇨를 감소시킨다. 하지만, 4명의 환자는 메트레렙틴 치료 도중 신장기능 악화를 보였기에 기저 신장질환 유무 및 신장기능 변화에 대한 면밀한 관찰이 필요하다.

여성에서 메트레렙틴은 성선자극호르몬 분비를 정상화시키고, 정상적인 사춘기발달을 유도하고, 생리주기를 정상화시키고, 생식력을 호전시킨다. 메트레렙틴은 여성에서 테스토스테론을 감소시키지만 난소 모양을 변화시키지는 않았다. 메트레렙틴은 남성에서 테스토스테론을 증가시켰다.

(2) 부분지방이상증에서 메트레렙틴 사용

부분지방이상증에서 메트레렙틴의 효과는 전신지방이상증에서보다는 덜 알려져있고 대부분의 연구가 서양인에서 시행한 연구라 한국인에게 적용하는 데 한계가 있다는 점을 밝힌다. 한 연구에 따르면, 부분지방이상증과 심한 대사이상(당화혈색소 > 8%, 중성지방 > 500 mg/dL, 렙틴 < 4 ng/mL)을 가진 심한 저렙틴혈증 환자에서 메트레렙틴은 고중성지방혈증과 혈당을 호전시켰다. 다른 연구에 따르면, 중증도–중증 저렙틴혈증을 동반한 가족성부분지방이상증(FPLD2) 환자에서 메트레렙틴은 중성지방을 호전시키고 인슐린 감수성과 인슐린분비를 호전시켰다. 하지만 또 다른 연구에 따르면, 혈청렙틴 < 7 ng/mL을 동반한 가족성 부분지방이상증(FPLD2) 환자에서는 혈당호전을 보이지 않았다. 메트레렙틴은 부분지방이상증 환자에서는 임상시험, 연결된 기부프로그램을 통하거나, 일본에서만 사용가능하다.

(3) 메트레렙틴의 부작용

약 30% 환자에서 부작용을 경험한다. 임상적으로 중요한 부작용으로 저혈당(인슐린을 사용하는 환자에서), 드물게 발생하는 주사 부위반응(홍반, 두드러기)이 있다.

렙틴에 대한 중화항체활성(neutralizing antibody activity)이 보고된 바 있다. 임상중요성은 아직 명확하지 않으나 치료실패와 패혈증과 관련 있을 수 있다. 다른 심각한 부작용은 메트레렙틴약물 자체보다는 기저지방이상증증후군과 관련있는 것으로 후천전신지방이상증 환자에서 T세포림프종(T-cell lymphoma), 췌장염, 간기능 악화, 신장질환이 여기에 해당된다.

4) 동반질환에 대한 치료

(1) 당뇨병

- 메트포민은 당뇨병과 인슐린저항성에 대한 일차치료제이다.
- 인슐린은 고혈당 조절에 효과적이다. 몇몇 환자들에서 농축된 제형과 고용량이 필요하다.
- 싸이아졸리딘다이온(thiazolidinedione)은 부분지방이상증에서 대사합병증을 호전시킬 수 있으나, 전신지방이상증에서는 약물 사용에 주의가 필요하다.

경구혈당강하제 가운데 메트포민이 가장 흔하게 사용된다. 부분지방이상증 환자에서 싸이아졸리딘다이온은 당화혈색소, 중성지방, 간부피(hepatic volume), 간지방증을 호전시키지만 국소적인 지방 과잉을 유발할 수 있다. 인슐린 요구량이 높은 환자에서 농축된 제형의 인슐린을 고려하여야 한다. 인슐린 글라진과 데글루덱의 장시간 작용에는 피하 지방이 필요하기 때문에 지방이상증부위에 투약할 경우 약동학이 바뀔 수 있다. 전신지방이상증 환자의 경우 피하지방의 부족으로 인슐린을 근육에 투약하는 것을 고려한다. 다른 혈당강하제가 지방이상증에 사용되고 있으나, 효능은 연구된 바가 없다.

(2) 이상지질혈증

- 스타틴은 연령, 생식기능, 불내성을 고려하여 생활습관 교정과 동시에 사용하여야 한다.
- 파이브레이트와 긴사슬 오메가-3지방산은 중성지방 > 500 mg/dL에서 사용하여야 하며, 중성지방 > 200 mg/dL에서 고려할 수 있다.

이상지질혈증 치료는 미국과 유럽의 일반인을 대상으로 한 진료지침을 따라야 하며 스타틴을 일차치료제로 사용한다. 스타틴과 파이브레이트는 근병증 위험을 증가시키므로 사용 시 주의하여야 한다. 다른 위험인자와 무관하게 지방이상증증후군에서 심혈관질환의 위험성이 증가하므로, 당뇨

병이 없는 환자에서도 콜레스테롤 목표를 엄격하게 잡는 것을 고려할 수 있다. 파이브레이트와 긴사슬오메가-3지방산은 심한 고중성지방혈증의 급성합병증을 예방하기 위해 사용되고 있으나 정식으로 연구된 바는 없다. 혈장교환술(plasmapheresis)은 극심한 고중성지방혈증에서 사용할 수 있으나 여러 번 반복해서 시행하여야 한다. 지방이상증환자에서 다른 고지혈증약물의 사용은 아직까지 연구되지 않았다.

(3) 고혈압

- 안지오텐신전환효소억제제(angiotensin-converting enzyme inhibitors) 혹은 안지오텐신수용체차단제(angiotensin receptor blockers)가 당뇨병 환자에서 일차고혈압치료제이다.

(4) 간질환

기존 연구에 따르면 콜산(cholic acid)은 가족성 부분지방이상증 환자에서 간 지방증을 줄이지 못했다. 지방이상증과 무관한 비알코올지방간에서는 식이요법과 운동요법이 일차치료이며, 약물 중에서는 성인과 소아에서 비타민E, 성인에서 파이오글리타존(pioglitazone)이 간 조직병리학측면에서 호전을 보여주었다. 하지만 이 약물들은 지방이상증 환자에서는 연구된 바가 없으며 비알코올지방간에서 승인되지 않았다.

(5) 미용적 치료

- 지방이상증과 관련된 환자의 고충에 대한 평가가 필요하고, 필요시 정신과 혹은 성형외과 진료를 고려한다.

지방이상증에 의한 외모변화는 정신적인 스트레스(발바닥 혹은 엉덩이의 지방 결핍으로 인한)와 신체적인 불편함을 일으킬 수 있다. 성형외과적 수술에 대한 자료는 제한적이다. 안면지방위축(facial lipoatrophy)에 대해 자가지방 이식(autologous fat transfer), 필러(filler) 혹은 근육이식

(muscle graft)을 사용할 수 있다. 머리, 경부, 외음부의 과잉지방은 수술로 제거하거나 지방흡인을 통하여 줄일 수 있다. 몇몇 여성에서는 유방보형물이 도움이 된다. 인슐린저항성 치료를 통해 흑색가시세포증(acanthosis nigricans)을 호전시킬 수 있다.

(6) 피임과 호르몬대체요법

> - 경구에스트로젠 사용은 금기이다.
> - 피임이 필요할 경우, 프로제스틴 단독약물 혹은 비호르몬피임법을 고려해야 한다.
> - 만약 에스트로젠 대체가 필요할 경우 경피에스트로젠(transdermal estrogen)을 사용하여야 한다.

지방이상증 증후군에서 심한 고중성지방혈증과 급성췌장염 위험 때문에 경구에스트로젠 사용은 금기이다. 경피에스트로젠은 간노출(hepatic exposure)이 적기 때문에 안전할 수 있다. 경구프로제스틴약물과 프로제스틴함유 자궁내장치의 안전한 사용에 대한 임상경험이 보고된 바 있다.

(7) 임신

> - 임신한 환자는 당뇨병관리에 경험이 있는 산과의와 지방이상증 관리에 경험이 있는 내과의로부터 산전 진료를 받아야 한다.
> - 메트레렙틴 복용 중 임신한 경우, 메트레렙틴을 중단하는 것이 모체와 태아에 해가 될 수 있고 메트레렙틴의 임신 중 효과가 아직 알려지지 않음을 환자가 이해할 경우 메트레렙틴을 지속하는 것을 고려할 수 있다.

심한 인슐린저항성을 가진 지방이상증 환자에서 임신 중 인슐린저항성의 악화는 당뇨병 관리를 어렵게 하고, 태아를 위험하게 한다. 메트레렙틴 중단은 반동성(rebound) 고중성지방혈증과 관련이 있어 췌장염 위험을 증가시키므로 모체와 태아 모두를 위험하게 할 수 있다.

6. 예후

1) 후천전신지방이상증(AGL, Lawrence syndrome)
다른 아형에 비해 지방층염(panniculitis)이 25% 정도 동반되어 덜 심한 편이다. 그러나 다른 자가면역질환 발생위험이 높아 이에 대한 동반적인 검사와 치료가 요구된다.

2) 후천부분지방이상증(APL, Barraquer–Simons syndrome)
신장기능이 예후에 중요하다. 막증식성 사구체신염을 동반한 후천부분지방이상증 환자에서 지방이상증 발생시기가 이르다.

참 / 고 / 문 / 헌

I–II.

1. Braham AJ, Hegele RA. Combined hyperlipidemia: familial but not (usually) monogenic. Curr Opin Lipidol 2016;27:131-40.

2. Chyzhyk V, Brown AS. Familial chylomicronemia syndrome: a rare but devastating autosomal recessive disorder characterized by refractory hypertriglyceridemia and recurrent pancreatitis. Trends Cardiovasc Med 2020;30:80-5.

3. Kim H, Lee CJ, Kim Sh, Kim JY, Choi SH, Kang HJ, et al. Phenotypic and genetic analyses of Korean patients with familial hypercholesterolemia: results from the KFH registry 2020. J Atheroscler Thromb 2022;29:1176-87.

4. Lee SH. Role of genetics in preventive cardiology: focused on dyslipidemia. Korean Circ J 2021;51:899-907.

5. Mach F, Baigent C, Catapano AL, Koskinas KC, Casula M, Badimon L, et al. 2019 ESC/EAS guidelines for the management of dyslipidaemias: lipid modification to reduce cardiovascular risk. Eur Heart J 2020;41:111-88.

6. Moulin P, Dufour R, Averna M, Arca M, Cefalu AB, Noto D, et al. Identification and diagnosis of patients with familial chylomicronemia syndrome (FCS): expert panel recommendations and proposal of an "FCS score". Atherosclerosis 2018;275:265-72.

7. Oldoni F, Sinke RJ, Kuivenhoven JA. Mendelian disorders of high-density lipoprotein metabolism. Circ Res 2014;114:124-42.

8. Rader DJ, Kathiresan S. Disorders oflipoprotein metabolism. In: Jameson JL, Fauci A, Kasper D, Hauser S, Longo D, Loscalzo J. Harrison's principles of internal medicine. 20th ed. New York: McGraw-Hill; 2018.

9. Rhee EJ, Kim HC, Kim JH, Lee EY, Kim BJ, Kim EM, et al. 2018 guidelines for the management of dyslipidemia in Korea. J Lipid Atheroscler 2019;8:78-131.

10. Tada H, Nohara A, Inazu A, Sakuma N, Mabuchi H, Kawashiri M. Sitosterolemia, hypercholesterolemia, and coronary artery disease. J Atheroscler Thromb 2018;25:783-9.

III–IV.

1. 조홍근. 당뇨병과 지질대사이상. 대한내분비학회지. 2006;21:101-5.

2. Agarwal AK, Simha V, Oral EA, Moran SA, Gorden P, O'Rahilly S, et al. Phenotypic and genetic heterogeneity in congenital generalized lipodystrophy. J Clin Endocrinol Metab 2003;88:4840-7.

3. Brown RJ, Araujo-Vilar D, Cheung PT, Dunger D, Garg A, Jack M, et al. The Diagnosis and management of lipodystrophy syndromes: a multi-society practice guideline. J Clin Endocrinol Metab 2016;101:4500-11.

4. Brown RJ, Gorden P. Leptin therapy in patients with lipodystrophy and syndromic insulin resistance. In: Dagogo-Jack S, ed. Leptin: regulation and clinical applications. Cham, Switzerland: Springer; 2015. pp. 225-36.

5. Diker-Cohen T, Cochran E, Gorden P, Brown RJ. Partial and generalized lipodystrophy: comparison of baseline characteristics and response to metreleptin. J Clin Endocrinol Metab 2015;100:1802-10.

6. Diker-Cohen T, Cochran E, Gorden P, Brown RJ. Partial and generalized lipodystrophy: comparison of baseline characteristics and response to metreleptin. J Clin Endocrinol Metab 2015;100:1802-10.

7. Ebihara K, Kusakabe T, Hirata M, Masuzaki H, Miyanaga F, Kobayashi N, et al. Efficacy and safety of leptin-replacement therapy and possible mechanisms of leptin actions in patients with generalized lipodystrophy. J Clin Endocrinol Metab 2007;92:532-41.

8. Garg A. Acquired and inherited lipodystrophies. N Engl J Med 2004;350:1220-34.

9. Garg A. Clinical review#: lipodystrophies: genetic and acquired body fat disorders. J Clin Endocrinol Metab 2011;96:3313-25.

10. Handelsman Y, Oral EA, Bloomgarden ZT, Brown RJ, Chan JL, Einhorn D, et al. The clinical approach to the detection of lipodystrophy-an AACE consensus statement. Endocr Pract 2013;19:107-16.

11. Malloy MJ, Kane JP. Hypolipidemia. Med Clin North Am 1982;66:469-84.

12. MedlinePlus [Internet]. Bethesda (MD): National Library of Medicine (US); [updated 2021 Apr 8; cited 2021 Oct 4]. Available from: https://medlineplus.gov/.

13. Minicocci I, Montali A, Robciuc MR, Quagliarini F, Censi V, Labbadia G, et al. Mutations in the ANGPTL3 gene and familial combined hypolipidemia: a clinical and biochemical characterization. J Clin Endocrinol Metab 2012;97:1266-75.

14. Misra A, Garg A. clinical features and metabolic derangements in acquired generalized lipodystrophy: case reports and review of the literature. Medicine (Baltimore) 2003;82:129-46.

15. Misra A, Peethambaram A, Garg A. Clinical features and metabolic and autoimmune derangements in acquired partial lipodystrophy: report of 35 cases and review of the literature. Medicine (Baltimore) 2004;83:18-34.

16. MSD Menual [Internet]. Hypolipidemia; Aug 2021. Available from: https://www.msdmanuals.com/en-kr/professional/endocrine-and-metabolic-disorders/lipid-disorders/hypolipidemia.

17. Oral EA, Simha V, Ruiz E, Andewelt A, Premkumar A, Snell P, et al. Leptin-replacement therapy for lipodystrophy. N Engl J Med 2002;346:570-8.

18. Quinn K, Chauhan S, Purcell SM. Lipodystrophies. Treasure Island (FL): StatPearls; 2021.

19. Rifkind BM, Segal P. lipid research clinics program reference values for hyperlipidemia and hypolipidemia. JAMA 1983;250:1869-72.

20. Wei X, Zeng W, Su J, Wan H, Yu X, Cao X, ey al. Hypolipidemia is associated with the severity of COVID-19. J Clin Lipidol 2020;14:297-304.

이상지질혈증의 치료

김대중 김상현

I. 이상지질혈증 환자의 접근

김대중

1. 서론

우리나라 성인의 사망 원인 중 대표적인 심장질환이나 뇌혈관질환은 죽상동맥경화증과 깊은 관련이 있다. 소리없는 살인자라고 불리는 고혈압이나 이상지질혈증, 당뇨병이 죽상동맥경화증을 일으키는 주된 원인이며, 비만(복부비만)과 인슐린저항성에 의해 발생하는 대사증후군과도 밀접한 관련이 있다. 이상지질혈증은 LDL콜레스테롤, HDL콜레스테롤, 지단백질(a), 중성지방 등 다양한 지단백질의 비정상적인 상승이나 저하로 생기는 많은 지질대사이상의 총합이며, 병이 생기는 원인도 유전을 포함한 일차질환과 이차질환으로 매우 복잡하다. 그래서 이상지질혈증 환자의 접근은 혈청지질의 측정과 진단/분류, 동반한 위험인자에 대한 평가, 신체검사, 유전자검사, 이차질병의 선별검사 등을 포함하고 있다.

우리나라는 국가검진에서 이상지질혈증에 대한 평가를 기본 검진항목으로 제공하고 있다. 하지만 고혈압이나 당뇨병에 비해 이상지질혈증에 대한 관심이 상대적으로 부족하고 이상지질혈증에 대해서는 질병으로 보지 않는 경향이 있다. 이상지질혈증은 생활습관의 개선으로 충분히 관리가 가능하다는 오해로 인하여 병의 진행을 방치하고 치료시기를 놓치는 우를 범하기 쉽다.

2. 혈청지질의 측정 및 진단방법

이상지질혈증은 보통 증상이 없으므로 선별검사가 필수적이다. 한국지질·동맥경화학회는 진료지침에서 21세 이상의 모든 성인은 이상지질혈증에 대한 선별검사가 필요하다고 권고하였다. 조기심혈관질환과 심한 이상지질혈증의 가족력등의 다른 위험요인이 있을 경우 더 젊은 연령에서도 선별검사가 필요하다. 대한당뇨병학회의 당뇨병 진료지침에서도 심혈관질환의 위험도를 평가하기 위해 당뇨병을 처음 진단했을 때, 그리고 매년 1회 이상 혈청지질검사를 하도록 권고하였다.

이상지질혈증의 선별검사는 12시간 이상 금식이 유지된 상태에서 정맥혈액을 채취하여 총콜레스테롤, 중성지방, HDL콜레스테롤을 측정하고, LDL콜레스테롤과 비HDL콜레스테롤을 계산하여 평가해야 한다. Friedewald 공식을 통한 LDL콜레스테롤의 계산은 중성지방 값이 400 mg/dL 이하일 경우 유효하며, 중성지방 값이 400 mg/dL 이상인 경우 LDL콜레스테롤을 직접 측정해야 한다. 한국지질·동맥경화학회는 적어도 매 4–6년마다 선별검사를 반복해야 한다고 권고하였다.

$$\text{LDL콜레스테롤(mg/dL)} = \text{총콜레스테롤} - \text{HDL콜레스테롤} - \text{중성지방}/5$$

만약 공복이 잘 지켜지지 않은 상태에서 혈액검사가 시행된 경우, 총콜레스테롤과 HDL콜레스테롤값만 지질상태 평가에 사용할 수 있다. LDL콜레스테롤을 직접 측정한 경우를 포함한다. 환자가 12시간 금식이 어려운 경우 최소 9시간 이상의 금식이 필요하며, 이러한 경우 12시간 금식한 경우에 비하여 Friedewald 공식을 통한 LDL콜레스테롤 계산값이 약 2–4% 낮게 나올 수 있다.

이상지질혈증에 대한 정확한 진단 및 치료방침을 정하기 위해서는 서로 다른 시점에 최소 2회 이상의 지질검사가 필요하며 만약 측정결과에 현저한 차이가 있을 경우 세 번째 지질검사를 시행하여 최종 확인한 지질검사결과값에 따라 치료방침을 정해야 한다. 한국지질·동맥경화학회에서 권고하는 한국인의 이상지질혈증의 진단기준은 표 10-2-1과 같다.

대부분의 역학연구나 약물효과를 보는 임상시험연구가 계산된 LDL콜레스테롤을 기준으로 하고 있다. LDL콜레스테롤을 대신하여 사용할 수 있는 몇 가지 지표가 있다. 중성지방 값이 2 mmol/L (177 mg/dL)보다 높을 경우 계산된 LDL콜레스테롤은 실제 값보다 낮게 나올 수 있다. 비HDL 콜레스테롤은 총콜레스테롤에서 HDL콜레스테롤을 뺀 값

이다. 비HDL콜레스테롤은 LDL콜레스테롤뿐 아니라 VLDL이나 VLDL remnant 등 ApoB 지단백질을 함유하고 있는 모든 죽상경화증 지단백질에 있는 콜레스테롤을 평가하는 방법이기도 하다. 당뇨병, 비만, 대사증후군 등으로 중성지방이 높은 경우나 LDL콜레스테롤이 매우 낮은 경우 비HDL콜레스테롤이 LDL콜레스테롤 계산치보다 더 좋은 지표가 될 수 있다.

비HDL콜레스테롤이 간접적으로 ApoB지단백질을 평가하는 것이라면 ApoB 농도를 직접 측정한 값이 심혈관질환 위험을 예측하는 데 좋은 지표일 수 있다. 유럽심장학회에서는 초고위험군, 고위험군, 중등도 위험군으로 구분하고 비HDL 콜레스테롤 조절목표는 각각 < 85, < 100, < 130 mg/dL를 제시하였고, ApoB 농도는 각각 < 65, < 80, < 100 mg/dL를 제시하였다. 당뇨병 환자에서 LDL콜레스테롤을 100 mg/dL 미만으로 조절할 것을 권고하는데, LDL콜레스테롤보다 30 mg/dL 높은 130 mg/dL 미만으로 비HDL 콜레스테롤의 조절목표를 제시하고 있다.

3. 심혈관질환의 위험요인과 위험도 평가

초기평가로써 심혈관질환의 위험인자에 대한 평가가 포함되어야 한다. 표 10-4-1은 NCEP ATP III에서 제시한 심혈관질환의 주요 위험인자이며, 한국지질·동맥경화학회를 포함하여 대부분의 유관 학술단체에서도 채택하고 있다.

표 10-4-1. 저밀도지단백질 콜레스테롤을 제외한 심혈관질환의 주요 위험인자

• 연령: 남성 ≥ 45세, 여성 ≥ 55세
• 관상동맥질환 조기발병의 가족력: 부모, 형제자매 중 남성 55세 미만, 여성 65세 미만에서 관상동맥질환이 발병한 경우
• 고혈압: 수축기혈압 140 mmHg 이상 또는 이완기혈압 90 mmHg 이상 또는 항고혈압제 복용
• 흡연
• 저HDL콜레스테롤: HDL콜레스테롤 < 40 mg/dL
• 고HDL콜레스테롤(≥ 60 mg/dL)은 보호인자로 간주하여 총 위험인자 수에서 하나를 감하게 된다.

심혈관질환의 위험도를 평가할 때 LDL콜레스테롤뿐 아니라 연령, 고혈압 동반여부, 흡연력, HDL콜레스테롤, 그리고 관상동맥질환 조기발병의 가족력을 평가하도록 강조하고 있다. 당뇨병은 이미 심혈관질환을 가지고 있는 것으로 보아 고위험군으로 분류하고 있다.

한국지질·동맥경화학회에서 2022년 발표한 진료지침에 따르면 당뇨병 환자도 위험도를 세분하여 당뇨병 유병기간이 10년 미만이고 심혈관질환의 주요위험인자가 없는 경우를 고위험군, 유병기간이 10년 이상이거나 심혈관질환의 주요 위험인자가 1-2개 있는 경우는 초고위험군으로 분류하였다. 초고위험군 중에서도 표적장기 손상(알부민뇨, 신병증, 망막병증 및 신경경병증)이 있거나 3개 이상의 주요 위험인자를 동반한 경우는 심혈관질환의 위험이 더 높은 것으로 분류하였다.

미국, 캐나다, 유럽 국가뿐 아니라 일본에서도 이상지질혈증의 약물치료를 결정하기 위해 Pooled Cohort Equations, Framingham risk score, SCORE system 등으로 10년 심혈관질환 위험지수를 평가할 것을 권고하고 있다. 미국의 치료지침을 예로 들면 기존의 심혈관질환 및 당뇨병이 없는 40-75세의 환자에서 10년 죽상경화심혈관질환위험도가 7.5% 이상으로 계산될 경우 일차예방 목적의 스타틴제제의 투약을 권고하고 있다. 한국지질·동맥경화학회에서는 아직까지는 한국인의 대규모 코호트를 통한 심혈관계 위험도 평가와 같은 자료가 부족하기 때문에 심혈관질환 위험모형을 권고하고 있지 않다.

한국지질·동맥경화학회는 심혈관질환의 발생위험을 초고위험군, 고위험군, 중등도 위험군, 저위험군으로 분류하고 있다. 초고위험군은 기존에 심혈관질환이 있는 환자(관상동맥질환, 말초동맥질환, 죽상경화허혈뇌졸중 및 일과성 뇌허혈발작)로 정의하고, 고위험군은 경동맥질환(유의한 경동맥 협착)이나 복부대동맥류, 당뇨병이 있는 환자로 하였다. 이상의 질환이 없는 경우에서 LDL콜레스테롤을 제외

한 주요 위험인자가 2개 이상인 경우 중등도 위험군으로, 그리고 주요 위험인자가 1개 이하인 경우 저위험군으로 분류하였다. 즉, LDL콜레스테롤의 높은 정도와 위험군분류에 따라 치료목표와 치료방법을 정하고 있다.

심혈관질환의 주요 위험인자를 토대로 위험도를 평가하는 것의 한계를 극복하기 위해 발목상완지수(ankle-brachial blood pressure index, ABI), 경동맥초음파, 관상동맥칼슘스코어(coronary calcium score, CAC), hsCRP, fibrinogen, 호모시스테인(homocysteine), 지단백(a) 등을 검사해 볼 수 있다.

미국심장학회에서는 10년간 심혈관질환의 위험이 7.5%에서 20% 사이에 있으면서 CAC 스코어가 100 이상이면 스타틴제제 사용을 권하고 있으며, CAC 스코어가 1-99인 경우 스타틴제제를 고려할 수 있다고 하였다. 10년간 심혈관질환의 위험이 5-7.5%로 경계성 위험에 있는 경우는 다음의 심혈관질환 위험상승요인의 동반 여부를 참고하여 환자와 약물치료 여부를 상의하도록 하였다.

4. 가족성고콜레스테롤혈증과 신체검사, 유전자 검사

가족성고콜레스테롤혈증이 의심될 경우 철저한 신체검사가 필요하다. 혈청지질이 증가하면 피부, 건, 눈, 간, 그리고 비장 등의 대식세포세망내피세포에 축적된다. 피부와 건에 축적되면 황색종(xanthoma) 또는 황색판종(xanthelasma)으로 발현된다. 이런 조직의 지질축적은 지질을 낮추는 치료에 의해 가역적으로 전환될 수 있다.

황색판종은 작고 돌출되어 있는 노란 반점으로 눈꺼풀 주위나 안쪽눈구석(내안각) 주위에 전형적으로 나타난다. 가족성고콜레스테롤혈증뿐 아니라 가족성Apo-B100 결핍, 제III형 고지단백질혈증에서도 나타날 수 있다. 우리나라 환자에서는 발견되지 않는 경우가 많다.

힘줄황색종은 콜레스테롤의 결절성 침전이 아킬레스건, 손, 무릎, 그리고 팔꿈치의 신근(extensor muscle)에서 나타난다. 힘줄황색종도 마찬가지로 가족성고콜레스테롤혈증 등에서 종종 나타난다. 작은 힘줄황색종은 자세히 조사해야 찾아낼 수 있다. 아킬레스건검사에는 굵기와 윤곽의 불규칙성 평가가 포함되어야 한다. 아킬레스건황색종을 찾기 위해 단순방사선사진이나 초음파검사를 시행할 수 있다.

가족성고콜레스테롤혈증은 단일유전자돌연변이질환 중 가장 흔하다. LDL콜레스테롤대사에 관련된 LDL수용체유전자(LDLR), ApoB유전자(ApoB), PCSK9유전자에 이상이 있는지 유전자검사를 시행할 수 있다. 한국지질·동맥경화학회의 연구에 따르면 우리나라 환자에서 돌연변이는 32%가 발견되었다.

5. 이차지질대사질환의 선별검사

이상지질혈증은 특정 질병이나 약물 사용으로 이차적인 지질대사이상이 발생할 수 있다. LDL콜레스테롤이 190 mg/dL 이상으로 상승되는 경우 담도폐쇄, 신증후군, 갑상선기능저하증, 임신, 당질부신피질호르몬, 사이클로스포린 등 면역억제제의 투약력이 있는지 확인해야 한다. 혈중 중성지방 농도가 500 mg/dL 이상으로 상승된 경우 비만, 음주, 과도한 탄수화물 섭취, 만성신장질환, 당뇨병, 갑상선기능저하증, 임신, 에스트로젠, 타목시펜, 당질부신피질호르몬 등의 투약력을 확인해야 한다.

II. 이상지질혈증의 치료

김상현

1. 치료원칙과 진료지침

이상지질혈증은 관상동맥질환 등 죽상경화 심혈관질환의 중요한 위험인자이며, 저밀도지단백질(low density lipoprotein, LDL)콜레스테롤을 낮추어 관리하는 것이 심혈관질환 발생위험도를 감소시키고 재발을 방지하는 중요한 진료이다. 이상지질혈증 치료의 일차목표는 LDL콜레스테롤수치를 목표치 미만으로 조절하는 것이다. 이후 혈중 LDL콜레스테롤수치는 높지 않으나 고중성지방혈증 및 낮은 HDL콜레스테롤수치를 보이는 죽상경화증유발이상지질혈증(atherogenic dyslipidemia)을 관리하는 것이 관상동맥질환의 예방에 있어서 중요하며, 특히 당뇨병이나 대사증후군에서는 고중성지방혈증 관리가 필요하다.

병원에 입원하면 입원 24시간 이내에 LDL콜레스테롤수치를 측정해야 한다. 급성관상동맥질환, 수술이나 질환과 같은 육체적 스트레스가 발생된 수시간 이내에 LDL콜레스테롤이 감소하기 시작하여 24–48시간 사이에 매우 감소하며, 이후에는 4–6주 동안 감소된 상태로 있게 된다. 따라서, 실제 평상시 LDL콜레스테롤수치는 입원할 때보다 높다는 것을 의미하므로, 급성기가 지난 6주 후에 반드시 지질수치를 다시 측정하여 치료목표를 달성하는 것이 필요하다.

혈청지질의 농도 외에 여러 가지 위험요인의 유무를 파악하여 환자의 위험 수준에 따라 조절한다. 개개인의 심혈관질환 위험도에 따라 지질수치의 치료목표치를 정하는 것이 중요하다. 즉 고위험군은 엄격한 목표치를 기준으로 적극적으로 치료함으로써 죽상경화 혈관질환의 일차발생 혹은 이차재발을 예방할 수 있다.

미국에서는 2013년에 이어 2018년에 ACC/AHA 치료지침이 개정, 발표되었다. 이후 2018년 우리나라 진료지침 4판이 발표되었고, 2019년 유럽 ESC/EAS 진료지침이 발표되었다. 권고내용들을 정리하면 다음과 같다.

1) 우리나라 이상지질혈증 치료지침(한국지질·동맥경화학회치료지침 제4판, 2018)

LDL콜레스테롤의 측정과 함께 다른 위험인자들을 평가하기 위해 관상동맥질환의 유무, LDL콜레스테롤 이외의 관상동맥질환의 위험인자들에 대한 조사가 함께 필요하다.

(1) LDL콜레스테롤 치료지침

각 개인의 심혈관질환 위험도에 따라 지질수치의 치료목표치를 정한다. 우선적으로 LDL콜레스테롤을 일차치료목표로 치료하고, 이를 위해 위험군별 치료목표치를 설정한다(표 10-4-2, 10-4-3). 이때 Framingham risk score나 ASCVD 위험도 계산은 우리나라 국민의 심혈관질환 위험도를 과다하게 높게 예측하는 경향을 보이므로 권장하지 않고, 주요 위험인자 개수에 따른 위험군 분류를 권유한다.

① 초고위험군

기존에 심혈관질환이 있는 환자(관상동맥질환, 허혈뇌졸중, 일과성뇌허혈발작, 말초혈관질환)를 초고위험군으로 분류하여 LDL콜레스테롤 70 mg/dL 미만 혹은 기저치보다 50% 이상 감소를 목표로 하는 것을 권고한다. LDL콜레스테롤 농도가 130 mg/dL 미만인 안정성 협심증 환자 1만여 명을 대상으로 저용량 혹은 고용량 스타틴을 투약한 무작위 배정연구에서 고용량 투약 뒤 LDL콜레스테롤을 70 mg/dL에 가깝게 낮춘 경우 심혈관질환 위험도를 약 22% 낮춘다고 보고한 바 있으며, 스타틴을 투여한 환자를 메타분석한 결과에서도 LDL콜레스테롤을 70 mg/dL 미만 혹은 기저치에 비해 50% 이상 감소시켰을 때 가장 심혈관질환의 예방효과가 큰 것으로 확인된 바 있다. 하지만 Improved Reduction of Outcomes: Vytorin Efficacy International Trial (IMPROVE-IT)연구에서 17,706명 급성관동맥증후군 환자들을 대상으로 스타틴과 에제티미브 병용치료로 LDL콜레스테롤 농도를 53 mg/dL까지 낮추었던 군이 스타틴 단독치료로 LDL콜레스테롤 농도를 69 mg/dL까지 낮춘 군에 비하여 주요 심혈관사건의 상대위험도를 6.4%가량 낮추어서 예후가 더 좋았기에 향후 55 mg/dL 미만으로 치료목표치가 변경될 가능성이 높다. 이 연구 결과를 토대로 2018 AACE/ACE에서는 죽상경화 심혈관질환을 가지는 환자로, (1) LDL콜레스테롤이 70 mg/dL 미만으로 도달하였다 하더라도 죽상경화심혈관질환이 진행하는 경우, (2) 당뇨병 환자, (3) 만성신장질환 3기와 4기 환자, (4) 이형접합 가족성고콜레스테롤혈증 환자, (5) 조기죽상경화심혈관질환의 병력(남성 55세 미만, 여성 65세 미만)이 있는 환자들을 극초고위험군(extreme risk)으로 분류하여 LDL콜레스테롤의 목표수치를 55 mg/dL 미만으로 낮출 것을 권고하였다. 또한, 스타틴을 투여 중 LDL콜레스테롤이 70 mg/dL 이상인 죽상경화심혈관질환이 있는 27,564명의 환자를 대상으로 진행한 Further Cardiovascular Outcomes Research with PCSK9 Inhibition in Subjects with Elevated Risk (FOURIER)연구에서는 대상자의 80% 이상이 과거 심근경색증의 기왕력이 있었던 환자들이었고, proprotein convertase subtilisin-kexin type 9 (PCSK 9)억제제인 evolocumab의 효과를 평가하였다. Evolocumab 투여군의 LDL콜레스테롤의 중앙값은 30 mg/dL이었고, evolocumab 투여가 대조군에 비해 주요 심혈관사건의 위험도를 15% 의미있게 감소시켰다. 또 다른 PCSK9억제제인 alirocumab에 대한 연구인 ODYSSEY OUTCOMES연구에서도 급성관동맥증후군이 발생 1개월에서 12개월 사이 고강도스타틴 치료를 받는 18,900여 명 환자들에서 alirocumab 투여군은 대조군에 비해 주요 심혈관사건의 위험도를 15% 감소시켰고, alirocumab군에서의 LDL콜레스테롤수치는 연구시작 4개월째 37.6 mg/dL, 48개월째 53.3 mg/dL로 측정되었다. 위의 세 가지 연구는, 특히 초고위험군에서 LDL콜레스테롤의 목표수치를 기존의 수치보다 낮추는 것이 부가적으로 주요 심혈관사건의 개선에 도움이 된다는 것을 입증하였기에 죽상경화 심혈관질환(특히 급성관동맥증후군)이 있는

표 10-4-2. 위험도 분류에 따른 LDL콜레스테롤 및 비HDL콜레스테롤의 목표치

위험도	LDL콜레스테롤 목표치(mg/dL)	비HDL콜레스테롤 목표치(mg/dL)
초고위험군 - 관상동맥질환 - 허혈 뇌졸중 - 말소혈관질환	< 70	< 100
고위험군 - 경동맥질환[1] - 복부대동맥류 - 당뇨병[2]	< 100	< 130
중등도 위험군 - 주요 위험인자[3] 2개 이상	< 130	< 160
저위험군 - 주요 위험인자[3] 1개 이하	< 160	< 190

[1] 유의한 경동맥협착이 확인된 경우

[2] 표적장기 손상 혹은 심혈관질환의 주요 위험인자를 가지고 있는 경우 환자에 따라서 목표치를 하향조정할 수 있다.

[3] 연령(남 ≥ 45세, 여 ≥ 55세), 관상동맥질환 조기발병가족력, 고혈압, 흡연, 저HDL콜레스테롤

표 10-4-3. 위험도 및 LDL콜레스테롤 농도에 따른 치료기준

위험도	LDL콜레스테롤 농도(mg/dL)					
	< 70	70-99	100-129	130-159	160-189	≥ 190
초고위험군[1] - 관상동맥질환 - 죽상경화허혈뇌졸중 및 일과성 - 뇌허혈 발작 - 말초동맥질환	생활습관교정 및 투약 고려	생활습관교정 및 투약 시작	생활습관교정 및 투약 시작	생활습관교정 및 투약 시작	생활습관교정 및 투약 시작	생활습관교정 및 투약 시작
고위험군 - 경동맥질환[2] - 복부동맥류 - 당뇨병[3]	생활습관교정	생활습관교정 및 투약고려	생활습관교정 및 투약 시작	생활습관교정 및 투약 시작	생활습관교정 및 투약 시작	생활습관교정 및 투약 시작
중등도 위험군 - 주요 위험인자[4] 2개 이상	생활습관교정	생활습관교정	생활습관교정 및 투약 고려	생활습관교정 및 투약 시작	생활습관교정 및 투약 시작	생활습관교정 및 투약 시작
저위험군[4] - 주요 위험인자 1개 이하	생활습관교정	생활습관교정	생활습관교정	생활습관교정 및 투약 고려	생활습관교정 및 투약 시작	생활습관교정 및 투약 시작

[1] 급성심근경색증은 기저치의 LDL콜레스테롤 농도와 상관없이 바로 스타틴을 투약한다. 급성심근경색증 이외의 초고위험군의 경우에 LDL콜레스테롤 70 mg/dL 미만에서도 스타틴 투약을 고려할 수 있다.

[2] 유의한 경동맥 협착이 확인된 경우

[3] 표적장기 손상 혹은 심혈관질환의 주요 위험인자를 가지고 있는 경우 환자에 따라서 위험도를 상향조정할 수 있다.

[4] 중등도 위험군과 저위험군의 경우는 수주 혹은 수개월간 생활습관 교정을 시행한 뒤에도 LDL콜레스테롤 농도가 높을 때 스타틴 투약을 고려한다.

환자에서 LDL콜레스테롤의 목표 수치를 향후 현재의 지침보다 하향조정하는 것이 필요하다.

급성심근경색의 경우에는 기저 LDL콜레스테롤 농도와 관계없이 즉각 스타틴을 투여하는 것이 추천된다.

② 고위험군

경동맥질환(50%가 넘는 경동맥협착)이나 복부대동맥류, 당뇨병이 있는 환자는 LDL콜레스테롤 농도가 100 mg/dL 미만이 되도록 치료할 것을 권장한다. 초고위험군이나 고위험군에 해당되는 환자들에게는 LDL콜레스테롤 농도가 목표치를 넘으면 생활습관 개선 이외에도 곧바로 적극적으로 스타틴을 투약하는 것이 필요하며 100 mg/dL 미만인 경우에도 선택적으로 고려할 수 있다.

1형 및 2형당뇨병 환자에서 심혈관질환의 위험이 증가하는 것은 이전 연구들에서 이미 잘 알려진 바 있다. 2형당뇨병 환자 2,500여 명을 7년간 추적관찰한 핀란드의 코호트연구에서 당뇨병이 있으며 기존에 심혈관질환이 없던 환자의 심근경색 발생률은 20.2%로 당뇨병이 없으며 심혈관질환이 있는 환자의 18.8%와 유사하게 확인되었으며, 이후에 진행된 Organization to Assess Strategies for Ischemic Syndromes (OASIS)연구에서도 2형당뇨병이 있으면 심혈관질환의 과거력이 없더라도 심혈관질환의 과거력이 있던 환자와 비슷한 심혈관질환 발생위험도를 보이는 것으로 확인되어 고위험군으로 분류되었다. 또한 2형당뇨병 환자에서는 심근경색 발생 시 당뇨병이 없는 환자군에 비해 사망률이 높은 것으로 알려져 있으며, 심혈관질환에 따른 예후가 나쁜 것으로 알려져 있어 심혈관질환이 발생하기 전에 미리 예방하는 것이 중요하다고 보고된 바 있다. 당뇨병이 있는 환자에서 스타틴 투약에 따른 효과에 대해 이전의 14개의 무작위배정연구들을 메타분석한 결과 당뇨병이 있는 환자에서 스타틴 투약 후 LDL콜레스테롤 농도가 40 mg/dL 감소할 때마다 모든 원인에 의한 사망률이 9% 감소했으며 주요 심혈관계 위험이 21% 감소했고 이와 같은

효과는 동반된 심혈관질환의 유무와 상관없이 효과적임이 보고된 바 있었다. 또한 투약 전 LDL콜레스테롤 농도가 100 mg/dL 미만이었으며 투약 후 80 mg/dL 미만으로 감소한 군에서도 이와 같은 효과가 유지됨이 확인되어 당뇨병이 있는 환자에서 적극적인 스타틴 투약이 필요함을 보여주었다.

Collaborative Atorvastatin Diabetes Study (CARDS)에서 심혈관질환의 과거력이 없으면서 1개 이상의 위험인자 혹은 표적장기 손상(당뇨병성 망막병증, 알부민뇨, 흡연, 고혈압)이 동반된 2,800여 명의 환자에게 스타틴 투약에 관한 무작위배정연구를 진행한 결과에서 스타틴투약군에서 위약군에 비해 심혈관질환의 위험도가 37% 감소하는 것이 확인되었으며, 투약군에서의 평균 LDL콜레스테롤 농도는 약 80 mg/dL, 위약군에서의 평균 농도는 120 mg/dL였던 점을 고려했을 때 당뇨병이 있으면서 다른 위험인자가 동반된 경우 LDL콜레스테롤 목표를 하향조정하는 것이 필요할 수 있음을 시사하였다. 따라서 당뇨병 환자에서의 위험도는 표적장기 손상 혹은 심혈관질환의 주요 위험인자를 추가로 가지고 있는 경우 환자에 따라 LDL콜레스테롤 목표를 조정할 수 있음을 언급하였다.

이전 당뇨병 환자들을 대상으로 했던 연구들에서는 대부분 스타틴의 투약여부 및 용량에 따른 심혈관질환의 발생을 평가했기에 이상적인 LDL콜레스테롤 농도의 감소폭을 정확히 정하기는 어렵다. 그러나 대부분의 위약-실험연구들에서 스타틴투약 뒤 LDL콜레스테롤 농도가 30-40%가량 감소했던 것을 고려했을 때, 기저치의 LDL콜레스테롤 농도가 매우 높아 고용량의 스타틴 투약에도 100 mg/dL 미만으로 감소되지 않는 환자의 경우라도 30-40% 이상의 감소폭을 보였다면 투약에 따른 효과가 있는 것으로 여겨진다. 1형 당뇨병 환자에서도 심혈관질환의 위험이 증가한다는 것은 이전 연구들에서 잘 알려져 있으나 비교적 젊은 나이에 발병하는 특성이 있어 같은 연령의 당뇨병이 없는 환자와 비교한 심혈관질환 발생위험도에 대해서는 명확하게 알려져 있

지는 않다. 그러나 최근의 메타분석에서 당뇨병의 유형과 상관없이 스타틴 투약이 심혈관계 위험을 감소시킨다는 결과가 나와 1형당뇨병 환자에서도 적극적인 투약이 도움이 될 수 있음을 보여주었다.

③ 중등도 위험군

중등도 위험군은 LDL콜레스테롤을 제외한 주요위험인자가 2개 이상인 경우이며, 수주 혹은 수개월 동안 생활습관 개선을 시행한 뒤에도 LDL콜레스테롤 농도 130 mg/dL 이상인 경우 스타틴을 투약한다.

이와 같이 주요 위험인자들 개수를 토대로 위험도를 평가하는 것은 실제 심혈관질환위험도의 약 절반 정도만 예측하는 것으로 알려져 있어 비만, 신체활동, 식습관, 중성지방, high sensitivity C-reactive protein (hsCRP), lipo-pro-tein(a), apolipoprotein, fibrinogen, homocyste-ine, apolipoprotein B, ankle-brachial blood pres-sure index (ABI), carotid intimal medial thickness (50% 미만의 협착이지만 임상적으로 진행소견이 보이거나 죽상경화판이 동반된 경우), 관상동맥칼슘점수(coronary calcium score) 등 위험도를 증가시키는 부가적인 위험인자들을 고려하여 경우에 따라서는 목표치 미만의 LDL콜레스테롤수치인 경우에도 약물치료를 고려하거나 개별화된 치료목표를 정할 수 있다. 그러므로 경우에 따라서는 중등도 위험군에서도 위험인자가 많은 환자의 경우 100-129 mg/dL에서도 스타틴 약물치료를 고려할 수 있다.

④ 저위험군

LDL콜레스테롤을 제외한 주요 위험인자가 1개 이하인 경우 저위험군으로 분류되며 수주 혹은 수개월 동안 생활습관개선을 시행한 뒤에도 LDL콜레스테롤 농도 160 mg/dL 이상인 경우 스타틴을 투약한다. 저위험군의 일부 경우에도 위험도를 증가시키는 부가적인 위험인자들을 고려하여 130-159 mg/dL에서도 약물치료를 고려할 수 있다.

특히 LDL콜레스테롤 농도가 190 mg/dL 이상으로 확인되는 경우 고지혈증을 일으키는 다른 원인들, 예를 들면 담도폐쇄(biliary obstruction), 신증후군(nephrotic syn-drome), 갑상선기능저하(hypothyroidism), 임신, 글루코코티코이드, 사이클로스포린 등의 투약력이 있는지에 대해서 확인하고 교정하는 것이 필요하다. 이차원인이 없는 상태에서 LDL콜레스테롤 농도가 190 mg/dL 이상으로 확인되는 경우 위험 정도와 상관없이 스타틴 투약이 권고된다.

(2) 고중성지방혈증에 대한 치료지침

중성지방수치가 높으면 우선 LDL콜레스테롤을 치료목표로 조절하고, 이후 이차목표로 비고밀도지단백질콜레스테롤(비HDL cholesterol = LDL + VLDL = total cholesterol – HDL cholesterol)을 치료지표로 이용한다. 관상동맥질환의 발생위험군별 비고밀도지단백질콜레스테롤의 치료목표치는 LDL콜레스테롤 치료목표치에 30을 더한 값이다.

혈중 중성지방 농도가 500 mg/dL 이상으로 상승된 경우에는 급성췌장염의 위험이 증가한다고 알려져 있다. 이차원인(체중증가, 음주, 탄수화물 섭취, 만성신부전, 당뇨병, 갑상선기능저하, 임신, 에스트로겐, 타목시펜, 당질부신피질호르몬 등의 투약력) 및 유전적인 문제가 있는지 확인하는 것이 필요하다. 혈중 중성지방 농도가 500 mg/dL 이상으로 상승된 경우 급성췌장염의 위험이 증가하므로 파이브레이트, 오메가-3지방산 등의 약물치료를 시작하는 것을 권고한다.

중성지방 농도가 200-499 mg/dL인 경우, 먼저 일차치료목표는 계산된 심혈관계 위험도에 따라 LDL콜레스테롤을 목표치 미만으로 낮추는 것이며, 이를 위하여 생활습관개선 및 스타틴을 투약하는 것을 권고한다. 이차목표로 비HDL콜레스테롤을 목표치 미만으로 조절한다. 고중성지방혈증 환자에서 생활습관 개선 및 스타틴 투약 뒤에도 200 mg/dL 이상의 고중성지방혈증이 지속될 때 초고위험군 혹은 고위험군에 해당되는 환자의 경우 심혈관질환의 예방을 위하여 파이브레이트(fibrate), 오메가-3지방산 등의 중

10 지단백질대사와 이상

성지방 농도를 낮추는 약을 스타틴에 추가로 투약하는 것을 고려할 수 있으며, 병용요법의 예후개선 효과가 명확하게 일차연구지표로 증명될 수 있는 추가적인 연구가 필요하다.

고중성지방혈증 환자에서 중성지방을 낮추는 데 효과적인 파이브레이트 등과 같은 약물 대신 스타틴을 일차약물로 권고하는 이유는 기존의 연구결과들에서 스타틴 투약이 심혈관질환 예방에 도움이 될 것으로 여러 차례 확인되었던 것을 기반으로 한다. 생활습관 개선 및 스타틴을 투약한 후에도 고중성지방혈증이 호전되지 않는 경우 파이브레이트, 오메가–3지방산 등의 약물을 스타틴에 추가하여 병용, 투여하는 것이 심혈관질환의 위험을 낮추는지에 관해서도 아직까지 논란이 있다.

스타틴과 파이브레이트 병용투여가 스타틴 단독투여에 비해 주요 심혈관질환 사건 발생을 유의하게 감소시키지 못했다는 FIELD 연구 결과를 참고할 만하다. ACCORD 연구에서도 기존에 스타틴을 투약하고 있는 약 5,500여 명의 2형당뇨병 환자를 대상으로 파이브레이트 및 위약을 추가로 투약한 뒤 4.7년간 관찰한 연구에서 추가적인 파이브레이트 투약이 심혈관질환 및 사망률을 줄이지 못한 것으로 보고되었다. 그러나 이 연구에서 전체 집단의 투약 전 중성지방 농도가 162 mg/dL로 낮았기에 적절한 대상 환자군이 아니었던 한계가 있다. 이후 스타틴과 파이브레이트를 병용투여 했던 연구들의 추가메타분석에서 치료 전 중성지방 농도가 204 mg/dL 이상으로 높으면서 HDL콜레스테롤 농도가 34 mg/dL 이하로 낮았던 군에서는 심혈관질환의 발생이 투약군에서 12%, 스타틴단독치료군에서 17%로 유의한 효과 차이를 보였다.

또한 약 18,000여 명의 이상지질혈증 환자를 대상으로 스타틴 혹은 스타틴과 아이코사펜타엔산(eicosapentaenoic acid) 2 g/일 병용투여 또는 스타틴 단독투여 4.6년 후에 관상동맥질환의 발생을 비교한 JELIS연구는 병용투여군의 심혈관질환 발생위험도가 19% 유의하게 감소함을 보였고, 두

군간에 LDL콜레스테롤 농도는 변화가 없었으나 중성지방 농도는 병용투여군에서 유의하게 더 감소하는 소견을 보였다. 또한 최근에 진행된 Reduction of Cardiovascular Events With Icosapent Ethyl–Intervention Trial (REDUCE–IT)연구에서 심혈관질환 및 당뇨병 등을 가진 고위험 환자 8,179명(기저 중성지방수치: 150–499 mg/dL)을 대상으로 하루 4 g의 아이코사펜트에틸(icosapent ethyl)을 투여하였을 때 위약군 대비 심혈관질환 발생률을 26% 낮추었다. 하지만 이후 발표된 Long–Term Outcomes Study to Assess Statin Residual Risk with Epanova in High Cardiovascular Risk Patients with Hypertriglyceridemia (STRENGTH)연구에서 하루 4 g의 아이코사펜타엔산과 도코사헥사엔산(docosahexaenoic acid)을 혼합한 오메가–3지방산을 투여하였을 때 위약군대비 고위험 환자에서 심혈관위험성을 낮추지 못하였다. 따라서 향후 파이브레이트와 오메가–3지방산의 심혈관 예방효과에 대해서 추가적인 연구결과가 필요하다. 또한 임상근거가 있지만 아직 국내에서 처방이 불가한 아이코사펜타엔산 단독제형이나 아이코사펜트에틸 제형의 빠른 국내생산 또는 도입을 위해 노력해야 할 것이다.

(3) 낮은 HDL콜레스테롤에 대한 치료지침
HDL콜레스테롤수치가 낮으면 심혈관질환 발생위험도가 증가하지만, 구체적인 HDL콜레스테롤 치료목표치나 약물치료를 권고하지 않는다. 운동이나 금연을 통해 HDL콜레스테롤을 조절할 것을 권유하며, 이때에도 치료목표치는 제시하지 않는다.

2) 미국이상지질혈증치료지침(ACC/AHA dyslipidemia treatment guideline 2018)
미국 심장학회 2018년 고콜레스테롤 혈증 치료지침은 이상지질혈증 치료에 대한 임상연구들에서 스타틴 치료가 효과가 있었던 군들을 그대로 선택하고, 스타틴 용량선택 등 치료방법을 그대로 진료지침에 반영하였다. 죽상경화 심혈관질환이 있는 경우에는 LDL콜레스테롤수치에 상관없이 스

타틴 약물치료를 권유하여 스타틴의 직접적인 죽상경화판 안정효과 및 매우 낮은 LDL콜레스테롤 수치달성을 강조한 것을 보면 매우 전향적인 치료지침으로 평가받고 있다. 하지만 이상지질혈증 자체, 즉 혈청콜레스테롤수치에 대한 치료보다는 죽상경화심혈관질환(atherosclerotic cardiovascular disease, ASCVD) 발생위험도를 낮추기 위한 치료에 초점을 맞추었다는 것을 강조하고 있는데, ASCVD 위험도 예측의 정확성 즉, 과대 예측의 논란에 대한 찬반 양론이 있고, 백인과 흑인 외의 다른 인종에의 적용정확도의 문제가 있기에 이를 전 세계적으로 무조건 적용하기에는 무리가 있을 수 있다. 기본적으로 생활습관 개선을 통한 환자위험도의 감소를 강조하고 있으며, 각 부분의 주요내용은 다음과 같다.

(1) ACC/AHA 치료지침에서는 LDL콜레스테롤의 목표기준을 정하지 않고 위험도에 따라 LDL콜레스테롤 농도를 약 50% 이상 낮출 수 있는 고강도(high-intensity)스타틴, 혹은 30-49% 낮출 수 있는 중간강도(moderate-intensity) 스타틴 치료를 권고하였다(표 10-4-4).

(2) 죽상경화심혈관질환 위험도 감소를 위한 치료에 초점

죽상경화심혈관질환의 발생위험도를 줄이거나 재발을 줄이기 위한 스타틴 치료를 강조하고 있다(표 10-4-5). 따라서 다음과 같이 스타틴 치료강도를 분류하고 스타틴 치료가 필요한 환자군을 제시하였으며, 2013년 진료지침과는 달리 LDL콜레스테롤 치료목표치를 제시하고 스타틴 치료 후에 추가적인 비스타틴 약물의 병용투여도 권유하였다.

표 10-4-4. **스타틴 치료의 강도분류**

고강도 스타틴 치료	중등강도 스타틴 치료	저강도 스타틴 치료
LDL-C를 50% 이상 감소시키는 치료	LDL-C를 30-49% 감소시키는 치료	LDL-C를 30% 미만 감소시키는 치료
Atorvastatin 40-80 mg Rosuvastatin 20-40 mg	Atorvastatin 10-20 mg Rosuvastatin 5-10 mg Simvastatin 20-40 mg Pravastatin 40-80 mg Lovastatin 40 mg Fluvastatin 80 mg Fluvastatin 40 mg bid Pitavastatin 2-4 mg	Simvastatin 10 mg Pravastatin 10-20 mg Lovastatin 20 mg Fluvastatin 20-40 mg Pitavastatin 1 mg

표 10-4-5. **스타틴 치료가 필요한 4개 환자군**

• 죽상경화심혈관질환이 있는 환자(급성관동맥증후군, 심근경색병력, 협심증, 혈관재개통술, 뇌졸중, 일과성 뇌허혈, 말초혈관질환 등)
• LDL콜레스테롤 ≥ 190 mg/dL 경우
• 40-75세 당뇨병이 있으면서 LDL-C 70-189 mg/dL
• 40-75세 LDL-C 70-189 mg/dL(동맥경화심혈관질환 10년 위험도에 따라 치료 결정)

10 지단백질대사와 이상

(3) 환자군에 따른 스타틴 치료 강도와 LDL콜레스테롤 및 비HDL콜레스테롤 치료목표치

① 초고위험군

주요 심혈관질환 사건병력이 2개 이상 있거나 고위험인자가 2개 이상 있으면서 주요 심혈관질환 사건병력이 1가지 있는 경우를 초고위험군으로 정의한다(표 10-4-6). High-intensity 스타틴 용량 투여를 통해 LDL콜레스테롤을 70 mg/dL 미만으로 그리고 비HDL콜레스테롤을 100 mg/dL 미만으로 조절하는 것이 목표이다. 스타틴 치료만으로 목표치에 도달하지 못하여 필요하면 에제티미브(ezetimibe)를 추가하여 병용치료하며 이후에도 목표치에 도달하지 못하면 비용효과를 고려하여 PCSK9 단일클론항체를 투여를 고려한다.

② 고위험군

죽상경화 심혈관질환이 있는 경우에는 고위험군이며 고강도 스타틴 치료를 통해 LDL콜레스테롤을 기저치에서 50% 이상 감소시키는 것이 치료목표이다(class I). 고강도스타틴 치료금기이거나 스타틴 부작용병력 등이 있는 경우에는 중간강도 스타틴 치료로 시작한다. 스타틴 치료로 LDL콜레스테롤이 70 mg/dL 미만으로 조절되지 않으면 ezetimibe를 추가하여 병용치료한다(class IIa). 75세 이상이면 중간강도 또는 고강도 스타틴 치료로 시작할 것을 권고한다(class IIa). 허혈심장질환으로 좌심실기능이 저하된 심부전 환자가 기대여명이 3-5년 이상 남은 경우이고 기존에 스타틴 치료를 받지 않고 있다면, 중간강도 스타틴 치료를 고려할 수 있다(class IIb, B-R).

③ 당뇨병

40-75세에 당뇨병이 있으면 향후 심혈관질환 발생위험도와 무관하게 중간강도 스타틴 치료로 시작하거나(class I), 추가적으로 다음의 위험인자들이 있어서 위험도가 높을 경우에는 고강도 스타틴 치료를 권한다(class IIa). 고려해야 할 추가적인 위험인자들은 10년 이상의 유병기간인 2형당뇨병 또는 20년 이상 유병기간인 1형당뇨병, 알부민뇨(albu-

min/creatinine ≥ 30 microgram/mg), eGFR < 60 mL/min/1.73 m^2, retinopathy, neuropathy, ankle-brachial index < 0.9 이다. 75세 이상으로 기존에 스타틴 치료를 받고 있는 당뇨병 환자는 기존 치료를 계속한다.

④ Very high LDL cholesterol군(LDL콜레스테롤 ≥ 190 mg/dL)

LDL콜레스테롤 ≥ 190 mg/dL인 경우, 위험도계산에 상관없이 고강도 스타틴 치료를 권고한다. LDL콜레스테롤을 기저치에서 50% 이상 감소시키거나 100 mg/dL 미만으로 낮추는 것이 치료목표이다. 스타틴 치료로 LDL콜레스테롤이 100 mg/dL 미만으로 조절되지 않으면 ezetimibe를 추가하여 병용치료한다. 스타틴과 에제티미브 병용투여 이후에도 목표치에 도달하지 못하면 비용효과를 고려하여 PCSK9 단일클론항체 투여를 고려한다.

표 10-4-6. **죽상경화심혈관질환 사건발생 초고위험군 정의**

Major ASCVD Events
• Recent ACS (within the past 12 mo)
• History of MI (other than recent ACS event listed above)
• History of ischemic stroke
• Symptomatic peripheral arterial disease (history of claudication with ABI < 0.85, or previous revascularization or amputation)

High-Risk Conditions
• Age ≥ 65 y
• Heterozygous familial hypercholesterolemia
• History of prior coronary artery bypass surgery or percutaneous coronary intervention outside of the major ASCVD event(s)
• Diabetes mellitus
• Hypertension
• CKD (eGFR 15-59 mL/min/1.73m^2)
• Current smoking
• Persistently elevated LDL-C [LDL-C ≥ 100 mg/dL (≥ 2.6 mmol/L)] despite maximally tolerated statin therapy and ezetimibe
• History of congestive HF

⑤ 일차예방 40–75세, 70 ≤ LDL콜레스테롤 < 190 mg/dL인 경우

가. 10년 심혈관질환 사건 발생위험도 20% 이상의 고위험군이면 고강도 스타틴 치료를 권고한다(class I).

나. 10년 심혈관질환 사건 발생위험도 7.5% 이상이면서 20% 미만의 중등도 위험군으로 risk enhancer가 있으면 중간강도 스타틴 치료를 권고한다(class I). 스타틴 치료결정에 관상동맥 석회화지수를 참고하는 것이 좋다 (표 10-4-7). 관상동맥 석회화지수가 100 이상이거나 75백분위수 이상이면 스타틴 치료를 시작한다. 관상동맥 석회화지수가 1–99일 경우에는 55세 이상이면 스타틴 치료를 한다. 관상동맥석회화지수가 0이면서 당뇨병, 흡연자, 조기관상동맥질환 가족력이 없는 경우에는 스타틴 치료를 고려하지 않는다.

다. 10년 심혈관질환 사건 발생위험도 5% 이상이면서 7.5% 미만의 경계위험군에서는 risk enhancer가 존재하면 중간강도 스타틴 치료를 권고한다(class IIb)

라. 10년 심혈관질환 사건 발생위험도 5% 미만인 저위험군에서는 생활습관 관리를 통하여 위험도를 관리한다.

(4) 고중성지방혈증 치료지침

고중성지방혈증의 진단수치가 175 mg/dL로써 우리나라와 유럽의 200 mg/dL와 다른 특징이 있다. 그러나 치료원칙과 생활습관 관리 및 약물치료의 단계적 접근방법에서는 큰 차이가 없다. 중성지방수치가 175–499 mg/dL이면 생활습관을 잘 관리하고 당뇨병, 만성간질환, 만성신장질환, 신증후군, 갑상선기능저하증 등 이차적인 원인들을 조절관리할 것을 권고한다(class I). 10년 심혈관질환 발생위험도가 7.5% 이상이고 생활습관 관리 후에도 고중성지방혈증이 조절되지 않으면 스타틴 치료를 강화한다(class IIa). 중성지방수치가 500 mg/dL 또는 1,000 mg/dL 이상이면, 췌장염 예방을 강조하여 알코올과 탄수화물, 단순당이 많은 식사를 피하는 등 생활습관 관리 이외에도 오메가–3지방산, 파이브레이트 치료를 고려한다(class IIa).

3) 유럽이상지질혈증치료지침(ESC/EAS dyslip-idemia treatment guideline 2019) 및 심혈관질환예방진료지침(ESC guideline on cardiovascular disease prevention in clinical practice 2021)

(1) 심혈관질환 위험군 분류의 특징

유럽심장학회(European society of cardiology, ESC)와 유럽동맥경화학회(European atherosclerosis society, EAS)는 2016년 진료지침을 개정하여 2019년에 공동으로 이상지질혈증치료지침을 새로 발표하였고 2021년에는 심혈관질환 예방을 위한 진료지침도 발표하였다. 2019년의 유럽 치료지침은 위험군 분류 내용을 변경하였고, 또한 위험군별로 일차치료목표인 LDL콜레스테롤 치료목표치를 더 낮추어 적극적으로 치료 관리할 것을 강조하였다. 또한 2021년에는 과거 수십 년 동안 유럽인의 죽상경화 심혈관질환 발생위험도 예측모델로 사용해온 SCORE 위험도를 개

표 10-4-7. 죽상경화심혈관질환 risk enhancer

ASCVD Risk Enhancers
• Family history of premature ASCVD
• Persistently elevated LDL-C ≥ 160 mg/dL (≥ 4.1 mmol/L)
• Chronic kidney disease
• Metabolic syndrome
• Conditions specific to women (e.g., preeclampsia, premature menopause)
• Inflammatory disease (especially rheumatoid arthritis, psoriasis, HIV)
• Ethnicity (e.g., South Asian ancestry)
Lipid/Biomarkers
• Persistently elevated triglycerides [≥ 175 mg/dL, (≥ 2.0 mmol/L)]
In selected individuals if measured
• hs-CRP ≥ 2.0 mg/L
• Lp(a) levels > 50 mg/dL or 125 nmol/L
• ApoB ≥ 130 mg/dL
• Ankle-brachial index (ABI) < 0.9

정하여, SCORE2/SCORE2-OP모델로 위험도를 예측 계산할 것을 권고하였다. 기존 SCORE 위험도표는 유럽을 low-risk or high-risk countries의 2개 지역으로 나누고, 주로 심혈관 사망률 자료를 바탕으로 향후 심혈관질환 발생위험도를 예측하였다. 그러나 새로운 SCORE2/SCORE2-OP 위험도표는 유럽을 low-risk or intermediate-risk or high-risk or very high-risk의 4개 지역으로 나누었고, 사망률 이외에도 뇌졸중과 심근경색 발생 자료를 포함하여 향후 심혈관질환 발생위험도를 예측하였

으며 젊은 연령 환자들의 cumulative lifetime risk를 감안하여 적극적인 관리를 권고하였다.

(2) 위험군 분류의 내용과 치료목표치

유럽진료지침에서도 위험군별로 일차로 LDL콜레스테롤 치료목표치를 권고하였고, 이어 이차치료목표로 비HDL콜레스테롤 목표치를 제시하였으며, 이어서 ApoB 목표치도 제시하였다. 초고위험군과 고위험군의 경우 IMPROVE-IT, FOURIER, ODYSSEY OUTCOME연구결과들과 메타분

표 10-4-8. **위험군별 LDL콜레스테롤, 비HDL콜레스테롤, ApoB 치료목표**

위험군 분류	LDL콜레스테롤 목표치
Very high risk group	• LDL-C < 55 mg/dL and 기저치로부터 50% 이상 감소 • 비HDL콜레스테롤 < 85 mg/dL • ApoB < 65 mg/dL
• 관동맥질환, 허혈 뇌졸중(일과성 뇌허혈 포함), 말초혈관질환, 경동맥질환 등 죽상경화 심혈관질환 • 당뇨병이면서 표적장기 손상(미량알부민 등)이 있거나 주요 위험인자 3개 이상(흡연, 고혈압, 이상지질혈증 등) 동반된 경우, 또는 20년 이상 유병기간이 된 1형당뇨병 • 중증 만성신장질환(사구체 여과율 < 30 mL/min/1.73 m²) • 가족성고콜레스테롤혈증이면서 죽상경화 심혈관질환이 있거나 주요 위험인자가 추가적으로 있는 경우 • 10년 SCORE위험도 ≥ 10%	
High risk group	• LDL-C < 70 mg/dL and 기저치로부터 50% 이상 감소 • 비HDL콜레스테롤 < 100 mg/dL • ApoB < 80 mg/dL
• 매우 심한 한 개의 위험인자를 지닌 경우(매우 높은 LDL콜레스테롤 ≥ 190 mg/dL 혹은 심한 고혈압 ≥ 180/110 mmHg) • 추가적인 위험인자가 없는 가족성고콜레스테롤혈증 • 당뇨병이면서 10년 이상의 유병기간 또는 추가적인 위험인자가 1-2개 있는 경우 • 중등도 만성신장질환(사구체 여과율 30-59 mL/min/1.73 m²) • 10년 SCORE위험도 5% 이상이면서 10% 미만	
Moderate risk group	• LDL-C < 100 mg/dL • 비HDL콜레스테롤 < 130 mg/dL • ApoB < 100 mg/dL
• 젊은 당뇨병 환자(35세 미만의 1형당뇨병, 50세 미만의 2형당뇨병)면서 10년 미만의 유병기간이고 추가적인 위험인자가 없는 경우 • 10년 SCORE 위험도 1% 이상이면서 5% 미만	
Low risk group	• LDL-C < 116 mg/dL • 비HDL콜레스테롤 < 145 mg/dL
• 10년 SCORE위험도 1% 미만	

석연구들에 근거하여 LDL콜레스테롤 목표치를 각각 55 mg/dL, 70 mg/dL로 더 낮추었고 동시에 기저치로부터 50% 이상 감소시킬 것을 권고하였다(표 10-4-8).

(3) 적극적인 LDL콜레스테롤 관리를 위한 위험군 분류-새로운 위험인자들과 영상검사

유럽 진료지침은 초고위험군과 고위험군에 대한 적극적인 LDL콜레스테롤 관리를 강조하였고, 2년 동안 죽상경화심혈관질환이 재발하면 LDL콜레스테롤 < 40 mg/dL 목표로 관리할 것을 권고하였다(class IIb).

콜레스테롤 관리에 필요한 심혈관질환 발생위험도 예측은 연령, 성별, 흡연여부, 수축기혈압, 총콜레스테롤 및 HDL콜레스테롤수치를 기반으로 구성된 SCORE (SCORE2/SCORE2-OP)표를 이용할 것을 권고하였고, 위험도 판정을 위한 지표로써 총콜레스테롤, LDL콜레스테롤, 중성지방, HDL콜레스테롤, 비HDL콜레스테롤 측정을 권고하였다.

추가적인 새로운 위험인자로 조기심혈관질환의 가족력이 있는 경우에 측정한 지단백질(a), 그리고 비HDL콜레스테롤 대신하여 측정할 수 있는 ApoB를 선택적으로 권고하였다. Apo B/A1비율, 비HDL/HDL비율은 특수한 경우에만 한정하여 이용하도록 하였다. 각 위험군 중에서도 심혈관질환가족력이 있거나 hsCRP, 지단백질(a), fibrinogen, homocysteine, apo B, ABI, coronary calcium score 등의 다른 위험인자들을 고려하여 경우에 따라서는 목표치 미만의 LDL콜레스테롤수치인 경우에도 약물치료를 고려할 것을 권고하였다. 특히 지단백질(a)는 모든 성인에서 일생에 한 번은 검사를 권하였고 지단백질(a) > 180 mg/dL (430 nmol/L)인 경우는 이형접합 가족성고콜레스테롤혈증에 준하는 심혈관질환 발생위험도에 해당한다고 발표하였다. 그리고 유럽의 진료지침은 경동맥과 대퇴동맥초음파검사 그리고 관상동맥석회화지수검사를 통해 심혈관질환 발생위험도를 예측할 것을 권고하고 있다.

(4) 고중성지방혈증 치료지침

고중성지방혈증 관리에 대해서는 우리나라 진료지침과 비슷하며 최근 연구결과를 더 빨리 반영하였다. 중성지방 200 mg/dL 이상이면 생활습관 관리를 강조하고 약물로는 스타틴 투여를 권고하였다(class I). 각 위험군별로 비HDL콜레스테롤과 ApoB 목표치를 제시하였다. 고위험군에서 중성지방수치가 135-499 mg/dL이면 REDUCE-IT연구결과를 반영하여 icosapent ethyl omega-3 지방산 2 × 2 g/일을 스타틴에 병용하여 투여할 것을 권고하였다(class IIa in 2019 → class IIb in 2021). 고위험군이나 일차예방에서 중성지방 200 mg/dL 이상이면 fenofibrate 또는 bezafibrate를 스타틴에 병용하여 투여할 것을 권고하였다(class IIb).

2. 치료방법

1) 치료적생활습관변화와 약물치료

치료적생활습관변화와 약물치료가 이상지질혈증 치료의 2가지 방법이다. 각 군의 심혈관질환 발생위험도에 따라 일차적인 치료목표인 LDL콜레스테롤의 조절강도를 결정하는 것이 치료계획의 첫 단계이다. 치료목표치가 결정되면 목표달성을 위해 식이조절, 운동, 체중조절 등 다양한 생활양식 즉, 치료적생활습관변화(therapeutic lifestyle change, TLC)를 위해 노력해야 한다.

식사조절과 관련된 치료지침의 최근 변화를 보면 2015년 미국의 일반 국민들을 위한 식사지침이나 유럽지침에서는 포화지방 섭취와 트랜스지방 섭취제한을 주로 강조하고, 포화지방 대신 다가불포화지방 섭취를 적정하게 시행할 것을 강조하면서, 콜레스테롤 섭취제한은 따로 제시하지 않는 변화를 보이고 있다. 이는 인체에서 하루 콜레스테롤 필요량의 대부분이 간에서 합성되고 20-25% 정도만이 식사를 통해 섭취되는 생리현상을 반영하는 내용이다. 하지만 죽상경화증혈관질환이 있는 환자나 이상지질혈증 환자에서는 식사조절의 중요성을 간과할 수 없다. 또한 하루동안의 칼로리 소비에

표 10-4-9. 치료적생활습관변화 식사(TLC diet)의 영양소 구성

영양소	권장섭취량
포화지방	총 에너지의 7% 이내
다가불포화지방산	총 에너지의 10% 이내
트랜스지방	트랜스지방 섭취는 최대한 적게
총 지방섭취	총 칼로리의 30% 미만
탄수화물	총 칼로리의 65% 이내, 단순당 섭취 제한
식품섬유소	25 g/d 이상
단백질	총 에너지의 15–20% 정도
콜레스테롤	< 300 mg/d 일
총칼로리	바람직한 체중을 유지하고 체중증가를 막을 수 있는 균형있는 에너지섭취(표준체중 kg당 30 kcal 정도)
알코올	1–2잔 이내로 섭취하되 가급적 금주한다.

*Trans fatty acids는 LDL콜레스테롤을 증가시킬 수 있는 지방이므로 제한해야 한다.
*탄수화물은 주로 복합당이 많은 음식, 즉 곡류, 과일 및 채소를 통해 섭취해야 한다.

는 최소한 중증도의 육체활동이 포함되어야 한다(대략 200 kcal/d). 과도한 알코올 섭취는(10–30 g/일 이상) 중성지방 수치를 높이므로 주의가 필요하다(표 10-4-9). 저위험군이나 중등도 위험군은 치료적 생활양식을 시행하고 수주 내지 수개월 후에도 치료목표치를 달성하지 못하면 각 위험군의 위험도에 따라 구분된 치료목표에 따라 약물치료를 고려한다. 하지만, 고위험군이나 초고위험군에 LDL콜레스테롤이 목표치보다 높은 경우에는 즉각적인 약물치료와 함께 생활습관 개선을 동시에 시행한다.

2) 이상지질혈증의 이차원인

치료를 시작하기에 앞서 고지혈증을 보이는 모든 환자에서 이차원인에 의한 이상지질혈증을 파악하여야 한다. 이상지질혈증을 일으킬 수 있는 이차원인으로는 당뇨병, 갑상선기능저하증, 담도폐쇄간질환, 만성신부전, 그리고 프로제스틴, 합성대사스테로이드(anabolic steroid), 코티코스테로이드 등 LDL콜레스테롤과 중성지방을 상승시키고 고밀도지단백질콜레스테롤을 낮추는 약물들이 있다(표 10-4-10, 10-4-11).

표 10-4-10. LDL콜레스테롤이 증가하는 이차원인들

- 당뇨병
- 갑상선기능저하증
- 폐쇄간질환
- 만성신부전
- 신증후군
- 약물: corticosteroid, anabolic steroid, progesterone

3) 이상지질혈증의 약물치료

(1) 이상지질혈증 치료약물들의 특성

현재 임상에서 사용되고 있는 약물은 HMG–CoA reductase inhibitor인 스타틴, 파이브레이트유도체, 니코틴산, 에제티미브, 오메가–3지방산, 담즙산수지 등이 사용되고 있다(표 10-4-12).

(2) 스타틴(statin, HMG–CoA환원효소억제제)

LDL콜레스테롤을 낮추는 효과가 가장 뛰어나고, 중성지방을 낮추며 고밀도지단백질 콜레스테롤을 증가시키면서 비

표 10-4-11. 고중성지방혈증과 낮은 HDL콜레스테롤혈증의 이차원인

고중성지방혈증	저HDL콜레스테롤혈증
비만이나 초과체중 운동 부족 흡연 고탄수화물 식사 음주 당뇨병, 만성신부전, 신증후군 약물: corticosteroid, 베타차단제, estrogen, retinoids	비만이나 초과체중 운동 부족 흡연 고탄수화물 식사 고중성지방혈증 당뇨병 약물: corticosteroid, 베타차단제, progesterone

표 10-4-12. 지질대사이상 개선 치료제

Drug Class	Agents and Daily Doses	Lipid/Lipoprotein Effects	Side Effects
HMG CoA reductase inhibitors (statins)	Lovastatin (20–80 mg) Pravastatin (20–40 mg) Simvastatin (20–80 mg) Fluvastatin (20–80 mg) Atorvastatin (10–80 mg) Rosuvastatin (5–80 mg) Pitavastatin (1–4 mg)	LDL콜레스테롤 ↓ 8–55% HDL콜레스테롤 ↑ 5–15% TG ↓ 7–30%	Myopathy Increased liver enzymes Increased risk of new onset of diabetes
Bile acid sequestrants	Cholestyramine (4–16 g) Colestipol (5–20 g) Colesevelam (2.6–3.8 g)	LDL콜레스테롤 ↓ 5–30% HDL콜레스테롤 ↑ 3–5% TG No change or increase	Gastrointestinal distress Constipation Decreased absorption of other drugs
Nicotinic acid	Immediate release (crystalline) nicotinic acid (1.5–3 g), extended release nicotinic acid (1–2 g), sustained release nicotinic acid (1–2 g)	LDL콜레스테롤 ↓ 5–25% HDL콜레스테롤 ↑ 5–35% TG ↓ 20–50%	Flushing Hyperglycemia Hyperuricemia (or gout) Upper GI distress Hepatotoxicity
Fibric acids	Fenofibrate 200 mg Clofibrate 1,000 mg bid Bezafibrate 400–600 mg/day	LDL콜레스테롤 ↓ 5–20% HDL콜레스테롤 ↑ 0–20% TG ↓ 0–50%	Dyspepsia Gallstones Myopathy
Cholesterol absorption inhibitor	Ezetimibe 10 mg	LDL콜레스테롤 ↓ 20% HDL콜레스테롤 ↑ 1–2% TG ↓ 10%	
Omega–3 fatty	Omega–3 fatty acids 1–4 g	TG ↓ 8–30%	Fishy smell Skin eruption
PCSK9 monoclonal antibody	Alirocumab 75 mg 2주 1회 또는 300 mg 월 1회 피하주사 Evolocumab 140 mg 2주 1회 또는 420 mg 월 1회 피하주사	LDL콜레스테롤 ↓ 60% HDL콜레스테롤 ↑ 6–8% TG ↓ 10–17% ApoB ↓ 40–50% 지단백질(a) ↓ 30%	Injection site pain, rash Flu–like symptoms

10 지단백질대사와 이상

교적 적은 부작용과 내약성을 보여, 현재 이상지질혈증의 약물치료에 가장 널리 사용되는 일차선택약물이다.

① 작용기전

콜레스테롤 합성의 속도조절 단계인 HMG–CoA를 메발론산(mevalonic acid)으로 전환시키는 과정에 작용하는 효소인 HMG–CoA 환원효소(3–hydroxy–3–methylglu-taryl–coenzyme A reductase)를 억제한다. 간세포에서 콜레스테롤의 생산이 감소하여 세포 내의 콜레스테롤 양이 감소하고 그 결과로 간세포 표면에 LDL수용체의 발현이 증가하여 혈액내 콜레스테롤을 많이 제거함으로써 혈청콜레스테롤 농도를 감소시킨다. 주로 밤에 간에서 콜레스테롤이 합성되므로 자기 전에 투약하며, atorvastatin, rosuvastatin, pitavastatin과 같이 반감기가 긴 일부 약물은 아침

표 10-4-13. **스타틴 제제들의 동일 용량에서의 지질저하 효과 비교(용량 단위: mg/일)**

RSVS	AVS	PTVS	SVS	PVS	LVS	FVS	CVS	Total	LDL-C	HDL-C	TG
…	…	1	10	20	20	40	0.2	−22%	−27%	4–8%	−10~15%
5	10	2	20	40	40	80	0.4	−27%	−34%	4–8%	−10~20%
10	20	4	40	80	80	…	…	−32%	−41%	4–8%	−15~25%
20	40	…	80	…	…	…	…	−37%	−48%	4–8%	−20~30%
40	80	…	…	…	…	…	…	−42%	−55%	4–8%	−25~35%

RSVS, rosuvastatin; AVS, atorvastatin; PTVS, pitavastatin; SVS, simvastatin; PVS, lovastatin; LVS, pravastatin; FVS, Fluvastatin; CVS, cerivastatin.

표 10-4-14. **스타틴약물 요약**

약물	Lovastatin, Pravastatin, Simvastatin, Fluvastatin, Atorvastatin, Rosuvastatin, Pitavastatin
지질개선 효과	• LDL콜레스테롤 18–55% 감소 • HDL콜레스테롤 5–15% 증가 • 중성지방 7–30% 감소
효과	관상동맥질환, 뇌졸중, 심혈관질환 사망률 및 총 사망률의 감소
금기	• 절대금기: 활동성 간질환, 임신, 수유 • 상대금기: 타 약물 병용주의 약물(cyclosporine, gemfibrozil, 항진균제, macrolide 항생제, cytochrome P–450억제제)
부작용	• 간독성, 근병증: 기저 AST/ALT, CK 측정 필요 • 당뇨 발생위험도 증가
복용법	• Lovastatin: 20–80 mg/일, 저녁식사와 함께 복용 • Pravastatin: 5–40 mg/일, 자기 전에 복용 • Simvastatin: 20–80 mg/일, 자기 전에 복용 • Fluvastatin: 20–80 mg/일, 자기 전에 복용 • Atorvastatin: 10–80 mg/일, 복용시간에 큰 영향을 받지 않음 • Rosuvastatin: 5–40 mg/일, 복용시간에 큰 영향을 받지 않음 • Pitavastatin: 1–4 mg/일, 복용시간에 큰 영향을 받지 않음

에 투여하기도 한다. 그리고 스타틴은 혈관내피세포의 기능을 개선시키고 죽상경화증 진행과정에 관여하는 세포의 증식을 억제하며, 혈전형성인자, 염증매개인자를 억제하는 다면발현효과(pleiotropic effect)를 통해 추가적인 항죽상경화증효과를 보인다.

② 지질저하 효과

LDL콜레스테롤을 낮추는 데 가장 효과적인 약물이며(18–55%), 중성지방을 감소시키고(7–30%) 고밀도지단백질콜레스테롤을 약간 증가시키는 효과(5–15%)도 가지고 있다. 현재 사용되고 있는 스타틴 약물들은 종류에 따라 용량 대비 지질조절능력에는 조금씩 차이가 있다(표 10-4-13, 10-4-14).

(3) 에제티미브(ezetimibe)

에제티미브는 소장에서 콜레스테롤의 흡수를 선택적으로 억제하는 약물이다. 스타틴과 작용기전이 달라서 스타틴과 병용처방을 함으로써 상보적인 효과를 기대할 수 있다.

① 작용기전

에제티미브는 소장 융모의 NPC1L1 단백질에 작용하여 음식물이나 담즙 내에 존재하는 콜레스테롤이 소장을 통해 흡수되는 것을 억제하는 지질강하제로서 원약물과 glucuronide대사물 모두 약리학적 작용이 있고 또한 장–간 순환을 거쳐 오랜 시간 동안 약물작용이 지속될 수 있는 긴 반감기(22시간)를 가지므로 하루 중 오전, 오후에 상관없이 1일 1회 복용으로 충분한 효과를 기대할 수 있다.

② 지질저하 효과

단독치료로 LDL콜레스테롤을 18–20% 감소시키는 정도의 효과를 보여 스타틴의 지질개선 효과에 비해서는 약한 편에 해당된다. 하지만, 스타틴과 작용기전이 달라서 스타틴과 병용처방을 함으로써 상보적인 효과를 기대할 수 있다. 에제티미브 10 mg과 atorvastatin 10 mg 병용투여는 atorvastatin 최고 용량인 80 mg 투여군과 유사한 정도의 LDL콜레스테롤 감소효과를 보인다. 중성지방은 10% 감소시키고 고밀도지단백질 콜레스테롤에는 별다른 영향이 없다.

③ 심혈관질환의 예방

SHARP연구 결과, 만성신부전 환자에서 주요 심혈관 사건 및 동맥경화 심혈관질환 사건을 약 17% 유의하게 감소시켰다. IMPROVE-IT연구 결과를 보면, 급성관동맥증후군 환자에서 심바스타틴 고용량에 에제티미브를 병용하여 LDL콜레스테롤을 53 mg/dL까지 낮추어 심바스타틴단독치료군에 비해 임상적인 예후를 유의하게 개선하였다.

④ 적응증 및 약물의 선택

주로 고콜레스테롤혈증에 사용하며 스타틴과의 병용요법으로 사용하거나, 스타틴 불내성의 경우 스타틴 대신 사용할 수 있다. 에제티미브 10 mg을 하루 한 번 복용한다.

⑤ 금기증

임신, 수유

(4) 파이브레이트(fibrate)

① 지질저하 효과

중성지방을 낮추는 데 가장 효과적인 약물이며(20–50%), 중성지방 농도가 높은 경우 더 효과적이다. HDL콜레스테롤을 10–15% 정도 증가시키는 데 중성지방이 높고 HDL콜레스테롤이 낮은 경우에 더 효과적이다.

② 금기증

절대금기증은 심한 간질환, 심한 신부전, 담석증 등이다.

③ 부작용

가장 흔한 부작용은 소화장애이며 이외에 콜레스테롤 담석의 발생이 증가할 수 있다. 근병증이 발생할 수 있으며 특히 신기능이 감소되어 있는 경우에 혈중 약물 농도가 증가하며 위험이 높아진다. Gemfibrozil은 근병증 발생위험이 높아서 스타틴과 병용 사용을 권고하지 않는다(표 10-4-15).

표 10-4-15. **파이브레이트유도체약물 요약**

약물: Bezafibrate, Ciprofibrate, Fenofibrate
지질개선 효과 • LDL콜레스테롤 5–20% 감소 • HDL콜레스테롤 10–15% 증가 • 중성지방 25–50% 감소
효과: 관상동맥질환의 감소
절대금기: 심한 간질환이나 신부전, 담석 • 안전성 임상연구에서 부작용은 적음, 스타틴과 병용 시 주의
부작용: 담석, 근병증
복용법 • Bezafibrate: 400–600 mg/일 1일 1–3회 • Fenofibrate: 160–200 mg/일 식후 즉시 • Gemfibrozil: 600–1,200 mg/일, 1일 2회, 식전 30분(스타틴과 병용투여 피할 것)

(5) 니코틴산

비타민B의 일종인 니코틴산은 LDL콜레스테롤과 중성지방을 감소시키며 HDL콜레스테롤을 증가시키는 효과가 가장 강하며 지단백질(a)도 감소시킨다. 고콜레스테롤혈증뿐만 아니라 혼합 이상지질혈증에도 효과적인 약물이다. 하지만 스타틴과 니코틴산 병용투여는 스타틴 단독투여에 비해 임상적인 예후개선 효과가 없고 근병증, 혈당 증가, 간 부작용, 안면홍조 등의 부작용이 증가하였기에 니코틴산의 투여를 권고하지 않는다.

① 지질저하 효과

HDL콜레스테롤을 증가시키는 효과가 다른 약물에 비해 가장 뛰어나며(15–35%) 중성지방을 20–50% 감소시키는데, 이 효과들은 낮은 용량에서도 관찰된다. LDL콜레스테롤도 5–25% 감소시켜서, 모든 지질 농도를 향상시킨다. 다른 약물과는 달리 지단백질(a)의 농도를 고용량에서 약 30%까지 감소시킨다.

② 적응증 및 약물의 선택

모든 지질이상을 교정하므로 모든 이상지질혈증에 사용할 수 있다. 하지만, HPS-THRIVE2연구에서 스타틴과 니코틴산 병용요법군이 스타틴단독치료군에 비하여 임상적인 예후를 개선시키지 못하고 근병증, 혈당 증가, 간효소수치 상승 등의 부작용 발생이 유의하게 증가하였기에 니코틴산 치료를 권하지 않는다.

③ 금기증

- 절대금기증: 간질환, 심한 통풍
- 상대금기증: 당뇨병, 고요산혈증, 소화궤양질환

④ 부작용

피부의 홍조는 흔한 부작용이며 일부에서는 매우 심하다. 장기적으로 사용하면 감소하며 식사와 같이 복용하거나 아스피린 투여로 줄일 수 있다. 중요한 부작용으로는 간독성, 통풍, 혈당 상승이 있으며 용량과 투여기간에 비례하여 발생한다. Extended release form은 안면홍조의 빈도를 많이 감소시켰다고 보고되었다(표 10-4-16).

표 10-4-16. **니코틴산약물 요약**

약물: Nicotinic acid, Acipimox
지질개선 효과 • LDL콜레스테롤 5–25% 감소 • HDL콜레스테롤 15–35% 증가 • 중성지방 20–50% 감소
효과: 단독투여한 일부 연구에서 관상동맥질환의 감소를 보고했으나, 스타틴 병용투여군에서 스타틴 단독에 비해 예후 개선하지 못하고 부작용은 증가하여 니코틴 투여 권하지 않음
금기 • 절대금기: 간질환이나 심한 통풍 • 상대금기: 당뇨병, 고요산혈증, 소화궤양질환
안전성: 서방형제제(sustained release) 사용 시 간독성
부작용: 피부홍조, 소화장애, 간독성, 통풍, 혈당 상승
복용법 • Immediate release (crystalline) nicotinic acid 1.5–3 g/일 • Extended release nicotinic acid 1–2 g/일 • Sustained release nicotinic acid 1–2 g/일

(6) 오메가-3지방산

오메가-3지방산은 주로 중성지방을 감소시키고 혈전형성을 억제하며 항염증작용, prostacyclin과 산화질소(NO)를 증가시켜 동맥경화의 발생을 예방하는 데 도움이 되며, 심실성부정맥의 발생을 감소시키는 항부정맥 효과를 보인다는 보고도 있다.

① 지질저하 효과

혈청중성지방 농도를 8-30% 강하시키는 효과를 얻을 수 있다. 오메가-3지방산은 LDL콜레스테롤에는 별다른 영향이 없으며 혈청HDL콜레스테롤 농도에는 약간의 증가 혹은 별다른 영향이 없는 것으로 알려져 있다.

② 적응증 및 약물의 선택

고중성지방혈증 치료에 단독사용 혹은 스타틴과의 병용치료로 사용된다. 또는 심근경색 후 이차예방을 위하여 오메가-3지방산 단독사용 혹은 스타틴과의 병용투여로 사용된다. 과거 GISSI-PREVENZIONE연구에서는 급성심근경색 후 오메가-3 투여로 대조군에 비해 예후가 개선된 좋은 결과를 보였지만, 최근의 A-omega연구 등 여러 연구들에서는 스타틴에 오메가-3지방산 병용투여가 스타틴 단독군에 비하여 예후를 개선하지 못했기에 급성심근경색증 환자

에서 일률적으로 스타틴과 오메가-3지방산 병용투여하는 것은 권하고 있지 않다.

③ 부작용

위식도역류나 구역 시 생선비린내를 느끼는 경우와 피부발진이 보고되었다(표 10-4-17).

(7) 담즙산수지

① 지질저하 효과

LDL콜레스테롤을 15-30% 감소시키며 HDL콜레스테롤을 3-5% 증가시킨다. 중성지방은 변화가 없거나 농도를 증가시킬 수 있다.

② 적응증 및 약물의 선택

주로 LDL콜레스테롤이 중등도 상승한 2형이상지질혈증에서 유용하다. 중증 고콜레스테롤혈증에서 스타틴과 병합요법이 가능하며, LDL콜레스테롤 농도를 50-70%까지 감소시킬 수 있다. 체내에 흡수가 되지 않기 때문에 간이나 신장질환을 가지고 있거나 임신, 수유부에게도 주의하면서 사용가능하다. 단점으로는 투약하는 양이 많아 복용하기 불편하다. Colesevelam은 담즙수지중합체로 위장장애가 덜하다고 알려져 있으나 우리나라에서는 판매되지 않고 있다.

③ 금기증

중성지방 농도가 400 mg/dL가 넘는 경우

④ 부작용

변비를 비롯한 소화장애가 흔하며, 담즙산 결핍에 의한 콜레스테롤 담석증이 발생할 수 있다.

⑤ 다른 약물과의 상호작용

Digitalis, warfarin, propranolol, thiazide diuretics, amiodarone, thyroxine, acetaminophen, naproxen, corticosteroids, piroxicam, folic acid, vitamins (A, D, K), penicillin G, tetracycline과 같은 약물들을

표 10-4-17. **오메가-3지방산약물 요약**

약물: 오메가-3지방산
지질개선 효과 • LDL콜레스테롤 별다른 영향 없음 • HDL콜레스테롤 별다른 영향 없음 • 중성지방 8-30% 감소
효과: 관상동맥질환의 감소
금기: 없음
안전성: 임상연구에서 심한 부작용은 적음
부작용: 생선비린내(구역 시), 피부 발진
복용법: omega-3 fatty acid 1-4 g/d

표 10-4-18. 담즙산수지약물 요약

약물: Cholestyramine, Colestipol, Colesevelam
지질개선 효과 • LDL콜레스테롤 15–30% 감소 • HDL콜레스테롤 3–5% 증가 • 중성지방 변화 없거나 증가함
효과: 관상동맥질환의 감소
금기: 중성지방 농도 > 400 mg/dL
안전성: 임상연구에서 심한 부작용은 적음
부작용: 변비 등의 소화장애, 담석증, 타약물 흡수 억제
복용법 • Cholestyramine: 8–24 g/일, 1일 2회, 식사와 함께 복용 • Colestipol: 10–30 g/일, 1일 2회, 식사와 함께 복용 • Colesevelam: 2.6–3.8 g/일, 1일 1–2회, 식사와 함께 복용

흡착하여 흡수를 방해한다(표 10-4-18).

(8) PCSK9 억제항체

LDL수용체는 지속적으로 간세포 안에서 합성되어 간세포 표면으로 이동하여 더 많은 LDL콜레스테롤과 결합하여 제거하는 역할을 하는데, 간세포 안으로 들어간 LDL수용체는 재활용되어 다시 간세포 표면으로 옮겨져서 작용할 수 있다. 간세포에서 만들어지는 PCSK9 (proprotein convertase subtilisin-kexin type 9)은 혈중에서 LDL수용체와 결합하여 수용체의 분해를 유도한다. PCSK9은 PCSK9과 특이적으로 결합하여 혈액에서 순환하는 PCSK9 단백질이 간세포 표면의 LDL수용체에 결합하는 것을 억제함으로써, PCSK9으로 인한 간세포내 LDL수용체 분해를 방지하여 잘 recycling되어 간세포 표면으로 다시 돌아가서 작용할 수 있도록 한다. 따라서 간세포 표면에 LDL수용체가 증가함으로써 혈청LDL콜레스테롤수치는 감소하게 된다. LDL콜레스테롤을 낮추는 치료에 치료효과가 충분치 않아서 추가적인 LDL콜레스테롤 강하가 필요한 경우나 기존 약물을 사용할 수 없는 사람에서는 PCSK9억제제로 LDL콜레스테롤 추가강하 및 심혈관질환 발생위험을 감소시킬 수 있다.

① 지질저하 효과

임상시험에서 원발고콜레스테롤혈증 및 혼합이상지질혈증 환자에서 투여 후 빠르면 1주 만에 약 55–70%(평균 60%)의 LDL–C 감소에 도달하였고 평균 10–12주 투여 후 효과가 안정적으로 유지되었으며, 52주 이상 장기투여기간 동안에도 콜레스테롤강하효과가 잘 유지되었다. 비결합 PCSK9을 80%가량 감소시켰고, 총콜레스테롤을 40% 낮추었고, ApoB를 40–50% 감소시켰다. 또한 중성지방을 10–17% 감소시키고 HDL콜레스테롤은 6–8% 증가, apoA1은 5–7% 증가시켰다. 비HDL콜레스테롤을 55–60% 감소시키고 지단백질(a)도 30% 감소하였다. 초저밀도지단백질콜레스테롤(VLDL–C), TG 및 지단백질(a) [Lp(a)]를 감소시켰고 HDL–C 및 ApoA1을 증가시켰다. 또한, 급성관상동맥증후군의 급성단계 환자에게도 LDL–C 감소효과는 유지되었다.

② 적응증

가. 고콜레스테롤혈증 및 혼합이상지질혈증

- 원발 고콜레스테롤혈증(이형접합 가족성고콜레스테롤혈증 포함) 또는 혼합이상지질혈증을 가진 성인 환자에서 식이요법에 대한 보조요법으로 투여
- 최대내약용량의 스타틴으로 충분히 LDL-콜레스테롤이 조절되지 않는 환자에서 스타틴 또는 스타틴과 다른 지질저하요법과 병용투여
- 스타틴 불내성 환자에서 이 약 단독 또는 다른 지질저하요법과 병용투여
- 이형접합 가족성고콜레스테롤혈증(HeFH)을 가진 만 10세 이상의 소아 환자에서 식이요법에 대한 보조요법으로 다른 지질저하요법과 병용투여

나. 동형접합 가족성고콜레스테롤혈증

- 동형접합 가족성고콜레스테롤혈증(HoFH)을 가진 성인 및 만 10세 이상의 소아 환자에서 다른 지질저하제(스타틴, 에제티미브, 지질분리반출법 등)와 병용투여

다. 죽상경화 심혈관질환

- 확립된 죽상경화 심혈관질환을 가진 성인 환자에서 다른 위험인자들의 교정에 대한 보조요법으로 LDL-C 수준을 저하시킴으로써 심혈관계 위험을 감소시키기 위해 최대내약용량의 스타틴 또는 스타틴과 다른 지질 저하요법과 병용투여

③ **용법용량**

- Alirocumab: 75 mg 또는 150 mg 일회용 펜 주사기, 처음 시작은 2주 간격으로 75 mg 또는 4주 간격으로 300 mg 피하주사하고 조절이 잘 되지 않으면 2주 간격으로 150 mg까지 증량가능
- Evolocumab: 140 mg/mL 일회용 펜 주사기, 또는 420 mg/3.5 mL 용액의 일회용 on-body infuser with a prefilled cartridge, 매 2주 간격으로 140 mg 또는 한 달마다 420 mg을 배, 허벅지 또는 상완에 주사

④ **금기증**

- 주성분 또는 이 약의 구성성분에 과민반응이 있는 환자

간장애 환자에는 투여주의−중등도의 간장애 환자에서 약의 효과가 감소하여 LDL콜레스테롤 저하 효과를 감소시킬 수 있다. 따라서 이러한 환자군에서는 면밀한 모니터링이 필요하다. 중증의 간장애 환자(Child−Pugh class C)에 대해 연구된 바 없다. 중증의 간장애 환자에게 이 약을 투여하는 경우 주의해야 한다.

⑤ **부작용**

가장 흔한 주사 부위반응은 주사부위 멍, 홍반, 출혈, 주사 부위 통증 및 부종이었다(표 10-4-19).

임상시험에서 이 약을 최소 1회 용량 투여받은 환자의 0.3%에서 결합항체형성에 양성을 보였다. 그러나 중화항체

표 10-4-19. PCSK9 억제항체약물 요약

약물: Alirocumab, Evolocumab
지질개선 효과 • LDL콜레스테롤 55–70%(평균 60%) 감소 • HDL콜레스테롤 6–8% 증가 • 중성지방 10–17% 감소 • ApoB 40–50% 감소 • 지단백질(a) 30% 감소
효과: LDL콜레스테롤 감소, 관상동맥질환의 예후개선
금기: 주사제 해당 성분에 대한 알레르기
안전성: 중증간기능장애에서 주의
부작용: 주사부위 통증이나 발적, 독감 유사증상 억제
복용법 • Alirocumab 75–150 mg 2주 1회 또는 300 mg 월 1회 피하주사 • Evolocumab 140 mg 2주 1회 또는 420 mg 월 1회 피하주사

에 대해 양성인 환자는 없었다.

4) 경과관찰

투약 전 지질검사를 시행하고 투약시작 4–12주 뒤에 다시 지질검사를 시행해서 투약에 대한 반응 및 적응도를 평가하는 것을 추천하며 이후에는 환자의 심혈관계 위험도 및 투약 뒤 지질강하정도에 따라 3–12개월 간격으로 지질검사를 시행하는 것을 권고한다.

스타틴 투여 시 간기능검사는, 투약 전 검사를 시행하고 투약 후 지질검사와 함께 추적검사를 시행하며, 간 효소수치가 정상의 3배 이상 상승되었을 때 투약중단을 권고한다. 또한 스타틴 투여 후 근육통, 근무력감 등을 호소하면서 creatinine kinase (CK)수치가 정상치의 10배 이상 증가하는 경우 근병증으로 진단하며 투약을 중단할 것을 권고한다.

또한 이전 연구들에서 파이브레이트 투여 후 혈중 크레아티닌수치가 가역적으로 경도의 상승을 보였던 점을 고려하여

국내지침에서도 파이브레이트 투약 전 및 투약 1–3개월 후에 혈중 크레아티닌수치를 확인하는 것을 권고하며, 이후에 이상이 없다면 정기적으로 추적관찰하는 것이 적합할 것으로 생각된다.

3. 특수집단에서의 이상지질혈증 관리

1) 만성신장질환에서 이상지질혈증
신기능의 손상 정도와 무관하게 모든 만성신장질환 환자에서 심혈관질환의 위험도가 증가하는 것은 분명하나, 지질농도 측정의 유용성, 치료대상의 선택 및 그 효과에 대해서는 아직 연구가 많이 부족한 상태이다. 만성신장질환 환자에서도 일반적으로 LDL콜레스테롤 농도가 높을수록 위험도가 증가하지만 신기능이 아주 악화된 경우 혈관질환 발생위험도는 매우 높은 반면에, 염증이나 영양불량 등으로 LDL콜레스테롤 농도는 낮게 나타날 수 있다. 따라서 LDL콜레스테롤 농도를 치료여부 결정에 사용하는 것은 한계가 있다. 새로 진단받은 만성신장질환을 가진 성인(투석 환자 및 이식 환자 포함)은 총콜레스테롤, HDL콜레스테롤, 중성지방 및 LDL콜레스테롤을 포함하는 혈중 지질검사를 시행하며 추적검사의 시기, 간격 및 방법은 환자의 상태에 따라 결정한다.

> • 만성신장질환 환자는 관상동맥질환에 준하는 위험도로 간주하고 LDL콜레스테롤을 낮추는 것을 우선치료목표로 한다.
> • 지속적인 투석치료를 받고 있지 않거나 신이식을 시행받지 않은 만성신장질환을 가지고 있는 경우에는 스타틴 또는 스타틴 + ezetimibe 복합제치료를 권장한다.
> • 지속적인 투석치료를 요하는 만성신장질환 환자에게는 예방효과가 없으므로 스타틴이나 스타틴 + 에제티미브 복합제 치료를 새로 시작하지 않는다.
> • 지속적인 투석치료를 요하는 만성신장질환 환자가 투석 시작시점에 스타틴 혹은 스타틴 + 에제티미브 복합제를 이미 투여받고 있었다면 중단하지 않고 치료를 지속할 것을 권유한다.

사구체여과율 60 mL/min/1.73 m^2 미만 만성신장질환 환자에서는 고용량의 스타틴사용의 안전성에 대한 명확한 자료가 없으며 잠재적인 부작용의 고위험군으로 기존 대규모 연구에서 사용하였던 동일용량으로의 투여를 조심스럽게 하도록 권장된다. 아시아인에서는 보다 적은 용량에서도 LDL콜레스테롤의 감소 및 임상지표의 호전이 관찰되었으므로 저용량으로 치료할 것을 고려할 수 있다.

만성신장질환 환자에서 파이브레이트 투여는 권고되지 않는다(표 10-3-2).

2) 가족성고콜레스테롤혈증
이형접합 가족성고콜레스테롤혈증(familial hypercholesterolemia, FH)은 평균 인구 250–500명당 1명에서 발생한다고 알려져 있는데, 최근 연구에서는 150–200명당 1명에서 발생한다는 결과들도 보고되어 드물지 않은 질병이다. 동형접합 가족성고콜레스테롤혈증은 인구 50만–100만 명당 1명 정도로 드물게 발생한다. 가장 흔한 원인유전자는 주로 LDL수용체유전자이며, 드물게 ApoB나 PCSK9유전자돌연변이에 의해서도 발생한다. 성인이 되면 이형접합인 경우 LDL콜레스테롤은 200–400 mg/dL 정도이고 동형접합에서는 더 높은 수치를 보이며, 중성지방은 정상이지만 상승한 경우도 있다. 치료하지 않으면 이형접합의 경우 60세경에 남성의 50%, 여성의 15%에서 사망할 수 있고 동형접합의 경우 20–30대 젊은 연령에도 사망자가 많지만, 조기에 치료를 시작하면 예후를 개선시킬 수 있다.

가족성고콜레스테롤혈증은 50세 미만의 남성 혹은 60세 미만의 여성에서 조기관상동맥질환이나 가족성고콜레스테롤혈증가족력이 있을 때 의심한다. 이때 이차고콜레스테롤혈증의 원인이 없는지 확인해야 한다. 진단은 임상기준 혹은 DNA를 이용하는데 임상진단기준으로는 Simon Broome 기준(표 10-3-2), Dutch 기준(표 10-3-3), MED/PED 기준이 있다.

일부에서는 성인이 되고 나서도 황색종이 나타나지 않은 경우도 있으므로 황색종 등 임상징후가 없다고 해서 가족성고콜레스테롤 환자가 아니라고 할 수는 없다. 이형접합가족성고콜레스테롤혈증이 진단되면 가족에 대해 연쇄검진(cascade screening)을 하는 것이 좋다.

가족성고콜레스테롤혈증 관리는 생활습관 개선, 지질강하제 처방, 동맥경화성질환에 대한 검사를 포함한다. 생활습관 개선은 식사관리와 금연이 중요하다. 약물치료도 적극적으로 필요한데 가임기여성에서는 주의를 요한다. 약물치료를 결정할 때는 병용약물, 동반질환, 부작용 등도 고려하며 환자나 보호자에게 약물치료가 평생 지속되어야 함을 알려야 한다. 일차로는 스타틴을 사용하며, 스타틴만으로 목표치에 도달하지 못하거나 부작용이 생기면 에제티미브를 사용할 수 있고, 이어서 PCSK9 억제항체피하주사 투여할 것을 고려할 수 있다. 여러 치료로도 LDL콜레스테롤이 조절되지 않으면 apheresis를 고려할 수 있는데, 최근에는 PCSK9 억제항체주사제를 투석 대신 사용하여 LDL콜레스테롤을 효과적으로 조절하고 의료비를 절감하였다는 연구결과들이 보고되었다. 하지만 PCSK9 억제항체도 고가이며 주사제인 단점이 있다. LDL콜레스테롤 목표치는 다른 심혈관계 고위험군 환자에 준하지만, 가족성고콜레스테롤혈증에서는 약물을 최고 용량까지 투여하더라도 100 mg/dL 또는 70 mg/dL 미만까지 떨어뜨리기 힘들기 때문에 부작용이 없는 한도에서 LDL콜레스테롤을 최대한 낮추도록 한다. 기저치에 비하여 LDL콜레스테롤을 50% 이상 떨어뜨리는 것을 목표로 하는 것이 적절하다.

3) 임신과 이상지질혈증

임신에서 지질수치가 처음에는 감소하지만 임신 8주 이후 증가하기 시작한다. 임신 1삼분기나 2삼분기에는 식욕증가와 지방 합성의 증가로 지방이 축적되나, 3삼분기에는 지방분해가 증가하고 지단백질 지방분해효소 활성이 감소하여 지방축적이 감소한다. 임신 후반기에 인슐린저항성은 공복시 산모에서 지방분해, 당신생, 케톤 생성을 증가시킨다. 임신 후반기에는 중성지방, 인지질, 콜레스테롤이 상승하고, 특히 중성지방의 증가가 뚜렷하다. 에스트로겐의 증가로 임신 12주에 HDL콜레스테롤이 증가하기 시작하는 반면, 총콜레스테롤, LDL콜레스테롤은 임신 2, 3삼분기에 증가한다. 임신 중 간지방분해효소의 영향으로 중성지방이 풍부한 LDL콜레스테롤의 크기가 감소하면서 밀도가 더 커진다. 이러한 변화는 혈관내피세포를 손상시키고 죽상종 생성을 야기할 수 있다.

임신 중 이상지질혈증의 치료로 생활습관 개선, 특히 신체적 활동은 임신당뇨병, 임신고혈압을 예방하는 데 효과적이다. 어떠한 종류라도 신체활동을 한 여성에서 평균 중성지방수치가 더 낮다. 식사요법에 대하여는 아직 뚜렷한 결론을 내리기 어려울 것으로 보이며 잘 계획된 연구가 추가적으로 필요하다. 오메가-3지방산은 식사의 정상구성요소에 해당하고, 임신 중 오메가-3 복용이 임신 부작용을 증가시키지는 않는 것으로 생각되고 있다. 하지만, 일반임산부를 대상으로 생선 섭취 대신 오메가-3지방산보충제를 권장할 필요는 없다.

임신 중 스타틴계열 약물사용은 금기이다. 스타틴계열 약물이 임신 중 태아기형을 증가시키지 않는 것으로 생각되나, 임신 중 고지혈증의 치료가 임산부에 유익하다는 증거가 없고 콜레스테롤은 태아발육에 필요한 성분이므로 임신 중 스타틴 사용은 권장되지 않는다. 임신을 계획 중이거나, 임신이 확인된 여성의 경우 스타틴 사용을 중지하는 것이 권장된다.

참 / 고 / 문 / 헌

I.

1. Grundy SM, Stone NJ, Bailey AL, Beam C, Birtcher KK, Blumenthal RS, et al. 2018 AHA/ACC/AACVPR/AAPA/ABC/ACPM/ADA/AGS/ APhA/ASPC/NLA/PCNA guideline on the management of blood cholesterol: executive summary: a report of the American College of Cardiology/American Heart Association Task Force on clinical practice guidelines. J Am Coll Cardiol 2019;73:3168-209.

2. Hur KY, Moon MK, Park JS, Kim SK, Lee SH, Yun JS, et al. 2021 clinical practice guidelines for diabetes mellitus of the Korean Diabetes Association. Diabetes Metab J 2021;45:461-81.

3. Kinoshita M, Yokote K, Arai H, Iida M, Ishigaki Y, Ishibashi S, et al. Japan Atherosclerosis Society (JAS) guidelines for prevention of atherosclerotic cardiovascular diseases 2017. J Atheroscler Thromb 2018;25:846-984.

4. Mach F, Baigent C, Catapano AL, Koskinas KC, Casula M, Badimon L, et al. 2019 ESC/EAS guidelines for the management of dyslipidaemias: lipid modification to reduce cardiovascular risk. Eur Heart J 2020;41:111-88.

5. Pearson GJ, Thanassoulis G, Anderson TJ, Barry AR, Couture P, Dayan N, et al. 2021 Canadian Cardiovascular Society guidelines for the management of dyslipidemia for the prevention of cardiovascular disease in adults. Can J Cardiol 2021;37:1129-50.

6. Rhee EJ, Kim HC, Kim JH, Lee EY, Kim BJ, Kim EM, et al. 2018 Guidelines for the management of dyslipidemia in Korea. J Lipid Atheroscler 2019;8:78-131.

II.

1. 한국지질·동맥경화학회. 2018 이상지질혈증치료지침. 제4판. 경기도: 도서출판 아카데미아; 2018.

2. Cannon CP, Blazing MA, Giugliano RP, Mc-Cagg A, White JA, Theroux P, et al. Ezetimibe added to statin therapy after acute coronary syndromes. N Engl J Med 2015;372:2387-97.

3. Committee for the Korean Guidelines for the Management of Dyslipidemia. 2015 Korean Guidelines for the management of dyslipidemia: executive summary (English translation). Korean Circ J 2016;46:275-306.

4. Coordinating Committee of the National Cholesterol Education Program. Implications of recent clinical trials for the national cholesterol education program adult treatment panel III guidelines. Circulation 2004;110:227-39.

5. European Association for Cardiovascular Prevention & Rehabilitation, Reiner Z, Catapano AL, De Backer G, Graham I, Taskinen MR, et al. 2016 ESC/EAS Guidelines for the Management of Dyslipidaemias. The Task Force for the management of dyslipidaemias of the European Society of Cardiology (ESC) and the European Atherosclerosis Society (EAS). Eur Heart J 2016;32:1769-818.

6. Expert Panel on Detection, Evaluation, and Treatment of High Blood Cholesterol in Adults. Executive summary of the third report of the national cholesterol education program (ncep) expert panel on detection, evaluation, and treatment of high blood cholesterol in adults (adult treatment panel III). JAMA 2001;285:2486-97.

7. Grundy SM, Stone NJ, Bailey AL, Beam C, Birtcher KK, Blumenthal RS, et al. 2018 AHA/ACC/AACVPR/AAPA/ABC/ACPM/ADA/AGS/APhA/ASPC/NLA/PCNA guideline on the management of blood cholesterol. Circulation 2019;139:1046-81.

8. Grundy SM, Stone NJ, Bailey AL, Beam C, Birtcher KK, Blumenthal RS, et al. 2018 AHA/ACC/AACVPR/AAPA/ABC/ACPM/ADA/AGS/ APhA/ASPC/NLA/PCNA guideline on the management of blood cholesterol: a report of the American College of Cardiology/American Heart Association Task Force on clinical practice guidelines. Circulation 2019;139:1082-143.

9. Kidney Disease: Improving Global Outcomes (KDIGO) Diabetes Work Group. KDIGO 2020 Clinical practice guideline for diabetes management in chronic kidney disease. Kidney Int 2020;98:1-115.

10. Mach F, Baigent C, Catapano AL, Koskinas KC, Casula M, Badimon L, et al. 2019 ESC/EAS Guidelines for the management of dyslipidaemias: lipid modification to reduce cardiovascular risk. Eur Heart J 2020;41:111-88.

11. Rhee EJ, Kim HC, Kim JH, Lee EY, Kim BJ, Kim EM, et al. 2018 Guidelines for the management of dyslipidemia. Korean J Intern Med 2019;34:723-71.

12. Sabatine MS, Giugliano RP, Keech AC, Honarpour N, Wiviott SD, Murphy SA, et al. Evolocumab and clinical outcomes in patients with cardiovascular disease. N Engl J Med 2017;376:1713-22.

13. Schwartz GG, Steg PG, Szarek M, Bhatt DL, Bittner VA, Diaz R, et al. Alirocumab and cardiovascular outcomes after acute coronary syndrome. N Engl J Med 2018;379:2097-107.

14. Stone NJ, Robinson JG, Lichtenstein AH, Bairey Merz CN, Blum CB, Eckel RH, et al. American College of Cardiology/American Heart Association Task Force on practice guidelines. Circulation 2014;129:1-45.

15. Visseren FLJ, Mach F, Smulders YM, Carballo D, Koskinas KC, Bäck M, et al. ESC National Cardiac Societies2021 ESC Guidelines on cardiovascular disease prevention in clinical practice. Eur Heart J 2021;42:3227-337.

골·무기질대사

골·무기질대사 기초

최제용 정동진 고정민

I. 골대사: 구조, 기능, 골형성과 골재형성, 상호작용

최제용

1. 골격의 구조와 기능

골은 연골과 함께 인체의 주요한 기능을 담당하는 기관으로, 운동을 위한 지지와 근육부착부위로서의 기계적 기능, 중요한 기관과 골수에 대한 보호기능, 혈청 항상성 유지에 필요한 칼슘과 인의 예비저장소로서의 대사기능을 수행한다. 이와 더불어, 최근 내분비기관으로서의 기능도 밝혀졌는데, 골세포에서 분비되는 섬유모세포성장인자23(fibroblast growth factor 23, FGF23)은 신장에서 인의 재흡수를 조절한다고 알려졌다.

이 장에서는 골의 구조와 발생, 성장, 골재형성(bone remodeling) 및 조직간 상호작용의 기전을 설명하고자 한다. 태생기의 골형성은 평평한 골의 막내골화(intramembranous ossification)와 장골의 연골내골화(endochondral ossification)의 두 가지 골형성과정에 의해 발생한다. 골성장은 골격이 형성되고 이들의 성장과 성숙 동안 골 구조의 변화를 동반한다. 골재형성은 오래된 골을 새로운 골

로 대체하는 과정으로 골격의 모양, 품질과 양을 유지할 수 있다. 이 과정은 기본다세포단위(basic multicellular unit, BMU)로 구성된 파골세포, 골모세포와 골세포의 협력으로 활성–흡수–형성 순으로 이루어진 일련의 작용이다. 최근 골에서 생성되는 오스테오칼신(osteocalcin), FGF23, 그리고 리포칼린-2(lipocalin-2)가 새로운 호르몬이라는 주장도 있다.

1) 골격의 해부구조와 발생

(1) 골격의 해부구조

골격에는 평평한 골(두개골, 견갑골, 하악골 등)과 장골(상완골, 대퇴골, 경골 등)로 두 가지 유형의 골이 있다. 장골의 발생과 성장은 실제로 두 가지 세포골형성 과정을 모두 포함하지만, 이들은 각각 막내골화 및 연골내골화라는 별개의 발생 유형의 산물이다. 막내 및 연골내 골형성의 주요 차이점은 후자에 연골원기(anlage)가 있다는 것이다.

장골은 끝에 2개의 더 넓은 말단인 뼈끝(epiphyses), 중간에 원통형 부분인 뼈몸통(diaphysis), 그리고 이들 사이의 전환영역인 뼈몸통끝(metaphysis)부위로 나눌 수 있다(그림 11-1-1). 한쪽 뼈끝과 뼈몸통끝 사이는 성장판 연골층으로 분리되고, 각각 발생과 성장 동안 2개의 독립적인 골화 중심이 된다.

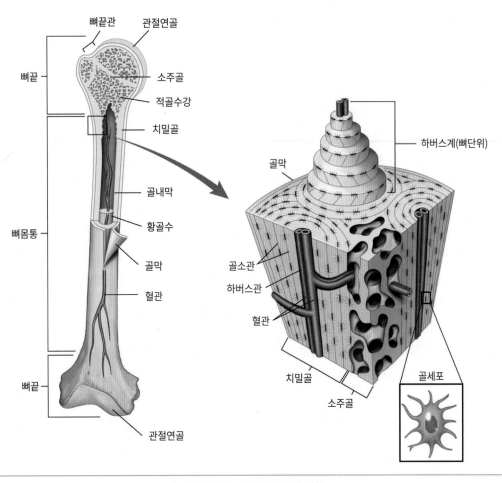

그림 11-1-1. 골의 구조와 명칭

뼈끝, 뼈몸통, 골내막(endosteum), 하버스계 뼈단위(Harversian Osteon), 치밀골(피질골), 소주골, 골소관(canaliculi), 골막 등이 있다(그림에서 신경계는 제외).

골의 외부는 뼈몸통에서 조혈골수강을 둘러싸고, 무기질침착된 두껍고 조밀한 치밀뼈(compact 또는 cortical bone, 피질골이라고도 함)로 되어 있다. 뼈몸통끝과 뼈끝쪽으로 갈수록 피질은 점차 얇아지고 내부 공간은 소주골 또는 해면골(trabecular 또는 cancellous 또는 sponge bone)을 형성하는 얇고 무기질침착이 된 소주의 그물망으로 채워진다. 뼈끝의 외부피질골표면은 무기질침착이 되지 않는 관절연골층으로 덮여 있다. 결과적으로 골은 외부표면(골막표면)과 내부표면(골내막 표면)의 두 가지 면을 따라 연조직과 접촉한다. 이 표면은 각각 골막과 골내막을 따라 골형성세포로 덮여 있다. 피질골과 소주골은 같은 세포와 같은 기질성분으로 구성되어 있지만 구조적, 기능적으로 차이가 있

다. 주요한 구조적 차이는 피질골 부피의 80–90%가 무기질침착이 되어 있는 반면, 소주골은 15–25% 정도만 무기질침착되고 나머지는 골수, 혈관 및 결합조직으로 되어 있다는 점이다. 그 결과 연조직과의 경계면의 70–85%가 모든 소주골표면을 포함한 골내막표면에 있으므로 기능 차이가 발생한다. 피질골은 주로 기계적 보호기능을 수행하고 소주골은 주로 대사기능을 수행한다. 물론 소주골도 생역학적으로 기능하는데 특히 척추골에서 잘 관찰된다.

최근에는 피질골의 다공성(cortical porosity)이 골강도뿐 아니라 골재형성 과정과도 밀접한 관련이 있어 피질골구조에 대한 관심이 높아지고 있다. 실제로, 피질골다공성의 증

가는 취약골절(fragility fracture)의 증가와 관련이 있다.

(2) 골기질과 미네랄

골기질은 주로 1형콜라젠(약 90%)과 비교원성 단백질로 구성된다. 층판(lamellae)골에서 콜라젠섬유는 최적의 골 강도를 위해 아치형성을 한다. 콜라젠섬유는 골 단위부피당 최상의 밀도가 되도록 조직화된다. 층판은 평평한 표면(소주골 및 골막)을 따라 침착된 경우 서로 평행할 수 있고, 혈관을 중심으로 둘러싼 표면에 침착된 채널형태의 경우는 동심일 수 있다(피질골하버시안시스템). 수산화인회석의 스핀들 또는 판형결정은 콜라젠섬유 및 그 내부와 주변기질에서 발견된다. 결정은 콜라젠섬유와 같은 방향으로 배치되는 경향이 있다. 골발생과 골절치유 중에 골이 매우 빠르게 형성되거나 종양과 일부 대사성골질환에서 콜라젠섬유는 정상 층상조직과는 다르게 조직화가 잘 되지 않는다. 이럴 경우, 콜라젠섬유는 단단하게 쌓이지 않고 다소 무작위로 방향지어진 묶음으로 발견되는데, 이러한 유형의 골을 층판뼈와 대조적으로 무층판뼈(woven bone, 편골이라고도 함)라고 한다. 무층판뼈는 콜라젠섬유의 불규칙한 다발, 크고 많은 골세포, 불규칙하게 분포된 부분에서 발생하는데 무기질침착이 지연되고 무질서한 것이 특징이다. 무층판뼈는 정상적인 발달 또는 치유에 뒤따르는 재형성 과정에서 점차 성숙한 층판뼈로 바뀐다.

골기질에 존재하는 수많은 비교원성 단백질이 분리되고 서열이 밝혀졌지만, 그 기능은 부분적으로 규명되어 있다(표 11-1-1). 골기질내 대부분의 비교원성 단백질은 골모세포에 의해 합성된다. 골조직비교원성단백질의 약 25%는 α-2-HS-glycoprotein과 같이 골기질에 우선적으로 흡수되는 혈장단백질로 주로 간에서 합성된다. 생성된 주요 비교원성 단백질은 기질의 1%를 구성하는 오스테오칼신이며 기질에서 칼슘결합, 수산화인회석의 안정화, 골형성 조절을 담당한다. 연골이나 혈관에 많은 바탕질글라단백질(matrix gla protein, Mgp)의 기능을 제거하면 혈관이 심하게 무기질 침착되는 것으로 보아 Mgp는 연조직의 무기질침착을 억제하는 기능이 있다. 이와 대조적으로 biglycan은 유전자제

표 11-1-1. 뼈의 비교원성 단백질들

단백질	분자량	기능
Osteonectin (SPARC)	32K	칼슘, 수산화인회석과 기질단백질 결합, 세포부착 조절
α-2-HS-Glycoprotein	46-67K	단백구에 대한 화학주성, 기질소포를 통한 무기질침착
Osteocalcin (Bone GLA protein)	6K	수산화인회석 안정화, 칼슘 결합, 단핵구 화학주성, 골형성 조절
Matrix-GLA-protein	9K	골기질 무기질침착 억제
Osteopontin	50K	RGD 통한 세포부착, 칼슘 결합
Bone Sialoprotein II	75K	RGD 통한 세포부착, 칼슘 결합
24K Phosphoprotein	24K	콜라젠 가공 잔여물
Biglycan (Proteoglycan I)	45K core	콜라젠섬유 성장조절, 무기질침착 및 골형성, 성장인자 결합
Decorin (Proteoglycan II)	36K core + side chains	콜라젠섬유소 생성, 성장인자 결합
Thrombospondin & Fibronectin		RGD 통한 세포부착, 성장인자 결합, 수산화인회석 형성
Others (including proteolipids)		무기질침착
IGF1, IGFII, TGFβ, FGFs, BMPs		골모세포의 분화, 증식 및 활성, 골형성 및 골절재생에서 뼈와 연골의 유도

거생쥐에서 골량과 골형성이 감소하는 것으로 보아 골형성 촉진자임을 나타낸다.

(3) 골의 발생과 무기질침착

인체는 206개의 뼛조각으로 구성되어 있으며 크게 몸통골격과 사지골격으로 나눈다. 골조직은 간엽줄기세포의 위치에 따라 세 가지로 나눌 수 있다. 외배엽에서 유래된 신경능선(neural crest)에서 발생하는 얼굴머리골(viscerocranium), 축옆중배엽(paraxial mesoderm)의 골분절(sclerotome)에서 발생하는 중측골격(axial skeleton), 그리고 측판중배엽(lateral plate mesoderm)에서 유래되는 사지골격이다(그림 11-1-2).

신경관(neural tube) 아래의 중심축을 따라 척삭(notochord)을 생성하여 나중에 추간판(intervertebral disc)을 만드는 축중배엽[axial mesoderm, 척삭중배엽(cordamesoderm)이라고도 함]도 몸통골격을 구성하는 한 요소이다. 그 밖에, 신장과 성선을 형성하는 중간중배엽(intermediate mesordem)을 고려하면 태생기 창자배형성(gastrulation)과정 동안 4개의 중배엽이 있다고 할 수 있다.

골형성을 세포 수준에서 살펴보면 간엽줄기세포를 필두로 골모세포, 골세포, 파골세포가 모두 관여하여 일어난다. 골형성방식은 크게 두 가지로 나눌 수 있는데 간엽줄기세포가 직접 뭉쳐져 골모세포가 되는 막내골화와 연골세포로 분화

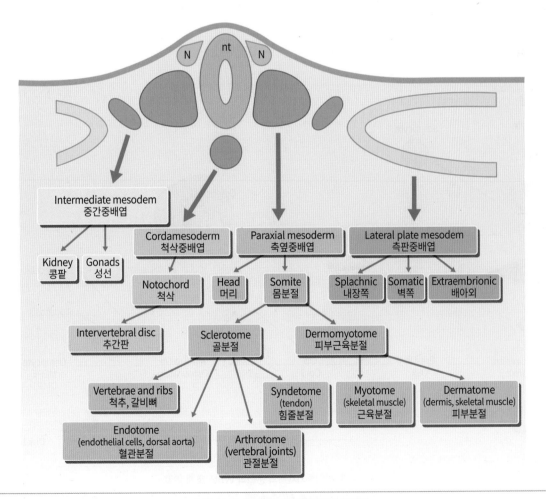

그림 11-1-2. 태생기 중배엽 유래 조직들

척삭중배엽과 축옆중배엽은 중축골격을 형성하는 반면, 중간중배엽은 신장과 성선을 형성하고 측판중배엽은 순환계, 체벽 및 사지를 형성한다. 신경관(nt, neural tube), 신경능선(N, neural crest). 논문(Tani S et al., Exp Mol Med, 52:1166-1177, 2020) 그림에서 일부 수정.

되었다가 나중에 연골이 골로 바뀌는 연골내막골화이다. 간엽줄기세포에서 골모세포로 바로 전환되는 막내골화는 주로 평평한 골로 이루어진 두개골이나 팔, 다리와 같은 장골의 골고리(bone collar)부위에서 보이고, 연골내막골화는 사지골에서 연골부위가 골로 전환되는 것을 말한다.

골형성은 성숙한 골모세포가 세포외 기질을 침착하고 그 위에 인산칼슘으로 무기질침착시켜 단단한 조직을 만드는 과정이다. 골성장은 시기에 따라 패턴형성 과정인 골모형화 단계와 성인의 골조직에서 일어나는 골재형성 단계로 나눌 수 있다. 골모형화는 파골세포와 골모세포가 짝지음(coupling) 없이 각기 다른 곳에서 골형성과 골흡수가 일어나는 것이고, 골재형성은 같은 곳에서 파골세포와 골모세포의 짝

지음 작용으로 국소적으로 진행된다. 골형성은 BMP와 Wnt신호전달계가 핵심적인 역할을 한다(그림 11-1-3).

골형성은 세 가지 단계별 협력과정에 의해 발생한다. 먼저 유골기질(osteoid matrix)이 만들어지고, 성숙한 후 골기질의 무기질침착이 일어난다. 정상적인 성인 골에서 이러한 과정은 같은 속도로 발생하므로 기질 생성과 무기질침착 간의 균형을 이룬다. 초기에 골모세포는 무기질침착 없이 빠르게 콜라겐을 침착시켜 두꺼워진 유골이음매(osteoid seam)를 생성한다. 이것은 콜라겐 합성 속도와 맞도록 무기질침착 속도의 증가로 이어진다. 마지막 단계에서 콜라겐의 합성 속도가 감소하고 유골이음매가 완전히 무기질침착될 때까지 무기질침착이 계속된다. 이 시간 지연은 무기질침

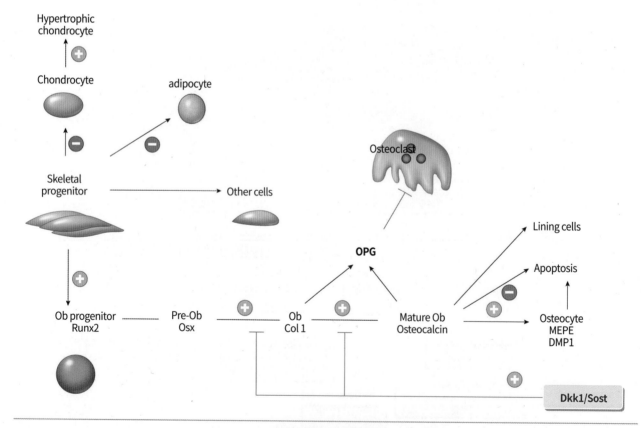

그림 11-1-3. 간엽줄기세포의 운명과 Wnt신호계 역할

일반적인 Wnt경로는 지방세포나 연골세포로의 분화를 억제하는 반면 골모세포로의 분화를 촉진한다. 분화된 골모세포나 골세포는 Wnt억제자인 Dickkopf (Dkk1)과 스클레로스틴(sclerostin)단백질을 골모세포의 분화와 기능을 조절하는 음성되먹임 조절의 하나로 분비한다. Wnt신호계는 골모세포의 오스테오프로테제린(osteoprotegerin, OPG) 생성을 높이고 OPG/RANKL비를 증가시켜 파골세포 분화와 골흡수를 억제한다. 최근 간엽줄기세포(skeletal progenitor)는 종류가 매우 많고 그 특징적인 표지자들도 다양하다는 것이 밝혀졌다. Ob, osteoblast, OPG, osteoprotegerin. ⊕/⊖, 촉진/억제.

착지연시간 또는 유골성숙기간이라 하는데 유골이 무기질 침착되도록 수정되는 데 필요한 것으로 보인다. 이 지연은 아직 잘 이해되고 있지 않지만, 콜라겐가교가 발생하거나 기질 Gla단백질과 같은 무기질침착억제제가 제거되어 무기질 침착이 진행되는 것으로 추정된다.

무층판뼈 또는 성장판연골에서 무기질침착을 시작하려면 Ca과 PO_4^{3-} 이온의 국소 농도가 높게 도달해야 하며, 이로 인해 무정형인산칼슘으로 침전되어 수산화인회석결정을 형성하게 된다. 초기 결정형성은 비대연골세포 또는 골모세포의 세포질과정에서 발아(budding)에 의해 시작되고 형성되는 동안 기질 내에 침착되는 기질소포(matrix vesicle)에 의

해 이루어진다. 이러한 소포는 기질에서 수산화인회석결정이 관찰되는 첫 번째 구조이다. 막은 알칼리성인산염분해효소(alkaline phosphatase, ALP)와 산성인지질이 매우 풍부하여 파이로인산염(pyrophosphate)과 ATP를 포함하는 기질의 무기질침착억제제를 가수분해함으로써 수산화인회석 결정화를 허용한다. 결정이 기질환경에 있으면 체액에 존재하는 칼슘과 인의 지속적인 침착으로 더욱 합쳐져 콜라겐섬유 사이와 내부 공간을 결정으로 채워 기질을 완전히 무기질침착시킨다. 성인 층판뼈에는 기질소포가 잘 관찰되지 않고 무기질침착전면(mineralization front)이 유골로 바뀌어 질서정연하게 무기질침착이 일어난다(그림 11-1-4.)

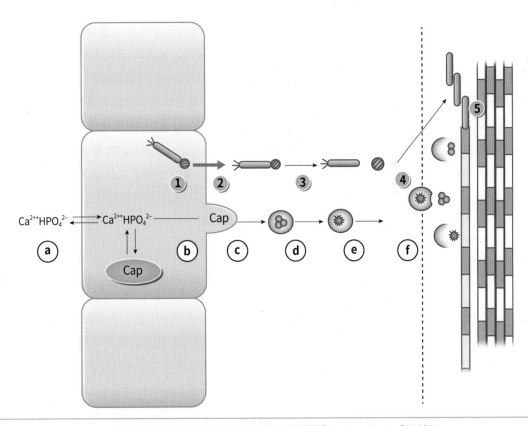

그림 11-1-4. 세포로 시작하는 초기 무기질침착(biomineralization) 모식도

비대연골세포, 골모세포, 상아질모세포 등은 생체 내에서 무기질침착할 수 있는 세포들이다. A, 세포층; B, 단백질과 다당류가 많은 비무기질침착된 기질; C, 무기질침착전면(mineralization front); D, 무기질침착된 콜라겐. 위 순서는 교원섬유 생합성과정을 보여준다. ① 골모세포내 procollagen 합성. ② Procollagen 비. ③ Procollagen의 아미노 및 카복시말단을 제거하여 tropocollagen으로 전환. ④ Tropocollagen이 중합되어 콜라겐가는섬유 형성. ⑤ 교원섬유의 성숙. 아래 ⓐ–ⓕ 무기질침착단계를 나타낸다. ⓐ 칼슘과 인산이온 흡수. ⓑ 사립체에 인산칼슘의 형태로 이온들 저장. ⓒ 세포막에 간질소포(matrix vesicle) 출아. ⓓ 간질 소포내칼슘과 인산 이온 더욱 축적되며, 무정형인산칼슘이 생성. 간질소포는 B지역에서 C지역으로 이동. ⓔ 간질소포 내에서 무정형인산칼슘이 수산화인회석으로 전환. ⓕ 무기질침착전면에서 간질소포가 분해되어 교원섬유의 hole에 무기질을 침착시켜 교원섬유 주위에 빠르게 무기질침착이 일어난다.

골형성은 골모세포의 수와 기능에 의존한다. 골모세포의 수는 골모전구세포의 증식을 조절하거나 골모세포로의 분화를 조절하는 인자들과 골모세포의 사멸을 억제하는 인자들에 의해 조절된다. PDGF와 FGFs 등은 골모전구세포에 성장인자로 작용한다. BMP나 Wnt는 간엽줄기세포에서 골모세포로의 분화를 유도할 수 있고, IGF1이나 PTH는 골모세포의 기능을 촉진하고 세포사멸을 억제한다. BMP와 Wnt의 활성은 세포외 대항제나 결합단백질 등에 의하여 조절된다. 골다공증치료제로 합성대사작용제제로 개발되는 약물로는, 이러한 인자(예: PTH)를 직접 주입하거나 대항제에 대한 항체(Romosozumab, anti-sclerostin antibody) 사용이 있다. 또한 간엽줄기세포단계에서 세포 수를 많이 확보하여 외부인자를 통해 직접 골모세포로 분화시켜 조직공학적으로 응용하는 중개연구도 많이 진행되고 있다.

골모세포의 기능은 크게 세포외 기질에 칼슘, 인과 같은 무기이온을 침착하는 무기질침착, M-CSF, RANKL, 오스테오프로테제린 발현을 통한 파골세포 형성, 그리고 혈액줄기세포의 보금자리(niche)의 역할 등 여러 가지가 있다. 실제 실험에서 손쉽게 측정할 수 있어 가장 많이 사용되는 방법으로는 골모세포에서 유래하는 특정 단백질의 발현 정도를 평가하는 것이다. 예로써 오스테오칼신은 성숙골모세포에서 많이 만들어지는 단백질로 혈액에서 측정 가능하며, 이는 실제 세포 수준에서 골형성기능을 판정하는 주요수단이 된다.

골모세포의 수와 기능에 대한 조절은 골조직에서 중요하다고 알려진 여러 신호전달계가 관여한다(그림 11-1-3). 이들 신호전달기전 중 가장 많이 알려진 것은 Hh, Wnt, BMP, FGF, IGF-1, Notch, MAPK, PI3K 등으로 매우 다양하며, 그 외 다른 신호전달계의 중요성에 관한 연구도 지속적으로 진행되고 있다. 골모세포 형성에 중요한 인자는 Ihh으로 유전적으로 제거하면 연골내막골화 동안 골고리와 골모세포가 형성되지 않는다. 전비대연골세포에서 생성되는 Ihh가 RUNX2를 유도하고 Ihh은 다시 RUNX2의 하부유

전자이기도 하여 양성되먹임 구조로 조절된다. 앞에서도 기술된 바와 같이 골모세포 형성을 주도하는 전사인자로는 RUNX2와 Osterix를 들 수 있다. RUNX2가 존재하지 않으면 골모세포가 형성되지 않는다. 마찬가지로 RUNX2의 하부유전자인 Osterix를 제거해도 골모세포가 형성되지 않는다. 이는 RUNX2가 BMP, Wnt신호전달계의 하부 표적유전자이며, RUNX2와 Osterix를 포함한 다양한 전사인자들이 핵심적으로 관여하여 골모세포의 기능을 조절함을 보여준다. 그 외 골모세포 형성과 기능에 관여하는 많은 전사인자들이 밝혀지고 있다.

2) 골조직의 세포와 기능

(1) 골모세포(osteoblast)와 골형성

골모세포는 골기질 구성성분, 콜라겐 및 비교원성 단백질의 생산을 담당하는 세포로 골표면을 덮고 있다(그림 11-1-3, 11-1-5). 골모세포는 개별적으로 나타나거나 단독으로 기능하지 않으며 항상 골표면을 따라 위치하는 입방형 세포집단으로 발견된다. 골표면에서 함께 작동하는 골모세포 사이에 틈새이음(gap junction)이 종종 발견된다. 또한 골모세포는 골기질 내의 골세포 그물망과 소통하는 것으로 보인다. 이는 골모세포의 분비측의 세포질돌기(process)가 골기질 깊숙이 확장되고 거기에 거주하는 골세포의 돌기와 접촉하기 때문이다.

광학현미경으로 관찰할 때, 골모세포의 핵은 세포의 기저부에 있고 골표면에서 멀리 떨어져 있으며 형태적으로 둥근 핵, 강한 호염기성 세포질, 세포의 핵과 정점 사이에 있는 발달한 조면소포체와 다중 골지복합체가 특징이다. 이러한 소기관은 골모세포의 주요 활동인 1형콜라겐 및 비교원성 골기질 단백질의 생성과 분비에 관여한다. 골모세포는 항상 생성하는 골기질층을 둘러싸고 있지만 무기질침착되기 전에 유골조직에서 발견된다. 유골은 기질 형성과 무기질침착 사이에 약 10일의 시간지연으로 인해 존재한다. 골모세포 전에는 일반적으로 활성화된 중간엽세포와 골모전구세포

(preosteoblast)가 한 층 또는 두 층으로 존재한다. 성숙한 골모세포는 분열하지 않는다.

또한 골모세포는 IGF, PDGF, bFGF, TGFβ, BMP나 Wnts 등의 다양한 자극으로 인해 성장인자와 사이토카인을 생성한다. 골모세포의 활성은 이러한 성장인자에 의해 자가분비(autocrine) 및 주변분비(paracrine) 방식으로 조절되며, 성장인자의 수용체는 골모세포에서 발견될 뿐만 아니라 다양한 내분비호르몬에 대한 수용체로도 작용한다. 골모세포 활성에 대한 전형적인 내분비수용체로 PTH/PTHrP, 갑상선호르몬, 성장호르몬, 인슐린, progesterone, prolactin에 대한 수용체가 있으며, 핵수용체로 에스트로젠, 안드로젠, 콜레칼시페롤 및 레티노이드에 대한 수용체가 있다. 주변분비와 자가분비수용체에는 EGF, IGF, PDGF, TGFβ, ILs, FGF, BMP, Wnt에 대한 수용체가 포함된다. 골모세포에는 골표면에 세포부착에 관여하는 여러

접착분자(integrins)에 대한 수용체도 있다.

골모세포에서 분비되는 사이토카인 중에는 파골세포 분화의 주요조절인자, 즉 M-CSF, RANKL 및 오스테오프로테제린이 있다. M-CSF는 파골세포계통단핵구의 증식, 생존 및 활성을 조절하는 데 필수적이며 RANKL은 파골세포의 분화를 촉진한다.

골모세포는 골수기질줄기세포(내막) 또는 결합조직중간엽줄기세포(골막)인 국소다능중간엽줄기세포에서 유래한다. 이러한 전구체는 적절한 자극을 받으면 증식을 거쳐 골모전구세포로 분화되며, 이후 성숙한 골모세포로 분화된다. 골모세포의 분화는 발생과 성숙 동안 전사인자 및 사이토카인의 순차적인 제어에 의한 유전자발현과 세포활성이 시간 순서대로 표현형의 특징을 보이며 점진적으로 일어난다(그림 11-1-5).

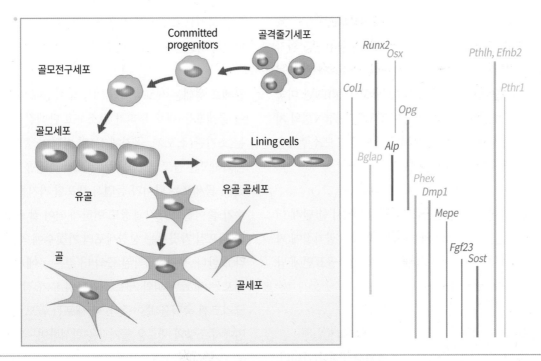

그림 11-1-5. 골모세포/골세포계 분화와 관련 유전자발현

골모세포로의 분화는 Runx2, Osterix 발현이 높고 중요하다. 초기 골기질을 생성하는 골모세포는 PTH수용체(*Pthr1*), Alp가 많이 발현되고 성숙골모세포는 1형콜라젠(*Col1*), osteocalcin (*Bglap*), *Opg* 발현이 높다. 골세포는 *Phex, Mepe, Dmp1, FGF23, Sost*가 높게 발현된다. PTHrP (*Pthlh*)와 Ephrin B2 (*Efnb2*) 발현은 골모세포 분화 동안 일정하다. 표면세포(lining cell)의 특징적인 표지자는 아직 알려져 있지 않다. Pthlh, parathyroid hormone-like hormone.

RUNX2와 RUNX2 하부유전자인 Osterix는 골모세포 분화에 절대적으로 필요하다. RUNX2는 골모세포 외에도 중간엽 응축 및 연골세포 성숙에도 관여한다. RUNX2의 하부유전자는 RUNX2 자신과 오스테오칼신, Bone sialoprotein, 1형콜라젠, osteopontin 등 성숙한 골모세포에 의해 발현되는 여러 유전자를 포함한다. Osterix는 전구체 세포를 연골세포에서 골모세포 계통으로 유도하는 데 중요한 역할을 한다.

최근 골형성 조절에 대한 이해에서 가장 중요한 돌파구는 Wnt의 공동수용체인 LRP5와 인간과 생쥐의 골량 사이의 명확한 연관성을 발견한 것이다. LRP5의 기능상실은 골량이 극도로 낮은 골다공증가성교종증후군(OPPG)을 유발하는 반면, 기능 증가는 인간에서 높은 골량을 보인다. 또한 Wnt경로의 내인억제자인 스클레로스틴유전자결실돌연변이의 경우 반부켐증후군(Van Buchem disease)에서와 같이 골경화성 표현형이 나타난다. 이러한 발견은 두 분야 모두에서 완전히 새로운 기전을 제시하였다. 또한 골모세포와 골기질 분비활성을 조절하는 기전을 이해하고 Wnt신호전달경로의 한 구성요소를 표적으로 삼아 골다공증 환자의 골량을 증가시키는 약물의 발견이라는 측면에서, 이들 발견은 매우 중요한 의의를 갖는다. 참고로 2019년 미국 FDA는 골절 위험이 큰 골다공증이 수반된 폐경여성의 치료를 위해 스클레로스틴에 대한 중화항체인 로모소주맙을 승인했다(한국도 같은 해 승인).

기질 분비기간이 끝날 무렵, 골모세포 성숙에서 한 단계 더 나아가 성숙한 골모세포의 약 15%가 새로운 골기질에 싸여 골세포로 분화된다. 일부 다른 골모세포는 골표면에 남아 평평한 표면세포(lining cell)가 된다.

(2) 골세포(osteocyte)

무기질침착된 골기질은 대사적으로 불활성상태가 아니며, 실제 매우 활동적이다. 골세포는 작은 열공(lacunae)의 골 깊숙이 박혀 있다(그림 11-1-6). 모든 골세포는 생성된 골기

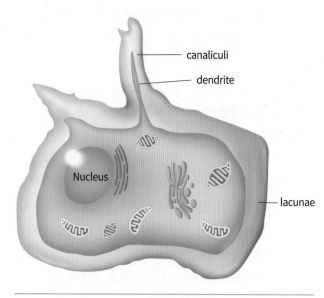

그림 11-1-6. 골세포

무기질침착이 된 골기질내 열공 안에 존재하는 골세포의 모식도. 핵과 많은 세포질가지(dendrite) 그리고 비교적 골지체와 소포체가 잘 발달되어 있다.

질에 갇혀 있는데 무기질침착하는 골모세포에서 유래하였다. 골모세포의 대사활동은 일단 골기질에 완전히 감싸이게 되면 극적으로 감소하여 골세포가 되지만 이러한 골세포는 여전히 기질단백질을 생산한다.

골세포 형태는 세포나이와 기능적 활성에 따라 다르다. 어린 골세포는 세포 부피가 감소하고 단백질 합성에 관여하는 소기관(소포체, 골지체 등)의 발달이 줄어든다는 점을 제외하고는 골모세포의 미세구조적 특징을 대부분 가지고 있다. 골세포는 나이가 들면서 세포질 가지돌기(dendrite) 수가 줄어들고 대사과정도 변하게 되어 잘 죽는다. 골세포의 세포질 가짓수는 신경세포의 가짓수에 약 50% 정도 된다고 한다. 무기질침착된 골의 더 깊은 곳에 있는 오래된 골세포는 세포 부피와 세포소기관의 추가 감소와 세포질의 글리코겐 축적을 보여준다. 이 세포는 골모세포 열공의 표면에서 소량의 새로운 골기질을 합성하며, 추후 무기질침착될 수 있다. 골세포는 낮은 수준의 오스테오칼신, osteopontin, osteonectin 및 골세포 E11을 포함한 많은 골모세포표지자를 발현한다. 또한 DMP1, MEPE 등과 같은 단

백질뿐 아니라 나중에 다루게 될 FGF23, 리포칼린-2, 스클레로스틴 등도 발현한다.

골세포는 미세필라멘트(microfilament)가 풍부한 수많은 긴세포질가지(dendrite)를 가지고 있고 다른 골세포의 세포질가지와 틈새이음으로 연결되어 있으며, 골표면을 감싸는 골모세포 또는 표면세포의 가지와 접촉한다. 이러한 과정은 골기질이 형성되는 동안, 무기질침착되기 전에 구성된다. 골세포는 전체 골기질에 침투하는 얇은 세관(canaliculi)의 그물망을 형성한다. 골세포세관은 세포 주위에 고르게 분포되어 있지 않지만 주로 골표면을 향하고 있다. 골세포의 세포막

과 골기질 자체 사이에는 공간이 있다. 이 공간은 열공과 세관 모두에 존재하며, 세포바깥액(extracellular fluid, ECF)으로 채워져 골세포의 유일한 영양소, 사이토카인 및 호르몬의 공급원으로 사용된다. 세관그물망을 통한 세포바깥액의 흐름은 골기질 압축 및 장력 동안 변경되며 주변 조직에서 세포바깥액과의 교환을 허용할 뿐 아니라 기계적 접촉감지 및 골재형성의 조절에 직접적으로 관련된 전단력을 생성하는 것으로 추정된다. 기계적 접촉 신호전달에 대한 현재의 이해는 골의 기계적 부하에 의해 결정되는 유체흐름의 변화를 감지할 수 있는 골세포의 섬모(mechano-sensing cilium)의 존재를 기반으로 한다. 기계적 부하를

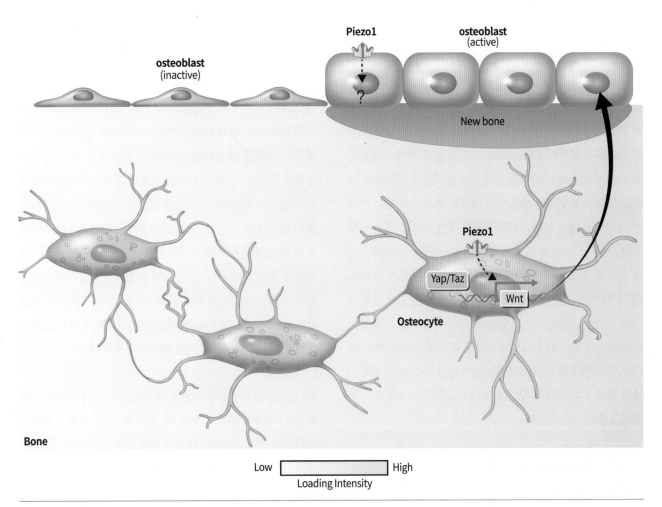

그림 11-1-7. 기계적 부하로 골형성이 촉진되는 방식

기계적 부하는 골모세포와 골세포에서 Piezo1 이온통로를 활성화하여 골세포에서 Yap/Taz 의존적으로 WNT1의 발현을 증가시킨다. WNT1은 골모세포의 새로운 골형성을 촉진한다.

감지하는 섬모의 활성화는 RANKL, 오스테오프로테제린 또는 스클레로스틴과 같은 골형성 및 골흡수를 조절할 수 있는 사이토카인의 국소 농도를 결정할 수 있다. 최근, 골세포가 Piezo1 이온통로를 통하여 기계적 부하를 감지하여 골형성을 촉진한다고 알려진 바 있다(그림 11-1-7).

실제로, 그물망의 구조와 세포바깥액의 흐름이 감지될 수 있는 열공 내의 골세포의 위치를 고려할 때, 골세포는 골조직 변형에 반응하고 골재형성이 필요한 부위에 파골세포를 모집하여 골재형성 활동에 영향을 미칠 가능성이 있다. 골에 부하를 가하면 골세포의 활성이 증가한다. 세포배양에 관한 연구는 기계적 자극 후 골세포에 의한 칼슘 유입과 프로스타글랜딘 생성 증가를 입증했지만, 현재까지 골변형(bone strain) 또는 미세손상(microdamage)에 대한 반응으로 골세포가 골표면의 세포에 신호를 보낸다는 직접적인 증거는 아직 부족하다. 골세포는 세포사멸이 발생할 수 있으며 프로그램된 세포사멸은 골재형성 유도에 대한 중요한 신호 중 하나일 수 있다. 궁극적으로 골세포의 운명은 파골세포의 골흡수과정에서 골의 다른 성분과 함께 식세포작용을 거쳐 소화되는 것이다. 골세포를 분리하고 배양하는 최근의 능력과 불멸화된 세포주의 개발은 분자 수준에서 연구를 가능하게 하여 골생물학과 질병에 대한 이해를 크게 향상시키고 있다. 특히, 골세포가 WNT대항제인 스클레로스틴을 분비할 수 있고 이 분비가 PTH 치료와 기계적 부하에 의해 억제된다는 발견은 생체역학, 내분비호르몬, 골형성과 골세포 사이의 직접적인 연결을 시사한다. 또한 골세포는 RANKL과 오스테오프로테제린를 분비하여 골흡수 조절에도 기여한다. 따라서 골세포는 골재형성을 통하여 골의 기계적 힘에 의한 골량과 모양 조절에 중요한 세포유형으로 부상하고 있다.

(3) 파골세포(osteoclast)와 골흡수

파골세포는 골흡수를 담당하는 세포로, 지름이 최대 100 μm이고 4-20개의 핵을 포함하는 거대한 다핵세포이다(그림 11-1-8). 일반적으로 이들은 무기질침착된 골표면과 접촉하고 자체 흡수활동의 결과인 열공(lacunae) 내에서 발견된다. 동일한 재흡수부위에 최대 4-5개의 파골세포가 발견되기도 하나, 보통 1-2개만 존재한다. 광학현미경으로 관찰할 때, 핵은 같은 세포 내에서 다양한 형태로 나타난다. 일부는 원형 모양을 띠고, 일부는 불규칙하고 이색적인 모양을 나타낸다. 이러한 핵 형태의 다양성은 단핵전구체들이 서로 다른 세포주기상태에서 융합되었음을 반영한다고 볼 수 있다. 세포질은 많은 액포가 있는 '거품'이며 뼈와 접촉하는 영역은 양쪽에 조밀한 패치의 주름테두리(ruffled border)가 있는 것이 특징이다.

파골세포의 미세구조적 특징은 각 핵 주위에 풍부한 골지복합체, 사립체 및 용해소체효소가 탑재된 수송소포가 존재한다는 점이다. 그러나 파골세포의 가장 큰 특징은 골기질과 주변 부착 밀봉영역(sealing zone)과 마주하는 영역에서 주름테두리라는 원형질막의 깊은 접힘이라고 할 수 있다. 밀봉영역은 액틴코어와 그 주변의 여러 세포뼈대와 조절단백질이 있는 접착초점링(포도좀)에 의해 형성되며, 이 단백질은 세포를 골표면에 부착하여 파골세포 아래 골흡수구획을 밀봉한다. 기질에 대한 세포의 부착은 기질단백질에서 발견되는 특정 RGD서열에 결합하는 인테그린수용체를 통해 일어난다(표 11-1-1 참고). 주름테두리영역의 세포막에는 용해소체와 관련 세포기관의 제한막에서도 발견되는 단백질과 산성화에 관여하는 특정 유형의 전기발생액포양성자인 ATPase가 포함되어 있다. 파골세포의 기저외측세포막은 특히 Na, K-ATPase(나트륨펌프), HCO_3^-/Cl^-교환기, Na/H교환기 및 수많은 이온채널이 풍부하다.

TRAP 및 카텝신K와 같은 용해소체효소는 파골세포에 의해 활발하게 합성되며 소포체, 골지 및 많은 수송소포에서 발견된다. 효소는 주름테두리경계를 통해 세포외 골흡수구획으로 분비되며, 이 구획은 밀봉되어 있어서 세포외 농도가 충분히 높은 상태를 유지할 수 있다. 파골세포의 정점극에서 분비를 위한 이들 효소의 수송과 표적화는 mannose-6-phosphate수용체도 포함된다. 또한 세포는 골기

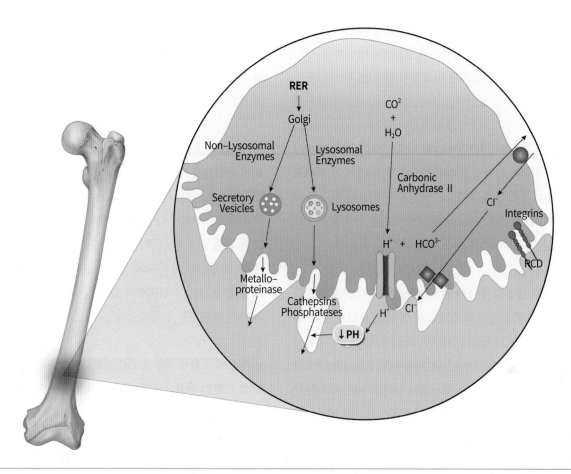

그림 11-1-8. 파골세포와 골흡수기전

파골세포는 인테그린(αVβ3)이 골기질에 부착하여 밀봉영역(sealing zone) 형성. 밀봉된 구획은 cathepsin K와 같은 용해소체효소들이 골흡수를 위한 최적의 pH에 도달하도록 산성화된다.

질분해뿐 아니라 골표면으로 전골세포 이동에 관여하는 것으로 보이는 MMP-13과 MMP-9와 같은 여러 분해효소를 분비한다. 파골세포에 의해 합성되고 분비되는 주요효소 중에는 낮은 pH에서 콜라겐을 분해할 수 있는 효소인 카텝신K가 있으며, 이는 골흡수 억제의 표적이 된다.

파골세포의 골표면 부착은 골흡수에 필수적이다. 이 과정은 인테그린의 막횡단접착수용체를 포함한다. 인테그린은 골기질 내부 또는 표면에서 단백질 내의 특정 아미노산서열(대부분 RGD서열)에 부착한다. 파골세포는 αVβ3 (vitro-nectin 수용체), α2β1 (collagen 수용체) 및 αVβ5 인테그린을 주로 발현한다. 세포부착이 없으면 산성화된 미세환경

이 확립될 수 없으며 파골세포는 포도좀 형성과 관련된 기능적 특성인 고도의 이동성을 가질 수 없다.

파골세포가 골기질에 부착된 후, αVβ3의 결합은 세포확산(cell spreading)과 분극화(polarization)를 초래하며 파골세포 내에서 세포뼈대를 재구성하게 된다. 대부분 세포에서 세포부착은 미세필라멘트 다발로 된 응력섬유(stress fibers)가 세포를 기질에 고정하는 국소접착(focal adhe-sion)을 통해 발생한다. 파골세포에서 부착은 포도좀을 통해 발생한다. 포도좀은 국소접착보다 더 역동적인 구조이며, 운동성이 높은 세포에서 발생한다. 골흡수 동안 골표면을 가로질러 파골세포운동을 허용하는 것은 포도좀의 지속

적인 조립과 분해이다. 인테그린 신호전달과 이에 따른 포도 좀형성은 Src유전자결손생쥐에서 골화석증에 의해 입증된 바와 같이 파골세포 성숙에 필요하지 않지만, 파골세포기 능에 필요한 Src를 포함한 adhesion kinases의 활동에 의존한다. 국소부착인산화효소(focal adhesion kinase) 계열의 또 다른 구성원인 Pyk2도 파골세포 부착 동안 αVβ 3에 의해 활성화되며 골흡수에 필요하다. 여러 가지 액틴조 절단백질이 포도좀에 존재하고 골흡수에 필요한 것으로 나 타났으며, 이는 파골세포기능에서 인테그린 신호전달과 포 도좀 조립 및 분해의 중요성을 잘 보여준다.

파골세포는 밀봉영역 내에 존재하는 골기질과 수산화인회 석 결정을 단백질 분해와 산성화를 통해 흡수한다. 탄산탈 수소효소 II 형(Carbonic anhydrase 2, CA2)에 의해 세 포 내에서 생성된 수소이온은 기저외측막에 위치한 양성자 펌프를 통해 주름경계막을 가로질러 나가게 되어 세포외 구 획을 산성화한다. 양성자는 파골세포의 세포질에 풍부하게 존재하며 ATP와 CO_2는 사립체에서 제공된다. 기저외측막 활성은 중탄산염을 염소이온으로 교환하여 세포질의 알칼 리화를 방지한다. 기저외측도메인의 K채널과 골흡수측주 름테두리경계(apical ruffled border)의 염소이온 채널은 액포 H-ATPase에 의해 생성된 전기발생의 경사를 사라지 게 한다. 기저외측 나트륨펌프는 Na/Ca교환기 및/또는 는

Na/H antiporter와 함께 칼슘 및/또는 양성자의 이차능 동수송에 관여할 수 있다. 산성화와 이온수송체계의 구성 요소 중 몇 가지의 유전돌연변이는 인간과 생쥐에서 파골세 포에 의한 골흡수 결함인 골화석증과 관련이 있다.

골기질흡수의 첫 과정으로 낮은 pH는 수산화인회석결정을 녹여 골기질을 노출시킨다. 노출된 잔여 콜라겐섬유는 최적 의 pH에서 카텝신K에 의해 분해된다. 세포외 분해잔류물 은 내재화되거나 세포를 가로질러 수송되어 기저외측영역 으로 방출된다. 잔류물은 또한 밀봉영역이 풀리는 동안 방 출될 수 있는데 아마도 파골세포운동 중에 발생할 수 있으 며 골흡수구획에서 세포외 칼슘 상승에 반응하는 칼슘 센 서에 의해 유도될 수 있다.

골흡수의 조절은 대부분 기질세포, 골모세포 및 골세포에 대 한 호르몬의 작용으로 매개된다. 예를 들어, PTH는 골모세 포에서 M-CSF, RANKL, 오스테오프로테제린 또는 IL- 6의 생성을 자극할 수 있으며, 이들은 파골세포에 직접 작용 한다. 파골세포는 단핵구세포 계통의 세포에서 유래되었다 (그림 11-1-9).

이들의 분화는 초기단계에서 전사인자인 PU.1 및 MiTF를 필요로 하며 전구체를 골수계통으로 분화되게 한다. PU.1과

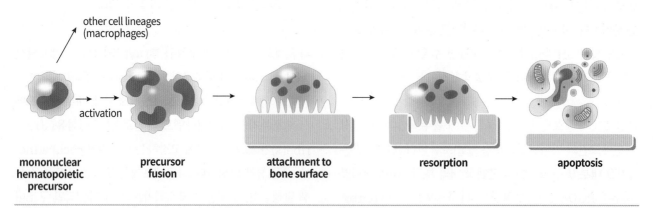

그림 11-1-9. 파골세포주기

파골세포는 활성 때 다른 전구체와 융합하여 다핵세포를 형성하는 단핵조혈전구체세포에서 유래하였다. 파골세포는 골에 부착한 다음 흡수를 시작한다. 골흡수주기 후 에 파골세포는 세포자멸로 죽게 된다.

MiTF는 M-CSF의 발현을 유도하고, M-CSF는 단핵구계통의 세포에 작용하여 RANK수용체의 발현을 유도한다. 또한 세포는 파골세포계통으로의 분화를 위해 기질세포에 의해 생성된 TNF계열 사이토카인의 구성원인 RANKL를 필요로 한다. 이 단계는 RANK 신호의 모든 하부경로의 작용기인 TRAF6, NFkB, c-Fos 및 NFATc1의 발현이 필요하다. 파골세포는 Fc와 C3수용체를 포함한 몇 개의 대식세포 표지자가 없으나, 단핵대식세포와 마찬가지로 비특이에스테라아제가 풍부하고 라이소자임을 합성하며 CSF-1수용체를 발현한다. 따라서, 파골세포를 인식하지만 대식세포는 인식하지 못하는 단일클론항체가 만들어졌다. 파골세포는 대식세포와 달리 다량의 RANK, calcitonin, vitronectin(인테그린 αVβ3)수용체도 발현한다. 파골세포가 PTH, 에스트로젠 혹은 비타민D수용체를 발현하는지에 대한 여부는 여전히 논란의 여지가 있다. 수지상세포특이막관통단백질(DC-STAMP)은 파골세포 형성의 주요조절자이다. DC-STAMP유전자적중생쥐에서 파골세포를 형성하는 동안 세포-세포 융합이 완전히 억제되며, 이들 생쥐에서 분리된 파골세포는 단핵구로 나타난다. 세포 융합에 관여하는 또 다른 중요한 요소는 인산화된 세린 또는 트레오닌과 프롤린 사이의 펩타이드 결합을 특이적으로 인식하는 효소인 Pin1이다. Pin1은 DC-STAMP를 억제하여 파골세포를 형성하는 동안 세포 융합을 조절한다. 또한 에스트로젠은 파골세포의 수명을 결정하는 세포자멸자로 알려져 있으며, 이러한 발견은 아마도 성선절제술 또는 폐경 후 증가한 골흡수에 대한 설명을 가능하게 한다.

파골세포는 면역계와 연관하여 골면역학이라는 이름으로 그 관계를 규명해 왔다. 지난 몇 년 동안 파골세포, 대식세포 및 수지상세포 간의 연결로 인해 파골세포가 면역계의 세포에 의해 부분적으로 조절되고 그 조절기전을 공유한다는 사실이 알려졌다. 예를 들어 T세포는 국소적으로 RANKL을 생성하여 파골세포 형성을 활성화할 수 있으며, B세포는 파골세포전구체와 공통전구체를 공유하고 조절할 수 있다. 또한 RANKL 신호전달 및 "면역수용체타이로

신기반활성화모티프(ITAM)"신호는 파골세포 형성에 협력한다고 알려져 있다.

3) 골의 형성
골형성은 두 가지 별개의 과정인 막내 및 연골내 골형성을 통해 일어난다. 막내골화에서 중간엽세포는 골모세포로 직접 분화하는 반면, 연골내골화에서는 중간엽세포가 연골세포로 분화하며 골모세포가 나타나 연골모델 주위에 뼈를 형성하는 것이다. 파골세포에 의한 골흡수, 혈관 침윤, 무기질침착된 연골의 흡수를 수반하는 과정을 통해 연골모델은 점진적으로 골모세포유래골기질로 대체된다. 이후, 골은 골흡수와 형성의 연속적인 주기를 통해 재형성되어 형태 변화와 국부적 및 전신적 환경에 적응하게 된다.

(1) 막내골화(intramembranous ossification)
막내골화 동안, 배아결합조직의 고도로 혈관화된 영역 내에 존재하는 중간엽세포그룹이 증식하여 골모세포로 직접 분화되는 초기 중간엽 응축을 형성한다. BMPs과 FGFs는 중간엽세포 응축과정에서 필수적인 것으로 보인다. 새롭게 분화된 골모세포는 직조된 골기질을 합성하는 반면, 주변부에서는 중간엽세포가 계속해서 골모세포로 분화한다. 혈관은 짜여진 소주골 사이에 통합되어 조혈 골수를 형성한다. 나중에 직조된 골은 고전적인 재형성 과정을 통해 흡수되고 점진적으로 성숙한 층판뼈로 대체된다.

(2) 연골내골화(endochondral ossification)
증식하는 연골세포층과 확장되는 연골기질은 골의 장축에 따라 성장을 담당한다. 이들은 점차 무기질침착되고 성장 기간이 끝날 때까지 재형성되며 골조직으로 대체된다. 장골의 발생은 막내골화에서와 같이 중간엽응축으로부터 연골모델의 형성으로 시작된다(그림 11-1-10). 그러나 다양한 요인과 국소적 조건의 영향으로 중간엽세포는 분열을 거쳐 골모세포로 직접 전환되지 않고 연골전모세포(prechondroblasts)로 분화된 다음 연골모세포(chondroblasts)로 분화된다. 연골모세포는 연골기질을 분비하는데, 이때 우세한

11

골·무기질대사

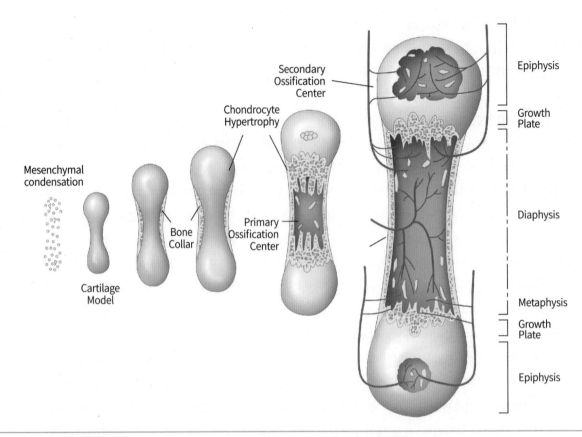

그림 11-1-10. 연골내골화의 초기단계를 보여주는 그림

골발생은 형성될 골의 연골모델을 형성하기 위해 중간엽응축으로 시작하여 비대 및 기질무기질침착에 이어 파골세포 활성과 혈관 침윤으로 일차골화센터가 형성된다. 그 다음 이차골화센터가 형성. 성숙한 성인 골에서 성장판은 완전히 흡수되어 하나의 골수강이 장골 전체길이를 확장. 연골내 골형성 과정. 간질세포가 응축되어 연골모델이 만들어진 후, 중심부위와 양쪽 말단부위에 차례로 일차골화중심과 이차골화중심이 형성된다. 연골성장판은 휴지대, 증식대, 성숙전비대연골대, 비대연골대, 골화대로 구성되며, 연골세포는 증식하고 비대화된 후 무기질침착되어 세포자멸과 함께 혈관 침윤을 유도한다. 최근 연구에서 일부(비대) 연골세포는 BMP, Ihh, Wnt/β-catenin 경로를 통해 골모세포로 전환될 수 있으며 심지어 간엽줄기세포로도 전환된다고 알려졌다.

콜라겐유형은 2형콜라겐으로 알려져 있다. 골모세포와 마찬가지로 연골모세포는 자신의 기질 내에 점진적으로 내장되어 열공(lacuna) 내에 놓이게 되며 이를 연골세포라고 한다. 그러나 골세포와 달리 연골세포는 일정 시간 동안 계속 증식하며, 이는 연골의 젤 같은 특성에 의해 부분적으로 허용된다. 이 연골의 주변부(perichondrium, 연골막)에서 중간엽세포는 부가성장(appositional growth)을 통해 계속 증식하고 분화한다. 세포증식과 연골세포 사이의 새로운 기질합성(interstitial growth, 간질성장)에 의해 연골에서 또 다른 유형의 성장이 관찰된다.

연골모델의 중심에서 시작하여 일차골화 중심이 될 부분에

서 연골세포는 계속 분화되어 비대해진다. 이 과정에서 비대연골세포는 기질소포를 통해 연골의 무기질침착을 시작한다. 이 기질이 무기질침착되면 파골세포에 의해 부분적으로 흡수된다. 흡수 및 역전단계 후, 골모세포는 이 영역에서 분화하고 나머지 연골 위에 무층판뼈층을 형성한다. 이 직조골은 이후에 층판뼈로 개조된다.

골발생은 형성될 골의 연골모델을 형성하기 위해 중간엽 응축으로 시작하여 비대 및 기질 무기질침착에 이어 파골세포 활성과 혈관 침윤으로 일차골화센터가 형성된다. 그 다음 이차골화센터가 형성되고, 성숙한 성인 골에서 성장판은 완전히 흡수되어 하나의 골수강이 장골 전체길이로 확장된다.

연골내 골형성과정은 간질세포가 응축되어 연골모델이 만들어진 후, 중심부위와 양쪽 말단부위에 차례로 일차골화중심과 이차골화중심이 형성된다. 연골성장판은 휴지대, 증식대, 성숙전비대연골대, 비대연골대, 골화대로 구성되며, 연골세포는 증식하고 비대화된 후 무기질침착되어 세포사멸과 함께 혈관 침윤을 유도한다. 최근 연구에서 일부(비대)연골세포는 BMP, Ihh, Wnt/β-catenin경로를 통해 골모세포로 전환될 수 있으며 심지어 간엽줄기세포로도 전환된다고 알려졌다.

연골세포 분화는 여러 요인에 의해 조절된다. 연골세포 분화를 조절하는 것으로 밝혀진 첫 번째 인자는 전비대연골세포(prehypertrophic chondrocyte)에서 주로 발견되는 PTH수용체에 결합하는 PTHrP이다. PTHrP는 연골세포 증식을 촉진하며, PTHrP유전자제거생쥐에서 조기 연골세포가 비대연골세포로 변하여 골의 길이가 짧아져 있다. 반대로 PTHrP의 과발현은 연골세포의 성숙지연을 초래한다. PTHrP는 Ihh와 같이 연골세포 분화 초기에 발현된 인자에 의해 조절될 뿐 아니라 PTHrP 자체가 연골세포 분화를 조절한다. 연골세포 분화를 조절하는 또 다른 요인으로는 FGF와 BMP가 있으며, 전사인자 RUNX2와 Sox9은 Wnt신호전달경로와 함께 연골세포계통 내에서 결정(commitment)과 분화를 제어한다. 배아연골은 무혈성이다. 초기 발생 동안, 미래의 연골막(perichondrium) 아래 중간 뼈몸통영역(골막이 됨)에서 막내골화에 의해 주변부에 무층판뼈의 고리인 골고리(bone collar)가 형성된다. 이 직조골이 무기질침착된 후, 파골세포가 선행하면서 혈관이 일차골화부위로 침투하고, 골고리와 무기질침착된 연골을 관통하여 혈액을 공급하여 골수의 형성이 시작된다. 파골세포의 침윤과 이에 수반되는 골흡수 활동은 위에서 설명한 대로 무기질침착된 연골을 제거하고 일차해면체에서 무층판뼈로 대체한다.

연골모델의 뼈끝부 말단에 이차골화중심이 형성되기 시작하고, 유사한 과정을 거쳐 소주골과 골수강이 형성된다. 일차 및 이차골화센터 사이에서 뼈끝연골(성장판)은 성인이 될 때까지 남아 있다. 연골세포의 지속적인 분화, 연골 무기질침착 및 후속적인 재형성주기는 새로운 골이 형성됨에 따라 골이 최종 성인의 모양에 도달하도록 세로축으로 골성장이 일어나 성장판은 뼈끝부에서 뼈몸통부까지 연골세포 분화의 여러 단계를 보여준다(그림 11-1-11). 첫째, 연골모세포(chondroblast)가 활발히 분열하고 기질을 활발하게 합성하는 증식영역이다. 이 세포는 전비대 및 비대영역에서 열공을 확대하여 점진적으로 커진다. 이 영역에서 더 아래로 세로방향연골중격(cartilage septa)의 기질이 선택적으로 무기질침착되어 임시 무기질침착영역이 된다. 연골세포는 공포(vaculae)가 심해 프로그램된 세포사멸을 통해 죽는다. 일단 무기질침착되면 연골기질은 파골세포에 의해 부분적으로만 흡수되어 무기질침착된 세로중격(longitudinal septa)과 혈관이 침윤영역에 나타난다. 흡수 후, 골모세포는 세로방향중격의 연골잔재물 위에 분화되어 무층판뼈층을 형성한다. 즉, 첫 번째 재형성 단계가 완료되어 연골이 재형성되고 직조골로 대체된다. 생성된 소주골을 일차해면체(primary spongiosa)라고 한다. 성장판에서 여전히 더 아래쪽에서 직조된 골은 직조골과 연골잔여물이 층판뼈로 대체되어 이차해면체라고 하는 성숙한 소주골이 생성되는 추가 재형성(두 번째 흡수-역전-골형성 단계) 과정을 겪는다.

(3) 골 모양 및 직경의 성장(모델링)
세로로 성장하는 동안에는 중간(midshaft)이 뼈몸통끝(metaphysis)보다 좁아서 장골의 성장은 뼈몸통끝의 하부를 점진적으로 파괴하고 골막 아래의 파골세포에 의한 지속적인 흡수 때문에 달성되는 뼈몸통(diaphysis)으로 변형시키는 과정이다.

대조적으로 뼈몸통끝의 지름 성장은 일생 동안 계속될 골막 아래에 새로운 막성골이 침착된 결과이다. 이 경우 골흡수는 골형성에 바로 선행하지 않는다. 최근에는 골막골형성(periosteal bone formation)이 PTH 또는 생체역학적 부하와 같은 다양한 자극에 대해 골내막골형성(endosteal

11 골·무기질대사

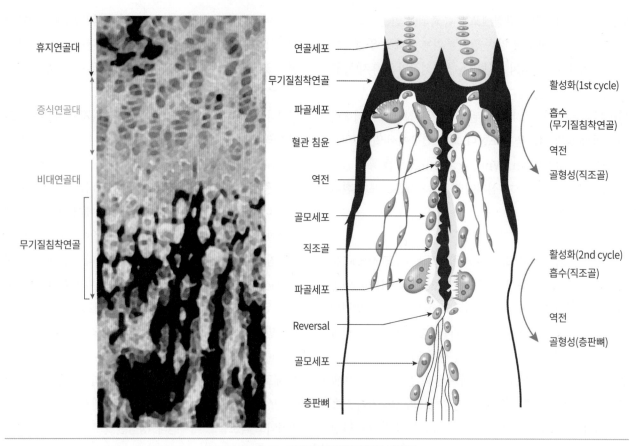

그림 11-1-11. 성장판에서 뼈의 성장과 재형성
광학현미경사진은 연골세포 분화영역과 무기질침착(검은색)을 보여준다. 장골의 성장판에서 발생하는 세포 사건을 보여준다. 이 과정에서 골형성은 무기질침착이 된
연골기질에서 시작하여 골재형성의 반복된 활성-흡수-형성주기에 의해 발생한다.

bone formation) 활동과 다르게 독립적으로 반응하는 것
처럼 보이기 때문에 이러한 유형의 골형성에 더 많은 관심이
집중되고 있다. 이것은 골밀도와 피질골 두께보다 중간축의
지름 성장이 골절위험 감소에 더 중요한 인자인 것으로 입
증되어 골다공증의 맥락에서 특히 중요하다.

2. 골재형성

1) 개요
성인의 골량은 골재형성(bone remodeling)을 통하여 유
지되며 골재형성의 불균형으로 인한 대표적인 질환이 골다
공증이다. 골재형성은 손상된 골을 제거하고 그 자리에 새로
운 골로 채워 주는 재생과정으로 골흡수와 골형성이 균형을
이루면서 같은 장소에서 일어난다. 골재형성이 일어나는 부
위는 골막(periosteum), 내피질골(intracortical), 골내막
(endocortical), 소주골(trabecular), 골소관주위(peri-
canalicular) 등 다양하다. 골재형성은 골모세포, 골세포,
파골세포가 관여하며 국소부위에서 일어난다. 골재형성 속
도나 기전은 부위마다 다르지만, 골에 미치는 힘이 적거나 과
도하던지, 에스트로젠이 부족하면 빨라지는데 골흡수가 일
어난 곳에 골형성이 되기 때문에 골의 형태는 크게 변하지 않
는다. 골흡수는 보통 3주, 골형성은 3개월이 필요하여 골재
형성의 한 주기는 보통 4개월이 소요된다. 골재형성을 통한
이러한 골량 유지는 골흡수가 증가하면 골형성도 따라서 증
가하는데, 이것은 골흡수와 골형성이 짝(커플링)을 이루어
진행되기 때문이다. 그동안 골재형성을 조절하는 전신인자

와 새로운 국소인자들의 분자적 작용기전 뿐 아니라 골모세포, 파골세포, 골세포의 기능도 많이 연구되어 커플링에 대한 이해의 폭이 더 넓고 깊어졌다. 그러나 골재형성 과정 중 골흡수와 골형성의 깊이와 크기와 같은 양을 결정하거나, 기계적 힘에 대한 골세포들의 신호인지와 처리에 관여하는 요소들에 대해서는 여전히 많은 연구가 필요하다.

2) 골재형성의 부위와 주기

(1) 골재형성의 종류

골재형성은 골이 교체되는 과정이다. 이는 주로 소주골표면 또는 피질골 내에서 일어나는 골조직세포들의 활동결과이다. 골재형성은 피질골 내의 하버시안재형성과 소주골표면에서 일어나는 골내재형성의 두 가지 유형으로 분류된다.

하버시안표면은 골내막표면의 확장이고 이 두 가지 재형성 과정 동안 세포활동은 정확히 같은 순서를 따르기 때문에 이러한 구별은 생리학적인 것보다 형태학적인 것이라고 볼 수 있다.

(2) 골재형성의 순서

골형성과 골흡수는 무작위로 발생하지 않는다. 이는 오래된 골이 새로운 골로 교체되는 기전의 일부로 세포들의 상호협조로 골격의 모양, 구조 또는 밀도를 변경할 수 있는 기회도 된다. 정상적인 성인골격에서 골형성은 대부분 이미 골흡수가 발생한 곳에서만 발생한다. 골재형성은 세포의 활성화(activation)–흡수(resorption)–역전(reversal)–형성(formation)이라는 영어 앞 글자로 ARRF 순서로 구성된다(그림 11-1-12).

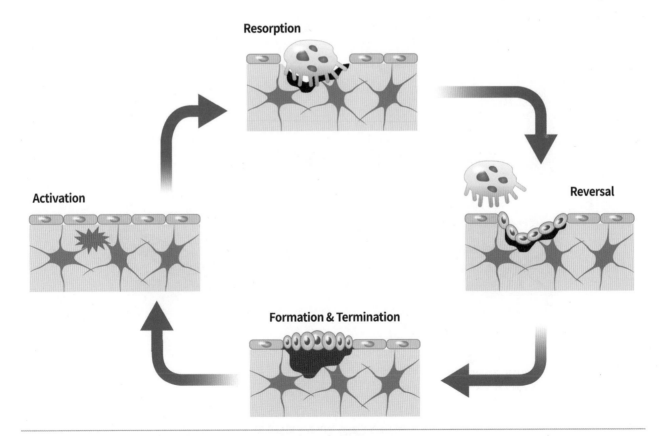

그림 11-1-12. 골재형성 순서

소주골에서 일어나는 골재형성의 형성주기로 활성화(activation)–흡수(resorption)–역전(reversal)–형성(formation) 순이지만 이는 하버시안재형성과 같은 과정을 거친다.

파골전구세포의 활성화는 일부 신호에 따라 일어나는데 신호의 기원은 내벽세포, 골모세포, 골세포, 골수세포에서 방출되어 골세포에 작용하는 국소작용인자들과 골 변형 또는 기계적 부하와 연관된 미세골절에 대한 골세포의 반응으로 나오는 것으로 크게 나눌 수 있다. 성숙한 파골세포는 αVβ3 인테그린을 통해 골에 부착되고 융합되어 골표면의 특정 영역에서 골기질을 흡수한다. 골흡수와 파골세포가 떨어진 후 골표면에 RUNX2를 발현하는 단핵세포가 덮고 시멘트라인이 형성된다. 시멘트라인은 골흡수의 한계를 표시하고 오래된 골과 새로운 골을 결합하는 역할을 한다. 이 시기를 역전기(reversal phase)라고 하며 골형성기간이 뒤따른다. 골모전구세포는 활성화되고 증식하여 골모세포로 분화되

며, 골모세포는 골표면으로 이동하여 초기유골을 형성하고 유골기질이 성숙하는 시간지연 후에 무기질침착된다. 따라서 기본 재형성순서는 활성화–흡수–형성이며, BMU (basic multicellular unit)라고 하는 세포그룹에 의해 수행된다. 완전한 골재형성주기는 인간에서 약 3–4개월 소요된다(그림 11-1-13).

지난 수십 년 동안 재형성주기의 역전 단계는 가장 잘 이해되지 않았다. 이 단계에서 흡수공간은 단핵세포에 의해 점유되지만 이러한 세포의 특성은 알려지지 않았다. Delaisse 팀의 최근 연구에서 역전세포가 골형성계통에 속하는 것으로 확인되었으며, 고전적인 골모세포표지자인 RUNX2, ALP

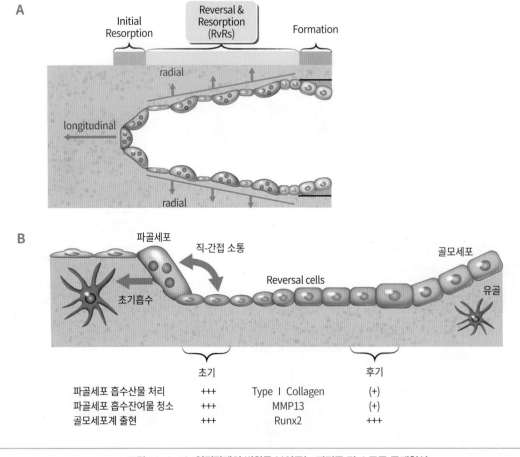

	초기		후기
파골세포 흡수산물 처리	+++	Type I Collagen	(+)
파골세포 흡수잔여물 청소	+++	MMP13	(+)
골모세포계 출현	+++	Runx2	+++

그림 11-1-13. 역전단계의 변화를 보여주는 피질골 및 소주골 골재형성

골재형성의 두 종류; 하버시안재형성(A)과 소주골재형성(B). 하버시안 및 소주골재형성 모두 같은 순서로 골재형성이 일어나고, 역전단계에서도 유사하다. 골흡수에서 뿔에서 일어나는 초기흡수(Initial resorption)와 역전부위의 방사흡수(radial resorption)를 표시. 아래 그림에서 방사흡수에서 왼쪽 초기와 오른쪽 후기로 나눈다면 초기부위에는 MMP13이 많이 발현되고 방사흡수부위에서 줄어든다. 반면 RUNX2는 역전부위 전 영역에 나타나는 골모세포 계통에서 강하게 발현된다.

및 Col3가 발현된다고 알려졌다. 연구자들은 십대와 성인에게서 채취한 대퇴골 및 비골시료에 면역세포화학 및 조직형태측정법을 이용하여 흡수 시작과 형성 시작 사이에 발생하는 세포사건의 시간적 순서에 관한 결과를 제공하였으며, 사건의 전체 순서를 시각화하기 위해 전개되는 하버시안시스템의 종단면을 분석했다. 그들은 두 개의 별개의 위치에서 절단 원뿔(일차파골세포라 함)과 역전부위(이차파골세포라 함) 파골세포를 관찰했다. 역전단계에서 이차파골세포의 존재는 이 단계에서 골흡수가 계속된다는 것을 암시하며, 이를 '흡수–역전' 단계로 명명했다. 저자들은 일차파골세포가 터널을 뚫는 역할(초기 흡수)을 담당하고 이차파골세포가 방사상 흡수 때문에 지름을 증가시키는 역할을 한다고 결론지었다. 이 방사상흡수는 각 BMU에서 흡수된 전체 골량에 주요 역할을 담당하는 것으로 나타났다(그림 11-1-13 A). 골흡수가 된 후 나타나는 단구세포는 일차파골세포가 존재하고 골형성할 수 있는 초기 골모세포계가 나

타난 경우와 점차 후기로 가면서 골모세포로 채워진다. 이들 세포의 특징은 파골세포의 흡수산물을 처리하고 골모세포계 형성에 중요한 RUNX2 발현이 초기나 후기 모두 강하다는 것이다(그림 11-1-13 B). 하버시안재형성과 소주골재형성과정은 같으므로, 이러한 흡수–역전 단계에 대한 새로운 모델은 골흡수와 골형성 사이의 균형에 대한 이해를 높일 것으로 예상된다(그림 11-1-13).

골흡수와 골형성은 지난 수년 동안 골기질 형성과 무기질침착이 연결된 것과 같은 방식으로 연결된 것으로 생각되어왔다. 즉, 정상적인 성인골격에서 골재형성 시 골흡수와 형성의 짝지음은 동일한 수준의 세포활동을 초래하여 골교체가 균형을 이뤄 흡수된 골의 부피는 형성된 부피와 같게 된다. 예로 골모세포의 활성 감소는 골부피가 유지되기 위해 파골세포의 유사한 활성 감소로 이어진다. 반대로 파골세포활성의 증가는 골모세포와 골형성의 증가로 보상되어야 하며,

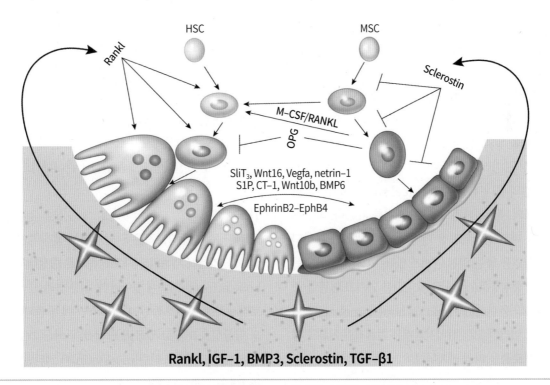

그림 11-1-14. 파골세포에 의한 골흡수와 골모세포에 의한 골형성이 짝지어 일어날 수 있는 기전
파골세포의 골흡수로 인한 골기질내 짝지음인자들(TGF–β1, IGF1, BMP3), 골세포가 형성하는 인자들(RANKL, BMP3, 스클레로스틴), 파골세포 분비인자들(SliT₃, Wnt16, Vegfa, netrin–1, S1P, CT–1, Wnt10b, BMP6 등), 골모세포 유래인자들(오스테오프로테제린, M–CSF, RANKL 등), 그리고 파골세포(EphrinB2)와 골모세포(EphB4)가 직접 작용하여 짝지음 반응이 일어날 수 있다. HSC: hematopoietic stem cells, MSC: mesenchymal stem cells.

11
골·무기질대사

이러한 예로, 부갑상선항진증의 경우 높은 골교체로 골량을 유지해야 한다. 유사하게, 감소된 파골세포 수 또는 골흡수 활성은 골형성 감소와 연관되어야 하며, 골량은 유지하지만 교체율은 감소해야 한다. 이 "짝지음(coupling)" 기전이 대부분은 실제로 기능할 수 있지만, 골다공증 또는 골화석증과 같은 경우에는 이 짝지음의 기능에 장애가 있다. 사실 파골세포의 활성도 중요하지만 파골세포의 수가 후속 골형성에 더욱 중요한 것으로 보인다. 파골세포에 의해 직접적으로 또는 골기질의 흡수를 통해 국소적으로 생성된 인자가 골형성을 자극할 수 있음을 시사한다(그림 11-1-14).

(3) 하버스계 대 골내 재형성

앞서 언급했듯이 피질골은 해부학적으로 소주골과 다르지만 동일한 일련의 사건에 따라 재형성이 발생한다. 주요 차이점은 소주골의 평균 두께가 150–200 마이크론인 반면 피질의 평균 두께는 1–10 mm 정도라는 것이다. 소주골에는 혈관이 없지만 골막계(bone envelope system)와 골세포 그물망은 충분한 기체 교환을 수행할 수 있으며 상대적으로 표면과 혈관이 많은 골수에 가까이 위치한다. 결과적으로, 소주골의 골재형성은 소주골표면을 따라 일어난다. 반면에 피질골 자체는 혈관화되어 만들어진다. 즉 혈관은 피질골의 조직형성과정에서 처음에 삽입된다. 혈관과 이를 둘러싸고 있는 골을 일차뼈단위(primary osteon)라고 한다. 피질골재형성은 이러한 혈관채널의 표면을 따라 시작되거나, 또는 피질의 골내막표면(endosteal surface)에서 시작된다. 피질골의 재형성과정도 ARF 순서를 따른다. 파골세포는 터널을 파고 절단원뿔을 만들며, 단핵세포가 부착되어 시멘트 라인을 놓는 역전 단계가 있다. 이 후 골모세포는 원뿔을 닫고 중심통로(central canal)를 남기고 혈관을 중심으로 동심의 층판뼈(concentric bone lamellae)를 형성하게 된다. 이러한 모든 하버시안계는 기계적인 이유로 골의 장축인 세로축을 따라 배치된다.

(4) 골교체와 골격 항상성

정상적인 젊은 성인의 경우 반감기가 약 20개월로 알려져 전체 골량의 약 30%가 매년 갱신된다. 각 재형성 단위에서 파골세포의 골흡수는 약 3일, 역전은 14일, 골형성은 70일(총 87일) 동안 지속된다. 골형성 속도는 0.5 mm/day이다. 이러한 과정에서 하나의 재형성 단위에서 약 0.01 mm의 골이 재생된다. 이론적으로 균형잡힌 기질침착과 무기질침착, 파골세포와 골모세포 활동 간의 균형을 통해 각 재형성단위에서 형성된 골의 양은 이전에 흡수된 골의 양과 같다. 따라서 전체 골량은 일정하게 유지된다. 이러한 골격 항상성은 정상적인 재형성 활동에 의존한다. 새로운 골재형성 단위의 활성화비율은 교체율을 반영한다.

3. 골의 조직 간 상호작용

골조직세포들은 골격계의 항상성 유지를 위해 골수, 혈관, 근육 등 인접조직에 국소조절자로 작용한다. 또한 멀리 떨어져 있는 췌장, 뇌 및 신장 같은 장기들과도 상호작용한다(그림 11-1-15). 또한 골 자체도 형성과정에서 혈관이나 신경계의 도움이 필요하다. 골조직세포뿐 아니라 BMU에 존재하는 여러 다른 세포들 즉, 대식세포와 T세포 등은 골모세포분화에 작용한다. 골모세포계는 혈액줄기세포의 니치로 작용하고 B세포 항상성에도 중요한 역할을 한다. 골모세포계세포들이 잘못 조절되면 혈액암 발생에 관여하기도 한다.

1) 근육과 골

골과 근육 사이 상호작용은 골격계 발생과 유지에 매우 중요하다. 기계적 부하나 골세포반응으로 합성대사작용(anabolic effects)이 골에 일어난다. 최근 골과 근육 사이에 상호작용하는 사이토카인(마이오카인)이 방출되어 근골격계의 항상성을 이루고 있음이 밝혀졌다. 최근 TGF-β 패밀리 중 하나인 마이오스타틴(myostatin)과 액티빈2(activin2)의 1형수용체인 ALK4와 ALK5의 기능을 동시에 제거하면 지방조직은 감소하고 근육과 골량이 증가하여 근골격계의 통합적인 조절자의 존재를 암시하는 흥미로운 결과가 발표

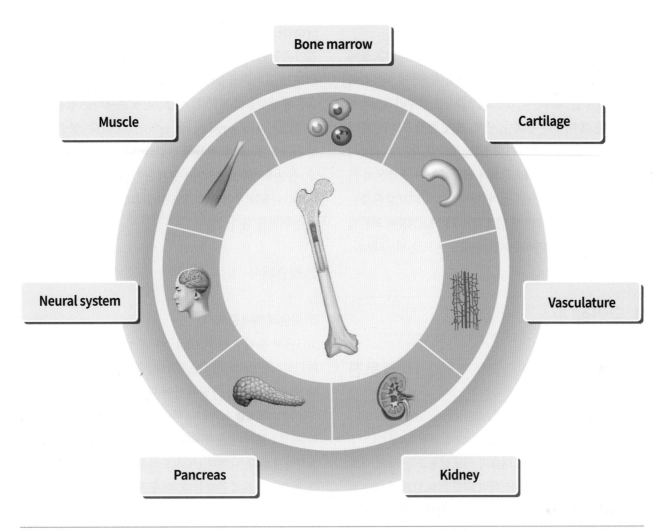

그림 11-1-15. 골과 다른 조직 또는 장기들과의 다양한 상호작용

골은 인접조직들(예: 연골, 혈관, 골수, 신경 및 근육)과 상호작용하게 된다. 또한 멀리 떨어져 있는 장기들(예: 췌장, 뇌, 신장)과도 여러 가지 호르몬들로 상호작용하게 된다. 새로운 인자들의 발견으로 조직 또는 장기 사이 상호작용에 대한 이해가 이해가 급속히 확대될 전망이다.

되었다.

2) 지방과 골

골과 지방조직과의 관계는 아직 잘 규명되어 있지 않다. 지방조직은 백색지방조직(white adipose tissue), 갈색지방조직(brown adipose tissue), 베이지색지방조직(beige adipose tissue)이 있으며 구성 지방세포들도 대사나 특성이 다르다. 최근 골수에 있는 지방세포는 네 번째 다른 특성이 있는 세포로 여기고 골수지방조직(bone marrow adipose tissue)으로 보고자 하는 시각도 있다. 생쥐골수에 있

는 지방세포를 분자유전학적으로 제거하면 BMP와 EGFR 신호계가 활성화되어 골량이 증가한다고 보고되었다. 골수 내 adiponectin-Cre로 RANKL을 제거하면 난소절제술이나 LPS 투여로 인한 염증성 골량 감소에 관여하는 파골세포의 형성이 현저히 감소함을 밝혀 골수내지방세포계전구세포(marrow adipogenic lineage precursors, MALPs)가 파골세포 생성을 담당하는 RANKL을 분비하는 주된 세포임을 확인하였다. 따라서 말초나 골수에 있는 지방세포들과 골과의 관계를 더욱 자세히 볼 필요가 있다.

3) 내분비기관으로서의 골

골모세포계는 또한 내분비기관으로써의 역할을 한다. 골세포에서 분비하는 FGF23은 신장의 근위세뇨관에 작용하여 인의 재흡수를 억제한다. 오스테오칼신은 뼈무기질침착에 영향을 줄 뿐 아니라 당대사, 생식, 기억, 투쟁-도피반응에 중요한 역할을 한다고 알려져 있다. 하지만 최근 연구에서 반론도 제기되어 오스테오칼신의 역할에 대한 호르몬의 기능은 좀 더 지켜볼 필요가 있다. 마지막으로 리포칼린-2는 절식상태에서 골에서 많이 생성 분비되어 MC4R에 의존적인 경로로 식욕을 억제하는 새로운 호르몬으로 제시되었다.

II. 무기질대사

정동진

1. 무기질 항상성

세포내 칼슘, 인산 및 마그네슘의 세포질 농도는 크게 다르고, 세포 내에서 그들의 생리학적 역할은 다양하며 대부분 연관되어 있지 않다. 반면에, 세포바깥액에서 이들 무기이온들의 농도는 꽤 비슷하여, 골 무기질화, 신경근육기능 및 정상 무기이온 항상성에 필수적인 세포내 및 서로간의 중요한 상호작용에 기여한다. 특히, 세포외 칼슘 및 인산은 상호 용해도의 제한 범위에 매우 근접해 있어서 조직에서의 칼슘인산 결정의 광범위한 침착을 피하기 위해서는 이들의 농도가 엄격하게 조절되어야 할 필요가 있다. 뼈는 인체에서 칼슘과 인의 거의 대부분을 포함하고 있고 절반 정도의 마그네슘을 포함하고 있다. 이러한 성분들의 이온들은 세포바깥액 및 세포 내에 양적으로는 소량으로 존재하지만 정상 생리에 절대적으로 중요한 역할을 한다. 무기이온들의 혈청 농도 및 전신균형은 강력하고도, 서로 상호작용하는 항상성 기전에 의해 좁은 범위 내에서 유지된다. 부갑상선호르몬(parathyroid hormone, PTH), 칼시트라이올[1,25(OH)$_2$D] 및 섬유모세포성장인자23(fibroblast growth factor 23, FGF23)는 무기이온치를 조절하고, 무기이온들은 또 다시 부갑상선호르몬, 칼시트라이올 및 FGF23 분비를 조절하며, 이러한 호르몬들은 서로 다른 호르몬의 생성을 조절한다. 부갑상선에 존재하는 칼슘감지수용체(calcium sensing receptor, CaSR)는 혈중 이온화칼슘 농도를 모니터링하여 부갑상선호르몬 분비를 조절하고, 신장에서의 칼슘감지수용체는 부갑상선호르몬 또는 칼시트라이올과 무관하게 세뇨관에서의 칼슘 재흡수를 조정하는 역할을 한다.

1) 칼슘대사

(1) 칼슘의 체내 분포

성인에서 총 칼슘은 약 1 kg 정도로서 99%는 뼈에서 수산화인회석결정[Ca$_{10}$(PO$_4$)$_6$(OH)$_2$] 형태의 무기질로 존재한다. 이것은 기계적 하중부하에 대한 안정성과 칼슘의존성 생물학적 체계를 유지하기 위한 즉각적인 칼슘의 공급을 위한 저장소로 역할을 하며 혈중 이온화칼슘을 정상범위로 유지하게 한다. 나머지 1% 정도의 칼슘이 혈액내, 세포바깥액 및 연부조직에 존재한다. 뼈에 존재하는 나머지 0.5-1%의 칼슘은 세포바깥액의 칼슘과 자유롭게 빠르게 교환된다. 뼈로의 칼슘 유입은 태생기 임신후기 동안에 처음으로 매우 의미 있게 많이 일어나고 아동기 및 청소년기에 가속화하며 초기 성인기에 최고치에 이른 후 매년 1-2% 정도로 점차 감소한다.

세포내 세포질 유리칼슘치는 100 nmol/L로서 혈액 및 세포바깥액의 이온화칼슘 농도에(1.16-1.31 mmol/L) 비해 10,000배 정도 낮아서 화학적 농도 구배가 매우 크게 나타나고 이러한 농도 구배는 휴지기 칼슘통로의 제한된 전도도 및 고친화 Ca^{2+}-ATPase, H$^+$-ATPase 및 저친화 Na$^+$-Ca^{2+}교환체를 통해 에너지-의존성으로 칼슘을 세포바깥액으로 배출함으로서 유지된다. 세포외부와 내부 사이의 칼슘 농도의 가파른 화학적 구배는 호르몬, 대사물, 신경전달물질들에 의해 활성화될 수 있는 다양한 세포막 칼슘통

로를 통해서 급격한 칼슘의 유입을 촉진시킴으로써 세포의 기능을 신속하게 변화시킨다.

세포바깥액 내에서 총 칼슘의 약 50%는 이온화칼슘의 형태로 존재하며 나머지는 음전하를 띠고 있는 알부민 및 글로불린과 같은 단백질과 결합되어 있거나 인산염, 구연산염, 황산염과 같은 음이온들과 복합체를 형성하고 있다. 정상 혈청의 이온화칼슘 농도는 4.65–5.25 mg/dL (1.16–1.31 mmol/L)의 범위에 있고 혈청총칼슘 농도는 8.5–10.5 mg/dL (2.12–2.62 mmol/L)의 범위에 있다. 이온화칼슘만이세포 내로 이동하여 세포내 과정을 활성화 할 수 있다. 총칼슘과 이온화칼슘의 2:1 비율은 단백질에 의한 칼슘 결합을 감소시키는 대사성산증, 또는 간경변증, 탈수, 정맥울혈, 다발골수종 등과 같이 단백질 농도에 변화가 발생하는 질환들에 의해 영향을 받는다. 특히 알부민과 같은 단백질 농도의 변동이 있을 경우에 총 칼슘치도 변동이 있는데, 이온화칼슘은 대체적으로 안정적이다. 정맥천자 시 탈수 또는 혈액농축상태에서는 혈청알부민치가 상승하여 혈청총칼슘치가 위양성으로 증가되어 나타날 수 있다. 알부민치의 상승에 의한 총칼슘치의 상승은 혈청알부민 농도가 > 4 g/dL일 경우에 알부민이 1.0 g/dL 증가할 때마다 총칼슘치에서 0.8 mg/dL을 빼줌으로서 교정할 수 있다. 반대로, 알부민치가 낮을 때는 알부민치가 < 4 g/dL일 경우에 알부민치 1.0 g/dL 감소할 때마다 0.8 mg/dL를 더해줌으로서 총칼슘치를 교정할 수 있다. 혈청알부민치가 정상인 경우에도 혈중 pH의 변화는 알부민–칼슘복합체의 평형상수를 변화시킬 수 있는데 산성일 경우에는 이러한 결합을 감소시키고 알칼리성일 경우에는 결합을 증가시킨다. 따라서, 혈청단백질 또는 pH에 큰 변화가 있을 경우에는 생리적인 혈청칼슘치를 결정하기 위해서는 이온화칼슘치를 직접적으로 측정하는 것이 가장 좋다.

(2) 칼슘 항상성의 조절

체내 칼슘의 조절은 뼈, 소장 및 신장이 칼슘 항상성을 조절하는데 있어서 중요한 역할을 담당하고 있다. 정상적인 식이조건에서 칼슘 섭취량은 하루 700–900 mg이다. 이 칼슘의

약 30–35%가 흡수되지만, 칼슘의 장 분비로 인한 손실로 인해 하루 순 섭취량은 약 200 mg이다. 하루 약 10 g의 칼슘이 신장을 통해 여과되고 있고 그 중 대부분이 재흡수되며 24시간 동안 소변을 통해 배설되는 칼슘은 하루 100–300 mg 정도이다. 뼈는 신체에서 중요한 칼슘저장소이며, 보통, 정상적인 골대사가 일어나는 상황하에서 하루에 약 500 mg의 칼슘이 뼈에서 유리되고 동일한 양이 뼈로 유입된다. 대변으로의 칼슘 소실은 하루에 약 100–200 mg 정도로 다양하다. 대변칼슘은 흡수되지 않은 식이칼슘과 장, 췌장 및 담도 분비에 섞여있는 칼슘으로 구성되어 있다.

식이칼슘의 흡수비율은 연령 및 섭취한 칼슘의 양에 따라 다르며, 순칼슘 흡수는 성장기 어린이, 청소년기의 급성장기, 임신 및 수유 때 높게 나타난다. 장기간 동안 식사에 의한 칼슘 섭취에 제한이 있을 경우에는 섭취한 칼슘을 최대한 많이 흡수하기 위해 칼슘 흡수효율이 증가한다. 남녀 모두 연령이 증가함에 따라 순칼슘 흡수는 감소하기 때문에, 낮은 칼슘흡수율을 보상하기 위해서는 칼슘 섭취량을 증가시켜야 한다.

칼슘이온은 근육수축, 신경전달물질의 유리, 신호전달, 호르몬의 분비, 세포분열, 세포부착, 단백질 분비, 신경세포흥분성, 글리코겐대사 및 혈액응고 등과 같은 많은 생리적 경로 및 다양한 세포기능에 중요한 역할을 하므로, 세포바깥액의 이온화칼슘 농도는 비교적 좁은 범위 이내에서 호르몬 기전에 의해 엄격하게 유지되고 있다. 이러한 체내 칼슘의 조절은 부갑상선호르몬 및 칼시트라이올의 혈중 농도 변화에 의해 주로 일어난다.

세포바깥액 칼슘의 감소는 부갑상선으로부터 부갑상선호르몬의 분비를 자극한다. 부갑상선호르몬은 골흡수를 증가시키고 뼈로부터 칼슘 및 인산의 유리를 증가시킨다. 부갑상선호르몬은 또한 성숙골모세포 및 골세포로부터 인산뇨를 증가시키는 호르몬인 FGF23의 유리를 증가시킨다. 부갑상선호르몬은 신장에서 칼슘 재흡수를 증가시키고 동시에 인

산 재흡수를 감소시켜 인산뇨를 일으킨다. 저칼슘혈증 및 부갑상선호르몬 자체는 모두 비타민D의 불활성대사물인 25-hydroxyvitamin D [25(OH)D]를 활성형인 1,25-dihydroxyvitamin D [칼시트라이올, 1,25(OH)$_2$D]로의 전환을 자극하고, 칼시트라이올은 장에서 칼슘 흡수를 증가시키며 신장에서 인산의 재흡수를 증가시킨다. 뼈로부터의 칼슘 동원, 장으로부터 칼슘 흡수 증가, 네프론에서 여과된 칼슘의 재흡수 증가의 전체적인 효과는 세포바깥액 칼슘을 정상으로 회복시키고 부갑상선호르몬 및 칼시트라이올의 추가적인 생산을 억제한다. FGF23도 칼시트라이올을 감소시키고 부갑상선호르몬 생성을 감소시킨다(그림 11-1-16). 또한, 저칼슘혈증이 발생하면 헨레고리 및 원위부네프론에 있는 칼슘감지수용체에 의해 감지되어 칼슘 재흡수가 직접적으로 증가하고 부갑상선호르몬 또는 칼시트라이올과 무관하게 상피세포를 통한 칼슘 이동을 조절한다.

세포바깥액 칼슘이 정상범위 이상 상승하게 되면 부갑상선의 칼슘감지수용체가 자극되어 부갑상선호르몬 분비가 감소하고 신장에서 칼시트라이올 생성이 감소한다. 또한, 신장 피질헨레고리비후상행각(cortical thick ascending limb of Henle's loop, cTAL)에서 신장칼슘감지수용체에 의해 매개되어 신장에 대한 고칼슘혈증의 직접적인 효과로 칼슘뇨가 발생할 수 있다. 따라서, 부갑상선호르몬 유리 억제, 칼시트라이올 생성 억제 및 신장칼슘감지수용체 자극의 효과는 각각, 뼈에서 칼슘의 유리를 감소시키고 장에서 칼슘의 흡수를 감소시키며 신장세뇨관에서 칼슘의 재흡수를 감소시켜서, 증가된 세포바깥액 칼슘을 정상으로 회복시킨다.

칼슘 섭취량이 너무 많거나 적을 경우 또는 관련된 호르몬 시스템 또는 장기에 문제가 있을 경우에는 혈청이온화칼슘 농도를 정상적으로 일정하게 유지하는 항상성 유지기전이

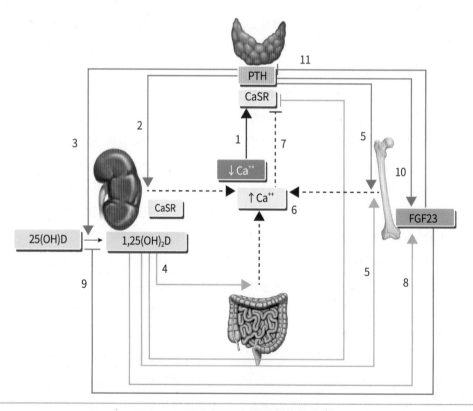

그림 11-1-16. 호르몬에 의한 칼슘 항상성 조절
(1) ECF칼슘 감소에 의한 PTH 증가, (2) PTH에 의한 신장에서의 칼슘 재흡수 증가, (3) PTH에 의한 신장에서의 1,25(OH)$_2$D 증가, (4) 1,25(OH)$_2$D에 의한 장에서의 칼슘 흡수 증가, (5) PTH 및 1,25(OH)$_2$D에 의한 골흡수 증가, (6) ECF 칼슘의 정상화, (7) PTH 분비 감소, (8) 1,25(OH)$_2$D에 의한 뼈에서의 FGF23자극, (9) FGF23에 의한 1,25(OH)$_2$D 생성 억제, (10) PTH에 의한 FGF23 자극, (11) FGF23에 의한 PTH 억제.

잘 작동하지 않을 수 있다. 소장에서 비타민D의존성 능동 수송체계가 최대로 작동을 하고 있는 경우에도, 칼슘 섭취량이 지속적으로 너무 적으면(< 200 mg/d), 소장, 신장, 땀, 기타 분비를 통한 칼슘 손실을 보충할 수 있을 만큼의 충분한 순칼슘 흡수가 이루어지지 않는다. 이 경우, 혈중 부갑상선호르몬 및 칼시트라이올 상승은 뼈로부터 필요한 칼슘을 얻기 위해 파골세포에 의한 골흡수를 활성화하게 되고, 그에 따라 점차적인 골소실 및 칼슘음균형을 초래한다. 또한 부갑상선호르몬 및 칼시트라이올 상승은 신장에서의 칼슘 재흡수를 증가시키고, 칼시트라이올은 장에서 칼슘 흡수를 증가시킨다. 칼슘 섭취량이 너무 많아질 경우에는(> 4 g/d), 장에서의 능동적 칼슘 수송 및 신장세뇨관에서의 칼슘 재흡수가 최대로 하향조절됨에도 불구하고 장에서의 수동적 칼슘흡수에 의한 세포바깥액으로의 칼슘전달이 지속되면서 심한 고칼슘뇨증, 신석회증, 점차적인 신기능부전 및 고칼슘혈증을 초래하게 된다.

(3) 칼슘감지수용체(Calcium-Sensing Receptor, CaSR)
① 구조
칼슘감지수용체는 클래스C에 속하는 G단백연결수용체(G-protein coupled receptor, GPCR)로서 부갑상선세포, 갑상선C세포, 신장, 뼈 및 장에서 칼슘치의 변화를 감지하여 칼슘치를 정상으로 되돌림로서 칼슘 항상성 유지에 중심적인 역할을 하는 칼슘조절기구(calciostat)이다. 부갑상선은 저칼슘혈증에 대한 반응으로 부갑상선호르몬을 분비함으로써 이 과정에서 핵심적인 역할을 한다. 부갑상선호르몬 분비가 증가하면 신장세뇨관에서 칼슘의 재흡수가 증가하고, 뼈에서 칼슘유리가 증가하며, 신장에서 활성 비타민D대사산물인 칼시트라이올의 합성을 증가시켜 장에서 칼슘 흡수를 증가시킨다.

사람에서 칼슘감지수용체는 19개의 아미노산신호펩타이드와 함께 600개 아미노산세포외도메인(extracellular domain, ECD), 250개 아미노산횡단막도메인(transmembrane domain, TMD) 및 216개 아미노산세포질미부(amino acid cytoplasmic tail)로 구성되어 있다. 칼슘감지수용체는 G단백질 $G_{q/11}$, $G_{i/o}$, $G_{12/13}$ 및 드문 경우에 G_s와 결합하여 다양한 신호전달경로에 관여한다. Ca^{2+} 이온은 칼슘감지수용체의 활성상태를 안정화하고 PO_4^{3-} 이온은 비활성 구조를 강화한다. Ca^{2+}과 PO_4^{3-}의 대사균형은 이 두 이온의 항상성을 조절하는 부갑상선호르몬, 칼시트라이올 및 FGF23와 같은 호르몬들과 서로 관련되어 있다. 칼슘감지수용체는 부갑상선호르몬, 칼시트라이올 및 FGF23와 독립적으로 인산 항상성을 조절한다. 칼시트라이올은 칼슘감지수용체를 상향조절한다. 칼슘감지수용체의 활성화가 비타민D수용체(vitamin D receptor, VDR)의 발현을 상향조절하면, 증가된 비타민D수용체 점유를 통해 비타민D작용을 강화하여 칼슘감지수용체의 발현을 더욱 증가시킨다.

칼슘감지수용체를 활성화하는 칼슘유사체(Calcimimetics)는 저분자량 양성알로스테릭조절제(positive allosteric modulators, PAM)로서, cinacalcet은 혈액투석 중인 말기신질환 환자에서 부갑상선호르몬 분비를 억제하여 중증 이차부갑상선항진증 발생을 억제하기 위해 사용된다. 임상적으로 칼슘유사체는 혈청부갑상선호르몬 감소 및 혈관합병증의 감소를 위해 비타민D수용체 활성화제와 병합하여 사용하기도 한다. PAM은 수용체의 횡단막도메인에 결합하여 수용체를 보다 활성상태로 안정화시킨다. 음성알로스테릭조절제(negative allosteric modulators, NAM)인 NPS-2143과 같은 칼슘감지수용체대항제(Calcilytics)역시 횡단막도메인 내에서 결합하지만 보다 더 불활성화된 형태를 유도한다.

② 작용
칼슘감지수용체는 광범위하게 발현된다. 부갑상선, 신세뇨관 및 갑상선의 칼시토닌 생성세포에서의 발현은 칼슘 항상성에 기여하는 반면, 뇌와 같은 기관에서의 발현은 칼슘신호전달에 대한 여러 가지 역할을 나타낸다. 세포외 칼슘은 부갑상선세포의 원형질막에서 풍부하게 발현되는 칼슘감지수용체를 통해 부갑상선세포표면에서 감지되는데, 칼슘감지수용체의 커다란 세포외 도메인에 칼슘 결합부위가 존재한다. 칼슘이 부갑상선주세포의 칼슘감지수용체에 결합하면 $G_{\alpha q}$ 및 $G_{\alpha 11}$을 통해 G 단백질의존성으로 phospholipase C 활성을 자극하고 adenylyl cyclase를 억제한다. 이로 인해 부갑상선세포에서 inositol 1,4,5-trisphosphate (IP_3) 축적 및 세포내 유리칼슘 증가가 일어나고 cAMP가 감소하며 부갑상선호르몬의 합성 및 분비가 억제된다. 부갑상선호르몬 mRNA 안정성 조절에 의한 부갑상선호르몬 유전자발현 및 부갑상선세포증식이 억제되고 부갑상선호르몬의 분해가 자극된다. 세포외 칼슘이 감소하면 칼슘감지수용체에 의한 세포내신호전달이 줄어들고 결과적으로 부갑상선호르몬 분비가 증가한다.

칼슘감지수용체유전자의 이형접합 기능소실(loss-of-function)불활성화돌연변이가 있는 경우에 칼슘감지의 결함을 보이고 고칼슘혈증 및 부갑상선호르몬의 부적절한 증가를 특징으로 하는 가족성저칼슘뇨고칼슘혈증1형(familial hypocalciuric hypercalcemia type 1, FHH1)을 유발한다. 칼슘감지수용체유전자의 동형접합 불활성화 돌연변이가 있으면 부갑상선호르몬 분비의 현저한 증가와 함께 생명을 위협하는 고칼슘혈증을 초래하는 신생아중증부갑상선항진증(neonatal severe hyperparathyroidism, NSHPT)을 나타낸다. 반면에, 칼슘감지수용체유전자의 이형접합 기능획득활성돌연변이(gain-of-function mutation)가 있는 경우에는 고칼슘뇨증을 동반한 가족성부갑상선저하증인 보통염색체우성저칼슘혈증1형(autosomal dominant hypocalcemia type 1, ADH1)을 유발한다. 한편, 사람에서 부갑상선은 GNAQ보다 주로 GNA11을 발현하고 이형접합 GNA11 불활성화 또는 활성화돌연변이가 있는 환자는 각각 칼슘감지수용체의 이형접합 기능소실 또는 기능획득돌연변이에 의한 FHH1 및 ADH1과 유사한 가족성저칼슘혈증2형(FHH2) 또는 보통염색체우성저칼슘혈증2형(ADH2)을 나타낸다. AP2 복합체의 알파소단위체를 코딩하는 AP2S1 (adaptor-related protein complex 2 sigma subunit 1)유전자의 이형접합 불활성화돌

연변이는 가족성저칼슘혈증성고칼슘혈증 3형(FHH3)을 일으킨다.

쥐의 신장에서 칼슘감지수용체는 거의 전체 네프론을 따라 발견되며, 신장피질 헨레고리비후상행각세포의 기저측부 표면에서 칼슘감지수용체가 가장 높은 수준으로 발견된다. 근위곡세뇨관에서 칼슘감지수용체는 부갑상선호르몬에 의한 인산뇨를 억제하고 비타민D수용체 발현을 증가시킨다. 후자는 직접적, 칼슘 증가에 의한 혈중 칼시트라이올 감소에 기여한다. 칼슘감지수용체는 세뇨관 주위 칼슘 상승 시 헨레고리 비후상행각에서 Na-K-2Cl (NKCC2) 공동수송체의 활성을 억제하여 칼슘 및 마그네슘의 세포사이 재흡수를 억제한다. 원위곡세뇨관에서 기저측부 칼슘감지수용체는 정단부 흡수채널인 TRPV5의 활성을 자극하여 경세포칼슘 재흡수를 증가시킨다. 또한, 칼슘은 TRPV5, Calbindin-D_{28K}, 기저측부 칼슘펌프인 PMCA1b 및 Na^+-Ca^{2+} 교환체인 NCX1의 발현을 증가시킨다. 신장에서 칼슘감지수용체는 부갑상선호르몬 또는 칼시트라이올의 직접적인 작용과 무관하게, 이온화칼슘이 신장에서 칼슘 재흡수를 조절할 수 있도록 한다.

칼슘감지수용체는 소장 상피세포의 기저표면, 대장 및 소장의 크립트(crypts)내 및 장신경계에서 발견된다. 고칼슘혈증은 식이 칼슘의 흡수를 감소시키고 식이 및/또는 혈액 칼슘은 장의 정단부 흡수채널인 TRPV6, Calbindin-D_{9K} 및 PMCA1b의 발현에 직접적인 작용을 한다. 칼슘감지수용체가 특정 아미노산의 생리적 수준에도 반응하는 것으로 보아, 장, 부갑상선 및 기타 부위에서 칼슘감지수용체의 발현이 여러 영양소의 흡수를 촉진한다는 것을 시사한다. 칼슘감지수용체는 내강내용물의 무기질과 아미노산의 수준을 모니터링하는 소화관 영양센서 역할을 하여, 소화과정에서 적절한 조절이 이루어질 수 있도록 한다. 소화관의 분비운동기능을 조절하는 장 신경계의 칼슘감지수용체는 소화관 운동성을 조절한다. 결장에서 칼슘감지수용체의 활성화는 체액 분비를 감소시킨다.

칼슘감지수용체는 전조골세포 및 골모세포의 증식, 화학쏠림성(chemotaxis), 분화 및 무기질화에 대한 칼슘의 자극효과를 매개한다. 생체 내에서 칼슘감지수용체는 파골세포 생성에서 허용/자극역할을 하는 것으로 보이고, 칼슘감지수용체는 연골세포에서도 발현되어 연골 형성에도 관여한다.

수유 중 칼슘감지수용체는 유방에서 발현이 현저하게 증가하고 모유수유 종료 후 기저치 수준으로 돌아간다. 수유중 칼슘감지수용체는 부갑상선호르몬관련단백질(parathyroid hormone related protein, PTHrP)의 분비를 억제하고 칼슘이 모유로 이동하는 것을 자극한다. 산모혈청칼슘치의 감소는 모유와 산모 혈중으로 부갑상선호르몬관련단백질 분비를 자극한다. 부갑상선호르몬관련단백질은 골흡수를 자극하여 추가적으로 칼슘을 혈중으로 유리시켜 모유로 이동하도록 한다. 사람에서 임신3분기 동안 태반은 발달 중인 태아골격에 적절한 양의 칼슘을 공급한다. 칼슘은 다른 칼슘수송상피에서 이용되는 TRPV6, Calbindin-D_{9K} 및 PMCA시스템을 이용하여 세포를 통해서 전달된다. 사람 태반의 칼슘감지수용체는 영양막(trophoblasts), 세포영양막(cytotrophoblast) 및 합포체영양막(syncytiotrophoblasts)에서 발현된다.

2) 인산대사

(1) 인산의 체내 분포

체내 인 600 g의 85%는 뼈에 무기질 형태로 존재하고, 나머지는 세포외 및 세포 내에 무기물 또는 유기물 형태로 존재한다. 사람의 혈청 내에서 인은 거의 대부분이 $H_2PO_4^-$, $NaHPO_4^-$, 또는 HPO_4^{2-} 와 같이 이온화 형태로 존재하고 있다. 혈청인의 12%만 단백질과 결합되어 있고, 소량은 칼슘, 마그네슘 및 기타 양이온들과 약하게 복합체를 형성하고 있다. 칼슘과 달리, 인은 세포바깥액에 존재하는 농도와 비슷한 농도(예: 1–2 mmol/L)로 세포 내에 존재한다. 성인에서 혈중 인의 정상범위는 0.75–1.45 mmol/L (2.5–4.5 mg/dL)이다.

인은 정상적인 유전적, 성장 및 생리적 과정에 필수적인 거의 모든 종류의 구조, 정보, 효과기 분자들의 중요한 성분이다. 인은 핵산, 인지질, 복합탄수화물, 당분해중간체, 신호전달 및 효소관련인단백질, 효소 및 G단백질에 대한 뉴클레오타이드보조인자 등에 필수적인 구성성분이다. 특히 중요한 것은 화학적 에너지를 저장하는 ATP (adenosine triphosphate), 디포스포글리세레이트(diphosphoglycerate, DPG), 크레아틴인산(creatine phosphate) 등과 같은 분자들에 존재하는 고에너지 인산에스테르 결합이다. 인은 많은 인산화효소 및 인산가수분해효소 조절 연쇄반응에서 중요한 기질 또는 인식부위로서 특히 중요한 역할을 한다. 세포질의 인은 또한 그 자체로서 포도당수송, 젖산 생성 및 ATP 합성을 포함하는 많은 중요한 세포내 반응을 직접적으로 조절한다. 따라서 이와 같은 다양한 역할에 비추어 볼 때, 세포내 인의 심한 결핍 시 장기기능에 전체적으로 심한 손상을 초래할 수 있다.

(2) 인산 항상성의 조절

인의 조절은 장, 신장 및 뼈를 포함하는 내분비 되먹임고리를 통해 유지된다. 인은 식품에서 널리 이용가능하며 비타민D가 없는 경우에도 소장에서 65% 정도 흡수된다. 장에서의 하루 순 인의 흡수는 식이의 구성에 따라 크게 다르지만 일반적으로 하루 500–1,000 mg 범위이다. 소장은 수동기전과 미세융모에서 발현되는 2형 나트륨–인산 공동수송체 NPT2b (sodium–phosphate cotransporter)를 통해 인을 흡수한다. NPT2b는 칼시트라이올에 의해 상향조절된다. 인의 흡수효율은 칼시트라이올에 의해 자극되는 능동수송기전에 의해 85–90%까지 증가할 수 있다. 혈청인의 감소는 FGF23의 혈중 농도를 억제함으로써 신장근위곡세뇨관에서 칼시트라이올의 합성을 자극한다.

흡수된 인산은 신장에 의해 배설 또는 재흡수되거나 뼈에 침착된다. 여과된 인의 70%는 근위세뇨관 정단부막(apical membrane)에 위치해 있는 NPT2a 및 NPT2c 수송체에 의해 재흡수된다. 하루에 신장으로 여과되는 인은 4–6 g 정도이며 혈청인의 조절은 신장의 근위신세뇨관에서의 재흡수율에 의해 주로 결정되고, 인의 배설(크레아티닌 청소율에 대한 인산의 비율)은 일반적으로 10-15% 범위이다. 이것은 근위곡세뇨관의 정단부막에서의 나트륨-인산 공동수송체 NPT2a 및 NPT2c 발현 및 활성도 수준의 변화에 의해 이루어지고, 이러한 수송체의 수준은 신장 인산염 배설의 주요호르몬조절자인 부갑상선호르몬에 의해 빠르게 감소된다. 부갑상선항진증 환자는 신장에서 인의 소실이 발생하고 부갑상선저하증 환자는 신장에서 인의 재흡수가 증가한다. FGF23은 유사한 기전에 의해 인의 재흡수를 감소시킨다. FGF23활성돌연변이는 희귀질환인 보통염색체우성저인산구루병(autosomal dominant hypophosphatemic rickets, ADHR)을 일으킨다. 부갑상선호르몬은 칼시트라이올을 생성하는 근위곡세뇨관 1α-hydroxylase의 발현을 증가시킨다. 칼시트라이올은 장내 칼슘과 인의 흡수를 증가시켜 혈청인의 조절에 기여하고, 고농도에서는 파골세포 활성을 증가시켜 뼈 인의 동원을 증가시킨다. 신장과 장에 대한 부갑상선호르몬과 비타민D의 내분비 효과는 칼슘 항상성을 유지하면서 인의 균형을 유지한다.

혈청인의 수치는 평상시에도 하루 최대 50%까지 변화한다. 이는 음식 섭취의 영향을 반영하지만 오전 7시에서 10시 사이에 최저치에 이르는 근본적인 일주기리듬도 반영한다. 탄수화물 투여, 특히 공복인 환자에서 포도당용액 정맥 주입은 세포로의 빠른 흡수 및 이용으로 인해 혈청인을 > 0.7 mmol/L (2 mg/dL)만큼 감소시킬 수 있다. 당뇨병케토산증의 치료와 대사성 또는 호흡성 알칼리증의 치료에서도 유사한 반응이 관찰된다. 이와 같이 혈청인은 편차가 크기 때문에 기저, 공복상태에서 측정을 하는 것이 가장 좋다.

(3) FGF23 (fibroblast growth factor23)

FGF23유전자는 사람염색체 12p13에 존재하며 FGF23발현이 가장 높은 조직은 뼈이다. FGF23 mRNA는 골모세포, 골세포 및 골전구세포에서 관찰된다. FGF23은 국소적 및 전신적 인자들에 의해 자극된다. 사람에서 식이인산이 높을 경우에는 혈청FGF23가 증가하고, 인산제한 및 인산결합제의 첨가 시에는 혈청FGF23이 감소한다. FGF23는 NPT2a 및 NPT2c 모두 감소시키며 신장에서 인산 소실을 유발한다. 부갑상선호르몬은 FGF23을 증가시킬 수 있으나 FGF23를 조절하는 데 있어서 칼시트라이올 농도가 부갑상선호르몬의 영향보다 훨씬 크다. 따라서 칼시트라이올은 FGF23 생성에 대한 가장 중요한 생리적 자극으로서 칼시트라이올은 FGF23 생성을 자극하고 FGF23는 부갑상선호르몬과 달리 칼시트라이올을 억제한다. FGF23은 신장 1α-hydroxylase의 mRNA를 감소시킬 뿐만 아니라 칼시트라이올의 불활성화에 관여하는 핵심효소인 24-hydroxylase의 발현을 증가시켜 혈중 칼시트라이올을 감소시킨다. FGF23은 공수용체로 작용하는 α-Klotho의 존재하에서 FGF receptor 1을 활성화한다. Klotho유전자제거생쥐는 FGF23유전자제거생쥐와 동일하게 고인산염혈증 및 칼시트라이올 증가를 나타낸다.

일반적으로 저인산염혈증은 혈청칼시트라이올을 증가시키는 강력한 양성 자극제이지만, 보통염색체우성저인산구루병(autosomal dominant hypophosphatemic rickets, ADHR), X-연관저인산구루병(X-linked hypophosphatemic rickets, XLH), 종양유발골연화증(tumor-induced osteomalacia, TIO) 및 보통염색체열성저인산구루병(autosomal recessive hypophosphatemic rickets, ARHR 1-3) 등과 같은 질환에서는 FGF23가 증가되어 있으면서 칼시트라이올은 역설적으로 낮거나 부적절한 정상치를 보이고 저인산염혈증이 나타난다. 한편, 종양성석회증(tumoral calcinosis, TC)과 같은 고인산염혈증 및 칼시트라이올 상승을 보이는 유전장애에서는 FGF23활성이 감소되어 있다. 만성신부전 환자에서 FGF23의 증가는 이차부갑상선항진증의 발병보다 선행한다. 만성신부전 환자에서 세벨라머(sevelamer)염산염과 탄산칼슘을 투여 시 인산 흡수를 억제하고 FGF23수치를 감소시킨다.

3) 마그네슘대사

(1) 마그네슘의 체내 분포 및 기능

마그네슘은 신체에서 네 번째로 가장 풍부한 양이온이다. 전신 마그네슘 25 g (1,000 mmol)의 약 절반 정도는 뼈에 존재하고 절반 정도는 근육 및 다른 연부조직에 존재한다. 뼈에 존재하는 마그네슘의 약 절반 정도는 무기질에 포함되어 있지 않고 세포바깥액과 자유롭게 교환이 가능하며 세포외 마그네슘 농도 변화에 대해 완충작용을 한다. 전체 마그네슘의 1% 이하가 세포바깥액에 존재하고, 혈청마그네슘 농도는 정상적으로 0.7-1 mmol/L (1.7-2.4 mg/dL)이다. 이중 약 3분의 1은 단백질과 결합되어 있고, 15%는 인산 및 다른 음이온들과 약하게 복합체를 형성하고 있으며, 55-60%는 자유 이온으로 존재한다. 혈청이온화마그네슘은 신장, 장 및 뼈의 작용을 통해 엄격한 정상 기준 범위에서 유지된다. 세포내 마그네슘의 95% 이상은 특히 ATP와 같은 다른 분자들과 결합되어 있고 농도는 약 5 mmol/L이다. 세포내 세포질유리마그네슘 농도는 약 0.5 mmol/L이고 활성 나트륨-마그네슘 역수송체에 의해 유지된다.

세포내 마그네슘은 인산과 같이 광범위한 세포기능에 필요하다. 인산이 관여하는 동일한 해당작용, 인산화효소 및 인산가수분해경로들을 포함하는 효소반응들에 있어서 필수적인 보조인자이다. 마그네슘은 DNA, RNA 및 리보솜을 포함하는 다양한 거대분자 및 복합체구조를 직접적으로 안정화시키는 역할을 하고, 많은 ATPase-연관이온수송체의 중요한 활성체이며, 사립체 산화대사에 있어서 직접적인 역할을 한다. 결과적으로 마그네슘은 에너지대사 및 정상적인 세포내 환경을 유지하기 위해 필수적이다. 세포외 마그네슘은 정상적인 신경근육흥분성 및 신경전도에 필수적이다.

(2) 마그네슘 항상성의 조절

식이마그네슘 함량은 일반적으로 6-15 mmol/d (140-360 mg/d)이며, 그 중 30-40%는 주로 공장과 회장에서 흡수된다. 장의 마그네슘 흡수효율은 칼시트라이올에 의해 자극

되고 마그네슘 결핍 동안에는 70-80%까지 도달할 수 있다. 마그네슘 흡수는 포화, 경세포능동수송 및 비포화, 세포간경로 수동수송 등 두 가지 경로를 통해 발생한다. 관강내 농도가 낮을 때 마그네슘은 주로 능동수송으로 흡수되는 반면 관강내 농도가 증가하면 수동수송경로가 중요해진다.

장에서 흡수된 마그네슘은 혈류로 들어가 신장사구체 내에서 여과된다. 여과된 마그네슘의 약 95-99%는 신장 세뇨관을 통해 재흡수되고, 3-5%가 최종적으로 소변으로 배출된다. 여과된 마그네슘의 20%만이 근위곡세뇨관에서 재흡수되는 반면, 60-70%는 신장피질 헨레고리 비후상행각에서, 나머지 5-10%는 원위곡세뇨관에서 재흡수된다. 헨레고리 비후상행각에서 마그네슘 재흡수는 세포간경로를 통해 발생하고 부갑상선호르몬에 의해 증가되지만 고칼슘혈증 또는 고마그네슘혈증에 의해 억제된다. 헨레고리비후상행각에서 치밀이음은 세포사이 칼슘 및 마그네슘 수송을 조절하는 데 중심적인 역할을 하는 단백질인 claudin-16과 claudin-19에 의해 형성된다. 이 두 단백질에 영향을 미치는 돌연변이는 칼슘 및 마그네슘의 세포사이 재흡수 감소를 초래하여 고칼슘뇨증 및 신석회증을 동반한 가족성저마그네슘혈증(familial hypomagnesemia with hypercalciuria and nephrocalcinosis, FHHNC)을 유발한다. 헨레고리비후상행각에서 세포사이 칼슘 및 마그네슘 수송은 기저측부에 위치한 칼슘감지수용체의 작용에 의해 조절되는데, 칼슘감지수용체는 원위 네프론과 다른 조직에서 세포외 칼슘 및 마그네슘 농도를 감지하여 칼슘 및 마그네슘 항상성에 필수적인 역할을 한다. 부갑상선호르몬은 세포사이 투과성을 향상시켜 헨레고리비후상행각에서 마그네슘 재흡수를 증가시킬 뿐만 아니라 원위곡세뇨관에서 경세포 마그네슘재흡수도 증가시킨다.

저마그네슘혈증에서는 뼈로부터의 부갑상선호르몬유도 칼슘방출이 크게 감소한다. 세포내 마그네슘은 adenylate cyclase의 보조인자이며 세포내 이온화 마그네슘의 감소는 부갑상선호르몬에 대한 저항을 초래한다. 이때 저칼슘혈증

은 칼슘 또는 비타민D 치료에는 저항이 있지만 마그네슘 보충에는 빠르게 반응한다.

2. 무기질조절호르몬

정상적인 신경근육기능, 뼈의 무기질화 및 다른 많은 생리학적과정들을 위해서는 혈중 이온화칼슘을 적절히 유지하는 (1.1–1.3 mM) 것이 필요하다. 부갑상선, 뼈, 신장 및 장은 부갑상선호르몬–매개에 의한 칼슘 항상성에 관여하는 중요한 장기들이다. 부갑상선호르몬은 혈액 및 세포바깥액 내의 이온화칼슘을 엄격하게 조절하는 펩타이드호르몬이다. 부갑상선의 주세포는 정상 혈중 칼슘상태를 유지하기 위해 매우 적은 양의 이온화칼슘의 감소에도 반응하여 부갑상선호르몬을 분비한다. 부갑상선호르몬은 뼈 및 신장의 표적세포에 있는 부갑상선호르몬수용체(type 1 PTH receptor, PTH/PTHrP receptor, PTH1R)와 결합하여 골흡수를 증가시키고 뼈에 있는 저장소로부터 칼슘을 유리시킴으로서 작용을 나타낸다. 부갑상선호르몬은 소변으로의 칼슘 소실을 감소시키고 인산의 배설을 증가시키며, 간접적으로 신장에서 활성형 비타민D대사물인 칼시트라이올을 생성함으로서 장에서 칼슘 흡수를 증가시킨다. 혈중 이온화칼슘 및 칼시트라이올 증가는 부갑상선에 대한 음성되먹임으로 부갑상선호르몬 분비를 감소시키고, 혈청인산은 부갑상선호르몬 분비를 증가시킨다. FGF23은 칼슘 및 인산 항상성 조절에 기여하는 호르몬으로서, 신장에서의 인산 배설을 촉진시키고 혈중 칼시트라이올을 감소시켜서 장에서의 칼슘흡수를 감소시킨다. 혈청칼슘, 부갑상선호르몬, FGF23, 칼시트라이올 및 인산 간의 상호작용으로 식이칼슘 섭취의 큰 변동에도 불구하고 혈중 이온화칼슘은 매우 좁은 범위에서 유지된다.

1) 부갑상선호르몬

(1) 부갑상선의 발생 및 기능

부갑상선은 동물이 수중 환경에서 칼슘이 부족한 육상 환경으로 이동하면서 세포외 칼슘의 항상성 유지를 아가미 대신에 뼈, 장 및 신장에 의존하도록 바뀌는 진화과정 중에 처음으로 나타난 것으로 보인다. 부갑상선은 보통 네 개가 있으며 갑상선 엽의 상부 및 하부 끝부위에 인접하여 있다. 위쪽의 부갑상선은 배아의 네번째 인두낭의 내배엽으로부터 유래하고, 하부의 부갑상선은 세 번째 인두낭의 내배엽으로부터 흉선과 함께 유래한다. 이러한 이동경로를 따라 부갑상선이 추가적으로 다른 부위, 또는 흉선 및 갑상선 내부에서도 발견될 수 있다. 정상 부갑상선의 발생에는 전사인자 Sox3, Hoxa3, Pax1, Pax9, Eya1, Tbx1, GCMB 및 Shh (sonic hedgehog)–Bmp4 신호전달 네트워크 등이 관여한다. GATA3, GCMB 및 CaSR에서의 신호전달단백질 중 하나인 $G_{\alpha 11}$ 등에 돌연변이가 발생하면 경증 또는 중증의 저칼슘혈증을 동반하는 부갑상선저하증이 발생할 수 있다. 특히, 전사인자 GATA3를 코딩하는 유전자에 돌연변이가 있을 경우 부갑상선저하증, 감각신경난청 및 신장기형 등의 증후군(hypoparathyroidism, sensorineural deafness, renal dysplasia syndrome, HDR)을 나타낸다. 부갑상선주세포는 항상성기능에 필수적인 세 가지 특징을 가지고 있다: 첫째, 혈중 칼슘의 변화에 반응하여 부갑상선호르몬을 급격히 분비한다. 둘째, 조절방식을 통해서 많은 양의 부갑상선호르몬을 합성하고, 처리하고, 저장할 수 있다. 셋째, 부갑상선세포는 만성적으로 자극을 받을 경우에 증식이 일어난다. 이러한 기능적인 속성으로 인해 칼슘 가용성의 변화에 대하여 각각 단기간, 중기간 및 장기간적응이 가능하다.

(2) 부갑상선호르몬의 합성, 분비 및 대사
① 합성

사람에서 부갑상선호르몬을 코딩하는 유전자는 11번 염색체의 단완(11p15)에 있다. 부갑상선호르몬단백질은 115개의 아미노산으로 구성된 pre–proparathyroid hormone (pre–pro–부갑상선호르몬)으로 합성되지만, 부갑상선주세포로부터 84개의 아미노산단일쇄폴리펩타이드인 부갑상선호르몬(1–84)로 분비된다. "pre" 염기서열은 25개의 아미노산신호펩타이드(리더서열)로 구성되어 있어서 초기의 펩타이드를 소포체로 이동저장하여 분비될 수 있도록 한다. 6개의 아미노산으로 구성되어 있는 "pro" 염기서열도 적절한 부갑상선호르몬 처리 및 분비에 필수적이다. 이들 pre- 및 pro-염기서열은 완전(intact) 부갑상선호르몬(1-84) 폴리펩타이드를 만들어내는 단백질처리 과정 동안에 제거된다. 생산된 부갑상선호르몬(1-84) 분자는 혈중 칼슘 농도에 상태에 따라 세포외 배출기전을 통해 혈중으로 분비되거나 분비소포 내에 존재하는 칼슘민감성 단백질분해요소에 의해 분해된다. 이렇게 분해되면 PTH1R 상호작용에 중요한 아미노말단이 없는 카복시말단부갑상선호르몬 절편들이 축적된다.

칼시트라이올은 부갑상선호르몬 분비에 직접적인 영향을 미치지 않지만, 부갑상선호르몬 유전자전사를 억제한다. 하지만, 만성적인 저칼슘혈증이 있는 동물에 칼시트라이올을 투여하는 경우에는 이러한 전사의 억제가 일어나지 않는다. 칼슘도 부갑상선호르몬의 합성을 조절한다. 생쥐에서의 연구에 따르면 급성저칼슘혈증은 1시간 이내에 부갑상선호르몬 mRNA를 증가시킨다. 대조적으로, 고칼슘혈증은 부갑상선호르몬 mRNA의 변화를 거의 또는 전혀 유발하지 않는다. 부갑상선은 칼슘이 증가할 때에 비해 감소할 때 훨씬 더 쉽게 반응하도록 되어 있다. 인산의 상승은 주로 혈중 칼슘과 칼시트라이올을 감소시킴으로서 부갑상선호르몬 분비를 자극한다. 또한, 인산은 혈중 칼슘 및 칼시트라이올에 대한 영향과 무관하게 부갑상선호르몬 분비를 직접 증가시킬 수 있다. 인산은 약간의 시간지연 후에 부갑상선호르몬 분비를 급격히 증가시키며 부갑상선호르몬 mRNA 수준의 조절을 통해 주로 작용하는 것으로 보인다. FGF23은 부갑상선세포에서 FGF1과 그 보조수용체인 Klotho를 활성화하여 부갑상선호르몬 합성을 억제한다.

② 분비 및 대사

부갑상선의 주요 생리학적 기능은 칼슘조절기구(calcio-stat)로 작용하여 혈중 이온화칼슘치를 감지하고 그에 따라 부갑상선호르몬의 분비를 조절하는 것이다. 카테콜라민, 마그네슘 및 기타 자극이 부갑상선호르몬 분비에 영향을 줄 수 있지만, 부갑상선호르몬 분비의 중요한 조절자는 혈중 이온화칼슘 농도이다. 혈중 이온화칼슘의 변화는 여러 기전에 의해 부갑상선호르몬(1-84)의 분비에 영향을 미친다. 부갑상선 주세포는 칼슘감지수용체를 통해서 세포바깥액의 칼슘을 감지하고 부갑상선호르몬 분비의 변화를 일으키는데, 세포바깥액 칼슘 감소가 감지되면 부갑상선호르몬 분비가 급격히 증가하고, 칼슘의 증가는 부갑상선호르몬 분비를 감소시킨다. 세포외 이온화칼슘의 단기 증가는 부갑상선세포에서 세포내 유리칼슘치를 증가시켜 분비소포에서 칼슘민감성 단백질 분해효소를 활성화시킨다. 결과적으로 부갑상선호르몬(1-84)의 카복시말단절편으로의 분해가 증가한다. 세포외 칼슘의 증가는 또한 분비소포로부터 저장된 부갑상선호르몬의 유리를 감소시킨다. 이온화칼슘과 부갑상선호르몬 분비 사이의 관계는 세포바깥액 칼슘이 낮을 때 최대의 분비율을 보이고, 세포바깥액 칼슘이 높을 때 최저의 분비율을 보이는 가파른 역S자형관계로, 혈중 이온화칼슘의 아주 작은 변화에도 반응하여 상당한 양의 부갑상선호르몬분비의 변화를 허용한다. 부갑상선세포는 혈중 칼슘의 절대수준과 칼슘치의 감소속도 모두에 반응한다. 따라서 부갑상선호르몬수치는 칼슘이 점진적으로 떨어질 때보다 혈중 칼슘이 갑자기 떨어질 때 더 급속하게 상승한다.

저칼슘혈증이 발생할 경우 처음에 저장된 부갑상선호르몬의 유리가 수초 이내에 시작되어 60-90분간 지속되고, 20-30분 이내에 세포 내에서 부갑상선호르몬의 분해가 감소하며, 수시간에 걸쳐서 부갑상선호르몬 유전자발현이 증가한다. 수주 또는 수개월 이상의 기간에 걸쳐서 혈중 이온화칼슘이 장기간 감소하면 부갑상선호르몬을 분비하는 부갑상선세포의 증식이 일어나며 부갑상선의 전체 분비능이 증가한다. 부갑상선세포수는 저칼슘혈증, 칼시트라이올 감소, 고인산염혈증, 요독증 또는 종양성 성장 동안에 급격히 증가할 수 있다. 만성신부전 및 심한 부갑상선항진증이 있는 환자에서는 혈중 부갑상선호르몬 및 부갑상선세포의 양이 크게 증가한다. 칼슘은 부갑상선의 칼슘감지수용체를 통해 작용하여 부갑상선의 증식을 억제한다. 칼시트라이올은 혈중 칼슘과 무관하게 부갑상선호르몬 합성 및 부갑상선세포 증식을 억제한다.

부갑상선에서 부갑상선호르몬(1-84)와 부갑상선호르몬의 카복시말단절편들이 모두 분비되며, 활성부갑상선호르몬 분비에 대한 비활성부갑상선호르몬의 비율은 혈중 칼슘이 증가함에 따라 증가한다. 84개의 아미노산으로 구성된 완전 부갑상선호르몬단백질이 부갑상선세포로부터 분비된 이후에는 간(70%)과 신장(20%)에서 주로 대사되고 약 2분 정도의 짧은 반감기로 혈중에서 제거된다.

(3) 부갑상선호르몬 및 부갑상선호르몬관련단백질수용체

부갑상선호르몬은 유전적, 기능적으로 부갑상선호르몬과 다른 특징을 갖는 141개의 아미노산으로 구성된 폴리펩타이드인 부갑상선호르몬관련단백질(PTH-related protein)와 상동성을 갖는다. 부갑상선호르몬관련단백질은 본래 악성종양에 의한 고칼슘혈증에서 체액성 매개인자로서 확인되었으나, 발달과정에서 중요한 역할을 한다는 것이 발견되었고, 특히 뼈에서 연골내 골형성 동안에 성장판의 성숙을 조절하는 역할을 한다. 부갑상선호르몬관련단백질은 유선의

발달과정에 관여하고 임신 및 수유 동안에 칼슘 항상성에 기여하는 것으로 보인다. 부갑상선호르몬 및 부갑상선호르몬 관련단백질의 아미노-말단부와 약하지만 상동성을 가지고 있는 기능적으로 독특한 39개의 아미노산으로 이루어진 결절누두펩타이드(tuberoinfundibular peptide of 39 amino acids, TIP39)는 뇌에서 발현하여 통각에 관여하고, 고환에 발현하여 정자 형성에 기여한다. TIP39는 PTH1R와 효과적으로 상호작용하지 않고, PTH2R와 상호작용한다.

부갑상선호르몬 및 부갑상선호르몬관련단백질 사이의 아미노산서열 상동성은 리간드의 아미노-말단부에서 가장 강하게 나타나는데, 합성 또는 유전자재조합 부갑상선호르몬(1-34) 또는 부갑상선호르몬관련단백질(1-36)은 PTH1R에 결합하여 길이가 더 긴 부갑상선호르몬(1-84) 또는 부갑상선호르몬관련단백질(1-41)와 같은 완전 펩타이드에 의해 유도되는 반응과 구별 불가능할 정도로 신호전달반응을 나타내며, 실제 부갑상선호르몬(1-34)은 골다공증에서 PTH1R를 표적으로 하는 치료제로 널리 사용되고 있다.

부갑상선호르몬 및 부갑상선호르몬관련단백질은 동일한

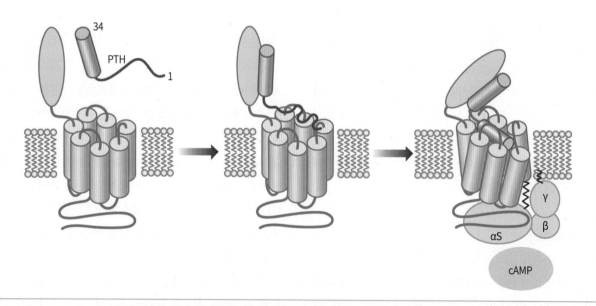

그림 11-1-17. **부갑상선호르몬과 부갑상선호르몬수용체(PTH1R)의 상호작용에 의한 수용체 활성화 및 G단백질을 경유한 신호전달**

수용체인 PTH1R를 통해서 생물학적 작용을 나타내며, PTH1R는 GPCRs (G protein coupled receptors) 클래스 B에 속한다(그림 11-1-17). PTH1R는 부갑상선호르몬 및 부갑상선호르몬관련단백질의 아미노말단 절편에 동일한 친화도로 결합한다. PTH1R는 신장 및 뼈의 골모세포에서 높은 수준으로 발현되며, 부갑상선호르몬은 신장 및 뼈세포에 직접적으로 작용하고 장세포에 간접적으로 작용하여, 신장에서 칼슘 재흡수를 증가시키고 뼈에서 세포바깥액으로 저장된 칼슘을 유리시키며 장에서 칼슘 흡수를 증가시킨다. PTH1R는 뇌, 심장, 피부, 폐, 간 및 고환에서도 발현하며, 부갑상선호르몬관련단백질의 작용을 매개한다.

표적세포에서 부갑상선호르몬리간드에 의해 PTH1R가 활성화되면 세포내 여러 신호전달경로를 유도한다. 가장 중요한 경로는 수용체에 의한 $G_{\alpha s}$ 신호전달의 활성화로, 이는 adenylyl cyclase를 자극하여 세포내 cAMP를 증가시키고, 단백질인산화효소A (protein kinase A)를 활성화한다(그림 11-1-18). PTH1R는 또한 $G_{\alpha q/\alpha 11}$과 결합하여 phospholipase C를 활성화하고 단백질인산화효소C의 활성화와 세포내 유리칼슘의 증가를 초래한다. 이 신호전달경로는 신장과 뼈에서 부갑상선호르몬의 작용에 중요한 역할

을 한다.

PTH1R의 두 번째, 여섯 번째 및 일곱 번째 막횡단도메인에 특정 점돌연변이가 있는 경우에는 호르몬에 의한 자극 없이도 G_s를 활성화할 수 있다. 이러한 돌연변이수용체는 얀센골간단연골이형성증(Jansen metaphyseal chondrodys-trophy) 환자에서 발견되며 고칼슘혈증, 저인산염혈증, 칼시트라이올 및 소변cAMP 증가 등이 나타나지만 부갑상선호르몬 및 부갑상선호르몬관련단백질은 낮다.

부갑상선호르몬관련단백질의 중간영역과 카복시말단 부분은 생물학적활성을 갖지만 이러한 펩타이드에 대한 수용체는 확인되지 않았다. 중간영역 부갑상선호르몬관련단백질은 태반칼슘 수송을 자극하고 신장중탄산염처리를 조절하며, 아미노산 107–138 및 109–138로 구성된 카복시–말단 부갑상선호르몬관련단백질 절편은 파골세포기능을 억제하고 골모세포 증식을 자극한다. 시험관 및 동물실험에서 부갑상선호르몬관련단백질과 부갑상선호르몬은 PTH1R와 결합하여 동등한 신호전달 및 생물학적 효과를 유발한다. 그러나 사람에서 부갑상선호르몬과 부갑상선호르몬관련단백질을 투여한 연구에서 부갑상선호르몬관련단백질

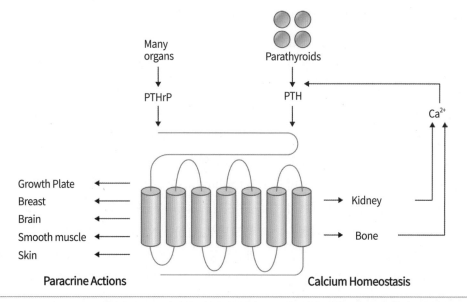

그림 11-1-18. PTH/PTHrP수용체(PTH1R)에 작용하는 부갑상선호르몬 및 부갑상선호르몬관련단백질의 작용

(1-36)보다 더 낮은 용량의 부갑상선호르몬(1-34)에서 고칼슘혈증이 발생하였고, 신장에서 칼시트라이올 생성을 자극하는 효과는 부갑상선호르몬관련단백질이 부갑상선호르몬보다 덜 강력한 것으로 나타났다. 또한 악성종양에 의한 고칼슘혈증(humoral hypercalcemia of malignancy, HHM)과 부갑상선항진증의 생화학적 프로파일의 차이 등을 고려할 때 사람의 PTH1R은 부갑상선호르몬과 부갑상선호르몬관련단백질에 다소 다르게 반응함을 알 수 있다.

(4) 작용
① 신장에서의 작용
칼슘은 신장의 여러 부위에서 흡수되며, 신세뇨관을 따라 세포사이 수동수송 또는 경세포 능동수송을 통해 흡수된다. 신장에서 부갑상선호르몬의 작용은 (1) 근위곡세뇨관세포 1α-hydroxylase의 활성자극, (2) 원위곡세뇨관, 연결세뇨관 및 헨레고리비후상행각세포에 의한 칼슘 재흡수 증가, (3) 근위곡세뇨관세포에 의한 인산 재흡수 억제이다.

부갑상선호르몬은 신장근위곡세뇨관에서 1α-hydroxylase의 활성을 자극하여 전구물질인 25(OH)D로부터 생물학적으로 활성인 1,25(OH)$_2$D의 합성을 증가시키며, 이러한 효과는 고칼슘혈증 또는 1,25(OH)$_2$D에 의해 억제된다. 부갑상선호르몬은 근위곡세뇨관에서 1,25(OH)$_2$D을 불활성인 24,25(OH)$_2$D로 대사시키는 24-hydroxylase유전자의 전사를 억제하고 1,25(OH)$_2$D에 의한 24-hydroxylase 활성의 상향조절을 길항한다.

하루 약 8-10 g의 칼슘이 사구체에서 여과되고 초기 사구체 여과액의 거의 모든 칼슘은 신세뇨관에서 재흡수되며 2-3%만 소변으로 배설된다. 65% 이상이 근위신세뇨관에서 수동적으로, 세포간경로를 통해서 재흡수되고, 이 과정은 NaCl 재흡수와 연관되어 있으며 부갑상선호르몬은 이 부위에서 칼슘 흐름에 거의 영향을 미치지 않는다. 나머지 칼슘은 대부분 원위부에서 재흡수된다. 여과된 칼슘의 20%는

신장피질 헨레고리비후상행각(cTAL)에서 역시 세포간경로를 통해서 재흡수되고, 10%는 원위곡세뇨관에서 재흡수된다. 두 곳 모두에서 부갑상선호르몬은 부갑상선호르몬수용체와 결합하고 칼슘의 재흡수를 증가시킨다. 헨레고리비후상행각에서는 NaCl 재흡수를 증가시키고 세포사이 칼슘 및 마그네슘 재흡수를 자극하는 Na-K-2Cl 공동수송체의 활성을 증가시킨다. 헨레고리비후상행각에서의 칼슘 재흡수를 위해서는 claudin-16이라고도 하는 치밀이음(tight junction) 단백질인 paracellin-1을 필요로 하며, 혈중 칼슘 또는 마그네슘 농도 증가에 의해 억제되는데, 네프론분절의 기저측부막에 매우 많이 발현되는 칼슘감지수용체를 통해서 작용한다. 혈중 칼슘 또는 마그네슘 증가에 의해 칼슘감지수용체가 활성화되면 헨레고리비후상행각에서 Na-K-Cl2 재흡수를 억제하여 세포사이 칼슘 재흡수도 억제한다. 이와같이 신장에서의 칼슘감지수용체는 부갑상선호르몬 또는 칼시트라이올의 직접적인 작용과 무관하게, 이온화칼슘이 신장에서 칼슘 재흡수를 조절할 수 있도록 한다. 원위곡신세뇨관은 싸이아자이드(thiazide)이뇨제의 작용부위이기도 한데, 나트륨 고갈을 일으키고 근위신세뇨관에서 칼슘 재흡수를 증가시켜 소변 칼슘 배설을 감소시킨다. 반대로, 음식 섭취에 의한 나트륨부하 증가 또는 루프작용이뇨제나 식염수 주입에 의해 원위부에 나트륨 전달이 증가하면 요중 칼슘 배설이 증가한다.

최종적으로, 여과된 칼슘의 10%는 경세포기전에 의해 원위곡신세뇨관을 통해서 재흡수된다. 부갑상선호르몬은 정단부(apical) 칼슘통로인 TRPV5 (transient receptor potential vanilloid 5)의 발현을 상향조절함으로써 원위곡세뇨관세포로의 칼슘 유입을 촉진하고, 칼슘결합단백질인 Calbindin-D$_{28K}$의 발현을 증가시켜 칼슘이온의 완충을 증가시키고 기저측부표면으로 이동시키며, ATP의존성 Ca^{2+} 펌프(PMCA1b) 및 Na$^+$-Ca^{2+} 교환체인 NCX1과 같은 활성과정을 통해 칼슘을 배출한다. 부갑상선호르몬은 칼시트라이올 합성을 증가시켜서 직접적 및 간접적으로 TRPV5, Calbindin-D$_{28K}$ 및 NCX1을 포함한 이러한 요소들을 상

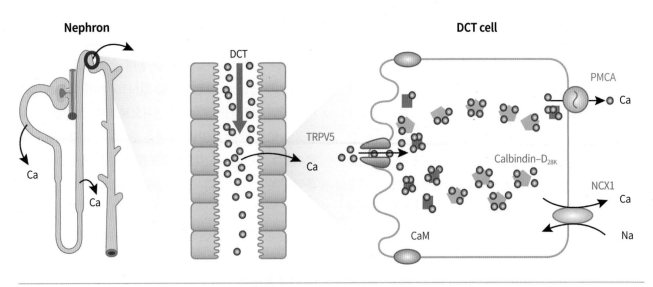

그림 11-1-19. **신장에서의 칼슘 재흡수. 경세포경로(transcellular route)를 통한 칼슘 재흡수. 저칼슘혈증 시 부갑상선호르몬은 TRPV5 및 Calbindin-D$_{28K}$ 발현을 자극하여 칼슘 재흡수 자극**

향조절함으로서 원위곡세뇨관에서의 칼슘 능동수송을 자극한다(그림 11-1-19).

근위 및 원위곡세뇨관 모두에서 인산재흡수는 부갑상선호르몬에 의해 강하게 억제되지만, 양적으로는 근위곡세뇨관에서의 효과가 가장 중요하며, 인산재흡수는 여과된 부하의 약 80%를 회수하는 근위신세뇨관에서 주로 발생한다. 8-10%는 원위곡세뇨관에서 재흡수되고, 약 10-12%가 소변으로 배설된다. 정상적인 전체분획세뇨관인산재흡수(fractional tubular reabsorption of phosphate, TRP)는 약 90% 정도이다. 신장에서의 인산처리에 대한 보다 신뢰할 수 있는 측정방법은 인산역치(tubular maximum reabsorption of phosphate corrected for glomerular filtrate rate, TmP/GFR)로서 정상치는 연령에 따라 차이가 있으나 2.6-4.4 mg/dL (0.80-1.35 mmol/L)이다. 인산은 상피를 통해서 재흡수되고, 사구체여과액에서 세포로의 인산수송은 나트륨-인산공동수송체(sodium-phosphate cotransporters 2a 및 2c, NPT2a 및 NPT2c)에 의해 이루어지는데, 부갑상선호르몬은 근위신세뇨관세포에서 NPT2a 및 NPT2c의 내재화 및 분해를 유도하여

인산의 재흡수를 감소시킨다. 한편, 부갑상선호르몬은 정단부 Na$^+$-H$^+$ 교환체(Na$^+$-H$^+$ exchanger, NHE3)와 기저측부 Na$^+$/K$^+$-ATPase의 억제를 통해 근위곡세뇨관에서 나트륨, 물 및 중탄산염 재흡수를 억제한다.

② 뼈에서의 작용

부갑상선호르몬은 골모세포에 직접적으로 작용하고 부갑상선호르몬수용체가 없는 파골세포에 간접적으로 작용하여 파골세포의 수와 활동을 증가시켜 골교체율과 저장된 칼슘의 방출을 증가시킨다. 부갑상선호르몬은 골모세포 전구체 풀의 크기를 증가시키고 성숙골모세포 뼈-형성 활성을 증가시키며 골모세포를 자극하여 M-CSF (macrophage colony-stimulating factor) 및 RANKL [receptor activator of nuclear factor-κB (NF-κB) ligand]과 같은 사이토카인을 방출한다. RANKL은 파골세포전구세포 및 파골세포의 수용체인 RANK와 결합하여 새로운 파골세포의 형성을 자극하고 성숙한 파골세포를 활성화하여 파골세포의 골흡수 활성을 증가시킨다. 부갑상선호르몬은 또한 RANKL과 작용하여 파골세포 발달을 억제하는 골모세포의 오스테오프로테제린(osteoprotegerin, OPG)생성을 억제한다. 골세포에서 칼슘수송에는 TRPV4 및 TRPV5가 관여하는데, TRPV4는 골모세포와 파골세포에서 세포내 칼슘 농도를 조절하는 반면, 파골세포에서 발현되는 TRPV5는 골기질 및 무기질을 제거하는데 관여한다. 부갑상선호르몬이 지속적으로 상승하면 골모세포 활성보다 파골세포 활성이 증가하고, 그 결과 저장된 칼슘을 세포바깥액으로 방출한다. 어떤 경로로든 부갑상선호르몬 투여는 파골세포 수를 증가시켜 골흡수를 증가시키고 골모세포 수를 증가시켜 골형성을 증가시킨다. 어떤 작용이 우세한지는 부갑상선호르몬의 용량과 투여경로에 따라 다르다. 임상에서 저용량의 부갑상선호르몬 또는 부갑상선호르몬의 활성 아미노말단절편을 1일 1회 피하주사로 투여하면 혈중 칼슘에는 일시적인 영향만을 미치고 골량의 순 증가가 나타난다. 부갑상선호르몬을 지속적으로 투여하면 부갑상선호르몬이 골흡수에 미치는 영향이 우세하고, 뼈에서 칼슘이 방출되고 골량이 감소한다. 따라서 부갑상선호르몬의 이러한 작용은 원발성 부갑상선항진증에서 볼 수 있는 혈중 칼슘의 증가에 기여한다.

부갑상선호르몬은 또한 파골세포-비의존성으로 무기질의 용해도를 변화시킴으로써 뼈의 표면으로부터 무기질을 급속히 유리시킬 수 있다. 부갑상선호르몬수용체의 활성화는 골세포에 의한 골용해(osteocytic osteolysis)기전에 의해 뼈에서 칼슘을 방출하는데, 골세포는 탄산탈수효소2 (carbonic anhydrase 2), 카텝신K (cathepsin K), tartrate-resistant acid phosphatase (TRAP) 등과 같은 골흡수관련단백질을 생산하여 바로 주변의 기질에서 무기질을 직접 방출할 수 있다.

부갑상선호르몬에 의한 파골세포에 의한 골흡수는 약 수시간에서 수일 정도 후에 발생한다. 부갑상선호르몬에 의해 신장에서 25(OH)D로부터 $1,25(OH)_2D$의 합성이 자극되는 데에는 수시간이 걸리고, 더 오랫동안 부갑상선호르몬 상승에 노출되면 $1,25(OH)_2D$에 의해 뼈로부터의 칼슘 유리뿐만 아니라 장에서의 칼슘 흡수도 증가하게 된다.

③ 장에서의 작용

칼슘은 수동적 세포간경로 및 TRPV6 및 Calbindin-D_{9K}가 관여하는 활성 경세포경로를 통해 장 전체를 통해서 흡수된다. 부갑상선호르몬은 혈중 칼시트라이올 농도를 증가시켜 장에서의 칼슘 흡수에 간접적으로 작용한다. 칼시트라이올 농도 증가는 TRPV6 발현을 증가시켜 내강에서 세포로의 칼슘 유입을 촉진하고 세포질 Calbindin-D_{9K} 발현을 촉진하여 칼슘의 경세포 수송을 촉진한다.

2) 부갑상선호르몬관련단백질(PTH-related protein)

(1) 합성 및 분비

Fuller Albright는 종양에서 부갑상선항진증과 유사하게 고칼슘혈증이 발생할 수 있음을 처음으로 가정하였고, 그 이후 다양한 종양에서 부갑상선호르몬관련단백질의 분비로 인한 고칼슘혈증을 확인하였다. 사람에서 부갑상선호르몬관련단백질유전자는 12번 염색체의 단완에 있으며 9개의 엑손과 3개의 프로모터를 포함하고 있다. 사람에서 RNA 스플라이싱은 139, 141 또는 173개 아미노산을 갖는 세 가지 별개의 단백질을 생성하는 mRNA를 생성하고, 이것은 부갑상선호르몬관련단백질이 기능적으로 구별되는 여러 개의 도메인을 가지고 있음을 시사한다. 부갑상선호르몬관련단백질과 부갑상선호르몬은 그 구조와 특성이 유사하나 부갑상선호르몬관련단백질은 부갑상선호르몬과 달리 매우 다양한 조직에서 만들어지며 혈중 칼슘조절과는 거의 관련이 없는 방식으로 국소자가분비, 주변분비 또는 세포내 분비를 통해서 작용한다. 그러나, 악성종양에 의한 고칼슘혈증 환자에서 부갑상선호르몬관련단백질은 순환하고 부갑상선호르몬의 전신작용과 유사한 영향을 미친다. 거의 모든 기관의 세포는 특히 발달 중에 부갑상선호르몬관련단백질 mRNA를 발현한다. 많은 다른 호르몬과 성장인자들이 부갑상선호르몬관련단백질 mRNA의 전사 및/또는 안정성을 조절한다. 부갑상선호르몬과 마찬가지로 칼슘감지수용체는 많은 세포에서 부갑상선호르몬관련단백질 유전자발현을 조절한다.

(2) 기능

다른 성장인자나 사이토카인과 마찬가지로 부갑상선호르몬관련단백질은 다양한 세포 유형에서 매우 많은 기능을 가지고 있다. 부갑상선호르몬관련단백질은 태아기 동안 거의 모든 조직에서 한 번쯤은 합성되며, 많은 태아조직에서 증식 및 분화를 조절한다. 태아기에 부갑상선호르몬관련단백질의 광범위한 발현은 다양한 악성종양에서 부갑상선호르몬관련단백질 발현의 근거가 된다.

부갑상선호르몬관련단백질은 태아기 및 수유기 동안 칼슘 조절호르몬으로 작용한다. 임신 중 칼슘은 태반을 통해 산모에서 태아로 활발하게 운반되어야 하는데, 태아의 부갑상선호르몬관련단백질이 모체로부터 태반을 통한 칼슘수송을 매개하는 것으로 보인다. 부갑상선호르몬관련단백질유전자가 결핍된 태아생쥐는 태반을 통해 칼슘을 잘 수송하지 못한다. 태아생쥐의 혈중 부갑상선호르몬관련단백질은 부분적으로 태반에서 유래하고 태반부갑상선호르몬관련단백질 생산은 칼슘감지수용체에 의해 조절된다. 아미노말단 부분이 아닌 중간영역 부갑상선호르몬관련단백질이 태반 칼슘 수송을 자극하는 것으로 보아 부갑상선호르몬관련단백질의 이러한 작용은 PTH1R에 의해 매개되지 않음을 시사한다.

부갑상선호르몬관련단백질은 수유 중 유방상피세포에 의해 생성되고 산모순환계로 분비되어 전신 칼슘대사 조절에 관여한다. 수유 중에는 유방에서 혈중으로 부갑상선호르몬관련단백질이 분비되어 골흡수를 증가시킨다. 모체의 골격은 모유 생산을 위한 중요한 칼슘 공급원이며 수유 중인 여성과 설치류 모두에서 골흡수율 증가 및 빠른 골소실의 증가가 잘 알려져 있다. 사람에서 수유 중 부갑상선호르몬관련단백질의 증가는 골소실과 상관관계가 있고, 생쥐에서 혈중 부갑상선호르몬관련단백질치는 골흡수율과 직접적으로 상관관계가 있으며 골량과는 역상관관계가 있다. 부갑상선호르몬관련단백질은 사람에서 수유 중 가역적인 뼈손실에 기여하는데, 골손실은 파골세포에 의한 골흡수 증가와

골세포가 PTH1R의 활성화에 의해 자신을 둘러싸고 있는 기질을 흡수하는 골세포에 의한 골용해 활성도에 의해 증가한다. 또한 수유 중에는 유방에서 칼슘감지수용체가 발현하는데, 유방으로의 칼슘전달 증가에 대한 반응으로 부갑상선호르몬관련단백질 분비를 억제하도록 신호를 보낸다. 이런 식으로 유방은 골격과 소통하여 모유 생산을 위한 안정적인 공급을 보장하기 위해 저장칼슘의 동원을 조절한다. 모유에서 부갑상선호르몬관련단백질의 역할은 알려져 있지 않지만 많은 양의 부갑상선호르몬관련단백질이 모유로도 분비된다.

부갑상선호르몬관련단백질은 성인에서 많은 조직에서 합성된다. 피부, 모발 및 유방과 같은 조직에서 부갑상선호르몬관련단백질은 세포증식 및 분화를 조절한다. 부갑상선호르몬관련단백질은 또한 혈관과 위장관, 자궁, 방광의 평활근 스트레칭에 반응하여 합성되며 자가분비방식으로 평활근의 긴장을 감소시킨다. 부갑상선호르몬관련단백질은 중추신경계의 신경세포에서도 널리 발현된다(그림 11-1-18). 뇌에서의 기능은 알려져 있지 않지만 흥분독성(excitotoxicity)으로부터 신경세포를 보호한다.

아미노말단부갑상선호르몬관련단백질은 연골세포 분화 속도를 조정하고 성장판의 적절한 구조를 유지한다. 부갑상선호르몬관련단백질도 골형성 촉진기능을 가지고 있다. 이형접합 부갑상선호르몬관련단백질 제거생쥐는 나이가 들면서 골감소증이 발생한다. 또한, 골모세포에서 부갑상선호르몬관련단백질 유전자의 선택적 결실은 골량 감소, 골형성 감소, 무기질부착 감소, 골모세포 형성 및 생존 감소를 초래한다. 사람에서 부갑상선호르몬관련단백질 유사체가 골밀도를 증가시키고 골절을 유의하게 감소시킴이 확인되었다.

종양이 있는 환자에서 부갑상선호르몬관련단백질이 혈류로 분비되면 뼈와 신장에 작용하여 혈중 칼슘을 증가시켜 고칼슘혈증을 일으킨다. 유방암이 뼈로 전이되면 국소적으로 생성된 부갑상선호르몬관련단백질은 혈액내 부갑상선

호르몬관련단백질수치를 증가시키지 않고도 혈청칼슘치를 증가시킬 수 있다.

3) 비타민D

(1) 합성 및 대사

칼시트리올은 무기질이온 항상성의 조절에 관여하는 주요 스테로이드호르몬이다. 비타민D는 햇빛에 충분히 노출되는 사람에게는 영양보충이 필요하지 않고 적절한 생물학적 환경에서 체내에서 합성될 수 있기 때문에 비타민이라기보다는 호르몬 및 호르몬전구체이다. 비타민D_3는 피부의 7-디하이드로콜레스테롤(7-dehydrocholesterol, 7-DHC)에서 생성된다. 7-DHC은 290에서 310 nm 사이의 자외선 (UVB) 조사에 의해 스테로이드고리의 탄소 9번과 10번 사이의 탄소 결합이 광화학적으로 절단되어 B고리가 깨지면서 previtamin D_3가 생성된다. Previtamin D_3는 열에 불안정하며 24-48시간 동안 온도의존적 분자재배열을 거쳐 비타민D_3, 루미스테롤 및 타키스테롤을 형성한다(그림 11-1-20). 햇빛에 장기간 노출되어도 previtamin D_3가 생물학적으로 비활성 대사산물인 루미스테롤 및 타키스테롤로 광변환을 일으키기 때문에 독성을 일으킬 정도의 비타민D_3를 생산하지는 않는다. 비타민D_3 생성에는 자외선의 강도 또한 중요하며 위도에도 의존한다. 지역 및 계절에 따라 피부에서 비타민D_3가 거의 생성되지 않는 곳도 있고 1년 내내 비타민D_3가 생성되는 곳도 있다. 햇빛 노출은 표피의 멜라닌 생성을 증가시키고 멜라닌은 자외선을 흡수함으로써 자외선 차단제역할을 하여 과잉 비타민D_3 생성을 방지한다. 의류 및 높은 자외선차단지수(solar protection factor, SPF)를 갖는 자외선차단제는 비타민D_3 생성을 효과적으로 방지한다.

식물성비타민D는 비타민D_2 (ergocalciferol), 동물성비타민D는 비타민D_3 (cholecalciferol)이다. 비타민D_3와 비타민D_2의 차이는 비타민D_2의 탄소-28번에 메틸기가 있고 탄소-22번과 탄소-23번 사이에 이중결합이 있는 점만 다르다. 이 두 가지 형태는 동등한 생물학적활성을 가지며 사람

에서 비타민D수산화효소(vitamin D hydroxylases)에 의해 동등하게 잘 활성화된다. 비타민D는 장에서 흡수되거나 피부에서 합성된 후, 간에서 합성되는 α-글로불린인 비타민D결합단백질(vitamin D-binding protein, VDBP)과 결합하여 혈중으로 들어가며 주로 지방 및 근육과 같은 저장부위와 조직, 주로 간으로 운반된다. 비타민D결합단백질의 반감기는 2.5-3.0일이며, 사구체를 통해 여과된 후 근위 신세뇨관상피세포의 내강막에 있는 메갈린(megalin)과 큐불린(cubulin)에 의해 결합되어 회수된다.

비타민D는 간에서 사립체와 마이크로솜에 존재하는 사이토크롬 P450-유사혼합기능산화효소(cytochrome P450-like mixed-function oxidase)인 25-hydroxylase에 의해 25-하이드록시비타민D [25(OH)D]가 된다(그림 11-1-21). 이 수산화효소의 활성은 엄격하게 조절되지 않으며 25(OH)D는 비타민D의 주요 순환 및 저장형태이다. 25(OH)D는 다량의 비타민D 섭취로 인해 혈중에 중독 농도로 존재하지 않는 한 생물학적으로 불활성이다. 25(OH)D의 약 88%가 비타민D결합단백질과 결합하여 순환하고, 0.03%는 자유형태로, 나머지는 알부민과 결합하여 순환한다. 25(OH)D의 반감기는 2-3주인데, 25(OH)D_2가 25(OH)D_3에 비해 비타민D결합단백질에 대한 친화도가 더 낮아서 25(OH)D_2의 반감기가 25(OH)D_3의 반감기에 비해 더 짧다. 신증후군에서는 소변으로의 소실로 인해 비타민D결합단백질이 감소하여 25(OH)D의 반감기가 크게 짧아진다. 25(OH)D의 반감기는 활성대사 산물인 1,25(OH)$_2$D의 증가로 인해 짧아진다.

활성형호르몬인 1,25(OH)$_2$D 형성에 필요한 두 번째 수산화반응은 신장에서 일어난다. 1α-hydroxylase (25-하이드록시비타민D-1α-hydroxylase)는 신장의 근위곡세뇨관세포에서 발현되는 사이토크롬 P450-유사혼합기능산화효소로서 25(OH)D를 활성형인 1,25(OH)$_2$D로 전환한다(그림 11-1-21). 이 호르몬의 반감기는 약 6-8시간이다. 25-hydroxylase와 달리 1α-hydroxylase는 엄격하게

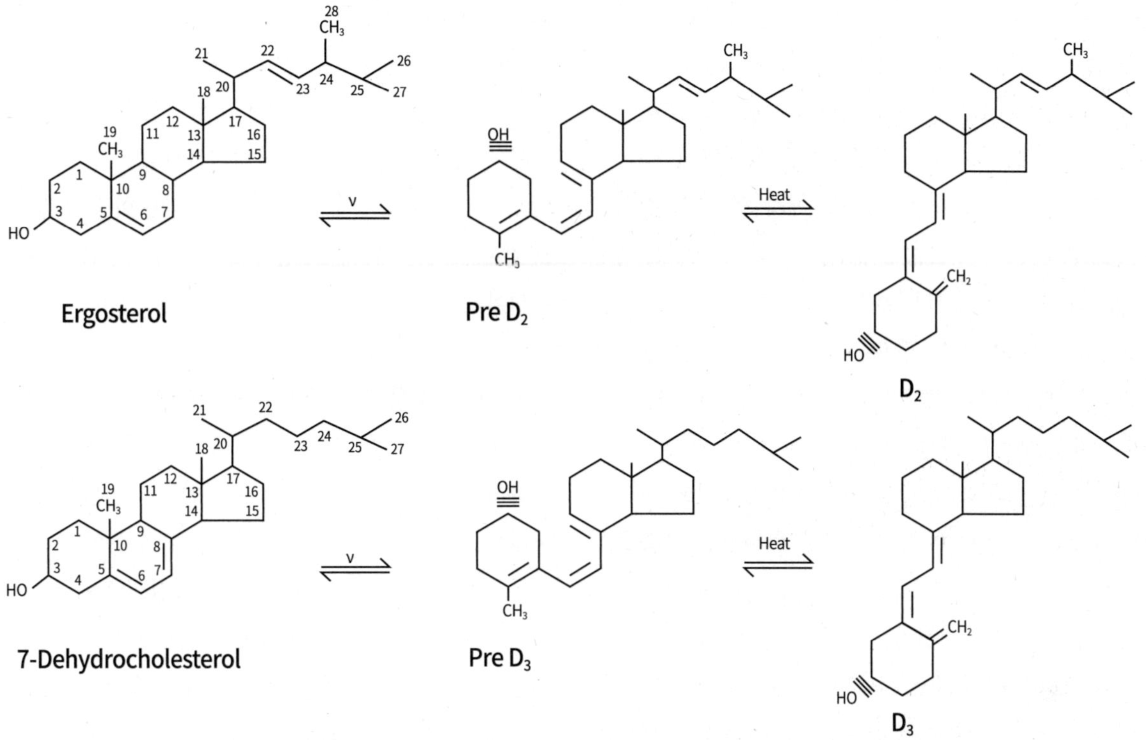

그림 11-1-20. 비타민D 합성과정. Ergosterol 및 7-dehydrocholesterol로부터 비타민D₂ (ergocalciferol) 및 비타민D₃ (cholecalciferol) 생성

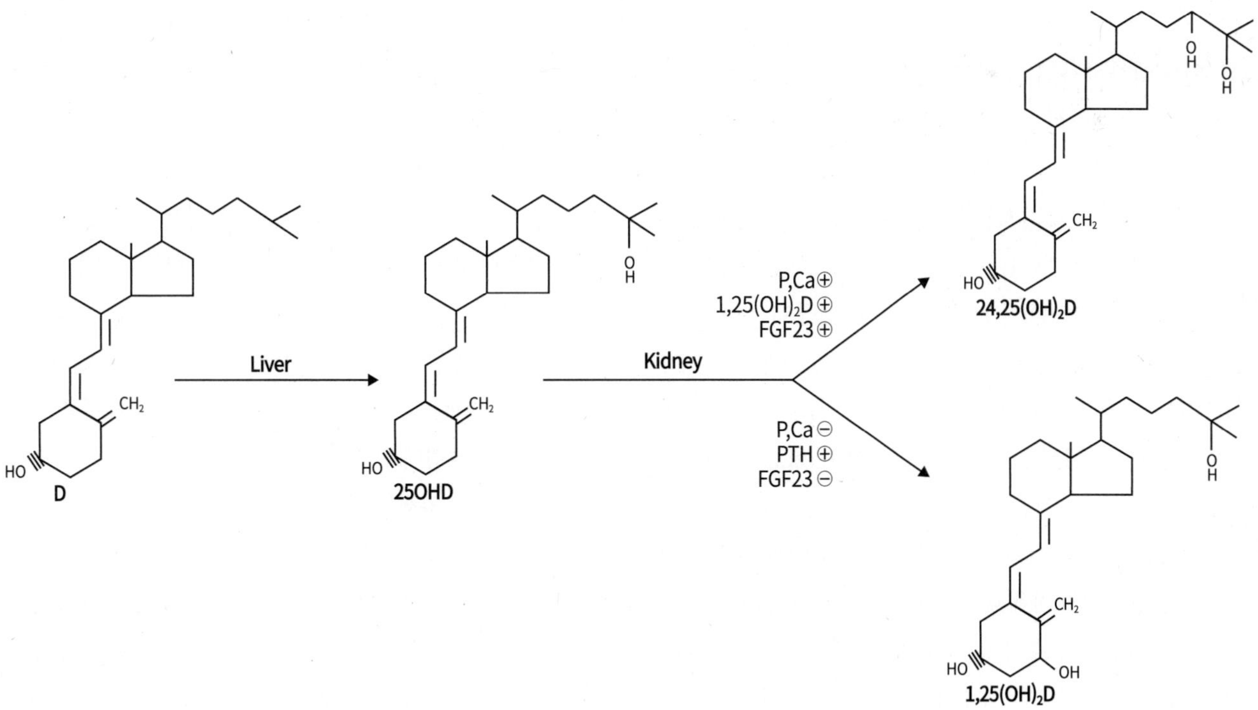

11
끝·무기질대사

그림 11-1-21. 비타민D 활성화 및 불활성화과정

조절된다. 부갑상선호르몬과 저인산염혈증은 신장에서 이 효소의 주요 유발인자인 반면, 칼슘, FGF23 및 칼시트라이올은 이를 억제한다. 1α-hydroxylase는 호르몬 조절에 영향을 받지 않는 많은 다른 세포유형에도 존재한다. 이는 표피각질세포에서 발현되지만 각질세포에서 생성되는 칼시트라이올은 이 호르몬의 혈중 수준에 기여하는 것으로 생각되지 않는다. 태반의 영양막층에 존재하는 것 외에도 1α-hydroxylase는 육아종 및 림프종과 관련 있는 대식세포에 의해 생성된다. 후자의 경우 효소의 활성은 인터페론 γ 및 TNF-α에 의해 유도되지만 칼슘 또는 칼시트라이올에 의해 조절되지 않는다. 따라서 칼시트라이올의 증가와 관련된 고칼슘혈증이 관찰될 수 있다. 유육종증관련 고칼슘혈증을 당질부신피질호르몬, 케토코나졸 또는 클로로퀸으로 치료하면 칼시트라이올 생성이 감소하고 혈청칼슘이 효과적으로 감소한다. 대조적으로, 클로로퀸은 림프종 환자에서는 상승된 혈청칼시트라이올치를 낮추지는 못하는 것으로 나타났다. 동물모델 및 시험관내연구에서 에스트로젠, 칼시토닌, 성장호르몬 및 프로락틴은 1α-hydroxylase 활성을 증가시키는 것으로 나타났다.

비타민D 대사산물의 불활성화를 위한 주요 경로는 신장, 연골 및 장을 포함한 대부분의 조직에서 발현되는 24-hydroxylase에 의한 추가적인 수산화 단계로서, 칼시트라이올이 이 효소의 주요 유도물질이다 (그림 11-1-21). 칼시트라이올은 신장에서 24-hydroxylase 효소를 자극하여 25(OH)D를 24,25(OH)$_2$D로 전환하여 신장에서 1α-hydroxylase의 기질을 감소시키며 1,25(OH)$_2$D을 1,24,25(OH)$_3$D로 전환시키고 이것은 다시 비타민D의 두 가지 불활성화형태인 calcitroic acid (1-hydroxy-23-carboxy-vitamine D) 또는 23,25(OH)D-26,23-lactone 으로대사된다. 따라서 칼시트라이올은 24-hydroxylase의 활성을 증가시켜 자체 대사를 유도하여 불활성화를 촉진함으로서 생물학적 효과를 제한한다. FGF23는 신장 1α-hydroxylase의 강력한 억제제이고 또한 신장에서 24-hydroxylase를 자극하여 합성을 감소시킬 뿐만 아니라 불활

성화를 증가시켜 혈중 칼시트라이올치를 감소시킨다. 비기능 24-hydroxylase유전자를 가진 생쥐와 사람은 비타민D 독성으로 인한 고칼슘혈증, 고칼슘뇨증 및 신석회증을 나타낸다. 칼시트라이올의 극성대사산물은 담즙으로 분비되고 장간순환을 통해 재흡수된다. 말단회장에 질환이 있을 경우 이러한 재순환의 장애로 인해 비타민D 대사산물의 손실이 증가한다.

(2) 비타민D수용체(vitamin D receptor)

칼시트라이올의 작용기전은 다른 스테로이드호르몬과 유사하다. 칼시트라이올은 핵수용체인 비타민D수용체에 결합하여 생물학적 효과를 나타낸다. 이 수용체는 갑상선호르몬수용체, 레티노이드수용체 및 과산화소체증식체활성화수용체(peroxisome proliferator-activated receptors, PPARs)를 포함하는 수용체군에 속하지만 이들과는 다르게 단 하나의 isoform만 분리되었다. 비타민D수용체는 레티노이드 X수용체(retinoid X receptor, RXR)와 상호작용하여 1,25(OH)$_2$D-VDR-RXR 이종이량복합체(heterodimeric complex)를 형성하고 표적유전자 내부 및 주변의 특정 DNA서열인 비타민D반응요소(vitamin D response elements, VDREs)와 상호작용하여 전사의 활성화 또는 억제를 초래한다.

비타민D수용체는 뼈, 장, 신장 및 부갑상선 등 광범위한 세포와 조직에서 발현되어 무기질이온 항상성 유지에 중요한 역할을 한다. 또한 비타민D수용체는 무기질이온 항상성에 역할을 하지 않는 조직과 기관에서도 발현되는데, 칼시트라이올이 각질형성세포, 유방암세포 및 전립선암세포를 포함한 여러 세포유형에 항증식효과를 나타낸다. 비타민D수용체에 의한 전사 억제의 기전은 표적유전자에 따라 다르지만 전사인자를 활성화하는 작용을 방해하거나 비타민D수용체 복합체에 새로운 단백질을 동원하여 전사를 억제한다. 당질부신피질호르몬은 골육종세포주에서 비타민D수용체 유전자의 발현을 감소시키는 반면, 칼시트라이올은 많은 세포 유형에서 발현을 증가시킨다.

25(OH)D의 혈청내 농도는 1,25(OH)₂D보다 약 1,000배 높지만, 유리 농도는 1,25(OH)₂D에 비해 100배 정도 더 높고, 비타민D수용체에 대한 친화도는 1,25(OH)₂D이 다른 비타민D대사산물들에 비해 1,000배 높다. 따라서 정상적인 생리적 상황에서는 25(OH)D가 칼슘 항상성에 중요한 역할을 하지는 않는다. 그러나 비타민D 중독상태에서와 같이 25(OH)D가 현저하게 상승한 경우에는 비타민D수용체와 직접 상호작용하여 생물학적 효과를 나타내고, 25(OH)D에 대한 비타민D결합단백질의 친화도가 1,25(OH)₂D보다 더 크기 때문에 25(OH)D가 비타민D결합단백질에서 1,25(OH)₂D과 경쟁적으로 결합하여 유리 1,25(OH)₂D의 생체이용률이 증가함으로서 고칼슘혈증이 유발될 수 있다.

한편, 칼시트라이올은 핵 내에서 유전자전사조절을 하는 것 이외에도 세포막에 표현되는수용체에 결합하여 신속한 작용을 나타낼 수 있다. 세포내 칼슘의 급속한 증가, phospholipase C의 활성화, 칼슘채널의 개방을 포함하는 이러한 소위 비유전체적 작용은 칼시트라이올에 노출된 후 몇 분 이내에 여러 세포유형에서 관찰된다.

(3) 작용

칼시트라이올은 뼈, 장, 및 신장의 세 가지 표적조직에서 칼슘과 인산의 흐름을 조절한다. 무기질 항상성, 비타민D의 내분비작용과 관련하여 칼시트라이올은 두 가지 펩타이드호르몬인 부갑상선호르몬과 FGF23과 함께 작용한다. 부갑상선호르몬은 신장에서 칼시트라이올 생성의 주요 자극제이다. 칼시트라이올에 의해 활성화된 비타민D수용체는 전사기전을 통해 직접적으로, 그리고 혈청칼슘치를 증가시켜 간접적으로 부갑상선호르몬 생성을 억제한다. 칼슘은 부갑상선의 칼슘감지수용체를 통해 작용하여 부갑상선호르몬유리를 억제한다. 칼시트라이올은 칼슘이 부갑상선에서 비타민D수용체를 증가시키는 것처럼 부갑상선의 칼슘감지수용체 수준을 증가시키고 부갑상선호르몬 분비에 대한 칼슘과 칼시트라이올의 억제영향을 더욱 증가시킨다.

부갑상선에도 25(OH)D-1α-hydroxylase (1α-hydroxylase, CYP27B1)가 발현되며 국소적으로 25(OH)D에서 1,25(OH)₂D를 합성하여 부갑상선호르몬 분비를 조절한다. 한편, FGF23은 주로 뼈의 골세포에서 만들어지는 호르몬으로, 24-hydroxylase (CYP24A1)의 발현을 증가시켜 신장에서 1,25(OH)₂D생성을 억제하는 반면, 1,25(OH)₂D는 뼈에서 FGF23생성을 자극한다. 1,25(OH)₂D는 또한 klotho-α를 상향조절하고, klotho의 소실은 1α-hydroxylase를 유도한다.

① 뼈에서의 작용

칼시트라이올은 골모세포 분화와 파골세포 형성을 자극할 수 있다. 골모세포가 성숙한 골형성세포로 분화하는 데 필요한 전사조절자인 Runx2는 칼시트라이올에 의해 조절된다. 골모세포에서 비타민D수용체를 과발현하는 형질전환 생쥐는 골형성이 증가하여, 뼈에 대한 칼시트라이올의 직접적인 영향을 나타낸다. 비타민D수용체는 골모세포에서 발현되며 여러 유전자의 발현을 조절하는데, 칼시트라이올은 골모세포에서 I형 콜라겐(type I collagen) 합성을 억제하고 오스테오칼신과 오스테오폰틴(osteopontin, OPN)의 생성을 자극한다. 반면에 칼시트라이올이 파골세포 형성에 미치는 영향은 간접적이다. 칼시트라이올은 시험관 내에서 파골세포의 분화를 촉진하고 생체 내 고용량에서 골모세포에 의한 RANKL의 생성을 자극하여 파골세포에 의한 골흡수를 증가시킨다.

비타민D는 장에서 칼슘 및 인산의 흡수를 증가시키고 이런 이온들을 정상 범위 내로 유지시켜 골기질의 수산화인회석 침착을 촉진시키는 간접적인 효과를 통해 뼈의 정상적인 무기질화에 필수적인 역할을 한다. 뼈에 대한 칼시트라이올의 중요한 직접적인 기능은 식이칼슘이 부족할 경우 세포바깥액의 정상 칼슘치를 유지하기 위해 칼슘 저장소로부터 칼슘을 동원하는 것이다. 부갑상선호르몬처럼 칼시트라이올은 골모세포 계열 세포들에 있는 수용체와 결합하여 RANKL/OPG 비율을 증가시켜 단핵구전구세포로부터 파골세포 계열의 증식, 분화 및 활성화를 증가시킴으로서 파골세포에 의한 골흡수를 증가시킨다. 파골세포생성억제인자인 OPG는 RANKL작용을 길항하여 파골세포 생성을 차단하는 RANKL에 대한 수용체인데, OPG는 칼시트라이올에 의해 하향조절된다. 한편, 칼시트라이올은 주로 골세포에서 FGF23의 발현을 유도하여 인산 항상성 조절에 관여한다.

② 장에서의 작용

장 상피를 통한 칼슘 수송은 대부분 칼시트라이올에 의해서 조절되는 에너지 의존성, 세포매개성으로 포화가능한 경세포 능동수송(transcellular, active) 및 상피세포를 통한 확산에 의한 세포사이 흡수 경로를 통한 수동수송(paracellular, passive)으로 구성되어 있다. 수동적 칼슘흡수는 포화되지 않으며 하루 칼슘 섭취량의 약 5% 정도에 해당하고 능동적 칼슘 흡수는 20-70% 정도에 해당한다. 능동적 칼슘 흡수의 약 90%는 십이지장 및 공장과 같은 근위부 소장에서 일어난다. 칼슘 요구량이 증가하면 십이지장, 회장 및 대장에서 상피세포의 칼슘 능동수송체계의 발현을 자극하고, 노인남성 및 여성에서는 분획칼슘 흡수량을 20-40%까지, 어린이 및 젊은 성인에서는 55-70%까지 증가시킨다. 칼슘 결핍 식이, 골격 성장을 위한 요구량 증가, 임신, 수유로 인해 칼슘 요구량이 증가할 때 칼시트라이올의 합성은 증가하고, 칼시트라이올은 장에서 식이칼슘의 흡수율을 증가시킨다. 칼슘 섭취량이 많을 경우에는 칼시트라이올 합성이 감소하게 되고 장에서의 능동적 칼슘 흡수율이 감소하며 식이섭취 칼슘을 제한하는 경우에는 반대의 상황이 발생한다.

칼시트라이올은 경세포경로 및 세포간경로 모두에 영향을 미친다. 칼시트라이올은 이웃세포 사이에 채널을 형성하는 claudin-2 및 claudin-12의 발현을 유도한다. 장에서 경세포수송과정을 통한 칼슘 능동수송은 칼시트라이올에 의해 조절되고 연속적인 세 가지 단계로 이루어진다. 첫째, 장 상피세포 정단부(apical) 칼슘통로인 TRPV6 (transient receptor potential vanilloid 6)에 의해 내강칼슘이 장세포 내로 이동하는 과정, 둘째, 칼슘결합단백질인 Calbin-din-D$_{9K}$에 의한 칼슘이온의 완충 및 세포를 통한 기저측부로의 칼슘 수송, 그리고 마지막으로 기저측부의 ATP 의존성 Ca^{2+} 펌프(PMCA1b)를 통한 장세포 기저측부막(baso-lateral membrane)으로부터 세포바깥액으로의 칼슘배출이다. 식이에 의한 칼슘 섭취량 감소는 부갑상선호르몬 분비 및 칼시트라이올 생성을 증가시킨다. 칼시트라이올은 이러한 단백질들의 발현을 증가시키고 분획 칼슘 흡수를 증가시켜서 칼슘 감소를 보상한다. 식이에 의한 칼슘 섭취량이 높을 경우에 수동적 칼슘 확산은 선형적으로 증가하며, 칼시트라이올은 억제되고 거의 모든 칼슘 흡수는 세포사이 수동수송에 의해 이루어진다. 칼슘을 많이 섭취하면 칼시트라이올과 무관하게 Na$^+$-Ca^{2+} 교환기가 기저측부막을 통한 칼슘 전달에도 역할을 한다(그림 11-1-22).

십이지장 이외에 회장, 맹장 및 결장에서도 활성칼슘 수송에 대한 칼시트라이올 조절이 보고되었고, 비타민D수용체, TRPV6 및 calbindin-D$_{9K}$는 소장 및 대장의 모든 부분에 존재한다. 칼시트라이올은 장내 칼슘 흡수 외에 장내 인 흡수도 증가시키는 작용을 한다. 칼시트라이올은 인의 능동수송을 자극하고 FGF23은 칼시트라이올 합성을 억제하여 인의 능동수송을 억제한다.

③ 신장에서의 작용

칼시트라이올은 원위곡세뇨관세포에서 부갑상선호르몬수용체발현작용을 증가시켜 원위곡세뇨관에서 칼슘 수송에 대한 부갑상선호르몬의 작용을 향상시킨다. 칼시트라이올은 또한 원위곡세뇨관에서 Calbindin-D$_{28K}$의 합성을 유도한다. 칼시트라이올은 원위곡세뇨관과 원위연결세뇨관에서 정단부막칼슘채널인 TRPV5를 유도한다. Calbindin-D$_{28K}$는 TRPV5 매개 칼슘 유입을 조절한다. 따라서 칼시트라이올은 부갑상선호르몬의 작용을 강화하고 TRPV5와 Calbindin-D$_{28K}$을 유도하여 원위곡세뇨관에서 칼슘 수송에 영향을 미친다. 칼시트라이올은 신장에서 1α-hydroxy-lase (CYP27B1)를 억제하고 24-hydroxylase (CY-P24A1)를 유도한다. 그 외에 근위곡세뇨관에서 나트륨의존

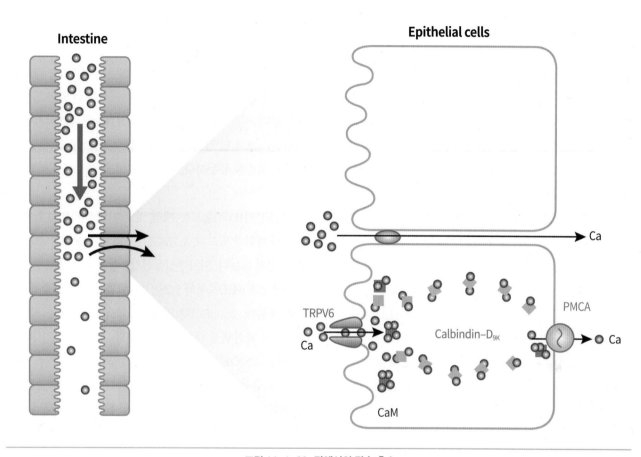

그림 11-1-22. 장에서의 칼슘 흡수

내강 칼슘이 높을 때; 주로 세포사이경로(paracellular route)를 통한 흡수. 내강 칼슘이 낮을 때; 경세포경로(transcellular route)를 통한 흡수. 저칼슘혈증 시 1,25(OH)$_2$D은 비타민D수용체를 통해서 TRPV6 및 Calbindin-D$_{9K}$ 발현을 상향조절하여 장에서의 칼슘 흡수 자극

인산공동수송체 조절을 통해서 신장에서의 인산 재흡수를 증가 또는 감소시킨다. FGF23 및 부갑상선호르몬에 의한 인산뇨반응은 FGF23신호전달을 위한 공동 수용체로 klotho-α를 필요로 한다.

④ **부갑상선에 대한 작용**

비타민D수용체는 부갑상선에서 발현되며, 부갑상선은 칼시트라이올의 중요한 표적기관이다. 칼시트라이올은 정상 부갑상선상태를 유지하기 위해 부갑상선호르몬의 합성과 분비를 억제하고 부갑상선호르몬 생성세포의 증식을 억제한다. 또한 칼시트라이올이 비타민D수용체유도칼슘감지수용체전사를 상향조절한다. 부갑상선세포는 또한 1α-hydroxylase을 발현한다. 따라서 순환하는 칼시트라이올뿐

만 아니라 칼시트라이올의 국소생산은 부갑상선호르몬 생산 및 분비조절에 기여한다. 칼시트라이올은 부갑상선에서 유전자전사와 세포증식을 조절한다. 칼시트라이올은 생체내 및 시험관내 모두에서 부갑상선호르몬유전자의 전사를 감소시키며, 만성신부전과 관련된 이차부갑상선항진증의 치료를 위해 칼시트라이올이 사용된다.

⑤ **기타 조직에서의 작용**

칼시트라이올은 선천면역(innate immunity)과 후천적응면역(adaptive immunity)을 모두 조절하며, 전자는 촉진하고 후자는 억제한다. 칼시트라이올은 침입한 병원체에 대한 숙주의 반응을 촉진하는 동시에 그 병원체에 대한 과도한 면역반응을 제한하는 작용을 한다. 췌장베타세포에서도

비타민D수용체와 calbindin-D$_{28K}$의 존재가 확인되었고, calbindin-D$_{28K}$ null생쥐를 사용한 연구에 따르면 calbindin-D$_{28K}$는 세포내 칼슘을 조절하여 탈분극자극 인슐린 방출을 조절할 수 있다. 그 외에도 calbindin-D$_{28K}$는 칼슘을 완충함으로써 베타세포가 사이토카인에 의해 파괴되는 것으로부터 보호할 수 있는 것으로 나타났다. 각질형성세포는 신장세뇨관 상피세포와 마찬가지로 비타민D수용체와 1α-hydroxylase을 모두 발현하여 칼시트라이올을 생성하고 이에 반응할 수 있다. 탈모증은 사람과 생쥐의 비타민D수용체돌연변이의 잘 알려진 특징이지만, 비타민D 결핍이나 1α-hydroxylase돌연변이의 특징은 아니다. 비타민D 결핍은 근위부근병증(proximal myopathy)을 초래할 수 있다. 시험관 내 칼시트라이올 처리는 근육세포로 25(OH)D 및 아미노산 흡수를 증가시키고 인지질대사를 변화시킨다. 비타민D 투여는 근육의 칼슘결합단백질인 트로포닌 C의 농도를 증가시키고 근육세포질세막(sarcoplasmic reticulum)에 의한 칼슘 흡수율을 증가시킨다. 심한 비타민D 결핍 성인에서 비타민D 보충은 근력을 향상시킨다. 근병증은 비타민D 보충 후 수일에서 수주 이내에 호전되며 무기질이온 항상성의 정상화와는 관련이 없다.

(4) 비타민D 영양

비타민D결핍은 흔하고 골밀도 감소 및 골절위험을 증가시킨다. 노인이나 시설에 수용된 사람들뿐만 아니라 일반 인구에서도 자외선차단제 사용이 증가하고 태양 노출을 피하는 수가 많아짐에 따라 비타민D의 식이공급원에 대한 의존도가 높아졌다. 비타민D의 주요 식이공급원은 강화유제품, 어유, 난황 및 강화곡물 등이 있다.

적절한 햇빛 노출은 비타민D를 얻는 가장 비용 효율적인 수단이다. 최소홍반선량 0.5 (0.5 minimal erythema dose of sunlight, 즉, 피부가 약간 붉어지는 데 필요한 선량의 절반)에 대한 전신 노출은 비타민D$_3$ 10,000 IU에 해당하는 것으로 계산된다. 맑은 여름날 5분에서 10분 동안 팔과 다리에 대한 UVB 조사는 3,000 IU의 비타민D$_3$에 해당한다.

매일 보충되는 비타민D$_3$가 100 IU 증가할 때마다 평균적으로 25(OH)D 수준이 0.5-1 ng/mL씩 증가하지만, 지방으로의 비타민D 분포가 증가하는 비만한 사람 또는 장흡수장애가 있는 사람(비만수술 후 포함)에서는 더 많은 용량이 필요하다. 비타민D$_2$는 총 혈청25(OH)D를 증가시키는 데 비타민D$_3$보다 덜 강력하지만 유리25(OHD)를 증가시키는 데에는 최소한 동등하다.

혈청25(OH)D의 농도는 계절 및 식이의 비타민D 함량에 따라서 변화가 있으나, 1,25(OH)$_2$D의 혈청 농도는 크게 영향을 받지 않는다. 이차부갑상선기능항진증이 있을 경우 전구체인 25(OH)D로부터 1,25(OH)$_2$D을 효과적으로 증가시키기 때문에, 25(OH)D치와 달리 1,25(OH)$_2$D치는 비타민D결핍이 극심해질 때까지 정상 범위 내에서 잘 유지된다. 따라서 1,25(OH)$_2$D치는 비타민D 결핍의 초기단계를 평가하는 데 유용한 지표를 제공하지 않으며, 혈청25(OH)D치가 비타민D 상태를 평가하는 데 유용하게 사용된다.

25(OH)D치가 10 ng/mL (25 nM) 이하인 경우에 구루병 또는 골연화증의 유병률이 증가한다. 혈청25(OH)D 농도가 30 ng/mL 이하이면 비타민D 불충분(inadequacy)으로 정의하기도 하고, 골다공증 치료와 골절 및 낙상 예방을 위해서는 30 ng/mL 이상이 필요할 수 있다는 연구결과들이 있다. 한편, 다른 연구결과들에 의하면 25(OH)D를 20 ng/mL 이상으로 유지하는 경우에 유익한 것으로 나타나고 있고, 미국의 IOM (Institute of Medicine)에서도 20 ng/mL (50 nM) 수준이면 충분하다고 하였다. 골절과 낙상을 예방하는 데 필요한 비타민D 보충의 하한선은 700-800 IU지만 미국의 IOM은 600 IU면 충분하다고 하였고, NOF (National Osteoporosis Foundation)는 50세 이상에서 1일 800-1,000 IU의 비타민D 섭취를 권장하고 있다. 비타민D는 매일 최대 4,000 IU까지는 안전한 것으로 간주되고 있고, 비타민D 보충으로 인한 독성(고칼슘뇨증 및/또는 고칼슘뇨증)은 하루 10,000 IU 미만의 용량에서는 잘 관찰되지 않는다.

췌장 또는 담도계부전증과 같은 질환이 있을 경우에는 섭취된 칼슘이 흡수되지 않은 지방산 또는 다른 음식 성분들과 결합하여 남아 있기 때문에 칼슘 흡수가 감소한다. 식품의 음이온 성분이나 칼슘염치료제에서 칼슘의 해리를 촉진하여 적절한 칼슘 흡수가 이루어지기 위해서는 위산이 필요한데, 탄산칼슘과 같은 보충제의 경우가 이에 해당하고, 다량의 탄산칼슘을 섭취할 경우에는 위산에 대한 중화 효과 때문에 흡수가 잘 되지 않는다. 무산증이 있거나 위산 분비를 억제하는 약물을 복용하는 사람에서는 흡수를 적정하게 유지하기 위해서는 식사와 함께 칼슘보충제를 복용하거나 용량을 분할하여 사용하거나 구연산칼슘과 같은 가용성염을 사용하는 것이 필요하다.

4) 칼시토닌

(1) 합성, 분비 및 작용

칼시토닌(Calcitonin)은 어류의 혈중 칼슘조절에 중요한 역할을 하고 설치류에서도 역할을 하지만, 사람의 칼슘 항상성에서 칼시토닌의 중요성은 여전히 불확실하다. 칼시토닌은 신경능에서 기원하는 C세포라고 하는 갑상선의 비여포성세포에서 발견된다. 사람에서 칼시토닌은 32개 아미노산폴리펩타이드로 구성되어 있다. 11번 염색체의 단완에 위치한 사람 칼시토닌유전자는 6개의 엑손을 포함하며, 이 엑손은 조직특이적 방식으로 스플라이싱되어 칼시토닌 또는 칼시토닌유전자관련펩타이드(calcitonin gene-related peptide, CGRP)를 코딩하는 mRNA를 생성한다.

칼시토닌의 합성과 분비는 엄격하게 조절된다. 칼슘감지수용체는 갑상선C세포에서도 발현되며 칼시토닌 분비조절에 기여한다. 다른 칼시토닌 분비촉진제로는 당질부신피질호르몬, CGRP, 글루카곤, 엔테로글루카곤, 가스트린, 펜타가스트린, 판크레오자이민 및 β-아드레날린작용제 등이 있다. 칼시토닌의 분비는 갑상선C세포에서도 분비되는 성장호르몬억제인자에 의해 억제된다. 생체내 및 시험관내연구에서 칼시트라이올이 전사기전에 의해 칼시토닌 mRNA를

감소시키는 것으로 나타났다. 칼시토닌의 많은 효과는 부갑상선호르몬/세크레틴수용체계열의 G단백연결세포표면수용체에 의해 매개된다.

칼시토닌을 투여하면 세뇨관에서 칼슘 재흡수를 감소시키고 파골세포에 대한 직접적인 작용에 의해 골흡수를 감소시킨다. 칼시토닌은 뇌혈관장벽이 빈약한 시상하부와 시상하부 주위의 신경세포들에 직접 작용하여 진통 효과를 나타내는데, 이는 칼시토닌수용체를 활성화시키기 때문일 것으로 추정된다. 한편, 사람에서 칼시토닌치가 크게 변화하여도 칼슘 및 인산대사에는 변화가 없다. 갑상선전절제술을 받은 환자에서 칼시토닌 결핍이 있는 경우, 그리고 칼시토닌 분비가 증가하는 갑상선수질암 환자에서도 혈중 칼슘 및 인산의 변화는 없다. 갑상선수질암 및 갑상선부분절제술을 받은 환자와 같이 칼시토닌수치가 비정상적인 경우에 요추와 원위 요골의 골밀도에도 영향을 미치지 않았다. CGRP는 호르몬이라기보다는 신경전달물질과 혈관확장제로 작용하는 것으로 생각된다.

(2) 임상이용

칼시토닌은 여러 내분비 악성종양에 의해 분비되므로 종양표지자 역할을 할 수 있다. 기저 및 펜타가스트린 자극 칼시토닌수치는 갑상선수질암의 위험이 있거나 영향을 받는 사람들을 식별하고 추적하는 데 사용된다. 칼시토닌은 또한 인슐린종, VIP종 및 폐암을 포함한 다른 종양에 의해 이소성으로 분비될 수 있다. 화상 흡입 손상, 독성쇼크증후군, 췌장염을 포함한 중증 환자에서도 칼시토닌수치가 상승할 수 있다.

칼시토닌이 파골세포에 의한 골흡수를 억제하므로 골다공증 및 패짓병을 포함하여 과도한 골흡수와 관련된 여러 질환의 치료를 위해 사용되어 왔다. 칼시토닌은 또한 척추골절, 골용해성 전이 또는 환각지가 있는 환자의 치료에서 진통 효과를 목적으로 사용되었다. 보다 더 효과적인 골다공증약물들이 사용 가능하고 연어칼시토닌으로 치료받는 사

람에서 잠재적인 악성종양 발생위험 증가 및 약물의 적은 효과로 인하여 다른 골다공증약물들을 사용할 수 없는 경우에 제한적으로 사용할 것을 권고하고 있다.

III. 골·무기질대사 유전학

고정민

1.유전자변이의 종류

유전자변이 빈도인 소수대립형질빈도(minor allele frequency, MAF)와 표적 유전자의 기능적 영향에 따라 두 개의 큰 부류로 분류된다(그림 11-1-23).

1) 다형성(Polymorphism)

유전자변이 빈도가 MAF ≥ 1%로 흔한 변이로 사람에게는 약 2,000만 개의 다형성이 있다고 추정된다. 대부분의 다형성은 유전자의 발현이나 기능의 변화에 대한 영향력은 적

어, 수백에서 수천 정도의 많은 다형성에 의해 복합유전질환(complex disease)이 영향 받는 것으로 생각된다.

(1) 단일뉴클레오타이드다형성(single nucleotide polymorphism, SNP): 하나의 뉴클레오타이드(nucleotide)가 다른 것으로 대치, 결실 혹은 중복되어 발생한 것이다.

(2) 가변연쇄반복(variable number tandem repeat): 일정한 뉴클레오타이드가 가변적으로 계속 반복되는 반복서열의 일종이다.

(3) 복제수변이(copy number variation, CNV): 1만–100만 염기 정도의 많은 부분의 결실과 중복이 발생한 것이다.

2) 돌연변이(Mutation)

유전자변이 빈도가 MAF < 1%로 드문 변이다. 돌연변이는 표적유전자의 단백질을 코딩하는 염기서열에 직접적으로 영향을 끼쳐, 단백질구조나 기능에 중요한 변화를 일으키거나, 유전자발현 변화를 일으킨다. 돌연변이는 단일유전자질환 혹은 멘델질환을 발생한다.

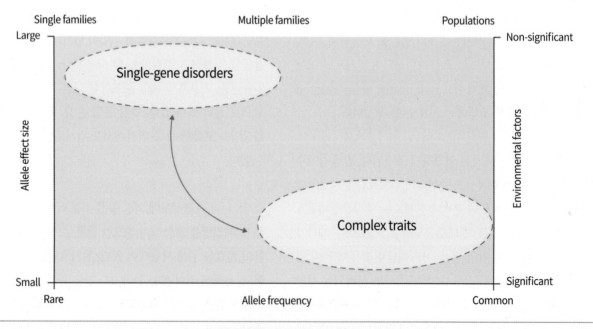

그림 11-1-23. **빈도에 따른 유전자변이 종류와 효과크기(effect size)**

2. 유전체연구방법

1) 연관분석

연관분석은 질병이 있는 가족들의 가계도를 이용하여 질병과 함께 전달되는 단순염기서열DNA (simple-sequence DNA) 혹은 미세부수체염기서열(microsatellite)마커의 염색체상 위치를 확인 후 보다 세밀한 위치를 찾아 질병에 관련된 유전자와 원인유전변이를 발굴하고자 하는 연구방법으로, 한 유전자의 돌연변이에 의해 발생하는 단일유전자 질병에 많이 이용된다. 여기에는 모수적(parametric) 및 비모수적(non-parametric) 분석의 두 가지 방법이 있다(그림 11-1-24).

(1) 모수적 연관분석방법

단일유전자질병연구에 많이 사용되는 방법으로 질병이 발생한 가계에서 질병이 있는 사람들과 질병이 없는 나머지 가족을 수집하여 질병에 관련된 유전자의 위치를 알아내는

방법이다. 성공적인 수행을 위해서는 삼대 이상 가족들의 유전자 검체가 있어야 하며, 연구하고자 하는 표현형이 각 구성원에게 있는지 정확히 파악해야 하고, 각 구성원의 특성에 대한 자료가 충분해야 한다.

(2) 비모수적 연관분석방법

골다공증과 같은 복합 유전질환의 원인유전자 발굴에 주로 많이 사용된다. 한 가계 내에서 질병에 걸린 형제만을 수집하고 질병에 걸린 형제 간에 공유하고 있는 유전위치를 밝혀 질병의 원인유전자를 밝히는 방법으로 형제 간에 "Identity by descent (IBD)"라는 표지자를 분석하는 방법이다. 즉, 형제가 같은 부모로부터 같은 표지자를 받았다면 그 대립인자들은 IBD에 해당된다. 유사한 표현형을 가진 형제가 같은 IBD를 가지고, 서로 다른 표현형을 가진 형제에서는 IBD가 공유되지 않았다면, 그 표현형을 결정하는 유전자는 물리적으로 IBD표지자에 근접하여 위치한다. 이 분석의 장점은 극단적으로 높거나 낮은 골밀도를 표현형으

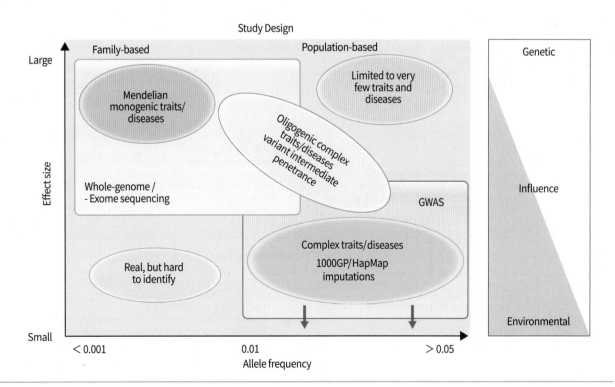

그림 11-1-24. 유전자변이 및 유전체연구방법

로 필요로 하지 않고 모든 쌍의 형제들이 분석대상으로 가능하므로, 인간 및 동물을 대상으로 한 연구에서 유용하다는 점이다.

2) 연관연구

골다공증처럼 다수의 유전자에 의해 발생하는 복합유전질환은, 가계내 유전위험성은 낮지만 전체 집단의 유전위험성이 매우 크게 작용하게 된다. 즉 전체 집단에서 많이 발생하는 질병은 집단 내에 높은 빈도로 존재하는 유전형에 의해 결정된다는 흔한 질병–흔한변이(common disease–common variant)가설을 전제로 시행되는 연구로 후보유전자연관연구(candidate gene association study, CGAS) 및 전장유전체연관연구(genome–wide association study, GWAS) 두 가지로 나눌 수 있다.

(1) CGAS

질병에 기능적으로 중요하다고 알려진 후보유전자를 선별한 후 그 유전자에 존재하는 SNP 마커를 이용하여 연관성 분석을 수행하는 방법이다.

(2) GWAS(그림 11-1-25)

① 전체 유전체영역에 대하여 일정한 간격을 두고 SNP 마커를 선별하여 질병과의 연관성을 분석한다.

② 가설에 의존하지 않고 대량으로 조사할 수 있어 새로운 유전자와 질병관련성을 밝혀낼 수 있으며, 많은 사람을 대상으로 하여 통계적인 검증력을 높일 수 있어 질환유전체연구의 주요 수단으로 대두되었다.

③ GWAS는 다중분석에 의한 오류를 막기 위해 엄격하게 광범위유전체유의성(genome–wide significance) 기준인 P값 $< 5 \times 10^{-8}$을 적용하며, 독립된 집단에서 결과가 반복되는 것을 확인하여야 한다.

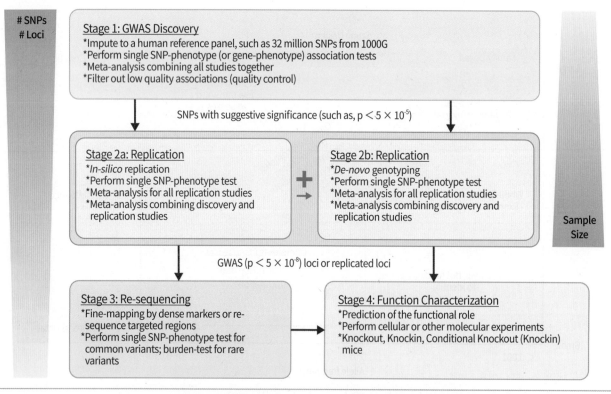

그림 11-1-25. 전장유전체연관성연구(genome wide association study, GWAS) 디자인

3) 차세대염기서열검사법(Next generation sequencing, NGS)

(1) 표적재-염기서열검사법(targeted re-sequencing)

질병과 연관성이 알려진 유전자를 선별하여 코딩엑손(coding exon), 엑손–인트론(exon–intron) 인접영역, 조절부위(promoter region)만을 선택, 증폭하여 원인유전자변이를 발굴하는 연구기법이다.

(2) 전체엑솜염기서열검사법(whole exome sequencing, WES)

약 200,000개의 단백질을 코딩하는 엑손은 전체의 약 1-2%, 약 60 Mb를 차지하는데, 다수의 시료에서 이 부위를 효과적으로 선택, 증폭하고 염기서열을 분석함으로써,

원인유전자변이를 발굴하는 연구기법이다.

(3) 전체유전체염기서열검사법(whole genome sequencing, WGS)

전체유전체의 염기서열을 분석하여 원인유전자변이를 발굴하는 연구기법이다.

3. 골·무기질대사에 대한 유전영향

1) 한 가지 유전자의 드문 돌연변이에 의한 단일유전자골질환에서는 골밀도가 극단적인 차이를 보인다(그림 11-1-26).

2) 흔하게 발생하는 골다공증 및 골다공증골절은 많은 질병감수성유전자와 환경인자들의 상호작용이 원인이 되는

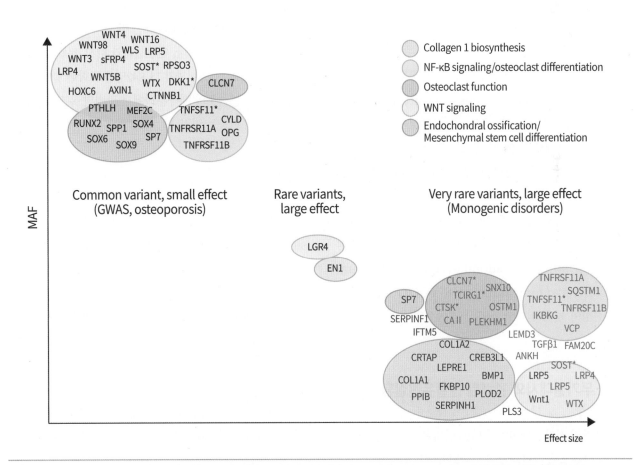

그림 11-1-26. 단일유전자골질환과 골다공증에서 발견된 변이들의 Minor allele frequency (MAF) 및 효과 크기(effect size)
빨간색유전자는 골밀도 감소, 녹색유전자는 골밀도 증가

표 11-1-2. 골다공증의 표현형에 대한 유전율

표현형	유전율(h², %)
골밀도(BMD)	60–80%
대퇴골기하학(Hip geometry)	30–70%
고해상도말초정량적컴퓨터단층촬영(HR-pQCT)	25–48%
골절(fracture)	50–70%

복합유전질환이다. 골다공증의 가족력은 골다공증골절의 중요한 위험인자이며, 가족이나 형제 또는 다수를 대상으로 한 연구들로부터 골다공증 및 골다공증골절이 유전영향을 강하게 받는다는 사실이 잘 알려져 있다.

3) 골다공증 및 골다공증골절에 대한 유전영향에는 효과 크기가 작은 흔한 변이와 효과 크기가 큰 드문 변이들이 작용한다.

4) 쌍둥이와 가족 간의 연구에 따르면, 골다공증의 진단법으로 쓰이는 골밀도(bone mineral density, BMD)의 유전성은 약 60–80%로 보고되고 있어 유전성이 높다(표 11-1-2). 골밀도에 대한 유전성향은 일치된 연구결과를 보이지만, 골소실에 대한 유전영향에 대한 연구는 적고 결과도 일치하지 않아 좀 더 잘 고안된 대규모연구가 있어야 할 것이다. 다른 골다공증 표현형인 대퇴골기하학(hip geometry)은 30–70%, 골초음파는 40–50%, 고해상도말초정량적컴퓨터단층촬영(high resolution peripheral quantitative computed tomography, HR-pQCT)은 20–80%로 유전성이 높은 편이다. 골다공증골절의 유전성은 50–70%이다.

4. 골·무기질대사와 관련된 단일유전질환

1) 하나의 유전자돌연변이에 의한 단일유전자골질환에서는 골형성과 골흡수의 균형이 파괴되어 골밀도에 대한 극단적인 변화가 나타난다.

2) 단일유전질환은 골대사에 중요한 유전자와 신호전달체계를 이해하기 위해 중요하다(표 11-1-3, 그림 11-1-27).

5. 골다공증 및 골다공증 표현형에 대한 유전체 연구결과

1) 연관분석

광범위 유전체 유의성을 초과하는 몇 개의 전장유전체연관분석연구결과가 있었으나, 연구결과가 다시 반복되지 않았다. 대표적으로, 2006년까지 11,842명을 포함한 9개의 전장유전체 연관 분석들의 메타분석에서 광범위 유전체 유의성을 통과한 유전자는 없었다.

2) CGAS

(1) 약 150종의 후보유전자와 골다공증 표현형 간의 연관성에 대해 연구되었으며, 자세한 유전자는 HUgeNet web site (http://www.hugenavigator.net/)에서 확인할 수 있다.

(2) Richards 등은 가장 큰 골다공증 유전체연구 컨소시엄인 GEnetic Factors of OSteoporosis (GEFOS, www.gefos.org)의 19,000명 시료에서 150종의 후보유전자 36,016개의 SNP와 골밀도 및 골절의 연관성을 분석하여, 골밀도와 유의한 상관관계를 보인 9개의 유전자, 골절과 유의한 상관관계를 보인 4개의 유전자를 관찰하였다(표 11-1-4).

표 11-1-3. 골·무기질대사와 관련된 단일유전질환

영향	유전자	단백질	질환
파골세포 결함			
1) 파골세포의 기능 저하	TCIRG1	V-type proton ATPase 116 kDa subunit a isoform 3	ARO1
	CAII	Carbonic anhydrase 2	ARO3
	CLCN7	H⁺/Cl⁻ exchange transporter 7	ARO4, ADO2
	OSTM1	Osteopetrosis-associated transmembrane protein 1	ARO5
	PLEKHM1	Pleckstrin homology domain-containingfamily M member 1	ARO6
	SNX10	Sorting nexin-10	ARO8
	CTSK	Cathepsin K	Pycnodysotosis
2) 파골세포의 분화 저하	TNFRSF11A	Tumor necrosis factor receptor superfamily member 11A (RANK)	ARO7
	TNFSF11	Tumor necrosis factor ligand superfamily member 11 (RANKL)	ARO2
	IKBKG	NF-κB essential modulator	Anhidrotic ectodermal dysplasia, lymphedema and immunodeficiency
3) 골전환율 증가	TNFRSF11A	RANK	Expansile skeletal hyperphosphatasia, Familial expansile osteolysis
	SQSTM1	Sequestosome-1	Paget disease of bone
	VCP	Transitional endoplasmic reticulum ATPase	Inclusion body myopathy with early-onset Paget disease and frontotemporal dementia 1
	TNFRSF11B	Tumor necrosis factor receptor superfamily member 11B (OPG)	Juvenile Paget disease of bone, Craniodiaphyseal dysplasia
골모세포 결함			
1) WNT신호전달 체계 증가	SOST	Sclerostin	Sclerosteosis, Van Buchem disease
	LRP4	Low-density lipoprotein receptor-related protein 4	Sclerosteosis
	LRP5	Low-density lipoprotein receptor-related protein 5	High bone mass phenotype (osteosclerosis, endosteal hyperostosis), ADO1
	WTX	APC membrane recruitment protein 1	Osteopathia striata with cranial sclerosis
2) TGF-β신호전달 체계 증가	TGFβ1	Transforming growth factor β-1	Camurati-Engelmann disease
	LEMD3	LEM domain containing 3	Osteopoikilosis
	FAM20C	Extracellular serine/threonine protein kinase FAM20C	Raine syndrome
	ANKH	Progressive ankylosis protein homolog	Craniometaphyseal dysplasia, AD
	GJA1	Gap junction α-1 protein	Craniometaphyseal dysplasia, AR

표 11-1-3(이어서). 골·무기질대사와 관련된 단일유전질환

영향	유전자	단백질	질환
1형콜라젠 생합성 장애	COL1A1	Collagen a1 (I) chain	AD OI type I, II, III, and IV
	COL1A2	Collagen a2 (I) chain	AD OI type I, II, III, and IV
	CRTAP	Cartilage–associated protein	AR OI type II, III and IV
	LEPRE1	Prolyl 3–hydroxylase 1	AR OI type II and III
	PPIB	Peptidyl–prolyl cis–trans isomerase B	AR OI type II, III and IV
	BMP1	Bone morphogenetic protein 1	AR OI type III
	FKBP10	Peptidyl–prolyl cis–trans isomerase FKBP10	AR OI type III and IV, Bruck syndrome 1
	PLOD2	Procollagen–lysine, 2–oxoglutarate 5–dioxygenase 2	AR OI type III, Bruck syndrome 1
	SERPINH1	Serpin H1	AR OI type III
	CREB3L1	cAMP response element–binding protein 3–like 1	AR OI type III
잘 모르는 기능	TMEM38B	Trimeric intracellular cation channel type b	AR OI type III
	IFITM5	Interferon–induced transmembrane protein 5	AR OI type V
	PLS3	Plastin 3	X–linked osteoporosis
골양 무기질화	SERPINF1	Pigment epithelium–derived factor	AR OI type III and IV
중간엽줄기세포 분화	SP7	transcription factor Sp7	AR OI type III and IV
WNT신호전달체계 감소	WNT1	Proto–oncogene Wnt1	AR OI type III and IV, Juvenile idiopathic osteoporosis
	LRP5	Low–density lipoprotein receptor–related protein 5	Osteoporosis pseudoglioma, Juvenile idiopathic osteoporosis

AD, autosomal dominant; AR, autosomal recessive; ADO, autosomal dominant type of osteopetrosis; ARO, autosomal recessive type of osteopetrosis; OI, Osteogenesis imperfecta.

3) GWAS

(1) 골대사 관련 GWAS는 2007년 Kiel 등이 최초로 발표하였으나, 적은 수의 환자로 인해 연관성이 밝혀진 40개의 SNP는 광범위 유전체 유의성 기준에는 이르지 못했다(그림 11-1-28).

(2) 2008년도에 발표된 2개의 GWAS에서 골밀도와 관련된 4개의 유전자(LRP5, ESR1, OPG, RANKL), 골다공증골절과 관계된 5개의 유전자(LRP5, RANK, LRP4, ZBTB40, SPTBN1)를 확인하였다.

(3) 이후 많은 수의 골대사관련 GWAS연구 결과들이 발표되었다(표 11-1-5).

(4) 유의한 연관성을 보인 유전자는 다음과 같이 분류할 수 있다(그림 11-1-29).

① 기존 CGAS에 확인되었던 유전자

② 기존 CGAS에는 확인되지 않았으나, 골대사에 중요한 생물학적전달체계에 관여하는 유전자

③ 아직 골대사 표현형에 대한 기능이 알려지지 않은 유전자

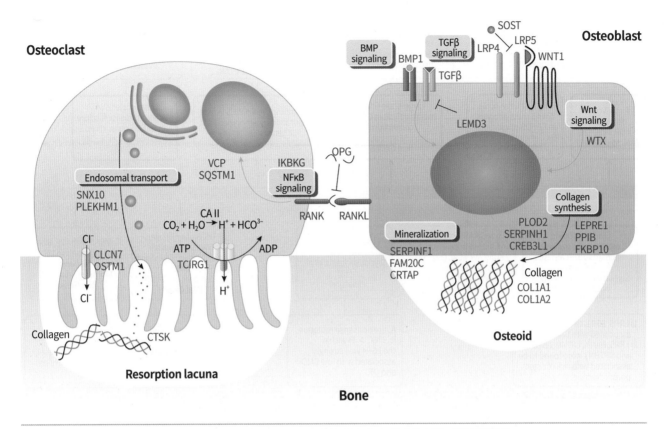

그림 11-1-27. 다양한 단일유전골질환을 유발하는 돌연변이가 있는 신호전달체계

표 11-1-4. 골다공증의 표현형에 대한 150종의 후보유전자 메타분석결과

유전자	표현형
SPP1 [osteopontin, or *OPN*], *ITGA1*, *TNFRSF11B* (osteoprotegerin, or *OPG*), *LRP4*, *LRP5*, *TNFSF11* [*RANKL*], *SOST*, *TNFRSF11A* [*RANK*]	골밀도
SOST, *SPP1* (*OPN*), *LRP5*, *TNFRSF11A* (*RANK*), *TNFSF11* (*RANKL*)	골다공증골절

4) NGS

(1) 골대사 관련 WGS는 2013년 Styrkarsdottir 등이 LGR4내 1개의 돌연변이(c.376 C > T)가 낮은 골밀도와 골다공증골절과 연관성이 있음을 최초로 보고하였다.

(2) 2015년도에 Zheng 등은 WGS (n = 2,882), WES (n = 3,549)를 이용하여, *EN1*유전자 근처의 변이인 rs11692564 (MAF = 1.6%)가 있을 경우 요추골밀도가 증가하고(효과크기 = + 0.2 standard deviation) 골다공증골절위험도 [odds ratio(오즈비) = 0.85]가 감소된다고 발표하였다.

(3) 2016년에 Styrkarsdottir 등은 2,984명 환자군, 206,675면 대조군에서 WGS를 실시하여 *COL1A2*유전자 2개의 드문 변이가 낮은 골밀도와 관련있다고 발표하였다.

11 골·무기질대사

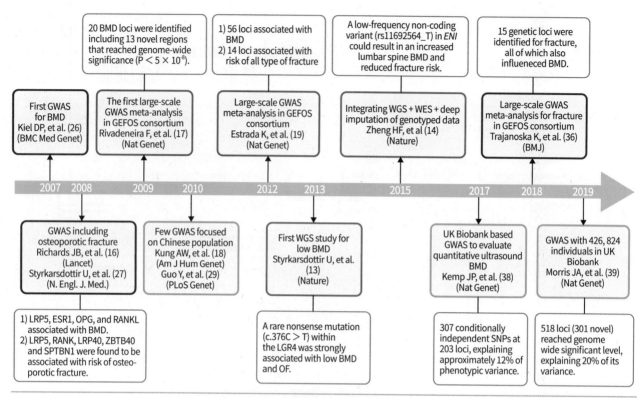

그림 11-1-28. 골다공증 및 골다공증 표현형에 관한 GWAS연구

파란선 박스: GEFOS컨소시엄 연구결과, 녹색선 박스: 아시아인 대상 연구결과, 빨간선 박스: 드문 변이를 포함한 연구결과, 노란선 박스: 영국바이오뱅크 연구결과

표 11-1-5. 골다공증 표현형에 대한 GWAS결과

연구	표현형	시료 수	유전자 수	신규 유전자 수	유전자
Richards JB, 2008	BMD (LS, FN), OSP, OF	8,557	2	2	*TNFRSF11B (OPG)*, *LRP5*
Styrkarsdottir U, 2008	BMD (LS, FN)	13,786	4	3	*TNFRSF11B (OPG)*, *TNFSF11 (RANKL)*, *ESR1*, *ZBTB40/ MHC*
Liu YZ, 2008	Bone size (hip), OHF	Bone size (n=1,000); OHF (n=403)	1	1	*PLCL1*
Styrkarsdottir U, 2009	BMD (LS, FN)	19,195	7	4	*ESR1*, *TNFRSF11B (OPG)*, *TNFSF11 (RANKL)*, *TNFRSF11A (RANK)*, *SOST*, *MARK3*, *SP7*
Xiong DH, 2009	BMD (LS, FN)	9,109	2	2	*ADAMTS18*, *TGFBR3*
Rivadeneira F, 2009	BMD (LS, FN)	19,195	20	13	*ZBTB40*, *ESR1*, *TNFRSF11B (OPG)*, *LRP5*, *SP7*, *TNFRSF11 (RANKL)*, *TNFRSF11A (RANK)* *GPR177*, *SPTBN1*, *CTNNB1*, *MEPE*, *MEF2C*, *STARD3NL*, *FLJ42280*, *LRP4/ARHGAP1/F2*, *DCDC5*, *SOX6*, *FOXL1*, *HDAC5*, *CRHR1*

표 11-1-5(이어서). 골다공증 표현형에 대한 GWAS결과

연구	표현형	시료 수	유전자 수	신규 유전자 수	유전자
Zaho LJ, 2010	Hip geometry	5,676	1	1	*RTP3*
Guo Y, 2010	BMD (hip), OF	11,568	1	1	*ALDH7A1*
Kung AW, 2010	BMD (LS, FN)	18,898	1	1	*JAG1*
Hsu YH, 2010	BMD (LS, FN), hip geometry	11,290	4	3	*TNFRSF11B (OPG)*, *RAP1A, TBC1D8, OSBPL1A*
Paternoster L, 2010	Cortical vBMD by pQCT	5,789	1	0	*TNFSF11 (RANKL)*
Kou I, 2011	Osteoporosis	6,950	1	1	*FONG*
Duncan EL, 2011	BMD (LS, FN, TH)	21,798	2	2	*GALNT3, RSPO3*
Estrada K, 2012	BMD (LS, FN), OF	83,894	56	32	BMD (56): *WLS, WNT4, ZBTB40, SPTBN1, GALNT3, CTNNB1, MEPE, MEF2C, RSPO3, C6orf97, TXNDC3, STARD3NL, SLC25A13, TNFRSF11B (OPG), ARHGAP1, DCDC5, SOX6, LRP5, HOXC6, SP7, AKAP11, MARK3, FOXL1, SOST, C17orf53, MAPT, TNFRSF11A (RANK), JAG1* *DNM3, PKDCC, ANAPC1, INSIG2, KIAA2018, LEKR1, IDUA, SUPT3H/RUNX2, CDKAL1/SOX4, WNT16, ABCF2, XKR9/LACTB, FUBP3, MPP7, MBL2/DKK1, KCNMA1, CPN1, LIN7C, KLHDC5/PTHLH, ERC1/WNT5B, DHH, C12orf23, RPS6KA5, NTAN1, AXIN1, C16orf38/CLCN7, SALL1/CYLD, CYLD, SMG6, SOX9, FAM210A, GPATCH1* Fracture (14): *FAM210A, MBL2/DKK1, LRP5, SLC251A13, MEPE/SPP1, SPTBN1, ZBTB40, CTNNB1, STARD3L, WNT16, FUBP3, DCDC5, RPS6KA5, C17orf53*
Zheng HF, 2012	BMD (forearm), cortical thickness, forearm fracture	5,878	1	0	*WNT16*
Medina-Gomez C, 2012	BMD (total body)	13,712	1	0	*WNT16*
Guo YF, 2013	Bone size (hip)	3,913	1	1	*GLYAT*
Koller DL, 2013	BMD (LS, FN)	8,835	2	0	*WNT16, ESR1/C6orf97*
Hwang JY, 2013	Any OF	4,563	1	1	*MECOM*
Zheng HF, 2013	BMD (forearm), forearm fracture	6,591–5,763	1	1	*MEF2C*
Oei L, 2014	Osteoporotic vertebral fracture	2,995–27,511	1	1	*16q24*
Zhang L, 2014	BMD (LS, FN, TH)	27,014	1	1	*EN1*
Zheng HF, 2015	BMD (LS, FN, forearm), fractures	BMD (n=53,236); Fracture (n=508,253)	1	0	*EN1*
Tan LJ, 2015	BMD (LS, FN)	3,671	1	0	*ATP6V1G1*

표 11-1-5(이어서). 골다공증 표현형에 대한 GWAS결과

연구	표현형	시료 수	유전자 수	신규 유전자 수	유전자
Styrkarsdottir U, 2016	BMD (LS, hip), OF	BMD (n=30,191); Fracture (n=274,911)	5	1	*RSPO3, AXIN1, SOST, EN1, PTHC1*
Mullin BH, 2016	BMD (LS, TH, FN)	6,696	1	1	*WLS*
Taylor KC, 2016	Fractures	10,305	1	1	*SVIL*
Choi HJ, 2016	BMD (LS, TH, FN)	7,513	2	0	*ESR1, WNT16*
Lu S, 2017	BMD (LS, hip, TB)	2,069	1	1	*DYNC2H1*
Alonso N, 2018	Osteoporotic vertebral fracture	10,683	1	1	*2q13*
Pei YF, 2018	BMD (LS, FN)	40,491	2	2	*FNK, SPN*
Trajanoska K, 2018	Any type of fracture	562,258	16	4	*SPTBN1, SHFM1, MBL2/DKK1, LRP5, FAM210A, SOST, CPED1/WNT16, FUPB3, DCDC5, RPS6KA5, STARD3NL, CTNNB1, RSPO3, ESR1, GRB10/COBL, ETS2*
Gregson CL, 2018	BMD (LS, TH)	32,350	4	2	*MEF2C, WNT4/ZBTB40, NPR3, SPON1*
Hsu YH, 2019	Hip geometry	27,053	4	4	*IRX1/ADAMTS16, FGFR4/NSD1/RAB24, LRP5/PPP6R3/GAL, CCDC91*
Baird DA, 2019	Hip shape	15,934	7	7	*FGFR4, SOX9, PTHLH, HHIP, NKX3-2, DICER1, RUNX1*
Styrkarsdottir U, 2019	Bone size (spine, hip, FN, trochanter, intertrochanteric region)	50,231	13	13	*MIR196A2, GDF5, WNT4, DYM, ADAMTSL3, SH3GL3, BCKDHB, CHRDL2 COL11A1, ERC2, TBX4, SOX9, CTDSP2, HHIP*
Zhang H, 2020, 1691	BMD (hip), Bone size (hip)	461,958	2	2	*ARL4C, AGPAT4*

BMD (bone mineral density), FN (femoral neck), OHF (osteoporotic hip fracture), OF (osteoporotic fracture), OSP (osteoporosis), TH (total hip)
밑줄있는 유전자: 신규유전자

6. 골·무기질대사에 대한 유전체연구 한계점 및 극복방안

1) 연관분석

작은 효과 크기를 가진 흔한 변이를 찾기에는 검증력이 모자라 더 이상 사용되지 않는다.

2) CGAS

(1) 대부분의 연구는 한 후보유전자에 대해 5개 미만의 연구가 진행되었으며, 시료의 수가 적어 CGAS연구 결과해석에 주의가 필요하다.

(2) 골밀도와의 연관성에 집중하여 진행되었으나, 후속연구에서 연관성이 없어지거나 재현이 되지 않았다.

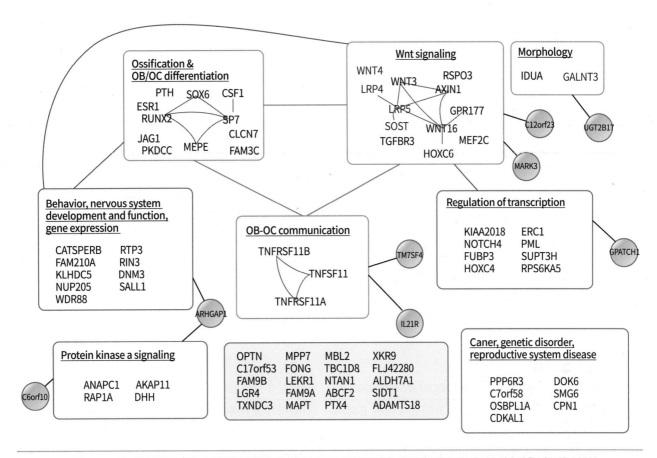

그림 11-1-29. GWAS연구에서 골밀도와 연관성을 보인 유전자들의 생화학적신호전달체계 및 기능적 상호작용 네트워크 분석

(3) 대규모 메타분석에서 150종의 후보유전자 중 9종의 유전자만 골밀도와 유의한 상관관계를 보였으며, 4종의 유전자만 골절과의 연관성이 확인되었다.

3) GWAS

(1) 사라진 유전율(missing heritability)

① 골밀도의 유전율은 60–80%로 높다고 알려져 있으나, GWAS에 의해 밝혀진 유전자들에 의해서는 아주 적은 부분만 설명된다.

② 2009년 Rivadeneira 등이 29,195명을 대상으로 한 연구결과에서 15개의 SNP로 요추골밀도의 2.9%, 10개의 SNP로 대퇴골경부골밀도의 1.9%가 설명되었다.

③ 2012년 Estrada 등이 84,000명을 대상으로 한 연구결과에서 63개의 SNP로 대퇴골경부골밀도의 5.8%가 설명되었다.

④ 2019년 Morris 등이 426,824명을 대상으로 한 연구결과에서 1,000개의 SNP로 골밀도의 20%가 설명되었다.

⑤ GWAS가 "흔한질병–흔한변이(common disease–common variant)" 가설에 의한 것이기 때문에, 영향크기가 작은 변이를 모아도 적은 부분만이 설명된다. 따라서, 좀 더 많은 대상으로 하여 좀 더 많은 흔한 변이를 찾는다 하더라도 유전자에 의한 설명력은 여전히 적을 것이라 예상된다(그림 11-1-30). 따라서, 효과 크기가 큰 드문 변이를 찾을 수 있는 NGS가 도움이 될 것으로 판단된다.

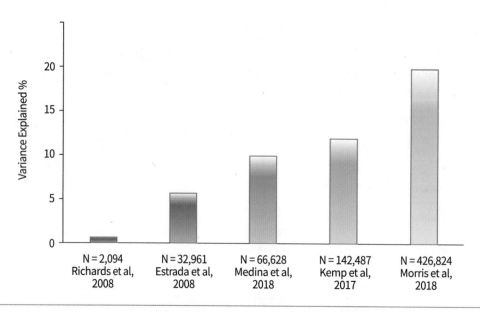

그림 11-1-30. GWAS연구결과에 따른 골다공증 표현형에 대한 설명력

(2) 다인자성(polygenicity), 부정선택(negative selection)

① GWAS에서 골다공증 및 골다공증 표현형에 대한 유의한 P값은 매우 낮은 오즈비를 갖는다.

② 2012년 Estrada 등이 발표한 연구결과에서 골다공증 골절과 연관된 14개 중 13개의 SNP의 오즈비가 < 1.10이었다.

③ 2019년 Morris 등이 53,184명의 골절 환자, 373,611명의 대조군 환자를 대상으로 한 연구결과에서 확인된 14개의 SNP의 오즈비가 < 1.10이었다.

④ 골다공증골절에 대한 낮은 오즈비는 골다공증골절 유전적인 특성이 작은 영향크기를 가진 많은 수의 유전자들의 상호작용에 의한 상가작용(additive effect)으로 인한 다유전자유전(polygenic inheritance)으로 설명된다.

⑤ 부정선택이 다유전자유전질환에서 영향크기와 MAF에 영향을 끼친다고 알려졌다.

(3) 다인자성(polygenicity), 전유전자성모델(omnigenic model)

① 유전자 조절 네트워크가 있어, 모든 유전자가 질병의 표현형에 관여한다고 제안되었다.

② 질병의 표현형에 직접적으로 관여하는 핵심 유전자와 핵심유전자를 간접적으로 조절하는 주변 유전자가 있다고 제안되었다.

7. 골·무기질대사에 대한 유전체연구의 임상이용

1) 골다공증 및 골다공증 표현형에 대한 신규유전자의 기능규명

골대사에 대한 기능이 알려지지 않은 유전자들이 발견되면서 이를 기반으로 골대사에 중요한 신호전달체계 확인 및 치료표적 발굴에 사용할 수 있다.

2) 멘델리안무작위접근법(Mendelian randomization approach)을 이용한 골다공증 및 골다공증골절 위험인자탐구

(1) 멘델리안무작위접근법: 관찰역학연구 내에서 인과성을 평가하는 한 가지 방법으로 거대-규모GWAS자료를 이용하여 찾는 방법이다(그림 11-1-31).

Panel A

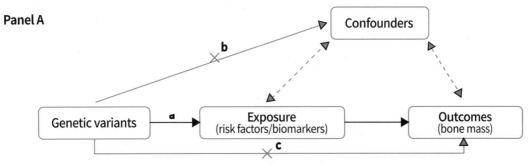

a. The genetic variants were strong associated with exposure (the relevance assumption)
b. The genetic variants were independent of factors that confound the exposure-outcome relationship (the independence assumption)
c. The genetic variants affect the outcome only through the exposure (the exclusion restriction assumption)

Panel B

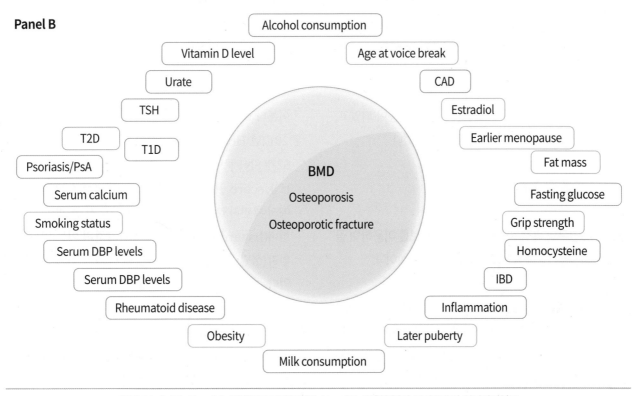

그림 11-1-31. Panel A: 멘델리안무작위원칙, Panel B: 위험인자와 골다공증의 인과관계연구
주황색 선: 인과관계, 파란색 선: 비인과관계, 보라색 선: 불일치한 연구결과

① 유전자변이를 사용하여, 위험요인과 질병 간의 연관성에 대한 관찰연구에서 인과관계추론을 강화하는 것이다.
② 일반 인구에서 유전자변이가 무작위로 분포되는 경향을 이용하여, 수정가능한 위험요인과 관련된 SNP를 이용하여, 위험요인과 질병 간의 관계특성에 대한 인과적추론을 강화할 수 있다.

(2) 골대사분야에서는 골밀도, 골다공증, 골다공증골절과 위험요인 간의 인과성을 찾기 위한 연구이고, 비타민D 농도, 염증장질환, 비만, 당뇨병 등이 빈번히 연구되었다.

3) 골다공증 치료표적

(1) 골다공증치료제의 표적신호전달체계는 유전자연구결과에서 확인이 되었다(표 11-1-6).

표 11-1-6. BMD 변화와 연관된 유전자와 연관된 골다공증 치료표적

약물	약물표적	유전자
Denosumab	RANKL	TNFSF11
Romosozumab	Sclerostin	SOST
Selective estrogen receptor modulator	Estrogen receptor	ESR1
Parathyroid hormone analogs	Parathyroid hormone receptor	Not identified PTHLH
Bisphosphonate	Farensyl pyrophosphate	Not identified
Estrogen	Estrogen receptor	ESR1
Cathepsin K inhibitors	Cathepsin K	CTSK
DKK1 inhibitor	DKK1	DKK1

(2) 유전정보는 약물의 치료표적을 찾는 데 도움이 되었고, 전임상연구 및 임상연구의 성공률을 증가시켰다.

4) 골다공증 및 골다공증골절 예측

(1) 유전체연구의 목적 중 하나는 유전체정보를 이용하여 골다공증 혹은 골다공증골절을 예측하는 맞춤의학이다.

(2) 질병을 예측하는 데 오즈비가 1.5인 경우 적어도 150개, 1.25인 경우 적어도 250개가 필요하다고 알려져 있어, 단일유전자는 효과 크기와 무관하게 예측에는 도움이 되지 않는다.

(3) 유전자프로파일링을 이용한 골다공증골절 예측
① MAF가 0.1-0.6이며 상대위험도 1.0-3.0인 50개 유전자를 임상위험인자(성별, 연령, 골밀도, 이전골절과거력, 낙상)에 추가 시에 수신기작동특성곡선(receiver operating characteristic curve, ROC curve)의 곡선하면적(area under the ROC curve, AUC)을 0.77에서 0.88로 유의하게 증가시켰다.
② 임상위험인자에 MAF가 0.25-0.60이며 상대위험도 1.10-1.35인 25개 유전자로 프로파일링 시 AUC 0.80을

이룬다고 보고되었다.
③ 2017년 Ho-Le 등은 62개의 골밀도와 연관성을 보인 62개 SNP로 이루어진 유전자 프로파일링(polygenic risk score, PRS)의 효과를 557명 남성, 992명의 여성에서 확인하였는데, PRS 1 unit 증가 시 골절에 대한 위험비(hazard ratio)가 1.20로 증가하며 이는 임상위험인자(성별, 나이, 골밀도, 이전 골절 과거력)에 독립적이었다.

(4) 기계학습(Machine learning methods)
① 기계학습은 인공지능의 한 분야로 경험을 통하여 자동으로 개선하는 컴퓨터알고리즘의 연구로 SNP와 복합유전자질환 표현형 연구에 사용되기 시작하였다. 기계학습은 전통적으로 사용되는 PRS보다 나은 예측력을 제공한다.
② 2018년 Forgetta 등은 영국바이오뱅크 341,449명의 골초음파속도(speed of sound, SOS)자료와 SNP을 이용하여 기계학습으로 만든 유전학적으로 예측한 SOS (gSOS)가 SOS, 골밀도보다 주요 골다공증골절과 강한 연관성을 보였으며, FRAX 보다 골다공증골절 예측을 개선하였다.

참 / 고 / 문 / 헌

I.

1. 대한골대사학회. 골다공증. 제3판. 한미의학; 2006. pp. 68-77.

2. Ansari N, Sims N. The cells of bone and their interactions. In: Stern PH eds. Bone regulators and osteoporosis therapy (Hand-book of Experimental Pharmacology, 262). Springer; 2020. pp. 1-26.

3. Baron R. Kneissel M. WNT signaling in bone homeostasis and disease: from human mutations to treatments. Nat Med 2013;19:179-92.

4. Boskey AL, Robey PG. The composition of bone. In: Rosen CJ eds. Primer on the metabolic bone diseases and disorders of mineral metabolism. 8th ed. Wiley-Blackwell; 2013. pp. 49-58.

5. Bruzzaniti A, Baron R. Molecular regulation of osteoclast activity. Rev Endocr Metab Disord 2007;7:123-39.

6. Delaisse JM, Andersen TL, Kristensen HB, Jensen PR, Andreasen CM, Soe K. Re-thinking the bone remodeling cycle mechanism and the origin of bone loss. Bone 2020;141:115628.

7. Dempster DW. Tethering formation to resorption: reversal revisited. J Bone Miner Res 2017;32:1389-90.

8. Destaing O, Saltel F, Geminard JC, Jurdic P, Bard F. Podosomes display actin turnover and dynamic self-organization in osteoclasts expressing actin-green fluorescent protein. Mol Biol Cell 2003;14:407-16.

9. Fukumoto S, Martin TJ. Bone as an endocrine organ. Trends Endocrinol Metab 2009;20:230-6.

10. Islam R, Bae HS, Yoon WJ, Woo KM, Baek JH, Kim HH, et al. Pin1 regulates osteoclast fusion through suppression of the master regulator of cell fusion DC-STAMP. J Cell Physiol 2014;229:2166-74.

11. Jing Y, Wang Z, Li H, Ma C, Feng J. Chondrogenesis defines future skeletal patterns via cell transdifferentiation from chondrocytes to bone cells. Cur Osteop Rep 2020;18: 199-209.

12. Karsenty G. That feeling in your bones. Cerebrum 2020;2020:cer-05-20.

13. Komori T. Functions of osteocalcin in bone, pancreas, testis, and muscle. Int J Mol Sci 2020;21:7513.

14. Komori T. Molecular mechanism of Runx2-dependent bone development. Mol Cells 2020;43:168-75.

15. Kronenberg HM. Developmental regulation of the growth plate. Nature 2003;423:332-6.

16. Lassen NE, Andersen TL, Pløen GG, Søe K, Hauge EM, Harving S, et al. Coupling of bone resorption and formation in real time: new knowledge gained from human haversian BMUs. J Bone Miner Res 2017;32:1395-1405.

17. Liu Y, Lehar A, Rydzik R, Chandok H, Lee YS, Youngstrom DW, et al. Local versus systemic control of bone and skeletal muscle mass by components of the transforming growth factor-β signaling pathway. Proc Natl Acad Sci 2021;118:e211140118.

18. Long F, Ornitz DM. Development of the endochondral skeleton. Cold Spring Harb Perspect Biol 2013;5:a008334.

19. Miyamoto T, Yagi M, Sawatani Y, Iwamoto K, Hosogane N, Fujita N, et al. DC-STAMP is essential for cell-cell fusion in osteoclasts and foreign body giant cells. J Exp Med 2005;202:345-51.

20. Moreira CA, Dempster DW, Baron R. Anatomy and ultrastructure of bone-histogenesis, growth and remodeling. In: Feingold KR, Anawalt B, Boyce A, et al. Diseases of bone and mineral metabolism. Endotext; 2000.

21. Mosialou I, Shikhel S, Liu JM, Maurizi A, Luo N, He Z, et al. MC4R-dependent suppression of appetite by bone-derived lipocalin 2. Nature 2017;543:385-90.

22. Nakamura T, Imai Y, Matsumoto T, Sato S, Takeuchi K, Igarashi K, et al. Estrogen pre-vnets bone loss via estrogen receptor α and induction of Fas ligand in osteoclasts. Cell 2007;130:811-23.

23. Robling AG, Bonewald LF. The osteocyte: new insights. Annu Rev Physiol 2020;82:485-506.

24. Sims NA, Martin TJ. Osteoclasts provide coupling signals to osteoblast lineage cells through multiple mechanisms. Ann Rev Physiol 2020;82:507-29.

25. Takayanagi H. Osteoimmunology: shared mechanisms and crosstalk between the immune and bone systems. Nat Rev Immunol 2007;7:292-304.

26. Tani S, Chung UI, Ohba S, Hojo H. Understanding paraxial mesoderm development and sclerotome specification for skeletal repair. Exp Mol Med 2020;52:1166-77.

27. Teitelbaum SL, Ross FP. Genetic regulation of osteoclast development and function. Nat Rev Genet 2003;4: 638-49.

28. Yu W, Zhong L, Yao L, Wei Y, Gui T, Li Z, et al. Bone marrow adipogenic lineage precusors promote osteoclastogenesis in bone re-modeling and and pathologic bone loss. J Clin Invest 2021;131;e140214.

29. Zou W, Rohatgi N, Brestoff JR, Li Y, Barve R, Tycksen E, et al. Ablation of fat cells in adult mice induces massive bone gain. Cell Metab 2020;32:801-13.

II.

1. Bikle DD, Adams JS, Christakos S., Vitamin D: Production, Metabolism, Action, and Clinical Requirements. In: Bilezikian JP, Bouillon R, Clemens T, Compston J, Ebeling PR, et al. Primer on the metabolic bone diseases and disorders of mineral metabolism. 9th ed. Wiley Blackwell; 2018. pp. 239-40.

2. Bringhurst FR, Marie B, Kronberg HM. Bone and Mineral Metabolism in Health and Disease. In: Jameson JL, Fauci AS, Kasper DL, Hauser SL, Longo DL, Loscalzo J, et al. Harrison's principles of internal medicine. 20th ed. McGraw-Hill Co; 2018.

3. Gardella TJ, Nissenson RA, Jüppner H. Parathyroid Hormone. In: Bilezikian JP, Bouillon R, Clemens T, Compston J, Ebeling PR, et al. Primer on the metabolic bone diseases and disorders of mineral metabolism. 9th ed. Wiley Blackwell; 2018. pp. 205-11.

4. Goldman L, Schafer AI, et al. Goldman-Cecil Medicine. 26th ed. Elsevier; 2020. pp. 1611-22.

5. Hendy GN. Calcium-Sensing Receptor. In: Bilezikian JP, Bouillon R, Clemens T, Compston J, Ebeling PR, et al. Primer on the metabolic bone diseases and disorders of mineral metabolism. 9th ed. Wiley Blackwell; 2018. pp. 221-9.

6. Marcus R, Feldman D, Dempster DW, Luckey M, Cauley JA. Osteoporosis. 4th Ed. Amsterdam: Elsevier; 2013. pp. 283-328.

7. Melmed S, Auchus RJ, Goldfine AB, Koenig RJ, Rosen CJ. Williams textbook of endocrinology. 14th ed. Elsevier; 2020. pp. 1196-220.

8. Peng JB, Suzuki Y, Gyimesi G, Hediger MA. TRPV5 and TRPV6 Calcium-Selective Channels. In: Kozak JA, Putney Jr JW eds. Calcium Entry Channels in Non-Excitable Cells. CRC Press; 2017. pp. 241-74.

9. Vautour L, Goltzman D. Regulation of Calcium Homeostasis. In: Bilezikian JP, Bouillon R, Clemens T, Compston J, Ebeling PR, et al. Primer on the metabolic bone diseases and disorders of mineral metabolism. 9th ed. Wiley Blackwell; 2018. pp. 165-72.

III.

1. Boudin E, Fijalkowski I, Hendrickx G, Van Hul W. Genetic control of bone mass. Mol Cell Endocrinol 2016;432:3-13.

2. Hsu YH, Kiel DP. Clinical review: genome-wide association studies of skeletal phenotypes: what we have learned and where we are headed. J Clin Endocrinol Metab 2012; 97:E1958-77.

3. Karasik D, Rivadeneira F, Johnson ML. The genetics of bone mass and susceptibility to bone diseases. Nat Rev Rheumatol 2016;12:496.

4. Ralston SH, Uitterlinden AG. Genetics of osteoporosis. Endocr Rev 2010;31:629-62.

5. Richards JB, Kavvoura FK, Rivadeneira F, Styrkarsdottir U, Estrada K, Halldorsson BV, et al. Collaborative meta-analysis: associations of 150 candidate genes with osteoporosis and osteoporotic fracture. Ann Intern Med 2009;151: 528-37.

6. Rivadeneira F, Mäkitie O. Osteoporosis and bone mass disorders: from gene pathways to treatments. Trends Endocrinol Metab 2016;27:262-81.

7. Trajanoska K, Rivadeneira F. The genetic architecture of osteoporosis and fracture risk. Bone 2019;126:2-10.

8. Zhu X, Bai W, Zheng H. Twelve years of GWAS discoveries for osteoporosis and related traits: advances, challenges and applications. Bone Res 2021;9:23.

무기질대사질환

김상완 이시훈 이유미

I. 고칼슘혈증

김상완

1. 서론

고칼슘혈증은 증상 없이 검진에서 우연히 발견되는 경미한 생화학적 이상에서부터 생명을 위협하는 응급에 이르기까지 다양하게 나타날 수 있다. 고칼슘혈증의 기전은 골흡수 증가, 장에서 칼슘흡수 증가, 신장칼슘의 배설 감소 등이 있다. 고칼슘혈증의 90% 이상은 부갑상선항진증 혹은 악성종양에 의해 발생하며 그 외 다양한 원인들이 있다.

2. 고칼슘혈증 환자에의 접근

1) 병태생리
혈청칼슘의 약 50%는 단백질과 결합되어 있으며 혈청알부민의 변화는 혈청칼슘에 변화를 주기 때문에 알부민 변화에 대한 보정이 필요하다. 대략적인 보정법으로는 혈청알부민 4 g/dL을 기준으로 1 g/dL 감소될 때마다 측정된 총 칼슘 농도에 0.8 mg/dL을 더한다. 혈청알부민이 총 혈청칼슘에 영향을 주는 것과 반대로 pH는 이온화칼슘에 영향을 미친다. 산증은 알부민과 칼슘의 결합을 억제함으로써 이온화칼슘을 증가시키고 반대로 알칼리증은 이온화칼슘을 감소시킨다. 대부분의 경우 혈청알부민을 보정하여 총 혈청칼슘을 측정하는 것이 적절하지만, 혈청알부민과 pH의 변동이 예상되는 급성스트레스상황에서는 이온화 칼슘을 측정해야 한다.

정상적인 경우 혈중 칼슘 농도는 위장관, 골격, 그리고 신장에서 유입된 칼슘과 골격과 신장으로 빠져나가는 칼슘의 균형을 반영한다. 고칼슘혈증은 칼슘이 혈중으로 유입되는 속도가 제거되는 속도보다 커질 때 발생한다. 이것은 주로 파골세포에 의한 골흡수의 증가 또는 위장관에서의 과도한 칼슘의 흡수가 신장이나 뼈의 처리능력을 초과할 때 일어난다. 때로, 혈중으로 유입되는 칼슘의 속도는 정상이지만 신장 배설이나 뼈의 무기질화의 저하에 의해서 고칼슘혈증이 발생할 수 있다.

대부분의 고칼슘혈증의 일차병인기전은 파골세포의 활성에 의한 골흡수의 항진이다. 부갑상선호르몬(parathyroid hormone, PTH), 부갑상선호르몬관련단백질(parathyroid hormone–related peptide, PTHrP), 1,25$(OH)_2D_3$ 외에도 인터루킨-1α, 인터루킨-1β, 인터루킨-6, TNF-α, lymphotoxin, TGF-α 등이 파골세포를 자극하여 골흡수를 일으킨다. PTHrP는 다양한 정상조직에서 낮은 수준으로 발현되지만 어떤 악성종양에서 과분비될 수 있으며 일부 사이토카인도 악성종양에 의한 고칼슘혈증과 관련되어

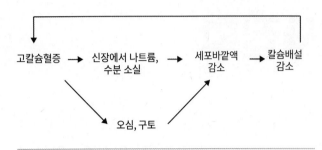

그림 11-2-1. **고칼슘혈증에서 세포바깥액 감소의 기전과 영향**

있다. 흔하지 않지만, 림프종이나 비타민D 중독과 같이 비타민D 과잉상태에서는 위장에서 칼슘의 과다흡수에 의해 고칼슘혈증이 일어날 수 있다. 신장은 다양한 원인의 고칼슘혈증상태에서 혈중 칼슘의 증가를 막는 일차기관이므로 고칼슘혈증이 발생하기 전에 고칼슘뇨가 일어나게 된다. 이러한 신장의 능력이 초과되면 고칼슘혈증이 일어난다.

골흡수의 항진 외에도 고칼슘혈증의 병인기전에 기여하는 인자들이 있다. PTH와 PTHrP는 원위세뇨관에서 칼슘의 재흡수를 증가시킴으로 신장의 칼슘배설을 방해하고 $1,25(OH)_2D_3$의 합성을 자극시켜 고칼슘혈증의 발생을 심화시킨다. 고칼슘혈증은 근위세뇨관의 칼슘감지수용체를 통해 항이뇨호르몬의 작용을 억제함으로써 신장기원요붕증에 의한 다뇨를 일으킨다. 한편, 고칼슘혈증에 흔히 동반될 수 있는 오심, 구토는 다뇨에 의한 구갈기전이 충분히 작동되지 못하게 하여 수분 보충이 되지 못하게 한다. 이것은 결국 체액량의 감소와 사구체여과율의 감소로 이어져 고칼

슘혈증을 악화시킨다(그림 11-2-1).

2) 임상양상

고칼슘혈증은 근육신경계, 소화기, 심혈관계, 신장계 등과 연관된 다양한 임상양상을 나타낼 수 있다(표 11-2-1). 증상과 징후는 고칼슘혈증의 원인과 관계없이 동일하다. 정상적인 신경계기능을 위해 적절한 세포바깥액의 칼슘 농도가 필요하기 때문에 신경계이상증상이 고칼슘혈증에서 자주 나타날 수 있다. 경미한 집중력의 장애나 수면량 증가에서부터 우울감, 혼동, 혼수까지 일어날 수 있으며 근위약감은 흔하다. 위장증상으로는 식욕부진, 구토, 소화장애와 변비가 나타난다. 췌장염과 소화궤양은 드물지만 다른 원인보다 일차부갑상선항진증(primary hyperparathyroidism, PHPT)에서 보다 흔하게 나타난다. 신결석은 PHPT 환자의 15–20%에서 발생하지만 다른 원인의 만성고칼슘혈증에서도 일어난다. 고칼슘혈증은 심근의 재분극속도를 증가시키므로 심전도에서 QT간격의 단축이 흔히 관찰되며 서맥과 1도 심방–심실차단 등도 일어날 수 있다. 고칼슘혈증 환자에서는 디지털리스의 감수성이 증가될 수 있으므로 투여할 때 주의가 필요하다. 일반적으로, 증상은 칼슘 농도의 정도 및 증가속도와 관련되어 있으며, 경미한 고칼슘혈증(< 12.0 mg/dL)에서는 대부분 무증상이다. 일부 환자에서는 혈중 칼슘이 12–14 mg/dL에서 증상이 매우 뚜렷할 수 있다. 혈청칼슘이 14 mg/dL 이상으로 심한 경우에는 거의 모든 환자에서 증상이 발생한다. 혈청칼슘이 더 증가될 경우 혼수, 심장마비와 같은 응급상황이 발생할 수 있다. 심한

표 11-2-1. **고칼슘혈증의 임상양상**

심혈관계	심전도QT간격의 감소, 심방–심실차단, 서맥, 고혈압, 심정지(심한 고칼슘혈증의 경우)
신경근육계	두통, 정서불안정, 혼동, 섬망, 혼수, 경련, 근육노쇠
신장	다뇨, 다음, 야간뇨, 고칼슘뇨, 신석회증, 신결석증, 신부전
소화기계	오심, 구토, 변비, 복통, 소화궤양, 췌장염
근골격계	골통, 관절통, 피질골량 감소
기타	쇼크, 사망

고칼슘혈증 환자에서 증상이 없는 경우 즉각적으로 이온화 칼슘을 측정하여 칼슘의 혈장단백질과의 과도한 결합에 의한 이차고칼슘혈증이 아닌지 확인해야 한다.

3) 감별진단

고칼슘혈증의 원인은 표 11-2-2에 정리되어 있으며 중요 원인들에 대해서는 아래에 자세하게 기술될 것이다. 여기에서는 고칼슘혈증의 감별진단의 일반적인 원칙에 대해 다루어질 것이다.

PHPT와 악성종양은 고칼슘혈증의 가장 흔한 원인으로 전체 환자의 90% 이상을 차지한다. 두 질환 간의 감별진단은 임상적으로도 까다롭지 않다. 대부분의 PHPT 환자는 경미한 고칼슘혈증을 나타내며 무증상이다. 이 경우 의무기록을 검토하면 고칼슘혈증이 얼마나 지속되었는지 아는 데 도움이 될 수 있다. 특히 고칼슘혈증의 증상, 징후가 있다면 장기간 지속된 경우가 많다. 반면에 질병의 진행 정도가 급격하고 심하며 고칼슘혈증의 전통적인 증상과 징후를 보이는 경우 악성종양의 경우를 고려해야 한다. 악성종양과 관련된 고칼슘혈증은 대부분 예후가 나쁘고 사망률이 높기 때문에 1년 이상 지속된 고칼슘혈증의 경우에는 진단에서 배제될 수 있다. 드물게, 잠재악성종양에서 고칼슘혈증이 발생할 수 있고 PHPT 환자가 급성고칼슘혈증과 증상을 나타낼 수 있는데 이 경우 진단에 큰 어려움이 된다. 골절력, 신결석 등 고칼슘혈증과 연관된 증상의 유무, 기간 등에 대한 자세한 병력청취와 약물복용력, 가족력이 감별진단에 도움이 될 수 있다.

완전(intact) PTH의 정확하고 신뢰할 수 있는 측정법의 개발은 고칼슘혈증의 진단에 큰 진전을 가져왔다. 악성종양과 관련된 고칼슘혈증에서는 완전 PTH는 거의 항상 억제되거나 측정이 되지 않는다. 만일 부갑상선암을 제외한 악성종양에서 PTH가 증가되어 있다면 두 가지 가능성이 있는데, 동시에 PHPT를 가지고 있거나 악성종양에서 PTH가 분비되는 경우인데 후자는 극히 드물다.

표 11-2-2. **고칼슘혈증의 원인**

부갑상선호르몬의존고칼슘혈증
- 일차부갑상선항진증
- 삼차부갑상선항진증
- 가족성저칼슘뇨고칼슘혈증
- 리튬연관고칼슘혈증
- 칼슘감지수용체대항제

종양
- PTHrP*의존
- 국소골용해성질환(전이 포함)
- 비타민D유발(림프종, 난소암)
- 진짜이소부갑상선항진증

육아종질환
- 유육종증
- 결핵
- 베릴륨증
- 진균증
- 나병
- 염증장질환
- 조직구증X

내분비질환
- 갑상선중독증
- 부신기능저하증
- 갈색세포종
- 혈관활성장펩타이드종양증후군

급성 및 만성신기능 저하

약물
- 비타민D
- 비타민A
- 싸이아자이드
- 리튬
- 부갑상선호르몬
- 에스트로젠
- 아미노피린/테오필린
- 포스카넷
- 성장호르몬

기타
- 부동(immobilization)
- 밀크-알칼리증후군
- 알루미늄중독증
- 윌리암증후군
- 얀센골간단연골이형성증
- 완전 비경구 영양
- 비정상단백질 결합
- 저인산염혈증

*: parathyroid hormone-related protein

11 골·무기질대사

고칼슘혈증이 존재함에도 PTH가 지속적으로 높거나 정상범위에 있는 경우는 항상 PHPT를 고려해야 한다. 고칼슘혈증과 PTH가 증가된 경우 드물지만 가족성저칼슘뇨고칼슘혈증(familial hypocalciuric hypercalcemia, FHH), 삼차부갑상선항진증, 리튬–연관부갑상선항진증의 경우도 생각할 수 있다. 약 10%의 환자들에서 고칼슘혈증과 정상범위 내의 PTH 수준을 보이는데, 이 또한 고칼슘혈증에 비해 상대적으로 부적절한 PTH반응을 보이는 경우이므로 PTH의존고칼슘혈증에 해당된다고 할 수 있다. 우연히 검사한 칼슘과 PTH가 높은 정상치를 나타낸다면 주기적으로 다시 측정해 보는 것이 좋다. 부갑상선항진증으로 진단된 환자에서 40세 이전이거나 가족력, 다른 내분비질환의 징후를 갖고 있는 경우에는 다발내분비선종양(multiple endocrine neoplasia, MEN)에 대한 평가가 필요하다.

PTH 관련 고칼슘혈증의 경우에는 24시간 요칼슘 배설량과 칼슘/크레아티닌청소비율을 측정한다. 하루 칼슘 배설량이 100 mg 이하이고 청소비율이 0.01 이하라면 FHH를 고려해야 한다(그림 11-2-2). FHH에서는 1,25(OH)$_2$D$_3$가 정상이거나 약간 낮아져 있다. 연령이 40세 이전이고 가족력이 있

거나 PTH가 정상범위이거나 약간 증가된 경우라면 가능성이 더 높다.

4) 치료

고칼슘혈증의 치료원칙은 기저원인을 규명하는 것과 함께 혈장량의 증가, 소변칼슘 배설량의 증가, 골흡수의 억제를 통하여 혈청의 칼슘을 감소시키는 것이다. 고칼슘혈증의 치료시작은 혈청칼슘과 임상증상의 유무에 따라 결정된다. 경미한 고칼슘혈증(< 12 mg/dL)은 수분 섭취, 탈수 방지, 적당한 칼슘 섭취, 고칼슘혈증을 조장하는 약물을 중단하는 것만으로도 충분하다. 혈청칼슘이 12 mg/dL 이상이며 특징적인 증상을 나타내는 경우에는 적극적인 치료가 요구되며, 혈청칼슘이 14 mg/dL 이상인 경우에는 내과적인 응급상황으로 급속한 교정이 필요하다. 혈청칼슘이 12 mg/dL 이하이면서 환자의 의식이 좋지 않거나 고칼슘혈증의 증상을 동반할 경우 다른 원인을 고려하는 것이 중요하다. 급성고칼슘혈증의 치료는 표 11-2-3에 요약되어 있다. 혈청칼슘이 12 mg/dL 이상이며 증상과 징후가 있는 경우 일련의 일반적인 조치가 시작되어야 한다. 먼저 싸이아자이드, 주사 비타민D 또는 비타민D유사체(칼시트라이올 등), 리튬, 안

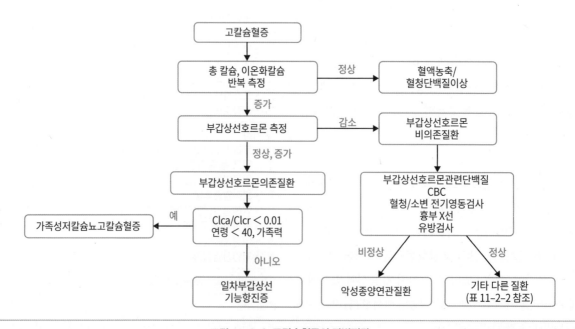

그림 11-2-2. 고칼슘혈증의 감별진단

표 11-2-3. 고칼슘혈증의 치료

치료방법	용법	작용발현	작용 기간	장점	단점
식염수	3-6 L (1-3일)	수시간	주입 기간	수분공급, 칼슘배설 증가	혈장량 팽창, 심부전
퓨로세마이드	20-40 mg, IV	수시간	치료 기간	수분과다 방지, 칼슘배설 증가	저칼륨혈증, 탈수
졸레드로네이트	4 mg, IV (15분)	1-2일	3주 이상	강력한 효과, 지속적	신부전, 급성반응, 저인산염혈증, 저칼슘혈증
파미드로네이트	60-90 mg, IV (2-4시간)	1-2일	2주 이상	강력한 효과, 저비용	상동
데노수맙	60-120 mg SQ	1-2일	3주 이상	가장 강력한 효과	저칼슘혈증, 피부감염
칼시토닌	4-8 IU/kg 6-8시간마다)	수시간	2-3일	빠른 작용	
당질부신피질호르몬	200-300 mg, IV (3-5일)	수일	수일-수주	혈액종양, 비타민D유발 상황에서 사용 가능	고형종양에서 사용 불가, 면역 억제, 쿠싱증후군
투석	–	수시간	치료기간 (-2일)	빠른 효과, 신부전 상황에서 사용 가능	침습적, 복잡한 과정

정제 등 고칼슘혈증을 유발시킬 수 있는 약물이 있다면 중단해야 한다. 부동의 환자는 골흡수를 억제하도록 가능하면 움직이도록 한다. 고칼슘혈증의 증상인 식욕부진, 오심, 구토, 요농축장애 등에 의해 탈수가 흔히 발생하기 쉽다. 따라서, 칼슘의 요배설을 증가시키기 위해 수분 공급이 중요하다. 수분공급은 2-3일에 걸쳐 3-6 L의 생리식염수를 공급하여 부족해진 세포바깥액을 회복시켜주는 것으로 초기에 가장 중심적인 치료가 된다. 생리식염수는 세포바깥액의 증가와 함께 사구체여과율을 증가시켜 소변으로 칼슘 배설을 증가시킨다. 노인의 경우나 심혈관질환, 간질환, 신질환이 있는 경우에는 혈장량의 급격한 증가가 초래되지 않도록 주의해야 한다.

심한 고칼슘혈증에 대해서는 퓨로세마이드와 같은 고리작용이뇨제를 병행하면 헨리비후상행각에서 나트륨과 칼슘의 재흡수를 억제하기 때문에 칼슘배설을 증가시킬 수 있다. 고리작용이뇨제의 사용은 세포바깥액의 보충이 이루어진 후에 사용되어야 하며 주로 소량(퓨로세마이드 20-40 mg, 정맥주사)을 사용한다. 혈장량이 보충되기 전에 과도한 용량의 퓨로세마이드는 탈수로 인한 고칼슘혈증의 악화

나 저칼륨혈증을 조장할 수 있다. 이상의 방법으로 혈청칼슘을 1-3 mg/dL 감소시킬 수 있다.

투석 역시 고칼슘혈증 치료를 위한 일반적인 조치로서 신부전이 있거나 다른 조치에 반응하지 않는 심한 고칼슘혈증을 빠르게 조절하기 위해 사용된다.

골흡수의 증가로 인한 골격으로부터 칼슘의 과도한 이동은 대부분의 고칼슘혈증의 발생기전에 가장 중요한 인자가 된다. 따라서, 심한 고칼슘혈증에서 혈청칼슘을 정상화하기 위해서는 골흡수를 특이적으로 억제하는 약물이 필요하다.

비스포스포네이트(bisphosphonate)는 뼈에 대한 흡착력이 뛰어나고 파골세포의 기능을 억제하기 때문에 골흡수를 억제하는 데 효과적이다. 고칼슘혈증을 치료하기 위해서는 주로 정맥주사제를 사용하게 된다. 미국에서 인정되는 치료제로는 졸레드로네이트(4 mg, 15분간 정맥주사), 파미드로네이트(60-90 mg, 2-4시간 정맥주사)가 있으며 유럽에서는 클로드로네이트, 이반드로네이트도 공인된 치료제이다. 졸레드로네이트는 가장 강력한 비스포스포네이트로서

대부분 10일 이내에 혈청칼슘을 정상화시킬 수 있다. 충분한 효과가 관찰되지 않으면 7일 이후에 반복해서 사용할 수 있다. 주사비스포스포네이트의 사용은 발열, 근육통과 같은 급성기반응을 일으킬 수 있다. 이런 급성기반응을 예방하기 위해서는 아세트아미노펜을 사전에 사용할 수 있다. 졸레드로네이트가 파미드로네이트에 비해 보다 효과적이며 주사 시간이 짧아 편리하나 고비용이 단점이다. 주사비스포스포네이트는 신기능이 저하된 환자에게 주의가 필요하며 사구체여과율이 30 mL/min 미만인 경우는 투여해서는 안 된다.

데노수맙(denosumab)은 매우 강력한 골흡수 억제 작용이 있는 RANKL항체로서 최근 개발되었다. 신기능이 저하된 경우에도 사용이 가능하지만 저칼슘혈증의 위험이 있다. 일반적인 투여용법은 60–120 mg을 피하로 주사한다.

칼시토닌은 갑상선 C세포에서 분비되는 폴리펩타이드호르몬이며 연어칼시토닌이 효능이 좋아 흔히 사용된다. 칼시토닌은 파골세포의 골흡수를 억제하며 칼슘요배설을 증가시킨다. 게다가 칼시토닌은 작용시작이 매우 빨라 투여 2–6시간 내에 혈청칼슘을 낮출 수 있다. 일반적인 투여용법은 4–8 IU/kg을 6–8시간마다 근육 또는 피하로 주사한다. 하지만, 칼시토닌의 효과는 일시적이므로 혈청칼슘을 거의 정상화시키지 못한다. 따라서, 심한 고칼슘혈증에서 혈청칼슘을 빠르게 낮추어야 하는 경우 칼시토닌과 비스포스포네이트의 병합요법을 사용하는 것이 바람직하다.

당질부신피질호르몬은 칼슘대사에서 다양한 효과를 나타낸다. 고용량에서는 신장에서 칼슘 청소율을 증가시켜 소변으로 칼슘배출을 증가시키고 장에서 칼슘의 흡수를 감소시킬 뿐만 아니라 골흡수를 증가시킨다. 즉 신장과 장에서의 작용을 통해 혈액의 칼슘을 감소시키기 때문에 일부의 환자에서만 효과를 나타내게 된다. 당질부신피질호르몬은 혈액종양과 관련된 고칼슘혈증과 비타민D 중독, 육아종질환과 같이 $1, 25(OH)_2D_3$의 작용에 의한 고칼슘혈증에는 효과적이나 고형종양이나 PHPT에는 효과가 없다. 일반적으로 하이드로코티손 200–300 mg을 나누어 정맥주사하거나 프레드니손 40–100 mg을 4회 분복하여 3–5일간 사용한다. 당질부신피질호르몬에 의한 효과는 2일 이내에 나타나기 시작하나 최대 효과는 7–10일에 나타난다.

과거에는 인산염 정맥주사를 사용했으나 인산염 정맥주사가 칼슘–인산염복합체를 형성하여 장기 손상과 사망까지 초래하는 심각한 위험이 있어 현재로는 사용하지 않는다.

3. 일차부갑상선항진증

일차부갑상선항진증(primary hyperparathyroidism, PHPT)은 4개의 부갑상선 중 하나 이상에서 부갑상선호르몬(parathyroid hormone, PTH)의 과도한 분비로 인해 발생하며 고칼슘혈증의 가장 흔한 원인 중의 하나이다. 이차부갑상선항진증은 혈청칼슘이 감소되어 있는 상황에서 이에 대한 반응으로 PTH가 증가되는 경우이다. 그 외, 이차부갑상선항진증이 장기간 지속되는 만성신장질환에서 자율적인 PTH의 분비가 발생된 경우를 삼차부갑상선항진증이라고 한다.

1) 역학

PHPT는 비교적 흔한 내분비질환이며 인구 500–1,000명 당 1명 정도의 발생률을 보인다. 혈액칼슘에 대한 선별검사가 도입되기 시작한 1970년대 이후 미국에서 PHPT의 발생률은 4–5배 증가하였다. 최근 국민건강보험공단 자료를 이용한 우리나라 PHPT의 역학조사에 의하면, 부갑상선절제술을 받은 PHPT 환자의 2018년 연령표준화발생률은 인구 10만 명당 10.1명으로 2002년 인구 10만 명당 1.7명에 비해 크게 증가하였다(그림 11-2-3). 일반적으로 여성에서의 발생이 남성보다 3배 정도 높으며 특히 폐경 후 첫 10년 내에 흔히 나타난다. 하지만, PHPT는 모든 연령에서 발생할 수 있으며 특히 드물지만 청소년기에 진단될 경우 MEN 1, 2와 같은 유전내분비질환의 가능성을 염두에 두어야 한다.

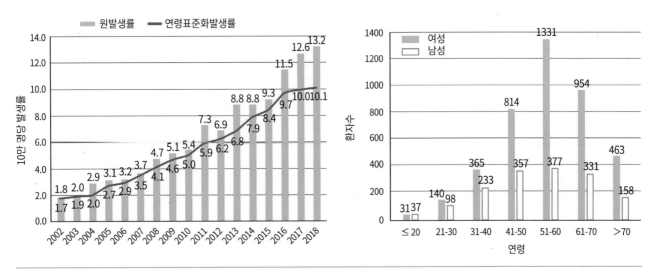

그림 11-2-3. 우리나라 일차부갑상선항진증(부갑상선절제술을 받은 환자)의 역학
A: 일차부갑상선항진증의 연간 발생현황, B: 일차부갑상선항진증 환자의 연령대별 남녀비율

2) 원인

PHPT의 80–85%는 양성단일선종이다. 부갑상선선종은 주세포(chief cell)의 집합과 주변을 둘러싸고 있는 정상조직으로 이루어진다. 단일선종을 나타내는 환자에서 나머지 3개의 부갑상선은 보통 정상이다. 단일선종보다는 드물지만 약 10–15%에서 4개의 부갑상선증식에 의해 이 질환이 발생한다. 이러한 부갑상선증식은 산발적 또는 MEN 1, 2와 관련하여 발생한다. 부갑상선암은 PHPT의 1% 이하로 매우 드물지만 심한 임상양상을 나타낸다. 부갑상선암은 유사분열, 혈관 및 피막침범과 섬유성소주(fibrous tra-beculae) 등의 병리소견을 보이지만 국소적 또는 원격전이가 없다면 조직학적으로 진단하기 어렵다. CDC73유전자검사나 parafibromin 단백질염색과 같은 특수한 검사가 양성과 악성부갑상선조직을 구별하는 데 도움을 줄 수 있다.

3) 병태생리

PHPT의 병태생리는 세포바깥액 칼슘에 의한 PTH의 정상되먹임조절의 손상과 관련되어 있다. 실제 모든 고칼슘혈증 상황에서 부갑상선에 대한 되먹임억제기전에 의해 혈중 PTH는 매우 낮거나 측정되지 않는다. 부갑상선선종에서 부갑상선세포는 혈청칼슘에 대한 정상적인 감지가 손상되

어 'set point'가 증가되는 반면 부갑상선증식에서는 칼슘에 대한 'set point'는 변화가 없으나 대신 세포 수의 증가로 고칼슘혈증이 발생한다(그림 11-2-4).

PHPT의 발생원인은 일부 소수 환자에서만 알려져 있는데 보통 발병 20–40년 전인 어린시절에 노출된 외부방사선조사나 방사선피폭 등이 포함된다. 최근 연구에 따르면 체르노빌 피폭자들의 경우 PHPT의 위험이 약 60배 이상 높다고 한다. 리튬은 칼슘에 대한 부갑상선의 감지를 저하시키는데 일부 환자에서 PHPT와 관련되어 있다.

PHPT의 분자기전은 대부분의 환자에서 밝혀지지 않았으며 PHPT의 유전원인에 대해서는 다음 장에서 상세하게 기술되어 있다. 대부분의 부갑상선선종의 단일세포 기원은 부갑상선세포의 성장이나 PTH의 발현을 조절하는 유전자 수준의 결손을 시사한다. 산발부갑상선선종의 20–40%에서 기능획득(gain of function)돌연변이가 발견되는데, 그 중 cyclin D1유전자는 PTH유전자의 조절부위와 함께 재배치됨으로써 결과적으로 cyclin D1의 과발현을 초래한다. MEN증후군에 관여하는 유전자들도 산발부갑상선선종에서 조사되었는데 MEN1유전자의 비활성돌연변이가

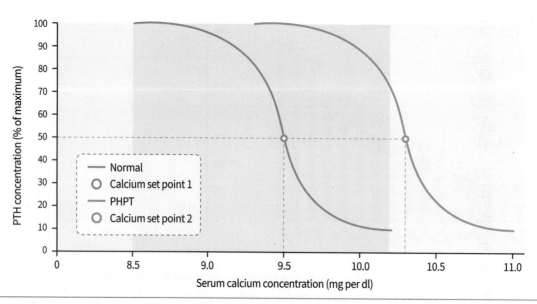

그림 11-2-4. 정상과 일차부갑상선항진증에서 혈중 칼슘과 부갑상선호르몬의 관계

그림자영역은 정상 혈중 칼슘의 범위를 가리킨다. 일차부갑상선항진증(부갑상선선종)에서는 칼슘에 의한 되먹임 억제가 상대적으로 덜 민감하게 되기 때문에 곡선이 우측으로 이동하게 되어 혈중 칼슘의 set point가 증가한다.

산발부갑상선선종의 10–15%에서 보고되었다. 하지만, 산발부갑상선선종에서 이 종양억제유전자와 menin단백질의 역할은 잘 모르고 있다. 제2A형이나 제2B형 MEN에서 관찰되는 RET전암유전자 기능획득돌연변이는 산발 PHPT에서는 보고되지 않았다. CDC73비활성돌연변이는 가족성부갑상선항진증–턱종양증후군(familial hyper-parathyrodism–jaw tumor syndrome)에서 기술되었으며 그 유전자의 돌연변이는 부갑상선암 위험도의 증가와 관련되어 있다. 이 증후군은 다발선종 또는 부갑상선암의 형태로 관찰되고 섬유성턱종양과 동반되어 발견될 수 있으며 MEN과는 달리 갑상선암의 가능성도 염두에 두어야 한다. CDC73 비활성돌연변이는 드물게 산발부갑상선암에서도 보고되었다.

4) 증상 및 징후

전통적인 PHPT는 전형적인 골격이상(낭성섬유골염), 신결석 그리고 신경근육이상의 증상을 동반한다. 아직도 이런 임상증상을 나타내는 경우를 드물게 볼 수 있으나 오늘날 대부분의 환자들은 무증상이다.

낭성섬유골염(osteitis fibrosa cystica)은 PHPT의 특징적인 골격소견으로 현재 환자의 5% 이하에서만 관찰되며 원위 수지골의 골막하흡수(subperiosteal resorption), 원위 쇄골의 좁아짐(tapering), 두개골에는 소금과 후추를 뿌린 듯한 모양(salt–and–pepper), 골낭종, 장골에서 다수의 거대한 파골세포와 기질세포 및 기질로 구성된 갈색종(brown tumor)을 특징으로 한다.

신결석증의 발생률은 1960년대 약 33%에서 현재 15–20%로 감소하였다. 하지만, 신결석증은 아직까지 PHPT의 가장 흔한 합병증이다. 다른 신장합병증으로, 신장 실질에 칼슘–인산 복합체의 미만성 침착으로 인한 신석회증이 있지만 드물다. 고칼슘뇨증은 일반적으로 하루 배출되는 칼슘의 양이 여성의 경우 250 mg, 남성은 300 mg 이상일 경우를 의미하는데, 환자의 약 30%까지 관찰된다. 다른 원인이 없는 상태에서 PHPT 자체가 신기능의 저하와 관련될 수 있다.

전통적인 신경근육증상으로 근병증이 있었으나 이제는 거의 보기 어렵다. 대신에 피로감, 위약감, 노쇠감 등의 진단이

어려운 증상이 많고 때로 인지과정의 둔화 등이 동반되기도 한다. 우울증, 불안과 같은 정신증상이 흔하며 최근 연구에서는 경미한 인지장애가 동반될 수 있다고 하였다. 하지만, 아직까지 부갑상선절제술이 신경정신증상의 분명한 호전을 가져온다는 증거는 없으므로 신경정신학적 증상의 개선을 위해 수술을 시행하는 것은 추천되지 않는다.

위장증상은 전통적으로 소화궤양과 췌장염이다. 소화궤양은 제1형 MEN이 없다면 병태생리학적으로 PHPT와의 관련성은 낮다. 하지만 제1형 MEN의 경우 가스트린종을 갖고 있는 환자에서는 고칼슘혈증이 가스트린 분비를 급격히 증가시키기 때문에 약 40%에서 소화궤양이 관찰된다. 췌장염도 최근에는 고칼슘혈증이 심하지 않는 경우가 대부분이므로 거의 관찰되지 않는다.

심혈관계 증상을 살펴보면, 고칼슘혈증은 혈압을 증가시키고 좌심실비대, 심근육의 과도한 수축, 부정맥과 관련되므로 전통적인 PHPT의 경우 심근, 판막, 혈관의 석회화와 그로 인한 사망이 관찰되었으나 경미한 PHPT에서 심혈관계 사망률이 증가한다는 증거는 없다. 경미한 PHPT에서 분명한 심혈관계 이상이 관찰되지 않았지만 혈관 경직도(stiffness)의 증가와 경미한 심혈관이상은 보고되었다. 그리고 고혈압이 동반된 PHPT 환자에서 부갑상선절제술 후에도 고혈압은 거의 교정되지 않는다.

그 외에도 지금은 찾아보기 어렵지만 과거 전통적인 PHPT에서 통풍, 가성통풍, 빈혈, 띠각막병증(band keratopathy), 치아흔들림 등이 관찰되었다.

5) 임상표현

현재 PHPT의 가장 흔한 임상표현은 혈청칼슘이 정상보다 1 mg/dL 이내에서 증가된 무증상고칼슘혈증이다. 대부분의 환자는 선별검사과정에서 발견되는데 특별한 증상을 호소하지 않으며 표적기관 합병증의 증거도 관찰되지 않는다. 드물게 생명을 위협하는 심한 고칼슘혈증을 보이는 경우가 있는데 흔히 급성PHPT 또는 부갑상선위기라고 한다. 이 환자들은 예외없이 고칼슘혈증의 증상을 동반하고 있다. 따라서, 원인이 명확하지 않은 급성고칼슘혈증을 보이는 환자들의 경우 급성PHPT를 고려해야 한다. 그 외 드문 PHPT의 임상표현으로 MEN1, MEN2, 다른 내분비질환과 연관되지 않은 가족성PHPT, 가족성낭성부갑상선선종증(familial cystic parathyroid adenomatosis), 신생아PHPT가 있다.

최근 정상칼슘PHPT (normocalcemic primary hyperparathyroidism)는 PHPT의 특별한 표현형으로 인식되고 있다. 이 환자들에서는 이차부갑상선항진증을 일으킬 수 있는 원인들이 없으면서 혈청칼슘은 정상, PTH는 증가되어 있다. 이 질환은 골다공증이나 골감소증 환자의 검사 중에 종종 진단된다. 이러한 혈청칼슘은 정상, PTH는 증가된 소견은 고칼슘혈증 PHPT의 가장 초기의 임상표현으로 간주될 수 있다. 정상칼슘PHPT를 진단하기 위해서는 3–6개월 동안 적어도 3번 이상 측정된 혈청총칼슘과 이온화칼슘이 모두 정상이고 PTH는 지속적으로 높으나 PTH 상승할 수 있는 이차원인(신기능 저하, 칼슘신배설 증가, 장에서의 칼슘흡수 장애)이 배제되어야 한다. 특히, 고칼슘혈증 PHPT의 혈청칼슘을 정상 칼슘 수준으로 감소시킬 수 있는 이차부갑상선항진증의 원인으로서의 비타민D 결핍이나 불충분이 없는지 반드시 확인해야 한다. 최근 연구에서 혈청칼슘이 정상에서 측정최소유의수준(least significant change) 내에서 변동한다면 정상 상한치 이상이 되더라도 진단할 수 있다는 의견이 제시되었다. 정상 칼슘 PHPT는 인구의 약 0.4–0.6% 정도로 추정되는데 다선질환이 많고 전통적 PHPT보다 크기가 작아서 수술 후에도 지속될 위험이 높다. 골다공증이나 신결석증과 같은 전통적합병증 외에 심혈관계 합병증과 같은 비전통적 합병증과 관련되어 있는데 이것은 혈청칼슘 농도와 독립적으로 PTH과 분비가 심혈관기능 이상을 초래할 수 있음을 시사한다. 아직까지 수술 후 결과에 대한 전향연구결과가 부족하며 수술방법도 표적 부갑상선절제술보다 양측 경부탐색이 요구되므로 수술 결정 시 주의가 필요하며 수술이 최선의 선택이라고 생각될 때 수술을 권하는 것이 좋다.

6) 진단

병력청취와 신체검진은 PHPT의 명확한 증거를 제시하지 못하지만 고칼슘혈증의 원인을 추론하는데 도움이 된다. 대신 PHPT의 진단은 생화학검사로 확립되는데 PHPT의 전형적인 생화학적 특징은 고칼슘혈증(정상칼슘 PHPT 환자를 제외하고)과 PTH의 증가이다. 실제 고칼슘혈증이 있으면서 PTH가 증가되어 있으면 진단이 이루어진다. 고칼슘혈증이 있으면서 PTH가 정상범위의 중간이나 상한값까지 증가된 경우도 PHPT 진단에 부합된다. 혈중 PTH의 표준측정방법은 완전 PTH분자를 측정하는 2세대면역방사선계측법(immunoradiometric assay, IRMA)이나 면역화학발광계측법(immunochemiluminometric assay, ICMA)이다. 이 방법은 전체 길이인 PTH (1-84)뿐 아니라 PTH (7-84)와 같은 큰 카복시말단분절도 측정하므로 혈청에 있는 활성호르몬의 양을 과평가할 수 있다. 3세대측정법은 PTH (1-84)에 특이적이며 2세대IRMA에서 부적절하게 PTH가 정상범위에 있거나 신기능이 저하된 경우 진단적민감도를 다소 향상시킬 수 있다. 따라서, PHPT의 진단을 위해서는 2세대 또는 3세대측정법을 이용해야 한다.

고칼슘혈증의 감별진단에서 PTH 측정이 임상적으로 중요한 이유는 PTH를 매개하지 않는 모든 고칼슘혈증에서 PTH가 억제되어 있기 때문이다. 위에서 기술한 PTH 측정법에서는 PTH와 PTHrP 사이의 교차반응이 일어나지 않는다. PTH와 혈청칼슘은 가족성저칼슘뇨고칼슘혈증에서도 증가한다. 가역적인 PHPT를 나타내는 경우 리튬과 싸이아자이드이뇨제의 사용과 관련될 수 있다. 결국 약물관련한 PHPT을 진단하기 위한 가장 확실한 방법은 가능하다면 약물을 중단하고 2-3개월 후에도 고칼슘혈증과 PTH의 증가가 지속적인지 확인하는 것이다.

환자의 1/3에서는 칼슘과 PTH 외에도 혈청 인이 낮은 정상

범위에 있거나 확실히 낮아져 있다. 혈청총알칼리인산분해효소와 생화학적 골표지자(골형성표지자: 골특이알칼리성인산염분해효소, 오스테오칼신; 골흡수표지자: 요데옥시피리딘, 1형콜라젠텔로펩타이드)는 골영향이 활발한 경우 증가되어 있으며 그렇지 않을 경우에는 보통 높은 정상범위에 있다. PTH는 신장에서 산–염기조절에 영향을 주어 혈청 염소의 경미한 증가와 함께 중탄산을 감소시킨다. 환자의 약 30%에서만 고칼슘뇨를 보인다. 혈중 1, 25(OH)$_2$D$_3$는 환자의 25%에서 증가되어 있으며 25(OH)D$_3$는 낮은 경향을 보인다. 비타민D 결핍증의 정의는 아직 논란이 있지만 대부분의 PHPT 환자는 30 ng/mL 이하이며 20 ng/mL 이하인 경우도 많다. 새로운 임상지침에서는 모든 PHPT 환자에서 25(OH)D$_3$를 측정하고 20 ng/mL 이하인 경우 비타민D를 투여하도록 제시하고 있다.

앞에서도 기술했듯이 낭성섬유골염은 현재 거의 관찰하기 어렵지만 골은 여전히 PHPT의 중요한 표적기관이다. 단순 X선검사는 골의 이상소견을 관찰하기 어렵기 때문에 추천되지 않는다. 골밀도검사는 골량의 초기변화를 발견하는 민감도가 뛰어나므로 골 평가의 핵심적인 구성요소가 된다. PHPT는 소주골보다 피질골에 더 영향을 주는 패턴을 보인다. 전형적으로, 피질골이 풍부한 원위 1/3 요골의 골밀도는 감소된 반면 소주골이 풍부한 요추는 상대적으로 골량이 유지된다(그림 11-2-5). 대퇴골부위는 피질골과 소주골의

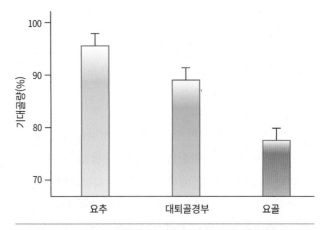

그림 11-2-5. 일차부갑상선항진증의 부위별 기대골량

구성이 비슷하므로 요추와 원위요골의 중간에 위치한다. 원위 요골부위에서 우선적인 골량 감소가 관찰되므로 PHPT 환자에서 그 부위에서 골밀도를 측정하는 것은 중요하다. 환자의 약 15%에서 요추골 감소 또는 골다공증을 특징으로 하는 비전형적인 골밀도를 보이며 반면 때때로 모든 부위에서 골량의 감소를 보이는 환자들도 있다. 골밀도검사는 PHPT의 골영향의 정도를 정확하게 평가하므로 부갑상선절제술시행을 권고하는데 사용된다. PHPT 환자–대조군 연구와 코호트연구에서 골절의 위험이 증가된다고 제시하였지만 아직 PHPT 환자에서 정말 골절이 증가되는지는 확실하지 않다.

7) 치료

(1) 부갑상선절제술

아직까지 수술만이 PHPT의 유일한 근치적 치료이다. PHPT의 전통적인 증상인 골질환, 신결석증이나 생명을 위협하는 고칼슘혈증을 동반했던 경우는 수술의 적응증이 된다. 하지만, 무증상과 징후가 명확하지 않은 경우에 대해서는 많은 논란이 있다. 최근까지 4번의 국제컨퍼런스를 통해 수술치료의 적응증이 업데이트되었다(표 11-2-4).

① 무증상PHPT 환자의 수술지침

(1) 혈청칼슘이 정상 상한치의 1 mg/dL를 초과하는 경우, (2) 유의한 사구체여과율의 저하(< 60 mL/min), (3) 골량이 정상 대조군에 비해 –2.5 표준편차 이하로 감소된 경우(T점수: 2.5 이하) 또는 취약골절이 있는 경우, (4) 50세 미만의 연령의 경우인데 이 환자들은 질환의 진행의 위험이 높기 때문이다. 수술지침을 해당되지 않은 환자들에서도 환자가 수술을 선호할 경우, 지속적인 관찰이 불가능한 경우, 동반된 질환이 치료에 어려움을 줄 경우 등에도 수술은 받아들일 수 있는 치료방법이므로 모든 환자들에게 수술을 시행하도록 권고하자는 의견도 있다. 물론 수술을 꺼리는 환자들도 있지만, 최근 수술기술의 발전으로 의사, 환자 모두에서 수술을 선호하는 방향으로 중심추가 이동되고 있다.

② 수술 전 위치 확인

수술 전 위치 확인은 원래 이소성 부갑상선의 위치를 확인

표 11-2-4. 무증상부갑상선항진증 환자의 수술적응증 및 경과관찰 지침

	수술적응증	경과관찰 지침
혈청칼슘	> 1 mg/dL 정상 상한치	매년
골격		
골밀도	T점수 ≤ –2.5	1-2년마다 요추, 대퇴골, 전완부위 측정
척추영상	척추골절	임상적으로 의심되는 경우(신장 감소, 요통 등)
신장		
추정사구체여과율	< 60 mL/분	매년
혈청크레아티닌		매년
24시간요칼슘	> 400 mg/일	신결석증이 의심되는 경우
생화학 결석위험 평가	위험 증가	신결석증이 의심되는 경우
신장영상	결석 존재	신결석증이 의심되는 경우
연령	< 50세	–

하기 위해 사용되었다. 오늘날에는 최소침습수술(minimally invasive parathyroidectomy) 외에도 수술 후 질환이 재발하거나 지속적인 경우에 이용된다. 이것은 진단을 위해 시행되는 것이라기보다 진단이 이루어진 후 외과의를 안내하기 위한 것이다. 가장 널리 사용되는 위치 확인 방법은 ^{99m}Tc-sestamibi스캔 및 단일광전자방출전산화단층촬영[single photon emission computed tomography (SPECT)] 또는 초음파이다(그림 11-2-6). 전자는 단일선종에 80-90%의 우수한 정확도를 나타내나 부갑상선증식과 같은 다선질환(multigland disease)이나 부갑상선이 작은 경우, 갑상선질환과 동반된 경우에는 부정확할 수 있다. 초음파는 80-90%의 예민도를 가지고 있고, 갑상선질환을 같이 진단하기 좋다는 장점이 있으나 종격동부위에 대한 검사가 어렵고 시술자에 의존적이다. 그 외 4D (dimensional) CT나 MRI, 선택적정맥채혈 또는 동맥조영술 등이 있다. 방사선동위원소영상이나 초음파는 갑상선에 근접한 부

갑상선조직에 좋으며 CT나 MRI는 떨어진 부갑상선조직에 적합하다. 특히, 4D CT는 시간에 따른 조영제 관류의 변화를 통해 과기능상태의 부갑상선과 정상 조직을 구별할 수 있는데 처음 시행한 초음파나 방사선동위원소영상이 음성이거나 초음파가 음성이면서 방사선동위원소영상에서 이소병변이 의심될 경우 시행할 수 있다(그림 11-2-7). 선택적정맥채혈 또는 동맥조영술은 비침습적영상검사가 실패했을 때 시행할 수 있다. 과거에 수술로 성공적인 절제가 이루어지지 못했을 경우 두 가지 이상의 다른 방법으로 위치를 확인하는 것이 추천된다.

③ 수술

숙련된 부갑상선외과의는 미리 위치 확인을 하지 않더라도 과거에 경부수술을 받은 적이 없는 환자에서 비정상적인 부갑상선을 발견할 수 있다. 하지만 부갑상선은 위치가 매우 다양하므로 갑상선 내부, 식도 뒤, 경부 측부, 종격동과 같

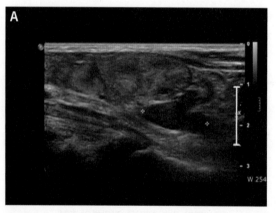
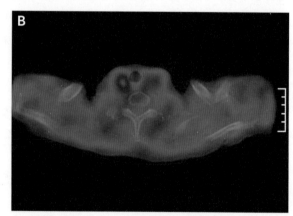
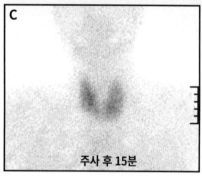
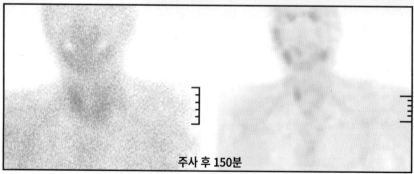

주사 후 15분

주사 후 150분

그림 11-2-6. 부갑상선선종의 위치 확인
A: 초음파, B: SPECT, C: 부갑상선스캔

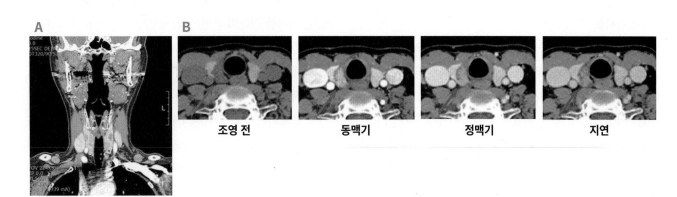

그림 11-2-7. 부갑상선선종의 위치 확인을 위한 4D CT

A: 4D CT에서 발견된 좌측 하부 부갑상선선종(붉은 선), B: 부갑상선선종 환자에서 시행한 4D CT의 조영전 및 조영후 관류에 따른 변화. 조기(동맥기)에 강한 조영증강에 이어 조기조영소멸(wash-out)소견을 보인다. 조영전, 동맥기, 정맥기, 지연영상에서의 HU값은 각각 39, 157, 131, 109이었다.

은 비교적 전형적인 이소부위에 대한 지식이 필요하다. 부갑상선 4개를 모두 탐색하는 것은 오랫동안 부갑상선수술의 표준 접근으로 간주되었으며 아직도 위치 확인이 되지 않은 경우나 다발 침범이 흔한 유전질환 또는 리튬유발질환에서는 시행되고 있다. 수술 전 단일 결절의 위치 확인이 이루어진 환자들에서 최소침습수술이 가장 선호된다. 최소침습수술이나 일측탐색수술을 시행하기 위해서는 수술 중 PTH의 측정이 가능해야 한다. PTH의 혈중 반감기가 3-5분 정도로 매우 짧은 점을 이용하여, 종양절제 직후 PTH를 측정하는데 이때 PTH가 50% 이상 감소하면서 정상범위 내에 있다면 절제한 선종을 부갑상선기능항진의 유일한 원천으로 간주하고 수술을 마치게 된다. 때로 수술 중 PTH가 50% 이상 감소하더라도 계속 높은 상태로 유지되는 경우 PTH를 과분비하는 다른 부갑상선이 남아 있을 수 있다. 다선질환의 경우 수술적 접근은 부갑상선조직의 한 조각만 원래의 자리에 남겨두거나 비-우세(nondominant)팔에 이식하고 그 외 모든 조직을 제거하는 것이다. 수술의 합병증은 되돌이 후두신경의 손상에 의한 애성이나 목소리가 작아질 수 있고 과거에 경부수술을 받았거나 아전부갑상선절제술을 받는 경우에 영구적인 부갑상선저하증이 올 수 있다.

수술 후 환자는 억제된 정상 부갑상선이 칼슘에 대한 민감도를 되찾을 때까지 짧은 기간 동안 일시적인 저칼슘혈증을 경험할 수 있다. 이것은 보통 수술 후 첫 수일에 발생하게 되는데 수술 후 첫 주 동안 매일 칼슘을 공급함으로 예방될 수 있다. Hungry bone syndrome은 수술 후 지속적이고 증상을 호소하는 저칼슘혈증으로, 수술 후 칼슘과 인이 급격하게 골에 침착됨으로써 발생하는데 최근에는 드물다. 이러한 증상을 동반하는 저칼슘혈증이 발생할 경우 칼슘의 정맥투여나 활성형 비타민D의 투여가 필요하다.

수술이 성공적으로 이루어지면 환자는 근치되며 혈청칼슘과 인, PTH이 정상화된다. 장기간 관찰연구와 단기간의 무작위대조연구에서 수술 후 첫 1년에 골량의 유의한 개선이 관찰되었다. 요추와 대퇴골경부의 골량의 누적 증가는 약 12%였으며 수술 후 수년간 유지되었다(그림 11-2-8). 특히 PTH가 연령이나 에스트로겐 결핍과 관련한 골소실의 보호 효과를 나타낸다고 알려진 요추부위에서도 유의미한 호전이 관찰된 점은 주목할 만하다. 따라서, 요추의 골량이 감소된 환자들도 수술 후 유의한 골량의 개선을 기대할 수 있으므로 고칼슘혈증의 정도와 관련없이 수술을 위해 의뢰되어야 한다. 최근 고해상도말초정량 CT (HRpQCT)를 이용한 연구에서 부갑상선절제술 후 골량의 증가 외에도 골의 미세구조와 골강도가 개선되었음을 보고하였다. 수술을 받지 않는 경우 골밀도의 점진적인 감소와 대퇴골기하학구조의 변화가 보고되었다(그림 11-2-9).

(2) 내과치료

부갑상선절제술의 적응증이 되지 않는 대부분의 환자들은 보존적인 치료로 잘 관리될 수 있다. 그 환자들의 대부분은 첫 10년 동안 생화학검사와 골밀도가 안정적이다. 하지만, 10년 이상 경과할 경우 피질골의 골량이 감소하기 시작한다. PHPT 환자 코호트를 15년을 관찰하였을 때 무증상 환자의 37%가 생화학검사 또는 골밀도에서 질환의 진행을 보였다. 이러한 질환의 진행은 50세 미만의 환자들에서 그 이상의 환자들보다 훨씬 많이 발견되는데(65% 대 23%) 이것은 현재의 수술 적응증을 지지하는 결과이다. 따라서, 무증상 환자들 모두가 안전한 것은 아니며 무증상 환자들을 무기한 관찰하는 것은 바람직하지 않다.

수술을 받지 않은 환자들에 대해 권고되는 일반적인 지침은,

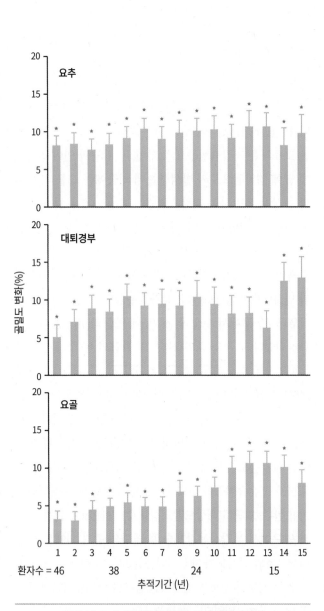

그림 11-2-8. **부갑상선절제술 후 골밀도의 변화**

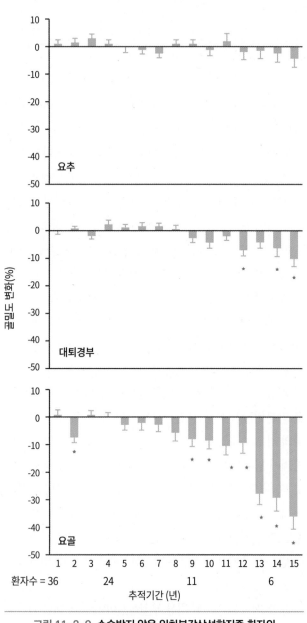

그림 11-2-9. **수술받지 않은 일차부갑상선항진증 환자의 시간 경과에 따른 골밀도의 변화**

혈청칼슘을 일년에 1-2번, 혈청크레아티닌을 매년, 요추, 대퇴골, 요골원위 1/3부위의 골밀도를 1-2년에 1번 측정하는 것이다. 그 외에 적절한 수분 섭취와 보행이 권장된다. 싸이아자이드와 리튬은 고칼슘혈증을 악화시킬 수 있으므로 가급적 피해야 한다. 식이칼슘 섭취가 PHPT 환자들에게 혈청칼슘의 유의한 변동을 가져온다는 증거는 없다. 적당한 식이칼슘 섭취는 필요하며 오히려 칼슘을 적게 섭취할 경우 PTH의 분비를 자극할 수 있다. $1,25(OH)_2D_3$가 증가된 환자들에서 하루 1 g 이상의 칼슘 섭취는 피해야 한다.

아직까지 PHPT 환자들의 내과치료를 위해 효과와 안전성이 입증된 약물이 부족하다. 경구인산염은 환자들에서 혈청칼슘을 약 0.5-1 mg/dL 낮추는데 식이칼슘의 흡수을 방해하고 골흡수를 억제하며 신장에서 $1,25(OH)_2D_3$의 합성을 억제한다. 하지만, 경구인산염은 칼슘-인산염복합체를

증가시켜 연조직의 이소성 석회화을 발생시킬 수 있고 오히려 PTH를 더욱 증가시킬 수 있어 추천되지 않는다. 폐경여성에서 에스트로젠 치료는 PTH에 의한 골흡수를 억제하여 골밀도를 증가시키며 혈청칼슘과 요칼슘 배설을 감소시키지만 혈청PTH와 인에는 영향을 주지 못한다. 선택에스트로젠수용체조절제인 랄록시펜 60 mg은 8주간의 단기간 연구에서 칼슘 감소와 골표지자의 감소가 관찰된 바 있으나 골밀도에 관한 장기간 연구는 없다. 정맥내 비스포스포네이트는 PTH에 대한 직접적인 영향은 없지만 혈청칼슘을 감소시킬 수 있기 때문에 고칼슘혈증의 치료에 사용된다. 경구알렌드로네이트는 수술을 받지 않은 PHPT 환자의 골밀도를 개선시켰으나 질환 자체에 영향을 주거나 생화학적 이상을 교정하지는 못한다(그림 11-2-10). 위에서 언급한약물들은 인산을 제외하면 모두 골흡수를 억제하지만, 칼슘유사체는 질환의 기저를 이루는 PTH 과분비를 표적으로

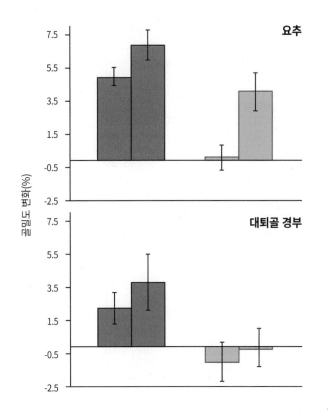
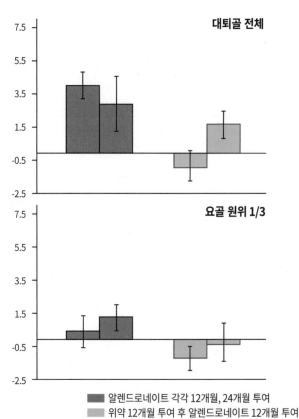

■ 알렌드로네이트 각각 12개월, 24개월 투여
■ 위약 12개월 투여 후 알렌드로네이트 12개월 투여

그림 11-2-10. 일차부갑상선항진증 환자에서 알렌드로네이트 치료에 따른 골밀도의 변화

한다. 칼슘유사체는 세포바깥액의 칼슘을 감지하는 칼슘 감지수용체의 기능을 변화시켜 칼슘에 대한 친화력을 증가시키고 그에 따라 PTH의 합성과 분비를 감소시켜 결과적으로 혈청칼슘을 감소시킨다. 칼슘유사체의 일종인 시나칼세트(cinacalcet)는 5년의 연구기간 동안 혈청칼슘을 정상적으로 유지하였고 질환의 중증도에 관계없이 다양한 환자들에서 혈청칼슘을 감소시켰다(그림 11-2-11). 하지만, 이 약물은 골밀도를 증가시키지 못하기 때문에 '내과적 부갑상선절제술'이라고 할 수는 없다. 칼슘유사체의 전신증상 또는 신경정신증상이나 골절에 대한 자료는 없다. 시나칼세트는 최근 부갑상선암과 수술을 받을 수 없는 PHPT 환자의 중증고칼슘혈증의 치료제로 미국에서 허가를 받았다. 하지만, 부갑상선절제술을 받아야 하는 환자들을 대상으로 칼슘유사체를 일반적으로 투여하는 것은 추천되지 않는다. 최근 발표된 시나칼세트와 항RANKL항체인 데노수맙의 1년간의 병합치료는 PHPT 환자의 골량을 증가시키고 혈청칼슘을 정상화시켰으므로 수술을 시행하기 어렵거나 거부하는 환자들에게 고려될 수 있다.

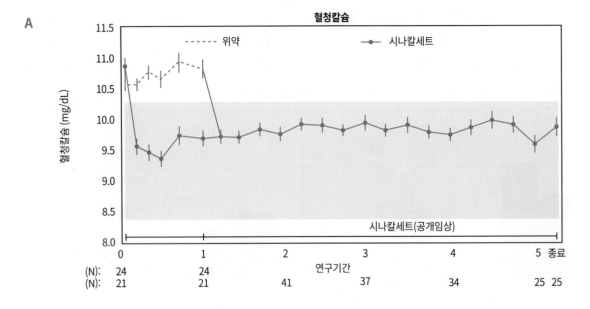

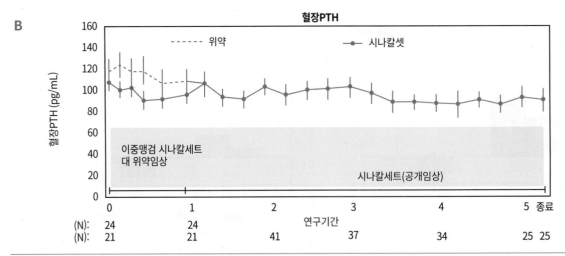

그림 11-2-11. 일차부갑상선항진증 환자에서 5년간 시나칼세트 치료 동안 혈청칼슘(A)과 PTH(B)의 변화

8) 임신과 일차부갑상선항진증

PHPT는 드물게 임신 중에 발생할 수 있다. 심한 고칼슘혈증은 산모와 태아에 해로운 영향을 줄 수 있는데 태아 부갑상선을 억제하여 저칼슘혈증, 테타니, 심하면 사산까지 일으킬 수 있다. 임신 전에 수술하는 것이 적절하지만 그렇지 않은 경우 증상이 있거나 심한 고칼슘혈증이 있는 경우 임신 중기에 수술하는 것이 추천된다. 경미한 고칼슘혈증을 보이는 무증상 환자에 대해서는 임신기간 동안 관찰하는 것이 적절하다. 하지만, 이 경우에도 신생아전문의가 태아의 저칼슘혈증의 발생가능성을 인지하고 있어야 한다.

4. 가족성일차부갑상선항진증

가족성일차부갑상선항진증(familial primary hyperparathyroidism, FPHPT)은 전체 PHPT 중 비록 5% 정도에 불과하지만 중요한 질환이다. FPHPT는 MEN 1, 2A, 4형과 가족성저칼슘뇨고칼슘혈증, 신생아중증일차부갑상선항진증, 부갑상선항진증–턱종양증후군과 가족성단독(isolated)부갑상선항진증을 포함한다. 이 증후군은 멘델유전양식을 보이며 대부분의 가족에서 증후군을 유발하는 4개의 주요 원인 유전자가 발견되었다. 복잡한 표현형에 기여하는 유전학에 대한 지식이 축적되면서 PHPT와 관련된 새로운 유전자들이 확인되고 있다(표 11-2-5).

1) 가족성저칼슘뇨고칼슘혈증

가족성저칼슘뇨고칼슘혈증[familial (benign) hypocalciuric hypercalcemia, FHH (OMIM 145980)]은 보통염색체우성소질로 유전되는 질환이며 유병률은 전체 PHPT의 약 2%로 MEN1과 비슷하다.

(1) 임상발현

FHH 환자는 일반적으로 증상이 경미하거나 없다. 피로감,

표 11-2-5. **가족성일차부갑상선항진증증후군들의 주요 특징**

증후군	주요 유전자와 배아돌연변이유형	부갑상선 측면	부갑상선외 측면
가족성저칼슘뇨고칼슘혈증	CASR, 이형접합 비활성	• 출생 시 고칼슘혈증 시작됨 • 부갑상선절제술 후에도 지속됨	상대적 저칼슘뇨
신생아중증일차부갑상선항진증	CASR, 동형접합 비활성	• 출생 시 고칼슘혈증 시작됨 • 혈청칼슘 16 mg/dL 이상 • 응급 부갑상선전절제술 필요함	상대적 저칼슘뇨
1형다발내분비선종양	MEN1, 이형접합 비활성	• 평균 20대에 발병 • 비대칭선종 • 성공적인 부갑상선아전절제술 후 약 12년째 재발	다양한 조직에서 종양 발생 (뇌하수체, 췌십이지장, 전장, 유암종, 진피 등)
2A형다발내분비선종양	RET, 이형접합 활성	• MEN1과 유사하지만 늦게 발병, 덜 심함	• 예방가능한 C세포암 • 갑상선 또는 부갑상선수술 전 갈색세포종 치료 필요
부갑상선항진증–턱종양증후군	CDC73, 이형접합 비활성	• 10세 이후에 고칼슘혈증 발생 • 15%에서 부갑상선암 흔히 미세낭종조직학소견	양성턱종양, 신낭종 또는 자궁종양
가족성단독부갑상선항진증	30%에서 MEN1, CASR, 또는 CDC73 이형접합 비활성, GCM2 이형접합 활성		

위약감, 집중장애, 다음 등이 PHPT보다 드물며 심하지 않다. 신결석증이나 고칼슘뇨 역시 흔하지 않다. 골영상은 보통 정상이며 연골석회증이나 조기 혈관 석회화가 있을 수 있으나 일반적으로 증상이 없다. 골량과 골절에 대한 위험도 정상수준이다. 고칼슘혈증은 실제 모든 연령에서 나타날 수 있다. PHPT의 발병은 유아기에는 드문데 이점이 진단에 유용하다.

FHH 환자의 혈청칼슘은 PHPT와 유사하며 혈청마그네슘이 정상이거나 경미하게 증가되며 혈청인은 약간 감소된다. 고칼슘혈증에도 불구하고 정상 요칼슘 배설소견은 FHH에서 상대적인 저칼슘뇨를 의미한다. PTH와 $1,25(OH)_2D_3$은 보통 정상이거나 5~10%에서 약간 증가되어 있다. 그러한 "정상적인" 부갑상선기능은 평생 지속된 고칼슘혈증에 부적절한 소견으로 진단에 도움이 되며 부갑상선이 고칼슘혈증의 일차원인임을 시사한다. FHH는 부갑상선 크기의 경미한 증가를 보이므로 수술장에서도 구별하기 어려울 수 있다. FHH에서 표준 아전부갑상선절제술을 시행하더라도 일시적으로 혈청칼슘이 낮아질 뿐 수일 후 고칼슘혈증이 지속된다.

(2) 병인기전과 유전학

대부분의 FHH는 칼슘감지수용체를 코딩하는 유전자, CASR의 이형접합 비활성돌연변이에 의해 발생한다. 칼슘감지수용체는 부갑상선세포의 표면에서 혈청의 이온화칼슘 농도를 보고한다. FHH의 부갑상선세포는 세포바깥액 칼슘 증가에 대해 낮은 민감도를 보이므로 PTH의 억제기능에 장애를 가져오게 되는데 일반적으로 부갑상선세포의 증식은 거의 동반되지 않는다. FHH 환자와 일가(kindred)의 약 30%는 CASR돌연변이가 없으며 그들 중 일부는 AP2S1 또는 GNA11유전자의 돌연변이를 갖는다(그림 11-2-12). CASR의 동형접합 돌연변이를 보이더라도 FHH의 경미한 형태를 나타낼 수 있으며 CASR의 이형접합 비활성돌연변이를 보이는 환자들에서는 정상 혈청칼슘을 보일 수도 있다.

FHH에서 신장의 칼슘감지기능에도 장애를 나타낸다. 정상적으로 신장에서 칼슘감지수용체는 혈청칼슘의 변화를 교정하는 방향으로 칼슘 재흡수를 유지한다. PTH에 의해 칼슘의 재흡수가 증가되는데 FHH에서 부갑상선전절제술 후에도 칼슘 재흡수가 높게 유지된다. 저칼슘뇨 고칼슘혈증은 칼슘감지수용체에 대한 항체에 의해서도 발생할 수 있는데 이 경우 다른 자가면역 특징과 연관될 수 있으며 칼슘감지수용체의 돌연변이는 없고 드물며 가족성이 아니라는 특징이 있다.

(3) 진단

고칼슘혈증이 있으면서 PTH가 정상이며 요칼슘배설이 낮은 경우 FHH의 가능성이 있다. 가족의 진단은 한 명 이상의 가족들이 고칼슘혈증, 상대적인 저칼슘뇨, 부갑상선절제술의 실패 등 전형적인 임상특징을 나타내는 경우에 이루어진다. 10세 이전 고칼슘혈증이 발견될 경우는 해당 가계에서 FHH의 진단에 거의 특이적이다. FHH 유전특성을 밝히기 위한 가족선별검사는 환자와 전체 가족에서 임상적증후군을 확립하고 다른 친족들을 진단하기 위해 중요할 수 있다. FHH 보유자에서도 고칼슘혈증의 침투도(penetrance)가 높기 때문에 위험이 있는 친족들을 대상으로 혈청칼슘을 측정한다. 총 요칼슘배설은 사구체여과율과 요수집기간에 크게 좌우되므로 전형적인 PHPT와 구별하는데 유효한 지표가 되지 못한다. 크레아티닌제거율에 대한 칼슘제거율의 비는 경험적으로 유용한 지표가 된다. FHH의 경우 이 비율이 전형적인 PHPT의 1/3 정도가 된다. 그 값이 0.01 이하의 경우 FHH를 시사한다.

$$Ca_{Cl}/Cr_{Cl} = [Ca_u \times V/Ca_s] / [Cr_u \times V/Cr_s]$$
$$= [Ca_u \times Cr_s] / [Cr_u \times Ca_s]$$

칼슘감지수용체 돌연변이분석은 진단에 항상 도움이 되는 것은 아니며 특히 변이 위치가 분석되는 코딩엑손 외에 위치해 있으면 확인되지 않을 수 있는데 앞서 기술했듯이 전형적인 FHH가족의 30%에서 칼슘감지수용체의 돌연변이가

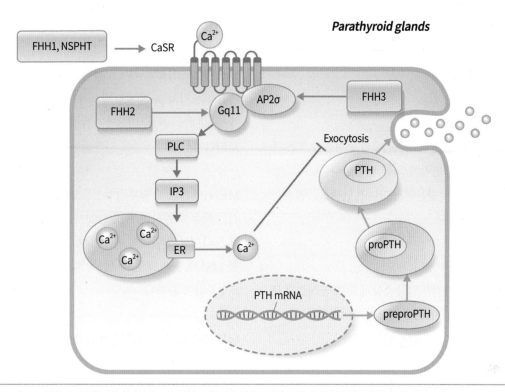

그림 11-2-12. 칼슘감지수용체를 통한 PTH의 합성과 분비와 칼슘감지수용체 및 하부신호전달과 연관된 가족성일차부갑상선항진증
부갑상선에서 세포바깥액의 칼슘이온에 의해 칼슘감지수용체가 활성화되면 Gq/11을 매개하는 포스포라이페이즈C의 활성화와 삼인산이노시톨의 증가가 세포내칼슘이온의 이동을 일으켜 PTH의 합성과 분비가 촉진된다. FHH1, familial hypocalciuric hypercalcemia type 1; FHH2, familial hypocalciuric hypercalcemia type 2; FHH3, familial hypocalciuric hypercalcemia type 3; NSPHT, neonatal severe primary hyperparathyroidism.

확인되지 않는다.

(4) 관리

일생 동안 고칼슘혈증이 지속되지만 FHH는 수명에 영향을 주지 않는다. 만성고칼슘혈증은 거의 치료할 필요가 없으며 이뇨제, 비스포스포네이트, 인산, 에스트로겐 등의 약물에 잘 듣지 않는다. 칼슘유사체는 돌연변이된 칼슘감지수용체에도 작용하여 PTH의 분비를 억제할 수 있으며 허가받지는 못했으나(off-label) 드물게 FHH에 효과적인 경우가 있는데 아마도 칼슘감지수용체의 변이잔기의 위치에 따라 효능이 있을 가능성이 있다.

FHH는 일반적으로 양성적인 경과를 보이며 수술에 반응이 없기 때문에 매우 제한된 경우에만 수술이 시행된다. 즉, 재발 췌장염, 매우 높은 PTH 또는 혈청칼슘(지속적으로 14 mg/dL 이상)과 같은 경우에 수술이 시행될 수 있다.

(5) 산발저칼슘뇨고칼슘혈증

칼슘감지수용체유전자의 돌연변이의 가족력이 없는 산발저칼슘뇨고칼슘혈증의 치료는 어려운데 다른 PHPT증후군의 특징이 매우 분명하지 않다면 일반적으로 전형적인 PHPT처럼 치료한다.

2) 신생아중증일차부갑상선항진증

(1) 임상발현

신생아중증일차부갑상선항진증[Neonatal severe primary hyperparathyroidism, NSHPT (OMIM 239200)]은 극히 드문 신생아질환으로 생명을 위협하는 고칼슘혈증, 매우 높은 PTH, 늑골골절, 근긴장저하(hypotonia), 호흡곤란, 모든 부갑상선의 심한 비대를 특징으로 한다. 조기에 수술을 받지 않고 생존하더라도 일반적인 발달에 장애를 보인다.

(2) 병인기전과 유전학

이 질환은 전형적으로 칼슘감지수용체의 동형접합 또는 복합이형접합 비활성돌연변이에 의해 발생한다(그림 11-2-12). 과세포부갑상선이 다클론인지 아니면 단세포군에 의한 과성장인지 확실하지 않다.

(3) 진단

진단은 일반적으로 특징적인 임상증상과 함께 근친결혼 또는 직계가족에서 진단된 FHH에 의해 이루어진다.

(4) 관리

심한 증상과 징후에 대해 응급 부갑상선전절제술이 생명을 구할 수 있다. 수술 이후 부갑상선저하증을 치료하면서 정상적인 생활을 할 수 있다. 이 경우 신장에서 칼슘감지수용체 이상은 지속되므로 고칼슘뇨의 위험이 적어 부갑상선저하증 치료가 보다 단순하다.

3) 1형다발내분비선종양

1형다발내분비선종양[Multiple endocrine neoplasia, type 1, MEN 1 (OMIM 131100)]은 드문 질환으로 유병률은 약 10만 명당 2명 정도이다. 모든 PHPT의 약 2% 정도가 MEN1에 의해 발생한다. MEN1은 3개의 주요 조직인 부갑상선, 뇌하수체, 췌장–십이지장 내분비조직 중 2개에 종양이 있는 경우로 정의된다. 환자는 그 외 다른 조직에서도 종양 발생의 소인을 갖는다. 확장된 개념으로, MEN1이 있으면서 직계가족에서 위의 3개의 내분비조직 중 적어도 하나의 조직에 종양이 있는 경우를 가족 MEN1이라고 한다.

(1) 임상발현

PHPT는 MEN1에서 가장 침투력이 높은 구성요소이며 대부분의 경우에서 최초로 나타나는 임상표현이다. MEN1에서 PHPT는 흔한 산발형태와 몇 가지 다른 특징을 가지고 있다. 산발PHPT에서 여성의 비율이 약 3배 정도 우세한 것에 반하여 MEN1의 남녀 비율은 거의 1:1이다. MEN1에서 PHPT는 거의 30년 일찍 발생하게 되는데 전형적으로 10대에서 30대에 나타나며 8세에 발생하는 경우도 있다. 따라서 MEN1에서 골다공증도 일찍 발생할 수 있다.

MEN1에서는 다발부갑상선종양이 전형적이며 종양의 크기는 매우 다양하다. MEN1에서 부갑상선종양발생의 강력한 드라이브가 있어서 재발이 매우 높은데 부갑상선절제술 후 12년째 평균 50%가 재발한다. 다발부갑상선종양은 이소성종양이 흔하다.

MEN1과 관련된 다른 종양들로서 십이지장가스트린종양, 인슐린종양, 비호르몬췌도종양, 기관지 또는 흉선유암종, 위장크롬친화세포유사종양(enterochromaffin–like tumors), 부신피질종양, 지방종, 안면혈관섬유종, 체간콜라겐종양 등이 있다. 부갑상선종양이나 부갑상선종양 외에 한가지 종양이 더 발생한 젊은 연령의 환자의 가족들의 경우 다른 MEN1종양의 발생에 대한 추적이 필요하다.

(2) 병인기전과 유전학

MEN1은 보통염색체 우성유전 형태를 보이며 주된 유전적 기초는 MEN1종양억제유전자의 비활성 배아돌연변이이다. MEN1은 menin단백질을 코딩하는데 아직 menin의 분자적 신호경로나 자세한 기능은 연구가 진행 중이다. MEN1돌연변이는 대다수가 menin의 절단(truncation)이나 결손이 예측되는 변이외에도 일정한 패턴 없이 유전자의 해독된 부분에 걸쳐 일어난다. MEN1 환자는 전형적으로는 MEN1유전자의 하나의 비활성복제(copy)를 전달받게 되지만 10%의 환자는 자발적 또는 새로운 배아돌연변이를 갖게 된다. 종양의 성장은 MEN1유전자의 정상 복제의 체성 불활성화에 의해 일어나게 된다. 따라서, 이러한 과정이 발생한 부갑상선세포는 MEN1의 종양 억제기능이 결핍되게 되어 주변세포보다 성장에 유리해져 결과적으로 클론의

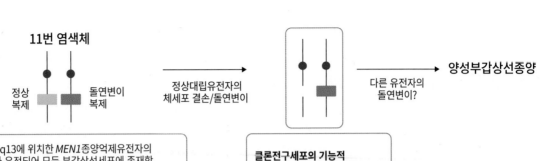

그림 11-2-13. *MEN1*종양억제유전자의 불활성화에 의한 부갑상선종양 발생기전

증식이 일어나게 된다(그림 11-2-13). 이러한 돌연변이로 인한 기능의 소실과정은 CDC73, p53, BRCA1, APC와 같은 종양억제유전자와 유사하다.

MEN1돌연변이는 MEN1 환자와 가족들의 30%에서는 확인되지 않는다. 이들 중에 일부는 p27KIPI cyclin-dependent kinase inhibitor (CDKI)를 코딩하는 CD-KN1B유전자의 돌연변이로부터 MEN1이 발생하게 된다. 이러한 조합을 MEN4라고 한다. 그 외 환자들은 드물지만 다른 CDKI유전자인 p15, p18, p21의 돌연변이를 보이게 된다. 이러한 CDKI 결함은 menin과 CDKI가 내분비종양발생에 중요한 분자적 신호경로를 공유하고 있음을 의미한다.

(3) 보유자의 진단

MEN1배아돌연변이에 대한 직접 염기서열분석이 상업적으로도 가능한데 검사의 적응증에 대해서는 논란이 있다. 유전자분석을 전형적인 코딩부위와 주변으로 제한할 경우 전형적인 MEN1친족의 30%에서 MEN1돌연변이를 발견하지 못할 수 있다. 이들은 큰 결손(large deletion) 또는 작은 비코딩돌연변이와 같은 현재의 유전자검사로 인지되지 않는 MEN1 결함을 보유할 수 있다. 산발적이면서 MEN1의 표현형과 같이 부갑상선과 뇌하수체종양을 모두 가진 환자들에서 MEN1 또는 CDKI유전자돌연변이가 발견되는 확률은 10% 이하로 매우 낮다. 이 점은 이 환자군에서 다른 소인유전자가 존재할 가능성을 시사한다.

암의 치료와 예방을 위한 RET돌연변이검사의 중요성에 비해 증상 발현 전에 유전자 진단의 시행이 MEN1의 이환율과 사망률을 크게 개선시킨다는 것은 아직 확립되지 않았다. 혈청칼슘, PTH 등의 주기적인 선별검사는 보유자를 찾아내기 위한 비DNA기반의 대안이 될 수 있다. 최초 발생한 MEN1이 의심되는 환자의 임상진단이 확실하지 않을 때 MEN1유전자검사는 진단뿐 아니라 중재를 위해 도움이 될 수 있다. 예를 들면, 젊은 성인이 산발 또는 가족고립다선(familial isolated multigland)PHPT 또는 졸링거엘리슨증후군을 보이는 경우 후자에서는 MEN1 돌연변이가 1/4 환자에서 발생하는데 돌연변이가 확인될 경우에는 그렇지 않을 경우 받게 될 복부수술을 피할 수 있다.

환자나 가족에서 MEN1유전자의 돌연변이가 발견되지 않을 경우 신체적 또는 생화학적특성에 대한 전통적인 확인검사를 시행해두는 것이 예비(back-up) 방법이 된다. 이 때 안면섬유종이나 고칼슘혈증의 존재는 매우 유력한 특성이 된다.

(4) 다른 종양의 진단

MEN1이 의심되는 최초 환자나 확인된 MEN1보유자 또는 MEN1 발현의 발생위험이 있는 가족들을 대상으로 종양이 나타나는지 선별검사를 하는 것이 추천된다.

(5) 관리

일단 생화학진단이 이루어진 후 수술을 의뢰하는 적응증은 산발 PHPT와 동일하다. 골다공증은 젊은 여성 MEN1 환자에서 수술의 흔한 적응증이다.

50세 미만 연령은 산발 PHPT에서는 수술의 적응증이지만 MEN1에서는 충분한 적응증으로 인정되지 못한다. MEN1에서 수술의 적절한 시점에 대해서 논란이 있다. 조기, 무증상시기에 수술을 할 경우 골 건강에는 도움이 되지만 부갑상선이 작아서 찾기가 어려울 수 있다. 더구나 수술 후 재발률이 높기 때문에 조기에 수술을 할 경우 환자의 총 수술횟수를 증가시킬 수 있고 결과적으로 수술 중 이환율의 위험을 증가시킬 수 있다.

부갑상선외조직에서 발생하는 MEN1 관련 암이 MEN1 환자 사망원인의 1/3을 차지한다. 이들 암의 대부분에 대해 효과적인 예방이나 치료방법이 현재로서 존재하지 않는다. 상대적으로 흔한 췌도(islet)종양에 대해서는 이미 허가를 받은 약물들과 같은 신약과 유망한 치료법들이 있지만 MEN1의 같은 종양에 대한 효과에 대해서는 더 많은 평가가 필요한 실정이다.

(6) MEN1에서 부갑상선수술

MEN1 부갑상선종양은 다발이며 모든 비정상부갑상선을 발견할 수 없는 영상검사의 한계 때문에 최초 수술 전 영상검사의 유용성은 상대적으로 낮은 편이며 수술 시 모든 비정상 부갑상선을 확인하는 것이 중요하다. 최초 수술 후 PHPT가 지속되거나 재발하여 재수술을 하는 경우 종양의 위치 확인을 위한 영상검사는 유용하다. 위의 이유로 MEN1 진단이 확립되었거나 의심되는 경우 최소침습부갑상선절제술을 시행하지 않을 것을 주장하는 의견도 있다. MEN1은 최초수술의 경우에도 수술 중 PTH 측정이 도움이 될 수 있다.

MEN1에서 가장 흔하게 시행되는 최초수술은 3.5선을 절제하는 부갑상선아전절제술과 함께 목경유 흉선전절제술이다. 남은 부갑상선조직은 보통 목의 혈관뿌리(pedicle) 위에 남겨두고 클립으로 표시를 하기도 한다. 또는 잔여 부갑상선조직을 전완에 자가이식을 할 수 있다. MEN1에서 목경유 흉선전절제술의 이점은 완전히 입증되지 않았으나 흉선유암종을 예방하거나 치료하기 위해 널리 사용되고 있다. 그 외에도 흉선은 MEN1 환자에서 PHPT가 재발하는 경우 부갑상선종양이 흔히 발견되는 위치가 되기도 한다. 좋은 임상결과를 위해서는 숙련된 부갑상선외과팀이 필수적이다.

4) 2형다발내분비선종양

MEN2는 RET유전자의 돌연변이를 가진 3개의 증후군인 MEN2A, MEN2B, 가족갑상선수질암으로 세부적으로 분류된다. 이 중 MEN2A (OMIM 171400)이 가장 흔하며 유일하게 PHPT를 발현한다.

(1) 임상발현

MEN2A는 갑상선수질암 또는 C세포암, 갈색세포종, PHPT가 발생하는 유전질환이다. MEN2A보유자에서 이들 종양의 발생확률(frequency)은 갑상선수질암은 90% 이상, 갈색세포종은 40-50%, PHPT는 20% 정도이다. MEN2A에서 PHPT의 중간 정도의 침투성은 다른 모든 가족PHPT증후군에서 관찰되는 PHPT의 높은 침투성과 대조적이다. MEN2A의 PHPT는 MEN1A보다 일반적으로 경미하고 더 비대칭적이며 더 늦게 발생한다. MEN2A에서는 성공적인 부갑상선절제술 이후 나중에 재발하는 경우가 드물다. 이러한 수술 후 결과는 비가족다발부갑상선종양에서 수술 후 우수한 장기결과를 보이는 것과 유사한 것으로 추정된다.

갑상선수질암은 MEN2A의 치명적인 임상표현이 될 수 있으며 여포옆C세포과증식으로부터 발전하게 되는데 그 곳에서 분비되는 칼시토닌은 종양의 조기발생을 인지하고 종양의 성장을 감시하는데 유용한 표지자가 될 수 있다. 칼시토닌의 약물학적 특성에도 불구하고, 고칼시토닌혈증의 상황에서 무기질대사는 일반적으로 정상이다. MEN2A에서

갈색세포종은 일측 또는 양측으로 발생할 수 있다.

(2) 병인기전과 유전학

MEN2A는 보통염색체우성형태로 유전되며 남녀 같은 비율로 이환된다. 유전결함은 전암유전자인 RET의 기능획득 배아돌연변이이다. RET배이 돌연변이는 MEN2A가계의 95% 이상에서 발견할 수 있는데 RET유전자의 634 코돈의 돌연변이가 MEN2A의 85%를 차지하며 PHPT와 관련성이 매우 높다. MEN2A와 가족갑상선수질암에서의 RET 특정 돌연변이들은 서로 차이도 있지만 많이 겹치기도 한다. 이와 대조적으로 MEN2B는 완전히 다른 2개의 돌연변이들 중 하나에 의해 발생한다. 가족성갑상선수질암과 MEN2B에서 PHPT가 발생하지 않는 이유는 아직 잘 모르고 있다. MEN1유전자와 같이 비활성코돈의 수가 많고 무작위로 다른 것은 종양억제기전에 전형적이다. 하지만 MEN2A에서 발견되는 변이RET코돈의 수는 매우 제한적인데 이것은 RET종양단백질을 활성화하기 위해서는 선택부위의 매우 특이적인 변화가 필요함을 시사한다.

RET단백질은 형질막에 걸쳐있는 타이로신인산화효소로서 신경관과 같이 태생기에 발달하는 조직에서 성장과 분화신호를 전달한다. 이에 대한 분자적 신호경로와 측정에 대한 지식의 발전은 갑상선수질암 및 다른 RET 관련 갑상선암의 극복을 위한 신약개발과 임상시험을 촉진하고 있다.

(3) 진단

MEN2A의 진단을 위해서는 대부분의 경우에 RET유전자의 염기서열분석검사가 칼시토닌 측정보다 더 중요하다. RET배아돌연변이를 위한 유전자검사는 MEN2A의 관리의 중심이 되며 특히 갑상선수질암의 관리와 예방을 위해 갑상선절제술을 안내하는 데 중요하다.

MEN2A에서 PHPT는 흔히 비대칭이며 갑상선수술 중에 우연히 진단되거나 치료되기도 한다. MEN2A PHPT의 생화학진단과 수술 적응증은 산발 PHPT와 유사하다.

(4) 관리

PHPT는 MEN2A에서 갑상선수질암이나 갈색세포종에 비해 덜 시급한 임상표현이다. MEN2A에서 PHPT는 다선질환이지만 4개 모두 커져 있지 않을 수도 있다. 수술 시 비정상부갑상선을 찾아내기 위해 양측 탐색이 추천되며 커져 있는 부갑상선(최대 3.5선까지)을 절제하는 수술이 가장 흔하게 시행된다. 수술 전 위치 확인에 대한 사항은 MEN1과 동일하다.

소아기에 RET검사를 시행하여 예방적 또는 근치적 갑상선절제술을 하는 것이 이미 있을 수도 있는 C세포암의 피막외 전이가능성을 최소화하는 데 도움이 된다.

MEN2A의 가능성이 높다면 부갑상선절제술이나 갑상선절제술 전에 갈색세포종이 있는지 확인해야 한다. 만약 갈색세포종이 확인되면 부갑상선이나 갑상선수술 전에 갈색세포종의 치료가 먼저 이루어져야 한다. MEN2A에서 양측부신절제를 시행 후 발생한 부신기능저하증을 불완전하게 치료할 경우 다양한 질병의 이환뿐 아니라 심지어 사망까지 일어날 수 있다.

5) 부갑상선항진증-턱종양증후군

(1) 임상발현

부갑상선항진증-턱종양증후군[hyperparathyroidism-jaw tumor syndrome, HPT-JT (OMIM 145001)]은 드문 보통염색체우성질환이며 PHPT, 하악과 상악의 골화 또는 시멘트화섬유종, 신장의 낭종이나 과오종 또는 윌름종양(Wilm's tumor), 자궁의 종양을 동반할 수 있다. 전통적인 HPT-JT가계의 성인들 중 PHPT는 80%의 가장 높은 침투도를 보이며 다음으로는 하악과 상악의 섬유종이 30%, 신장의 병변은 다소 덜 발생하며 자궁종양의 발생 빈도는 매우 다양하다.

HPT-JT에서 PHPT는 10대 전과 같이 매우 조기에 발생할 수 있다. 이 경우 수술 시에 다선보다는 단일부갑상선종양을 발견할 수 있는데, 매우 큰 비정형단일선종이나 단일부갑상선암이 발견될 수 있다. HPT-JT에서 부갑상선암은 15-20%로 매우 높은 빈도로 나타난다. 이와 대조적으로 부갑상선암은 MEN1, MEN2A 또는 FHH에서는 거의 발생하지 않는다. 20대의 HPT-JT 환자에서도 부갑상선암이 폐로 파종될 수 있다. 수술 후 정상부갑상선의 시기를 경과한 이후에도 재발할 수 있는데 이 때 다른 부갑상선에 단일선종이 다른 시기에 발생했기 때문일 수 있다.

HPT-JT에서 골화섬유종은 일반적으로 양성이지만 매우 크고 파괴적일 수 있다. 골화섬유종은 작고 비대칭적이며 치아 영상검사에서 우연히 발견된다. 골화섬유종은 파골세포가 풍부한 고전적인 갈색종(brown tumor)과는 확연히 구별된다.

(2) 병인기전과 유전학

CDC73유전자의 배아돌연변이가 HPT-JT를 일으킨다. HPT-JT 친족에서 CDC73돌연변이의 나타날 확률은 약 60-70%인데, 그 외의 경우는 유전변이가 염기서열분석 전에 시행되는 PCR을 통해 증폭되지 않은 이유로 발견되지 않을 수 있다. CDC73의 돌연변이는 단백질산물인 parafibromin을 불활성화시키거나 제거시킴으로써 고전적인 'two-hit' 종양억제기전을 통해 부갑상선암을 포함한 종양을 발생시킬 수 있다. 파라파이브로민의 정상적인 세포에서의 기능과 종양발생에서의 영향은 아직 연구가 진행 중이다.

겉으로는 산발 부갑상선암으로 표현되는 부갑상선암의 많은 경우에서 CDC73 배아돌연변이를 가지고 있다. 따라서 이런 경우 새로 확인된 HPT-JT, 잠재 HPT-JT 또는 다른 변종증후군을 의미할 수 있다.

(3) 진단

HPT-JT에서 PHPT의 생화학진단은 산발 PHPT와 유사하다. 전통 또는 변종HPT-JT에서 CDC73배아돌연변이를 알게 됨으로써 HPT-JT 최초 환자나 산발부갑상선암으로 여겨졌던 환자에서 DNA기반 진단의 새로운 장을 열게 되었다.

외과의는 HPT-JT가 알려진 경우나 가능성이 있는 보유자의 수술 전에 부갑상선암의 가능성에 대해 경각심을 가져야 한다.

(4) 관리

HPT-JT관리의 중심은 감시와 현재 또는 미래 부갑상선암 발생의 고위험을 해결할 수 있는 수술이다. PHPT의 전형적인 생화학소견을 보이는 경우 바로 수술을 시행해야 한다. 모든 부갑상선을 수술장에서 찾아서 악성의 징후를 확인하고 비정상부갑상선을 제거해야 한다. 악성의 가능성 때문에 예방적 부갑상선전절제술이 대안적인 접근으로 떠오르고 있다. 하지만 이것은 몇 가지 면에서 부정적인데 먼저 모든 부갑상선을 제거하는 것이 어렵고 평생 부갑상선저하증이 있게 되며 부갑상선암의 침투도가 완벽하지 않고 재발한 PHPT에 대해 생화학의 철저한 감시가 부갑상선암의 성공적인 치료를 촉진할 수 있기 때문이다.

CDC73돌연변이가 없는 분명한 산발 부갑상선암 환자에서는 잠재적인 HPT-JT에 대해 감시가 필요한데 예를 들면 직계가족들에서 혈청칼슘을 정기적으로 감시해야 한다.

6) 가족성단독(isolated)부갑상선항진증

(1) 임상발현과 진단

가족성단독(isolated)부갑상선항진증[familial isolated primary hyperparathyroidism, FIHPT (OMIM 145000)]은 임상적으로 가족성 PHPT를 보이면서 부갑상선 외 조직의 임상증상이 없는 경우로 정의된다. 따라서, 다른 PHPT증후군의 임상특성이 발전하게 되면, FIHPT라고 내려진 진단은 수정되어야 한다. 이 진단은 부분적으로는 몇 개의 잠재적 또는 전혀 원인이 알려지지 않은 경우를 망라하

기 때문에 이 질환은 넓은 스펙트럼의 PHPT을 나타낸다.

(2) 병인기전과 유전학

FIHPT는 유전적으로 이질적이며 MEN1, CDC73 또는 CASR의 배아돌연변이의 불완전한 발현에 의해 발생할 수 있다. 하지만, 대부분의 가계는 이 세 개의 어떤 유전자에서도 돌연변이를 발견할 수 없다. 유전자검사가 고려되어야 하지만 알려진 세 유전자에서의 낮은 돌연변이 발생도 역시 고려되어야 한다.

(3) 관리

FIHPT의 관리는 PHPT와 매우 유사하다. 감시와 관리는 유전적으로 정의된 PHPT증후군이나 전에 결정되지 않은 PHPT증후군의 추가적인 특징이 발견될 수 있음을 인지해야 한다. 예를 들면, 잠재적 HPT-JT의 가능성이 있다면 FIHPT에서 부갑상선암의 위험이 높아진다는 것을 염두에 두어야 한다.

5. 부갑상선호르몬비의존고칼슘혈증

1) 악성종양

악성종양과 관련된 고칼슘혈증은 입원한 환자의 고칼슘혈증의 거의 90%를 차지하며 예후가 불량하다. 최초의 환자는 혈청칼슘의 측정이 막 가능해졌던 1921년에 보고되었다. 악성종양과 관련된 고칼슘혈증은 기전적으로 네 가지 유형, 악성종양의 체액고칼슘혈증, 국소골용해고칼슘혈증, 비타민D유발고칼슘혈증, 진짜이소부갑상선항진증(authentic ectopic hyperparathyroidism)으로 나뉘어질 수 있다.

(1) 악성종양의 체액고칼슘혈증

악성종양의 체액고칼슘혈증(humoral hypercalcemia of malignancy, HHM)은 악성종양 관련 고칼슘혈증의 약 80%를 차지한다. 체액성 물질로는 PTHrP가 대표적이다. HHM은 주로 고형종양에서 발생되며 편평세포암(폐,

두경부, 식도, 자궁경부, 피부 등) 유방암, 신장암, 방광암과 연관되어 있다.

1941년 Albright는 악성종양으로 진단받고 뼈에 전이가 관찰되지 않은 환자에서 PTH와 유사한 체액성 물질에 의해 고칼슘혈증이 발생된다는 것을 주장하였다. 이런 환자들에서는 PTH가 억제되어 있으며 $1,25(OH)_2D_3$ 감소, 인산뇨, 저인산염혈증이 관찰되었다. 1987년에 비로소 PTHrP가 분리, 염기서열이 분석되었고 cDNA와 유전자가 복제되었다. 현재는 PTHrP가 파골세포의 골흡수를 활성화하고 골모세포의 골형성을 억제함으로써 골흡수-골형성의 과도한 비결합(uncoupling)을 일으킨다고 알려져 있다. 이 결과로서 하루 700-1,000 mg에 이르는 막대한 칼슘이 골에서 유리되어 심각한 고칼슘혈증을 일으킨다. 그 외에도 PTHrP는 항칼슘뇨작용을 통해 신장에서 칼슘 배설을 제한한다. HHM에서 관찰되는 $1,25(OH)_2D_3$ 감소는 결국에 장에서의 칼슘 흡수를 억제한다. 따라서, HHM은 항진된 골흡수와 신장에서의 저하된 칼슘제거 능력이 결합되어 발생한다.

하지만 PTHrP의 급성기 효과는 체액성 고칼슘혈증 환자의 소견과 일치되지 않는 소견도 관찰된다. PTHrP는 PTH에 비해 신장의 1α-수산화효소를 자극하는 효과가 적긴 하지만 $1,25(OH)_2D_3$를 증가시키며 골형성을 증가시키는 특성을 갖고 있다. 하지만 HHM 환자들에서는 대부분 $1,25(OH)_2D_3$와 골형성은 현저히 감소되어 있다. 이러한 소견은 PHPT에서 $1,25(OH)_2D_3$와 골모세포와 파골세포 모두 활성이 증가된 것과는 아주 대조적이다. PTH와 PTHrP가 같은 PTH1수용체를 공유하지만 PTHrP가 수용체로부터 훨씬 더 빨리 해리되는 특성이 알려져 있다.

HHM 환자에서는 아래 기술할 국소 골용해 고칼슘혈증과 달리 골스캔, 골생검과 부검에서 거의 골전이가 발견되지 않는다.

흥미롭게도 종양에 의한 PTHrP의 과분비가 반드시 악성

종양을 시사하는 것은 아니다. 양성 자궁유섬유종(fibri-oid), 양성 난소종양, 갈색세포종, 인슐린종, 유암종, 거대한 유선과증식증에서도 PTHrP의 분비에 의한 고칼슘혈증이 관찰이 되며 이것은 종양의 제거나 축소유방성형술을 통해 교정된다.

(2) 국소골용해고칼슘혈증

국소골용해고칼슘혈증(local osteolytic hypercalce-mia, LOH)을 가장 흔하게 유발하는 종양은 유방암과 혈액종양(림프종, 백혈병, 골수종) 등이 있다. 현재 LOH는 전체 악성종양 관련 고칼슘혈증 환자의 약 20% 정도를 차지하는 것으로 알려져 있다. 실제, 골수종이나 유방암 환자에서 골절, 전이, 통증 등을 예방하기 위해 비스포스포네이트를 널리 사용하면서 LOH는 감소하고 있다. 종양세포가 뼈의 골흡수를 직접적으로 일으키는 증거는 관찰되지 않으며 종양세포가 골수를 침범하고 종양세포에서 국소적으로 생산되는 물질이 파골세포를 활성화시킨다. 과거에 파골세포 활성화인자(osteoclast-activating factor)로 불리워진 것들은 이제 인터루킨-1, 인터루킨-6, PTHrP, 대식세포염증단백질(macrophage inflammatory protein)-1α 등으로 알려지고 있다. 이 인자들은 골모세포에서 파골세포활성인자인 RANKL (receptor activator of nuclear fac-tor- κB ligand)를 증가시킴으로써 파골세포의 증가와 활성화를 조장하게 되어 고칼슘혈증을 초래하게 된다(그림 11-2-14).

LOH 환자들은 특징적으로 골생검과 부검에서 광범위한 골전이와 골수 침범을 보인다. 골스캔은 고형종양의 골전이 환자에서 일반적으로 강하고 광범위한 양성을 나타내지만 고형 종양의 골전이는 골주사검사에서 양성소견을 관찰할 수 있으나 다발골수종과 같이 골형성이 감소된 경우에는 골수를 광범위하게 침범하더라도 음성소견을 나타낸다.

기전적으로 LOH는 일차로 골흡수 동안 골에서 과도하게 유리된 칼슘이 신장의 정상적인 제거 용량을 초과함으로 발생한다. 고칼슘혈증과 관련된 탈수나 신장기능의 저하는 고칼슘혈증을 악화시킨다.

(3) 비타민D 유발 고칼슘혈증

림프종과 난소암(난소고환종, dysgerminoma)의 경우에 드물게 1,25(OH)$_2$D$_3$생산을 증가시켜 고칼슘혈증을 유발할 수 있다. 이 증후군의 일차적인 병태생리의 이상은 악성세포나 그 주변세포가 1α-수산화효소를 과발현하여 25(OH)D$_3$를 활성형인 1,25(OH)$_2$D$_3$으로 비정상적으로 전환시키는 것이다. 이러한 과정이 아래 기술한 유육종증에서도 일어난다. 증가된 1,25(OH)$_2$D$_3$은 장에서 칼슘의 흡수를 자극하기 때문에 이 경우는 주로 흡수형의 고칼슘혈증이 된다. 그 외에 1,25(OH)$_2$D$_3$이 RANKL을 직접 활성화하여 파골세포를 매개한 골흡수를 증가시킬 수 있으므로 고칼슘혈증을 악화시킨다. 혈중 1,25(OH)$_2$D$_3$ 농도가 골수 침범을 보이는 환자의 국소부위의 1,25(OH)$_2$D$_3$의 농도를 항상 반영하는 것은 아니다.

(4) 진짜이소부갑상선항진증

앞서 기술했듯이 HHM의 원인물질이 PTH가 아닌 PTHrP로 밝혀진 후 악성종양에서는 PTH의 이소성 분비는 일어나지 않는 것으로 생각했다. 하지만 1990년대에 PTHrP가 아닌 진성PTH를 분비하는 종양에서 고칼슘혈증이 보고되었다. 현재까지 악성종양에서 PTHrP가 아닌 실제 PTH 분비가 관찰된 경우는 전 세계적으로 10례 정도로 극히 드물다. 따라서, 악성종양을 진단받은 환자에서

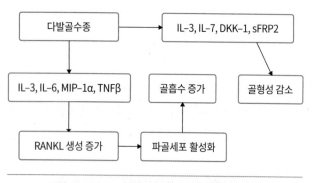

그림 11-2-14. **다발골수종의 고칼슘혈증 발생기전**

PTH의 증가가 관찰된다면 PHPT가 동반된 경우라고 이해하는 것이 합리적이다.

2) 육아종질환

육아종 형성과 관련된 거의 모든 단일 질환은 고칼슘혈증을 일으킬 수 있나고 알려져 있다. 기장 흔한 것은 유육종증이지만 결핵, 베릴륨증(beryliosis), 진균증, 나병, 염증장질환, 조직구증X, 이물육아종 등에서도 발생될 수 있다. 유육종증의 질환 경과 중 약 10%에서 고칼슘혈증이, 20%에서 고칼슘뇨증이 관찰된다.

유육종증과 결핵에서 고칼슘혈증의 기전은 육아종의 대식세포에서 1α-수산화효소의 활성도가 증가되고 이로 인하여 $1,25(OH)_2D_3$가 부적절하게 증가되어 발생된다. $1,25(OH)_2D_3$의 증가는 장에서 칼슘의 흡수를 증가시키고 고칼슘뇨을 일으키며 PTH는 억제한다. 유육종증 환자에서 자외선이나 경구비타민D 섭취는 비정상적으로 민감한 반응을 초래할 수 있다.

이 증후군은 당질부신피질호르몬이나 항결핵제에 의한 육아종의 제거와 충분한 수분 섭취와 함께 칼슘과 비타민D 섭취를 낮춤으로 교정된다. 비타민D 생성을 증가시키는 과도한 햇빛 노출도 피해야 한다.

3) 내분비질환

PHPT는 고칼슘혈증과 관련된 전형적인 질환이지만 그 외에도 고칼슘혈증을 유발할 수 있는 내분비질환들이 있다.

(1) 갑상선기능항진증

갑상선기능항진증은 환자의 약 50%에서 이온화 또는 총 칼슘이 증가되는 것으로 보고되고 있다. 일반적으로 고칼슘혈증은 경미하여 혈청칼슘이 10.7~11.0 mg/dL이지만 드물게 13 mg/dL까지 증가된 경우도 있다. 고칼슘혈증발생기전은 갑상선호르몬이 직접 RANKL을 자극하여 골흡수를 촉진하기 때문인 것으로 생각된다.

(2) 부신위기

부신위기에서도 이온화 또는 총 칼슘이 증가되는 고칼슘혈증이 발생하는 것으로 알려져 있다. 일반적으로 고칼슘혈증은 경미하며 부신위기의 표준치료인 수액치료와 당질부신피질호르몬 정맥투여에 잘 반응한다. 체액용적 수축은 상대적 고알부민혈증으로 혈청총칼슘의 거짓(factitious) 증가를 일으킬 수 있다. 그 경우 이온화칼슘은 정상이지만 몇몇 환자에서는 이온화칼슘이 증가되는 경우도 보고되었다.

(3) 갈색세포종

일부 갈색세포종은 MEN2A에 발현된 PHPT에 의해 고칼슘혈증이 발생하며 부갑상선수술로 교정된다. 하지만 어떤 경우는 갈색세포종을 제거한 후 고칼슘혈증이 정상화되는데 이들 종양들의 일부에서 PTHrP가 분비되는 것이 확인되었다. 다른 경우에는 갈색세포종의 카테콜라민에 의한 골흡수에 의해 고칼슘혈증이 유발될 수 있다.

(4) VIPoma증후군

VIPoma증후군은 췌장췌도 및 신경내분비종양에서 혈관작용장폴리펩타이드(vasoactive intestinal polypeptide, VIP) 생산이 증가되는 질환으로서 심한 물설사, 저칼륨혈증, 무산증을 특징으로 한다. VIPoma증후군 환자의 약 90%에서 고칼슘혈증이 관찰되는데 그 기전을 잘 모르고 있지만 VIP가 파골세포에 의한 골흡수를 자극한다는 연구결과가 있다.

4) 급성 및 만성신기능 저하

횡문근용해에 의한 급성신부전의 회복기에 고칼슘혈증이 발생할 수 있다. 이것은 전형적으로 급성핍뇨기의 심한 고인산염혈증과 저칼슘혈증 다음에 동반되는 심한 이차부갑상선항진증에 동반되어 일어난다. 이것은 연조직에 침착된 칼슘과 인산의 유리와 골재형성에 대한 PTH의 효과에 기인한다.

만성신부전과 투석도 고칼슘혈증과 관련되어 있다. 이 고칼

숨혈증은 이차부갑상선항진증을 예방하기 위한 칼시트라이올이나 비타민D유사체의 사용과 종종 관련되어 있다. 이 환자들에서 고칼슘혈증은 삼차부갑상선항진증에 의해서도 발생할 수 있다. 특히, 중등도 이상의 심한 이차부갑상선항진증의 경우에는 신장이식 후에도 고칼슘혈증이 관찰될 수 있다.

5) 약물

(1) 비타민D

표준적인 비타민D제제를 비타민D가 과도하게 첨가된 낙농제품과 함께 섭취할 경우 비타민D중독증이 발생할 수 있다. 비타민D중독증을 일으키는 용량은 개인적인 차이가 있으나 부갑상선저하증이나 골다공증으로 50,000 IU을 주 2-3회 이상 복용할 경우 비타민D중독증이 발생할 수 있다. 혈청25(OH)D$_3$가 150 ng/mL 이상이 되면 비타민D중독증에 의한 고칼슘혈증, 고인산염혈증을 유발할 수 있다. 1,25(OH)$_2$D$_3$가 정상임에도 고칼슘혈증이 발생되는 원인은 불명확하나 25(OH)D$_3$나 다른 비타민D대사물이 비록 약하지만 비타민D수용체에 직접적인 작용했을 가능성이 있다. 부갑상선저하증, 만성신부전, 대사성골질환에서 사용되는 칼시트라이올[1,25(OH)$_2$D$_3$] 역시 고칼슘혈증을 일으킬 수 있다. 비타민D중독에 의한 고칼슘혈증은 장에서 칼슘의 흡수 증가와 뼈에서 골흡수 증가에 의한 결과이다. 비타민D는 지방에 저장되기 때문에 이로 인한 중독증의 치료는 수주에서 수개월이 소요된다.

(2) 비타민A

과도한 비타민A의 섭취는 건조한 피부, 소양증, 두통과 때때로 고칼슘혈증과 골통증을 호소할 수 있다. 고칼슘혈증은 하루 섭취권장량의 10배 정도(5,000 IU/일)를 복용한 경우에 발생될 수 있다. 피부질환 및 항암치료에 사용하는 레티노산유도체도 고칼슘혈증을 유발할 수 있다. 정확한 기전은 모르지만 레티노이드가 직접적으로 골흡수를 자극하기 때문인 것으로 추정하며 X선검사에서 골막석회화가 관찰될 수 있다. 진단은 약물의 과도한 복용력과 비정상적인 간기능, 비타민A 농도의 증가로 확인될 수 있으며 수액공급과 당질부신피질호르몬, 비스포스포네이트가 사용된다.

(3) 싸이아자이드

싸이아자이드는 경미한 고칼슘혈증을 일으킬 수 있는데 단독으로 고칼슘혈증을 유발하는 경우는 드물고 고칼슘혈증을 일으키는 질환이 동반된 경우에 악화시키는 경향이 있다. 싸이아자이드는 근위세뇨관에서 칼슘의 재흡수를 증가시킨다. 감소된 칼슘의 신청소율은 일시적으로 고칼슘혈증을 일으키지만 이는 PTH의 억제를 초래하기 때문에 혈액의 칼슘을 정상화시킨다. 싸이아자이드에 의한 고칼슘혈증은 투석 중인 환자에서도 보고가 되었기 때문에 위의 기전 외에도 다른 기전이 있을 가능성이 있다.

(4) 리튬

리튬은 장기투여 환자의 5–10%에서 고칼슘혈증을 유발할 수 있다. 리튬은 실제 부갑상선과증식증이나 선종을 유발할 수도 있으나 부갑상선항진증에서 우연히 리튬을 같이 사용하는 경우 때문일 수도 있다. 리튬에 의한 고칼슘혈증이 잘 증명된 경우는 리튬으로 치료받다가 중단할 경우 고칼슘혈증이 정상화된 경우이다. 리튬이 PTH 분비를 유발하고 신장에서 칼슘 재흡수를 촉진하는 작용이 세포 및 동물실험에서 제시되었다. 이 작용이 사람에서도 고칼슘혈증을 일으키는지는 아직 확실하지 않다.

(5) PTH

골다공증의 치료에 사용되는 PTH(1–34)와 PTH(1–84)약물은 매우 소수의 환자에서 고칼슘혈증과 관련되어 있다. 이때 고칼슘혈증은 일반적으로 경미하여 거의 치료가 필요하지 않거나 PTH의 용량이나 보충되는 칼슘의 용량을 감량하면 되지만 PTH 치료를 중단할 정도로 심한 경우도 있다.

이외에도 고칼슘혈증을 유발할 수 있는 약물로서 기전은 잘 알려져 있지 않지만, 에스트로겐, 타목시펜, 고용량의 아미

노필린이나 테오필린, 후천면역결핍증후군(AIDS)에서 사용되는 포스카넷(foscarnet), 중증화상이나 AIDS에 사용되는 성장호르몬, 항종양약물인 8-chloro-cyclic AMP 등이 있다.

6) 기타

(1) 부동

부동은 골흡수를 증가시키는 다른 원인(젊은 연령, 부갑상선항진증, 골수종이나 유방암의 골격전이, 패깃병)과 관련되어 있을 때 고칼슘혈증을 유발할 수 있다. 척수손상에 의한 하지마비, 사지마비 또는 골절 후 광범위한 부목고정을 시행한 경우 등에서 관찰될 수 있다. 부동에 의한 고칼슘혈증은 연령이 중요한데 뇌졸중 후 부동상태에 있는 노인에서는 거의 발생하지 않으며 척수손상 등으로 부동상태에 있는 어린이나 젊은 연령에서 잘 발생한다. 고칼슘혈증보다는 고칼슘뇨증이나 많은 양의 골소실이 진행되는 경향이 있다. 부동은 골형성의 억제와 골흡수의 현저한 증가를 통해 두 과정의 비결합상태를 초래한다. 결과적으로 골격으로부터 칼슘의 막대한 손실이 일어나 고칼슘혈증과 골량의 감소가 유발된다. 스클레로스틴(sclerostin)이 이 과정을 매개하는데 스클레로스틴은 부동 환자에서 증가되어 있고 골형성을 억제한다. 정상적인 체중부하의 회복이 이 과정을 가장 효과적으로 정상화시킬 수 있으며 대안으로는 비스포스네이트와 칼슘의 신배설을 증가시킬 수 있는 수분 공급과 고리작용 이뇨제가 있다.

(2) 밀크-알칼리증후군

밀크-알칼리증후군은 과거 우유와 중탄산나트륨을 소화궤양치료에 사용하던 시기에 고칼슘혈증, 대사알칼리혈증, 신기능부전의 형태로 관찰되었다. 궤양치료에 비흡수성제산제를 사용하면서 밀크-알칼리증후군은 감소추세를 보였으나 최근 골다공증과 위장관질환에 탄산칼슘 사용으로 다시 증가되는 경향을 보이고 있다. 칼슘은 흡수율이 높지 않아 하루 정상적인 800-2,000 mg의 요소(elemental) 칼슘 섭취는 고칼슘혈증을 일으키지 않으나 4,000 mg 이상의 칼슘섭취는 고칼슘혈증을 일으킬 수 있다. 고칼슘혈증은 PTH를 억제하여 중탄산의 흡수를 증가시키고 이는 알칼리혈증을 조장한다. 알칼리혈증은 신장에서 칼슘의 청소율을 감소시키고 이는 고칼슘혈증을 조장하게 된다. 신석회화증, 신성요붕증, 고칼슘혈증으로 인한 사구체여과율저하, 구토 등에 의한 혈장량의 감소는 신부전을 초래하게 된다. 수분 공급, 칼슘섭취의 교정으로 고칼슘혈증은 정상화될 수 있으나 신장 손상은 회복되지 않을 수도 있다.

(3) 알루미늄중독증

만성적으로 투석 환자에서 발생되며 치매와 심한 골연화증이 유발된다. 알루미늄은 유골(osteoid)이 무기질화되는 부위에 침착되고 골모세포의 기능이 감소되어 뼈에 칼슘의 침착이 이루어지지 않는다. 고칼슘혈증은 이들에게 비타민D나 활성형 비타민D를 투여한 것에 대한 이상반응으로 발생될 수 있다.

(4) 윌리암증후군(William's syndrome)

대동맥판막상부의 협착증, 지적장애, 요정얼굴형상을 보이는 환자에서 첫 수년간에 일시적인 고칼슘혈증을 나타낸다. 엘라스틴(elastin)유전자, LIM-인산화효소 1유전자 등의 변이가 관찰되나 칼슘이상에 대한 정확한 분자생물학적인 원인은 규명되지 않았다. 고칼슘혈증 동안 $1,25(OH)_2D_3$이 증가했다가 칼슘이 정상화되면서 감소되는 것으로 볼 때 유전자변이가 비타민D수용체 및 비타민D반응에 영향을 주는 것으로 예상된다.

(5) 얀센골간단연골이형성증(Jansen's metaphyseal chondrodysplasia)

PTH/PTHrP수용체의 돌연변이로 지속적인 활성화를 초래하여 PTH이 증가된 것과 같은 효과를 나타내게 된다. 뼈 몸통끝 성장판 분화와 연골세포증식 이상으로 성장장애가 관찰되며 고칼슘혈증, 저인산염혈증과 함께 PTH는 억제되어 있다.

(6) 완전 비경구 영양

만성적인 완전 비경구 영양공급을 받는 경우에 고칼슘혈증이 발생할 수 있다. 어떤 경우에는 비경구영양액 속에 과량의 칼슘과 비타민D가 포함된 결과로 발생하였다.

(7) 비정상 단백질 결합

어떤 경우에는 고칼슘혈증이 거짓으로 발생할 수 있다. 일반적으로 이 경우 총 혈청칼슘은 증가되지만 이온화칼슘은 정상이다. 예를 들면, 심한 탈수는 혈청알부민을 증가시켜 총 칼슘을 증가시킬 수 있으나 이온화칼슘은 증가하지 않는다. 다발골수종이나 Waldenstrom 거대글로불린혈증과 같이 증가된 단일클론 면역글로불린이 칼슘이온과 결합하게 되어 비슷한 상황이 발생할 수 있다. 이 경우에도 이온화칼슘과 요칼슘배설은 정상이다.

(8) 저인산염혈증

랫트에서 식이인산을 심하게 결핍시키면 저인산염혈증과 고칼슘혈증이 유발된다. 이 결과는 사람에서는 증명되지 않았지만 중등도 이상의 저인산염혈증이 부갑상선항진증, 악성종양고칼슘혈증, 고칼슘혈증을 유발하는 다른 질환에서 흔히 동반되기 때문에 주목할 만하다. 심한 저인산염혈증이 있는 경우 고칼슘혈증이 치료에 잘 반응하지 않기 때문에 저인산염혈증을 우선적으로 치료해야 한다는 의견도 있다.

7) 치료

고칼슘혈증의 치료는 기저의 병태생리를 표적으로 하는 것이 적절하다. 예를 들면, 부갑상선선종의 제거, 비타민D나 PTH와 같이 문제가 되는 약물의 중단이나 감량 또는 고칼슘혈증을 일으키는 종양에 대한 화학요법이나 수술은 적절한 치료전략이 된다. 물론, 때로는 확진이 이루어지기 전에 치료가 시작되어야 한다. 이 경우에도 기저 병태생리를 대상으로 치료하는 것이 가장 적절하다. 따라서, LOH, HHM, 부동과 같이 골흡수가 가속화된 환자들에서는 졸레드로네이트나 파미드로네이트와 같은 정맥내 비스포스포네이트가 치료에 포함되어야 한다. 유육종증, 밀크-알칼리증후군,

비타민D중독증, $1,25(OH)_2D_3$ 분비림프종과 같이 고칼슘혈증이 일차로 위장에서의 칼슘흡수의 항진인 경우는 경구 칼슘, 비타민D 섭취, 일광노출의 감소나 제한이 적절할 수 있다. 탈수와 같이 고칼슘혈증에 신장이 원인이 되는 경우, 생리식염수 주입과 고리작용이뇨제를 통해 신장칼슘 재흡수를 차단함으로써 사구체여과율을 증가시켜 칼슘의 신배설을 증가시킬 수 있다. 많은 환자들에서 여러 원인이 복합적으로 발생하므로(예: 탈수와 함께 LOH에서의 골흡수의 증가 등) 각각의 원인요소들을 대상으로 적절한 치료가 이루어져야 한다.

악성종양 환자에서 가장 효과적인 장기치료는 종양의 근치이다. 하지만, 이것이 가능하지 않거나 화학요법의 반응을 기다리는 중인 경우 적극적인 생리식염수 투여와 심부전징후에 대한 주의 깊은 관찰, 고리작용이뇨제 투여가 적절하다. HHM과 LOH 환자에서 경구칼슘을 제한하는 것은 중요하지 않은데 종말증이 흔하고 $1,25(OH)_2D_3$이 낮아 장에서 칼슘흡수가 이미 적기 때문이다. 한편, 림프종이나 난소고환종에서 발생하는 $1,25(OH)_2D_3$ 유발 고칼슘혈증은 경구 칼슘과 비타민D를 제한하는 것이 중요하다. 일반적으로 총 혈청칼슘이 12.0 mg/dL을 초과하면 정맥내 비스포스포네이트를 빨리 시작하는 것이 좋다(표 11-2-3).

육아종질환의 경우 결핵과 같이 교정가능한 기저원인을 치료하는 것이 매우 중요하다. 유육종증에는 칼슘, 비타민D 섭취, 일광 노출을 제한하고 수분공급을 한다. 육아종을 치료하고 장에서의 칼슘 흡수와 $1,25(OH)_2D_3$를 낮추기 위해 당질부신피질호르몬 치료가 필요할 수 있다.

부동에 의한 고칼슘혈증의 경우 체중 부하 보행이 치료의 중심이 된다. 하지만, 때로는 척수손상이나 통증으로 가능하지 않을 수 있다. 이 경우 충분한 수분 공급과 정맥내 비스포스포네이트가 효과적이며 중요하다.

표 11-2-2의 나머지 원인에 대해서는 기저 이상의 교정 또는

문제가 되는 약물의 중단이나 감량이 혈청칼슘을 교정할 수 있다.

II. 저칼슘혈증

이시훈

1. 정의 및 역학

저칼슘혈증은 이온화칼슘의 혈중 농도가 비정상적으로 낮은 경우로 정의할 수 있으며, 다양한 원인들에 의해 발생할 수 있다. 이온화칼슘은 골격근 및 심근수축, 심장전기전도, 혈액응고, 분비 및 신경전달 등을 포함한 많은 필수적인 세포기능을 유지하는 데 결정적인 역할을 한다. 총혈청칼슘의 약 50%가 이온화칼슘의 형태로 존재하고, 45–50%는 단백질과 결합되어 있는데 주로 알부민과 결합되어 있고, 일부는(< 5%) 혈중 음이온들과 복합체를 이루고 있다. 따라서 혈청 알부민이 감소되어 있으면 총혈청칼슘이 정상치 이하로 감소하게 되는데, 이러한 경우 저칼슘혈증이 있는 것으로 오인할 수 있다. 혈청알부민 감소가 혈청총칼슘치에 영향을 미치는 효과를 교정하기 위해서는 혈청알부민치가 4.0 g/dL 이하일 경우, 알부민이 1 g/dL 감소할 때마다 혈중 총 칼슘치에 0.8 mg/dL를 더해주면 되는데, 좀 더 정확하게 하면 '총 칼슘교정치=총 칼슘 측정치 + [0.8 × (4.0–혈청 알부민 측정치)]'와 같이 계산한다. 그러나, 알부민 이외에도 pH 및 일부 혈중물질 등도(예: 구연산, 인산, 파라단백질) 혈청총칼슘치에 영향을 미칠 수 있어서 이온화칼슘 계산치가 실제 측정치를 제대로 반영하지 못할 수 있으므로, 조금이라도 의심스러운 경우에는 이온화칼슘을 직접 측정하는 것이 좋다.

저칼슘혈증의 정확한 발생률 및 유병률은 알려진 바가 없으며, 저칼슘혈증의 주요 원인인 부갑상선저하증의 경우 덴마크의 건강보험자료를 토대로 후향의무기록을 확인한 역학

연구에 따르면 수술 후 부갑상선저하증의 유병률은 10만 명당 22명, 수술과 무관한 부갑상선저하증의 유병률은 10만 명당 2.3명, 거짓부갑상선저하증은 10만 명당 1.1명이었다. 최근 국내 국민건강보험공단 자료를 바탕으로 조사한 연구결과에 의하면 2007년부터 2016년까지 29,000여 건의 수술 후 부갑상선저하증이 발생하였고, 수술과 무관한 부갑상선저하증의 유병률은 10만 명당 0.2명으로 보고되었다.

2. 증상 및 징후

이온화칼슘이 낮은 경우 증상이 전혀 없을 수도 있고 심한 증상이 있을 수도 있다. 증상은 중증도 및 만성정도에 따라 다르다. 만성저칼슘혈증은 대부분 증상이 있고 치료를 요하지만, 경우에 따라서는 이온화칼슘이 매우 낮은데도 불구하고 증상이 없을 수도 있다. 혈중 칼슘치가 7.5 mg/dL 이하로 감소하면 명백한 저칼슘혈증증상의 빈도가 증가하지만, 저칼슘혈증의 정도나 발생속도가 임상증상과 꼭 일치하지는 않는다. 저마그네슘혈증이나 고칼륨혈증 환자에서도 유사한 소견이 나타날 수 있고 저칼슘혈증에 의해 악화될 수 있다.

저칼슘혈증이 있을 때 신경근육계의 과민성이 가장 흔히 나타나는 증상으로서 강축은 저칼슘혈증의 전형적인 징후이지만 항상 발생하지는 않고, 특히 사지원위부 및 얼굴 부위의 감각이상증상이 더 흔히 나타난다. 손발경련, 근육경련, 입 주위 부분의 저림감, 복통 등이 나타날 수 있는데, 강축 증상은 발보다는 손에서 더 흔히 관찰되며 현성강축 전에 이상감각, 감각둔화 등이 흔히 동반된다. 강축에 의한 환자의 불안감이 과호흡을 유발하여 호흡성 알칼리증이 초래되어 저칼슘혈증의 증상이 악화될 수 있다. 저칼슘혈증이 심할 경우 후두부 경련이 발생할 수 있고 중추신경계의 흥분도가 증가하면 전신적 경련이 초래될 수 있으며 때로는 전형적인 간질발작의 형태로도 나타날 수 있다. 간질발작과는 달리 저칼슘혈증에 의한 경련은 발작전구증상이 적고 발작 중 의식소실, 요실금 및 발작 후 의식변화는 대부분

없다. 그 밖에 후두부 경련, 기관지 수축, 호흡마비 및 혼수 상태까지 발생할 수 있다. 만성저칼슘혈증의 다른 임상증상으로서 가성 시신경유두부종, 두개내압 항진 그리고 피부가 마르고 거칠어질 수 있다. 잠복성강축(latent tetany)은 자극유발검사에 의해 발생하는 징후로서 트루소징후(Trousseau sign) 및 츠보스텍징후(Chvostek sign)로 확인할 수 있다. 트루소 징후는 상완부에 혈압계를 감고 수축기혈압보다 높은 압력으로 3분 정도 유지하면 척골신경 및 정중신경의 허혈에 의해 엄지손가락은 내전, 중수지절관절은 굴전, 지절간 관절은 신전되면서 손부위에 경련이 발생하고 심한 경우에는 통증도 발생할 수 있다(그림 11-2-

15). 츠보스텍징후는 협부 하방의 안면신경부위를 두드리면 같은 쪽의 입, 코 및 눈 주위를 포함한 안면근육들의 불수의적인 수축이 유발된다.

특히 부갑상선저하증의 유병기간이 긴 환자에서 특징적으로 기저핵부위에 석회화가 나타나고 드물게 추체 외로 신경학적기능 이상이 발생할 수 있는데, 영상진단 시 기저핵 부위 및 기타 뇌부위에 석회화증을 보일 수도 있다(그림 11-2-16). 장기간 동안 칼슘–인산복합체가 증가함으로서 백내장이 발생할 수 있고 가성 뇌종양이 발생할 수 있다. 만성의 저칼슘혈증 환자에서 두개내압이 증가하여 시신경유두부종이 발생할 수 있고, 불안, 우울증, 과민성 및 정신병 등과 같은 정신적인 변화도 초래될 수 있다. 그 외에도 전반적인 무력감 및 피로감 등이 나타날 수 있다. 저칼슘혈증에 의해 심장에서의 재분극에 이상이 초래될 수 있는데 심전도상 QTc 간격이 증가하게 되며 부정맥이 발생할 수 있고 가역적인 심부전이 발생할 수 있으며 디지탈리스 효과가 감소할 수 있다. 오랫동안 저칼슘혈증이 지속될 경우 심근병증에 의해 울혈심부전증이 발생할 수도 있다. 때로는 증상이 없다가 기본적인 혈액검사상에서만 혈청칼슘이 감소되어 있는 것이 확인되어 진단되기도 한다.

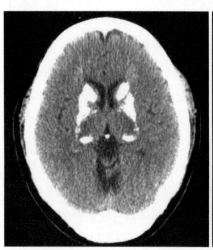

그림 11-2-15. **트루소징후(Trousseau sign)**

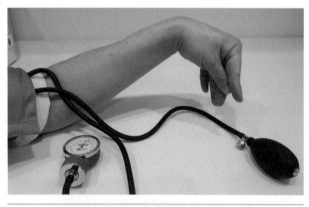
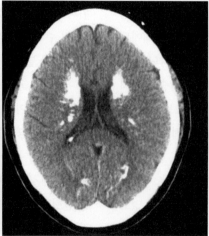
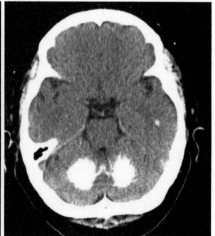

그림 11-2-16. **부갑상선저하증연관뇌석회화증**

유전이든 후천이든, 부갑상선저하증은 여러 가지 공통점을 갖는다. 저칼슘혈증을 치료하지 않을 경우 저칼슘혈증의 증상은 두 경우 모두 나타나나, 유전인 경우에 증상이 좀 더 서서히 나타나고 다른 발육이상을 동반한다. 기저핵석회화증 및 추체외로 증상들은 유전인 경우에 더 흔하고 더 빨리 나타난다. 부갑상선호르몬생성이상이 아닌 부갑상선호르몬의 작용이상을 보이는 거짓부갑상선저하증에서도 골격외 석회화증, 무도무정위운동 및 근육긴장이상과 같은 추체외로 증상을 보일 수 있다. 탈모증, 캔디다증과 같은 피부증상은 자가면역다선증후군과 동반되어 나타나는 유전부갑상선저하증의 특징적 소견이다.

3. 원인 및 병태생리

부적절한 부갑상선호르몬반응을 보이는 부갑상선저하증은 부갑상선이 생화학적으로 활성이 있는 부갑상선호르몬을 충분하게 분비하지 못하거나 또는 부갑상선호르몬이 표적 조직에서 적절한 생화학반응을 나타내는 능력이 없을 때 저칼슘혈증 및 고인산염혈증을 나타내는 대사질환군을 의미한다. 즉, 부갑상선기능부전이 있거나, 말초기관에서 부갑상선호르몬이 효과적으로 작용을 하지 못하거나, 세포바깥액에서 칼슘이 소실되는 속도가 보충되는 속도에 비해 훨씬 빨라서 부갑상선호르몬의 작용능력을 넘어서는 경우에 발생할 수 있다.

여러 가지 유전 또는 후천질환에 의해 부갑상선의 발생에 문제가 생기거나 정상적인 호르몬 생산에 문제가 발생할 수 있고 또는 부갑상선이 파괴될 수도 있다(표 11-2-6). 그 결과 저칼슘혈증이 발생하고 대부분은 고인산염혈증이 동반되며 부갑상선호르몬은 측정되지 않을 정도로 매우 낮거나 또는 부적절하게 낮게 나타난다.

부갑상선호르몬이 효과가 없는 경우들로는 호르몬수용체–구아닐뉴클레오타이드–결합 단백질 복합체에 결함이 있는 거짓부갑상선저하증, 비타민D 결핍이나 비타민D가 작용을 하지 못하여 부갑상선호르몬이 식이 섭취로부터 칼슘 흡수를 촉진시키기 위한 작용에 장애가 있을 경우 또는 만성신부전증이 있어서 부갑상선호르몬의 칼슘 상승작용에 장애가 있을 경우 등이 있다. 비타민D결핍증이 있을 경우 부갑상선호르몬이 증가하게 되며 이 때 혈중 칼슘을 상승시키는 효과는 크지 않은데 비해 소변 내로 인산배설을 증가시켜서 저인산염혈증이 나타난다.

부갑상선저하증 환자에서 혈장부갑상선호르몬 농도는 감소되어 있거나 없다. 반면에 거짓부갑상선저하증 환자에서는 혈장부갑상선호르몬이 증가되어 있으며 이것은 표적조직이 부갑상선호르몬의 생화학작용에 대해 적절하게 반응하지 않음을 의미한다. 이 질환의 원인은 구아닐뉴클레오타이드–결합단백질 활성화의 결함으로서 부갑상선호르몬이 세포내 cAMP를 증가시키지 못한다.

거짓부갑상선저하증과 부갑상선저하증은 서로 구별되는 몇 가지 중요한 특징들이 있다. 첫째로 혈중 부갑상선호르몬치가 가성부갑상선저하증에서는 증가되어 있고 부갑상선저하증 환자에서는 감소되어 있다. 둘째로, 소변 중 칼슘배설분획은 부갑상선저하증에서는 증가되어 있고, 거짓부갑상선저하증에서는 감소되어 있다. 부갑상선호르몬이 존재하지 않는 상황에서는 원위신세뇨관에서 사구체여과액으로부터의 칼슘의 능동수송이 감소되어 있다. 저칼슘혈증이 있는 부갑상선저하증 환자에서 소변 중 칼슘배설은 낮거나 정상이지만 치료를 함으로써 혈청칼슘이 정상으로 회복되면 신장에서 여과되는 칼슘의 양이 증가하게 되고 이에 따라 소변칼슘배설도 증가하게 된다. 반면에, 거짓부갑상선저하증 환자에서는 원위신세뇨관에서 부갑상선호르몬에 대해서 반응을 하므로 과다치료에 의해 부갑상선호르몬이 억제되지만 않으면 소변칼슘배설은 여과된 칼슘 양에 비해 낮다. 셋째로, 거짓부갑상선저하증 환자에서 부갑상선호르몬에 대한 뼈에서의 반응은 정상이므로 부갑상선호르몬치가 매우 증가되어 있는 환자에서는 과도한 골재형성이 일어날 수 있다. 결과적으로 부갑상선호르몬은 뼈에 저장되어 있는

표 11-2-6. 저칼슘혈증의 원인

부갑상선 관련 질환	비타민D 관련 질환

부갑상선의 생성 및 부갑상선호르몬의 합성장애
• 발생장애
  - 디조지증후군(DiGeorge syndrome)/Catch-22
  - 부갑상선저하증, 감각신경성난청 및 신장형성이상증후군(HDR
    증후군)
  - 부갑상선저하증-지체-이상형태증(HRD) 및
    Kenny-Caffey증후군
  - 단독부갑상선저하증(isolated hypoparathyroidism)
• 부갑상선의 파괴
  - 수술
  - 방사선 치료 및 침윤성 질환
  - 자가면역다선증후군 제1형
	비타민D 결핍
	• 영양결핍
	• 일광노출부족
	• 흡수장애
	• 만성간기능부전 및 간경화증
	• 만성신장질환

	비타민D대사이상 • 항경련제, Isoniazid • 비타민D의존구루병 제I형
	비타민D저항 • 비타민D의존구루병 제III형
부갑상선호르몬의 분비장애 • 보통염색체우성저칼슘혈증 • 부갑상선호르몬유전자돌연변이 • 항-칼슘감지수용체항체(Anti-CaSR Antibodies)	**기타질환**
	사립체질환
	화상
	임산부에서의 부갑상선항진증
	고마그네슘혈증 및 저마그네슘혈증

부갑상선호르몬저항증후군
• 거짓부갑상선저하증 type 1(PHP-1)
  - 거짓부갑상선저하증 type 1a (PHP-1a)
  - 거짓부갑상선저하증 type 1b (PHP-1b)
  - 거짓부갑상선저하증 type 1c (PHP-1c)
• 거짓부갑상선저하증 type 2 (PHP-2)
• 거짓거짓부갑상선저하증(PPHP)
• 신생아에서의 일시적거짓부갑상선저하증
	고인산염혈증
	• 신부전증
	• 횡문근융해증
	• 종양융해
	• 과량의 인산흡수

	급성췌장염
	부갑상선절제술
	골기아증후군(hungry bone syndrome)
	패혈증 및 급성중증질환
	약물 및 기타

칼슘 및 인산을 유리시키게 된다. 넷째로, 부갑상선저하증은 골전환율이 감소되어 있어서 골흡수 및 골형성과 관련한 생화학적표지자들이 감소되어 있는데 반해, 거짓부갑상선저하증 환자에서는 골전환율이 정상이거나 증가되어 있다. 부갑상선저하증 환자에서 낮은 골전환율이 장기간 동안 지속되는 경우에 연령 및 성별이 비슷한 대조군에 비해 골량이 더 증가하는데 특히 요추에서 더 증가한다. 골형태계측학적소견에 의하면 부갑상선저하증 환자에서는 소주골 용적, 소주골 넓이 및 피질골 넓이가 유의하게 증가되어 있고, 동적 골지표들은 유의하게 억제되어 있다.

4. 임상특성

1) 부갑상선 관련 질환

(1) 부갑상선의 생성 및 부갑상선호르몬의 합성장애
① 발생장애
유전부갑상선저하증은 부갑상선의 발생장애에 의해 발생할 수 있다. 부갑상선의 발생과 관련 있는 유전자들은 Hoxa3, Pax1, Pax9, Eyal, GCMB, Sox3, GATA3 및 Tbx1과 같은 전사인자들을 생성하는데 이들 유전자에 돌연변이가 발견된 환자들이나 유전자를 소실시킨 실험동물에서 유사한

임상양상이 확인된다. 사람에서 부갑상선은 임신 5주 동안에 출현하여 상부 두 개의 부갑상선은 네 번째 인두강에서 유래하고, 흉선 및 하부 두 개의 부갑상선은 세 번째 인두강으로부터 유래하여 갑상선이 위치하는 부위로 이동하게 되는데, MafB 소실생쥐에서 부갑상선이 충분히 이동하지 않는 것이 발견되어 이소성 부갑상선의 원인 중 하나로 지목되고 있다.

가. 디조지증후군(diGeorge syndrome)/CATCH-22

디조지증후군은 세 번째 및 네 번째 인두강의 태생기 발생이상으로부터 생기고 흉선 및 부갑상선의 형성저하증을 초래한다. 흔히 심장이상, 구개열, 특이한 얼굴형태 등을 나타내며, 디조지증후군 환자의 60%에서 부갑상선저하증이 나타난다. 흉선결손에 의해 T세포매개면역이 감소하고 감염이 흔하다. 대부분은(70-80%)은 22q11.21-q11.23 염색체에 이상이 있으며, TBX1유전자의 불활성화 점돌연변이가 관련이 있다. 대부분은 산발적으로 발생하나 보통염색체우성유전으로 발생하기도 한다. 사람에서는 22q11 염색체의 미세결손이 가장 흔한 원인으로서 신생아에서 1:3,000의 비율로 발생한다. 디조지증후군 외에도 22q11 염색체 내의 결손은 conotruncal anomaly face syndrome 및 입천장심장얼굴증후군(velocardiofacial syndrome, VCFS)을 일으킬 수 있다. 입천장심장얼굴증후군은 전형적으로 유년기 후반에 진단되고, 저칼슘혈증은 약 20%에서 나타난다. 이러한 질환들은 여러 가지 다양한 증상들이 겹치고, 모두 22q11 염색체의 결손과 관련되어 있으므로, 심장이상(cardiac abnormality), 얼굴이상(abnormal facies), 흉선형성부전(thymic hypoplasia), 구개열(cleft palate) 및 저칼슘혈증(hypocalcemia) 등 일련의 증후군 머리글자를 따서 "CATCH-22"라고도 한다.

나. 부갑상선저하증, 감각신경성 난청 및 신장형성이상증후군 (HDR증후군)

부갑상선저하증, 감각신경성 난청 및 신장형성이상증후군(hypoparathyroidism, sensorineural deafness, re-nal dysplasia syndrome, HDR)은 10p 염색체에 이상이 있으며 디조지증후군과는 달리 심장 및 구개이상 또는 면역학적 이상소견이 없다. HDR은 전사인자인 GATA3가 관련되어 있음이 확인되었는데, GATA3는 중추신경계 및 T세포 발생기관뿐만 아니라 태생기에 신장, 귀 및 부갑상선 발생 시에도 발현된다.

다. 부갑상선저하증-지체-이상형태증(HRD) 및 Kenny-Caffey증후군

부갑상선저하증-지체-이상형태증증후군(hypoparathy-roidism-retardation-dysmorphism, HRD)은 San-jad-Sakati (SS)증후군으로도 알려져 있으며 보통염색체 열성으로 유전되는 드문질환으로서 다른 발달이상들과 연관되어 있다. 부갑상선의 발생장애 외에도, 중증 성장장애 및 정신지체, 소두증, 소안구증, 작은 손 및 발, 그리고 비정상적인 치아 등을 나타낸다. 이 질환은 거의 모두가 아랍계 후손들에서 나타난다. Kenny-Caffey증후군은 부갑상선저하증, 왜소증, 골경화증, 피질골 두께의 증가, 장골의 수질 협착증 및 눈의 이상 등의 특징을 보이는 유전자이상질환이다. 두 질환은 모두 1q43-44 염색체에 이상이 있고, 튜불린(tubulin) 기능과 관련이 있는 샤페론(chaperone)단백질인 TBCE (tubuline-specific chaperone E)와 관련이 있다.

라. 단독성부갑상선저하증(isolated hypoparathy-roidism)

부갑상선저하증이 단독이상으로 드물게 나타나는데 유전기전은 다양하다. 유전양상은 보통염색체우성, 보통염색체열성 및 X염색체-연관형 등으로 나타난다.보통염색체 열성 혹은 우성으로 유전되는 단독성부갑상선저하증의 가장 큰 원인은 6p23 염색체에 있는 GCMB (glial cell missing B)유전자의 불활성화이다. GCMB는 부갑상선의 발달에 필수적인 전사인자로서 불활성화되면 신생아에서 부갑상선 무형성증 또는 형성이상과 함께 심한 단독성부갑상선저하증이 초래된다. GCMB는 태아기 부갑상선의 발달에 관여할 뿐만 아니라 생후 성체에서도 부갑상선에 가장 많이 발현되는 전사인자이기 때문에 그 기능에 관심이 모아지고 있다. X-연관 열성으로 유전되는 단독성부갑상선저하증이 남성에서 보고된 바 있고 Xq26-q27 염색체에 이상이 있으며 SOX3유전자와 관련이 있는 것으로 생각되고 있다.

② 부갑상선의 파괴

가. 수술

부갑상선저하증의 가장 흔한 원인은 수술로 인한 부갑상선의 파괴이다. 해부학적으로 부갑상선은 갑상선과 매우 근접해 있으므로 그레이브스병이나 갑상선암의 치료방법의 하나로서 갑상선전절제술 또는 근전절제술 등을 시행할 경우에 합병증으로 부갑상선이 파괴되거나 부갑상선조직으로의 혈액공급 장애로 인해 다양한 정도의 부갑상선저하증이 발생할 수 있다. 두경부암에 대한 적극적인 수술치료에 의해서도 부갑상선이 손상받을 수 있고, 일차부갑상선항진증에 대한 반복적인 수술 등에 의해 부갑상선이 수술적으로 제거되었거나 손상을 받은 경우에도 부갑상선저하증이 발생할 수 있다. 후천부갑상선저하증은 대부분 수술적으로 모든 부갑상선이 제거되었을 때 발생하는데, 때에 따라서는 모든 조직이 다 제거되지 않았더라도 수술 후에 경부에 섬유성 변화가 오면서 이차적으로 나머지 조직에 혈액공급에 장애가 생기면서 발생할 수도 있다. 과거에는 후천부갑상선저하증의 가장 흔한 원인은 갑상선기능항진증에 대한 수술로 인해 발생하였으나, 부갑상선을 보존하는 수술적 기법이 발전되고 또한 갑상선기능항진증에 대해서도 비수술적인 치료법이 많이 이용됨으로써 수술에 의한 부갑상선기능부전의 빈도는 많이 감소하였다. 영구적인 부갑상선저하증이 발생할 위험이 높은 환자에서는 부갑상선절제술을 시행할 때 부갑상선조직을 상완요골근 또는 흉쇄유돌근 내에 자가이식을 하거나 필요할 경우 다음에 이식을 하기 위해 냉동보관할 수 있다. 실제로 임상에서는 일시적인 부갑상선저하증이 더 흔하며, 수술 후 첫 24-48시간 동안에 혈중 총칼슘이 약 1 mg/dL 정도 감소하는데, 이것은 부갑상선의 일시적인 혈액공급장애 또는 기계적 손상이 원인일 것으로 생각되고 있다.

나. 방사선 치료 및 침윤성 질환

부갑상선은 방사선에 비교적 잘 견디는 조직이지만 경부 및 종격동부위에 광범위한 방사선 치료를 받은 환자의 일부에서 드물게 부갑상선저하증이 보고되고 있고, 갑상선기능항진증 환자에서 방사성요오드치료 이후에 부갑상선저하증이 발생하기도 한다. 반복적인 수혈 이후에 혈색소침착증 또는 혈철침착증 환자에서 부갑상선이 손상을 받아 후천만성 부갑상선저하증이 발생할 수 있고, 지중해빈혈 환자의 경우 빈번한 수혈에 의한 철분 과다로 인해 약 14%의 환자에서 부갑상선저하증이 발생할 수 있다. 또한 윌슨씨병과 같은 환자에서와 같이 부갑상선이 중금속에 과다 노출되거나 종양이나 육아종질환 등과 같은 침윤성 질환에서도 발생할 수 있다. 후천면역결핍증 환자에서도 부갑상선저하증이 보고된 바 있다.

다. 자가면역다선증후군 1형

부갑상선의 자가면역 파괴는 자가면역다선증후군1형(autoimmune polyglandular syndrome type 1) 또는 autoimmune polyendocrinopathy–candidiasis–Ectodermal dystrophy (APECED)증후군으로 불리는 면역-매개질환과 연관되어 가장 흔히 발생한다. 21q22.3 염색체 상의 자가면역조절자(autoimmune regulator, AIRE)유전자의 돌연변이에 의해 발생하며 산발성 또는 보통염색체 열성으로 나타난다.

이 증후군의 전형적인 3대증상은 부갑상선저하증(hypoparathyroidism), 부신부전증(adrenal Insufficiency), 점막피부캔디다증(mucocutaneous candidiasis) 등이다 (HAM). 전형적으로 유년기 및 청소년기에 나타나며 대부분의 환자에서 10세 이전에 저칼슘혈증이 나타난다. HAM 증상들의 시간적 경과는 어느 정도 예측 가능한데, 점막피부 칸디다증 및 부갑상선저하증이 첫 10대 때 나타나고 그 이후로 15세가 되기 이전에 일차부신부전이 발생한다. 캔디다증은 피부, 손발톱, 구강 및 질 점막에 나타날 수 있고 흔히 치료에 잘 반응하지 않는다. 애디슨씨병은 부갑상선저하

증의 증상을 상쇄시킬 수도 있고, 또는 부갑상선저하증의 증상이 개선되어 칼슘과 비타민D의 요구량이 감소한 후에야 증상이 나타날 수도 있다. 부갑상선저하증이 있는지 확인되지 않은 상황에서 부신부전에 대해 당질부신피질호르몬 치료를 시행할 경우 위장관에서 칼슘의 흡수를 감소시키고 신상으로의 칼슘 배설을 증가시켜서 저칼슘혈증을 악화시킬 수 있다. 약 1/3의 환자들에서는 성선저하증, 1형당뇨병, 갑상선기능저하증 및 뇌하수체염 등과 같은 다른 내분비기능이상이 발생할 수도 있다. 내분비 이외의 질환으로서는 흡수장애, 악성 빈혈, 백반증, 탈모증, 손발톱 및 치아 발육이상, 자가면역간염 및 담즙성 간경변증 등이 발생할 수 있다.

면역학적인 이상은 부갑상선을 손상시키거나 파괴시키는세포독성항체와 연관되어 있을 수 있다. 자가면역다선증후군 1형 환자의 약 50%에서 부갑상선 자가항원이 확인되었는데 NACHT leucine-rich-repeat protein 5 (NALP5)라는 신호전달물질로서 이에 반응하는 항체가 부갑상선주세포의 세포질에서 확인된다. 또 다른 병태생리기전으로는 칼슘수용체와 결합하여 활성화하는 항체가 혈중에 존재하여 부갑상선세포로부터 부갑상선호르몬의 분비를 감소시키는 것으로 생각되고 있다.

(2) 부갑상선호르몬의 분비장애
① 보통염색체우성저칼슘혈증
보통염색체우성저칼슘혈증1형(autosomal dominant hypocalcemia type 1, ADH1)은 칼슘감지수용체(CaSR)유전자의 활성화돌연변이 때문에 가장 흔히 발생한다. 대부분의 돌연변이는 수용체의 세포막 및 세포외 영역에서 발견되고 세포외 칼슘을 감지하는 세트포인트를 낮춘다. 칼슘인지수용체의 활성화돌연변이는 부갑상선 및 신장에서 칼슘-유도 신호전달에 가장 큰 영향을 미친다. 부갑상선세포에서 칼슘인지수용체의 활성화 돌연변이가 일어나면 칼슘치가 높은 것으로 잘못 인지하여 부갑상선호르몬의 분비를 억제하여 저칼슘혈증을 초래한다. 신장에서는 헨레고리의 굵은마디상행각의 세뇨관세포에서 활성화된 칼슘감지수용체가 혈청칼슘 농도를 실제보다 높은 것으로 잘못 인지하여 신장으로의 칼슘배설을 증가시켜 칼슘 배설 분획을 증가시키고 여과된 칼슘의 양에 비해 상대적 또는 절대적인 고칼슘뇨증을 일으킨다. 저칼슘혈증은 흔히 경증이기 때문에 인지되지 못할 수 있는데, 이 질환을 제대로 인지하지 못할 경우, 저칼슘혈증을 치료하기 위해 비타민D유사체를 사용하거나 경구칼슘 섭취를 증가시킬 경우 이미 소변으로 과량의 칼슘이 배설되고 있는 상황(24시간당 수 g 이상)을 더욱 악화시켜 요로결석에 의한 비가역적인 신장 손상 및 이소성 석회화증 등을 초래할 수 있다. 저칼슘혈증 및 고칼슘뇨증은 대부분의 경우에 경증으로 나타나지만 일부 환자들에서는 중증 저칼슘혈증이 발생할 수 있다. 칼슘감지수용체 대항제(calcilytics)를 ADH1의 치료제로 사용해 보려는 임상 시험들이 진행 중에 있다. 최근에는 CaSR의 주요 매개체인 G11단백질의 알파소단위(Gα11)의 활성화 돌연변이에 의한 보통염색체우성저칼슘혈증2형(Autosomal Dominant Hypocalcemia type 2, ADH2)도 보고되었다. ADH2는 ADH1과 유사한 임상양상을 보인다.

② 부갑상선호르몬유전자돌연변이
드물게 부갑상선호르몬(PTH)유전자의 돌연변이에 의해 부갑상선호르몬의 합성 및 분비에 장애를 일으킬 수 있는데 주로 PTH유전자의 시그널펩타이드에 발생한 돌연변이이다(그림 11-2-17). 최근에는 성숙 PTH에 발생한 세 개의 돌연변이(p.Ser32Pro, p.Gly43Glu, p.Arg56Cys)가 보고되었는데, 이 경우 PTH 합성 및 분비에 특별한 이상은 없고, 오히려 더 높은 농도의 PTH유사체를 분비하는 것으로 나타났다. p.Arg56Cys 돌연변이를 통해 PTH의 56번째 아미노산인 Arg과 PTHR1의 결합부위에 칼슘이 결합하여 구조적으로 안정화를 이루고 이 복합체가 표적세포 내로 이동하여 20분 이상 지속적인 cAMP를 생성함으로써 PTHrP와 기능적 차별성이 있음을 보고하였다. 그리고 이 변이가 PTH펩타이드를 이용한 생리학적 활성을 이용해 새로운 치료제 개발에 대한 시도가 이루어지고 있다.

③ 항칼슘수용체항체(anti-CaSR Antibodies)

자가면역부갑상선저하증은 부갑상선세포에 대한 세포독성 자가항체가 결합하여 발생되는 것으로 생각되었다. 그러나 뒤늦게 발생하는 많은 일차부갑상선저하증 환자에서 칼슘인지수용체를 활성화시키면서 부갑상선을 비가역적으로 파괴시키지는 않는 혈중 항체가 확인된다.

(3) 부갑상선호르몬저항증후군

거짓부갑상선저하증(pseudohypoparathyroidism, PHP)은 부갑상선호르몬에 대한 말초조직에서의 저항으로 인해 부갑상선저하증의 증상 및 징후가 있으면서 특징적으로 골격 및 발육장애가 동반되는 유전질환으로서 1942년 Albright에 처음으로 기술되었다. 거짓부갑상선저하증의 특징적인 소견은 부갑상선이 없는 경우의 부갑상선저하증에서와 마찬가지로 저칼슘혈증 및 고인산염혈증이 나타나지

만, 호르몬저항에 대한 반응으로 부갑상선의 증식에 의해 혈중 부갑상선호르몬은 낮지 않고 오히려 증가되어 있다. 부갑상선호르몬저항이 나타나는 일차적인 부위는 근위신세뇨관이고, 다양한 정도로 뼈에 대한 저항도 보고된 바 있다. 만일 뼈에서 부갑상선호르몬에 대한 민감성이 남아 있는 경우에는 낭성섬유골염과 같은 부갑상선항진증에서 볼 수 있는 특징적인 골병변이 발생할 수도 있다. 부갑상선호르몬은 신장에서 cAMP생성을 증가시키는데 정상인에서 부갑상선호르몬을 투여하면 소변에서 cAMP가 증가하게 된다.

이와 같이 신장에서의 cAMP 반응을 확인함으로서 거짓부갑상선저하증을 감별진단하는 데 도움이 되는데, 소변에서 cAMP반응이 없는 경우에는 PHP-1형이고, 정상적인 cAMP반응을 보이는 경우에는 PHP-2형에 해당하며, PHP-I형은 다시 1a, 1b 및 1c 분류할 수 있다(표 11-2-6).

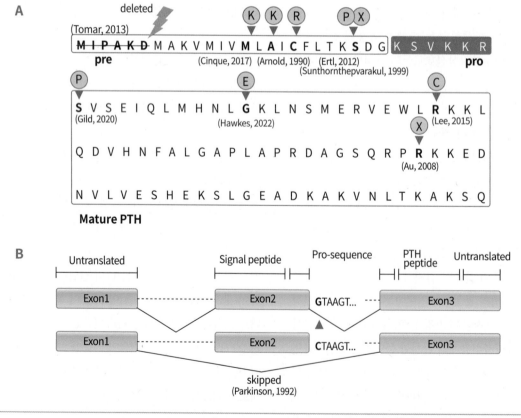

그림 11-2-17. 부갑상선호르몬유전자돌연변이(출처: Endocrinol Metab 2020;35:64-70)

① 거짓부갑상선저하증 1형(PHP-1)

PHP-1형에서 부갑상선호르몬에 대한 소변 cAMP반응 감소는 GNAS유전자에 의해 생성되는 자극형 G단백질의 α소단위($G_s\alpha$)의 결핍에 의해 발생한다(그림 11-2-18). $G_s\alpha$는 막수용체와 결합하여 아데닐레이트싸이클레이즈를 활성화시켜 수용체-의존cAMP 생성을 조절한다. PHP-1a는 이 질환의 가장 흔한 형태로서 외부에서 투여한 부갑상선호르몬에 대한 소변 cAMP 및 인산의 배설이 감소되어 있다. PHP-1a는 올브라이트골형성장애(Albright's hereditary osteodystrophy, AHO)가 있으면서 적혈구에서 분석한 $G_s\alpha$의 양이 감소되어 있고, PHP-1b는 AHO가 없으면서 적혈구에서 분석한 $G_s\alpha$의 양이 정상치를 보인다.

가. 거짓부갑상선저하증 1a형(PHP-1a)

PHP-1a 및 가거짓부갑상선저하증(pseudopseudohypoparathyroidism, PPHP)은 유전자각인(gene imprinting)의 형태로 유전된다. 유전자각인현상은 어떠한 돌연변이에도 상관없이 모계 또는 부계 대립유전자가 선택적으로 불활성화되는데, $G_s\alpha$전사인자의 경우 부계에서는 질환의 증상이 발현되는 신장피질에서는 각인되어 있어서 발현되지 않는다. PHP-1a는 각인된 GNAS유전자의 모계 대립유전자의 이형접합돌연변이(heterozygous mutation)가 발생하여 $G_s\alpha$단백질의 발현 또는 기능 감소를 초래

하는 질환으로서, 결손 대립유전자를 갖는 부계로부터 유전되지는 않고 신장에서 대립유전자산물이 절대적으로 중요한 모계로부터만 유전된다. 즉, 유전자각인에 의하여 부갑상선호르몬 표적조직에서(예: 근위신세뇨관) 모계 대립유전자로부터만 $G_s\alpha$활성이 발현되는 경우에, 모계 대립유전자에 돌연변이가 발생하면 호르몬 신호전달이 일어나지 않게 되는 반면(PHP-1a), 이미 각인된 부계 대립유전자에서는 돌연변이가 발생하여도 신호전달에는 문제가 생기지 않게 된다(PPHP). $G_s\alpha$는 많은 호르몬 및 신경전달물질에 의해 정상적으로 세포막을 통한 신호전달에 필요하고 여러 가지 형태의 세포에 존재하기 때문에 PHP-1a 환자에서는 갑상선자극호르몬, 성선자극호르몬, 칼시토닌 및 성장호르몬 유리호르몬 등과 같은 다른 호르몬들에 대해서도 표적조직들이 저항을 나타낼 수 있다. 갑상선종이 없는 일차갑상선기능저하증 및 성장호르몬 결핍이 흔히 동반되는 내분비이상이다. GNAS가 각인되지 않고 양친의 대립유전자들이 모두 발현되는 조직에서는 호르몬들에 대한 반응성은 정상이다. 적혈구에서도 양친의 GNAS 대립유전자들이 모두 발현되므로 적혈구의 $G_s\alpha$단백질 활성은 50% 감소되어 있다.

대부분의 환자는 PHP-1a형으로서 특징적인 AHO 및 다발내분비이상소견을 보인다. 부갑상선저하증에서처럼 칼슘은 감소되어 있고 인산은 증가되어 있다. 그러나 부갑상선호르

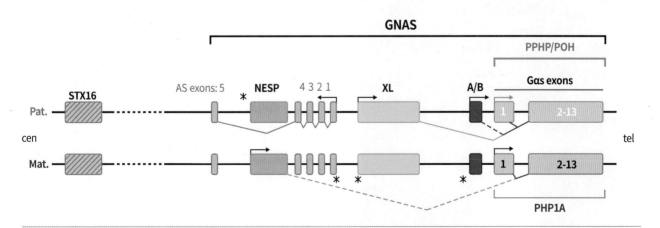

그림 11-2-18. 거짓부갑상선저하증 1a 유전병인: GNAS유전자에 의해 생성되는 자극형 G단백질 알파소단위($G_s\alpha$) 결핍
(출처: J Clin Endocrinol Metab 2021;106:1541-52)

몬 농도는 증가되어 있으며 이것은 호르몬작용에 대한 저항을 반영한다. 환자의 약 50%에서 기저핵부위에 칼슘과 인산의 침착을 보인다. AHO는 작은 키, 둥근 얼굴, 단지증, 치아결손, 피부 피하조직의 이소성 골화, 비만 및 감각신경이상, 정신지체 등의 증상이 나타날 수 있다. 중수골 및 중족골의 이상이 있으면서 때로는 지골도 짧아져 있는데 이것은 뼈끝이 일찍 닫히기 때문일 것으로 생각된다. 전형적인 소견으로 네 번째 및 다섯 번째 중수골 및 중족골이 짧아져 있고 대부분 양측으로 나타난다(그림 11-2-19). 뼈돌출증 및 만곡요골도 흔하다. 후각 및 미각의 장애와 흔하지 않은 지문 이상도 보고된 바 있다. AHO는 PHP-1a 및 PPHP에서 나타나는 특징으로서 양친에서 유래한 GNAS 돌연변이에 따라서 한 가계 내에서 영향을 받은 한 세대에서 AHO만을 보이거나(예: PPHP) 또는 호르몬 저항까지 나타날 수도 있다(예: PHP-1a). AHO가 있으면서 정상적인 호르몬 반응성을 보이는 환자들은 부계 GNAS 대립유전자의 불활성화돌연변이에 의해 생기는데 이 경우가 바로 가거짓부갑상선저하증에 해당하고, 작은 키와 단지증은 부분적으로 장골의 뼈끝

판이 조기에 유합되어 발생하는데, 이것은 정상적인 성장판 성숙을 위해서는 두 개의 GNAS유전자 모두가 정상적으로 기능을 해야 함을 시사한다.

생쥐를 이용한 연구에서도, $G_s\alpha$ 합성과 관련이 있는 엑손 2유전자를 제거한 결과, 암컷으로부터 돌연변이 대립유전자를 물려받은 생쥐의 신장피질에서는 단백질이 거의 발견되지 않고 저칼슘혈증이 있으며 신장에서 부갑상선호르몬에 대한 저항을 나타내지만, 수컷으로부터 돌연변이대립유전자를 물려받은 생쥐는 부갑상선호르몬에 대한 저항 또는 저칼슘혈증을 보이지 않는다. 이러한 유전자 각인은 조직 선택적으로서 결함이 있는 GNAS 대립유전자는 많은 조직에서 각인되지 않고 발현에도 문제가 없다. 따라서 PHP-1a 및 PPHP 모두에서 나타나는 AHO는 배아발생과정에서 GNAS의 반수체기능부전(haploinsufficiency)과 관련이 있으며, 태아에서 정상적인 뼈의 발생을 위해서는 양친으로부터의 $G_s\alpha$유전자가 모두 활성화되어 있어야 함을 의미하는 것으로 보인다.

피부골종(osteoma cutis) 및 진행성골이형성증(progressive osseous heteroplasia, POH)은 AHO의 다른 증상으로서 이소성골화만을 나타낸다. 피부골종에서는 이소성 골화가 피부표면에만 국한되는데 반해 POH에서는 피부, 피하조직, 근육, 건 및 인대 등에 발생한다. POH는 어려서부터 광범위한 피부 골화가 발생하여 골격근 및 심부 결체조직에 광범위하게 골화가 발생함으로서 많은 장애를 초래할 수 있다. 이소성 골들에 의한 결절 및 레이스와 같은 그물망과 같은 병변들이 피부로부터 피하지방 및 심부결체조직까지 퍼지고 관절까지 침범하여 관절강직, 관절고정 및 영구적인 기능장애까지 초래할 수 있다. 이형접합체 불활성화 GNAS돌연변이가 거의 모든 피부골종 및 진행성골이형성증 환자에서 확인되며 각 경우에 결함이 있는 대립유전자는 부계로 유전된다. POH 환자는 AHO나 PHP의 다른 특징들은 없지만 결손된 GNAS대립유전자의 모계유전은 완전한 PHP-1a형을 나타낼 수 있다.

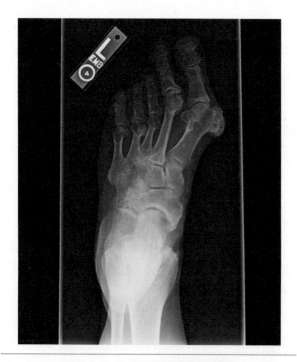

그림 11-2-19. 올브라이트유전 골이형성

나. 거짓부갑상선저하증1b형(PHP-1b)

PHP-1b 환자는 AHO가 없이 부갑상선호르몬저항만 나타난다. 특징적인 AHO는 없지만 경증의 단지증은 있을 수 있다. PHP-Ia에서처럼 부갑상선호르몬 투여에 의한 소변 cAMP반응이 감소되어 있고 모계로부터만 유전되는 유전 양상을 보인다. 이 경우 $G_s\alpha$유전자 각인의 조직특이성에 이상이 있어서, $G_s\alpha$기능이 다른 조직에서는 유지되면서 신장에서만 소실되는 것으로 생각되고 있다. 그 결과 신장피질에는 $G_s\alpha$가 없으나 다른 조직들에서는 정상적으로 발현되므로 적혈구에서는 $G_s\alpha$가 정상치를 보이고 뼈도 정상적으로 발달하여 AHO는 나타나지 않는다. *GNAS*유전자는 매우 복잡한 전사과정을 매개하는데, exon 1–13으로부터 Gsα를 생성하고, exon 1 상부에 세 개의 별도의 대체 exon이 존재해서 각각 exon 2–13과 연결되어 새로운 전사체를 생성한다. 그 중 exon A/B와 XLα 및 A/S는 부계에서, NESP는 모계에서만 전사된다(그림 11-2-20). 유전성으로 나타나는 PHP-1b는 $G_s\alpha$를 생성하는 *GNAS*유전자를 포함하는 같은 염색체 위치에 이상이 발견되는데, 발병원인 유전자변이는 GNAS의 코딩부위와 근접하지만 다른 위치에 존재하며 GNAS위치의 유전자 각인의 이상을 유발한다. 실제로 GNAS유전자 상부 약 200 kb 떨어진 부위에 위치한 STX16에 발생한 모계 대립유전자의 미세 결실이 exon A/B의 메칠화이상을 일으켜 상염색체우성 PTH-1b를 야기하는 것으로 보고되고 있다. 이러한 변이가 exon의 메칠화이상을 유발하는 기전은 아직 잘 밝혀져 있지 않다.

PHP-1b는 부갑상선호르몬 저항이 중요한 증상이지만, 일부 환자에서는 갑상선자극호르몬 저항이 있을 수 있는데 혈청갑상선자극호르몬이 약간 상승되어 있고 갑상선호르몬 농도는 정상으로 나타날 수 있다. 부갑상선호르몬에 대한 신장에서의 저항에도 불구하고, 부갑상선호르몬이 증가되어 있는 PHP-1b 환자는 간혹 부갑상선항진증 환자에서와 유사하게 골병변을 보일 수도 있다.

다. 거짓부갑상선저하증1c형(PHP-1c)

PHP-1c는 AHO, 저칼슘혈증, 부갑상선호르몬에 대한 소변 cAMP 반응 감소 등이 있음에도 불구하고 PHP-1a형과는 달리 적혈구에서 분석한 $G_s\alpha$의 양이 정상치를 보이는데, 아데닐레이트사이클레이즈 자극에 대한 $G_s\alpha$ 이하 부위의 결핍 때문으로 추정되고 있다.

② 거짓부갑상선저하증2형(PHP-2)

PHP-2 환자에서는 저칼슘혈증 및 고인산염혈증이 있으면서 부갑상선호르몬에 대한 소변 cAMP반응은 정상적으로 증가함에도 불구하고 인산뇨반응은 감소하는 것이 특징이다. 이 경우에 비록 일부 환자들에서 잠재된 비타민D 결핍이 있을 수도 있지만, 부갑상선호르몬에 대한 반응 결핍이 cAMP 생성 이하 부위에 있을 것으로 생각되고 있다.

③ 가거짓부갑상선저하증(PPHP)

신장피질에서는 어떠한 돌연변이든 무관하게 모계 대립유

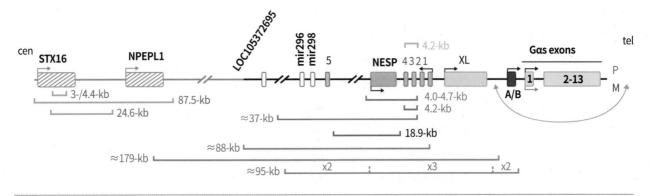

그림 11-2-20. **거짓부갑상선저하증 1b형 유전병인**(출처: J Clin Endocrinol Metab 2021;106:1541-52)

전자만 정상적으로 활성화되고 활성이 없는 부계의 결손대립유전자는 중요한 의미를 갖지 않는다. 부계로 유전되는 GNAS 돌연변이가 있는 환자에서는 호르몬에 대한 저항은 없이 AHO는 나타나는데 이 경우를 가거짓부갑상선저하증이라고 한다. 부갑상선호르몬을 투여하면 소변 cAMP 및 인산 농도가 정상적으로 증가하는 반응을 보인다.

④ 신생아에서의 일시적 거짓부갑상선저하증
출생 후 5-7일 후에 늦게 발생하는 저칼슘혈증을 보이는 대부분의 신생아들은 부갑상선호르몬이 감소되어 있으나, 25%에서는 부갑상선호르몬이 증가되어 있다. 저칼슘혈증의 초기 임상징후로서 경련 또는 발작이 가장 흔하다. 저칼슘혈증과 함께 부갑상선호르몬이 상승되어 있음에도 불구하고 고인산염혈증을 보인다. 혈청마그네슘 및 비타민D 대사물의 혈청 농도는 정상이다. 정맥 내로 부갑상선호르몬을 투여하면 혈장 및 소변cAMP는 정상반응을 보이나, 부갑상선호르몬 투여에 대한 인산뇨반응은 전형적으로 감소되어 있다. 이러한 특징들은 근위신세뇨관에서 cAMP 이하 부위의 신호전달경로가 늦게 성숙됨을 시사한다.

2) 비타민D관련 질환
비타민D 결핍 및 부족증은 임상적으로 노인 및 골절을 동반한 폐경여성, 요양기관 거주자 등에서와 같이 여러 가지 상황에서 볼 수 있는데, 실제로 이러한 환자들에서 25(OH)D가 약간만 감소되어 있는 경우에 이온화칼슘 감소는 흔하지 않다. 일반적으로 중증 비타민D결핍증이 오랫동안 지속되고 25(OH)D가 만성적으로 감소되어 있으면서 상당한 정도의 이차부갑상선항진증이 있는 경우에는 이온화칼슘 농도가 감소할 수 있다.

(1) 비타민D 결핍
피부에서 비타민D 합성이 일어나기 위해서는 적절한 양의 자외선에 노출되어야 한다. 위도가 매우 높은 지역 및 산업공해로 인해 자외선이 잘 통과되지 않는 지역에서 정상적인 비타민D상태를 유지하기 위해서는 식품으로 충분한 비타민D를 섭취해야 한다. 비타민D 결핍은 어린이들에서 훨씬 흔하지만 때로는 성인들에서도 영양결핍에 의해 발생한다. 특히 나이든 노인에서는 전반적인 영양 결핍 및 일광노출부족으로 인해 비타민D 결핍의 발생위험이 높다. 노인에서 상당히 중증의 비타민D결핍증이 있는 경우에도 심한 저칼슘혈증은 드물다. 그러나 경도의 저칼슘혈증의 감별진단으로서 비타민D결핍증은 반드시 확인하여야 한다.

위장관질환이 있을 경우에 경도의 저칼슘혈증, 이차부갑상선항진증, 심한 저인산염혈증 및 다양한 영양결핍 증상이 나타날 수 있다. 간경변증에서와 같이 간세포기능에 이상이 있을 경우 25(OH)D가 감소할 수 있고, 유전성 또는 후천성으로 다양한 장질환에서 비타민D 및 $1,25(OH)_2D_3$의 흡수장애가 발생할 수 있다. 저칼슘혈증 자체는 췌장효소 및 담즙 생성부족으로 인해 지방변을 일으킬 수 있다. 일차담즙성 간경변증과 같은 담즙정체성 간질환이 있는 경우에 경증의 저칼슘혈증 및 이차부갑상선항진증이 발생할 수 있다. 이 경우 장에서 비타민D의 흡수 감소 및 간에서의 비타민D수산화 감소로 인해 혈중 25(OH)D가 감소한다. 비타민D는 지용성비타민이므로 전반적인 지방흡수장애는 비타민D결핍을 초래할 수 있다. 크론씨병, 복강스프루(celiac sprue), 췌장기능부전증 등과 같은 위장관질환에서 비타민D 흡수장애에 의해 저칼슘혈증이 동반될 수 있다. 이러한 질환이 있을 경우 25(OH)D 및 $1,25(OH)_2D_3$ 모두 창자간순환장애에 의해 감소할 수 있다.

이러한 환자들에서 25(OH)D 농도는 낮거나 정상의 낮은 범위에 있다. 실제로 분명한 저칼슘혈증은 심한 비타민D결핍증이 있을 경우에만 나타난다. 비타민D상태를 평가할 수 있는 가장 좋은 방법은 혈중 25(OH)D 농도를 측정하는 것으로서 비타민D 결핍이 있을 경우 감소하는데, 저칼슘혈증은 대부분 25(OH)D가 10 ng/mL 이하로 감소하기 전까지는 나타나지 않는다. 이 경우 혈중 칼슘치 감소에 대해 보상적으로 부갑상선호르몬 농도가 증가하는데 이것은 동시에 신장에서 인산의 소실을 증가시킴으로서 골연화증을 초래하고 골절위험을 증가시킨다. 골연화증이 동반된 경우에 혈중 알칼리인산분해효소가 증가될 수 있는데, 이때는 특히 하중을 받는 장골에서 통증을 동반한 가골절이 발생할 수 있다. 골조직생검상 정량적 형태계측학적 소견에 의하면 유골 부위가 넓어져 있어서 골연화증에 합당한 소견을 보인다.

(2) 비타민D대사 이상

항경련제는 간내 미소체 효소 활성을 높여 비타민D를 불활성형으로 전환시켜 비타민D에 의한 칼슘 흡수를 억제하여 골대사장애를 유발한다. 심한 예에서는 저칼슘혈증, 저인산염혈증, 골연화증, 골절을 초래하나 대부분은 경한 예로서 저칼슘혈증은 초래하지 않으면서 경도의 골연화증만을 초래한다. 식사를 통한 비타민D 섭취가 충분하지 않을수록 항경련제 사용에 의해 미네랄 및 골대사에 이상을 초래할 가능성이 더 높다. 비타민D 및 경구칼슘 투여로 저칼슘혈증이 개선되며 골밀도도 개선된다.

비타민D의존구루병1형(vitamin D-dependent rickets type 1)은 보통염색체열성으로 유전되는 질환으로서 25(OH)D-1α-hydroxylase유전자의 돌연변이에 의해 25(OH)D가 1,25(OH)$_2$D$_3$로 전환되지 않아 발생한다. 임상증상으로는 강축(tetany) 또는 경련과 함께 저칼슘혈증, 저인산염혈증, 이차부갑상선항진증 및 골연화증이 있고 흔히 골격기형 및 알칼리인산분해효소의 증가를 보인다. 치료는 1,25(OH)$_2$D$_3$를 생리적 용량으로 보충한다.

(3) 비타민D 저항

비타민D의존구루병2형(vitamin D-dependent rickets type 2)은 1,25(OH)$_2$D$_3$에 대한 표적장기의 저항, 즉 비타민D수용체의 이상에 의해 발생한다. 임상증상은 1형과 비슷하여 저칼슘혈증, 저인산염혈증, 이차부갑상선항진증, 구루병 및 부분적 또는 전반적인 탈모증이 나타난다. 혈장 1,25(OH)$_2$D$_3$ 농도는 표적장기의 저항으로 인하여 정상인에 비해 적어도 3배 이상 증가되어 있다. 수용체 결함인 경우 치료가 어려운 편이며, 제1형보다 고용량의 비타민D를 투여해야 한다.

3) 기타 질환

(1) 사립체질환

사립체 DNA의 결손에 의해 생기는 여러 증후군에서 부갑상선저하증이 동반되는데, Kearns-Sayre증후군(뇌근병증, 안근마비, 색소성 망막증, 방실차단)과 모계로 유전되는 당뇨병 및 난청증후군 등이 있다. MELAS증후군[사립체성근병증(mitochondrial myopathy), 뇌병증(encephalopathy), 유산혈증(lactic acidosis) 및 뇌졸중-유사증상(stroke-like episodes)]에서는 사립체 tRNA의 점돌연변이에 의해 부갑상선저하증이 동반된다.

(2) 화상

중증으로 지속되는 화상 환자에서는 칼슘감지수용체가 상향조절되어, 혈청칼슘이 정상 이하로 감소되어 있지만 부갑상선호르몬 분비를 억제하여 부갑상선저하증 및 저칼슘혈증을 초래할 수 있다.

(3) 임산부에서의 부갑상선항진증

신생아저칼슘혈증은 산모가 부갑상선항진증이나 당뇨병이 있을 경우, 조숙아인 경우에 발생할 수 있다. 조숙아인 경우 및 당뇨병 산모에서 태어난 신생아에서 기능부갑상선저하증이 있는 것으로 보이며, 부갑상선항진증이 있는 산모에서 태어난 신생아의 경우 모체의 고칼슘혈증에 의해 태아의 부갑상선기능이 억제되어 발생하는 것으로 보이는데, 이러한 억제가 때로는 생후 첫 수주 동안 또는 1년까지도 저칼슘혈증이 발생할 수 있다. 급성기에는 치료가 필요할 수도 있으나 대부분은 자연히 좋아진다.

(4) 고마그네슘혈증

고마그네슘혈증은 혈청칼슘 농도를 감소시킨다. 고마그네슘혈증은 부갑상선의 칼슘감지수용체를 활성화하여 직접적으로 부갑상선호르몬을 억제하거나 또는 부갑상선흐로몬에 대한 말초기관 저항과 관련이 있을 것으로 생각된다. 칼슘감지수용체와 결합할 정도로 마그네슘이 증가하는 경우는 만성신부전증 환자나 또는 드물게 조산의 치료를 위해 마그네슘을 사용하는 경우에 발생할 수 있다.

(5) 저마그네슘혈증

저마그네슘혈증은 흔히 일시적이고 교정가능하며, 여러 가지 다양한 임상상황에서 동반된다. 특히 질병이 있거나 입원한 환자에서 발생하는데, 만성위장관질환, 영양결핍, 췌장염, 만성알코올중독증, 설사, 이뇨제 및 항생제 치료 또는 cisplatinum과 같은 항암화학요법을 받는 경우에 발생할 수 있다. 저마그네슘혈증이 있을 때 저칼슘혈증을 일으키는 두 가지의 원인은 부갑상선호르몬 분비장애 및 부갑상선호르몬에 대한 반응 감소이다. 어느 경우이든 마그네슘을 보충해 주면 부갑상선기능 및 부갑상선호르몬 반응성 모두 회복된다. 마그네슘은 부갑상선호르몬 분비에 있어서 중요한 보조인자로서, 호르몬 분비과립으로부터 저장된 부갑상선호르몬이 유리되는 데에 필요하다. 심한 저마그네슘혈증이 있는 경우에는(혈중 마그네슘치 < 1 mg/dL) 부갑상선호르몬 분비가 억제될 수 있다. 저마그네슘혈증이 있는 경우에 표적기관인 뼈와 신장에서의 부갑상선호르몬에 대한 저항도 저칼슘혈증에 기여한다. 마그네슘은 아데닐레이트싸이클레이즈효소복합체의 보조인자로서, 저마그네슘혈증이 있으면 Gsα를 통한 부갑상선호르몬수용체–매개아데닐레이트싸이클레이즈 활성화를 방해한다. 따라서 만성적인 저마그네슘혈증은 기능적으로 부갑상선호르몬저항과 같은 상태를 초래한다. 저칼슘혈증 및 저마그네슘혈증이 있는 환자에서 외부에서 부갑상선호르몬을 투여한 후 소변에서 인산 및 cAMP를 측정하면 반응이 감소되어 있다. 저마그네슘혈증에 의해 이차적으로 저칼슘혈증이 발생한 환자에서 혈중 부갑상선호르몬은 거의 검출되지 않거나 낮은 수치를 보이는데, 이것은 저칼슘혈증에 의해 생리적으로 최대한 분비를 자극함에도 불구하고 부갑상선호르몬 분비가 감소되어 있음을 의미한다. 저마그네슘혈증을 교정하면 혈장부갑상선호르몬은 급격히 정상으로 돌아온다. 저마그네슘혈증이 있을 경우 흔히 인산 결핍이 동반되므로 혈청인산은 후천성 또는 특발부갑상선저하증에서와는 달리 증가하지 않는다.

(6) 고인산염혈증

고인산염혈증은 저칼슘혈증을 초래할 수 있는데, 임상적으로는 장내 또는 정맥 내로 과량의 인산 투여 시, 종양용해증후군 및 횡문근융해증에 의한 급성신부전증 등에서 나타날 수 있다. 경구 또는 정맥내 인산 투여에 의한 저칼슘혈증은 연부조직석회화증과 관련이 있는데, 이러한 이소성 석회화증은 당뇨병케토산증이나 급성알코올중독증에 의해 발생한 저인산염혈증의 치료과정 중에 발생할 수 있다. 성인에서 인산이 함유된 관장을 할 경우 저칼슘혈증이 발생할 수 있다. 대부분의 경우에 인산 투여를 중단하면 칼슘치는 곧바로 정상으로 회복된다. 그 외에 저체온증, 광범위한 간기능부전증, 혈액악성종양 등이 있는 경우에 종양의 세포교체의 증가 또는 항암화학요법에 의한 세포파괴에 의해 고인산염혈증이 발생할 수 있다.

① 신부전증

급성 및 만성고인산염혈증은 저칼슘혈증의 원인이 될 수 있다. 만성고인산염혈증의 가장 흔한 원인은 만성신부전증으로서 신장에서 인산을 제거하는 능력이 감소하고 신장에서 $1,25(OH)_2D_3$의 생성이 감소하여 혈중 인산이 증가한다. 즉, 고인산염혈증 및 신장조직의 파괴에 의한 $1,25(OH)_2D_3$ 감소가 저칼슘혈증을 일으키는 가장 중요한 원인이다. 이로 인한 부갑상선기능의 자극은 심한 이차 또는 삼차부갑상선항진증을 초래할 수 있다. 따라서 신기능이 크게 감소된 환자에서는 초기에 인산결합제 및 칼시트라이올 또는 칼시트라이올유사체를 투여하는 것이 표준적인 치료로 사용되고 있다.

치료는 신부전증의 치료에 흔히 필요한 인산–결합제산제를 투여하거나 투석을 통해서 혈중 인산을 낮추어야 한다. 식사를 통한 인산의 섭취를 제한해야 하고, 알루미늄중독을 예방하기 위해 알루미늄이 함유된 인산–결합제산제의 사

용은 피해야 하며, 경구로 하루 1–2 g 정도의 충분한 칼슘을 섭취하고, 칼시트라이올을 하루에 0.25–1.0 μg 정도 투여한다. 치료의 목표는 골연화증 및 이차부갑상선항진증을 예방하고, 신부전증 환자에서는 이차부갑상선항진증으로부터 자발성부갑상선항진증이 발생하는 것을 예방하기 위해 칼슘균형을 정상으로 회복시키는 것이다. 칼시트라이올은 고인산염혈증을 감소시키고 장에서의 정상적인 칼슘 흡수를 회복시킴으로서 혈중 칼슘치를 개선시키고 이차부갑상선항진증의 증상을 감소시킬 수 있다. 부갑상선호르몬의 감소와 함께 저골교체성골질환(adynamic bone disease)이 발생할 수 있으므로 부갑상선을 과도하게 억제하는 것은 피하는 것이 중요하다. 저칼슘혈증이 심하고 증상이 있을 경우에 칼슘 보충이 필요하지만 고인산염혈증이 있을 때 칼슘을 투여하면 골격외 부위에 칼슘침착이 증가하여 조직 손상을 증가시킬 수 있다.

② 횡문근융해증

광범위한 조직 손상 또는 세포 파괴가 발생하면 중증고인산염혈증이 발생할 수 있다. 근육으로부터의 인산 유출이 증가하고 신부전증에 의해 인산을 배설하는 능력이 감소하면 중등도 또는 중증의 고인산염혈증이 발생하게 되고, 혈중 칼슘이 소실되어 경도 또는 중등도의 저칼슘혈증이 발생할 수 있다. 조직 손상이 치유되고 신장기능이 회복되어 인산 및 크레아티닌이 정상으로 돌아오면 저칼슘혈증은 대부분 회복된다. 신장기능이 회복되는 과정에서 경도 또는 중등도의 고칼슘혈증이 있을 수도 있다. 중증저칼슘혈증 이후에 고칼슘혈증이 발생하는 것은 칼슘이 근육에 광범위하게 침착되어 있다가 인산치가 정상으로 돌아오고 나서 일부 칼슘이 다시 세포바깥액으로 유입되기 때문이며, 또한 고인산염혈증이 있는 동안에는 $1,25(OH)_2D_3$가 감소하였다가 처음의 저칼슘혈증시기에 급격하게 발생한 이차부갑상선항진증–$1,25(OH)_2D_3$ 증가도 회복기의 고칼슘혈증에 관여한다. 횡문근융해증에 의한 급성신부전증은 외상 및 약물 또는 알코올 남용 등에 의해 발생할 수 있다.

③ 종양융해

중증림프종, 육종, 백혈병 및 고형암 등 급격하게 증식하는 종양에 대해 세포독성항암화학요법을 시행하는 경우에세포가 파괴되고 대량의 종양융해가 발생하면서 세포내 뉴클레오타이드로부터 인산이 급속히 유리되어 혈청이온화칼슘이 급격히 감소할 수 있다.

④ 과량의 인산흡수

어떤 상황에서든지 다량의 인산이 혈관 내로 급속히 흡수되는 경우에 혈청이온화칼슘이 감소할 수 있고 때로는 증상을 초래할 정도로 감소하기도 한다. 인산을 함유하는 관장 및 보충제 사용 시 볼 수 있는데 보충제의 경우에는 특히 저인산염혈증을 치료하기 위해 인산을 정맥 내로 투여하는 경우에 발생할 수 있다.

(7) 급성췌장염

저칼슘혈증 및 강축은 1940년대 초기에 췌장염 환자에서 처음으로 보고되었다. 저칼슘혈증의 원인은 명백하지 않으나 손상된 췌장으로부터 유리된 췌장지방분해효소에 의해 증가된 유리지방산이 칼슘과 결합하여 세포바깥액의 칼슘을 감소시키고 염증이 발생한 췌장조직에 칼슘을 함유하는 염이 침착하기 때문일 것으로 생각되고 있다. 음식 섭취 감소, 알코올남용 또는 구토 등에 의한 저마그네슘혈증도 저칼슘혈증에 기여한다. 부갑상선호르몬은 낮거나 정상이거나 또는 증가될 수도 있는데, 부갑상선호르몬에 대한 저항 및 부갑상선호르몬 분비장애가 모두 관여할 것으로 생각되고 있다. 급성췌장염 환자에서 급성염증이 있는 동안 저칼슘혈증이 지속될 수 있고 많은 환자들에서 췌장염은 출혈, 저혈압 및 패혈증과 같은 합병증을 동반하면서 급속히 진행할 수 있다. 따라서 췌장염 환자에서 저칼슘혈증은 흔히 질환의 중증도와 상관관계가 있고 임상경과가 좋지 않음을 시사한다. 치료는 정맥 내로 칼슘 및 마그네슘을 보충한다.

(8) 부갑상선절제술

부갑상선항진증 환자에서 부갑상선절제술이 성공적으로 이루어지면 혈청칼슘치는 대부분 수일 내에 정상치로 감소하고 때로는 7-10일 정도 소요될 수도 있다. 대부분은 수술 후 2-3일 째에 혈청칼슘이 최저치를 보인다. 경부수술 후 일시적인 저칼슘혈증은 흔히 발생할 수 있으며 츠보스텍징후 양성소견을 보일 수도 있으나 대부분은 1주일 이내에 정상으로 돌아온다. 혈청칼슘을 측정하여 총 칼슘이 8 mg/dL 이상 유지되지 않으면 식사를 통해서 칼슘섭취를 증가시키거나, 필요할 경우 경구용칼슘제제로 하루에 1-2 g의 요소 칼슘(elemental calcium)을 투여한다. 대부분의 환자에서는 정상부갑상선이 기능을 하기 시작하면 저칼슘혈증이 일시적으로 있다가 재빨리 정상으로 회복된다. 다양한 기간 동안의 부갑상선저하증 이후에는 부갑상선조직의 증식이나 남아 있는 조직의 회복에 의해 부갑상선기능이 정상으로 돌아오는데 때로는 수술 후 회복되기까지 수개월이 소요되는 경우도 있다. 부갑상선항진증의 치료를 위해 여러 개의 부갑상선을 수술하였거나 선종이 발견되기 전까지 몇 개의 정상적인 부갑상선이 이전에 제거되었다면 영구적인 부갑상선저하증이 발생할 수 있다.

(9) 골기아증후군(hungry bone syndrome)

부갑상선항진증이 장기간 지속되어 낭성섬유골염(osteitis fibrosa cystica)과 같은 골질환이 동반된 환자에서는 부갑상선절제술후 골기아증후군(hungry bone syndrome) 또는 재석회화(recalcification)에 의한 심한 저칼슘혈증이 발생할 수 있다. 이 경우 부갑상선호르몬이 갑자기 감소함에 따라 골모세포 및 파골세포들이 증가되어 있던 골재형성 부위들에서 파골세포에 의한 골흡수 활성은 급격히 사라지는데 비해 골형성은 상대적으로 증가되면서 뼈로 칼슘이 급격하게 유입되기 때문에 저칼슘혈증이 발생한다. 이와 함께, 남아 있는 부갑상선에서 부갑상선호르몬 분비가 보상적으로 증가하여 인산도 뼈로 많이 유입되고 인산뇨가 증가하면서 혈청인산도 감소하게 된다. 일시적 또는 영구적인 부갑상선저하증인 경우에는 부갑상선호르몬은 낮으면서 혈청인산이

증가한다는 점이 감별점이다. 이러한 치유기에 골모세포의 활성 증가의 표시로서 혈청알칼리인산분해효소 활성이 증가할 수 있으며 일시적인 골통증이 발생할 수도 있다. 낮은 인산치와 증가된 부갑상선호르몬은 신장에서 25(OH)D의 l-α–hydroxylation을 활성화시키고 $1,25(OH)_2D_3$ 농도를 증가시켜 장에서 칼슘 흡수를 증가시킨다.

요즘에는 부갑상선항진증 환자에서 낭성섬유골염이 흔하지 않기 때문에 13%의 환자에서만 수술 후 중증의 부갑상선저하증증상을 보인다. 수술 전에 X선촬영에서 부갑상선항진증에 의한 골질환이 확인되었거나, 나이가 많은 경우, 수술 전 칼슘, 부갑상선호르몬, 알칼리인산분해효소활성 등이 더 높았던 경우, 수술 당시 선종의 크기가 큰 경우, 그리고 급성고칼슘혈증 위기가 있었던 경우에 수술 후 중증저칼슘혈증이 발생할 확률이 높다. 한편, 갑상선기능항진증이 있는 환자에서도 갑상선절제술 후에 갑상선호르몬에 의해 증가된 골흡수자극이 수술 후 사라지면서 많은 양의 칼슘과 인산이 뼈로 유입되면서 중증저칼슘혈증이 발생하는 경우도 있다.

저칼슘혈증의 증상이 심하고 강축을 보이면 정맥 내로 칼슘을 투여해야 하는데, 실제 칼슘을 2 mg/kg로 15분간에 걸쳐서 주사하면 급격히 교정된다. 대부분은 칼슘을 추가로 더 투여하지 않으면 증상이 다시 발생할 수 있으므로 대략 15 mg/kg의 요소칼슘을 24시간에 걸쳐 주사하되 절반 용량은 첫 6시간 이내에 투여한다. 주사하는 동안에 혈청칼슘을 측정하면서 주사속도 및 양을 적절히 조절할 수 있다. 골손상이 치유될 때까지 지속적으로 많은 양의 경구용칼슘 및 비타민D가 필요하게 되는데 대부분은 빨리 작용하면서 생물학적반감기가 짧은 칼시트라이올을 사용한다. 칼시트라이올의 초기 용량은 1 µg/day를 분복하여 시작하고 혈청칼슘 및 인산의 반응에 따라 2 µg/day까지 또는 그 이상으로 증량하거나 0.5 µg/day까지 감량할 수 있다. 일반적으로 정상혈청칼슘치를 유지할 수 있는 가능한 한 최소한의 용량을 사용한다. 장기적으로 고용량의 칼시트라이올이

수개월간 필요할 수도 있다. 골질환이 치유가 되면 비타민D 및 칼슘요구량이 급격히 감소하는데 알칼리인산분해효소 활성을 정기적으로 측정하는 것이 도움이 된다.

(10) 패혈증

패혈증 환사의 약 20%에서 이온화칼슘이 감소한다. 저칼슘혈증은 불량한 예후와 관련이 있다. 그람음성균에 의한 패혈증에서 가장 흔하지만, 포도상구균감염에 의한 독성쇼크증후군에서도 발생할 수 있다. 이 경우 저칼슘혈증의 병태생리는 아직 잘 알려져 있지 않다.

(11) 급성중증질환

흔히 중환자실에서 볼 수 있는 급성중증질환이 있을 경우 저칼슘혈증이 흔히 동반될 수 있는데, 중증 환자들에서 혈중 총칼슘 농도 감소의 원인은 대부분 저알부민혈증이다. 저알부민혈증은 신증후군, 만성질환, 영양실조, 간경변증 및 체액과다 등이 있을 때 나타난다. 실제로 이온화칼슘이 감소하기도 한다. 영양결핍, 비타민D부족증, 신기능부전증, 산-염기불균형, 사이토카인 및 다른 인자들이 원인이 될 수 있다. 이 경우 이온화칼슘을 측정하면서 임상적으로 치료가 필요한지 여부를 신중하게 판단하여 결정한다.

(12) 약물 및 기타

프로타민, 헤파린 및 글루카곤과 같은 약물들도 일시적인 저칼슘혈증을 초래할 수 있다. 이러한 형태의 저칼슘혈증은 대부분은 강축을 동반하지는 않고 증상이 없는 경우가 대부분이다. 후천면역결핍증 또는 다른 면역결핍 환자에게 바이러스 감염을 치료하기 위해 foscarnet를 투여할 경우 혈청 칼슘 및 마그네슘을 모두 감소시킬 수 있다. 혈중 칼슘이 정상인 환자에서 골흡수를 강력하게 억제하는 졸레드로네이트, 파미드로네이트 등과 같은 아미노비스포스포네이트를 정맥내로 투여할 경우에 이온화칼슘을 감소시킬 수 있는데 비타민D부족증이 동반되지 않는 한 비교적 드물다. 구연산염이 처리된 혈액을 반복적으로 수혈받은 경우에도 저칼슘혈증이 발생할 수 있는데 대부분은 곧바로 좋아진다.

5. 진단 및 감별진단

우선 실제로 저칼슘혈증이 있는지를 주의깊게 확인해야 하는데 저칼슘혈증을 평가하는 첫 번째 단계는 혈중 이온화칼슘이 감소되어 있는지를 확인하는 것이다. 혈중 알부민 농도가 정상범위이면 혈중 총칼슘치가 이온화칼슘을 정확히 반영하는 것으로 간주할 수 있으며 그렇지 않은 경우에는 이온화칼슘을 측정해야 한다.

저칼슘혈증이 있는 환자에서는 급성질환에 의한 일시적인 저칼슘혈증과 만성저칼슘혈증을 감별하여야 한다. 급성으로 발생하는 일시적인 저칼슘혈증은 위에서 언급한 바와 같이 다양한 중증급성질환의 증상의 하나로 나타날 수 있다. 그러나 만성저칼슘혈증은 대부분 부갑상선호르몬이 결핍되어 있거나 부갑상선호르몬의 작용장애질환 때문일 수 있다. 질환의 지속기간, 동반질환의 징후 또는 증상 및 유전성 이상을 시사하는 특징들의 존재 여부 등이 임상적으로 중요한 판단기준들이다. 영양 관련 병력을 확인함으로서 노인에서 비타민D 및 칼슘 섭취가 낮은지 확인할 수 있고 과량의 알코올 섭취력은 마그네슘 결핍을 시사할 수 있다. 부갑상선저하증 및 거짓부갑상선저하증은 전형적으로 평생 지속되는질환으로서 대부분은 청소년기까지는 임상증상이 나타나므로 성인에서 최근에 저칼슘혈증이 발생하면 비타민D가 결핍되거나 효과가 감소하는 영양결핍, 신기능부전 또는 장질환에 의한 경우일 가능성이 더 크다. 발육장애가 있을 경우 거짓부갑상선저하증일 가능성이 높다. 구루병, 다양한 신경근육계증후군 및 기형이 있을 경우 비타민D대사 결함이나 비타민D 결핍에 의한 비타민D작용 이상에 의한 것일 가능성이 크다. 경부수술은 비록 오래전에 시행되었다 하더라도 뒤늦게 발생하는 부갑상선저하증의 원인이 될 수 있다. 발작질환 병력이 있으면 항경련제를 사용하였을 가능성이 높다.

진단은 대부분 부갑상선호르몬의 면역 측정, 비타민D대사물 측정 및 부갑상선호르몬 투여에 의한 소변 cAMP반응 등을 측정함으로서 이루어진다. 일단 저칼슘혈증이 있는 것으로 진단되면 혈청부갑상선호르몬 농도를 측정해야 한다. 저칼슘혈증이 있으면서 부갑상선호르몬이 낮거나 거의 측정되지 않으면 부갑상선저하증으로 확진할 수 있다. 이러한 경우에 진단을 위해서 부갑상선이 없거나 칼슘감지수용체의 활성화 돌연변이의 경우처럼 부갑상선이 기능을 못하는 경우 등과 같은 유전질환뿐만 아니라 부갑상선의 파괴, 침윤 및 자가면역질환 등이 있는지를 확인하여야 한다. 유전 및 후천부갑상선저하증, 그리고 중증저마그네슘혈증에서 부갑상선호르몬은 거의 측정되지 않거나 정상범위에 있다. 저칼슘혈증 환자에서 이러한 소견은 부갑상선저하증을 의미하고, 경증의 저칼슘혈증에도 부갑상선호르몬 증가소견을 보이는 부갑상선호르몬 작용장애와 구분이 된다. 부갑상선호르몬이 증가되어 있으면 부갑상선호르몬의 작용에 대한 저항이 있는지 여부를 감별해야 한다. 고인산염혈증이 있으면 신부전증이 동반되어 있거나 또는 인산염을 과량으로 섭취 또는 주사한 경우를 시사한다. 부갑상선호르몬이 증가되어 있으면 비타민D 작용이상에 의해 부갑상선호르몬의 효과가 없는 상황에서 볼 수 있는 것처럼 이차부갑상선항진증이 있음을 시사한다. 저칼슘혈증과 함께 부갑상선호르몬이 증가되어 있는데 혈청인산치가 감소되어 있으면 비타민D결핍증의 가능성을 시사하므로 혈청25(OH)D를 측정해야 한다. 25(OH)D가 낮거나 낮은 정상치를 보이면 일광노출부족, 영양 결핍 등과 같은 비타민D 섭취 부족, 장에서의 흡수장애 등에 의해 발생하는 비타민D 결핍을 의미한다. 이와 같이 부갑상선호르몬이 증가되어 있는 환자에서 비타민D의 농도가 감소되어 있으면 만성신부전증, 심한 비타민D결핍 중 비타민D의존구루병 1형 및 거짓부갑상선저하증 등 부갑상선호르몬의 작용이상을 의심해야 한다. 항경련제치료에 의해 경증의 저칼슘혈증, 구루병 및 저인산염혈증 등이 발생할 수 있는데 병력청취로서 확인할 수 있다. 또한, 저마그네슘혈증이 있는지도 확인하여야 한다. 일차원인이 저칼슘혈증인지 아니면 저마그네슘혈증인지를 확인하기 위해 24시간 소변칼슘 또는 마그네슘배설양을 측정하는 것이 도움이 된다. 경증의 무증상성저칼슘혈증이 있는 환자에서 소변칼슘이 크게 증가되어 있으면 보통염색체우성 저칼슘혈증성 고칼슘뇨증를 시사한다. 반면에, 이차부갑상선항진증 및 골연화증을 동반한 비타민D결핍증에서는 체내의 전반적인 칼슘필요량을 보존하기 위해 부갑상선호르몬의 영향 하에 신장에서 저칼슘뇨증을 나타낸다. 저마그네슘혈증 환자에서 소변 중에 마그네슘 양이 많이 증가하면 이것은 위장관에서의 소실보다는 일차로 신장에서의 마그네슘 손실을 시사한다. 음주력을 확인하는 것도 마그네슘 결핍을 진단하는 데 유용하다.

신기능이 정상이면서 저칼슘혈증 및 고인산염혈증이 있고 혈장부갑상선호르몬이 증가되어 있는 환자에서는 거짓부갑상선저하증을 반드시 고려해야 한다. 저마그네슘혈증 및 중 증 비타민D 결핍이 있으면 일부 환자에서 부갑상선호르몬 저항과 같은 검사실검사를 보일 수 있으므로 혈장마그네슘 및 25(OH)D를 반드시 측정해야 한다. 거짓부갑상선저하증의 흔하지 않은 초기 임상증상들로는 신생아갑상선기능저하증, 설명되지 않은 심부전, 발작, 기저핵 및 전두엽 등의 뇌내석회화, 운동이상증 및 다른 운동장애 등이 있을 수 있다. AHO의 신체특징을 보이는 환자에서는 거짓부갑상선저하증 또는 가거짓부갑상선저하증을 의심해야 한다. 거짓부갑상선저하증의 가능성이 있을 경우에는 AHO에서 볼 수 있는 증상들이 있는지 확인해야 한다. 그러나, AHO에서 보이는 비만, 둥근 얼굴, 단지증 및 정신지체 등은 다른 선천이상질환들[Prader-Willi증후군, 말단뼈발생이상(acrodysostosis), Ullrich-Turner증후군]에서도 나타날 수 있으므로 감별해야 한다. 이러한 환자들에서는 내분비기능은 정상이며 활성도 정상이다. 대체적으로 호르몬저항부갑상선저하증은 발달장애 및 단지증 등과 같은 발달이상소견들과 같은 가족력이 있고 부갑상선저하증의 징후 및 증상들이 있으면 어렵지 않게 진단할 수 있다. PHP-1b 또는 PHP-2 환자에서는 호르몬 저항을 나타내는 저칼슘혈증 및 부갑상선호르몬 증가소견만 보이고 AHO는 없다. 거짓부갑상선저하증에 대한 표준적인 진단은 Ellsworth-Howard검사로서, 합성 hPTH (1-34) 펩타이드가 사람에서 사용 가능하도록

허가되면서 거짓부갑상선저하증을 감별하기 위한 몇 가지 프로토콜들이 개발되었다. 이러한 프로토콜들은 이 펩타이드의 정맥내 주사를 기본으로 하여 만들어졌으나 더 많은 용량을 투여할 경우 hPTH (1–34) 또는 hPTH (1–84)를 피하로 주사한 후에도 유사한 결과를 얻을 수 있다. 환자는 물 이외에는 금식을 하되, 물은 아침 6시부터 정오까지 시간당 250 mL씩 마시도록 한다. 비교를 위해서 오전 9시 이전에 소변 검체를 두 번 모으고, 합성 hPTH (1–34) 펩타이드를 오전 9시에 피하주사 또는 15분간에 걸쳐 정맥주사하고(정맥내 주사를 위해서는 체중당 0.625 /zg/kg에서 최대 25 /zg을 사용하고 피하주사로는 40 μg을 사용한다), 소변검체를 9–9시 30분까지, 9시 30분–10시까지, 10–11시까지, 11–12시까지 각각 모은다. 혈액검체는 오전 9시 및 오전 11시에 각각 얻어서 혈청크레아티닌 및 인산 농도를 측정한다. 소변 검체로는 cAMP, 인산, 크레아티닌 농도 등을 측정하고 결과는 사구체여과액(glomerular filtrate, GF) 100 mL당 nmol 단위의 cAMP [nanomoles of cAMP per 100 mL glomerular filtrate (GF)] 및 TmP/GFR(사구체여과율에 대한 신세뇨관에서의 최대인산재흡수율의 비율, ratio of the renal tubular maximum rate of phosphate reabsorption to the glomerular filtrate rate)로 표현한다. 정상인에서는 소변 cAMP배설이 대부분 10–20배 정도 증가하고 TmP/GFR은 20–30% 감소한다. 정상인 어린이 및 부갑상

선저하증 환자에서는 더 강한 반응이 나타난다. 부갑상선저하증 환자는 소변에서 cAMP 및 인산이 크게 증가하는 반면, PHP-1 환자에서는 혈청칼슘 농도에 상관없이 소변에서 cAMP 및 인산 모두 적절하게 증가하지 않는다. 따라서, 이 검사는 칼슘이 정상인 거짓부갑상선저하증 환자(치료하지 않고도 정상 혈청칼슘이 유지되는 부갑상선호르몬저항 환자, ‘normocalcemic’ PHP), 가거짓부갑상선저하증(부갑상선호르몬에 대한 소변 cAMP반응이 정상) 환자를 감별할 수 있다. PHP-2 환자에서는 부갑상선호르몬 투여에 대한 소변 cAMP반응은 정상이지만 특징적으로 인산은 증가하지 않는다(표 11-2-7). 비타민D 결핍이 있으면 부갑상선호르몬 투여에 대한 인산 배설 및 소변 cAMP반응에 영향을 미칠 수 있으므로 PHP-2를 진단하기 위해서는 비타민D 결핍을 반드시 배제해야 한다. 부갑상선저하증과 거짓부갑상선저하증의 진단에 있어서 CaSR, AIRE 및 GNAS유전자에 대한 돌연변이분석이 도움이 될 수 있다.

비타민D 결핍 및 거짓부갑상선저하증이 있는 환자에서는 부갑상선호르몬의 증가 또는 이차부갑상선항진증소견을 보이는데, 비타민D 결핍 시에는 인산치가 낮아져 있고 부갑상선저하증 및 거짓부갑상선저하증 환자에서는 증가되어 있거나 높은 정상치를 보인다. 신기능부전이나 광범위한 조직파괴가 없이 칼슘이 낮고 인산이 높으면 거의 부갑상선저

표 11-2-7. 거짓부갑상선저하증의 종류

	PTH에 대한 소변 cAMP 반응	PTH에 대한 소변 인산반응	타 호르몬 저항	AHO	병태생리
PHP-1a	감소	감소	있음	있음	Gsα 변이 혹은 각인이상
PPHP	정상	정상	없음	있음	Gsα 변이
PHP-1b	감소	감소	희소	없음	GNAS1유전자 각인이상
PHP-1c	감소	감소	있음	있음	Gsα 기능 정상, 각인이상
PHP-2	정상	감소	없음	희소	비타민D 결핍 혹은 myotonic dystrophy

PHP, pseudohypoparathyroidism; PPHP, pseudopsedohypoparathyroidism; AHO, Albright hereditary osteodystrophy.

하증 또는 거짓부갑상선저하증일 가능성이 크다. 혈청칼슘도 낮고 인산도 낮으면 비타민D가 없거나 효과가 없는 것으로서 칼슘대사에 있어서 부갑상선호르몬의 작용이 감소한다. 그러나 인산 배설에는 영향을 미치지 않는다. 비타민D 결핍, 항경련제 사용, 위장관질환 및 비타민D대사의 유전결함 등에서와 같이 칼슘 항상성에 있어서 부갑상선호르몬의 상대적 효과의 감소는 보상적으로 이차부갑상선항진증을 일으킨다. 과량의 부갑상선호르몬은 신세뇨관의 인산 수송에 영향을 미쳐서 신장으로 인산이 소실되고 저인산염혈증을 초래하게 된다. 만성신부전 환자에서는 이차부갑상선항진증에도 불구하고 저칼슘혈증 및 고인산염혈증소견을 보인다.

6. 치료

저칼슘혈증의 치료 목적은 증상을 완화하고, 골연화증이 있을 때는 무기질 감소를 교정하여 치유하며, 이온화칼슘 또는 총혈청칼슘을 적절한 범위 내로 유지하여 고칼슘뇨증(소변 칼슘 > 300 mg/24h), 신기능 저하, 요로결석 및 신석회화증이 생기지 않도록 하는 것이다.

임상적으로 응급치료를 요하는 상황에서는 정맥 내로 칼슘을 투여해야 한다. 발작, 중증강축, 후두부경련, 기관지 수축 또는 의식저하 등이 발생한 경우에는 정맥내로 칼슘을 투여하여 저칼슘혈증을 즉시 교정해야 한다. 이러한 응급상황에서는 약 100 mg 정도의 요소칼슘(elemental calcium)을 정맥주사하는데, 보통 10% 칼슘 글루콘산염 10–20 mL(요소 칼슘 93–186 mg 또는 1–2 앰플)를 10–15분에 걸쳐 투여한 후, 칼슘글루콘산염 10 앰플을 5% 포도당 1리터에 희석하여 시간당 10–100 mL의 속도로 주입(요소 칼슘 0.3–1.0 mg/kg/h 또는 100 mg/h)하여 이온화칼슘이 정상범위의 하한치인 –1.0 mM로 회복되어 유지되도록 한다. 장기적이고 지속적인 치료가 필요한 환자에서는 가능한 한 빨리 경구용칼슘과 비타민D 투여를 시작하여 점차 용량을 조정하면서 정맥내 칼슘 투여를 대체하도록 한다.

저마그네슘혈증이 있는 환자에서는 부갑상선호르몬 분비 및 말초에서의 활성을 회복시키기 위해 마그네슘을 투여해야 한다. 마그네슘 결핍이 저칼슘혈증의 원인이라면, 일반적으로 마그네슘 결핍이 매우 큰 것을 의미하고, 마그네슘은 주로 세포 내에 존재하는 양이온이기 때문에 혈청마그네슘치만으로는 잘 반영되지 않는다. 체내의 총 마그네슘양을 회복하기 위해서는 대체로 장기간에 걸쳐서 마그네슘염을 보충해주어야 하는 경우도 있다. 마그네슘을 투여하기 전에 신기능이 정상인지 소변량이 적절히 유지되고 있는지 확인해야 한다. 급성기에는 마그네슘을 체중 kg당 2.4 mg까지 20분간에 걸쳐서 서서히 주입한다(최대 180 mg). 정맥투여 시간은 개개인에 따라서 결정해야 하고, 저마그네슘혈증이 지속될 가능성이 있는 경우에는 경구로 마그네슘 투여를 계속 유지한다. 마그네슘 결핍이 회복되면 혈청칼슘 및 부갑상선호르몬 분비능이 정상으로 돌아오게 된다. 정맥내 칼슘 또는 마그네슘 투여는 신중하고 주의깊게 시행하고 관찰해야 하며 환자의 심장상태를 계속 확인하면서 심전도에 변화가 있으면 투여를 중단해야 한다. 마그네슘 독성을 확인하기 위해 심부건 반사를 확인하여 반사가 감소하면 투여를 중단한다. 마그네슘 중독이 있는 경우에는 정맥내 칼슘글루콘산염을 투여한다.

저칼슘혈증을 일으키는 많은 원인들의 경우 기저질환을 치료함으로서 교정이 된다(예: 비타민D 결핍, 종양용해증후군). 그러나 부갑상선저하증, 거짓부갑상선저하증, 만성신부전 및 비타민D대사의 유전결함 등은 비타민D 또는 비타민D대사물 및 칼슘보충제의 투여를 필요로 한다. 일차원인 또는 외상이나 수술 등과 같은 이차원인으로 발생한 부갑상선저하증은 혈청칼슘을 유지하기 위해 장기간 지속적으로 치료를 요하는 가장 흔한 경우이다. 이러한 환자들에서 혈청칼슘치는 8.5–9.2 mg/dL 정도로 낮은 정상치를 유지하는 것이 목표이다. 혈청칼슘을 정상의 중간치 또는 높은 정상치로 증가시키면 심한 고칼슘뇨증, 신석회화증 및 신결석 등이 발생할 수 있다.

1) 칼슘 및 비타민D

저칼슘혈증의 치료목표는 혈청칼슘을 가능한 한 정상에 가깝게 회복시키는 것으로서 칼슘보충제 및 비타민D제제들을 사용한다(표 11-2-8). 혈청인산을 감소시키기 위한 인산결합제 및 소변내 칼슘 배설을 감소시키기 위한 싸이아자이드이뇨제도 보조제로 사용할 수 있다. 징싱 칼슘치를 회복하는데 있어서 가장 중요한 제한점은 고칼슘뇨증의 발생과 이에 따른 신결석 위험의 증가이다. 부갑상선호르몬에 의한 신장에서의 칼슘 보존 효과의 소실과 함께, 비타민D치료에 의한 장에서의 칼슘 흡수 증가는 결과적으로 사구체 여과액 내의 칼슘부담을 증가시키고 곧바로 신장을 통해 배설된다. 그 결과 비타민D 보충에 대한 반응으로 혈청칼슘이 정상화되기 이전에 흔히 소변내 칼슘 배설이 증가한다. 따라서 비타민D와 칼슘을 투여받는 부갑상선저하증 환자는 고칼슘뇨증을 예방하기 위해서는 칼슘을 낮은 범위의 정상치로 유지하도록 하고 24시간 소변의 칼슘배설량을 측정하여 다량의 칼슘뇨를 예방해야 한다. 싸이아자이드이뇨제는 비타민D를 투여받고 있는 부갑상선저하증 환자에서 저염식이 유지되는 경우에 소변내 칼슘을 하루 100 mg 정도 감소시킬 수 있다. 고칼슘뇨증을 피해하 하는 가장 중요한 경우로는 칼슘감지수용체유전자의 활성화 돌연변이에 의해 발생하는 보통염색체우성 저칼슘혈증성 고칼슘뇨증 환자이다. 한편, PHP-I 환자는 부갑상선호르몬 농도가 억제되지 않은 채 유지되고 원위신세뇨관의 반응성이 남아있는 한 고칼슘뇨증은 거의 발생하지 않는다.

적절한 칼슘을 공급하고 식이인산 섭취를 조절하기 위해 하루에 약 1-3 g (25-50 mg/kg) 정도의 실제칼슘이 필요하다. 부갑상선기능이 정상인 환자에서 구루병을 예방하기 위해서는 적어도 하루에 200 U (5 μg) 또는 칼시트라이올 0.25-1.0/μg이 필요하다. 그러나 부갑상선저하증 환자에서는 부갑상선호르몬이 없고 또한 고인산염혈증이 있기 때문에 신장에서 25(OH)D-1α-hydroxylase 효소에 의한 수산화과정이 결핍되어 25(OH)D가 $1,25(OH)_2D_3$로 전환되지 않아 비타민D를 완전한 활성형 비타민D로 전환할 수 없다. 따라서 부갑상선저하증 환자에서는 40,000-120,000 U (1-3 mg) 정도의 많은 양의 비타민D_2 또는 D_3가 필요하다. 비타민D의 경우 지방에 저장되기 때문에 체내에 비타민D가 매우 다량으로 축적되어 중단을 하여도 생물학적 효과가 사라지기까지 수주가 필요하므로 이러한 경우 장기간 지속되는 중증의 비타민D 중독증이 발생할 위험이 증가할 수 있다. 따라서 25(OH)D-1α- hydroxylase에 의한 수산화과정을 거치지 않아도 되는 칼시트라이올 등이 더 많이 사용된다. 상용량의 칼시트라이올을 사용하며 혈장반감기가 수시간밖에 되지 않고 체내에 축적되지 않으므로 하루에 여러 번으로 나누어 투여한다. 비타민D 또는 칼시트라이올 및 경구용칼슘

표 11-2-8. 칼슘제제의 종류

| 종류 | 분자량 | 미네랄이온함량 | | 경구용제제 | | | 주사용제제 | | |
		mg/g	mM/g	제제	mg/g	mM/g	제제	mg/g	mM/g
Ca carbonate	100	400	10.0	1,250 mg	500	12.5	–	–	–
Ca citrate	498	210	6.0	950 mg	200	5.0	–	–	–
Ca lactate	218	130	4.6	650 mg	84	2.1	–	–	–
Ca gluconate	430	93	2.3	1,000 mg	93	2.3	10% solution	93 mg/10 mL	2.3 mM/10 mL
Ca chloride	147	273	6.8	–	–	–	10% solution	273 mg/10 mL	11.2 mM/10 mL

의 투여 용량은 환자에 따라서 제각각 달라질 수 있다. 하이드로클로로싸이아자이드를 투여하면 비타민D요구량을 감소시키는 데 효과적이지만, 싸이아자이드에 의한 저칼륨혈증을 피하기 위해 칼륨 보충이 필요할 수도 있다. 대부분의 환자에서 혈중 칼슘 및 인산이 만족스럽게 조절되지만 일부 환자에서는 잘 조절되지 않거나 저칼슘혈증 및 고칼슘혈증이 반복되면서 변동이 심한 경우도 있다. 이러한 불안정형부갑상선저하증이 있는 환자에서는 칼시트라이올과 싸이아자이드이뇨제를 같이 사용하면 조절이 더 쉬울 수도 있다.

거짓부갑상선저하증의 치료는 부갑상선저하증과 유사하나, 부갑상선저하증에서보다는 더 적은 양의 비타민D 및 칼슘을 필요로 한다. 그 이유는 거짓부갑상선저하증에서는 유전자각인에 의해 특정 조직 및 조직의 부위에서만 영향을 받는데 소변 칼슘 배설, 원위세뇨관기능은 영향을 받지 않기 때문이다. 한편, 거짓부갑상선저하증 환자에서는 증가된 부갑상선호르몬에 의해 골재형성이 증가되어 골소실이 증가하고 낭성섬유골염이 발생할 수 있으므로 일단 칼슘치가 정상으로 유지된 후에는 부갑상선호르몬이 정상치까지 억제되도록 하는 것이 필요하다. 가거짓부갑상선저하증은 치료를 요하지 않는다.

부갑상선저하증이 있는 임산부여성에서는 이온화칼슘치를 정상으로 유지하는 것이 중요한데, 산모에서 저칼슘혈증이 발생하면 자궁 내의 태아에서 부갑상선항진증이 발생하고 때로는 사산할 수도 있다. 부갑상선저하증이 있는 여성의 경우 임신 후반기에는 칼시트라이올 용량을 감량하거나 중단하지 않을 경우에 고칼슘혈증이 발생할 수도 있는데, 이러한 효과는 임신 후반기에 산모의 혈액 중에 PTHrP의 증가 및 태반에서 1α-hydroxylase 효소에 의한 $1,25(OH)_2D_3$ 합성 증가 때문일 것으로 생각되고 있다. 일부 거짓부갑상선저하증 증례에서도 임신 중에 $1,25(OH)_2D_3$ 농도가 2-3배 증가한다는 보고가 있다.

부갑상선저하증여성에서 출산 후에 수유를 시행하는 경우에는 프로락틴에 의해 PTHrP가 증가하여 $1,25(OH)_2D_3$ 합성을 증가시키므로 칼시트라이올을 감량하지 않을 경우 고칼슘혈증이 발생할 수도 있다. 거짓부갑상선저하증여성에서는 PTHrP에 의한 신장에서의 작용에 대해 저항이 있고 분만과 함께 태반으로부터의 $1,25(OH)_2D_3$가 없어지므로 수유를 시행하는 동안 칼시트라이올요구량이 증가할 수도 있다.

2) 부갑상선호르몬

부갑상선저하증이 있는 27명의 성인에서 무작위로 rhPTH (1-34) 또는 칼슘과 비타민D를 3년간 투여한 연구에서, PTH (1-34)를 평균 36.7 μg을 하루 2회 투여하거나 칼시트라이올을 평균 0.47 μg씩 하루 2회 투여한 결과 혈청칼슘치는 칼시트라이올 및 rhPTH (1-34)군 모두에서 유사하였으나 소변칼슘치는 rhPTH (1-34)군에서 칼시트라이올군에 비해 더 낮았다. 골표지자들은 부갑상선호르몬투여군에서 유의하게 높았고 골밀도는 군 간에 유의한 차이는 없었다. 다른 연구에서는, 40명의 부갑상선저하증 환자에게 rhPTH (1-84) 100 μg을 격일제로 24개월간 투여한 결과 혈청칼슘은 정상범위 이내를 유지하면서 칼슘 및 칼시트라이올보충제의 요구량이 각각 34% 및 38% 유의하게 감소하였다. 이러한 연구결과들은 부갑상선저하증 환자에서 부갑상선호르몬의 투여로 칼슘 항상성을 회복시킬 수 있고 칼슘 및 비타민D요구량을 실제적으로 의미있게 줄이면서 혈청칼슘을 정상으로 유지할 수 있음을 시사한다. 2013년 124명의 부갑상선저하증 환자들을 대상으로 rhPTH (1-84)와 위약을 비교분석한 REPLACE연구에 따르면 투여한 지 24주 이후 혈중 칼슘을 유지하는 데 요구되는 칼슘제와 활성비타민D를 50% 이상 감소시키는 환자의 비율을 비교했을 때, rhPTH (1-84) 50, 75, 100 μg군에서 모두 효과적인 것으로 나타났다. 이 연구를 토대로 2015년 미국에서, 2017년 유럽에서 Natpara®라는 상품명으로 승인을 받았다. 최근 rhPTH (1-84) 25-50 μg에서 시작하여 100 μg까지 증량하여 5년간 사용한 보고에서도 안정성과 효과를 입증하였다. 그러나 매우 높은 약가로 폭넓은 임상적용에는 한계가 있는 실정이다.

7. 예후 및 장기합병증

저칼슘혈증은 다양한 원인으로 인해 발생하기 때문에 일률적인 예후 및 장기간 합병증에 대한 일관성 있는 결과는 많지 않고 부갑상선저하증의 장기 합병증에 대한 연구가 진행되어왔다. 주로 질병 자체의 진행과 더불어 칼슘 보충치료에 대한 합병증이 발생하는 것으로 보인다. 신장합병증으로는 소변내 칼슘의 배설이 증가하는 고칼슘뇨증의 지속과 이에 따른 신기능장애가 발생할 수 있다. 심장합병증으로는 long QT증후군의 지속에 의한 부정맥과 치명적인 Torsades de pointes이 발생할 수 있다. 근골격계에서는 뼈의 질적인 지표가 악화되고 척추골의 골절률이 증가할 수 있다. 신경계 합병증으로 피로감, 우울증 등으로 인한 삶의 질 악화가 발생할 수 있다. 인지장애가 동반될 수 있고. 뇌실질내 칼슘 침착으로 인한 간질발작이 발생할 수 있는데, 칼슘 침착부위의 크기와 반드시 상관관계가 있는 것은 아니다. 안구에 백내장이 잘 발생할 수 있고, 면역계이상에 의한 각종 감염에 더 취약해질 수 있다. 각종 장기 합병증은 수술 후 부갑상선저하증보다는 수술과 관련 없는 부갑상선저하증에 더 많이 그리고 심하게 발생하는데 이는 저칼슘혈증이나 칼슘 보충기간과 더 깊은 연관이 있어 보인다. PTH 보충치료를 통해 장기 합병증의 발생을 예방하거나 더 악화되는 것을 방지하는 효과에 대한 연구는 계속 진행 중이다.

8. 최신정보 및 미래 전망

저칼슘혈증, 특히 부갑상선저하증의 치료의 근간은 칼슘과 비타민D 보충이다. 더 효과적이고 흡수가 최적화된 칼슘 및 비타민D제형이 개발되어 임상현장에 소개되고 있다. 최근에는 부갑상선저하증의 치료에서 부갑상선호르몬을 보충하는 보다 근본적인 치료가 도입되어 새로운 전기가 마련되었다고 할 수 있으나, 고가의 약가 및 평생 매일 주사를 맞아야 한다는 번거로움 등 현실적인 어려움이 아직도 존재하는 상황이다. 부갑상선호르몬의 짧은 반감기를 극복하기 위해 장기간 작용하는 부갑상선호르몬제가 개발되고 있고, 부갑상선호르몬수용체에 작용하는 부갑상선호르몬유도체의 개발도 연구 중에 있다. 부갑상선호르몬의 유전자 치료나 부갑상선분비세포로 유도된 각종 줄기세포를 이용한 세포치료도 시도되고 있다. 최근에는 칼슘감지수용체대항제(calcilytics)를 이용한 부갑상선저하증에 의한 저칼슘혈증의 치료에 대한 연구결과도 보고되었다.

Ⅲ. 인산 및 기타 무기질대사질환

이유미

1. 인산대사이상

1) 개요

인산은 세포막의 인지질의 주요 성분이자, 체내 분자생화학적 반응에서의 주요요소이다(SECTION 11-II 참고). 따라서, 인산 농도의 변화는 생각보다 신체에 주는 영향이 적지 않다. 체내인산은 500–800 g 정도로 85%가 수산화인회석(hydroxyapatite)의 형태로 뼈에 저장되어 있다. 성인에서의 정상무기인산(inorganic phosphate) 농도는 2.5–4.5 mg/dL로서 인산조절호르몬으로는 섬유모세포성장인자 23 (fibroblast growth factor 23, FGF23), 부갑상선호르몬(parathyroid hormone, PTH), 칼시트라이올이 대표적이다.

2) 저인산염혈증

(1) 원인

크게 3가지의 원인에 기인한다. 첫째, 세포바깥액내 인산의 세포 내로 이동, 둘째, 불충분한 인산의 섭취 또는 흡수장애, 셋째, 신장에서의 인산 배출 증가와 마지막으로는 동반질환 또는 약물 관련 등으로 나눌 수 있다(그림 11-2-21). 각 형태별 세부원인은 표 11-2-9과 같다.

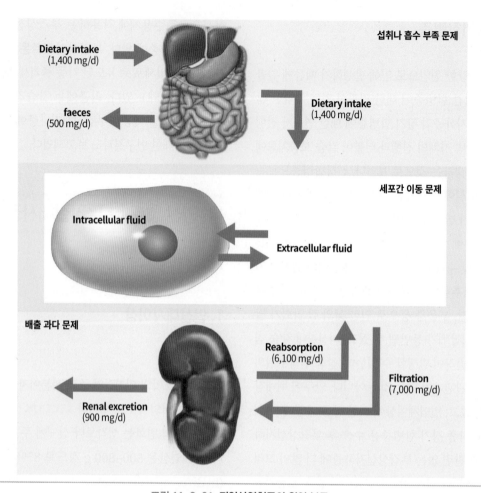

섭취나 흡수 부족 문제

Dietary intake
(1,400 mg/d)

Dietary intake
(1,400 mg/d)

faeces
(500 mg/d)

세포간 이동 문제

Intracellular fluid

Extracellular fluid

배출 과다 문제

Reabsorption
(6,100 mg/d)

Filtration
(7,000 mg/d)

Renal excretion
(900 mg/d)

그림 11-2-21. **저인산염혈증의 원인 분류**

(2) 병태생리

① 인산의 이동

아주 다양한 임상상황에서 일어나며, 입원 환자에서 2.2-3.1% 정도로 드물지 않게 발견되며 중환자실의 경우 29-34%에서 보인다. 호흡성 알칼리증이나 과호흡 시 이산화탄소의 증가로 pH가 증가하게 되면서 포스포프룩토인산화효소(phosphofructokinase)를 자극하여 해당과정(glycolysis)을 증가시킨다. 이로 인해 세포내 인산의 소모가 증가하면서 세포바깥액의 인산이 이동하게 되는 것이다. 금식 상태에서 포도당정주나 고혈당으로 인슐린투약 시 인산을 세포 내로 이동시키며, 오랜기간 금식 후 식이 섭취를 시작할 때 영양재개증후군도 같은 원리로 인산의 농도가 저하될 수 있다. 당뇨병케토산증의 경우 회복기에 급격한 저인산염혈증을 보일 수 있는데, 초기에는 탈수 등으로 인산이 정상 농도로 보일 수 있지만, 실제 섭취 부족, 구토, 소변내 소실 등으로 체내 인산 부족상태로 있다가 수분 공급 및 인슐린 공급 등으로 인해서 급격한 저하로 발전된다. 부갑상선항진증-수술 이후에 증가되었던 골흡수작용은 줄어들고 골형성작용이 회복하면서 칼슘 및 인산이 모두 골격계로 이동하면서 혈중 농도가 감소할 수 있다.

② 인산 흡수 감소

장기간 식이 섭취가 감소한 영양실조의 경우, 장염증 및 질환으로 인한 흡수의 감소, 장내 인산 결합에 따른 감소도 원인이 된다. 알루미늄과 마그네슘의 경우 장내 인산과 결합을 하여 흡수를 방해하는 것으로 잘 알려져 있다.

표 11-2-9. 저인산염혈증의 병태생리에 따른 다양한 원인

Cellular redistribution
• Acute respiratory alkalosis
• Increased insulin: Refeeding syndrome, Treatment of diabetic ketoacidosis, Insulin therapy
• Sugars: Glucose, fructose, glycerol
• Hungry bone syndrome
• Tumor consumption: Leukemia blast crisis, lymphoma
• Sepsis
Decreased intestinal absorption
• Malabsorption: Inflammatory bowel disease, gastrectomy, gastric bypass, pancreatitis
• Nutritional deficiency: vitamin D deficiency, low dietary intake, alcoholism, anorexia, starvation
• Genetic problems in vitamin D: Vitamin D-resistant rickets type 1 [CYP27B1 mutation], vitamin D-resistant rickets type 2 [VDR mutation]
Increased renal loss
• FGF23-dependent
- X-linked hypophosphatemic rickets [PHEX mutation]
- Autosomal dominant hypophosphatemic rickets [FGF23 mutation]
- Autosomal recessive hypophosphatemic rickets [DMP1, ENPP1 mutation]
- Oncogenic osteomalacia
• FGF23-independent
- Drugs-paracetamol, diuretics, steroids
- Dent disease (X linked recessive hypophosphatemic rickets) [CLCN5, OCRL1 mutation]
- Hereditary hypophosphatemic rickets with hypercalciuria [SLC24A3 mutation]
- Hyperparathyroidism or increased parathyroid hormone related peptide (PTHrP)
Drugs
• Antacids, Acetazolamide, Anticonvulsants, Bisphosphonates

표 11-2-10. 저인산염혈증의 다양한 임상양상

Hematological
• Erythrocytes
- ↓ 2,3 diphosphoglycerate
- ↓ Tissue oxygenation
• Leucocytes
- ↓ Phagocytosis
- ↓ Granulocyte chemotaxis
- ↓ Bactericidal activity
• Platelets
- Thrombocytopenia
- Defective clot retraction
Skeletal and smooth muscle system
• Proximal myopathy
• Rhabdomyolysis
Skeletal system
• Bone pain
• Osteomalacia or rickets
• Growth retardation
Central nervous system
• Tremors
• Seizures
• Confusion
• Delirium
• Coma
Cardiovascular system
• Cardiomyopathy (impaired myocardial contractility, congestive heart failure)
Respiratory system
• Respiratory failure
Renal system
• Hypercalciuria
• Hypermagnesuria
• Bicarbonaturia-metabolic acidosis

③ 인산 배출 증가

신장의 근위세뇨관(proximal renal tubule)에서 70%의 필터된 인산을 재흡수하고 원위세뇨관(distal renal tubule)에서 15% 정도 재흡수된다. 근위세뇨관에서의 Na-P2a/c는 재흡수의 가장 중요한 채널로서 FGF23에 의해서 표현이 조절되며, 원위세뇨관에서는 PTH가 표현을 조절한다. 따라서, 인산재흡수에 관련된 모든 단백질 관련 유전자의 돌연변이가 있을 경우 신장에서의 인산 배출의 증가로 저인산염혈증이 발생한다. 다만, FGF23의 증가가 동반된 경우와 아닌 경우로 나누어서 감별진단을 한다(그림 11-2-22).

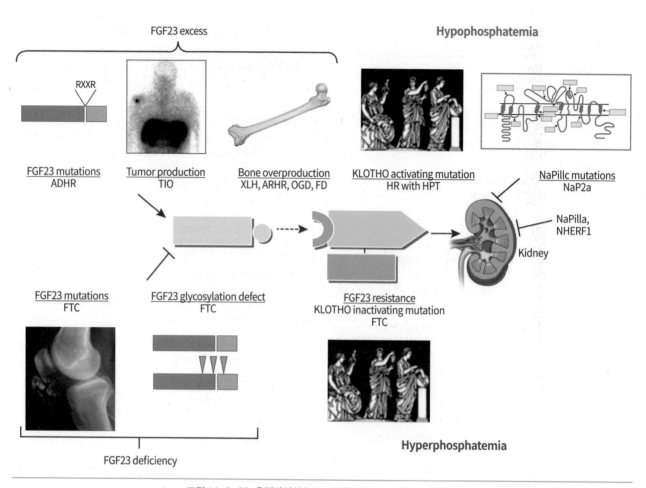

그림 11-2-22. **유전자이상으로 기인한 저인산염혈증의 병태생리**

ADHR, autosomal dominant hypophosphatemic rickets; TIO, tumor-induced osteomalacia; XLH, X-linked hypophosphatemia; ARHR, autosomal recessive hypophosphatemic rickets; OGD, oesophagogastroduodenoscopy; FD, functional dyspepsia; HPT, hyperparathyroidism; HHRH, hereditary hypophosphatemic rickets with hypercalciuria; FTC, follicular thyroid carcinoma.

(3) 임상증상

저인산염혈증은 그 정도와 기간에 따라 전혀 증상이 없거나 심하게 나타나 임상증상의 범위가 넓다(표 11-2-10).

(4) 평가

혈중 무기인산은 일중변동이 있어 새벽 3시에 가장 높고, 오전 11시에 가장 낮으며, 식사에 영향을 받으므로 8시간 공복 후 채혈을 해야 한다. 빌리루빈이나, 콜레스테롤이 높거나, 용혈작용 있을 때와 만니톨 투약을 한 경우 분석오류가 발생하여 가성저인산염혈증이 나올 수 있다.

감별진단을 위해서는 소변내 배출량이 중요한데, 24시간 소변이나 무작위소변(random urine)검사로 할 수 있다.

- FEPi [fractional excretion of filtered phosphate]
  = (UPixPCr×100)/(PPixUCr) (U = urine, P = plasma)
- TRP [tubular reabsorption of phosphate]
  = [1−(FEPi/100)]×100 [정상85~95%]

저인산염혈증이 있으면서 24시간 소변의 인산이 100 mg보다 적거나, TRP가 95%보다 높으면 인산흡수가 감소했거나, 세포내이동이란 의미이고 100 mg보다 높고, TRP가

85%보다 낮으면 신장에서 인산 배출 증가로 인함을 알 수 있다. 다만, TRP가 85%보다 적은 경우 배출된 인산으로 보정이 되지 않으면 정상치로 나올 수 있어서 Tmp/GFR (the ratio of tubular maximum reabsorption of phosphate to glomerular filtration rate)를 아래와 같이 계산해 주면 된다.

- TmP/GFR
- TRP ≤ 0.86; TmP/GFR = TRPXPPi
- TRP > 0.86; TmP/GFR = 0.3 × TRP/[1−(0.8XTRP)] × PPi

(5) 치료

저인산염혈증의 치료는 전적으로 원인, 중증도, 이환기간에 따라서 해야 한다. 첫째, 세포바깥액내 인산의 세포 내로 이동으로 인한 경우에는 원인이 된 기저질환이나 상태를 호전시키는 것이 중요하겠다. 영양재개의 속도, 인슐린이나 당분의 공급 시 규칙적인 모니터링을 하면 되고 아주 심한 경우에만 주사용인산을 사용하면 된다. 부갑상선수술 이후 골기아증후군 시에는 활성형 비타민D로도 대개 충분하다. 둘째, 불충분한 인산의 섭취 및 흡수장애의 경우에도 영양부족이나 장 자체가 가지고 있는 질환 등을 치료하는 것이 우선이다. 셋째, 신장에서의 인산 배출 증가의 경우 선천적인 유전질환인 경우 활성형비타민D (15–60 ng/kg/d) 외에도 별도로 인산(15–60 mg/kg/d, 보통 1–3 g/day)을 경구 투약을 해야 한다. 후천적인 경우는 원인종양을 찾아서 제거하는 것이 제일 중요하다. 최근에는 FGF23의 증가를 동반하는 경우 뷰로수맙(burosumab)이라는 항FGF23항체 치료도 승인받은 상태이다. 성인에서는 1 mg/kg/4주 피하주사로 투약하고, 소아에서는 0.8–1.2 mg/kg/2주(최대 용량 90 mg)로 투약하도록 되어 있다.

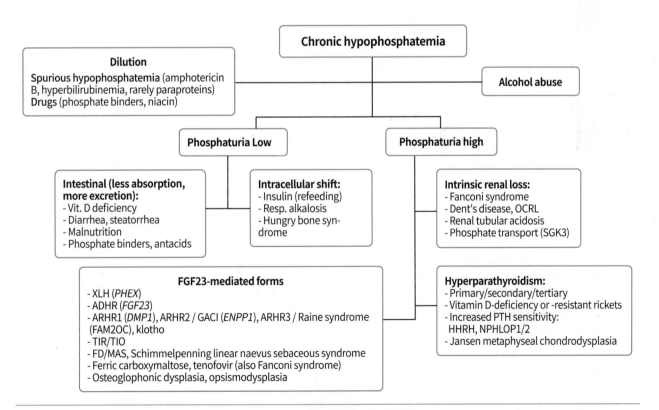

그림 11-2-23. 저인산염혈증의 감별진단

XLH, X-linked hypophosphatemia; ADHR, autosomal dominant hypophosphatemic rickets; ARHR, autosomal recessive hypophosphatemic rickets; GACI, generalized arterial calcification of infancy; TIR, tumor-induced rickets; TIO, tumor-induced osteomalacia; FD, fibrous dysplasia; MAS, McCune-Albright syndrome; HHRH, hereditary hypophosphatemic rickets with hypercalciuria; NPHLOP, nephrolithiasis/osteoporosis, hypophosphatemic.

3) 고인산염혈증

(1) 원인

첫째로 가장 흔한 원인으로는, 신기능이 저하되거나, 부갑상선호르몬의 기능이 제대로 작동하지 못해서 인산의 배출 자체가 감소하는 경우가 있다. 둘째, 인이 세포바깥액으로 유입이 증가한 경우인데, 외부에서 인산이 포함된 약물나 수액을 다량투약된 경우가 있고, 내재적으로 다량의 세포 파괴로 혈액 내로 인산이 쏟아져 나오는 경우와 마지막으로 혈액내 다른 물질로 인한 검사오류인 경우로 나눌 수 있다. 각 형태별 세부원인은 **표 11-2-11**과 같다.

(2) 병태생리

① 신장 배출 감소

인산의 90%가 매일 신장으로 배출이 되고 재흡수되는 방식으로 대사가 된다. 신기능이 저하되기 시작하면, FGF23 및 PTH의 보상적인 증가로 인산의 증가를 억제한다. 하지만, 신기능의 저하가 말기로 가게 되면 보상이 불가하여 인산이 증가하게 된다. 게다가 신실질 감소로 인해서 활성형 비타민D의 농도 감소로 PTH의 증가가 더욱 심화되면서 골흡수 증가로 이어져 인산이 더욱 상승하게 된다. 부갑상선저하증이나 부갑상선호르몬수용체 저항이 생긴 거짓부갑상선저하증(pseudohypoparathyroidism)의 경우도

인산 배출이 감소하게 된다. 흔하지는 않지만, UDP-N-acetyl-α-D-galactosamine: polypeptide N-acetyl-galactosaminyl-transferase 3 (GALNT3)에 돌연변이로 인해 FGF23의 활성도가 감소하여 인산 배출이 줄게 되는 경우도 있다.

② 인산 공급 증가

인산이 다량 포함된 완화제나 완전 비경구 영양법이나 주사로 인산을 투약하는 경우 외부에서의 투입으로 증가할 수 있다. 비타민D 다량복용으로 중독상태까지 가면 인산의 흡수가 비정상적으로 증가할 수도 있다. 그 외로는 종양용해증후군, 횡문근융해증 등 급작스럽게 다량의 세포가 파괴되어 인산 유입이 증가한 경우로 나눌 수 있다.

③ 가성고인산염혈증

혈액내 증가된 글로불린, 빌리루빈 등의 방해로 인한 인산 검사오류로 높게 나오는 경우이다.

(3) 임상증상

대부분의 환자는 증상이 없고, 병태생리 및 이환기간에 따라서 다양한 임상양상으로 나온다. 급성으로 증가하는 경우 칼슘이온과의 결합으로 인해서 저칼슘혈증이 발생하고 이로 인한 테타니, 전간, 혼수 등이 발생할 수 있고 만성일

표 11-2-11. 고인산염혈증의 병태생리에 따른 다양한 원인

• Decreased renal excretion
- Renal failure
- Hypoparathyroidism/pseudohypoparathyroidism
- Tumoral calcinosis [GALNT3 mutation]
• Excessive phosphate load
- Acute phosphate load: Phosphate-containing laxatives, IV Phosphate, TPN, vitamin D intoxication
- Redistribution to the extracellular space: Tumor lysis, rhabdomyolysis, acidosis, hemolytic anemia, severe hyperthermia, fulminant hepatitis, systemic infections
• Pseudohyperphosphatmia
- Hyperglobulinemia, hyperlipidemia, hemolysis, hyperbilirubinemia

경우 연부조직 칼슘 침착, 혈관내 석회화 증가 등이 발생할 수 있다.

(4) 치료

고인산염혈증의 원인을 먼저 교정하는 것이 우선이다. 외부에서 공급되는 인산 식이 섭취를 제한하고 수분공급을 충분히 해준다. 내부적으로 세포파괴 등에 의해서 대량공급된 경우 소변내 배출을 증진시키도록 한다. 만성신부전의 경우 인산 식이 제한과 더불어서 인산결합제제 등을 병행한다.

2. 마그네슘대사 이상

1) 개요

마그네슘은 체내양이온 중 네 번째로 많은 것으로서 우리 몸에서 작동하는 600개 이상의 효소에 보조작용을 한다. 60%가 뼈에, 38%가 연부조직에 저장되어 있고, 1–2%만이 혈액내 존재한다. 혈액 내에서는 30%가 단백질에 결합해 있고, 15% 정도가 중탄산염, 구연산염, 황산염, 인산염과 결합해 있다. 따라서 혈액내 마그네슘 중 55–70%만이 활성화되어 있는 것이다. 최근 들어 마그네슘의 감소 또는 증가가 질환의 경과에 영향을 준다는 보고들로 관심이 증가한 상태이다.

2) 저마그네슘혈증

(1) 개요

성인에서 일일 마그네슘 권장량은 약 320–420 mg 정도이다. 80%가 공장과 대장에서 수동적으로 흡수가 되며, 신장의 헨레고리(Henle's loop)에서 70%가 재흡수된다. 근/원위세뇨관의 transient receptor of melastatin 6 (TRPM6)에서 능동적으로 일어난다.

(2) 원인 및 병태생리

마그네슘 부족은 크게 위장관 문제 및 흡수장애, 선천적인 경우가 있겠고 최근 흔히 쓰는 약물들과 관련된 문제로 나누어 볼 수 있다. 따라서, 크게 신장외 흡수의 문제이거나, 신장에서의 배출 증가로 나누어 볼 수 있다(표 11-2-12).

(3) 임상양상

역시 저하 정도와 이환, 발병기간에 따라 다양하지만, 가장 중요한 것은 부정맥과 이로 인한 심장급사의 위험이 있다(그림 11-2-24).

(4) 치료

원인 자체를 교정하는 것이 우선이겠지만, 다원성심실빈맥(Torsade de pointes)이나 자간전증(preeclampsia)의 경우 혈중 농도에 관계없이 마그네슘을 투여하도록 되어 있다. 이런 생명이 위태한 경우나, 혈중 마그네슘 농도가 0.5 mM보다 낮을 경우에는 정주형마그네슘설페이트를 16 meq (2 g 또는 8 mmol)를 투여한다. 정주로 투약한 경우 50%가 바로 신장배출되기 때문에 작용시간이 짧음도 유의해야 한다. 저하 자체가 경하거나 장기적으로 경구용마그네슘 복용 시 제제별 생체이용률(bioavailability)이 매우 다양하고 음식에 영향을 많이 받으므로 유의가 필요하며 제제별 비교연구결과가 없다. 다만, 산화마그네슘의 경우가 생체이용률이 4%로 가장 낮아서 마그네슘 보충보다는 삼투성 완화제로서 쓰이고 있다.

3. 결론

체내에서 일어나는 많은 생화학적 반응 및 세포구조 자체에서 중요한 역할을 하는 것이 무기질이며(Chapter 1), 가장 많고 중요한 칼슘대사질환은 Chapter 2–I, II에서 다루어졌고, 그 외 인산과 마그네슘에 대한 부분에 대한 정리를 한 Chapter이다. 그 중 저인산염혈증으로 인한 골연화증은 Chpater 4–I에서 다루어졌으며, 여러가지 원인에 따른 저인산염혈증 및 고인산염혈증, 저마그네슘혈증에 대한 병태생리 및 가능한 원인, 치료에 대한 리뷰를 했지만, 여전히 이러한 이상이 체내에 주는 영향력 및 치료 시 얻는 효과에 대한 증거가 더욱 많이 필요한 상태이다.

11 뼈·무기질대사

표 11-2-12. **저마그네슘혈증의 원인**

- Extrarenal
  - Gastro-intestinal losses: Inflammatory bowel disease, bariatric surgery, vomiting
  - Decreased gastro-intestinal absorption: Inflammatory bowel disease, bariatric surgery, previous intestinal resection, decreased intake (malnutrition, alcoholism, diet), drugs (proton pump inhibitors, resins, patiromer), hypovitaminosis D
  - Others: Refeeding, sepsis, prolonged vigorous exercise, blood transfusion (chelation by citrate), hungry bone syndrome

- Renal
  - Hereditary: Hypercalciuric hypomagnesemia (mutations in CLDN16, CLDN19, CASR, CLCNKB), Gitelman-like hypomagnesemia (mutations in CLCKNB, SLC12A3, BSND, KCNJ10, FYXD2, HNF1B, PCBD1), mitochondrial hypomagnesemia (SARS2, MT-TI, Kearns-Sayre Syndrome).
  - Drugs: EGFR inhibitors, platinum derivatives, diuretics, pentamidine, aminoglycosides, foscarnet, calcineurin inhibitors cyclosporine, tacrolimus.
  - Miscellaneous: Proteinuria, osmotic diuresis, acidosis (increased ionized magnesium fraction), insulin resistance/diabetes mellitus, polyuria/acute tubular necrosis/post-obstructive uropathy, alcoholism, primary and secondary hyperaldosteronism

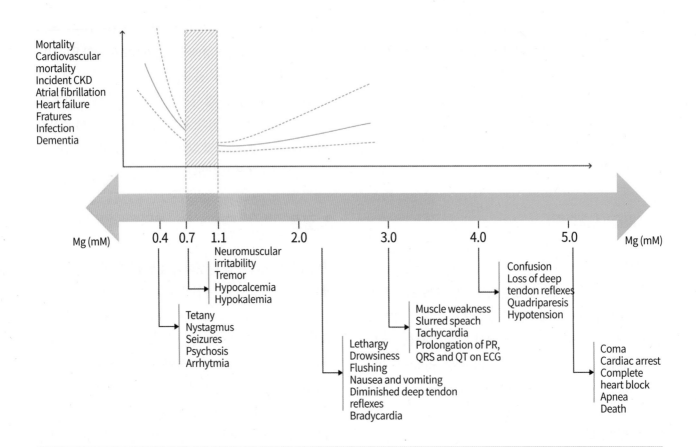

그림 11-2-24. **마그네슘 혈중 농도에 따른 임상양상**

참 / 고 / 문 / 헌

I.

1. 민용기, 최형진. 무기질대사질환. 편저자: 김성연. 민헌기. 임상 내분비학. 제3판. 고려의학; 2016. pp. 639-53.

2. Arnold A, Agarwal SK, Thakker RV. Familial States of Primary Hyperparathyroidism. In: Bilezikian JP. Primer on the metabolic bone diseases and disorders of mineral metabolism. 9th ed. John Wiley & Sons; 2018. pp. 629-38.

3. Bilezikian JP, Brandi ML, Eastell R, Silverberg SJ, Udelsman R, Marcocci C, et al. Guidelines for the management of asymptomatic primary hyperparathyroidism: summary statement from the Fourth International Workshop. J Clin Endocrinol Metab 2014;99:3561-9.

4. Brewer K, Costa-Guda J, Arnold A. Molecular genetic insights into sporadic primary hyperparathyroidism. Endocr Relat Cancer 2019;26:R53-72.

5. Horwitz MJ. Non-parathyroid hypercalcemia. In: Bilezikian JP, et al. Primer on the metabolic bone diseases and disorders of mineral metabolism. 9th ed. John Wiley & Sons; 2018. pp. 639-45.

6. Mariani G, Mazzeo S, Rubello D, Bartolozzi C. Preoperative localization of abnormal parathyroid glands. In: Bilezikian JP. The Parathyroids: Basic and Clinical Concepts. 3rd ed. San Diego: Academic Press; 2015. pp. 499-518.

7. Potts JT, Jüppner HW. Disorders of the Parathyroid Gland and Calcium Homeostasis. In: Jameson JL, Fauci AS, Kasper DL, Hauser SL, Longo DL, Loscalzo J. Harrison's principles of internal medicine. 20th ed. McGraw-Hill; 2018.

8. Rubin MR, Bilezikian JP, McMahon DJ, Jacobs T, Shane E, Siris E, et al. The natural history of primary hyperparathyroidism with or without parathyroid surgery after 15 years. J Clin Endocrinol Metab 2008;93:3462-70.

9. Silverberg SJ, Bandeira F, Liu J, Marcocci C, Marcella D. Primary hyperparathyroidism. In: Bilezikian JP. Primer on the metabolic bone diseases and disorders of mineral metabolism. 9th ed. John Wiley & Sons; 2019. pp. 619-28.

10. Zavatta G, Clarke B. Normocalcemic primary hyperparathyroidism: need for a standardized clinical approach. Endocrinol Metab 2021;36:525-35.

II.

1. Ahn SV, Lee JH, Bove-Fenderson EA, Park SY, Mannstadt M, Lee S. Incidence of hypoparathyroidism after thyroid cancer surgery in South Korea, 2007-2016. JAMA 2019;322:2441-42.

2. Bilezikian JP, Brandi ML, Cusano NE, Mannstadt M, Rejnmark L, Rizzoli R, et al. Management of hypoparathyroidism: present and future. J Clin Endocrinol Metab 2016; 101:2313-24.

3. Brandi ML, Bilezikian JP, Shoback D, Bouillon R, Clarke BL, Thakker RV, et al. Management of hypoparathyroidism: summary statement and guidelines. J Clin Endocrinol Metab 2016;101:2273-83.

4. Bringhurst FR, Demay MB, Kronenberg HM. Hormones and Disorders of Mineral Metabolism. In: Melmed S et al. ed. Williams textbook of endocrinology. 14th ed. Philadelphia: Elsevier; 2019. pp. 1196-255.

5. Clarke BL, Brown EM, Collins MT, Juppner H, Lakatos P, Levine MA, et al. Epidemiology and diagnosis of hypoparathyroidism. J Clin Endocrinol Metab 2016;101:2284-99.

6. David K, Moyson C, Vanderschueren D, Decallonne B. Long-term complications in patients with chronic hypoparathyroidism: a cross-sectional study. Eur J Endocrinol 2019;180:71-8.

7. Jueppner H. Molecular definition of pseudohypoparathyroidism variants. J Clin Endocrinol Metab 2021;106:1541-52.

8. Jung SY, Kim HY, Oh, HJ, Choi E, Cho MS, Kim HS. Feasibility of autologous plasma gel for tonsil-derived stem cell therapeutics in hypoparathyroidism. Sci 2018;8: 11896.

9. Lee J-H, Lee S. The Parathyroid Glands and Parathyroid Hormone: Insights from PTH Gene Mutations. In: Litwack G ed. Vitamins and Hormones. Academic Press; 2022.

10. Lee JH, Munkhtugs D, Sihoon Lee. Rare PTH gene mutations causing parathyroid disorders: a review. Endocrinol Metab 2020;35:64-70.

11. Lee S, Hong SW, Choi HS, Lee LY, Nam C, Rhee Y, et al. Experimental parthyroid hormone gene therapy using Φ C31 integrase. Endocr J 2008;55:1033-41.

12. Lee S, Mannstadt M, Guo J, Kim SM, Yi HS, Khatri A, et al. A Homozygous [Cys25] PTH (1-84) mutation that impairs PTH/PTHrP receptor activation defines a novel form of hypoparathyroidism. J Bone Miner Res 2015;30:1803-13.

13. Lim YS, You BH, Kim HB, Lim SH, Song JG, Bae MG, et al. A new therapeutic approach using a calcilytic (AXT914) for postsurgical hypoparathyroidism in female rats. Endocrinol 2020;161:bqaa145.

14. Linglart A, Levine MA, Jueppner H. Pseudohypoparathyroidism. In: Bilezikian JP et al. ed. Primer on the metabolic bone diseases and disorders of mineral metabolism. 9th ed. New Jersey: Wiley Blackwell; 2019. pp. 661-73.

15. Potts JT Jr, Jueppner H. Disorders of the Parathyroid Gland and Calcium Homeostasis. In: Jameson JL et al. ed. Harrison's principles of internal medicine. 20th ed. New York: McGraw-Hill; 2018. pp. 2921-42.

16. Schafer AL, Shoback DM. Hypocalcemia: Definition, Etiology, Pathogenesis, Diagnosis, and Management. In: Bilezikian JP, et al. ed. Primer on the metabolic bone

diseases and disorders of mineral metabolism. 9th ed. New Jersey: Wiley Blackwell; 2019. pp. 646-653.

17. Shoback DM, Bilezikian JP, Costa AG, Dempster D, Dralle H, Khan AA, et al. Presentation of hypoparathyroidism: etiologies and clinical features. J Clin Endocrinol Metab 2016;101:2300-12.

18. Underbjerg L, Sikjaer T, Mosekilde L, Rejnmark L. Post-surgical hypoparathyroidism—risk of fractures, psychiatric diseases, cancer, cataract, and infections. J Bone Min Res 2014;29:2504-10.

19. Underbjerg L, Sikjaer T, Mosekilde L, Rejnmark L. The epidemiology of nonsurgical hypoparathyroidism in Denmark: a nationwide case finding study. J Bone Min Res 2015;30:1738-44.

20. Vokes T, Rubin MR, Winer KK, et al. Hypoparathyroidism. In: Bilezikian JP et al. Primer on the metabolic bone diseases and disorders of mineral metabolism. 9th ed. New Jersey: Wiley Blackwell; 2019. pp. 654-60.

21. White AD, Fang F, Jean-Alphonse FG, Clark LJ, An HJ, Liu H, et al. Ca2+ allostery in PTH-receptor signaling. Proc Natl Acad Sci U S A 2019;116:3294-9.

III.

1. Bergwitz C, Jüppner H. Regulation of phosphate homeostasis by PTH, vitamin D, and FGF23. Annu Rev Med 2010;61:91-104.

2. Christov M, Jüppner H. Phosphate homeostasis disorders. Best Pract Res Clin Endocrinol Metab 2018;32:685-706.

3. Crook M, Swaminathan R. Disorders of plasma phosphate and indications for its measurement. Ann Clin Biochem 1996;33:376-96.

4. de Baaij JH, Hoenderop JG, Bindels RJ. Magnesium in man: implications for health and disease. Physiol Rev 2015;95:1-46.

5. Garringer HJ, Fisher C, Larsson TE, Davis SI, Koller DL, Cullen MJ, et al. The role of mutant UDP-N-acetyl-α-D-galactosamine-polypeptide N-acetylgalactosaminyltransferase 3 in regulating serum intact FGF 23 and matrix extracellular phosphoglycoprotein in heritable tumoralcalcinosis. J Clin Endocrinol Metab 2006;91:4037-42.

6. Gattineni J. Inherited disorders of calcium and phosphate metabolism. Curr Opin Pediatr 2014;26:215-22.

7. Geerse DA, Bindels AJ, Kuiper MA, Roos AN, Spronk PE, Schultz MJ. Treatment of hypophosphatemia in the intensive care unit: a review. Crit Care 2010;14:R147.

8. Gohil A, Imel EA. FGF23 and associated disorders of phosphate wasting. Pediatr Endocrinol Rev 2019;17:17-34.

9. Jacquillet G, Unwin RJ. Physiological regulation of phosphate by vitamin D, parathyroid hormone (PTH) and phosphate (Pi). Pflugers Arch 2019;471:83-98.

10. Kenny AP, Glen ACA. Tests of phosphate reabsorption. Lancet 1973;2:158.

11. Laurent MR., De Schepper J, Trouet D, Godefroid N, Boros E, Heinrichs C, et al. Consensus recommendations for the diagnosis and management of X-linked hypophosphatemia in Belgium. Front Endocrinol (Lausanne) 2021;12:641543.

12. Lederer E, Wagner CA. Clinical aspects of the phosphate transporters NaPi-IIa and NaPi-IIb: mutations and disease associations. Pflugers Arch 2019;471:137-48.

13. Leung J, Crook M. Disorders of phosphate metabolism. J Clin Pathol 2019;72:741-7.

14. Linglart A, Levine MA, Jüppner H. Pseudohypoparathyroidism. Endocrinol Metab Clin North Am 2018;47:865-88.

15. Malberti F. Hyperphosphataemia: treatment options. Drugs 2013;73:673-88.

16. Manghat P, Sodi R, Swaminathan R. Phosphate homeostasis and disorders. Ann Clin Biochem 2014;51:631-56.

17. Martin KJ, González EA. Prevention and control of phosphate retention/hyperphosphatemia in CKD-MBD: what is normal, when to start, and how to treat? Clin J Am Soc Nephrol 2011;6:440-6.

18. Ritz E, Haxsen V, Zeier M. Disorders of phosphate metabolism--pathomechanisms and management of hypophosphataemic disorders. Best Pract Res Clin Endocrinol Metab 2003;17:547-58.

19. Ruppe MD, Jan de Beur SM. ASBMR. In: Bilezikian JP ed. Primer on the metabolic bone diseases and disorders of mineral metabolism. 9th ed. pp. 674-83.

20. Schuchardt JP, Hahn A. Intestinal absorption and factors influencing bioavailability of magnesium-an update. Curr Nutr Food Sci 2017;13:260-78.

21. Van Laecke S. Hypomagnesemia and hypermagnesemia. Acta Clin Belg 2019;74:41-7.

골다공증

김하영 김덕윤 정호연 백기현 홍성빈 신찬수

I. 골다공증의 역학, 병태생리

김하영

1. 서론

골다공증은 가장 흔한 대사성골질환으로 여성의 경우 50세 전후 폐경 이후에 급격히 유병률이 증가하는 경향이 있으며, 노년기에 많이 발생하는 대표적인 노인질환이다. 세계보건기구는 골다공증을 '골량의 감소와 미세구조의 이상을 특징으로 하는 전신적인 골격계 질환으로, 결과적으로 뼈가 약해져서 부러지기 쉬운 상태가 되는 질환'으로 정의하고 있으며, 최근 미국국립보건원에서는 이를 축약하여 '골강도의 약화로 골절의 위험성이 증가하게 되는 골격계 질환'으로 규정하였다. 골강도는 골밀도와 골의 질에 의해서 결정되는데 골강도의 80% 정도가 골밀도에 의존하므로 골밀도의 측정이 진단하는 데 유용한 도구가 된다. 현재 사용되고 있는 골밀도에 의한 정의는 1990년대 초반에 세계보건기구에서 제시하였다. 폐경여성에서 척추와 대퇴골부위의 골밀도를 측정하여 젊은 성인군 평균의 2.5 표준편차 이하의 골밀도를 골다공증이라고 하였고, −1.0과 −2.5 표준편차 사이를 골감소증이라 하였다(표 11-3-1). 이 기준이 전 세계적으로 이용되고 있으나, 이는 백인여성을 대상으로 한 것이므로 남성과 타 인종에게 적용하는데는 문제점이 있을 수

있다. 그러나 이에 대한 광범위한 연구가 많이 이루어지지 않은 상태여서 국내에서도 이 기준을 적용하는 것이 합당할 것으로 여겨진다.

골다공증 환자는 척추, 대퇴골, 손목, 상완골, 골반, 발목 등에서 작은 충격에 의해서도 골절이 발생하게 된다. 골다공증은 골절이 발생할 때까지 별다른 증상 없이 서서히 진행하는 질병이지만 골다공증골절이 발생하면 삶의 질 저하, 독립적인 생활능력의 상실, 이환 및 사망 증가로 이어지게 되어 가족구성원 및 사회에 미치는 영향이 심각하다. 이미 고령화시대로 접어든 우리나라에서도 골다공증 관련 의료비가 빠르게 증가할 것이라는 전망에는 이견이 없는 상태로 이번 장에서는 최근에 발표된 골다공증 및 골다공증골절의 국내 역학연구결과들을 정리하고 골다공증의 병태생리에 대해 알아보고자 한다.

2. 역학

골다공증의 진단 및 치료 분야가 급속도로 발전하면서 골다공증과 이로 인한 골절의 발생현황, 비용 및 사회적 영향에 대한 연구의 필요성이 대두되었다. 최근 국내에서도 지역사회 코호트, 국민영양조사 및 건강보험청구자료 등을 활용한 골다공증 및 골다공증골절 관련 역학연구들이 활발하게 진행되고 있다.

표 11-3-1. 골밀도에 의한 골다공증 정의(WHO)

정상	T점수: -1.0 이상
골감소증	T점수: -1.0~-2.5 사이
골다공증	T점수: -2.5 이하
심한 골다공증	T점수: -2.5 이하 + 골다공증골절

1) 골다공증

골다공증의 유병률을 알기 위해서는 전체 국민을 대상으로 한 전수조사를 하는 것이 필요하나 이는 불가능하므로 대부분의 연구는 한 지역을 선정해서 전체 지역을 조사하거나 모집단에서 표본추출을 하여 골다공증 유병률을 조사하였다.

국내에서 시행된 지역사회코호트연구 중 초음파로 골밀도를 측정한 연구로는 농촌지역인 전라북도 정읍지역의 50세 이상 여성을 대상으로 한 연구에서 골다공증이 12.0%, 골감소증이 34.0%로 관찰되었다. 반면, 충청남도 태안군의 35-65세 사이의 여성들을 대상으로 한 연구에서는 골다공증이 3.0%, 골감소증이 40.9%로 관찰되어 차이를 보였다. 이들 보고 결과에서 차이가 있어 보이지만, 같은 연령 구간(50-64세)에서 비교해보면 골다공증이 정읍지역에서 6.4%, 태안군에서는 4.5%로 통계적인 차이가 검출되지 않아 유사한 양상을 보여주고 있다. 이중에너지방사선흡수측정 척추 및 대퇴골 골밀도를 측정한 연구로는 울산지역 폐경기주변 여성을 대상으로 한 연구에서 요추부에서 골다공증 및 골감소증이 각각 9.8%, 30.7%였고, 대퇴골경부에서는 각각 1.4%, 24.4%였다. 최근 경기도 안성지역에서 40세에서 79세 사이의 인구 3,538명을 대상으로 골밀도를 측정하여 남성 13.1% 및 여성 24.3%의 골다공증 유병률을 보고하였다.

전체 인구를 대상으로 표본을 추출하여 시행하는 국민건강영양조사의 2008-2011년 자료를 통합하여 분석한 결과, 골밀도측정기로 골밀도 측정 시 50세 이상 성인 5명 중 1명(22.4%)이 골다공증, 2명 중 1명(47.9%)이 골감소증이었다. 성별로 살펴보면 골다공증은 남성 7.5%, 여성 37.3%로 여성이 남성에 비해 5배 이상 높았고, 골감소증은 남성이 46.8%, 여성 48.9%로 비슷하였다. 연령별로 보면 여성은 골다공증 유병률이 50대 15.4%, 60대 36.6%, 70세 이상에서 68.5%였고 남성은 50대 3.5%, 60대 7.5%, 70세 이상에서는 18%로 10세 단위로 연령이 증가할 때마다 골다공증 유병률이 2배 이상 증가하는 소견을 보였고 여성에서의 증가폭이 남성보다 컸다(그림 11-3-1). 특히 70세 이상이 되면 골다공증과 골감소증의 유병률이 여성에서는 98.5%, 남성은 73.9%에 달해 이 연령대에서 골다공증의 진단과 치료의 중요성을 상기시켜 주고 있다. 이러한 연구에서는 대상자의 정확한 골밀도를 파악할 수는 있지만, 표본추출인구가 전체 인구의 1% 미만으로 일반화하기에는 여러 제한점이 있다. 이러한 한계를 극복하기 위하여 전체 인구를 대상으로 건강보험청구자료를 이용하여 간접적인 방법으로 골다공증 유병률을 조사하는 연구도 진행되었다. 국내 건강보험청구자료를 이용한 역학연구에서 조작적 정의를 이용해 분석한 의사가 진료한 골다공증 환자의 유병규모는 2008년 146만 명으로 조사되었고, 50세 이상 의사진단골다공증 환자 비율산출결과 남성 2.6%(인구 1만 명당 남성 265명) 및 여성 18.5%(인구 1만 명당 여성 1,851명)였다. 이러한 결과는 골밀도를 측정한 국민건강영양조사의 결과와 비교하면 적은 수치이다. 그러나 최근 연구에 의하면, 전체 골다공증 진단 환자 중 58%만이 골다공증으로 인한 의료 이용을 하는 것으로 보고된 바 있어 이를 보정하면 비슷한 결과가 나온다. 이러한 간접적인 방법은 골밀도 측정자료를 직접 확인할 수 없는 단점이 있고, 조작적 정의 방법에 따라서 골다공증 유병규모가 달라질 수 있기 때문에 조작적 정의의 표준화가 필요하고, 다른 나라의 의료환경에서 적용하기에

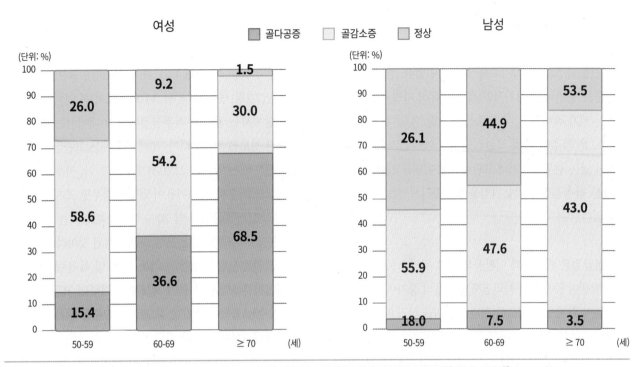

그림 11-3-1. **연령에 따른 골다공증과 골감소증의 유병률[국민건강영양조사(2008-2011)]**

어렵다는 제한점이 있다.

국민건강영양조사(2008-2010년)에서 설문조사를 통해 간접적으로 파악한 결과를 보면 골다공증 유병자 중에서 본인의 골다공증을 인지하고 있는 비율이 남성 7.6% (50대 7.8%, 60대 8.6%, 70세 이상 6.8%), 여성 37.8% (50대 36.7%, 60대 42.6%, 70세 이상 34.8%)이고, 치료를 받는 비율은 남성 5.7%, 여성 22.8%로 나타났다. 연령이 증가할수록 남녀 모두에서 골다공증의 유병률은 크게 증가하나 인지율과 치료율은 차이를 보이지 않았다. 즉, 우리나라 골다공증 환자 가운데 본인의 질병을 모르고 있는 미인지율이 남성 92.4%, 여성 62.2%로 높고, 미치료율 또한 남성 94.3%, 여성 77.2%로 높아서 다른 만성질환과 비교 시 골다공증관리가 미흡함을 보여주었다. 특히 남성은 70대 이후에 5명 중 1명이 골다공증 유병자임에도 불구하고 골다공증을 여성의 질병으로만 인식하여 인지율과 치료율이 더욱 낮았는데 이는 다른 국가들에서도 나타나는 현상이다. 또한, 골다공증 유병률을 전체 인구에 대입하여 의료서비

스를 이용한 골다공증 환자 수로 나눈 골다공증 환자의 의료이용률은 2008-2010년을 기준으로 55-61%에 불과해 골다공증 환자 10명 중 4명은 의료서비스를 이용하고 있지 않은 것으로 확인되었다. 게다가 고령화사회가 진행되면서 급격히 늘어날 것으로 예상되는 80대부터는 의료이용이 특히 여성에서 급격히 감소하는 것으로 나타나 이에 대한 적극적인 개입이 필요한 실정이다.

2) 골다공증골절

골다공증은 궁극적으로 골절을 유발하고, 이러한 골다공증골절은 환자의 삶의 질에 심각한 영향을 미치고, 조기 사망의 원인이 된다. 따라서, 골다공증 유병률뿐만 아니라 골다공증골절의 발생률에 대한 관심이 높아 전 세계적으로 많은 연구가 진행되어 왔다.

척추, 고관절, 손목 및 근위부 상완골의 골절이 골다공증으로 인한 주된 골절부위로 생각되고 있으나 이외에 골반, 근위부 경골, 원위부대퇴골 및 발목골절들도 낮은 골밀도와

관련이 있다. 척추골절은 골다공증골절 중 가장 많이 발생하는 골절이나 경미한 골절은 증상이 없이 방사선사진으로만 발견할 수 있어 역학자료를 얻기가 어렵다. 심한 경우 급성요통을 동반하며 장기적인 결과로 특히 다발척추골절인 경우는 키가 작아지고, 후만증을 초래할 수 있다. 척추골절은 새로운 척추골절 및 고관절골절의 예측인자여서, 척추골절이 있는 경우 3년 이내 고관절골절 위험을 2.8배, 1년 이내 다른 척추골절의 발생위험을 5배 증가시키는 것으로 알려져 있다.

고관절골절은 사망률과 이환율의 주요 원인으로 나이가 들수록 발생이 증가하여 사회경제적 비용의 증가에 기여한다. 대부분의 환자들이 치료를 위해서 입원을 하기 때문에 발생빈도를 조사하기가 용이하고 국가 간의 비교도 가능하다. 국내에서 시행된 지역사회연구도 고관절골절의 발생빈도를 조사한 연구가 대부분이다. 1993년 전라남도 광주지역을 대상으로 50세 이상 성인 남녀에서 고관절골절 발생률을 조사한 결과, 고관절골절 발생률이 인구 1만 명당 3.8명이었는데, 같은 지역에서 10년 뒤 다시 조사한 결과, 인구 1만 명당 13.4명으로 4배 정도 증가한 소견이 관찰되었다. 또한 2002년에 제주도지역의 50세 이상 주민을 대상으로 고관절골절 발생률을 조사한 연구에서는 인구 1만 명당 12.8명이었고, 4년 후 시행한 추적조사에서 13.4명으로 증가한 소견을 보였다.

전체 인구를 대상으로 2008년에서 2016년까지 국민건강보험공단의 심사청구자료를 분석한 결과에 의하면, 50세 이상 성인의 골다공증골절 발생건수는 2008년 18만 6천 건, 2009년 19만 8천 건, 2010년에 24만 건, 2011년 26만 1천 건, 2012년 26만 5천 건, 2013년 27만 4천 건, 2014년 26만 9천 건, 2015년 26만 9천 건, 2016년 27만 5천 건으로 2013년 이후 증가폭이 둔화되는 경향을 보였다. 연령 및 성별로 보정한 골다공증골절 발생률도 2013년 이후에는 정체된 양상이었다. 동 기간(2008–2016년) 중 여성의 골다공증골절 발생건수가 44.5%, 남성의 골다공증골절 발생건수가 58.7% 증가해 골다공증으로 인한 골절이 남성에서도 심각한 문제

인 것으로 나타났다. 부위에 따른 골절발생 양상을 살펴보면 2016년 기준으로 인구 1만명 당 골다공증골절이 많이 생기는 부위는 척추(88.4명), 손목(40.5명), 고관절(17.3명), 상완골(7.2명) 순이었다. 남, 녀 모두에서 전 연령대에 가장 많이 발생하는 골절은 척추골절이고 50대에서는 손목골절이 절반 정도를 차지하다가, 70대 이후에는 고관절골절이 급격히 증가하는 양상을 보였다(그림 11-3-2). 척추골절의 경우 증상으로 인해 의료이용이 있었던 경우만 조사된 것이어서, 무증상척추골절이 약 70% 정도에 해당되는 점을 고려한다면, 척추골절의 발생률은 과소추계된 것이라 판단된다. 국내 고관절골절 발생률은 미국, 일본 및 북유럽보다는 낮은 편이지만 노인인구 증가 속도를 고려하면 고관절골절의 발생건수는 급격히 증가할 것으로 사료된다. 손목골절은 중년의 폐경여성에서 흔한 골다공증골절로 고관절이나 척추골절보다는 이환율이 낮고 적은 비용이 든다. 폐경여성에서는 손목골절의 발생률이 증가하지만 나이가 들어감에 따라 더 이상 증가하지 않는다.

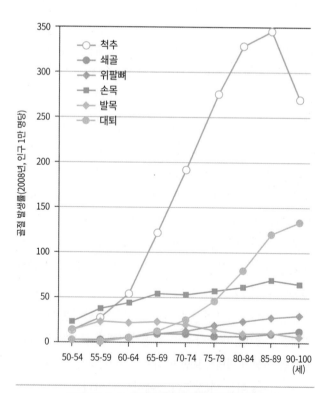

그림 11-3-2. **부위에 따른 연령별 골절 발생률**
건강보험심사평가원(2009)

3) 골절의 영향

골다공증골절은 높은 사망률뿐만 아니라 일상생활에 심각한 문제를 유발한다. 손목골절의 경우 여성들의 대부분에서 통증, 행동장애, 기형 및 일상생활의 수행능력 장애를 포함하는 장기간의 후유증을 경험한다. 척추골절은 기형뿐만 아니라 통증, 폐기능 저하, 중력의 중심이동으로 인한 균형과 보행장애, 소화장애 및 자신감소실 등을 초래하고 우울증도 흔하게 나타난다. 그 결과 지속적인 장애와 삶의 질 저하와 같은 문제를 초래하게 된다. 고관절골절은 가장 심한 병적상태로 사망을 하지 않은 경우에 50%까지는 보조기구 도움이 없이는 걷지 못하고 33%까지 독립적인 생활을 하지 못하는 것으로 보고되었다. 외국의 보고에 의하면 고관절골절 후 1년 이내 사망률이 20-24%이고, 발생은 낮지만 골절 발생 후 사망률은 남성에서 더 높다. 골절 자체보다는 합병증 또는 기존의 만성질환으로 인한 사망이 원인으로 추정되고 있다. 척추골절의 경우도 사망률이 증가한다고 보고되었다. 국내 건강보험청구자료를 이용하여 골다공증골절 환자의 사망양상을 추적한 연구에 의하면 고관절골절 발생 시 3개월 이내 사망이 가장 많아 1년 내 사망자의 절반 정도가 이 기간에 사망하는 것으로 나타났다, 골절발생 후 이로 인한 1년 내 사망률은 고관절골절 발생 시 남성 20.8%, 여성 13.6%였으며, 척추골절발생 시에는 남성이 9.2%, 여성이 4.2%로 나타나 남성이 여성보다 높은 사망률을 보였다.

골절의 경제적영향은 외국의 경우 상당한 것으로 알려져 있다. 비용적인 측면은 골절마다 경우가 다양하고 치료에 따른 비용이 차이가 난다. 건강보험청구자료를 이용한 연구에 의하면 2008년에서 2011년까지 50세 이상 인구에서 골다공증골절과 관련한 직접의료비용은 6,077억 원에서 7,992억 원으로 31.6% 증가하였고 이러한 증가추이는 남녀 모두에게서 확인되었다. 연령별로 분석 시, 골다공증골절에 따른 총 비용은 50세에서 79세까지는 연령에 따라 증가하였으나 그 이후부터는 줄어드는 양상을 보였다. 그러나 80세 이상에서 골다공증골절이 발생할 경우 평균 의료비가 50대보다 1.9배가 높았다. 골절부위별로 살펴보면, 총 의료비용은 척추골절이 가장 높아서 전체 비용의 45% 정도를 차지했고, 그 다음이 고관절골절, 손목골절, 상완골골절 순이었다. 골절 1건당 평균 의료비용은 고관절골절이 919만 원으로 가장 높았고, 그 다음이 척추골절 500만 원, 상완골골절 431만 원, 손목골절 287만 원 순으로 나타났다. 그러나 여기에는 간병비, 교통비 등의 간접비용과 생산성 손실에 대한 비용이 포함되지 않았기 때문에 실제 사회경제적 손실은 이보다 훨씬 크다고 할 수 있다.

3. 병태생리

골다공증은 원인, 연령, 임상특징에 따라 골다공증을 일으킬 수 있는 다른 질환이 동반되지 않는 일차골다공증과 이차골다공증으로 분류한다. 일차골다공증은 여성에서 폐경 여성호르몬 결핍으로 인해 발생하는 제1형골다공증(폐경후골다공증)과 고령의 남녀에서 칼슘과 비타민D 부족으로 인해 발생되는 제2형골다공증(노년골다공증)으로 나누어진다. 이차골다공증은 발병연령에 상관없이 골다공증을 유발시키는 원인질환이 선행되기 때문에 원인질환을 찾는 것이 치료의 가장 중요한 요소이다. 골격의 취약성으로 인해 골절이 쉽게 발생하는 골다공증은 다양한 원인을 가진 복잡한 질환이다. 이 장에서는 골재형성 단위에서의 불균형을 초래하여 골밀도를 감소시키는 몇몇 원인들에 대해 설명하고자 한다.

1) 성호르몬 결핍

난소기능부전으로 인한 여성의 에스트로젠수치 감소와 폐경후골다공증 발병 사이의 관계는 1941년 올브라이트 등이 처음으로 주장하였고 이후 난소적출술을 시행받은 환자에서 에스트로젠의 투여로 골소실이 방지되는 것을 관찰하면서 더욱 확실시되었다. 폐경이행기 동안, 혈중 17β-에스트라디올은 폐경전수치보다 85-90% 감소하며, 혈중 에스트론수치는 65-75% 감소한다. 남아있는 혈중 에스트로젠수치가 폐경여성에서 골흡수의 중요한 결정인자가 된다. 혈중 테스토스테론도 폐경 후 감소하지만 테스토스테론은 부신과 난소의 간질세포에서 계속 분비되므로 감소 정도는 적다.

에스트로겐의 결핍은 새로운 골재형성부위를 활성화시키고, 골흡수를 급격히 증가시켜 골형성과의 불균형을 초래함으로 인해 골소실을 초래하게 된다. 골표지자연구에 의하면 폐경기에 골흡수표지자는 90% 증가하는 반면 골형성표지자는 45%만 증가하였다. 활성화빈도의 변화는 골흡수와 골형성 사이의 새로운 평형상태에 도달할 때까지 일시적인 골소실을 야기하지만, 골재형성의 불균형은 영구적인 골량의 감소를 초래하게 된다. 골재형성은 뼈의 표면에서 시작되므로 피질골보다는 많은 표면면적(전체의 80%)을 가진 소주골이 에스트로겐 결핍에 영향을 더 받게 된다. 그래서, 에스트로겐 결핍 시 초기에 흔하게 골절이 발생하는 부위는 소주골이 많은 척추부위이다.

폐경이 되면 1년에 2-4% 정도의 급격한 골소실이 약 5-10년간 지속되고 이 기간 동안 소주골의 20-30%, 피질골의 5-10%가 소실된다. 증가된 골흡수로 인해 골격에서 세포바깥액으로 칼슘이 이동하게 되면 고칼슘혈증을 예방하기 위해 신장에서의 칼슘 배설 증가, 장내 칼슘 흡수 감소 및 부갑상선호르몬 분비 억제 등의 보상작용이 나타나서 결국에는 음성 칼슘 균형이 초래하게 된다. 폐경 초기에 에스트로겐을 보충하면 이러한 보상작용이 나타나지 않은 것으로 보아 에스트로겐 결핍과 직접적인 관련이 있다고 여겨진다.

에스트로겐 결핍이 골소실에 중요한 요인임은 분명하나 이를 설명하는 세포수준의 기전은 여전히 활발한 연구대상이다. 에스트로겐수용체인 ERα와 ERβ는 골세포, 골모세포 및 파골세포를 비롯한 여러 골세포유형에서 널리 발현됨이 확인되었다. 에스트로겐은 골모전구세포(preosteoblast)에서 골모세포로의 분화를 증가시키고, 골모세포와 골세포의 세포자멸사를 억제한다. 또한 에스트로겐은 골모세포에서 성장인자(IGF-1 및 TGF-α)의 생산과 전구콜라겐 합성을 증가시키고, 강력한 Wnt신호억제제인 스클레로스틴(sclerostin)의 농도를 감소시킨다. 스클레로스틴은 RANKL을 증가시키고 오스테오프로테제린(osteoprotegerin, OPG) 합성을 억제하는 것으로 알려져 있어 에스트로겐에 의한 스클레로스틴 합성 억제는 골형성을 유지할 뿐 아니라 골흡수 억제 효과에도 중요할 수 있다. 에스트로겐은 골모세포와 T세포, B세포에서 RANKL의 합성을 억제하고, 골모세포에서 OPG의 합성을 증가시켜 파골세포의 모집과 활동을 감소시키며, 골모전구세포에서 TGF-β 합성을 증가시켜서 파골세포의 세포자멸사를 촉진한다. 또한 골수기질 단핵세포와 골모세포에서 IL-1, IL-6, TNF-α, M-CSF 및 프로스타글랜딘 같은 골흡수사이토카인의 합성을 억제하여 주변분비작용으로 파골세포의 활동을 조절하기도 한다. 이렇듯 뼈를 보호하는 효과를 가지는 에스트로겐이 사라지게 되면 골세포와 골모세포의 수명이 감소하고, 파골세포의 분화와 수명이 증가하게 되어 골흡수가 증가하는데 골형성이 같은 속도로 증가할 수 없어서 골재형성의 불균형으로 인한 영구적인 골소실이 발생하게 된다.

여성과 달리 남성에서는 성호르몬의 급격한 감소가 일어나지 않지만 나이가 들면서 서서히 감소하게 된다. 이는 남성에서 연령이 증가함에 따라 성호르몬결합글로불린이 점진적으로 증가하기 때문인 것으로 알려져 있다. 그러나 총호르몬과 달리 생물학적으로 이용가능한 유리성호르몬의 수치는 감소하게 된다. 수년간 감소된 혈중 테스토스테론이 남성에서 연령 증가 관련 골소실에 관여하는 것으로 생각되어 왔으나, 몇몇 골밀도와 성호르몬 간의 관련성 연구에서 노인남성에서 골소실이 테스토스테론보다 에스트로겐과 더 연관성이 있다고 보고하였다. 노인남성에서 골소실의 원인으로 테스토스테론과 에스트로겐의 역할을 비교한 연구결과, 남성에서 골흡수에 미치는 성호르몬전체효과의 70% 이상을 에스트로겐이 관여하고 테스토스테론은 30% 이상을 넘지 못하였다. 또한 방향화효소억제제를 투여하여 체내에서 테스토스테론이 에스트로겐으로 변환되지 않을 경우에도 골다공증이 발생한다. 즉 에스트로겐 결핍은 남성과 폐경여성 모두에서 골다공증을 야기하는 중요한 원인이다.

2) 나이 관련 골소실

여성의 경우 폐경 후 5-10년간 골소실이 빠르게 진행된 후에 남은 수명 동안 느리고 지속적인 골소실이 진행하게 된다. 이러한 골소실의 두 번째 단계에서는 피질골과 소주골의 소실이 거의 동일한 비율로 발생한다. 남성에서는 여성에서 폐경 후에 보이는 급격한 골소실은 보이지 않고 후에 서서히 일어나는 골소실만 나타난다(그림 11-3-3). 정상적인 노화에 의한 골다공증은 남녀 모두에서 발생하며 제2형골다공증 또는 노년골다공증(senile osteoporosis)이라고 명칭한다.

노인에서 골소실의 병인은 다인성이지만 신장에서 활성형 비타민D합성장애와 활성형 비타민D에 대한 장내감수성 감소에 의한 칼슘 흡수장애로 생긴 이차부갑상선항진증과 노화에 따른 골모세포의 골형성능력의 감소로 설명되고 있다. 노인에서는 신장에서 칼슘을 보존하고 장에서 칼슘을 흡수하는 능력이 감소된다. 장에서 칼슘 흡수의 감소는 비타민D 섭취나 피부에서 비타민D 합성의 부족, 신장에서 1-α-수산화효소의 활성도 저하에 의한 콜레칼시페롤 합성장애, 장에서의 비타민D수용체 감소 등에 기인한다. 이러한 칼슘 항상성의 장애로 인해 노인은 더 많은 칼슘을 섭취해야만 음성칼슘 균형의 발생을 막을 수 있다. 그러나 일반적으로 노인에서 칼슘 섭취량이 적기 때문에 칼슘 부족상태를 초래하게 되고 이로 인해 부갑상선호르몬의 분비가 증가됨으로써 파골세포의 골흡수가 항진되게 된다. 또한 비타민D 결핍은 노인에서 골연화증을 유발하여 기존의 골다공증을 더욱 악화시킬 수 있다.

노화에 따른 골소실은 각 골재형성부위에서 형성되는 뼈의 양이 감소하기 때문이기도 한데 이러한 골형성 감소의 원인은 골모세포의 분화 및 기능과 관련이 있다. 골모세포는 골수유래중간엽줄기세포(mesenchymal stem cell, MSC)에서 분화되는데 노화에 따라 MSC에서 골모세포로의 분화는 감소하고, 반면 지방세포로의 분화가 증가하여 골수에 지방이 많아지게 된다. 여기에는 PPARγ가 상호간의 조절에 핵심적인 역할을 하는 것으로 알려져 있다. PPARγ유전자가 결손된 쥐에서는 높은 골량이 관찰되고, 골수세포 배양에서는 지방세포가 감소하고 골모세포가 증가하였다. 또한 연령 증가에 따른 IGF-1 및 기타 영양인자들의 감소도 골모세포의 분화와 기능의 감소에 기여하게 된다. 조혈줄기세포(hematopoietic stem cell)에서 파골세포로의 분화도 감소하여 골재형성부위의 골흡수도 감소하지만 골형성의 감소가 더 커서 결과적으로 골량의 감소를 초래하게 된다. 이외 다른 인자들로, 연령 증가에 따른 호모시스테인 수치의 증가는 골흡수를 증가시킬 수 있고 IL-6, TNF와 같은 염증사이토카인들도 증가되어 골교체를 자극할 수 있다.

3) 이차골다공증

이차골다공증은 다양한 질병이나 약물로 인하여 골형성의 장애를 초래하거나, 골소실이 증가되는 경우에 발생한다. 골다공증을 일차 및 이차형태로 나누는 것은 다소 임의적이며 환자는 두 가지를 같이 가질 수 있다. 이차골다공증의 원인으로는 내분비질환, 위장관질환, 골수질환, 결합조직질환, 약물 등이 포함된다. 골소실에 기여하는 기전들은 각질환마다 고유하며, 영양, 감소된 신체활동 및 골재형성 속도에 영향을 주는 인자를 포함한 여러 요인으로 인해 발생한다. 질환뿐만 아니라 임상에서 사용되는 많은 약물들도 골격에 해로운 영향을 줄 수 있다. 대표적으로 당질부신피질호르몬은 약물에 의한 골다공증 원인 중 가장 흔하다. 골다공증이 당질부신피질호르몬 혹은 기타 인자와 관련되는 정도를 파악하기 어려운 경우가 있는데, 이는 골소실과 직접 연관이 있는 류마티스관절염 같은 질환 자체의 영향과 치료약물의 효과가 겹쳐질 수 있기 때문이다. 갑상선호르몬의 과도한 용량은 골재형성을 가속화시켜서 골소실을 초래할 수 있다. 일부 항경련제는 사이토크롬 P450계와 비타민D대사를 유도하여 골다공증의 위험을 증가시키는 것으로 생각된다. 사이클로스포린 및 tacrolimus 같은 면역억제제를 사용하는 이식 환자들은 빠른 골소실로 골절에 대한 위험이 높다. 유방암치료를 위하여 사용되는 방향화효소억제제는 안드로겐 및 다른 안드로겐전구물질을 에스트로겐으로 전환시키는 방향화효소를 억제함으로 인해 폐경 후 혈중 에스트로젠수치가 상당한 감소를 일으켜서 골밀도에 나쁜 영향을 주고 골절 위험을 증가시킨다. 이차골다공증을 일으키는 질환 및 약물들에 대해서는 다른 장에서 자세히 다룰 것이다.

4) 낮은 최대골량

성장기에 만들어진 최대골량이 낮거나 최대골량에 도달 후 골소실이 증가되는 것이 골다공증의 발생에 주요인자이다. 골량의 획득은 사춘기 후반에 가장 많으며, 20대 초·중반과 30대 초반 사이에 최대골량에 도달하게 되고 이후는 나이가 들어감에 따라 점차 감소한다(그림 11-3-3). 성인 골량의 60% 이상이 최대골량의 획득과 관련될 것으로 추정된다. 최대골량을 결정하는 요인에 에스트로젠/테스토스테론과 성장호르몬/IGF-1 등의 호르몬, 흡연, 칼슘/비타민D 섭취 및 신체활동 등의 환경요인과 알려지지 않은 유전소인 등이 있다.

최대골량은 남성이 여성보다 높다. 사춘기에 이르러서는 골의 크기가 남성에서 여성보다 커지게 되는데 이는 주로 피질골의 두께가 더 두꺼워지기 때문이다. 이에 따라 단위면적당 골밀도인 BMD (g/cm²)는 남성에서 더 크게 되지만, 단위 부피당의 골밀도(g/cm³)는 별로 차이가 나지 않는다. 사춘기까지는 남녀가 비슷한 비율로 골량이 증가되나 사춘기 이후에는 남자가 여자보다 많은 골량을 형성한다. 사춘기 때의 이러한 급격한 성장에는 최대 성장호르몬 분비, 높은 혈장IGF-1수치, 에스트라다이올 및 테스토스테론의 수직 상승 등이 중요한 역할을 한다.

최대골량의 가장 중요한 결정요인은 유전요인으로 최대골량의 최소 50%는 이로 인해 결정된다. 어머니의 골밀도가 낮은 경우 딸도 골밀도가 낮을 확률이 높으며 이란성보다 일란성쌍생아에서 성장 후 골밀도가 서로 유사한 것으로 보고되었다. 골다공증은 다른 만성질환에서와 마찬가지로 다수의 유전변이의 상호작용에 따른 "다유전자질환"이어서 최대골량을 결정하는 유전인자를 찾으려는 노력은 많은 어려움이 있었다. 각각의 변이가 가지는 효과의 크기가 작아서 유전결정요인은 찾고자 하는 노력은 다른 복합질환에서와 같이 쉽지가 않다. 최근 유전체 전체를 탐색하는 GWAS (Genome-Wide Association Study)연구에 의해 확인된 골밀도를 결정하는 후보유전자에는 RANKL, OPG, VDR, 콜라겐, 에스트로젠수용체, IL-1, IGF-1 등이 있는데 이외에도 골량의 개별적 변이에 기여하는 수백 개의 유전자가 있을 가

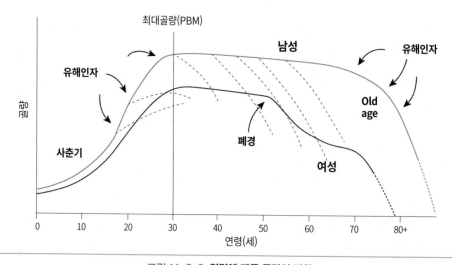

그림 11-3-3. 연령에 따른 골량의 변화

청장년기에 일생 중 가장 높은 골량이 만들어지며, 이를 최대골량이라고 한다. 이후 연령이 증가할수록 골량 감소를 보이며, 특히 여성의 경우 폐경 이후 심한 골소실이 발생한다.

능성이 있다. 최근에 알려진 유전자인 LRP5는 골밀도가 매우 높은 가족을 대상으로 한 가계연구에서 발견되었는데, LRP5의 활성화변이는 높은 골량과 관련이 있었고, 반면 불활성화변이는 골다공증-거짓신경교종증후군의 발생과 관련이 있었다. LRP5가 세포분화에서 중요한 리간드인 Wnt의 수용체로서 작용함이 알려지면서 골모세포의 증식과 분화에 관여하는 새로운 경로에 대한 많은 연구가 진행되었다. 또한, 스클레로스틴 및 Dkk1을 포함한 Wnt/LRP5신호전달체계에 대한 천연 대항제에 대한 연구가 진행되어 치료약물 개발까지 연결되었다.

환경요인으로 부적절한 칼슘 섭취, 비타민D 부족 및 신체활동량 저하가 최대골량 획득에 장애를 초래할 수 있다. 또한 청소년기의 흡연과 과도한 음주는 골밀도를 감소시키는 것으로 알려져 있다.

II. 골다공증의 평가

김덕윤

1. 골강도 평가

골다공증은 골강도가 약해져 골절위험성이 증가된 골격계 질환이다. 골강도는 골량과 골질에 의해 결정되는데, 골량은 골밀도로 측정되고 골질은 크게 구조적 성질과 물질적 성질로 나뉜다. 연령 증가에 따라 사지골격의 골내막흡수(endosteal resorption)와 골외막골형성(periosteal apposition)이 동시에 일어나며, 이는 장골의 지름을 증가시키나 피질골 두께는 감소시킨다. 골외막지름이 증가되면 같은 골량이라도 골강도가 더 강해져 휨이나 비틀림부하에 대한 저항을 유지한다. 골조직형태 계측을 통해 확인되는 미세구조는 소주골의 두께, 방향성, 간격, 연결성과 피질골의 두께, 다공성(cortical porosity)에 의해 뼈강도에 영향을 준다. 또한 골교체율(bone turnover rate)은 골질 전반에 영향을 미치는 중요한 요소이다.

골강도를 정확하게 평가하려면 이런 요소들을 종합적으로 고려해야 한다. 그러나 모든 요소를 동시에 반영하는 검사 방법이 없고, 미세구조 정보는 침습적 검사를 시행해야 하는 어려움이 있다. 따라서 골강도를 평가하는 여러 방법에서 얻어진 정보를 종합하여 평가한다. 골밀도 측정에 가장 널리 이용되는 기본검사인 이중에너지방사선흡수측정(dual energy X-ray absorptiometry, DXA)에 TBS (trabecular bone score) 소프트웨어를 추가하면 골구조에 대한 추가정보를 얻을 수 있고, 골다공증골절 위험도를 평가하는 FRAX (fracture risk assessment tool), 골표지자, 임상정보 등을 종합하여 골다공증을 진단, 평가한다

2. 골밀도 측정

1963년에 동위원소인 I-125를 선원으로 사용한 SPA (single photon absorptiometry)가 개발되었고 이후 Ga-153을 이용한 DPA (dual photon absorptiometry)가 골밀도 측정에 사용되었으나 촬영시간이 20-40분으로 매우 길고, 동위원소반감기와 연관된 측정오류 등의 단점으로 널리 이용되지 못하였다. 1987년 DXA가 개발되어 촬영시간이 획기적으로 단축되고 정밀도가 개선된 후부터 활발하게 이용되기 시작하였다. 또한 평균수명 증가에 따라 골다공증이 중요 질환으로 대두되면서 다양한 골다공증약물이 개발되었고, 이에 따라 DXA는 골다공증 진료의 중요한 축을 담당하게 되었다. 아울러 QCT와 초음파측정법 등 다양한 골밀도측정방법이 소개되었으나, 골다공증의 T점수를 이용한 WHO 진단기준이 DXA에만 적용되고, 많은 임상연구에 적용되면서 골다공증의 표준검사로 인정되었다.

1) 이중에너지방사선흡수측정법
방사선이 인체를 투과할 때 투과물질에 따른 방사선투과율의 차이를 측정함으로써 투과물질의 밀도를 산출하는 원리를 이용한다. 연조직을 투과하는 저에너지와 골조직을 투과

11
골·무기질대사

하는 고에너지 방사선을 사용하여 연조직과 골조직을 구분하고 골조직의 투과정도에 따른 강도를 정량적으로 측정하여 골밀도를 산출한다. 검사 시 노출되는 방사선유효선량도 0.3–6.0 µSv 정도로 매우 낮은데, 이는 단순흉부촬영에 비해 최소 10배 이상 적은 수준이다. 골밀도 외에 뼈의 기하학적 정보와 척추골절을 진단하는 소프트웨어도 사용할 수 있다. 체지방과 근육을 포함한 전신 체성분 분석도 가능하여 근감소증, 비만평가 등에도 적용된다.

(1) 측정부위

요추와 대퇴골 두 부위를 촬영한다. 요추와 대퇴골의 골밀도검사가 불가능한 경우와 피질골 소실이 뚜렷한 부갑상선항진증에서는 요골의 원위 1/3부위를 측정한다.

① 요추골밀도

척추는 소주골이 풍부하여 폐경여성에서 골대사 변화를 예민하게 반영한다. 환자를 검사대 가운데 정확하게 위치시키고 T12와 L5의 중간부위를 촬영한다(그림 11-3-4). 이런 영상을 얻기 위하여 위로 12번째 늑골, 아래로는 장골능이 영상에 포함되어야 한다. 연조직에 의한 방사능감쇠 효과를 배제하기 위하여 주위 연조직에 관심영역(region of interest)을 그리는데 이 부위에 조영제, 칼슘약물, 요로결석 등이 포함되면 골밀도수치에 영향을 미치기 때문에 보정해야 한다.

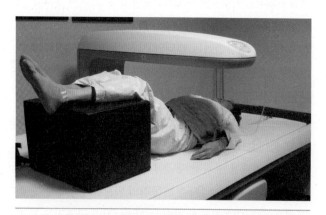

그림 11-3-4. **DXA로 요추골밀도를 촬영하는 모습**

② 대퇴골골밀도

대퇴골을 영상의 세로 중심축에 일직선으로 곧게 위치하도록 하며 영상에서 소전자부(lesser trochanter)가 약간 보일 정도가 올바른 자세이다. 이를 위해서는 발고정기를 사용하여 다리를 15–20° 정도 내전(adduction)시킨다. 이 위치에서 측정된 골밀도가 가장 낮은 수치를 나타내며, 불충분하거나 과도한 내전은 골밀도 측정에 영향을 주어 추적검사 시 중요한 측정 오차로 작용한다. 흔히 좌측 대퇴골 골밀도를 측정하나, 병소가 없는 부위를 선택한다. 대퇴골 전체, 경부 두 곳의 골밀도를 평가에 사용한다.

골다공증약물 치료 후 드물게 발생하는 비정형대퇴골골절(atypical femur fracture) 진단을 위한 소프트웨어를 사용하기도 한다.

(2) 골밀도결과 평가

요추 L1–L4의 평균치와 대퇴골 전체, 경부 중 가장 낮게 측정된 골밀도를 기준으로 골다공증을 진단한다. T점수는 '(환자의 측정값–젊은 집단의 평균값)/표준편차'로 골절에 대한 절대적인 위험도를 나타내기 위해 골량이 가장 높은 젊은 연령층의 골밀도와 비교한 값이다. WHO 진단기준에 따라 T점수가 –2.5 이하인 경우를 골다공증으로, –1.0 이하에서 –2.4까지를 골감소증(osteopenia)으로 정의한다.

이에 비하여 Z점수는 '(환자의 측정값–동일 연령집단의 평균값)/표준편차'로 같은 연령대의 평균 골밀도와 비교한 수치이며 폐경전여성과 50세 이전 남성에서는 T점수가 아닌 Z점수를 적용한다. Z점수가 –2.0보다 낮으면 '연령 기대치 이하(below the expected range for age)'라고 평가하고 이차골다공증과 감별을 요한다.

일정 연령에서 측정부위에 따라 골밀도결과는 차이를 보일 수 있는데 이는 부위에 따라 피질골과 소주골의 조성비가 다르고 골소실 정도가 다르기 때문이다. 폐경여성에서는 해면뼈 비율이 높은 척추골밀도가 대퇴골에 비하여 T점수가

표 11-3-2. DXA 골밀도의 측정 오차 원인

참값보다 높게 측정
• 척추의 퇴행성 변화
• 척추골절
• 대동맥석회화
• 경화성(osteoblastic) 골전이
• 금속(장신구, 수술장비 등)
• 척추혈관종
• 강직척추염
• 대퇴골의 불충분한 내전(internal rotation)
• 과체중
• 스트론티움 치료

참값보다 낮게 측정
• 척추후궁절제술(laminectomy)
• 용해성(osteolytic) 골전이
• 저체중

낮게 측정되는 경향이 있고, 고령에서는 척추의 퇴행성 변화로 인하여 실제보다 척추골밀도가 높게 측정되는 반면, 대퇴골에서는 골감소가 지속되어 대퇴골골밀도가 척추보다 더 낮을 수 있다.

척추골밀도 평가 시 퇴행성 변화, 압박골절, 수술 등으로 인해 다양한 측정 오차가 발생할 수 있다(표 11-3-2).

따라서 측정 오차가 있는 요추를 배제하고 나머지 요추골밀도의 평균치만 진단에 사용한다(그림 11-3-5). 그러나 평가 가능한 요추가 최소한 2부위 이상이어야 하며 1부위의 골밀도는 공식적으로 인정되지 않는다. 정상에서는 L1에서 L4로 가면서 골밀도가 증가하는데 이런 경향이 역전되거나 T점수가 주위 요추와 1 표준편차 이상 차이를 나타내면 퇴행성 변화 등 판정에 적합하지 않은 부위일 가능성이 높다.

(3) 골밀도추적검사

골밀도추적검사는 전번검사와 동일한 조건에서 시행되어야 한다. 척추부위를 촬영할 때 같은 면적의 동일한 관심영역이 포함되도록 하고, 퇴행성 변화나 압박골절 등이 발생했는지 확인한다. 대퇴골에서는 환자의 위치 변동, 관심영역의 잘못된 테두리 선정 등이 흔히 발생하므로 주의한다. 또한 환자체중이나 체지방조성 등이 크게 변화하면 추적골밀도 결과에 영향을 줄 수 있다. 검사자의 잦은 교체는 정밀도에 지대한 영향을 초래하므로 전담근무체제를 유지하고, 정기적인 교육프로그램에 참여하도록 한다.

① 최소유의변화값

추적검사에서 관찰되는 골밀도 변화가 검사자나 이중에너지방사선흡수측정의 오차범위를 상회하는 유의한 변화인지를 평가하기 위하여 최소유의변화값(least significant change, LSC)을 이용한다. LSC를 구하기 위해서는 최소한 30명 이상에서 2번씩 골밀도를 측정하거나, 15명에서 3번씩 측정한 후 ISCD 홈페이지(www.iscd.org)에서 얻은 엑셀파일에 자료를 입력하면 정밀도와 LSC를 구할 수 있다. 정밀도에 2.77을 곱하면 95% 신뢰구간에서의 LSC를 계산할 수 있다. 예를 들어 정밀도가 1%이면 LSC는 2.77%로 1년 후 골밀도 변화가 2.77% 이상이어야 유의한 변화이다. 국제적 기준에 따르면 각 검사자마다 최소 LSC가 척추, 대퇴골 전체, 대퇴골경부가 각각 5.3%, 5.0%, 6.9%보다 낮은 수치를 보여야 한다.

골다공증약물 치료 후 기대와 달리 골밀도가 감소된 경우 약물복용 적응도, 칼슘과 비타민D 부족, 이차골다공증 가능성 등 임상적요인을 고려하기에 앞서, 골밀도 측정과 평가과정에 문제가 없는지, LSC 이상되는 변화인지 등 기술적인 오류가능성을 우선적으로 배제해야 한다.

(4) 이중에너지방사선흡수측정의 질 관리

팬텀을 이용하여 정기적으로 질 관리를 시행한다. 팬텀은 hydroxyapatite로 조성되어 뼈를 반영하는 부분과 물에 해당되는 epoxyresin으로 연부조직을 반영하도록 되어 있으며 평가목적에 따라 여러 종류의 팬텀이 사용되고 있다. 팬텀 측정치가 평균치의 1.5% 이상 혹은 2회 연속 측정에서 1.0% 이상의 변화를 나타내면 측정기의 오차가능성

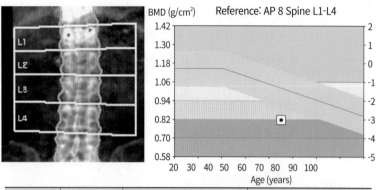

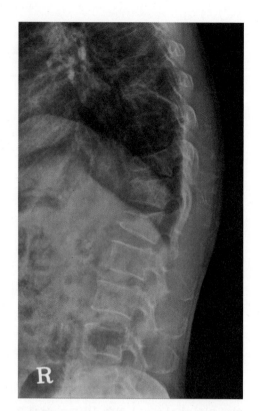

Reglon	BMD (g/cm²)	Young-Almit		Age-Matched	
		(%)	T-Bcore	(%)	Z-Bcore
L1	0.962	87	−1.2	101	0.1
L2	0.744	62	−3.7	72	−2.4
L3	0.747	63	−3.7	73	−2.3
L4	0.812	68	−3.1	79	−1.8
L1–L2	0.849	74	−2.4	87	−1.1
L1–L3	0.812	70	−2.9	81	−1.6
L1–L4	0.812	69	−3.1	20	−1.7
L2–L3	0.746	63	−3.7	73	−2.4
L2–L4	0.770	65	−3.5	75	−2.1
L3–L4	0.782	66	−3.4	76	−2.1

그림 11-3-5. 척추골밀도의 평가

L1-L4의 평균 골밀도를 기준으로 평가하는 것이 원칙이나 L1에서 압박골절이 관찰되므로 평가에서 제외하고 L2-L4의 T점수 –3.5를 기준으로 골다공증을 진단한다.

이 있으므로 기계 점검을 의뢰한다.

(5) DXA기기 간의 교차보정

DXA기종마다 다른 측정방법에 따라 골밀도 측정결과에 차이를 보이므로 제조회사, 기종, 소프트웨어가 다른 DXA 결과는 직접 비교할 수 없다.

DXA를 동일한 조건에서 하드웨어만 교체할 때는 10번의 팬텀스캔을 시행하여 교차보정(cross-calibration)을 시행하고, 평균치가 1.0% 이상 차이가 나면 제조회사의 서비스를 요청한다. 다른 회사의 DXA로 교체하거나 같은 제조회사의 DXA라도 측정기법이 다른 기종으로 바꿀 때는 교체전 기종으로 30명의 환자에서 검사를 시행하고 교체 후 기종으로 동일인에서 60일 이내에 재검사를 시행한 후, 교차보정 엑셀 파일(www.iscd.org)을 이용하여 골밀도를 보정하고 LSC

를 측정한다. 이런 방식으로 교차보정한 경우에만 다른 이중 에너지방사선흡수측정의 결과를 비교할 수 있다.

(6) 소주골점수

소주골점수(trabecular bone score, TBS)는 DXA의 척추영상에 적용하는 소프트웨어로 이차원DXA영상을 수식변환과정을 통하여 3차원 입체영상으로 재구성하고, 각 픽셀단위의 변이를 계산하여 뼈의 미세구조를 간접적으로 반영하는 수치를 산출한다. TBS수치가 높으면 뼈의 구조가 더 튼튼함을 나타내고, 수치가 낮으면 뼈의 구조가 취약하고 같은 골밀도라도 골강도가 더 낮음을 시사한다(그림 11-3-6). 소주골의 두께나 숫자 등 골조직의 지표를 직접 반영하는 방법은 아니지만, 여러 연구에서 골구조와의 연관성이 입증되었고 골절 등 임상적인 지표와도 관련 있어 골밀도와 독립적으로 골절위험도를 반영한다.

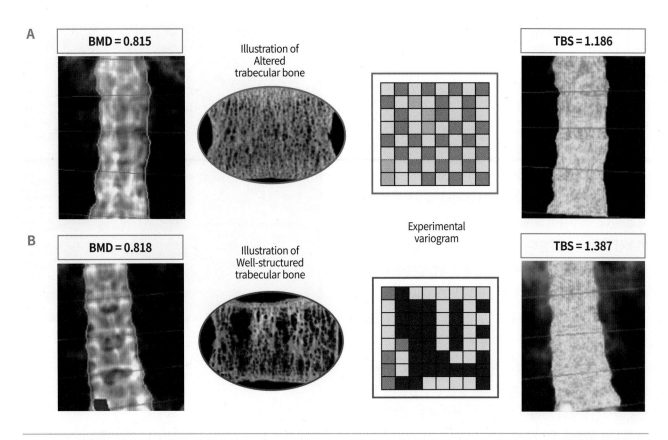

그림 11-3-6. TBS의 적용 예로 76세 여성에서 유사한 골밀도결과를 보이나 낮은 TBS수치를 보이는 환자 A에서 뼈의 구조가 더 취약함을 시사한다.

① 골절위험도평가

폐경여성에서 TBS가 1표준편차 감소될 때마다 척추와 대퇴골골절위험도가 20–50% 증가하며 골절위험도를 독립적으로 반영한다. 50세 이상 남성에서도 TBS가 1표준편차 감소될 때 대퇴골골절과 주요 골다공증 골절위험이 30–40% 증가되었다. 2형당뇨병에서 골밀도가 높은데도 골절위험이 증가하는 경우, TBS수치가 낮아 골절위험 평가에 도움을 줄 수 있다. 이외에도 당질부신피질호르몬유발골다공증, 일차부갑상선항진증, 만성신장질환 등 여러 질환에서 유용성이 보고되고 있다. 최근에는 FRAX (fracture risk assessment) 프로그램에 TBS결과를 추가하여 골절위험도를 더 정확하게 예측할 수 있다. TBS가 1.310보다 높으면 정상 미세구조(microarchitecture), 1.230보다 낮으면 약화(degraded) 미세구조, 그 사이를 부분약화(partially degraded) 미세구조로 평가한다. TBS에서 약화 미세구조를 보이는 골감소증은 정상 TBS를 나타내는 골다공증 환자와 유사한 골절위험도를 갖는다.

② 치료효과 평가

골흡수억제제 치료 후 골밀도가 4.1–8.8% 증가할 때 TBS는 1.4–3.6% 증가에 그쳐 골흡수억제제의 치료효과를 평가하는 역할에 논란이 있어 왔다. 골형성촉진제 사용 후 TBS가 최소유의변화를 상회하는 많은 변화를 보여 치료 후 변화평가에 사용될 수 있음을 시사하였다.

③ 척추의 퇴행성 변화와 체질량지수가 TBS에 미치는 영향

DXA와 달리 TBS는 척추의 퇴행성 변화에 크게 영향을 받지 않는다. 복부의 연부조직(soft tissue)이 많으면 TBS 수치가 실제보다 낮게 측정된다. 체질량지수가 15–37 kg/m^2내에서는 연부조직에 의한 영향을 보정할 수 있으나 이

범위가 넘어가면 TBS결과를 신뢰할 수 없다.

(7) 척추골절 계측

척추골절은 유병률과 이환률, 사망률이 높을 뿐만 아니라, 일단 척추골절이 발생하면 추가적으로 골절이 발생할 위험성이 높으므로 임상적으로 매우 중요하다. 그러나 실제 임상에서는 척추골절이 과소평가되거나 진단되지 못한 채로 방치되는 경우가 많아 척추골절의 25%만 임상적으로 확인되고 있다. 척추골절의 평가에는 흉부와 요추가 포함된 측면 X선 사진을 이용한다. 척추골절을 방사선학적으로 진단하는 데는 Genant 등이 제시한 반정량적방법이 흔히 사용된다. 골절로 인한 변형이 척추체의 25% 이내인 경우를 grade I, 25-40%를 grade II, 40% 이상을 grade III로 정의하였다. DXA검사 시 척추측면사진을 추가로 얻어 자동으로 분석되는 척추골절계측(vertebral fracture assessment, VFA)을 이용하면 척추골절을 진단할 수 있다. 단순방사선검사에 비하여 방사능 노출이 적고, 골밀도검사와 동시에 시행할 수 있으며 자동분석법으로 편리하게 사용할 수 있는 장점이 있다.

2) 정량적전산화단층촬영

(1) 측정법

정량적전산화단층촬영(quantitative computed tomography, QCT)은 다양한 농도의 수산화인회석(K_2HPO_4)으로 구성된 팬텀을 사용하여 척추나 대퇴골의 CT촬영 후 소프트웨어로 팬텀수치를 기준으로 골밀도를 환산하는 방법이다. 피질골과 소주골을 분리하여 골밀도를 측정할 수 있고 구조 정보를 제공하는 것이 장점이다. 척추의 퇴행성 변화나 대동맥의 칼슘 침착부위 등을 배제하고 평가할 수 있다. 그러나 골수지방에 의해 정확도가 영향을 받을 수 있으며 이는 고령에서 정확도를 낮추는 주요 원인으로 작용한다. 단면(single-slice) QCT는 L1-L3, 3D QCT는 L1-L2를 촬영한다(그림 11-3-7). 대퇴골의 뼈의 구조적인 특징(geometry)에 대한 정보도 제공하여 대퇴경부의 두께나 피질

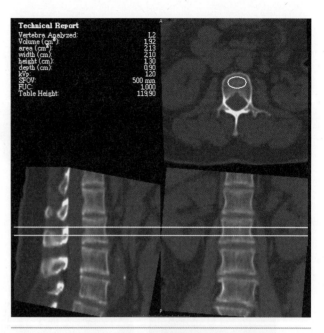

그림 11-3-7. **QCT를 이용한 척추골밀도 측정**
관심영역을 소주골에 국한하여 설정할 수 있다.

골의 두께, 대퇴골 길이, 대퇴골 각도 등을 얻을 수 있다.

최근에는 기왕에 촬영된 CT영상에서 HU (haunsfield unit) 값을 이용하여 척추의 골밀도를 산출하는 opportunistic QCT도 사용되는데 조영제, CT 튜브조건에 따라 결과치가 영향을 받을 수 있다.

(2) 임상적용

체적골밀도를 측정하기 때문에 단위는 mg/cm³을 사용하며, L1-L3 중 2개 이상의 척추를 평가한 수치의 평균이 80 mg/cm³ 미만인 경우를 골다공증, 80-110 mg/cm³을 골감소증으로 진단한다. 110 mg/cm³ 이상은 정상 골밀도로 평가한다. 골다공증 진단에 T점수를 적용할 수 없지만, QCT에서 측정된 T점수는 동일인에서 측정된 DXA결과보다 낮은 경향을 보인다. 폐경여성에서 QCT로 측정된 척추 소주골 골밀도는 DXA로 측정된 척추 골밀도와 동일한 골절 예측능을 갖는다.

(3) 방사선 노출량

방사선 노출량은 촬영부위나 크기, 영상의 해상도에 따라 달라진다. 초기의 단면(single-slice) QCT로 L1-L3 촬영 시에는 50-100 μSv 정도로 방사선 노출량이 낮으나, 3D QCT는 일반적으로 척추촬영 시 1.5-2.3 mSv, 대퇴골 1.0-3.0 정도로 DXA 촬영 시의 방사선 노출량인 0.5-5 μSv 보다 높다.

(4) 정확도와 재현성

척추부위 촬영 시 단면(single-slice) QCT의 변동계수 (coefficient of variance)는 1.4-4.0%, 3D QCT의 변동 계수는 1.3-1.7%로 DXA의 척추촬영 변동계수인 0.5-1.5%보다 크며, 대퇴골 촬영 시 변동계수는 1.6-3.3% 정도 로 DXA의 대퇴골 변수계인 2.2-2.5%보다 다소 높다.

3) 말단골 정량적전산화단층촬영

전완부 등 말단골에서 골밀도를 측정할 수 있도록 제작된 QCT로 적은 공간에서 보다 간편하게 사용하고 방사선 노 출량도 적다.

폐경여성에서 측정된 전완부 pQCT (peripheral QCT)는 대퇴골골절을 예측하는 능력이 검증되었으나, 척추골절 예 측능력은 검증이 더 필요하다. QCT나 pQCT를 치료 여부 결정에 사용할 때는 임상위험인자와 함께 각 기기마다 정해 진 골절역치를 기준으로 골절 위험성이 충분히 높을 때 치 료를 시작한다.

기존의 pQCT보다 해상도가 크게 개선된 HR (high resolution)-pQCT는 조직검사 수준의 3차원 정보를 제공하 며, 유한요소분석(finite element analysis)을 적용한 시 뮬레이션으로 뼈 강도를 정확하게 평가할 수 있다.

Micro-CT도 뼈의 구조를 삼차원적으로 정확하게 평가할 수 있으나 골생검을 통하여 검체를 얻어야 하기 때문에 실 험동물 등 연구목적에 사용되고 있다.

4) 고해상도자기공명영상

손목이나 경골말단, 종골 등에서 얻은 고해상도 MRI 영상 을 통하여 뼈의 미세구조와 기하학적 정보를 얻어 골강도와 골절위험도를 예측한다. 방사선 노출이 없고 뼈와 골수의 구분이 더 명확한 것이 장점이나 영상획득이나 처리과정에 서 높은 기술 수준을 요구하며 신호대잡음비(signal-to-noise ratio)와 해상도, 환자의 움직임에 의한 인공음영 등 에 영향을 받을 수 있다.

5) 기타 말단골측정기

방사선흡수계측법(radiographic absorptiometry, RA), 말단골이중에너지방사선흡수측정법(peripheral dual X-ray energy absorptiometry, pDXA), 정량적초음파측 정법(quantitative ultrasound, QUS)과 같은 말단골측 정기는 장비가격이 저렴하고 검사가 간편하며 설치공간을 적게 차지하는 것이 장점이다 (그림 11-3-8). QUS는 방사선 장애가 없는 것이 추가적인 장점으로 골다공증의 스크리닝 목적에 사용될 수 있다. 초음파가 뼈를 통과하면서 그 에너 지가 반사와 흡수에 의해 소실되는데 뼈의 구조가 치밀하고 밀도가 높을수록 음파에너지가 많이 감소하고, 초음파가 뼈를 통과하는 속도는 뼈의 밀도와 질에 의해 영향을 받는 다. 따라서 QUS는 초음파가 뼈를 통과하는 속도인 SOS (speed of sound)와 음파가 감쇠되는 정도를 평가하는 BUA (broadband ultrasound attenuation)를 측정하 여 뼈의 강도를 평가한다. SOS와 BUA의 두 변수를 단일화 한 합성변수를 사용하기도 하는데 회사에 따라 stiffness index, QUI (quantitative ultrasound index) 등으로 명명한다.

QUS는 폐경여성에서 중축골 DXA와 독립적으로 척추, 대 퇴골을 포함한 전반적인 골다공증골절 위험을 예측하는 능력이 검증되었으며, 65세 이상 남성에서는 대퇴골을 포함 한 비척추골절의 위험을 예측할 수 있다. 그러나 QUS, pDXA 등의 말단기기는 T점수를 적용할 수 없어 적합한 진 단기준이 설정되어야 하며, 현재 국내에서 사용되는 대부분

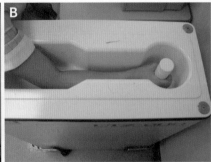

그림 11-3-8. 말단골이중에너지방사선흡수측정
A: Radiographic absorptiometry (RA), B: Peripheral DXA (pDXA), C: Quantitative ultrasound (QUS)

의 말단골이중에너지방사선흡수측정은 DXA로 측정된 T 점수에 비하여 낮게 측정되는 경향이 있어 WHO 진단기준을 적용할 경우 골다공증이 과잉진단될 우려가 있다. 대부분의 말단골측정기는 정밀도가 낮아 추적검사에 이용할 수 없다. 최근에는 REMS (radiofrequency echographic multi spectrometry)라는 새로운 개념의 초음파 측정방법이 소개되어 향후 임상적용이 기대된다.

3. 골절의 절대위험도 평가

미국에서 시행된 대규모연구, NORA (National Osteoporosis Risk Assessment)에서 골다공증군의 골절 발생률이 가장 높았으나 골절 발생의 절대 수는 골감소증군에서 가장 많이 발생하였다. 이는 골다공증의 진단기준을 치료기준에 그대로 적용할 경우 치료가 필요한 일부 골감소증 환자가 방치될 위험성이 높음을 시사한다. 따라서 골감소증 환자에서 골다공증 치료가 필요한 기준을 설정할 필요가 제기되었다. WHO에서는 대규모역학연구에서 정리된 골절의 위험인자 분석을 통하여, 10년내골절위험도(10-year fracture probability)를 계산할 수 있는 FRAX를 발표하였다. 연령, 신장, 체중, 대퇴골경부골밀도, 50세 이후의 골절병력, 대퇴골골절의 가족력, 흡연, 알코올 일일 3단위 이상 섭취, 스테로이드 사용병력, 류마티스관절염의 유무를 입력하면 10년내 골절위험도가 산출되도록 하였다(그림 11-3-9).

Calculation Tool
- Country: South Korea
- Name/ID:

Questionnaire

1. Age (between 40–90 years) or Date of birth
   Age: 70
   Date of birth: 1938. 05.01

	Male	Female
2. Sex		
3. Weight (kg)	60	
4. Height (cm)	155	
5. Previous fracture	No	Yes
6. Parent fractured hip	No	Yes
7. Current smoking	No	Yes
8. Glucocorticoid	No	Yes
9. Rheumatoid arthritis	No	Yes
10. Second osteoporosis	No	Yes
11. Alcohol (> 3 units)/day	No	Yes
12. Femoral neck BMD	0.727 g/cm^2	

T-score : -2.2

[Clear]   [Calculate]

BMI 25.0
The ten year probability of fracture (%) with BMD
- Major osteoporotic: 15
- Hip fracture: 8.3

그림 11-3-9. FRAX 적용의 예
www.shef.ac.kr/FRAX에서 국가를 선택한 후 환자정보를 입력하면 10년내 골절 위험도를 얻을 수 있다.

표 11-3-3. 미국 NOF (National Osteoporosis Foundation)의 골다공증 치료 가이드라인

- 대퇴골 혹은 척추골절
- 대퇴골경부와 척추골밀도의 T점수가 –2.5 이하
- 골감소증의 경우 10년내 대퇴골골절위험도가 3% 이상이거나 주요 골다공증골절(척추, 대퇴골, 손목, 상완골) 위험도가 20% 이상
- 골절위험이 증가된 이차원인
- 10년내 골절위험도가 20% 미만이더라도 임상판단이나 치료에 대한 환자의 선호 정도에 따라 치료대상 선정가능

이를 적용함에 있어 각 인종 및 국가의 골절률, 수명, 의료비용 등에 따라 수정이 필요하다. FRAX는 위험인자의 가중치가 반영되지 않았고, 낙상 등 중요 위험인자가 빠져 있으며 임상적으로 흔히 사용하는 척추골밀도와 골표지자에 대한 언급이 없는 등 문제점이 있다. 따라서 이를 적용할 때 FRAX에서 누락된 주요 임상정보를 함께 고려하여 신중하게 평가해야 한다.

미국에서는 골감소증의 경우 10년내대퇴골골절위험도가 3% 이상이거나 주요 골다공증 골절위험도가 20% 이상인 경우를 치료기준으로 설정하였다(표 11-3-3). 이와는 달리 일본에서는 10년내 주요 골다공증 골절위험도가 15% 이상일 때를 골다공증의 치료기준으로 설정하였고, 영국에서는 연령에 따라 기준을 달리 설정하는 등 국가마다 다른 기준을 적용하고 있다. 골절 병력이 있거나 T점수가 –2.5 이하로 골다공증인 경우에는 FRAX결과와 관계없이 치료대상이 될 수 있다.

4. 골표지자

골표지자(bone turnover marker)는 파골세포나 골모세포에서 분비되는 효소와 골흡수나 골형성과정에서 유리되는 기질성분으로 혈액이나 소변에서 측정가능하며 골교체 정도를 간접적으로 평가할 수 있다.

1) 골표지자의 종류
골흡수표지자로 데옥시피리디놀린(deoxy pyridinoline, DPD), 아미노말단텔로펩타이드(N-telopeptide of col-lagen cross-links, NTX), 카복시말단텔로펩타이드(C-telopeptide of collagen cross-links, CTX) 등이 있다. 골흡수가 진행되며 파괴된 콜라겐의 분해산물로 DPD는 1형콜라겐 섬유들을 교차결합(cross-links)하여 안정시키며, NTX와 CTX는 제1형콜라겐의 말단에 존재하는 펩타이드들이다. 골형성표지자는 골특이알칼리성인산염분해요소(bone specific alkaline phosphatase, BSALP), 오스테오칼신(osteocalcin, OC) 등 골모세포에서 생성되어 분비되는 효소와 단백질과 1형콜라겐 합성과정에서 만들어지는 전구콜라겐의 연장펩타이드인 프로콜라겐1아미노종말연장펩타이드(aminoterminal propeptide of type 1 procollagen, P1NP)나 프로콜라겐1카복시종말연장펩타이드(carboxyterminal propeptide of type 1 procol-lagen, P1CP) 등이 있다.

골다공증진료가이드라인에서 골형성표지자로 P1NP, 골흡수표지자로 CTX 사용을 권장한 후 이 두 표지자를 주로 사용한다. 신기능이 감소되면 P1NP, CTX, OC 등의 혈중 수치가 증가되므로, 신기능에 영향을 덜 받는 BSALP, PTH, TRACP (tartaric acid-resistant acid phospha-tase), TRACP-5B (bone-specific tartaric acid-re-sistnant acid phosphatase)가 추천된다.

2) 골표지자의 임상이용

(1) 골소실 속도 평가
폐경 후 골소실이 급격하게 진행되면 골표지자는 폐경전에 비하여 50-150% 증가한다. 골교체율이 지속적으로 증가되어 있으면 골소실이 빠르게 발생하며 골다공증 위험도가 증가된다. 골표지자의 농도와 개개인의 골소실 속도 사이에는 변이가 크기 때문에 골소실 속도를 예측하기 위한 목적으로는 권장되지 않는다.

(2) 골절위험도평가

골표지자가 증가되면 골다공증골절의 위험도가 증가한다. 이런 연관성은 폐경여성에서 확인되었다. 폐경 후 골량소실이 빠른 여성은 골소실이 정상 혹은 느린 여성에 비하여 척추와 말단골의 골절위험도가 2배 증가하였다. 2년의 추적기간 동안 대퇴골골절이 발생하였던 여성의 소변 CTX와 DPD의 기저치는 골절이 발생하지 않았던 여성의 골표지자보다 증가되어 있고, 골밀도와 골표지자를 함께 사용하는 경우 각각 단독 측정하는 경우보다 대퇴골골절 위험도의 예측력이 증가되었다.

(3) 치료효과 평가

골흡수억제제제 치료 후 골흡수표지자는 4-6주 내에 감소하고 골형성표지자는 그보다 천천히 감소하기 때문에, 골흡수표지자는 투여 후 3-6개월 사이, 골형성 표지자는 6개월에 측정하여 투여 전 수치와 비교한다. 골흡수억제제 투여 후 골표지자의 감소는 표지자의 종류와 치료제에 따라 다양하여 약 20-80% 정도이다. 골표지자는 일간 변동이 심하기 때문에 치료에 반응하는 유의한 변화는 일간변동률의 두 배 이상 변화하여야 한다. IOF (International Osteoporosis Foundation)에서는 골흡수억제제제 사용 후 P1NP 38%, CTX는 56% 이상 감소되어야 치료효과가 있다고 판정한다.

치료제를 투여한 후 유의한 변화가 없으면 약물적응성, 흡수장애 및 이차골다공증유무 등의 가능성을 먼저 고려하고, 그렇지 않다면 약물 비반응성으로 판단하여 약물용량의 증가, 투여방법의 변경, 약물 변경 등을 고려한다. 골흡수억제제 사용 후 골표지자의 변화는 약물의 투여경로, 용량, 골흡수 억제정도, 골흡수억제기전 등에 따라 서로 다르다. 예를 들어 비스포스포네이트(bisphosphonate)의 경우 경구투여에 비하여 정맥투여에 의한 골표지자가 빠르게 감소한다. 골표지자는 약물적응도 평가에도 이용될 수 있다.

3) 골표지자의 분석유의점과 제한점

골표지자 측정치의 분석은 생물학적 인자와 측정법 자체에 의해 다양하게 영향을 받을 수 있다. 측정결과에 영향을 주는 생물학적 인자는 환자의 연령, 성별, 인종, 신체활동, 식사, 약물복용, 임신, 수유, 신장질환, 간질환, 골절 등이 있고, 측정법에 영향을 줄 수 있는 인자로는 검체처리 과정, 측정의 정밀도와 표준화, 다른 물질과의 교차반응, 실험실 간의 변이 등이다.

골표지자의 농도는 일반적으로 하루주기리듬(circardian rhythm)에 영향을 많이 받는다. 골흡수표지자는 새벽에 가장 높은 농도를 보이고 오후에 낮은 수치를 나타낸다. 식사도 골흡수표지자에 영향을 주어 식후에 농도가 감소한다. 따라서 혈청의 경우 검체채취시간을 공복 후 오전 8-11시 사이로 일정한 조건을 유지한다. 소변의 경우 아침 첫 소변 혹은 두 번째 소변이나 24시간 소변을 측정하는데, 검체채취시간과 방법을 일정하게 한다. 뇨검체는 신기능에 의한 영향을 최소화하기 위하여 뇨크레아티닌 배설량을 함께 측정하여 이를 나눠 보정해주어야 한다. 오스테오칼신은 상온에서 불안정하기 때문에 혈액채취 직후 혈청을 분리하여 측정하며, 측정하지 못할 경우 영하 80°C에 보관하는 것이 좋으나 이 경우에도 가능한 한 빨리 측정해야 한다. DPD는 자외선에 노출되면 불안정해진다. 각 골표지자는 연령, 성별, 인종, 건강상태 등에 따라 다르기 때문에 각각 참고값을 확립해야 한다.

5. 골다공증의 임상평가

골다공증골절이 발생하기 전에 골격의 미세한 해부학적 변화로 급성 및 만성통증이 나타날 수 있으나, 대부분 환자에서 골절이나 이차적인 구조변화가 동반되기 전까지 아무런

증상이 없다. 골다공증의 임상증상은 골다공증과 관련된 신체구조 변화에 따른 증상과 골절과 연관된 증상으로 구분할 수 있다. 흔히 발생하는 척추압박골절은 통증과 압통을 동반하며 일반적으로 수일 혹은 수주 이내에 호전된다. 다발척추압박골절은 심한 전만곡을 동반하는 척추후만곡증의 원인이 되며 이로 인한 폐기능 감소와 일상활동이 제약받을 수 있다.

골다공증이 의심되는 환자에서 정확한 문진은 기본이며 필수요소이다. 골다공증 위험인자를 확인하여 이런 목적에 FRAX를 사용할 수 있다. 이차골다공증이 흔하고, 원인질환에 대한 치료가 우선적으로 시행되어야 하기 때문에 조기 감별이 중요하다. 특히 골밀도검사에서 Z점수가 -2.0 이하이거나 골다공증 약물치료에 대한 반응이 없을 때는 더욱 의심해야 한다.

골다공증 진단을 위해 골밀도검사, 척추 X선검사, 혈청칼슘, 인을 포함한 일반혈액검사 외에 골표지자, 혈청비타민D를 시행하며, 남성에서는 테스토스테론이 추가되기도 한다. 이 외에도 부갑상선호르몬, 24시간 소변칼슘 등을 측정할 수 있고, 이차골다공증과의 감별을 위하여 갑상선호르몬 등 의심되는 질환과 연관된 검사를 시행하기도 한다.

III. 골다공증의 치료

정호연

1. 서론

골다공증의 치료는 약물치료와 함께 생활습관의 관리를 병행해야 한다. 골절을 유발할 수 있는 위험요소를 교정하고 흡연, 과도한 음주, 염분, 카페인의 섭취를 피해야 한다. 운동과 낙상방지를 위한 노력이 병행될 때 성공적인 골다공증치료가 될 것이다. 골다공증 치료를 위해 가장 중요한 영양소인 칼슘과 비타민D는 필요하다면 보충제로 처방한다. 현재까지 골다공증 치료에 골흡수억제제를 우선 사용하는 방법이 주요 전략이었지만, 최근에는 약물의 효과와 치료의 효율성을 고려하여 골절위험이 매우 높을 경우에는 골형성촉진제를 먼저 사용하도록 권하고 있어 치료전략에 큰 변화가 생기고 있다.

2. 칼슘

칼슘은 뼈를 구성하는 중요한 성분으로 뼈의 강도, 최대골량의 형성과 유지에 중요하다. 칼슘을 적게 섭취하면 부갑상선호르몬이 증가되어 골흡수를 조장하기 때문에 적정량의 칼슘섭취는 유지해야 한다. 골다공증치료제의 효과를 평가한 모든 임상시험은 칼슘과 비타민D의 보충이 병행되었다. 메타분석에서 칼슘은 비타민D와 같이 보충하는 경우에 대퇴골골절과 비척추골절을 감소시켰다. 이런 결과를 근거로 칼슘은 비타민D와 함께 골다공증치료제를 지원하거나, 골다공증치료제를 사용하지 못하는 경우에 대퇴골골절의 예방을 위해 사용하고 있다.

여성건강을 관찰한 WHI (women's health initiative)연구에서 비타민D와 같이 보충제로 사용한 칼슘은 음식으로 섭취한 경우와는 달리 신결석을 증가시켰다. WHI연구가 포함된 여러 연구를 메타분석한 결과에서 칼슘은 심근경색증과 뇌졸중을 증가시켰다. 그러나 그 후 진행된 메타분석에서는 칼슘을 음식 또는 보충제로 2,000-2,500 mg 정도까지 섭취하는 것은 심혈관질환에 유익하지도, 위험하지도 않다고 보고하였다. 이런 결과를 바탕으로 칼슘은 가능한 음식으로 섭취하는 것을 권장하고 있고, 음식 섭취량이 부족한 경우에는 보충제를 복용하도록 하고 있다. 일일 권장되는 칼슘 섭취량은 북미의 경우 50세 이상의 남성, 폐경여성에서는 1,000-1,200 mg이다. 한국영양학회는 남성 700-750 mg, 여성 800 mg이고 대한골대사학회는 800-1,000 mg이다. 칼슘보충제는 칼슘염의 종류에 따라 포함된 칼슘의 함량이 다르다. 한 번에 복용하는 칼슘은 가능한 500-600

11
골·무기질대사

mg 이하로 복용하는 것이 좋다. 탄산칼슘은 40%의 칼슘을 포함하고 있어 효율적인 보충제이나 위산이 있어야 잘 용해되기 때문에 반드시 식사 직후 복용하는 것이 좋다. 구연산칼슘은 21%의 칼슘을 함유하고 있으며 잘 용해되기 때문에 식사와 관계없이 복용할 수 있고 신결석의 위험이 탄산칼슘에 비하여 높지 않다.

3. 비타민D

비타민D는 소장에서 칼슘 흡수를 증가시키고, 뼈의 무기질 유지에 필요하다. 비타민D는 부갑상선호르몬을 조절하며 신경과 근육기능에도 관여하는 것으로 알려져 있다. 성인에서 비타민D부족은 대퇴골골절의 위험을 증가시키는데 이는 칼슘 흡수 저하, 이차부갑상선항진증, 근력 약화, 낙상 증가와 연관 있다. 매우 심한 비타민D 부족은 뼈의 무기질침착에 장애를 일으키는 골연화증을 유발하며 골격외 질환으로 암, 심혈관질환, 면역질환 등을 증가시키는 보고도 있다.

피부에서 합성되는 비타민D는 자외선차단제의 사용, 햇빛 노출의 부족 및 노화에 의해 생산량이 감소될 수 있으며, 비타민D를 식품으로 섭취하는 것도 한계가 있다. 북미에서는 일일 비타민D 600-800 IU, 국제골다공증재단 800-1,000 IU, 한국영양학회 400-600 IU, 대한골대사학회는 800 IU 보충을 권하고 있고 비타민D 보충의 일일 상한량은 4,000 IU로 알려져 있다. 메타분석에서 비타민D 700-800 IU 용량은 골절을 감소시켰으나, 비타민D 400 IU는 골절 감소효과를 보이지 않았다. 하지만 WHI연구에서 복약 적응도가 높았던 대상만을 분석한 경우에는 비타민D 400 IU를 보충한 경우에도 대퇴골골절이 감소되었다. 한편 고용량비타민D의 사용은 오히려 낙상과 골절을 증가시킨다는 결과가 있다. 비타민D 보충의 적정성을 평가하기 위해서는 혈액 25(OH)D 농도를 측정해야 한다. 건강의 측면에서 25(OH)D 20 ng/mL 이상이 요구되며 골다공증 치료를 위해서는 30-50 ng/mL 유지가 적절하다.

4. 운동

운동에 의한 골격의 부하는 골밀도와 골강도 유지에 중요하다. 청소년기의 운동은 최대골량의 형성에 도움이 되며, 노인에서는 골소실을 감소시키고 낙상을 줄일 수 있다. 폐경여성의 운동은 운동의 강도, 종류에 따라 차이가 있겠지만 대체로 골밀도를 유지하거나 미세하게 증가시켰다. 운동의 효과는 오랜기간 유지해야 나타날 수 있으며 운동을 중단하면 그 효과는 빠르게 사라진다. 골다공증 치료를 위해 체중부하, 근력강화, 균형유지운동을 주당 30분 5일간 혹은 75분 2일 정도를 권하고 있다. 체중부하운동으로 걷기 등이 어려운 경우 수중활동도 좋으며 오랜기간 즐겁게 진행할 수 있는 사회적 활동을 유지하는 것이 중요하다. 상체를 과도하게 굽히는 운동은 피하는 것이 좋다.

5. 약물치료

약물치료의 대상은 골절고위험군인 대퇴골 혹은 척추의 취약골절이 있는 경우, 골감소증이며 FRAX (fracture risk assessment tool)를 이용한 골절위험 예측상 10년내대퇴골골절위험도 3% 이상 혹은 주요 골다공증 골절위험도 20% 이상인 경우, 그리고 골밀도검사에서 골다공증이 있는 경우이다. 치료제는 에스트로겐, 티볼론, 선택에스트로겐수용체조절제(selective estrogen receptor modulator, SERM), 칼시토닌, 비스포스포네이트, 데노수맙과 같은 골흡수억제제와 테리파라타이드, 아발로파라타이드와 같은 골형성촉진제, 그리고 골형성 촉진작용과 골흡수 억제 기능의 이중작용을 나타내는 로모소주맙이 있다(표 11-3-4). 약물의 골절 감소에 관한 메타분석의 결과는 그림 11-3-10과 같다.

1) 에스트로겐수용체에 작용하는 약물
뼈는 에스트로겐에 매우 의존적인 조직으로 에스트로겐은 최대골량의 형성과 유지에 매우 중요하다. 에스트로겐은 에스트로겐수용체를 통하여 오스테오프로테제린(osteopro-

표 11-3-4. **골다공증치료제의 종류, 용법과 적응증**

종류	약물	용량 mg (+콜레칼시페롤, IU)	사용주기 및 방법	폐경후 골다공증 예방	폐경후 골다공증 치료	당질부신피질호르몬 유발골다공증 예방	당질부신피질호르몬 유발골다공증 치료	남성 골다공증
여성호르몬제제	에스트로젠+프로제스테론 에스트로젠+바제독시펜 에스트로젠(자궁절제 여성)		매일 경구 경피	O				
	티볼론	2.5	매일 경구	O				
선택에스트로젠 수용체조절제	랄록시펜	60	매일 경구	O	O			
		60 (+800)	매일 경구	O	O			
	바제독시펜	20	매일 경구	O	O			
		20 (+800)	매일 경구	O	O			
비스포스포네이트	알렌드로네이트	5	매일 경구	O	O		O	O
		10	매일 경구		O		O	O
		5 + 칼시트라이올 0.5 μg	매일 경구		O		O	O
		70	매주 경구		O			O
		70 (+2,800, 5,600)	매주 경구		O			O
	리세드로네이트	5	매일 경구	O	O	O	O	
		35	매주 경구	O	O			O
		35 장용정	매주 경구	O	O			
		75	매월, 2일 경구	O	O			
		150	매월 경구	O	O			
		35 (+ 5,600)	매주 경구	O	O			O
		150 (+ 30,000)	매월 경구	O	O			
	이반드로네이트	150	매월 경구		O			
		150 (+ 24,000)	매월 경구		O			
		3	3개월 정주		O			
	졸레드로네이트	5	매년 정주	O	O	O	O	O
	파미드로네이트	30	3개월 정주		O			
RANKL억제제	데노수맙	60	6개월 피하		O		O	O
부갑상선호르몬 수용체작용제	테리파라타이드	20 μg	매일 피하		O		O	O
		56.2 μg	매주 피하		O			
	아발로파라타이드	80 μg	매일 피하		O			
스클레로스틴억제제	로모소주맙	210	매월 피하		O			O

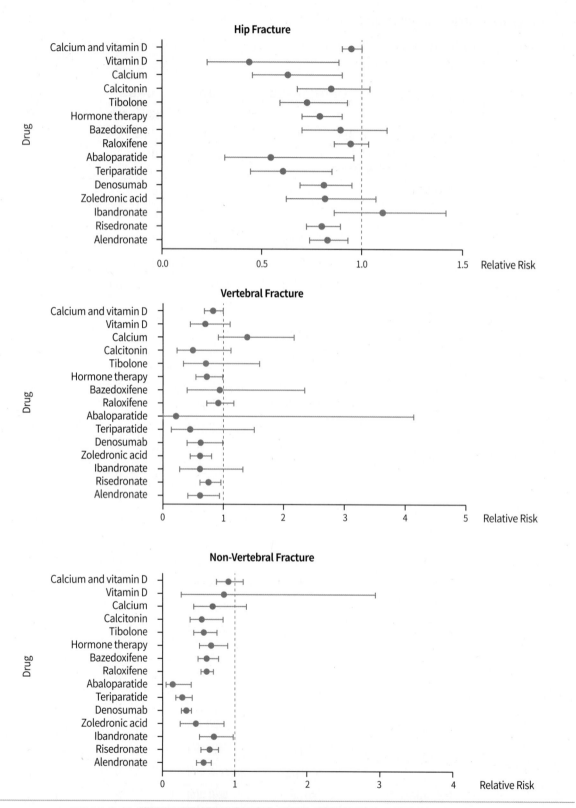

그림 11-3-10. 폐경후골다공증에서 약물의 척추, 비척추, 대퇴골골절 감소효과에 관한 비교

폐경후골다공증을 대상으로 골절감소 효과를 관찰한 107개 연구의 메타분석으로 위약군 대비 골절감소 효과를 나타낸 것이다. 그림에는 표시되지 않은 로모소주맙의 분석결과는 척추골절위험도 0.33 (0.22-0.49, 95% 신뢰구간), 비척추골절 0.67 (0.53-0.86), 대퇴골골절 0.44 (0.24-0.79)였다.

tegerin, OPG)의 발현을 증가시키고, 임파구 등에서 생산되는 사이토카인이나 RANKL (receptor activator of NF kappa B ligand)의 발현을 감소시켜 궁극적으로 파골세포의 분화와 기능을 억제한다. 따라서 에스트로젠 치료는 폐경후 증가된 골재형성을 감소시키고 골소실을 줄인다. 에스트로젠은 골모세포, 골세포의 세포자멸사를 억제하는 효과도 있다. 에스트로젠, 티볼론, 선택에스트로젠수용체조절제 등이 에스트로젠수용체를 통해서 작용하는 약물이다.

(1) 에스트로젠

자궁이 있는 폐경여성에게는 에스트로젠과 프로제스테론을 같이 사용해야 하고, 자궁이 없는 여성에게는 에스트로젠을 단독으로 사용한다. 대규모 대조시험인 WHI에서 결합에스트로젠과 메드록시프로제스테론아세트산염의 치료는 대퇴골골절을 34%, 증상이 있는 척추골절을 34%, 비척추골절을 23% 감소시켰다. 에스트로젠 단독사용도 대퇴골골절을 39%, 증상이 있는 척추골절을 38%, 전체골절을 21% 감소시켰다. WHI연구는 골절위험이 높지 않은 여성을 대상으로 한 연구였다는 점에서 에스트로젠은 골감소증에서 골절 예방을 위해 사용할 수 있겠다.

에스트로젠 치료는 폐경증상을 완화시키고 대장암 위험을 감소시켰다. 에스트로젠 단독요법을 7년동안 진행하여 유방암이 감소되는 경향을 보였다. 반면 에스트로젠과 프로제스테론 병용치료는 침윤성 유방암, 관상동맥질환, 뇌졸중, 혈전색전증을 증가시켰다. 그러나 연령이 50-60세 혹은 폐경 후 10년 이내에 여성호르몬 치료를 한 경우에는 심혈관질환과 사망률이 감소되었다. 이런 점을 고려하여 에스트로젠 치료는 가능한 60세 이전이나 폐경후 10년 이내의 여성에서 폐경기 증상이 있는 경우에 사용하는 것이 좋다.

에스트로젠의 사용으로 유방통, 편두통, 체중증가, 하지경련 등이 발생될 수 있다. 금기증으로는 진단이 불분명한 질출혈, 혈전색전증, 급성담낭질환, 간질환과 유방암, 자궁내막암 등이다.

(2) 티볼론

티볼론은 에스트로젠, 프로제스테론, 안드로젠작용을 하는 합성스테로이드이다. 약물복용 후 대사된 물질이 에스트로젠수용체에 결합하여 작용을 나타내기 때문에 여성호르몬제로 분류되기도 하나 조직에 따라 다른 효과를 보일 수 있기 때문에 신택조직에스트로젠활성조절제(selective tissue estrogenic activity regulator, STEAR)로 불린다. T점수가 –2.5 이하이거나 척추골절이 있는 60-85세의 골다공증여성에게 티볼론 1.25 mg으로 3년간 치료한 연구에서 척추골절이 45%, 비척추골절은 26% 감소되었다.

골격계 외의 작용으로 티볼론은 침윤성 유방암을 68%, 대장암을 69% 감소시켰다. 그러나 유방암수술을 받은 환자를 대상으로 진행된 연구에서는 티볼론의 사용으로 유방암의 재발이 1.4배 높게 관찰되었다. 따라서 티볼론은 유방암의 기왕력이 있는 경우에는 사용하지 않아야 한다. 티볼론 사용으로 뇌졸중이 2.19배 증가되었으나, 관상동맥질환이나 정맥혈전색전증은 증가되지 않았다. 티볼론은 폐경증상 완화와 안드로젠의 효과로 성욕을 증가시키는 효과도 있다. 현재 국내에서 사용되는 티볼론은 2.5 mg 제형이다.

(3) 선택에스트로젠수용체조절제

이 약물은 에스트로젠수용체에 결합하여 작용하지만 조직에 따라서 에스트로젠작용제 혹은 대항제로 작용한다. 뼈와 지질에 대해서는 에스트로젠작용제의 효과를 나타내고, 자궁과 유방에 대해서는 에스트로젠대항제 역할을 나타낸다. 현재 선택에스트로젠수용체조절제로 골다공증 치료에 사용하는 것은 랄록시펜과 바제독시펜이다. 이들은 무작위 대조연구에서 폐경후골다공증의 척추골절 감소효과는 있었으나 비척추 및 대퇴골골절의 감소를 보이지 못해 일차약물보다는 이차약물로 사용하고 있다. 유방암발생의 위험이 높은 환자에서는 랄록시펜을 일차약물로도 사용할 수 있겠다. 정맥혈전색전증의 위험이 높은 경우에는 선택에스트로젠수용체조절제를 사용하지 않아야 하며 사용 중에도 부동화(immobilization)와 같은 조건이 예상된다면 가능한

3일 전에 약물을 중단해야 한다. 폐경증상인 안면홍조가 심한 경우에도 이 약물을 사용하기 어렵다.

① 랄록시펜

골다공증이거나 척추골절이 있는 31-80세의 폐경후골다공증여성을 대상으로 랄록시펜 60 mg, 3년간의 치료는 첫 척추골절을 45%, 후속 척추골절을 30% 감소시켰다. 랄록시펜 치료는 전체 참여군에서 비척추골절과 대퇴골골절을 감소시키지 못하였으나, 중증의 척추골절 환자만을 분석한 경우에는 비척추골절을 유의하게 감소시켰다. 대상 중에서 골감소증만을 분석한 경우에도 랄록시펜은 척추골절을 감소시켰다.

랄록시펜의 4년간 치료는 유방암의 발생을 72% 감소시켰다. 8년간의 연장 연구에서도 유방암의 발생을 59% 감소시켰다. 랄록시펜 치료로 에스트로겐수용체 양성인 유방암의 발생은 66% 감소되었으나, 에스트로겐수용체 음성인 유방암의 발생은 감소되지 않았다. 유방암 고위험군을 대상으로 타목시펜과 비교한 연구에서 랄록시펜은 타목시펜과 같은 정도의 유방암 예방효과를 보여 미국에서는 유방암 고위험군의 예방에 대한 적응증도 있다. 랄록시펜은 자궁내막의 증식은 촉진하지 않았으며 안면홍조와 다리경련을 증가시켰다. 랄록시펜은 여성호르몬과 같이 콜레스테롤, 저밀도지단백질 콜레스테롤, 지단백질(a)를 감소시켰으나 관상동맥질환과 뇌졸중은 감소시키지 못하였다. 뇌졸중의 위험이 증가된 대상에게 랄록시펜의 사용은 심각한 뇌졸중을 1.49배 증가시켰다. 또한 랄록시펜은 정맥혈전색전증을 1.44배 증가시켰다. 골다공증예방과 치료에 사용되는 랄록시펜은 60 mg 단독제형과 콜레칼시페롤 800 IU와의 복합제형이 있다.

② 바제독시펜

55-85세의 폐경후골다공증여성에서 진행된 바제독시펜 20 mg의 3년 치료는 새로운 척추골절을 42% 감소시켰으나, 비척추골절을 감소시키지 못하였다. 대퇴골경부골밀도 T점수가 –3.0 이하이거나 1개 이상의 중등도 혹은 심한 척추골절, 여러 부위에 경미한 척추골절을 갖고 있는 고위험군에서의 바제독시펜 치료는 비척추골절을 감소시켰다. 장기간의 사용효과를 관찰하기 위해 바제독시펜을 5년, 7년간 치료한 경우에 새로운 척추골절이 각각 35%, 30% 감소되었고, 비척추골절의 감소 효과는 관찰되지 않았다. 바제독시펜은 랄록시펜과 비교하여 유방암의 발생률에 차이가 없었지만, 위약군보다 감소됨이 관찰되지는 않았고 자궁내막 증식과 자궁내막암의 감소가 관찰되었다. 바제독시펜의 자궁내막에 대한 높은 안전성은 메드록시프로제스테론아세트산염 대신에 바제독시펜을 사용하는 조직선택에스트로겐복합제(tissue selective estrogen complex, TSEC)를 탄생하게 하였다. 결합에스트로겐과 바제독시펜복합제는 폐경기증상을 완화시켰고, 랄록시펜보다는 골밀도를 증가시켰다. 골다공증의 예방과 치료에 사용되는 바제독시펜은 20 mg 단독제형과 콜레칼시페롤 800 IU와의 복합제가 있다. 폐경증상 완화와 골다공증 예방 목적으로 결합에스트로겐 0.45 mg과 바제독시펜 20 mg의 조직선택에스트로겐복합제가 사용된다.

2) 칼시토닌

칼시토닌은 파골세포의 칼시토닌수용체를 통해 파골세포를 직접 억제하기 때문에 고칼슘혈증과 골다공증 치료에 사용되었고 비강용 연어칼시토닌과 주사제인 장어칼시토닌이 있다. 폐경후골다공증에 비강용 연어칼시토닌 200 IU를 5년간 사용하여 새로운 척추골절을 33% 감소시켰다. 인과관계가 밝혀지지 않았으나 암의 증가가 보고된 후에 칼시토닌은 거의 사용되지 않고 있다. 칼시토닌은 통증 완화 효과가 있어 척추골절 직후의 치료에 단기간 사용하거나 다른 골다공증약물을 사용할 수 없는 경우에 선택할 수 있다.

3) 비스포스포네이트

비스포스포네이트는 파이로인산염구조의 산소를 탄소로 치환하여 안정성이 강화된 합성화합물로 구조에 따라 크게 두 가지 종류로 구분된다. 곁사슬에 질소가 없는 비스포스포네이트인 에티드로네이트와 클로드로네이트는 세포독성

이 있는 ATP유도물질을 형성하여 파골세포를 억제하는 것으로 현재 골다공증 치료를 위해서는 거의 사용되지 않고 있다. 알렌드로네이트, 리세드로네이트, 이반드로네이트, 졸레드로네이트, 파미드로네이트는 질소를 포함하는 비스포스포네이트로 콜레스테롤 합성경로효소의 억제를 통하여 파골세포의 형태 유지와 기능을 억제한다. 비스포스포네이트는 뼈에 대한 결합력이 매우 높아 뼈에서의 생리적반감기는 매우 길다. 비스포스포네이트 사용 후 골표지자는 3-6개월 후에 가장 낮아지며 약물을 장기간 사용하더라도 골재형성이 더 감소되지는 않는다. 생리적반감기가 매우 긴 특성 때문에 비스포스포네이트는 매일 용법에서부터 매주, 매월, 3개월, 1년 간격으로 사용할 수 있고 장기간 사용 후에 중단해도 효과가 서서히 감소된다.

무작위대조시험에서 관찰된 골절 감소 효과로 비스포스포네이트는 골절 고위험군의 일차약물로 권고되고 있다. 장기간 연구에서 알렌드로네이트와 같은 경구제는 5년, 졸레드로네이트와 같은 주사제는 3년간 사용하고 골절위험이 낮은 경우에는 휴약기를 시행할 수 있다. 휴약기는 최장 3-5년을 중단하고 관찰한 것으로 장기간 휴약기를 갖는 것에 대한 결과는 아직 없다. 휴약기가 시작되면 2-4년 간격으로 골절위험을 평가하고 필요하면 재사용을 고려한다.

비스포스포네이트를 장기간 사용하면서 관찰될 수 있는 잠재적 위험은 비정형 대퇴골골절과 턱뼈괴사이다. 비정형 대퇴골골절은 일종의 피로골절로서 전자하부 혹은 뼈몸통에서 발생되고 대퇴골 측부의 골막과 골내막의 변화, 특이한 골절선과 모양을 갖고 있다. 알렌드로네이트의 10년 연구에서 전자하부, 대퇴뼈몸통의 골절이 증가되지는 않았으나 많은 관찰 연구들에서는 비스포스포네이트의 사용기간에 비례하여 비정형 대퇴골골절이 증가되었다. 한 관찰연구에서는 2년간 비스포스포네이트의 사용으로 연간 10,000명당 0.2건의 발생률을 보고하였고, 10년을 사용할 경우에는 발생률이 10.7명으로 증가되었다. 다른 연구에서는 3개월 미만으로 비스포스포네이트를 사용한 경우와 비교하여 3년간

사용한 경우에 비정형 대퇴골골절의 발생률이 8.86배 증가되었다. 비정형 대퇴골골절의 발생은 비스포스포네이트를 중단하면 급격히 감소되었고, 백인보다 아시아인에서 많이 관찰되었다. 3년간 1,000명의 골다공증 환자를 치료할 경우 0.08건의 비정형 대퇴골골절이 발생되고, 11건의 대퇴골골절을 포함한 100건의 골나공증골절을 예방할 수 있다는 산술적 결과는 비스포스포네이트의 위험대비 효과를 잘 설명해주고 있다.

턱뼈괴사는 골다공증약물뿐만 아니라 혈관생성억제제제 등에서도 관찰되기 때문에 약물 관련 턱뼈괴사라고도 지칭한다. 약물 관련 턱뼈괴사는 방사선 치료를 받지 않았고 8주 이상 턱뼈가 노출되어 있거나 누공이 지속되는 경우로 정의하고 있다. 경구비스포스포네이트의 경우 연간 1,000명을 치료 시 0.1명에서부터 6.9명의 발생률을, 주사제는 9명을 보고한 바 있다. 턱뼈괴사도 비스포스포네이트를 사용한 기간에 비례하여 증가되고, 투약기간 4년을 기점으로 약 4배 정도 증가하는 것으로 보고되었다. 당질부신피질호르몬 복용자, 치과시술, 구강위생의 불량, 고령, 당뇨병, 흡연 등이 턱뼈괴사의 위험인자로 알려져 있다. 턱뼈괴사의 위험이 높고 골절위험이 낮은 경우에는 관혈적인 치과시술 전에 비스포스포네이트의 휴약기를 권하고 있다.

졸레드로네이트는 무작위대조시험에서 심각한 심방세동을 유의하게 증가시켰다. 무작위대조시험자료의 메타분석에서 비스포스포네이트는 심방세동을 증가시키지 않았고 심혈관질환에 유익하거나 위험한 근거도 관찰되지 않았다. 한편 관찰연구를 포함하는 메타분석에서는 비스포스포네이트가 심방세동을 유의하게 증가시켰고, 특히 주사제의 사용으로 증가되었다.

경구비스포스포네이트는 흡수율이 1% 이하로 매우 낮고 음식이나 칼슘 등에 의해 흡수가 감소되기 때문에 장시간의 공복상태에서 복용하도록 하고, 적어도 30-60분간은 다른 약물이나 음식의 섭취를 제한해야 한다. 따라서 경구제는 식

도질환이나 위장관질환이 있는 경우에는 사용하기 어렵다. 주사제는 발열, 근육통과 같은 급성기반응을 일으킬 수 있으므로 처음 사용 시에는 해열진통제를 미리 복용하는 것이 좋다. 흡수된 비스포스포네이트의 50%는 골재형성이 활발하게 진행되는 부위에 결합하고 나머지는 신장을 통해 대사되지 않은 상태로 배설된다. 암 환자에서 많은 양의 비스포스포스포네이트 주사제를 빠른 시간 내에 정맥주사한 경우에는 급성신부전이 발생될 수 있어 주사제는 정해진 주입속도를 준수해야 한다. 리세드로네이트와 이반드로네이트는 크레아티닌청소율이 30 mL/min 이하인 경우, 알렌드로네이트와 졸레드로네이트는 35 mL/min 이하에서는 사용하지 않는다.

(1) 알렌드로네이트

알렌드로네이트는 골다공증 치료에 처음으로 승인된 비스포스포네이트로서 무작위대조시험에서는 매일 복용하는 5 mg, 10 mg제제로 진행하였다. 초기 2년은 5 mg을 복용하였고, 이후는 10 mg으로 연구가 진행되었다. 척추골절이 없는 54-81세의 폐경여성을 대상으로 4년간 진행된 연구에서 알렌드로네이트는 X선검사로 확인된 척추골절을 44% 감소시켰다. 척추골절이 있었던 55-81세 폐경여성의 3년간 연구에서도 척추골절을 47%, 대퇴골골절을 51% 감소시켰다. 메타분석에서 척추골절의 감소는 알렌드로네이트 5 mg 이상의 용량에서 관찰되었고, 비척추골절의 감소는 10 mg 이상의 용량에서 관찰되었다. 10년간의 장기간 연구에서 알렌드로네이트는 요추골밀도를 지속적으로 증가시켰으나, 대퇴골 골밀도는 초기 3-4년간 증가시키고 이후에는 유지되는 경향을 보였다. 10년간 알렌드로네이트를 복용한 대상은 5년간 복용군보다 척추골절이 감소되었으나, 비척추골절의 감소에는 차이가 없었다. 골다공증골절이 있는 남성골다공증을 대상으로 알렌드로네이트 10 mg을 2년간 사용하여 골밀도 증가와 척추골절의 감소가 관찰되었다. 당질부신피질호르몬유발골다공증 남, 여에서 48주간의 알렌드로네이트 매일용법은 골밀도를 증가시켰고, 2년 연구에서 척추골절을 감소시켰다. 알렌드로네이트는 경구제로 매일

용법의 5 mg, 10 mg, 5 mg과 활성 비타민D_3인 칼시트라이올 0.5 ug의 복합제가 있다. 알렌드로네이트 주 1회 70 mg 제형과 콜레칼시페롤 2,800 혹은 5,600 IU와의 복합제가 있다.

(2) 리세드로네이트

2개 이상의 척추골절이나 1개의 척추골절과 T점수가 –2.0 이하인 85세 이하의 폐경여성을 대상으로 진행된 리세드로네이트 연구는 매일 2.5 mg, 5 mg 복용군으로 계획되었으나, 2.5 mg 진행은 1년 후 중단하고 5 mg 복용군을 3년간 관찰하였다. 리세드로네이트 5 mg의 매일용법은 척추골절을 41% 감소시켰고, 비척추골절을 39% 감소시켰다. 리세드로네이트는 척추골절이 있는 70-79세의 대퇴골골절을 60% 감소시켰다. 사후분석에서 리세드로네이트는 6개월 사용 후에 증상이 있는 척추골절을, 1년 후부터는 비척추골절을 유의하게 감소시켰다. 대조군 없이 7년까지 진행된 리세드로네이트 치료로 초기에 관찰된 골절률이 유지되는 결과를 보여 골절 감소 효과가 지속될 수 있음을 시사하였다. 남성골다공증관찰연구에서 리세드로네이트 5 mg은 새로운 척추골절을 60% 감소시켰고, 당질부신피질호르몬유발골다공증의 남, 여 연구에서 리세드로네이트 5 mg의 1년 치료는 척추골절을 감소시키는 경향을 보였다. 리세드로네이트는 경구제로 매일 용법의 5 mg, 주 1회 35 mg, 월 1회 150 mg 제형이 있다. 주 1회 제형과 콜레칼시페롤 5,600 IU와의 복합제와 월 1회 제형과 콜레칼시페롤 30,000 IU와의 복합제가 있다. 주 1회 35 mg 제형에는 장용정도 있다.

(3) 이반드로네이트

척추골절이 있는 55-80세의 폐경여성이 매일 2.5 mg을 3년간 복용한 이반드로네이트 치료는 척추골절을 62% 감소시켰다. 이 연구에서 비척추골절은 대퇴골 골밀도가 T점수가 –3.0 이하인 고위험군에서만 감소되었다. 이런 결과에 대해 임상시험에 사용된 이반드로네이트의 용량이 적었다는 판단하에 월 1회 경구제 150 mg과 3개월 간격의 3 mg 정맥주사제를 골밀도 변화에 대한 시험 후 사용하게 되었

다. 관찰연구를 포함한 메타분석에서 현재 골다공증 치료에 사용되는 이반드로네이트는 임상골절을 29%, 비척추골절을 30% 감소시켰다. 월 1회 복용하는 이반드로네이트는 150 mg 제형과 콜레칼시페롤 24,000 IU가 포함된 복합제가 있다. 주사제는 3 mg을 3개월 간격으로 사용하며 15-30초 동안 정맥주사한다.

(4) 졸레드로네이트

골밀도가 낮거나 척추골절이 있는 65-89세의 폐경여성을 대상으로 5 mg을 매년 정맥주사하고 3년간 진행한 연구에서 졸레드로네이트는 척추골절을 70%, 비척추골절을 25%, 대퇴골골절을 40% 감소시켰다. 대퇴골골절을 경험한 50세 이상의 남, 녀에게 골절발생 2주 후부터 90일내에 시행한 졸레드로네이트 치료는 임상골절을 35%, 척추골절을 46%, 비척추골절을 27% 감소시켰고 사망률을 28% 감소시켰다. 대퇴골의 골감소증이 있는 65세 이상의 여성에게 졸레드로네이트로 18개월 간격으로 6년간 치료하여 취약골절이 37%, 척추골절이 65% 감소되었다. 골감소증 폐경여성에게 졸레드로네이트를 5.5년의 간격으로 주사하였음에도 11년 후에 요추골밀도가 3.8% 증가되었다. 졸레드로네이트를 6년간 사용한 경우와 3년 후 중단한 경우의 효과비교에서 6년 치료는 척추골절을 49% 감소시켰으나 비척추골절을 감소시키지는 못하였다. 원발성 혹은 성선저하증을 지닌 50-85세의 남성골다공증을 대상으로 진행된 졸레드로네이트의 2년 치료는 척추골절을 67% 감소시켰다. 당질부신피질호르몬유발골다공증의 예방과 치료를 위해 졸레드로네이트를 1년간 사용하여 리세드로네이트와 비교한 연구에서 유의하게 요추골밀도를 증가시켰다. 졸레드로네이트는 주사제로 5 mg을 1년 간격으로 사용하며 15분 이상에 걸쳐 정맥주사한다.

(5) 파미드로네이트

파미드로네이트는 미국에서는 패짓병과 고칼슘혈증에 대해 승인되어 있으나 국내에서는 골다공증 치료에 사용할 수 있다. 파미드로네이트 치료는 골밀도 증가에 관한 결과는 있으나 골절에 대한 보고는 없다. 파미드로네이트는 주사제로 30 mg을 3개월 간격으로 사용하며 생리식염수 250-500 ml에 혼합하여 2시간 이상 서서히 정맥주사한다.

4) 데노수맙

데노수맙은 파골세포 분화에 중요한 RANKL에 대한 사람의 단세포군항체이다. 데노수맙은 RANKL과 수용체인 RANK와의 결합을 억제하기 때문에 파골세포의 분화와 기능을 강력하게 억제한다. 데노수맙의 반감기는 약 1개월이며 1상 연구에서 피하주사 2주 후부터 골흡수가 급격히 억제되고, 6-9개월 후에 기저치로 회복됨이 관찰되었다. 데노수맙은 그물내피계통을 통해 제거되며 신장으로 배설되지 않는다.

T점수 –2.5에서 –4.0이며 60-90세인 폐경후골다공증여성을 대상으로 진행된 시험에서 데노수맙 60 mg, 3년간의 피하주사 치료는 새로운 척추골절을 68%, 대퇴골골절을 40%, 비척추골절을 20% 감소시켰다. 기본연구를 연장하여 10년간 진행된 데노수맙 치료는 요추골밀도를 21.7%, 대퇴골 전체골밀도를 9.2%를 증가시켜, 대퇴골에서도 지속적인 골밀도의 증가를 보였다. 이런 결과를 바탕으로 데노수맙은 골절 고위험군에서 비스포스포네이트와 함께 일차약물로 권고되고 있다. 데노수맙으로 5-10년간 치료한 후에는 골절위험도에 따라 약물을 지속하거나 변경할 수 있다. 데노수맙을 중단하면 골표지자가 급격히 상승하고, 골밀도는 급격히 감소되었다. 이미 척추골절이 있었던 경우에 데노수맙의 중단은 다발척추골절의 위험을 3.9배 증가시켜 위약군 수준의 골절 발생률을 보였다. 따라서 데노수맙을 중단할 경우에는 골절의 위험을 감소시키기 위하여 반드시 골흡수억제제를 사용해야 한다. 유럽의 치료권고안에 따르면 데노수맙을 단기간(2.5년 미만) 사용한 경우에는 경구용비스포스포네이트 혹은 졸레드로네이트주사제를 1-2년 사용하며, 데노수맙을 장기간(2.5년 이상) 사용한 경우에는 졸레드로네이트 사용을 권하고 있다. 장기간 사용자에서 졸레드로네이트를 사용하고도 골표지자가 증가되는 경우

에는 1년 이내라도 졸레드로네이트를 재사용해야 한다. 데노수맙을 중단하고 1-2년 후에 척추골절이 발생된다면 즉시 데노수맙을 사용하거나 졸레드로네이트 혹은 경구비스포스포네이트를 사용해야 한다. 또한 데노수맙과 테리파라타이드의 병용요법 후에 졸레드로네이트를 사용하는 방법도 고려될 수 있으나 테리파라타이드를 단독으로 사용하는 것은 금하고 있다. 폐경후골다공증에서 데노수맙과 테리파라타이드의 병용요법은 각각의 약물을 단독으로 사용한 경우보다 요추골밀도, 대퇴골 골밀도를 더 증가시켜 다른약물의 병용요법과는 다른 효과를 보고하였다. 골감소증 및 골다공증남성에게 데노수맙의 1년 치료는 요추골밀도를 5.7%, 대퇴골 전체골밀도를 2.4% 증가시켰다. 당질부신피질호르몬유발골다공증에서 데노수맙의 24개월 치료는 리세드로네이트보다 요추 및 대퇴골 골밀도를 증가시켰다.

데노수맙의 초기 임상시험에서 습진, 연조직염 등의 증가를 보고하였으나 장기간의 연장연구에서는 증가되지 않았다. 10년간의 데노수맙 치료로 턱뼈괴사가 13건이 관찰되어 10,000명을 치료 시에 연간 5.2건의 발생률을 보고하였다. 치과치료 시에 발생될 수 있는 턱뼈괴사의 위험이 매우 높고 골절의 위험이 낮을 경우에는 데노수맙을 중단할 수 있으나 데노수맙 중단 시 발생되는 골밀도의 감소, 척추골절의 증가를 충분히 고려해야 한다. 전문가들의 의견은 치과치료 시에 데노수맙의 중단을 권고하고 있지는 않다. 비정형 대퇴골골절은 데노수맙 10년 연구에서 2건이 관찰되어 10,000명을 치료 시에 연간 0.8건의 발생률을 보였고 사용기간이 증가됨에 따라 비정형 대퇴골골절이 증가되지는 않았다. 데노수맙의 사용은 저칼슘혈증을 유발할 수 있어 적절한 칼슘과 비타민D의 보충은 필수적이다. 특히 신기능 저하자에서 저칼슘혈증이 더 유발될 수 있기 때문에 데노수맙 사용에 주의가 필요하다. 데노수맙은 저칼슘혈증, 임신, 데노수맙에 대한 과민반응 기왕력이 있는 경우는 사용하지 않아야 한다. 데노수맙은 주사제로 60 mg을 6개월 간격으로 상지, 허벅지 및 복부 등에 피하주사한다.

5) 부갑상선호르몬수용체작용제

부갑상선호르몬인 테리파라타이드와 부갑상선호르몬관련유사체(PTHrP analogue)인 아발로파라타이드는 아미노종말 34개의 아미노산으로 구성되어 있다. 이들은 모두 부갑상선호르몬1수용체(PTH1R)를 통해서 작용한다. 부갑상선호르몬1수용체를 지속적으로 자극할 경우에는 파골세포의 활성화를 우세하게 촉진하고, 간헐적인 자극은 Wnt 신호 활성화를 통해서 골형성 촉진작용을 나타낸다. 부갑상선호르몬의 골형성 촉진작용은 표면세포(lining cell)의 활성화, 골선조세포(osteoprogenitor)의 분화, 골모세포의 활성화, 골모세포세포자멸사의 억제작용에 의해 이루어진다. 한편 부갑상선호르몬은 덜 분화된 골모세포에서 RANKL를 증가시켜서 파골세포를 자극하기 때문에 골재형성을 촉진하는 골형성촉진제이다. 부갑상선호르몬1수용체는 R0와 RG 입체형태가 있다. 호르몬이 R0 입체형태와 반응할 경우에는 고리일인산아데노신(cAMP) 반응이 길고, 골흡수와 골형성작용을 촉진한다. 반면에 호르몬이 RG 입체형태에 결합하는 경우에는 cAMP반응이 일시적이며, 골형성작용을 더 촉진하게 된다. 시험관연구에서 아발로파라타이드는 테리파라타이드보다 RG 입체형태에 대한 결합력이 높은 것으로 알려져 있다. 테리파라타이드와 아발로파라타이드는 심한 골절고위험군에게 골흡수억제제보다 먼저 사용할 것을 추천하고 있으며 골형성촉진제를 사용한 후에는 골밀도 유지를 위해서 반드시 골흡수억제제를 사용해야 한다.

(1) 테리파라타이드

척추골절이 있는 평균 69세의 폐경여성을 대상으로 테리파라타이드 20 ug 혹은 40 ug 피하주사 치료를 위약군과 비교한 3년간 연구는 동물실험의 골육종 증가로 19개월에 조기 종료되었다. 테리파라타이드 20 ug 사용군에서 요추골밀도가 9.7%, 대퇴골 전체골밀도는 2.6% 증가되었고 주로 피질골로 구성된 요골골밀도는 골재형성의 증가에 의해 감소되었다. 테리파라타이드 치료는 척추골절을 65%, 비척추골절을 35% 감소시켰다. 유의한 대퇴골골절의 감소가 관찰되

지는 않았으나 취약 대퇴골골절이 위약군에서 4건, 20 ug 사용군에서 1건으로 적게 관찰되었다. 테리파라타이드 40 ug은 20 ug 사용군에 비해 고칼슘혈증의 발생이 많았고 골절 감소면에서 우월한 효과를 보이지 않았다. 적어도 2개의 중등도 척추골절이 있거나 심한 정도의 척추골절이 있는 폐경후골다공증을 대상으로 한 연구에서 테리파라타이드 20 ug, 24개월 치료는 주 1회의 리세드로네이트 35 mg 보다 척추골절을 56%, 임상골절을 52% 감소시켰다. 주 1회 용법의 테리파라타이드 56.5 ug는 폐경여성을 18개월간 치료하여 요추골밀도를 6.7%, 대퇴골경부골밀도를 1.8% 증가시켰고 새로운 척추골절을 80% 감소시켰다.

일차 혹은 성선저하증 남성골다공증에게 1년의 테리파라타이드 치료는 요추, 대퇴골 골밀도를 증가시켰다. 당질부신피질호르몬유발골다공증연구에서 알렌드로네이트 10 mg과 18개월간 비교한 테리파라타이드 치료는 척추골절을 90% 감소시켰다. 테리파라타이드는 턱뼈괴사의 빠른 회복과 골절치유시간의 단축에 좋은 효과를 보고하였다.

테리파라타이드의 부작용으로는 오심, 두통, 현훈 및 하지 경련이 관찰되었다. 고칼슘혈증과 소변 칼슘 배설이 증가될 수 있기 때문에 치료 중에는 혈액 및 소변의 칼슘을 측정해야 한다. 동물실험에서 골육종이 증가되었으나 시판후조사에서는 증가되지 않았다. 2020년 11월부터 미국의 약물설명문에서 골육종에 대한 경고문이 삭제되었다. 사용 기간에 관해서 테리파라타이드는 골절의 위험이 높거나, 다시 높아진 경우에 24개월 이상 사용할 수 있음을 제시하였다. 과민반응, 임신, 수유부, 고칼슘혈증, 패짓병, 뼈종양, 전이종양, 뼈에 방사선 치료를 받은 사람은 테리파라타이드를 사용하지 않는 것이 좋다. 국내에서 테리파라타이드는 피하주사제로 24개월 사용되며 매일 20 μg 제형은 남, 녀 모두에게 허가되었고, 주 1회 56.5 μg 제형은 여성에게만 18개월의 사용이 승인되었다.

(2) 아발로파라타이드

T점수가 –2.5에서–5.0 이거나 골절이 있는 49–86세의 폐경후골다공증을 대상으로 위약군, 테리파라타이드 20 ug과 비교하여 진행된 연구에서 아발로파라타이드 80 μg의 18개월 치료는 요추골밀도를 11.2%, 대퇴골 전체골밀도를 4.2% 증가시켰다. 아발로파라타이드에 의한 대퇴골의 골밀도 변화는 테리파라타이드보다 유의하게 높았다. 아발로파라타이드는 위약군과 비교하여 척추골절을 86%, 비척추골절을 43% 감소시켰다. 아발로파라타이드는 테리파라타이드와 비교하여 주요부위 골다공증골절을 55% 감소시켰다.

아발로파라타이드도 테리파라타이드와 유사한 이상반응이 발생하나, 고칼슘혈증이 적게 관찰되었다. 동물실험에서 아발로파라타이드도 골육종이 사용용량에 비례하여 증가되었기 때문에 골육종 발생의 위험이 증가된 환자에서는 테리파라타이드와 마찬가지로 사용하지 않아야 한다. 아발로파라타이드는 매일 80 μg 피하주사를 폐경여성에게 사용할 수 있으나 2022년 기준으로 국내에는 아직 도입되지 않은 상태이다.

6) 로모소주맙

로모소주맙은 Wnt경로를 억제하는 스클레로스틴단백질에 대한 사람의 단세포군항체이다. 따라서 로모소주맙은 Wnt경로를 활성화하여 골형성을 촉진하는 유전자의 발현을 증가시킨다. 한편 로모소주맙은 Wnt경로의 활성화로 OPG를 촉진하거나, RANKL을 억제하기 때문에 골흡수를 억제한다. 결과적으로 로모소주맙은 골형성은 촉진하고, 골흡수를 억제하는 이중기전을 갖고 있다. 로모소주맙을 사용하면 골형성표지자는 14일에서 1개월경에 최고에 이른 후 계속 감소되고, 반대로 골흡수표지자는 초기에 감소되었다가 일시적인 증가 후 다시 감소되는 양상을 보였다. 정리하면 로모소주맙은 사용 초기에는 골형성 촉진과 골흡수 억제의 이중작용을 보이며, 이후에는 주로 골흡수 억제 효과를 나타낸다. 로모소주맙은 골형성 효과의 효율적인 측면을 고려하여 1년 용법이 승인되었다.

55-90세의 폐경후골다공증을 대상으로 진행된 연구는 로모소주맙 210 mg 혹은 위약을 1년간 사용한 후에 모두 데노수맙으로 변경하여 진행하였다. 로모소주맙의 1년 치료는 요추골밀도를 13.3%, 대퇴골 전체골밀도를 6.8% 증가시켰다. 척추골절은 로모소주맙 치료로 위약군 대비 73%의 감소가 관찰되었고, 비척추골절은 감소되지 않았다. 위약군에서 비척추골절이 매우 적게 발생되었고, 연구에 많이 참여한 중남미지역의 대상을 제외한 사후분석에서 로모소주맙 치료는 비척추골절을 의미있게 감소시켰다. 척추골절이 있는 심한 폐경후골다공증을 대상으로 진행된 연구에서는 첫 1년 간은 로모소주맙과 알렌드로네이트 70 mg을 비교하였고, 2년 차에는 모두 알렌드로네이트로 변경하여 효과를 관찰하였다. 로모소주맙의 1년간 치료는 알렌드로네이트치료와 비교하여 척추골절을 감소시켰고, 로모소주맙 후에 알렌드로네이트로 변경한 순차적 치료는 척추골절, 비척추골절, 대퇴골골절을 감소시켰다. 골절을 경험한 남성골다공증에서 로모소주맙의 1년간의 치료는 유의하게 골밀도를 증가시켰다. 이상의 결과를 근거로 로모소주맙은 골절을 동반한 심한 골절고위험군에서 우선적으로 사용할 것을 권하고 있다.

위약과 비교한 연구에서는 증가가 관찰되지 않았으나 알렌드로네이트와 비교한 연구에서 로모소주맙은 심혈관질환의 주요한 이상반응(심근경색, 뇌혈관질환, 심장사망의 종합지표)을 유의하게 증가시켰다. 위험성에 대한 새로운 연구 결과가 제시될 때까지는 로모소주맙은 지난 1년 이내에 심혈관질환의 병력이 있는 경우에는 사용하지 않도록 하고 있다. 로모소주맙은 105 mg 제형을 2개 피하주사하여 매월 210 mg을 사용하는 용법으로 연속하여 12개월간의 사용이 폐경후골다공증, 남성골다공증에 허가되었으나, 보험급여는 2021년 기준으로 65세 이상의 폐경후골다공증에서만 적용되고 있다.

7) 약물병용 및 순차요법

골다공증의 치료는 단일약물 사용을 원칙으로 하지만 골절 고위험군에 대한 병용요법의 시도는 계속되어왔다. 현재의 치료로 효과가 불충분한 경우에는 더 효과적인 순차치료가 필요하다. 최근 골다공증 치료의 지침에는 1년 이내의 골다공증골절, 심한 정도의 척추골절, 다발척추골절, 치료 중에 발생되는 골다공증골절, 매우 낮은 골밀도(T점수 < −3.0) 등의 조건을 골절 초고위험군으로 분류하고 있으며 초고위험군에서는 골형성촉진제를 우선 사용할 것을 권고하고 있다(표 11-3-5, 그림 11-3-11).

(1) 병용요법

병용요법으로 2개의 골흡수억제제를 사용하는 방법은 추가적인 이득이 관찰되지 않았다. 부갑상선호르몬(1-84)과 알렌드로네이트 혹은 테리파라타이드와 졸레드로네이트의 병용요법은 각각의 약물을 단독치료한 경우에 비해 골밀도 변화가 크지 않았다. 반면에 테리파라타이드와 데노수맙의 병용요법은 유의한 요추 및 대퇴골 골밀도의 증가를 보였다. 특히 테리파라타이드 40 μg과 데노수맙을 병용한 치료는 골밀도 증가에 더 효과적이었다. 다른 골흡수억제제에 비해 데노수맙과의 병용요법이 좋은 결과를 보인 것은 데노수맙이 테리파라타이드의 골흡수 증가를 충분히 감소시키기 때문인 것으로 해석되고 있다.

(2) 순차요법
① 골흡수억제제 후 골흡수억제제 사용

알렌드로네이트를 사용하던 대상에게 알렌드로네이트로 지속하거나, 혹은 졸레드로네이트로 변경한 경우보다 데노수맙으로 변경하였을 때 요추 및 대퇴골 골밀도가 유의하게 증가되었다. 반대로 데노수맙을 사용하다가 후속으로 다른 골흡수억제제를 사용하는 경우에 랄록시펜을 사용하는 것보다는 경구 혹은 주사 비스포스포네이트로 변경하는 것이 골밀도 보존 효과가 좋았다. 데노수맙을 장기간 사용한 경우에는 강력한 골흡수억제제인 졸레드로네이트로 변경해도 골밀도의 감소를 충분히 막지 못하였다.

표 11-3-5. 골절위험의 분류와 약물 선택

	기준	Endocrine Society	AACE
초고위험군	• Endocrine society - T점수 ≤ –2.5이면서 심한 정도의 척추 골절이거나 다발척추 골절 혹은 대퇴골골절 • AACE - 12개월 이내의 골절 - 다발골절력 - 골다공증 치료 중의 골절 - 골소실초래약물에 의한 골절 - T점수 < –3.0 - 낙상 고위험 - FRAX > 4.5%(대퇴골골절), 30%(주요 골다공증골절)	아발로파라타이드 테리파라타이드 로모소주맙	아발로파라타이드 테리파라타이드 로모소주맙 졸레드로네이트 데노수맙 대체제 알렌드로네이트 리세드로네이트
고위험군	• Endocrine society - T점수 ≤ –2.5이거나 - 이전 척추, 대퇴골골절력 혹은 - FRAX ≥ 3%(대퇴골골절), ≥ 20%(주요 골다공증골절) • AACE - T점수 ≤ –2.5이거나 - 12개월 이전의 척추, 대퇴골골절력 혹은 - FRAX ≥ 3%(대퇴골골절), ≥ 20%(주요골다공증골절)	알렌드로네이트 리세드로네이트 졸레드로네이트 데노수맙 이반드로네이트* 대체제 - 여성호르몬/SERM	알렌드로네이트 리세드로네이트 졸레드로네이트 데노수맙 대체제 이반드로네이트 랄록시펜

AACE, American Association of Clinical Endocrinologist.

*비척추, 대퇴골골절 감소에는 권고되지 않음

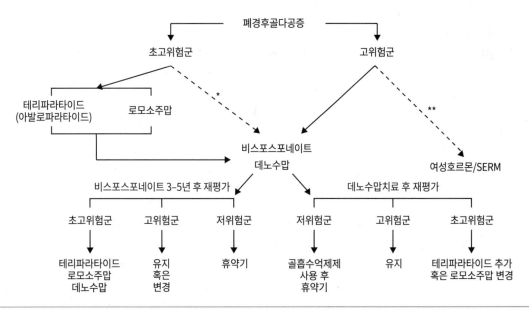

그림 11-3-11. 폐경후골다공증에서 골절위험에 따른 약물 선택과 장기간 치료전략

점선 화살표는 일차선택치료제를 선택하지 못할 경우에 사용한다.

*초고위험군에서의 비스포스포네이트 치료는 졸레드로네이트를 우선적으로 권고함.

**여성호르몬은 60세 이전이며 폐경증상이 있을 경우에 선택하며, SERM제제는 다른 치료제의 사용이 적합하지 않을 경우에 선택한다.

11 골·무기질대사

② 골흡수억제제제 후 골형성촉진제 사용

이전에 랄록시펜을 사용한 경우에는 비스포스포네이트를 사용했던 경우보다 테리파라타이드에 의한 골밀도 반응이 좋았다. 비스포스포네이트 사용군에게 테리파라타이드를 사용하면 일시적으로 대퇴골골밀도가 감소되는데 이는 테리파라타이드가 골재형성을 증가시키고 피질골의 다공을 증가시키기 때문에 피질골이 풍부한 부위의 골밀도는 일시적으로 감소된다. 하지만 테리파라타이드는 골막 표면에서의 모형화를 증가시켜 뼈의 둘레를 증가시키기 때문에 뼈의 강도는 오히려 증가되는 것으로 알려져 있다. 이전에 비스포스포네이트를 사용했던 폐경여성이 65% 포함된 연구에서 테리파라타이드 치료는 리세드로네이트 치료와 비교하여 임상골절을 더 감소시켰다. 이 결과는 비스포스포네이트 사용 후에 테리파라타이드로 교체하는 것은 골절 감소 측면에서 효과적임을 보여준 결과라고 할 수 있다. 한편 비스포스포네이트를 사용했던 폐경여성에게 테리파라타이드로 치료하거나, 기존 약물을 사용하면서 테리파라타이드를 추가하는 치료를 비교한 연구에서 테리파라타이드 추가치료는 대퇴골골밀도를 일시적으로 감소시키지 않았다. 따라서 비스포스포네이트를 지속적으로 사용한 대상이 대퇴골 골밀도가 낮아서 대퇴골골절에 취약하다면 테리파라타이드 치료를 추가하는 방법도 사용될 수 있을 것이다. 비스포스포네이트를 6년 이상 치료했던 대상을 테리파라타이드 혹은 로모소주맙으로 변경하여 1년간 골밀도 변화를 관찰한 연구에서 로모소주맙 치료는 테리파라타이드로 변경한 경우보다 유의하게 골밀도를 증가시켰고 테리파라타이드 사용군에서 관찰된 대퇴골골밀도의 일시적인 감소가 관찰되지 않았다. 골흡수억제제 후에 사용된 테리파라타이드와 로모소주맙 치료의 골밀도 증가효과는 이들을 첫 치료로 사용하였을 때의 골밀도 증가보다는 적었다.

데노수맙을 2년 동안 사용한 후 테리파라타이드로 2년을 사용한 경우에는 테리파라타이드 사용시기에 골표지자는 모두 기저치 이상으로 상승하였고, 요추골밀도는 6개월, 대퇴골 골밀도는 1년 동안 감소되었다. 이런 결과를 근거로 데노수맙 후 테리파라타이드의 순차적 치료는 권하지 않고 있다. 데노수맙 사용 1년 후에 로모소주맙을 1년간 사용한 소규모 연구에서 로모소주맙 사용시기에 골표지자는 지속적으로 증가되었으며 요추골밀도는 증가되었고, 대퇴골 골밀도는 유지되었다. 데노수맙의 단기간 치료 후에 로모소주맙의 순차치료는 사용해 볼 수 있는 조합으로 판단되나, 데노수맙을 장기간 사용한 후에도 로모소주맙의 효과가 유지될지는 연구결과를 지켜봐야 할 것이다.

③ 골형성촉진제 후 골흡수억제제제 사용

부갑상선호르몬(1-84)을 1년 사용 후 알렌드로네이트를 1년간 사용한 치료는 요추골밀도를 12%, 대퇴골 골밀도를 4% 증가시켰다. 테리파라타이드를 1년간 사용 후 랄록시펜을 1년간 사용한 치료는 요추골밀도를 유지, 대퇴골 골밀도를 증가시켰다. 테리파라타이드로 2년 치료 후에 데노수맙을 2년간 사용하여 총 4년간을 치료하면 요추골밀도를 18.3%, 대퇴골골밀도를 6.6% 증가시켰다. 아발로파라타이드를 18개월 사용한 후 알렌드로네이트의 2년간 치료는 알렌드로네이트만의 2년간 치료보다 척추골절을 87% 감소시켰다.

로모소주맙 치료 1년 후 데노수맙의 1년간 치료는 요추골밀도를 17.6%, 대퇴골 전체골밀도를 8.8% 증가시켜 단기간의 순차치료 중에서는 가장 크게 골밀도를 증가시켰다. 로모소주맙 후 데노수맙의 순차치료는 데노수맙만의 24개월간 치료보다 척추골절을 75% 감소시켰다. 로모소주맙 1년간 치료 후 알렌드로네이트 2년간 치료로 총 3년간의 치료는 요추골밀도를 14.9%, 대퇴골 전체골밀도를 7% 증가시켰다. 로모소주맙 후 알렌드로네이트의 순차치료는 알렌드로네이트치료군에 비해 척추골절을 48%, 비척추골절을 19%, 대퇴골골절을 38% 감소시켰다. 이상의 결과는 골형성촉진제를 먼저 사용하고 후에 골흡수억제제제를 사용하는 순차치료가 골밀도 증가면에서는 물론이고 골절 감소에도 더 효과적임을 제시하였다.

6. 치료반응의 평가

골다공증 치료에서 골절 예방은 가장 중요한 목표이다. 골절과 함께 골밀도, 골표지자 등의 변화는 치료의 성공 여부를 평가하는 중요한 지표이다. 국제골다공증재단(IOF)에서 제시한 치료 실패의 기준은 1년 이상 약물을 사용하고도 2개 이상의 골다공증골절이 발생하는 경우이다. 1개의 골다공증골절 발생과 함께 골밀도가 최소유의값 이상으로 감소되거나, 골표지자의 변화가 유의하게 관찰되지 않는다면 역시 치료 실패로 간주하고 있다. 또한 새로운 골절이 발생되지는 않았지만 골밀도와 골표지자의 변화가 모두 불충분한 경우도 치료 실패에 해당된다고 할 수 있다. 치료 실패로 판단되는 경우에는 약물 변경을 시도해 볼 수 있다. 치료반응의 평가는 기본적으로 약물을 잘 복용하는 상태에서 칼슘, 비타민D의 섭취가 적절하며, 골다공증의 이차요인이 충분히 배제된 상태에서 판단해야 할 것이다.

IV. 폐경전여성 및 남성골다공증

백기현

1. 폐경전여성골다공증의 정의

잘 알려진 바와 같이 폐경여성에서는 이중에너지방사선흡수측정(dual-energy x-ray absorptiometry, DXA)방법으로 골밀도를 측정하고 젊은 사람들의 평균치와 비교하여 골다공증을 진단한다. 즉 세계보건기구에서는 폐경여성에서 척추, 고관절, 혹은 전완의 골밀도를 측정하여 젊은 성인의 평균치보다 2.5 표준편차(SD) 이하이면(T점수 ≤ −2.5) 취약골절(fragility fracture)의 유무와 상관없이 골다공증으로 진단하도록 했다. 그러나 폐경전여성에서는 이 기준을 적용할 수 없는데, 골다공증으로 인한 취약골절 자체가 폐경여성에 비해 드물고, 골밀도와 골절의 상관정도가 폐경여성과 다르기 때문이다. 마찬가지로 Fracture Risk As-

sessment (FRAX) 도구도 폐경 전 젊은 여성에게는 적용할 수 없다.

국제임상골밀도협회(The International Society for Clinical Densitometry, ISCD)는 폐경전여성에서는 같은 연령대 평균치와 비교한 Z점수를 사용하도록 권고하였으며, Z점수가 요추, 대퇴골 전체, 대퇴골경부 혹은 원위 요골에서 −2.0 이하이면 연령 기대치에 비해 낮음이라는(below the expected range for age) 용어를 사용하자고 정했다. 그래서 젊은 여성이 Z점수가 −2보다 낮고 이전에 골절이 있었거나, 골절의 위험요인이 있거나, 골다공증의 이차적인 원인이 있으면(스테로이드 치료, 성선저하증, 부갑상선항진증 등) 폐경전골다공증(premenopausal osteoporosis)이 있다고 할 수 있다. 그러나 국제골다공증재단(International Osteoporosis Foundation, IOF)에서는 20세에서 50세 사이의 여성들에서 이차원인이 있거나 취약골절이 있었고 T점수가 −2.5 이하라면 골다공증을 진단할 수 있다고 권고하였다.

일반적으로는 젊은 여성이 골절 때문에 의료기관을 찾았을 때, 골연화증(심한 비타민D 결핍, 혹은 저인산염혈증으로 인한 저무기질화) 혹은 다른 원인으로 인한 병적골절[악성종양, 무혈성괴사, 섬유형성이상(fibrous dysplasia) 등]이 배제되었고, 교통사고와 같은 주요 외상이 아닌 키보다 낮은 높이에서의 낙상에서 발생한 골절이고, 골절부위가 손가락, 발가락, 두개골, 얼굴 이외의 부위라면 골밀도와 관계없이 골다공증이 있다고 간주할 수 있다.

2. 폐경전여성골다공증의 역학

폐경전여성에서 골다공증과 골절에 관한 역학은 충분히 알려져 있지 않다. 폐경전여성에서 골다공증의 유병률은 대상 인구, 골다공증의 정의, 연구한 기관에 따라 다양해서, 0.5%에서 50%까지 다양하게 보고되고 있다. 우리나라의 국민건강영양조사결과에 의하면 18세 이상 50세 이하의 건강한 폐경전여성에서 연령기대치 이하의 골밀도(Z점수 ≤ –2)를 보이는 여성은 약 3% 정도였다. 그러나 이차골다공증의 요인을 가진 폐경전여성들에서는 연령기대치 이하의 골밀도 유병률이 예를 들어 루프스의 경우 17.3%, 류마티스 관절염의 경우 7.3%, 쿠싱병은 44.5%, 사람면역결핍바이러스(HIV) 감염에서는 35%까지 보고된 바 있다.

이전에 골절을 경험하였던 폐경전 젊은 여성은 골절이 없었던 폐경전여성에 비해, 나중에 골절이 생길 확률이 35에서 75%까지 높다고 하므로, 조기진단 후 관리는 분명히 장점이 있어 보이지만, 이런 전략이 실제 입증되지는 않았다.

폐경전여성에서 낮은 골량(low bone mass)은 폐경여성보다 드물고, 최대골량(peak bone mass) 자체가 낮거나 과거 혹은 현재 진행중인 골소실과 연관되어 나타날 수 있다. 젊은 여성에서 골밀도만 낮은 경우(isolated low bone density)의 임상적인 의미는 아직 불확실 하다. 낮은 골밀도를 보이는 일부 젊은 여성은, 특히 이차원인이 동반되어 있으면, 골강도가 약할수 있고 골절위험도도 높아질 수 있다. 그런데 이차원인이 없이 낮은 골량만 보이는 젊은 여성에서 골절이 얼마나 발생할지 예측할 수 있는 연구는 아직 없다. 그러나 취약골절의 기왕력이 있고 낮은 골밀도를 보이는 특발폐경전골다공증에서 고해상도말단골정량적컴퓨터단층촬영[high-resolution peripheral quantitative computed tomography (HRpQCT)]이나 골생검 분석을 해보면 낮은 골밀도–골절군에서 대조군에 비해 골 미세구조의 손상이 관찰된다고 한다.

폐경전여성의 골밀도에 영향을 주는 가장 주요한 인자는 최대골량이다. 유전요인, 질병, 약물의 영향으로 인하여 최대골량이 낮게 형성되면 낮은 골량이 된다. 최대골량은 대개 40세에 도달하는 골밀도의 최고치로 정의한다. 건강한 여자들은 11세에서 14세에 골량이 가장 많이 증가한다. 최대골량의 95–100%가 10대 후반에 획득되지만 20세에서 29세까지도 소량씩 증가한다. 역학연구에 의하면 대퇴골의

최대골량 획득은 20대에 이루어지며, 척추와 전완부는 30세 전후에 이루어진다. 최대골량의 완성은 성별, 인종, 체구와 뼈의 부위 등에 따라 다양한 것 같고, 폐경전 젊은 여성의 골밀도를 해석함에 있어 최대골량에 아직 도달하지 못했을 가능성을 항상 고려해야 한다.

골소실은 폐경 전부터 시작하는데, 폐경이행기는 더 많은 골소실이 일어난다. 862명의 여성을 10년간 관찰한 코호트 연구에 의하면 연간 골소실은 폐경 이후 2–5년보다(postmenopause) 폐경 1년 전부터 폐경 후 2년까지(transmenopause)에서 더 많았다. 10년 동안의 누적 골소실은 척추와 대퇴골에서 각각 10.6%, 7.4%였으며 이행기(transmenopause) 골소실은 척추와 대퇴골에서 각각 9.1%, 5.8%였다.

일반적으로 폐경전여성에서 골절 발생은 폐경여성보다 적다. 그러나 폐경 이후와 마찬가지로 젊은 여성들도 골밀도가 낮으면 골절의 위험도가 높아진다. 전완부골절을 경험한 젊은 여성들에서 반대편 전완부, 요추, 대퇴골경부의 골밀도가 같은 연령대 여성들에 비해 현저하게 낮았다. 원위골절을 연구한 또 다른 연구에서 골밀도는 비슷했지만 골절군에서 소주골의 미세구조 손상이 HRpQCT에서 발견되었다. 반복적인 기계적 스트레스에 의해서 발생하는 피로골절(stress fracture)은 급격한 손상에 의한 골절과 구분되는 개념으로, 발레선수, 운동선수, 군인 같은 특정 여성에서 더 흔히 발생한다. 이들 여성에서 낮은 골밀도 혹은 미세구조의 결핍을 관찰할 수 있다.

한편 스테로이드 치료를 받는 젊은 여성들에서는 골밀도가 정상이어도 척추골절이 발생할 수 있다. 한 연구에 의하면 고용량의 스테로이드 치료를 받는 젊은 여성들에서 골밀도가 정상이어도 7–16%에서 척추골절이 발생하였다.

젊었을 때 발생한 골절은 폐경 이후에 골절 발생위험도를 높인다. 골절의 과거력이 있었던 젊은 여성은 폐경 이후에

골절이 발생할 가능성이 35% 정도 더 높다.

3. 폐경전여성골다공증의 원인

폐경전의 골소실의 속도나 정도에 영향을 미치는 요인들로는 연령, 체중변화, 체질량지수, 칼슘과 비타민D 섭취량, 운동량, 음주량, 골다공증의 가족력, 흡연력과 임신력 등이 있다. 또한 폐경전후기의 후기(late perimenopausal women)에서는 여포자극호르몬의 증가가 골소실에 기여하는 중요한 인자라는 연구결과들이 있다.

1) 여성호르몬 부족
어떠한 원인이든 젊은 나이에 여성호르몬의 부족은 골소실을 유발하고 낮은 최대골량을 유발한다. 예를 들어 저체중, 식이장애, 과도한 운동, 고프로락틴혈증, 뇌하수체저하증 등은 저성선자극성선저하증(hypogonadotrophic hypogonadism)을 유발한다. 터너증후군(Turner syndrome), 취약X증후군(fragile X syndrome), 항암 치료, 방사선 치료, 자가면역질환 등은 고성선자극성선저하증(hypergonadotropic hypogonadism)을 일으킨다.

2) 약물
폐경전여성에서 골소실의 원인이 되는 약물들로는 당질부신피질호르몬, 항경련제, 항우울제, medroxyprogesterone acetate 등이 있다.

3) 기타
기타 폐경전골다공증의 위험요소들은 남성이나, 폐경여성과 비슷해서, 흡연, 염증장질환, 복강병(celiac disease), 낭성섬유증(cystic fibrosis), 갑상선기능항진증, 고칼슘혈증, 부갑상선항진증 등이 위험요소로 제시된다. 폐경전여성에서 우울증과 낮은 골밀도가 연관성이 있지만, 우울증 자체가 항우울증 약물의 사용, 고코티솔증(hypercortisolism), 흡연, 음주, 운동부족과 같은 다른 위험요인을 동반하고 있는 경우가 흔하다.

4) 임신과 수유
일부 연구에 의하면 임신 동안 척추와 고관절에서 약 3–5%의 골소실이 발생하였고, 임신기간 동안 골밀도 변화가 없다는 보고도 있었다. 반면 수유는 골밀도에 좀더 심한 영향을 준다. 3–6개월간의 수유 동안 척추와 대퇴골에서 3–10% 정도의 골소실이 발생한다. 골소실은 수유의 기간, 무월경의 기간에 영향을 받으며 칼슘 보충으로는 예방되지 않는다. 수유기간 중 유선에서 분비되는 부갑상선호르몬관련단백질[parathyroid hormone-related protein (PTHrP)]이 사람이나 동물 모두에서 수유기간 동안에 뼈에서 칼슘의 유리에 중요한 역할을 하며 그 외 칼시토닌이나 여성호르몬 결핍도 골소실의 조절에 관여한다.

골소실은 이유기부터 시작해서 이후까지 회복된다. 이 시기 뼈의 회복에 관여하는 인자는 충분히 밝혀지지 않았는데, 수유로 인한 골소실은 18개월 이상 동안 천천히 회복된다. 사람과 동물연구에 의하면 부위별로 회복의 정도가 달라서 척추에서는 완전히 회복되고 다른 부위에서는 불완전하거나 좀 더 천천히 회복된다.

특기할 만한 점은 출산수(parity, number of births)나 수유가 폐경 이후의 골다공증이나 골절과는 상관이 없다고 많은 연구에서 보고되었다. 폐경전 젊은 여성의 골밀도를 해석할 때는 최근의 임신 여부, 그리고 수유의 기간을 확인해야 하고 생리적인 변화인지 병적인 변화인지 관찰해야 한다.

5) 임신과 수유관련골다공증(Pregnancy and lactation-associated osteoporosis, PLO)
임신과 수유관련골다공증은 임신 3기 혹은 출산 후 초기에 보통 척추에 골절이 발생하는 드문 경우를 말한다. 더 드물게는 고관절골절로 나타나는 경우도 있다. 이러한 상태로 진행하는 원인은 다양하므로 이차골다공증의 요인이 있는지 전반적인 조사를 해야 한다.

(1) PLO의 가능한 원인들

PLO는 순수하게 임신과 관계된 뼈의 변화로 인한 결과일 수도 있지만, 애초에 뼈의 취약성이 존재하다가 임신과 수유로 스트레스가 가중된 결과일 수도 있다. 한 연구에 의하면 PLO 환자들 중 67%에서 골다공증의 위험요인이 있었고, 38%에서 골다공증골절의 가족력이 있었다. 또한 뼈의 조직형태학 연구에서 낮은 골재형성률(bone remodeling rate)이 보고되었다. 이러한 소견은 PLO 환자들에서 골모세포의 이상 혹은 또 다른 기전의 골형성 부족이 있을 수 있다는 증거이다.

(2) 장기 예후

출산 이후로 골다공증에 선택적인 치료를 받지 않더라도 수년에 걸쳐서 골밀도가 증가한다는 보고도 있지만 재골절의 위험도가 높아진다는 보고도 있다. PLO가 있던 20명의 여성을 16년간 관찰했을 때 3명(15%)에서 이후에 추가골절이 발생하였다.

6) 특발(Idiopathic)

뼈의 취약성이 있지만 이차원인이 없는 젊은 여성의 경우 특발골다공증(idiopathic osteoporosis, IOP)으로 진단한다. 성장호르몬과 인슐린유사성장인자-1 [insulin-like growth factor-1 (IGF-1)] 축의 이상, 경미한 여성호르몬 부족, 골재형성의 증가 등 다양한 원인이 제시되고 있다. 골생검연구에 의하면 골재형성이 높거나, 정상이거나, 낮기도 하는 등 다양한 양상을 보일 수 있고 골형성이 낮아진 경우 가장 심한 미세구조의 손상을 보였다.

특발골다공증은 남성과 여성이 비슷한 정도로 발생하고 서양인에서 동양인보다 흔하며, 골다공증의 가족력이 있는 경우가 흔하다. 진단 당시 평균 연령은 35세 정도이며, 골절은 보통 다발로 발생하고 소주골이 풍부한 척추에서 발생하고, 고관절골절은 약 10% 정도에서 발견된다.

7) 유전원인

드물게는 병의 심한 정도에 따라 유전원인에 의한 뼈의 취약성이 소아기를 지나 젊은 여성에서 발병할 수도 있다. 가능한 질환들로는 불완전골형성증(osteogenesis imperfecta), 저인산염분해효소증(hypophosphatasia)과 관련된 골연화증, osteoporosis-pseudoglioma syndrome, LRP5 변이, 마르팡증후군(Marfan syndrome) 그리고 Ehlers-Danlos증후군 등이 있다. PLO 혹은 IOP가 있는 여성이나 남성에서 유전자분석을 통하여 새로운 유전자변이들이 발견되었다(LRP5, COL1A1, COL1A2, PLS3, WNT1, DKK1).

4. 폐경전여성골다공증의 진단

1) 선별검사

젊은 여성에서 일괄적인 선별검사로 골밀도검사를 시행하지는 않는다. ISCD의 지침은 표 11-3-6과 같다.

정례적인 골밀도검사는 추천하지 않지만, 골밀도검사와 더불어 뼈의 건강에 관한 교육을 실시해서 생활자세를 바꾸는 계기로 삼을 수는 있다.

2) 초기평가

폐경전여성의 낮은 골량은 미흡한 최대골량, 과거의 골소실, 혹은 현재 진행되고 있는 골소실과 관련이 있다. 따라서 평가와 진단은 이러한 분류에서 어디에 해당하는지 구분해서 그에 맞는 치료를 받도록 한다. 평가는 먼저 병력청취, 이학

표 11-3-6. 폐경전여성에서 골밀도검사의 적응증(ISCD)

- 취약골절의 기왕력
- 낮은 골밀도 혹은 골소실을 유발하는질환, 약물
- 골다공증의 약물치료를 계획하고 있을때
- 골다공증 치료약물의 효과 판정
- 골절의 위험요소를 가지고 있는 폐경전환기(menopausal transition)여성

적검사, 생화학검사를 시행하는데, 초기평가에서 원인이 불명확하면 특발, 미흡한 최대골량, 혹은 과거에 존재했지만 현재는 해소된 요인 등을 고려할 수 있다.

취약골절 혹은 낮은 골밀도(Z점수 ≤ −2.0) 때문에 병원에 온 젊은 여성들에서 우선 이차원인이 있는지 알아봐야 한다. 취약골절이 있는 경우 골밀도가 정상이더라도 이차적인 원인이 있는지 조사해야 한다(표 11-3-7).

골밀도가 낮거나 취약골절을 경험한 모든 젊은 여성에서 기본적인 검사들이 진단에 도움이 된다(표 11-3-8).

3) 추가평가

예를 들어 고칼슘혈증, 고칼슘뇨증, 신장결석(renal stone)의 과거력이 있으면 부갑상선호르몬과 1,25−다이하드록시비타민D를 측정하여 더 이상의 감별진단을 진행한다. 쿠싱증후군이 의심되면 소변코티솔을 검사하는데, 설명이 안 되는 골절에서 간혹 불현성 고코티솔증이 원인이 되므로 역시 소변코티솔검사를 해볼 수 있다.

연속적인 골밀도의 측정이 진단에 도움을 주는 경우는 다음과 같다. 유전요인, 혹은 청소년기에 뼈에 안 좋은 영향(약물, 영양결핍, 여성호르몬부족)으로 인하여 최대골량이 낮을 때는 골밀도가 낮아도 유지되는 양상을 보이지만 이차원인이 계속되고 있다면 골밀도의 소실이 진행성으로 나타난다. 단 한 번의 골밀도 측정결과만 있을 때에는 골표지자 검사가 도움이 된다. 골흡수표지자가 폐경전 정상 수준보다 높은 경우 골흡수가 진행 중이라는 간접적인 증거이다. 그러나 젊은 여성의 경우 정상범위가 넓으므로 해석이 어려울 수 있다. 청소년기와 어린 성인들은 활동적인 골형성 시기여서 골표지자가 생리적으로 증가하는 시기이다. 또한 최근의 골절에 의해서도 골표지자가 증가한다. 뼈의 취약성이 분명히 있지만 광범위한 조사에서도 이차원인이 발견되지 않으면 특발로 간주한다. 이런 경우 장골골생검이 진단에 도움을 줄 수 있다.

표 11-3-7. 폐경전여성골다공증에서 이차원인

- 소화관 흡수장애[복강병(celiac disease), 수술 후 상태]
- 신경성식욕부진(anorexia nervosa)
- 갑상선기능항진증
- 부갑상선항진증
- 쿠싱병
- 비타민D 결핍, 칼슘 결핍
- 성선저하증
- 고칼슘뇨증
- 류마티스관절염과 다른 염증질환
- 알코올중독
- 신장질환
- 간질환
- 호모시스틴뇨증(homocystinuria)
- 유전성혈색소증(heredietary hemochromatosis)
- HIV 감염증과 관련된 투약 치료
- 당뇨병(1형 혹은 2형)
- 골수질환(systemic mastocytosis, Gaucher disease, thalassemia major)
- 약물
  - 당질부신피질호르몬
  - 면역억제제(cyclosporine)
  - 항경련제(phenobarbital, phenytoin)
  - 성선자극호르몬방출호르몬작용제(GnRH agonists, 배란 억제 목적으로 사용)
  - 헤파린
  - 화학요법 치료(무월경 유발)
  - 싸이아졸리딘다이온(thiazolidinedione)
  - Depot medroxyprogesterone acetate
- 기타
  - 과도한 갑상선호르몬
  - 우울증 혹은 선택세로토닌재흡수억제제 사용
  - 양성자펌프차단제 사용(proton pump inhibitor)

표 11-3-8. 폐경전여성골다공증 진단검사 항목

- 전체혈구계산(CBC)
- 칼슘, 인, 크레아티닌
- 비타민D (25하이드록시비타민D)
- 갑상선자극호르몬(TSH)
- 알칼리성인산염분해효소(ALP), SGOT, SGPT
- 24시간소변칼슘, 크레아티닌

5. 폐경전여성골다공증의 치료

비스포스포네이트(bisphosphonate), 선택에스트로젠수용체조절제(selective estrogen receptor modulators, SERMs), 테리파라타이드(teriparatide), 아발로파라타이드, 데노수맙, 로모수맙 등이 폐경후골다공증에서 골절 감소효과를 충분히 입증하였지만 폐경전여성에서 이들 약물들에 대한 지침은 없다. 게다가 이차원인이 없는 폐경전여성들에 대한 이들 약물들의 효과와 안정성에 대한 연구결과는 거의 없는 실정이다. 따라서 이들에 대한 약물치료는 골절이 있었거나, 활동성 골소실, 지속적인 이차골소실의 원인이 있는 경우에 국한하여 시행된다.

1) 골절이나 진행성 골소실이 있는 경우

성선저하증과 동반하여 골절이 있었거나 골소실이 빠르게 진행되고 있을 경우에 에스트로젠 보충치료가 도움이 된다. 그러나 신경성식욕부진에 동반되는 성선저하증에는 여성호르몬 치료가 골소실을 예방하지 못한다. 취약골절이 있거나, 1년에 골소실이 약 4% 이상 지행되는 상황에서 성선기능이 정상이거나, 에스트로젠을 복용하지 못하는 경우에는 비스포스포네이트나 테리파라타이드를 선택할 수 있다. 두 가지 약물 모두 장기적인 당질부신피질호르몬 치료 중에 사용할 수 있도록 미국식약청의 허가가 있다. 이차원인이 있는 여성의 골다공증 치료는 보통 기저질환의 치료를 먼저 한다.

2) 골절이나 진행성 골소실이 없는 경우

단순히 골밀도만 낮은 폐경전여성은(골절이 없고, 낮은 골밀도의 이차원인이 없고, 빠른 골소실이 없는 경우) 약물치료는 하지 않는다. 골표지자검사치가 정상범위의 낮은 쪽에 있고, 추적골밀도 측정결과가 없다면 칼슘과 비타민D 치료만 하는 것이 합리적이고 1–2년 후에 골밀도를 다시 측정한다.

3) 생활습관의 변경

40세까지도 최대골량에 도달할 수 있으므로 골량이 낮은 모든 여성들을 대상으로 생활습관 변경을 권고해야 한다. 식이와 보충제를 통해서 칼슘 1,000 mg을 섭취하도록 하고, 600 IU의 비타민D_3를 복용하도록 한다. 규칙적인 체중부하운동과 신체활동이 좋고 금연이 요구되며, 정상 체중을 유지하고, 과도한 금식이나 체중의 급격한 변동은 좋지 않다. 과도한 음주도 피해야 한다. 과거에 신석이 있었다면 칼슘, 비타민D 보충치료를 하기 전에 부갑상선호르몬이나 1,25–다이하드록시비타민D를 측정해서 확인한다.

4) 운동의 강도

뜀뛰기 같은 고강도운동이 걷기와 같은 저강도운동보다 효과적이라는 증거는 없다. 운동의 이점은 중지 후 빠르게 소실되므로 운동을 즐기는 것이 중요하고, 스스로 규칙적인 체중부하운동을 선택해서 장기적으로 유지하도록 권유한다. 폐경 전에 지나친 운동은 체중감량과 시상하부성 무월경과 골소실을 유발한다.

5) 약물치료

(1) 에스트로젠

여러 가지 원인에 의한 성선저하증은 일단 기저질환의 치료에 집중해야 하며, 월경의 회복이 안되면 결국은 여성호르몬 치료가 필요하다. 에스트로젠 치료에 따른 위험은 폐경 이후의 여성호르몬 치료보다 덜하다.

(2) 비스포스포네이트

폐경전여성에서 비스포스포네이트 치료에 관한 무작위대조연구는 매우 드물다. 당질부신피질호르몬유발골다공증(glucocorticoid–induced osteoporosis, GIOP)에서 비스포스포네이트를 이용한 예방과 치료에 일부 폐경전여성에 관한 결과가 있고, 알렌드로네이트와 리세드로네이트가 미국에서 GIOP의 예방과 치료에 사용을 승인받았다. 여러 상황에서 비스포스포네이트 치료가 젊은 여성들에서 골소실을 예방하는 효과를 보이기는 했지만 장기적인 효과나 안정성이 확인되지 않았음을 항상 고려해야 한다. 따라서 개별적인 접근이 필요하고 개별 위험성과 효과를 감안해서 비

스포스포네이트 치료를 결정한다. 일반적으로는 가능한 짧은 기간 동안의 사용을 고려하는데, 장기적인 사용에 따른 턱뼈괴사, 비전형골절의 위험 때문이다. 임신한 쥐에서 독성효과가 보고되었고, 태반을 통과해서 태아의 뼈에 축적될 수 있으므로 임신동안은 분류C에 해당하는 약물이고 사용하지 않는 것을 권고한다. 그런데 임신 첫 1기에 경구 혹은 비스포스포네이트 치료를 받은 15명의 산모와 임신 3개월 전까지 비스포스포네이트 치료를 받은 5명의 산모에서 기형을 포함한 산과적 문제없이 정상적인 출산이 보고되기도 하였다. 그럼에도 불구하고 동물실험결과와 긴 반감기를 고려하여 젊은 여성에서 이 약물을 사용하는 것은 특별한 상황에 국한되어야 한다.

(3) 부갑상선호르몬유사물질

자궁내막증 치료를 위해 GnRH작용제 치료를 받는 여성, 스테로이드 치료를 받는 폐경전여성, 특발골다공증으로 진단한 폐경전여성, PLO, 신경성 식욕부진여성 등에서 테리파라타이드(PTH 1-34, teriparatide) 치료의 효과를 관찰한 연구들이 있다. 연구의 규모나 기간이 충분치 않아 항골절 효과는 아직 입증되지 않았다. 당질부신피질호르몬유발골다공증에서는 사용승인이 된 바 있다. 폐경전여성에서 아발로파라타이드(abaloparatide, PTH-related protein, PTHrP analog)에 관한 연구결과는 아직 없다.

폐경여성에서 PTH/PTHrp 유사물질 치료 중지 후에는 빠른 골소실을 막기 위해 골흡수억제제로 후속치료를 해주어야 한다. 그러나 폐경전여성에서는 이런 지침에 관한 연구가 거의 없다. 15명의 폐경전특발골다공증 환자들에서 약 2년간 테리파라타이드 치료를 한 이후에 중지하자 요추에서 골밀도가 4.8% 감소하였고, 고관절에서는 유지되었다. 이런 연구결과는 특발골다공증 젊은 여성에서도 테리파라타이드 치료 이후에는 골흡수억제제 치료가 필요할 수 있다는 것을 시사해준다.

골육종의 위험도가 높은 경우[패짓병, 이전의 방사선 치료,

성장하는 뼈(open epiphysis), 설명이 안 되는 알카리성 인산화효소의 증가]에는 사용하지 말아야 한다. 즉 테리파라타이드는 젊은 여성에서 상당히 주의를 요하며, 특히 성장지연(delayed growth)이나 열린 뼈끝일 경우에는 사용하지 않아야 한다.

(4) 기타

아직 월경이 있는 여성에서 SERM제제(랄록시펜, 타목시펜)의 사용은 뼈에서 체내 여성호르몬의 작용을 방해하여 더 많은 골소실을 유발하므로 사용하면 안된다. 젊은 여성에서 칼시토닌 사용에 관한 자료는 거의 없다.

데노수맙(denosumab)은 RANKL (receptor activator of nuclear factor kappa-B ligand)를 차단하는 항체로 폐경여성과 남성의 골다공증 치료에 널리 사용되고 있다. 이약물은 반감기가 짧고, 뼈에 축적되지 않으므로 폐경전여성에서도 장점이 있어 보이지만 아직 그 효과와 안정성에 대한 연구결과가 없다. 또한 데노수맙 치료 이후에는 빠른 골소실과 골절을 예방하기 위해 반드시 골흡수 억제제 순차치료가 이어져야 하는데 이런 과정이 전체적으로 치료기간을 연장시키므로 젊은 여성에서 적용할 수 있을지 미지수이다. 동물연구에서 태아에 해를 주는 결과를 보여 임신 동안은 분류X (category X)에 해당되고 사용하면 안 된다.

6. 남성골다공증의 역학

고령의 인구에서 골다공증은 이환과 사망의 주된 원인이 된다. 여성보다는 드물지만 남성에서도 골다공증이 많이 발생하며 미국의 경우 65세 이상에서 150만 명이 골다공증, 그리고 350만 명이 골감소증에 해당된다. 골다공증의 원인은 남성과 여성이 비슷하다. 골다공증골절이 있는 남성에서 기저 원인이 밝혀지는 경우는 40-60% 정도이며 성선저하증, 당질부신피질호르몬 치료, 위장관질환, 비타민D 결핍, 항경련제 치료, 고칼슘뇨증, 알코올중독 등이 가장 흔한 원인이다.

남성에서도 여성과 마찬가지로 고관절골절의 발생이 연령에 따라 급격히 증가한다(여성보다 10년 늦게 증가가 시작). 세계적으로 골다공증골절의 39%는 남성에서 발생한다. 60세 남성이 여생 동안 골절이 발생할 확률은 약 25%이다. 고관절골절, 그리고 주요 골다공증골절과 관계된 사망률은 남성이 여성보다 높다. 또한 남성은 고관절골절 이후 골다공증 치료약물로 치료받는 경우가 여성보다 현저히 적다(4.5% vs. 49.5%).

한국의 국민건강영양조사에 의하면 50세 이상의 남성에서 골다공증은 7.5%, 골감소증은 46.8%였다. 건강보험공단 청구자료에 의하면 골다공증골절은 50세 이상 여성에서 연간 1만 명당 223명, 50세 이상 남성에서 연간 1만 명당 74명이었다(2016년). 50대에는 손목골절이 주로 발생하고 연령이 증가할수록 고관절 및 척추골절의 발생이 증가한다(그림 11-3-12).

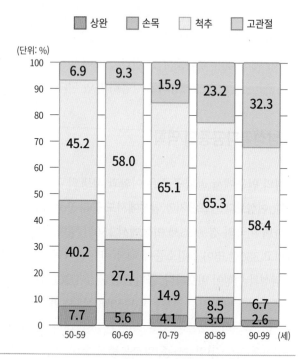

그림 11-3-12. **남성에서 부위에 따른 골절 발생양상**
(2008~2016 건강보험공단 청구자료)

7. 남성골다공증의 병인

최대골량이 미흡하거나, 최대골량 도달 이후 골흡수가 과도하거나, 골재형성과정에서 골형성이 미흡하면 결국 골다공증이 발생할 수 있다.

1) 성호르몬의 생리적인 역할

남녀 모두 사춘기시기의 골격발달과 성인시기의 뼈건강을 위하여 성호르몬의 역할이 중요하다. 에스트로겐과 안드로겐의 뼈에 대한 효과는 에스트로겐수용체(ER) α와 β 그리고 안드로겐수용체(AR)에 에스트로겐과 안드로겐이 각각 결합하여 나타난다. 골모세포, 파골세포, 골세포와 골수기질세포에 모두 ER과 AR이 존재한다. 남자에서는 뼈를 포함해서 여러 조직에 존재하는 CYP19A1 효소(방향화효소, aromatase)에 의하여 에스트로겐이 만들어진다.

사춘기의 성장급증(growth spurt) 이전에는 성별에 따른 뼈의 모델링(modeling)에 차이가 없다. 사춘기 동안 테스토스테론, 에스트라다이올, 성장호르몬(GH), 인슐린유사성장인자-1 (IGF-1)의 동시다발적인 증가는 골동화를 위한 복잡한 환경을 만든다. 사춘기 동안 남성에서는 안드로겐이 골막외부착(periosteal apposition)을 유도하며, 반면 여성에서는 에스트로겐이 골막외부착을 억제한다. 남성에서 피질골에 있어서는 에스트로겐이 안드로겐보다 더 중요한 역할을 하는 것 같으며, 안드로겐은 정상적인 소주골의 성장을 위해서 중요한 역할을 한다.

사춘기 이후에는 여성에서 에스트로겐은 골막외골형성(periosteal bone formation)을 억제하여 뼈의 직경이 커지지 않도록 하며 endocortical surface는 증가시킨다(촘촘해진다는 의미). 반면 남성에서는 안드로겐이 골막외 부착과 endocortical bone resorption을 모두 증가시켜서 더 넓은 뼈가 만들어진다. 최종결과로 남성의 더 높은 최대골량에 도달하고 덜 촘촘하지만(though not a denser) 더 큰 뼈를 만들게 된다. 최대골량에 도달한 이후로는 성호르몬의 작용으로 골밀도와 골강도가 유지된다. 골재형성속도가 느려지며, 골흡수와 골형성이 균형을 이루게 된다. 이때 RANKL/RANK/OPG를 경로가 이용된다. 성인기간 동안 그리고 노화가 진행되면서 성호르몬수치와 균형에 변동이 생기면 남녀 모두 골대사에 영향을 주게 된다.

2) 최대골량

남성에서 최대골량의 도달은 대략 30세 정도에 이루어진다. 젊은 남성들에서 최대골량에 영향을 주는 요소들로는 위에 설명한 성호르몬이 중요하고 그 외 성장호르몬, 운동, 체중, 칼슘섭취, 비타민D, 단백질 섭취, 유전요인 등이 있다. 젊은 남성들에서 최대골량에 나쁜 영향을 주는 요인들로는 흡연, 음주, 특정 소아질환, 당질부신피질호르몬, 항경련제 같은약물들이 있다.

뼈는 재형성과정을 거쳐서 매 10년마다 교체되는데, 남성도 고령으로 진행하면서 골재형성 속도가 빨라지고, 골형성과 흡수의 불균형이 나타나기 시작해서 연간 1% 정도씩 골밀도가 감소한다. 이런 과정은 최대골량 도달 직후부터 나타날 수 있고, 대개 40세 전후에 시작한다. 골밀도 감소 이외에도 미세구조의 악화가 나타나며 이러한 양적 질적 악화는 특별한 원인이 없이도 진행할 수 있고, 다른 요인에 의해 진행이 빨라질 수 있다. 그러나 남성의 경우 여성의 급격한 폐경과 달리 서서히 성호르몬이 감소하여 여성에 비해 중년기(45-55세)에 더 유리하다. 소주골 표면적은 여성과 마찬가지로 감소하지만 골막두께가 더 증가하여 피질골의 두께가 더 두껍고, 장골의 단면직경이 더 커서 굽힘강도(bending strength)가 더 세다.

3) 일차, 이차골다공증

일차남성골다공증은 다시 노화와 관련된 골다공증(> 60세)과 젊은 남성과 중년 남성에서 발견되는 특발(idiopathic) 형태로 구분할 수 있다. 어떠한 질환이나 약물에 의해서 발생한 골다공증은 이차로 분류한다. 폐경여성에서 약 40%, 그리고 남성에서는 약 60%에서 이차원인(표

11-3-9)으로 골다공증이 발생한다고 알려져 있다.

표 11-3-9. 남성골다공증의 원인과 위험요인

일차골다공증(30~35%)
특발(young, middle aged men)
노화와 관련(> 60세 이상)

이차골다공증
• 내분비질환 - 성선저하증 - 쿠싱증후군 - 말단비대증 - 부갑상선항진증 - 갑상선기능항진증 - 당뇨병 - 사춘기 지연 - 성장호르몬 결핍 - 여성호르몬 결핍 - 비타민D 부족
• 생활습관 관련 - 음주 - 정주성생활자세(sedentary life style) - 흡연 - 영양 부족 - 칼슘 섭취 부족
• 약물 - 당질부신피질호르몬 - 남성호르몬제거치료(androgen deprivation therapy, ADT) - 항경련제 - 면역억제제 - 화학요법제제 - HIV치료제
• 기타 질환들 - 흡수장애(복강병, 염증장질환, 바리에트릭수술) - 낮은 체질량지수(BMI < 20) - 류마티스관절염, 강직척추염 - 만성 간, 신장질환 - HIV감염 - 만성폐쇄폐질환(COPD) - 종양질환 - 특발고칼슘뇨증 - 다발골수종 - 비만세포증(mastocytosis) - 불완전골형성증(osteogenesis imperfecta) - 신경근육질환(nerimuscular disease) - Ehlers-Danlos증후군

8. 남성골다공증의 선별검사(Screening)

아직까지 완전하게 합의된 국제적인 선별검사의 규범은 없다. 골다공증의 진단은 취약골절이 있거나 골밀도검사에서 T점수가 –2.5 이하이거나, 또는 골절위험도를 계산하여 할 수 있다. ISCD와 NOF (national osteoporosis foundation)에서는 65–70세 이상에서 골밀도검사와 위험요소 판단을 하도록 권유하고 있고, 미국내과학회(American College of Physician, ACP)에서는 65세 이상에서 위험요인이 있을 경우에 한해서 골밀도검사를 권유하고 있다. 중년 남성(>50세)에서는 위험요인이 있을 때 골밀도검사를 하도록 권유하기도 하고(NOF), 50세 이하의 젊은 남성에서는 일반적으로 골밀도 측정을 선별검사로 하지 않는데, 스테로이드 치료, 성선저하증(ADT 포함), 흡수장애 등과 같이 골소실의 속도가 빠르고 골절의 위험이 높을 경우에 한하여 골밀도검사를 한다. 유럽남성학회(European Academy of Andrology)에서는 남성호르몬수치가 300 ng/mL 이하이거나, ADT 치료대상, 혹은 성선저하증의 과거력이 있으면 골밀도검사를 시행하도록 권유하고 있다.

요약하면 낮은 골밀도의 위험요인이 있거나, 기왕에 골절이 있었으면 나이에 관계없이 골밀도검사를 해보는 것이 바람직해보이고, 나이만으로 골밀도검사를 시행하려면 65–70세 이상 정도가 적당해 보인다.

중요한 것은 골밀도가 항상 골절위험도에 비례하여 나타나지 않는다는 점이다. 골밀도가 정상이거나, 골감소증 수준이더라도 일부에서 골절이 발생하며, HIV감염, 당뇨병, 내분비질환 관련 등이 좋은 예이다. 골량은 정상이더라도 골질에 문제가 있을 수 있기 때문이다. 이런 경우 골밀도 이외에도 FRAX나 다른 위험도 계산기, 척추형태 분석과 같은 진단도구가 도움이 되겠다.

9. 남성골다공증의 진단과 골절위험도평가

1) 골밀도검사

골절이 발생하지 않은 골다공증은 증상이 없으므로 골다공증이나 골절의 위험도가 높은 경우를 미리 판별하여 조기 진단하는 것이 중요하다. 또한 남성골다공증은 이차인 경우가 더 흔하므로 골다공증을 일으키는 기저질환이 있을지 꼼꼼하게 살펴봐야 한다. 마지막으로 남성골다공증 진단에 있어서 대상자에게 근감소증이 동반되어 있는지 아는 것이 중요하다. 근감소증은 비교적 흔하고, 골다공증에 동반하여 나타나기도 하고, 노쇠증후군(fraility syndrome)의 한 부분이다. 근감소증의 진단은 설문조사(SARC–F), 근력 평가(걷는 속도, 악력검사), DXA, 인바디검사(bioimpedence, BIA)를 이용한다.

가장 중요한 골다공증 진단방법은 골밀도검사(DXA)이다. 진단과 추적관찰, 치료효과 판정에 모두 유효하다. 그러나 DXA방법은 부피골밀도(g/cm^3, vBMD)가 아닌 면적골밀도(g/cm^2, aBMD)를 측정하는 방법이고 골질에 관한 정확한 정보를 주지 못한다. 면적골밀도는 깊이를 측정하지 못하므로 뼈가 클 경우, 깊이도 같이 깊어지고 면적골밀도가 높게 측정된다(부피골밀도는 같더라도). 또한 남성에서는 골밀도와 골절의 상관관계가 여성만큼 확립되어 있지 않아서 골밀도 기준만으로 진단을 하고 치료의 대상을 판별하기에는 아직도 논란이 있다. 심지어 남성에서 T점수 산출을 위한 참조군을 ISCD 에서는 젊은 백인여성들의 데이터 사용하라고 권고하지만, 논란이 있고 아직 합의가 필요하다.

2) 소주골점수(Trabecular bone score, TBS)

2D 요추골밀도영상에서 골강도를 반영하는 기하학적 변수들을 계산해내는 소프트웨어가 개발되어서 사용이 되고 있고 소주골점수라고 한다. TBS는 소주골의 미세구조를 반영하며 높은 TBS점수는 강하고 골절에 저항이 있는 뼈를 의미하며, 낮은 TBS 점수는 부분적으로나마 임상적인 위험요소나 면적골밀도에 독립적으로 골절의 발생과 관련이 있

다. TBS는 나이가 많아질수록 감소하고 골다공증 치료 후에 증가한다. 골밀도와 TBS를 같이 이용하면 골밀도 단독보다 유용하다. 골밀도가 정상이지만 골다공증골절의 위험도가 높은 환자의 판별에 도움이 되고, 당뇨병, 부갑상선항진증, 만성적인 스테로이드 치료로 인한 이차골다공증의 평가에도 좋다. ISCD에서는 TBS 단독으로는 진단에 이용하지 말고 골밀도와 같이 이용하거나 골절위험도평가의 알고리듬과 같이 이용할 것을 권고하고 있다.

3) 골절위험도평가(Fracture risk assessment, FRAX)

FRAX는 몇 가지 임상적인 위험요인들(연령, 성별, 인종, 흡연유무, 음주, 이전의 골다공증골절, 고관절골절의 가족력, 스테로이드 치료, 류마티스관절염)과 대퇴골경부골밀도를 이용하여 이후 10년간 발생할 골절의 확률을 계산하는 알고리듬, 혹은 수학적 계산도구이다. FRAX는 일부 변수들이 단순히 이분법적인 답변을 하게 되어 있고(예: 아니오; 이전 골절의 위치와 횟수가 없는 점, 동반질환의 중증도 표시가 없음, 흡연의 정도, 스테로이의 용량과 기간) 다른 임상적 위험요소는 포함하지 않는(다른 골다공증유발약물, 당뇨병, 요추 골밀도) 단점이 있다. 가장 위험도가 높은 남성은 골밀도검사로 판별이 될 수 있고, 골밀도가 정상이거나 골감소증 수준이지만 위험도가 있는 남성의 진단은 FRAX가 도움이 될 수 있겠다.

4) 척추골절의 평가(Vertebral fracture assessment)

척추골절은 모르고 지나는 경우가 많고, 영상검사로 확인된 척추골절의 1/3만이 실제 임상적으로 진단이 된다(남성 42%, 여성 22%). 임상적인 척추골절 이후 4년 동안 사망률은 20% 정도이고 남성에서 더 높다. 척추골절을 확인하는 방법은 일반적인 척추 방사선사진(morphometric X-ray radiography, MRX)과 DXA스캔(morphometric X-ray absorptiometry, MXA) 방법이 있다. DXA스캔을 이용하는 것은 빠르고, 방사선조사가 적으므로 매우 유용하고 가급적 모든 환자에서 시행함이 바람직해 보인다.

5) 정량적컴퓨터단층촬영(Quantitative CT, QCT)

QCT검사는 골밀도측정용소프트웨어와 팬텀을 이용하여 기존의 CT에서 골밀도를 측정하는 방법으로 피질골과 해면뼈를 분리하여 측정할 수 있는 것이 장점이다. DXA방법에 비해 vBMD와 소주골을 직접 측정할 수 있고, 골강도를 추정할 수 있다. 반면 방사선조사량이 많고 비용이 비싸며 표준화된 측정방법의 결여로 추척관찰 용도로는 좋지 않다. 재현성에도 문제가 있고 연구목적으로 많이 이용되는 편이다. QCT는 방사능조사량이 지나치게 높아지므로 해상도에 한계가 있다.

말단골정량적컴퓨터단층촬영(peripheral QCT, pQCT)은 골밀도 측정만을 목적으로 개발된 기종으로 말단골에 적용한다. 최근에는 HR (high resolution)-pQCT가 개발되어 조직검사 수준의 3차원정보를 제공하며 유한요소분석(finite element analysis)을 적용한 시뮬레이션으로 골강도를 평가하는 연구가 활발히 진행되고 있다. 골강도에 중요한 요소로 최근 새롭게 인정되고 있는 피질골의 소주골화(trabecularization)와 다공성(porosity) 평가에 사용할 수 있다. HRp-QCT 연구에 의하면 남성에서는 노화가 진행하면서 소주골의 숫자는 유지되지만 소주골의 두께가 얇아지고, 여성에서는 소주골의 숫자 자체가 감소한다. HR-pQCT의 단점은 비교적 높은 방사능조사량과 말단골 이외의 골질은 평가하기가 어렵다는 점이다.

10. 남성골다공증의 치료와 치료의 목표점 (Target of treatment)

1) 일반적인 고려사항

먼저 남성골다공증을 질환으로 받아들이는 인식의 전환이 필요하고, 적극적인 선별검사가 요구된다. 또한 환자들로 하여금 적극적인 진단을 받도록 하고, 남성골다공증의 선별검사를 인정하는 국가 의료체계의 변화도 필요하다. 또한 치료를 받는 남성골다공증 환자의 비율을 높이기 위한 노력도 필요하다. 흔히 남성골다공증은 이차인 경우가 많으므로 치료의 첫 번째 단계는 보통 원인질환의 치료이다.

충실도(adherence)는 적응도(compliance)와 지속성 (persistence)에 결정된다. 남성골다공증에서 치료에 대한 충실도는 낮으며 비스포스포네이트 같은 경우 1/3에서 2/3까지 치료 중 투약 중지율을 보인다(non-adherence).

정확한 진단을 한 이후에는 선택적인 치료를 받을 대상을 주의 깊게 선별해야 하고, 생활습관의 변화, 기저질환의 치료, 최종적으로 어떤 약물을 사용할지 검토해야 한다. NOF 지침에 의하면 남성에서의 약물치료 대상은 고관절 혹은 척추의 골절, T점수 –2.5 이하인 경우, T점수 –1에서–2.5 사이이면서 10년 골절 확률이 20% 이상 혹은 10년 고관절골절 확률이 3% 이상으로 규정하고 있다. 또한 장기적인 스테로이드 치료를 받는 남성, ADT 치료를 받는 남성도 치료의 대상이 된다.

2) 비약물치료

최대골량이 적절하게 확보되기 위해서는 적절한 칼슘과 함께 건강한 식이를 섭취하는 노력이 필요하고 규칙적인 신체활동도 중요하다. 성인이 되어서도 건강한 생활습관을 유지해야 한다. 적절한 일광욕, 정상적인 체중의 유지, 과도한 음주를 절제하고 흡연을 중지해야 한다. 운동은 근육량과 근력을 증가시켜서 낙성의 가능성을 줄여준다 고령의 남성에서는 가정 내의 안전한 환경도 중요하다.

3) 보충치료(Supplement therapy)

남성에서 칼슘과 비타민D 보충에 관한 연구는 드물지만 일반적으로 폐경후골다공증여성을 대상으로 한 연구에서 나온 증거에 근거하여 남성에게도 적용한다. 70세 미만에서는 하루 1,000 mg의 칼슘이 추천되고, 70세 이상에서는 하루 1,200 mg이 권장된다. 이 중 식사를 통한 칼슘이 부족할 경우에 한하여 보충제를 추가로 처방한다.

고령에서는 일광욕의 부족과 피부에서의 생합성 감소로 비타민D 부족이 흔하다. 식사만으로 비타민D를 보충하기는 어렵고, 적절한 일광욕 이외에도 800 IU부터 비타민D 보충제를 투약해서 25하이드록시 비타민D가 정상이 되도록치료한다. 일반적으로 불활화형태인 콜레칼시페롤(cholecal-iferol)을 선택하지만 간혹 25하이드록시 비타민D(칼시페디올, calcifediol)가 더 효과적인 경우도 있다. 고환에서도 간처럼 25히드록실화가 일어나기 때문에 성선저하증 환자에서는 칼시페다이올이 더 효과적이다. 마찬가지로 비만 환자에서도 콜레칼시페롤이 지방조직에 압류가 잘되므로 칼시페디올이 더 효과가 좋다.

칼슘과 비타민D 보충만으로 골절을 감소시키는지는 명확하지는 않지만, 골밀도는 분명히 증가시키는 것 같다. 기본적으로 골다공증 치료를 시작하기 전에 칼슘과 비타민D도 보충을 시작해야 하고 치료기간 중에 유지되어야 한다.

4) 남성호르몬치료

젊은 남성에게 성선저하증이 있다면 최대골량 도달을 위해서 적극적인 남성호르몬 치료가 필요하다. 고령의 남성에서 골다공증 치료목적만으로 남성호르몬 보충치료를 이용하지는 않는다. 항골절 효과도 아직 입증되지 않았다. 남성호르몬 치료로 골밀도가 증가하는데 척추에서 더 뚜렷하고 저하증이 심할 경우 골밀도 증가가 현저하다. 남성호르몬을 이용한 대규모 임상시험인 T-trial에 의하면 남성호르몬이 부족한 고령의 남성에서 1년간 남성호르몬 보충치료를 했을 때, 주로 소주골에서 vBMD가 증가했으며 고관절보다 척추에서 효과가 뚜렷했다. 남성호르몬 보충치료와 일반적인 골다공증약물의 병합치료는 아직 연구결과가 드물다. 또한 남성호르몬 치료가 뼈와 근육에 동시에 미치는 영향도 아직 잘 모른다. 그러나 남성호르몬 치료를 받는 남자가 골절의 고위험군일 경우 골저 감소 효과가 입증된 다른 약물을 추가하여 치료하도록 권고하고 있다.

5) 골다공증 치료약물

비스포스포네이트, 데노수맙, 테리파라타이드가 유럽과 미국에서 남성골다공증의 치료를 위해 승인을 받은 약물들이다(표 11-3-10). 여성의 골다공증임상연구에 비해 연구 자체가 드물고, 각 연구에 포함된 대상자수도 적은 편이다. 게다가 졸레드론산을 제외하고 골절을 일차적인 연구결과로 본 임상연구도 없다.

(1) 비스포스포네이트

일차치료약물은 비스포스포네이트이다. 알렌드로네이트, 리세드로네이트, 졸레드론산의 임상시험결과가 있고 요추와 대퇴골의 골밀도를 모두 증가시켰다. 메타연구에 의하면 알렌드로네이트와 리세드로네이트는 척추골절을 감소시켰고, 비스포스포네이트 전체를 놓고 보았을 때 비척추골절도 감소하였다.

경구비스포스포네이트의 부작용은 여성과 비슷하며 가장 흔한 부작용은 식도자극이다. 식사 전 30분에 복용하도록 하고, 복용 후에는 눕지 않으며, 충분한 물과 함께 복용한다. 경구제제의 충실도는 낮으며, 반감기가 충분히 긴 약이나 졸레드론산같이 1년에 한 번 투약하는 주사제제가 도움이 된다.

드물지만 턱뼈괴사나, 비정형 대퇴골골절의 위험 때문에 골절위험도가 높지 않은 환자는 경구제제는 5년, 주사제제는 3년 후에 휴지기를 가지고, 2–3년 후에 재평가를 실시한다. 그러나 휴지기 동안의 골절의 발생에 관하여 남성을 대상으로 한 연구는 없는 실정이다.

(2) 데노수맙

남성에서 1년간 치료 시 대퇴골과 척추의 골밀도가 증가하였고 2년간 치료에서 척추의 골절 감소가 확인되었다. 비척추골절에 관한 결과는 아직 없다. 일차골다공증, ADT 치료를 하는 환자, 성선저하증 환자에서 유용하다. 부작용으로는 저칼슘혈증, 턱뼈괴사, 비정형 대퇴골골절 등이 있다. 충실도에 관한 자료는 없는데 경구제제보다는 양호할 것으로

표 11-3-10. 남성골다공증 치료약물들의 임상시험결과요약

치료	연구	용량/경로	대상자 수 (시험약/위약)	일차결과	효과 BMD	효과 VFs	효과 NVFs
알렌드로네이트	Orwoll 등	10 mg/일, 경구	241 (146/95)	알렌드로네이트 2년 치료, 골밀도	+	±	NS
	Ringe 등	10 mg/일, 경구	134 (68/66)	알렌드로네이트 3년 치료, 골밀도	+	±	NS
리세드로네이트	Boonen 등	35 mg/주, 경구	284 (191/93)	리세드로네이트 2년 치료 척추골밀도	+	NS	NS
	Ringe 등	5 mg/일, 경구	316 (158/158)	리세드로네이트 2년 치료 골밀도	+	±	NS
졸레드론산	Boonen 등	5 mg /년, i.v.	1199 (588/611)	졸레드론산 2년 치료, 형태학적 척추골절	+	+	NS
데노수맙	Orwoll 등 Langdahl 등	60mg/6개월 sc	242 (121/121)	1년 혹은 2년 골밀도	+	±	NA
테리파라타이드	Orwoll 등 Kaufman 등	20 혹은 40 ug/일 sc	437 (139+151/157)	11개월 테리파라타이드 골밀도	+	±	NA

BMD, bone mineral density; μg, micrograms; NA, data not acquired; NS, not significant between-group differences; NVFs, non-vertebral fractures; VFs, vertebral fractures.

추측된다. 2상과 3상 연구에서 데노수맙중단 후에 골표지자가 빠르게 증가하고 골소실이 진행하는 양상을 보여주었다. 이후 데노수맙 치료중지 후 다발으로 척추골절이 발생하는 증례들이 보고되면서 소위 rebound associated vertebral fracture에 대한 관심이 늘어나고 있지만 막상 남성에서는 관련 데이터가 없다. 따라서 남성에서 데노수맙의 치료기간이나 중지 시점에 관한 지침은 아직 없는 형편이다. 일반적으로는 목표 T점수에 도달하면 치료를 중단한다. 데노수맙의 치료를 중지한 이후에는 빠른 골소실을 막고 rebound associated fracture의 예방을 위하여 보통 비스포스포네이트를 이어서 치료한다.

(3) 테리파라타이드

테리파라타이드는 남성골다공증에서 사용할수 있는 유일한 골형성치료제이다. 테라파라타이드는 부갑상선호르몬의 1-34 펩타이드로 간헐적인 투약으로 골형성이 증가한다. 골모세포에 대한 직접적인 작용과 IGF-I 유도, 스클레로스틴(sclerostin) 억제와 같은 간접적인 작용이 골형성을 유도한다. 여성에서 대퇴골과 요추의 골밀도를 증가시키며 골절위험도를 감소시키고 남성에서도 비슷한 작용을 보인다. 20 μg을 매일 피하주사로 투여하며, 안정성 문제로 최장 24개월만 투약한다. 주사 후에 고칼슘혈증, 고칼슘뇨증, 오심, 관절통, 두통이 있을 수 있다.

(4) 로모소주맙

로모소주맙은 골세포에서 발현하는 스클레로스틴을 차단하는 항체로 골형성을 증가시키고 골흡수는 억제하는 이중작용을 한다. 남성에서의 3상연구가 시행되었으며 (BRIDGE) 1년간의 치료로 척추와 대퇴골의 골밀도가 모두 증가하였다. 피질골과 소주골이 모두 호전되는 양상을 보였다.

V. 이차골다공증

홍 성 빈

1. 서론

이차골다공증은 최대골량의 획득에 지장을 주거나 부가적인 골소실을 일으키는질환 또는 약물에 노출되어 발생한 골다공증이다. 따라서 골다공증의 치료에서 이차적인 원인 여부를 확인하는 것이 반드시 필요하며 기저질환 치료 또는 요인의 제거가 되지 않는다면 치료의 효과가 제한되므로 이를 고려하는 것이 필요하다.

2. 역학

이차골다공증의 역학적인 유병률연구는 원인질환 및 약물이 다양하므로 연구에 따라 차이가 있다. 기존의 연구를 종합해 보면 남성의 50-80%, 폐경전여성 및 폐경이행기여성의 40-60% 폐경여성의 20-30%를 차지할 정도로 빈도가 높다.

이차골다공증의 원인으로 내분비질환, 위장관질환, 골수질환, 결체조직질환, 약물 등이 있다(표 11-3-11). 남성에서 가장 흔한 원인은 성선저하증, 당질부신피질호르몬 투여, 음주 등이다. 폐경전여성에서는 저에스트로젠혈증, 당질부신피질호르몬, 갑상선기능항진증이 흔한 원인이다. 당질부신피질호르몬유발골다공증은 이차골다공증의 가장 흔한 원인으로 전체 골다공증 환자의 20%를 차지한다. 원인질환에 따라 치료가 다르기 때문에 일부 치료부분은 임상특성부분에서 같이 다루고자 한다.

표 11-3-11. **이차골다공증의 원인**

내분비질환	부갑상선항진증 쿠싱증후군 비타민D 결핍 고프로락틴혈증 말단비대증	갑상선기능항진증 성선저하증 성장호르몬 결핍 당뇨병
위장관질환	위절제술 염증성장질환 만성폐쇄성황달	흡수장애증후군 일차담관성간경화
골수질환 및 악성종양	다발골수종 용혈성빈혈(겸상적혈구병) 림프종	전이성종양 백혈병
결합조직질환	류마티스관절염 홍반루푸스 호모시스틴뇨증	강직척추염 골형성부전증
신경질환	뇌졸중 다발경화증 뇌성마비	파킨슨병 척추 손상
약물	당질부신피질호르몬 성선자극호르몬방출호르몬작용제 항경련제 면역억제제 양성자펌프억제제 항우울제(SSRI)	과량의 갑상선호르몬 방향화효소억제제 싸이아졸리딘다이온 항암제 항응고제(헤파린, 와파린) 알코올
기타	임신, 분만 후천면역결핍증	부동

3. 임상특성

1) 내분비질환들에 의한 이차골다공증

(1) 당질부신피질호르몬유발골다공증

쿠싱증후군과 같은 체내 당질부신피질호르몬 과잉생산이나 당질부신피질호르몬약물 복용 모두 당질부신피질호르몬유발골다공증(glucocorticoid induced osteoporosis, GIOP)의 원인이 된다. 국내 연구에서 30일 이상 장기투약하는 경우는 2002년 0.16%에서 2015년 0.54%로 증가하였다. 당질부신피질호르몬 사용 시 첫 3–4개월에 급격한 골소실이 발생하여 첫 1년 이내에 골소실률이 6–12%에 이르며 그 후로는 골소실률이 감소하여 매년 3% 정도 감소한다.

당질부신피질호르몬유발골다공증은 피질골보다는 소주골에 영향을 미치고 특히 요추골량 감소와 골절이 특징적인 임상양상으로 알려져 있다. 당질부신피질호르몬약물에 대한 감수성의 차이가 관찰되어 용량과 기저질환의 차이가 영향을 줄 것으로 여겨지고 있다. 최근에는 이러한 차이를 유전 차이로 설명하려는 연구들도 진행 중이다. 골량의 감소는 당질부신피질호르몬의 용량에 비례하여 증가한다고 알려져 있다. 그러나 저용량 치료에도 6개월 이내 초기에도 매우 빠른 골소실이 발생되어 주의가 필요하다. 당질부신피질호르몬을 사용 경험이 있을 시는 골절의 상대위험도가 2.63–1.71 대퇴골골절위험도가 4.42–2.48배 증가하였다. 고용량의 당질부신피질호르몬 치료 시 1년에 5–15% 골량이 감소된다고 보고된다. 그러나 저용량(2.5–7.5 mg 프레드니솔론/일)이라도 척추골절위험도를 증가시킨다고 하며(1.7–2.5), 고용량(7.5 mg 프레드니솔론 이상)에서는 5배 증가한다고 알려져 있다.

당질부신피질호르몬유발골다공증이 잘 생길 수 있는 위험요인은 나이, 낮은 체질량지수, 골절의 병력, 흡연, 과도한음주, 낙상, 대퇴골골절의 가족력, 당질부신피질호르몬수용체 유전형, 11-β 하이드록시스테로이드탈수소효소의 발현 증가, 고용량스테로이드요법, 낮은 골밀도와 류마티스관절염, 류마티스다발근통, 염증장질환, 만성폐질환, 이식 등의 기저질환이 있다.

① 골조직에 직접적으로 미치는 영향

당질부신피질호르몬이 골조직에 미치는 영향은 초기의 일시적인 골흡수의 증가와 지속적인 골형성의 감소, 골세포활성의 감소로 특징된다. 초기에 재형성이 증가되고 골형성은 감소되면서 골교체가 증가되나 이후 골량이 감소하고 골형성이 감소되면서 이후 낮은 골교체가 일어난다. 당질부신피질호르몬의 파골세포에 대한 중요한 작용은 대식세포집락자극인자(M-CSF), RANKL의 증가와 오스테오프로테제린(osteoprotegerin, OPG)의 발현의 감소에 의해 파골세포의 수와 활성이 증가된다. 그러나 이런 작용은 시간이지나감에 따라 감소되는데 이는 골모세포, 골세포가 감소되어 장기적으로는 골모세포 감소로 인하여 RANKL이 감소하므로 파골세포 분화 역시 감소된다.

일차골다공증의 경우와는 달리 당질부신피질호르몬은 파골세포보다 골모세포에 미치는 영향이 더 크다. 골형성에 미치는 영향은 과산화소체증식체활성화수용체(peroxisome proliferor activated receptor γ2, PPARγ2)와 Wnt/β catenin 전달경로를 통해 일어난다. PPARγ2를 통해 골모세포 대신 지방생성과정으로 분화되도록 유도한다. 따라서 골모세포의 수가 감소된다. 골형성은 Dikkopf-related protein 1 (DKK-1), 스클레로스틴에 의해 억제되는데 이들의 발현이 증가된다. 스클레로스틴 발현의 증가는 wnt신호전달을 감소시켜 골모전구세포의 골모세포로의 분화를 감소시키고 골모세포와 골세포의 사멸을 증가시킨다. 스클레로스틴의 중요성은 이의 결핍이 있는 경우는 스테로이드의노출 시 골량과 골구조가 유지된다. GIO 동물모델에서 항스클레로스틴 항체 치료로 골량의 감소를 예방할 수 있었다.

당질부신피질호르몬은 골모세포에 의한 기질 합성과 관련있는 1형콜라겐 합성을 억제하여 무기질화과정에 필요한 골기질의 감소를 유도한다. 또한 골형성인자인 IGF-I, TGF-β도 감소시킨다.

당질부신피질호르몬은 caspase-3를 활성화시켜 골세포의자멸사를 증가시키는데 따라서 기계적 감지 감소 및 골 손상의 반응 감소를 초래하여 미세손상이 증가하고 골질이감소되게 된다.

불활성화 코티손을 활성화된 코티솔로 전환시키는 효소로골모세포에서 발현되는 11β-하이드록시스테로이드탈수소효소는 당질부신피질호르몬에 의해 발현이 증가된다. 이에따르는 당질부신피질호르몬의 활성화 형태인 코티솔의 세포내작용이 촉진되는 까닭에 골모세포 분화 및 사멸에 관여하여 결과적으로 골형성을 억제시킨다.

② 간접적인 영향

성선저하증, 신체활동의 감소, 성장호르몬, IGF-I, IGF-I 결합 단백질의 감소가 기인한다. 또한 기저질환이 염증의 증가와 관련이 있으므로 염증사이토카인의 생성이 증가된다.

당질부신피질호르몬사용으로 인한 성호르몬의 감소는 뇌하수체성선자극호르몬의 억제에 기인된다. 당질부신피질호르몬은 성선자극호르몬방출호르몬에 반응되는 황체형성호르몬, 난포자극호르몬 분비를 억제시킨다.

당질부신피질호르몬은 비타민D 흡수를 감소시켜 장에서칼슘흡수를 감소시키고 신장에서 칼슘 분비를 증가시켜 이차부갑상선기능항진증을 일으키는 것으로 알려져 있지만 이는 논란이 있다. 당질부신피질호르몬은 근육량 감소 및 근력약화를 초래하고 낙상위험을 증가시켜 골절위험을 증가시킨다.

(2) 갑상선중독증, 갑상선호르몬대체요법, 억제요법

갑상선호르몬은 골발생의 속도를 증가시키고 뼈나이를 증가시키는 데 관여한다. 갑상선기능항진증과 기능저하증은 모두 골다공증과 골절의 위험도를 증가시킨다.

갑상선중독증은 재형성주기를 단축시키고, 골재형성을 짝풀림(uncoupling)시켜 주기당 10%의 무기질화골의 감소를 유발시킨다. 갑상선자극호르몬 억제치료와 갑상선기능항진증의 과거력은 대퇴골, 척추골절골절의 위험의 증가와 관련이 있다. 갑상선자극호르몬은 골흡수를 직접적으로 억제하므로 이로 인한 갑상선자극호르몬의 억제는 골소실을 유발시킨다. 골대사에 미치는 영향은 나이, 남녀의 차이, 갑상선호르몬의 투여기간에 따라 차이가 있으며 폐경여성에서 위험이 증가된다.

골흡수와 골형성이 모두 증가하지만 전체적으로 골소실이 발생하여 요추골과 대퇴골의 골밀도가 감소하며 골다공증골절의 주요 위험인자이다. 불현성갑상선중독증에서도 골절위험도가 증가한다. 폐경여성에서 갑상선암수술 후 억제용량의 갑상선호르몬 치료 시 갑상선암 재발의 위험을 고려하여 최소한의 용량을 선택하는 것이 바람직하며 필요에 따라 비스포스포네이트(bisphosphonate) 치료를 병행할 수 있다. 칼슘과 비타민D를 보충해야 하며 갑상선호르몬이 골교체를 증가시키므로 골절위험이 높은 폐경여성에서는 골흡수억제제의 사용이 고려될 수 있다.

(3) 부갑상선항진증

피질골이 풍부한 전완부와 대퇴골에서 골밀도 감소가 관찰되며 부갑상선절제술 후 골밀도가 증가한다. 자세한 내용은 부갑상선항진증에서 다루어질 것이다. 비스포스포네이트가

골밀도를 상승시키나 칼슘이나, 부갑상선호르몬의 감소는 관찰되지 않으며 데노수맙은 고칼슘혈증을 호전시킨다.

(4) 당뇨병

당뇨병 자체가 골대사에 영향을 주고 1형, 2형 모두 골절의 위험도가 증가된다. 1형당뇨병은 같은 연령 대비 대퇴골골절이 6배(1.7–17.8), 2형당뇨병은 2.5배(1.38–2.7) 높은 골절 위험도를 보인다. 이는 남녀 동일하고 유병기간, 인슐린 사용 여부에 따라 증가된다.

1형에서는 인슐린, IGF–I의 부족이 일부 작용하지만 1, 2형 당뇨병 모두 비효소당화로 인한 최종당화산물, 스클레로스틴의 상승, 염증사이토카인의 증가, 낮은 골교체, 낮은 부갑상선호르몬의 농도 등 변화와 피질구멍(porosity)의 증가, 요골, 경골의 단면의 감소가 관찰된다. 합병증으로 인한 넘어짐의 증가가 골절의 위험도를 증가시킨다(그림 11-3-13).

① 골밀도, 골표지자

1형당뇨병에서 요추골밀도결과는 연구마다 상이하고 대퇴골 골밀도는 비당뇨인에 비해 낮다. 메타분석에 의하면 비당뇨대조군에 비해 1형당뇨병에서 요추골밀도는 22%, 대퇴골 Z점수가 37% 감소되어 있으며 이는 주로 유병기간이 긴 경우에 관찰된다. 2형당뇨병은 상대적으로 5–10% 높은 골밀도를 보이는데, 이는 젊은 연령, 높은 체질량지수에서 관찰된다. 따라서 골밀도가 골절의 위험을 적절히 예측하지 못하는 한계가 있다. 혈당의 조절정도와 연관성은 적으며 합병증 동반 여부가 골밀도 감소에 영향을 준다. 소주골점수가 감소되어 있어 골절을 예측한다는 보고가 있으나 이는 좀 더 연구가 필요하다. 따라서 당뇨병이 있는 경우는 상대적으로 일찍 골절 예방을 고려하는 것이 필요하다.

1형당뇨병에서는 골형성표지자인 오스테오칼신, 프로콜라겐1아미노종말연장펩타이드(aminoterminal propeptide of type 1 procollagen, P1NP)가 감소되어 있으나 소규모의 조직검사에서는 골형성의 차이가 관찰되지 않았다.

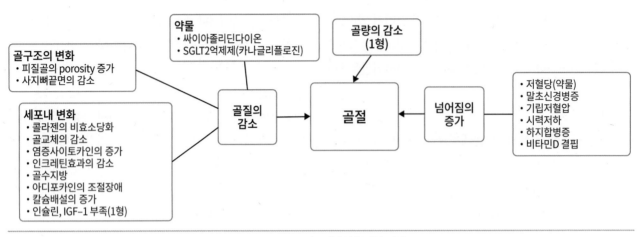

그림 11-3-13. 당뇨병에서 골절의 기전

② 골절

대부분의 연구에서 골절이 증가하였다. 이는 혈당 자체보다는 당뇨병 유병기간, 망막병증, 백내장, 신경병증 및 인슐린 치료와 관계되어 증가하였다. 2형당뇨병에서 공복혈당변이가 심할수록 대퇴골골절의 위험도가 증가한다. 또한 신장병증과 동반된 이차부갑상선항진증은 골절위험도를 올린다. 골절위험도를 평가하기 위해 사용되는 FRAX는 1형당뇨병을 위험요인으로 평가하고 있으나 2형당뇨병에서는 포함되지 않아서 골절위험도가 실제보다 낮게 평가되며 특히 10년 이상의 유병기간에서 차이가 크므로 이를 고려해야 한다.

③ 약물

메트포민은 많은 관찰연구에서 긍정적인 또는 중도적인 효과를 보였으며 설포닐유레아는 남성골다공증 연구(MrOS)에서 노인남성에서 골절을 증가시킨다는 보고가 있었으나 이 외는 중도적인 결과가 대부분이나 저혈당의 위험도를 올리므로 이에 대한 고려가 필요하다

싸이아졸리딘다이온은 골절의 위험도를 증가시킨다. 이는 PPAR γ를 활성화시켜 기질세포에서 지방세포 형성을 증가시키고 골모세포 형성을 감소시킨다. 메타분석에 의하면 여성에서 골절의 위험도를 1.94배 증가시켰으나 남성에서는

관찰되지 않았다. DPP-4억제제는 골대사에 긍정적인 효과가 기대되었으나 대규모임상에서는 이런 효과가 관찰되지 않았고 이 계열 약물을 포함한 연구에서는 골절을 예방하는 효과가 관찰되어 현재까지는 골대사에 대해서 중도적으로 생각된다. GLP-1수용체작용제 역시 실험적으로는 골대사 지표의 개선을 보였으나 골밀도에서는 차이를 보이지 않았다. 비만을 대상으로 한 연구에서는 골 감소를 예방한다는 보고가 있었다. SGLT2억제제 중 하나인 카나글리플로진은 골밀도의 감소, 골절의 증가를 보고하였으나 다른약물에서는 골밀도, 골표지자, 골절위험도의 증가가 보이지 않아 현재까지는 중도적으로 생각된다. 인슐린치료군은 골절의 위험도가 증가되며 이는 인슐린 치료로 인한 저혈당의 증가와 관련이 있을 것으로 생각된다. 또한 합병증의 동반이 위험도가 증가하는 것에 영향을 줄 것으로 생각된다.

(5) 성장호르몬 결핍, 말단비대증

성장호르몬은 길이 성장, 최대골량에 중요한 역할을 한다. 성장호르몬이 단독으로 결핍된 경우에도 골밀도의 감소가 관찰되며 이는 골형성의 감소로 생각된다. 성인성장호르몬 결핍증에서도 골다공증, 골절의 위험도가 증가되고 형태학적 골절은 50%의 환자에서 관찰되었다. 성장호르몬 치료 시 초기에 골흡수의 증가와 골밀도의 감소가 관찰되지만 이어 골형성, 골밀도가 증가된다.

말단비대증은 골재형성의 증가와, 척추골절 발생의 증가가 관찰되었다. 이는 유병기간, IGF-I와 연관성을 보였다. 1/3의 환자에서 척추골절이 관찰되었다. 이 경우 골밀도는 제한적인 역할을 하는 것으로 생각된다. 말단비대증 치료 후 골밀도는 호전되나 성선저하증이 있거나 척추골절이 동반된 경우는 골절의 위험도가 지속되었다.

2) 소화기질환

(1) 장질환

복강병(celiac disease) 같은 장질환은 골 소실로 인한 골밀도 감소, 골절의 위험도 증가가 관찰된다. 칼슘흡수의 감소와 이로 인한 이차부갑상선항진증, TNF-α, IL-1, IL-6 같은 염증사이토카인의 증가가 골흡수를 증가시키는 것으로 생각된다. 또한 미량영양소의 영양불량이 골대사에 영향을 줄 것으로 생각된다.

(2) 염증장질환

크론병과, 궤양대장염 모두 골절의 위험도가 증가된다. 이는 장질환의 정도와 동반질환에 따라 달라지나 1/3에서 골다공증이 관찰되며 척추, 대퇴골골절의 위험도가 증가된다. 원인으로는 염증반응과 당질부신피질호르몬 치료, 영양결핍, 동반된 성선저하증이 제시되고 있다. 크론병에서 궤양대장염보다 골절의 위험도가 증가된다.

염증사이토카인은 파골세포 형성을 증가시켜 골흡수를 증가시키며, TNF-α항체 치료가 척추골밀도를 호전시킨다. 또한 당질부신피질호르몬 치료가 골소실을 증가시키고 골절의 위험도를 증가시킨다. 크론병의 경우 비타민D결핍이 동반되며 특히 회장절제술을 시행한 경우에 흔히 관찰된다. 칼슘의 섭취 및 흡수의 감소, 비타민K의 결핍 모두 골소실에 기여한다. 따라서 염증장질환 환자는 골다공증에 대한 검사가 필요하며 칼슘과 비타민D의 보충이 필요하며 가능한 적은 양의 당질부신피질호르몬의 사용이 권장된다.

(3) 위우회술

비만수술이 증가되고 있으며 수술 후 골소실이 발생하며 이로 인한 골절의 증가가(21-44%) 수술 3년 후에 관찰된다. 기전은 명확하지 않지만 영양적인 부분과 체중부하의 감소, 장호르몬의 변화, 아디포카인, 골수지방화 등이 제시되고 있다. 영양불량, 칼슘, 비타민D 결핍은 이차부갑상선항진증을 일으키므로 골소실을 일으킨다. 루Y모양우회술을 한 경우는 소매위절제술을 시행한 경우보다 낮은 골밀도, 골표지자의 증가, 골절의 증가가 관찰되었다. 따라서 이를 고려하여 수술방법을 결정하는 것이 필요하다. 이를 예방하기 위해 수술 전후로 칼슘, 비타민D, 단백질의 보충과 신체활동의 증가가 필요하다.

(4) 식이장애

신경성 식욕부진은 체중 감소, 성선저하증을 동반하여 낮은 골밀도, 골절의 증가가 발생한다. 피질골과 소주골 모두 영향을 받고 골형성표지자는 억제되고 골흡수표지자는 증가된다. 체중을 증가시키고 난소기능의 회복으로 호전된다.

(5) 간질환

저골교체상태의 골감소증이 흔히 발생하여 일부에서는 골연화증과 칼슘 및 비타민D의 흡수장애로 인한 이차부갑상선항진증도 관찰된다.

혈색소증은 비교적 흔한 질환으로 간, 췌장, 뇌하수체에 철이 침착되게 된다. 1/3 또는 1/4에서 골다공증이 관찰되게 된다. 이차성선저하증, 간부전, 비타민D 결핍이 관련된 것으로 생각된다. 철분 자체가 골조직에 영향을 주어 골흡수가 증가되고 골형성이 감소되게 된다.

일차담관성간경화증, 일차경화성담관염같이 담즙 정체를 일으키는 경우에서 골대사이상이 관찰된다. 이 경우는 영양, 스테로이드 사용, 비타민D 결핍, 성선저하증, 간이식 등이 기전으로 생각된다. 말기간질환은 골소실의 위험도가 증가되고 25%에서 골절을 경험하게 된다. C형간염의 경우 골밀도의 감소가 관찰되나 골절의 증가는 명확하지 않다. 만성염증이 역할을 하는 것으로 생각된다. 알코올은 골모세포에 독성을 지닌다.

3) 혈액질환

(1) 단세포구감마글로불린병증(monoclonal gammopathy of uncertain significance)

골밀도의 감소와 척추, 대퇴골골절이 증가된다. 골흡수 증가, 골형성 감소가 관찰되며 이는 Wnt대항제, Dickkopf-1 (DKK-1), soluble frizzled related protein 2,3, 스클레로스틴의 증가가 wnt신호전달경로를 억제하고 따라서 골모세포 분화의 감소, 파골세포 분화가 증가되어 골 소실이 발생한다.

(2) 다발골수종

골흡수를 증가되고 골형성이 감소되는데 이는 IL-6,7 같은 사이토카인 생성 증가로 인해 RANKL가 증가된 것으로 생각되며 OPG 분해의 증가로 인해 RANKL/OPG의 비율이 증가되어 골흡수가 진행되게 된다. Wnt전달경로의 억제로 골형성이 감소되어 전체적으로 골량의 감소되고 골절이 발생하게 된다. 비스포스포네이트가 골절예방 효과가 있으며 데노수맙 사용이 시도되고 있다.

4) 신장질환

(1) 특발고칼슘뇨증

소변의 칼슘의 분비가 증가(24시간 소변에서 여성에서 4 mg/kg, 남성에서 4.5 mg/kg 이상)되는 경우로 골밀도의 감소 및 골절이 발생한다.

(2) 신세관산증(renal tubular acidosis)

기전에 따라 골연화증부터 골다공증까지 다양한 임상양상을 동반한다.

(3) 만성신장질환(II. 만성신장질환과 골대사질환 참고)

5) 자가면역질환

류마티스관절염, 루푸스, 강직척추염, 파종경화증 등의 자가면역질환이 포함되며 염증질환에서는 다양한 염증전달인자가 생성되어 염증이 지속되고 이는 골대사에 영향을 미친다. 또한 치료과정에서 당질부신피질호르몬의 투약이 영향을 줄 수 있다. 최근에는 항염증생물학적제제 등 다양한 약물로 골소실을 예방할 수 있는 것으로 알려져 있다.

6) 약물유발골다공증

골대사에 영향을 주어 골다공증을 유발하는 약물은 크게 호르몬제와 항경련제 및 항우울제, 항응고제를 포함한 심혈관약물, 면역억제제, 소화기질환의 약물로 나눌 수 있으며 이런 약물을 사용 시는 골절의 위험도와 골밀도의 측정이 필요하다.

(1) 내분비계에 영향을 주는 호르몬이나 약물

당질부신피질호르몬, 갑상선 치료, 성선저하증을 유발하는 치료, 싸이아졸리딘다이온이 여기에 포함된다.

① 성선저하증을 유발하는 약물

방향화효소억제제(aromatase inhibitor), 성선자극호르몬방출호르몬작용제는 성선저하증을 유발하여 골밀도의 감소, 골절을 증가시킨다.

가. 방향화효소억제제

방향화효소억제제는 폐경여성의 에스트로젠수용체양성유방암이나 난소암 치료에 사용된다. 안드로젠의 방향화를 억제하여 에스트로젠의 농도가 감소된다. 따라서 에스트로젠 부족으로 골흡수가 증가되며, 이로 인한 골표지자의 상승, 골절 증가가 관찰된다. 메타분석에 의하면 5년 이상 지속적인 복용군에서는 34%의 골절 증가를 보였다. 이처럼 방향화효소억제제 치료계획 시에는 치료 전에 골절의 위험도를 평가해야 한다. 졸레드론산, 데노수맙은 골밀도를 증

가시키나 골절에 대한 효과는 제한적이다. 폐경여성에서 비스포스포네이트는 골전이를 감소시키고 사망률을 감소시켰으나 폐경전여성에서는 이런 효과가 관찰되지 않았고 데노수맙 연구에서는(D-CARE) 예상과 달리 사망률이나 골전이에 대한 이득이 관찰되지 않았다.

나. 성선자극호르몬방출호르몬작용제(gonadotropin-releasing hormone agonist)

뇌하수체 성선자극호르몬방출호르몬수용체에 작용하여 황체형성호르몬, 난포자극호르몬의 성선자극호르몬이 생성되지 못하게 함으로 성선호르몬의 분비를 억제한다. 이로 인한 에스트로젠의 부족으로 단독치료 시에는 폐경전여성에서 매년 8.2%의 골밀도가 감소되는 것으로 알려져 있으나 정상 골밀도를 갖고 있는 여성에서는 골다공증골절이 증가하지 않는다고 알려져 있다.

다. 안드로젠억제제(androgen deprivation drug)

전립선암의 치료에 사용되며 골표지자의 상승과 골소실, 근육량의 저하 및 지방조직의 증가 등으로 골절의 위험도가 높아진다. 약 1년 정도의 치료로 골밀도가 2–5% 감소되며 척추 및 대퇴골골절은 40–50% 증가된다. 장기치료 시는 비스포스포네이트, 데노수맙 등의 치료로 골절을 예방하는 것이 필요하다.

② 갑상선호르몬

갑상선호르몬은 갑상선기능저하증, 갑상선암수술 후 보충요법으로 많이 사용되고 있다. 갑상선호르몬은 골대사를 항진시켜 사이토카인생성을 증가시켜 골교체율이 빨라지며 골흡수를 높이고 골재형성 기간이 단축되어 골소실이 발생한다. 갑상선자극호르몬 자체가 골흡수 억제 역할을 하며 갑상선호로몬 보충이 과하게 되었을 경우 억제된 갑상선자극호르몬으로 골흡수가 항진되는 것으로 알려졌다. 폐경여성에서 갑상선암수술 후 갑상선호르몬 억제치료 시에는 척추 및 대퇴골골절의 발생이 3–4배 증가하는 것으로 보고되고 있다. 그러나 정상범위 내로 유지 시는 골절의 위험도가

증가되지 않는다.

(2) 중추신경계 작용약물
① 항우울제

선택세로토닌재흡수억제제(selective serotonin reuptake inhibitor, SSRI), SNRI는 주요 우울장애나 불안장애에 사용되는 항우울제로 많은 경우에서 장기적으로 사용되므로 골에 미치는 영향이 중요하다. 다수의 관찰연구, 환자–대조군연구에서는 대퇴골골절과 비척추골절이 1.3–2.4배 증가되었다. 이의 기전은 정확하지 않으나 활동량의 감소, 동반질환의 증가, 기립저혈압으로 인한 넘어짐의 증가, 병용약물 등이 제시되었다. 동물모델에서는 교감신경을 통해 골량을 감소시키며 골모세포와 골세포에는 세로토닌수용체가 존재하는 것으로 알려져 있으며 이를 통해 세포의 기능을 억제하여 골소실이 증가할 수 있는 것으로 알려져 있다. HR-pQCT에서는 차이가 관찰되지 않았으나 소주골점수가 감소되어 골질에 영향을 주는 것으로 보고하였다. 골재형성을 증가시키며 장기간 사용 시 골다공증에 대한 검사가 필요하다.

항경련제는 경련 환자를 대상으로 한 메타분석에서 일반인에 비해 2–6배 골절의 위험도가 증가되었으며 이는 경련 자체 또는 치료약물로 인해 골절의 위험도가 증가되는 것으로 생각되었다. 페니토인, 카바마제핀, 페노바비탈 같은 약물은 간에서 p450 사이토크롬을 유도하여 비타민D의 이화작용을 촉진하고 칼슘의 흡수를 감소시켜 이차부갑상선기능항진증을 유발한다. 그러나 이런 기전을 최근 약물에 적용하기는 어렵다. 그러나 대부분 장기간의 치료가 필요하므로 정기적인 골밀도관찰이 필요하여 칼슘, 비타민D를 보충하도록 한다.

(3) 심혈관질환약물

① 헤파린은 정맥혈전증의 예방과 치료에 사용되는 약물로 골모세포의 분화와 기능을 억제하여 골 감소를 유발하는 것으로 알려져 있다. 일부 보고에 의하면 헤파린

사용 3-4개월 후 척추골절이 15% 발생하였으나, 저분자량헤파린의 경우 기존의 헤파린보다 골 감소가 적게 발생한다.

② 항응고제는 비타민K 억제 효과로 인해 골소실을 유발하는 것으로 알려져 있으나 아직 충분한 자료는 없다.

③ 이뇨제: 고리작용이뇨제는 심부전 등에 널리 사용되는 약물로 나트륨과 염화물의 재흡수를 억제하며 이는 칼슘의 재흡수도 억제된다. 대부분 고령에서 장기간 사용되므로 정기적인 전해질검사와 칼슘 측정, 골밀도의 측정이 필요하다.

(4) 소화기질환약물

양성자펌프억제제는 상부위장관점막세포에 작용하여 양성자펌프를 억제하여 위산 분비를 저하시키는 약물로 생체에서는 위장관의 칼슘흡수를 감소시킬 수 있으나 골밀도에 대한 연구결과는 일정하지 않다. 골절의 위험도가 증가되는 것을 보고하고 있으나 영향은 크지 않은 것으로 생각된다. 장기간 사용 시 위험도가 증가되고 중단 후 1년 이후에는 대부분 회복되는 것으로 알려져 있다. 칼슘과 비타민D의 섭취를 늘리고 양성자펌프억제제를 사용하면서 흡수될 수 있는 칼슘제형의 선택의 필요하다.

(5) 항레트로바이러스 치료

HIV감염 자체로 골다공증의 위험도가 3-7배 증가한다. 항레트로바이러스치료제는 다른 기전으로 골소실을 일으킨다. Tenofovir disoproxil-fumarate (TDF)는 신기능의 변화로 이차부갑상선항진증을 유발시키고 비핵산분해효소 역전사억제제는 비타민D의 감소, 단백효소억제제는 wnt 신호전달 저해와 골모세포 형성을 억제시킨다.

TDF는 판코니증후군을 일으켜서 대사산증, 저인산염혈증으로 골연화증이 발생이 보고되었다. Entecavir, tenofovir alafenamide는 TDF보다 골소실이 적으나 만성간염으로 인한 변화와 감별하기 어렵다. 모두 신장으로 대사되는 약물로 신기능장애가 있을 경우에는 주의가 필요하다.

4. 진단

1) 이차골다공증의 검사가 필요한 경우

연령에 비해 골소실이 빠르거나 적절한 치료에도 불구하고 반응이 없는 경우, 폐경전여성과 50세 미만 남성에서 비외상성골절이 있거나 골밀도의 Z점수가 연령기대치 이하인 경우는 검사가 필요하다. 기본검사로는 간기능검사, 총 칼슘, 인, 총 단백질, 알부민, 알칼리성인산염분해효소, 크레아티닌, 전해질, 갑상선기능검사(갑상선자극호르몬, 유리 T_4) 25-수산화비타민D 농도검사를 시행하는 것이 필요하다. 검사에 따라 추가적으로 24시간소변칼슘, 나트륨, 크레아티닌청소율, 황체형성호르몬, 난포자극호르몬, 테스토스테론(남성), 에스트로젠(여성), 부갑상선호르몬, 24시간 유리 코티솔 또는 야간 덱사메타손억제검사를 (쿠싱증후군 의심 시) 시행할 수 있다. 이외에 혈청 및 소변단백전기영동검사, 빈혈 또는 적혈구침강속도를 측정할 수 있다.

당질부신피질호르몬유발골다공증은 GIOP 진료지침을 참고하여 3개월 이상 스테로이드를 사용 시에는 골절의 위험도를 평가하는 것이 필요하다. 40세 미만 환자는 골다공증 골절병력이 있거나 기타 위험인자를 가진 경우 골밀도검사를 하고 40세 이상 환자는 FRAX, 골밀도검사를 시행한다. FRAX는 스테로이드 용량이나 기간에 대한 기준이 없는데 기본용량은 2.5-7.5 mg을 사용 시에는 보정이 필요 없지만 스테로이드 용량이 일일 7.5 mg 이상인 경우는 대퇴골골절의 위험도가 20%, 주요 골다공증골절의 위험도가 15% 증가된다. 반대로 일일 스테로이드 용량이 2.5 mg 이하인 경우는 대퇴골 골절위험도가 35%, 주요 골다공증골절의 위험도를 20% 낮춰야 한다.

이중에너지방사선흡수측정을 이용한 골밀도로 평가하는데 폐경후골다공증에 비해 유용성이 떨어지고 같은 T점수

을 보이는 두 군 간의 골절을 비교하면 스테로이드를 복용하는 군에서 골절의 위험도가 증가된다.

스테로이드 치료를 시작할 때는 골밀도검사와 함께 비타민D결핍이나 다른 대사질환에 대해 확인하는 것이 필요하다. 따라서 부갑상선호르몬, 혈청 인 등을 측정할 수 있다.

5. 치료

이차골다공증의 치료목적은 기저질환의 치료, 골다공증의 치료와 골절예방에 있다. 따라서 원인질환에 따른 개별화된 치료가 필요하다. 우선 적절한 칼슘과 비타민D섭취, 금연, 절주, 운동 등 생활습관 개선, 원인질환 치료, 원인약물중단 또는 변경이 필요하다. 적극적인 치료가 필요한 경우 비스포스포네이트, 테리파라타이드, 데노수맙 등의 등 골다공증치료제를 원인질환을 고려하여 결정한다.

폐경전 무월경을 동반한 골다공증 여성에서도 원인질환의 감별과 이에 따른 치료가 필요하며 성선저하증에 의한 골다공증에서 여성호르몬 치료를 고려할 수 있다.

1) 당질부신피질호르몬유발골다공증의 치료
스테로이드를 3개월 이하로 복용하는 폐경전 가임기여성에서는 골다공증 치료를 피하고 1일 2.5 mg 이상의 프레드니솔론을 3개월 이상 복용하거나 골다공증성 골절 병력이 있는 경우 폐경전여성에서도 당질부신피질호르몬유발골다공증을 예방하거나 치료하기 위한 약물을 시작하도록 권하고 있다.

(1) 비타민D와 칼슘
적정한 칼슘과 비타민D의 섭취량은 1일 800–1,200 mg와 800 IU 이상으로 알려져 있다. 항경련약물의 경우 비타민D의 대사를 촉진하기 때문에 이러한 환자에서는 보다 많은 비타민D의 보충이 필요하다. 염증장질환이나 위절제술 후, PPI 사용 중인 환자 경우와 같이 칼슘과 비타민D의 흡수가

크게 저하된 경우 비경구적으로 비타민D를 보충(100,000–200,000 IU/월)하여서 혈중 25-수산화비타민D 농도를 20 ng/mL 이상으로 유지하여야 한다.

(2) 비스포스포네이트, 데노수맙
이차골다공증 치료에 비스포스포네이트약물이 널리 사용되고 있다. 그러나 임상연구로 입증된 유용성은 남성과 여성에서의 GIOP와 남성에서의 성선저하증, 전립선수술 후 남성호르몬 억제치료 시, 유방암 환자에서 방향화효소억제제 치료, 심장이식 후 등의 제한적인 영역에서만 그 효과가 입증되어 있다.

데노수맙, 졸레드론산은 GIOP 치료에서 기존 비스포스포네이트에 비해 골밀도의 증가가 뛰어났으나 골절에 대한 결과는 아직 없는 상태이다.

(3) 테리파라타이드(teriparatide)
특히 당질부신피질호르몬에 의한 골다공증과 남성에서의 골다공증에서 골형성이 감소되어 있는데 이점이 골형성을 촉진하는 간헐적 부갑상선호르몬 치료의 사용이 근거가 된다. 테리파라타이드와 알렌드로네이트를 비교한 연구에서 골밀도가 각각 7.2%와 3.4% 증가하였고 연구 중 척추골절의 발생은 0.6%와 6.1% 발생하여 테리파라타이드가 우월하다는 보고가 있었으나 비척추골골절을 예방하지 못했다.

VI. 골다공증과 근감소증

신찬수

1. 서론

골다공증과 근감소증(sarcopenia)은 모두 노화와 관련된 질환이고 인구의 고령화에 따라 두 질환의 유병률은 지속적으로 증가될 것으로 예상된다. 이로 인한 취약골절의 발

생위험은 인생 말기에 독립적인 생활을 영위하지 못하게 하는 중요한 원인이 된다.

골다공증은 골밀도 감소와 미세구조 악화로 정의되며 골다공증골절은 사망률 증가와 이로 인한 의료비로 전 세계적으로 수백억 달러의 직접비용을 발생시킨다. 국내 연구에서도 골다공증의 사회적비용은 2011년에 이미 6조 1,512억원에 이른다는 보고가 있었다.

근감소증은 일반적으로 근력과 근육량의 감소를 동반한 근육수행능의 감소로 정의되며 근감소증에 의한 경제적 부담은 2000년에 미국에서 약 185억 달러로 추정하였으며 근감소증이 장애, 요양원 입원, 우울증, 입원 및 사망 등을 초래한다는 점을 고려하면 인구고령화에 따라 그 비용이 지속적으로 증가할 것은 분명하다.

골량과 근육량 사이에는 양의 상관관계가 있고 노화에 따라 근육량이 감소하면 기계적인 부하와 근육 수축에 의한 자극이 줄어들어 골소실에 이르는 등 골다공증과 근감소증은 밀접하게 연결되어 있다. 실제로 대퇴골골절을 경험한 환자의 약 58%에서 근감소증이 확인된다고 하며 이들은 근육수행능의 저하로 인해 추가골절 및 각종 합병증의 발생 가능성이 높으므로 노인골절 환자를 진료할 때에는 골감소증의 동반 가능성을 항상 염두에 두고 적절한 평가 및 예방대책을 고려하여야 할 것이다.

2. 정의

근감소증의 어원은 근육을 뜻하는 그리스어 sarx와 손실을 뜻하는 penia에서 왔으며 노화에 따른 근육량의 감소와 기능의 손실을 의미한다. 골다공증과 달리 근감소증은 국제 유관단체에서 다양한 정의를 제안하였지만 근육량만을 측정하는 것은 부적절하며 근육의 기능을 측정하는 것이 필요하다는 점에는 동의하고 있다. 2010년 European Working Group on Sarcopenia in Older People

(EWGSOP)은 근감소증을 근육량 및 근력의 감소와 근육수행능의 장애로 정의한 바 있다. 이 정의는 2019년에 근력 감소를 더 강조하는 방향으로 개정되었으며(EWGSOP2), 2014년 미국 Foundation for the National Institute for Health (FNIH) Sarcopenia Project에 의해 제안된 근감소증의 정의도 악력 및 체질량지수 대비 사지근육량의 감소로 이루어져 있다. 또한 아시아인을 대상으로 한 진단기준 수립 필요성이 대두되어 2014년 Asian Working Group for Sarcopenia (AWGS)의 기준이 제정되었는데, 이는 EWGSOP와 유사하나 측정프로토콜과 각 진단항목에 대한 명확한 한계치를 제시하였으며 2019년에 일부수정과 함께 지역사회와 병원상황에서의 접근을 나누어 기술하는 방향으로 개정된 바 있다.

이렇게 다양한 기준이 제시되는 이유는 진단기준에 포함되는 변수의 종류나 조합, 한계치에 따라 골절, 운동능력 소실, 혹은 사망 등 임상결과에 대한 예측력이 달라지기 때문이다. 국내 연구에서도 취약골절에 대한 예측력을 보았을 때, 남성에서는 사지근육량(appendicular lean mass, ALM)/키(height)의 제곱(ALM/Ht^2) 혹은 악력이 유의한 예측 능력을 보여주었으나 여성에서는 사지근육량/체질량지수(body mass index, BMI) (ALM/BMI)와 악력을 조합하였을 때만 골절예측력이 나오는 등 성별에 따른 차이도 존재할 수 있다. FNIH에서는 사지골격근량(appendicular skeletal muscle mass, ASM)/키의 제곱(ASM/Ht^2) 대신 사지골격근량/체질량지수(ASM/BMI)를 제시하였는데, 국내 지역사회 노인을 대상으로 기준에 대한 타당성을 조사한 결과 사망률에 대한 예측면에서 ASM/BMI가 ASM/Ht^2보다 우월하였음이 입증되었고, 단, 한계치는 FNIH 기준보다는 하위5분위(lowest quintile)를 적용하였을 때 더 우월함이 보고된 바 있다.

최근 골다공증과 근감소증이 병발할 경우 이를 골근감소증(osteosarcopenia)이라고 칭하는 것이 제안되었다. 이러한 제안의 근거로는 골다공증과 근감소증이 공존할 때 심

각한 합병증 발생위험이 현저하게 높다는 데 있다. 두 질환의 병태생리가 겹치는 면이 많다는 점을 고려하면 두 질환을 동시에 치료할 수 있는 약물개발의 가능성도 있을 수 있으며 실제로 그러한 움직임이 있는 상태이다.

골격과 근육량이 적은 환자의 비만체형을 설명하기 위해 골근감소성비만(osteosarcopenic obesity)이라는 용어도 등장하였는데, 전신 혹은 복부 지방조직이 늘어나면 이로부터 분비되는 호르몬과 염증사이토카인으로 인해 골량과 근육양의 감소가 유발하기 때문에 이러한 현상이 나타난다고 한다. 근육량과 골량이 감소하면 신체활동이 줄어들게 되고 이는 다시 근육과 골량의 점진적인 손실과 지방 증가로 이어지는 악순환으로 이어진다. 골근감소성 비만을 가진 여성들은 골다공증, 근감소증 및 비만 각각을 단독으로 지닌 환자들과 비교했을 때 근력이 약하며 낙상 및 이로 인한 취약골절의 위험이 매우 크다고 한다.

3. 역학

골량은 일반적으로 20에서 70세 사이에 30% 이상 감소하며, 50세 이상 여성 3명 중 1명과 남성 5명 중 1명이 취약골절을 겪을 것으로 예상된다. 여성에서 남성에 비해 골절의 빈도가 더 높아 50세 이상 여성의 골절율은 남성의 약 2배가 된다.

근육량은 40세까지는 큰 변화가 없으나 그 이후 매 10년 마다 약 8%씩 소실이 일어나 70세까지 약 24%의 근육 소실이 있고 그 이후는 10년마다 15%의 소실이 이어진다. 근감소증은 EWGSOP정의에 의할 경우 지역사회에서는 50세 이상 인구의 1–29%, 장기요양시설에서는 14–33%의 유병률을 보이며 향후 40년 이내에 전 세계 2억 명 이상의 인류가 이에 해당할 것으로 예상된다. 영국에서는 골다공증이 있는 폐경여성에서 근감소증의 유병률이 50%에 이르며 벨기에 연구에 따르면 근감소증이 있는 경우 그렇지 않은 경우에 비해 골다공증의 위험이 4배 높다고 보고되었다.

골다공증과 근감소증을 동시에 지닌 골근감소증의 유병률 보고는 많지 않으며 연구에 사용된 골다공증과 골감소증의 정의가 다양할 뿐만 아니라 모집단의 특성 또한 연구에 따라 차이가 많이 난다. 최근 17개 연구를 이용한 체계적 문헌고찰과 메타분석에 따르면 입원 환자 및 지역사회에서 골근감소증의 유병률은 5–40%로 나타났고 낙상 혹은 골절 환자들을 대상으로 하였을 때는 27–40%로 보고되었다.

4. 임상특성

골다공증과 근감소증에 의한 대표적인 임상결과는 낙상, 취약골절, 장애, 사망 등으로 노년기의 생명과 삶의 질을 결정짓는 중요한 질환이다.

호주에서 발표된 단면연구에 의하면 심한 골근감소증이 있는 경우 골다공증이나 근감소증이 모두 없는 군에 비해 반복적 낙상의 위험이 2.83배, 반복적 골절의 위험이 3.86배 증가한다고 한다. 남성만을 대상으로 하였던 MrOS 연구결과에 따르면 골근감소증을 지닌 경우 혹은 골감소증만을 지닌 경우에는 골밀도와 근육양이 모두 정상인 사람들에 비해 비척추골절의 위험이 각각 3.79배와 1.67배 증가되지만 근감소증만 있는 경우에는 골절위험이 증가하지 않았다고 한다. 그러나 골근감소증 환자가 골다공증과 근감소증을 각각 단독으로 지닌 경우에 비해 낙상 및 골절위험이 더 높은 지는 연구에 따라 차이는 보이고 있다.

대퇴골골절을 경험한 환자를 대상으로 한 연구에서는 골근감소증이 있는 경우 근육량과 골밀도가 모두 정상인 환자들에 비해 골절 1년후 사망률이 유의하게 증가되었다고 하나(상대적 사망위험도는 1.49–1.80) 골근감소증 환자에서 근감소증이나 골다공증 단독으로 있는 환자들에 비해 골절 후 사망률 증가하는지 여부는 아직 확실치 않다.

이외에도 근감소증과 골다공증을 동시의 지닌 환자들에서는 우울증, 영양실조, 소화궤양질환, 염증관절염 및 운동능력 소실 등이 매우 높은 빈도로 나타므로 이들 동반질환의 가능성에 대해 늘 관심을 갖고 대처하여야 한다.

5. 위험인자

1) 연령, 성별 및 민족

85세 이상 미국여성의 경우 70%가 대퇴골, 요추 또는 전완부의 골다공증을 지녔고 27%는 골감소증상태인 반면 50세 이하의 경우 대개 정상 골밀도를 지니고 있다. 50세 백인 여성의 여생 동안 취약골절 위험발생 가능성은 고관절골절 17.5%, 척추골절 15.6%, 전완골절 16%이지만 남성에서 각각의 위험은 6%, 5%, 2.5%에 불과하다.

근감소증의 유병률 역시 노화에 따라 증가하며 60–70세 성인의 경우 5–13%이고, 80세 이상의 성인의 경우 11–50%로 증가하는 것으로 추정된다.

인종에 따른 차이로는 흑인이 백인보다 근육량이 많으며 북미연구에서 고관절골절 발생률은 연령 및 성별보정 후 백인이 흑인보다 일반적으로 더 높다.

2) 유전요인

유전요인은 최대골량의 달성에 중요하며 다양한 유전자변이가 최대골량 혹은 골소실률과 연관이 있다는 연구가 발표된 바 있다. 영국 바이오뱅크의 최근 자료는 근력도 부분적으로 유전적으로 조절된다는 것을 시사하였다. 비타민D수용체 다형성은 근감소증 및 골다공증 모두와 관련이 있는 것으로 나타났다.

3) 알코올

과도한 알코올 섭취는 골격건강에 해로운 영향을 미친다. 알코올은 골모세포에 대한 직접적인 독성 외에도 성선기능, 단백질 및 칼슘대사, 신체활동 및 낙상 위험에도 안 좋은 영향을 끼치며 하루에 2단위 이상의 알코올을 마시는 것은 골절위험을 증가시킴이 알려져 있다. 알코올 사용과 근감소증과의 관련은 상대적으로 연구가 부족하지만 프랑스에서 발표된 연구에서는 주당 210 g 이상의 알코올 섭취는 근육량 감소와 연관이 있는 것으로 나타났다.

4) 흡연

메타분석에 따르면 비흡연자에 비해 여성흡연자의 골격건강이 나쁘다는 것이 보고되었는데 그 이유로는 조기폐경, 체중감소, 에스트로젠대사 증가 등을 유발하기 때문으로 생각된다. 흡연과 근육량과의 연관성은 잘 알려져 있지 않으나 최근의 메타분석에 따르면 흡연이 근감소증의 위험 증가와 관련이 있는 것으로 나타났다. 이는 신체활동의 부족과 체질량지수의 감소에 의한 결과일 수 있다.

5) 신체활동

신체활동 수준은 골격과 근육건강 모두에 지대한 영향을 미친다. 신체활동이 골소실을 예방한다는 것은 잘 알려져 있고 반대로 장기간 와상상태에 있는 것은 골밀도 감소 및 골절위험의 증가를 가져온다. 대퇴골경부골밀도에 대한 가장 효과적인 운동은 하지의 점진적저항훈련(progressive resistance training)과 같은 체중을 싣지 않는 운동인 반면 척추골밀도유지를 위해서는 복합운동프로그램이 도움이 된다. 이러한 운동은 노년층에서도 근육량과 근육수행능을 개선시킨다고 한다.

6) 식습관

적절한 칼슘과 비타민D 섭취는 골격과 근육량 유지에 중요하지만 칼슘만 섭취했을 때 골절위험 감소 여부는 확실히 입증되지 않았다.

칼슘과 비타민D보충제를 함께 복용하였을 때는 골절발생의 상대위험도는 0.87(95% 신뢰구간 0.77–0.97)인 반면 칼슘만 복용 시에는 0.90(95% 신뢰구간 0.80–1.00)이었다. 또한, 메타분석에 따르면 칼슘과 비타민D보충제를 함께 사용하면 모든 골절(상대위험도 0.89, 95% 신뢰구간 0.86–0.99)과 척추골절(상대위험도 0.86, 95% 신뢰구간 0.74–

1.00)의 위험이 감소하지만 전완골이나 대퇴골골절의 위험은 감소하지 않는 것으로 나타났다. 결국 비타민D와 칼슘을 병용할 경우 골절위험을 다소 줄이며 칼슘보충만 하는 것보다 더 효과적이라는 것을 시사한다.

칼슘보충제가 근육량 및 기능저하를 예방하는지에 관한 증거는 더 적으며 비타민D보충제는 악력과 같은 근력향상에 도움이 되지만 근육량이나 순간 가속성능에는 영향을 미치지 않는다고 하며 근력향상 효과는 비타민D 결핍 환자에게서 두드러지게 나타난다.

단백질섭취가 골량과 근육량 유지에도 중요함이 알려져 있는데, 상하이여성을 대상으로 한 연구에서는 콩을 많이 섭취하면 골절위험이 낮아지고 금식하는 노인에서는 근육단백질 합성이 감소한다는 것이 입증되었다.

6. 병태생리

골조직과 근육은 물리적으로 접촉하고 있을 뿐 아니라 그에 따른 기계적인 부하나 분자 수준에서 신호를 교환하는 등 매우 밀접한 관계에 있으며 발생단계에서부터 퇴행, 노화과정에 이르기까지 다양한 주변분비(paracrine), 내분비신호를 주고받을 것으로 예상된다. 실제로 근감소증과 골다공증은 다양한 병태생리기전을 공유하고 있다는 연구결과들이 많다.

골격과 근육의 상호관계는 전통적으로 소위 기계감지이론(mechanostat theory)으로 설명하는데, 즉 근육은 골격에 기계적인 부하를 주고 이 부하가 특정 역치를 넘어가면 골재형성상태가 골소실로부터 골형성 쪽으로 전환된다는 것이다. 이러한 현상은 근육량의 증가가 골막(periosteum)과 콜라겐섬유의 스트레칭을 유도하고 결국은 골격의 성장을 자극하기 때문으로 생각된다. 노화에 따라 나타나는 골량과 근육양의 감소가 모두 신체기능의 감퇴로 이어지기 때문에 기계적 하중의 유지가 골격-근육 단위의 유지에 있어 중요한 요소임을 이해할 수 있겠다.

기계적인 상호작용에 비해 덜 알려져 있으나 골조직과 근육에 동시에 영향을 줄 수 있는 호르몬 및 사이토카인 등이 골다공증 및 근감소증 발생에 기여할 것이라는 증거들이 많이 있다. 골량유지에 중요한 대표적인 호르몬으로는 성장호르몬/IGF-1과 성선호르몬이 있는데, 사람의 골세포와 근육세포는 모두 에스트로젠수용체를 발현하므로 폐경여성의 호르몬 대체요법은 골량과 근육량을 보존할 수 있으며 조기 폐경이 있는 경우 취약골절의 발생가능성이 높다. 남성호르몬의 역할은 덜 확실하지만 남성호르몬으로부터 유래된 에스트로젠은 남성에서도 골량 유지에 중요할 뿐만 아니라 테스토스테론수치가 낮을 경우 근육에서 단백질 생성 및 근육량이 감소한다. 성장호르몬과 IGF-1은 골모세포와 근육세포에 모두 합성대사작용이 있음이 알려져 있다.

만성폐쇄폐질환, 심부전, 악성종양 등 만성질환이 장기간 지속될 경우 종말증(cachexia)으로 이어질 수 있는데, 종말증으로 염증사이토카인(IL-6, IL-1, TNF)의 생산이 증가하며 이로 인한 염증상태는 골격과 근육량의 손실을 초래한다. "Inflammaging"은 노화가 진행되며 각종 환경적 혹은 감염성 항원에 노출이 누적되면 활성산소의 생산과 사이토카인의 분비가 자극되어 나타나는 만성적인 낮은 수준의 염증을 의미한다. 염증사이토카인은 유비퀴틴-프로테아좀 경로를 통해 근감소증을 유발하며 TNF-α, IL-1, IL-6과 같은 염증유발사이토카인은 골흡수를 촉진시킨다. 실제로 골다공증과 근감소증은 모두 활성염증의 지표인 CRP와 양의 상관관계를 보임이 보고되었다.

호르몬과 사이토카인 등이 전신적 효과를 나타내는 인자라면 근육에서 방출되는 myokine과 골세포에서 분비되는 물질은 국소적으로 두 조직 사이의 신호교환기전으로 생각된다. 예를 들어 골세포에서 분비되는 오스테오칼신(osteocalcin)은 근육량 조절에 역할을 할 가능성이 있으며 근감소증 치료의 표적이 될 수 있다. 근육이 손상된 경우 골세포에서 많이 분비되는 프로스타글랜딘 E2는 근육의 재생과 회복에 도움을 줄 수 있다.

근육에서 분비되는 다양한 물질들은 골격에 합성대사작용(IGF-1, FGF, follistatin, osteonectin, osteoglycin, irinsin, IL-15)을 나타내거나 이화작용[마이오스타틴(myostatin), IL-6]을 나타낸다. 마이오스타틴은 노령생쥐에서 근육 및 뼈 전구세포의 증식을 억제함이 알려져 있다. 이외에도 transmembrane protein 119 (Tmem119)는 fibrodysplasia ossificans progressiva라는 질환에서 근육의 골화(ossification)를 일으키는 국소인자로 거론되고 있다.

마지막으로 골격과 근육에 모두 영향을 미치고 그래서 두 조직 간의 신호전달에 관여하는 pleiotropic gene의 새로운 후보로는 methyl-transferase-like 21C라는 물질이 알려져 있는데, 이 물질은 NF-κB신호를 조절하고, NF-κB는 근육양의 감소를 일으키는 동시에 RANKL 신호를 통해 파골세포 활성을 증가시킴이 실험실연구를 통해 입증된 바 있다. 또한, Wnt-β-카테닌 신호전달경로는 골화(ossification) 활성과 근육재생을 조절함으로써 뼈와 근육 사이의 신호교환기전으로 작용하는 것으로 나타났다. 근육과 골조직의 상호작용 분자기전을 이해하는 것은 골다공증 치료를 위한 치료제 개발을 위한 표적을 발견하는 데 의미가 있을 수 있다.

7. 진단

골다공증의 진단기준은 환자가 속한 인구집단의 젊은 사람의 평균 골밀도 대비 2.5 표준편차 이하인 경우로 세계보건기구(WHO)에서 명확한 기준이 제시된 상태이다. 그러나 근감소증의 경우 근육량을 기반으로 한 진단기준이 최초로 제시된 이후 다양한 전문가단체에서 서로 다른 기준을 제시하여 다소 차이가 있지만 일반적으로 근육량(muscle mass), 근력(muscle strength), 근육수행능(function or performance) 등 3가지 요소를 평가하여 진단한다. 다만, 진단의 한계치와 참고치가 목적에 따라 달리 정해질 수 있다.

1) 근육의 양적 평가

근육량은 DXA와 BIA (bioelectrical impedance analysis)를 가장 흔히 사용하며 컴퓨터단층촬영, 자기공명영상 등을 통해서 평가할 수 있다. 근육량지수는 양팔과 양다리에서 측정한 근육량을 합한 사지근육량(ALM)을 키의 제곱($height^2$), 체중(weight) 또는 체질량지수(body mass index, BMI)로 보정한 값을 사용한다. 이 값은 젊은 연령층의 2 표준편차 이하 또는 연구대상자의 하위20%을 기준으로 사용할 수 있다.

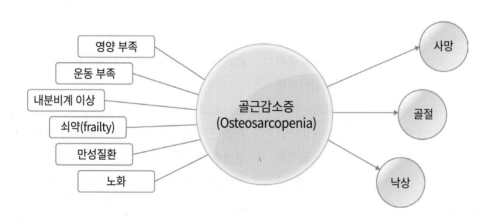

그림 11-3-14. 근골감소증과 연관된 요인들

2) 근력 평가

주로 악력과 하지근력을 평가하는 방법을 사용하는데, 악력 측정이 표준검사로 주로 사용되고 있다. AWGS에서 제시한 기준은 남성은 26 kg 이하, 여성은 18 kg 이하를 악력 저하의 기준으로 제시하였다. 하지근력 평가는 등 속성근력 측정장비(isokinetic dynamometer)를 통해 측정하며, 무릎관절 신전근(extensor)과 굴곡극(flexor)에 대해 최대우력(peak torque)을 측정하는 방식을 사용하고 있다 (peak torque/body weight).

3) 근육수행능 평가

보행속도(gait speed) 평가를 일반적으로 사용하는데, 특히 4 m 또는 6 m 보행속도를 많이 사용하며, 일반적으로 근육수행능저하의 기준을 1.0 m/s로 제시한다. 또한 균형검사(balance test), 보행속도, 의자 일어서기검사(chair rise test) 등 3가지 항목을 각각 4점 만점을 기준으로 평가해 합한 점수인 SPPB (short physical performance battery)를 평가하여 9점 이하를 근육수행능 저하의 기준으로 삼기도 한다.

4) 진단기준

근감소증은 근육량 감소, 근력 감소, 근육수행능 저하의 조합으로 진단하고 있으나 구체적인 평가방법과 기준은 근감소증 유관학회마다 정의에 다소 차이가 있다 (표 11-3-12).

표 11-3-12. 유관기관별 근감소증의 진단기준

	근육량 감소	근력 감소	근육수행능 저하
EWGSOP	ALM/height^2 (DXA) ≤ 7.26 kg/m^2 (남) ≤ 5.5 kg/m^2 (여) SM/height^2 (BIA) ≤ 8.87 kg/m^2 (남) ≤ 6.42 kg/m^2 (여)	Grip strength: < 30 kg (남) < 20 kg (여)	SPPB ≤ 8 Gait speed < 0.8 m/s
EWGSOP2	ASM/height^2 ≤ 7.0 kg/m^2 (남) ≤ 6.0 kg/m^2 (여) ASM < 20 kg (남) < 15 kg (여)	Grip strength: < 27 kg (남) < 16 kg (여) Chair stand > 15s for five rises	SPPB ≤ 8 Gait speed < 0.8 m/s TUG ≥ 20 s
FNIH Sarcopenia Project	ALM/BMI (DXA) ≤ 0.789 (남) ≤ 0.512 (여)	Grip strength: < 26 kg (남) < 16 kg (여)	Gait speed < 0.8 m/s
AWGS	ALM/height^2 (DXA) ≤ 7.0 kg/m^2 (남) ≤ 5.4 kg/m2^2 (여) SM/height^2 (BIA) ≤ 7.0 kg/m^2 (남) ≤ 5.7 kg/m^2 (여)	Grip strength: < 26 kg (남) < 18 kg (여)	Gait speed < 0.8 m/s
AWGS 2019	ALM/height^2 (DXA) ≤ 7.0 kg/m^2 (남) ≤ 5.4 kg/m^2 (여) SM/height^2 (BIA) ≤ 7.0 kg/m^2 (남) ≤ 5.7 kg/m^2 (여)	Grip strength: < 28 kg (남) < 18 kg (여)	Gait speed < 1.0 m/s 5-time chair stand test: ≥ 12 s SPPB ≤ 9

EWGSOP, European Working Group on Sarcopenia in Older People; FNIH, Foundation for the National Institute for Health; AWGS, Asian Working Group for Sarcopenia; ALM, appendicular lean mass; ASM, appendicular skeletal muscle mass;SM, skeletal muscle mass; BMI, body mass index; TUG, Timed-Up and Go test.

11
골·무기질대사

(1) AWGS 진단기준(그림 11-3-15)

2019년에 개정된 AWGS 기준에서는 근감소증의 진단을 목적에 따라 크게 2가지로 분류하였는데, 첫 번째는 지역사회예방서비스 및 공중보건에서의 상황(지역사회 상황)이고 두 번째는 급성, 만성질환관리 및 임상연구상황(병원 상황)이다. 지역사회상황에서는 종아리 두께 측정과 설문지(Strength, Assistance with walking, Rising from a chair, Climbing stairs, and Falls; SARC–F, 표 11-3-13)를 이용해 기준 이하이면 근력과 근육수행능을 평가한다. 그 결과 "근감소증의심(possible sarcopenia)"으로 판단되면 근육량 평가 등 확진을 위해 의뢰하고 환자별로 생활습관을 조사하여 식습관과 운동을 교정할 것을 권고하고 있다.

병원상황에서는 심부전, 만성폐쇄폐질환, 당뇨병, 만성신장질환 등 만성질환이 있거나 갑작스러운 체중 감소, 우울감, 인지장애, 반복적낙상, 영양실조 등 기능적 감소나 제한이 있는 경우 근감소증검사를 시행한다. 또한 이러한 임상적 상태가 아니더라도 종아리 두께와 SARC–F 설문에서 기준 이하인 경우 근감소증검사를 시행할 것을 권고하고 있다. 근감소증은 근육량이 기준점 이하이면서 악력과 근육수행능 평가 중 하나가 기준점 이하이면 진단이 가능하고 3가지(근육량, 근력, 근육수행능) 모두 기준점 이하이면 "심각한 근감소증"으로 진단한다.

한편 골근감소증에 대해서는 확실한 기준이 제시된 바는 없으나 많은 연구에서 골감소증(T점수 = < –1.0)과 다양한 기관에서 제시된 근감소증 정의에 해당하는 조건이 동시에 있을 경우로 정의하여 사용하고 있다.

8. 치료

골다공증과 근감소증 모두 다양한 치료법이 효과가 입증된 약물은 거의 골다공증치료제이다. 생활습관 조절로는 적절한 단백질 섭취, 점진적저항훈련(progressive resistance

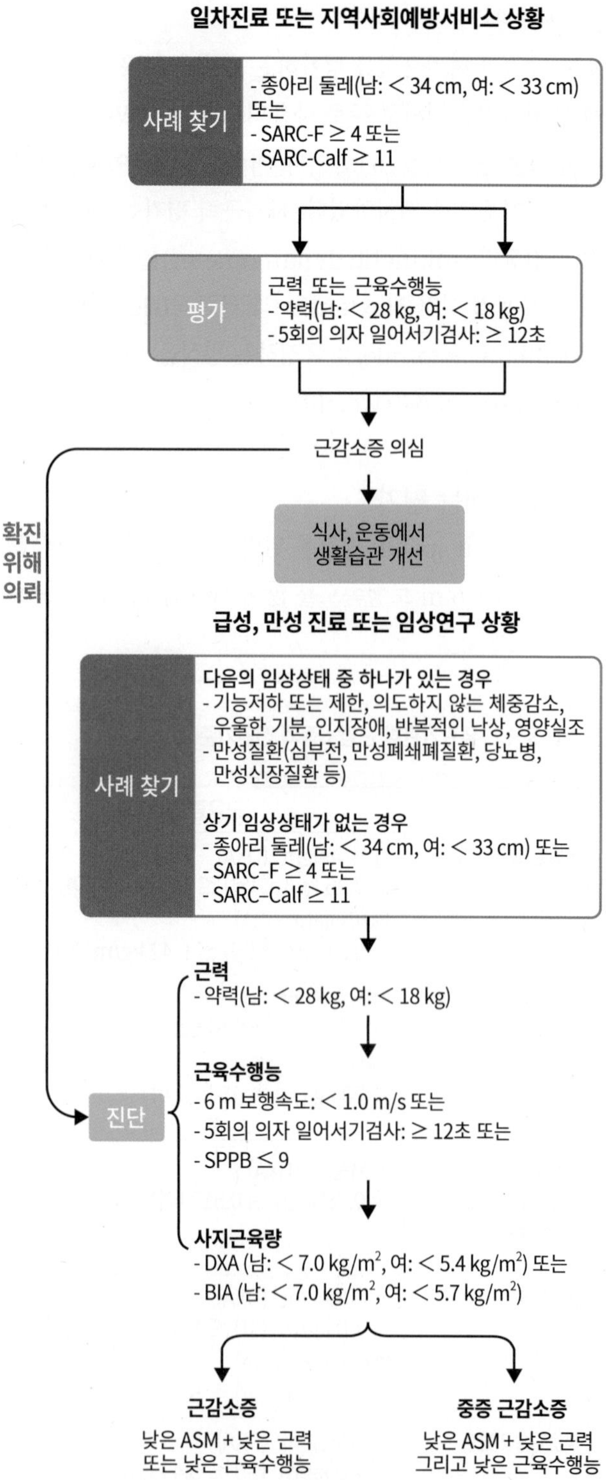

그림 11-3-15. Asian Working Group for Sarcopenia (AWGS)의 근감소증 진단기준 (2019)

표 11-3-13. 근감소증 자가진단 설문지

항목	질문	점수	
근력	무게 4.5 kg (9개들이 배 한 박스)를 들어서 나르는 것이 얼마나 어려운가요?	☐ 전혀 어렵지 않다.	0
		☐ 좀 어렵다.	1
		☐ 매우 어렵다/할 수 없다.	2
보행보조	방 안 한 쪽 끝에서 다른 쪽 끝까지 걷는 것이 얼마나 어려운가요?	☐ 전혀 어렵지 않다.	0
		☐ 좀 어렵다.	1
		☐ 매우 어렵다/보조기(지팡이 등)를 사용해야 가능/할 수 없다.	2
의자에서 일어나기	의자(휠체어)에서 일어나 침대(잠자리)로, 혹은 침대(잠자리)에서 일어나 의자(휠체어)로 옮기는 것이 얼마나 어려운가요?	☐ 전혀 어렵지 않다.	0
		☐ 좀 어렵다.	1
		☐ 매우 어렵다/도움 없이는 할 수 없다.	2
계단 오르기	10개의 계단을 쉬지 않고 오르는 것이 얼마나 어려운가요?	☐ 전혀 어렵지 않다.	0
		☐ 좀 어렵다.	1
		☐ 매우 어렵다/할 수 없다.	2
낙상	지난 1년 동안 몇 번이나 넘어지셨나요?	☐ 전혀 없다.	0
		☐ 1–3회	1
		☐ 4회 이상	2
		점수 합계	

아래 5개의 문항을 평가해 합계 점수가 4점 이상이면 근감소증을 강하게 의심할 수 있으므로 전문의의 정확한 진단이 필요하다.

training), 그리고 필요할 때 비타민D 대체를 보장하는 것이 포함된다.

1) 운동
적절한 신체활동은 골격과 근육건강 유지에 매우 중요하며 장기간 와병상태는 골 소실의 위험인자로 잘 정립되어 있고 메타분석에 따르면 적절한 운동은 요추의 골밀도 유지 및 노년여성의 고관절골절 예방에 유의한 효과가 있었다. 운동 중에는 점진적 저항훈련이 노년층의 근력과 근육수행능을 개선시키는 데 가장 효과적인 형태로 알려져 있는데, 근육량을 늘리는 효과는 상대적으로 덜 확립되어 있다. 저항훈련이 골절을 예방하는 기전으로는 기계적인 부하 증가 이외에도 피질골의 강도를 높이기 때문임이 실험실연구로 밝혀진 바 있다.

2) 영양
적절한 단백질 섭취는 필수적이며, 미국에서는 노년남성의 5–12%, 노년여성의 20–24%가 부적절한 수준으로 보고된 바 있다. 운동 후 하루 1.0–1.2 g/kg의 단백질 섭취를 하는 것이 제안되고 있으나 leucine을 비롯한 필수아미노산의 효과는 아직 확실치 않다.

적절한 비타민D 섭취는 골량, 근육량 및 기능 유지와 관련이 있다. 미국 백인대상연구에서는 혈청 25(OH)D₃ 농도가 30 ng/mL 까지는 골밀도와 선형적인 비례관계가 있음이 관찰되었다. European Society for Clinical and Economic Aspects of Osteoporosis, Osteoarthritis and Musculoskeletal Diseases (ESCEO)는 노화에 따른 근골격계 건강악화를 예방하기 폐경여성은 일일 800 IU의 비타민D를 섭취하여 혈중 25(OH)D₃를 20 ng/mL 이상 유지하기를 권장하고 있다. 그러나 비타민D가 근력이나 근육량을 증가시킨다는 증거는 아직 미약하다.

영양제의 사용이 노인의 신체기능에 미치는 효과에 대한 메타분석에서는 영양제 특히 다중영양소를 포함한 보충제가 이미 각종 질환을 앓고 있거나 노쇠상태인 경우 신체기능을 개선시킬 수 있음이 보고된 바 있다.

3) 약물치료

골다공증에 대한 약물치료는 잘 정립되어 있으며 비스포스포네이트, 선택에스트로겐수용체조절제, 데노수맙, 테리파라타이드 등이 대표적이다. 아직까지 근감소증에 적응증을 받은 치료제는 없으며 테스토스테론 및 성장호르몬의 근육 합성대사 작용이 알려져 있으나 임상에서 사용하기에는 아직 증거가 부족하다. 표적치료로서 마이오스타틴 항체(LY2495655)와 2형액티빈(activin)수용체항체인 bimagrumab이 근감소증 환자에서 근육량 증가 및 근력 개선에 효과가 있음이 보고된 바 있으나 아직 2상연구결과만이 발표되었을 뿐이다. 이외에도 골다공증치료제인 데노수맙이 노인에서 골밀도 증가뿐 아니라 근육량 증가와 근력 개선에 효과가 있다는 임상시험결과가 나온 바 있다.

골다공증과 근감소증이 밀접히 연관되어 있기 때문에, 뼈와 근육을 동시에 표적으로 하는 치료법 개발이 추진 중인데 그중 하나인 선택안드로젠수용체조절제는 근육과 골격에 합성대사 작용을 일으키며, 테스토스테론 치료 시에 나타나는 부작용을 줄일 수 있을 것으로 기대된다. 또 다른 잠재

적인 치료표적인 irisin은 운동을 할 경우 골격근세포에 생산이 증가하는 myokine의 일종인데, 생쥐에게 irisin을 투여한 경우 피질골의 두께와 골밀도를 상승시키고 골의 강도를 증가시킨다고 한다.

참 / 고 / 문 / 헌

I.

1. 대한내분비학회. 내분비대사학. 제2판. 군자출판사; 2011. pp. 928-34.
2. 대한산부인과학회. 산부인과학 지침과 개요. 제5판. 군자출판사; 2021. pp. 154-75.
3. Ahn SH, Park SM, Park SY, Kim HY, Yoo JI, Jung SH, et al. Osteoporosis and osteoporotic fracture fact sheet in Korea. J Bone Metab 2020;27:281-90.
4. Bilezikian JP, Bouillon R, Clemens T, Compston J, et al. Primer on the Metabolic Bone disease and Disorders of Mineral Metabolism. 9th ed. Hoboken: Wiley-Blackwell; 2019.
5. de Paula FJ, Black DM, Rosen CJ. Osteoporosis: basic and clinical aspects. In: Melmed S, Auchus RJ, oldfine AB, Koenig RJ, Rosen CJ. Williams textbook of endocrinology. 14th ed. Philadelphia: Elsevier; 2019. pp. 1275-90.
6. Park EJ, Joo IW, Kang MJ, Kim YT, Oh KW, Oh HJ. Prevalence of osteoporosis in the Korean population based on Korea National Health and Nutrition Examination Survey (KNHANES), 2008-2011. Yonsei Med J 2014;55:1049-57.

II.

1. 대한골대사학회. 골다공증. 제5판. 군자출판사; 2016. pp. 74-131.
2. Black DM, Bauer DC, Vittinghoff E, Lui L, Grauer A, Marin F, et al. Treatment-related changes in bone mineral density as a surrogate biomarker for fracture risk reduction: meta-regression analyses of individual patient data from multiple randomized controlled trials. Lancet Diabetes Endocrinol 2020;8:672-82.
3. Boutin RD, Lenchik L. Value-added opportunistic CT: insights into osteoporosis and sarcopenia. AJR Am J Roentgenol 2020;215:582-94.
4. Bouxsei ML, Zysset P, Gluer CC, McClung M, Biver E, Pierroz DD, et al. Perspectives on the non-invasive evaluation of femoral strength in the assessment of hip fracture risk. Osteoporos Int 2020; 31:393-408.
5. Engelke K, Adams JE, Armbrecht G, Augat P, Bogado CE, Bouxsein ML, et al. Clinical use of quantitative computed tomography and peripheral quantitative computed tomography in the management of osteoporosis in adults:

the 2007 ISCD Official Positions. J Clin Densitom 2008;11:123-62.

6. Leslie WD, Lix LM, Johansson H, Oden A, McCloskey E, Kanis JA. Spine-hip discordance and fracture risk assessment: a physician-friendly FRAX enhancement. Osteoporos Int 2011;22:839-47.

7. Lewiecki EM, Binkley N, Morgan SL, Shuhart CR, Camargos BM, Carey JJ, et al. Best practices for dual-energy X-ray absorptiometry measurement and reporting: international society for clinical densitometry guidance. J Clin Densitom 2016;19:127-40.

8. Loffler MT, Sollmann N, Mei K, Valentinitsch A, Noel PB, Kirschke JS, et al. X-ray based quantitative osteoporosis imaging at the spine. Osteoporos Int 2020;31:233-50.

9. Lorentzon M, Branco J, Brandi ML, Bruyère O, Chapurlat R, Cooper C, et al. Algorithm for the use of biochemical markers of bone turnover in the diagnosis, assessment and follow-up of treatment for osteoporosis. Adv Ther 2019;36:2811-24.

10. Nishizawa Y, Nakamura T, Ohta H, Kushida K, Gorai I, Shiraki M, et al. Guidelines for the use of biochemical markers of bone turnover in osteoporosis (2004). J Bone Miner Metab 2005;23:97-104.

11. Njeh CF, Fuerst T, Hans D, Blake GM, Genant HK. Radiation exposure in bone mineral density assessment. Appl Radiat Isot 1999;50:215-36.

12. Sarkar S, Reginster JY, Crans GG, Diez-Perez A, Pinette KV, Delmas PD. Relationship between changes in biochemical markers of bone turnover and BMD to predict vertebral fracture risk. J Bone Miner Res 2004;19:394-401.

13. Schousboe JT, DeBold CR. Reliability and accuracy of vertebral fracture assessment with densitometry compared to radiography in clinical practice. Osteoporos Int 2006;17:281-9.

14. Shuhart CR, Yeap SS, Anderson PA, Jankowski LG, Lewiecki EM, Morse LR, et al. Executive summary of the 2019 ISCD position development conference on monitoring treatment, DXA cross-calibration and least significant change, spinal cord injury, periprosthetic and orthopedic bone health, transgender medicine, and pediatrics. J Clin Densitom 2019;22:453-71.

15. Singer FR, Eyre DR. Using biochemical markers of bone turnover in clinical practice. Cleve Clin J Med 2008;75:739-50.

16. Siris ES, Adler R, Bilezikian J, Bolognese M, Dawson-Hughes B, Favus MJ, et al. The clinical diagnosis of osteoporosis: a position statement from the National Bone Health Alliance Working Group. Osteoporos Int 2014;25:1439-43.

17. Sornay-Rendu E, Boutroy S, Duboeuf F, Chapurlat RD. Bone microarchitecture assessed by HR-pQCT as predictor of fracture risk in postmenopausal women: the OFE-LY study. J Bone Miner Res 2017;32:1243-51.

18. Whittier DE, Mudryk AN, Vandergaag ID, Burt LA, Boyd SK. Optimizing HR-pQCT wortflow: a comparison of bias and precision error for quantitative bone analysis. Osteoporos Int 2020;31:567-76.

19. Xia W, Jiang N. Assessment of bone quality in patients with diabetes mellitus. Osteoporos Int 2018;29:1721-36.

20. Yang J, Mao Y, Nieves JW. Identification of prevalent vertebral fractures using vertebral fracture assessment (VFA) in asymptomatic postmenopausal women: a systematic review and meta-analysis. Bone 2020;136:115358.

III.

1. Adler RA, Fuleihan GE, Bauer DC, Camacho PM, Clarke BL, Clines GA, et al. Managing osteoporosis in patients on long-term bisphosphonate treatment: report of a task force of the American society for bone and mineral research. J Bone Miner Res 2016;31:16-35.

2. Barrett-Connor, Mosca L, Collins P, Geiger MJ, Grandy D, Kornitzer M, et al. Effects of raloxifene on cardiovascular events and breast cancer in postmenopausal women. N Engl J Med 2006;355:125-37.

3. Barrionuevo P, Kapoor E, Asi N, Alahdab F, Mohammed K, Benkhadra K, et al. Efficacy of pharmacological therapies for the prevention of fractures in postmenopausal women: a network meta-analysis. J Clin Endocrinol Metab 2019;104:1623-30.

4. Black DM, Delmas PD, Eastell R, Reid IR, Boonen S, Cauley JA, et al. Once-yearly zoledronic acid for treatment of postmenopausal osteoporosis. N Engl J Med 2007;356:1809-22.

5. Black DM, Geigher EJ, Eastell R, Vittinghoff E, Li BH, Ryan DS, et al. Atypical femur fracture risk versus fragility fracture prevention with bisphosphonates. N Engl J Med 2020;383:743-53.

6. Camacho PM, Petak SM, Binkley N, Diab DL, Eldeiry LS, Farooki A, et al. American Association of Clinical Endocrinologist/American College of Endocrinology Clinical practice guidelines for the diagnosis and treatment of postmenopausal osteoporosis-2020 update. Endocr Pract 2020;26(Suppl 1):1-46.

7. Chestnut CH, Skag A, Christiansen C, Recker R, Stakkesta JA, Hoiseth A, et al. Effects of oral ibandronate administered daily or intermittently on fracture risk in postmenopausal osteoporosis. J Bone Miner Res 2004;19:1241-9.

8. Cosman F, Crittenden DB, Adachi JD, Binkley N, Czerwinski E, Ferrari S, et al. Romosozumab treatment in postmenopausal women with osteoporosis. N Engl J Med 2016;375:1532-43.

9. Cummings SR, Black DM, Thompson DE, Applegate WB, Barrett-Connor E, Musliner TA, et al. Effect of alendronate on risk of fracture in women with low bone density but without vertebral fracture: results from the fracture

intervention trial. JAMA 1998;280:2077-82.

10. Cummings SR, Ferrari S, Eastell R, Gilchrist N, Jensen JE, McClung M, et al. Vertebral fractures after discontinuation of denosumab: A post hoc analysis of the randomized placebo-controlled FREEDOM trial and its extension. J Bone Miner Res 2018;33:190-8.

11. Cummings SR, Martin JS, McClung MR, Siris ES, Eastell R, Reid IR, et al. Denosumab for prevention of fractures in postmenopausal women with osteoporosis. N Engl J Med 2009;361:756-65.

12. Eastell R, Rosen CJ, Black DM, Cheung AM, Murad H, Shoback D. Pharmacological management of osteoporosis in postmenopausal women: an endocrine society clinical practice guideline. J Clin Endocrinol Metab 2019;104:1595-1622.

13. Ettinger B, Black DM, Mitlak BH, Knickerbocker RK, Nickelsen T, Genant HK, et al. Reduction of vertebral fracture risk in postmenopausal women with osteoporosis treated with raloxifene. JAMA 1999;282:637-45.

14. Harris ST, Watts NB, Genant HK, McKeever CD, Hangartner T, Keller M, et al. Effects of risedronate treatment on vertebral and nonvertebral fractures in women with postmenopausal osteoporosis: a randomized controlled trial. Vertebral efficacy with Risedronate Therapy (VERT) Study Group. JAMA 1999;282:1344-52.

15. Jhao JG, Zeng XT, Wang J, Liu L. Association between calcium or vitamin D supplementation and fracture incidence in community-dwelling older adults: a systematic review and meta-analysis. JAMA 2017;318:2466-82.

16. Kanis JA, Cooper C, Rizzoli R, Reginster JY, ESCEO, IOF. European guidance for the diagnosis and management of osteoporosis in postmenopausal women. Osteoporos Int 2019;30:3-44.

17. Khan AA, Morrison A, Hanley DA, Felsenberg D, McCauley LK, O'Ryan F, et al. Diagnosis and management of osteonecrosis of the jaw: a systemic review and international consensus. J Bone Miner Res 2015;30:3-23.

18. Kim KM, Choi HS, Choi MJ, Chung HY. Calcium and vitamin D supplementations: 2015 position statement of the Korean society for bone and mineral research. J Bone Metab 2015;22:143-9.

19. Kopecky SL, Bauer DC, Gulati M, Nieves JW, Singer AJ, Toth PP, et al. Lack of evidence linking calcium with or without vitamin D supplementation to cardiovascular disease in generally healthy adults: a clinical guideline from the national osteoporosis foundation and the American society for preventive cardiology. Ann Intern Med 2016;165:867-8.

20. Laarschot DM, McKenna MJ, Abrahamsen B, Langhdahl B, Cohen-Solal M, Guanabens N, et al. Medical management of patients after atypical femur fractures: a systematic review and recommendations from European calcified tissue society. J Clin Endocrinol Metab 2020;105:1682-99.

21. Langdahl B. Treatment of postmenopausal osteoporosis with bone-forming and antiresorptive treatments: combinded and sequential approaches. Bone 2020;139: 115516.

22. Leder BZ, Tsai JN, Uihlein AV, Wallace PM, Lee H, Neer RM, et al. Denosumab and teriparatide transitions in postmenopausal osteoporosis (the DATA-Switch study): extension of a randomized controlled trial. Lancet 2015;386:1147-55.

23. Miller PD, Hattersley G, Riis BJ, Williams GC, Lau E, Russo LA, et al. Effect of abaloparatide vs placebo on new vertebral fractures in postmenopausal women with osteoporosis. JAMA 2016;316:722-33.

24. Neer RM, Arnaud CD, Zanchetta JR, Prince R, Gaich GA, Reginster JY, et al. Effect of parathyroid hormone (1-34) on fractures and bone mineral density in postmenopausal women with osteoporosis. N Engl J Med 2001;344:1434-41.

25. Saag KG, Petersen J, Brandi ML, Karaplis AC, Lorentzon M, Thomas T, et al. Romosozumab or alendronate for fracture prevention in women with osteoporosis. N Engl J Med 2017;377:1417-27.

26. Shane E, Burr D, Abrahamsen B, Adler RA, Brown TD, Cheung AM, et al. Atypical subtrochanteric and diaphyseal femoral fractures: second report of a task force of the American society for bone and mineral research. J Bone Miner Res 2014;29:1-23.

27. Shoback D, Rosen CJ, Black DM, Cheung AM, Murad MH, Eastell R. Pharmacological management of osteoporosis in postmenopausal women: an endocrine society guideline update. J Clin Endocrinol Metab 2020;105:dgaa048.

28. Silverman SL, Christiansen C, Genant HK, Vukicevic S, Zanchetta JR, Villiers TJ, et al. Efficacy of bazedoxifene in reducing new vertebral fracture risk in postmenopausal women with osteoporosis: results from a 3-year, randomized, placebo-, and active-controlled clinical trial. J Bone Miner Res 2008;23:1923-34.

29. Tsourdi E, Zillikens MC, Meier C, Body JJ, Rodriguez EG, Anastasilakis AD, et al. Fracture risk and management of discontinuation of denosumab therapy: a systemic review and position statement by ECTS. J Clin Endocrinol Metab 2020;dgaa756.

IV.

1. Boonen S, Orwoll ES, Wenderoth D, Stoner KJ, Eusebio R, Delmas PD. Once-weekly risedronate in men with osteoporosis: results of a 2-year, placebo-controlled, double-blind, multicenter study. J Bone Miner Res 2009;24:719-25.

2. Boonen S, Reginster JY, Kaufman JM, Lippuner K, Zanchetta J, Langdahl B, et al. Fracture risk and zoledronic acid therapy in men with osteoporosis. N Engl J Med 2012;367:1714-23.

3. Cohen A, Kamanda-Kosseh M, Dempster DW, Zhou H, Muller R, Goff E, et al. Women with Pregnancy and Lactation-Associated Osteoporosis (PLO) have low bone remodeling rates at the tissue level. J Bone Miner Res 2019;34:1552-61.

4. Compston JE, McClung MR, Leslie WD. Osteoporosis. Lancet 2019;393:364-76.

5. Dent E, Morley JE, Cruz-Jentoft AJ, Arai H, Kritchevsky SB, Guralnik J, et al. International clinical practice guidelines for sarcopenia (ICFSR): screening, diagnosis and management. J Nut Health Aging 2018;22:1148-61.

6. Iki M, Morita A, Ikeda Y, Sato Y, Akiba T, Matsumoto T, et al. Biochemical markers of bone turnover predict bone loss in perimenopausal women but not in postmenopausal women-the Japanese Population-based Osteoporosis (JPOS) Cohort Study. Osteoporos Int 2006;17:1086-95.

7. Kaufman JM, Orwoll E, Goemaere S, San Martin J, Hossain A, Dalsky GP, et al. Teriparatide effects on vertebral fractures and bone mineral density in men with osteoporosis: treatment and discontinuation of therapy. Osteoporos Int 2005;16:510-6.

8. Langdahl BL, Teglbjærg CS, Ho PR, Chapurlat R, Czerwinski E, Kendler DL, et al. A 24-month study evaluating the efficacy and safety of denosumab for the treatment of men with low bone mineral density: results from the ADAMO trial. J Clin Endocrinol Metab 2015;100:1335-42.

9. Lewiecki EM, Blicharski T, Goemaere S, Lippuner K, Meisner PD, Miller PD, et al. A Phase III randomized placebo-controlled trial to evaluate efficacy and safety of Romosozumab in men with osteoporosis. J Clin Endocrinol Metab 2018;103:3183-93.

10. Nelson BW, Robert AA, John PB, Matthew TD, Richard E, Eric SO, et al. Osteoporosis in men: an Endocrine Society clinical practice guideline. J Clin Endocrinol Metab 2012;97:1802-22.

11. Orwoll E, Ettinger M, Weiss S, Miller P, Kendler D, Graham J, et al. Alendronate for the treatment of osteoporosis in men. N Engl J Med 2000;343:604-10.

12. Orwoll E, Teglbjærg CS, Langdahl BL, Chapurlat R, Czerwinski E, Kendler DL, et al. A randomized, placebo-controlled study of the effects of denosumab for the treatment of men with low bone mineral density. J Clin Endocrinol Metab 2012;97:3161-9.

13. Orwoll ES, Scheele WH, Paul S, Adami S, Syversen U, Diez-Perez A, et al. The effect of teriparatide [human parathyroid hormone (1-34)] therapy on bone density in men with osteoporosis. J Bone Miner Res 2003;18:9-17.

14. Park KH, Lim JS, Kim KM, Rhee Y, Lim SK. Z-score discordance and contributing factors in healthy premenopausal women with low bone mineral density: the Korean National Health and Nutrition Examination Survey 2008-9. J Bone Miner Metab 2016;34:668-77.

15. Peris P, Ruiz-Esquide V, Monegal A, Alvarez L, Martinez de Osaba MJ, Martinez-Ferrer A, et al. Idiopathic osteoporosis in premenopausal women. Clinical characteristics and bone remodelling abnormalities. Clin Exp Rheumatol 2008;26:986-91.

16. Porcelli T, Maffezzoni F, Pezzaioli LC, Delbarba A, Cappelli C, Ferlin A. MANAGEMENT OF ENDOCRINE DISEASE: Male osteoporosis: diagnosis and management-should the treatment and the target be the same as for female osteoporosis? Eur J Endocrinol 2020;183:R75-93.

17. Ringe JD, Dorst A, Faber H, Ibach K. Alendronate treatment of established primary osteoporosis in men: 3-year results of a prospective, comparative, two-arm study. Rheumatol Int 2004;24:110-13.

18. Ringe JD, Farahmand P, Faber H, Dorst A. Sustained efficacy of risedronate in men with primary and secondary osteoporosis: results of a 2-year study. Rheumatol Int 2009;29:311-5.

19. Scioscia MF, Vidal M, Sarli M, Guelman R, Danilowicz K, Mana D, et al. Severe bone microarchitecture impairment in women with pregnancy and lactation-associated osteoporosis. J Endocr Soc 2021;5:bvab031.

20. Silva BC, Broy SB, Boutroy S, Schousboe JT, Shepherd JA, Leslie WD. Fracture risk prediction by non-BMD DXA measures: the 2015 ISCD official positions Part 2: trabecular bone score. J Clin Densitom 2015;18:309-30.

21. Snyder PJ, Kopperdahl DL, Stephens-Shields AJ, Ellenberg SS, Cauley JA, Ensrud KE, et al. Effect of testosterone treatment on volumetric bone density and strength in older men with low testosterone: a controlled clinical trial. JAMA Intern Med 2017;177:471-9.

22. Vidal M, Thibodaux RJ, Neira LFV, Messina OD. Osteoporosis: a clinical and pharmacological update. Clin Rheumatol 2019;38:385-95.

23. Weaver CM, Alexander DD, Boushey CJ, Dawson-Hughes B, Lappe JM, LeBoff MS, et al. Calcium plus vitamin D supplementation and risk of fractures: an updated meta-analysis from the National Osteoporosis Foundation. Osteoporos Int 2016;27:367-76.

V.

1. Adler RA. Glucocorticoid-induced osteoporosis: management challenges in older patients. J Clin Densitom 2019;22:20-4.

2. Agarwal S, Germosen C, Kil N, Bucovsky M, Colon I, Williams J, et al. Current anti-depressant use is associated with cortical bone deficits and reduced physical function in elderly women. Bone 2020;140:115552.

3. Bilezikian JP, Bikle D, Hewison M, Lazaretti-Castro M, Formenti AM, Gupta A, et al. MECHANISMS IN ENDOCRINOLOGY: Vitamin D and COVID-19. Eur J Endocrinol 2020;183:R133-47.

4. Byreddy DV, 2nd Bouchonville MF, Lewiecki EM. Drug-induced osteoporosis: from Fuller Albright to aromatase inhibitors. Climacteric 2015;18 Suppl 2:39-46.

5. Cho SK, Sung YK. Update on glucocorticoid induced osteoporosis. Endocrinol Metab (Seoul) 2021;36:536-43.

6. Chotiyarnwong P, McCloskey EV. Pathogenesis of glucocorticoid- induced osteoporosis and options for treatment. Nat Rev Endocrinol 2020;16:437-47.

7. Cianferotti L, Bertoldo F, Carini M, Kanis JA, Lapini A, Longo N, et al. The prevention of fragility fractures in patients with non-metastatic prostate cancer: a position statement by the international osteoporosis foundation. Oncotarget 2017;8:75646-63.

8. Compston J. Glucocorticoid-induced osteoporosis: an update. Endocrine 2018;61:7-16.

9. Delpino MV, Quarleri J. Influence of HIV infection and antiretroviral therapy on bone homeostasis. Front Endocrinol (Lausanne) 2020;11:502.

10. Diez-Perez A, Naylor KE, Abrahamsen B, Agnusdei D, Brandi ML, Cooper C, et al. International osteoporosis foundation and European Calcified Tissue Society Working Group. Recommendations for the screening of adherence to oral bisphosphonates. Osteoporos Int 2017;28:767-74.

11. Ferrari SL, Abrahamsen B, Napoli N, Akesson K, Chandran M, Eastell R, et al. Diagnosis and management of bone fragility in diabetes: an emerging challenge. Osteoporos Int 2018;29:2585-96.

12. Harbord M, Annese V, Vavricka SR, Allez M, Barreiro-de Acosta M, Boberg KM, et al. The first European evidence-based consensus on extra-intestinal manifestations in inflammatory bowel disease. J Crohns Colitis 2016;10:239-54.

13. Hough FS, Pierroz DD, Cooper C, Ferrari SL. MECHANISMS IN ENDOCRINOLOGY: Mechanisms and evaluation of bone fragility in type1 diabetes mellitus. Eur J Endocrinol 2016;174:R127-38.

14. Khosla S, Hofbauer LC. Osteoporosis treatment: recent developments and ongoing challenges. Lancet Diabetes Endocrinol 2017;5:898-907.

15. Lane NE. Glucocorticoid-induced osteoporosis: new insights into the pathophysiology and treatments. Curr Osteoporos Rep 2019;17:1-7.

16. Napoli N, Chandran M, Pierroz DD, Abrahamsen B, Schwartz AV, Ferrari SL. Mechanisms of diabetes mellitus-induced bone fragility. Nat Rev Endocrinol 2017;13:208-19.

17. Paccou J, Caiazzo R, Lespessailles E, Cortet B. Bariatric surgery and osteoporosis. Calcif Tissue Int 2022;110:576-91.

18. Paccou J, Tsourdi E, Meier C, Palermo A, Pepe J, Body JJ, et al. Bariatric surgery and skeletal health: a narrative review and position statement for management by the European Calcified Tissue Society (ECTS). Bone 2022;154:116236.

19. Park SY, Gong HS, Kim KM, Kim D, Kim HY, Jeon CH, et al. Korean guideline for the prevention and treatment of glucocorticoid-induced osteoporosis. J Bone Metab 2018;25:195-211.

20. Paschou SA, Dede AD, Anagnostis PG, Vryonidou A, Morganstein D, Goulis DG. Type 2 diabetes and osteoporosis: a guide to optimal management. J Clin Endocrinol Metab 2017;102:3621-34.

21. Piccoli A, Cannata F, Strollo R, Pedone C, Leanza G, Russo F, et al. Sclerostin Regulation, microarchitecture, and advanced glycation end-products in the bone of elderly women with type2 diabetes. J Bone Miner Res 2020;35:2415-22.

22. Rachner TD, Coleman R, Hadji P, Hofbauer LC. Bone health during endocrine therapy for cancer. Lancet Diabetes Endocrinol 2018;6:901-10.

23. Ramchand SK, Cheung YM, Yeo B, Grossmann M. The effects of adjuvant endocrine therapy on bone health in women with breast cancer. J Endocrinol 2019;241:R111-24.

24. Shufelt CL, Torbati T, Dutra E. Hypothalamic amenorrhea and the long-term health consequences. Semin Reprod Med 2017;35:256-62.

25. Steell L, Gray SR, Russell RK, MacDonald J, Seenan JP, Wong SC, et al. Pathogenesis of musculoskeletal deficits in children and adults with inflammatory bowel disease. Nutrients 2021;13:2899.

26. Whittier X, Saag KG. Glucocorticoid-induced osteoporosis. Rheum Dis Clin North Am 2016;42:177-89, x.

VI.

1. Cawthon PM, Peters KW, Shardell MD, McLean RR, Dam TT, Kenny AM, et al. Cutpoints for low appendicular lean mass that identify older adults with clinically significant weakness. J Gerontol A Biol Sci Med Sci 2014;69:567-75.

2. Chen LK, Woo J, Assantachai P, Auyeung TW, Chou MY, Iijima K, et al. Asian Working Group for sarcopenia: 2019 consensus update on sarcopenia diagnosis and treatment. J Am Med Dir Assoc 2020;21:300-7.

3. Clynes MA, Gregson CL, Bruyère O, Cooper C, Dennison EM. Osteosarcopenia: where osteoporosis and sarcopenia collide. Rheumatology (Oxford) 2021;60:529-37.

4. Cruz-Jentoft AJ, Baeyens JP, Bauer JM, Boirie Y, Cederholm T, Landi F, et al. Sarcopenia: European consensus on definition and diagnosis: report of the European Working Group on Sarcopenia in older people. Age Ageing 2010;39:412-23.

5. Cruz-Jentoft AJ, Bahat G, Bauer J, Boirie Y, Bruyère O, Cederholm T, et al. Sarcopenia: revised European consensus on definition and diagnosis. Age Ageing 2019;48:16-31.

6. Dent E, Morley JE, Cruz-Jentoft AJ, Arai H, Kritchevsky SB, Guralnik J, et al. International Clinical Practice Guidelines for Sarcopenia (ICFSR): screening, diagnosis and management. J Nutr Health Aging 2018;22:1148-61.

7. Hong AR, Kim SW. Effects of resistance exercise on bone health. Endocrinol Metab 2018;33:435-44.

8. Howe TE, Shea B, Dawson LJ, Downie F, Murray A, Ross C, et al. Exercise for preventing and treating osteoporosis in postmenopausal women. Cochrane Database Syst Rev 2011;6:CD000333.

9. Inoue T, Maeda K, Nagano A, Shimizu A, Ueshima J, Murotani K, et al. Related factors and clinical outcomes of osteosarcopenia: a narrative review. Nutrients 2021;13:291.

10. Kim JH, Hong AR, Choi HJ, Ku EJ, Cho NH, Shin CS. Sex-based differences in the association between body composition and incident fracture risk in Koreans. Sci Rep 2017;7:5975.

11. Kirk B, Miller S, Zanker J, Duque G. A clinical guide to the pathophysiology, diagnosis and treatment of osteosarcopenia. Maturitas 2020;140:27-33.

12. McLean RR, Kiel DP. Developing consensus criteria for sarcopenia: an update. J Bone Miner Res 2015;30:588-92.

13. Moon JH, Kim KM, Kim JH, Moon JH, Choi SH, Lim S, et al. Predictive values of the new sarcopenia index by the Foundation for the National Institutes of Health Sarcopenia Project for mortality among older Korean adults. PLoS One 2016;11:e0166344.

14. Paintin J, Cooper C, Dennison E. Osteosarcopenia. Br J Hosp Med 2018;79:253-8.

15. Reginster JY, Beaudart C, Buckinx F, Bruyère O. Osteoporosis and sarcopenia: two diseases or one? Curr Opin Clin Nutr Metab Care 2016;19:31-6.

16. Studenski SA, Peters KW, Alley DE, Cawthon PM, McLean RR, Harris TB, et al. The FNIH sarcopenia project: rationale, study description, conference recommendations, and final estimates. J Gerontol A Biol Sci Med Sci 2014;69:547-58.

17. Yoon JH, Kwon KS. Receptor-mediated muscle homeostasis as a target for sarcopenia therapeutics. Endocrinol Metab 2021;36:478-90.

대사성골질환

최한석 변동원 정윤석

I. 비타민D결핍증, 골연화증

최한석

1. 서론

비타민D는 골 및 무기질대사에서 핵심적인 역할을 하는 일종의 스테로이드호르몬으로서 주로 자외선B에 의해 피부에서 생성되며 일부는 음식을 통해 섭취된다. 비타민D는 소장세포에서 칼슘수송단백질의 생성을 조절하여 칼슘과 인의 흡수를 증가시킨다. 비타민D 결핍 시 장에서 칼슘흡수가 저하되며 이를 보상하기 위해 부갑상선호르몬 분비가 증가되는 이차부갑상선항진증이 유발된다. 증가된 부갑상선호르몬은 파골세포를 활성화하여 뼈에서 칼슘을 유리시키고 신장을 통한 인산염의 배출을 증가시킨다. 이는 결과적으로 연골 및 골기질의 무기질화를 저해하여 구루병(rickets)이나 골연화증(osteomalacia)을 유발한다. 구루병은 뼈끝(epiphyses)이 닫히기 전인 소아청소년기에 발생하며 성장판연골의 무기질화장애로 인해 뼈의 비정상적 길이 성장과 특징적인 변형이 나타난다. 반면 골연화증은 성숙한 층판뼈(lamellar bone)의 무기질화 결함으로 인해 발생하는 질환으로 소아 및 성인 모두에서 나타날 수 있다. 역사적으로 구루병은 17세기 중반 유럽에서 산업혁명 및 도시화가 시작되면서 크게 증가하였으나 20세기 초 비타민D 결핍이

구루병의 원인으로 밝혀지면서 서구권 국가들은 유제품 등 식품에 비타민D를 정책적으로 강화하였다. 현대에는 전 세계적으로 많은 사람들이 햇빛 노출이 부족하거나 실내에 제한된 생활을 하면서 비타민D 결핍은 또다시 중요한 건강문제로 대두되었다. 특히 유제품을 포함한 비타민D강화식품 섭취가 적은 한국 등 아시아권 국가들의 비타민D 결핍상황은 매우 심각한 것으로 나타난다. 한편 골연화증의 원인과 병태생리는 매우 다양하다. 뼈의 적절한 무기질화를 위해서는 골모세포에 의해 성숙한 층판뼈가 생성되어야 하며 새롭게 생성된 층판뼈에 칼슘×인산염생성물(calcium×phosphate product)이 침착되는 무기질화가 적절히 이루어져야 한다. 골기질의 정상적인 무기질화는 두 단계에 걸쳐 이루어지는데, 빠르게 진행되는 일차무기질화 단계에서 최대 무기질 함량의 75–80%가 수일에서 수주 내에 침착되고, 이후 천천히 진행되는 이차무기질화 단계에서는 수개월에 걸쳐 약 90–95%까지 뼈의 무기질화가 진행된다. 이러한 무기질화에 결함이 발생하면 결과적으로 무기질화가 되지 않는 골기질 또는 유골(osteoid)이 축적되는 골연화증이 발생하게 된다.

2. 역학

체내의 비타민D 수준은 혈청25하이드록시비타민D [25–hydroxyvitamin D, 25(OH)D] 농도로 평가한다. 최근 발표

된 역학연구들에 따르면 비타민D 결핍의 유병률은 전 세계적으로 매우 높은 것으로 나타난다. 비타민D 결핍을 혈청 25(OH)D 농도 20 ng/mL 미만으로 정의할 경우 2001–2006년 National Health and Nutrition Examination Survey (NHANES)에서 보고된 미국의 비타민D 결핍 유병률은 남성에서 29%, 여성에서 34%였다. 한국의 경우 2008–2014년 국민건강영양조사에서 보고된 비타민D결핍 유병률은 남성에서 65.7%, 여성에서 76.7%으로 매우 높았으며(그림 11-4-1), 혈청25(OH)D의 평균 농도는 남성에서 18.3 ng/mL, 여성에서 16.4 ng/mL였다. 비타민D 결핍은 과거 노인에서 더 심각한 것으로 인식되어 왔으나 최근 연구들은 젊은 층에서의 비타민D 결핍의 유병률이 매우 높은 것으로 보고하고 있다. 한국의 경우 20–34세의 비타민D 결핍 유병률은 남성에서 76.8%, 여성에서 84.9%로 다른 연령대에 비해 높았는데, 이는 비타민D 결핍의 위험요인으로 도시지역 거주, 실내 생활, 햇빛 회피 등 환경요인의 중요성이 커졌기 때문으로 추정된다. 흥미롭게도 미국이나 캐나다 등 서구권 국가들의 비타민D 결핍 유병률이 최근 감소하는 경향을 보이는 것에 반해 한국의 비타민D 결핍 유병률은 최근까지도 증가하는 추세를 보였다.

구루병과 골연화증의 정확한 유병률은 잘 알려져 있지 않다. 임상증상이 현저하지 않아 진단되지 않는 경우가 많기 때문에 유병률의 정확한 산출이 어렵다. 최근 미국에서 시행된 연구에서는 비타민D 결핍에 의한 구루병이 1980년 10만 명당 2.2명에서 2000년 10만 명당 24명으로 증가한 것으로 보고되었다. 또한 비타민D 결핍에 의한 골연화증도 증가하는 것으로 보이는데, 이는 칼슘과 비타민D 흡수장애를 유발하는 비만수술의 증가, 테노포비어(tenofovir)나 아데포비어(adefovir)와 같은 항레트로바이러스제의 사용 등이 관련이 있을 것으로 보인다.

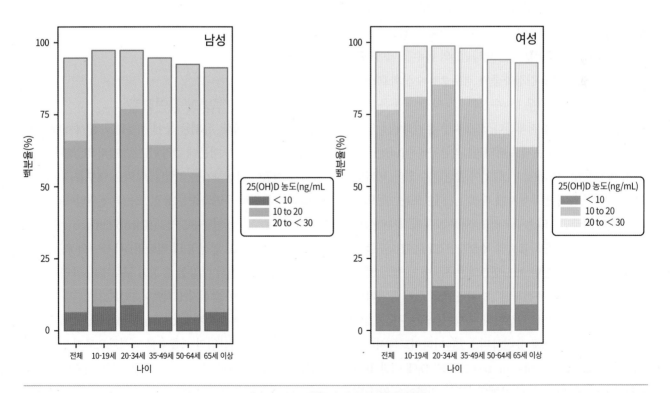

그림 11-4-1. 한국의 비타민D 결핍 유병률

3. 병인

비타민D 결핍의 주요 원인으로 햇빛 노출 부족, 비타민D 섭취 부족 및 흡수장애 등이 있으며, 드물게는 비타민D 활성화과정에 관여하는 25-수산화효소(25-hydroxylase) 또는 1α-수산화효소(1α-hydroxylase)의 결함, 비타민D수용체의 결함 등이 포함된다. 구루병 또는 골연화증의 주요 병인은 크게 비타민D 결핍, 저인산염혈증, 약물 등으로 나눌 수 있다.

1) 비타민D결핍구루병과 골연화증

비타민D 결핍은 다양한 이유로 발생할 수 있는데, 크게 환경, 문화, 생활습관 등 외적요인과 환자 자신의 질환, 유전원인 등 내적요인으로 나눌 수 있다(표 11-4-1). 외적요인에 의한 비타민D 결핍은 주로 피부의 비타민D 생산 부족 또는 식이를 통한 비타민D 섭취 부족에 기인한다. 햇빛 노출이 불충분하거나 과도한 자외선차단제 사용, 문화 또는 종교적인 이유로 과도하게 몸을 가리는 의복은 피부의 비타민D 생산을 저해한다. 내적요인 중 흔한 원인은 비타민D의 흡수장애이다. 글루텐장병증이나 크론병 등 장질환, 위장관절제술, 위우회술 등은 식이를 통한 비타민D의 흡수를 떨어뜨린다. 흡수장애 외에도 간경화증의 경우 25-수산화효소의 장애, 만성신부전의 경우 1α-수산화효소의 장애 등은 비타민D의 활성화과정을 저해한다. 드물지만 유전요인에 의한 비타민D대사과정의 문제로 비타민D의존구루병(vitamin D-dependent rickets, VDDR)이 발생할 수 있다. 비타민D의존구루병은 원인유전자에 따라 1A, 1B 또는 2형으로 구분된다. 비타민D의존구루병 1A형은 보통염색체열성으로 유전하며 1α-수산화효소의 유전자인 *CYP27B1*의 불활성돌연변이로 발생한다. 비타민D의존구루병 1B형은 보통염색체 반우성으로 유전하며 25-수산화효소의 유전자인 *CYP2R1*의 돌연변이로 발생한다. 비타민D의존구루병 2형은 보통염색체열성으로 유전하며 1,25-디하이드록시비타민D [1,25-dihydroxyvitamin D, 1,25(OH)$_2$D]에 대한 표적장기의 저항, 즉 비타민D수용체의 유전돌연변이에 의해 발

표 11-4-1. **비타민D결핍구루병 또는 골연화증의 원인**

외적요인
• 비타민D 섭취 부족
• 햇빛노출 부족
• 자외선차단제 사용
• 과도하게 가리는 의복
• 어두운 피부색

내적요인
• 고령과 관련된 피부의 비타민D 생산 저하
• 위장관수술이나 질환으로 인한 흡수장애
- 위장관절제술
- 위우회술
- 글루텐장병증
- 크론병
• 간경화증
• 만성신부전
• 비타민D결핍구루병 1A형(Vitamin D-dependent rickets type 1A, VDDR-1A)
• 비타민D결핍구루병 1B형(Vitamin D-dependent rickets type 1A, VDDR-1B)
• 비타민D결핍구루병 2형(Vitamin D-dependent rickets type 2, VDDR-2)

생한다.

2) 저인산염혈구루병과 골연화증

인산염은 과일, 야채, 유제품 등에 풍부하고 장에서 매우 효율적으로 흡수되기 때문에 건강한 사람에서 영양부족으로 인산염 결핍이 발생하기는 어렵다. 따라서 대부분의 저인산염혈증 구루병과 골연화증은 유전 또는 후천원인에 의해 발생한다(표 11-4-2). 최근 FGF23 (fibroblast growth factor 23)이 발견되고 인산염 및 비타민D대사에서 FGF23의 중요성이 알려지면서 다양한 유형의 구루병과 골연화증의 유전 및 임상특성이 밝혀지게 되었다. FGF23은 신장에서 나트륨-인산염 공동수송체(sodium/phosphate cotransporter)에 의한 인산염의 재흡수를 억제함으로써 인산염의 배출을 증가시키고 저인산염혈증을 유발한다. FGF23의 증가는 다양한 원인에 의한 저인산염혈증구루병과 골연화증

표 11-4-2. 저인산염혈구루병과 골연화증의 원인

유전요인
• 보통염색체우성저인산염혈구루병(Autosomal dominant hypophosphatemic rickets, ADHR)
• 보통염색체열성저인산염혈구루병(Autosomal recessive hypophosphatemic rickets, ARHR)
• X연관저인산염혈증(X-linked hypophosphatemia, XLH)
• X연관열성저인산염혈구루병(X-linked recessive hypophosphatemic rickets, XLRHR)
• 유전고칼슘뇨증동반저인산염혈구루병(Hereditary hypophosphatemic rickets with hypercalciuria, HHRH)
• 신경섬유종증
• 섬유형성이상
• 유전판코니증후군
후천요인
• 종양유발골연화증(Tumor-induced osteomalacia, TIO)
• 신세뇨관 결함 또는 후천판코니증후군
- 형질세포질환
- 윌슨병
- 갈락토스혈증
- 타이로신혈증
- 약물유발

에서 공통적인 병인으로 작용한다.

유전원인에 의한 저인산염혈증질환은 비타민D 치료에 잘 반응하지 않으므로 비타민D저항구루병(vitamin D-resistant rickets)으로 불렸다. 이 중 가장 대표적인 X연관저인산염혈증(X-linked hypophosphatemia, XLH)구루병과 골연화증은 X염색체연관우성유전을 하며 유전원인에 의한 저인산염혈증질환 중 가장 흔하여 대략 20,000명의 생존아 중 1명에서 발생하는 것으로 추정된다. XLH는 *PHEX* (phosphate-regulating gene with homologies to endopeptidases on the X chromosome)유전자의 불활성돌연변이에 의해 발생하는데, 최근까지 300 종류 이상의 돌연변이가 보고되었다. PHEX단백질은 골모세포, 골세포 등 뼈에 존재하는 세포나 치아의 상아질모세포(odontoblast)에 많이 발현된다. PHEX단백질의 기질(substrate)은 정확히 알려져 있지 않지만 정상 생리적 조건에서 FGF23의 농도는 PHEX의존단백질 분해에 의해 조절되는 것으로 보인다. 따라서 XLH 환자에서와 같이 불활

성돌연변이로 인해 PHEX단백질이 불활성화되면 FGF23은 분해되지 않고 혈액내 농도는 증가하게 된다. 이 외 드문 유전원인으로 보통염색체우성저인산염혈구루병(autosomal dominant hypophosphatemic rickets, ADHR)은 *FGF23*유전자의 돌연변이로 인해 FGF23의 단백질 분해가 되지 않아 혈중 농도가 증가하게 되고 이는 신장을 통한 인산염 배출을 증가시킨다. 보통염색체열성저인산염혈구루병(autosomal recessive hypophosphatemic rickets, ARHR) 1형은 *DMP1* (dentin matrix protein 1)유전자, 2형은 *ENPP1* (ectonucleotide pyrophosphatase/phosphodiesterase 1)유전자, 3형은 *FAM20C* (family with sequence similarity 20, member C)유전자의 불활성 돌연변이로 발생한다. ARHR에서 FGF23 농도는 일반적으로 증가되어 있거나 높은 정상범위를 보인다. 고칼슘뇨증과 함께 저인산염혈증을 보이는 구루병은 유전고칼슘뇨증동반저인산염혈구루병(hereditary hypophosphatemic rickets with hypercalciuria, HHRH)과 X연관열성저인산염혈구루병(X-linked recessive hypophosphatemic rickets)이 있다. HHRH는 신장의 2c형 나트륨-인산염공동수송체(sodiuim-phosphate cotransporter)유전자인 *SLC34A3*의 변이로 발생하며, 덴트병(Dent disease)이라고도 불리는 X연관열성저인산염혈구루병의 경우 1형은 *CLCN5* (chloride channel5)유전자, 2형은 *OCRL* (oculocerebrorenal syndrome)유전자의 불활성화돌연변이로 발생한다.

후천원인 중 가장 흔한 종양유발골연화증(tumor-induced osteomalacia, TIO)은 신생물딸림증후군(paraneoplastic syndrome)으로서 종양에서 이소성으로 FGF23이 과잉생산되면서 발생한다. 일반적으로 중간엽종양에 의해 발생하며 드물게 골육종, 거대세포종양, 사구체종양, 폐의 소세포암종 및 결장의 선암종 등에 의해서도 발생할 수 있다. TIO를 유발하는 중간엽종양은 대부분 양성이며, 크기가 작고 천천히 자라기 때문에 위치를 파악하기 어렵다. 따라서 증상이 시작되어 종양이 발견되기까지는 수년이 걸리는 경우가 많고, 종양을 발견하지 못하는 경우도 있다. FGF23이 중간엽종양에서 분비되는 가장 흔한 포스파토닌(phosphatonin)이지만 이외에도 frizzled-related protein 4, FGF 7, matrix extracellular phosphoglycoprotein 등도 일부 종양에서 분비될 수 있다.

저인산염혈구루병과 골연화증의 다른 원인으로 판코니증후군(Fanconi syndrome)이 있으며, 이는 신장의 근위부 신세뇨관에서 인산염, 포도당, 아미노산, 탄산수소염 등의 재흡수장애로 발생한다. 신장을 통한 인산염 소실은 결과적으로 저인산염혈골연화증을 유발시킨다. 판코니증후군은 유전원인으로 발생하거나 또는 질환 및 약물 사용과 관련하여 후천적으로 발생할 수 있다.

3) 약물에 의한 구루병과 골연화증

구루병 또는 골연화증의 병인으로서 뼈의 무기질화장애를 유발하는 여러 약물들이 알려져 있다(표 11-4-3). 이 중 뉴클레오사이드역전사효소억제제(nucleoside reverse

표 11-4-3. 약물에 의한 구루병과 골연화증의 원인

신세뇨관 결함(판코니증후군) 유발약물
• 뉴클레오사이드역전사효소억제제: 테노포비어, 아데포비어, cidofovir
• 단백질분해효소억제제: ritonavir
비타민D 결핍 유발 약물
• 사이토크롬 P450 효소유발인자: 페니토인, 프리미돈, 페노바비탈
1α-수산화효소억제제
• Ketoconazole
유골의 무기질화억제제
• 알루미늄, 철, 불화물, 에티드로네이트

transcriptase inhibitor, NRTI)인 테노포비어와 아데포비어는 약물에 의한 골연화증의 가장 흔한 원인이며, 이외에도 항경련제, 알루미늄포함제산제, 비스포스포네이트(bisphosphonate) 계열인 에티드로네이트, 불화나트륨 등이 있다.

아데노신유사체 NRTI인 테노포비어와 아데포비어는 현재 사람면역결핍바이러스(human immunodeficiency virus, HIV)와 바이러스간염에 널리 사용되고 있다. 이 약물들은 판코니증후군을 유발시킬 수 있는데, 이는 근위신세뇨관의 전반적인 수송결함으로 신장을 통한 인산염 소실을 유발하여 골연화증을 발생시킨다. NRTI약물을 복용하는 환자의 약 0.5%에서 골연화증에 발생하며 NRTI 치료 시작 후 판코니증후군 발병까지의 기간은 1-26개월로 다양하게 보고되었다. 이 약물들이 판코니증후군을 유발시키는 기전은 잘 알려져 있지 않지만 아마도 약물로 인한 사립체(mitochondria) 손상과 사람유기음이온수송체1 (human organic anion transporter 1)의 이상이 관련된 것으로 보고 있다. 질환 초기에 원인 약물을 중단하면 저인산염혈증과 신기능 이상은 교정되지만 골연화증이 있는 경우 인산염과 비타민D 등 추가적인 치료가 필요할 수 있다.

항경련제, 페니토인, 페노바비탈, 리팜핀 등은 간의 사이토크롬P450산화효소시스템(cytochrome P450 oxidase enzyme system)을 통해 비타민D를 불활성형대사체로 전환시키고 생체 이용가능한 25(OH)D 농도를 감소시킨다. 이는 결과적으로 비타민D 결핍을 유발하여 궁극적으로 구루병이나 골연화증을 유발한다. 따라서 임상양상과 생화학적 및 영상의학적 특성이 비타민D 결핍에 의한 골연화증과 유사하다. 치료제로 비타민D와 칼슘이 효과적이며, NRTI로 인한 골연화증과 달리 원인 약물을 바로 중단할 필요는 없다.

이외 알루미늄을 포함한 인산염결합제, 제산제 또는 철분제의 경우도 골연화증을 유발할 수 있다. 알루미늄이나 철은 유골과 무기질화된 뼈 사이에 침착할 수 있다. 불화물이나 비스포스포네이트계열인 에티드로네이트에 의한 골연화증도 드물게 보고된 바 있으나, 최근 골다공증치료제로 사용 중인 질소 함유 비스포스포네이트에 의한 골연화증은 보고되지 않았다.

4. 임상특성

비타민D 결핍의 정도와 지속기간에 따라 임상양상은 차이를 보일 수 있다. 경미하거나 중등도인 비타민D 결핍의 경우 대부분 무증상이며, 혈청칼슘, 인 및 알칼리성인산염분해효소(alkaline phosphatase) 농도는 일반적으로 정상이다. 하지만 심한 비타민D 결핍이 지속될 경우 저칼슘혈증이 발생하면서 유발된 이차부갑상선항진증으로 인해 인산염의 소변배출이 증가하고 장기적으로 지속되면 구루병이나 골연화증이 발생하게 된다. 구루병이나 골연화증의 증상과 징후는 주로 근골격계에서 나타나며, 일부 예외적인 경우를 제외하면 병인에 관계없이 대체로 임상양상은 유사하다. 일반적으로 고령에서 발병한 골연화증은 임상증상이 현저하지 않으며, 증상이 있더라도 노화로 인한 통증으로 간과될 가능성이 높다. 골연화증의 가장 흔한 증상은 뼈의 통증 및 압통, 근육약화, 보행장애, 골절 등이다.

골연화증의 뼈통증은 깊고 둔하며 정확한 위치를 국한하기 어렵고 흔히 대칭적이다. 통증의 양상이 모호하여 흔히 긴장성 두통, 협심증, 류마티스질환, 섬유근육통 등으로 오인될 수 있다. 체중부하나 근육 수축으로 통증이 악화될 수 있으며 휴식을 취해도 잘 완화되지 않는다. 통증은 주로 요추부에서 시작하여 골반, 대퇴골, 허벅지, 등, 늑골 등으로 퍼져 나가지만 방사통의 양상은 아니다. 뼈에 압박을 가하거나 타진 시 압통이 유발될 수 있다. 뼈 통증은 무기질화되지 않은 골기질의 수분과잉으로 골막이 팽창하면서 발생하는 것으로 여겨진다. 골다공증의 경우 골절이 없으면 통증이 거의 발생하지 않지만 골연화증에서는 골절 유무에 상관없이 뼈 통증이 발생한다.

골연화증 환자에서 근위부 근육 약화가 나타날 수 있으며 주로 하지 쪽이 현저하지만 신체검사 시에는 상완에서도 나타날 수 있다. 근육약화의 정도는 미묘한 수준부터 심각한 노쇠를 유발할 정도까지 다양하다. 앉은 자세에서 일어서거나 팔을 사용하지 않고 계단을 오르내리기 힘들어하는 것은 상당히 특이적이다. 진행된 경우 근육약화와 뼈 통증으로 인해 뒤뚱거리는 오리보행(waddling gait)이 관찰된다. 심한 근육 약화에도 불구하고 근육 위축은 흔치 않다. 일부 환자에서는 근육긴장저하(hypotonia)가 있으며 근육수축력의 약화를 보일 수 있다. 심부건반사(Deep tendon reflex)는 정상이거나 증가되어 있는데, 이는 다른 유형의 근육질환이나 근병증과 구별되는 임상징후이다. 일반적으로 근육약화는 저인산염혈구루병이나 골연화증에서 현저하며 뼈통증은 비타민D결핍골연화증에서 더 흔하다.

소아에서 발생한 구루병의 경우 골격변형이 흔하지만 성인에서 발생하는 골연화증의 경우 골절이 없으면 골격변형은 흔치 않다. 하지만 골연화증에서도 늑골, 척추, 긴 뼈 등에 취약골절이 드물지 않게 발생하며, 심한 경우에는 척추의 비정상적인 만곡이나 흉부 또는 골반의 변형이 나타나기도 한다.

XLH의 임상양상은 다양하며 대부분은 소아기에 구루병이 발생한다. XLH 환자가 어려서 걷기 전에는 임상증상이 뚜렷하지 않고 대부분 XLH의 가족력 때문에 검사를 하게 된다. 환자가 걷게 되면 하지가 활모양으로 휘고 성장속도가 감소한다. 다양한 치아의 장애도 나타날 수 있다. 성인에서 XLH는 일상적인 생화학검사 중 저인산염혈증으로 발견될 수 있으며, 골연화증 증상인 뼈의 통증, 부전골절, 근육 약화와 부착부병증(enthesopathy) 및 이소성 석회화 등이 나타날 수 있다. 부착부병증은 XLH의 경우 대부분 예외 없이 발생하지만 다른 유형의 구루병과 골연화증에서는 대부분 관찰할 수 없다. 표적장기의 저항으로 발생하는 비타민D 의존구루병 2형의 경우 특징적인 임상양상으로 탈모증이 발생할 수 있다. TIO의 경우 50대에 호발하지만 어떤 연령에서도 발생할 수 있다. 일반적으로 진단되지 않은 채 장기간 지속되는 노쇠감을 호소한다. 가장 흔한 증상은 뼈 통증, 피로감, 근육 약화 및 다발골절 등이며, 비특이적인 증상으로 진단이 잘못되어 수년간 부적절한 치료를 받기도 한다.

5. 진단

비타민D 결핍 여부는 혈청25(OH)D 농도를 측정하여 평가한다. 연구자에 따라 25(OH)D 농도가 20 ng/mL 미만을 비타민D결핍으로 정의하기도 하지만 일반적으로 비타민D 결핍에 의한 골연화증의 위험은 25(OH)D 농도가 10 ng/mL 미만인 경우 증가한다. 골연화증 진단은 다른 질환에서와 마찬가지로 골연화증과 연관된 임상상황, 즉 뼈 통증이나 근육 약화 등의 증상이 있는 경우, 흡수장애가 있거나 위절제술 또는 위우회술로 영양결핍의 가능성이 있는 경우, 골연화증을 일으킬 수 있는 약물을 복용하는 경우 등에서 골연화증을 의심할 수 있어야 한다. 골연화증을 진단하는 가장 정확한 방법은 테트라사이클린 표지 골조직형태계측(bone histomorphometry)이다. 이 방법은 뼈에 테트라사이클린으로 이중표지를 한 후 장뼈몸통골생검(transiliac bone biopsy)으로 조직을 얻어 골조직형태 계측을 시행하는 것이다. 골연화증은 유골의 면적과 폭이 증가되고 무기질침착지

체시간(mineralization lag time)이 길어지는 것으로 진단할 수 있다. 하지만 이러한 침습적인 골생검 및 골조직형태 계측은 실제 임상에서는 잘 시행하지 않으며 비침습적인 방법으로 명확히 진단하기 어려운 경우에 한하여 시행할 수 있다. 실제 임상에서는 일반적으로 환자의 임상증상, 생화학적 및 영상의학검사를 통해 골연화증을 진단한다.

진단을 위한 생화학검사로 혈청칼슘, 인산염, 알칼리성인산염분해효소, 25(OH)D, 1,25(OH)$_2$D, 부갑상선호르몬, 전해질, 혈중 요소질소, 크레아티닌 등을 시행한다. 또한 소변으로의 칼슘과 인산염 배출을 측정하기 위해서 소변 칼슘 배설량과 신장 신세뇨관의 인산염최대재흡수대사구체여과율비율(maximal tubular reabsorption of phosphate per glomerular filtration rate, TmP/GFR) 및 신세뇨관의 인산염재흡수(tubular reabsorption of phosphate, TRP)를 측정할 수 있다. 구루병과 골연화증의 원인에 따라 생화학적 이상소견은 상당한 차이를 보여준다(표 11-4-4). 구루병 및 골연화증의 질환 초기부터 가장 흔하게 나타나는 생화학적 이상은 혈청알칼리성인산염분해효소의 증가이다. 비타민D 결핍으로 인한 골연화증의 경우 혈청칼슘과 인산염은 정상이거나 낮다. 질환 초기에는 칼슘과 인산염이 주로 정상이지만 후기로 갈수록 저칼슘혈증과 저인산염혈증이 나타난다. 비타민D결핍구루병과 골연화증에서 혈청25(OH)D 농도는 보통 10 ng/mL 미만으로 낮으며, 혈청1,25(OH)$_2$D의 농도는 비타민D 결핍의 정도와 기간에 따라 정상이거나 낮거나 높을 수 있으므로 진단에 도움이 되지 않는다. 저칼슘혈증에 의해 부갑상선호르몬 분비가 증가하면 소변칼슘 배설량이 감소된다. 혈청알칼리성인산염분해효소와 소변칼슘 배설량 측정은 변이가 크고 민감도가 낮기 때문에 정상범위에 있는 경우도 있다. 비타민D 의존구루병 1A형의 경우 신장의 1α-수산화효소 활성이 없기 때문에 혈청1,25(OH)$_2$D 농도가 매우 낮으며, 1B형의 경우 간의 25-수산화효소 활성이 없기 때문에 혈청25(OH)D 농도가 매우 낮다. 2형의 경우 표적세포의 비타민D 저항에 의해 표적세포(장기)의 비타민D 저항에 의해 혈청1,25(OH)$_2$D

표 11-4-4. 다양한 원인에 의한 구루병과 골연화증의 주요 이상소견

	비타민D 결핍	XLH	TIO	약물
원인	영양결핍/흡수장애	*PHEX*유전자 결함	FGF23의 이소성 과잉생산	신세뇨관 결함 골무기질화 결함
혈액				
FGF23	해당없음	대부분 증가	증가	증가/다양
칼슘	감소/정상	정상/증가	정상	다양
인산염	정상/감소	매우 감소	감소/매우 감소	다양
알칼리성인산염분해효소	증가	증가	증가	다양
부갑상선호르몬	증가	정상/증가	정상	다양
25(OH)D	감소	정상	정상	감소/정상
1,25(OH)$_2$D	다양	감소	감소	감소/다양
골밀도	감소	정상/증가	흔히 감소	흔히 감소

농도는 매우 증가한다. 저인산염혈구루병 또는 골연화증
(특정 유형의 신세뇨관 결함 제외)의 경우 혈청칼슘은 정상
이며, 혈청인산염수치는 2.5 mg/dL 미만이다. 가장 흔하고
일관적인 생화학검사 결과는 저인산염혈증, TRP 또는
TmP/GFR로 확인된 신장의 인산염 소실, 알칼리성인산염
분해효소의 증가이다. 혈청FGF23 농도는 분석법에 따라
차이가 날 수 있으나 거의 대부분의 환자에서 증가되어 있
다. 하지만 FGF23 농도가 정상이더라도 저인산염혈구루병
이나 골연화증을 배제하지는 못한다. 혈청칼슘, 25(OH)D,
부갑상선호르몬 등은 정상이다. 하지만 저인산염혈구루병
이나 골연화증에서는 혈청1,25(OH)$_2$D 농도는 정상이거나
낮다. *PHEX*유전자의 신생돌연변이(de novo mutation)
가 생길 수 있기 때문에 가족력이 없더라도 XLH를 배제할
수는 없다.

골연화증에서 관찰되는 주요 영상의학적 특징은 거짓골절
(pseudofracture 또는 Looser zone), 척추변형 및 골밀
도 감소 등이다. 거짓골절은 골표면에 수직으로 형성된 2–5
mm 두께의 방사선투과대(radiolucent band)로서 골연
화증의 특징적인 소견이다. 흔히 경화된 가장자리(sclerot-
ic borders)를 갖고 양측성 및 대칭성으로 나타날 수 있고
대퇴골, 늑골, 치골지, 견갑골 등에서의 관찰할 수 있다. 거
짓골절은 뼈스캔상 열점(hot spot)으로 나타난다. 거짓골
절은 피로골절(stress fracture) 발생 후 무기질화되지 않
은 유골로 치유되거나 영양 동맥의 맥동으로 뼈가 침식되어
발생하는 것으로 여겨진다. 대구척추(cod fish vertebrae)
라고 불리는 대칭적으로 양면이 오목한 모양의 척추영상소
견은 골연화증의 특징적인 소견이다. 이는 골다공증골절에
서 관찰되는 비대칭적으로 앞부분이 압박된 쐐기 모양의 척
추와는 대조적이다. 긴 뼈의 피질골이 얇아질 수 있는데, 이
는 비타민D 결핍에 동반된 이차부갑상선항진증으로 인해
골흡수가 증가하면서 초기에 나타나는 소견이다. 이차부갑
상선항진증이 심한 경우 갈색종양(brown tumors)이나 중
수골 또는 중족골 등에서 골막밑골흡수(subperiosteal
bone resorption)가 관찰될 수 있다. 이중에너지방사선흡
수측정법(dual energy x-ray absorptiometry, DXA)으
로 측정한 골밀도는 요추부, 대퇴골 및 요골 등 모든 측정
부위에서 감소되어 있다. 특히 피질골이 많은 부위에서 더
뚜렷한 골밀도 감소를 보인다. 반면 XLH의 경우 요추부 골
밀도는 정상이거나 오히려 증가될 수도 있다.

임상양상 및 생화학검사 결과 TIO가 의심되는 경우 확진을 위해서 원인종양의 위치를 확인해야 한다. TIO의 경우 대부분 종양의 크기가 작고 애매한 부위에 있어 종양의 위치를 찾는 것은 어렵다. 많은 경우 중간엽종양에서 성장호르몬억제인자수용체가 발현되기 때문에 성장호르몬억제인자유사체인 octreotide를 이용한 스캔기술로 약 50% 정도에서 종양의 위치를 찾는 데 도움이 된다. 18F-fluorodeoxy-glucose positron emission tomography가 종양의 위치를 찾는데 민감하지만 위양성의 가능성이 있다. 최근 더 널리 사용되고 있는 gallium-DOTATATE positron emission tomography는 TIO의 원인종양을 찾는 데 민감하여 새로운 영상의학방법으로 선택할 수 있다. 영상의학방법으로 종양의 위치가 애매한 경우 FGF23에 대한 선택적정맥채혈법(selective venous sampling)이 종양의 위치 확인에 도움이 될 수 있다. 이러한 방법에도 불구하고 종양의 크기가 작거나 뼈에 위치하는 경우 확인이 어렵다. TIO로 추정되는 환자의 65-80%에서만 종양이 확인된 것으로 보고되었다. TIO의 진단이 명확하지 않다면 유전요인에 의한 저인산염혈증질환을 배제하기 위해서 *FGF23, PHEX, DMP1, ENPP1, FAM20C* 등의 유전자검사를 진행할 수 있다.

6. 감별진단

골절, 골밀도 감소 및 뼈 통증을 보일 수 있는 질환으로 골다공증, 패짓병, 악성종양 등이 있다. 이러한 질환들은 대부분 병력, 신체검사, 생화학검사 및 영상검사 등을 통해 골연화증과 감별할 수 있다. 이러한 비침습적인 방법으로 감별이 어려운 드문 경우에는 테트라사이클린 표지 골조직형태계측을 시행할 수 있다.

1) 골다공증
골밀도의 감소만으로 골다공증과 골연화증을 구분할 수 없다. 비타민D 결핍으로 인한 골연화증의 경우 골밀도가 현저하게 낮을 수 있다. 이러한 환자에서 비스포스포네이트 등의 골다공증치료제는 적합하지 않고 오히려 저칼슘혈증을 악화시킬 수 있다. 비타민D 결핍으로 인한 골연화증은 비타민D와 칼슘 보충으로도 골밀도를 현저히 개선시킬 수 있다. 골다공증은 혈청칼슘, 인산염, 알칼리성인산염분해효소 등이 정상이다. 이는 골연화증에서 주로 관찰되는 저인산염혈증, 저칼슘혈증, 25(OH)D 감소(10 ng/mL 미만), 부갑상선호르몬 증가 등의 소견과 대조적이다.

2) 패짓병
패짓병의 경우에도 알칼리성인산염분해효소는 증가되어 있으나 특징적인 뼈스캔과 영상의학적 소견을 보인다. 병변 부위의 일반 방사선영상은 피질골의 비후와 팽창, 거친해면 뼈음영, 골경화와 골파괴의 혼합소견 등이 관찰된다.

3) 다발골수종
다발골수종 환자에서 전신노쇠, 피로 및 뼈통증은 흔하다. 영상의학검사상 뼈의 용해, 전반적인 골감소 및 척추골절 소견을 흔히 관찰할 수 있다. 다발골수종의 많은 환자들은 빈혈 및 신기능이상소견을 갖는다. 알칼리성인산염분해효소는 일반적으로 증가하지 않으며, 고칼슘혈증이 동반될 수 있다.

4) 저인산염분해효소증
저인산염분해효소증(hypophosphatasia)은 알칼리성인산염분해효소를 암호화하는 유전자의 기능소실돌연변이로 인해 발생하는데 현재까지 300 종류 이상의 돌연변이가 밝혀졌다. 혈액검사상 칼슘과 인산염 농도는 정상이나 알칼리성인산염분해효소 농도는 낮다. 알칼리성인산염분해효소의 기질인 phosphoethanolamine, inorganic pyro-phosphate, pyridoxal 5'-phosphate 등이 혈액이나 소변에 축적된다. 영상의학적 또는 뼈의 조직학적 소견이 구루병이나 골연화증과 유사하지만, 구루병이나 골연화증과 달리 혈청알칼리성인산염분해효소 농도가 40 IU/L 미만으로 낮다.

7. 치료

구루병과 골연화증의 치료는 병인에 따라 다르다. 여기서는 주요원인인 비타민D 결핍, 유전요인에 의한 저인산염혈증 및 종양유발골연화증의 치료에 대해서 기술하고자 한다.

일반적인 비타민D 보충에 대해서 대한골대사학회는 50세 이상 남성과 폐경여성에게 하루 800 IU의 비타민D 섭취를 권장하였으며, 혈액내 25(OH)D 농도는 최소 20 ng/mL 이상을 유지하도록 하고 골다공증 치료 및 골절과 낙상의 예방을 위해서는 25(OH)D 농도 30 ng/mL 이상이 필요할 수 있다고 권고하였다. 하지만 비타민D 결핍에 의한 구루병과 골연화증 환자는 혈액내 25(OH)D 농도가 10 ng/mL 미만으로 낮아 훨씬 많은 용량의 비타민D 치료가 필요하다. 따라서 증상이 있는 구루병이나 골연화증 환자는 매주 50,000 IU의 비타민D를 8–12주 동안 사용하도록 권고된다. 추적관찰 중 혈청칼슘, 알카리성인산염분해효소, 부갑상선호르몬, 25(OH)D 농도 및 소변칼슘 배출량 등을 측정하여 비타민D 용량을 조절할 수 있으며, 이후 혈청25(OH)D 농도 30 ng/mL 이상, 부갑상선호르몬 농도 정상범위에 이르면 비타민D는 하루 1,000–2,000 IU로 유지하도록 권고된다. 소장 절제나 위우회술 등으로 흡수장애가 있는 경우 더 많은 용량의 비타민D(하루 10,000–50,000 IU)가 필요할 수도 있다. 흡수장애가 심하거나 경구제에 대한 적응도가 떨어지는 경우 고용량 비타민D주사제도 고려할 수 있다. 비타민D대사체인 calcidiol, 칼시트라이올(calcitriol), αcalcidol 등도 약물로 사용 가능하다. 활성형 대사체인 칼시트라이올은 작용 발현시간이 빠르고 반감기는 5–8시간으로 짧다. 이는 심한 이차부갑상선항진증, 흡수장애, 간질환이나 만성신부전, VDDR, XLH, TIO 등에서 사용할 수 있으나 고칼슘혈증을 유발할 수 있으므로 주의해야 한다. 또한 비타민D결핍성 골연화증 환자의 경우 일반적으로 체내 칼슘부족이 동반되므로 탄산칼슘 또는 구연산칼슘 형태로 보충하는 것이 필요하다. 이와 같은 효과적인 치료법으로 뼈의 통증이나 근육약화와 같은 골연화증증상은 수

주내에 호전되기 시작하지만 완전히 소실되기까지는 보통 수 개월 이상 걸릴 수 있으며, 혈청알카리성인산염분해효소는 수주나 수개월이 지나서 정상화되고 영상의학적 이상소견은 수개월이 경과하여도 뚜렷하게 호전되지 않는 경우도 있다.

유전요인에 의한 저인산염혈구루병과 골연화증의 기존 치료법은 비타민D 활성형 대사체인 칼시트라이올과 인산염 보충이다. 이 치료법은 소아 XLH 환자의 골격기형과 성장지연을 완전히 해결하지는 못하지만 개선시킬 수 있다. 칼시트라이올과 인산염보충제는 장기적으로 사용 시 고칼슘뇨증이나 고칼슘혈증을 유발할 수 있으며, 이는 신장결석증 및 신장석회증을 발생시키고 신기능을 저하시킬 수 있다. 경구인산염보충제는 설사와 복통을 유발하여 복약 적응도가 떨어지며, 수년 이상 장기간 복용 시 이차부갑상선항진증이 발생할 수 있다. 칼시트라이올은 칼슘의 장내 흡수를 증가시키는데, 이는 칼시트라이올의 직접적인 효과와 함께 혈액내 부갑상선호르몬 농도를 억제한다. 내과치료에 반응하지 않는 경우 하지의 변형을 교정하기 위해 수술이 필요할 수 있다. 성인에서 치료의 역할은 명확하지 않으나 칼시트라이올과 인산염 보충제는 성인의 골연화증 증상완화와 뼈의 무기질화 개선에 효과적일 수 있다. 성인의 경우 칼시트라이올은 하루 0.5–1.0 μg을 2회로 나누어 투여하며, 인은 하루 1–2 g을 3–4회로 나누어 투여하는 것이 권장된다. 2018년 미국 식품의약국(Food and Drug Administration, FDA)은 FGF23에 대한 사람 단세포군항체인 뷰로수맙(burosumab)을 XLH 성인과 1세 이상 어린이의 XLH 치료에 승인했다. 임상시험 결과 뷰로수맙은 소아 XLH 환자에서 신장을 통한 인소실을 줄이고 혈청알카리성인산염분해효소를 감소시켰으며, 환자의 성장속도를 증가시키고 하지의 변형을 개선시켰다. 뷰로수맙의 부작용은 대부분 경미한 주사부위반응(injection site reaction)이었으며 수일 이내에 해결되었다. 성인 XLH 환자를 대상으로 한 임상시험에서도 뷰로수맙 치료로 통증, 관절 강직 및 피로감 등이 개선되었고 보행기능 및 골절 치유가 향상되었다.

TIO의 치료는 수술로 원인종양을 제거하는 것이다. 이는 골연화증의 임상증상과 생화학적, 영상의학적, 조직학적 이상을 개선시킨다. 수술 시 종양의 재발을 막기 위하여 광범위한 수술적 절제가 필요하다. 수술 후 혈청인산염 및 FGF23 농도는 24시간 이내 빠르게 정상화되지만 골연화증의 치유는 수개월이 걸릴 수 있다. 드물지만 전이를 동반한 재발이 발생할 수 있다. 종양의 위치를 찾지 못하거나 수술로 제거할 수 없는 경우 내과적 약물치료가 무기한 필요할 수 있다. TIO의 약물치료제로 뷰로수맙이 선호된다. 2020년 미국 FDA는 TIO가 있는 2세 이상의 환자에서 뷰로수맙의 사용을 승인하였다. 임상연구에서 뷰로수맙은 TIO 환자의 혈청 인산염 농도를 지속적으로 정상화시켰으며, 보행을 개선시키고 통증을 감소시켰다. 뷰로수맙을 사용할 수 없거나 심각한 알레르기로 인해 금기인 경우 칼시트라이올과 인산염 보충요법을 사용할 수 있다.

II. 만성신장질환과 골대사질환

변동원

1. 서론

신성골형성장애(renal osteodystrophy, ROD)란 용어는 2006년도 Kidney Disease: Improving Global Outcomes (KDIGO) Foundation에서 Chronic Kidney Disease-Mineral Bone Disorder (CKD-MBD)로 대신하여 사용하기로 하여 2009년도에 처음으로 CKD-MBD의 진단과 평가, 예방, 치료에 대해 임상치료지침을 발표하였다. 이 후 2013년에 논의가 많은 부분에 대한 보강 이후 2017년도에 KDIGO CKD-MBD guideline이 발표되었고, 최근 2020년도에 캐나다(Canadian Society of Nephrology, CSN)에서 CKD-MBD에 대해 일부 보완된 내용이 발표되었다.

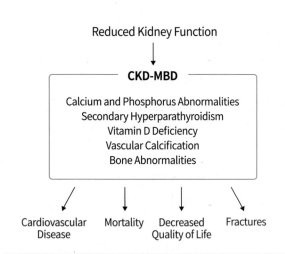

그림 11-4-2. **신기능 감소로 인한 CKD-MBD의 발생과 동반질환들**

ROD가 만성신장질환(chronic kidney disease, CKD) 환자에서 나타나는 여러 무기질화이상 및 골격계 질환 중 하나인 뼈 형태의 변화만을 지칭하는 반면, CKD-MBD는 보다 광범위하게 나타나는 무기질대사 이상, 심혈관계 및 골격계 질환을 포함하는 증후군으로 사용되고 있다. 따라서 CKD-MBD에서 볼 수 있는 병태생리소견은 첫째, 골재형성 장애에 따른 혈관석회화와 같은 비정상적 조직 내의 무기질화가 가장 특징적이며, 둘째, 무기질대사의 이상으로 CKD 환자에서 볼 수 있는 사망률의 증가이며, 셋째, 신장의 이상으로 골격 형성에 영향을 미치는 골모세포의 기능저하를 특징적으로 볼 수 있다(그림 11-4-2).

2. 정의

1) 만성신장질환-골·무기질이상(Chronic kidney disease-mineral bone disorder, CKD-MBD)

CKD 환자에서 무기질화와 골대사에 이상이 발생하여 칼슘, 인산, 부갑상선호르몬, 비타민D의 이상소견이 발생하고, 골교체율, 무기질화, 골량, 길이 성장과 골강도의 이상소견 그리고 혈관 및 다른 결체조직의 석회화와 같은 소견을 보인다.

2) 신성골형성장애(Renal osteodystrophy, ROD)

CKD 환사에서 보이는 골형태의 변성을 나타내며, CKD-MBD의 한 부분이다.

3) 만성신장질환(Chronic kidney disease, CKD)

3개월 이상 구조적이거나 기능적 신장이상이 있어야 하며, 사구체여과율(glomerular filteration rate, GFR)의 감소는 있거나 없을 수 있으며, 혈중 또는 소변의 검사이상, 영상검사에서 이상소견, 신장 생검에서 이상소견과 같은 3가지 소견 중 1개 이상의 이상소견이 있어야 한다. 또는 상기 소견과 상관없이 3개월 이상 사구체여과율이 60 ml/min/1.73 m^2 미만으로 감소되어 있을 때 만성신장질환으로 정의할 수 있다.

4) CKD stage

(1) Stage 1: GFR ~90 (mL/min/1.73 m^2)

(2) Stage 2: GFR 60-89 (mL/min/1.73 m^2)

(3) Stage 3: GFR 30-59 (mL/min/1.73 m^2)

(4) Stage 4: GFR 15-29 (mL/min/1.73 m^2)

(5) Stage 5: GFR < 15 (mL/min/1.73 m^2), 또는 혈액투석상태

3. 병태생리

CKD-MBD 환자의 초기 골병변은 사구체여과율의 경한 감소시기(크레아티닌청소율이 40-70 mL/min, CKD stage 2)에서부터 발생하는 것으로 알려져 있다. 이러한 시기에는 혈중 인산과 칼슘, 칼시트라이올 등의 변화가 없는 경우가 대부분이며, 단지 부갑상선호르몬(parathyroid hormone, PTH)이나 섬유모세포성장인자(fibroblast growth factor receptor, FGF) 23의 상승이 관찰될 수 있다. 상승된 PTH가 조절이 안 될 경우 높은 골교체율을 보이는 낭성섬유골염소견이 나타나며, PTH의 조절이 된 경우에는 낮은 골교체율을 보이는 무력뼈질환(adynamic bone disorder) 소견이 나타날 수 있으며, CKD stage

5(크레아티닌 청소율 < 15 mL/min)까지 진행되면서는 모든 환자에서 골격계 이상이 발생하고 사망률이 증가하게 되는 것이다.

4. 이차부갑상선항진증을 유발하는 병태생리학적 요인

1) 고인산염혈증

신장의 손상이 시작되는 초기에 세뇨관상피세포에서 인산의 이동을 조절하는 PTH와 FGF23의 작용이 감소하여 인산을 걸러주는 기능이 저하되어 고인산염혈증이 유발하게 되지만, 이 때 남아있는 신장에서는 인산의 배설을 증가시키려는 노력으로 PTH와 FGF23를 더 많이 생산하여 가능한 정상 인산혈증을 유지하려고 한다. 그러나 CKD stage 4-5 시기에는 이미 신장의 손상이 어느 정도 진행되어 고농도의 PTH와 FGF23이라도 고인산염혈증이 발생하게 되는 것이다. 이러한 인산의 증가와 그에 따른 칼슘의 부족이 골격계의 이상을 유발하는 것이다. 고인산염혈증은 칼슘을 낮추는 영향 외에 신장에서의 1α-hydroxylase 활성도를 낮추어 혈중 칼시트라이올의 농도를 낮추게 된다. 또한 인산이 직접적으로 부갑상선세포에 자극을 주어 부갑상선세포의 결절성 비대와 부갑상선호르몬의 생성을 증가시키는 역할을 하게 된다. 궁극적으로 이러한 고인산염혈증은 CKD 환자에서 혈관의 비정상적 무기질화의 신호로 작용하게 된다.

2) 칼시트라이올(Calcitriol) 부족

CKD 환자에서 신장의 손상이 진행되면서 1α-hydroxylase의 생성이 저하되어 칼시트라이올의 생성이 감소하게 되며, 이는 남아 있는 정상 신장조직에서 인산의 배출을 증가시키기 위해 FGF23이 증가하게 유도하고 이러한 칼시트라이올의 감소는 또한 장 내에서 칼슘의 흡수를 저하시켜 저칼슘혈증이 발생하게 되는 것이다.

3) 저칼슘혈증

CKD가 진행되면서 저칼슘혈증이 진행되는데 이는 장에서 칼슘의 흡수의 감소로 발생되며, 이는 PTH의 분비를 자극하게 된다. 이러한 PTH의 자극은 처음에는 부갑상선내 과립들로부터 바깥으로의 분비를 촉진시키다가 조금 지나면 PTH 분비세포 수를 증가시키고, 조금 더 진행되면 pre-pro-PTH mRNA 발현을 자극시키게 되어 저칼슘혈증을 극복하기 위해 노력한다.

4) 부갑상선항진증

상기의 작용기전으로 CKD 환자에서 라크의 생성을 늘리며 부갑상선의 결절성 비대를 유발하게 되는 것이다. 이러한 결절성 비대가 발생하게 되면 비타민D수용체와 칼슘반응 수용체의 민감도를 저하시켜 칼슘의 투여나 칼시트라이올의 투여 시 그 작용을 방해하게 되어 장기간에 걸친 고부갑상선호르몬 혈증이 된다. 이러한 장기간에 걸친 고부갑상선호르몬의 수치는 골모세포에 영향을 미쳐 1형콜라겐과 RANKL 리간드 생성에 장애를 미쳐 증가된 골교체율을 보이고, PTH수용체의 반응도를 떨어뜨리고 결국에는 골흡수를 증가시키게 되는 것이다.

5) FGF23

FGF23은 전형적인 인산분비조절호르몬(phosphatonin)으로 보통염색체우성저인산염혈구루병과 종양유발골연화증 연구과정에서 발견되었으며, 주로 CKD 환자에서 점진적으로 증가하는 것으로 알려져 있다. 역할은 인산의 항상성을 조절하고 칼시트라이올의 생성을 조절하는 것으로 밝혀졌고, 주로 골세포(osteocyte)와 골모세포(osteoblast)에서 생성되어 무기질화를 막는 작용을 한다.

6) 성선저하증(Hypogonadism)

CKD 환자에서 여러 형태의 성선저하증을 보이고 있으며, 이 중 에스트로젠과 테스토스테론의 결핍이 주 작용기전이다.

7) 기타 요인들

염증유발물질들, 산성화, 알루미늄 등이 CKD-MBD에 중요한 역할을 하며 그 외에 CKD 환자에서 가끔 치료목적으로 사용되는 스테로이드호르몬, 혈액투석으로 인한 β2-microglobulin의 침착, 성장인자의 변화 등이 CKD-MBD의 발생에 영향을 미치게 된다.

5. 병태생리학적 변화양상

1) 우세한 부갑상선항진증뼈질환, 높은 골교체율의 ROD, 낭성섬유골염

지속적인 PTH의 증가는 골교체율을 항진시키는데 파골세포, 골모세포 및 골세포의 증가가 같이 발견된다. 골형성의 장애로 콜라겐의 생성에 이상이 발생하여 무층판뼈가 생성되며, 섬유모세포선조세포(fibroblastic osteoprogenitor)의 증가로 콜라겐이 축적되어 골수에 섬유화가 진행하게 된다. 또한 무기질화가 되지 않은 유골(osteoid)이 증가하게 된다.

2) 낮은 골교체율의 골질환 및 무력뼈질환(Adynamic bone disorder, ABD)

골형성과 골흡수 모두에서 골교체율의 심각한 저하가 발생하는데 골흡수는 골형성보다 저하 정도가 덜하여 골감소증이 발생하게 된다. 대부분의 소주골(trabecular bone)에 골모세포와 파골세포의 수가 감소되어 있으며, 무기질화 표면이 극도로 감소되어 있어 테트라사이클린 표지 시 대부분 한 개로 보이게 되며 주로 층판(lamellar)형태를 띠게 된다. 이에는 2종류의 형태가 있는데 첫째, 골모세포의 기능의 감소로 인한 무력뼈질환(ABD)과 둘째, 알루미늄중독, 비스포스포네이트(bisphosphonate)의 투여 등으로 인한 낮은 골교체율의 골연화증(osteomalacia)이 있다.

3) 혼재된 요독골형성장애; 높은 골교체율의 ROD 및 무기질화장애

일차로 부갑상선항진증과 무기질화의 장애로 발생하는데 알루미늄으로 인한 골형성의 증가가 동반되거나 아니면 없는 경우로 여러 환자에서 다양한 형태로 존재할 수 있으며 한 환자에서도 다양한 형태의 골재형성소견, 즉 무층판뼈(woven bone)와 층판뼈(lamellar)가 동시에 보일 수도 있다.

6. 동반질환

1) 골다공증(Osteoporosis)과 골경화증(Osteosclerosis)

ROD 환자에서 골형성과 골흡수의 장애로 골감소증과 골다공증이 일반인에서 보다 많이 발견될 수 있으며, 현재로서는 이중에너지방사선흡수측정으로 확인할 수 있다. 이차부갑상선항진증 같이 골교체율이 항진된 경우 낭성섬유골염이 발생할 수 있으며, 이런 경우 골흡수율이 골형성률보다 더 항진되어 있어 쉽게 골감소증과 골다공증으로 진행될 수 있다. 골교체율이 떨어져 있는 경우에도 골흡수가 골형성보다 많이 발생하게 되어 전반적인 골량의 감소가 발생하게 되는 것이다. 즉 골교체율이 항진되어 있거나 저하되어 있어도 골다공증이 발생하게 되는 것이다. 대부분 ROD 환자에서 골흡수가 골형성보다 많이 발생하게 되며 뼈 내의 무기질화의 장애가 일어나고, 이로 인한 혈중 칼슘과 인산의 증가는 혈관과 같은 비정상적인 조직에서 석회화가 발생하여 사망률을 증가시키게 된다. 이상과 같이 CKD–MBD는 4가지 형태의 골다공증으로 구분될 수 있는데, (1) 높은 골교체율의 ROD로 인한 골다공증, (2) 낮은 골교체율의 ROD로 인한 골다공증, (3) 신장질환 전에 있었던 골다공증, (4) 성선호르몬 결핍으로 인한 골다공증으로 나뉠 수 있다.

2) 알루미늄, 철, 비스포스포네이트 축적

알루미늄침착은 가장 심한 낮은 골교체율의 골연화증으로서 골형성과 골흡수가 점차적으로 감소되기 시작한다. 이런 경우 알루미늄의 제거로 상태가 호전되기도 한다. 그 외에 철분도 무기질화과정에서 침착되어 골교체율의 저하를 초래하지만 그리 흔하지는 않다. 그리고 비스포스포네이트의 경우 뼈에 침착되어 파골세포의 작용을 억제하여 골다공증의 치료에 현재 가장 많이 쓰이고 있지만 장기간의 사용으로 골교체율의 심한 저하로 무기질화의 장애 및 하악골의 괴사 등의 부작용이 발생할 수 있다.

7. 임상양상

CKD stage 중간 정도까지는 대부분 특별한 증상이 없지만 혈관석회화에 따른 합병증은 꼭 주의하여야 한다. 이러한 혈관석회화는 혈관의 탄력성을 저하시켜 고혈압을 유발시키고, 맥압을 증가시키며, 맥박파동속도(pulse wave velocity)를 증가시키는 원인이 되어 좌심방의 비대, 이완장애, 허혈관상동맥질환 등을 야기시킨다. 혈관석회화에는 신생혈관내막석회화와 동맥중막석회화 두 종류가 있는데 전자는 신생혈관내막에 골모세포의 분화도가 증가하여 죽상경화판을 만드는 과정이며, 후자는 동맥중막에 주로 당뇨병 환자에서 광범위한 석회화가 발생하는 과정이다. 골격과 관련된 임상양상은 비정상적 인 칼슘, 인산 및 부갑상선호르몬수치로 인해 발생하게 되는데 이들의 조절로 골격계 합병증을 예방할 수 있다. 그러나 대부분 이러한 골격계 증상은 특별한 특징이 없이 조용히, 점차적으로 진행하기 때문에 진단하기 어렵다.

1) 이소성 무기질침착, 칼시필락시스, 종양성석회증

비정상적 석회화는 눈에서 공막의 band keratopathy 형태로 나타나거나 결막의 적색증상으로 나타날 수 있다. 또한 폐에 칼슘이 침착하여 제한폐질환증상으로 나타날 수 있으며 심장에도 칼슘이 침착하여 부정맥, 대동맥출구 석회화, 판막 석회화 그리고 심근의 이상작용을 나타낼 수 있다. 대부분의 결체조직의 석회화는 칼슘인산의 증가와 골흡수의 증가로 발생하는 것이다. 칼시필락시스증후군은 말초동맥의 tunica media의 혈관석회화를 특징으로 하는데 이러한 석회화는 통증이 있는 적색 피부병변을 나타내며 종종 허혈성 괴사를 유발하기도 하며 경우에 따라 심각한 합병증을 유발하여 사망에 이르게 하기도 한다. 종양성석회증은 관절주위 조직의 석회화를 특징으로 하며 관절 및 주위 조직의 기능에 영향을 미치게 된다.

2) 골통(Bone pain), 골절(Fractures)과 골격계변형 (Skeletal deformities)

골통은 주로 부위가 불확실하거나 모호한 경우가 많으며 온몸 여기저기에서 비특징적으로 나타날 수 있다. 이러한 통증은 일어날 때나 돌아누울 때 발생하기도 하며, 대체로 서서히 진행되는 경향이 있다. 갑작스러운 흉통이 발생하였을 경우는 늑골골절을 의심해 보아야 하며, 가벼운 충격에도 척추의 압박골절이 발생할 수 있다. 낮은 골교체율로 인한 골연화증과 알루미늄으로 유발된 골질환의 경우 가장 심한 골통과 골절이 발생할 수 있다. 골격계 이상은 소아와 성인에서 모두 관찰될 수 있는데 소아에서는 성장장애, 비타민D 결핍으로 인한 구루병이나 이차부갑상선항진증이 발생할 수 있다. 성인에서는 심한 골연화증과 골다공증으로 나타나 요추만곡증, 흉추후만증 그리고 잦은 늑골골절형태를 보인다.

8. 진단

정확한 진단을 위해서는 골생검이 가장 정확한 검사이지만 보다 비침습적 방법이 고려되어야 한다. KDIGO에서는 골교체율, 골량과 무기질화가 진단에 도움이 될 수 있음을 주장하였으며 그 중 PTH의 수치는 골교체율을 나타내는 지표로 골재형성 시 증가함으로 유용한 진단기준으로 사용될 수 있음을 보여 주어 CKD stage 3부터는 혈중 칼슘과 인산, PTH와 알칼리성인산염분해효소(ALP)를 측정토록 하였으나 2020년 CSN에서는 CKD stage 5에서 측정토록 하였다.

한편 골·무기질화의 장애는 알루미늄에 의해 영향을 받는 경우가 있다. 단지 칼슘과 인산, alkaline phosphatase수치의 이상만으로는 CKD–MBD의 진단에 어려움이 있으며, PTH수치가 500 pg/mL 이상일 때는 혈액투석 환자에서는 100%, 복막투석 환자에서는 95.5%에서 높은 골교체율을 나타낸다. 이에는 또한 여러 위험요소들, 즉 복막투석, 당뇨병, 노령, 투석액의 고농도의 칼슘, 비타민D 치료, 부갑상선절제술 등의 경우 PTH의 수치 판독에 주의를 해야 한다. 골량의 측정에는 현재 폐경후골다공증과 노년골다공증의 측정에 표준방법으로 알려져 있는 골다공증측정기, DXA는 CKD–MBD 환자에서는 그 유용성이 다소 떨어지는 측면이 있으며, DXA가 무기질화의 측정에 도움이 되지만 무층판뼈와 층판뼈의 감별은 하기 어려운 점이 있다. 현재 KDIGO에서는 CKD stage 3부터 골다공증의 위험도가 있으면 DXA 측정을 권하고 있고, 2020년 CSN에서는 CKD stage 4 이하에서는 골밀도 측정이 필요 없다고 주장하고 있다.

골생검에 대해서는 KDIGO에서는 CKD stage 3부터 치료에 도움이 될 것 같으면 시행토록 권고하였으나, 2020년 CSN에서는 정기적인 골생검은 피하는 것이 좋다고 주장하고 있고 골표지자도 측정할 필요가 없다고 주장하고 있다. 그렇지만 현재까지는 골교체율을 반영하는 생화학적 골표지자와 PTH, 그리고 골량의 측정으로 CKD–MBD의 진단에 어느 정도 도움이 되는 것으로 알려져 있으나 보다 정확한 결과에 대해서는 연구가 더 필요한 상태이다.

9. 예방 및 치료

CKD–MBD의 치료는 인산이 증가하고 칼시트라이올 결핍이 발생하는 CKD stage 3(크레아티닌 청소율 < 60 mL/min/1.73 m^2)에서 시작하여야 한다.

1) 혈중 인산 및 칼슘조절

CKD 환자에서 음식 내의 인산의 제한이 필요한데, 음식의 인산은 대부분 단백질과 결합하여 존재하기 때문에 인산만 제한한다는 것은 현실적으로 어렵다. 최근의 CKD stage 5 환자에서 단백질의 제한을 하루에 혈액투석 환자에서 1.2

g/kg, 복막투석 환자에서 1.3 g/kg로 하였을 경우 인산이 하루에 1 g 미만으로 섭취하게 되어 1주일에 약 7 g 정도의 인산이 축적되게 된다. 보통 혈액투석을 하루에 4시간씩 1주일에 3회 시행 시 1주일에 인산을 약 3 g 정도 제거하는데, 이 때 약 4 g 정도의 인산의 축적이 발생하게 된다. 그러므로 혈액투석 외에도 추가적으로 인산흡착제의 사용이 필수적이다. 대표적인 인산흡착제로 칼슘카보네이트가 주로 쓰이고 칼슘싸이트레이트는 장에서 알루미늄의 흡수를 촉진함으로 피해야 한다. 칼슘카보네이트의 경우는 혈중 칼슘의 농도를 높여 골형성을 억제하고 혈관내 석회화를 촉진하는 경우가 있으므로 또한 조심하여야 하며, 알루미늄을 포함한 인산흡착제는 칼슘카보네이트보다 강력한 인산제거 효능을 보이지만 알루미늄으로 인한 골형성장애가 발생할 수 있다. KDIGO에서는 CKD stage 3부터 인산흡착제 사용을 인산이 지속적으로 올라가거나 상승된 경우 사용해야 한다고 하고, CSN에서는 CKD stage 4 이후부터 시작하도록 권고하고 있다.

CKD 환자에서 저칼슘혈증은 혈중 인산의 조절과 비타민D의 공급으로 교정될 수 있다.

2) 비타민D 사용

비타민D의 부족은 CKD 환자에게 매우 흔하며, 칼시트라이올 같은 활성비타민D의 보충이 기본이다. 칼시트라이올 0.25–0.5 ug/day의 투여로 PTH의 상승과 무기질화의 장애를 호전시킬 수 있다. 현재 KDIGO에서는 25(OH)D (calcidiol)를 CKD stage 3부터 정기적으로 측정하여 정상수치를 유지하도록 하였으나, 2020년 CSN에서는 25(OH)D을 정기적으로 측정하지 않고 적절한 비타민D 보충만 하도록 하였다.

3) 칼슘유사체 사용

칼슘유사체는 칼슘감지수용체를 조절하는 약물로 이차부갑상선항진증을 호전시키기 위해 개발되었다. 이 약물은 CKD 환자에서 PTH의 생성과 분비를 억제시키며 혈중 칼슘과 인산도 낮추어주는 역할을 한다. 현재 개발된 약물로는 시나칼세트(cinacalcet)가 있으나 실제로 뼈의 건강과 심혈관계의 호전에 얼마나 영향을 미치는지는 아직 연구단계이다.

4) 부갑상선절제술

실제로 위와 같은 많은 약물의 치료 시도에도 불구하고 지속적인 이차부갑상선항진증이 남아 있는 경우가 많아 이런 경우 부갑상선절제술을 고려하게 된다. 수술의 적응증은 (1) 지속적인 고칼슘혈증, (2) 지속적인 고인산염혈증과 고칼슘인산 생성, (3) 높은 골교체율을 보이면서 점차적이고 증상을 유발하는 결체조직의 석회화 증상, (4) PTH를 급하게 내려야 할 경우와 비타민D 보충요법이 실패하여, 심하게 진전되고 증상이 있는 부갑상선항진증 때, (5) 불가항력적인 피부소양증이 있을 때 등에서 고려해 보아야 한다. 그리고 수술 전에는 생검을 통하여 조직학적으로 부갑상선항진증 소견과 알루미늄침착소견이 없는 것을 확인하여야 한다. 가장 많이 시행하는 방법은 부갑상선의 부분절제술이나 총절제술 후 부갑상선 자가이식하는 방법이다. 수술 후에는 내과적인 관찰을 신중히 함으로써 저칼슘혈증의 발생을 예방하여야 한다. 이를 위해 적절한 시기에 칼슘을 투여하여야 하는데 경우에 따라서는 칼시트라이올을 같이 투여 시 칼슘양을 줄일 수 있지만 칼시트라이올의 투여가 자가 이식된 부갑상선의 기능회복에 장애가 될 수 있으니 조심하여야 한다.

5) 무력뼈질환(Adynamic bone disorder, ABD)의 치료

ABD는 부갑상선호르몬을 높여주고, 골교체율을 증가시키는 방향으로 치료를 하여야 하며, 이를 위해서는 칼슘을 함유하고 있는 인산흡착제를 감소시키거나 투석액 내의 칼슘량을 감소시켜야 한다. 비타민D나 칼슘유사체를 끊는 것도 한 방법이 될 수 있으나 현재까지 특별한 방법은 없는 상태이다. ABD의 경우 혈관합병증으로 사망률이 증가하기 때문에 오직 예방을 위해 CKD 치료 초기부터 조심하여야 한다.

6) 기타 약물 투여

(1) 비스포스포네이트(bisphosphonate) 투여

비스포스포네이트는 골다공증의 예방 및 치료에 가장 강력한 골흡수억제제제로 알려져 있으나, 1980년대부터 비스포스포네이트의 투여로 설치류의 신장에 비스포스포네이트가 축적됨이 보고되었고, 사람에서도 혈관내 급속히 주사하였을 때 신기능부전에 빠질 수 있음이 관찰되었다. 대부분의 경구비스포스포네이트의 경우 약 50% 정도가 신장으로 배설되어 신장기능이 저하된 CKD 환자에서의 사용은 자제되고 있는 상태이다. 대부분의 비스포스포네이트의 경우 약품설명지에 신장기능이 저하되어 있을 경우, 즉 알렌드로네이트의 경우 GFR < 35 mL/min, 리세드로네이트, 이반드로네이트, 졸레드로네이트, 파미드로네이트 경우 크레아티닌청소율 < 30 mL/min일 때 사용을 권하지 않고 있거나 금기사항으로 기재하고 있다. 그러나 일부 보고에 의하면 신기능이 저하된 경우에 큰 문제 없이 사용되었음을 보고하기도 하였다. 2005년도에 미국 골대사학회지에 발표된 내용을 살펴보면, 크레아티닌 청소율이 80 mL/min 미만으로 떨어져 있는 환자들에서 경한 크레아티닌청소율 감소 환자(CrCl –50 to < 80 mL/min) 4,353명, 중한 크레아티닌청소율 감소 환자(CrCl –30 to < 50 mL/min) 4,071명, 심한 크레아티닌청소율 감소 환자(CrCl < 30 mL/min) 572명으로 나누어, 대조군과 리세드로네이트 매일 5 mg씩 3년간 투여한 군으로 분류하여 관찰하였더니 두 군 간에 신장을 포함한 다른 부작용의 발생에 차이가 없음을 보고(그림 11-4-3)하였고 리세드로네이트 사용군에서 척추골절을 효과적으로 저하시켰음을 보고하였다(그림 11-4-4).

이상과 같이 신장기능 저하 환자에서도 어느 정도 비스포스포네이트, 특히 리세드로네이트의 경우 CKD stge 1–3 정도에서는 환자의 상태에 따라 조심스럽게 사용하는 것도 고려할 수 있을 것으로 생각되며, CKD stage 4–5인 경우는 상당수에서 무력뼈질환의 감별이 되지 않으므로 꼭 골다공증 치료를 위해서라면 골생검을 시행하여 최소한 무력뼈질환이 아니라는 것을 확인 후 치료를 고려하여야 할 것이다. 최근 2020년 CSN에서는 CKD stage 4 이하에서는 골밀도 측정과 치료도 반대하고, 단지 운동과 금연, 금주, 낙상방지에 주력하도록 정하였다.

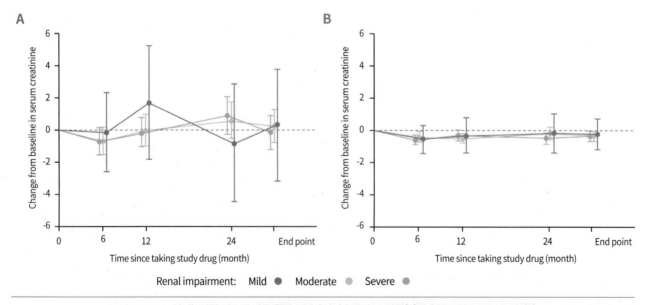

그림 11-4-3. 신기능저하 정도에 따른 혈중 크레아티닌수치의 % 변화(A)와 혈중 칼슘치의 % 변화(B)

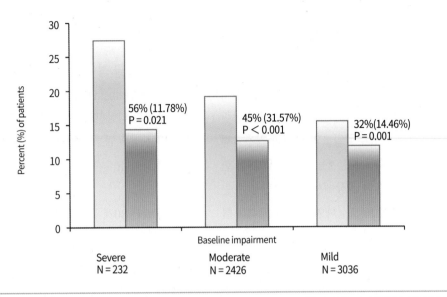

그림 11-4-4. 신장기능 저하 정도에 따른 대조군(사선무늬 막대)과 리세드로네이트 사용군(흰색 막대) 간의 척추골절의 발생 % 환자 수

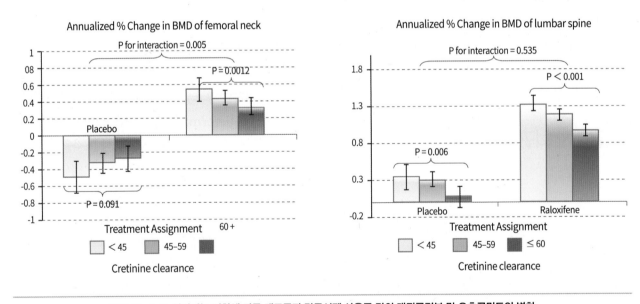

그림 11-4-5. 신장기능 저하에 따른 대조군과 랄록시펜 사용군 간의 대퇴골경부 및 요추골밀도의 변화

11 뼈·무기질대사

(2) 랄록시펜 투여

랄록시펜은 비스테로이드벤조티오펜계통의 약물로 에스트로젠수용체에 결합하여 골밀도를 증가시키며, 척추골절을 낮추는 것으로 알려져, 폐경여성에서 광범위하게 사용되고 있는 약물다. CKD 환자에게 랄록시펜의 투여가 안전한지는 아직 정확하지는 않지만 최근 2008년도에 CKD 환자 7,705명의 폐경여성에게 크레아티닌청소율에 따라 랄록시펜을 3년간 투여한 결과가 캐나다에서 발표되었다. 크레아티닌청소율이 < 45 mL/min인 1,480명, 45-59 mL/min인 3,493명, > 60 mL/min인 2,343명을 대상으로 각각 대

조군과 랄록시펜사용군으로 나누어 비교하였다. 대조군에서 크레아티닌청소율이 낮을수록 대퇴골경부에서 골밀도의 감소율이 높은 경향을 보였으나, 랄록시펜사용군에서는 크레아티닌청소율이 낮을수록 대퇴골경부골밀도 및 척추골밀도의 증가율이 높았다(그림 11-4-5). 신장기능과 상관없이 랄록시펜사용군에서 요추골밀도의 상승과 척추골절의 감소를 보였으며, 비척추골골절에는 효과가 없었다. 한편 대조군과 랄록시펜군 간의 신장에서의 이상반응은 큰 차이가 없음을 보여 어느 정도 조심하여 사용을 고려해 볼 수 있겠다.

7) 신장이식 후 관리

KDIGO에서는 신장이식 후 첫 1년째 eGFR이 약 30 mL/min/1.73m^2 이상이고 골밀도가 낮으면 비타민D, 칼시트라이올 및 골흡수억제제 사용을 고려하고 골생검을 해보라고 하였으나, 최근 2020년 CSN에서는 CKD stage 1-3까지 골밀도가 낮은 환자에서 상기와 같은 치료제를 권고하고 있으며 골생검은 필요 없다고 하였다.

III. 골대사 희귀질환

정윤석

1. 서론

성인에서 발견되는 골대사 희귀질환은 선천 및 후천적으로 나눌 수 있다.

선천희귀질환은 유소아 때부터 발병할 수 있으나, 성인이 되어서 발견되는 경우도 있다. 최신정보로서 골격이형성증(skeletal dysplasia) 패널검사유전자 진단이 국내에서도 가능하다.

예를 든다면, 2019년 기준 녹십자의료재단 NGS유전자 panel검사 유전자정보가 있다.

1) 유전성골격이형성증유전자패널검사(NGS-skeletal dysplasia panel)

국내에서도 임상진료에서 검사의뢰 가능하다. 희귀질환이 의심되는 경우 일부 보험급여가능하며 약 1개월 정도 소요되는 현황이다.

아래와 같은 30개 유전자검사패널을 포함한다.

> ALPL, ARSE, COL10A1, COL1A1, COL1A2, COL2A1, COL9A1, COL9A2, COL9A3, COMP, CRTAP, CTSK, EBP, EXT1, EXT2, FGF23, FGFR1, FGFR2, FGFR3, FLNB, GNPAT, MATN3, P3H1, PEX7, PHEX, RUNX2, SLC26A2, SLC34A3, TGFB1, TRPS1.

2. 패짓병(Paget's Disease)

패짓병은 1877년 영국 의사 James Paget에 의하여 변형성골염(osteitis deformans)으로 처음 명명된 질환으로 뼈의 비정상적인 재형성이 과도하게 나타나는 것을 특징으로 하는 만성질환이다.

1) 역학

패짓병은 대부분의 경우 자각증상이 없기 때문에 발병률에 대한 연구는 정확하지 않다. 영국, 유럽, 호주, 뉴질랜드 및 미국 등의 40세 이상의 앵글로색슨계(Anglo-Saxon) 인구의 3% 정도가 이환되어 대사성골질환 중 골다공증 다음으로 발생빈도가 높은 질환이나 동양에서는 드문 것으로 알려져 있다. 발병률은 남녀에서 차이가 없으나 임상증상은 남자에게서 더 두드러지게 나타난다.

패짓병은 연령이 증가함에 따라 발병률이 증가하는질환으로 흔히 55세 이후에 호발한다. 보고에 따르면 80세 이후에는 약 10%에서 발생하며 반대로 20세 이하에서는 거의 발생하지 않는 것으로 알려져 있다. 하지만 대표적인 증상인 뼈의 변형 등은 수년에 걸쳐서 서서히 진행되므로 비교적 초기에 해당하는 젊은 환자들의 경우에는 자각증상이 거의 없고 또한 정기적인 방사선검사나 혈액검사를 할 기회가 적기 때문에 진단율이 낮은 것으로 보인다.

패짓병 환자의 15-30%에서 가족력이 있는 것으로 보고되어 있다. 또한 앞의 미국과 영국의 연구에서 가족 중 패짓병 환자가 있는 경우 약 7-10배 발병률이 증가하는 것으로 나타났다. 이들 연구를 바탕으로 패짓병이 유전영향이 있음이 알려졌고, 보통염색체우성의 유전양상을 보임을 제시하기도 하였다.

2) 발병기전
패짓병의 정확한 원인은 아직 밝혀지지 않았으나 주된 기전은 국소적으로 매우 활성화된 파골세포에 의한 골흡수로 생각되고 있다. 처음에 과도하게 발현된 거대 파골세포들에 의해서 골흡수가 일어나면 이에 반응하여 골모세포들이 매우 활성화되어 비정상적인 골형성이 일어나게 된다. 이러한 부위를 조직학적으로 살펴보면 다수의 거대 파골세포들과 활성화된 골모세포들이 존재하며 골의 정상적인 층판뼈(lamellar bone)가 소실되고 대신에 비정상적인 무층판뼈(woven bone)가 관찰된다(그림 11-4-6).

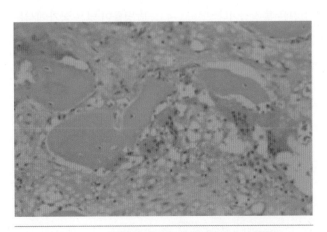

그림 11-4-6. 패짓병의 골조직소견(다핵 거대 파골세포)

패짓병의 원인으로 바이러스의 감염이 관련있다는 연구들이 보고된 바 있다. 패짓병의 파골세포에서 바이러스포함물입자(viral inclusion particle)가 발견되고, 패짓병 환자들의 조혈세포에서 바이러스전사체(viral transcript)가 관찰되면서 이러한 주장을 뒷받침해 주고 있다. 특히 홍역(measles virus) 등의 파라믹소바이러스(paramyxovirus)들이 관련있을 것으로 생각되고 있다. 이는 이러한 바이러스 뉴클레오캡시드(nucleocapsid)단백질의 발현이 파골세포의 전구세포를 파골세포로 분화를 촉진시킴으로써 골흡수를 활성화하게 되는 것으로 보인다.

패짓병에서 뼈의 병변은 몸 전체 골격계 어디든지 나타날 수 있으나 일단 한 부위에 발병한 병변은 수년에 걸쳐 그 부위에 국한되어 국소적으로 나타난다. 이는 이환된 병변의 골수기질세포들이 정상 골수기질세포들에 비해 RANKL mRNA를 과발현하여 파골세포를 국소적으로 활성화시켜 패짓병의 특징적인 분포를 나타내는 것으로 생각된다.

앞에서 말한 바와 같이 패짓병의 원인에는 유전요소가 작용할 것으로 생각되고 있다. 1촌 이내에 패짓병을 가진 환자가 있을 경우 그 위험도가 7배나 증가한다. 가장 널리 알려진 돌연변이유전자는 sequestasome-1 (SQSTM1)이며, 국내에서도 targeted exome sequencing 및 Sanger sequencing을 통해서 확인된 c.1273G > T, p.Gly425*) 돌연변이가 초록 형태로 보고된 바 있다.

3) 임상양상
패짓병은 중년기나 중년기 이후에 나타나는 만성적이고 서서히 진행하는 골격계 질환으로 대부분의 경우 환자가 느끼는 자각증상이 없다. 많은 환자들의 경우 다른 질환으로 인해 시행한 방사선검사나 혈액검사상이상으로 인해 진단된다.

(1) 골증상
가장 흔한 증상은 뼈통증이다. 뼈통증은 심하지는 않으나 일반적으로 휴식 시에 심해지며 움직일 때 감소한다. 뼈의 변형은 두개골과 하지에서 현저하게 나타난다. 두개골의 크기가 커지게 되나 이로 인한 증상은 드물게 나타난다. 가장 흔한 합병증은 청력소실로 치료를 받지 않을 경우 약 30-50%에서 발생하며 이는 와우각(cochlea)의 변화로 나타난다. 골절은 장골의 골용해성 병소에서 흔히 발생한다. 또한 요통, 골관절염, 고관절치환술, 슬관절치환술, 골절이 발생할 수 있다. 특히 고관절과 슬관절의 관절염과 난청은 오랜 질병의 진행에 따라 영구적인 장애를 초래할 수 있어 적극적인 치료가 필요하다.

(2) 육종, 거대세포종양, 비골격계 암

패짓병에서 체세포변이로 양성종양 또는 악성종양이 발생하기도 한다. 패짓병이 침범된 골에서 통증을 유발하는 종괴가 특징적인 소견이며 발병률은 낮은 편(< 1%)이다. 가장 흔한 유형은 골육종(~86%)이며, 섬유육종증(~5%), 연골육종(~5%) 등도 드물게 발생한다. 이런 종양들은 매우 예후가 불량한 고도 악성종양들로서 10% 미만의 5년 생존율을 나타낸다. 이는 패짓병 환자에서 병이 침범된 골의 변형으로 방사선소견상 육종의 조기발견이 어렵기 때문이다. 거대세포종양(giant cell tumor)은 드문 편이나(~2.5%) 비교적 양호한 예후를 보인다. 흥미롭게도 이러한 드문 종양들이 대부분 패짓병의 발병률이 높은 이탈리아의 Campania지역 출신들에서 보고되고 있어, 이는 아마도 유전인자가 관련있을 것으로 예상된다. 림프종이나 다발골수종이 보고되기도 한다.

(3) 고칼슘혈증, 고칼슘뇨증, 일차부갑상선항진증

패짓병 환자들에서 소변내 칼슘수치는 대부분 정상이며, 요로결석의 발생률 역시 정상 대조군보다 증가되어 있지 않다. 그러나 골절이나 신경 손상 이후 장기간부동(immobilization) 시 소변내 칼슘수치가 증가될 수 있으며, 이러한 상태에서는 골흡수가 증가되고 골형성이 감소된다.

고칼슘혈증은 패짓병에서 드물지만 장기간 부동, 비골격계 종양, 일차부갑상선항진증의 경우 나타날 수 있다.

(4) 고요산혈증과 통풍

혈청요산 농도는 대개는 질병도가 심각한 남성 패짓병 환자에서 증가되어 나타난다. 거의 절반의 고요산혈증 환자들이 임상적으로 통풍성 관절염의 증상을 나타낸다. 한 보고에 따르면 통풍 환자들의 23%에서 패짓병이 발견된다고 하였다. 이는 패짓병에서 핵산의 교체율의 증가가 혈청요산수치의 증가로 나타나기 때문인 것으로 보인다.

(5) 심혈관 합병증

골격계의 15% 이상을 침범한 경우 대부분의 환자에서 심박출량의 증가가 관찰되며 이는 좌심실비대를 초래한다. 이는 연부조직과 주위 침범된 골조직으로의 과도한 혈류량공급으로 인한 것으로 보인다. 이로 인해 고박출성(high-output)양상의 심부전이 나타날 수 있다. 석회성 대동맥판막 협착증이 정상인보다 많이 나타난다. 이는 패짓병의 활성도가 매우 증가된 환자에서 나타나며, 증가된 심박출량이 대동맥판 막에서 난류(turbulence flow)를 형성하여 판막의 석회화를 일으켜 나타난다. 심장내의 석회화는 주로 심실중격 내에 나타나며 이는 심전도에서 방실차단을 초래할 수 있다.

(6) 무증상

무증상의 경우는 대부분 우연히 다른 목적으로 방사선촬영 후 혹은 혈액검사에서 알칼리성인산염분해효소(alkaline phosphatase, ALP)가 상승된 소견으로 발견된다. 방사선소견은 특징적이나(그림 11-4-7) 발병률이 낮은 국가에서는 크게 도움이 되지 못하기도 한다. 확진을 위해 반드시 조직검사를 필요로 하지는 않는다.

4) 진단

패짓병의 진단은 임상평가, 환자의 과거력, 가족력, 질환으로 인해 나타나는 증상들과 신체소견 그리고 생화학검사 및 방사선소견을 통해 이루어진다.

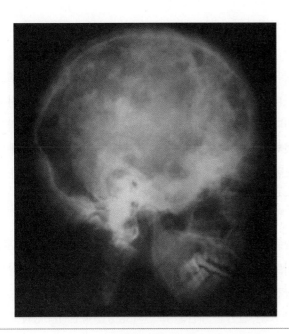

그림 11-4-7. 진행된 패짓병의 두개골 방사선소견 (cotton wool appearance)

(1) 골대사지표의 특징

패짓병이 침범된 골 병변에서의 세포 활성도가 매우 증가되어 이와 관련된 골흡수와 골형성표지자들이 증가된다. 침범된 골병변이 광범위하여 임상증상이 있는 환자들의 경우에는 대부분에서 이러한 골대사지표들의 변화를 볼 수 있으나, 침범된 골병변이 일부분으로 제한되어 있는 경우에는 이러한 변화가 나타나지 않을 수도 있다.

① 골흡수표지자

활동성 패짓병인 경우 골재흡수가 증가됨으로 혈액과 소변 내 칼슘수치가 증가될 수 있다. 하지만, 골절 등이 없는 경우 고칼슘혈증(hypercalcemia)이나 고칼슘뇨증(hypercalciuria)은 뚜렷하지 않을 수 있다. 다양한 골흡수표지자들, 소변 hydroxyproline, pyridinoline, deoxy-pyridinoline, type I collagen N-telopeptide, type I collagen C-telopeptide 등이 사용된다. 최근 연구들을 보면 telopeptide assay들이 골 및 콜라겐 흡수를 나타내는 데에 가장 특이도가 높은 검사이며 치료에 대한 반응을 보는 데에 민감도가 높은 것으로 나타난다.

② 골형성표지자

패짓병에서 혈청ALP가 증가된다. ALP는 골모세포의 원형질막(plasma membrane)에 국소적으로 존재하며, 골기질(bone matrix)의 무기질화에 영향을 미친다. 패짓병에서 혈청내 ALP의 농도는 방사선학적 골침범 정도를 반영하며, 골흡수표지자와도 상관관계를 가진다. 장기간 치료받지 않은 환자들을 대상으로 연구한 바에 따르면 ALP의 혈청 농도는 대부분 서서히 증가하거나 큰 변화 없이 유지된다. 간장질환자의 경우 간으로부터 유래되는 ALP의 증가로 정확한 패짓병의 활성도를 측정하는 데에 어려움이 있을 수 있다. 이러한 경우에는 bone-specific ALP를 면역혈청검사를 통해서 측정하면 도움이 된다.

혈청오스테오칼신(osteocalcin)과 γ carboxy glutamic acid단백질은 골모세포에서 특이적으로 생성되는 것으로 패짓병에서 증가되기는 하나 ALP만큼 크게 증가되지는 않는다. 혈청 type I procollagen carboxyl-terminal peptide (PICP) 역시 패짓병에서 증가되며 치료 시에 감소한다. 그러나 마찬가지로 total- 혹은 bone-specific ALP보다 민감도가 떨어져 치료의 반응을 평가하는 데에 한계가 있다.

(2) 골스캔(bone scan)

패짓병이 의심되는 경우 골스캔을 시행해야 한다. 골스캔이 양성이라고 해서 반드시 패짓병을 시사하는 것은 아니므로 확진을 위해서는 섭취가 증가된 부위의 다른 방사선학적 소견과 함께 진단이 내려져야 한다. 드물게 패짓병의 골병변에서 골생성률의 증가가 미미한 경우 골스캔에서 섭취율이 증가되지 않는 경우도 있다.

(3) 그 외 검사

추체골(petrous bone)의 침범이 있거나 청력의 이상을 호소하는 환자들에게 청력검사를 시행하여야 한다. 또한 부갑상선항진증과 이온화칼슘의 수치가 증가될 수 있으므로 의심이 되는 경우 초기검사로 시행한다. 단일병변의 패짓병일 경우, 특히 척추를 침범한 경우에는 전이성 골병변과 구별이 어렵다. 전립선암은 혈청학적검사, 방사선검사 및 골스캔에서 유사한 결과를 보여 남성 환자의 경우 반드시 감별하여야 한다. 일부 척추병변의 환자들에서 척추관의 협착소견을 보일 수 있어 CT나 MRI가 필요할 수 있다. 이상의 검사로도 진단이 모호한 경우 골생검을 시행해 볼 수 있다. 일반적인 골흡인검사로 패짓병의 특이적인 거대 파골세포와 불규칙적인 짜깁기 모양의 골구조를 관찰할 수 있다.

5) 치료
과거에는 패짓병 환자들은 증상이 확연히 나타나거나 중요한 골격계의 부위에서 병이 진행될 때까지 치료를 미루었다. 하지만 비스포스포네이트(bisphosphonate)제제들이 사용되면서 치료가 예전보다 빨리 시작되고 있으며, 이전에 사용되던 칼시토닌 등을 대체하고 있다. 파미드로네이트 및 졸레드로네이트는 주사제로 사용이 가능하다. 광범위한 병변의 경우 재치료가 필요하거나 일정한 간격으로 골대사표지자들을 측정해야 한다. 정주용비스포스포네이트는 일시적인 발열과 골통증이 있을 수 있으나, 일반적으로 안전하다. 경구비스포스포네이트(알렌드로네이트 등)약물 또는 데노수맙약물도 고려할 수 있다.

치료의 시작은 패짓병으로 인한 통증이 발생하거나 골변형으로 신경학적 이상을 초래하거나 골절의 위험성이 있을 때 적응증이 된다. 청력의 소실도 치료의 적응증이 되나 대부분의 환자들은 치료 후에도 호전되지 않는다.

심장질환이 동반된 환자나 광범위한 골격계를 침범한 환자의 경우 치료를 통해 병의 활성도가 감소된다. 안전하고 효과적인 새로운 비스포스포네이트제제들의 사용으로, 경증 혹은 중증의 환자들 가운데 심각한 합병증 발생의 가능성이 높은 환자들, 즉 체중부하를 견디는 뼈, 척추, 두개골기저를 침범한 환자들에서 증상의 출현 이전에 치료를 시작할 수 있다. 특히 젊은 환자에서는 병의 진행을 억제할 수 있으므로 조기치료가 권장된다. 그러나 아직까지 구체적인 시기 및 기간에 관해서는 더 논의가 필요하다.

많은 패짓병 환자들은 관절의 손상과 관련된 통증을 호소하며 이 경우에는 앞에서 언급한 치료로는 통증의 호전을 기대하기 어렵다. 이러한 환자들에게는 항염증약물이 필요하며, 관절염이 악화될 경우 슬관절과 고관절의 수술이 필요할 수도 있다. 수술치료를 고려할 경우에는 수술 전에 골대사표지자들의 정상화를 먼저 유도하여야 한다.

칼슘 섭취의 증가는 패짓병에서 도움이 된다. 비스포스포네이트제제의 치료는 혈청칼슘 농도를 감소시켜 이차부갑상선항진증을 초래할 수 있으며 칼슘섭취는 이를 예방할 수 있다. 또한, 칼슘은 내인칼시토닌의 생성을 촉진시켜 병의 호전에 도움을 줄 수 있다. 비스포스포네이트제제를 복용 중인 환자들에서는 혈청25(OH)D의 농도를 정기적으로 측정하여 비타민D의 결핍의 유무를 잘 관찰해야 한다.

패짓병은 현재 국내에서 희귀질환으로 등록(ICD10 code: M88.X)하면 소득재산 수준에 따라 산정특례를 받을 수 있다. 질병관리청 희귀질환 통계에 따르면 2019년 국내에서는 남성 12명 및 여성 11명, 합계 23명이 신규 등록되었다.

3. 불완전골형성증(Osteogenesis imperfecta)

결체조직을 전반적으로 이환하는 유전질환으로 골이 매우 약하여 쉽게 골절되어 취약성골질환(brittle bone disease)이라고도 불린다. 단순히 골절의 발생이 증가되는 경증부터 주산기의 치명적인 형태까지 다양하다.

1) 역학
불완전골형성증의 발생률은 신생아 20,000명당 한 명 정도로 드문 질환으로 미국내에서 총 200,000명의 환자가 있는 것으로 알려져 있다. 국내의 경우 질병관리청의 희귀질환 통계에 따르면 2006년 기준으로 약 285명의 환자가 등록되어 있는 것으로 나타났다. 2019년 신규 등록자 수는

남녀 각각 24명으로 총 48명이 등록되었다.

2) 발생기전

불완전골형성증의 발생기전은 아직 확실히 밝혀져 있지 않다. 다만 1형콜라젠(type 1 collagen)의 유전자(COL1A1과 COL1A2)의 하나 혹은 그 이상의 결함에 기인하는 것이 알려져 있다. 1형콜라젠은 뼈, 힘줄, 인대, 피부, 눈의 공막의 중요한 구조단백질을 형성한다. 교원섬유는 트로포콜라젠(tropocollagen)의 중합체로 하나의 폴리펩타이드 사슬과 두 개의 선 폴리펩타이드사슬로 이루어진 3사슬의 나선형구조로 이루어져 있다. 대부분의 환자에서 이들 두 개 폴리펩타이드사슬 가운데 하나의 유전이상이 발견되며 이로 인한 골질(bone quality)의 감소가 불완전골형성증의 다양한 임상양상을 일으키는 원인이 된다. 하지만 10% 정도의 환자에서는 이러한 유전자이상이 나타나지 않아 다른 유전자가 관여함을 시사하고 있다. 이러한 환자들에서 cartilage-associated protein (CRTAP)과 leucin pro-line-enriched proteoglycan 1 (LEPRE 1) 등의 이상이 발견되고 있다.

3) 병리소견

중증인 경우에는 골조직이 무층판뼈(woven bone)로 이루어지나, 경증에서는 성숙되어 층판뼈(lamellar bone)로 된다. 골모세포가 유골조직을 잘 형성하지 못하며, 골막골모세포(periosteal osteoblast) 역시 유골형성이 부족하고 미성숙골이 층판뼈로 재형성되지 못한다. 골피질은 얇아지고, 하버시안계의 발육도 지장을 받는다. 골소주(trabecula)도 가늘어져 소주골의 배열이 엉성하게 되지만, 무기질 침착은 정상이다.

4) 임상양상

불완전골형성증은 형태에 따라서 나타나는 증상이 다르지만 개인마다 나타나는 증상의 양상과 정도의 차이도 매우 다양하다. 한 가족 내에서 같은 유전변이를 가진 형제나 자매라도 임상양상과 정도는 매우 다양하게 나타날 수 있다.

대표적인 임상양상은 다음과 같다.

- 골절의 빈도 증가와 비전형적인 골절
- 저신장
- 척추후측만증(척추뒤옆굽음증: Kyphoscoliosis)
- 청색공막(blue sclera)
- 청력소실
- 상아질형성부전증(Dentinogenesis Imperfecta)
- 인대와 피부의 이완
- 쉽게 멍이 생김

임상양상에 따라 1979년에 Sillence는 네 가지 형으로 분류하였다.

(1) 제1형

불완전골형성증 가운데 가장 흔하며 증상이 경한 형태로 상염색체우성으로 유전되고 청색공막을 나타낸다. 골절은 대부분 소아가 걷기 시작할 때 발생하며 골절 후 유합도 잘 일어난다. 흔히 사지 골격과 늑골, 손과 발의 작은 뼈들에 발생한다. 골 변형이 발생하는 예는 드물고 대부분 신장은 작은 편이지만 심각하지는 않다. 사춘기가 지나면 골절의 빈도는 줄어든다. 이경화(otosclerosis)로 인한 청력장애가 주로 성인에서 발생하며 이로 인한 이명, 단세포군항체인 호소하기도 한다. 청색공막은 다양한 정도로 나타나며 존재 유무가 질병의 정도와는 관계없다. 성인에서는 조기에 골다공증이 발생할 수 있으며 폐경 후 더욱 가속화된다. 치아의 상아질 형성 부전증이 나타날 수 있으며 유무에 따라 제1형 불완전골형성증을 A형과 B형으로 나누기도 한다. 상아질 형성부전증에 이환된 치아는 다양한 치아변색, 법랑질(enamel)의 박리, 급속도의 상아질의 파괴, 심한 마모현상 등의 임상소견을 보인다. 지능은 대개 정상이다.

(2) 제2형

가장 심한 형태의 불완전골형성증으로 출산 전 자궁 내에서 골절이 일어나거나 출생 시 골절이 발생하기 쉽다. 대부분 출생 수시간 내에 사망하는 경우가 많으며 생존하여도 수개월내에 사망한다. 신생아의 경우 폐와 흉곽의 발달이 미숙하여 호흡부전증을 초래할 수 있으며 상아질형성부전 증과 청색공막을 보인다. 제2형불완전골형성증은 산발성 유전자 변이에 의해서 주로 나타나며 드물게 상염색체열성 의 형태로 유전된다.

(3) 제3형

지속적으로 골 변형이 진행되는 형태로 골이 매우 취약하여 출생 시에 다발골절이 일어난다. 상염색체우성 혹은 열성으로 유전된다. 청색공막을 나타내며 저신장을 보인다. 사지의 장관골의 변형이 심하고 흔히 골절을 일으킨다. 척추체는 점차 납작해져 척추후측만증이 나타나고 흉부는 원통형 흉곽을 보여 호흡기계 합병증이나 폐고혈압을 보이는 경우가 많다(그림 11-4-8). 얼굴의 형태도 변형을 가져와 두정골과 측두골이 두드러져 마치 철모를 쓴 머리모양(helmet head)을 보이고 턱이 비정상적으로 작아진다(micrognathia). 병이 진행되면 지속되는 골변형으로 인하여 보행이 불가능해진다.

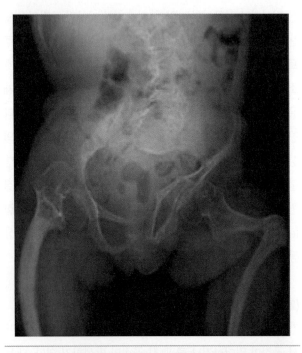

그림 11-4-8. 불완전골형성증 환자의 방사선소견(20세/여성, 제3형)

(4) 제4형

제1형과 유사한 형이나 저신장소견을 보이며, 골변형이 나타나지만 비교적 경미하다. 비정상적 척추측만증이나 척추후만증이 나타날 수 있으며 정상 공막을 보인다. 상아질형성부전증이 나타날 수 있다.

참고로 최근 특징적인 임상양상과 새로 발견되는 유전자변이에 따라 제5형에서 제8형까지 포함하는 새로운 분류를 하였다.

5) 진단 및 방사선소견

중등도 혹은 고도의 질환으로 특징적인 임상양상이 있으면 비교적 쉽게 진단할 수 있다. 하지만 경도로 이환된 경우 특징적인 임상양상이 나타나지 않으면 진단이 어려울 수 있다. 피부조직검사를 통해 얻은 섬유모세포배양과 콜라겐 분석으로 이상을 진단할 수 있고, 또한 분자유전학적 검사를 통하여 보다 정확한 유전이상을 알 수도 있다. 특히 이러한 분자유전학적검사는 이환된 가족이 있는 경우 산모에서 융모막융모 표본채취를 통한 산전검사로 태아의 상태를 파악하는 데에 유용하다. 다발골절이 있으나 골변형은 없는 소아나 청소년에서 골밀도와 골형성표지자의 검사는 불완전골형성증의 선별검사로 도움이 될 수 있겠다. 골형성표지자는 감소되어 있으며 골흡수표지자는 증가되어 있고 이는 질병의 중증도에 비례한다.

방사선소견이 불완전골형성증의 진단에 도움을 줄 수 있다. 특징적인 방사선소견으로는 사지 골격이 가늘고 골변형 소견이 관찰되며, 골다공증이 있으며 피질이 얇고 소주가 빈약하다. 최근의 골절 또는 치유된 골절상을 볼 수 있다. 두개골에 흔히 불규칙한 파골 현상인 조밀한 골반점을 보이는 데 이를 충양골(wormian bone)이라고 한다.

소아나 영아에서 골변형 없이 다발골절만 나타날 경우 부모에 의한 아동학대로 오인할 수도 있어 감별이 필요하다. 연골무형성증에서도 불완전골형성증과 비슷하게 두개골이

커지면서 사지가 짧아지나 방사선소견상 구별된다. 그 외에도 골연화증, 구루병, 저인산염혈증성골연화증과도 구별해야 한다.

6) 치료

불완전골형성증의 근본적인 치료방법은 아직 없다. 따라서 치료의 목표는 골절의 횟수를 감소시키고 장골의 변형과 척추후측만을 예방하며, 통증을 완화하여 환자들의 운동기능제한을 최소화시키는 데에 있다. 이를 위해서는 약물치료, 수술치료, 물리치료 등의 통합적인 치료가 필요하다. 비스포스포네이트의 하나인 정주용파미드로네이트가 심한 소아 불완전골형성증에서 골밀도를 증가시키고 골절의 위험을 감소시켜 통증을 완화하며 운동기능과 보행을 호전시키는 것으로 알려져 있다. 그러나 성장이나 골절 치유에는 효과가 없다. 성인 환자에서 비스포스포네이트 치료의 효과는 아직 정확히 알려진 바가 없다. 성공적인 치료를 위해서는 약물치료와 더불어 전문적인 물리치료도 효과적이다. 물리치료는 관절의 구축을 예방하고 장기간 부동으로 인한 골소실을 막을 수 있으나 치료 중 골절이 일어나지 않도록 주의하여야 한다. 또한 작업치료를 통하여 일상활동에 필요한 신체기능들의 호전을 가져올 수 있다.

또한 골절을 방지하기 위하여 사지를 보호해 주어야 하며, 골절 시에는 변형이 초래되지 않도록 치료해 주어야 한다. 외과적인 치료방법으로 내고정술을 시행할 수 있다. 골 변형은 상지보다 하지에서 더 심하게 나타나는데, 변형이 심한 대퇴골, 경골에서 다발절골술(multiple osteotomy)을 시행하고 골수강 내에 금속정을 고정하는 방법이 이용된다. 특히 성장기의 아동에서는 골성장에 따라 길이가 늘어나는 정이 사용된다.

골형성부전증은 현재 국내에서 희귀질환으로 등록(ICD10 code: Q78.0)하면 소득재산 수준에 따라 산정특례를 받을 수 있다.

4. 골화석증(Osteopetrosis, 骨化石症)

골화석증은 현재 국내에서 희귀질환으로 등록(ICD10 code: Q78.2)하면 소득재산 수준에 따라 산정특례를 받을 수 있다. 질병관리청 희귀질환통계에 따르면 2019년 국내에서는 남성 3명 및 여성 6명 합계 9명이 신규 등록되었다.

골화석증은 대리석뼈질환(marble bone disease)으로도 알려져 있으며, 파골세포의 이상으로 인한 골 흡수작용의 손상이 특징인 임상증후군이다. 이들 질환에서는 골흡수의 감소로 골밀도가 증가함에도 불구하고 골절이 쉽게 발생하며 이것은 또한 골수강 소실로 조혈모세포의 부족, 교란한 치아돌출 그리고 성장장애를 일으키는 원인이 된다. 골화석증은 다양한 분자적 손상과 임상특징의 범위를 포함하는 질환군을 말하며 모든 형태는 파골세포 안에서 하나의 병원성관계를 공유한다. 대부분의 경우 파골세포의 생성은 정상이나 기능의 이상이 나타난다.

1) 유아골화석증

유아골화석증(infantile osteopetrosis)은 상염색체열성으로 유전된다. 파골세포에 의한 골 흡수의 감소로 뼈몸통끝(metaphysis)연골의 석회화가 나타나며 골수강이 소실된다. 이로 인해 간과 비장에서 골수 외 조혈이 일어난다. 뇌신경공(cranial foramen) 역시 정상적으로 형성되지 않아 시신경위축 및 그 외 다른 뇌신경 이상을 일으킨다. 유양돌기와 부비강기형 때문에 비폐색은 종종 유아골화석증의 특징으로 나타난다. 조혈기능의 손상으로 대부분 생후 1년 이내에 출혈이나 감염으로 사망하게 된다. 동종 골수이식으로 치료가 가능한 경우가 있으며 적절한 공여자 없을 경우에는 인터페론 치료가 골흡수를 호전시킬 수 있다. 비타민D는 잠복 파골세포를 자극해서 골흡수를 증가시키므로 칼슘 섭취량 감소와 함께 비타민D의 복용이 때때로 골화석증을 극적으로 개선시킨다. 약 60%의 환자에서 파골세포의 proton pump로 작용하는 vascular-type H^+-adenosine triphosphatase의 유전이상을 보인다.

2) 탄산탈수효소II결핍증(Carbonic anhydrase II deficiency)

파골세포와 신장의 원위세뇨관으로부터 수소이온의 분비에 필수적인 제II형 탄산탈수효소의 완전한 결핍으로 인해 발생한다. 따라서 골화석증에 이환된 환자는 신세관산증을 동반하며 형제나 자매에 비해 저신장이며 기저핵의 석회화 소견을 보인다. 골수이식으로 골격계 이상을 치료할 수 있다.

3) Albers–Schonberg disease (Autosomal dominant osteopetrosis type II)

전반적인 골경화증이 나타나, 척추 종단의 석회화(sandwich vertebrae)와 골반뼈가 두꺼워지며(bone within bone) 특징적인 방사선소견을 보인다. 뼈의 재형성의 손상으로 골절, 골관절염, 골격계의 변형과 뇌신경이상 등의 증상을 나타낸다.

4) 반부켐병

반부켐병(Van Buchem disease)은 두꺼운 두개골, 사각턱, 손가락 뼈의 이상을 특징으로 하는 질환으로 최근 일부 환자들에서 SOST유전자의 변이가 관찰되는 것으로 밝혀졌다. SOST유전자에 의해 발현되는 스클레로스틴(sclerostin) 단백질은 Wnt신호전달경로를 억제하는 것으로 알려져 있다. 따라서 스클레로스틴의 기능이 상실되어 Wnt신호전달이 증가하여 골형성이 촉진된다.

반부켐병은 네델란드조상(Dutch ancestry)인 경우가 많다.

점차적으로 턱의 비대칭과 두꺼워짐이 나타나며, 재발성 안면신경마비, 난청 그리고 두개공의 협착으로 인한 시신경 위축이 나타날 수 있다. 반부켐병은 골형성이 과다하지만 병적이지는 않다. 참고로 경화증은 자궁 내에서 합지증(syndactyly)이 시작된다.

스클레로스틴을 발현하는 유전자 SOST의 기능손실(loss of function)돌연변이로 경화증이 발생하며, Van Buchem 질병은 SOST의 하위(downstream)결실로 인해 발생하는 것이 밝혀졌다. 스클레로스틴은 RP5/6에 결합하고 Wnt신호전달을 억제하여 골모세포 골형성을 억제한다.

특별한 의학적 치료법은 없으며, 좁아진 구멍의 감압은 뇌신경마비에 도움이 될 수 있다.

5) 경화골증

경화골증(Sclerosteosis)은 반부켐병과 유사하며, 주로 아프리카인 또는 네델란드인 혈통의 사람들에 발생한다.

출생 시 합지증을 보이지만 골격은 어린 시절에 정상적으로 보일 수 있다. 점진적인 골의 성장으로 두개골과 하악골이 넓어지게 된다. 장골에서는 두꺼워진 피질골을 보인다. 청소골이 융합될 수 있고 달팽이수도관이 좁아진다.

SOST의 기능상실은 1형경화증을 유발한다. LRP4의 착오돌연변이(missense mutation)는 2형경화증의 원인이다. 파골세포의 기능은 그대로이면서 골모세포의 기능이 증가하여 골량이 상승한다.

확립된 의학적 치료법은 없으며, 신경학적 합병증의 예방이 필요하다.

스클레로스틴 항체(sclerostin antibody)약물인 로모소주맙(romosozumab)은 골다공증 치료효과를 보이는 골형성촉진제로 개발되었다. 2019년 일본 및 미국, 2020년 한국에서 시판이 되었다. 골형성 촉진뿐만 아니라 골흡수 억제효과도 보이는 2중효과(dual effect)를 보이는 약물이다.

6) 피크노디스오스토시스

파골세포 내에 존재하는 골흡수를 유발하는 효소인 카텝신케이(Cathepsin K mutation) 기능소실 돌연변이에 의해 발생하는 피크노디스오스토시스(pycnodysostosis)는 100만 명당 1명 정도 유병률을 보이는 극희귀질환에 속한다. 골밀도가 증가되어 있지만 역설적으로 골절이 쉽게 발생하며 골절유합에 문제가 있다. 한국인에서는 비정형전자하부대퇴골골절을 보이는 경우로 성인에서 보고된 바 있다.

5. 골격계외석회화(Extraskeletal calcification)

연부조직의 석회화는 조직의 손상이 있었던 부위나 국소적으로 세포외 칼슘-인이 침착된 부위에 나타날 수 있다. 혈관의 석회화는 신성골형성장애(renal osteodystrophy)에 의해 나타나며 요골 혹은 척골동맥부위에서 덩어리로 만져지기도 한다. 골격계 이외 석회화된 덩어리들의 크기는 다양하며 한 덩어리를 이루거나 신체 여러 부위에 산재할 수 있다. 세 가지 다른 기전으로 연부조직의 석회화와 무기질화가 일어날 수 있다. 첫째로 전이성석회화(metastatic calcification)는 고칼슘혈증이나 고인산염혈증에 동반되는 것으로 무정형의 칼슘인산이 결정화되면서 발생한다. 특정한 조직은 석회화를 더 잘 일으키는데, 피부, 신장, 폐, 위점막, 결막, 심내막, 혈관이 이에 해당한다. 종양성석회증(tumoral calcinosis)이 이에 해당하며 이 경우 혈청칼슘은 정상이나 인산은 증가된다. 둘째로 이영양성석회화(dystrophic calcification)가 있다. 이는 손상된 조직에 발생하는 석회화를 일컬으며 혈청칼슘과 인산은 정상이다.

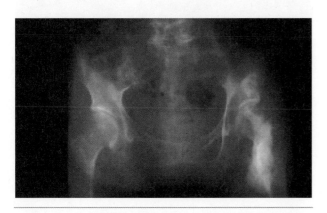

그림 11-4-9. 골격계 외 석회화의 방사선소견, 이소성석회화 사례

주사 맞은 부위나 수술부위 석회화가 이에 해당하며, 피부근염, 경피증, 전신성홍반성낭창에서 보이는 석회화도 여기에 해당된다. 셋째로 이소성석회화(ectopic calcification)는 통증을 동반한 상피나 진피의 석회화로 다른 질환의 일부로 나타나며 외상후골화근염(post-traumatic myositis ossificans)과 진행성골화성섬유이형성증(fibrodysplasia ossificans progressiva)이 이에 해당된다(그림 11-4-9).

1) 진행성골화성섬유이형성증

진행성골화성섬유이형성증(Fibrodysplasia ossificans progressiva, FOP)은 인구 200만 명당 1명 꼴로 발생하는 것으로 추정된다. 모든 종족이 영향을 받으며 상염색체우성 유전형태를 보인다.

엄지발가락기형은 태어날 때 거의 모든 환자에게 나타난다. 일반적으로, 이소성연골내골화(heterotopic endochondral ossification, HEO)로 이어지는 연조직발적(flare-up)의 에피소드는 생후 10살 이내에 시작된다.

FOP는 일반적으로 이소성골화의 방사선학적 증거가 나타날 때 진단된다.

발적은 자발적으로 나타날 수 있지만 근육피로, 경미한외상, 근육 주사 또는 인플루엔자유사바이러스 질병 후에 나타나는 경우가 흔하다.

골격기형과 연조직골화는 FOP의 방사선학적 특징이다. 다른 골격기형이 흔히 발생하지만, 엄지발가락기형이 가장 흔하다. 어떤 경우에는 엄지손가락이 짧다.

일상적인 생화학적연구는 일반적으로 정상이지만 혈청 프로스타노이드(prostanoid)와 알칼리인산분해효소 및 소변 염기섬유모세포성장인자(basic fibroblast growth factor) 수준은 발적의 염증 단계, 섬유증식 단계 및 골형성

단계에서 각각 증가할 수 있다.

골형태발생단백질(bone morphogenetic protein, BMP)의 신호전달경로에 문제가 있다. 게놈전체연결분석(genome-wide linkage analysis)은 BMP 유형 1수용체를 암호화하는 액티빈 1형수용체/액티빈유사인산화효소 2 (ACVR1/ALK2)유전자를 포함하는 유전자좌인 염색체 2q23-24에 FOP의 원인유전자를 확인했다.

레티노이드 신호전달경로와 레티노산수용체감마(retinoic acid receptor gamma, RARγ)의 활성화는 연골 형성 및 HEO를 억제하며, RARγ 효능제인 팔로바로텐(palovarotene) 2020년 미국 FDA 승인되었다. FOP 병변의 수술적 제거는 종종 HEO의 상당한 재발을 수반한다.

대부분의 환자는 심한 제한적 흉벽 침범의 심폐합병증으로 일찍 사망한다.

진행성골화섬유형성이상은 현재 국내에서 희귀질환으로 등록(ICD10 code: M61.1X)하면 소득재산 수준에 따라 산정특례를 받을 수 있다. 질병관리청 희귀질환통계에 따르면 2019년 국내에서는 남성 12명 및 여성 11명 합계 23명이 신규 등록되었다.

6. 섬유성이형성증(Fibrous dysplasia)

섬유성이형성증은 정상 뼈조직이 섬유조직으로 대체되는질환으로 단골성 혹은 다골성으로 나타날 수 있으며, 다른 내분비질환이나 피부의 색소침착을 동반하는 경우 매큔-올브라이트증후군(McCune-Albright syndrome)으로 부른다. 골격계의 침범은 특히 팔, 다리, 갈비뼈, 두개골이 흔하며 이환된 뼈는 약해져 변형이 발생하거나 골절이 되기 쉽다(그림 11-4-10). 섬유성이형성증이 나타난 얼굴과 두개골은 신경이 영향을 받아 얼굴 모양이 기형적으로 변하며, 시력과 청력이 손상을 입을 수도 있다. 피부에 특징적인 밀크 커피색

반점(cafe-au-lait spots)이 나타난다. 이것은 특히 제1형신경섬유종증(neurofibromatosis type 1)과 연관되어 있다. 가장 흔한 내분비질환은 주로 여아에서 나타나는 성조숙이다. 관련된 증상으로 조기월경이 시작되고 유방이 커진다. 양성종양에서 에스트로젠이 분비되기 때문에 성조숙이 나타난다. 매큔-올브라이트증후군을 일으키는 유전자는 20번 염색체의 긴 팔(장완)에 위치한 GNAS1 (guanine nucleotide-binding protein, α-stimulation polypeptide)유전자에 의해 발생하는 것으로 추정된다.

섬유성이형성증은 진행양상이 매우 다양하여 임상양상에 따른 치료가 필요하다. 병이 진행됨에 따라 신경 손상이나 골절이 나타나는 경우 수술치료가 필요할 수 있으며, 매큔-올브라이트증후군의 경우에는 조기에 내분비질환을 선별 검사하고 추적관찰하여 성조숙 등으로 인한 변화를 예방하여야 한다. 골병변은 비스포스포네이트제제에 반응한다.

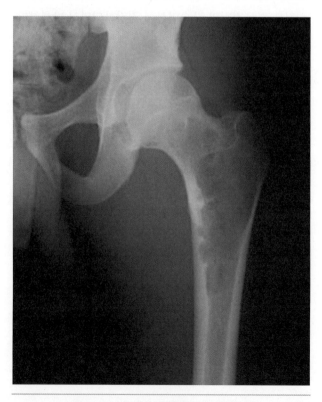

그림 11-4-10. 섬유성이형성증의 방사선소견

섬유성이형성증 중에서 다골성(polyostotic) 및 매큔-올브라이트증후군은 현재 국내에서 희귀질환으로 등록(ICD10 code: M78.1 및 M78.1A)하면 소득재산 수준에 따라 산정특례를 받을 수 있다. 질병관리청 희귀질환통계에 따르면 2019년 국내에서는 남성 12명 및 여성 11명 합계 23명이 신규 등록되었다.

7. 저인산염분해효소증(Hypophosphatasia)

조직비특이적알칼리성인산염분해효소(tissue non-specific alkaline phosphatase, ALP)유전자돌연변이로 발생하는 혈청알칼리인산분해효소수치가 참고치 미만으로 저하되어 있다. 기질에 해당하는 비타민B$_6$(피리독살인산 pyridoxal phosphate) 증가, 젊은 연령에서 치아소실징후를 보인다.

저인산염분해효소증(hypophosphatasia, HPP)은 다양한 형태의 증상이 나타나고 증상발현시기도 일정하지 않아 늦게 발견되는 경우가 많다. 출생 전 태아에서 증상이 나타나기도 하지만, 생후 수년이 지날 때까지 증상이 없는 경우도 있다. 특히 성인들의 경우, 대부분 중년기에 진단받는 것으로 알려져 있다.

저인산염분해효소증은 일반적으로 영아 및 소아에서 발현되지만, 증상이 발현된 때에 진단을 받지 못하거나, 유전자변이로 나타나는 질환인 만큼 성인이 되어서도 증상이 나타날 수 있다. 특히, 이 질환의 치료법이 그동안 제한적이었고, 그에 따라 질환에 대한 인지도도 높지 않은 만큼 소아 청소년기에 이미 발현했지만 이를 모르고 있다가 뒤늦게 진단받을 수도 있다. 성인 저인산염분해효소증은 소아와 같이 생명과 직결되는 중증이 아닌 경우도 있지만, 진단이 지연되면 환자가 오랜 시간 원인을 모르는 상태로 반복되는 골절과 통증 보행장애 등 일상생활에 불편함 등을 겪게 되어 삶의 질에 영향을 주게 된다.

저인산염분해효소증이 의심되면 선별검사로 ALP 측정 후 유전자검사 등 정확한 진단을 받아야 한다. 유전자와 관계된 질환이기 때문에 환자의 가족 또한 임상증상이 의심되면 정기적인 ALP검사로 조기진단이 이루어질 수 있도록 한다.

아스포타제알파(asfotase alfa)는 주산기, 영아 및 청소년기에 발병한 저인산염분해효소증 환자의 치료를 위해 승인된 약물로, 저인산염분해효소증 환자들을 대상으로 한 임상에 따르면, 골무기질화(bone mineralization)에 걸리는 시간(lag time)도 유의하게 감소시켰다. 국내에서도 현재 소아기(주산기, 생후 0–6개월 영아기 및 생후 6개월–만18세의 청소년기)에 발병한 저인산염분해효소증 환자의 골질환을 치료하기 위한 장기간 효소대체요법으로 승인되어 있다.

저인산염분해효소증은 현재 국내에서 희귀질환으로 등록(ICD10 code: E83.3C)하면 소득재산 수준에 따라 산정특례를 받을 수 있다. 국내에서는 2021년 기준으로 소아에서는 치료제가 건강보험급여 가능하나, 성인에서는 아직 건강보험급여가 불가능한 상황이다.

참 / 고 / 문 / 헌

I.

1. Bhan A, Qiu S, Rao SD. Bone histomorphometry in the evaluation of osteomalacia. Bone Rep 2018;17;8:125-34.

2. Bhan A, Rao AD, Bhadada SK, Rao SD. Rickets and Osteomalacia. In: Melmed S, Koenig R, Rosen C, Auchus R. Williams textbook of endocrinology. 14th ed. Elsevier; 2019. pp. 1298-317.

3. Bhan A, Rao AD, Rao DS. Osteomalacia as a result of vitamin D deficiency. Endocrinol Metab Clin North Am 2010;39:321-31.

4. Briot K, Portale AA, Brandi ML, Carpenter TO, Cheong HI, Cohen-Solal M, et al. Burosumab treatment in adults with X-linked hypophosphataemia: 96-week patient-reported outcomes and ambulatory function from a randomised phase 3 trial and open-label extension. RMD Open 2021;7:e001714.

5. Carpenter TO, Imel EA, Holm IA, Jan de Beur SM, Insogna KL. A clinician's guide to X-linked hypophosphatemia.

J Bone Miner Res 2011;26:1381-8.

6. Choi HS, Oh HJ, Choi H, Choi WH, Kim JG, Kim KM, et al. Vitamin D insufficiency in Korea-a greater threat to younger generation: the Korea National Health and Nutrition Examination Survey (KNHANES) 2008. J Clin Endocrinol Metab 2011;96:643-51.

7. Connor J, Olear EA, Insogna KL, Katz L, Baker S, Kaur R, et al. Conventional therapy in adults with X-Linked hypophosphatemia: effects on enthesopathy and dental disease. J Clin Endocrinol Metab 2015;100:3625-32.

8. Dahir K, Zanchetta MB, Stanciu I, Robinson C, Lee JY, Dhaliwal R, et al. Diagnosis and management of tumor-induced osteomalacia: perspectives fom clinical experience. J Endocr Soc 2021;5:bvab099.

9. Endo I, Fukumoto S, Ozono K, Namba N, Inoue D, Okazaki R, et al. Nationwide survey of FGF 23 (FGF23)-related hypophosphatemic diseases in Japan: prevalence, biochemical data and treatment. Endocr J 2015;62:811-6.

10. Gifre L, Peris P, Monegal A, Martinez de Osaba MJ, Alvarez L, Guañabens N. Osteomalacia revisited: a report on 28 cases. Clin Rheumatol 2011;30:639-45.

11. Hartley IR, Miller CB, Papadakis GZ, Bergwitz C, Del Rivero J, Blau JE, et al. Targeted fibroblast growth factorR blockade for the treatment of tumor-induced osteomalacia. N Engl J Med 2020;383:1387-9.

12. Mateo L, Holgado S, Mariñoso ML, Pérez-Andrés R, Bonjoch A, Romeu J, et al. Hypophosphatemic osteomalacia induced by tenofovir in HIV-infected patients. Clin Rheumatol 2016;35:1271-9.

13. Michałus I, Rusińska A. Rare, genetically conditioned forms of rickets: differential diagnosis and advances in diagnostics and treatment. Clin Genet 2018;94:103-14.

14. Minisola S, Colangelo L, Pepe J, Diacinti D, Cipriani C, Rao SD. Osteomalacia and Vitamin D Status: a Clinical Update 2020. JBMR Plus 2020;5:e10447.

15. Minisola S, Peacock M, Fukumoto S, Cipriani C, Pepe J, Tella SH, et al. Tumour-induced osteomalacia. Nat Rev Dis Primers 2017;3:17044.

16. Morey M, Castro-Feijóo L, Barreiro J, Cabanas P, Pombo M, Gil M, et al. Genetic diagnosis of X-linked dominant Hypophosphatemic Rickets in a cohort study: tubular reabsorption of phosphate and 1,25(OH)2D serum levels are associated with PHEX mutation type. BMC Med Genet 2011;12:116.

17. Park JH, Hong IY, Chung JW, Choi HS. Vitamin D status in South Korean population: seven-year trend from the KNHANES. Medicine (Baltimore) 2018;97:e11032.

18. Silva MC, Furlanetto TW. Intestinal absorption of vitamin D: a systematic review. Nutr Rev 2018;76:60-76.

19. Thacher TD, Fischer PR, Tebben PJ, Singh RJ, Cha SS, Maxson JA, et al. Increasing incidence of nutritional rickets: a population-based study in Olmsted County, Minnesota. Mayo Clin Proc 2013;88:176-83.

20. Whyte MP. Hypophosphatasia-aetiology, nosology, pathogenesis, diagnosis and treatment. Nat Rev Endocrinol 2016;12:233-46.

II.

1. Davies M. Treatment of osteomalacia. In: Hosking D, Ringe J, et al. Treatment of metabolic bone disease. London: Martin Dunitz; 2000. pp. 1-15.

2. Holden RM, Mustafa RA, Alexander RT, Battistella M, Bevilacqua MU, Knoll G. Canadian Society of nephrology commentary on the kidney disease improving global outcomes 2017 clinical practice guideline update for the diagnosis, evaluation, prevention, and treatment of chronic kidney disease-mineral and bone disorder. Can J Kidney Health Dis 2020;7:2054358120944271.

3. Holick MF. Vitamin D deficiency. N Engl J Med 2007;357: 266-81.

4. Lips P, van Schoor NM, Bravenboer N. Vitamin D-related disorders. In: Rosen CJ. Primer on the metabolic bone diseases and disorders of mineral metabolism. 7th ed. John Wiley & Sons; 2008. pp. 329-35.

5. Lorenzo JA, Canalis E, Raisz LG. Metabolic bone disease. In: Kronenberg HM, et al. Williams textbook of endocrinology. 11th ed. Sounders; 2008. pp. 1269-310.

6. Parfitt AM. Osteomalacia and related disorders. In: Avioli LV, Krane SM ed. Metabolic bone disease and clinically related disorders. 3rd ed. San Diego: Academic Press; 1998. pp. 327-86.

7. Rizzoli R, Eisman JA, Norquist J, Ljunggren O, Krishnarajah G, Lim SK, et al. Risk factors for vitamin D inadequacy among women with osteoporosis : an international epidemiological study. Int J Clin Pract 2006;60:1013-9.

8. Ruppe MD, Jan de Beur SM. Disorders of phosphate homeostasis. In: Rosen CJ. Primer on the metabolic bone diseases and disorders of mineral metabolism. 7th ed. John Wiley & Sons; 2008. pp. 317-25.

III.

1. 2020 희귀질환자 통계 연보. 질병관리청. 출처: https://www.kdca.go.kr/board/board.es?mid=a20501010000&bid=0015&list_no=718102&cg_code=&act=view&nPage=1

2. 2021 희귀질환자 의료비지원사업 안내. 질병관리청. 출처: https://www.kdca.go.kr/board/board.es?mid=a20501010000&bid=0015&list_no=367006&cg_code=&act=view&nPage=1

3. Chapurlat RD, Orcel P. Fibrous dysplasia of bone and McCune-Albright syndrome. Best Pract Res Clin Rheumatol 2008;22:55-69.

4. Charles JF, SIRIS ES, Roodman D. Paget disease. In: Bilezikian JP. Primer on the Primer on the metabolic bone diseases and disorders of mineral metabolism. 9th ed. Wiley-Blackwell; 2018. pp. 713-20.

5. Kaplan FS, Pignolo RJ, Mukaddam MA, Shore EM. Genetic Disorders of Heterotopic Ossification: Fibrodysplasia Ossificans Progressiva and Progressive Osseous Heteroplasia. In: Bilezikian JP. Primer on the metabolic bone diseases and disorders of mineral metabolism. 9th cd. Wiley-Blackwell; 2018. pp. 865-70.

6. Lee HS, Kim HJ, ChoJH, Lee SW, Kim HA, Choi JH, et al. Clinical Characteristics of 10 Cases of Korean Osteogenesis Imperfecta. Korean J Endocrinol 2003;18:496-503.

7. Leslie J, Jameson J. Larry. Endocrinology. 4th ed. Saunders; 2001. pp. 1259-67.

8. Melmed S, Polonsky KS, Larsen PR, Kronenberg H. Williams textbook of endocrinology. 13th ed. Elsevier; 2016.

9. Ralston SH. Pathogenesis of Paget's disease of bone. Bone 2008;43:819-25.

10. Rauch F, Glorieux FH. Osteogenesis imperfecta. Lancet 2004;363:1377-85.

11. Rauch F, Travers R, Glorieux FH. Pamidronate in children with osteogenesis imperfecta: histomorphometric effects of longterm therapy. J Clin Endocrinol Metab 2006;91:511-6.

12. Reid IR, Davidson JS, Wattie D, Wu F, Lucas J, Gamble GD, et al. Comparative responses of bone turnover markers to bisphosphonate therapy in Paget's disease of bone. Bone 2004;35:224-30.

13. Siris ES. Paget's disease of bone. J Bone Miner Res 1998; 13:1061-5.

14. Whyte MP, Obrecht SE, Finnegan PM, Jones JL, Podgornik MN, McAlister WH, et al. Osteoprotegerin deficiency and juvenile Paget's disease. N Engl J Med 2002;18: 175-84.

15. Whyte MP. S. In: Bilezikian JP. Primer on the metabolic bone diseases and disorders of mineral metabolism. 9th ed. Wiley-Blackwell; 2018. pp. 886-90.

16. Whyte MP. Sclerosing diseases. In: Bilezikian JP. Primer on the Metabolic Bone Diseases and Disorders of Mineral Metabolism. 9th ed. Wiley-Blackwell; 2018. pp. 825-38.

17. Wuyts W, Van Wesenbeeck L, Morales-Piga A, Ralston S, Hocking L, Vanhoenacker F, et al. Evaluation of the role of RANK and OPG genes in Paget's disease of bone. Bone 2001;28:104-7.

18. YG Chung, YK Kang, SK Rhee, AH Lee, SW Song, VCJ Park, et al. Skeletal Manifestation of Paget' s Disease in Korean. J of Korean Orthop Assoc 2002;37:649-53.

내분비교란물질

서론

이덕희

I. 내분비교란물질 정의

내분비교란물질(endocrine disrupting chemicals, EDCs)이란 생명체 내부 호르몬의 합성, 분비, 수송, 대사, 결합, 작용, 분해과정에 개입함으로써 내분비계에 영향을 미칠 수 있는 외인성 화학물질을 통칭하는 용어로 종종 환경호르몬이라 부르기도 한다. 내분비계는 생식과 발생, 성장과 발달, 그리고 생존에 필수적인 각종 기능의 항상성 유지를 담당하고 있으므로 내분비교란물질에 대한 노출은 다양한 질병 발생과 관련이 있을 것으로 추정되고 있다.

최근 수십 년간 내분비교란물질의 위해성을 평가하고자 하는 연구들이 급증하였다. 그러나 이에 대한 지식은 여전히 제한적인데, 2012년 세계보건기구에서 발표한 내분비교란물질에 대한 최종 요약 보고서 중 한 장의 제목이 "빙산의 일각"이라는 점은 시사하는 바가 크다. 서론에서는 내분비교란물질 종류, 노출원, 주요 특징, 문제의 복잡성을 이해하기 위한 구체적인 실례 등을 간략하게 다루고, 건강영향에 대하여서는 소아·청소년과 성인으로 나누어 각론에서 논하기로 한다.

II. 내분비교란물질 종류와 노출원

현재 공식적으로 내분비교란물질로 분류하는 화학물질의 수는 약 100여 종으로 구체적인 종류는 국가나 관련기관에 따라 다소 차이가 있다. 내분비교란물질로 분류되는 화학물질 종류는 매우 광범위하여 농약, 중금속, 일상 생활용품에 포함되는 화학물질, 산업장에서 사용되는 화학물질, 의약품 등이 포함되며, 그 외 자연계에도 각종 식물과 곰팡이에 내분비교란물질이 존재한다(표 12-1-1). 그러나 지금까지 합성화학물질 중 일부만 내분비교란물질로서 가능성이 평가되었으므로 앞으로 내분비교란물질로 추정되는 화학물질의 숫자는 계속 증가할 것으로 예상된다.

사람들은 식품, 공기, 물, 생활용품 등과 같은 다양한 외부 노출원을 통하여 수많은 내분비교란물질에 지속적으로 노출되고 있다. 내분비교란물질을 크게 잔류성이 높은 종류들과 낮은 종류들로 나눌 때, 전자의 주요 노출원은 먹이사슬 상층부에 존재하는 식품섭취이며 후자의 주요 노출원은 각종 플라스틱 제품, 개인 위생용품 등으로 알려져 있다. 또한 인체 지방조직이 내분비교란물질의 내부 노출원 역할을 하고 있다는 점은 건강과 관련하여 중요한 의미가 있다. 지용성이 높은 내분비교란물질이 체내로 들어오면 일차로 지방조직에 축적되며, 지질 분해과정 동안 서서히 유리되어 혈중으로 나오게 되어 각종 장기에 영향을 미칠 수 있다. 즉,

외부 노출원이 전혀 없다하더라도, 인체지방조직이 내분비교란물질의 내부 노출원으로서 역할을 지속적으로 할 수 있다.

III. 내분비교란물질의 작용기전과 특성

내분비교란물질은 특정 호르몬수용체에 결합하여 호르몬과 유사한 모방 작용을 할 수도 있고, 호르몬이 정상기능을 하지 못하도록 방해하는 봉쇄 작용을 할 수도 있다. 가장 많은 연구가 된 호르몬수용체는 에스트로겐, 안드로겐, 갑상선호르몬 등이며, 특히 에스트로겐 모방작용을 하는 내분비교란물질을 이종에스트로겐(xenoestrogens)이라고 부른다. 비스페놀A (bisphenol A), 프탈레이트(phthalates), 알킬페놀(alkylphenols) 등이 대표적인 이종에스트로겐에 속한다.

그러나 호르몬수용체에 직접 결합하지 않더라도 화학물질들이 호르몬 합성, 분비, 수송, 대사, 분해과정 등에 영향을 미치면 내분비교란물질로 작용할 수 있다(그림 12-1-1). 예를들면, 특정 화학물질이 스테로이드호르몬 합성이 이루어지는 사립체 기능장애를 유발하거나 약물대사 효소 억제 혹은 유도를 통하여 내부 호르몬 반감기에 영향을 미칠 수 있다면 모두 광의의 관점에서 내분비교란물질로 볼 수 있다.

다음은 내분비교란물질의 노출이 인체에 미치는 영향을 이해하고자 할 때 고려해야 할 몇 가지 주요 특성들이다.

1. 비선형성

화학물질들이 내분비교란물질로 작용하면 노출량과 생물학적 반응 사이에 비선형성이 존재한다. 이는 노출량이 증가함에 따라 유해성이 비례하여 증가하지 않는다는 의미로, 선형성을 전제로 하는 전통적인 화학물질 유해성 평가 원칙과 큰 차이가 있다. 다양한 비선형성이 가능한데, 그 중 흔하면서 중요한 의미를 가지는 유형은 현재 허용노출기준(permissible exposure limits, PELs) 이하의 저농도에서는 생물학적 반응을 보이다가 농도가 증가하면 반응을 보이지 않거나 혹은 반응이 더 떨어지는 유형이다.

표 12-1-1. 내분비교란물질로 분류되는 화학물질의 예시들

분류		화학물질의 예
환경오염물질	농약류	Dichlorodiphenyltrichloroethane (DDT), Chlopyrifos, 아트라진(Atrazine), 2,4–Dichlorophenoxyacetic acid (2,4 D), Glyphosate
	중금속류	납, 수은, 카드뮴
	플라스틱류	비스페놀A, 프탈레이트
	계면활성제류	알킬페놀
	보존제류	트리클로산(triclosan), 파라벤(parabens)
	산업장에서 사용하거나 부산물로 나오는 종류들	다염화바이페닐, 브롬화난연제[예: 다브롬화페닐에테르(PolyBrominated Diphenyl Ethers, PBDEs], 과불소화물, 다이옥신
약물류		디에틸스틸베스트롤, 경구피임약
식물에 존재하는 종류		이소플라본, 쿠메스탄(Coumestans)

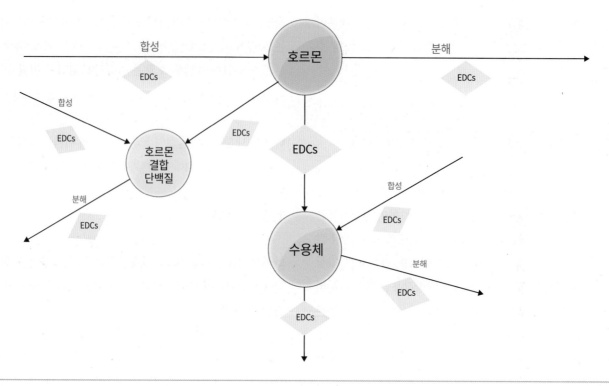

그림 12-1-1. 내분비교란물질의 가능한 작용기전들

2. 혼합체

현재까지 시행된 내분비교란물질에 대한 대부분 연구들은 하나의 화학물질에 초점이 맞추어져 시행되었으나 내분비교란물질의 인체노출은 항상 수많은 내분비교란물질 혼합체에 대한 복합노출의 형태로 이루어진다는 점을 고려해야 한다. 내분비교란물질 혼합체에 대한 연구도 일부 이루어지고 있으나 주로 유사한 기전으로 작동하는 소수의 내분비교란물질에 한정되어 있다. 예를 들면, 에스트로젠수용체에 결합하는 내분비교란물질의 경우 개별물질의 수용체 결합능은 매우 낮다하더라도 혼합체로 노출시키면 수용체 결합능이 급격하게 증가한다. 그러나 인체는 다양한 내부호르몬에 대하여 모방 혹은 봉쇄 작용을 할 수 있는 수많은 내분비교란물질에 동시 노출되고 있다는 점을 고려하면, 위와 같은 혼합체에 대한 연구는 현실과 동떨어진 실험설계로 볼 수 있다. 이러한 특성으로 인하여 내분비교란물질 혼합체에 대한 노출결과는 종종 예측 불가능성으로 드러난다.

3. 노출시기의 중요성

내분비교란물질은 노출시기에 따라서 그 영향이 매우 다르다. 특히 태아기는 가장 민감한 시기이며, 영유아와 소아도 내분비교란물질에 쉽게 영향을 받는다. 이 시기의 내분비교란물질 노출은 성장과 발달에 직접적인 영향을 줄 수 있으며, 노출영향이 성인이 되면서 나타날 수도 있고 다음 세대로 전달될 수도 있다.

4. 예측 불가능성

내분비교란물질 노출의 인체 유해성을 실증적으로 증명하기는 매우 어려운데, 앞서 언급한 비선형성, 혼합체, 노출시기의 문제를 포함한 많은 방법론적 제한점들이 존재하기 때문이다. 이런 경우, 인구집단 차원에서는 연관된 질병의 증가 추이를 관찰할 수 있으나, 개인 노출 수준과 질병 발생위험 간의 관련성을 평가하는 연구에서는 일관성 있는 결과

를 얻기가 어렵다. 따라서 내분비교란물질이 영향을 미칠 수 있다고 판단되는 질병을 가진 환자들의 경우 내분비교란물질에 대한 노출이 질병 발생에 관여했다고 추정하고 접근하는 것이 필요하다.

IV. 사례를 통한 문제의 복잡성 이해

공식적으로 내분비교란물질로 분류되거나, 추정되는 화학물질의 수는 매우 많기 때문에 개별 물질에 대한 내용은 다루지 않는다. 다만 잔류 유기오염물질, 비스페놀A, 식물에스트로젠은 문제의 복잡성을 이해할 수 있는 좋은 사례이므로 간략하게 소개하고자 한다.

1. 잔류유기오염물질 (Persistent organic pollutants, POPs)

잔류유기오염물질은 환경에서 잘 분해되지 않고 먹이사슬 농축을 통해 생명체 체내에 축적되며 대기나 해류를 통한 장거리 이동이 가능한 유기화학물질들을 통칭하는 용어다. 잔류유기오염물질에 속하는 화학물질들은 지용성이 높아 지방조직에 축적되는 성질이 있으며 인체내 반감기는 수년에서 수십 년에 이른다.

가장 잘 알려진 잔류유기오염물질은 염소가 붙은 종류로 유기염소계농약(organochlorine pesticides, OCPs), 다염화바이페닐(polychlorinated biphenyls, PCBs), 다이옥신(dioxins) 등이 여기에 속한다. 그러나 이들은 일찍부터 야생동물과 인체유해가능성이 제기되어, 많은 국가에서 1970-80년대부터 생산과 사용을 금지하였으며 2001년 스톡홀름 협약을 통하여 전 세계적인 규제로 이어졌다. 그러나 이미 생태계 오염이 광범위하게 발생한 상태이므로 금지된 잔류유기오염물질에 대한 노출이 지속적으로 이루어지고 있으며 주요 노출원은 먹이사슬 상층부에 있는 식품들의 지방 성분이다. 그 외에도 각종 전자제품, 직물류, 건축자재 등에

화재방지를 위하여 첨가되는 브롬화난연제(brominated flame retardant, BFR)나 일회용품, 코팅 용기, 테플론 용기, 방수제 등 생활용품에 광범위하게 이용되고 있는 과불소화물(perfluorinated compounds, PFC) 등도 잔류유기오염물질에 속하며 이들은 지금도 사용되고 있다.

잔류유기오염물질은 일찍부터 호르몬수용체에 결합할 수 있음이 보고되면서 내분비교란물질로서의 작용 가능성이 제기되었다. 그러나 실험실에서 개별 화학물질이 보여준 내분비교란 특성과는 달리, 현재 잔류유기오염물질에 대한 인체노출은 복합체 형태로 발생하고 있어 인체에서 그 영향을 예측하는 것은 매우 어렵다. 한편 잔류유기오염물질과 같이 체내에 장기간 잔류할 수 있는 화학물질들은 사립체 독성 등 다른 기전을 통한 유해성도 가능하므로 보다 포괄적인 관점에서 잔류유기오염물질의 문제를 이해할 필요가 있다.

2. 비스페놀A

비스페놀A는 내분비교란물질영역에서 가장 많은 연구가 된 화학물질로, 대표적인 이종에스트로젠이다. 플라스틱 그릇, 유아용 젖병, 자동차 부품, 안경 렌즈, 충격방지제 등의 재료로 사용되는 폴리카보네이트(polycarbonate) 플라스틱과 통조림, 병마개, 식품포장재, 치과용 수지 등에 사용되는 에폭시 레진(epoxy resin)의 기본원료이며, 그 외에도 다양한 목적으로 널리 사용되고 있다. 인체노출의 주된 경로는 비스페놀A가 포함된 용기 및 포장재에 접촉된 식품섭취로 알려져 있다.

비스페놀A가 허용노출기준보다 낮은 농도에서 내분비교란물질로 작용할 수 있음이 보고됨에 따라 안전성 문제가 제기되었고, 그 후 다양한 대체물질 개발로 이어졌다. 그러나 연구가 진행됨에 따라 이러한 대체물질들도 역시 내분비교란물질로서 작용 가능한 것이 보고되면서, 유해화학물질에 대한 기존 접근법의 한계를 보여주었다.

3. 식물에스트로젠

내분비교란물질로 분류되는 화학물질들은 자연계에도 광범위하게 존재한다. 특히 많은 식물들이 에스트로젠 내분비교란물질을 포함하고 있는데, 이를 식물에스트로젠(phytoestrogen)이라고 부른다. 식물에스트로젠 성분이 함유된 식물성 식품 종류는 매우 다양하며, 특히 콩류에 많이 포함되어 있다.

식물에스트로젠의 에스트로젠수용체에 대한 결합능은 비스페놀A와 같은 이종에스트로젠의 결합능보다 훨씬 강력하다. 그러나 식물에스트로젠은 크게 폴리페놀이라고 알려진 식물의 구성성분에 속하는데, 전통적으로 폴리페놀성분이 많이 함유된 식물성 식품들은 건강상 이점이 큰 것으로 알려져 있다. 이러한 결과는 실험연구에서 개별화학물질이 보이는 내분비교란물질로서의 특성에 근거하여 인체영향을 추정할 수 없음을 시사한다.

참 / 고 / 문 / 헌

1. Autrup H, Barile FA, Berry SC, Blaauboer BJ, Boobis A, Bolt H, et al. Human exposure to synthetic endocrine disrupting chemicals (S-EDCs) is generally negligible as compared to natural compounds with higher or comparable endocrine activity. How to evaluate the risk of the S-EDCs? Toxicol Lett 2020;331:259-64.

2. Diamanti-Kandarakis E, Bourguignon JP, Giudice LC, Hauser R, Prins GS, Soto AM, et al. Endocrine- disrupting chemicals: An endocrine society scientific statement. Endocr Rev 2009;30:293-342.

3. Gore AC, Chappell VA, Fenton SE, Flaws JA, Nadal A, Prins GS, et al. EDC-2: the endocrine society's second scientific statement on endocrine- disrupting chemicals. Endocr Rev 2015;36:1-50.

4. Jones KC, de Voogt P. Persistent organic pollutants (POPs): state of the science. Environ Pollut 1999;100:209-21.

5. Kortenkamp A. Ten years of mixing cocktails: a review of combination effects of endocrine-disrupting chemicals. Environ Health Perspect 2007;115:98-105.

6. La Merrill MA, Vandenberg LN, Smith MT, Goodson W, Browne P, Patisaul HB, et al. Consensus on the key characteristics of endocrine-disrupting chemicals as a basis for hazard identif ication. Nat Rev Endocrinol 2020;16:45-57.

7. Lamb JCt, Boffetta P, Foster WG, Goodman JE, Hentz KL, Rhomberg LR, et al. Critical comments on the WHO-UNEP State of the Science of Endocrine Disrupting Chemicals - 2012. Regul Toxicol Pharmacol 2014;69:22-40.

8. Lee DH, Jacobs DR Jr. Firm human evidence on harms of endocrine disrupting chemicals was unlikely to be obtainable for methodological reasons. J Clin Epidemiol 2019;107:107-15.

9. Lee DH, Jacobs DR Jr. New approaches to cope with possible harms of low-dose environmental chemicals. J Epidemiol Community Health 2019;73:193-7.

10. Lee YM, Kim KS, Jacobs DR Jr, Lee DH. Persistent organic pollutants in adipose tissue should be considered in obesity research. Obes Rev 2017;18:129-39.

11. Lee YM, Lee DH. Mitochondrial toxins and healthy lifestyle meet at the crossroad of hormesis. Diabetes Metab J 2019;43:568-77.

12. Myers JP, Zoeller RT, vom Saal FS. A clash of old and new scientific concepts in toxicity, with important implications for public health. Environ Health Perspect 2009;117:1652-5.

13. Rochester JR, Bolden AL. Bisphenol S and F: a systematic review and comparison of the hormonal activity of bisphenol a substitutes. Environ Health Perspect 2015;123:643-50.

14. Vandenberg LN, Colborn T, Hayes TB, Heindel JJ, Jacobs DR Jr, Lee DH, et al. Hormones and endocrine-disrupting chemicals: low-dose effects and nonmonotonic dose responses. Endocr Rev 2012;33:378-455.

15. WHO/UNEP. State of the science of endocrine disrupting chemicals 2012: summary for decision-makers. Geneva WHO/UNEP; 2013.

16. Yilmaz B, Terekeci H, Sandal S, Kelestimur F. Endocrine disrupting chemicals: exposure, effects on human health, mechanism of action, models for testing and strategies for prevention. Rev Endocr Metab Disord 2020;21:127-47.

17. Zoeller RT, Brown TR, Doan LL, Gore AC, Skakkebaek NE, Soto AM, et al. Endocrine-disrupting chemicals and public health protection: a statement of principles from The Endocrine Society. Endocrinology 2012;153:4097-110.

소아·청소년에 미치는 영향

박미정

I. 서론

인간은 태아기부터 성인에 이르기까지 일생 동안 다양한 생활 및 산업환경의 노출원을 통해 각종 내분비교란물질에 노출되고 있다(표 12-2-1). 태아기는 기관들이 형성 및 발달하는 시기로 내분비교란물질에 노출 시 태아의 성장, 분화, 대사 및 산화 항상성에 교란이 발생하게 된다. 태아기에 노출된 내분비교란물질은 상당 기간이 지난 후 성인에 이르러 질병을 발생시킬 수 있을 뿐 아니라(developmental origins of health and disease, DOHaD) 난모세포와 정자 같은 생식세포의 유전자발현에 변이를 유발해 다음 세대까지 그 위해가 전달될 수 있다. 영유아기에는 모유수유를 통해 농축된 내분비교란물질이 영유아에게 전달될 수 있으며 손과 물건을 빠는 행동이 많고 실내 바닥에서 주로 생활하므로 내분비교란물질에 노출될 가능성이 크다. 또한, 단위 체중당 호흡량과 음식 섭취량이 많고 독성물질의 흡수율이 높을 뿐 아니라 대사와 제거기능의 미숙으로 인해 내분비교란물질에 더욱 취약한 시기이다. 체내 호르몬의 급격한 변화가 일어나는 사춘기 또한 내분비교란물질의 영향이 큰 시기이다.

지난 수십 년간 소아·청소년에서 비만, 당뇨병, 지질대사이상, 사춘기이상, 갑상선질환 등이 급증하고 있는데 이것은 유전적인 요인이나 진단율의 증가만으로는 설명되지 않는 부분이 있어 내분비교란물질의 만성적인 저농도 복합노출이 가능한 원인 중 하나로 주목받고 있다. 미숙아 및 저체중 출생, 사춘기발달이상, 성분화/외성기이상, 갑상선기능이상, 소아비만, 소아당뇨병 및 신경발달장애질환과 내분비교란물질과의 관련성이 소아에서 활발히 연구되고 있다.

II. 성장

태아 발생 초기의 내분비교란물질 노출은 지방분화나 에너지 저장에 영향을 주거나 인슐린, 당질부신피질호르몬, 에스트로겐, 갑상선호르몬대사에 교란을 일으킬 수 있고 태내 노출이 염증, 산화스트레스, 호르몬/대사변화 및 장내미생물에 영향을 주어 출생체중을 변화시킬 수 있다. 역학연구에서 내분비교란물질이 성장을 억제하여 출생체중이 작다는 결과가 많지만 출생 시 신장이나 체중과 관련성이 없다는 연구도 있다. 반면 태내에서 내분비교란물질에 노출이 된 경우 출생 이후에는 오히려 비만을 일으킬 수 있다는 연구가 많다.

출생코호트에서 임신 중 혹은 출산 직후 산모의 과불소화물, 다염화바이페닐, p,p-DDT, 비스페놀A, 프탈레이트 농도가 높을 때 출생 시 체중 및 신장이 작다는 보고가 각각 있다. 다염화바이페닐은 갑상선호르몬 농도를 감소시켜 태아의 성장을 억제시킬 가능성이 제시되었다.

표 12-2-1. **내분비교란물질과 노출원**

범주		화학명	약어	노출원
생활	페놀(Phenol)	비스페놀A (Bisphenol A)	BPA	폴리카보네이트 플라스틱, 에폭시레진, 플라스틱장난감, 플라스틱병, 식품 캔 마감재
		비스페놀S (Bisphenol S)	BPS	
	프탈레이트 (Phthalates)	Mono-(2-ethylhexyl)-phthalate	MEHP	PVC: 윤활유, 향수, 화장품, 의료용 튜브, 목재 마감재, 접착제, 페인트, 장난감, 식품 유화제, 바닥재, 개인위생용품
		Di-(2-ethylhexyl)-phthalate	DEHP	
		Dibutyl-phthalate	DBP	
		Dicyclohexyl phthalate	DCHP	
	과불소알킬화물 (Perfluoroalkyl substances, PFASs)	Perfluorooctanoic acid	PFOA	오염된 음식과 물, 먼지, 바닥 왁스, 소방용품, 전기배선, 식품 포장재의 마감재, 조리기구, 직물 및 카페트용 방수제 및 코팅
		Perfluoroctanesulfonates	PFOS	
		Perfluorononanoic acid	PFNA	
		Perfluorohexanesulfonic Acid	PFHxS	
산업	다이옥신(Dioxins)	Polychlorinated Dibenzo Dioxin	PCDD	염소계 제초제 생산 부산물, 제련, 종이의 염소 표백
	다염화바이페닐 (Polychlorinated biphenyls)	Polychlorinated biphenyls	PCBs	오염된 공기 및 음식, 오래된 전기 장비와 피부 접촉
		Polybrominated biphenyls	PBBs	
		Polychlorinated terphenyls	PCTs	
		Polychlorinated naphthalenes	PCNs	
	다환방향족탄화수소 (Polycyclic aromatic hydrocarbons)	Benzo[a]pyrene, anthracene, acenaphtylene, fluorene	PAH	연료 연소 제품
	알킬페놀 (Alkylphenol)	Nonylphenol	NP	계면활성제, 세제, 유화제, 생선, 식수, 개인 위생용품
		Octylphenol	OP	
농업	다이카복시마이드 (Dicarboximide)	Vinclozolin	Vnz	식사 및 작업장
	유기주석 (Organotins)	Tributyltin oxide	TBT	살생물제(살진균제 및 연체동물 제거제), 목재 방부제
		Triphenyltin	TPT	
	유기염소 (Organochloride)	Dichlorodiphenyltrichloroethane	DDT	오염된 물, 토양 작물, 생선, 살충제
		Dichlorodiphenyldichloroethylene	DDE	
약물	파라벤(Parabens)	Butylparaben, methylparaben, ethylparaben, propylparaben, benzylparaben	Parabens	식품, 종이제품, 의약품 보존용 항균제

III. 여아의 사춘기발달

내분비교란물질은 중추성으로 시상하부/뇌하수체에 작용하거나 말초성으로 성선의 에스트로젠수용체에 작용하여 다양한 건강이상을 일으킬 수 있다.

사춘기관련 에스트로젠수용체에 작용하는 비스페놀A, 프탈레이트, DDT와 분해산물인 DDE, 다이옥신, 브롬화난 연제인 다브롬화바이페닐(polybrominated biphenyls, PBB)과 PBDE 등이 많이 연구되었으나 일관된 결과는 없다. 내분비교란물질과 사춘기발달과의 연관성의 역학연구 결과가 일관되지 않은 이유는 체내에서 다양한 물질이 복합적으로 작용하고 비선형적 용량반응이 있으며 노출시기와 노출 용량에 따라 건강에 미치는 영향이 달라지기 때문인 것으로 추정된다.

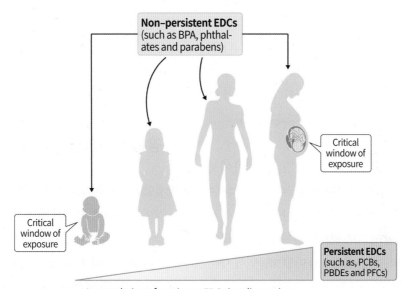

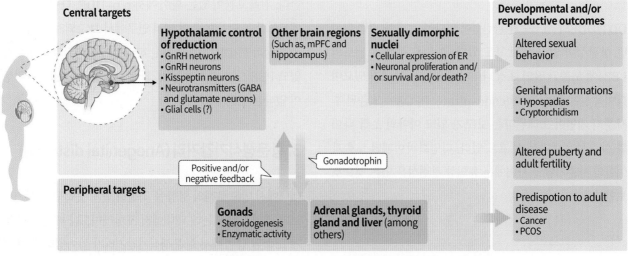

그림 12-2-1. 내분비교란물질과 생식독성

1. 유방조기발육증

유방조기발육증이 발생된 여아에서 프탈레이트 농도가 높음이 보고된 이후 몇몇 연구에서 관련성이 보고되었으나 관련성이 없다는 연구도 많다. 최근, 로션이나 크림 등에 포함된 라벤더오일과 티트리(tea tree)오일성분이 에스트로젠처럼 작용해서 조기유방발육을 일으킴이 보고되었다.

2. 사춘기발달

비스페놀A는 에스트로젠수용체작용제(agonist)로 동물실험에서 사춘기가 앞당겨짐이 많이 보고되었고 인간대상 역학연구에서 사춘기 관련하여 가장 많이 연구된 물질이나 결과가 일관되지는 않다. 비스페놀A 및 프탈레이트 농도 증가가 조기유방발육 및 여아의 사춘기를 앞당긴다는 결과가 많지만, 관련성이 없거나 오히려 늦어진다는 결과도 많다.

개발도상국에서 출생 후 선진국으로 이민 온 여아에서 DDT 농도가 높고 성조숙의 발병률이 본국에서 출생한 여아보다 유의하게 높았는데, 혈중 내분비교란물질이 높아서 시상하부로 음성되먹임 효과로 억제하고 있다가 선진국으로 이민을 온 후 내분비교란물질의 노출이 줄어들면서 사춘기발달이 촉진된 것이라는 추론도 있다.

DDT/DDE와 성조숙과 관련성이 있다는 보고가 몇몇 있지만 상관성이 없다는 보고도 있다. 수유를 통해 고농도의 PBBs에 노출된 딸의 초경 나이가 빨랐다는 보고가 있으며 다이옥신이나 엔도설판(endosulfan), PFOA에 노출된 후 사춘기 지연이 초래된다는 보고가 있고 여아의 초경 나이와 상관성이 없다는 보고도 있다. 다염화바이페닐 노출과 여아의 사춘기발달 사이에는 유의한 관련성은 없는 것으로 보인다.

IV. 남아의 사춘기/생식기발달

여러 내분비교란물질 중 특히 다이옥신이나 프탈레이트류의 항안드로젠작용이 잘 알려져 있다. 비스페놀A도 안드로젠수용체에 결합할 수 있는 물질로 고농도에서 안드로젠 길항작용이 있다.

1. 요도하열증(Hypospadia)

요도하열증은 요도 입구가 음경의 끝에 위치하지 못하고 아래쪽에 있는 상태로 외부성기가 불완전하게 남성화되는 원인은 자궁 내에서 안드로젠의 영향을 제대로 받지 못한 경우다. 요도하열증이 있는 아동에서 DDT/DDE, DEHP, 다이소닐프탈레이트(diisononyl phthalate, DiNP)와 페놀류의 농도가 높다는 보고가 있다.

2. 잠복고환(Cryptorchidism)

발생학적으로 태아의 고환은 후복막강에 있다가 음낭까지 내려오게 되는데 하강과정 중 음낭 내로 내려가지 못하고 복강 내에 있는 경우를 잠복고환이라 한다. 라이디히세포에서 분비하는 insulin-like factor 3 (INSL3)이 고환하강에 중요 역할을 하는데, 내분비교란물질이 INSL3를 억제한다. 잠복고환이 있는 환아에서 p,p-DDE, 다이옥신이나 엔도설판 농도가 높음이 여러 연구에서 보고되었다. 잠복고환 발생과 PBDE, 비스페놀A, 파라벤이 관련된다는 연구가 있고 PBB, 유기염소계 농약, 과불소화물, PCBs와 관련성이 없다는 연구도 있다.

3. 항문생식기간거리(Anogenital distance)

태내에서 안드로젠의 영향을 적절히 받지 못하면 정상거리보다 짧아지게 되는데 태내에서 프탈레이트나 페놀류에 높게 노출된 남아에서 항문생식기간거리가 짧아졌다는 보고가 있다. 비스페놀A와 트리클로산(triclosan), PFAS,

PBDEs 등과는 유의한 관련성이 없었다.

4. 사춘기발달

유기염소계살충제, 다염화바이페닐 농도가 높은 남아에서 사춘기가 늦고, 다이옥신이 배출되는 소각로 근처에 거주하는 남아에서 사춘기가 늦었다는 보고가 다수 있으나 무관하다는 보고도 있다. 아동의 프탈레이트 및 비스페놀A 농도가 사춘기 진행과 무관하다는 보고와 산모의 혈액 및 모유의 DDE농도는 아들의 사춘기발달과 상관성이 없다는 보고가 있다. 반면, PBDE 및 프탈레이트, 비스페놀A 농도가 높을 때 남아에서 오히려 사춘기가 빨랐다는 보고도 있다.

5. 여성형유방(Gynecomastia)

여성형 유방을 진단받은 남아에서 DEHP 농도가 높다는 보고가 있다.

V. 비만 및 당뇨병

내분비교란물질이 지방조직 생성과 에너지균형 사이에서 정상적인 발달과 항상성을 교란해 비만을 초래한다고 하여 오베소젠(obesogens)이라는 명칭이 도입되었다. 내분비교란물질이 비만을 일으키는 기전으로는 지방 합성의 중요한

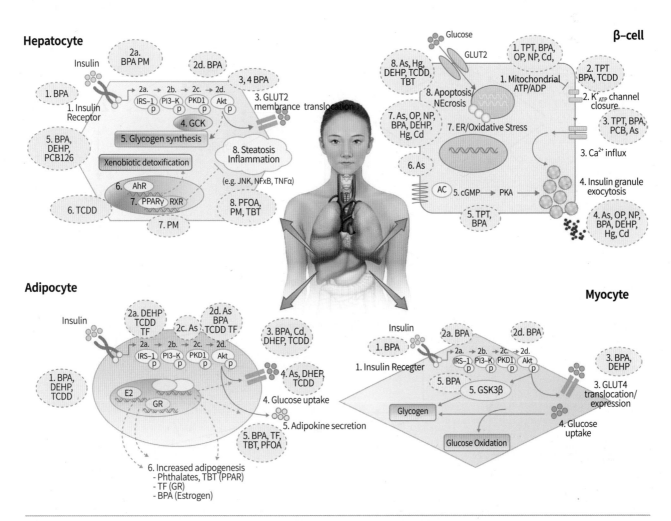

그림 12-2-2. 다양한 조직에서 대사교란물질로 작용

조절 핵 전사인자인 과산화소체증식체활성화수용체감마 (peroxisome proliferator–activated receptor gamma, PPARγ) 및 레티노이드X수용체알파(retinoid X receptor α, RXRα)에 작용해 지방세포의 숫자 및 크기를 증가시키며 에스트로젠수용체에 작용하여 지방 합성을 증가시키며 17–하이드록시스테로이드탈수소효소 등 지질 합성 효소의 활성도를 증가시키고, 인슐린 의존성 지방조직 증가, 시상하부의 식욕조절 및 에너지 균형조절 이상 등을 통해 비만을 야기할 수 있다.

한편, "절약형질가설"에서 설명되듯이 태내에서 영양결핍이나 독소 등 좋지 않은 환경에서 적응해 태어난 신생아는 후성유전변화(epigenetic modification)를 통해 출생 시 체중은 작지만, 출생 후 비만이나 당뇨병 등 성인병에 잘 걸릴 수 있다.

비만에 관해 고전적으로 가장 많이 연구된 물질은 트리브틸틴이며 그 외 비스페놀A, 프탈레이트, PFOA, PBDE 등도 많이 연구되었다. 다염화바이페닐, PFASs, DDT/DDE 농도가 높은 산모에서 출생한 아이는 출생체중은 작지만, 체중증가 속도가 빠르고 비만이 야기된다는 보고가 있다.

비스페놀A 및 프탈레이트와 소아비만 관련연구는 매우 많이 진행되었고 비만과 관련이 있다는 연구가 많지만, 연관성이 없다는 연구들도 많다.

내분비교란물질과 소아비만과의 관련성에 대한 결과가 일관되지 않은 것은 비잔류물질에서 측정의 부정확성, 체지방

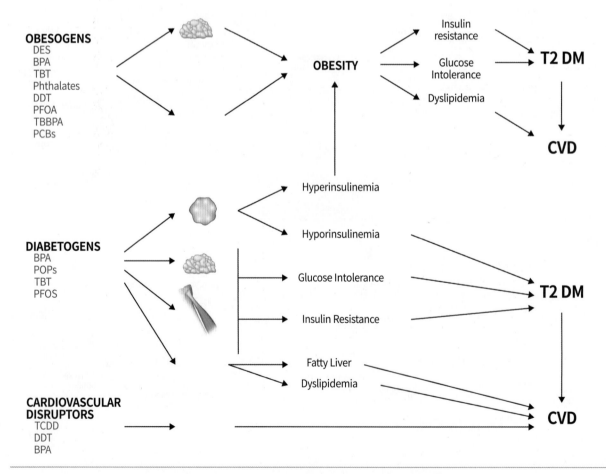

그림 12-2-3. **내분비교란물질과 비만, 당뇨병, 심혈관질환**

량의 측정이 아닌 체질량지수만으로 분석하거나 비만지표 설정의 문제, 노출시기를 정확히 알 수 없는 점, 복합 노출, 비선형용량 반응, 크레아티닌 등 보정변수의 문제(비만이면 크레아티닌 농도가 높은데 내분비교란물질을 크레아티닌으로 보정할 경우 충돌 문제) 등이 있을 수 있다.

내분비교란물질이 인슐린 생성, 분비, 작용을 변화시키며 간, 근육, 췌장, 위장관계, 뇌에서 인슐린저항성을 야기하여 당뇨병을 유발할 수 있어 내분비교란물질을 다이아베토젠(diabetogens)으로 명명하기도 하며 다양한 대사작용이 점차 알려지면서 내분비교란물질은 대사교란물질(metabolism disrupting chemicals, MDCs)로 불리우기도 한다.

특히, 다염화바이페닐, 유기염소계 농약 등의 잔류유기오염물질의 경우 2형당뇨병과의 관련성을 보고한 전향연구들이 많다. 관련 기전은 아릴탄화수소수용체(aryl hydrocarbon receptor, AhR), PPARα, 에스트로젠수용체와 결합한 후에 유전자발현의 변화로 추정한다. 그런데, 비만 및 당뇨병 유발효과는 단순한 용량–반응관계를 보이지 않고 노출 수준에 따라서 다양한 표현형을 나타낸다.

소아대상 역학연구에서 당뇨병과의 관련성에 관한 연구는 성인에 비해서 많지는 않으며 다염화바이페닐, 비스페놀A, 프탈레이트, 다환방향족탄화수소(polycyclic aromatic hydrocarbon, PAH), 다이옥신과 인슐린저항성에 관해 보고되었다.

한편, 내분비교란물질이 췌도염을 유발하여 1형당뇨병을 일으킬 수 있는 점에 대해서도 활발히 연구되고 있다.

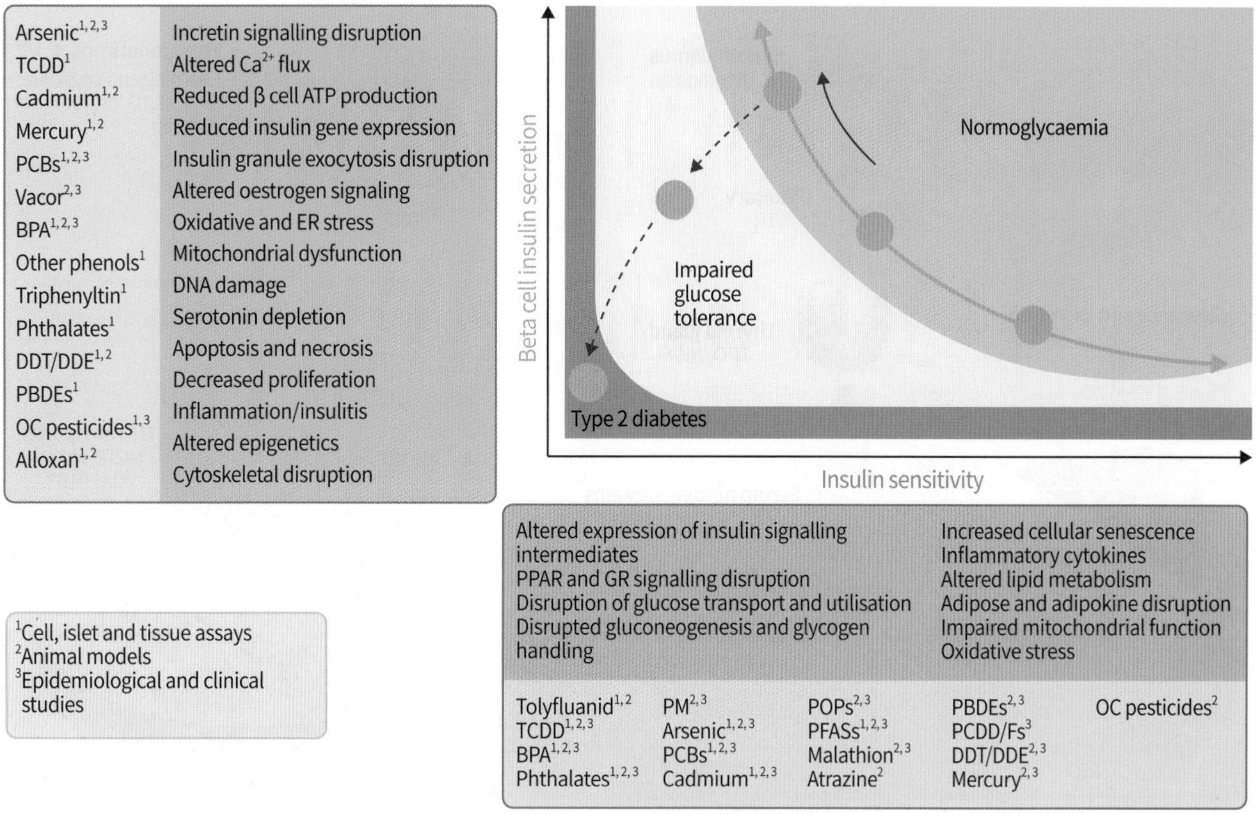

Arsenic[1,2,3]	Incretin signalling disruption
TCDD[1]	Altered Ca²⁺ flux
Cadmium[1,2]	Reduced β cell ATP production
Mercury[1,2]	Reduced insulin gene expression
PCBs[1,2,3]	Insulin granule exocytosis disruption
Vacor[2,3]	Altered oestrogen signaling
BPA[1,2,3]	Oxidative and ER stress
Other phenols[1]	Mitochondrial dysfunction
Triphenyltin[1]	DNA damage
Phthalates[1]	Serotonin depletion
DDT/DDE[1,2]	Apoptosis and necrosis
PBDEs[1]	Decreased proliferation
OC pesticides[1,3]	Inflammation/insulitis
Alloxan[1,2]	Altered epigenetics
	Cytoskeletal disruption

[1]Cell, islet and tissue assays
[2]Animal models
[3]Epidemiological and clinical studies

Beta cell insulin secretion

Normoglycaemia

Impaired glucose tolerance

Type 2 diabetes

Insulin sensitivity

Altered expression of insulin signalling intermediates
PPAR and GR signalling disruption
Disruption of glucose transport and utilisation
Disrupted gluconeogenesis and glycogen handling

Increased cellular senescence
Inflammatory cytokines
Altered lipid metabolism
Adipose and adipokine disruption
Impaired mitochondrial function
Oxidative stress

Tolyfluanid[1,2]	PM[2,3]	POPs[2,3]	PBDEs[2,3]	OC pesticides[2]
TCDD[1,2,3]	Arsenic[1,2,3]	PFASs[1,2,3]	PCDD/Fs[3]	
BPA[1,2,3]	PCBs[1,2,3]	Malathion[2,3]	DDT/DDE[2,3]	
Phthalates[1,2,3]	Cadmium[1,2,3]	Atrazine[2]	Mercury[2,3]	

그림 12-2-4. **내분비교란물질과 당뇨병**

VI. 갑상선질환

내분비교란물질은 갑상선호르몬의 생성, 수송 및 대사의 모든 과정에 관여하여 갑상선호르몬 농도를 변화시킨다.

갑상선 교란물질로서 가장 많이 연구된 것은 다염화바이페닐, PBDEs 등이다. 임산부에서 다염화바이페닐, PBDEs, 과염소산염(perchlorate), p,p-DDE, 유기염소계 농약, 프탈레이트와 페놀류(비스페놀A, 트리클로산 등)의 농도가 높을수록 출생한 신생아의 T_3, T_4 농도가 낮으며 TSH가 높다는 연구가 각각 보고되었지만 갑상선호르몬 농도와 관련성이 없다는 보고도 있어 일치된 견해는 없다. 몇몇 내분비교란물질이 갑상선기능을 교란시키는 것은 의심할 바 없으나 혈중 갑상선호르몬 농도(T_3, T_4, TSH)만으로는 내분비교란물질의 갑상선조직에 대한 영향을 완전히 반영하지 못하여 부가적인 바이오마커의 연구가 필요할 것으로 보인다.

VII. 신경계 발달

뇌는 내분비교란물질이 작용할 수 있는 핵호르몬수용체, 스테로이드 합성효소 및 신경전달물질체계가 광범위하게 분포하기 때문에 내분비교란물질 노출에 매우 취약하며 신경내분비, 인지 및 정서기능 등의 기타 행동에 관여하는 특정 유전자와 단백질의 발현에 분자 및 세포 수준에서 변화가 생긴다.

태아시기에서의 노출이 신경발달에 영향을 초래하는 물질로써 특히 다염화바이페닐, PBDEs 등이 가장 많이 연구되었고 그 외 과불소화물, 비스페놀A 및 프탈레이트류와의 관련성이 많이 연구되었다. 임산부의 이들 물질에 대한 노출과 출생아의 신경발달(Bayley Scale)검사 중 IQ 감소, 인지기능저하, 과잉행동장애, 주의력 결핍, 자폐스펙트럼장애(autism spectrum disorder), 불안, 우울, 저긴장증과의 관련

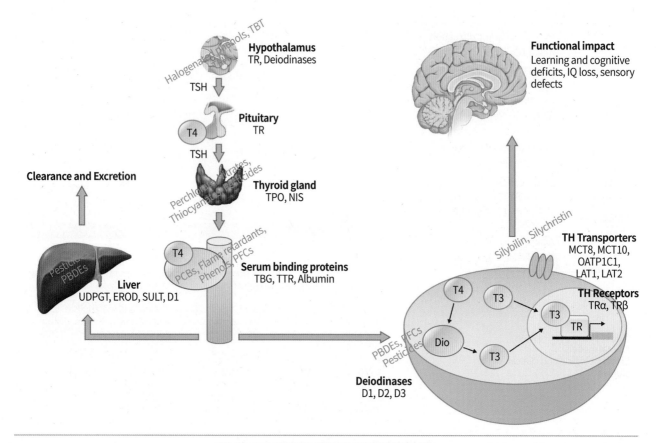

그림 12-2-5. 내분비교란물질과 호르몬 생성 및 대사

성이 보고되고 있으며 이러한 내분비교란물질이 뇌에 미치는 효과는 성별에 따라 반응이 다르다. PBDEs, 유기염소계 살충제, 다염화바이페닐 등이 신경발달에 미치는 영향은 갑상선기능의 교란에 의한 것이라는 가설이 제시되고 있다.

VIII. 내분비교란물질 연구의 방향

첫째, 내분비교란물질의 노출원에 대한 국내현황 파악 및 노출 감소를 위한 계몽이 필요하다.

둘째, 내분비교란물질의 작용기전에 대해 호르몬수용체, 신호전달과정, 사립체 독성, 호르몬대사 과정을 포함한 분자세포학적 연구와 후성유전연구가 필요하며 다면복합노출 확인을 위해 통합 고도화 분석법 확립도 시급하다.

셋째, 결정적 생애주기(태아, 영유아, 사춘기 등)에 따른 노출평가 및 저용량의 만성적 노출의 결과, 복합물질의 노출평가, 새로운 대체재로 사용이 증가하는 내분비교란물질의 노출과 건강에 미치는 영향에 관해 다학제 간의 협동적 연구와 새로운 접근이 필요하다.

참 / 고 / 문 / 헌

1. Etzel RA. Pediatric Environmental Health. 4th ed. Illinois: American Academy of Pediatrics; 2018.

2. Ghassabian A, Vandenberg L, Kannan K, Trasande L. Endocrine-disrupting chemicals and child health. Annu Rev Pharmacol Toxicol 2022;62:573-94.

3. Gore AC, Chappell VA, Fenton SE, Flaws JA, Nadal A, Prins GS, et al. EDC-2: the endocrine society's second scientific statement on endocrine- disrupting chemicals. Endocr Rev 2015;36:1-50.

4. Heindel JJ, Blumberg B, Cave M, Machtinger R, Mantovani A, Mendez MA, et al. Metabolism disrupting chemicals and metabolic disorders. Reprod Toxicol 2017;68:3-33.

5. Kahn LG, Philippat C, Nakayama SF, Slama R, Trasande L. Endocrine-disrupting chemicals: implications for human health. Lancet Diabetes Endocrinol 2020;8:703-18.

6. Kiess W, Häussler G, Vogel M. Endocrine-disrupting chemicals and child health. Best Pract Res Clin Endocrinol Metab. 2021;35:101516.

7. Kim SH, Park MJ. Endocrine disrupting chemicals and pubertal development. Endocrinol Metab 2012;27:20-7.

8. Kumar M, Sarma DK, Shubham S, Kumawat M, Verma V, Prakash A, et al. Environmental endocrine-disrupting chemical exposure: role in non-communicable diseases. Front Public Health 2020;24;8:553850.

9. La Merrill MA, Vandenberg LN, Smith MT, Goodson W, Browne P, Patisaul HB, et al. Consensus on the key characteristics of endocrine-disrupting chemicals as a basis for hazard identification. Nat Rev Endocrinol 2020;16:45-57.

10. Lopez-Rodriguez D, Franssen D, Bakker J, Lomniczi A, Parent AS. Cellular and molecular features of EDC exposure: consequences for the GnRH network. Nat Rev Endocrinol 2021;17:83-96.

11. Mimoto MS, Nadal A, Sargis RM. Polluted Pathways: mechanisms of metabolic disruption by endocrine disrupting chemicals. Curr Environ Health Rep 2017;4:208-22.

12. Moon S, Seo MY, Choi K, Chang YS, Kim SH, Park MJ. Urinary bisphenol: a concentrations and the risk of obesity in Korean adults. Sci Rep 2021;11:1603.

13. Mughal BB, Fini JB, Demeneix BA. Thyroid-disrupting chemicals and brain development: an update. Endocr Connect 2018;7:160-86.

14. Padmanabhan V, Song W, Puttabyatappa M. Praegnatio perturbatio—impact of endocrine- disrupting chemical. Endocr Rev. 2021;42:295-353.

15. Rotondo E, Chiarelli F. Endocrine-disrupting chemicals and insulin resistance in children. Biomedicines 2020;8: 137.

16. Sargis RM, Simmons RA. Environmental neglect: endocrine disruptors as underappreciated but potentially modifiable diabetes risk factors. Diabetologia 2019;62:1811-22.

17. Seo MY, Moon S, Kim SH, Park MJ. An association of phthalate metabolite and bisphenol A levels with obesity in children: Korean National Environmental Health Survey (KoNEHS) 2015-2017. Endocrinol Metab (Seoul) 2022;37:249-60.

18. Yilmaz B, Terekeci H, Sandal S, Kelestimur F. Endocrine disrupting chemicals: exposure, effects on human health, mechanism of action, models for testing and strategies for prevention. Rev Endocr Metab Disord 2020;21:127-47.

성인에 미치는 영향

전 숙

I. 서론

내분비교란물질은 체내에서 성장, 발달, 생식, 노화를 조절하는 호르몬의 작용을 방해하여 질병 및 기능이상을 유발하고 암의 발생 등 사람의 건강에 영향을 줄 수 있는 중요한 원인으로 대두되고 있다. 내분비교란물질의 건강문제 발생에 대한 역학적 근거가 지속적으로 보고되고 있고 기전에 대한 실험적 연구도 증가하고 있으나 현재까지는 후향역학연구가 대부분이며 향후 전향연구와 기전연구가 매우 필요한 상황이다.

소아와 성인에서의 영향이 다른 양상으로 보고되고 있으며 이번 장에서는 성인에게 미치는 영향을 중심으로 설명하고자 한다. 내분비교란물질의 성인에의 영향은 비만, 2형당뇨병, 심혈관질환, 남성 및 여성 생식 건강에 대한 영향, 갑상선 등의 내분비 기능이상 및 각종 호르몬 반응성 암의 발생 등 전신에 걸쳐 다양하게 나타난다.

II. 비만과 대사질환

비스페놀A, 프탈레이트, 트리브틸틴 및 잔류유기오염물질 중에서 대표적인 트랜스노나클로(trans-nonachlor), DDE, 다염화바이페닐, 다이옥신, PBDEs, DDT, PFOA, 과불소화물 등은 역학연구 및 세포, 동물모델에서 비만과 2형당뇨병의 발생에 영향을 미치는 것으로 알려져 있다.

다양한 종류의 내분비교란물질이 지방세포 분화 및 지방합성 증가, 인슐린 합성, 분비 및 작용을 변화시켜 2형당뇨병의 감수성을 증가시키고 일부 동물모델에서는 내분비교란물질이 심혈관계에 직접적인 악영향을 미친다.

사람을 대상으로 한 다수의 횡단 면역학연구에서 내분비교란물질의 노출수준과 비만, 당뇨병, 심혈관질환과의 연관성이 보고되었다. 잔류유기오염물질의 경우 2형당뇨병과의 관련성을 보고한 전향연구들이 있으며 특히 단일 잔류유기오염물질이 2형당뇨병 발생을 유의하게 예측할 수는 없지만 일부 잔류유기오염물질의 조합은 2형당뇨병의 미래위험을 예측할 수 있다는 의견을 제시하였다. 이는 실제 우리 환경에서 발생하는 여러 내분비교란물질의 혼합노출이 실험실에서 연구되는 단일화학물질 노출보다 더 중요할 수 있다는 의견을 뒷받침한다. 한편 프탈레이트, 비스페놀A 및 다염화바이페닐은 임신당뇨병과 연관성이 보고되었다.

특이한 것은 내분비교란물질의 비만 및 당뇨병 유발효과는 단순한 용량-반응관계를 보이지 않는다는 점이며, 또한 내분비교란물질의 노출수준에 따라서 다양한 표현형을 나타낼 수 있다는 것이다.

내분비교란물질과 비만 및 대사질환과의 관련 기전은 대부분 세포와 동물실험을 통한 것이며 아직도 많이 부족하다. 오염방지 살충제로 많이 사용되는 트리부틸틴은 지방 합성의 중요한 조절 핵전사인자인 PPARγ와 RXR의 작용제로 전구지방세포에서 지방 생합성을 증가시키고, 비스페놀A는 에스트로젠수용체를 경유하며, 잔류유기오염물질 중 다염화바이페닐 등은 아릴탄화수소수용체와 결합하여 비만, 당뇨병과 연관된 유전자발현에 중요한 역할을 하는 것으로 생각되고 있다. 최근에는 이런 표현형의 변화가 한 세대에서 머무는 것이 아니라 세대 간 전달되며 이는 DNA유전자서열에 변화 없이 기능의 변화를 유발하는 후성유전변화가 중요한 기전으로 관여한다고 제시된다.

내분비교란물질의 노출과 비만, 2형당뇨병, 심혈관질환과의 상호작용은 앞으로 지속적으로 연구되어야 하는 중요한 문제이다.

III. 여성의 생식 건강

내분비교란물질은 여성의 생식기관의 구조나 기능에 영향을 미쳐 여성의 생식을 방해할 수 있다. 다양한 연구에서 내분비교란물질은 동물모델에서 난소의 발달에 중요한 과정을 저해하고, 난포의 성장저해, 난포폐쇄/세포자멸사 증가를 통해 출생 후 난소의 구조와 기능에 악영향을 미치고, 동물과 여성에서 스테로이드 호르몬 농도를 교란시킨다고 보고되었다.

실험연구와 역학연구의 결과에 불일치가 있으나, 일부 내분비교란물질은 자궁, 질, 뇌하수체의 구조나 기능에 악영향을 미칠 수 있다고 제시된다. 일부 내분비교란물질은 비정상적인 사춘기, 불규칙한 생리주기, 생식력 감소, 불임, 다낭난소증후군, 자궁내막증, 자궁근종, 조산, 출산 시 합병증과 연관되어 있다.

여러 내분비교란물질은 에스트로젠, 항에스트로젠, 안드로젠 및 항안드로젠기전을 통해 여성 생식호르몬과 수용체에 영향을 미치며 그 중 비스페놀A, 프탈레이트는 이종에스트로젠으로 분류되며 수용체 의존적 기전 및 수용체 독립적 기전으로 작용한다고 알려져 있다.

아직까지는 연구결과의 다양성을 설명하고 내분비교란물질이 여성 생식에 악영향을 미치는 기전을 이해하기 위한 정보가 제한적인 상황이므로 향후 더 많은 연구가 이 분야에서 필요하다.

호르몬에 민감한 여성암의 발생에 내분비교란물질이 영향을 미칠 수 있다. 설치류연구에 의하면 내분비교란물질이 중요한 시기에 노출되면 유방발달, 종양에 대한 감수성, 수유를 변화시킨다고 보고되었다. 설치류나 여성이 생애 초기에 다이옥신에 노출되면 사춘기 유방조직발달이 지연되며, 다이옥신은 수유, 유방암, 난소암과도 관련성이 보고되었다. 아직까지 내분비교란물질의 여성암 발생기전은 명확하지 않으며 더 많은 연구가 필요하다.

IV. 남성의 생식 건강

내분비교란물질은 남성의 생식기관에도 영향을 미치는 것으로 생각되고 있다. 항안드로젠, 이종에스트로젠, 다이옥신은 남성생식기관에서 가장 잘 알려진 내분비교란물질이다. 사람 대상 연구에서 내분비교란물질은 사춘기 성장과 정액의 질(quality)에 영향을 미치고 요도하열 및 잠복고환증과 같은 결함을 유발한다.

내분비교란물질은 스테로이드호르몬수용체에 대한 작용 또는 정상적 호르몬의 합성, 대사에 교란작용을 통해 남성 생식기관에 작용하는 것으로 생각되고 있다.

살충제, 제초제, 고엽제, 다염화바이페닐, 알킬페놀, 비스페놀A 및 일부 중금속들이 전립선에 영향을 주는 내분비교란물질로 알려져 있으며 내분비교란물질이 비정상적인 전립선 성장과 관련되어 있다고 알려져 있다. 에스트로젠수용체, 안드로젠수용체, 비타민D수용체, 레티노산수용체/레티노이드X수용체, 프로락틴 및 스테로이드대사 효소를 비롯한 여러 호르몬경로가 전립선에서 내분비교란물질에 의해 교란될 수 있다고 보고되었으며 내분비교란물질은 전립선암 위험증가의 원인으로 생각되고 있다.

V. 내분비질환

많은 종류의 화학물질들이 갑상선에 영향을 주며, 동물연구에 따르면 다염화바이페닐, PBDEs, 프탈레이트 및 과염소산산염을 포함한 많은 종류의 화학물질들이 갑상선호르몬을 감소시킬 수 있다고 알려져 있다. 그러나 이런 영향은 갑상선자극 또는 감소 등으로 다양하게 나타날 수 있다.

시상하부, 뇌하수체, 부신, 갑상선 등은 인체에서 가장 중요한 기능을 수행하는 내분비기관이며 많은 약제 및 화학물질의 타겟이기도 하다. 그러나 이러한 다양한 내분비기관과 호르몬 및 호르몬축에 대한 내분비교란물질의 영향에 대해서는 더 충분한 연구가 필요하다.

참 / 고 / 문 / 헌

1. Gore AC, Chappell VA, Fenton SE, Flaws JA, Nadal A, Prins GS, et al. EDC-2: The Endocrine Society's second scientific statement on endocrine-disrupting chemicals. Endocr Rev 2015;36:E1-150.

2. Kahn LG, Philippat C, Nakayama SF, Slama R, Trasande L. Endocrine-disrupting chemicals: implications for human health. Lancet Diabetes Endocrinol 2020;8:703-18.

3. Kumar M, Sarma DK, Shubham S, Kumawat M, Verma V, Prakash A, et al. Environmental endocrine-disrupting chemical exposure: role in non-communicable diseases. Front Public Health 2020;8:553850.

4. Lee DH, Porta M, Jacobs DR Jr, Vandenberg LN. Chlorinated persistent organic pollutants, obesity, and type 2 diabetes. Endocr Rev 2014;35:557-601.

INDEX

ㅁ

ㅂ

ㅅ

ㅊ

A

O

P